DER NEUE PAULY

Altertum   Band 6   Iul–Lee

DER NEUE PAULY

(DNP)

Fachgebietsherausgeber

Prof. Dr. Gerhard Binder, Bochum
Kulturgeschichte

Prof. Dr. Rudolf Brändle, Basel
Christentum

Prof. Dr. Hubert Cancik, Tübingen
Geschäftsführender Herausgeber

Prof. Dr. Walter Eder, Bochum
Alte Geschichte

Dr. Karl-Ludwig Elvers, Bochum
Alte Geschichte

Prof. Dr. Bernhard Forssman, Erlangen
Sprachwissenschaft; Rezeption: Sprachwissenschaft

Prof. Dr. Fritz Graf, Basel
Religion und Mythologie; Rezeption: Religion

PD Dr. Hans Christian Günther, Freiburg
Textwissenschaft

Prof. Dr. Berthold Hinz, Kassel
Rezeption: Kunst und Architektur

Dr. Christoph Höcker, Kissing
Klassische Archäologie (Architekturgeschichte)

Prof. Dr. Christian Hünemörder, Hamburg
Naturwissenschaften und Technik; Rezeption:
Naturwissenschaften

Dr. Margarita Kranz, Berlin
Rezeption: Philosophie

Prof. Dr. André Laks, Lille
Philosophie

Prof. Dr. Manfred Landfester, Gießen
Geschäftsführender Herausgeber: Rezeptions- und
Wissenschaftsgeschichte; Rezeption: Wissen-
schafts- und Kulturgeschichte

Prof. Dr. Maria Moog-Grünewald, Tübingen
Rezeption: Komparatistik und Literatur

Prof. Dr. Dr. Glenn W. Most, Heidelberg
Griechische Philologie

Prof. Dr. Beat Näf, Zürich
Rezeption: Staatstheorie und Politik

PD Dr. Johannes Niehoff, Freiburg
Judentum, östliches Christentum,
byzantinische Kultur

Prof. Dr. Hans Jörg Nissen, Berlin
Orientalistik

Prof. Dr. Vivian Nutton, London
Medizin; Rezeption: Medizin

Prof. Dr. Eckart Olshausen, Stuttgart
Historische Geographie

Prof. Dr. Filippo Ranieri, Saarbrücken
Rezeption: Rechtsgeschichte

Prof. Dr. Johannes Renger, Berlin
Orientalistik; Rezeption: Alter Orient

Prof. Dr. Volker Riedel, Jena
Rezeption: Erziehungswesen, Länder (II)

Prof. Dr. Jörg Rüpke, Potsdam
Lateinische Philologie, Rhetorik

Prof. Dr. Gottfried Schiemann, Tübingen
Recht

Prof. Dr. Helmuth Schneider, Kassel
Geschäftsführender Herausgeber; Sozial-
und Wirtschaftsgeschichte, Militär-
wesen; Wissenschaftsgeschichte

PD Dr. Christine Walde, Basel
Religion und Mythologie

Prof. Dr. Dietrich Willers, Bern
Klassische Archäologie
(Sachkultur und Kunstgeschichte)

Dr. Frieder Zaminer, Berlin
Musik; Rezeption: Musik

Prof. Dr. Bernhard Zimmermann, Freiburg
Rezeption: Länder (I)

DER NEUE PAULY

Enzyklopädie der Antike

Herausgegeben
von Hubert Cancik und
Helmuth Schneider

Altertum

Band 6   Iul–Lee

Verlag J. B. Metzler
Stuttgart · Weimar

Die Deutsche Bibliothek – CIP-Einheitsaufnahme

Der neue Pauly : Enzyklopädie der Antike/hrsg.
von Hubert Cancik und Helmuth Schneider. –
Stuttgart ; Weimar : Metzler, 1999
   ISBN 3-476-01476-2
NE: Cancik, Hubert [Hrsg.]

Bd. 6. Iul-Lee – 1999
   ISBN 3-476-01476-2

Inhaltsverzeichnis

ISBN 3-476-01470-3 (Gesamtwerk)
ISBN 3-476-01476-2 (Band 6 Iul-Lee)

© 1999 J. B. Metzlersche Verlags-
buchhandlung und Carl Ernst Poeschel
Verlag GmbH in Stuttgart

Typographie und Ausstattung:
Brigitte und Hans Peter Willberg
Grafik und Typographie der Karten:
Richard Szydlak
Abbildungen: Günter Müller
Satz: pagina GmbH, Tübingen
Gesamtfertigung: Franz Spiegel Buch
GmbH, Ulm
Printed in Germany

Verlag J. B. Metzler Stuttgart · Weimar

Redaktion

Jochen Derlien
Dr. Brigitte Egger
Susanne Fischer
Dietrich Frauer
Mareile Haase
Dr. Ingrid Hitzl
Heike Kunz
Vera Sauer
Christiane Schmidt
Dorothea Sigel
Anne-Maria Wittke

Hinweise für die Benutzung

Anordnung der Stichwörter

Die Stichwörter sind in der Reihenfolge des deutschen Alphabetes angeordnet. I und J werden gleich behandelt; ä ist wie ae, ö wie oe, ü wie ue einsortiert. Wenn es zu einem Stichwort (Lemma) Varianten gibt, wird von der alternativen Schreibweise auf den gewählten Eintrag verwiesen. Bei zweigliedrigen Stichwörtern muß daher unter beiden Bestandteilen gesucht werden (z. B. *a commentariis* oder *commentariis, a*).

Informationen, die nicht als Lemma gefaßt worden sind, können mit Hilfe des Registerbandes aufgefunden werden.

Gleichlautende Stichworte sind durch Numerierung unterschieden. Gleichlautende griechische und orientalische Personennamen werden nach ihrer Chronologie angeordnet. Beinamen sind hier nicht berücksichtigt.

Römische Personennamen (auch Frauennamen) sind dem Alphabet entsprechend eingeordnet, und zwar nach dem *nomen gentile*, dem »Familiennamen«. Bei umfangreicheren Homonymen-Einträgen werden *Republik* und *Kaiserzeit* gesondert angeordnet. Für die Namensfolge bei Personen aus der Zeit der Republik ist – dem Beispiel der RE und der 3. Auflage des OCD folgend – das *nomen gentile* maßgeblich; auf dieses folgen *cognomen* und *praenomen* (z.B. erscheint *M. Aemilius Scaurus* unter dem Lemma *Aemilius* als *Ae. Scaurus, M.*). Die hohe politische Gestaltungskraft der *gentes* in der Republik macht diese Anfangsstellung des Gentilnomens sinnvoll.

Da die strikte Dreiteilung der Personennamen in der Kaiserzeit nicht mehr eingehalten wurde, ist eine Anordnung nach oben genanntem System problematisch. Kaiserzeitliche Personennamen (ab der Entstehung des Prinzipats unter Augustus) werden deshalb ab dem dritten Band in der Reihenfolge aufgeführt, die sich auch in der »Prosopographia Imperii Romani« (PIR) und in der »Prosopography of the Later Roman Empire« (PLRE) eingebürgert und allgemein durchgesetzt hat und die sich an der antik bezeugten Namenfolge orientiert (z.B. *L. Vibullius Hipparchus Ti. C. Atticus Herodes* unter dem Lemma *Claudius*). Die Methodik – eine zunächst am Gentilnomen orientierte Suche – ändert sich dabei nicht.

Nur antike Autoren und römische Kaiser sind ausnahmsweise nicht unter dem Gentilnomen zu finden: *Cicero*, nicht *Tullius*; *Catullus*, nicht *Valerius*.

Schreibweise von Stichwörtern

Die Schreibweise antiker Wörter und Namen richtet sich im allgemeinen nach der vollständigen antiken Schreibweise.

Toponyme (Städte, Flüsse, Berge etc.), auch Länder- und Provinzbezeichnungen erscheinen in ihrer antiken Schreibung (*Asia, Bithynia*). Die entsprechenden modernen Namen sind im Registerband aufzufinden.

Orientalische Eigennamen werden in der Regel nach den Vorgaben des »Tübinger Atlas des Vorderen Orients« (TAVO) geschrieben. Daneben werden auch abweichende, aber im deutschen Sprachgebrauch übliche und bekannte Schreibweisen beibehalten, um das Auffinden zu erleichtern.

In den Karten sind topographische Bezeichnungen überwiegend in der vollständigen antiken Schreibung wiedergegeben.

Die Verschiedenheit der im Deutschen üblichen Schreibweisen für antike Worte und Namen (*Äschylus, Aeschylus, Aischolos*) kann gelegentlich zu erhöhtem Aufwand bei der Suche führen; dies gilt auch für *Ö / Oe / Oi* und *C / Z / K*.

Transkriptionen

Zu den im NEUEN PAULY verwendeten Transkriptionen vgl. Bd. 3, S. VIIIf.

Abkürzungen

Abkürzungen sind im erweiterten Abkürzungsverzeichnis am Anfang des dritten Bandes aufgelöst.

Sammlungen von Inschriften, Münzen, Papyri sind unter ihrer Sigle im zweiten Teil (Bibliographische Abkürzungen) des Abkürzungsverzeichnisses aufgeführt.

Anmerkungen

Die Anmerkungen enthalten lediglich bibliographische Angaben. Im Text der Artikel wird auf sie unter Verwendung eckiger Klammern verwiesen (Beispiel: die Angabe [1. 5[23]] bezieht sich auf den ersten numerierten Titel der Bibliographie, Seite 5, Anmerkung 23).

Verweise

Die Verbindung der Artikel untereinander wird durch Querverweise hergestellt. Dies geschieht im Text eines Artikels durch einen Pfeil (→) vor dem Wort / Lemma, auf das verwiesen wird; wird auf homonyme Lemmata verwiesen, ist meist auch die laufende Nummer beigefügt.

Querverweise auf verwandte Lemmata sind am Schluß eines Artikels, ggf. vor den bibliographischen Anmerkungen, angegeben.

Verweise auf Stichworte des zweiten, rezeptions- und wissenschaftsgeschichtlichen Teiles des NEUEN PAULY werden in Kapitälchen gegeben (→ ELEGIE).

Karten und Abbildungen

Texte, Abbildungen und Karten stehen in der Regel in engem Konnex, erläutern sich gegenseitig. In einigen Fällen ergänzen Karten und Abbildungen die Texte durch die Behandlung von Fragestellungen, die im Text nicht angesprochen werden können. Die Autoren der Karten und Abbildungen werden im Verzeichnis auf S. VIff. genannt.

Karten- und Abbildungsverzeichnis

NZ: Neuzeichnung, Angabe des Autors und/oder der
zugrunde liegenden Vorlage/Literatur
RP: Reproduktion (mit kleinen Veränderungen) nach der
angegebenen Vorlage

Lemma
Titel
AUTOR/Literatur

Iynx
Formen griechischer Iynges
Handhabung der Iynx
NZ: M. HAASE

Kalender
Schaltung im römischen und Iulianisch-Gregorianischen
Kalender
NZ: M. HAASE/J. RÜPKE
Rekonstruktion der Fasti Antiates, d.h. des voriulianischen
römischen Kalenders
NZ: M. HAASE/J. RÜPKE

Kalkriese
Kalkriese: topographische Situation und Fundstreuung
(1. Jahrzehnt des 1. Jh. n. Chr.)
NZ: R. WIEGELS

Kanal, Kanalbau
Höhenprofil des von Xerxes angelegten Kanals von Tripiti nach
Nea Roda
NZ nach: B. S. J. ISSERLIN, R. E. JONES u.a., The Canal of
Xerxes on the Mount Athos Peninsula, in: ABSA 89, 1994,
278, Abb. 1, 279, Abb. 2.
Vermuteter Wasserweg zwischen Sangarios und Sapanca-See
NZ nach: F. G. MOORE, Three Canal Projects, Roman and
Byzantine, in: AJA 54, 1950, 98 Abb. 1.

Kanalisation
1. Tiryns, myk. Palast
   NZ nach: K. MÜLLER, Tiryns 3, 1930, 172, Abb. 77.
2. Priene, offener Kanal
   NZ nach: TH. WIEGAND, H. SCHRADER, Priene, 1904, 74.
3. Priene, offener Kanal mit Absetzbecken
   NZ nach: TH. WIEGAND, H. SCHRADER, Priene, 1904, 74.
4. Priene, geschlossener Kanal
   NZ nach: TH. WIEGAND, H. SCHRADER, Priene, 1904, 74.
5. Xanten, Holzkanal
   NZ nach: U. GROTE, in: Xantener Berichte 6, 1995, 289.
6. Schema eines röm. Abwasserkanals
   NZ nach: G. CAVALIERI MANASSE, G. MASSARI, M. P.
   ROSSIGNANI, Piemonte, Valle d'Aosta, Liguria, Lombardia,
   1982, 97.

Karkemiš
Die Dynastie der hethit. Sekundogenitur Karkamis (Stemma)
NZ: F. STARKE

Karthago
Das punische Karthago (2. Jh. v. Chr.)
NZ: H. G. NIEMEYER
Das römische Karthago (E. 2. Jh. n. Chr.)
NZ: REDAKTION/E. OLSHAUSEN/H. G. NIEMEYER

Katapult
NZ nach: D. BAATZ, Bauten und Katapulte des röm.
Heeres, 1994
Gastraphetes nach Heron: BAATZ, 287, Abb. 287, Abb. 3.
Abzugsmechanik des Gastraphetes nach Heron: BAATZ, 287,
Abb. 4.
Katapult nach Vitruv (10,10): BAATZ, 179, Abb.7.
Torsionsfeder eines Katapultes (schematisch): BAATZ, 187,
Abb. 1.

Keilschrift
NZ: D. O. EDZARD

Kelten
Die galatischen Stammesstaaten in Kleinasien bis zum
Aufgehen in der römischen Provinz Galatia (3. Jh. –
25 v. Chr.)
NZ: K. STROBEL

Keltische Archäologie
Kelten
NZ: V. PINGEL (nach: L. PAULI (Hrsg.), Die Kelten in
Mitteleuropa, 1980, 31 mit Abb.)

Keltische Sprachen
Keltische Sprachen (mit verwendeten Schriften)
NZ: S. ZIEGLER

Keramikherstellung
Griechischer Töpferofen
NZ nach: A. WINTER, Die Antike Glanztonkeramik, 1978,
Abb. 9.
Kaiserzeitlicher Töpferofen von La Graufesenque
NZ nach: A. VERNHET, in: Gallia 39, 1981, 38.

Kleidung
Griechische Kleidung
Offener Peplos
NZ nach: A. PEKRIDOU-GORECKI, Mode im ant.
Griechenland, 1988, 78f. Abb. 51 a-e.
Geschlossener Peplos
NZ nach: A. PEKRIDOU-GORECKI, Mode im ant.
Griechenland, 1988, 81 Abb. 53 a-d.
Ependytes
NZ nach: H. KÜHNEL, Bildwörterbuch der Kleidung und
Rüstung, 1992, 70.
Chiton
NZ nach: A. PEKRIDOU-GORECKI, Mode im ant.
Griechenland, 1988, 75 Abb. 48 a-c.
Chlamys
NZ nach: F. ECKSTEIN, s.v. Kleidung, LAW 1535 d.e.
Römische Kleidung
Tunica
NZ nach: K.-W. WEEBER, Alltag im Alten Rom, 1995,
206 f.
Palla
NZ nach: K.-W. WEEBER, Alltag im Alten Rom, 1995, 209.
Toga (Anlegen einer Toga)
NZ nach: K.-W. WEEBER, Alltag im Alten Rom, 1995, 206.
Lacerna
NZ nach: H. KÜHNEL, Bildwörterbuch der Kleidung und
Rüstung, 1992, 153.
Pallium
NZ nach: H. KÜHNEL, Bildwörterbuch der Kleidung und
Rüstung, 1992, 185.

Anspannung in römischer Zeit

1. Einspänner
   NZ nach: G. Raepsaet, Attelages antiques dans le Nord de la Gaule, in: Trierer Zeitschrift 45, 1982, 258 Pl. G 18.

2. Zweispänner
   NZ nach: G. Raepsaet, Attelages antiques dans le Nord de la Gaule, in: Trierer Zeitschrift 45, 1982, 255 Pl. D 2.

3. Vierspänner
   NZ nach: G. Raepsaet, Attelages antiques dans le Nord de la Gaule, in: Trierer Zeitschrift 45, 1982, 258 Pl. G 36.

Latinischer Städtebund
Latinische Städtebünde (bis zum 4. Jh. v. Chr.)
   NZ: Redaktion/W. Eder/H. Galsterer

Laureion
Das antike Erzbergbaurevier Laureion, bes. 5./4.Jh. v. Chr.
   NZ: H. Lohmann/Redaktion

Lebensalter
Fünf mögliche Einteilungen der Lebensalter
   NZ: M. Saiko

Autoren

Maria Grazia **Albiani** Bologna	M. G. A.
James **Allen** Pittsburgh	JA. AL.
Annemarie **Ambühl** Basel	A. A.
Walter **Ameling** Jena	W. A.
Jean **Andreau** Paris	J. A.
Pierre **Aubenque** Paris	P. AU.
Dietwulf **Baatz** Bad Homburg	D. BA.
Knut **Backhaus** Paderborn	KN. B.
Ernst **Badian** Cambridge, Mass.	E. B.
Balbina **Bäbler** Bern	B. BÄ.
Matthias **Baltes** Münster	M. BA.
Pedro **Barceló** Potsdam	P. B.
Gerhard **Baudy** Konstanz	G. B.
Otto A. **Baumhauer** Bremen	O. B.
Hans **Beck** Köln	HA. BE.
Cornelia **Becker** Berlin	CO. B.
Ralf **Behrwald** Chemnitz	RA. B.
Klaus **Belke** Wien	K. BE.
Albrecht **Berger** Berlin	AL. B.
Angelika **Berlejung** Heidelberg	A. BER.
Gábor **Betegh** Budapest	G. BE.
Serena **Bianchetti** Florenz	S. B.
Gebhard **Bieg** Tübingen	GE. BI.
Gerhard **Binder** Bochum	G. BI.
Vera **Binder** Tübingen	V. BI.
A. R. **Birley** Düsseldorf	A. B.
Bruno **Bleckmann** Straßburg	B. BL.
René **Bloch** Basel	R. B.
Horst-Dieter **Blume** Münster	H.-D. B.
Dominik **Bonatz** Berlin	DO. BO.
Annalisa **Bove** Pisa	A. BO.
Ewen **Bowie** Oxford	E. BO.
Rudolf **Brändle** Basel	R. BR.
Jan N. **Bremmer** Groningen	J. B.
Burchard **Brentjes** Berlin	B. B.
Christoph **Briese** Randers	CH. B.
Klaus **Bringmann** Frankfurt/Main	K. BR.
Sebastian P. **Brock** Oxford	S. BR.
Kai **Brodersen** Mannheim	K. BRO.
Maria **Broggiato** London	MA. BR.
Leonhard **Burckhardt** Basel	LE. BU.
Jan **Burian** Prag	J. BU.
Elisabetta **Caldelli** Cassino	E. CA.
Halet **Çambel** Istanbul	HA. ÇA.
J. Brian **Campbell** Belfast	J. CA.
Paul A. **Cartledge** Cambridge	P. C.
Eckhard **Christmann** Heidelberg	E. C.
Justus **Cobet** Essen	J. CO.
Christo **Danoff** Sofia	CHR. D.
Giovanna **Daverio Rocchi** Mailand	G. D. R.
Juliette **de la Genière** Nevilly-sur-Seine	J. d. G.
Philip **de Souza** Twickenham	P. d. S.
Stefania **de Vido** Pisa	S. d. V.
Wolfgang **Decker** Köln	W. D.
Sigrid **Deger-Jalkotzy** Salzburg	S. D.-J.
Wolfgang **Detel** Frankfurt/Main	W. DE.
Karlheinz **Dietz** Würzburg	K. DI.
Klaus **Döring** Bamberg	K. D.
Friedrich Karl **Dörner** Münster	F. K. D.
Alice A. **Donohue** Bryn Mawr	A. A. D.
Tiziano **Dorandi** Paris	T. D.
Paul **Dräger** Trier	P. D.
Thomas **Drew-Bear** Lyon	T. D.-B.
Hans-Joachim **Drexhage** Marburg	H.-J. D.
Boris **Dreyer** Göttingen	BO. D.
Hans-Peter **Drögemüller** Hamburg	H.-P. DRÖ.
Stella **Drougou** Thessaloniki	S. DR.
Ludmil **Duridanov** Freiburg	L. D.
Werner **Eck** Köln	W. E.
Walter **Eder** Bochum	W. ED.
Dietz Otto **Edzard** München	D. O. E.
Ulrike **Egelhaaf-Gaiser** Potsdam	UL. EG.-G.
Beate **Ego** Osnabrück	B. E.
Karl-Ludwig **Elvers** Bochum	K.-L. E.
Helmut **Engelmann** Köln	HE. EN.
Johannes **Engels** Köln	J. E.
Robert K. **Englund** Berlin	R. K. E.
Michael **Erler** Würzburg	M. ER.
R. Malcolm **Errington** Marburg	MA. ER.
Marion **Euskirchen** Bonn	M. E.
Giulia **Falco** Athen	GI. F.
Marco **Fantuzzi** Florenz	M. FA.
Heinz **Felber** Leipzig	HE. FE.
Martin **Fell** Münster	M. FE.
Klaus **Fischer** Bonn	KL. FI.
Menso **Folkerts** München	M. F.
Sotera **Fornaro** Heidelberg	S. FO.
Bernhard **Forssman** Erlangen	B. F.
Thomas **Franke** Dortmund	T. F.
Christa **Frateantonio** Gießen	C. F.
Michael **Frede** Oxford	M. FR.
Klaus **Freitag** Münster	K. F.
Alexandra **Frey** Basel	AL. FR.
Gérard **Freyburger** Mulhouse	G. F.
Helmut **Freydank** Potsdam	H. FR.
Thomas **Frigo** Bonn	T. FR.
Roland **Fröhlich** Tübingen	RO. F.
Jörg **Fündling** Bonn	JÖ. F.
Alfons **Fürst** Bamberg	A. FÜ.
Peter **Funke** Münster	P. F.
William D. **Furley** Heidelberg	W. D. F.
Massimo **Fusillo** L'Aquila	M. FU.
Lucia **Galli** Florenz	L. G.
Hartmut **Galsterer** Köln	H. GA.
Paolo **Gatti** Trient	P. G.
Hermann **Genz** Istanbul	H. GE.
Jörg **Gerber** München	JÖ. GE.
Klaus **Geus** Bamberg	KL. GE.
Tomasz **Giaro** Frankfurt/Main	T. G.
Christian **Gizewski** Berlin	C. G.
Franz **Glaser** Klagenfurt	F. GL.
Richard L. **Gordon** Ilmmünster	R. GOR.
Hans **Gottschalk** Leeds	H. G.
Marie-Odile **Goulet-Cazé** Antony	M. G.-C.
Fritz **Graf** Basel	F. G.
Gerd **Graßhoff** Hamburg	GE. G.
Herbert **Graßl** Salzburg	H. GR.
Richard **Grieshammer** Heidelberg	R. GR.
Walter Hatto **Groß** Hamburg	W. H. GR.
Kirsten **Groß-Albenhausen** Frankfurt/Main	K. G.-A.
Joachim **Gruber** Erlangen	J. GR.
Linda-Marie **Günther** München	L.-M. G.
Andreas **Gutsfeld** Berlin	A. G.
Volkert **Haas** Berlin	V. H.

Mareile **Haase** Tübingen	M. HAA.	Luigi **Lehnus** Mailand	L. L.
Wolfgang **Habermann** Heidelberg	WO. HA.	Thomas **Leisten** Princeton	T. L.
Ilsetraut **Hadot** Limours	I. H.	Hartmut **Leppin** Hannover	H. L.
Claus **Haebler** Münster	C. H.	Anne **Ley** Xanten	A. L.
Johannes **Hahn** Münster	J. H.	Adrienne **Lezzi-Hafter** Kilchberg	A. L.-H.
Ulf **Hailer** Tübingen	U. HA.	Wolf-Lüder **Liebermann** Bielefeld	W.-L. L.
Ruth E. **Harder** Zürich	R. HA.	Cay **Lienau** Münster	C. L.
Stefan R. **Hauser** Berlin	S. HA.	Stefan **Link** Paderborn	S. L.
Arnulf **Hausleiter** Berlin	AR. HA.	Winrich Alfried **Löhr** Cambridge	W. LÖ.
Eberhard **Heck** Tübingen	E. HE.	Hans **Lohmann** Bochum	H. LO.
Hartwig **Heckel** Bochum	H. H.	Angelika **Lohwasser** Berlin	A. LO.
Martin **Heimgartner** Basel	M. HE.	Mario **Lombardo** Lecce	M. L.
Theodor **Heinze** Genf	T. H.	Wolfram-Aslan **Maharam** Berlin	W.-A. M.
Joachim **Hengstl** Marburg/Lahn	JO. HE.	Georgios **Makris** Bochum	G. MA.
Bernhard **Herzhoff** Trier	B. HE.	Giacomo **Manganaro** Sant' Agata li Battiata	GI. MA.
Thomas **Hidber** Bern	T. HI.	Christian **Marek** Zürich	C. MA.
Friedrich **Hild** Wien	F. H.	Christoph **Markschies** Berlin	C. M.
Almut **Hintze** Cambridge	A. HI.	Attilio **Mastrocinque** Verona	A. MAS.
Christoph **Höcker** Kissing	C. HÖ.	Andreas **Mehl** Halle/Saale	A. ME.
Peter **Högemann** Tübingen	PE. HÖ.	Mischa **Meier** Bochum	M. MEI.
Nicola **Hoesch** München	N. H.	Gerhard **Meiser** Halle/Saale	GE. ME.
Philippe **Hoffmann** Paris	PH. H.	Franz-Stefan **Meissel** Wien	F. ME.
Jens **Holzhausen** Berlin	J. HO.	Klaus **Meister** Berlin	K. MEI.
Blahoslav **Hruška** Prag	BL. HR.	Ernst **Meyer** Zürich	E. MEY.
Wolfgang **Hübner** Münster	W. H.	Simone **Michel** Hamburg	S. MI.
Christian **Hünemörder** Hamburg	C. HÜ.	Raphael **Michel** Basel	RA. MI.
Hermann **Hunger** Wien	H. HU.	Heide **Mommsen** Stuttgart	H. M.
Rolf **Hurschmann** Hamburg	R. H.	Franco **Montanari** Pisa	F. M.
Werner **Huß** Bamberg	W. HU.	Ludwig D. **Morenz** Tübingen	L. D. M.
Brad **Inwood** Toronto	B. I.	Claire **Muckensturm-Poulle** Besançon	C. M.-P.
Karl **Jansen-Winkeln** Berlin	K. J.-W.	Walter W. **Müller** Marburg	W. W. M.
Michael **Job** Marburg	M. J.	Christian **Müller** Hagen	C. MÜ.
Klaus-Peter **Johne** Berlin	K. P. J.	Anna **Muggia** Pavia	A. MU.
Sarah Iles **Johnston** Columbus	S. I. J.	Peter C. **Nadig** Duisburg	P. N.
Hansjörg **Kalcyk** Petershausen	H. KAL.	Dietmar **Najock** Berlin	D. N.
Hans **Kaletsch** Regensburg	H. KA.	Michel **Narcy** Paris	MI. NA.
Klaus **Karttunen** Espoo	K. K.	Heinz-Günther **Nesselrath** Bern	H.-G. NE.
Robert A. **Kaster** Princeton	R. A. K.	Richard **Neudecker** Rom	R. N.
Helen **Kaufmann** Basel	HE. KA.	Hans **Neumann** Berlin	H. N.
Peter **Kehne** Hannover	P. KE.	Johannes **Niehoff** Freiburg	J. N.
Christa **Müller-Kessler** Emskirchen	C. K.	Herbert **Niehr** Rottenburg	H. NI.
Karlheinz **Kessler** Emskirchen	K. KE.	Inge **Nielsen** Kopenhagen	I. N.
Wilhelm **Kierdorf** Köln	W. K.	Hans Georg **Niemeyer** Hamburg	H. G. N.
Helen **King** Reading	H. K.	René **Nünlist** Basel	RE. N.
Jörg **Klinger** Bochum	J. KL.	Vivian **Nutton** London	V. N.
Claudia **Klodt** Hamburg	CL. K.	Norbert **Oettinger** Augsburg	N. O.
Dietrich **Klose** München	DI. K.	Eckart **Olshausen** Stuttgart	E. O.
Ernst Axel **Knauf** Zumikon	E. A. K.	Björn **Onken** Marburg	BJ. O.
Heiner **Knell** Darmstadt	H. KN.	Robin **Osborne** Oxford	R. O.
Matthias **Köckert** Berlin	M. K.	Jürgen **Osing** Berlin	J. OS.
Anne **Kolb** Frankfurt/Main	A. K.	J. Michael **Padgett** Princeton	M. P.
Fritz **Krafft** Marburg	F. KR.	Johannes **Pahlitzsch** Berlin	J. P.
Herwig **Kramolisch** Eppelheim	HE. KR.	Dario **Palermo** Catania	DA. P.
Guido **Kryszat** Münster	GU. KR.	Rosario **Patané** Catania	RO. PA.
Ludolf **Kuchenbuch** Hagen	LU. KU.	Barbara **Patzek** Wiesbaden	B. P.
Hartmut **Kühne** Berlin	H. KÜ.	Christoph Georg **Paulus** Berlin	C. PA.
Amélie **Kuhrt** London	A. KU.	Anneliese **Peschlow-Bindokat** Berlin	A. PE.
Heike **Kunz** Tübingen	HE. K.	Ulrike **Peter** Berlin	U. P.
Yves **Lafond** Bochum	Y. L.	Volker **Pingel** Bochum	V. P.
Joachim **Latacz** Basel	J. L.	Robert **Plath** Erlangen	R. P.
Yann **Le Bohec** Lyon	Y. L. B.	Annegret **Plontke-Lüning** Jena	A. P.-L.
Eckhard **Lefèvre** Freiburg	E. L.	Thomas **Podella** Lübeck	TH. PO.
Gunnar **Lehmann** Jerusalem	G. LE.	Michel **Polfer** Ettelbrück	MI. PO.

Übersetzer

A. Beuchel	A. BE.	C. Pöthig	C. P.
K. Brodersen	K. BRO.	F. Prescendi	F. P.
J. Derlien	J. DE.	B. v. Reibnitz	B. v. R.
H. Dietrich	H. D.	L. v. Reppert-Bismarck	L. v. R.-B.
E. Dürr	E. D.	U. Rüpke	U. R.
C. Eichmüller	C. EI.	J. Salewski	J. S.
A. Heckmann	A. H.	I. Sauer	I. S.
T. Heinze	T. H.	V. Sauer	V. S.
H. Kaufmann	H. K.	A. Schilling	A. SCH.
J. W. Mayer	J. W. M.	L. Strehl	L. S.
M. Mohr	M. MO.	R. Struß–Höcker	R. S.-H.
S. Paulus	S. P.	A. Thorspecken	A. T.
P. Plieger	P. P.	S. Unteregge	S. U.

Mitarbeiter in den Fachgebietsredaktionen

Alte Geschichte:	Anne Krahn Dr. Mischa Meier Dr. Thomas Franke	Lateinische Philologie, Rhetorik:	Martina Dürkop Bärbel Geyer Guido Greschke
Archäologie (Sachkultur und Kunstgeschichte):	Dr. Fulvia Ciliberto	Philosophie:	Vanessa Kucinska
Christentum:	Dr. Martin Heimgartner	Religion und Mythologie:	Alexandra Frey Raphael Michel
Griechische Philologie:	Raphael Sobotta		Dr. Francesca Prescendi
Historische Geographie:	Vera Sauer M. A. Christian Winkle	Sozial- und Wirtschaftsgeschichte:	Kathrin Umbach
Kulturgeschichte:	Janine Andrae Hartwig Heckel Judith Hendricks	Sprachwissenschaft:	Christel Kindermann Dr. Robert Plath

I

Iulia

[1] Väterlicherseits Tante des C. Iulius → Caesar, heiratete zwischen 115 und 109 v. Chr. C. Marius, mit dem sie einen Sohn namens C. Marius (*cos.* 82) hatte (Plut. Marius 6,3; Plut. Caesar 1,1; Sall. hist. 1,35 MAUR). Informationen über I.s Leben gibt es kaum. Anläßlich ihres Todes im J. 68 hielt Caesar eine großangelegte Leichenfeier ab (Suet. Iul. 6,1; Plut. Caesar 5,1).

[2] Tochter des L. Iulius [I 5] Caesar und der Fulvia (Tochter von M. Fulvius Flaccus). Aus ihrer ersten Ehe mit M. Antonius [I 8] Creticus stammten drei Söhne, darunter der spätere Triumvir M. Antonius [I 9]. Nach 71 v. Chr. heiratete sie P. Cornelius [I 56] Lentulus Sura. Dessen Hinrichtung als Catilinarier im J. 63 v. Chr. scheint I. nicht diskreditiert zu haben (Cic. Catil. 4,13). Im Machtkampf zwischen Octavian und Antonius unterstützte sie wie ihre Schwiegertochter Fulvia [2] Antonius (App. civ. 3,51,58), wirkte aber anders als jene vermittelnd und mäßigend. 43 rettete I. ihren proskribierten Bruder L. Iulius [I 6] Caesar (Plut. Antonius 20,2; App. civ. 4,37) und unterstützte röm. *matronae* gegen die Besteuerung ihres Vermögens (App. civ. 4,32). Während des Perusinischen Krieges (→ Augustus C.) floh sie zu Sextus Pompeius, 40 setzte sie sich für den Vertrag von Brundisium ein (Plut. Antonius 32; App. civ. 5,52; 63; Cass. Dio 48,15,2; 16,2). Plutarch (Antonius 2,1) bezeichnet I. als eine der »besten und sittsamsten« Frauen ihrer Zeit.

[3] Kaum bekannte (ältere) Schwester des C. Iulius → Caesar.

[4] Jüngere der beiden Schwestern Caesars. Vermutlich sagte diese, nicht die ältere I., im J. 61 v. Chr. mit ihrer Mutter Aurelia [1] im Bona Dea-Prozeß aus (Suet. Iul. 74,2; Schol. Bobiensia 89,26–28 ST). Mit ihrem Gatten M. Atius Balbus hatte I. zwei Töchter, durch die ältere wurde sie Großmutter des späteren Augustus (Suet. Aug. 4,1), dessen Erziehung sie von etwa 58 bis zu ihrem Tode 51 leitete. Der Enkel hielt ihr die Leichenrede (Suet. Aug. 8,1; Quint. inst. 12,6,1).

[5] Tochter des C. Iulius → Caesar und der Cornelia [I 3], geb. zwischen 83 und 76 v. Chr. [1. 19]. Caesar verlobte I. zunächst mit Q. Servilius Caepio; zur Festigung des sog. Ersten Triumvirats verheiratete er I. jedoch im April 59 mit Cn. Pompeius (Plut. Caesar 14,7; Suet. Iul. 21,1). Obwohl polit. motiviert (Cic. Att. 2,17,1; Plut. Pompeius 49,4; Gell. 4,10,5), war die Ehe sehr glücklich (Plut. Pompeius 53,1; Val. Max. 4,6,4). Nach einer Fehlgeburt im Sommer 55 starb I. Anf. Sept. 54 an der Geburt eines weiteren Kindes (Cic. ad Q. fr. 3,1,17,25; Plut. Pompeius 53,5; Cass. Dio 39,64,1). Auf Betreiben der Plebs wurde sie nicht auf Pompeius' Landgut Albanum, sondern ehrenvoll auf dem Marsfeld bestattet (Plut. Pompeius 53,6; Suet. Iul. 84,1; Liv. epit. 106). Caesar ehrte I. 46 mit Leichenspielen (Plut. Caesar 55,4; Suet. Iul. 26,2). Schon in der Ant. wurde der Tod I.s mit dem offenen Ausbruch des Machtkampfes zw. Caesar und Pompeius in Verbindung gebracht (Lucan. 1,111–120; Vell. 2,47,2; Flor. 2,13,13).

1 M. GELZER, Caesar, [6]1960.   H.S.

[6] Tochter von → Augustus und → Scribonia. Geb. 39 v. Chr., am selben Tag, an dem Octavian sich von Scribonia trennte. Frühzeitig wurde sie ein Faktor in der dynastischen Politik ihres Vaters, deshalb 37 beim Vertrag von Tarent mit Antonius' Sohn Antyllus verlobt. Im J. 25 mit ihrem Cousin M. Claudius [II 42] Marcellus verheiratet; da Augustus in Spanien erkrankt war, vollzog Agrippa [1] die Vermählung. Nach Marcellus' frühem Tod 23 v. Chr. verheiratete Augustus sie 21 mit Agrippa [1]. Dieser Ehe entstammten fünf Kinder: Gaius Iulius [II 32] Caesar (* 20), I. [7] (* 19), Lucius Iulius [II 33] Caesar (* 17), Agrippina [2] (* 15), Agrippa [2] Postumus (* 12 nach dem Tod des Vaters). Sie begleitete Agrippa wohl nach Gallien, sicher nach dem Osten. Viele Statuen und zugehörige Inschr., die sich auf sie beziehen, stammen vermutlich aus diesen Jahren [1]. Sie zeigen, daß auf die Tochter des Princeps ähnliche Verehrungsformen, auch kult. Natur, angewendet wurden wie auf ihn selbst. Auf der *Ara Pacis* erscheint sie mit Agrippa und ihrem Sohn Gaius Caesar.

Nach Agrippas Tod mußte → Tiberius auf Augustus' Anweisung I. heiraten. Aus der Ehe stammte ein Sohn, der aber bald starb. Das Zerwürfnis zwischen beiden hat u.a. Tiberius zur Selbstverbannung nach Rhodos getrieben. Dabei spielten möglicherweise polit. Motive und der Charakter I.s, die in einer bereits »monarchischen« Atmosphäre aufgewachsen war und daher auch ihr öffentliches Auftreten und Verhalten, auch gegenüber Tiberius, gestaltete, eine Rolle. Dadurch geriet sie 2 v. Chr. auch mit Augustus in Konflikt, gegen dessen Ehe- und Sittengesetzgebung sie, – gerade in dem Augenblick, als Augustus zum *pater patriae* erhoben worden war –, skandalös mit jungen Senatoren aus einflußreichen Familien nachts auf dem Forum »demonstrierte«, indem sie sich als Prostituierte anbot. Augustus klagte sie vor dem Senat an; sie wurde auf die Insel Pandateria verbannt, 3 n. Chr. wurde Rhegion ihr Verbannungsort; ihre Mutter Scribonia begleitete sie. Nach Augustus' Tod hat angeblich Tiberius sie durch Entzug aller Mittel noch 14 n. Chr. in den Tod getrieben. Ihre Beisetzung in seinem Mausoleum hatte Augustus verboten. PIR[2] J 634.

1 U. HAHN, Die Frauen des röm. Kaiserhauses, 1994, 106 ff. 2 P. SATTLER, Studien aus dem Gebiet der Alten Geschichte, 1962, 1 ff. 3 J. LINDERSKI, in: ZPE 72, 1988, 181 ff. = Ders., Roman Questions, 1995, 375 ff., 663 ff. 4 R. A. BAUMAN, Women and Politics in Ancient Rome, 1992, 99 ff. 5 R. SYME, AA, 90 ff.

[7] (Vipsania) I. Tochter von M. Vipsanius Agrippa [1] und Iulia [6], Enkelin von Augustus, Schwester von Gaius und Lucius Caesar. Geb. ca. 19 v. Chr., verbrachte ihre Kindheit in Augustus' Haus. 5/4 v. Chr. mit Aemilius [II 13] Paullus verheiratet. Im J. 8 n. Chr. wurde sie wegen Ehebruchs (*adulterium*) verbannt, ihr Mann wegen → *maiestas*-Verbrechen. Die Affäre hing mit dem Kampf um Macht und Nachfolge innerhalb der Familie des Augustus zusammen. Augustus ließ ihre Villa zerstören, ein Kind, das nach der Verbannung geboren wurde, ließ er töten; ebenso verbot er, sie in seinem Mausoleum zu bestatten. Sie starb im J. 28 im Exil, wo → Livia sie nach Augustus' Tod unterstützt hatte. PIR² J 635.

R. SYME, History in Ovid, 1978, 209 ff. · Ders., AA, 115 ff.

[8] Tochter von Drusus [II 1], dem Sohn des Tiberius, und → Livia (PIR² L 303). Geb. ca. 3 n. Chr. Heiratete 20, wohl im Herbst, Nero Iulius [II 34] Caesar, den ältesten Sohn des Germanicus. Alle seine Äußerungen soll sie ihrer Mutter Livia berichtet haben, die sie an → Seianus, dessen Geliebte sie war, und damit an Tiberius weitergab. Nach der Verurteilung Neros heiratete nicht sie, sondern ihre Mutter Seianus (trotz Cass. Dio 58,3,9; vgl. [1]). Im J. 33 heiratete sie Rubellius Blandus, was Tacitus (ann. 6,27,1) als Verletzung der Würde der *domus Augusta* charakterisiert. Unter Claudius auf Anstiften Messalinas getötet. PIR² J 636.

1 J. BELLMORE, in: ZPE 109, 1995, 255 ff. W. E.

[9] I. Avita Mamaea. Jüngere Tochter von Iulius [II 22] Avitus und I. [17] Maesa, verheiratet mit dem syr. Procurator Gessius Marcianus und Mutter des späteren Kaisers M. Aurelius → Severus Alexander (Cass. Dio 78(79),30,2 f.; Dig. 1,9,12), den sie sorgfältig erziehen ließ (Herodian. 5,7,5; SHA Alex. 3,1–3).

Zusammen mit I. Maesa und gegen den Widerstand ihrer mit ihr rivalisierenden Schwester I. [22] Soaemias protegierte I. erfolgreich die Erhebung ihres Sohnes auf den Thron (Cass. Dio 79(80),19,2; 4; 20,1; Herodian. 5,7,3; 8,2 f.). Nach der Ermordung des → Elagabalus [2] im März 222 n. Chr. übte I., zunächst wohl im Einklang mit ihrer Mutter (Herodian. 5,8,10; 6,1,1–4), neben dem *praefectus praetorio* Ulpianus maßgeblichen Einfluß auf den neuen, noch jugendlichen Herrscher aus [2. 205–212; 1. 138 ff.]. Alexander scheint I. zeitlebens eine machtvolle Stellung eingeräumt zu haben (Herodian. 6,1,5–10; SHA Alex. 14,7; 26,9; 60,2). Sie trug die Ehrentitel *Augusta, mater Augusti (et castrorum et senatus atque patriae)* (CIL VIII 1406; II 3413; Inschr. und Mz. s. [3. 156–171, 282–295]). Wahrscheinlich begleitete I. Alexander in den Perser- [3. 50–52], sicher in den Germanenfeldzug 235 an den Rhein nach Feldberg und Saalburg, wo Alexander – vielleicht auf I.s Rat hin – dem Gegner Friedensverhandlungen und Tribute anbot (Herodian. 6,7,9; Zon. 12,15). Von meuternden Soldaten wurden I. und Alexander im März 235 ermordet (Herodian. 6,9,1–8; SHA Alex. 59–61).

Bes. christl. Quellen erwähnen I.s Aufgeschlossenheit dem Christentum gegenüber; mit → Origenes stand sie in persönl. Kontakt (Eus. HE 6,21; Hier. vir. ill. 8,93; Zon. 12,15); Herodian. 6,1,8 (ver)zeichnet sie als geizig und habgierig (s. SHA Alex. 14,7). Bildnisse: [4. 924].

1 J. BABELON, Imperatrices syriennes, 1957 2 F. GROSSO, Il papiro Oxy. 2565 e gli avvenimenti del 222–224, in: RAL 23, 1968, 205–220 3 E. KETTENHOFEN, Die syr. Augustae in der histor. Überlieferung, 1979 4 M. FLORIANI SQUARCIAPINO, s. v. Giulia Mamea, EAA 3, 924. H. S.

[10] I. Balbilla. Begleiterin der Sabina und des Kaisers Hadrian in Ägypten, als diesen am 20. und 21. November 130 n. Chr. das Orakel des → Memnon erteilt wurde. Vier von ihr verfaßte Epigramme, die ihren Aufenthalt bezeugen, sind auf dem linken Knöchel und Fuß des Kolosses des Memnon erh. [1. 80–98]. Diese elegischen Distichen sind in einem archa., hauptsächlich äol. Griechisch verfaßt, mit einigen epischen Elementen und seltenen Wörtern. Sie rühmt sich als Nachfahrin eines Balbillus ὁ σοφός (»der Weise«; er wird unterschiedlich identifiziert [2. 308–309]) mütterlicherseits, der Könige von Antiocheia väterlicherseits.

1 A. und É. BERNAND, Les inscriptions grecques et latines du Colosse de Memnon, 1960 2 PIR IV, 3 3 A. SPAWFORTH, Balbilla, the Euclids and the Memorials for a Greek Magnate, in: ABSA 73, 1978, 249–260 4 A. R. BIRLEY, Hadrian, 1997, 250 f. E. R./Ü: J. S.

[11] I. Cornelia Paula. Erste Ehefrau des Kaisers → Elagabalus [2], der sie zur Augusta erheben ließ, sich aber nach kurzer Zeit von ihr trennte (CIL X 4554; Cass. Dio 79(80), 9,1–3; Herodian. 5,6,1) [1. 376 f.].

1 H. COHEN, Monnaies sous l'empire romain, Ndr. 1955, Bd. 2.

[12] I. Domna. Aus Emesa in Syrien, Tochter des Sonnenpriesters Bassianus. 185 n. Chr. heiratete sie den späteren Kaiser → Septimius Severus, 186 und 189 wurden die Söhne → Caracalla und → Geta [2] geboren (SHA Sept. Sev. 3,8 f.). I.s Einfluß auf den Kaiser und seine Politik ist schwer abzuschätzen [3. 10–62; 1.9 ff.]. Am Sturz des gegen sie arbeitenden *praefectus praetorio* → Fulvius [II 10] Plautianus im J. 205 war sie wohl beteiligt (Cass. Dio 75 (76),15,6 f.; Herodian. 3,11 f.) [3. 10 f.]. 208 bis 211 begleitete I. Severus auf seinem Feldzug nach Britannien, wie vorher in den Orient, was ihr den Ehrentitel *mater castrorum* einbrachte (CIL XII 4345; XIV 120). Nach Severus' Tod 211 soll I. sich um Aussöhnung ihrer verfeindeten Söhne und die Erhaltung der Reichseinheit bemüht haben (Herodian. 4,3,1–9). 212 aber ließ Caracalla Geta in ihrer Gegenwart umbringen (Cass. Dio 77(78),2; Herodian. 4,4,3). Von Caracalla bei Bedarf an der Regierungstätigkeit beteiligt, scheint I.s polit. Rolle im wesentlichen auf die einer Ratgeberin begrenzt gewesen zu sein (Cass. Dio 77(78),10,4; 18,2 f.); allerdings wird auch ihre herrscherliche Stellung bezeugt, so durch Ehrentitel wie *pia felix mater Augusti et senatus et patriae* [2. 200–219]. 214 hielt I. sich in Nikomedeia auf (Cass. Dio 77(78),18,1–3), dann in Antiocheia (Cass. Dio 78(79),4,2 f.), wo sie 217 von der Ermordung Caracallas erfuhr (Cass. Dio 78(79),23,1; Herodian. 4,13,8). Von → Macrinus vermutlich wegen polit. Agitationen zurechtgewiesen, starb I. wenig später wohl durch Freitod und wurde in Rom begraben (Cass. Dio 78(79),23,2–6; 24,1–3).

Bekannt ist I. nicht zuletzt als hochgebildete, rel. interessierte [4. 228–237] Frau, die sich mit einem Kreis von Literaten umgab, namentlich → Philostratos, den sie zur Vita des Apollonios [14] von Tyana anregte (Philostr. Ap. 1,1,3), und → Philiskos von Thessalien [3. 13–16]. Zahlreiche epigraphische und numismatische Quellen sowie nicht immer zweifelsfreie Bildnisse sind erhalten ([3. 75–143]; BMCRE 5, 27 f., Nr. 156–170).

1 F. GHEDINI, Giulia Domna tra Oriente et Occidente, 1984 2 H. U. INSTINSKY, Studien zur Geschichte des Septimius Severus, in: Klio 35, 1942 3 E. KETTENHOFEN, Die syr. Augustae in der histor. Überlieferung, 1979 4 I. MUNDLE, Dea Caelestis in der Religionspolitik des Septimius Severus und der I. Domna, in: Historia 10, 1961, 228–237.   H.S.

[13] I. Drusilla. Tochter von Germanicus [2] und Agrippina [2]; geb. 15 od. 16/17 n. Chr. in Germanien. Im Haus ihrer Großmutter Antonia [4] aufgewachsen. 33 von Tiberius mit L. Cassius [II 16] Longinus verheiratet, im J. 38 mit M. Aemilius [II 9] Lepidus. Ihr Bruder → Caligula zeichnete sie mit den Ehrenrechten einer Vestalin aus; zusammen mit den Schwestern wurde sie in Gestalt von Göttinnen auf Reichsmünzen abgebildet. Ehrungen für sie, auch in kult. Formen, im gesamten Reich sind zahlreich. Caligula stellte sie und ihren Mann als seine Nachfolger heraus; er soll sie auch eine gewisse Zeit wie seine Ehefrau in der Öffentlichkeit präsentiert haben; ferner wurde sie in die Vota der Staatspriester aufgenommen. Am 10. Juni 38 gestorben, im Mausoleum Augusti bestattet; noch 38 wurde sie als *diva* konsekriert, doch nach Caligulas Tod wurde die Konsekration vermutlich annulliert.

PIR² J 664 · P. HERZ, Diva Drusilla, in: Historia 30, 1981, 324 ff. · U. HAHN, Die Frauen des röm. Kaiserhauses, 1994, 151 ff.

[14] I. Drusilla. Tochter von Caligula und Milonia Caesonia; geb. 40 n. Chr. Der Vater nannte sie nach seiner Lieblingsschwester [13]. Sofort nach der Geburt wurde sie den röm. Staatsgöttern zum Schutz anvertraut. Am 24. Januar 41 von den Verschwörern gegen Caligula ermordet. PIR² J 665; KIENAST², 86.

[15] I. Fadilla. Halbschwester des späteren Antoninus Pius; ihr Vater war P. Iulius Lupus. Besitzerin von *praedia* in der Umgebung Roms; ihr voller Name möglicherweise I. Lupula Arria Fadilla.

PIR² J 667 · A. R. BIRLEY, Marcus Aurelius, ²1987, 243 · RAEPSAET-CHARLIER, Nr. 444.   W.E.

[16] s. Livilla

[17] I. Maesa. Verheiratet mit Iulius [II 22] Avitus, mit dem sie zwei Töchter hatte, I. [22] Soaemias und I. [9] Mamaea. Sie war eine Schwester der I. [12] Domna, bei der sie bis zum Tod des → Caracalla am Hof lebte (Herodian. 5,3,2 f.; 8,3; Cass. Dio 78(79),30,2 f.). → Macrinus verwies I. 217 n. Chr. aus Rom in ihre Heimatstadt Emesa (SHA Macrinus 9,1), wo sie, angeblich auch mit Geldgeschenken an die Soldaten (Herodian. 5,3,2; 11; 5,4,1 f.), dazu beitrug, daß 218 die dort stationierte *legio III Gall.* ihren Enkel Bassianus-Elagabalus (→ Elagabalus [2]) zum Kaiser ausrief (Herodian. 5,3,8–12; Cass. Dio 78(79),31). In der Entscheidungsschlacht bei Antiocheia soll sie die Truppen gegen Macrinus moralisch unterstützt haben (Cass. Dio 78(79),38,4).

I.s wichtige polit. Rolle am Anfang der Regierung Elagabals und ihre machtvolle Stellung als Großmutter des noch jungen Kaisers stehen außer Frage (so auch der Münzbefund, vgl. BMCRE 5, p. 539–542, Nr. 61–83); dennoch war sie wohl nicht die von der Forsch. oft aus Herodian (5,5–8) herausgelesene alles dominierende *grande dame* des Kaiserhofes (s. auch Cass. Dio 79 (80),17,2; SHA Heliog. 12,3; 15,6) [3. 33–42]. Erfolglose Kritik I.s an Elagabal ist mehrfach belegt (Herodian. 5,5,3–6; Cass. Dio 79(80),15,4). Von dem immer unbeliebteren Elagabal distanzierte sich I. dann aus Sorge um den Bestand der Dynastie zugunsten ihres jüngeren Enkels Severus Alexander, den Sohn Mamaeas (Herodian. 5,7,1–3; 5,8,3 f.; Cass. Dio 79(80),19,1–4). I.s Einfluß nach dem Regierungsantritt Alexanders 222 war bis zu ihrem Tode 226 wohl nicht so groß wie Herodian (5,8,10; 6,1,1–4) nahelegt [1. 276; 2. 207–210].

Inschriften [3. 144–151] ergänzen die lit. Quellen (Bildnisse: [4. 924 f.]).

1 A. R. BIRLEY, Septimius Severus, ²1988 2 F. GROSSO, Il papiro Oxy. 2565 e gli avvenimenti del 222–224, in: RAL 23, 1968, 205–220 3 E. KETTENHOFEN, Die syr. Augustae in der histor. Überlieferung, 1979 4 M. FLORIANI SQUARCIAPINO, s. v. Giulia Mesa, EAA 3, 924 f.   H.S.

[18] I. Mettia Aurelia Helena. Senatorenfrau konsularen Ranges. AE 1994, 1730.

[19] I. Paulina. Tochter von Iulius [II 141] Servianus und Domitia [10] Paulina; Nichte Hadrians; verheiratet mit Pedanius Fuscus Salinator; ihr Name ist im Testament des Domitius Tullus als erste der Empfänger von Legaten erhalten.

AE 1976, 77 = W. ECK, in: ZPE 30, 1978, 277 ff. · A. R. BIRLEY, Hadrian, 1997, 309.

[20] I. Procilla. Frau von Iulius [II 70] Graecinus, Mutter von Iulius [II 3] Agricola. Sie hatte großen Einfluß auf ihren Sohn. 69 n. Chr. wurde sie von othonischen Truppen in Ligurien ermordet. PIR² J 693.

[21] I. Proculina. Frau des *cos. suff.* C. Aquillius [II 4] Proculus.

CIL X 1699 = G. CAMODECA, in: Puteoli 6, 1982, 62 ff. · RAEPSAET-CHARLIER, Nr. 456.   W.E.

[22] I. Soaemias (Bassiana). Ältere Tochter von Iulius [II 22] Avitus und I. [17] Maesa, Gattin des Sex. Varius Marcellus aus dem syr. Apameia und Mutter des → Elagabalus [2] (Cass. Dio 78(79),30,2; Herodian. 5,3,3). 218 n.Chr. wirkte I. an der Thronerhebung Elagabals mit, so durch ihren Einsatz in der Schlacht von Antiocheia (Cass. Dio 78(79),38,4; Herodian. 5,3,11f.).

Als Augusta und *mater Augusti* scheint I. von Elagabal in seine Politik einbezogen worden zu sein, wobei das Ausmaß ihres Einflusses nicht festzustellen ist [2. 9–14]. Das Bild der sittenlosen Lebedame, die den Kaiser beherrschte und offiziell in Staatsgeschäfte eingriff [1. 228–233], fußt jedoch maßgeblich auf der *Historia Augusta*, die mit der Fiktion eines unzüchtigen Frauenregiments die Regierung Elagabals diffamierte (SHA Heliog. 2,1f.; 4,1–4; 18,2f.; SHA Macrinus 7,6; vgl. Cass. Dio 79(80),6,2; 17,2) [3. 63–69]. Im Gegensatz zu ihrer Mutter und ihrer Schwester I. [9] Mamaea, die sich mit der zunehmenden Verhaßtheit Elagabals Mamaeas Sohn Severus Alexander zuwandten, blieb I. ihrem Sohn gegenüber loyal, bis beide 222 ermordet wurden (Cass. Dio 79(80),20,1f.; Herodian. 5,8,8).

1 J. BABELON, Imperatrices syriennes, 1957 2 H. W. BENARIO, The Titulature of Julia Soaemias and Julia Mamaea, in: TAPhA 90, 1959, 9–14 3 E. KETTENHOFEN, Die syr. Augustae in der histor. Überlieferung, 1979 4 J. SÜNSKES-THOMPSON, Aufstände und Protestaktionen im Imperium Romanum, 1990.   H.S.

[23] I. Tertulla. Tochter oder Schwester von Iulius [II 48], Frau von Iulius [II 90].

[24] I. Valeria Marciana Crispinilla. *Clarissima femina*, Mutter von L. Flavius Cleonaeus, Cn. Suellius Rufus Marcianus, Flavia Polymnia Marciana und Flavia Crispinilla, die alle Mitglieder des Senatorenstandes waren; Zeit des Antoninus Pius und Marc Aurel; in Puteoli bestattet.

G. CAMODECA, in: Puteoli 7/8, 1983/4, 79ff. = AE 1986, 155.   W.E.

Iuliacum. Röm. Straßenstation (Itin. Anton. 375,8; 378,7; Tab. Peut. 2,5) der Germania Inferior an der Straße Köln – Tongeren am Übergang der Rur, h. Jülich. Inschr. belegt sind *[vic]ani [Iuliac]enses* auf dem Sockel einer Iuppitersäule des frühen 2. Jh. n. Chr. [1. 195 Nr. 196]. Ziegel der *legio VI Victrix*, die Weihinschr. eines ihrer Soldaten (CIL XIII 7869) und ein Totenmahlrelief bezeugen die Anwesenheit des Militärs. I. war Zentralort einer fruchtbaren Siedlungslandschaft mit vielen *villae rusticae*. Anf. des 4. Jh. wurde I. mit einer vierzehneckigen Mauer umgeben. Erwähnt noch bei Amm. 17,2,1 zum J. 357 n.Chr.

1 H. NESSELHAUF, H. LIEB, Dritter Nachtrag zu CIL XIII, in: BRGK 40, 1959.

G. ALFÖLDY, Ein neuer Matronenaltar aus Jülich, in: Epigraphische Stud. 4, 1967, 1–25 • P.J. THOLEN, I.-Jülich. Eine top. Stud., in: BJ 175, 1975, 231–255 • C.B. RÜGER, P. NOELKE, K. GREWE, Jülich, in: H.G. HORN (Hrsg.), Die Römer in Nordrhein-Westfalen, 1987, 447–452.   RA. WI.

Iulianus/-os. Beinamen bei vielen Gentilicia [1]. Bekannte Personen: der Jurist Salvius I. [1], der Arzt I. [2], der Kaiser I. [11], gen. »Apostata«, die Bischöfe I. [16] von Aeclanum und I. [21] von Toledo.

1 RE 10, 26, s.v. I. (25).

[1] L. Octavius Cornelius P. Salvius I. Aemilianus. Jurist, geb. um 100 n.Chr. in Nordafrika, gest. um 170 n.Chr., war ein Schüler des → Iavolenus [2] Priscus (Dig. 40,2,5) und der letzte Vorsteher der sabinianischen Rechtsschule (Dig. 1,2,2,53). I., dessen Ämterfolge die Inschr. aus Pupput/Prov. Africa (CIL VIII 24094; dazu [2. 411ff.]) bewahrt, war Praetor 138 und Consul 148 n.Chr., Konsiliar des Hadrian und wohl auch des Antoninus Pius sowie der *divi fratres* L. Verus und Antoninus Pius [1; 4. 263ff.]. Im Auftrag Hadrians, der die Rechtskompetenz des I. bes. schätzte (die Inschr. aus Pupput erwähnt die Verdoppelung seines Quaestorgehalts *propter insignem doctrinam*, ›wegen seiner bemerkenswerten Gelehrsamkeit‹; vgl. dazu [2. 419f.; 4. 238, 256f.]), führte er 131 n.Chr. die Endredaktion des praetorischen Edikts durch (→ Edictum [2] perpetuum; *Tanta* § 18; dazu [3]). Die Ediktsredaktion beruhte auf einer Bestandsaufnahme des → *ius honorarium*; I.' Neuerung war nur die sog. *nova clausula Iuliani*: hälftige Teilung der Erbschaft (*bonorum possessio*, → *bona*) zw. dem emanzipierten Sohn und den unter großväterlicher Gewalt verbliebenen Enkeln des Erblassers (Dig. 37,8,3; dazu [2. 424f.]). I. mißtraute der Möglichkeit einer vollständigen Rechtsregelung mit Hilfe von Gesetzen (Dig. 1,3,10f.) und empfahl dem Jurisdiktionsträger die Lückenschließung durch Analogie (Dig. 1,3,12). Er schrieb keine Komm. zum Edikt oder zu den übrigen Quellen des gesetzten Rechts, sondern bearbeitete in Anlehnung an das Aufbauschema des Edikts (→ Digesta-System) wirkliche oder hypothetische Rechtsfälle.

I.' *Digesta* (90 B.; dazu [2. 431ff.; 4. 231, 245]), die unter Antoninus Pius nach 150 n.Chr. veröffentlicht wurden, sind ein Exempel der abstrakten, die Rechtsfälle auf wenige Streifzüge reduzierenden Kasuistik. Mit seinen durch → *aequitas* (Gerechtigkeit) oder *utilitas* (Interessenlage) inspirierten Lösungen überspielt I. den traditionellen Gegensatz zw. Sabinianern und Proculianern (→ Rechtsschulen). Obwohl er selbst sehr spärlich zitierte, wurde er in der Folgezeit zum meistzitierten Juristen [5. 105]. Sein Digestenwerk, das wohl bereits → Iunius [III 4] Mauricianus und später → Ulpius Marcellus, Cervidius → Scaevola und → Iulius Paulus annotierten, setzten Iustinians Kompilatoren als Höhepunkt der röm. Jurisprudenz an die Spitze des Verzeichnisses der von ihnen für die → Digesta benutzten Schriften (*Index Florentinus*). I.' kleinere Werke [2. 434ff.] *Ex Minicio* (6 B.) und *Ad Urseium Ferocem* (4 B.) greifen über die wenig bekannten Vermittler auf die sabinianische Schultradition zurück. Die Jugendschrift *De ambiguitatibus* (1 B.) gilt der Ausräumung von »Unklarheiten« bei der Auslegung von Rechtsgeschäften [2. 438f.]. I. erweist sich dort als Kenner der formalen Logik (Dig.

34,5,13), doch warnt er später vor den Gefahren deren strenger Anwendung (Dig. 50,17,65) und setzt sich darüber unter Hinweis auf das Gemeinwohl hinweg (Dig. 9,2,51,2), denn nicht alles Recht sei rational erklärbar (Dig. 1,3,15; Dig. 1,3,20; dazu [5. 105]). Entscheidungen des I. überliefern weitgehend auch die *Quaestiones* seines Schülers Sex. → Caecilius [III 1] Africanus.

1 PIR III, 164ff. 2 E. BUND, Salvius I., Leben und Werk, in: ANRW II 15, 1976, 408–454 3 WIEACKER, RRG 468ff. 4 R. A. BAUMAN, Lawyers and Politics in the Early Roman Empire, 1989 5 D. LIEBS, Jurisprudenz, in: HLL 4, 1997, 83–217. T.G.

[2] (Iulianos). Arzt aus der Schule der Methodiker, wirkte zw. 140 und 175 n. Chr.; Schüler des Apollonides von Zypern, der wiederum Schüler des Olympikos war (Gal. Methodus Medendi 1,7 = 10,53 f. K.). Er lehrte in Alexandreia, wohin Galen ihm folgte, wenn auch nur, um in seinem Unterricht eben jene unsinnigen Ansichten bestätigt zu finden, von denen man ihm zuvor berichtet hatte. I. verfaßte eine Schrift ›Über seelische und körperliche Krankheiten‹ (Gal. Adversus Iulianum 3,1–7 = CMG 5,10,3, S. 40–42) sowie eine Schrift mit dem Titel ›Philon‹, in der er die Methode der → Methodiker darlegte. Ob das Bitumenpflaster, das I. in einem Lemma bei Galen (De compositione medicamentorum 2,22 = 13,557 K.) zugeschrieben wird, tatsächlich von ihm stammt oder in einem der beiden gen. Werke vorkam, läßt sich nicht mit Sicherheit sagen. I. verfaßte auch eine Einführung in die Medizin, die mehrere Revisionen erfuhr, weil, so Galen (Methodus Medendi 1,7 = 10,53 K.), ihr Verf. angeblich stets unzufrieden mit seinen Formulierungen war. Auch kommentierte er in 48 B. die hippokratischen Aphorismen. Eine Passage aus dem 2. B. dieses Komm. bot Galen (Adversus Iulianum = CMG 5,10,3, S. 33–70) eine passende Gelegenheit, I.' angebliche Irrtümer anzuprangern: I. schreibe umständlich, entstellend und unphilos., halte sich nicht getreu an → Hippokrates und sei nicht in der Lage, auf Anfrage eine kurze und kohärente Antwort zu geben. Als Methodiker konnte I. es Galen ohnehin nie recht machen, doch immerhin zeigt seine Auslegung der Aphorismen, daß es zu seiner Zeit verschiedene Deutungsmuster gab, die sich von denen einer späteren Hippokrates-Trad. erheblich unterschieden.

V.N./Ü: L. v. R.–B.

[3] 197 n. Chr. zwang → Septimius Severus nach dem Sieg über → Clodius [II 1] Albinus dessen Anhänger I. unter der Folter, seine Parteigänger zu verraten, obwohl er ihm zuvor Straflosigkeit zugesichert hatte (Cass. Dio 74,9,5). PIR² I 93. T.F.

[4] Iulianos der Chaldäer und
[5] Iulianos der Theurg waren Vater und Sohn, die nach ant. und byz. Quellen die → Theurgie einführten, die → Oracula Chaldaica aufschrieben, die ihnen angeblich → Hekate und → Apollon diktiert hatten, und verschiedene Werke über Magie und Philos. verfaßten.

Der Vater soll unter Traian gelebt haben, der Sohn begleitete Marcus Aurelius auf seinen Zügen und soll ihn dadurch unterstützt haben, daß er durch Magie Felsen spaltete, eine Maske schuf, die Blitze in die Feinde schleuderte und Regen herbeirief, um die Armee vor dem Verdursten zu retten; dieses Regenwunder wurde von verschiedenen rel. Gruppen jeweils für ihren Wundermann beansprucht (Suda s. v. Ἰουλιανός, I 433 und 434; Psellos, Scripta Minora 1,446; Soz. 1,18,7). Nach einer anderen Legende wetteiferte der jüngere I. mit → Apollonios [14] von Tyana und → Apuleius [III] , um Rom vor einer Pest zu retten; I. brachte die Seuche mit einem einzigen Wort zum Stillstand und wurde Sieger (Anastasius Sinaiticus, PG 89, 252ab). Beide riefen Tote herauf; der Vater soll Platons Seele gerufen und sie mit seinem Sohn bekanntgemacht haben (Prokl. In Platonis rem publicam 2,123,9; Psellos, De aurea catena Homeri 217,2–7).

R. MAJERCIK, The Chaldean Oracles. Text, Translation, Commentary, 1989, 1–5 • S. I. JOHNSTON, Rising to the Occasion: Theurgic Ascent in its Cultural Milieu, in: P. SCHAEFER UND H. KIPPENBERG (Hrsg.), Envisioning Magic. A Princeton Seminar and Symposium, 1997, 165–194 • G. FOWDEN, Pagan Versions of the Rain Miracle of A.D. 172, in: Historia 36, 1987, 83–95. S.I.J.

[6] (Iulianos). Griech. Grammatiker und Lexikograph des 2. Jh. n. Chr. Phot. (bibl., cod. 150 [99a-b]) zufolge verfaßte er ein alphabetisches ›Lexikon zu den zehn att. Rednern‹ (Λεξικὸν τῶν παρὰ τοῖς δέκα ῥήτορσι λέξεων), das wegen seines Umfangs und seines Reichtums an Zitaten wie an Erklärungen zur juristischen Terminologie Attikas und zu den histor. Bezügen von großem Nutzen bei der Lektüre der Redner gewesen sein soll. Photios vergleicht es mit dem analogen Werk des Valerius Diodoros (dem Sohn des Philosophen und Grammatikers Valerius Pollio aus hadrianischer Zeit).

L. COHN, Griech. Lexikographie, in: Brugmann/Thumb, 696 • A. GUDEMAN, s. v. I. (2), RE 10, 9–10 • W. SCHMID, s. v. Diodoros (46), RE 5, 708. F.M./Ü:T.H.

[7] Imp. Caes. M. A. (Sabinus) I. Aug., angeblich *corrector* in Venetien (Aur. Vict. Caes. 39,10) bzw. *praef. praet.* des → Carinus (Zos. 1,73), der ihn Sabinus Iulianus nennt. I. nahm in It. den Purpur entgegen (nach dem Tod des Carus, Aur. Vict. Caes. 39,10 bzw. erst nach dem Tod des Numerianus, 284 n. Chr., Aur. Vict. epit. Caes. 38,6), wurde aber bei Verona von Carinus besiegt und getötet (Aur. Vict. epit. Caes. 38,6; Zos. 1,73).

PIR² A 1538 • PLRE 1, 474, Nr. 24 • RIC 5,2, 181ff. • KIENAST, ²1996, 263. A.B.

[8] I. Nestor. Unter Caracalla (211–217 n. Chr.) zusammen mit Ulpius Iulianus Leiter der → Geheimpolizei und berüchtigt für sein Treiben (Cass. Dio 78, 15,1). Caracallas Nachfolger Macrinus (217/18) ernannte beide trotz ihrer offensichtlichen Inkompetenz im J.

217 zu Praetorianerpraefekten; I. wurde von Elagabal 218 n. Chr. in Syrien getötet (Cass. Dio 79,3,4). PIR² I 99. T.F.

[9] (Iulianos). Griech. Rhetor aus Kaisareia in Kappadokien, Zeitgenosse des Neuplatonikers → Aidesios [1], also wohl ca. 275–340 n. Chr. Er lebte und lehrte den größten Teil seines Lebens in Athen; unsere einzige wesentliche Quelle, Eunapios (vit. soph. 482–485), hebt hervor, daß I. unter allen zeitgenössischen Rhetoren mit Abstand den ersten Rang eingenommen habe. Deshalb hatte er zahlreiche Schüler, darunter so berühmte wie Diophantos von Arabien, Epiphanios, Tuskianos, Hephaistion und Prohairesios, welch letzterem er sein Athener Haus, das Eunapios noch selbst gesehen hat, vererbte. Eunapios beschreibt v. a. einen vor dem röm. Proconsul ausgetragenen Streit zw. den Anhängern des I. und denen des → Apsines. Die Zuweisung der sechs unter dem Namen des Kaisers I. überl. (aber nicht von diesem stammenden) Briefe an Iamblichos (CUMONT) an diesen I. ist unbegründet. PLRE 1, I. 5 M.W.

[10] Onkel mütterlicherseits des Kaisers I. [11] (Amm. 23,1,4). Er war zunächst *praeses Phrygiae* (Lib. epist. 764), dann *praefectus Aegypti* (Soz. 5,7,9). Er bekannte sich zum christl. Glauben, wurde aber von Iulian zur alten Religion bekehrt (Philostorgios 7,10) und zum *comes Orientis* ernannt (362–363; Cod. Theod. 12,1,51; Cod. Iust. 8,35,12; Amm. 23,1,4). In Antiocheia ging er hart gegen die Christen vor und ließ u. a. die Kirchen schließen (*Passio Artemii* 23 bei Philostorgios S. 82, BIDEZ). Er starb im Amt (Philostorgios 7,10). Er empfing Briefe von Iulianos [5] (Iul. epist. 28 und 80 BIDEZ-CUMONT) und Libanios (Lib. epist. 701; 725). PLRE 1,470f. (I. 12). W.P.

[11] Fl. Claudius I., der Kaiser Iulian Apostata
A. QUELLEN B. JUGEND C. DER CAESAR
D. DER KAISER

A. QUELLEN

I.' Briefe und Reden bilden für seine Biographie eine Grundlage, wie sie in der Ant. nur noch für Cicero und Augustinus besteht. Ca. 45 Auszüge aus Gesetzen des Kaisers enthält der Codex Theodosianus; dazu kommen Mz. und Inschr. [1]. Unter den lit. Primärquellen stehen an erster Stelle die *Res gestae* des → Ammianus Marcellinus, der dem Caesar wohl in Gallien begegnet ist und den Kaiser auf seinem Perserfeldzug begleitet hat. Zahlreiche persönliche Erinnerungen und Auskünfte verarbeitet → Libanios im ›Epitaphios‹ (Lib. or. 18; vgl. or. 17). Trotz ihrer Panegyrik enthalten die Neujahrsrede des Consuls Claudius Mamertinus von 362 n. Chr. (Paneg. 3 [11]) und die Reden des Libanios an den Kaiser (Lib. or. 12–15) wichtiges histor. Material. In geringerem Umfang gilt das für die 7. Rede des Himerios, die zwei Reden, die Gregorios von Nazianz, I.' Mitschüler in Athen, gegen den Apostaten nach dessen Tod verfaßt hat (Greg. Naz. or. 4–5), sowie die *Carmina Nisibena* des Syrers → Ephraem. Von späteren Autoren sehen die

Nichtchristen Eunapios und Zosimos den I. in günstigem Licht, während er für die Kirchenhistoriker Rufinus, Socrates, Sozomenos, Philostorgios und Theodoretos der Apostat bleibt. Neutrale Abrisse bieten Aurelius Victor, die *Epitome de Caesaribus* und Eutropius.

B. JUGEND

I. wurde im Mai/Juni 331 oder 332 [7. 448–454] in Konstantinopel geboren. Sein Vater Iulius Constantius war ein Halbbruder Constantins d.Gr.; seine Mutter Basilina starb wenige Monate nach seiner Geburt. I. und sein älterer Halbbruder Gallus überlebten das Massaker, dem ein halbes Jahr nach Constantinus' [1] Tod 337 in Konstantinopel mehrere Angehörige, darunter sein Vater, zum Opfer fielen. Der arianische Bischof → Eusebios [8] von Nikomedeia nahm sich zuerst des Waisen an, danach der got. Eunuch → Mardonios, der ihn in die griech. Klassiker einführte. Um 343/44 schickte Kaiser Constantius II. seine Vettern → Constantius [5] Gallus und I. auf die kappadokische Domäne Macellum. Beide traten dort im christl. Gottesdienst als Lektoren auf, und I. nutzte ausgiebig die Bibliothek eines benachbarten Bischofs. Als der Kaiser Ende 351 Gallus zum Caesar ernannte, durfte auch I. Macellum verlassen und seine Ausbildung in Konstantinopel, Nikomedeia und Pergamon fortsetzen. In Ephesos blieb er längere Zeit bei dem Neuplatoniker und Theurgen Maximus. Verkürzende spätere Sicht schrieb Maximus den entscheidenden Anstoß für I.' Apostasie vom Christentum zu [8]. Nach Gallus' Hinrichtung 354 holte Constantius zunächst I. zu sich nach Mailand, erlaubte ihm dann aber, seine philos. Studien in Athen fortzusetzen. Ende 355 ernannte er I. zum Caesar für das von Germanen bedrohte Gallien. Die Heirat mit Helena [3], der Schwester des Kaisers, sollte die Loyalität des Caesars sichern, für den sich auch Kaiserin Eusebia einsetzte.

C. DER CAESAR

Der *praefectus praetorio Galliarum* hatte zunächst noch eine gewisse Aufsicht über den Caesar. Doch dank seines rastlosen Einsatzes und eines guten Verhältnisses zu den Truppen gewann I. rasch eigene Statur. Schon 356 befreite er das von Franken besetzte Köln und operierte anschließend am Oberrhein mit dem in Raetien stehenden Constantius zusammen. 357 schlug er eine alamannische Koalition unter Chnodomar bei Straßburg und bemühte sich 358/59, Gallien bis zum Rhein zu sichern. Die Wintermonate nutzte er zu philos. Studien und verfaßte um 356 und 358 zwei Reden auf Constantius (Iul. or. 1; 3) und eine auf Eusebia (Iul. or. 2). Als Constantius im J. 360 Einheiten aus Gallien gegen die Perser einsetzen wollte, weigerten sie sich und riefen den Caesar in Paris zum Augustus aus. Scheinbar widerwillig gab I. nach; wie weit er selbst schon an eine Erhebung gedacht hatte, ist umstritten [7. 409–447]. Vergeblich versuchte er, Constantius nach Vorbildern, die die Reichsordnungen seit Diocletian boten, für eine Samtherrschaft zu gewinnen. Um einem Angriff des Kaisers zuvorzukommen, stieß I. im April 361 die Donau entlang bis zum Paß von Succi vor, zog sich aber, um Verhandlungsbereitschaft zu zeigen, nach Naissus (h. Nisch) zurück. Dort erfuhr er, Constantius sei am 3. Nov. im kleinasiat. Mopsukrene gestorben, habe ihn aber zuvor noch zum Nachfolger bestimmt.

D. DER KAISER

Nach Constantius' Tod trat I. erstmals in der Öffentlichkeit als Anhänger der alten Rel. auf. 362/63 schrieb er den Alexandrinern (Iul. epist. 111), er gehe nun schon das zwölfte Jahr den Weg zu den Göttern. Aufgrund dieses Selbstzeugnisses hat man immer wieder eine Konversion des Zwanzigjährigen angenommen und mit Libanios (Lib. or. 18,19) und Ammian (Amm. 22,5,1) deren Geheimhaltung als Vorsicht gegenüber dem mißtrauischen Constantius erklärt. Doch mit dem Bild des Weges deutete I. eine lange rel. Entwicklung an, die erst mit der überraschenden polit. Wende zur endgültigen Konversion führte [8]. In Konstantinopel suchte I. durch zahlreiche Gesetze Mißstände in Verwaltung und Justiz zu beseitigen. Um die Finanzkraft der Gemeinden zu stärken, senkte er Steuern und hob die Befreiung der Kleriker vom Dekurionat auf. Er ließ Tempel wiederherstellen und rief Athanasios und andere kathol. Bischöfe aus der Verbannung zurück. Aber seine Hoffnung, alte und neue Rel. könnten friedlich nebeneinander leben, blieb Illusion. In einzelnen Städten des Ostens kam es zu blutigen Unruhen. I.' Verordnungen, die die alten Religionen stärkten, trugen nicht zum Ausgleich bei. Das Rhetorenedikt, das christl. Lehrern den höheren Unterricht verbot, stieß selbst bei Nichtchristen auf Unverständnis. Rel.-philos. Propaganda betrieb I. in der lit. Reden auf die Göttermutter (Iul. or. 8) und auf Helios (Iul. or. 11) und in den Pamphleten gegen die Kyniker (Iul. or. 7; 9). In der frg. erhaltenen Apologie *Contra Galilaeos* nahm er alte Vorwürfe gegen das Christentum auf. Im zu den Saturnalien 361 verfaßten *Symposium*, in dem die röm. Kaiser vor den Göttern um den Vorrang streiten, ließ er Marc Aurel siegen (Iul. or. 10).

Mitte 362 brach I. nach Antiocheia auf, um den Krieg gegen Persien vorzubereiten. Mit den Antiochenern überwarf er sich und antwortete ihnen im *Misopogon* (Iul. or. 7). Ein Friedensangebot König Sapors II. lehnte er ab und eröffnete im März 363 den Krieg. Als er den Euphrat entlang vormarschierte, stieß er nur vereinzelt auf Widerstand. Doch Sapors Taktik der verbrannten Erde wurde wirksam, als I. trotz eines Sieges bei Ktesiphon die Stadt nicht erobern konnte. Er mußte umkehren, und da er die hinderliche Transportflotte verbrannt hatte, wurde die Versorgung des Heeres, das zunehmend unter persischen Angriffen litt, schwierig. Am 26. Juni kam es bei Maranga am Tigris zu einem Gefecht, in dem I. von einem Speer getroffen wurde. Wenige Stunden später starb er. Begraben wurde er in Tarsos. Bald darauf erhob sich eine Diskussion, ob ein Christ aus den eigenen Reihen den Speer geworfen oder der Kaiser sogar den Schlachtentod gesucht habe, nachdem er mit seinem unnötigen Unternehmen gescheitert war [7. 455–507].

Im 4. und 5. Jh. blieb der Name I. Symbol im Kampf zwischen »Heiden« und Christen, dann überwucherte ihn die Legende, aus der ihn erst die neuzeitliche Geschichtsschreibung zu befreien versuchte. Aber noch bis ins 20. Jh. übten die Persönlichkeit und der rel. Kampf des Apostaten eine Faszination aus, die weit über die Wissenschaft hinausging [6] und die ihm ein Nachleben verlieh, das nur noch mit dem Alexanders und Caesars zu vergleichen ist.

ED.: J. BIDEZ, F. CUMONT (edd.), Imperatoris Caesaris Flavii Claudii Iuliani epistulae, leges, poematia, fragmenta varia, 1922 • J. BIDEZ et al. (edd.), L'empereur Julien. Oeuvres complètes, 1,1, 1932; ²1972; 1,2, 1924; ³1972; 2,1, 1963; 2,2, 1964 • E. MASARACCHIA (ed.), Giuliano imperatore contra Galilaeos, 1990 (mit Übers.) • B. K. WEIS (ed.), Julian. Briefe, griech.-deutsch, 1973. LIT.: 1 J. ARCE, Estudios sobre el emperador Fl.C. Juliano, 1984 2 P. ATHANASSIADI, Julian and Hellenism, ²1992 3 J. BIDEZ, La vie de l'empereur Julien, 1930, Ndr. 1965; dt. 1940; 1956 4 J. BOUFFARTIGUE, L'empereur Julien et la culture de son temps, 1992 5 G. W. BOWERSOCK, Julian the Apostate, 1978 6 R. BRAUN, J. RICHER (Hrsg.), L'empereur Julien. De l'histoire à la légende (331–1715), 1978; De la légende au mythe (de Voltaire à nos jours), 1981 7 R. KLEIN (Hrsg.), Julian Apostata, 1978 8 K. ROSEN, Julians Weg vom Christentum zum Heidentum, in: JbAC 40, 1997, 126–146. K.R.

[12] Amnius Anicius I. war um 300 n.Chr. *proconsul Africae* (ILS 1220, Collatio Mosaicarum et Romanarum legum 15,3 MOMMSEN). Das Konsulat, das ihm Constantin I. 322 verlieh (ILS 6111c), wurde von Licinius nicht anerkannt. Vom 13.11.326 bis zum 7.9.329 war er *praefectus urbis Romae* (Chron. min. 1,67; 68 MOMMSEN; Cod. Theod. 6,4,1 f. usw.). Er war der Vater des Amnius Anicius Paulinus iunior (*consul* 334) und evtl. der Sohn des Anicius Faustus (*consul II* 298). (PLRE 1,473 f.: I. 23).

[13] Iulius I. war unter Licinius zunächst *praefectus Aegypti* (314 n.Chr.), dann *praefectus praetorio* von 315–324 (ILS 8938). Constantinus [1] lobte seine Amtsführung (Lib. or. 18,9) und erhob ihn 325 zum Consul (Sokr. 1,13,13). Er war Vater der Basilina, der Mutter des Kaisers Iulianus [11] (Sokr. 3,3,21). (PLRE 1,478: I. 35).

[14] Stammte aus Tarsos, war (vor 359 n.Chr.) *praeses Phrygiae* (Lib. epist. 1363). Er wurde 359 in den Senat von Konstantinopel aufgenommen (Lib. epist. 40). 361 war er *praeses Euphratensis* (Lib. epist. 1363) und 363 *censitor Bithyniae* (Lib. epist. 1367). Von Libanios empfing er zahlreiche Briefe (Lib. epist. 673; 678; 689 usw.). Er ist nicht identisch (so jedoch KlP 2, 1517, Nr. 8) mit dem gleichnamigen Freund Gregorios' von Nazianz, einem Christen, der um 374/375 *peraequator* in Kappadokien war (Greg. Naz. or. 19; epist. 67–69). (PLRE 1, 472: I. 17, vgl. 471: I. 14).

[15] (Iulianos). Stammte aus Syrien, war 362 n.Chr. *consularis Phoenices* (Cod. Theod. 12,1,52) und 364 *comes Orientis* (Cod. Iust. 1,4,1). Er war gebildet (Lib. epist. 668) und hatte enge Beziehungen zu Libanios (vgl. Lib. epist. 1296–1298). (PLRE 1,472: I. 15). W.P.

[16] Geb. ca. 385 n. Chr. in Apulien, genoß I. als Sohn eines Bischofs eine gute Erziehung und heiratete Titia, Tochter eines Bischofs. 408 zum Diakon geweiht, wurde I. 416 Bischof von Aeclanum in Campanien. Noch als Diakon wurde I. über seinen Vater Memorius von → Augustinus zu einem Besuch in Hippo eingeladen (Aug. epist. 101). 418 weigerten sich I. und achtzehn weitere italische Bischöfe, die päpstliche Verdammung (*Epistola tractoria*) des → Pelagios zu unterschreiben; I. setzte sich beim Comes Valerius und bei Papst Zosimos für Pelagios und dessen Lehre ein. Die Verurteilung durch Papst und Kaiser (9.6.419) erfolgte umgehend; exkommuniziert verlor I. Bischofssitz und Heimat und begab sich nach Kilikien zu → Theodoros von Mopsuestia. 428/9 hielt er sich in Konstantinopel bei Bischof → Nestorios auf, der von Papst Coelestinus aufgefordert wurde, sich der Verurteilung des I. anzuschließen. Das Konzil von Ephesos (431) bestätigte die Verurteilung des I. und seiner Genossen. Schon vorher hatte I. Konstantinopel auf kaiserlichen Befehl verlassen müssen. Sein weiteres Schicksal ist dunkel: Vielleicht hat er sich 439 um eine Rehabilitation bemüht; er scheint vor 455 gestorben zu sein (Gennadius, vir. ill. 45).

Die Nachwirkung des I. beruht auf seinen exegetischen und polemischen Schriften. Aus dem Exil führte er seine berühmte theologische Debatte mit Augustinus (4 B. an Turbantius; 8 B. an Florus): I. verteidigte die pelagianische Position (Betonung der Gerechtigkeit des Schöpfers und der Güte des Geschöpfes sowie der Integrität der menschlichen Entscheidungsfreiheit, Verurteilung von Augustins Lehre von Erbsünde und sexueller Begierde als manichäisch) und zwang damit Augustinus zu Präzisierungen in der Gnaden- und Sündenlehre.

ED.: CPL 773–777 · L. DE CONINCK, M. J. D'HONT (Hrsg.), CCL 88/88A · E. KALINKA, M. ZELZER (Hrsg.), Augustinus contra Julianum, CSEL 85,1 · PL 45, 1337–1608; 48, 509–526 · Acta Conciliorum Oecumenicorum 1,5, 12–19. LIT.: J. S. ALEXANDER, s. v. Julian von Aeclanum TRE 17, 441–443 · F. NUVOLONE, A. SOLIGNAC, s. v. Pélage et Pélagianisme, Dictionnaire de Spiritualité XII,2, 2902–2908 (mit weiterer Lit.) · F. REFOULÉ, Julian d'Éclane, Theologien et philosophe, in: Recherches de science religieuse 52, 1964, 42–84; 233–247. W. LÖ.

[17] I. Pomerius s. Pomerius
[18] Iulianos von Halikarnassos. Monophysitischer Bischof und Theologe, wurde von Iustinus I. von seinem Bischofsstuhl vertrieben und ging 518 n. Chr. gemeinsam mit → Severos von Antiocheia, den er im Streit um den Patriarchen Makedonios von Konstantinopel (496–511) unterstützt hatte, ins Exil nach Alexandreia, wo er nach 527 starb. Dort zerstritt er sich freilich mit Severos, weil er die beständige Unzerstörbarkeit des Leibes Jesu lehrte (während jener die Unzerstörbarkeit des Leibes Jesu erst nach der Auferstehung vertrat [3. 2/2, 25 f.]); substantielle Fr. seiner Polemik gegen Severos sind erh. geblieben (CPG 3, 7125 bzw. 7126). So wurde I. einerseits zum Haupt der »Aphthardoketen«

(Julianisten oder Phantasten), andererseits zu einem verurteilten Häretiker und spaltete so die gegen das Konzil von Chalkedon gerichtete »monophysitische« Bewegung (→ Monophysitismus). Eine sorgfältige Analyse der Positionen kann zeigen, daß sich der Streit eher auf die Terminologie denn auf die Sache bezog [3. 2/2, 111].

Der von D. HAGEDORN edierte Hiob-Komm. [4] eines subordinierenden homöischen Theologen namens I. stammt nicht von I. von Halikarnassos.

1 R. DRAGUET, Julien d'Halicarnasse et sa controverse avec Sévère d' Antioche sur l'incorruptibilité du corps du Christ, 1924 2 A. SANDA (Ed.), Severi Antiulianistica, 1931 3 A. GRILLMEIER, Jesus der Christus im Glauben der Kirche 2/1, 1986; 2/2, 1989, 83–116 4 D. HAGEDORN, Der Hiobkomm. des Arianers Julian (Patristische Texte und Studien 14), 1973. C. M.

[19] Iulianos von Laodikeia. Astrologischer Fachschriftsteller, geb. 26. 10. 497 n. Chr. Seine Ἐπίσκεψις ἀστρονομική (*Epískepsis astronomikḗ*) benutzt → Petosiris und → Ptolemaios (bes. die Meteorologie Ap. 2,14), die *Katarchaí* auch → Dorotheos [5]. Er wird seinerseits benutzt von → Rhetorios, → Theophilos von Edessa und Abū Maʾšar.

→ Astrologie; Meteorologie

FR.: F. CUMONT (Ed.), CCAG I, 1898, 134–139; IV, 1903, 99–103; VI, 1903, 80; VIII 4, 1921, 244–253 · W. und H. G. GUNDEL, Astrologumena, 1966, 248–249 · F. CUMONT, P. STOOBANT, La date où vivait l'astrologue I. de L., in: Bull. de la classe des lettres et des sciences morales et politique de l'Acad. Royale de Belge 1903, 554–574. W. H.

[20] (Iulianos). Ägypter, Epigrammatiker des »Kyklos« des Agathias, sehr wahrscheinlich mit dem I. gleichzusetzen, der 530/31 n. Chr. Prätorianerpräfekt und in die Politik des → Hypatios [4] (532 hingerichtet) verwickelt und Adressat von zwei Grabepigrammen (Anth. Pal. 7,591 f.) war. Die etwa 70 Gedichte (außer dem erot. Gedicht, ebd. 5,298, und dem anakreontischen, ebd. 16,388, sind alle sepulchral bzw. epideiktisch) nehmen traditionelle Themen auf (und imitieren vor allem → Antiphilos [3], → Antipatros [8] von Sidon, → Leonidas von Tarent und → Poseidippos); persönliche Inspiration ist nur selten und in den an Zeitgenossen adressierten Gedichten zu finden (vgl. z. B. Anth. Pal. 9,445; 9,661). Wahrscheinlich um denselben I. handelt es sich bei I. Scholastikos, dem Verf. von Anth. Pal. 9,481 (das verächtliche Epitheton *Metéōros* geht wohl auf eine Verwechslung mit Kaiser Iulianus Apostata zurück).

AL. und AV. CAMERON, The ›Cycle‹ of Agathias, in: JHS 86, 1966, 12–14 · H. v. SCHULTE, Julian von Ägypten, 1990 (Ed. mit Übers. und Komm.). M. G. A./Ü: T. H.

[21] I. von Toledo, * um 642, † 6.3.690. I. stammte aus einer urspr. jüd., dann zum Christentum konvertierten Familie, war Schüler von Erzbischof → Eugenius [4] II., wurde 680 zum Erzbischof von Toledo ernannt und saß der 12.–15. Synode in Toledo vor (681–688). Seine erh. Werke zeugen von großer Gelehrsamkeit: *Prognosticon futuri saeculi* (systematische Eschatologie), *Apologeticum de tribus capitulis* (zum Dreikapitelstreit), *De comprobatione sextae aetatis libri III* (apologetische Schrift über das 6. Weltalter), *Antikeimena libri II* (Behandlung sich widersprechender Stellen aus AT und NT), *Historia Wambae regis* (über die Regierungzeit des westgotischen Königs Wamba und die Niederwerfung eines Aufstandes des Paulus im westgotischen Gallien), *Epistula ad Modoenum* (über rhythmische und metrische Dichtung), *Elogium Ildefonsi* (Anhang zu *De viris illustribus* des Ildefons von Toledo) und eine *Grammatica* (Vorbild: Donatus [3]). Verloren oder nicht identifiziert sind Gedichte, Briefe, Predigten, Augustinus-Exzerpte und andere theolog. Schriften.

→ Donatus

> PL 96, 427–818 (Antikeimena lib. II) **2** CCL 115, I **3** Brunhölzl, Bd. 1, 103–110; 523 **4** L. Munzi, Il *De partibus orationis* di Giuliano di T., 1983 **5** M. A. H. Maestre Yenes, Ars I. T. episcopi, 1973 **6** S. Teillet, Dès Goths à la nation gothique, 1984, 585–636.   Jö. Ri.

[22] I. von Askalon, gen. Ἀρχιτέκτων / *Architéktōn*. Aus seiner Schrift über Sitten und Gebräuche in Palästina (wohl aus byz. Zeit) ist ein Abschnitt über die dort benutzen Längen-, Weg- und Ackermaße erhalten.

> F. Hultsch, Metrologicorum scriptorum reliquiae, Bd. 1, 1864, 54 f.; 200 f. · F. Hultsch, Griech. und röm. Metrologie, ²1882, 437 f., 597–601 · O. Viedebantt, s. v. I. (10), RE 10, 17–19 · O. Viedebantt, Forsch. zur Metrologie des Alt., 1917, 123 ff.   M. F.

Iuliobriga (kelt. »Burg des Iulius«; [1. 87]). Wohl eine Gründung des Augustus aus der Zeit des kantabrischen Feldzugs [2. 195]. Überreste beim Dorf Retortillo, 3 km südl. von Reinosa, nicht weit von der Ebroquelle. Belegstellen: Plin. nat. 3,21; 27; 4,111; Ptol. 2,6,50; Not. Dign. occ. 42,30; CIL II Suppl. p. 1148.

> **1** Holder 2, 1919 **2** A. Schulten, Los Cántabros y Astures, 1943.
>
> A. García y Bellido, Excavaciones en Iuliobriga, in: Archivio español de arqueología 26, 1953, 193 ff.; 29, 1956, 131 ff. · A. Hernándes Morales, Juliobriga, 1946 · A. Schulten, Forsch. in Spanien, in: AA 1940, I,2, 78 f.   P. B.

Iulisch-Claudische Dynastie. Mit diesem Begriff werden die ersten fünf röm. Alleinherrscher nach dem E. der Republik und den Bürgerkriegen (unter Einschluß ihrer Familien) zusammengefaßt: Augustus, Tiberius, Caligula, Claudius [III 1], Nero. Wenn man Augustus' monarch. Stellung mit seinem Sieg bei Actium (→ Aktion) am 2. Sept. 31 v. Chr. beginnen läßt, dauerte die Herrschaft der Dynastie fast 99 Jahre, bis sich Nero am 9. (?) Juni 68 n. Chr. selbst tötete. Sie führt sich von der Abstammung her auf vier Familien zurück (→ Augustus: Stemma »Das iulisch-claud. Haus«): die *familia*

Iulia, familia Octavia, familia Claudia und *familia Domitia*. Doch in der Realität entfaltete sich die Dynastie fast ausschließlich durch Adoption, wobei allerdings, soweit möglich, Blutsverwandte an Kindes statt angenommen wurden: Augustus war Großneffe Caesars über dessen Schwester Iulia [4]; Tiberius war Augustus' Stiefsohn; Caligulas Vater Germanicus [2] war Neffe des Tiberius und wurde von ihm adoptiert; Claudius adoptierte seinen Stiefsohn L. Domitius Ahenobarbus (Nero). Lediglich Claudius selbst, Bruder des Germanicus, wurde nicht durch Adoption in die Familie aufgenommen; doch war er als Tiberius' Neffe und Caligulas Onkel enges Familienmitglied. So nahm er auch die Namen Caesar Augustus an, wie sie alle anderen *principes* dieser Dynastie getragen hatten. Sie verloren freilich langsam den Charakter von Namen und nahmen titularen Gehalt an. Das Mittel der → Adoption oder der verwandtschaftlichen Bindung durch Heirat wurde auch auf Personen angewandt, die später nicht zur Herrschaft kamen, wie Agrippa [1], Gaius und Lucius Caesar (= Iulius [II 32] und [II 33]), Germanicus [2] und Aemilius [II 9] Lepidus (unter Caligula).

In dem familialen Geflecht spielten ferner die jeweiligen Frauen und Töchter eine entscheidende Rolle, auch bei den Adoptionen und Herrschaftsübertragungen: Augustus' Tochter Iulia [6]; seine Frau Livia; Vipsania Agrippina [1], die Frau von Germanicus und Mutter Caligulas; Iulia Agrippina [3], Tochter des Germanicus, Schwester Caligulas, Frau des Claudius und Mutter Neros. Durch die familiale, zumeist durch Adoption erreichte Bindung wurde auch das Problem der Übertragung des herrschaftl. *patrimonium*, das rechtlich Privatbesitz war, gelöst. Auch bei Claudius konnte noch die Fiktion der Vererbung innerhalb der Familie aufrechterhalten werden; diese endete erst mit Galba [2] und damit auch die Dynastie.

> **1** R. Syme, Augustan Aristocracy, 1986 **2** H. Bellen, in: ANRW II 1, 1964, 91 ff. **3** F. Hurlet, Les collègues du Prince sous Auguste et Tibère, 1997.   W. E.

Iulium Carnicum. Venetisches, später kelt. (→ Carni) Siedlungszentrum, als röm. *vicus* wohl nach dem Angriff der → Iapodes 52 v. Chr. konstituiert. *Municipium* seit Augustus, *colonia* seit Claudius. Lage: an der Straße von Aquileia nach Aguntum. Lokaler Belenus-Kult. Nach Zerstörung wohl durch → Alaricus [2] zogen die Bewohner auf den Hügel von San Pietro, h. Zuglio. Arch.: Forum mit *porticus, capitolium*, im Süden eine *basilica*; Thermen; Aquädukt; frühchristl. Friedhofsbasilica.

> P. M. Moro, I. C., 1956 · G. Bandelli, F. Fontana (Hrsg.), I. C., Convegno, Arta 1995, 1997.   G. U./Ü: J. W. M.

Iuliupolis (Ἰουλιούπολις). Urspr. Gordiu Kome, Ort in Galatia am Übergang der Straße Nikaia – Ankyra über den → Skopas (Prok. aed. 5,4). Heimat des Dynasten Kleon; dieser ging 31 v. Chr. zu Augustus über, zu dessen Ehren der Ort I. benannt und zur Stadt ausgebaut wurde (Strab. 12,8,9; Plin. nat. 5,143). Nach 25/4 v. Chr. zu Bithynia (Plin. nat. 5,149), seit Diocletianus zur Prov. Galatia, dann zur Galatia I gehörig. Zu Ehren Basileios' I. auch Basilaion (Basileon) gen. Seit Anf. 4. Jh. Bistum. Heute großenteils vom Sarıyar-Stausee überflutet.

BELKE, 181 f. · K. STROBEL, Die Galater, Bd. 2, im Druck · W. WEISER, Röm. Stadtmz. aus Bithynia et Pontus, in: SNR 68, 1989, 67. K. ST.

Iulius. Name einer alten patrizischen Familie, wohl verbunden mit dem Götternamen → Iuppiter [1. 281; 2. 729]. Die *gens* gehörte zu den sog. »trojanischen Familien«, die angeblich unter König Tullus Hostilius [I 4] aus Alba Longa nach Rom übergesiedelt waren (s. u.). Im 5. und 4. Jh. v. Chr. waren die Iulli bedeutend. Unklar bleibt die Verbindung zum Zweig der Caesares, die ab dem 3. Jh. hervortraten und deren herausragender Angehöriger der Dictator → Caesar war [Stammbaum: 3. 183 f.]. Sein Adoptivsohn, der spätere Kaiser → Augustus, begründete die → Iulisch-claudische Dynastie (Stammbaum [4. 303 f.]). Der Name I. selbst war wegen der zahlreichen Sklavenfreilassungen und Bürgerrechtsverleihungen unter Caesar und den ersten Kaisern weit verbreitet.

Spätestens seit der 2. H. des 2. Jh. v. Chr. propagierten die Caesares ihre Abstammung von der Göttin → Venus über den Sohn des Aeneas, → Iulus (= Ascanius) und ihre Herkunft aus dem von ihm gegründeten Alba Longa, die der Dictator Caesar besonders herausstellte (Liv. 1,30,2; Serv. Aen. 1,267; Verg. Aen. 1,288; Dion. Hal. ant. 3,29,7; Suet. Iul. 6,1; Tac. ann. 11,24,2; Mz.: RRC 258 und 320; zusammenfassend: [5. 5–18]). Dieser legte auch 45 v. Chr. die Tracht der albanischen Könige an (Cass. Dio 43,43,2). → Bovillae, die Nachfolgerin von Alba, war der Sitz der Familienkulte und -spiele (ILLRP 270: Weihung der *genteiles Iuliei* an Vediovis Anf. 2. Jh. v. Chr.; Dion. Hal. ant. 1,70,4; Tac. ann. 2,41,1; 15,23,3). Eine *ara gentis Iuliae* befand sich auf dem Capitol [6. 369 f.]; erblich war das Gemeindepatronat über Ilion (ILS 8770). Praenomina: C., L., Sex.

Weitere s. unter Augustus, Agrippa, Caesar, Caligula, Drusus, Frontinus, Germanicus [2], Historia Augusta, Hyginus, Obsequens, Postumus, Severianus, Sohaemus, Solinus, Theodotus, Tiberius, Titianus.

1 SCHULZE 2 WALDE/HOFMANN 1 3 F. MÜNZER, s. v. I., RE 10,1 4 DNP 2, s. v. Augustus 5 ST. WEINSTOCK, Divus Julius, 1971 6 E. DE LA ROCCA, s. v. Gens Iulia, ara, LTUR 2.
K.-L. E.

I. REPUBLIKANISCHE ZEIT II. KAISERZEIT
III. BISCHÖFE IV. LITERARISCH TÄTIGE PERSONEN

I. REPUBLIKANISCHE ZEIT
[I 1] I., C. Nach annalistischer Überl. *cos.* 447 v. Chr., *cos. II* 435, *III* 434.; als histor. Person kaum greifbar.
[I 2] I., C. Soll als Dictator 352 v. Chr. versucht haben, zwei Patrizier zu Consuln wählen zu lassen (Liv. 7,21,9; 7,22,1).

[I 3] I., Proculus. Nach weitverbreiteter röm. Sage ist ihm der zu den Göttern aufgefahrene Romulus als der Gott → Quirinus erschienen (Cic. rep. 2, 20; Cic. leg. 1, 3; Ov. fast. 2, 499; Dion. Hal. ant. 2,63, 2 f.; Liv. 1, 16, 5; Plut. Romulus 28, 1; Numa 2,3 u. a.). Die bereits Cicero vor Caesars Alleinherrschaft bekannte Sage sollte die Familie der Iulier mit dem Gründer Roms in Verbindung bringen.

IULII CAESARES
[I 4] I. Caesar, C. Der Vater des Dictators → Caesar, Quaestor kurz nach 100 v. Chr., Praetor um 92, dann Statthalter in Asia, gestorben 85 in Pisae (InscrIt 13,3, Nr. 7; 75a; Plin. nat. 7,181; Suet. Iul. 1,1). Verheiratet mit Aurelia [1], Schwager des C. → Marius. MRR 2, 19²; 22.
[I 5] I. Caesar, L. Bruder von I. [I 11], beteiligte sich wie seine Verwandten an der Niederwerfung des L. Appuleius [I 11] Saturninus (Cic. Rab. perd. 21), bewarb sich erfolglos um die Quaestur, war spätestens 94 v. Chr. Praetor, dann Proconsul in Macedonia. Als Consul 90 kämpfte er erfolgreich im → Bundesgenossenkrieg [3] gegen die Samniten (App. civ. 1, 40–42; Liv. per. 73 u. a.), brachte ein Gesetz durch, das die Bürgerrechtsverleihung an die treugebliebenen Latiner und Italiker vorsah, und veranlaßte damit das Ende des Krieges (Cic. Balb. 21; Gell. 4,4,3; App. civ. 1,49, vgl. ILS 8888). Als Censor 89 mit P. Licinius Crassus begann er mit der Verteilung der Neubürger auf die Tribus (MRR 2, 32). Als eines der prominentesten Opfer des Bürgerkrieges wurde er bei der Eroberung Roms durch die Marianer 87 mit seinem Bruder ermordet. K.-L. E.
[I 6] I. Caesar, L. Sohn von I. [I 5], Onkel des Triumvirn M. Antonius [I 9], 77 v. Chr. Quaestor in Asia, 67 (?) Praetor (MRR 2,89; 143; 575). Als Consul von 64 initiierte er einen Senatsbeschluß, der die polit. Vereine verbot (*collegia sublata sunt*; Ascon. 7C). Bei der berühmten Verhandlung über die Catilinarier (→ Catilina) am 5. Dez. 63 beantragte er die Todesstrafe für alle Gefangenen (einschließlich seines Schwagers, Cic. Cat. 4,13). 61 wurde er Censor [1. 118 f.]. Als solcher ist er im Gesetz über die Abgabenfreiheit von Delos erwähnt (Roman Statutes 1, 1996, Nr. 22, Z. 22). Auch eine Ehreninschrift von Ilion über die Befreiung von Steuerpacht (ILS 8770) betrifft wohl ihn, nicht, wie bisher angenommen, seinen Vater (MRR 3,110). Von 52 bis 49 machte sich I. als Legat Caesars um den Schutz der Gallia Narbonensis verdient (Caes. Gall. 7,65,1). Ob er anschließend wie sein Sohn zu Pompeius überwechselte, ist unklar. Die Parteinahme gegen seinen Neffen Antonius nach Caesars Tod brachte ihm Ende 43 hinter dem Bruder des Lepidus den zweiten Rang auf der Proskriptionsliste der Triumvirn ein (App. civ. 4,45). Er wurde begnadigt, starb aber wenig später.

1 CL. NICOLET, Insula sacra, 1980.

[I 7] I. Caesar, L. Sohn von I. [I 6], versuchte Anfang 49 v. Chr., zwischen seinem Verwandten Caesar und

Pompeius zu vermitteln. I. schloß sich letzterem an, war 48/47 Befehlshaber einer kleinen Flotte und 47/46 als Proquaestor bei Cato in Africa. Als Sieger von Thapsos begnadigte ihn Caesar öffentlich, um ihn dann heimlich umbringen zu lassen (Cass. Dio 43,12,3).   W. W.

[I 8] I. Caesar, Sex. Im J. 170 v. Chr. Legat im Osten (Liv. 43,4,12–13). *Aed. cur.* 165, Consul 157 als erster aus seiner Familie (MRR 1, 446f.). 147 führte er eine Mission auf die Peloponnes, um zwischen Spartanern und Achaiern zu vermitteln (Pol. 38, 9–11; Cass. Dio fr. 72), nachdem vorher eine Delegation unter L. Aurelius [I 14] Orestes (*cos.* 157) gescheitert war. MRR 1, 464.

                                       P. N.

[I 9] I. Caesar, Sex. Wohl Bruder von [I 4], Praetor spätestens 94 v. Chr., Consul 91 (MRR 2, 20), kämpfte 90 im → Bundesgenossenkrieg [3] und starb bei der Belagerung von Asculum an einer Krankheit (in den Quellen häufiger mit I. [I 5] verwechselt; App. civ. 1,48; Liv. per. 73).   K.-L. E.

[I 10] I. Caesar, Sex. *Amicus et necessarius* des späteren Dictators Caesar (Bell. Alex. 66,1), auf dessen Seite er 49 v. Chr. in Spanien im Bürgerkrieg kämpfte (Caes. civ. 2,20,7). 48 Quaestor, seit Juli 47 Statthalter von Syrien mit einer Legion. Mitte 46 wurde er dort von dem Pompeianer Q. Caecilius [I 5] Bassus gestürzt und von den eigenen Truppen ermordet. Zur Identität mit dem *flamen Quirinalis* 58 Sex. I. Caesar (RE Nr. 152) s. MRR 2,199.   W. W.

[I 11] I. Caesar Strabo (Vopiscus), C. Bruder von I. [I 5], Onkel von I. [I 4], 103 v. Chr. Mitglied einer Kommission zur Umsetzung des Ackergesetzes des L. Appuleius [I 11] Saturninus, Quaestor vor 96, curulischer Aedil 90, Pontifex von vor 99 bis zu seinem Tod 87 (Cic. Brut. 305; InscrIt 13,3, Nr. 6; Ascon. 25C). 88 bewarb er sich gegen die *lex annalis* um das Konsulat für 87, geriet dabei in die Bürgerkriegswirren und wurde 87 mit seinem Bruder von den Marianern getötet (Cic. Brut. 307).

     J.-M. DAVID, Le patronate judiciaire au dernier siècle de la republique romaine, 1992, 728.   K.-L. E.

Sowohl als Redner als auch als Trag.-Dichter wurde I. von Asconius geschätzt (Ascon. 26,28 ff.), mit Einschränkung auch von Cicero. Die ungewöhnlichen Titel von drei Trag.: *Adrastus, Tecmesa, Teutras* (die beiden letzteren nach hell. Muster?) und die beiden erh. Fr. lassen auf gräzisierende Tendenz schließen (vgl. Mar. Victorin. ars gramm. 6,8,6–10); das Fr. Isid. orig. 4,12,7 (= KLOTZ 305) gehört wohl dem Dictator → Caesar (COURTNEY 187, anders [4. 35 ff.]). Als Redner werden ihm v. a. Urbanität, Heiterkeit und Scherz attestiert, allerdings – im Einklang mit den Trag. – auch *lenitas sine nervis* (Cic. Brut. 177; vgl. de orat. 2,98; 3,30; Tusc. 5,55; off. 1,133). Cicero läßt ihn in de orat. 2,216ff. die Theorie von Witz und Humor vertreten [5; 8]. Caesar soll ihn in seiner Jugend zum rednerischen Vorbild genommen haben (Suet. Iul. 55).

ED.: 1 TRF ²1871, 227f.; ³1897, 263f. 2 A. KLOTZ, SRF I (= TF), 1953, 304f. 3 ORF ⁴1976, 272–275, 537f. (vgl. [4]). LIT.: 4 E. BICKEL, C. Caesar L. f. Persona in Ciceronis Dialogo de Oratore, in: RhM 100, 1957, 1–41 5 M. A. GRANT, The Ancient Rhetorical Theories of the Laughable, 1924 6 B. R. KATZ, C. S.'s Struggle for the Consulship – and More, in: RhM 120, 1977, 45–63 7 A. KEAVENEY, Sulla, Sulpicius and C. S., in: Latomus 38, 1979, 451–460 8 G. MONACO, Cicerone. Il trattato de ridiculis, 1964 9 O. RIBBECK, Die röm. Trag. im Zeitalter der Republik, 1875, 610–614 10 G. V. SUMNER, The Orators in Cicero's Brutus, 1973, 105f.   W.-L. L.

[I 12] I. Calidus, L. Ritter, der wegen seines Grundbesitzes in Africa 43 v. Chr. proskribiert, aber dank T. Pomponius Atticus verschont wurde. Nach Nepos ein bekannter Dichter seiner Zeit (Nep. Att. 12,4). Evtl. identisch mit L. I., den Cicero 56 dem Statthalter von Africa Q. Valerius Orca empfahl (Cic. fam. 13,6,3).

                                      JÖ. F.

IULII IULLI

[I 13] I. Iullus, C. Consul 482 v. Chr. (wohl nicht identisch mit dem gleichnamigen Consul 489); 451 einer der Decemvirn, in der Tradition beispielhaft wegen seiner Unparteilichkeit, weil er auf die Strafkompetenz seines Amtes verzichtet habe (Cic. rep. 2,61; Liv. 3,33,10). 449 soll er als einer der Abgesandten des Senats mit der auf den Aventin gezogenen Plebs (→ Secessio) erfolglos über deren Rückkehr verhandelt haben (Liv. 3,50,15).

[I 14] I. Iullus, C. Konsulartribun 408 und 405 v. Chr. (Beginn der Belagerung von Veii, Liv. 4,61,2); 393 Censor, 392 an einer Seuche im Amt gestorben. Weil in diesem → Lustrum die Gallier Rom eroberten, galt fortan der Tod eines Censors als böses Omen und führte zur Abdankung seines Kollegen (Liv. 5,31,6f.).

[I 15] I. Iullus, L. (C.?). Konsulartribun 438 v. Chr., 431 Reiteroberst des Dictators A. → Postumius Tubertus, Consul 430 v. Chr. mit L. Papirius Crassus und Urheber einer *lex Iulia Papiria de multarum aestimatione*, durch die die Viehbußen der Zwölftafel-Gesetze durch Geldbußen abgelöst wurden (Cic. rep. 2,60; Liv. 4,30,3). MRR 1, 58; 63f.

[I 16] I. Iullus, Vopiscus. Consul 473 v. Chr. In seine Amtszeit fielen nach annalistischer Überl. innere Unruhen (Liv. 2,54,3 f.; Dion. Hal. ant. 9,37).

[I 17] I. Libo, L. Consul 267 v. Chr, eroberte mit seinem Kollegen M. Atilius [I 21] Regulus Brundisium und triumphierte (MRR 1,200).

[I 18] I. Mento, C. (Praen. bei Liv. 4,26,2 unrichtig Cn.). Weihte als Consul 431 v. Chr. den Tempel des Apollo Medicus in der Nähe des Circus Flaminius (Liv. 4,27, 1; 29,7).

[I 19] (I.) Salinator, L. Legat des Sertorius, → Livius Salinator, L.(?).   K.-L. E.

[I 20] I. Salvius, C. Freigelassener Caesars und → *apparitor* (CIL XI 7804 = ILS 9039; [1. 155–157; 196]). Unterhielt Kontakte zu Cicero (vgl. etwa Cic. Att. 9,7,1).

     1 S. TREGGIARI, Roman Freedmen during the Late Republic, 1969.   JÖ. F.

II. KAISERZEIT

[II 1] (Ti.) I. Vater des Claudius Etruscus, an den Statius silv. 3,3 richtete, als I. im J. 92 n. Chr. mit 90 J. starb. In Smyrna geb., kam I. als kaiserl. Sklave nach Rom; noch unter Tiberius wurde er freigelassen, begleitete Caligula nach Gallien und erhielt unter Claudius eine höhere Position als *libertus*. Unter Nero wohl in einer Prov. des Ostens tätig, wo er mit Vespasian bekannt wurde. Teilnahme an dessen Triumph 71 n. Chr., zum *a rationibus* befördert, später erhielt er den Ritterrang. Von Domitian für 7 Jahre verbannt; Rückkehr um 90. Verheiratet mit einer Etrusca, von der er zwei Söhne hatte; verwandt mit dem Senator (Tettius) Iulianus. Er ist ein Beispiel eines *libertus Augusti*, der unter vielen Herrschern tätig war (→ Freigelassene).

PIR² C 763 · P. WEAVER, Familia Caesaris, 1972, 284 ff. · J. K. EVANS, in: Historia 27, 1978, 102 ff. · I. A. CARRADICE, Coinage and Finances in the Reign of Domitian, 1983, 157 f.

[II 2] I. Africanus. Gallier aus dem Stamm der Santonen; 32 n. Chr. in die Nachwehen der Verschwörung des → Seianus hineingezogen und verurteilt (Tac. ann. 6,7,4). Wohl Vater des Redners I. [IV 1] Africanus.

[II 3] Cn. I. Agricola. Geb. 13. Juni 40 n. Chr. in Forum Iulii in der Narbonensis, Tac. Agr. 44,1. Beide Großväter ritterlichen Ranges, der Vater L. Iulius [II 70 = IV 9] Graecinus war Senator, seine Mutter war Iulia [20] Procilla. In Massilia erzogen, wurde er Militärtribun unter Suetonius Paullinus in Britannien. Nach Heirat mit der Senatorentochter Domitia Decidiana *quaestor* in Asia wohl 63/64 (VOGEL-WEIDEMANN 441), Volkstribun 66, Praetor 68. Im J. 69 schloß er sich schnell Vespasian an, wurde mit der Aushebung von Rekruten betraut und schließlich von Mucianus zum Legaten der *legio XX Valeria* in Britannien ernannt (Tac. Agr. 7,3). Im J. 73 Rückkehr nach Rom, Aufnahme in den Patriziat durch Vespasian während der Censur und Ernennung zum praetorischen kaiserlichen Statthalter von Aquitania, wo er weniger als drei J. blieb (Agr. 9,6). Suffektconsul wohl 77; im selben Jahr verheiratete er seine Tochter mit Cornelius Tacitus. Anschließend konsularer Statthalter von Britannien für 7 Jahre, wohl 77–84 [2. 72 ff.]. Tacitus schildert (Agr. 18–39) v. a. seine mil. Tätigkeit in Britannien, aber auch die Ermutigung der Britannier zur zivilisatorischen Entwicklung. Vordringen bis nach Schottland, 83 siegreiche Schlacht gegen Calgacus am Mons Graupius (Agr. 29–38). In Rom mit einer Triumphalstatue sowie den *ornamenta triumphalia* geehrt (Agr. 40,1), kurze Zeit später abberufen – nach einer so außergewöhnlich langen Statthalterschaft ist dies keineswegs auffällig. Die Gründe Domitians, die Tacitus anführt, können deshalb nicht einfach als histor. zuverlässig akzeptiert werden. Rückzug in ein mehr privates Leben, keine Teilnahme an der Losung um einen Prokonsulat in Africa oder Asia (Agr. 42,1). Er stand nicht in aktiver Opposition zu Domitian. Am 23.8.93 starb er (Tac. Agr. 44,1).

1 SYME, Tacitus, I, 19 ff. 2 BIRLEY 3 P. SALWAY, Roman Britain, 1981, 138 ff. 4 M-TH. RAEPSAET-CHARLIER, in: ANRW II 33,3, 1807 ff.

[II 4] I. Agrippa. An der Pisonischen Verschwörung 65 n. Chr. beteiligt; auf eine der ägäischen Inseln verbannt. PIR² J 127. W. E.

[II 5] M. I. Agrippa II. Sohn von → Herodes [8] I. Agrippa, geb. 28 n. Chr., wurde in Rom erzogen und im J. 44 wegen seiner Jugend nicht zum Nachfolger seines Vaters ernannt, erhielt aber im J. 50 das Reich seines Onkels → Herodes [7] von Chalkis sowie die Aufsicht über den Jerusalemer Tempel und das Recht, die Hohenpriester einzusetzen. In Rom setzte er sich bei Kaiser Claudius für jüd. Interessen ein: 44 im Streit um das hohepriesterliche Gewand (Ios. ant. Iud. 20,9–15) und 52 im Verfahren gegen den röm. *procurator* Cumanus (Ios. ant. Iud. 134–136). Wegen seines Eintretens für die jüd. Diaspora in Alexandreia wurde er von Isidoros, dem Wortführer der dortigen antijüd. Bewegung, vor Claudius verklagt [1]. Im J. 53 erhielt er anstelle von Chalkis die Tetrarchien des → Philippos (Batanaia, Trachonitis, Gaulanitis) und des → Lysanias (Abila) sowie weitere Gebiete im Libanon. Nero vergrößerte sein Reich um Städte in Galilaia und Peraia. Als röm. Vasall (Φιλοκαῖσαρ, *Philokaísar* und Φιλορωμαῖος, *Philorōmaíos*: OGIS 419 f.; 424) nahm er 54 am Partherfeldzug und nach 66 an der Niederwerfung des jüd. Aufstands teil, dessen Ausbruch er vergeblich zu verhindern versucht hatte. Vespasian, dessen Kaisererhebung er unterstützte, erweiterte sein Reich nach Norden (Tac. hist. 2,81). Sein Tod fällt in das J. 92/3. Sein Reich wurde eingezogen.

I. vertrat jüd. Interessen, aber Vorrang hatte die Loyalität zu Rom. Er förderte den Tempelbau und ließ in Jerusalem die Straßen mit Marmor pflastern, aber wie sein Vater förderte er auch die pagan-hell. Städte, so Berytos, wo er Theaterbau und jährliche Aufführungen finanzierte. Der jüd. Rel. stand er mit distanziertem Interesse gegenüber, im Konflikt zw. Paulos und dem Sanhedrin zeigte er sich gleich weit entfernt von Fanatismus wie von innerer Teilnahme (Apg 25 f.). Mit → Iosephos korrespondierte er über dessen Darstellung des jüd. Aufstandes (vita 364–366), der er wahrheitsgetreue Schilderung attestierte. Quellen: Ios. bell. Iud. 2,220; Ios. ant. Iud. 19,354–20,213; vita 32–410 passim.

1 V. TCHERIKOVER, A. FUKS (Ed.), Corpus Papyrorum Iudaicorum, 1957–1964, 156 a-c.

A. H. M. JONES, The Herods of Judaea, ²1967, 217–261 · SCHÜRER, Bd. 1, 471–483. K. BR.

[II 6] I. Alexander. Sohn Tigranes' VI. und Großneffe Tigranes' V. von Armenien, Ur-Urenkel sowohl → Herodes' [1] d. Gr. als auch des Archelaos [7] Sisines von Kappadokien (Ios. ant. Iud. 18,5,4). Er war verheiratet mit Iotape, Tochter Antiochos' IV. von Kommagene, und somit Schwager von I. [II 11] und [II 76]. Nach der Einziehung des kommagenischen Reiches (72

n. Chr.) scheint Vespasian aus kommagenischem Besitz im rauhen Kilikien (wo einst auch Archelaos geherrscht hatte) ein Klientelkönigtum K(i)etis geschaffen zu haben, das das Flußgebiet des Kalykadnos und die Küste umfaßte und von I. und Iotape einige Jahre regiert wurde. In dieser Zeit mag → Babrios einem seiner Söhne das 2. B. seiner Fabeln gewidmet haben. Vielleicht unter Domitianus wurde das Gebiet des kleinen Reiches zur Prov. Kilikien geschlagen, I. ist unter Belassung des Königstitels in den röm. Senat aufgenommen worden. Sein weiteres Schicksal und das seiner Familie geht aus Inschr. hervor. Ein Sohn, C. I. Agrippa, um die Wende vom 1. zum 2. Jh. *quaestor pro praetore* von Asia, wurde von den Ephesern durch Aufstellung seiner Bildsäule im Theater geehrt (OGIS 429). Jahre später (aber vor 109 n. Chr., so [4. 154]) muß I. Alexander selbst zur Würde des Konsulats gelangt sein: In einer dem C. Iulius Severus um 117 in Ankyra gesetzten Inschr. wird als dessen Verwandter auch der Konsular König Alexander erwähnt (OGIS 544 = IGR III 173 = [1. Nr. 105]). (PIR² A 500, vgl. PIR² J 141).

1 E. BOSCH, Quellen zur Gesch. der Stadt Ankara im Alt., 1967, 122–130 2 R. D. SULLIVAN, The Dynasty of Commagene, in: ANRW II 8, 1977, 732–798; 794f. 3 Ders., Papyri Reflecting the Eastern Dynastic Network, in: ANRW II 8, 1977, 908–939, 936–938 4 R. SYME, Reviews and Discussion, in: JRS 43, 1953, 148–161 5 HALFMANN, 141.   M. SCH.

[II 7] Ti. I. Alexander s. Alexandros [18]

[II 8] C. I. Alexander Berenicianus. Vielleicht Sohn von I. [II 6]; wohl auch verwandt mit dem Königshaus des Herodes. Senator; Teilnahme am Partherkrieg; *cos. suff.* 116 n. Chr.; Proconsul von Asia wohl 132/3, PIR² J 141. HALFMANN, 141.

[II 9] Ti. I. Alexander Capito. Sohn eines Gaius, aus der Tribus Cornelia. Ritter, der unter Nerva und Traian *procurator Achaiae* wurde, unter Traian *procurator Asiae* (vor 102 n. Chr.). AE 1966, 445 = IEph III 684A; PFLAUM, Suppl. 27ff.

[II 10] C. I. Antiochus s. Antiochos [18]   W. E.

[II 11] C. I. Antiochus Epiphanes. Sohn Antiochos' [18] IV. von Kommagene und seiner Schwestergemahlin Iotape, älterer Bruder von I. [II 76] und Schwager von I. [II 6]. Er war mit → Drusilla, Tochter Agrippas I. verlobt gewesen, doch zerschlug sich das Eheprojekt aufgrund rel. Differenzen (Ios. ant. Iud. 19,9,1; 20,7,1). Er kämpfte im April 69 n. Chr. für Otho gegen Vitellius (Tac. hist. 2,25,2), im Mai/Juni 70 für Titus vor Jerusalem (Ios. bell. Iud. 5,11,3). Nach Ausweis der Mz. wurde I. kurz vor dem Ende des väterlichen Reiches zum König erhoben. Anfang 72 fiel L. Caesennius [3] Paetus, der Legat von Syrien, unter dem Vorwand, Antiochos IV. und I. konspirierten mit den Parthern, in Kommagene ein (*Bellum Commagenicum*). I. und sein Bruder mußten nach zunächst tapferer Gegenwehr in Begleitung von nur zehn Reitern zu den Parthern fliehen. Auf ein röm. Auslieferungsbegehren hin erwirkte

ihnen Vologaeses I. die Verzeihung Vespasians (Ios. bell. Iud. 7,7,1–3). Die Brüder wurden von C. Velius Rufus nach Rom gebracht (ILS 9200), wo sie in königlicher Stellung lebten. I.' Sohn war I. [II 12] Philopappus. PIR² I 150.

D. R. SEAR, Greek Imperial Coinage, 1982, 544, Nr. 5515–5519 · R. D. SULLIVAN, The Dynasty of Commagene, in: ANRW II 8, 1977, 732–798, bes. 790–796.   M. SCH.

[II 12] C. I. Antiochus Epiphanes Philopappus. Sohn von I. [II 11], Bruder von Iulia [10] Balbilla. Er lebte in Athen, wo er den Archontat bekleidete. Von Traian in den Senat aufgenommen, wurde er *frater Arvalis* und *cos. suff.* 109 n. Chr. In Athen errichtete er sich ein auffälliges Mausoleum auf dem Musenhügel. Im griech. Bereich benutzte er wie seine Vorfahren den Titel *basileús*.

PIR² J 151 · R. SULLIVAN, in: ANRW II 8, 1977, 796f.

[II 13] I. Apellas. Senator, dem zw. 253 und 259 n. Chr. durch ein kaiserliches Schreiben Privilegien bestätigt wurden (CIL III 412 = [1]). Nachkomme des bei Aristeid. or. 30 erwähnten Pergameners Apellas.

1 W. ECK, in: Chiron 7, 1977, 367f. Anm. 53; 58 2 H. HALFMANN, in: EOS 2, 627.   W. E.

[II 14] L. I. Apronius Maenius Pius Salamallianus. Oriental. Abkunft (*Salām Allah* = »Friede Gottes«), vielleicht aus senator. Familie, durchlief z. T. unter Severus Alexander (222–235 n. Chr.) einen steilen *cursus honorum*: *tribunus laticlavus* der *legio X Gemina*, *adlectus inter quaestorios*, *praepositus actis senatus*, *aedilis curulis*, *praetor*, *legatus Augusti provinciae Belgicae*, *legatus* der *legio I Adiutrix*, *legatus Augusti pro praetore provinciae Galatiae* im Jahre 222, *legatus Augusti pro praetore legionis III Augustae Severianae et provinciae Numidiae* um 224/225. Er war für das Jahr 226 oder 227 zum Consul designiert worden (AE 1917/18,51; CIL VIII 17639; 18270; 19131; AE 1942/43, 93).

PIR² I 161 · G. BARBIERI, L'albo Senatorio, 1952, 214, Nr. 1065 · E. BIRLEY, The Governors of Numidia, in: JRS 40, 1950, 60–68, bes. 64 · LEUNISSEN (Konsuln), 185f. · R. K. SHERK, Legates of Galatia, 1951, 82f. · B. E. THOMASSON, Die Statthalter der röm. Provinzen Nordafrikas 2, 1960, 210f. · Ders., Fasti Africani, 1996, 182f., Nr. 59.   T. F.

[II 15] C. I. Aquila. Ritter; *praefectus* von Ägypten 10/11 n. Chr.; eine Verwandtschaft mit I. [II 16] ist möglich.

PIR² J 165 · DEMOUGIN, Prosopographie, 125.

[II 16] C. I. Aquila. Vielleicht aus einer Familie stammend, die von Augustus in Amastris [4] angesiedelt wurde. Ritter, der im J. 49 n. Chr. ein Militärkontingent auf der Krim gegen Mithradates befehligte, der versuchte, sein Königtum zurückzugewinnen. Wegen seines

Erfolges durch Claudius mit den *ornamenta praetoria* ausgezeichnet. Im J. 58 Procurator von Pontus-Bithynien.

PIR² J 166 • DEMOUGIN, Prosopographie, 443 f.

[II 17] Ti. I. Aquila Polemaeanus. Aus Ephesos stammend, Sohn von I. [II 40], Senator, *cos. suff.* 110 n. Chr. Er ließ die nach seinem Vater benannte Bibliothek in Ephesos erbauen und mit Statuen schmücken; das Bauwerk wurde erst nach seinem Tod vollendet. IEph VII 2, 5101–5103, 7, 13, 14; PIR² J 168.   W. E.

[II 18] C. I. Asper, gebildeter Senator und hervorragender Redner, bekleidete unter Commodus (180–192 n. Chr.) das Suffektkonsulat, war 200–201 oder 204–205 Proconsul der Provinz Africa und *cos. ord. II* zusammen mit seinem Sohn C. I. Galerius Asper im J. 212; zugleich wohl auch *praefectus urbi* (CIL VIII 24585; ILS 355; Inscriptions of Roman Tripolitania, 1047). Von Caracalla anfangs geehrt, dann verbannt, bestimmte ihn Macrinus für das Amt des Proconsul der Provinz Asia, hinderte ihn jedoch an der Ausübung und schickte ihm einen Nachfolger. Elagabalus erlaubte ihm die Rückkehr nach Rom (CIL VI 2003; 1063; Cass. Dio 77,5; 78,22; 79,4; Tert., Ad Scapulam 4,3).

PIR² I 182 • G. BARBIERI, L'albo Senatorio, 1952, 69 f., Nr. 285 • LEUNISSEN (Konsuln), 216, 225 • B. E. THOMASSON, Die Statthalter der röm. Provinzen Nordafrikas, 1960, 2, 106 • Ders., Fasti Africani, 1996, 80 f., Nr. 107.   T. F.

[II 19] C. I. Augurinus. Ritter, der als *praefectus* der *ala Gallorum Petriana* im J. 56 n. Chr. in Mainz bezeugt ist. 65 war er an der Pisonischen Verschwörung beteiligt und wurde deshalb verbannt.

PIR² J 187 • DEMOUGIN, Prosopographie 473 ff.

[II 20] I. Avitus. Junger Senator, Quaestor in einer Provinz; bei der Rückkehr zu Schiff starb er. Stammt wohl aus Gallien. Mit Plinius näher bekannt, der von ihm ein höchst vorteilhaftes Bild zeichnet (Plin. epist. 2,6; 5,21; 6,6,6 f.).

SYME, RP VI 219 • PIR² J 189.

[II 21] C. I. Avitus. Vielleicht Nachkomme von I. [II 20] oder [II 97]. Praetorischer Statthalter von Lycia-Pamphylia 146/7–149 n. Chr.; *cos. suff.* 149. PIR² J 191.   W. E.

[II 22] (C.) I. Avitus Alexianus war ein Enkel des C. I. [II 21] Avitus, des Statthalters von Lykien und Pamphylien des Jahres 148 n. Chr., Gatte der Iulia [17] Maesa, Vater der Iulia [9] Avita Mamaea und der Iulia [22] Soaemias (Bassiana) und somit Großvater der Kaiser → Elagabalus [2] und → Severus Alexander. Nachdem er zunächst die ritterliche Ämterlaufbahn absolviert hatte, wurde er in den Senatenstand aufgenommen, erlangte um 194 die Praetur, ca. 195–196 die Legionslegatur der *legio IIII Flavia* und das Suffektkonsulat ca. 200. Im weiteren Verlauf seines *cursus honorum* war er Statthalter in der Provinz Raetia (um 196/197–199/200), zweimal *praefectus alimentorum* (212–214), Statthalter von Dal-

matia (um 214–215/216) und Asia (215–216 oder 216–217) und möglicherweise auch von Cyprus (217). Er fungierte als *comes* der Kaiser Septimius Severus und Caracalla und war *sodalis Titialis* (Cass. Dio 78,30; 79; 79,16; AE 1921, 64 = 1963, 42 = 1979, 450; AE 1962, 229).

PIR² I 190 u. 192 • LEUNISSEN (Konsuln), 159, 225, 240, 379.

[II 23] I. Aurelius Zenobius. Naher Verwandter der → Zenobia von Palmyra (doch nicht ihr Vater); unterstützte als hochrangiger Heerführer im Perserfeldzug des Severus Alexander 232 n. Chr. den Statthalter der Provinz Syria Phoenice, Rutilius Pudens Crispinus, militärisch (IGR III 1033). PIR² I 196.   T. F.

[II 24] I. Auspex. Gallier, der zur Führungsschicht der Remi gehörte; bei einer Versammlung gallischer Stämme spät im J. 70 n. Chr. riet er zum Frieden mit Rom (Tac. hist. 4,69). PIR² J 197.

[II 25] Q. I. Balbus. Senator. *Cos. suff.* im J. 85 n. Chr.; Proconsul von Asia 100–101 (od. 101–102) [1]; Traian richtete an ihn einen Brief wegen der Privilegien von Aphrodisias [2]. Sein Nachkomme ist der gleichnamige Consul von 129. PIR² 199 und 200.

1 W. ECK, in: Chiron 12, 1982, 334 f. 2 J. REYNOLDS, Aphrodisias and Rome, 1982, 113 ff.   W. E.

[II 26] I. Basilianus. Anhänger des → Macrinus (217/18 n. Chr.) und zwischen April 217 und April 218 *praefectus Aegypti*, unterstützt in diesem Amt von dem Senator Marius Secundus (Cass. Dio 78(79),35,1; ILS 8919; [1. 123]). Bereits zum *praefectus praetorio* designiert, flüchtete er nach dem Sturz des Macrinus nach Italien, wurde bei Brundisium ergriffen und in Nikomedeia hingerichtet (Cass. Dio 78(79),35,2). PIR² I 201.

1 STEIN, Präfekten.

[II 27] I. Bassianus. Priester des Sol Elagabalus aus Emesa, war der Vater der → Iulia [12] Domna und der → Iulia [17] Maesa und somit der Großvater Caracallas, der → Iulia [9] Avita Mamaea und der → Iulia [22] Soaemias ([Aur. Vict.] epit. Caes. 21,2; 23,2). PIR² I 202.   T. F.

[II 28] C. I. Bassus. Senator; unter Vespasian Quaestor in Pontus-Bithynia; damals im Senat angeklagt, aber freigesprochen. Von Domitian verbannt, wurde er von Nerva zurückgerufen. Unter Traian Proconsul von Pontus-Bithynia spätestens 101–102 n. Chr., bevor Traian Dacicus genannt wurde. Im Senat im Winter 102–103 von den Bithyniern wegen Repetunden angeklagt, von Plinius verteidigt. Nur knapp freigesprochen, blieb er Senatsmitglied. Da Plinius (epist. 4,9,22) von seiner *senectus* spricht, muß er damals bereits rund 60 Jahre alt gewesen sein (PIR² J 205). Ob er mit I. [II 120] verwandt ist, muß offen bleiben.

[II 29] C. I. Bassus. Praetorischer Legat von Dacia superior im J. 135 n. Chr.; *cos. suff.* 139. Er könnte ein Sohn von I. [II 120] sein.

PIR² J 206 • PISO, FPD, I, 53 f.

[II 30] I. Briganticus. Bataver, Neffe des I. [II 43] Civilis. Als *praefectus* einer Reitereinheit ging er 69 n. Chr.
zu Vitellius über, später schloß er sich Vespasian an und
nahm an den Kämpfen gegen seinen Onkel Civilis teil;
dabei ist er gefallen.

PIR² J 211 · Demougin, Prosopographie, 580.

[II 31] Agrippa I. Caesar s. Agrippa [2]

[II 32] C. I. Caesar. Ältester Sohn von Agrippa [1] und
Iulia [6], Augustus' Tochter. Geb. 20 v. Chr., zw. 14.
Aug. und 13. Sept. Von Augustus im J. 17 zusammen mit
seinem Bruder Lucius I. [II 33] Caesar adoptiert; damit
war sogleich deutlich gemacht, daß sie einst seine polit.
Stellung übernehmen sollten. Schon in frühen J. in der
Öffentlichkeit herausgestellt. 8 v. Chr. begleitete er Augustus nach Gallien; in seinem Namen wurde den
Soldaten am Rhein ein → *congiarium* verliehen. Spannungen mit Tiberius wurden sichtbar. Nach dessen
Selbstverbannung nach Rhodos 6 v. Chr. trat Gaius
noch stärker in den Vordergrund. 5 v. Chr. präsentierte
ihn Augustus, der selbst *cos. XII* war, persönlich dem
Volk beim Anlegen der *toga virilis*. Der Senat designierte
ihn zum Consul fünf J. später; das Recht zur Teilnahme
an den Senatssitzungen wurde ihm verliehen. Wahl zum
princeps iuventutis durch die Ritterschaft. Mit dem Heer
an die Donau gesandt. 1 v. Chr. Heirat mit Claudia Livia
Iulia, Tochter des Drusus [1] d. Ä. Aufbruch nach dem
Osten mit *imperium proconsulare*; sein *rector* war M. Lol-
lius, mit dem er sich bald überwarf. Reise nach Griechenland und Kleinasien 1 v. Chr., 1 n. Chr. Antritt des
Konsulats auf Samos, Reise nach Syrien und Ägypten;
Eingreifen in die Ordnung des Nabatäerreiches. Diplomat. Verhandlungen mit Phraates V., der als Partherkönig anerkannt wurde. Einsetzung des Ariobarzanes
[8], dann dessen Sohnes Artavasdes [4] als König in Armenien. Die Folge war eine Revolte durch Addon; Belagerung von Artagira; dabei wurde Gaius am 7. Sept.
3 n. Chr. verwundet. Nach Eroberung der Festung von
den Soldaten erstmals als *Imperator* akklamiert. Wegen
der Verwundung richtete er an Augustus die Bitte, sich
in Syrien als Privatmann aufhalten zu dürfen, was dieser
verweigerte. Rückreise nach Italien; am 21. Februar
4 n. Chr. in Limyra in Lycia gestorben, wo ihm ein Kenotaph errichtet wurde. Seine Asche wurde im Mausoleum des Augustus beigesetzt.

Für Gaius wurden schon zu Lebzeiten zahllose Statuen errichtet; in vielen Städten wurden ihm Magistraturen übertragen. Nach seinem Tod wurde in Rom eine
porticus Iulia nach ihm benannt; die *basilica Iulia* auf dem
Forum Romanum wurde in seinem und des Bruders
Namen von Augustus errichtet; durch Gesetz wurden
10 Destinationscenturien eingerichtet und nach Gaius
und Lucius benannt (vgl. M. H. Crawford, Roman
Statutes I, 1996, 507 ff.). Ein Ehrendekret für ihn aus
Pisa ist erhalten (CIL XI 1421 = ILS 140). PIR² J 216.

1 J. Ganzert, Der Kenotaph für Gaius Caesar in Limyra,
1984 **2** A.-K. Massner, Das röm. Herrscherbild, Bd. 4,

1982, 53 ff. **3** J. Pollini, The Portraiture of Gaius and
Lucius Caesar, 1987 **4** H. v. Hesberg, S. Panciera, Das
Mausoleum des Augustus, 1994, 98 ff. **5** F. Hurlet, Les
collègues du prince sous Auguste et Tibère, 1997, 113–141,
573 ff. **6** CIL VI 40322–40325.

[II 33] L. I. Caesar. Sohn von Agrippa [1] und Iulia [6]
(Augustus' Tochter); Bruder von I. [II 32]. Geb. 17
v. Chr., zw. 14. Juni und 15. Juli [1]. Kurz nach der
Geburt mit Augustus zusammen mit seinem Bruder
Gaius adoptiert, damit als zukünftiger »Erbe« von Augustus' Stellung erkennbar. Zusammen mit seinem Bruder von Augustus selbst unterrichtet und der Öffentlichkeit präsentiert. 2 v. Chr. Annahme der *toga virilis*,
weshalb Augustus zum letzten Mal den Konsulat annahm. Gleichzeitig durch den Senat zum Consul fünf J.
später designiert; von der röm. Ritterschaft zum *princeps
iuventutis* gewählt; die Teilnahme an Senatssitzungen
wurde ihm erlaubt. Alles geschah völlig parallel zu seinem Bruder. Mit Gaius zusammen gab er Spiele in
Rom. Aufnahme ins Augurenkollegium. Verlobt mit
Aemilia [4] Lepida. 2 n. Chr. wurde er nach Spanien
gesandt, um mit dem Heer vertraut zu werden. Am 20.
August dieses J. starb er in Massilia. Durch die Consuln
wurde ein → *iustitium* angeordnet (CIL VI 895 = 31195 =
40360). Seine Asche wurde im Mausoleum des Augustus beigesetzt. Zu den postumen Ehrungen s. oben unter I. [II 32]. Das Elogium von Pisa, das sich auf ihn
bezieht, in CIL XI 1420 = ILS 139. Zu den Ehrungen zu
Lebzeiten PIR² J 222; [2].

1 S. Priuli, in: Tituli 2, 1980, 47 ff. **2** F. Hurlet, Les
collègues du prince sous Auguste et Tibère, 1997, 573 ff.

[II 34] Nero I. Caesar. Ältester Sohn von Germanicus
[2] und Agrippina [2] maior. Geb. 6 n. Chr. Beim
Triumph über Germanien im J. 17 durfte er neben dem
Vater auf dem Triumphwagen in die Stadt einziehen.
Als Germanicus nach dem Osten ging, blieb er in Rom;
die mit der Asche des verstorbenen Vaters zurückkeh-
rende Mutter empfing er Anfang des J. 20 mit seinen
Geschwistern in Terracina. Am 7. Juni 20 erhielt er die
toga virilis; gleichzeitig ließ Tiberius ein → *congiarium*
verteilen (Vidman, FO²: zum J. 20; Tac. ann. 3,29,1–3).
Am Ende des Prozesses gegen Cn. Calpurnius [II 16]
Piso wurde er in der Danksagung des Senats vor seinen
Brüdern als *iuvenis* hervorgehoben [1]. Von Tiberius
dem Senat empfohlen, wurde ihm das Privileg erteilt,
sich fünf Jahre vor der gesetzlichen Frist um die Quaestur zu bewerben. Nach dem Tod des Drusus [II 1] im J.
23, dessen Tochter Iulia [8] Nero im J. 21 geheiratet
hatte, war er der erste Anwärter auf die Nachfolge des
→ Tiberius. Aufnahme in zahlreiche Priesterschaften,
26 Quaestor. Zunehmende Spannungen mit Tiberius,
die durch → Seianus und die Mutter Agrippina verschärft wurden. Nach Livias Tod 29 von Tiberius im
Senat angeklagt und verurteilt; auf die Insel Pontia verbannt, wo er vor Okt. 31 umkam. Sein Bruder → Caligula ließ seine Asche im J. 37 im *Mausoleum Augusti*
bestatten. PIR² J 223.

1 W. Eck, A. Caballos, F. Fernández, Das senatus consultum de Cn. Pisone patre, 1996, 49, 112, 116, 246. **2** H. v. Hesberg, S. Panciera, Das Mausoleum des Augustus, 1994, 140f. **3** F. Hurlet, Les collègues du prince…, 1997, 573ff. **4** Z. Kiss, L'iconographie des princes Julio-Claudiens, 1975 **5** Fittschen/Zanker, 1.

[II 35] L. I. Calenus. Haeduer, wohl ritterlicher Legionstribun im Heer des Vitellius; nach dessen Niederlage im Okt. 69 n. Chr. von den Flaviern als Siegesbote nach Gallien gesandt.

PIR² J 227 • Demougin, Prosopographie, 562.

[II 36] C. I. Callistus. Als Sklave in den Haushalt Caligulas verkauft, von ihm freigelassen. Seine Tochter Nymphidia war Geliebte des Kaisers. Obwohl bereits unter ihm von großem Einfluß, nahm er an Verschwörungen gegen Caligula teil, auch an der erfolgreichen vom Januar 41 n. Chr. Auch deswegen gewann er eine höchst mächtige Position bei Claudius, bei dem er die Funktion des a → *libellis* einnahm. Dadurch konnte er viele Verbindungen knüpfen und riesigen Reichtum erwerben. Von einem Speisesaal mit 30 Marmorsäulen aus Onyx spricht Plinius (nat. 36,60). Bei der Beseitigung → Messalinas hielt er sich vorsichtig zurück, die Ehekandidatin, die er dem Kaiser vorschlug, lehnte Claudius ab. Sein Einfluß aber blieb neben dem von → Narcissus und → Pallas bestehen, der vor allem auf dem unmittelbaren Zugang beim Kaiser beruhte. → Scribonius Largus widmete ihm sein Werk, das Callistus an Claudius überreichte. Vermutlich noch vor Claudius' Tod gestorben. PIR² J 229.

[II 37] Ti. I. Candidus Caecilius Simplex. Senator, *frater Arvalis*, bezeugt zwischen 105 und 122; Sohn von I. [II 38].

Scheid, Collège, 41f.

[II 38] Ti. I. Candidus Marius Celsus. Aus der Provinz Asia stammend. Mit dem Consul des J. 69 n. Chr. A. Marius Celsus verwandt. Wohl 69 oder 70 Aufnahme in den Senat; *frater Arvalis* seit mindestens 72. *Cos. suff.* 86; konsularer Legat von Galatia-Cappadocia ca. 87/8–91/2. *Cos. ord. II* im J. 105, etwa zur selben Zeit auch *praefectus urbi*. Gest. nach 109. Er gehörte zu den bedeutendsten Senatoren der traianischen Zeit. Seine Söhne sind I. [II 37], ferner ein Ti. I. Candidus.

Scheid, Collège, 5f. 39f., 41f. • W. Eck, s.v. I. (166), RE Suppl. 14, 207 • PIR² J 241.

[II 39] I. Celer. *Quaestor pro praetore* der Provinz Asia; schrieb einen Brief an die Magistrate von Aphrodisias.

J. Reynolds, Aphrodisias and Rome, 1982, 179f.

[II 40] Ti. I. Celsus Polemaeanus. Aus Sardeis stammend; später starke Bindungen an Ephesos. Als Tribun der *legio III Cyrenaica* unterstützte er Vespasian im J. 69 n. Chr. Aufnahme in den Senat; *legatus iuridicus* in Galatia-Cappadocia 79/80; nach mehreren praetorischen Ämtern unter Domitian *cos. suff.* im J. 92; *curator aedium sacrarum*; Proconsul von Asia ca. 105/6. Nach seinem Tod in der in Ephesos von seinen Sohn I. [II 17] errichteten Bibliothek in einem Sarkophag beigesetzt. Seine *virtutes* sind bildlich repräsentiert, ebenso er selbst, u. a. durch zwei Reiterstatuen. IEph VII 2, 5101–14; Halfmann, 111f.; PIR² J 260.

[II 41] I. Cestillus. Ritter; *procurator provinciae* von Mauretania Caesariensis im J. 221 n. Chr. AE 1985, 976; vgl. Bulletin d'archéologie Algérienne, 7, 1977/9, 217ff.

[II 42] A. I. Charax. Nachkomme des A. Claudius [II 18] Charax aus Pergamon. Wohl auch verwandt mit I. [II 119].

[II 43] I. Civilis. Bataver, aus königl. Familie stammend. Vermutlich im Rahmen des → *foedus* seines Stammes mit Rom frühzeitig Militärdienst als *praefectus cohortis*; in dieser Position verblieb er über mehr als zwei Jahrzehnte. Am E. der Regierungszeit Neros fälschlich der Rebellion angeklagt, zu Nero gesandt, aber von Galba freigesprochen; sein Bruder Claudius Paulus war hingerichtet worden. Spannungen mit Teilen des Heeres am Rhein blieben bestehen, obwohl → Vitellius ihn unterstützte. Im Bürgerkrieg zwischen Vitellius und Vespasian schloß er sich Vespasian an, nachdem ihn Antonius [II 13] Primus zum Abfall aufgefordert hatte. Sein Stamm und batavische Kohorten im röm. Heer schlossen sich ihm an. Angeblich schon 69 n. Chr. war der generelle Abfall von Rom geplant; Aufforderung an andere gallische Stämme und Germanen rechts des Rheins, sich dem Aufstand anzuschließen. Kurzfristige Erfolge: Anschluß der Treverer; Eroberung von *Castra Vetera*; die *Colonia Agrippinensis* zum Bündnis gezwungen. Der Aufstand erstreckte sich nie weiter als nach Mittelgallien. Das *imperium Galliarum*, das er angeblich gründen wollte, ist eher ein Ausdruck flavischer Geschichtsverfälschung. Von Petillius Cerialis besiegt und zurückgedrängt; Tacitus' Bericht (hist. 5,26,1) endet mit einer Unterredung zwischen Civilis und Cerialis an einer Brücke über den Fluß Nabalia. Sein weiteres Schicksal ist unbekannt.

→ Bataveraufstand

PIR² J 264 • H. Heinen, Trier und das Trevererland in röm. Zeit, 1985, 70ff. • R. Urban, Der »Bataveraufstand« und die Erhebung des Iulius Classicus, 1985.

[II 44] I. Classicus. Aus führender, reicher Familie der Treverer stammend, die sich auf gallische Könige zurückführte. Diente als ritterlicher Offizier im röm. Heer; 69 n. Chr. kommandierte er eine *ala Treverorum* unter Vitellius. Erst Anf. 70 schloß er sich I. [II 43] Civilis an; an einem Treffen in der *Colonia Agrippinensis* (Köln) beteiligt, wo er seine Tochter als Geisel für die Einhaltung der Verträge mit anderen gallischen Stämmen zurücklassen mußte. Angeblich ließ er, nachdem er röm. Herrschaftszeichen angenommen hatte, die besiegten röm. Truppen auf das *imperium Galliarum* vereidigen. Sein mil. Widerstand vor Trier wurde durch Petillius Cerialis gebrochen. Schließlich floh er mit anderen Aristokraten seines Stammes zu den rechtsrheinischen Germanen. Die genauen polit. Ziele seines Aufstandes bleiben unklar.

→ Bataveraufstand

PIR² J 267 • H. HEINEN, Trier und das Trevererland in röm. Zeit, 1985, 67ff. • R. URBAN, Der »Bataveraufstand« und die Erhebung des Iulius Classicus, 1985.

[II 45] Ti. I. Clatius Severus s. Ti. → Oclatius Severus, *cos. suff.* ca. 169–172 n. Chr.

[II 46] C. I. Commodus Orfitianus. Senator, Legat der *legio I Adiutrix* (AE 1976, 551); praetorischer Statthalter von Thracia ca. 155–157 n. Chr.; im Sept. 157 *cos. suff.* (RMD III 170); *curator operum publicorum* 161; konsularer Statthalter von Syria Palaestina frühestens 162 (CIL III 6645 und unpublizierter Text aus Caesarea); konsularer Legat von Pannonia superior um 170. Ob, und wenn ja, wann er ein Amt in Africa bekleidete, ist nicht zu entscheiden.

PIR² J 271 • THOMASSON, Fasti Africani, 152f.

[II 47] Q. I. Cordus. Proconsul von Cypern im J. 65 n. Chr.; Legat von Aquitanien 69, Anschluß an Otho; doch die Provinz wandte sich Vitellius zu. Er muß sich schnell den Flaviern angeschlossen haben, da er im Nov. 71 *cos. suff.* wurde ([1]). Möglicherweise stammt er aus Lusitanien, wie auch Q. I. Cordus Iunius Mauricus.

1 G. CAMODECA, in: Epigrafia. Actes … A. Degrassi, 1991, 57ff.

AE, 1972, 238 • R. ÉTIENNE, in: EOS 2, 525f. • PIR² J 272.

[II 48] C. I. [---] Cornutus Tertullus. Stammt aus Perge in Pamphylien, mit der Familie des Plancius Varus verwandt. Geb. vor 45 n. Chr.; Aufnahme in den Senat wohl noch unter Nero; 73/74 *adlectio inter praetorios.* Nach einem Prokonsulat in der Narbonensis kam seine Laufbahn unter Domitian zum Stillstand; nach Plin. (paneg. 90) geschah dies auf seinen eigenen Entschluß hin, weil er die Politik Domitians ablehnte. 97 *praefectus aerarii Saturni* mit Plinius d.J.; ebenso 100 *cos. suff.*; konsularer *curator* der *via Aemilia*; Legat für den Census in Aquitanien; 111 Nachfolge des verstorbenen Plinius als Sonderlegat in Pontus-Bithynien; wohl 116–117 Proconsul von Africa (im Alter von etwa 75 J.). Unter Domitian mit der stoischen Opposition verbunden; Vormund der Tochter des Helvidius Priscus; 97 Antrag gegen Publicius Priscus. Zusammen mit Plinius Ankläger im J. 100 gegen Marius Priscus. Bei Tusculum bestattet. Seine Tochter (oder Schwester) Iulia [23] Tertulla war mit I. [II 90] verheiratet.

PIR² J 273. 706 • SYME, RP, II, 478ff. • HALFMANN, 117.

W.E.

[II 49] s. Cottius [1]

[II 50] s. Cottius [2]

[II 51] L. I. Crescens. Ritter; *primipilus* bei der *legio II Traiana* in Äg. und gleichzeitig *praefectus castrorum* im J. 157 n. Chr. (AE 1955, 238); 166 *praefectus classis Misenatis.* CIL XVI 122; PFLAUM, Suppl., 46f.

[II 52] Ti. I. Eupator s. Eupator

[II 53] C. I. Eurycles s. Eurykles

[II 54] C. I. Eurycles Herculanus L. Vibullius Pius. Aus hochangesehener spartan. Familie. In Sparta übernahm er verschiedene Ämter, u.a. als *patronómos* und *archiereús* im Kaiserkult. Nach [1] vielleicht erst unter Domitian geboren; dann auch erst durch Hadrian in den Senat aufgenommen; seine Laufbahn scheint mit dem Kommando über die *legio III* (*Gallica*) geendet zu haben. IG VI 1172; PIR² J 302.

1 A. BIRLEY, in: ZPE 116, 1997, 237ff.

[II 55] Ti. I. Ferox. Wohl provinzialer Senator. Im Prozeß gegen Marius Priscus stellte er den entscheidenden Strafantrag. *Cos. suff.* Ende 99 n. Chr. Von 101 bis 103 *curator alvei Tiberis.* Vor ca. 111 Statthalter einer konsularen Provinz (Plin. epist. 10,87,3; [1]). Proconsul von Asia 116/117 (vgl. [2]). Mit Plinius d. J. verbunden. PIR² J 306.

1 W. ECK, in: Chiron 12, 1982, 346 A. 266; Chiron 13, 1983, 210 2 Ders., in: Chiron 12, 1982, 361.

[II 56] C. I. Fl(avius) Proculus Quintillianus. Sohn von I. [II 121]. *Cos. suff.* um 235 n. Chr.; *proconsul Asiae* 249/250.

D. H. FRENCH, in: EA 25, 1995, 95f.; PIR² J 502.

[II 57] I. Florus. *Comes* des Tiberius während seiner diplomat. Mission im Vorderen Orient im J. 20 v. Chr.; mit Horaz verbunden. PIR² J 316.

[II 58] I. Florus. Aus aristokratischer Familie der Treverer stammend. Zusammen mit I. [II 126] Sacrovir, provozierte er 21 n. Chr. einen Aufstand in Gallien; nach dessen Scheitern hielt er sich zunächst verborgen; später tötete er sich selbst. Tac. ann. 3,40; 42; PIR² J 315.

[II 59] I. Florus. Redner aus Gallien in augusteisch-tiberischer Zeit; sein Verwandter war I. Secundus (Quint. inst. 10,3,12f.). PIR² J 317.

[II 60] I. Fronto. Tribun in den Kohorten der *vigiles*, von Galba [2] entlassen, von Otho wieder ins Heer aufgenommen. PIR² J 325.

[II 61] I. Fronto. Praefekt der Flotte von Misenum im J. 129 n. Chr. (CIL XVI 74); kaum identisch mit dem Praesidialprocurator Fronto in Raetien im J. 116; vgl. AE 1993, 1240.

[II 62] I. Fronto. Senator konsularen Ranges; wohl aus Lycia stammend. AE 1994, 1730.

[II 63] C. I. Fronto. Sohn von Iulia Polla, der Schwester des I. [II 119]. Aus Pergamon stammend. Vielleicht mit dem Senator (Praetor oder Statthalter) unter Traian in Dig. 48,19,5 identisch. PIR² J 323; 326; HALFMANN, Senatoren, 137.

[II 64] Q. Fl(avius) I. Fronto. Praetorischer Statthalter von Arabia im J. 181 n. Chr. AE 1991, 1585; PIR² J 327.

[II 65] Ti. I. Frugi. Senator. Praetorischer Statthalter von Lycia-Pamphylia 113–114 n. Chr. IGR III 739.

[II 66] Ti. I. Frugi. Sein *cursus* bis zum Prokonsulat von Macedonia ist bekannt; vermutlich Sohn von I. [II 65]. PIR² J 329.

W. Eck, s. v. I. (252), RE Suppl. 14, 209.

[II 67] Ti. I. Frugi. Proconsul von Lycia-Pamphylia zwischen 161 und 169 (SEG 34, 1309/10 = S. Şahin, IArykanda = IK Bd. 48, 25a-d). Auf ihn kann man vielleicht CIL VI 31717 = Hisp. Ant. 3, 1973, 299 ff. = 41125 beziehen, wenn in Z. 2/3 pro/[cos. Lyc. Pamph.] ergänzt werden kann. Dieser Senator hatte eine sehr lange Laufbahn absolviert, vermutlich mit manchen Unterbrechungen. Vielleicht hat er den Konsulat erreicht, wenn CIL XVI 188 (ca. 177–190 n. Chr. zu datieren) sich auf ihn beziehen sollte (und ein weiteres unpubliziertes Fragment). CIL VI 41125 mit Lit.

[II 68] P. I. Geminius Marcianus. Aus Cirta stammend. Seine senatorische Laufbahn bis zum Konsulat ist vollständig bekannt; Führer von Legionsvexillationen in Cappadocia ca. 161/2 n. Chr. Ab 162 Legat in Arabia; *cos. suff.* ca. 164–165. Das Datum seines Prokonsulats in Macedonia ist umstritten [1]; Proconsul von Asia ca. 183–184. PIR² J 340.

1 P. Leunissen, in: ZPE 89, 1991, 222 f.

[II 69] C. I. Geminus Capellianus. Praetorischer Statthalter von Pannonia inferior im J. 159 n. Chr. (CIL XVI 112; RMD I, 61 f. und III, 247, Anm. 61 f.); *cos. suff.* 161 oder 162. RMD III, 177.

W. Eck, D. Isac, I. Piso, in: ZPE 100, 1994, 582 ff.

[II 70] L. I. Graecinus. Vater des Cn. I. [II 3] Agricola aus Forum Iulii (Tac. Agr. 4,1); Aufnahme in den Senat unter Tiberius, Volkstribun und Praetor (AE 1946, 94 = CIL VI 41069). Da er sich weigerte, Iunius Silanus anzuklagen, von Caligula Ende 39 n. Chr. oder im J. 40 hingerichtet (Tac. Agr. 4,1; Sen. benef. 2,21,5). Nach Columella (1,1,14) schrieb er ein Werk über den Weinbau in 2 B. (vgl. Plin. nat. 14,33; 16,241; PIR² J 344). Ein M. Iulius L. f. Ani(ensi) Graecinus ist sein Bruder oder ein anderer Sohn neben Agricola (AE 1946, 94 = CIL VI 41069). Zu seinem lit. Werk s. → I. [IV 9].

[II 71] (Ti. I.) Graptus. Freigelassener des Tiberius, der bis in neronische Zeit lebte; 58 n. Chr. beschuldigte er Faustus Cornelius Sulla, *cos.* 52. Sein Sohn ist vielleicht in CIL X 6638, col. 2. 1 genannt. PIR² J 347.

[II 72] I. Indus. Aus aristokratischer Familie der Treverer stammend; Gegner von I. [II 58] Florus, dessen Truppen er vernichtete. Die *ala Indiana Gallorum* wurde nach ihm benannt. PIR² J 358; Demougin, Prosopographie 210.

[II 73] I. Ininthimaios s. Ininthimaios

[II 74] Ti. I. Iulianus Alexander. Nachkomme des Ti. Iulius Alexander (→ Alexandros [18]), vielleicht sein Enkel. *Frater Arvalis* mindestens seit 114 n. Chr. Praetorischer Statthalter von Arabia ca. 123–126 [1], Cos. suff. 126?, *curator aedium sacrarum* [2; 3].

1 N. Lewis, The Documents from the Bar-Kokhba Period in the Cave of Letters, 1989, 51 ff., Nr. 13–15 2 Scheid, Collège, 44 3 Kolb, Bauverwaltung, 180 ff.

[II 75] P. I. Iunianus Martialianus. Senator, dessen Laufbahn von der Quaestur bis zum Konsulat bekannt ist. Zuletzt war er Statthalter von Numidien unter Severus Alexander und *cos. suff.* PIR² J 369; Thomasson, Fasti Africani, 1996, 182 f.   W. E.

[II 76] I. Kallinikos. Sohn Antiochos' [18] IV. von Kommagene, jüngerer Bruder von I. [II 11]. Beide versuchten die röm. Eroberung Kommagenes (*bellum Commagenicum*, 72 n. Chr.) zu verhindern, mußten aber, von fast allen Anhängern verlassen, zu den Parthern fliehen. Vologaeses I. setzte sich bei Vespasian für die Brüder ein, der ihnen verzieh und sie in Rom in königlicher Stellung leben ließ (Ios. bell. Iud. 7,7,2 f.).

D. R. Sear, Greek Imperial Coinage, 1982, 544, Nr. 5515–5519 · R. D. Sullivan, The Dynasty of Commagene, in: ANRW II 8, 1977, 732–798, 790–796.
                                                        M. SCH.

[II 77] I. Kallistos s. I. [II 36] Callistus

[II 78] C. I. Laco. Sohn des C. I. [II 53] Eurycles (→ Eurykles). Er gehörte zu den führenden Leuten in Achaia und war nach dem Tod des Vaters Dynast in Sparta. Sein Name erscheint auf Münzen. Bald nach dem Herrschaftsantritt des Tiberius verlor er dessen Freundschaft und damit auch seine Machtstellung in Sparta. Umstritten ist, ob ein hononymer *procurator Ti. Claudi Caesaris Augusti Germanici* (ICorinth VIII 2, Nr. 67) mit ihm identisch oder sein Sohn ist (vgl. PIR² J 372). I. [II 136] ist sein Sohn.

G. W. Bowersock, in: JRS 51, 1961, 112 ff. · Halfmann, 125 ff. · A. R. Birley, in: ZPE 116, 1997, 237 ff.   W. E.

[II 79] I. Laetus veranlaßt den Kaiser → Septimius Severus, den Praetorianerpraefekten des Didius [II 6] Iulianus, → Tullius Crispinus, töten zu lassen, da dieser den Auftrag hatte, einen Anschlag auf ihn zu verüben. In der Schlacht bei Lugdunum (Lyon) gegen → Clodius [II 1] Albinus am 19. Feb. 197 n. Chr. kommandierte er die Reiterei, griff spät ein, aber sicherte dann mit seinem Angriff dem Severus den Sieg. Wegen seines Zögerns und des Verdachts, dabei selbst nach der Macht gestrebt zu haben, wurde er später von Septimius Severus umgebracht (Herodian. 3,7,3–6; SHA Did. 7,4; 8,1; Cass. Dio 75(76),6,8). PIR² I 373.   T. F.

[II 80] I. Lepidianus. Konsularer Statthalter von Syria Palaestina im J. 186 n. Chr. RMD I 69.

[II 81] Q. I. Licin[ianus?]. Senator; konsularer Statthalter der *Tres Daciae* unter Maximinus Thrax (?237/8 n. Chr.). AE 1983, 802; Piso, FPD, I, 201 ff.

[II 82] Ti. I. Lupus. Praetorianertribun, der im Januar 41 n. Chr. Caesonia Milonia, die Frau Caligulas, und ihr Töchterchen tötete. Von Claudius hingerichtet. PIR² J 388.

[II 83] Ti. I. Lupus. *Prafectus Aegypti* im J. 73 n. Chr. [1]; in einem der Papyri von Masada genannt.

1 G. Bastianini, in: ZPE 17, 1975, 275; ZPE 38, 1980, 78
2 H. G. Cotton, J. Geiger, Masada 2, 1989, 62 ff.

[II 84] Sex. I. Maior. Aus Nysa in Asia stammend. Senator. Legat der *legio III Augusta* ca. 124–126 n. Chr.; *cos. suff.* 126; konsularer Statthalter von Moesia inferior ca. 132–135, anschließend auch kurz in Syrien. Sein Sohn ist I. [II 85].

> PIR² J 397 · E. Dąbrowa, The Governors of Roman Syria, 1998, 97 ff.

[II 85] Sex. I. Maior Antoninus Pythodorus. Sohn von I. [II 84]. Senator, der v. a. in Epidauros zahlreiche Gebäude errichtete, ebenso in seiner Heimat Nysa. Mit Aelius Aristides (→ Aristeides [3]) bekannt. PIR² J 398; Halfmann, 171 f.; 143 f.

[II 86] I. Marcus. *Praefectus classis Augustae Alexandrinae* nach 214 n. Chr. P Oxy. 3920.

[II 87] C. I. Marcus. Statthalter von Britannien im J. 213 n. Chr. PIR² J 405; Birley, 166 ff.   W.E.

[II 88] I. Marinus. Arabischer Herkunft aus der Trachonitis, war der Vater des C. → I. [II 114] Priscus und des Kaisers → Philippus Arabs (244–249 n. Chr.), unter dessen Herrschaft er starb und daraufhin unter die Götter aufgenommen wurde (IGR I 1196; 1199; 1200; [1]). PIR² I 407.

> 1 H. Cohen, Monnaies sous l'empire romain, Ndr. 1955, 5, 180, Nr. 1.   T.F.

[II 89] L. I. Marinus. Senator. Proconsul von Pontus-Bithynien, *cos. suff.* wohl 93 n. Chr. (Vidman, FO² 44; 86); konsularer Statthalter von Moesia inferior. PIR² J 401.

[II 90] L. I. Marinus Caecilius Simplex. Sohn von I. [II 89], verheiratet mit Iulia [23] Tertulla, der Tochter von I. [II 48]. Seine Laufbahn bis zum Konsulat ist vollständig bekannt; zuletzt war er Legat von Lycia-Pamphylia 96/7–98/9 n. Chr., *proconsul Achaiae* 99/100, *cos. suff.* 101. Scheid, Collège, 28 f.; PIR² J 408.

[II 91] I. Martialis. Freund des Dichters Martial, mit ihm 34 Jahre verbunden. PIR² J 421. → I. [IV 11].   W.E.

[II 92] I. Martialis diente als *evocatus* (→ *evocati*) in der Leibgarde des → Caracalla und ermordete diesen aus persönlicher Feindschaft am 8. April 217 n. Chr. auf dem Weg von Edessa nach Carrhae nahe dem berühmten Tempel der Mondgöttin. Kurz darauf wurde er selbst von den anderen Leibwächtern getötet (Cass. Dio 78,5,3 ff.; Herodian. 4,13). PIR² I 412.   T.F.

[II 93] M. I. Maximianus. Ritter aus Sagalassos. Kaiserlicher Procurator, verheiratet mit Flavia Severa (AE 1993, 1560); er ist wohl identisch mit dem Epistrategen der Heptanomia im J. 118 n. Chr., der 137–139 als *iuridicus* in Äg. amtierte.

> PIR² J 417 · D. Thomas, The Epistrategos in Ptolemaic and Roman Egypt 2, 1982, 187.

[II 94] C. I. Maximinus. *Cos. suff.* vor 208 n. Chr.; Statthalter der *Tres Daciae* 208 – ca. 210. PIR² J 419; Piso, FPD, I, 166 ff.

[II 95] I. Maximus. Bataver, der im Auftrag des I. [II 43] Civilis gegen das röm. Heer unter Dillius Vocula zog. PIR² J 421.

[II 96] I. Maximus. Wohl ritterlicher Statthalter von Thracia zwischen 270–275 n. Chr. AE 1978, 728 = IGBulg 5, 5637.

[II 97] T. I. Maximus Manlianus Brocchus Servilianus … . Senator, aus Nemausus stammend. Unter Domitian in den Senat gekommen, nahm als Legionslegat am Dakerkrieg Traians teil; praetorischer Statthalter von Pannonia inferior 110 n. Chr.; *cos. suff.* 112. Ob er mit dem von den Parthern getöteten konsularen Maximus identisch ist, bleibt unsicher.

> PIR² J 426 · J. Fitz, Die Verwaltung Pannoniens, 2, 1993, 518 f.

[II 98] I. Naso. Freund von Plinius und Tacitus, Bruder von I. [II 20] Avitus. Bewerbung um ein senatorisches Amt. Stammt wohl aus Gallien. Syme, RP, 6, 219; PIR² J 437.

[II 99] C. I. Nigrinus. Senator, wohl aus Lycia stammend. AE 1994, 1730.

[II 100] C. I. Octavius Volusenna Rogatianus. Konsularer Statthalter wohl von Pontus-Bithynien im J. 253 n. Chr. (ZPE 90, 1992, 199 ff. = AE 1992, 1566); Proconsul von Asia unter Valerian, das J. 254 ist zweifelhaft. CIL III 6094 = IEph VII 1, 3162.

[II 101] Ti. I. Optatus Pontianus. Kaiserlicher Freigelassener; *procurator et praefectus classis* in Misenum im J. 52 n. Chr. PIR² J 443.   W.E.

[II 102] C. I. Pacatianus. Aus dem südgallischen Vienna (Vienne); absolvierte die ritterliche Laufbahn und hatte 191/192 n. Chr. die Stellung eines Reiterpraefekten inne, bevor er ca. 195 zum Procurator der Provinz Osrhoene ernannt wurde. Danach befehligte er in Mesopotamien eine Legion mit dem Beinamen *Parthica*. 197, als → Clodius [II 1] Albinus in Italien einzufallen drohte, verwaltete er als Procurator die Cottischen Alpen. Nach 198 gehörte er zu den *comites* des → Septimius Severus und seiner Söhne und hatte danach die prokuratorische Verwaltung der Provinz Mauretania Tingitana inne. Daran schloß sich das Amt des *procurator ludi magni* sowie die Statthalterschaft der Provinz Mauretania Caesariensis an. Danach erhielt er um 215 ein mil. Sonderkommando im Orient während des Partherkrieges Caracallas. Schließlich bekleidete er um 216 die Praefektur der Provinz Mesopotamia (CIL III 865; XII 1856; VI 1642).

> PIR² I 444 · Pflaum, 605 ff. · Thomasson, Fasti Africani, 234 f., Nr. 25.   T.F.

[II 103] I. Paelignus. *Amicus* des Claudius [III 1]; *praefectus vigilum*; Praesidialprocurator von Cappadocia. Sein Verhalten führte zu polit. Verwicklungen. PIR² J 445; Demougin, Prosopographie 387.

[II 104] I. Paullus. Wohl aus Antiocheia in Pisidien stammend; kam vermutlich unter den Flaviern in den Senat. AE 1960, 35; Halfmann, 116.

[II 105] I. Pelago. Kaiserlicher Freigelassener, der auf Befehl Neros Rubellius Plautius in Asia töten ließ. PIR² J 455.

[II 106] M. I. Philippus s. Philippus Arabs W.E.

[II 107] M. I. Severus Philippus. Sohn des → Philippus Arabs und der → Marcia Otacilia Severa, geb. 237–138 n. Chr. ([Aur. Vict.] epit. Caes. 28,3). Im Juli/Aug. 244 zum Caesar und *princeps iuventutis* erhoben (CIL III 8031), hatte er seit Juli/Aug. 247 auch den Augustustitel, das Oberpontifikat und das Prokonsulat (CIL VIII 8323, vgl. 20139; XVI 152; 153) inne. Er wurde nach dem Tod seines Vaters im Sept./Okt. 249 im Praetorianerlager in Rom ermordet (Aur. Vict. Caes. 28,11; [Aur. Vict.] epit. Caes. 28,3; Eutr. 9,3).

> MÜNZEN: H. COHEN, Monnaies sous l'empire romain, Ndr. 1955, 5, 159–178 · RIC 4,3, 95 ff. PIR² I 462 · KIENAST², 200 · X. LORIOT, Les premières années de la grande crise du IIIᵉ siècle, in: ANRW II 2, 1975, 657–797, bes. 791 · M. PEACHIN, Roman Imperial Titulature and Chronology, 1990, 31 · H. A. POHLSANDER, Did Decius Kill the Philippi?, in: Historia 31, 1982, 114–222, bes. 214 ff. T.F.

[II 108] I. Pollio. Praetorianertribun; half Nero bei der Vergiftung des Britannicus; später Statthalter von Sardinien. PIR² J 473; DEMOUGIN, Prosopographie, 450 f.

[II 109] (C. I.) Polybius. Freigelassener des Augustus; verlas dessen Testament im Sept. 14 n. Chr. im Senat. PIR² J 475.

[II 110] A. I. Pompilius Piso … . Senator, dessen Laufbahn bis zur Designation zum Konsulat erhalten ist. Legat der *legio III Augusta* 176–177 oder 177–179 n. Chr., gleichzeitig *cos. designatus*.

> PIR² J 477 · PISO, FPD, 1, 218 ff. · THOMASSON, Fasti Africani, 1996, 161 ff.

[II 111] Q. I. Potitus. Proconsul von Creta-Cyrenae unter Antoninus Pius. AE 1974, 679.

[II 112] I. Priscianus. Ritter. Procurator zwischen 208 und 211 n. Chr., vielleicht von Asia; Vater von I. [II 137]. IEph III 691 und 693 = ZPE 42, 1981, 246 ff.

[II 113] I. Priscus. Ritter, Kohortenpraefekt unter Vitellius; zum *praefectus praetorio* ernannt. Sollte die Apenninpässe gegen die flavischen Truppen sichern. Nach Eroberung Roms durch die Flavier tötete er sich selbst. PIR² J 487. W.E.

[II 114] C. I. Priscus. Bruder des Kaisers → Philippus Arabs (244–249 n. Chr.), begann seine Laufbahn im Staatsdienst als Finanzprocurator mehrerer Provinzen, von denen aber nur sein Amt in der Hispania citerior bekannt ist, sowie als Stellvertreter von Statthaltern, darunter der Provinzen Makedonien und Äg., nachdem er → *iuridicus* von Alexandreia war. Sodann verwaltete er als *praefectus* die Provinz Mesopotamia, erhielt 242–243 die Stellung als *praefectus praetorio* und schließlich das außergewöhnliche Amt eines *rector orientis* während der Herrschaft seines Bruders (CIL III 14149,5; Zos. 1,19,2; IGR III 1033; 1201 f.; CIL VI 1638). PIR² I 488. T.F.

[II 115] C. I. Proculianus. *Cos. suff.* im J. 179 n. Chr. RMD II 123.

[II 116] C. I. Proculus. Vielleicht Sohn von I. [II 124] und aus Larinum stammend. Seine Laufbahn ist in CIL X 6658 = ILS 1040 sowie einem Text aus Larinum (vgl. [1. 231]) erhalten. *Quaestor* wohl von Domitian und Nerva im J. 96 n. Chr., *ab actis (senatus)*, *praetor* und Legat der *legio VI Ferrata* in Syrien. Consul im J. 109. Legat in der Lugdunensis für den *census*, vielleicht als Praetorier; *legatus Augusti pro praetore regionis Transpadanae*, entweder zur Einrichtung der *alimenta* oder, wahrscheinlicher, erst unter Hadrian nach 128 als einer der *consulares*; dann muß Fronto (Ad amicos 2,7,19 VAN DEN HOUT) auf ihn bezogen werden. Möglicherweise war er für 133 für einen 2. Konsulat designiert, da er in der Inschrift aus Larinum in einem späteren Zusatz *cos. II.* genannt wird; doch starb er offensichtlich vor Antritt des Amtes. PIR² J 497.

> 1 A. R. BIRLEY, in: ZPE 116, 1997, 229 ff.

[II 117] C. I. Proculus. Ritter; *iuridicus* in Äg.; Finanzprocurator von Cappadocia et Cilicia unter Nero. AE 1966, 472; DEMOUGIN, Prosopographie, 511 f.

[II 118] L. I. Proculus. Praetorischer Statthalter von Dacia superior, vielleicht unter Antoninus Pius. AE 1967, 385; PISO, FPD, 1, 65 f.

[II 119] C. Antius A. I. Quadratus. Aus Pergamon stammend. Von Vespasian in den Senat aufgenommen; Mitglied bei den *Arvales*. Die praetorische Laufbahn führte ihn zur Statthalterschaft von Lycia-Pamphylia ca. 89/90–92/93 n. Chr. [1]. *Cos. suff.* 94; Statthalter von Syrien ca. 100–104; *cos. ord.* II 105; *proconsul Asiae* ca. 109/110. Euerget von Pergamon; Einrichtung eines Agons zu Ehren Traians. Zahllose Statuen wurden ihm in Pergamon und Ephesos errichtet. Verwandt mit I. [II 120]. PIR² J 507.

> 1 W. ECK, in: Chiron 12, 1982, 316 ff. 2 Ders., in: ZPE 117, 1997, 107 ff. 3 HALFMANN, 112 ff.

[II 120] C. I. Quadratus Bassus. Wohl aus Pergamon stammend. Verwandt mit I. [II 119]. Die vollständige senatorische Laufbahn ist aus der Inschrift Pergamon VIII 3, 21 bekannt. Als Legionslegat nahm er am 1. Dakerkrieg teil; Statthalter von Iudaea 102/103–104/105 n. Chr.; *cos. suff.* 105; Teilnahme am 2. Dakerkrieg, nach dem er mit *ornamenta triumphalia* ausgezeichnet wurde. Statthalter von Cappadocia-Galatia; Teilnahme am Partherkrieg; Statthalter von Syria ca. 115–117. Noch von Traianus zur Unterdrückung eines Aufstandes nach Dakien gesandt, wo er im Kampf fiel. Auf Befehl Hadrians wurde sein Leichnam nach Asia gebracht, wo ihm auf Staatskosten ein Grabmal errichtet wurde. PIR² J 508; HALFMANN, 119 f.

[II 121] C. I. Quintillianus. Vater von I. [II 56]. *Praefectus vigilum* 210/211 n. Chr. (PIR² J 511); wohl *adlectus inter consulares*; konsularer Statthalter von Moesia inferior ca. 213–215.

> W. ECK, M. M. ROXAN, in: Archäologisches Korrespondenzblatt 28, 1998, 96 ff.

[II 122] L. I. Romulus. *Cos. suff.* 152 n. Chr., (PIR² J 521); vielleicht Sohn von I. [II 116].

[II 123] M. I. Romulus. Ritter. Durch Claudius in den Senat *inter tribunicios* aufgenommen, Legionslegat, Praetor; *proconsul extra sortem* in Macedonia; Vater von I. [II 124].

PIR² J 523 · DEMOUGIN, Prosopographie, 367 ff. · A. R. BIRLEY, in: ZPE 116, 1997, 233.

[II 124] M. I. Romulus. Sohn von I. [II 123]. Legat des Proconsuls von Sardinien 68–69 n. Chr. ILS 5947; PIR² J 522.

[II 125] I. Sabinus. Aus aristokratischer Familie der Lingonen stammend. Schloß sich 70 n. Chr. I. [II 43] Civilis an. Nach Niederlage gegen die Sequaner von seiner Frau neun Jahre lang versteckt. Als er entdeckt wurde, von Vespasian hingerichtet. PIR² J 535.

[II 126] I. Sacrovir. Haeduer; im J. 21 n. Chr. Aufstand gegen Rom zusammen mit I. Florus. Setzte sich in Augustodunum fest. Nach Niederlage gegen C. Silius tötete er sich selbst. PIR² J 539.

[II 127] M. I. Sanctus Maximinus. Ritter aus Sagalassos, der es bis zum *iuridicus Alexandreae* brachte (AE 1993, 1561). Sein Sohn ist wohl I. [II 93].   W. E.

[II 128] s. Saturninus (Gegenkaiser 281 n. Chr.)

[II 129] P. I. Scapula Tertullus Priscus war *cos. ord.* im J. 195 n. Chr. und *proconsul* der Provinz Africa 212–213 (CIL III 4407; 12802; 14507; VIII 24131; XIV 169; 4560). An ihn richtete Tertullian nach der Sonnenfinsternis vom 14.8.212 die Schrift *Ad Scapulam*, da dieser scharf gegen die Christen vorging (Tert. Ad Scapulam 3,3 f.).

PIR² I 557 · LEUNISSEN (Konsuln), 217 · B. E. THOMASSON, Die Statthalter der röm. Provinzen Nordafrikas 2, 1960, 112 f. · Ders., Fasti Africani, 1996, 83 f., Nr. 113.   T. F.

[II 130] C. I. Septimius Castinus, möglicherweise aus Africa, war mit dem Kaiserhaus der Severer verwandt und besaß großen Einfluß auf Caracalla. Er bekleidete um 194–195 n. Chr. nacheinander den Militärtribunat in den Legionen *I Adiutrix* und *Macedonica*, war Quaestor und Volkstribun (um 200), *curator* von Aeclanum (Süditalien), *curator* der via Salaria, *iuridicus* von Apulien, Kalabrien, Lukanien und Bruttium und hatte den Prokonsulat der Provinz Creta und Cyrenae (um 204) und das Kommando über die *legio I Minervia* in Bonn (ca. 205–207/208) inne. Daraufhin befehligte er eine mil. Sondereinheit aus Teilen der vier am Rhein stationierten Legionen *XXX Ulpia Victrix, I Minervia, XXII Primigenia und VIII Augusta*, die gegen *defectores et rebelles* vorging (um 208). Nach der praetorischen Statthalterschaft der Provinz Pannonia inferior bekleidete er 212 oder 213 den Suffektkonsulat. Sein letztes bekanntes Amt übte er seit 214 als Statthalter der Provinz Dakien aus (CIL III 3480; 7638; 10360; 10471–73; XIII 7945; AE 1980, 755), wurde von dort wegen seiner Nähe zu den Severern durch Macrinus abberufen (Cass. Dio 78,13,2) und lebte danach in Bithynien, wo Elagabalus ihn töten ließ (Cass. Dio 79,4,4 ff.).

PIR² I 566 · DEGRASSI, FCIR 60 · FPD 178 ff., Nr. 39 · LEUNISSEN (Konsuln), 174, 239, 279, 328, 330, 337, 348, 363, 388, 403.   T. F.

[II 131] C. I. Severus. Nachkomme des galatisch-attalidischen Königshauses, aus sehr reicher Familie Ancyras stammend. Aufnahme in den Senat durch Hadrian *inter tribunicios*. Legat der *legio IV Scythica* in Syrien 132–134 n. Chr., gleichzeitig Vertreter des abwesenden Statthalters. Proconsul von Achaia, *praefectus aerarii Saturni*, *cos. suff.* 138 oder 139. Legat von Germania inferior, *proconsul Asiae* wohl 152–153. PIR² J 573; HALFMANN, 151 f.

[II 132] Ser. I. Servianus s. L. I. [II 141] Ursus Servianus

[II 133] Cn. Minicius Faustinus Sex. I. Severus. Aus Dalmatien stammend. Die senator. Laufbahn begann er unter Traian; auch von Hadrian wurde er gefördert. Praetorischer Legat von Dacia superior 120–126 n. Chr.; *cos. suff.* 127; konsularer Statthalter von Moesia inferior ca. 129–131/2; dann von Britannia 132–133. Hadrian sandte ihn als fähigen General zur Bekämpfung des → Bar Kochba-Aufstandes 133 oder erst 134 nach Iudaea, wo er, unterstützt von Publicius Marcellus und Haterius Nepos, die Aufständischen in langen Kämpfen bis Ende 135 oder Anf. 136 niederkämpfte, ohne daß es zu einer großen Schlacht kam. In den jüd. Quellen, Mischna und Talmud, wird er nicht erwähnt. Für seine Erfolge wurde er mit den *ornamenta triumphalia* ausgezeichnet wie auch seine Mitgeneräle. Auf Grund von CIL III 2830 = ILS 1056 wird angenommen, er sei anschließend noch für kurze Zeit Statthalter von Syrien gewesen. Doch kann mit Syria auch Syria Palaestina gemeint sein.

PIR² J 576 · W. ECK, in: JRS 1999 (im Druck).

[II 134] C. I. Severus. Sohn von I. [II 131]. Eine schnelle senatorische Laufbahn brachte ihn zum Kommando über die *legio XXX Ulpia Victrix* in Niedergermanien; *curator viae Appiae*; *cos. ord.* 155 n. Chr. Statthalter von Syria Palaestina ca. 156–157. Vielleicht Legat von Cappadocia unter Marcus. PIR² J 574; HALFMANN, 81.

[II 135] C. I. Silvanus Melanio. Ritter mit längerer prokuratorischer Laufbahn, u. a. in Nordspanien, vielleicht auch in Asia (AE 1968, 229–231), wenn er nicht etwa aus Asia stammte. Wenn Roman Inscriptions of Britain I 1273 sich auf ihn beziehen sollte, wäre seine Laufbahn in die Zeit zw. ca. 250 und 260 n. Chr. zu datieren.

PIR² J 581 · A. R. BIRLEY, in: ZPE 43, 1981, 13 ff. · PFLAUM, Suppl., 67 f.

[II 136] C. I. Spartiaticus. Sohn von I. [II 78]. In Korinth übernahm er mehrere munizipale Ämter und Priestertümer. Von Claudius in den Ritterstand aufgenommen, wurde er *tribunus militum* und später *procurator* von Nero und Agrippina (AE 1927, 2 = ICorinth VIII 2, Nr.

68). Von zahlreichen Städten geehrt; später von Nero verbannt.

PIR² J 587 • A. R. BIRLEY, in: ZPE 116, 1997, 240 ff.

[II 137] M. I. Sura. Ritterlicher Militärtribun, Sohn eines Procurators, Anf. 3. Jh. n. Chr. (IEph III 691 und 693 = ZPE 42, 1981, 246 ff.). Verwandtschaftlicher Zusammenhang mit [--] Iulianus Sura Magnus, *procos. Lyciae-Pamphyliae* und M. I. Sura Magnus Attalianus, die am ehesten Vater und Sohn sind. PIR² J 101, 594.

[II 138] C. I. Tiro Gaetulicus. Senator, der es bis zur Praetur brachte; Freund des Sempronius Senecio, nach dessen Tod Tiro wegen Fälschung eines Testamentskodizills angeklagt wurde. Plin. epist. 6,31; PIR² J 603; PFLAUM, Suppl., 33 ff.

[II 139] I. Tutor. Treverer; von Vitellius zum *praefectus ripae* am Rhein ernannt. Abfall zu I. [II 43] Civilis. Zwang die *Colonia Agrippinensis*, sich dem Aufstand anzuschließen. Nach der Niederlage vor Trier Rückzug ins Batavergebiet. PIR² J 607; DEVIJVER J 133.

[II 140] L. I. Ursus. Wohl aus der Narbonensis stammend. *Praefectus annonae* (AE 1939, 60); *praefectus Aegypti* unter Domitian (AE 1956, 57). Vielleicht Praetorianerpraefekt. Verbindung mit Iulia, Titus' Tochter, und Domitia [6] Longina, der Frau Domitians. Sein Leben war zeitweilig durch Domitian bedroht, dann erfolgte aber die Aufnahme in den Senat; *cos. suff.* 84 n. Chr. Im März 98 *cos. suff. II* zusammen mit Traian als Nachfolger von I. Frontinus. Beide hatten auf Nerva Einfluß genommen bei der Adoption Traians im Herbst 97. Dies ist auch aus dem 3. Konsulat im J. 100 ersichtlich, als Nachfolger Traians, wiederum zusammen mit Frontinus. Er adoptierte I. [II 141] Ursus Servianus. PIR² J 630; SYME, RP, 4–7 passim.

[II 141] L. I. Ursus Servianus = Ser. I. Servianus. Geb. ca. 47 n. Chr., vielleicht aus der Narbonensis stammend. Vor 102 n. Chr. von L. I. [II 140] Ursus adoptiert. Verheiratet vor 98 mit Domitia [10] Paulina, der Schwester des späteren Kaisers Hadrian. 90 *cos. suff.*, Herbst 97 konsularer Statthalter in Germania superior; begleitete Traian 98 an die Donau, Statthalter von Pannonia. Wahrscheinlich am 1. Dakerkrieg beteiligt. *Cos. ord. II* 102 zusammen mit Licinius Sura, also zum engsten Kreis der Vertrauten Traians gehörig. Plinius hat Anschluß an ihn gefunden (Plin. epist. 10,2). Domitius [II 25] Tullus beauftragte ihn in seinem Testament mit seinem Begräbnis; daraus ist auch ersichtlich, daß er mehrere Kinder hatte (CIL VI 10229). Bei Hadrian einflußreich; aber Annius [II 16] Verus war mächtiger (vgl. [1]). *Cos. III* erst im J. 134. Seine Tochter Iulia Paulina war mit Pedanius Fuscus Salinator, *cos.* 118, verheiratet. Sein Neffe aus dieser Ehe, Pedanius Fuscus (geb. 113), ein Großneffe Hadrians, sollte nach seiner Vorstellung Hadrians Nachfolger werden; als Hadrian Ceionius [3] Commodus adoptiert hatte, agierten Servianus, damals 90jährig, und sein Neffe gegen Hadrian; Fuscus wurde hingerichtet, Servianus wohl zur Selbsttötung gezwungen. PIR² J 631.

1 E. CHAMPLIN, in: ZPE 60, 1985, 159 ff. 2 A. BIRLEY, Hadrian, 1997, passim.

[II 142] I. Valens s. Licinianus

[II 143] I. Valentinus. Treverer, der sich I. [II 43] Civilis anschloß und die Gallier zum Krieg gegen Rom aufrief. Nach seiner Gefangennahme von Petillius Cerialis hingerichtet. PIR² J 611.

[II 144] Cn. I. Verus. Sohn von I. [II 132] Seine senatorische Laufbahn begann unter Hadrian; er gelangte nach nur zwei praetorischen Ämtern, zuletzt der *praefectura aerarii Saturni*, zum Suffektkonsulat ca. 151 n. Chr. Anschließend Legat in Germania inferior, Britannien und schließlich in Syrien, nicht vor 163. Ca. 165 an der Neuaushebung der *legiones II* und *III Italicae* beteiligt (AE 1956, 123). Für 180 zu einem 2. Konsulat designiert, er starb aber zuvor.

PIR² J 618 • E. DĄBROWA, Governors of Roman Syria, 1998, 110 ff.   W. E.

[II 145] C. I. Verus Maximus Caesar war der Sohn des → Maximinus Thrax (235–238 n. Chr.) und der Caecilia Paulina (?). Anfang 236 vom Vater zum Caesar und *princeps iuventutis* ernannt (Herodian. 8,4,9; SHA Max. Balb. 22,6; Aur. Vict. Caes. 25,2) und in die *Sodales Antonini* und die *Sodales Flaviales Titiales* kooptiert (CIL VI 2001,19–20; 2009,21–23), herrschte er neben seinem Vater und führte wie dieser die Siegertitel *Germanicus maximus, Dacicus maximus* und *Sarmaticus maximus* (CIL II 4756; III 3708; 10639; RIC 4,2, S. 151 ff., 154 ff.). 238 wurde er bei Aquileia zusammen mit seinem Vater von den meuternden Soldaten getötet und verfiel der *damnatio memoriae* (Herodian. 8,5,9).

PIR² I 620 • KIENAST², 185.   T. F.

[II 146] L. I. Vestinus. Ritter aus Vienna in der Narbonensis. Eng vertraut mit Claudius [III 1], der ihn in seiner Rede über das *ius honorum* der Gallier rühmend hervorhebt (CIL XIII 1668 = ILS 212 col. II). *Praefectus Aegypti* 60–62 n. Chr. [1]. Von Vespasian 70 mit dem Wiederaufbau des Kapitols beauftragt. Sein Sohn ist I. [II 147]. PIR² J 622.

1 G. BASTIANINI, in: ZPE 17, 1975, 273 2 DEMOUGIN, Prosopographie, Nr. 683.

[II 147] M. I. Vestinus Atticus. Sohn von I. [II 146]. Claudius spricht 48 n. Chr. von den Priesterämtern, die den Söhnen des I. [II 146] Vestinus verliehen wurden. Eng mit Nero verbunden. 65 *cos. ord.*; Nero zwang ihn noch während des Konsulats, sich die Pulsadern zu öffnen. PIR² J 624.

[II 148] C. I. Victor. Statthalter von Arabien unter zwei Kaisern und Consul. AE 1989, 748 = Inscriptions de la Jordanie, 2, 25.

[II 149] C. I. Victor. Ritter, der zw. 253 und 260 n. Chr. einen Statthalter von Moesia inferior vertrat. AE 1993, 1376.

[II 150] C. I. Vindex. Stammte aus einer aquitanischen Königsfamilie; der Vater bereits röm. Senator. Praetorische Statthalterschaft der Lugdunensis spätestens 67 n. Chr. Aus Enttäuschung über Nero und sein Regime organisierte er eine Verschwörung zahlreicher gallischer Stämme; nur Treverer und Lingonen verweigerten sich. Aufforderung an Galba in der Tarraconensis, die Führung des Aufstandes zu übernehmen. Nachdem Nero zunächst dem Aufstand keine Beachtung schenkte, zog Verginius Rufus mit drei Legionen des obergermanischen Heeres gegen ihn. Angeblich gab es Geheimgespräche zwischen beiden; doch die Legionen vernichteten Vindex' Truppen, der sich selbst in Vesontio tötete, PIR² J 628; die anonymen Münzen wurden nicht von ihm, sondern von Galba geprägt [1].

1 P.-H. MARTIN, Die anonymen Münzen des J. 68, 1974.
W.E.

III. BISCHÖFE

[III 1] Papst 337–352. Von ihm sind durch → Athanasios zwei griech. Schreiben erhalten. Darin tadelt I. die Bischöfe des Ostens, daß sie den Streit um Athanasios und den Bischofsstuhl von Alexandreia nicht Rom zur Entscheidung vorgelegt hätten. Sein Versuch, die Differenzen zwischen Arianern und Nicaenern auf der Synode von Serdica (Sofia) 342 (oder 343), zu klären, scheiterte: Die Bischöfe des Ostens exkommunizierten den Bischof von Rom und seine Parteigänger, die Bischöfe des Westens antworteten mit gleicher Münze (→ Arianismus).

Athanasios, Apologia contra Arianos 20–36; 49; 52–53 = PG 25,247 ff. · Athanasios, Epistula de synodis 20, PG 26,681 ff. · H. JEDIN (Hrsg.), Hdb. der Kirchengesch. Bd II/1, 1973, 37–42.

[III 2] Q. I. Hilarianus. 2. H. des 4. Jh. n. Chr. Der (vermutlich) in Nordafrika residierende Bischof ist Verf. zweier Schriften aus dem J. 397: *De ratione Paschae et mensis* (›Über die Berechnung der Osterzeit‹) und *De cursu temporum*, eine in sechs Perioden zu tausend Jahren gegliederte Weltgesch., in der Christi Geburt auf das Jahr 5530, das Weltende auf 470 n. Chr. gelegt wird.

De ratione Paschae et mensis, PL 13,1105–1114 · K. FRICK (Hrsg.), Chronica minora, 1892, 153–174 (De cursu temporum) · B. KÖTTING, Endzeitprognosen zw. Lactantius und Augustinus, in: Histor. Jb. der Görres-Ges. 77, 1958, 129 f. · K.-H. SCHWARTE, Die Vorgesch. der augustinischen Weltalterlehre, 1966, 169–176. R.O.F.

IV. LITERARISCH TÄTIGE PERSONEN

[IV 1] I. Africanus. Redner des 1. Jh. n. Chr. aus Gallien (Quint. inst. 8,5,15; zum Vater Tac. ann. 6,7,4), Zeitgenosse und Rivale des 59 gest. Domitius [III 1] Afer. Quint. inst. 10,1,118 hebt aus der älteren Rednergeneration beide heraus (vgl. Tac. dial. 15,3), läßt jedoch eine leichte Zurücksetzung des stilistisch moderneren I. erkennen (vgl. Plin. epist. 7,6,11): Anerkannt wird sein kraftvoller Stil (Quint. inst. 12,10,11), kritisiert die pedantische Wortwahl, der Periodenbau und ein überreicher Gebrauch von Metaphern. Nach dem Tode der Agrippina richtete er im J. 59 eine Glück-

wunschadresse an Nero (Quint. inst. 8,5,15). Eine Vita des I. Africanus hatte sein Landsmann I. Secundus verfaßt (Tac. dial. 14,4).

FR.: H. MEYER, ORF ²1842, 570 ff.
LIT.: PIR² I 120 · BARDON, 2,157 f. · J. STROUX, Zu Quintilian, in: Philologus 91, 1936, 228 f. (zu 12,11,3). P.L.S.

[IV 1a] I. Africanus, S. s. Sextus Iulius Africanus

[IV 2] I. (Gallus?) Aquila. Jurist, der frühestens unter den Severern [2] (Anf. 2. Jh. n. Chr.) ein Buch *Responsa* (in Iustinians Digesten zweimal exzerpiert: [1]) schrieb.

1 O. LENEL, Palingenesia Iuris civilis 1, 1889, 501 f.
2 D. LIEBS, Jurisprudenz, in: HLL 4, 1997, 126 f. T.G.

[IV 3] I. Atticus. Atticus wird bei → Columella (1. Jh. n. Chr.) unter seinen älteren Zeitgenossen aufgeführt (Colum. 1,1,14). Er schrieb ein Einzelbuch (*singularem librum*) über den Weinbau (*De vitibus? De cultura vitium?*). REITZENSTEIN hatte es vor → Celsus [7] angesetzt, der es dann in seiner Enzyklopädie verwendet habe; dagegen traten SCHANZ/HOSIUS, BARDON und RICHTER für die Priorität des Celsus ein – wohl zu Unrecht. Die bei Columella überwiegende Anordnung *Celsus et Atticus* bestätigt natürlich nicht, daß Celsus zeitlich früher anzusetzen ist: Bei der einzigen Doppelnennung, bei der es eindeutig auf Chronologie ankommt, geht Atticus voran (Colum. 3,17,4).

Die Bedeutung des angesehenen Autors lag offenbar in technischen *praecepta* (Anweisungen); dagegen werden seine ökonomischen *rationes* (Berechnungen) von Columella oft kritisiert. A. gehörte ja wie Celsus einer Richtung an, die beim Weinbau sparsamen Aufwand lehrte (*minor sumptus, compendium*, vgl. Colum. 4,1,1; 4,2,3), was Columella und Graecinus bekämpften. Sprache und Stil erschienen Columella weniger anziehend; so würdigte er Atticus trotz vieler Erwähnungen nie einer wörtlichen Wiedergabe, im Gegensatz zu → I. [IV 9] Graecinus. Plinius nennt Atticus als Quellenautor zu nat. 14,15,17 (Plin. nat. 1; vgl. 17,90).

→ Agrarschriftsteller; Landwirtschaft; Wein, Weinbau

1 BARDON 2, 140 ff. 2 PIR 4, Nr. 183 3 R. REITZENSTEIN, De scriptorum rei rusticae qui intercedunt inter Catonem et Columellam libris deperditis, Diss. Berlin 1884, 27–30; 54 4 W. RICHTER (Hrsg.), L. Iunius Columella, Zwölf Bücher über Landwirtschaft, Bd. 3, 1983, 620 5 SCHANZ/HOSIUS 2, 791; 864 6 A. TCHERNIA, Le vin de l'Italie Romaine, 1986, 219 7 WHITE, Farming, 25. E.C.

[IV 4] I. Bassus, C. Lat. Rhetor der augusteisch-tiberianischen Zeit; allein durch zahlreiche Erwähnungen und Zitate bei Seneca d. Ä., dessen Söhne zu I.' Schülern zählten (Sen. contr. 10, pr. 12: *vos*), sowie seine Graburne (ῥήτορος; IG 14,1675, hier auch das Praenomen) bekannt. Ungeachtet seiner impliziten und auch explizierten Wertschätzung kritisiert Seneca an I., daß er im deklamatorischen Schulbetrieb praktisch-forensische Beredsamkeit nachahme (Sen. contr. 10, pr. 12; allg. 3, pr. 1) – und zeigt damit die starke Trennung beider Bereiche (auch wenn Seneca hier eine extreme Position vertritt: [3. 239]). Damit im Zusammenhang dürfte auch die Kritik an unnötiger Schärfe und Vulgarität in der Wortwahl stehen (Sen. contr. 1,2,21; 1,6,10f.; [3. 295; 190–197]). Die Annahme einer Identität mit dem Iambographen → Bassus [1] (PIR B² 82), dem Freund des jungen Ovid und des Properz, aufgrund des Cognomen ist unbegründet und chronologisch unwahrscheinlich.

1 PIR I² 204 2 K. GEHRT, s. v. I. 122, RE 10,178–180
3 J. FAIRWEATHER, Seneca the Elder, 1981.   J. R.

[IV 5] I. Cerealis. Dichterfreund des → Martialis (Mart. 10,48,5; Adressat der Widmung von 11,52: vgl. [1]) und des L. → Arruntius [II 12] Stella. Verf. einer *Gigantomachia* und von »Vergil nahen« *Georgica*, Themen, die zu seiner Zeit weit verbreitet waren. Sonst unbekannt (s. PIR² I 261). I. wird mit *Kereálios*, dem Verf. der Epigramme Anth. Pal. 11,129 (über einen prätentiösen Dichter), 144 (ironisch über den Gebrauch seltener Wörter in Deklamationen), und auch – jedoch mit geringerer Wahrscheinlichkeit – mit dem von Plinius (epist. 2,19; 4,21) erwähnten Velius Cerialis gleichgesetzt.

1 N. M. KAY, Martial. Book XI. A Commentary, 1985, 180–185.

E. LIEBEN, s. v. I. (184), RE 10, 550 • M. CITRONI, s. v. I. C., OCD, ³1996, 784–785.   S. FO./Ü: T. H.

[IV 6] I. Exuperantius. Spätant. Grammatiker, Verf. eines Breviarium über die Geschichte der frühen röm. Bürgerkriege von Marius' Aufstieg bis zu Sertorius (109 bis 71 v. Chr.), zumal nach Sallust (›Iugurtha‹; ›Historien‹) mit gravierenden histor. Irrtümern und in einem rhet. aufgelockerten Stil.

LEX.: N. CRINITI, 1968. ED.: N. ZORZETTI, 1982.

[IV 7] Sex. I. Gabinianus. Berühmter Rhetor und Deklamator der flavischen Zeit (Tac. dial. 26,8), aus Gallien. Die Biographie Suetons (vgl. gramm. im Index, vor Quintilian) ist verloren, vgl. aber Hier. chron. a. Abr. 2092 (76 n. Chr.), p. 188 H. und comm. in Isaiam 8 pr.

R. HELM, Hieronymus' Zusätze in Eusebius' Chronik, 1929, 85.

[IV 8] I. Genitor. Rhetor des 1. Jh. n. Chr., Bekannter und lit. Ratgeber des jüngeren Plinius (vgl. Plin. epist. 7,30,4f.), der ihn (ebd. 3,3,5–7) als sittenstrengen (vgl. auch 9,17) und pflichtbewußten Lehrer der → Corellia Hispulla empfiehlt. Die Briefe 3,11; 7,30 und 9,17 sind an ihn adressiert.   P. L. S.

[IV 9] I. Graecinus, L. I., der aus Forum Iulii stammte und zunächst dem *ordo equester* angehörte, stieg zum Senator auf. Er war der Vater des von Tacitus gerühmten Iulius [II 3] Agricola und endete als Opfer Caligulas (Tac. Agr. 4,1; Grabinschrift: BCAR 68, 1940, 178; s. AE

1946, 94); zu seiner polit. Laufbahn s. I. [II 70]. Sein Werk über den Weinbau (*de vineis*; zwei Bücher, Colum. 1,1,14) entstand in Nachfolge und Auseinandersetzung mit → Iulius Atticus. Über ihn kam er in technischer Lehre nicht hinaus, um so mehr in ökonomischen Fragen. Die Auffassung des Plinius, daß I. → Celsus [7] als Ausgangsbasis genommen habe, muß ein Irrtum sein (Plin. nat. 14,33). Der große Eindruck, den der gebildete, geistvolle und gut formulierende I. (Tac. Agr. 4,1; Colum. 1,1,14: *facetius et eruditius*) auf Columella gedanklich und sprachlich gemacht hat, zeigt sich an dessen vielen, teils wörtlichen Wiedergaben in den Büchern über den Weinbau (Colum. 3 f.). Das gilt besonders für das Rentabilitätsmodell für den Weinbau (Colum. 3,3,4–11; vgl. 4,3,1–6, leider unvollständig wiedergegeben). Sein ökonomisches Denken kreiste um *diligentia* (Sorgfalt) bei der Wahl des Bodens (Colum. 3,12,1), der Setzlinge bei der Pflanzung und in der Ertragsmaximierung. Dabei scheint I. kleine, rationell arbeitende Betriebe empfohlen zu haben (Colum. 4,3,6). Plinius nennt ihn unter den Quellenautoren zu nat. 14–18, aber selten im Text.

→ Agrarschriftsteller; Landwirtschaft; Wein, Weinbau

1 J. ANDRÉ (Ed.), Plin. nat. 14, 1958, 86, Anm. 1 zu § 33
2 BARDON 2, 140ff. 3 F. MÜNZER, Beiträge zur Quellenkritik der Naturgeschichte des Plinius, 1897 (Ndr. 1988), 30f. 4 PIR 4, Nr. 344 5 R. REITZENSTEIN, De scriptorum rei rusticae qui intercedunt inter Catonem et Collumellam libris deperditis, Diss. Berlin 1884, 41–44; 56 6 SCHANZ/HOSIUS 2, 724f.; 791; 864 7 A. TCHERNIA, Le vin de l'Italie Romaine, 1986, 198ff.; 209–221 8 WHITE, Farming, 25f.   E. C.

[IV 10] I. Honorius. Lat. Grammatiker und Rhet.-Lehrer des 4./5. Jh. n. Chr. I. verfertigte zum Unterrichtsgebrauch eine nach Himmelsrichtungen und geographischen Kategorien (Länder, Städte, Flüsse, Völker) angeordnete Abschrift des Namensbestandes einer schwer leserlichen (Kap. 1) Weltkarte, die von einem Schüler publiziert wurde (Kap. 51). Die urspr. Fassung dieser *Excerpta sphaerae* (Cosmographia = A in GLM), die Cassiod. (inst. 1,25,1) seinen Mönchen zum Studium empfiehlt, ist nur lückenhaft im Par. Lat. 4808 (Mitte 6. Jh.; [1. 5,550]) erh. Eine in mehreren Hss. (ab Verona, Cap. 2, um 600; [1. 4,477]) überl. spätant. Umarbeitung (Cosmographia Iulii Caesaris = B) streicht die auf I. bezüglichen Passagen und stellt einen wohl apokryphen Ber. über eine Reichsvermessung der caesarisch-augusteischen Zeit an den Anf. Ihre wohl ebenfalls noch im 5. Jh. nach Orosius 1,2 erweiterte Bearbeitung stellt den ersten Teil der seit dem 8. Jh. nachgewiesenen (Vind. 181; [1. 10,1473]) und seit dem 9. Jh. sog. *Cosmographia Aethici* dar, die sich um rhet. Stilisierung des dürren Textgerippes bemüht.

1 E. A. LOWE (Hrsg.), Codices Latini antiquiores, 1934ff.; Suppl. 1971.

ED.: GLM, xix–xxix. xlvif. 21–55 (Rez. A u. B), 71–103 (Aethicus) • W. KUBITSCHEK, in: WS 7, 1885, 1–24; 278–303 (Flußkapitel).

Lit.: W. Kubitschek, Kritische Beitr. zur Cosmographia des J. H., 2 Bde., 1882 f. • C. Nicolet, P. Gautier Dalché, Les 'quatre sages' de Jules César, in: Journal des savants 1986, 157–218.

[IV 11] I. Martialis.

Einer der besten Freunde des Dichters → Martialis (vgl. Mart. 1,15; 11,80,5 ff.; 12,34), der ihm B. 3 (vgl. 3,5), B. 6 (vgl. 6,1) und dann die ersten 7 B. in einem eigenhändig korrigierten Exemplar (vgl. 7,17) übersandte; an Martial sind außerdem die Epigramme 5,20; 9,97 und 10,47 gerichtet. Er besaß eine reizvoll gelegene Villa (4,64, vgl. 7,17) auf dem Clivus Cinnae (h. Monte Mario) [3].

1 L. Friedländer (Hrsg.), Martial, 1886, 174   2 PIR² I 411   3 C. Neumeister, Das ant. Rom, 1991, 215–221.   P. L. S.

[IV 12] I. Modestus.

Ein gelehrter Freigelassener des Iulius → Hyginus, dessen Interessen für Gramm. und Altertumskunde er teilte (Suet. gramm. 20,3). Wahrscheinlich in spätaugusteischer und tiberianischer Zeit tätig, schrieb er eine Monographie *De feriis* (Macr. Sat. 1,4,7; 1,10,9; 1,16,28) und Miszellen in mindestens 3 B. (Gell. 3,9,1, vgl. praef. 9). Aus letzteren könnten auch die Zit. bei Quintilian, Charisius und Diomedes [1. fr. 3–8] stammen. Unsicher ist, ob I. oder Aufidius Modestus, ein anderer Gelehrter, der *Modestus* aus Mart. 10,21,1, Ps.-Acro, Vita Hor. 2 (1.3 Keller) und den Vergilscholien (schol. Vat. Georg. 3,53; brevis expositio ad 1,170; 364; 378) ist.

1 GRF (add), 9–23   2 R. A. Kaster, Suetonius, De Grammaticis et Rhetoribus, 1995, 213 f.   R. A. K./Ü: M. MO.

[IV 13] I. Montanus s. Montanus

[IV 14] I. Paris.

Spätant. Epitomator der 9 B. *Exempla* des → Valerius Maximus; das Werk ist einem Licinius Cyriacus gewidmet. Die *Exempla* werden auf bloße Information verkürzt, um – anders als das Original – als Fundus rhet. Argumentation dienen zu können. Die Überl. beruht auf einer karolingischen Kopie einer spätant. Vorlage [1].

Ed.: 1 C. Kempf, Valerius Maximus, 1888, xv–xviii; 473–587   2 R. Faranda, Valerius Maximus, 1971, 756–1001.
Lit.: 3 G. Billanovich, Dall' antica Ravenna alle biblioteche umanistiche, in: Annali dell'Università cattolica S. Cuore 1955–57, 73–107   4 D. M. Schullian, I. P., in: P. O. Kristeller u. a. (Hrsg.), Catalogus translationum et commentariorum, Bd. 5, 1984, 253–255   5 P. L. Schmidt, in: HLL 5, § 534.1.

[IV 15] I. Paulus.

Dichter des 2. Jh. n. Chr., der zum Freundeskreis des → Gellius [6] gehörte; in dessen *Noctes Atticae* (19,7,1) diskutiert man auf dem Gut des I. P. im *ager Vaticanus*. Von Gellius mehrfach (vgl. z. B. 5,4,1) als *doctissimus* bezeichnet, äußert sich I. P. 1,22,9 ff.; 16,10,9 ff. zu Semantik und Etym. einzelner Begriffe. Vielleicht ist er mit dem bei Char. p. 161,8 ff.; 181,10 ff.; 281,24 ff.; 314,6 ff. Barwick zit. Paulus identisch, der

Coelius [I 1] Antipater und die Togaten des Afranius [4] komm. hat.

K. Sallmann, in: HLL 4, § 491.2.   P. L. S.

[IV 16] I. Paulus.

Röm. Jurist etwa zw. 160 und 230 n. Chr. [1]. Vermutlich Schüler des Cervidius → Scaevola (Dig. 23,3,56,3; Dig. 28,2,19), zeitweise Rechtsanwalt (dazu [3. 1831 f.]) und Assessor des Prätorianerpräfekten → Papinianus (Dig. 12,1,40) sowie Konsiliar von Septimius Severus und Caracalla. Unter Elagabal wurde I. verbannt, doch von Alexander Severus wieder ins → *consilium* berufen [3. 1841; 8. 151]. Mit etwa 85 Werken (300 Buchrollen) war I. noch produktiver als der zweite »Enzyklopädist« seiner Zeit, → Ulpianus, von dem mehr in den → *Digesta* Iustinians exzerpiert wurde, von I. aber immerhin noch ein Sechstel deren Umfangs. I. schrieb einen kürzeren (23 B.) und einen ausführlicheren Edikts-Komm. (*Ad edictum*; 80 B.; dazu [8. 155 ff.]), Gesetzes-Komm. *Ad legem Iuliam et Papiam* (10 B.), *Ad legem Aeliam Sentiam* (3 B.) und *Ad legem Iuniam* (2 B.), Monographien zum Finanz- (*De iure fisci*; *De censibus*, jeweils 2 B.), Privat- (*De fideicommissis*, 3 B.), Verwaltungs- (*De officio proconsulis*, 2 B.) und Strafrecht (*De adulteriis*, 3 B.), kasuistische Werke (*Quaestiones*, 26 B.; dazu [6]) und Gutachten (*Responsa*, 23 B. [2. 304 f.]) sowie Lehrbücher (*Institutiones*, 2 B.), *Regulae* (›Rechtsregeln‹, 7 B.) und *Manualia* (›Handreichungen‹, 3 B.; [2. 217 ff.]). I. verfaßte auch die einzige in der Prinzipatszeit komm. Sammlung von kaiserlichen Urteilen, die den Kompilatoren Iustinians in zwei Ausgaben, als *Decreta* (3 B.) und als *Imperiales sententiae in cognitionibus prolatae* (6 B.), vorlag [2. 181 ff.; 8. 172]. I. schrieb zahlreiche weitere Monographien in einem Buch: Komm. zu Gesetzen und Senatsbeschlüssen, ferner zu einzelnen Themen des Privatrechts sowie des Prozeß-, Straf- und Verwaltungsrechts. Einige seiner Kurzmonographien sind nur Auszüge aus dem Edikts-Komm. [8. 156 f.] oder sonstige Doppelausgaben [8. 156 f, 165, 169].

I. setzte sich mit der gesamten Trad. der Jurisprudenz auseinander: Er epitomierte die *Digesta* des Alfenus [4] Varus (7 B.) und die *Pithana* (›Argumente‹) des → Antistius [II 3] Labeo (8 B.), kommentierte weitere Juristen des frühen Prinzipats (*Ad Plautium* 18 B., *Ad Sabinum* 16 B., *Ad Vitellium* 4 B., dazu [2. 261; 8. 152 f.], und *Ad Neratium* 4 B.), annotierte die *Digesta* des Salvius → Iulianus [1], die *Responsa* seines Lehrers C. Scaevola sowie die *Quaestiones* und die *Responsa* des → Papinianus. In diesen Komm. des I. tritt häufig die lehrhafte, mit Klassifikationen, Regeln und Definitionen durchsetzte Darstellung zugunsten der Polemik zurück.

Weil I. in der Spätant. zu den populärsten Juristen zählte, konnten unter seinem Namen seit dem frühen 4. Jh. aktualisierende »Kondensate« aus verschiedenen Juristenschriften im Umlauf sein, so wohl jeweils 1 B. *Regulae*, *De poenis paganorum*, *De variis lectionibus* [5. 67, 71], *De cognitionibus* und *De poenis omnium legum* [8. 174]. Für ein Pseudepigraph hält man auch die vermutlich am Ende des 3. Jh. veröffentlichten *Sententiae receptae ad fi-*

lium (*Sententiae Pauli*, 5 B.), deren Verbreitung im Westen die westgotischen *Interpretationes* bezeugen [4; 7]. Constantin d. Gr. verbot die gerichtliche Anwendung der kritischen *Notae* zu Papinianus (Cod. Theod. 1,4,1; 9,43,1), doch bekräftigte er die Geltung aller übrigen Schriften des I. Paulus, insbes. der *Sententiae* (ebd. 1,4,2). Das → Zitiergesetz von 426 (ebd. 1,4,3), das I. in das »Totengericht« aufnahm, bestätigte die Gültigkeit der *Sententiae* und die Ungültigkeit der *Notae*, deren Verwendung bei der Digestenkompilation Iustinian aber gestattete (Konstitution *Deo auctore* § 6).

1 PIR II, 203 f. 2 SCHULZ 3 H. T. KLAMI, Iulius Paulus, in: Sodalitas 4, 1984, 1829–1841 4 WIEACKER, RRG, 133, 150 5 D. LIEBS, Recht und Rechtslit., in: HLL 5, 1989, 55–73 6 J. SCHMIDT-OTT, Pauli Quaestiones. Eigenart und Textgesch. einer spätklass. Juristenschrift, 1993 7 D. LIEBS, Die pseudopaulinischen Sentenzen, in: ZRG 112, 1995, 151–171; ZRG 113, 1996, 132–242 8 Ders., Jurisprudenz, in: HLL 4, 1997, 83–217.   T. G.

[IV 17] I. Pollux (Ἰούλιος Πολυδεύκης). Rhetor aus Naukratis (Ägypten), 2. H. des 2. Jh. n. Chr. (den 10 B. seines → *Onomastikón* ist jeweils eine Widmung an Kaiser Commodus vorangestellt), Schüler des → Hadrianos [1] (eines Schülers des Herodes Atticus). Er erhielt den Lehrstuhl für Rhet. in Athen (nicht vor 178), im Wettbewerb gegen seinen Rivalen, den Attizisten → Phrynichos. H. war auch für die Schönheit seiner Rede berühmt (vgl. Philostr. soph. 2,12); er starb im Alter von 58 Jahren.

Die Suda (π 1951) verzeichnet verschiedene (nicht erhaltene) Werke: ›Gespräche‹ (Διαλέξεις ἤτοι λαλιαί), Μελέται, ›Hochzeitslied für Kaiser Commodus‹ (Εἰς Κόμοδον Καίσαρα Ἐπιθαλάμιον), ›Römerrede‹ (Ῥωμαϊκὸς λόγος), ›Der Salpinxspieler oder Der musische Wettkampf‹ (Σαλπιγκτὴς ἢ ἀγὼν μουσικός), ›Gegen Sokrates‹ (Κατὰ Σωκράτους), ›Gegen die Bewohner von Sinope‹ (Κατὰ Σινωπέων), Πανελλήνιον, Ἀρκαδικόν.

Der Name des Pollux ist heute v. a. mit dem *Onomastikón* verbunden, dem einzigen griech. lexikographischen Werk, welches nicht eine Folge von Lemmata und *interpretamenta* bietet, sondern Synonyme oder zum selben semantischen Feld gehörige Begriffe horizontal anordnet. Seine Bed. liegt darin, daß das Aufbauschema von sehr hohem Alter ist (vielleicht stammt es schon aus dem Vorderen Orient des 2. Jt. v. Chr.) und zweifellos bis in augusteische Zeit das gebräuchlichste war. Das *Onomastikón* ist h. allerdings nicht in der Originalversion erhalten, sondern in einer Redaktion (der vier Familien von Cod. zugrundeliegen, von denen der *Ambrosianus* D 34 aus dem 10./11. Jh. der älteste ist); sie geht auf eine interpolierte und gekürzte Fassung zurück, die sich im Besitz des Arethas von Kaisareia (10. Jh.) befand und von diesem benutzt wurde

Pollux war Attizist (→ Attizismus), aber schon seine Entscheidung gegen den lexikographisch-alphabetischen zugunsten eines onomastischen Aufbaus, der sich eigentlich weniger für die Vorgabe präziser Regeln eig-

net, ist ein Beleg für eine deskriptive und weniger rigorose Einstellung als die entschieden präskriptive seines Rivalen → Phrynichos, des Schülers des Ailios Aristeides: Gegen Phrynichos polemisiert I. direkt in B. 8–10 mit einer Replik auf die Kritik, die jener an 49 in den Büchern 1–7 verzeichneten Glossen geäußert hatte; Pollux kann sich v. a. nicht der engen Auswahl von Autoren, die Phrynichos für nachahmenswert hält, anschließen (ein großer Unterschied liegt z. B. in der Einstellung gegenüber der Neuen Komödie, bes. Menander: Pollux erachtet sie sprachlich als den Autoren der Alten Komödie unterlegen, aber dennoch als gut) und zögert nicht, Wörter des lit. Dor., Ion. und Aiol. zu verzeichnen (während er Wörter aus dem alltäglichen Sprachgebrauch ausdrücklich ablehnt). Die kompromißbereite Haltung gegenüber lexikalischen Problemen und der sich daraus ergebende Streit mit Phrynichos (der seinen Höhepunkt in der Frage der Besetzung des Athener Lehrstuhls hatte) brachten ihm verschiedene Feindschaften mit Zeitgenossen ein (z. B. mit Chrestos und Athenodoros), und auch → Lukianos machte sich über ihn lustig, v. a. in Rhetorum praeceptor 24 (unwahrscheinlich ist dagegen, daß die Gestalt des archaismenwütigen Protagonisten seines *Lexiphánēs* auf Pollux hindeutet). Obwohl er in der Folge von den Nachfolgern des Phrynichos als der Ignorant *par excellence* angesehen wurde, finden sich in der späteren lexikographischen Tradition Bezüge auf ihn, die nicht genug beachtet wurden (z. B. bei Hesychios, wo verschiedene Glossen mit onomastischer Struktur und Materialien vorliegen, die eng mit denen des Pollux verwandt sind).

Pollux verwertete verschiedenste Quellen: Neben dem gewaltigen Lex. des → Pamphilos gehörten dazu die *Onomastiká* des Gorgias und des Eratosthenes (v. a. im 10. B. herangezogen, wo Pollux sich gegen die Angriffe des Phrynichos hinsichtlich der Bezeichnung verschiedener Instrumente verteidigt), darüber hinaus Xenophon (Pollux im Abschnitt des 5. B. über die Jagd), Aristophanes von Byzanz (mehrfach, z. B. im 2. B. über die Bezeichnungen der Lebensalter, im 3. zur familiären und polit. Onomastik, im 9. B. zu Kinderwitzen), vielleicht Iuba (im 4. B.), Rufus von Ephesos (in einem Abschnitt des 2. B. über die Körperteile) sowie Epaphroditos.

Das *Onomastikón* des Pollux informiert nicht nur über zahlreiche Realien (neben den bereits genannten etwa über das Theater in B. 4 und eine über Verfassung und Einrichtungen des Athener Gerichtswesens in B. 8), sondern ist v. a. ein lexikalisches Repertorium für zahlreiche *loci classici*. Viele Zitate sind ungenau und einige in onomastische Reihen umgewandelt (exemplarisch ist der Fall Demosth. Olynthiaka 2,19 in Poll. 6,123), andere weisen Irrtümer auf, die durch die bes. Struktur des Werks verursacht sind (z. B. werden in 2,8 möglicherweise dem Thukydides Begriffe zugeschrieben, die sich dort gar nicht finden). Andererseits bietet Pollux zahlreiche *variae lectiones* aus der Ant. und auch einige Indi-

zien für Zuweisungen von Werken, die – ob richtig oder falsch – angemessen zu berücksichtigen sind, wie etwa die Zuweisung des ps.-xenophontischen ›Staates der Athener‹ (Ἀθηναίων Πολιτεία) an Kritias (8,25) und vielleicht die des ›Margites‹ an Xenophanes (7,148).
→ Lexikographie; Onomastikon

ED.: E. BETHE, Pollucis Onomasticon, 3 Bde., 1900–1937. LIT.: M. NÄCHSTER, De Pollucis et Phrynichii controversiis, Diss. Leipzig 1908 • E. BETHE, s. v. I. Pollux, RE 10, 773–779 • R. TOSI, Studi sulla tradizione indiretta dei classici greci, 1988, 87–114.   R. T./Ü: T. H.

[IV 18] C. I. Polybius s. Polybius
[IV 19] I. Romanus. Lat. Grammatiker, der wahrscheinlich im 3. Jh. n. Chr. lebte, da er → Ap(p)uleius [III] zit., aber → Charisius [3] sicher voranging. Er ist Verf. eines Werkes mit dem Titel Ἀφορμαί (*Aphormaí*): Verstehen muß man die sog. »Materialien« wohl im Sinne von *Latinitatis*, »reinen Lateins«. Erh. sind nur die Teile, die Charisius in seine *Ars grammatica* aufgenommen hat. Das Werk behandelte die Wortarten, die Kasuslehre und die Orthographie. Aus der Charisius-Ed. von BARWICK sind I. R. zuzuweisen: S. 75,21–76,6; 145,21–27; 146,22–25; 149,21–187,6; 246,18–289,17; 296,14–297,28; 301,16–21; 307,17–311,2; 311,14–315,27. I. R., der von Charisius wörtlich übernommen worden zu sein scheint, war dem MA nicht direkt bekannt, selbst dort, wo sein Name fällt, geschieht das durch die Vermittlung des Charisius.

J. TOLKIEHN, s. v. I. (434), RE 10,788f. • K. BARWICK, Remmius Palaemon und die röm. Ars grammatica, 1922, 63–66; 250 • Ders. (Hrsg.), Charisius 1925 • P. L. SCHMIDT, in: HLL 4, § 439.1.   P. G.

[IV 20] I. Rufinianus. 3./4. Jh. n. Chr., Verf. einer → Aquila [5] Romanus fortsetzenden, weitere 38 Figuren (bei einzelnen Überschneidungen) hinzufügenden kompilierten Figurenlehre (vgl. p. 38,1f. HALM), die alphabetisch angeordnet war (zum Titel [7]). V. a. mit Quintilian bestehen Übereinstimmungen. Die Beispiele sind in erster Linie Ciceros Reden und Vergil, jedenfalls nur lat. Autoren entnommen. Das Werk war nur im jetzt verlorenen (Brand der Dombibl. zu Speyer i. J. 1689), aber von Beatus RHENANUS (bei Frobenius, Basel 1521) ausgeschriebenen cod. Spirensis tradiert (skeptisch [8]). Die ebenfalls unter dem Namen des I. R. überl. Traktate *De schematis lexeos* (ein Exzerpt im cod. Casanat. 1086 des 9. Jh., dazu [6]) und *De schematis dianoeas* stammen nicht von ihm.

ED.: HALM, p. 38–47 [48–62]. LIT.: 1 G. BALLAIRA, Sulla trattazione dell'iperbole in Diomede, in: Grammatici latini d'età imperiale, 1976, 183–193, hier 188ff. 2 A. GANTZ, De Aquilae Romani et J. R. exemplis, Diss. 1909, 61ff. 3 B. GERTH, s. v. I. (437), RE 10, 790–793 4 M. C. LEFF, The Latin Stylistic Rhetorics of Antiquity, in: SM 40, 1973, 273–279, bes. 276f. 5 W. SCHÄFER, Quaestiones rhetoricae, Diss. 1913, 60ff. 6 U. SCHINDEL, J. R. – Zum Nutzen von Exzerptüberl., in:

Voces 4, 1993, 55–66 7 Ders., in: HLL 6, § 617.5. ÜBERL.: 8 M. WELSH, The Transmission of Aquila Romanus, in: CeM 28, 1967, 286–313, hier 288f.   W.-L. L.

[IV 21] I. Secundus. Röm. Redner des 1. Jh. n. Chr. aus Gallien, Zeitgenosse und Freund Quintilians (inst. 10,3,12), im J. 69 *ab* → *epistulis* Othos (Plut. Otho 9) und Lehrer des Tacitus (vgl. dessen Urteil dial. 2), der ihn einer Rolle im *Dialogus* würdigt. I. starb relativ jung (Quint. inst. 10,1,120f.). Quintilian macht bei aller Anerkennung (12,10,11) auf seine übergroße Ängstlichkeit in der Wortwahl aufmerksam (10,3,12ff., vgl. Tac. dial. 2,1). I. verfaßte auch eine Biographie seines Landsmannes → Iulius [IV 1] Africanus (Tac. dial. 14,4).

PIR² I 559 • BARDON, 2,200 • R. SYME, Tacitus, 1958, 104ff; 614f.; 800 • HRR 2, CLXXLf.

[IV 22] I. Caesar Strabo s. I. [I 11]
[IV 23] I. Valerius Alexander Polemius. Aus Alexandreia, Verf. einer dem Kaiser Constantius II. gewidmeten Übers. des griech. → Alexanderromans (Rez. a) aus der Mitte des 4. Jh. n. Chr. (vgl. [2]), nicht identisch mit dem *cos.* von 338. Die paraphrasierende und erweiternde Übertragung hält sich im ganzen an den Text der Vorlage; ihr Stil, von poet. Wendungen, Archaismen und Neologismen geprägt, wirkt gekünstelt. Sie ist in dem wohl ebenfalls von I. stammenden [5. 213] → *Itinerarium Alexandri* (341–345 n. Chr., vgl. [2]) benutzt. Die Erhaltung des vollständigen Textes beruht auf wenigen, z. T. frg. Hss. Hingegen war eine Epitome im MA weit verbreitet, die für einen beträchtlichen Teil der Wirkung des Alexanderromans verantwortlich ist.

ED.: M. ROSELLINI, 1993 • Epitome: J. ZACHER, 1867. LIT.: 1 B. AXELSON, Kleine Schriften zur lat. Philol., 1987, 43–73 2 D. ROMANO, Giulio Valerio, 1974 3 R. MERKELBACH, Die Quellen des griech. Alexanderromans, ²1977, 91; 98f.; 101; 163f. 4 D. J. A. ROSS, Alexander Historiatus, ²1988, 9–27; 108ff. und passim 5 P. L. SCHMIDT, in: HLL 5, § 540.

[IV 24] I. Victor. Verf. eines an das E. des 4. Jh. n. Chr. zu setzenden Lehrbuchs der Rhet. Das Werk ist als *Ars rhetorica* eine vollständige Darstellung des Systems der Rhet. Anordnungsprinzip sind die → *officia oratoris*, unter *inventio* sind auch → Status-Lehre und → *partes orationis* behandelt. Am Schluß stehen systemfremde Abschnitte über Trainingstechnik (*exercitatio*), Konversation (*sermocinatio*) und Brief. Soweit wir die in Titel und Subskription aufgezählten Quellenautoren – Hermagoras (über röm. Zwischenstufen), Cicero (inv., de or., or.), Quintilian, Aquilius, Marcomannus (auch Quelle des Consultus Fortunatianus und Sulpicius Victor) Tatian – kontrollieren können, hat I. kompiliert, ist jedoch in der geglückten Synthese der Systemteile und ihrer Adaptation originell. Eigentümlich ist auch die Ausrichtung der Darstellung auf das Handfeste, ihr praktischer Verstand; das Vokabular ist deutlich spätlat. geprägt. Die Schrift ist vollständig nur in Vat. Ottob. Lat. 1968

(12. Jh.) überl., zudem in Exzerpten (Par. Lat. 13955, 9./10. Jh.; München, Clm 14436, 12. Jh.), die alle – wie die von Alkuin in seine Rhet. (Rhetores Latini minores 523–550) eingelegten Stücke – auf einen insular geprägten Archetyp zurückgehen.

ED.: R. GIOMINI, M. S. CELENTANO, Ars rhetorica, 1980. LIT.: A. REUTER, Unt. zu … Julius Victor …, in: Hermes 28, 1893, 73–134 · R. GIOMINI, M. S. CELENTANO, Ars rhetorica, v–xxxvii (mit Bibl.) · M. S. CELENTANO, Un galateo della conversazione, in: Vichiana 3, S. 1, 1990, 245–253 (zu p. 99–103) · Dies., La comunicazione epistolare … nell'Ars rhetorica di Giolio Vittore, in: RFIC 122, 1994, 422–435 (zu p. 105f.) · U. SCHINDEL, in: HLL 6, § 617.3.   P. L. S.

Iullus. Name (auch hsl. *Iulus*) des Sohnes des Aineias (→ Iulus); Beiname in der Familie der Iulii [I 13–16]; Vorname des I. Antonius [II 1].   K.-L. E.

Iulus. In der durch Vergil bestimmten Tradition ist I. der einzige Sohn des → Aineias (Aeneas) und der Troerin → Kreusa (Creusa), Ahnherr der röm. *gens Iulia*; in Troia heißt er Ilus, dann Ascanius (Aen. 1,267f.). Der Name Askanios für einen (meist den ältesten) Sohn des Aineias erscheint erst nachhomerisch (bei Homer heißen zwei Verbündete der Troianer so, Hom. Il. 2,862 aus dem phryg. Askania; 13,790), sowohl in Gründungslegenden (Hellanikos FGrH 4 F 31; Dion. Hal. ant. 1,54,2), die seine Ankunft in Italien ausschließen, wie in der Erzählung von Aineias' Flucht aus Troia (Tabula Iliaca; Strab. 13,1,53, vielleicht nach Sophokles, vgl. aber fr. 373). Wie das Kind, das seit den att. Vasen des 6. Jh. oft Aineias mit seinem Vater Anchises begleitet, zu nennen ist, ist wegen des Fehlens von Beischriften unklar. Gewöhnlich kommen Aineias und Askanios in Italien an, so auch bei Fabius Pictor [1. 394f.], doch kann Askanios auch allein Italien erreichen (Dion. Hal. ant. 1,53,4). Dort ist er Nachfolger des Aineias als Herrscher von Lavinium und Gründer von → Alba Longa (nach Dion. Hal. ant. 1,65,1 heißt er erst Euryleon; Liv. 1,1,11 macht ihn zum Sohn von Aeneas und → Lavinia).

Die Benennung I. erscheint nur bei Cato (orig. fr. 9), wo dieser (sprechende) Name nach der Tötung des → Mezentius verliehen wird (als eine Art Initiation) und bei Liv. 1,3,2, wo versuchsweise ein älterer Askanios, der Sohn der Troianerin Kreusa, der auch I. heißt, von einem jüngeren, dem Sohn der → Lavinia, unterschieden wird; danach hat jedenfalls die *gens Iulia* den troian. Mythos übernommen. In der röm. epischen Trad. vor Vergil hat Aeneas entweder den Sohn Romulus (Naev. fr. 25) oder die Tochter Silvia (Enn. bei Serv. Aen. 6,777).

1 G. MANGANARO, Una biblioteca storica nel ginnasio di Tauromenion e il P. Oxy. 1241, in: PdP 158–159, 1979.

E. FLORES, s. v. Ascanio, EV 1, 353–366 · E. PARIBENI, s. v. Askanios, LIMC 2, 860–863 · M. PETRINI, The Child and the Hero. Coming of Age in Catullus and Vergil, 1997, 87–110.   F. G.

Iuncus. Verbreitetes röm. Cognomen und Familienname (»Binse«) [1. 729; 2. 334].

[1] I., M. Praetor 76 v. Chr. s. Iunius [I 22] I., M.

1 WALDE/HOFMANN 1 2 KAJANTO, Cognomina.   K.-L. E.

[2] I. Vergilianus. Senator, der zum Kreis um Messalina und Silius gehörte und von ihrer Heirat wußte; 48 n. Chr. hingerichtet. Sein Name vielleicht Iunius I. Vergilianus, PIR² J 712.   W. E.

Iunia

[1] Tochter des D. Iunius [I 30] Silanus und der Servilia, der Nichte Catos, Frau des M. Aemilius [I 12] Lepidus (Cic. Phil. 13,8; Vell. 2,88,1). 30 v. Chr. wurde sie angeklagt, vom Anschlag ihres ältesten Sohnes auf Octavian gewußt zu haben, aber freigesprochen (App. civ. 4,50).

[2] I. Tertia (Suet. Iul. 50,2; Cic. Brut. 3,3; auch I. Tertulla genannt: Cic. Att. 14,202; 15,11,1), Schwester der I. [1], Halbschwester des M. Iunius [I 10] Brutus und Frau des C. Cassius [I 10] (Plut. Brutus 7). Sie starb 22 n. Chr. und vermachte ihr Vermögen vielen Vornehmen (Tac. ann. 3,76). PIR² I 865.

[3] I. Caecilia. Tochter des Q. Caecilius [II 16], seit spätestens 17 n. Chr. mit Nero Iulius [II 34] Caesar verlobt (Tac. ann. 2,43,2 [1. 98]), starb wohl unverheiratet. Sie ist im Mausoleum des Augustus bestattet (ILS 184).

1 R. SEAGER, Tiberius, 1972, 119 2 RAEPSAET-CHARLIER 464.

[4] I. Calvina. Tochter von M. → Iunius [II 41] und Aemilia Lepida (Suet. Vesp. 23,4), lebensfrohe Ehefrau (Sen. apocol. 8,2) des L. Vitellius, *cos. suff.* 48 n. Chr., dessen Vater sie 48 des Inzests mit ihrem Bruder L. Iunius beschuldigte (Tac. ann. 12,4,1). 49 verbannt, 59 von Nero zurückgerufen (Tac. ann. 12,8,1; 14,12,3), lebte sie bis gegen Ende der Regierung Vespasians (Suet. Vesp. 23,4). Ihr zu Ehren ILS 6239.

PIR² I 856 · B. LEVICK, Claudius, 1990, 71,78 · CAH 10, ²1996, 240, 900 · RAEPSAET-CHARLIER 469 · VOGEL-WEIDEMANN 197f., 322.

[5] I. Claudia (Tac. ann. 6,20,1; 45,3), auch Claudilla (Suet. Cal. 12,1–2). Tochter des M. Iunius [II 37] Silanus, heiratete 33 n. Chr. → Caligula in Antium (Cass. Dio 58,25,2; [1. 32,63], entgegen Cass. Dio 59,8,7 nicht verstoßen [1. 34]). Starb ca. 37 im Wochenbett. PIR² I 857.

1 A. A. BARRETT, Caligula, 1989 2 RAEPSAET-CHARLIER 470 3 VOGEL-WEIDEMANN 231f.

[6] Tochter des M. Iunius [II 37] ([1. 474; 2. 245], Tac. ann. 11,12,2). 47 n. Chr. ließ sich ihr Mann C. Silius wegen Messalina von ihr scheiden. Weil Agrippina [3], einst Freundin der I., den T. Sextius Africanus von einer Heirat mit I. abhielt, wollte I. sie bei Nero verleumden (Tac. ann. 13,19–22). Von ihm 55 exiliert, jedoch 59 rehabilitiert, starb sie (kinderlos) auf der Rückreise in Tarent (Tac. ann. 13,19,2). PIR² I 864.

1 Raepsaet-Charlier 474 2 CAH 10, ²1996
3 D. Balsdon, Die Frau in der röm. Antike, 1979, 115, 126, 133f.

[7] I. Torquata. Tochter des C. Iunius [II 31], noch 64jährig Vestalin (CIL VI 2128 = ILS 4923), später *Vestalis maxima* (CIL VI 2127; Tac. ann. 3,69,6). Ihr zu Ehren CIL VI 20788; 20852; Syll.³ 794. PIR² I 866. Raepsaet-Charlier, 475.   ME. STR.

Iunianus s. Iustinus [5]

Iunior. Verf. einer Weihinschr. (sechs Distichen unter dem Lemma Ἰουνίωρος), in der eine Aphroditestatue proklamiert, daß sie in Sinuessa (Campanien) neben einem Tempel mit Blick aufs Meer aufgestellt worden sei: die Weihende, Eon (Ἠιῶν, V. 3), stellt sich als Freigelassene des Drusus (d. Ä. oder d. J.?) und seiner Gattin vor (V. 4). Unbeweisbar ist die Gleichsetzung des Dichters sowohl mit Lucilius Iunior, dem Freund des Seneca, als auch mit dem Epigrammatiker → Pompeius Macer Iunior.

EpGr 810 = Anth. Pal. appendix I 199 Cougny.
M. G. A./Ü: T. H.

Iuniores. In der Centurienordnung, die in der historiographischen Überlieferung dem König Servius Tullius zugeschrieben wurde, war das röm. Volk nach dem jeweiligen Vermögen der einzelnen Bürger in *classes* eingeteilt, die gleichzeitig polit. und mil. Zwecken dienten. Dabei bestand jede Klasse aus zwei Gruppen von Bürgern, den *iuniores* (Männern im Alter von 17–46 Jahren), die Militärdienst zu leisten hatten und kämpfen mußten, wo und wann immer es von ihnen verlangt wurde, während es die Aufgabe der *seniores* (46–60 Jahre) war, die Stadt gegen Angriffe zu verteidigen (Pol. 6,19,2; Liv. 1,43,1 f.: *seniores ad urbis custodiam ut praesto essent, iuvenes ut foris bella gererent*; Gell. 10,28,1; Dion. Hal. ant. 4,16f.).
Im 4. Jh. n. Chr. bezeichnete der Begriff *i.* Rekruten mit hinreichenden physischen und geistigen Fähigkeiten (Cod. Theod. 7,13,1, 353 n. Chr.; Veg. mil. 2,5). Außerdem werden in der → *Notitia Dignitatum* bestimmte Einheiten als *i.* bezeichnet; wahrscheinlich sind sie aus bereits bestehenden Einheiten aufgestellt und dann mit neu ausgehobenen Rekruten ergänzt worden. Die älteren Einheiten wurden hingegen als *seniores* bezeichnet; dies trifft etwa auf die *legiones Herculiani seniores* und *Herculiani iuniores* oder auf die *vexillationes* der Reiterei *Batavi seniores* und *Batavi iuniores* zu. Diese Praxis war vielleicht von Valentinianus I. eingeführt worden.
→ Heerwesen

1 R. Tomlin, Seniores-Iuniores in the Late-Roman Field Army, in: AJPh, 1972, 253–278.   J. CA./Ü: A. BE.

Iunius. Röm. Familienname, vom Götternamen Iuno abgeleitet [1. 470; 2. 731]. Die *gens* war plebeisch; ihre bes. von den Mördern Caesars, M. und D. I. Brutus [I 10 und 12], propagierte Herkunft vom (patrizischen) Re-

publikgründer L. I. [I 4] Brutus (Cic. Att. 13,40,1) war bereits in der Antike umstritten (Plut. Brutus 1,6–8). Eine Familiengeschichte verfaßte auf Bitten des M. Brutus T. → Pomponius Atticus (Nep. Att. 18,3). Politisch bedeutend wurde die *gens* ab dem 4. Jh. v. Chr. mit den Zweigen der Scaevae, Bubulci und Perae. Ab dem Ende des 3. Jh. traten die Bruti und Silani hervor. Die Bruti starben mit den Mördern Caesars aus, die Silani, die ihren Beinamen von griech. σιλανός (*silanós*, »Silen«) herleiteten (RRC 220; 337; [3. 535]), gehörten noch im 1. Jh. n. Chr. zu den führenden Senatorenfamilien. Wichtigste Praenomina: D., L. und M.

1 Schulze 2 Walde/Hofmann 1 3 Walde/Hofmann 2.
K.-L. E.

I. Republikanische Zeit II. Kaiserzeit
III. Literarisch tätige Personen

I. Republikanische Zeit
[I 1] I., C. Aedil 75 v. Chr. (MRR, 2,100; vgl. 158; 162). 74 Vorsitzender der *quaestio de veneficiis*, wegen Bestechung im Prozeß gegen → Abbius Oppianicus vom Volkstribunen L. Quinctius noch im Amt angeklagt und verurteilt (Cic. Cluent. 1; 55; 89–96; 108). Das *iudicium Iunianum* diskreditierte Sullas Gerichtsreform, die allein Senatoren als Geschworene vorsah und durch die *lex Aurelia* von 70 v. Chr. umgestoßen wurde.   JÖ. F.
[I 2] I., M. Praetor 67 v. Chr. (MRR 2.150 Anm. 3), leitete den Prozeß gegen D. Matrinius (Cic. Cluent. 126).   P. N.

Iunii Bruti

[I 3] I. Brutus, D. Sohn von I. [I 14], 100 v. Chr. Gegner des L. Appuleius [I 11] Saturninus, Anhänger Sullas, Praetor spätestens 80, als Consul 77 unbedeutend (MRR 2,88). Verheiratet mit → Sempronia, die 63 sein Haus zur Zusammenkunft mit den Gesandten der Allobroger zur Verfügung stellte (Sall. Catil. 40,5). Cicero (Brut. 175) bezeichnet ihn als hochgebildet und erfolgreichen Gerichtsredner.
[I 4] I. Brutus, L. Der Begründer der röm. Republik. Die Historizität seiner Person wie der gesamten Erzählung vom Sturz des Königtums sind umstritten; teils gilt seine Geschichte als Erfindung des späten 4. Jh. v. Chr., teils als gute mündliche Überl. Nach der lit. Trad. (ausführlich Liv. 1,56–2,7; Dion. Hal. ant. 4,67 – 5,18; weitere Quellen MRR 1, 1–3) ist Brutus (B.) Sohn der Tarquinia, Schwester des Königs → Tarquinius Superbus. Nachdem Vater und Bruder durch den König ermordet worden sind, stellt B. sich dumm, um demselben Schicksal zu entgehen (daher der Beiname B. »Dummkopf«). Wegen eines bösen Omens begleitet B. die Söhne des Tarquinius zum Delphischen Orakel. Er deutet als einziger die Antwort des Orakels richtig, es werde der herrschen, der als erster die Mutter küsse, indem er bei der Rückkehr die Erde Italiens küßt. Nach der Vergewaltigung der → Lucretia durch Sex. Tarquinius, den Sohn des Königs, verstellt sich B. nicht länger, sondern

ruft zum Sturz des Königtums auf, und Tarquinius wird abgesetzt: ›Die Freiheit (*libertas*) und die Konsulatsverfassung (*consulatus*) führte L.B. ein‹ (Tac. ann. 1,1,1).

B. und L. Tarquinius Collatinus werden die ersten Consuln (nach varronischer Chronologie 509 v.Chr.). B. führt eine Reihe von weiteren konstitutionellen und religiösen Neuerungen ein: Einholung der Auspizien vor Amtsantritt der Consuln (Val. Max. 4,4,1); die *lex curiata* als Grundlage des konsularischen *imperiums* (Tac. ann. 11,22); Wechsel der *fasces* zwischen den Consuln (Liv. 2,1,8); Einführung des Opferkönigs (*rex sacrorum*); Erweiterung des Senats auf (wieder) 300 Mitglieder durch Aufnahme der *gentes minores*. – Als zwei seiner Söhne mit den Tarquiniern den Sturz der Republik planen, werden sie verurteilt und in Gegenwart des Vaters hingerichtet. Brutus veranlaßt daraufhin seinen Kollegen zur Abdankung (Nachfolger wird P. → Valerius Poplicola) und läßt durch Gesetz alle Tarquinier aus Rom verbannen. Er selbst fällt in einer Schlacht gegen die Etrusker im Zweikampf mit Aruns Tarquinius. Nachfolger wird zunächst Sp. Lucretius Tricipitinus, dann M. Horatius [6] Pulvillus (singuläre Überl. bei Pol. 3,22,1 kennt ihn als Kollegen des B. und datiert den 1. röm.-karthagischen Vertrag in deren Konsulat).

In die Gesch. des B. wurden idealtypisch die Wertvorstellungen der röm. republikanischen Aristokratie projiziert: siegreicher Kampf gegen monarchische Herrschaft und konstitutionelle Regierung, individuelle Strenge und Aufopferung für das Vaterland. Sie wurden in der Krise der Republik durch die Mörder Caesars I. [I 10 und 12] und die anticaesarische Propaganda wiederbelebt. Die Erzählung vom Sturz der Monarchie durch die Hybris des Königs wirkte als historisches *exemplum* bis weit in die Neuzeit. – Eine alte Statue des B. stand auf dem Kapitol unter den Statuen der sieben Könige (Plut. Brutus 1,1). → Accius verfaßte (vielleicht auf Anregung von I. [I 14]) eine Tragödie *B.* (TRF³ 328–331 = 237–239D). Der berühmte Bronzekopf (Rom, KM) ist nicht authentisch.

→ Porsenna

A. MASTROCINQUE, Lucio Giunio Bruto, 1988.

[I 5] I. Brutus, L. War nach annalistischer Überl. als Volkstribun 494 v.Chr. treibende Kraft hinter dem Auszug der Plebeier aus Rom (Dion. Hal. ant. 6,70–81; 7,14–16); spät erfundene Dublette zu I. [I 4]. K.-L.E.

[I 6] I. Brutus, M. Volkstribun 195 v.Chr. Als *praetor urbanus et peregrinus* 191 weihte er den Tempel der Magna Mater auf dem Palatin, wobei der *Pseudolus* des → Plautus aufgeführt wurde (MRR 1, 353). 189 bis 188 Mitglied einer Zehnmännerkommission in Asia Minor. Als *cos.* 178 kämpfte er zunächst gegen die Ligurer und zog schließlich seinem Kollegen A. Manlius Vulso gegen die Istrier zu Hilfe (Liv. 41,5,5; 9–12). P.N.

[I 7] I. Brutus, M. Polit. unbedeutend (curulischer Aedil 146 v.Chr.?, Praetor 140?), einer der Begründer der röm. Rechtswissenschaft, s. I. [III 1]

[I 8] I. Brutus, M. Sollte 88 v.Chr. als Praetor L. Cornelius [I 90] Sulla am Marsch auf Rom hindern, trat 87 auf die Seite der Marianer und beging 82 beim Kampf gegen Cn. Pompeius vor Sizilien Selbstmord (Liv. per. 89; App. civ. 1,271). K.-L.E.

[I 9] I. Brutus, M. Gatte der → Servilia, Vater des Caesarmörders I. [I 10], 83 v.Chr. Volkstribun und Gründer einer *colonia* in Capua [1]. Als Legat des Aemilius [I 11] Lepidus in der Gallia Cisalpina wurde er 78 nach der Übergabe von Mutina unter ungeklärten Umständen auf Geheiß des Cn. Pompeius getötet (Plut. Pompeius 16).

1 P.B. HARVEY, Cicero, Consius and Capua, II: Cicero and M. Brutus' Colony, in: Athenaeum 60, 1982, 145–161.
W.W.

[I 10] I. Brutus, M. Der Caesarmörder, wurde ca. 85 v.Chr. geb. Nach dem Tod des Vaters I. [I 9] im J. 78 übernahm der Halbbruder seiner Mutter Servilia, M. → Porcius Cato, seine Erziehung. Im J. 59 wurde Brutus (B.), dessen Name nach der Adoption durch einen Verwandten seiner Mutter Q. Servilius Caepio Brutus lautete [2. 975f.], in die Vettiusaffäre (→ Caesar) verwickelt, aber durch Caesar, dessen langandauerndes Verhältnis zur Mutter → Servilia (vgl. [4]) Stadtgespräch war, aus der unangenehmen Situation befreit (Cic. Att. 2,24,2–4). 58–56 begleitete B. den mit der Annexion Zyperns beauftragten Cato. Durch Ciceros Briefwechsel sind zufällig verschiedene Geldgeschäfte des B. aus dieser Zeit bekannt, die ein bezeichnendes Licht auf das Geschäftsgebaren röm. Privatleute in der Provinz werfen [6. 228–232]: B. gewährte Anleihen an in Not geratene zyprische Städte wie Salamis zu einem Jahreszinssatz von 48 %. Ausstehende Zahlungen suchte er gewaltsam einzutreiben, nachdem 53 als Quaestor und Begleiter seines Schwiegervaters Appius Claudius [I 24] Pulcher (Heirat mit Claudia wohl 54), des Statthalters von Cilicia (53–51), nach Zypern zurückgekehrt war (Ps.-Aur. Vict. Vir. ill. 82,3–4); die Transaktionen wurden von Cicero, dem Nachfolger des Claudius, verurteilt (Cic. Att. 5,21,10–13; 6,1,3–7; 2,7–10; 3,5).

In Rom trat B. 52 zunächst gegen → Pompeius auf (Quint. inst. 9,3,95), der für den Tod seines Vaters verantwortlich war; nach Clodius' [I 4] Ermordung schrieb er ein Pamphlet zugunsten des Mörders Milo (Ascon. 41C). Die Ereignisse um die Tat führten B. mit Cicero zusammen, 51 trat allerdings eine kurze Entfremdung (auf Grund o.g. Finanzaffäre) ein. 49 war B. als Legat in Kilikien, später in Makedonien tätig. Er stellte sich im Bürgerkrieg auf die Seite des zuvor attackierten Pompeius. Nach der Entscheidungsschlacht von Pharsalos (9.8.48 v.Chr.) floh er, Caesar begnadigte jedoch den Sohn seiner Geliebten, und B. wechselte vom Freundeskreis des Pompeius in den Caesars [2. 980f.]. Danach wirkte er für diesen in Kleinasien; 46 übergab ihm Caesar die Verwaltung der Gallia Cisalpina, die er bis zum Frühjahr 45 ausübte (MRR 2, 301); 44 erhielt er das Amt des Praetors (MRR 2, 321), für 41 stellte ihm Caesar das Konsulat in Aussicht. Nach seiner Rückkehr aus Gallien hatte B., von Claudia geschieden, in zweiter Ehe → Porcia geheiratet. Die Hochzeit mit der Tochter Catos und Witwe des Bibulus war wie die ungefähr gleichzeitige Veröffentlichung der Lobschrift *Cato* ein aufsehenerregendes Politikum (Porcias Vater wie erster Ehemann hatten bis zu ihrem Tod zu den entschiedensten Caesargegnern gehört). Dennoch wird B.' Bruch mit Caesar erst in den Februar 44 datiert, als sich dieser zum Dictator auf Lebenszeit ernennen ließ [2. 988].

Auf Grund seiner Reputation und seiner Nähe zu Caesar wuchs I. zusammen mit → Cassius [I 10] schnell die führende Rolle unter den ca. 60 Verschwörern gegen den Dictator zu. Sein mehr von mißverstandenem Idealismus als polit. Verstand getragenes Motiv, die Republik zu retten, wurde später verklärt. Für B. spricht, daß er mit seiner Tat die eigene gesicherte Karriere ausschlug. Nach Caesars Ermordung am 15.3.44 (Plut. Brutus 7–18 mit der Vorgesch. [2. 988ff.]) zeigte sich, wie unzureichend das weitere Vorgehen bedacht worden war. B. befand sich gegen M. → Antonius [I 9] bzw. Octavianus (→ Augustus) schnell in der Defensive. Er verließ im April die Hauptstadt, im August Italien. In Griechenland sammelte er Truppen, sicherte sich Makedonien sowie Illyrien als eigene Machtbasis, ehe der Senat das Vorgehen schließlich durch ein *imperium maius* über alle Provinzen des Ostens legalisierte (gemeinsam mit Cassius, nachdem beiden schon im Sept. 44 durch *s.c.* Creta et Cyrenae als Provinzen für 43 zugewiesen worden waren). Nach dem Umschwung in Rom und der Bildung des sog. 2. Triumvirats zwischen → Aemilius [I 12] Lepidus, Octavianus und Antonius (27.11.43 v.Chr.) rüsteten B. und Cassius im Osten zum Entscheidungskampf. In zwei großen Schlachten (Okt./Nov. 42) wurden sie von Antonius bei Philippi besiegt; I. beging Selbstmord (Plut. Brutus 40–52). Eine späte Wiederauferstehung feierte B. in der Französischen Revolution als der klassische Freiheitskämpfer *in tyrannos*. Von der vielseitigen schriftstellerischen Tätigkeit des B. (philos. und moralische Abh., Reden, Briefe, Gedichte, Pamphlete) hat sich nichts erhalten.

1 M. H. DETTENHOFER, Perdita Iuventus, 1992
2 M. GELZER, s. v. Iunius (Brutus) (53), RE 19, 973–1020
3 K. M. GIRARDET, Die Rechtsstellung der Caesarattentäter, in: Chiron 23, 1993, 207–232 4 F. MÜNZER, s. v. Servilia, RE 2A, 1818–1820 5 U. ORTMANN, Cicero, Brutus und Octavian, 1988 6 W. WILL, Julius Caesar, 1992. W. W.

[I 11] I. Brutus, P. Curulischer Aedil 192 v.Chr. Im J. 190 Praetor in Etrurien, übernahm 189 für L. Baebius [I 7] Hispania Ulterior. MRR 1, 362. P. N.

[I 12] I. Brutus Albinus, D. Sohn des D. I. [I 3] Brutus, adoptiert von Postumius Albinus. Im J. 56 v.Chr. war Brutus (B.) Praefekt der von Caesar gegen die Veneter eingesetzten Flotte (Caes. Gall. 3,11,5–16,4), 52 kämpfte er gegen → Vercingetorix (Caes. Gall. 7,9,2; 87,1). Wahrscheinlich bekleidete er 50 die Quaestur [1]. Als Legat kommandierte er Seeoperationen bei der Belagerung von Massilia im J. 49 (MRR 2, 267) und leitete

wohl 48 (MRR 3, 112f.) die Münzprägung in Rom. Es folgten die Verwaltung der Gallia Comata wohl erst 47 bzw. 46 (MRR 3, 113) und die Praetur in der 2. H. des J. 45. Caesar setzte ihn in seinem Testament vom 13.9.45 als einen der Erben ein (Suet. Iul. 83,2), unterstellte ihm Anfang 44 die Gallia Cisalpina und bestimmte ihn für die Zeit seiner geplanten Abwesenheit zum Consul von 42 (App. civ. 3,408). B. schloß sich jedoch den Verschwörern an und geleitete den zögernden Caesar am 15.3.44 in die Senatssitzung [2]. Anf. April ging B. in seine Provinz. Als er es ablehnte, diese zu übergeben, belagerte ihn M. → Antonius [I 9], dem sie seit dem 1.6. zugewiesen war, Ende Dez. bei Mutina (→ Mutinensischer Krieg). Im April 43 wurde B. von den Consuln → Hirtius und Vibius Pansa befreit. B. nahm als Oberbefehlshaber der consularischen Truppen den Kampf gegen den geächteten Antonius in der Gallia Transalpina auf, unterlag aber diesem ohne Schlacht, als sein Mitfeldherr → Munatius Plancus im Sept. zu Antonius überlief. B. wurde auf der Flucht nach Makedonien erschlagen (MRR 2, 328, 347).

1 G. V. SUMNER, The Lex Annalis under Caesar, in: Phoenix 25, 1971, 358f. 2 F. MÜNZER, s. v. Iunius (Brutus) (55a), RE Suppl. 5, 373–375. W. W.

[I 13] I. Brutus Bubulcus, C. Consul I 291 v.Chr., Consul II 277, triumphierte über Lucaner und Bruttier (InscrIt 13,1,73).

[I 14] I. Brutus Callaicus, D. Jüngerer Bruder von I. [I 7], Consul 138 v.Chr. mit P. Cornelius [I 84] Scipio Nasica Serapio; beide wurden von den Volkstribunen kurzfristig inhaftiert, weil sie keine Ausnahmen bei Aushebungen zulassen wollten (MRR 1,483). I. kämpfte dann in Spanien gegen die Lusitaner und siedelte dort die Anhänger des → Viriatus an. Als Proconsul 137 besiegte er die Callaici, 136 half er seinem Amtskollegen L. Aemilius [I 17] Lepidus gegen die Vaccaeer, beide scheiterten aber (MRR 1, 487). Nach der Rückkehr triumphierte er (Siegerbeiname) und erbaute den Marstempel (mit Statuen des → Skopas) auf dem Marsfeld. 129 half er als Legat dem Consul C. Sempronius Tuditanus in Illyrien (Liv. per. 59). 121 unterstützte er den Consul L. Opimius im Kampf gegen die Anhänger des C. Sempronius Gracchus auf dem Aventin (Oros. 5,12,7). Er war Augur, literarisch hochgebildet und Gönner des Dichters → Accius (Cic. Arch. 27; leg. 2,54; Brut. 107; Val. Max. 8,14,2). Sein Sohn: I. [I 3].

[I 15] I. Brutus Damasippus, L. (in den Quellen gewöhnlich nur Damasippus). Marianer, wurde 83 v.Chr. von Pompeius in Picenum geschlagen, als er die Vereinigung von dessen Truppen mit L. Cornelius [I 90] Sulla verhindern wollte; als *praetor* (*urbanus*?) 82 ließ er auf Befehl des Consuls C. → Marius prominente Angehörige der Nobilität, die noch in Rom verblieben waren, grausam ermorden, darunter den Oberpontifex Q. → Mucius Scaevola (Cic. fam 9,21; Sall. Catil. 51,32; hist. 1,77,7M; Liv. per. 86; Vell. 2,26,2; App. civ. 1, 403 u.a.). Dann versuchte er vergeblich, den in Praeneste belagerten Marius zu befreien, kämpfte in der Schlacht an der Porta Collina gegen die Sullaner, wurde ergriffen und auf Sullas Befehl hingerichtet.

[I 16] I. Brutus Pera, D. Nach seinem Tod wurden ihm zu Ehren von seinem Sohn I. [I 25] die ersten Gladiatorenspiele Roms veranstaltet.

[I 17] I. Brutus Scaeva, D. 339 v. Chr. *magister equitum* des Dictators Q. Publilius Philo, 325 erster Consul der Iunier mit L. Furius [I 12] Camillus; 313 wohl *IIIvir* zur Koloniegründung in Saticula in Samnium.

[I 18] I. Brutus Scaeva, D. Sohn von I. [I 17], Legat 293, Consul 292 mit Q. Fabius [I 26] Maximus Gurges, kämpfte gegen die Falisker. Mit seiner Wahl zum Consul endet die erste Dekade des Livius.

[I 19] I. Bubulcus Brutus, C. Consul I 317, II 313, III 311, triumphierte 311 über die Samniten (InscrIt 13,1,71), Censor 307 mit M. Valerius Maximus; vergab den Bau des von ihm gelobten Tempels der → Salus, den er 302 als Dictator weihte (Liv. 10,1,8 f.; Val. Max. 8,14,6; spätere Münzprägung der Gens: RRC 337,2). Einzelheiten seiner Karriere sind unklar.

HÖLKESKAMP, Index s. v. I.

[I 20] I. Congus (Gracchanus?), M. Röm. Antiquar, von Lucilius 123 v. Chr. als Mann angemessenen Bildungsanspruchs bezeichnet (Lucil. 595 f.), Cicero kennt ihn als Geschichtsexperten (Cic. de orat. 1,256; Planc. 58); nicht lange vor 54 war er tot (Planc. ebd.). Mit ihm wird häufig ein M. I. identifiziert, der ein Werk über röm. Staatsrecht (*De potestatibus*) in mindestens 7 B. verfaßte, das dem Vater des T. → Pomponius Atticus gewidmet war (Cic. leg. 3,49). Er wird wiederum mit I. Gracchanus gleichgesetzt, der den Beinamen durch seine Freundschaft zu C. → Sempronius Gracchus erhalten habe (vgl. Plin. nat. 33,36; Ulp. dig. 1,13,1 pr.); die gracchenfreundliche Tendenz des Werkes ist umstritten.

FR.: F. P. BREMER, Iurisprudentiae antehadrianae quae supersunt 1, 1896, 37–40
LIT.: C. CICHORIUS, Untersuchungen zu Lucilius, 1908, Index s. v. I. • B. ZUCCHELLI, Un antiquario romano contro la nobilitas, in: Stud. Urbinati (B) 49, 1975, 109–126.

[I 21] (I.) Damasippus. Kunsthändler, s. Licinius Crassus Damasippus, L. (?)   K.-L. E.

[I 22] I. Iuncus, M. (zum Namen MRR 3,113.). Praetor 76 v. Chr., dann 75–74 Statthalter mit proconsularischem Imperium (MRR 2,98). Er richtete das nach dem Tode des Nikomedes testamentarisch an Rom gefallene → Bithynien als Provinz ein und gliederte es Asia an. Als der von Seeräubern gefangengenommene Caesar nach seinem Freikauf deren Bestrafung forderte, verweigerte er diese aus unbekannten Gründen (Vell. 3,41,3; Plut. Caesar 2,6–7; Suet. Iul. 4).   W. W.

[I 23] I. Pennus, M. Praetor in Hispania Citerior 172 v. Chr., im J. 167 mit Q. Aelius [I 10] Consul (MRR 1, 432); erfolgloses Kommando gegen die Ligurer (Liv. 45,16,3; 17,6; 44,1). Konsultierte den Senat wegen der Gesandtschaft der Rhodier (Liv. 45,20,4–10).

[I 24] I. Pennus, M. Sohn von I. [I 23]. Brachte als Volkstribun im J. 126 v. Chr. ein Gesetz durch, das die Ausweisung von Nichtbürgern aus Rom vorsah, um die Anhängerschaft des C. → Sempronius Gracchus zu schwächen (MRR 1, 508). Er starb kurz nach dem Erreichen der Aedilität (Cic. Brut. 109).   P. N.

[I 25] I. Pera, D. Triumphierte als Consul 266 v. Chr. über Sassinaten sowie über Sallentiner und Messapier; als Censor 253 legte er das Amt nach dem Tod seines Kollegen nieder (MRR 1,201; 211). 264 gab er die ersten Gladiatorenspiele in Rom zu Ehren seines verstorbenen Vaters I. [I 16] (Liv. per. 16; Val. Max. 2,4,7). Unglaubwürdig ist die Nachricht bei Ausonius (Griphus 2,36 f.), daß es sich hierbei um Thraker bzw. Kämpfer in thrakischer Bewaffnung handelte.   C. MÜ.

[I 26] I. Pera, M. Sohn von I. [I 25], Consul 230 v. Chr., kämpfte mit dem Kollegen M. Aemilius [I 4] Barbula gegen die Ligurer; 225 Censor mit C. Claudius [I 4] Centho. Nach der Niederlage bei Cannae 216 wurde er Dictator mit der Aufgabe, weitere Aushebungen vorzunehmen. Im Herbst stand er mit dem Heer in Campanien, wo Casilinum trotzdem an → Hannibal verloren ging (MRR 1,248).

[I 27] I. Pullus, L. Consul 249 v. Chr. mit P. Claudius [I 29] Pulcher. Auf der Fahrt von Syrakus nach Lilybaion wurde die röm. Flotte unter seinem Kommando von den Karthagern gezwungen, bei Kamarina zu landen, wo sie durch einen Seesturm vernichtet wurde (Pol. 1,52–54). Dies wurde später ebenso wie bei seinem Kollegen auf angebliche Mißachtung der Auspizien durch I. zurückgeführt (Cic. nat. 2,7; div. 1,20; 2,20; 71 u. a.). Mit den geretteten Truppen besetzte I. den Berg → Eryx, wurde dann aber von den Karthagern gefangengenommen oder beging Selbstmord (Pol. 1,55; Zon. 8,15).

IUNII SILANI

[I 28] I. Silanus, D. 146 v. Chr. Leiter einer Kommission zur Übersetzung der landwirtschaftlichen Schriften des Karthagers → Mago (Plin. nat. 18,22 f.).   K.-L. E.

[I 29] I. Silanus, D. Sohn des T. Manlius Torquatus (*cos.* 165), von I. [I 28] adoptiert (Cic. fin. 1,24); einer der frühesten Belege für den Wechsel eines Patriziers in eine plebeische Familie. Praetor von Macedonia 141 v. Chr. Nach seiner Rückkehr wegen seiner Amtsführung angeklagt und im *consilium* des leiblichen Vaters verurteilt, worauf er aus Gram Selbstmord beging.

MRR 1, 477; 3, 113 • Alexander 7.   P. N.

[I 30] I. Silanus, D. Geb. ca. 107, Aedil vor 69, Praetor vor 66, Pontifex vor 64 (MRR 2,127; 143, 182). Consul 62 v. Chr. Der Nachwelt bekannt machte ihn sein Auftritt in der Senatssitzung vom 5.12.63, als über die Bestrafung der Catilinarier verhandelt wurde. Als designierter Consul (I. hatte die Wahl im Sommer u. a. gegen → Catilina gewonnen) wurde er von Cicero als erster um seine Meinung gebeten und plädierte für die Höchststrafe (*ultima poena*); die folgenden, u. a. 14 Consulare, stimmten zu. Nach Caesars berühmter Gegenrede behauptete I., mit *ultima poena* sei lebenslange Haft gemeint (Cic. Cat. 4,7; 11; Sall. Catil. 50–53,1; Suet. Iul. 14,1). I. war mit → Servilia, der Mutter des späteren Caesarmörders M.I. [I 10] Brutus, verheiratet. Er starb vor 57.   W.W.

[I 31] I. Silanus, M. Besetzte 216 v. Chr. Neapel vor → Hannibal; 212/1 als Praetor in Etrurien, 210–206 mit proconsularischem Imperium (?, vgl. MRR 3,113 f.) zusammen mit P. Cornelius [I 71] Scipio in Spanien, wo er 207/6 auch mil. Erfolge errang.

[I 32] I. Silanus, M. Vielleicht Münzmeister 145 v. Chr. (RRC 220; wohl nicht identisch mit dem Münzmeister 116 oder 115, vgl. RRC 285), 124 oder 123 vielleicht der Volkstribun, der ein Repetundengesetz als Vorläufer der sog. *lex Acilia* (→ Acilius [I 12]) einbrachte [1]. Spätestens 112 Praetor, 109 Consul, hob Befreiungen vom Kriegsdienst auf (Ascon. 68C), wurde 108 von den Cimbern in Gallia Transalpina geschlagen (MRR 1,545; 3, 114), weshalb er 104 von Cn. Domitius [I 4] Ahenobarbus angeklagt, aber freigesprochen wurde (Cic. div. in Caec. 67; Ascon. 80C).

     1 M. H. CRAWFORD, Roman Statutes, 1, 1996, Nr. 1, Z. 74.

[I 33] I. Silanus (Murena?), M. Quaestor in Asia zu Beginn des 1. Jh. v. Chr. (IPriene 121; zu Datierung und Cognomen vgl. MRR 3,114f.), 77 Praetor, 76 Proconsul in Asia, wo er eine Sonnenerscheinung beobachtete (Plin. nat. 2,100); er brachte ein Bild des Malers → Nikias nach Rom, das Augustus in der Curia aufhängen ließ (Plin. nat. 35,27; 131).   K.-L.E.

[I 34] I. Silanus, M. Hob als Legat Caesars 53 v. Chr. Truppen aus, da ein Aufstand in Gallien drohte (Caes. Gall. 6,1,1).

[I 35] I. Silanus, M. 43 v. Chr. Militärtribun des M. Aemilius [I 12] Lepidus, von dem er nach Mutina entsandt wurde (die Identifikation ist jedoch strittig, möglicherweise handelte es sich um I. [I 34], s. MRR 3,115). 34 oder 33 als Quaestor (*pro consule*) in Griechenland. Von Kleopatra verspottet (Plut. Antonius 59), wechselte er noch rechtzeitig von Antonius zu Octavian. Dieser machte ihn 25 als *collega* zum Consul.   W.W.

II. KAISERZEIT

[II 1] D.I. Arabianus Socrates. Finanzprocurator in der Provinz Arabia unter Severus Alexander. SEG 37, 1539.

[II 2] Q.I. Arulenus Rusticus s. Arulenus [2]

[II 3] L.I. Aurelius Neratius Gallus Fulvius Macer. Praetorischer Statthalter von Thracia, dann von Arabia, schließlich *cos. suff.*, vermutlich in spätseverischer Zeit [1]. Der Senator von CIL VI 1433 ist sein Verwandter. PIR² J 732.

     1 O. SALOMIES, in: ZPE 97, 1993, 253 ff. = AE 1993, 432.

[II 4] I. Avitus. In engem Kontakt mit Plinius d. J. Militärtribun unter Iulius [II 141] Servianus in Obergermanien und Pannonien 97–99 n. Chr.; Quaestor um 105–

106; starb als *aedilis designatus*, wohl nach Mitte 108, da er im Testament des → Domitius [II 25] Tullus erwähnt ist. PIR² J 731.

[II 5] I. Blaesus. Senatorischer Statthalter der Provinz Lugdunensis im J. 69 n. Chr. Obwohl er sich Vitellius anschloß, ließ dieser ihn ermorden, angeblich weil er ihn als Konkurrenten betrachtete. Verwandt mit I. [II 6] und [II 7]. PIR² J 737.

[II 6] Q.I. Blaesus. Proconsul von Sizilien, *cos. suff.* im J. 10 n. Chr. Im J. 14 konsularer Statthalter von Pannonien, wo er die Meuterei der Legionen zunächst nicht beenden konnte; dies gelang erst mit Hilfe von → Drusus [II 1] d. J. In den J. 21–23 Proconsul von Africa, vom Senat dazu ohne Losung bestimmt, angeblich weil er *avunculus* Seians war. Nach Erfolgen gegen die aufständischen Tacfarinas durfte er von den Soldaten als *imperator* akklamiert werden; Tiberius verlieh ihm *ornamenta triumphalia* (Tac. ann. 3,32; 35; 58; 72; 74). Nach Seians Tod von Tiberius angegriffen und vermutlich kurz darauf umgekommen. PIR² J 738.

[II 7] Q.I. Blaesus. Sohn von I. [II 6]. Er war Militärtribun unter seinem Vater in Pannonien, im J. 22 n. Chr., wohl Legat des Vaters in Africa. *Cos. suff.* im J. 28 (vgl. zu AE 1987, 163). Da Tiberius ihm im J. 36 Priesterämter verweigerte, tötete er sich selbst, zusammen mit seinem Bruder (Tac. ann. 6,40,2). PIR² J 739.

[II 8] Q.I. Calamus. *Cos. suff.* 143 n. Chr., am 9. Aug. zusammen mit M. Valerius Iunianus bezeugt (unpubliziertes Militärdiplom).

[II 9] M.I. Chilo. Wohl Patrimonialprocurator von Pontus (-Bithynia), kaum Statthalter; im J. 49 n. Chr. brachte er den aus dem bosporanischen Königreich vertriebenen König Mithradates nach Rom; dafür von Claudius mit *ornamenta consularia* ausgezeichnet. Obwohl wegen Erpressung angeklagt, blieb er bis in neronische Zeit auf seinem Posten. PIR² J 744.

[II 10] M.I. Concessus Aemilianus. Genannt in dem Dossier aus Takina (AE 1989, 721 = SEG 37, 1186). Wohl Proconsul der Provinz Lycia-Pamphylia im J. 213–214.

     G. CAMODECA, in: Ostraka 3, 1994, 467 ff. = AE 1994, 1725.

[II 11] I. [--]cus Gar[gilius? ---]ntilianus. Senator in der 2. H. 2. Jh. n. Chr. *IIIvir capitalis, quaestor,* [--], *praetor, iuridicus per Aemiliam, curator* von Cirta (der erste bekannte in Africa), Legat bei zwei Legionen, *praepositus* einer Vexillation britannischer Legionen, Legat der *legio II Italica, sodalis Flavialis* und wohl *consul*. Ihm wurde auf Antrag des Commodus in Rom eine Statue errichtet.

     G. L. GREGORI, in: ZPE 106, 1995, 269 ff. = CIL VI 41127.

[II 12] C.I. Faustinus [Pl]a[ci?]dus Postumianus. Senator, wohl aus Africa stammend. Nach längerer *praetor.* Laufbahn Statthalter von Lusitanien, dann der Belgica, *cos. suff.* um 204 n. Chr.; wohl ca. 205–207 konsularer Legat von Moesia inferior. PIR² J 751. Vgl. I. [II 13].

[II 13] C.I. Faustinus Postumianus. Nachkomme von I. [II 12] oder mit ihm identisch. *Cos. suff.*, konsularer Statthalter der Tarraconensis und von Britannien. PIR² J 752; BIRLEY, 161 ff.

[II 14] I. Gallio. Senator, wohl aus Spanien stammend. 32 n. Chr. auf Veranlassung des Tiberius nach Lesbos verbannt, dann Rückkehr nach Rom. Mit Seneca Rhetor befreundet; adoptierte dessen Sohn I. [II 15]. PIR² J 756.

[II 15] L. I. Gallio Annaeanus. Ältester Sohn von Annaeus Seneca und Helvia [2], Bruder von Annaeus → Seneca. Adoptiert von I. [II 14]. Eintritt in den Senat spätestens unter Caligula; Praetor spätestens um 46 n. Chr.; *proconsul Achaiae* 51–52 (THOMASSON, I, 191); Claudius nennt ihn in einem Brief *amicus* (SEG 3, 389 = [1]). Die Juden Korinths erhoben vor ihm Klage gegen Paulos; doch wies er sie zurück (Acta apostolorum 18,12ff.). *Cos. suff.* mit T. Cutius Ciltus im Juli/Aug. 56. Nach dem erzwungenen Tod seines Bruders kam offensichtlich auch er ums Leben. PIR² J 757; CABALLOS, I, 171 f.; zu seinen Deklamationen s. I. [III 3].

> 1 L. BOFFO, Iscrizioni ... per lo studio della Bibbia, 1994, 247ff.

[II 16] I. Homullus. Wohl Sohn von I. [II 17]. *Cos. suff.* unter Hadrian, konsularer Legat der Provinz Tarraconensis. PIR² J 759; Alföldy, FH, 26ff.

[II 17] M. I. Homullus. *Cos. suff.* 102 n. Chr.; an den Prozessen gegen Iulius Bassus und Varenus Rufus beteiligt; konsularer Statthalter von Cappadocia ca. 111–114.

> W. ECK, in: Chiron 12, 1982, 351ff. · PIR² J 760.

[II 18] I. Iunillus. *Vir perfectissimus*, ritterlicher Statthalter von Mauretania Caesariensis; stammt aus Ureu in Africa.

> AE 1975, 862 · W. ECK, s. v. I. (86a), RE Suppl. 15, 125.

[II 19] Q. I. Marullus. Als designierter Consul stellte er im Senat den Antrag, → Antistius [II 5] hinzurichten, was Paetus Thrasea verhinderte (Tac. ann. 14,48,2 f.). *Cos. suff.* 62 n. Chr. mit → Eprius Marcellus. PIR² J 769.

[II 20] I. Mauricus. Senator, Bruder von Q. Iunius → Arulenus [2] Rusticus. Er gehörte schon unter Nero zur sog. philosophischen Senatsopposition. 70 n. Chr. wünschte er von Domitian die Herausgabe der Namen der Delatoren unter Nero (Tac. hist. 4,40,4). In der Spätzeit Domitians verbannt, unter Nerva zurückgerufen, gehörte er zu dessen Vertrautenkreis, auch mit Traian war er verbunden. Mehrere Briefe von Plinius d. J. an ihn.

> PIR² J 771 · SYME, RP, 7, 571ff.

[II 21] I. Maximus. Er brachte als Militärtribun der *legio III Gallica* die Nachricht vom Sieg des Lucius Verus über die Parther nach Rom. Mit *dona militaria* ausgezeichnet und in außergewöhnlicher Weise zum *quaestor* designiert; *quaestor provinciae Asiae* (IEph III 811); wenn Fragmente einer stadtröm. Inschrift auf ihn zu beziehen sind, erhielt er noch weitere mil. Aufgaben, gelangte

wohl bis zum Konsulat und wurde auf kaiserlichen Antrag mit Statuen auf dem Traiansforum geehrt (CIL VI 41144). PIR² J 774.

[II 22] T. I. Montanus. *Cos. suff.* im J. 81 n. Chr. Auf ihn ist wohl AE 1973, 500 aus Alexandreia Troas zu beziehen: Laufbahn von der Stellung eines *IIIvir monetalis* bis zum Konsulat, aber nur mit einem praetorischen Amt, dem Prokonsulat auf Sizilien. Wie das zu interpretieren ist, bleibt unklar.

> W. ECK, s. v. I. (105), RE Suppl. 15, 125 f. · HALFMANN, Senatoren 103.

[II 23] Kanus I. Niger. *Cos. ord.* 138 n. Chr.; sein Sohn dürfte der gleichnamige Statthalter von Germania superior im J. 116 und 118 (unpubliziertes Militärdiplom) gewesen sein. PIR² J 782 f.

[II 24] I. Otho. Sohn eines gleichnamigen Senators, der unter Tiberius in den Senat gekommen war. Der Sohn interzedierte als *tribunus plebis* im J. 37 n. Chr. im Senat gegen die Vergabe einer Anklägerprämie, was seinen baldigen Tod zur Folge hatte. PIR² J 788 f.

[II 25] A. I. Rufinus. *Cos. ord.* im J. 153 n. Chr.; ca. 169/170 Proconsul von Asia, wo er in IEph III 665; IV 2433 und IGR IV 1363 bezeugt ist; sein Bruder ist I. [II 26]. PIR² J 806; 811 (die Zeugnisse aus Asia beziehen sich auf ihn, nicht auf I. [II 26]). Vater von Pomponia Triaria.

> W. ECK, in: FS D. Knibbe (im Druck).

[II 26] M. I. Rufinus Sabinianus. Bruder von I. [II 25]. *Cos. ord.* 155 n. Chr.; Proconsul von Africa 172–173.

> CIL VIII 10844 · M. KHANOUSSI, A. MASTINO, Uchi Maius 1, 1997, 173 ff. · PIR² J 811.

[II 27] I. Rusticus. Senator, der im J. 29 n. Chr. als erster das Amt des *ab actis senatus* erhielt (PIR² J 813); sein Nachkomme wohl I. [II 28] und Q. Iunius → Arulenus [2] Rusticus.

[II 28] Q. I. Rusticus. Sohn oder Enkel von Q. I. → Arulenus [2] Rusticus (vgl. SYME, RP, 7, 584). *Cos. suff.* 133 n. Chr.; *cos. II ord.* 162. Stadtpraefekt unter Marc Aurel und Verus. Unter ihm wurden in umfassender Form Gewichte und Hohlmaße genormt, wovon zahlreiche Funde zeugen. Vor seinem Gericht wurde der Christenprozeß gegen Iustinus durchgeführt. Als Stoiker war er der Lehrer Marc Aurels, der über ihn in *Eis heautón* (1,7) spricht. PIR² J 814.

IUNII SILANI

[II 29] C. Appius I. Silanus s. Appius [II 4]

[II 30] C. I. Silanus. *Cos. ord.* 17 v. Chr.; genealogische Einordnung unsicher. PIR² J 823; SYME, AA, 191.

[II 31] C. I. Silanus, Vater von I. [II 32 und 33]. Verheiratet mit einer Appia Claudia. PIR² J 824; RAEPSAET-CHARLIER, Nr. 214; SYME, AA, 193.

[II 32] C. I. Silanus. Sohn von I. [II 31], Bruder von I. [II 33], Vater von Appius [II 4]. *Flamen Martialis, consul ordinarius* 10 n. Chr. Proconsul von Asia 20–21. Im J. 22

Anklage im Senat gegen ihn durch die Provinz Asia und mehrere Konsulare (Tac. ann. 3,66ff.). Wegen *saevitia* und *repetundae* verurteilt, auf die Insel Kythnos verbannt. Zum Dank errichtete die Provinz Asia für Tiberius, Livia und den Senat einen Tempel (Tac. ann. 4,15,3). PIR² J 825.

[II 33] D. I. Silanus. Sohn von I. [II 31], Bruder von I. [II 32 und 37]. Des Ehebruchs mit Iulia, Augustus' Enkelin, beschuldigt. Er mußte 8 n. Chr. Rom – ohne Verurteilung – verlassen. Im J. 20 wurde ihm unter Tiberius die Rückkehr erlaubt, ohne aber zu den Ämtern zugelassen zu werden (PIR² J 826); zu seinem Nachkommen SYME, AA, 194.

[II 34] L. I. Silanus. Bruder des M. I. [II 37] Silanus. Er versuchte 21 v. Chr. den Konsulat zu erreichen, scheiterte jedoch. PIR² J 827; SYME, AA, 191.

[II 35] L. I. Silanus. Sohn von I. [II 33]. *Flamen Martialis*, wohl im J. 22 n. Chr. anstelle von I. [II 32]. *Cos. suff.* im J. 26. AE 1987, 163.

[II 36] L. I. Silanus. Sohn von I. [II 41]; über seine Mutter Aemilia Lepida mit Augustus verwandt (RAEPSAET-CHARLIER, Nr. 29). Im J. 41 n. Chr. von Claudius mit seiner Tochter verlobt. *Comes* im Britannienfeldzug, mit Triumphalinsignien ausgezeichnet. Privileg, sich 5 J. vor der gesetzlichen Zeit um die Ämter zu bewerben. 48 Praetor, angeklagt des Ehebruchs, von dem *censor* Vitellius aus dem Senat gestoßen; Rücktritt von der Praetur am 29. Dez. Dies alles soll auf Anstiften Agrippinas geschehen sein. Am Tag ihrer Hochzeit mit Claudius Anf. 49 tötete er sich selbst. PIR² J 829.

[II 37] M. I. Silanus. Bruder von I. [II 32 und 33]. Eng mit → Tiberius verbunden. *Frater Arvalis; cos. suff.* 15 n. Chr. zusammen mit Tiberius' Sohn Drusus. Im Senat von größtem Einfluß, häufig als erster um seine *sententia* gefragt. 20 konnte er die Rückkehr seines Bruders I. [II 33] erreichen; er stellte 22 den Antrag, statt nach Consuln nur mehr nach der *tribunicia potestas* des Herrschers zu datieren, was Tiberius ablehnte (Tac. ann. 3,57,1). Seine Tochter Iunia [5] Claudilla wohl 33 mit Caligula vermählt, die aber schon vor 37 starb. Caligula zwang ihn vor dem 24. Mai 38 zum Selbstmord. PIR² J 832; SYME, AA, 194ff.

[II 38] M. I. Silanus. Sohn von I. [II 41] und Aemilia Lepida; auf diese Weise mit Augustus blutsverwandt. Geb. 14 n. Chr., vor dem 19. Aug. *Frater Arvalis. Cos. ord.* 46 während des gesamten Jahres. 54 Proconsul von Asia. Agrippina ließ ihn Ende 54, da sie seine Rache wegen des Todes seines Bruders I. [II 36] fürchtete, durch den Procurator P. → Celerius und den Freigelassenen Helius ermorden (*prima novo principatu mors*, Tac. ann. 13,1,1). PIR² J 833.

[II 39] D. I. Silanus Torquatus. Sohn von I. [II 41] und Aemilia Lepida. Bruder von Iunia Lepida und Iunia Calvina. Patrizier; verschiedene Priesterämter. Quaestor des Claudius, *cos. ord.* 53 n. Chr. Wegen seiner Verwandtschaft mit Augustus war er Nero verdächtig, der ihn 64 zwang, sich die Pulsadern zu öffnen. PIR² J 837.

[II 40] L. I. Silanus Torquatus. Sohn von I. [II 38], seine Tante war Iunia Lepida; von ihrem Gatten C. Cassius wurde Torquatus erzogen. *Salius Palatinus* seit 60 n. Chr. Im Gefolge der Pisonischen Verschwörung des Inzests mit seiner Tante angeklagt, da er auch wegen seiner Verwandtschaft mit Augustus als polit. gefährlich angesehen wurde. In Bari von einem *centurio* ermordet. Unter Nerva errichtete ihm der Ritter Titinius Capito eine Statue auf dem Forum Romanum (Plin. epist. 1,17). PIR² J 838.

[II 41] M. I. Silanus (Torquatus). Er heiratete Aemilia Lepida, die Großenkelin von Augustus [1]. *Cos. ord.* 19 n. Chr. Proconsul von Africa unter Tiberius oder unter Caligula; ob für 6 J., ist umstritten [2; 3; 4]. Seine Söhne sind I. [II 36, 38, 39]. PIR² J 839.

1 U. WEIDEMANN, in: AC 6, 1963, 138ff. 2 VOGEL-WEIDEMANN, 97ff. 3 THOMASSON, Fasti Africani, 32ff. 4 SYME, AA, 191f.

[II 42] C. I. Tiberianus. Nach der Rekonstruktion von [1] sind die beiden *consules ordinarii* von 281 und 291 (*cos. II*) zu trennen. Der *cos. II* von 291 n. Chr. war zum ersten Mal Consul ca. 265, dann *cos. II* und gleichzeitig *praefectus urbi*; er war wohl auch der Tribun der *legio X Gemina* im J. 249 (CIL III 4558, cf. p. 2328). Sein gleichnamiger Sohn war *cos. ord.* 281, *proconsul Asiae* ca. 295–296 (IEph II 305); 303–304 wurde er *praefectus urbi* (cf. PIR² J 841; 843).

1 M. CHRISTOL, Essai sur l'évolution des carrières sénatoriales, 1986, 204ff.

[II 43] L. I. Q. Vibius Crispus s. Vibius   W.E.

III. LITERARISCH TÄTIGE PERSONEN

[III 1] I. Brutus, M. Jurist, Praetor 140? v. Chr., neben P. → Mucius Scaevola und M'. → Manilius »Begründer« der röm. Jurisprudenz (Dig. 1,2,2,39; Cic. off. 2,50; Cic. Brut. 130). Er schrieb in Dialogform *De iure civili* (3 B., wohl keine juristische Fachschrift), der vermutlich weitere 4 B. mit seinen (ebenso wie bei → Porcius Cato Licinianus) unter Beibehaltung der Parteinamen redigierten *Responsa* (Cic. de orat. 2,142; Cic. Cluent. 141) hinzugefügt wurden.

FR.: F. P. BREMER, Iurisprudentiae antehadrianae quae supersunt 1, 1896, 22–25.
LIT.: BAUMANN, LRRP, Index s. v. I. · WIEACKER, RRG, 542f., 572.   T.G. u. W.W.

[III 2] I. Filagrius. Gallo-röm. Grammatiker des 5. Jh. n. Chr., nach [8] identisch mit dem Philagrius bei Sidon. carm. 7,156f. (vgl. 24,90ff.). Er wirkte in Mailand zur Zeit des Augustus Valentinianus III. (425–455); ihm hatte I. F. seinen Komm. zu Vergils *Bucolica* und *Georgica* gewidmet (dagegen [11]), der weitgehend auf → Donatus [3] basierte ([6. 233ff.]; zur Servius-Benutzung [11]); der Komm. zur *Aeneis* [4. 95] ist verloren (vgl. aber [5]). Auszüge aus I. F. – gemeinsam mit solchen aus Erklärungen des → Gaudentius [6] und Titus Gallus –

bilden den Kern einer Scholienkompilation zu Verg. ecl. und georg. Überl. sind zwei Rezensionen, z. T. in mehreren Versionen (Rez. a: *Explanatio* 1 und 2, Lemma-Komm. zu ecl. [1. 1–189]; *Brevis expositio*, dasselbe zu georg. 1/2 [1. 191–320]; Rez. b, *Scholia Bernensia* zu ecl. und georg. 1–4 [2]. Irische Glossen, zumal in a, und insulare Abbreviaturen deuten auf einen irischen Archetyp (des 7. Jh.) hin.

ED. (vorläufig): **1** H. HAGEN (Hrsg.), Servius 3,2, 1902 **2** Ders., Scholia Bernensia, 1867.
LIT.: **3** W. HERAEUS, Drei Fragmente, in: RhM 79, 1930, 391, Anm. 1 **4** K. BARWICK, De I. F., in: Commentationes philologiae Ienenses 8,2, 1909, 57–123 **5** H. J. THOMSON, A New Suppl. to the Berne Scholia, in: JPh 35, 1920, 257–286 **6** G. FUNAIOLI, Esegesi Virgiliana antica, 1930 **7** J. J. BREWER, An Analysis of the Berne Scholia, 1973 **8** M. GEYMONAT, F. gallo-romano?, in: Atti convegno nazionale di studio su Virgilio, 1984, 171–174 **9** Ders., s. v. F., in: EV 2, 1985, 520 f. **10** Ders., D. DAINTREE, s. v. Scholia Bernensia, in: EV 4, 1988, 711–720 **11** R. A. KASTER, Guardians of Language, 1988, 284 f.

[III 3] I. Gallio. Berühmter Deklamator der frühen Kaiserzeit (vgl. Sen. contr. 10, pr. 13; Hier. comm. in Isaiam 8 pr.), wohl aus Spanien (Stat. silv. 2,7,32), was die Freundschaft mit dem älteren Seneca erklärt, dessen Sohn Novatus (→ I. [II 15]) von I. G. adoptiert wurde; zu seinem polit. Schicksal s. auch I. [II 14] G. Annaeanus. Auch Ovid war mit ihm befreundet (Sen. suas. 3,7) und kondolierte (Ov. Pont. 4,11) zum Tode der Gattin. 32 n. Chr. fiel I. G. bei Tiberius in Ungnade, wurde aus dem Senat ausgestoßen und hart bestraft (Tac. ann. 6,3; Cass. Dio 58,18). Die zahlreichen Zit. des älteren Seneca (vgl. bes. Sen. contr. 1,1; 2,3; 9,1. 4 f; 10, 1 f. 4) ergeben ein gutes Bild von I. G.s Deklamationen; er verstand sich bes. auf den *idiotismos*, den privaten Ton (Sen. contr. 7, pr. 5 f). Sein sententiös pointierter, figurenreicher Stil (vgl. Sen. contr. 10,2,10; Sen. suas. 5,8) gilt dem Klassizisten Messalla in Tac. dial. 26,1 allerdings als ›Wortgeklingel‹ (*tinnitus*). Weder das Pamphlet gegen T. Labienus für Maecenas' Günstling Bathyllus (contr. 10, pr. 8) noch der von Quint. inst. 3,1,21 erwähnte rhet. Traktat sind erhalten.

H. MEYER, ORF ²1842, 543 f. • PIR² I 756 • H. BORNECQUE, Les déclamations, 1902, 173–176 • J. FAIRWEATHER, Seneca the Elder, 1981, bes. 277 ff.   P. L. S.

[III 4] I. Mauricianus. Jurist unter Antoninus Pius (2. Jh. n. Chr.), schrieb einen Komm. *Ad legem Iuliam et Papiam* (6 B.; vier direkte Zitate in Justinians → Digesta: [1]) und annotierte wohl die *Digesta* des Iulianus [11] [2]. Die nur in Dig. 2,13,3 erwähnte Schrift *De poenis* ist vermutlich ein Fr. des Komm. zur *lex Iulia* [2].

1 O. LENEL, Palingenesia Iuris civilis I, 1889, 689 ff. **2** D. LIEBS, Jurisprudenz, in: HLL 4, 1997, 143.   T. G.

[III 5] M. Iunius Nypsus (oder Nipsus) wird im *Corpus Agrimensorum* (→ Feldmesser) als Verf. von drei Schriften gen.: *Fluminis Varatio* (›Übermessung eines Flusses‹

[1. 285 f.], *Limitis Repositio* (›Wiederherstellung einer Limitation‹) [1. 286–295] und *Podismus* (›Vermessung nach Füßen‹) [1. 295–301]. Wegen der ungeklärten Trad. des Corpus sind weder diese Zuweisungen noch die Datier. der Werke (2. Jh. n. Chr.?) sicher.
→ Feldmesser

1 F. BLUME, K. LACHMANN, A. RUDORFF, Die Schriften der röm. Feldmesser, Bd. 1, 1848 (Ndr. 1967).

J. BOUMA, Marcus Iunius Nypsus, 1993.   K. BRO.

[III 6] I. Otho. Deklamator der frühen Kaiserzeit, betrieb zuerst eine Elementarschule, stieg indes später als Günstling des → Seianus auf und klagte 22 n. Chr. als *praetor* C. → Iunius [II 13] Silanus an (Tac. ann. 3,66). Die Charakteristik seiner Deklamationen bei Sen. contr. 2,1,33 ff.; 37 ff. kennzeichnet ihn als Meister des Insinuierens; als *colores* verwandte er mit Vorliebe Träume (Sen. contr. 7,7,15). Sein Stil, an dem Antithesen und Alliterationen auffallen, und seine sophistischen Pointen (vgl. contr. 7,3,5) blieben nicht ohne Kritik (contr. 7,3,10; 10,5,25). Von seinen vier B. *Colores* (contr. 1,3,11; 2,1,33) ist nichts erh.

PIR² I 788 • H. BORNECQUE, Les déclamations, 1902, 176 f.   P. L. S.

Iuno (etr. → Uni).
I. KULT UND MYTHOS   II. IKONOGRAPHIE

I. KULT UND MYTHOS
A. NAME   B. KULT   1. IUNO UND DIE FRAUEN
2. IUNO UND DIE KRIEGERISCHEN MÄNNER
3. IUNO UND DIE KALENDEN   C. TEMPEL DER IUNO
D. IDENTIFIKATIONEN

I. ist eine bed. latin. Gottheit und neben → Minerva die wichtigste Göttin des röm. Pantheons; während der Mythos sie nach griech. Vorbild zur Gattin des → Iuppiter macht, hat sie im Kult – trotz der Verbindung mit Iuppiter (und Minerva) in der kapitolinischen Trias – eine weitgehende Eigengestalt, in der sich dieselben Spannungen wie bei → Hera fassen lassen.

A. NAME
Der Name der I. ist mit demjenigen Iuppiters nicht verwandt: Der Anlaut ist immer /i-/, nie /di-/, und das /ū/ ist monophthongisch (*Iunone Loucinai Diovis castud facitud* CIL I 2 360, vgl. 361) [1]. Ant. Etym., denen die Modernen folgten, verbinden sie mit *iunior* und *iuventas*.

B. KULT
I. ist vornehmlich mit zwei kontrastierenden Bereichen verbunden, mit dem Leben der verheirateten Frauen, v. a. der → Geburt auf der einen, und mit dem Staat, bes. seinen Jungkriegern auf der anderen Seite.
1. IUNO UND DIE FRAUEN
Als Göttin der → Geburt trägt I. die durchsichtige Epiklese Lucina, »die ans Licht bringt« (= Lucifera: Cic. nat. deor. 2,68, *Héra phósphóros*: Dion. Hal. ant. 4,15,5; vgl. Ov. fast. 2,450 usw.); als solche ist sie in ganz Latium

belegt (Varro ling. 5,69; so Norba CIL I 2 359f. 362, Pisaurum CIL I 2 371; I. Lucina Tuscolona bei Capua l.c. 1581). In Rom liegt ihr Hain mit dem am 1. März 375 v. Chr. von den *matronae* geweihten Tempel auf der Spitze des Mons Cispius auf dem Esquilin (Varro ling. 5,50; Fasti Praenestini zum 1. März); hierhin wurde nach einem auf den König Servius → Tullius zurückgehenden Gesetz vor jeder Geburt ein Geldstück geschuldet (Dion. Hal. ant. 4,15,5). Niemand, der einen Knoten trug, durfte das Heiligtum betreten (Serv. Aen. 4,518), Schwangere sollten nur mit offenen Haaren zu ihr beten (Ov. fast. 4,257f.), um die Geburt nicht zu komplizieren. Nach der Niederkunft, während der man die Göttin anrief, wurde im Privathaus einen Monat lang ein Tisch mit Gaben für I. Lucina aufgestellt (Tert. De anima 39, vgl. Plaut. Truc. 476; Varro ling. 5,69).

Der 1. März, der Stiftungstag des Tempels von I. Lucina, ist gleichzeitig der Tag der → Matronalia, an denen ein röm. Ehemann seine Ehefrau beschenkte und beide um Fortbestand der Ehe beteten (Dig. 34,1,38,8; vgl. Porph. Hor. comm. und Helenius Acro zu Hor. carm. 3,8); Romulus hatte das Fest als Dank für die Hilfe der Frauen im Krieg gegen die Sabiner gegründet (Plut. Romulus 21,1,30f.). Auf I. wird der Festtag nirgends bezogen, doch liegt der Bezug angesichts der Rolle der *matronae* bei der Weihung des Tempels von I. Lucina nahe. Allerdings ist I. nicht so deutlich Ehegöttin wie die griech. → Hera, deren zentrale Epiklese Teleia ist (von *télos* im Sinn der Ehe); immerhin verbot ein angebliches Gesetz des Numa der Nebenfrau, den Altar der I. zu berühren (Fest. 248; Gell. 4,3,3). Wichtiger ist ihre Rolle bei den → Hochzeitsriten nicht nur in der Lit. und der bildenden Kunst, sondern auch im Kult. Ein Altar der I. Iuga (*quam putabant matrimonia iungere*, »die man für Eheschließungen zuständig erklärte«) ist im Vicus Iugarius bezeugt (Fest. 92), ebenso die Epiklese Iugalis (Serv. Aen. 4,16), und I. Cinxia (»zum Gürtel gehörig«) überwacht das Lösen des Gürtels in der Brautnacht (Fest. 55, vgl. Mart. Cap. 2,149, der weitere Aspekte der Hochzeitsfeier mit spezifischen Beinamen der I. verbindet). → Livia, die sich analog der Annäherung des Augustus an Iuppiter mit I. verband, wird bis ins 2. Jh. n. Chr. in griech.-ägypt. Eheverträgen als Schutzherrin angerufen. Somit kann man vielleicht auch die Erzählung von der Kultschlange der I. in Lavinium, welche die von nicht mehr jungfräulichen Mädchen angebotene Nahrung verweigerte, hier einordnen (Prop. 4,8,3–16, vgl. Ail. nat. 11,16).

Als Göttin der Frauen – der *matronae* ebenso wie der Sklavinnen – erscheint I. auch hinter dem Fest der → Capratinae Nonae, das den Charakter eines Auflösungsfestes vor dem Beginn der sommerlichen Getreidedeernte trägt; auf die ant. Etym., die Festnamen und Epiklese vom wilden Feigenbaum (*caprificus*) herleiten, ist kein Verlaß [2].

2. IUNO UND DIE KRIEGERISCHEN MÄNNER

Auf der anderen Seite stehen die Verbindungen von I. mit den heranwachsenden Männern; in Rom selbst sind sie nur noch in Spuren zu fassen. In den → *curiae*, den ältesten Gruppierungen der waffenfähigen Bürger, erhielt I. ein regelmäßiges, von Titus Tatius eingerichtetes Opfer, wonach sie die Epiklese Curis führte (Fest. 56; Dion. Hal. ant. 2,50,3). Diese Epiklese ist nicht von derjenigen der I. Quiritis oder Curitis zu trennen, die sowohl in Rom auf dem Marsfeld (Stiftungstag des Tempels: 7. Oktober) wie in anderen latin. Städten verehrt wurde; die Epiklese wird gewöhnlich von sabin. **curis* = »Lanze« hergeleitet (Fest. 43; 55), gehört aber mit *curia* < **co-viria* und dem kriegerischen → Quirinus zusammen. An den → Lupercalia benutzten die laufenden *luperci* Riemen aus dem Fell einer geopferten Ziege, um die Frauen zu peitschen und so fruchtbar zu machen – das Fell war angeblich der I. heilig (Fest. 75f.; Ov. fast. 2,425–453 nennt es nicht, ruft aber I. Lucina an).

Deutlicher sind die Nachrichten aus anderen Orten Mittelitaliens. In Lanuvium wurde I. als Sispes, Sispita oder Sospita (Fest. 462; die Inschr. geben meist S(e)ispes), oft mit dem Zusatz Mater Regina, verehrt, was sie als »Retterin« bezeichnet (Fest. s. v.); ihr Bild trug ein Ziegenfell mit Kopf und Hörnern, dazu Lanze, Schild und Schnabelschuhe (Cic. nat. deor. 1,82), zeichnet sie mithin als kriegerische Gottheit aus, welche Rettung in Waffennot bringt. Im J. 194 v. Chr. baute C. Cornelius [I 11] Cethegus ihr auch in Rom einen Tempel, aufgrund eines Gelübdes im Krieg mit den Insubres (Liv. 32,30,20). In Falerii wurde I. Quiritis oder Curitis (CIL XI 3125f.) verehrt; sie war die Hauptgottheit der Stadt. An ihrem Fest, das Ovid besuchte (Ov. am. 3,13), wurden → Suovetaurilia (weiße weibliche Rinder, Kälber, Schweine und Widder) geopfert; die Ziege war ausgeschlossen, sie wurde aber von den Knaben in rituellem Wettbewerb mit Wurfspeeren gejagt.

Die Göttin wird aus Argos hergeleitet (Cato fr. 47; Ov. am. 3,13,31); nimmt man dies mit der Epiklese zusammen, verweist dies auf den der argiv. Hera vergleichbaren Charakter als Schützerin der kriegerischen Jungmannschaft [3]. In Tibur wurde ebenfalls eine I. Quiritis verehrt, welche inschr. auch als Argeia erscheint (Serv. Aen. 1,17; CIL XIV 3556), ohne daß mehr vom Kult bekannt ist; die Epiklese ebenso wie das bei Servius zitierte Gebet an sie, welches ihren Schild nennt, weist auch hier auf ein bewaffnetes Bild und kriegerischen Charakter. Schließlich kann man die mehrfach belegte I. Populona (Aesernia CIL IX 2630; Teanum Sidicinum CIL X 4780 usw.), die auch einen Tempel in Rom hatte (Macr. Sat. 3,11,6; Populonia: Arnob. adv. nat. 3,30), wenigstens urspr. als Göttin des *populus* im Sinne des mil. Auszugs verstehen.

Komplexer ist I. Regina. Wo sie, wie in Veii, Ardea und Lanuvium, die Hauptgöttin ihrer Stadt ist, muß diese polit. Funktion mit ihrer Rolle für kriegerische Jungmannschaft und Bürgerheer zusammen gesehen werden. Wenn dann nach der Eroberung von Veii 392 v. Chr. Furius [I 13] Camillus ihren Kult nach Rom in einen Tempel auf dem Aventin überführt (Liv. 5,21,3; 22,7; 23,7; 31,3), verliert der Kult diese umfassende

Funktion; dasselbe gilt für die beiden anderen republikanischen Tempel der I. Regina, welche M. Aemilius [I 10] Lepidus im J. 179 v. Chr. aufgrund eines Gelübdes im Ligurerkrieg (Liv. 39,2,11; 40,52,1 ff.) und Q. Caecilius [I 27] Metellus Macedonicus anläßlich seines Triumphs im J. 146 v. Chr. weihten (Vell. 1,11,3). Vollends Iuppiter als dem myth. Götterkönig untergeordnet wird I. Regina als Teil der kapitolinischen Trias, auch wenn bei der Bildung der Trias ihre polit. Rolle durchaus von Bed. gewesen sein mag.

Polit. Funktion muß auch I. Moneta (am ehesten die »Warnerin«, Cic. div. 1,101; Isid. orig. 16,18,8) gehabt haben, deren Tempel auf der röm. Arx, etwa am Ort der Kirche der S. Maria in Aracaeli, Furius [I 12] Camillus im J. 344 v. Chr. weihte (Liv. 7,28,4 f.) − jedenfalls wird die Epiklesenkombination I. Moneta Regina so am besten verständlich (CIL VI 362). Der Stiftungstag, die Kalenden des ihr geweihten (und nach ihr benannten) Juni, unterstreicht die Bed. des Kultes.

3. IUNO UND DIE KALENDEN

I. sind alle Kalenden heilig, in Kontrast zu den Iuppiter geweihten Iden: Sie wird bei der monatl. Ausrufung (*kalatio*) der Nonen als I. Covella angerufen (Varro ling. 6,27) und erhält ein Opfer in der *regia* (Macr. Sat. 1,15,19); dies ist einer der wenigen alten kult. Beziehungen zwischen I. und Iuppiter (vgl. auch das Opfergesetz CIL I2 362 [4]). Im Privatkult ist sie bes. Schützerin der Geburten, daneben gilt sie als Schützerin jeder Frau, wobei (in wohl sekundärer Entwicklung) eine individuelle I. dem individuellen → Genius des Mannes entspricht [5].

C. TEMPEL DER IUNO

Während die stadtröm. Tempel arch. schwer faßbar sind [6], ist derjenige der I. Curitis von → Falerii [1] wenigstens durch seine Votivgaben [7], ein großer, aus dem 2. Jh. v. Chr. stammender Tempelkomplex der I. in → Gabii durch Grabungen nachweisbar; zu diesem Heiligtum gehörte ein Theater vor Altar und Tempelfassade ebenso wie ein von einer Portikus eingefaßter Hain; lit. ist der Kult nicht faßbar [8].

D. IDENTIFIKATIONEN

In der Lit. setzt I. weitestgehend die Rolle der griech. → Hera fort; Gegnerin des Aeneas in Vergils *Aeneis* wird sie aber auch durch die Identifikation mit der punischen → Tinnit (Caelestis), der Hauptgöttin von → Karthago. Dabei verschwindet ihre polit. Funktion völlig gegenüber derjenigen als Gemahlin des Götterkönigs und Göttin der Ehe (vgl. Mart. Cap. 2,147−148). In der physikalischen Allegorese fällt sie mit Hera zusammen, wird also als Symbol der Luft verstanden (Cic. div. 2,66; Macr. Sat. 1,17,54). In der nachant. Ikonographie wird dies übernommen.

1 LEUMANN, 362 2 J. N. BREMMER, The Nonae Capratinae, in: Ders., N. M. HORSFALL, Roman Myth and Mythography, 1987, 76−88 3 H. LE BONNIEC, La fête de

Junon au pays des Falisques, in: A. THILL (Hrsg.), L'élégie romaine, 1980, 233−244 4 WACHTER, 460−463 5 J. RIVES, The »Iuno Feminae« in Roman Society, in: Echos du Monde Classique/Classical Views 36, 1992, 33−49 6 LTUR 3, 120−130 7 F. COARELLI, I santuari del Lazio in età repubblicana, 1987, 11−21.

W. F. OTTO, I. Beiträge zum Verständnisse der ältesten und wichtigsten Thatsachen ihres Kultes, in: Philologus 64, 1905, 161−223 • G. WISSOWA, Religion und Kultus der Römer, ²1912, 181−191 • G. DUMÉZIL, La religion romaine archaïque, 1974, 299−310 • R. E. A. PALMER, Juno in Archaic Italy, in: Ders., Roman Religion and Roman Empire. Five Essays, 1974, 3−56 • G. DURY-MOYAERS, M. REDARD, Aperçu critique de travaux relatifs au culte de Junon, in: ANRW II 17.1, 142−188 • J. CHAMPEAUX, Religion romaine et religion latine. Les cultes de Jupiter et Junon à Préneste, in: REL 60, 1982, 71−104 • R. HÄUSSLER, Hera und Juno. Wandlungen und Beharrung einer Göttin, 1995.　　　　　　　　　　　　　　　　　　　F. G.

II. IKONOGRAPHIE

Von I. Regina, der mit Iuppiter und Minerva zur Kapitolinischen Trias gehörenden und in einigen Städten Latiums auch als Stadtgottheit verehrten Göttin, sind verm. die meisten Darstellungen überl.: Die Statue in der linken Cella des Kapitoltempels des Iuppiter Optimus Maximus in → Rom, nur in einigen Frg. erh., ist von kaiserzeitlichen Münzbildern bekannt. Die Göttin ist in einen gegürteten → Chiton gekleidet, oft mit Mantel, der auch ihren Kopf bedecken kann; ihre typischen Attribute sind Stephane, Zepter und Patera, häufig ist ein Pfau in ihrer Nähe. Sie wird zusammen mit Iuppiter und Minerva stehend oder thronend wiedergegeben, vgl. u. a. Marmorrelief in Kiel, Mitte 2. Jh. n. Chr.; Bronzestatuetten der drei thronenden Gottheiten aus Pompeii (Neapel, NM, 1. Jh. n. Chr.). Aus verschiedenen Capitolia des röm. Reiches sind Kultstatuen der Göttin überl.: z. B. Kolossalkopf aus Pompeii (Neapel, NM, 2. Viertel 1. Jh. v. Chr.), Alba Pompeia (Turin, Mus. Ant., frühes 1. Jh. v. Chr.), Cumae (kaiserzeitl.; Neapel, NM), vgl. auch den Kolossalkopf in Rom (KM, Mitte 2. Jh. v. Chr.). Als Variante der Hera von Ephesos wird die I.-Statue der Sammlung Farnese gesehen (Neapel, NM, kaiserzeitlich); eine Kolossalstatue aus Otricoli (Rom, VM, 2. Jh. n. Chr.) verweist auf die sog. Hera Borghese. Der Kolossalkopf der I. Ludovisi mit Porträtzügen (Rom, TM, claudisch) ist nicht sicher auf eine Kultstatue der I. zurückzuführen (vgl. auch die Porträt-Angleichungen der kaiserlichen Familie auf Kameen, Münzen und Reliefs).

I. Regina Dolichena, Kultgefährtin des Iuppiter → Dolichenus, des romanisierten Stadtgottes → Baal von Doliche in Syria, wird mit ihrem charakteristischen Attribut, einem Spiegel, auf dem Rücken einer Hirschkuh oder Kuh stehend gezeigt (neben Iuppiter auf einem Stier): Ihr Kult fand seit dem letzten Viertel des 1. Jh. n. Chr. weite Verbreitung in Rom und den NW-Prov. des röm. Reiches (Marmorreliefs vom Aventin, 2. H. 2./Anf. 3. Jh. n. Chr.). Auf den bes. aus dem röm.

Germanien bekannten → Viergöttersteinen der sog.
Iuppitersäulen ist I. mit wechselnden Göttern dargestellt. Von der ital., mit Lanze und achtförmigem Schild
bewaffneten I. Sospita sind zahlreiche Darstellungen
erhalten: in Chiton und Ziegenfell, dessen Kopf sie
auch statt des gehörnten Helms über ihr Haupt gezogen
trägt, sowie Schnabelschuhen, oft mit einer Schlange zu
ihren zarten Füßen: Kolossalstatue im Vatikan (Sala Rotonda; antoninisch), etr. Bronzestatuette (Florenz, AM;
Anf. 5. Jh. v. Chr.).

G. Dury-Moyaers, Réflexion à propos de l'iconographie
de Juno Sospita, in: R. Altheim-Stiehl (Hrsg.), Beiträge
zur altital. Geistesgesch.: FS für G. Radke, 1986, 83–101 ·
E. La Rocca, s. v. Juno, LIMC V, 814–856 (mit weiterer
Lit.).　　　　　　　　　　　　　　　　　　　　　　　　　A. L.

Iuppiter　I. Kult und Mythos
II. Ikonographie

I. Kult und Mythos
A. Etymologie und Herkunft　B. Funktionen,
Kultstätten und Priester　C. Feste
D. Interpretatio Romana

I. (selten *Iupiter*, archa. *Diovis*, umbr. *Iupater*) ist der
oberste Gott des röm. und latin. Pantheons; während er
in Ikonographie und Mythos mit dem griech. → Zeus
völlig identifiziert wird, hält sich im Kult seine Eigengestalt.

A. Etymologie und Herkunft
Die Ableitung von **Dieu-pater*, d. h. idg. **dieu-/diu-*
und dem anrufenden *pater*, ist unbestritten; sie verbindet
ihn mit griech. *Zeus* (**dieus*, vok. Ζεῦ πάτερ) und altind.
Dyaus, bezeichnet eigentlich die Gottheit des hellen
Tageshimmels (vgl. lat. *dies*) und weist darauf, daß diese
Gottheit schon in einer idg. Rel.-Stufe verehrt wurde.
Dabei gehört aber die Loslösung von der idg. Grund-
bed., die Verbindung mit dem dunklen Wetterhimmel
und mit dem Königtum bereits in vorlat. und vorgriech.
Zeit.

B. Funktionen, Kultstätten und Priester
Als Himmelsgott wird er oft auf Hügeln, selten wie
Zeus auf Bergspitzen verehrt. Das höchstgelegene I.-
Heiligtum Latiums ist dasjenige auf dem Mons Albanus
(Monte Cavo), während die Zuweisung des Heiligtums
zuoberst auf dem Felsen von Terracina an I. Anxur(us)
(dazu Verg. Aen. 7,799 mit Serv. ad loc.) hypothetisch
ist [1]; für mehrere der Hügel Roms sind Heiligtümer
des I. belegt [2]. Als Himmelsgott ist er mit den himml.
Lichtzeichen des Blitzes verbunden (I. Fulmen Fulgur
Tonans CIL XI 2.1 4172, Fulgur oder Fulminator inschr.
häufig; ein Heiligtum hat er auf dem Marsfeld, mit Opfer am 7. Oktober [3]); dazu gehört wohl auch die im
Carmen Saliare genannte Epiklese Lucetius, trotz der
spätant. Herleitung von *lux* (»Licht«) (so Macr. Sat.
1,15,14; [4. 114]). Zum Dank dafür, daß er einem Blitzschlag im Kantabrerkrieg knapp entronnen war, weihte
Augustus im J. 22 v. Chr. einen Tempel des I. Tonans auf

dem Kapitol [5]. Ebenso ist I. Regengott und wird in
Trockenzeiten rituell um Wasser angegangen; das Ritual
hieß *aquaelicium* und wurde in einer Prozession mit dem
lapis manalis (»Fließstein«) vollzogen (Fest. 2; Varro fr.
Non. 547); ein anderes Regenritual in einem (kam-
pan.?) I.-Kult (→ *Nudipedalia*, von der Barfüßigkeit der
es ausführenden *matronae*) beschreibt Petron. 44,17 f.
Die Modernen ziehen auch I. Elicius hierher, der einen
von → Numa gestifteten Altar auf dem Aventin hatte
(Varro ling. 6,95; Liv. 1,20,5 ff.); ant. Aitia verstehen ihn
freilich als den Gott, den Numa rituell herbeirief (*elice-
re*), um ein Ritual gegen Blitzschläge zu erhalten (Ov.
fast. 3,327 f., vgl. Valerias Antias fr. 6 HRR; griech.
Etym. bei Plut. Numa 15,9,70e).

Wichtiger ist I. als Gott der → Auguren (Liv. 1,18,9)
– wohl weniger als Gottheit der Höhen, wo sich die
auguracula befinden, und des freien Himmels, vor dem
sich die Vogelzeichen manifestierten, vielmehr als Garant der Ordnung, innerhalb derer das eintreten muß,
was die Zeichen zeigen: Deswegen gelten die Auguren
als *interpretes Iovis Optimi Maximi* (Cic. leg. 2,20). Im
Kult der → Fortuna von Praeneste ist I. als Knabe (*Puer*)
(Cic. div. 2,85) oder aber als Vater der Fortuna (CIL I 2,
60 = Vetter 505) belegt; das bildet wohl die Spannung
der Kultgöttin als derjenigen einer Geburts- wie einer
Orakelgöttin ab, deren Divination letztlich auch I.s Plan
untergeordnet ist.

Zentral ist die Verbindung von I. und staatlicher (später unter griech. Einfluß auch kosmischer) Ordnung,
wie sie bes. in der Rolle des I. Optimus Maximus (=
I. O. M.) in seinem Tempel auf dem Kapitol zum Ausdruck kommt. Auf seinem Altar bringen die Beamten,
die ihr Amt antreten, als Dankopfer weiße Stiere für die
Hilfe im vergangenen Jahr dar und geloben neue in einem Jahr, wenn die Hilfe andauert (Ov. fast. 1,79–86);
dann schließt sich die erste Senatssitzung im Tempel an.
Auf diesem Altar opfert der Feldherr bei seiner Abreise
und gelobt Opfer für den Sieg; hier opfert er dann auch
als Triumphator. Am Stiftungstag des Tempels, den Iden
des Oktober, schlägt man, um ein neues → *saeculum* zu
markieren, einen Nagel in die Seitenwand der Cella
(Liv. 7,3,3 ff.). Viele röm. Kolonien besaßen ein Capitolium mit dem Kult des I. O. M. und der ihn begleitenden Göttinnen Iuno und Minerva als Replik des stadtröm. Kultes. Daß die Weihung des großen, von den
Tarquiniern begonnenen Tempels mit dem Beginn der
Republik (Liv. 2,8,6) zusammenfällt, ist also nicht zufällig. Ebenso sind die beiden → *ludi*, in welchen sich die
urbs Roma polit. darstellt, I. geweiht: die alten *ludi Romani*, deren Haupttag, der 13. September, mit seinem
epulum (→ Iovis epulum), mit dem Stiftungstag des kapitolin. Tempels zusammenfällt, ebenso wie die jüngeren *ludi Plebei* mit dem entsprechenden *epulum* am 13.
November, also den beiden Idus.

Seit Augustus wird der Kaiser vor allem in den lit.
Darstellungen an I. angenähert (Ansätze bei Horaz, aus-
geführt bei Ovid). Die alte Beziehung zum polit.
Machtträger steht auch hinter I. Feretrius, dem die

Oberbefehlshaber die Beutewaffen der feindlichen Führer (*spolia opima*) weihen (Fest. 202; der Tempel von Romulus gegründet, Liv. 1,10,5 ff.); ant. Gelehrsamkeit verbindet die Epiklese allerdings auch mit dem Schleudern (*ferire*) der Blitze als Kampfwaffe (Plut. Marcellus 8,2–10, 302bc). Als Gott, der in der Kampfkrise die Standhaftigkeit des Volksheeres wiederherstellt, heißt er mit ital. verbreiteter Epiklese Stator (im Aition geht sein Tempel am Palatin auf Romulus zurück, Liv. 1,12,6; gelobt war er erst durch M. Atilius Regulus 295 v. Chr., Liv. 10,36,11; einen zweiten Tempel erbaut Q. Caecilius Metellus Macedonius 146 v. Chr., Vitr. 3,2,5) [6]; als Gott, der dem Heer den Sieg bringt, ist er Victor (Tempelstiftung 295 v. Chr., Liv. 10,29,14; auf dem Quirinal [7]). In den kaiserzeitlichen Donauprovinzen schließlich ist I. Propulsor der Gott, der die einfallenden Barbaren abhält [8].

Gott des Bundes aller latin. Städte ist I. Latiaris in seinem Heiligtum auf dem → Mons Albanus. Hier hat der Überl. zufolge auf der Bergspitze ein alter Hain bestanden (Liv. 1,31,3); Tarquinius gründete (oder erneuerte) den Kult und legte das Ritual des gemeinsamen Festes, der → Feriae Latinae, fest, nach dem jede Stadt einen Anteil zum Mahl beitragen sollte (Dion. Hal. ant. 4,49); vom gemeinsamen Opferstier erhielt jede Stadt ihren Anteil (Varro ling. 6,25). Wenigstens in histor. Zeit wurde so die Einheit Latiums unter Roms Führung zelebriert: Roms Oberbeamten mußten teilnehmen, Opferherr war gewöhnlich ein Consul, und ganz Latium hielt Waffenstillstand (Macr. Sat. 1,16,17). Wie auf dem Kapitol konnte auch hier ein siegreicher Feldherr einen → Triumph durchführen, zwar ohne staatliche Legitimation (*sine publica auctoritate*, Liv. 42,21,7), doch war er durchaus gültig: Das bindet das Heiligtum in dieselbe Spannung von Romnähe und -ferne ein.

Zur Ordnung der Welt gehören die Grenzen: Im Innern des kapitolin. Tempels steht, unter einer Öffnung im Dach, der Gott → Terminus in der Form eines Grenzsteins. Der Mythos erklärt das Ineinander der Kulte damit, daß sich dieses Kultmal des Gottes Terminus nicht verschieben ließ, als Tarquinius mit dem Bau seines Tempels begann (Cato orig. 1 fr. 24 P.; Liv. 1,55,3 f.); jedenfalls sind Terminus und die Unverrückbarkeit der Grenzen damit engstens mit I. verbunden, weshalb I. auch gelegentlich Ter(minalis) heißt.

Als Garant der staatlichen, polit. wie sozialen Ordnung steht I. (wie → Zeus Horkios) den Eiden und Bündnissen vor. Die mit zwischenstaatlichen Bündnissen und der zum Krieg führenden Auflösung solcher Beziehungen betrauten → *fetiales* holen im Heiligtum des I. Feretrius Stab und Feuerstein (*silex*) zum Vollzug des Eidopfers (Fest. 81) und rufen in der Gebetsformel I. an (Liv. 1,32,6 f.), indem der Schwörende den *silex* in Händen hält (Pol. 3,25,6; Fest. 102). Das heißt *Iovem lapidem iurare*, »beim Stein I.s schwören« (Cic. fam. 7,12,2; Gell. 1,21,4; *Lapis* ist keine Epiklese). Bildlich kann I. als Garant zw. den Parteien, sozusagen als Teilnehmer des Vertrags, abgebildet sein (Relief vom Tra-

iansbogen in Benevent [9]). Im Privatbereich steht er entsprechend der sakralisiertesten der Hochzeitsformen, der → *confarreatio*, als I. Farreus vor (Gaius 1,112). Eine Weiterentwicklung zu einer eigenen Gestalt schließlich stellt Dius Fidius dar, der oft in Beteuerungen angerufen wird (Dion. Hal. ant. 4,58,4; 9,60,8 nennt ihn bezeichnenderweise Zeus Pistios).

Priester des I. ist der *flamen Dialis*, der mit den → *flamines* von Mars und Quirinus zu den *flamines maiores* gehört; diese Gruppierung spiegelt alte und enge rituelle Verbindungen der drei Gottheiten (etwa im Gebet der Fetialen, Pol. 3,25,6). Unter den *flamines* ist der des I. durch die große Zahl von Beschränkungen ausgezeichnet, die seine Person ebenso wie die seiner (ihm durch *confarreatio* vermählten) Frau, der *flaminica*, kennzeichnen; während einige Gebote – etwa dasjenige, nicht zu reiten, kein Heer sehen zu dürfen oder nicht mehr als drei Nächte in einem fremden Bett zu schlafen – ihn als einzigen Priester von der Bekleidung eines hohen staatlichen Amtes ausschließen und damit im Sinne einer Gewaltentrennung verstanden werden können, sind andere – etwa Nahrungsgebote – in der Forsch. heftig diskutiert, obwohl auch hier de facto die polit. Deutung naheliegt (eine Liste bei Gell. 10,15; einiges in Plut. qu. R. 109–112; 289f–291b [10; 11]).

Rom kennt zahlreiche kleinere Heiligtümer des I. Städt. Haupttempel ist derjenige des I. O. M. auf dem Kapitol, welcher der Überl. zufolge von Tarquinius Superbus begonnen und vom Consul M. Horatius Pulvillus im J. 509 v. Chr. geweiht wurde (Liv. 2,8,6; Inschr. Dion. Hal. ant. 5,35,3); ein Vorgängerbau ist zu vermuten. Der Tempel war einer der größten der damaligen Zeit [12. 96] und enthielt ein tönernes Kultbild in etr. Stil (Plin. nat. 35,157). In einer dreischiffigen Cella wurden in der Mitte I., links Iuno Regina und rechts Minerva verehrt (Liv. 7,3,5); diese kapitolin. Trias verdrängte die ältere Trias von I., Mars und Quirinus. Ihre Herleitung aus Etrurien ist angesichts des Fehlens dieser Triade ebenso problematisch [13; 14] wie die direkte Herleitung aus Griechenland, wo gemeinsamer Kult von Zeus, Hera und Athena wenigstens im Phokikon (dem Zentralheiligtum der Phoker) bezeugt ist (Paus. 10,5,1; Hera sitzt rechts); freilich wird die Verbindung der drei Gottheiten aus dem griech. Mythos am besten erklärt. Der Tempel brannte mehrfach ab, so in den Wirren des Vierkaiserjahrs (69 n. Chr.), wurde aber immer wieder prachtvoll aufgebaut.

C. FESTE

Neben den bereits genannten Festen der polit. Einheit – *ludi Romani* und *Plebei*, *feriae Latinae* – gelten I. insbes. die Weinfeste der *Vinalia* (*priora*) vom 23. April, der *Vinalia* (*rustica*) des 19. August und der *Meditrinalia* des 11. Oktober [15; 16]. Die *Vinalia rustica* betrafen den Beginn der Weinlese, wobei der *flamen Dialis* die erste Traube abschnitt und I. ein Lamm opferte (Varro ling. 6,16; Varro rust. 1,1,6 verbindet sie allerdings mit Venus); die *Meditrinalia*, an denen der erste vergorene Traubensaft gekostet wurde (Fest. 110), waren ein I.-

Fest nach Ausweis der *Fasti Amiterni*; an den *Vinalia priora* wurde der neue Wein versucht (Plin. nat. 18,287) und die erste Spende an I. gegeben (Fest. 57). Ziel ist an allen drei Festen, das ambivalente Weingetränk in die geordnete Welt I.s einzubinden und damit unschädlich zu machen, denn als die für das Opfer zentrale Spendeflüssigkeit ist der Wein für die ordentliche Beziehung zw. Menschen und Göttern unverzichtbar. Mit Ausnahme dieser Feste liegen I.-Feste gewöhnlich an den Iden; neben den oben genannten gilt dies auch für die *ludi Capitolini* (13. Oktober), die zwischen *ludi Romani* und *ludi Plebei* gefeiert wurden. Sie erinnerten an einen Sieg über Veii und wurden von Romulus (Plut. Romulus 33de) oder Camillus (Liv. 5,31,4) eingerichtet; bemerkenswert sind dabei jedoch die Zeichen von ritueller Inversion, welche sie markant von den vorhergehenden und folgenden *ludi* unterscheiden (Plut. l.c.).

Schließlich sind I. auch in jedem Monat die Iden, der Höhe- und Umkehrpunkt des urspr. Mondjahrs, heilig: An allen Iden bringt der *flamen Dialis* auf dem kapitolin. Altar ein Schaf (*ovis Idulis*, Fest. 93) dar (Ov. fast. 1,587f.; Macr. Sat. 1,15,16). Dem entspricht, daß die Kalenden der → Iuno heilig sind; ihr opfert die *regina*, die Frau des *rex sacrorum*, in der Regia ein Lamm oder eine Sau, außerdem ein *pontifex* in der Curia Calabra auf dem Kapitol (Macr. Sat. 1,15,19). Während das letztgenannte Opfer mit der Funktion der Kalenden als »Ausrufetag« zu tun hat, ist das erste Opfer (an Iuno durch eine Frau) eine Inversion des Opfers an den Iden: Der Monat wird auch nach Ablösung des Mondmonats durch diesen Gegensatz strukturiert (die ant. Erklärung aus dem Lichtgott I. Macr. Sat. 1,15,14; [4. 114]).

D. Interpretatio Romana

Schon früh wurde I. mit → Zeus gleichgesetzt; Ikonographie und Myth. von I. sind weitgehend Produkt dieser Gleichsetzung; ebenso wurde er mit dem etr. → Tinia identifiziert. In geläufiger → *interpretatio Romana* erscheinen in der Kaiserzeit oriental. Hochgötter (insbes. I. → Dolichenus [17]) ebenso wie Gottheiten der Kelten unter I.s Namen und Bild. Bes. bemerkenswert sind die I.-Gigantensäulen der german. Provinzen, die auf der Spitze einer Säule einen I. zu Pferd abbilden, der einen Giganten überreitet [18].

1 F. Coarelli, I santuari del Lazio in età repubblicana, 1987, 113–140 2 Latte, 79–83 3 D. Manacorda, s. v. I. Fulgor, LTUR 3, 136–138 4 G. Wissowa, Rel. und Kultus der Römer, ²1912, 113–129 5 P. Gros, s. v. I. Tonans, LTUR 3, 159–160 6 A. Viscogliosi, s. v. I. Stator, LTUR 3, 157–159 7 F. Coarelli, s. v. I. Victor, LTUR 3, 161 8 J. Kolendo, Le culte de Juppiter Depulsor et les incursions des barbares, in: ANRW II 18.2, 1062–1076 9 M. Beard, J. North, S. Price, Religions of Rome, 1998, Bd. 2, 27 f. 10 A. Brelich, Appunti sul flamen Dialis, in: Acta Classica 8, 1972, 17–21 11 F. Graf, Plutarco e la religione romana, in: I. Gallo (Hrsg.), Plutarco e la religione, 1996, 281–283 12 T. J. Cornell, The Beginnings of Rome, 1996 13 L. Banti, Il culto del cosidetto tempio di Apollo a Veii e il problema delle triadi etrusco-italiche, in: SE 17, 1943, 187–224 14 T. Gantz, Divine Triads on an Archaic Etruscan Frieze

Plaque from Poggio Civitate (Murlo), in: SE 39, 1971, 1–22 15 G. Dumézil, Juppiter et les Vinalia, in: REL 39, 1961, 261–274 16 O. Cazeneuve, Jupiter, Liber et le vin latin, in: RHR 205, 1988, 245–265 17 M. P. Speidel, Jupiter Dolichenus. Der Himmelsgott auf dem Stier, 1980 18 G. Bauchhenss, P. Nolke, Die Iuppitersäulen in den german. Provinzen, 1981.

J. Rufus Fears, The Cult of Jupiter and Roman Imperial Ideology, in: ANRW II 17.1, 3–141 • C. Koch, Der röm. Juppiter, 1937.   F. G.

II. Ikonographie

Von I. Optimus Maximus, dem höchsten Staatsgott der Römer, sind aus Kultbildgruppen der Kapitolinischen Trias bes. aus den Prov. einige meist frg. Kultstatuen erh.: kolossaler Torso einer Sitzstatue aus Pompeii (Neapel, NM, nach 80 v. Chr.) und Cumae (Neapel, NM, 2. Jh. n. Chr.), Sitzstatue von Khamissa (Guelma/Algerien, Anf. 2. Jh. n. Chr.), sog. I. Verospi (Rom, VM, 3. Jh. n. Chr.) u. a. Die kapitolinische Trias, mit I. im Zentrum und → Iuno und → Minerva daneben, ist häufig auf Mz. und Reliefs dargestellt; eine zusammengehörige Gruppe von Bronzestatuetten aus Pompeii zeigt ebenfalls I. mit Iuno und Minerva (Neapel, MN, 1. Jh. n. Chr.). Die Mehrzahl der Darstellungen überliefern den stehenden I.: Reliefs, Münzbilder, Gemmen und Bronzestatuetten (häufig aus → Lararien). Der stehende I. wird nackt wiedergegeben, oft mit einem über seine linke Schulter drapierten Mantel; der thronende I. ist halbnackt dargestellt, mit freiem Oberkörper, während der Mantel seinen Unterkörper bedeckt. Meist erscheint I. würdevoll und bärtig; die linke erhobene Hand ist auf das Zepter gestützt, in seiner Rechten hält er das Blitzbündel; weitere Attribute sind Adler und Patera. I. wird häufig mit → Victoria verbunden, insbes. auf kaiserzeitlichen Mz. und Gemmen: Er wird von der Siegesgöttin bekränzt oder er hält deren kleines Abbild auf der Hand; Victorien begleiten ihn in Triumph-Darstellungen, wobei I. in einer Quadriga wiedergegeben wird (in Entsprechung zu der Gruppe auf dem Dachfirst des Kapitoltempels republikanischer Zeit). Den kämpfenden I. mit erhobenem Blitzbündel überliefern einige Mz. und Bronzestatuetten.

Die Verbindung röm. Kaiser zu I. wird in zahlreichen Darstellungen deutlich; sie propagieren ihn als I. Conservator, Bewahrer des Imperium und Beschützer der Kaiser und ihrer Politik: Attikarelief des Traiansbogens in Benevent (114 n. Chr.), Relief der Traianssäule in Rom (113 n. Chr.); zahlreiche Münzbilder; vgl. auch die Idealporträts röm. Kaiser im Schema des stehenden und des thronenden I.: Porträtstatue des Claudius (Vatikan, Sala Rotonda); Sitzstatue des Augustus (Rom, Mus. Torlonia); kolossale Sitzstatue des Constantin (Frg., Rom, Konservatoren-Palast) u. a. m.

Auf den in den Nordwest-Prov. des Röm. Reiches verbreiteten sog. Iuppitersäulen des 1.–3. Jh. n. Chr. (→ Säulenmonumente) thront I. im Stile eines Weltenherrschers, mit Zepter in der Linken, Blitzbündel in der

Rechten (Iuppitersäule in Mainz, 58–67 n. Chr.). Der Kult des I. → Dolichenus, des romanisierten Stadtgottes → Baal von Doliche in Kommagene, fand durch syr. Soldaten weite Verbreitung im Röm. Reich und wurde auf zahlreichen Darstellungen überl.: meist auf einem Stier stehend, trägt er Tiara oder → Hörnerkrone, auch Brustpanzer und phrygische Mütze; er ist gewappnet mit Schwert, Doppelaxt und Blitzbündel, manchmal von Victoria bekränzt (Statuetten, Reliefs und sog. Votivdreiecke).

F. CANCIANI, A. COSTANTINI, s. v. Zeus/Juppiter, LIMC 8, 421–470 (mit weiterer Lit.) · R. VOLLKOMMER, s. v. Zeus/Juppiter Dolichenus, LIMC 8, 471–478.   A. L.

Iuppitergigantensäulen s. Säulenmonumente

Iura (Caes. Gall. 1,2,3; 1,6,1; 1,8,1; *Iurensis, Iorensis,* Sidon. epist. 4,25,5; Greg. Tur. vit. patr. 1; *Iures,* Plin. nat. 3,31; 4,105; 16,197; Ἰόρας, Ἰουράσιος, Strab. 4,3,4; 4,6,11; Ἰουρασσός, Ptol. 2,9,2; 2,9,10). Ca. 250 km langer, bis zu 70 km breiter Gebirgszug, der sich bogenförmig von der Rhône beim Lac du Bourget in nördl./nordöstl. Richtung bis nach Baden/Schweiz erstreckt. Er bildete nach Caesar und Strabon die Grenze zw. Helvetii und Sequani; im Norden siedelten die Raurici. Die durch das Schweizer Mittelland über Vindonissa führende Straße war durch mehrere Iura-Übergänge mit dem gall. Raum verbunden: a) durch die zwei Hauensteinpässe, b) durch die von Petinisca durch die Taubenlochschlucht und die Pierre Pertuis verlaufende Straße sowie c) durch die Übergänge nach Abiolica entweder über den St. Croix und den Col des Etroits oder den Col de Jougne.

A.-S. DE COHËN, M.-J. ROULIÈRE-LAMBERT (Hrsg.), Dans le Jura gallo-romain. Lons-le-Saunier, Musée d'Archéologie, 13 avril–31 mai 1992, 1992 · P. CURDY, G. KAENEL (Hrsg.), L'Âge du Fer dans le Jura. Act. du 15e Colloque de l'Association Française pour l'Étude de l'Âge du Fer, Pontarlier et Yverdon-les-Bains 9–12 mai 1991, Cahiers d'Archéologie Romande 57, 1992 · W. DRACK, R. FELLMANN, Die Römer in der Schweiz, 1988, 97 f. · W. REBER, Zur Verkehrsgeographie der Pässe im östl. Jura, 1970.
F. SCH.

Iurgium. Ein Ausdruck in den Zwölftafelgesetzen (ca. 450 v. Chr., → Tabulae duodecim), dessen rechtsgesch. Relevanz bis h. sehr umstritten ist. *I.* ist wohl eine mildere Streitform als das gerichtlich ausgetragene Verfahren (→ lis), sonst eine allg. Bezeichnung für eine Streitigkeit. Denkbar erscheint, daß man unter *i.* eine außergerichtliche Einigung, vielleicht mit Hilfe der Priester, verstand. In klass. Zeit (1. Jh. v. Chr. – 3. Jh. n. Chr.) ist diese Schlichtung längst außer Gebrauch.

M. KASER, K. HACKL, Das röm. Zivilprozeßrecht, ²1997, 58 (mit Anm. 20 zum Streitstand).   G. S.

Iuridicus. Der Ausdruck *i.* (»mit Recht Beschäftigter«) taucht in den Quellen der röm. Kaiserzeit mit sehr unterschiedlicher Bed. auf.

1. Seit Hadrian, vielleicht schon seit Vespasian, begegnen in kaiserlichen Provinzen *iuridici provinciae,* häufiger bezeichnet als *legati iuridici.* Sie sind Vertreter des Provinzstatthalters bei dessen Rechtsprechungsaufgaben, teils für die ganze Provinz, teils für Unterbezirke. Umstritten ist, ob der *i.* nur eine vom Statthalter abgeleitete (so u. a. [1. 1149]) oder echte kaiserliche (dafür [2]) Amtsgewalt hatte.

2. Eine eigene Rechtsprechungszuständigkeit hatte jedenfalls der *i. Alexandriae* (δικαιοδότης/ *dikaiodótēs*) in Äg. Er war der Stellvertreter des → *praefectus Aegypti.* Wie dieser übte er in einem sehr freien und formlosen Kognitionsverfahren (→ *cognitio*) sowohl die streitige als auch die freiwillige Gerichtsbarkeit in Zivilsachen aus. Er wurde vom Kaiser selbst ernannt und hatte eigene, nicht vom *praefectus* abgeleitete Kompetenzen.

3. *I.* war auch der t. t. für die Gerichtsbeamten, die vom Kaiser wohl seit 163 n. Chr. mit praetor. Rang für bestimmte Bezirke Italiens eingesetzt wurden. Überliefert ist ihre Zuständigkeit für die freiwillige Gerichtsbarkeit in der Form der → *legis actio* (Ulp. Dig. 1,20,1), für Fideikommißsachen (Scaevola Dig. 40,5,41,5), für die Ernennung eines Vormundes und für Streitigkeiten um die städt. Ratsherren (→ *decuriones*; zu allen Fällen [3]. Darüber hinaus dürfte der *i.* auch allg. für ordentliche Zivil- und Strafsachen zuständig gewesen sein. Als Ersatz- und Nachfolgeorgan der herkömmlichen Träger der Gerichtsbarkeit, vor allem des Praetors, dürfte der *i.* ebenfalls den Formularprozeß (→ *formula,* → *iudicium*) durchgeführt haben, im Laufe der Zeit in zunehmendem Maße aber auch die freie, ohne Verfahrensteilung ablaufende → *cognitio.* Wann diese den traditionellen Zivilprozeß verdrängt hat, ist umstritten [4]. Mit der Verwaltungsreform Diocletians (um 300) sind die *iuridici* als Gerichtsorgan und Verwaltungsträger verschwunden.

1 A. v. PREMERSTEIN, s. v. Legatus, RE 12, 1133–1149 2 MARTINO, SCR 4, 732 3 W. SIMSHÄUSER, Iuridici und Munizipalgerichtsbarkeit in Italien, 1973, 242 f. 4 M. KASER, K. HACKL, Das röm. Zivilprozeßrecht, ²1997, 468 mit Anm. 12.

G. FOTI TALAMANCA, Ricerche sul processo nell' Egitto greco-romano II.2, 1984 · B. GALOTTA, Lo »iuridicus« e la sua »iurisdictio«, in: Studi A. Biscardi 4, 1983, 441–444 · M. PEACHIN, Iudex vice Caesaris, 1996, 56 ff.   G. S.

Iuris consultus. Bevorzugter Ausdruck für den röm. Fachjuristen neben *iuris prudens, peritus, auctor* oder *studiosus.* Der *i. c.* ist eine um das Recht »befragte« und damit implizit zur Antwort kompetente Instanz [1. 25; 4. 554], ›erfahren im Gesetzes- und Gewohnheitsrecht‹ (*legum et consuetudinis . . . peritus,* Cic. de orat. 1,212). Für die Bezeichnung *i. c.* war weder die lit. oder amtliche Tätigkeit, noch, angesichts des privaten Charakters des → Rechtsunterrichts, ein formaler Bildungsstand maßgebend, sondern nur die auf praktischer Übung beruhende Konsultationspraxis [3. 124, 149 ff.; 4. 554 ff.].

Sowohl die Unentbehrlichkeit von Amtserfahrung als auch die Unentgeltlichkeit der Konsultation verlangten hohen sozialen Status des *i.c.*, der in der Regel zunächst der Nobilität und seit dem letzten Jh. der Republik dem Ritterstand angehörte [4. 595 f.]. Die Konsultation (*consuli*) war in der Republik typisiert [4. 557 ff.] als Prozeß- (*agere*), Geschäfts- (*cavere*) und sonstige Rechtsberatung (*respondere*) und wurde nicht nur Privatleuten, Magistraten und Richtern erteilt, sondern auch gewöhnlich nur rhet. gebildeten Anwälten (→ *advocatus*, → *causidicus, patronus* [1. 128 f.]). Im 1. Jh. n. Chr. war *i.c.* wohl t.t. für die vom Princeps autorisierten Träger der »Berechtigung zur Erteilung von Gutachten« (*ius respondendi*, Inst. Iust. 1,2,8; dazu [2. 283 f.; 5. 106 ff., 121). Die »Geltung« von *iuris consultorum responsa* erwähnt Sen. epist. 94,27 [1. 147].

Mit dem allmählichen Zurücktreten des *responsum* als Rechtsquelle zugunsten des Kaiserreskripts verlor seit der hohen Prinzipatszeit auch der Titel *i.c.* seine enge Bedeutung (→ *iuris prudentia*). In den Provinzen wurde er wohl schon früh auf jeden Fachjuristen bezogen [2. 347 f.; 6. 18 ff.].

1 SCHULZ 2 KUNKEL 3 D. LIEBS, Nichtlit. röm. Juristen der Kaiserzeit, in: Symposion F. WIEACKER, 1980, 123–198 4 WIEACKER, RRG 5 A. MAGDELAIN, Ius, imperium, auctoritas. Études de droit romain, 1990 6 D. LIEBS, Röm. Jurisprudenz in Africa, 1993. T. G.

Iuris prudentia. A. BEGRIFF UND FUNKTION B. GESCHICHTLICHE ENTWICKLUNG

A. BEGRIFF UND FUNKTION

I. p., die »Klugheit im Recht«, ist die prägnanteste Bezeichnung der Juristenprofession (→ *iuris consultus*), die sich in der Ant. zum selbständigen Fach nur in Rom herausgebildet hat. In Rom bedeutete *i.p.* nicht »jede berufliche Beschäftigung mit dem Recht« [2. 1 f.], sondern nur die private Rechtskunde. Jurisdiktionsträger und Laienrichter sind keine *iuris prudentes*, sondern lassen sich von diesen entweder fallweise als Gutachter oder als ständige Assessoren instruieren. Für die Relevanz eines Rechtsirrtums (→ *ignorantia*) wird klar zw. der eigenen oder durch Nachfragen begründeten Laienkenntnis und der überlegenen fachlichen *i.p.* unterschieden [1. 1164]. Letztere wird vornehmlich im Privatrecht zur Rechtsquelle [3. 33 ff, 47 f.; 5. 495 ff.]; deshalb sind die Begründer der *i.p.*, M. → Iunius [II 1] Brutus, P. → Mucius Scaevola und M.' → Manilius, zugleich diejenigen, ›die das Zivilrecht begründet haben‹ (*qui fundaverunt ius civile*, Dig. 1,2,2,39).

Die Autonomie der *i.p.* beruht auf einer strengen Abweisung von Faktenfragen, deren Feststellung im zweiteiligen ordentlichen Gerichtsverfahren (→ *ordo iudiciorum*) dem Laienrichter in der zweiten Prozeßphase (*apud iudicem*) obliegt: Der Jurist beschränkt sich auf den Rechtsbescheid [2. 52, 66; 5. 601, 667]. Damit übt er keine Rechtssetzung, sondern eine interpretative, tagtägliche »Verbesserung« (Pomp. Dig. 1,2,2,14: *in melius*

produci) des Rechts durch punktuelle Anknüpfung an ältere Juristen. Noch → Iulius [IV 16] Paulus (Dig. 45,1,4,1) und → Ulpianus (Dig. 21,1,10,1) zitieren im 3. Jh. n. Chr. → Porcius Cato Licinianus aus dem 2. Jh. v. Chr. Doch ist selbst diese vorsichtige Rechtsfortbildung vom Konsens der Juristengemeinschaft und sogar der Ges. als ganzer abhängig. Hierauf verweisen die von den Juristen gebrauchten Ausdrücke *hoc iure utimur* (›wir verwenden dieses Recht‹), *constat* (›es steht fest‹) oder *placet* (›es wird gebilligt‹).

B. GESCHICHTLICHE ENTWICKLUNG

Eine frühe *i.p.* betrieb das für Rechtssachen zuständige Collegium der Priester (→ *pontifex*) [5. 310 ff.], kollektiv und geheim. Erst nach der »Laisierung« der Rechtskunde durch den ersten plebejischen *Pontifex maximus* von 254 v. Chr., Ti. → Coruncanius, der auch als erster öffentlich und in Verbindung mit der Rechtsunterweisung Gutachten erteilte (Dig. 1,2,2,35 und 38; dazu [2. 13; 5. 528, 535]), tritt die röm. Jurisprudenz mit ihrer *disputatio fori* (Erläuterungen des Rechtsstreits, Dig. 1,2,2,5; dazu [1. 1163; 5. 564 f.]) aus der Anonymität des Pontifikalkollegiums heraus. Die profane Jurisprudenz blieb zunächst eine Honoratioren- oder Adelsjurisprudenz [2. 9, 26 ff., 70 ff.; 5. 528 ff.]: Ihre Kompetenz der Rechtsinterpretation beruhte auf ihrer ges. → *auctoritas*.

Seit dem letzten Jh. v. Chr. rekrutiert sich die *i.p.* im Zuge einer sozialen Demokratisierung und intellektuellen Spezialisierung zunehmend aus dem Ritterstand [5. 595 f.; 6. 115 f., 173 f.]. Dabei verliert der Jurist seine Universalkompetenz des Weisen, den man noch in der Mitte des 2. Jh. v. Chr. auch bei der Heirat, beim Grundstückskauf und bei der Ackerbestellung konsultierte (Cic. off. 3,133; dazu [6. 119 f.]), und wird zu einem Privatrechtsexperten. Mit Q. → Mucius Scaevola Pontifex (gest. 82 v. Chr.) stirbt die Tradition pontifikaler Rechtspflege [2. 47 f.; 5. 549]. Nach → Antistius [II 3] Labeo und → Ateius [6] Capito (augusteische Zeit) entstehen keine Werke *De iure pontificio* mehr. Dafür erweitert die *i.p.* mit der Aneignung der hell. Dialektik am Ausgang der Republik durch Definitionen und Regeln, Klassifikationen und Systematisierungen ihren Begründungszusammenhang [5. 630 ff.]. Auch wenn die Gutachten keiner Begründung bedürfen (Sen. epist. 94,27: *valent . . . etiamsi ratio non redditur* [2. 146 f.]), wird im Juristendiskurs die rationale Argumentation unentbehrlich. Dies zeitigt im Prinzipat eine lawinenartige Entwicklung der Rechtslit.: Der Juristendiskurs wird nicht mehr in Form der mündlichen *disputatio fori*, sondern typischerweise im Schrifttum ausgetragen.

Um das »Ansehen des Rechts« besorgt (Dig. 1,2,2,49), nimmt Augustus mit seinem *ius respondendi* (Recht, Gutachten zu verfassen) die Jurisprudenz in Dienst. Die *responsa prudentium* werden als Meinungen derjenigen, »denen Rechtschöpfung erlaubt ist«, definiert (*quibus permissum est iura condere*, Gai. inst. 1,7). Die Juristen gruppieren sich um die Träger des *ius respondendi* in zwei – unter den Bedingungen republikanischer

Honoratiorenautonomie undenkbaren – Gefolgschaften, den → Rechtsschulen der Sabinianer und der Proculianer. Angesichts deren Gleichgewichts und der Freiheit juristischer Meinungsbildung bleibt das Juristenrecht ein »strittiges Recht« (*ius controversum* [1. 1163; 3. 34ff.]), das jedoch mit allmählicher Bürokratisierung der Jurisprudenz an Bedeutung verliert. Seit Vespasian sind die Juristen zunehmend Mitglieder der zentralen Justizbürokratie [2. 121ff.]. Hadrian verordnet die Endredaktion des praetor. Edikts (→ *Edictum [2] perpetuum*) und reorganisiert sein → *consilium* als mit besoldeten Mitgliedern besetztes Beratungsorgan der Rechtspflege, die sich seitdem in den Händen des Prinzeps konzentriert [2. 119, 131, 139, 146, 149f.]. Die dezentralisierte Rechtsproduktion durch den Juristendiskurs weicht im Namen der Rechtssicherheit der Kaisergesetzgebung, das *responsum* dem *rescriptum*. Das zweiteilige Gerichtsverfahren wird durch den einheitlichen Beamtenprozeß (→ *cognitio extra ordinem*) verdrängt, die juristische Ausbildung in Form der Assistenz bei der Respondiertätigkeit durch die Assessur bei den Justizbeamten.

Bereits → Gaius [2] (inst. 1,80; 2,126; 2,195) verweist mit *hoc iure utimur* nicht mehr auf den Juristenkonsens, sondern auf Kaiserkonstitutionen. Trotzdem definieren nicht nur → Iuventius [II 2] Celsus (Dig. 1,1,1 pr.) das → *ius* als *ars boni et aequi* (»Kunst des Guten und Gerechten«) und damit als Juristenrecht, sondern auch noch → Ulpianus (Dig. 1,1,10,2) die *i.p.* als allumfassende »Weisheit«: *divinarum et humanarum rerum notitia, iusti atque iniusti scientia* (›Kenntnis der göttlichen und menschlichen Dinge, Wissen vom Rechten und Unrechten‹ [2. 160; 6. 185, 230]), wie schon die Juristen des 3. Jh. v. Chr. *de omnibus divinis atque humanis rebus* (›von allen göttlichen und menschlichen Angelegenheiten‹) Bescheid wußten (Cic. de orat. 3,134 [5. 319, 535]). Angesichts des punktuellen Charakters der Reskriptgesetzgebung bleibt die *i.p.* des 3. Jh. n. Chr. eine notwendige Komponente der Rechtsordnung, weil nur sie die Integration von verschiedenen Rechtsschichten und -quellen gewährleisten kann: Die Juristen vollenden die vom → *praetor peregrinus* (Fremdenpraetor) der späten Republik eingeleitete Entwicklung des altröm. *ius civile* zum Weltrecht der Ant. [5. 474ff.]. Zugleich wird aber das Konzept des Juristenrechts als »Technik der Gerechtigkeit« obsolet, denn eine derartige Technik setzt einen Zweck- und Wertkonsens und damit eine soziale Homogenität voraus.

Der spätant. Dominat begräbt die Jurisprudenz mit der endgültigen Monopolisierung der Rechtsproduktion und -verwaltung durch den Kaiser [2. 335ff.]. Die nunmehr anon. Rechtskunde beschränkt sich auf Tradierung von Werken der Prinzipatszeit; ihre Neuproduktion besteht aus *Epitomai*, Florilegien und Konstitutionensammlungen [4; 6. 241ff.]. Das Kernstück der *i.p.*, die Rechtsauslegung und -weiterbildung durch Juristen (→ *interpretatio prudentium*), gerät in Mißkredit. Angesichts der ›Verstaatlichung und ... Verkirchlichung der Jurisprudenz‹ [4. 286] existiert zwar in der Spätant.

eine *i.p.* als »jede berufliche Beschäftigung mit dem Recht« [2. 1f.], aber nicht mehr als autonome Rechtsinterpretation.

1 A. BERGER, s. v. Iurisprudentia, RE 10, 1159–1200
2 SCHULZ 3 M. KASER, Röm. Rechtsquellen und angewandte Juristenmethode, 1986 4 D. LIEBS, Jurisprudenz im spätant. Italien, 1987 5 WIEACKER, RRG 6 M. BRETONE, Gesch. des röm. Rechts, 1992.   T.G.

Iurisdictio. Wörtlich »Rechtsprechung«. Solange die *i.* in verschiedene Verfahrensabschnitte (insbes. *in iure*, *apud iudicem*) aufgeteilt war, bezeichnet sie die hoheitlichen Machtbefugnisse, die dem röm. Gerichtsmagistrat zur Wahrnehmung der Rechtspflege übertragen sind. Während dieser Terminus urspr. für die Privatrechtspflege gebraucht wurde, wird er im 2. Jh. n. Chr. auch auf die Strafrechtspflege ausgedehnt sowie auf das Kognitionsverfahren (→ *cognitio*), in dessen Kontext *i.* die richterlichen Amtsbefugnisse insgesamt umschreibt – also auch die Befugnis zur Urteilsfällung, die der Gerichtsmagistrat regelmäßig gerade nicht hat. Ihm ist vielmehr allein das → *iudicium dare* (die Gerichtseinsetzung) übertragen, dem Richter (→ *iudex*) hingegen die weitere Entscheidung vorbehalten.

Eine Gleichsetzung der *i.* mit → *imperium* verbietet sich auch für die republikanische und die klass. Zeit; zum einen deswegen, weil die kurulischen Aedilen keine derartige Amtsgewalt besaßen, zum anderen, weil das *imperium* des Praetors ein ganzes Bündel von Rechten umfaßte (vgl. die Abgrenzungsbemühungen in Dig. 2,1,4; 50,1,26 pr.: *Ea quae magis imperii sunt quam iurisdictionis magistratus municipalis facere non posset*, ›Die Angelegenheiten, die mehr zum *imperium* gehören als zur *i.*, können die Municipalmagistrate nicht ausführen‹). Die Einsetzung eines Urteilsgerichts (etwa durch Gewährung einer Prozeßformel, → *formula*) stellt demnach den Kerngehalt der *i.* dar; daneben ermöglicht sie aber auch weitere verfahrensleitende Maßnahmen des Magistrats, wie etwa eine Wiedereinsetzung in den vorigen Stand (→ *restitutio in integrum*, Dig. 4,4,16,5), eine Einweisung in den berechtigten Besitz an einer Sache oder einer Sachgesamtheit (*missio in possessionem, in bona*, Dig. 39,2,4,3; 43,4,1 pr.) oder die Erzwingung einer Stipulation, Dig. 39,2,1; 4,3; 7 pr.). Die mit dem Begriff der *i.* umschriebenen Befugnisse konnte der Gerichtsmagistrat innerhalb bestimmter Grenzen durch Rechtsakt einzeln oder insgesamt anderen Amtsträgern übertragen (*mandare, delegare*, Dig. 1,21,1 pr.); darüber hinaus gab es auch entsprechende Übertragungen kraft Gesetzes – etwa vom *praetor* auf die Municipalmagistrate.

Die heutige Unterscheidung zwischen streitiger und freiwilliger Gerichtsbarkeit hat ihre Wurzeln in der klass. Trennung von *i. contentiosa* und *i. voluntaria*. Zu letzterer zählen aus dem Legisaktionenverfahren hervorgegangene Formalakte wie etwa die → *in iure cessio*, *manumissio vindicta*, → *emancipatio* oder → *adoptio*.

Schließlich kann *i.* auch noch eine – modern gesprochen – Variante der funktionellen Zuständigkeit zum Ausdruck bringen. So ist der → *praetor urbanus* für Rechtsstreitigkeiten zuständig (er hat also eine entsprechende i.), die zw. röm. Bürgern ausgetragen werden; der *praetor peregrinus* dagegen für solche, die zwischen einem Bürger und einem Nichtbürger bzw. zwischen Nichtbürgern untereinander entstanden sind. Den → *aediles* obliegt die Marktgerichtsbarkeit insgesamt – ohne Rücksicht auf das Bürgerrecht. Dies spielt dagegen wieder für die Zuständigkeit von Municipalmagistraten eine Rolle – für die dortigen Bürger (*cives* bzw. *municipes*), während sich in den Provinzen die Zuständigkeit des Statthalters nach dem Wohnsitz richtet (Dig. 50,16,190: *provinciales eos accipere debemus, qui in provincia domicilium habent,* ›als Provinzialen müssen wir diejenigen ansehen, die in einer Provinz ihren Wohnsitz haben‹). Gesandten und bestimmten weiteren Personen (Dig. 5,1,2,3–6) wurde ein *ius domum revocandi* zugebilligt, d. h. ein Recht, in ihrer Provinz gerichtlich belangt zu werden (*privilegium fori,* → Forum II).

O. BEHRENDS, Die röm. Geschworenenverfassung, 1970 · Ders., Der Zwölftafelprozeß, 1974 · M. KASER, K. HACKL, Das röm. Zivilprozeßrecht, ²1997, 183,244,528 · G. NOCERA, Reddere ius, 1976 · W. SIMSHÄUSER, Stadtröm. Verfahrensrecht im Spiegel der lex Irnitana, in: ZRG 109, 1992, 163–208.   C. PA.

Ius A. HISTORISCHER ÜBERBLICK
B. IUS HONORARIUM
C. IUS IN DER DARSTELLUNG DES RECHTS
D. IUS UND BÜRGERRECHT
E. IUS UND SUBJEKTIVE RECHTE

A. HISTORISCHER ÜBERBLICK
1. DAS ALTRÖMISCHE IUS 2. DIE SCHICHTEN DES ENTWICKELTEN IUS

1. DAS ALTRÖMISCHE IUS

I., der röm. Ausdruck für das Recht, hat im Laufe der über tausendjährigen Gesch. des röm. Staates erhebliche Wandlungen erlebt. Urspr. war i. wohl das Kriterium, nach dem sich erlaubte Freiheitsbetätigung, insbes. auch legitime Herrschaftsausübung (über Personen und Sachen) von der friedensstörenden Gewaltausübung (*vis*) unterschied. I. war also in moderner Terminologie subjektives Recht. Seinen rechtlichen Charakter bezeugte es ›durch Einhaltung eines allg. gewußten und geübten Rituals‹ [1. 253] bei der Ausübung. Dieser rituelle Grundzug ist noch in späterer Zeit in den genau festgelegten Spruchformeln einzelner Rechtsgeschäfte und Prozeßhandlungen lebendig, z. B. in dem *hanc rem meam esse aio* (›ich behaupte, daß diese Sache die meine ist‹) der Eigentumsherausgabeklage (→ *vindicatio*) und der (urspr. kaufweisen) Übereignung und Herrschaftsübertragung (→ *mancipatio*). Die Experten des Ritus waren die Priester (→ *pontifex*), die über die jeweils einschlägigen Formeln für Geschäfte und Prozesse Auskunft gaben. Eine geradezu weltgesch. bedeutsame Besonderheit des röm. i. besteht aber gerade darin, daß es seit sehr früher Zeit

klar vom göttlichen Recht (→ *fas*) unterschieden war. Zw. beiden Bestimmungsgrößen des menschlichen Handelns in der frühen röm. Ges. herrscht vielmehr »Arbeitsteilung«: Die Einhaltung des i. begründete rechtliche Unbedenklichkeit; *fas* war der von rel. Geboten freie Handlungsraum. Die Bindungen des Gemeinschaftslebens wurden urspr. wohl eher durch das *fas* und die Sanktionen gegen *nefas,* seine Übertretung, geschützt, während i. sich ›wesensmäßig im Zueigenhaben erschöpfte‹ [2. 52]. Eine Verbindung beider ritueller Bereiche bestand freilich im frühen Prozeß der → *legis actio sacramento* schon dadurch, daß der von den Parteien jeweils zu leistende Eid (→ *sacramentum*) die angerufene Gottheit in den »weltlichen« Rechtsstreit hineinzog.

Spätestens mit den Zwölftafelgesetzen (→ Tabulae duodecim, ca. 450 v. Chr.) hat sich der Sinngehalt von i. geändert: Zwar blieb die urspr. Bed. als »subjektives Recht« erhalten, aber dadurch verengt, daß die persönliche Unterwerfung als Sanktion für Unrecht oder kraft bes. Haftungsgeschäftes (→ *nexum*) nunmehr von einem Herrschaftsrecht zu einem »geistigen« rechtlichen Band der → *obligatio* wurde. Zur rituell begründeten Herrschaft trat verstärkt ihre Bestätigung durch gerichtliche Urteile. Deren Inhalt wurde das i. *dicere,* also der von einem → *iudex* verkündete Spruch, daß etwas i. sei (→ *iuris dictio*). Dies geschah zwangsläufig immer wiederholt und dadurch nach Gewohnheit und Regeln. Sie ergänzten in ihrer Gesamtheit nunmehr das i. Ihre Qualität als Recht, das nur bei einem Mindestmaß ges. Anerkennung Geltung beanspruchen kann, drohte jedoch im Ständekampf des 5. Jh. v. Chr. unterzugehen; das i. bedurfte daher der Bekräftigung und Fundierung im Gesetz (→ *lex*) der Zwölftafeln (→ Tabulae duodecim). Diese wurden zum Inbegriff des i., genauer des i. *civile* als des für alle röm. Bürger geltenden objektiven Rechts. Hiermit war zunächst die Entwicklung zu einer selbständigen weltlichen Ordnung als Inhalt des i. abgeschlossen. Zu der nunmehr objektiv verstandenen, gleichsam über den Individuen existierenden Ordnung des i. gehörten die überkommenen Herrschaftsrechte und das in Urteilen gefundene Recht dazu.

Beide Bestandteile des i. wurden unter maßgeblicher Hilfe der Priester weiter entwickelt: die Ausübung und Übertragung von privater Herrschaft durch die Erfindung von Geschäftstypen in Anlehnung an die alten Rituale, die Urteiltätigkeit durch die verstärkte Aktivität der Gerichtsmagistrate, seit 367 v. Chr. vor allem der → Praetoren. Die Gerichtsmagistrate bestimmten in einem bes. Verfahren, *in iure* (hier i. als Gerichtsstätte), ob und über welchen Streitgegenstand überhaupt ein Prozeß stattfinden konnte. Sie hatten hierdurch die Macht, das i. *civile* um ein von ihnen geschaffenes i. *honorarium* (Amtsrecht) zu ergänzen. Dem i. *civile* selbst schließlich, vor allem den Zwölftafelgesetzen, wuchsen weitere Inhalte zu durch ihre → *interpretatio* von seiten der Priester und weltlichen Juristen; zudem ergänzte der Gesetzgeber das i. *civile* durch weitere Gesetze, von denen die *l. Aquilia* (286 v. Chr.) die größte praktische Bed. erlangt hat.

2. Die Schichten des entwickelten Ius

Ein wichtiger Anstoß zur Erweiterung des Verständnisses von *i.* und seiner praktischen Anwendung ergab sich durch die wohl 242 v. Chr. erfolgte Einsetzung eines *praetor peregrinus*, der zunächst für Prozesse zwischen Nicht-Römern, dann (vielleicht auch von Anfang an) zudem zw. ihnen und röm. Bürgern zuständig war. Für solche gemischten Prozesse oder Streitigkeiten ohne Beteiligung röm. Bürger konnte das *i. civile* nicht angewendet werden, da es nur für *cives Romani* galt. Aber auch das Heimatrecht der → Peregrinen wurde nicht herangezogen, denn der Prozeß wurde ja unter der Gerichtsbarkeit Roms ausgetragen, und ein »Internationales Privatrecht« (Kollisionsrecht) war den Römern noch unbekannt. Daher berief sich der Praetor auf eine bes. objektive Rechtsordnung, die er vielfach in Wahrheit erst schuf: das »Völkergemeinrecht« (*i. gentium*). Es besteht nach späterer Schulweisheit aus dem, ›was die natürliche Vernunft für alle Menschen bestimmt hat‹ (*quod naturalis ratio inter omnes homines constituit*, Gai. inst. 1,1; Inst. Iust. 1,2,1). Der wohl wichtigste materiale Gedanke innerhalb dieser *naturalis ratio* ist die Einhaltung des Treuegebotes (→ *fides*), einer durchaus röm., gerade nicht allen Menschen (und auch nicht allen Völkern) gemeinsamen Rechtsvorstellung. Aus dem *i. gentium* sind viele Einrichtungen später durch den für Römer zuständigen *praetor urbanus* übernommen worden. Sie wurden damit zu Bestandteilen des *i. honorarium*. Wichtige so entstandene Institute wie die Konsensualkontrakte (→ *consensus*; → *contractus*) wurden dann als bisheriges *i. honorarium* in der frühen Kaiserzeit (1. Jh. n. Chr.) dem *i. civile* zugezählt. Im Laufe einer langen Entwicklung konnten auf diese Weise Regeln des *i. gentium* bis ins *i. civile* »aufsteigen«.

Um die Vielfalt verschiedener Rechtsschichten, die sich teils ergänzten, teils überschnitten, war die Bezeichnung als *i.* das einigende Band. Daher konnte in den stärker systematisierenden, auch (vulgär-)philos. Erwägungen einbeziehenden Betrachtungen der Rechtslit. des 2. und 3. Jh. n. Chr. *i.* zu einem selbständigen obersten Begriff »des Rechts« werden. Hiervon zeugen die allg. Begriffsbestimmungen von *i.* in den → ›Digesta‹, z. B. Celsus' Definition als *ars boni et aequi* (»Kunst« des Guten und Gleich-Gerechten, Dig. 1,1,1) oder Ulpians Umschreibung der (obersten) Gebote des *i.*: *honeste vivere, alterum non laedere, suum cuique tribuere* (›ehrenhaft leben, niemanden schädigen, jedem das Seine zuteilen‹, Dig. 1,1,10,1). Für die Praxis und für die Entwicklung des röm. Rechts insgesamt viel wichtiger als diese theoretischen Bemühungen waren aber die auf konkrete Fallösungen gerichteten Diskurse der lit. tätigen klass. Juristen der späten Republik und des Prinzipates (2. Jh. v. Chr. bis 3. Jh. n. Chr.). Die Juristen dieser Zeit waren in hohem Maße rechtsschöpferisch tätig. Den wichtigsten unter ihnen wurde seit Augustus das Recht verliehen, mit der → *auctoritas* des Kaisers versehene Rechts-

gutachten zu erteilen (*i. respondendi*). Gaius (inst. 1,7) bezeichnet die Tätigkeit dieser Juristen ausdrücklich und zutreffend als *i. condere* (»Recht schaffen«).

Dies führte dazu, daß der Begriff *i.* in der Spätant. wieder einen neuen Sinn erhielt: nunmehr war es das Recht, das durch die klass. Juristen überliefert, vielfach von ihnen auch erst geschaffen worden war. Ihm stand das Recht der kaiserlichen Konstitutionen, die als *leges* bezeichnet wurden, gegenüber. Die spätant. Kaiser waren bestrebt, dieses *i.* zu ordnen und zu sammeln. Dem ersten Ziel diente die wiederholte Bemühung, die Überlieferung des *i.* in einem → Zitiergesetz einzufangen. Beide Ziele zu verbinden vermochten erst Justinian und sein Gesetzgebungsminister → Tribonianus mit den 530–533 zusammengestellten ›Digesten‹, einer stark (auf ca. 5 %) reduzierten Slg. des klass. *i.*

B. Ius honorarium

Das *i.* der Römer ist deren vielleicht wirkungsmächtigste Hinterlassenschaft an das spätere Europa überhaupt. Fragt man nach den Bedingungen der Möglichkeit dieses Einflusses, wird immer das *i. honorarium* (Amtsrecht) an erster Stelle der Faktoren genannt werden müssen, die dem röm. *i.* eine so bes. Qualität gegeben haben. Urspr. war dieser Teil des *i.* überhaupt keine Rechtsquelle, sondern einfach die Befugnis der Gerichtsmagistrate, in erster Linie des Praetors, zur Anwendung des *i.* auf die vor ihm anhängig gewordenen Fälle. Gerade in ihnen aber zeigte sich die Schwerfälligkeit des auf den Gesetzen (→ *lex*) beruhenden *i.* Deshalb war es ein wichtiger Akt zur Flexibilisierung des *i.*, als im J. 367 v. Chr. den Praetoren ein fester und bestimmender Platz in der röm. Gerichtsverfassung, vor allem der Zivilgerichtsbarkeit, eingeräumt wurde. Für die innere Legitimation der praetor. Tätigkeit, ihre Methode und ihre Durchschlagskraft war hierbei die Tatsache entscheidend, daß sie dem bestehenden *i. civile* nicht antithetisch gegenübertraten, sondern – wie noch Aemilius → Papinianus (ca. 200 n. Chr.) treffend formulierte (Dig. 1,1,7,1) – *adiuvandi vel supplendi vel corrigendi gratia* (unterstützend, ausfüllend oder korrigierend). Eine weitere gar nicht zu überschätzende Voraussetzung für die Tragfähigkeit der praetorischen Bemühung um das Recht war die Teilung des Verfahrens: Der Magistrat hatte nicht den ganzen Prozeß in einer Hand, sondern nur die Prüfung der rechtlichen Zulässigkeit. Welches Urteil tatsächlich erging, hing vielfach von der Beweislage ab. Darüber aber hatte der Magistrat nicht zu befinden, und dies bewahrte seine Objektivität vor den Versuchungen persönlich oder polit. opportuner Einzelergebnisse.

Die Verfahrensteilung blieb während der verschiedenen vom Praetor beeinflußten Entwicklungsstufen des Prozeßrechts in Rom stets erhalten: Sie galt schon für das älteste Verfahren der → *legis actio* wie für den Spruchformelprozeß und noch für das bis in die hochklass. Zeit hineinreichende Verfahren der Schriftformeln. Die Entwicklung des *i. honorarium* geschah zwar aus konkreter Fallerfahrung, aber nicht im jeweiligen Einzelfall, sondern durch An- und Ausbauten der Klageformeln, vor allem in Gestalt von »Gegenrechten« (→ exceptio), und zwar programmatisch im → edictum des jeweiligen Amtsinhabers. Das Edikt wurde unter Übernahme des bisherigen Bestandes immer perfekter – bis zu seiner abschließenden Redaktion im edictum perpetuum durch Salvius → Iulianus [1] unter Kaiser Hadrian (ca. 130 n. Chr.). Die Magistrate verließen sich hierbei nicht auf ihre polit. Kompetenz, sondern stützten sich auf den Sachverstand der Fachjuristen, von denen die besten im consilium des Praetors als einer Art »wiss. Beirat« wirkten.

Die Beschreibung durch Papinianus führt das i. honorarium auf die utilitas publica (Gemeinwohl) zurück. Die Vorstellungen des Praetors und der Konsiliums-Juristen (→ consilium) hierüber waren seit der Endphase der Rep. auch von theoretischen rechtsphilos. Vorstellungen beeinflußt, darunter stoischen Gedanken über ein i. naturale und die Reflexionen, die → Cicero in seinen polit.-philos. Hauptwerken (De legibus, De officiis, De republica) niedergelegt hat. Vielfach bildete das i. gentium (s. o. A.2.) in der Rechtsprechung des praetor peregrinus zunächst das Experimentierfeld, auf dem neue Überlegungen ausprobiert wurden, ehe sie dann in die Formeln des i. honorarium übernommen wurden. Die neueren Vorstellungen verdrängten hierbei die Einrichtungen des i. civile nicht, sondern wurden unterstützend neben sie gestellt, z. B. für das »Eigentum« neben das → dominium des i. civile die bonorum possessio des i. honorarium, neben die traditionelle Übertragungsform der → mancipatio die einfachere → traditio ex iusta causa.

C. Ius in der Darstellung des Rechts
1. Ius als Begriff der Rechtsüberlieferung
2. Schulsystematische Einteilungen

1. Ius als Begriff der Rechtsüberlieferung
In der ant. Darstellung der Rechtsgesch. durch Pomponius (Dig. 1,2,2) im 2. Jh. n. Chr. wird die legendäre lit. Überlieferung des frühen röm. Rechts als i. in Verbindung mit dem Namen des jeweiligen Autors und Sammlers bezeichnet. Als früheste derartige Slg. nennt Pomponius das i. Papirianum. Sie stammt angeblich von einem Pontifex maximus → Papirius am E. der Königszeit oder am Anf. der Republik (ca. 500 v. Chr.). Paulus (Dig. 50,16,144) erwähnt einen Komm. zum i. Papirianum aus dem Sakralschriftsteller → Granius [I 3] Flaccus aus dem 1. Jh. v. Chr. Dieses i. soll die → leges regiae (alte Kultvorschriften und sakral sanktionierte Rechtsgebote) enthalten haben. Wahrscheinlich handelt es sich um eine Fälschung zu Ehren der Familie der Papirier aus dem 1. Jh. n. Chr. Dies schließt freilich nicht aus, daß sie originale Vorschriften aus früherer Zeit enthielt [1. 307 ff.].

Als i. Flavianum bezeichnet Pomponius eine Slg. der dies fasti (Gerichtskalender) und der actiones (Formulare für Klagen und Rechtsgeschäfte), die Gn. → Flavius [I 2], der Schreiber von Ap. → Claudius [I 2], um 300 v. Chr. zusammengestellt oder doch jedenfalls veröffentlicht haben soll. Da dieses Geschehen in die Zeit der Verwendung von Spruchformeln in der Rechtspraxis fiel, lag darin eine wesentliche praktische Erleichterung und wohl auch eine Vorbereitung des späteren Verfahrens der Schriftformeln. Als Akt der Rebellion gegen die bisherigen Verwalter des juristischen Arkanwissens, die Priester, wird man die Tat des Flavius hingegen kaum deuten können [1. 526 f.; 3].

Prozeßformeln neben dem Text des Zwölftafelgesetzes und deren Auslegung (→ interpretatio) dürften auch das i. Aelianum enthalten haben, vermutlich die erste juristische fachlit. Veröffentlichung überhaupt. Wegen der angeführten drei Teile hieß es auch tripertita. Es stammt von Sex. → Aelius [I 11] Petus Catus um 200 v. Chr. Mit dieser lit. Bearbeitung des i. begann die Entwicklung von »Juristenrecht« als Teil des i. (s. o. A.1 am Ende).

2. Schulsystematische Einteilungen
Während i. civile, i. honorarium und i. gentium (s. o. A.) histor. gewachsene Schichten des röm. Rechtes waren, sind andere adjektivische Kennzeichnungen des i. eher aus nachträglichen, oft theoretisch reflektierenden rechtslit. Bemühungen um das Phänomen i. entstanden. Typischerweise gewannen solche Begriffe ihr Profil durch dialektische Gegenüberstellungen. Die wohl allgemeinste ist diejenige von i. humanum und i. divinum (menschlichem und göttlichem Recht). I. divinum ist urspr. nicht identisch mit → fas, dem Begriff für kult. Erlaubtsein. In der philos. Reflexion Ciceros (vgl. Cic. part. 37) bezeichnet i. divinum das von den Göttern herkommende Recht im Gegensatz zu dem von den Menschen selbst gesetzten i. humanum. Ferner wurde i. divinum zur Kennzeichnung der Gegenstände göttlichen Rechts (wie Gebete, Opfer, Vorzeichen, Gottesfrieden) im Gegensatz zu den »weltlichen« Angelegenheiten des i. humanum gebraucht.

In dieser Bed. überschneidet sich der Begriff teilweise mit i. sacrum (heiliges Recht) und i. pontificium (Recht der Priester). Letzteres stellt auf die Verwalter und Experten des für die rel. Angelegenheiten geltenden Rechts ab. So wie die Priester ursprünglich die Anwendung der Gesetze durch → interpretatio und die Mitteilung von Formeln für Klagen und Rechtsgeschäfte monopolisiert hatten, waren sie erst recht, und für viel längere Zeit ausschließlich, für die Einhaltung der rel. Riten und die Beziehungen zwischen Menschen und Göttern »zuständig«. Hierzu erteilten sie responsa (Gutachten) an die Stadt und ihre Magistrate sowie auch an Privatpersonen. Noch »weltliche« Juristen des letzten Jh. v. Chr. und des 1. Jh. n. Chr. haben – offenbar wegen der methodischen Nähe des i. pontificium zum weltlichen Recht – Werke über das Sakralrecht verfaßt [1. 107 f. mit Anm. 135, 568 f.]. Das i. sacrum bestimmte insbes. die Voraussetzungen rel. relevanter Rechtsakte wie der Ehe durch → confarreatio oder die Bestimmung des Nachfolgers als Familienhaupt durch → testamentum, ferner die Sanktionen bei sakralen Verstößen, die Einhaltung von rel. festgelegten Gerichtstagen (→ *fasti*) oder die Eigenschaften, die ein Grundstück oder dessen Teil zu einer dem privaten Rechtsverkehr entzogenen *res sacra* machten.

Während die Unterscheidung von *i. divinum* und *humanum* wenigstens der Sache nach im röm. Rechtsbewußtsein einen festen Platz hatte, gehört die Gegenüberstellung von *i. aequum* und *i. strictum* (gerechtem und strengem Recht) erst der Ausbildungsliteratur an. So schildert Gai. inst. 3,18ff. die Erbfolgeregelung der Zwölftafelgesetze als *strictum i.*, dessen Ungerechtigkeit (*iniquitas*) von den Praetoren beseitigt worden sei. Einen festen Platz hat das *i. strictum* in der Rechtssprache Iustinians, z.B. Inst. Iust. 4,6,28: *actionum autem quaedam bonae fidei sunt, quaedam stricti iuris* (›manche Klagen sind solche nach Treu und Glauben, manche nach strengem Recht‹). Dies ist die schulsystematische Zusammenfassung der Entwicklung seit Einführung von *bonae fidei iudicia* durch den Praetor in der späten Republik. Philos. Wurzel des *i. aequum* dürfte das *i. naturale* (»natürliches *i.«*) sein, das in der röm. Lit. in Rezeption stoischer Gedanken seit Cicero behandelt wird: *natura* als Grundlage der → Gerechtigkeit und als Maßstab zur Beurteilung der Gesetze (leg. 1,43 ff.). Als Grundlage der praktischen Jurisprudenz hat Ulpian (Anf. des 3. Jh.n.Chr.) das *i. naturale* behandelt und insbes. dessen Verbindung zum *i. gentium* hergestellt.

Das *i. naturale* seinerseits wie schon vorher die → *aequitas* (Gerechtigkeit) waren in der Rhet. ein beliebtes Mittel, die Anwendung des geltenden, geschriebenen Gesetzes (*lex scripta*) durch den Rückgriff auf höherrangiges »ungeschriebenes Recht« (*i. non scriptum*) zu vermeiden [4]. Bis zum E. der Klassik (3. Jh.n.Chr.) haben die Juristen diesem Ansinnen widerstanden. Sie bevorzugten den Weg vorsichtiger Anpassung von Fall zu Fall mit den Mitteln der → *interpretatio* und im Konsens der sich zur jeweiligen Einzelfrage äußernden Juristen.

Die wirkungsgesch. folgenreichste Gegenüberstellung zur Aufgliederung des *i.* ist diejenige von *i. publicum* und *i. privatum*, öffentlichem und privatem Recht (Ulp. Dig. 1,1,1,2: *publicum ius est quod ad statum rei Romanae spectat, privatum quod ad singulorum utilitatem*, ›öffentliches Recht ist, was den rechtlichen Bestand des röm. Staates, privates, was das Interesse der einzelnen im Auge hat‹). Vorangegangen war dieser Unterscheidung in republikanischer Zeit die Bezeichnung der Rechtsakte eines freien Bürgers als *i. privatum* und der fundamentalen Regelungen für das Gemeinwesen einschließlich der Grundlagen zur Behandlung der Streitigkeiten unter Privatleuten durch die Magistrate als *i. publicum*. Die zunehmende Macht der Kaiser und ihr faktisches Definitionsmonopol in polit. relevanten Angelegenheiten führte freilich dazu, daß sich die Juristen der hoch- und spätklass. Zeit (1.–3. Jh.n.Chr.) mit dem *i. publicum* kaum beschäftigten. So hat wohl auch der Satz Ulpians vor allem negative Funktion: auszusagen, womit sich das *i. privatum* nicht beschäftigt [5. 111 ff.].

D. Ius und Bürgerrecht
1. Ius Quiritium   2. Ius Latii
3. Ius Italicum

1. Ius Quiritium

Die verschiedenen Rechtsschichten (s.o. A.) zeigen, daß mindestens bis zur vollen Durchbildung des spätant. Untertanenstaates das *i.* nicht von allg. Gleichheit vor Recht und Gesetz bestimmt war, sondern von der Zugehörigkeit zu einem Personenverband mit bestimmter rechtlicher Qualität. *I. civile* war in diesem Sinne nicht »bürgerliches Recht«, sondern eher »Recht der (röm.) Bürger«. Für das Verständnis von *i.* in röm. Zeit überhaupt hat daher die persönliche Einordnung in den Rechtsverband zentrale Bed. Üblicherweise wird dies als eine Frage des »Bürgerrechts« (oder seines Fehlens) verstanden. Der älteste Terminus für eine solche Einordnung ist das *i. Quiritium*. Faßbar ist dieser etym. nicht geklärte Begriff (→ *Quirites*) vor allem in den Formeln von Rechtsakten zur Behauptung von privaten Herrschaftsrechten: *meum esse aio ex iure Quiritium* (›Ich behaupte, daß dies mein Eigentum nach dem Recht der Quiriten ist‹). Unklar ist, ob damit einfach ein anderer Ausdruck für *i. civile* gebraucht worden ist oder ob seine Bed. urspr. davon unterschieden war, z.B. als ein bes. *i.* derer, die private Herrschaftsrechte hatten (die *patres familias*). Bei Gai. inst. 1,32c ff. ist das *i. Quiritium* jedenfalls einfach das röm. Voll-Bürgerrecht. Rechtsinstitute, deren Eigenart allein auf röm. Tradition zurückgeht, also keine Berührung mit dem *i. gentium* zeigt, werden seit der zunehmend wahrgenommenen Relevanz dieser Rechtsschicht eher als *i. proprium Romanorum* bezeichnet.

2. Ius Latii

Die mit den Römern stammverwandten → Latini standen seit der Auflösung des Latinerbundes 338 v.Chr. rechtlich in drei verschiedenen Arten von Beziehungen zu Rom: Soweit ihre Gebiete röm. Territorium waren, hatten ihre freien Bewohner in der Regel auch das röm. Bürgerrecht, wie dies für von Römern auf it. Boden gegründete Militärsiedlungen ohnehin selbstverständlich war. Gemeinden mit *i. Latii* waren hingegen rechtlich selbständig, behielten daher auch ihre eigene (Bürger-)Rechtsordnung. Ihre freien Bürger hatten jedoch durch → *commercium* und → *conubium* mit Römern die verkehrs- und eherechtliche Gleichstellung mit ihnen, ferner das *i. migrandi* (»Freizügigkeit«), das es ihnen ermöglichte, durch Einwanderung in Rom, Eintragung in die Censusliste und Verzicht auf das angestammte Bürgerrecht den Status eines röm. Bürgers (*civis Romanus*) zu erlangen. Den Bewohnern von *coloniae Latinae* stand dieses Recht freilich nicht zu. Dort wie in anderen latin. Gemeinden wurde man aber durch die Bekleidung einer Magistratur mit seinen Nachkommen röm. Bürger (*i. civitatis per honorem adipiscendi*). In einer dritten Gruppe von *municipia civium Romanorum* (Halbbürgergemeinden) mit Selbstverwaltung hatten die freien Bewohner zwar formell das röm.

Bürgerrecht, jedoch ohne *i. suffragii* (Wahlrecht) und vielfach auch ohne *conubium*. Mit der Verleihung des vollen Bürgerrechts an alle freien Italiker nach dem Bundesgenossenkrieg (89 v. Chr.) waren diese Unterscheidungen in It. überholt. Das *i. Latii* wurde nunmehr aber bis zur → *constitutio Antoniniana* (212 n. Chr.) von Rom bzw. vom Kaiser Gemeinden und ihren Bewohnern als ›Übergangsstufe einer behutsamen Integration in das Vollbürgerrecht‹ verliehen [1. 369]. Der Bürgerrechtserwerb durch Bekleidung eines Ehrenamtes wurde seit Hadrian auf die Ratsmitglieder (→ *decurio* [1]) ausgedehnt. Seit Augustus hatten viele → Freigelassene ebenfalls das *i. Latii* als sog. → *Latini Iuniani*.

3. IUS ITALICUM

Mit dem Begriff *i. Italicum* wird keine bürgerrechtliche Stellung umschrieben, sondern vielleicht eine Privilegierung von Gemeinden außerhalb Italiens in der Selbstverwaltung gegenüber den Provinzstatthaltern [dafür 6. 1242, 1248ff.] und jedenfalls eine bes. rechtliche Behandlung von Provinzgrundstücken. Gerade in dieser Bed. ergab die Kennzeichnung als *i. Italicum* nur Sinn, nachdem It. selbst insgesamt dem Territorium der Stadt Roms gleichgestellt war, also nach 89 v. Chr. Die Rechtsgeschäfte und Klagen des *i. civile* waren auch röm. Bürgern nur für Grundstücke verfügbar, die in *dominium ex iure Quiritium* standen. Bei Provinzgrundstücken war dies im allg. nicht der Fall, weil sie als Eigentum des röm. Staates oder des Kaisers galten, so daß Private nur ein dingliches Nutzungs- und Besitzrecht (*uti frui habere possidere*) an ihnen haben konnten. Im Digestentitel 50,15 ist aber eine lange Liste von röm. Kolonien und anderen Gemeinden aufgeführt, die (oder deren Grundstücke) alle dem *i. Italicum* unterlagen. Neben der Anwendbarkeit der Vorschriften des *i. civile* über Eigentum und Ersitzung (→ *usucapio*) dürfte für die Grundstücke mit *i. Italicum* durchweg Steuerfreiheit gegolten haben. Dies ergibt sich indirekt aus Paul. Dig. 50,15,8,7 und paßt dazu, daß diese Grundstücke eben nicht als Staatseigentum betrachtet wurden.

E. IUS UND SUBJEKTIVE RECHTE
1. PERSÖNLICHE RECHTE IN STAAT UND VERWALTUNG 2. PRIVATE BERECHTIGUNGEN

Die wohl urspr. Bed. von *i.* als subjektives Recht (s. o. A. 1.) ist während der ganzen Entwicklung des röm. Rechts erh. geblieben. In der röm. Rechtssprache werden daher nahezu alle persönlichen Berechtigungen auch als *i.* bezeichnet.

1. PERSÖNLICHE RECHTE IN STAAT UND VERWALTUNG

Dementsprechend nennen die Römer eine Fülle »öffentlicher Rechte« *i.* Dazu gehören die verschiedenen Stufen des Bürgerrechts (s. o. D.) ebenso wie das *i. suffragii* (Wahlrecht, s. o. D. 2., s. auch → *suffragium*), das *i. migrandi* oder das *i. provocationis* (Anrufungsrecht, → *provocatio*) der einzelnen, von Strafmaßnahmen der Magistrate (→ *coercitio*) betroffenen Bürger an die Volksver-

sammlung. Für den Zugang zu den Ehrenämtern, also das passive Wahlrecht, sprach man vom *i. honorum* (*petendorum*). Es stand nur aktiv Wahlberechtigten zu. Beschränkungen galten u. a. für Priester, wegen bestimmter Straftaten (u. a. Wahlbetrug, → *ambitus*) Verurteilte, Zahlungsunfähige und Angehörige unehrenhafter Berufe (vgl. → *infamia*). Zudem hatten Patrizier nicht das *i. honorum* für die plebejischen Magistrate (Volkstribunen, Ädile). Bis zu Sulla war Voraussetzung der Wählbarkeit eine 10jährige mil. Dienstzeit. Zu beachten war ferner ein je nach Amt verschiedenes Mindestalter und die Einhaltung des → *cursus honorum* (Ämterlaufbahn); vgl. zu all dem [7. 52–64].

Vor allem die Befugnisse der Amtsträger wurden als *iura* bezeichnet: Sie hatten entsprechend dem Kollegialitätsgrundsatz und den Eingriffsrechten des Volkstribuns das *i. intercedendi* (Vetorecht, → *intercessio* [1]). Die Tribune (→ *tribunus*) hatten das Einberufungsmonopol für das → *concilium plebis*, das *i. agendi cum plebe*, die Consuln das *i. agendi cum populo* (Einberufung der Volksversammlung) und *i. agendi cum senatu* (Rede- und Vorschlagsrecht im Senat). Bes. Geschäftsordnungsrechte galten auch für die Mitglieder des Senats (→ *senatus*): *i. referendi* (Rederecht in bestimmter Reihenfolge), *i. primae relationis* (Erstrederecht) des Kaisers. Zur Ausfüllung ihrer eigentlichen Tätigkeit stand den Magistraten, vor allem dem Praetor, das *i. edicendi* (→ *edictum* [1]) zu. Gegenüber niederrangigen Amtsträgern hatten sie ein *i. prohibendi* (Verbietungsrecht). Im Rahmen der polizeistrafrechtlichen Gewalt (→ *coercitio*) hatten die Magistrate das *i. vocationis* (Vorladungsrecht) und das *i. prensionis* (Festnahmerecht).

2. PRIVATE BERECHTIGUNGEN

Am E. der röm. Republik und in der Kaiserzeit beschränkte sich die Vorstellung von *i.* als subjektivem Recht nicht mehr auf die urspr. Herrschaftsrechte. So gab es nun auch vom Staat oder vom Kaiser verliehene Berechtigungen (→ *privilegium*), die als *i. singulare* (dem einzelnen gewährtes Recht) im Gegensatz zum *i. commune* (allg. Recht) bezeichnet wurden. Eine Spielart dieser Vorstellung ist auch das durch die Ehegesetze des Augustus eingeführte *i. liberorum* (Recht aufgrund der Kinderzahl): Im allg. galt nach den Gesetzen eine Ehepflicht. Davon ausgenommen waren kraft des *i. liberorum* aber Männer und Frauen, die drei freigeborene Kinder gezeugt oder geboren hatten. Eine Frau mit diesem *i.* brauchte keinen Geschlechtsvormund (→ *tutela*) und hatte aufgrund des *SC Tertullianum* (2. Jh. n. Chr.) als Mutter ein gesetzliches Erbrecht.

Gerade die familienrechtlichen Befugnisse gehören sicher zu den ältesten Rechtsvorstellungen. Der stärkste Ausdruck subjektiver »Berechtigung« überhaupt ist das sog. *i. vitae necisque*, das Recht des *dominus* (Herrn) und → *pater familias* über Leben und Tod aller Familienangehörigen und Sklaven. Diese Befugnis mag freilich von Anfang an sakral, alsbald auch durch die Rüge des Censors begrenzt gewesen sein. Früh schon war deren Ausübung an die Durchführung eines Hausgerichts gebunden. In der Spätant. war die Tötung strafbar. Die Berechtigung an der eigenen Person betreffen hingegen das *i. postliminii* (Rückkehrrecht des Kriegsgefangenen, → *postliminium*) und das *i. anuli aurei* (Recht des goldenen Ringes), ein ausschließliches Rangrecht der Freigeborenen, das aber Freigelassenen durch den Kaiser bes. verliehen werden konnte. Auch Sachenrechte sind mit Befugnissen verbunden, die als *i.* bezeichnet wurden: So hat der Inhaber einer Dienstbarkeit (→ *servitus*) und eines Miteigentumsanteils ein *i. prohibendi* (Verbietungsrecht) gegenüber dem mitberechtigten (Voll-)Eigentümer. Sind Sachen mit anderen, herauszugebenden Sachen verbunden worden, hat der Verbindende ein *i. tollendi* (Wegnahmerecht) aus seinem Eigentum. Ein nachrangiger Pfandgläubiger hat gegenüber dem Erstgläubiger ein *i. offerendi et succedendi* (Recht zur Forderungsablösung und Rangnachfolge, → *pignus*). Vereinzelt wird in der Spätant. das einzelne Sachenrecht selbst durch die Bezeichnung *i.* ergänzt. So wird die → *emphyteusis* (Erbpacht) auch *i. perpetuum* (Dauerrecht) genannt; ferner ist gelegentlich von einem *i. emphyteuticarium* die Rede.

→ Actio; Bürgerrecht; Civitas (B.); Formula; Iudicium; Lex; Peregrini; Quirites; GERECHTIGKEIT; RECHTSGESCHICHTE/ROMANISTIK

1 WIEACKER, RRG 2 DULCKEIT/SCHWARZ/WALDSTEIN 3 J. G. WOLF, Die lit. Überlieferung der Publikation der Fasten und Legisaktionen durch Gnaeus Flavius (Nachr. der Akad. der Wiss. Göttingen I 2), 1980 4 U. WESEL, Rhet. Statuslehre und Auslegung der Juristen, 1967 5 M. KASER, Der Privatrechtsakt in der röm. Rechtsquellenlehre, in: FS F. Wieacker, 1978, 90–114 6 A. V. PREMERSTEIN, s. v. Ius Italicum, RE 10, 1238–1253 7 W. KUNKEL, R. WITTMAN, Staatsordnung und Staatspraxis in der röm. Republik 2, 1995.

M. BRETONE, Gesch. des röm. Rechts, dt. 1992 · HONSELL/MAYER-MALY/SELB, 2–14, 22–29, 46 f., 49–60 · M. KASER, Das altröm. ius, 1949 · KASER, RPR I, 24–39, 60 ff., 194–214, 299, 320, 342, 437, 467 f., 702 · P. STEIN, Röm. Recht und Europa, dt. 1996, 14–37 · F. VITTINGHOFF, Röm. Stadtrechtsformen der Kaiserzeit, in: ZRG 68, 1951, 435–485, 465 ff.   G. S.

Ius iurandum. Der auf das röm. Recht (→ *ius*) oder vor Gericht (beim Praetor oder *iudex*) zu leistende Eid. Die ältere Eidesart ist wohl das → *sacramentum*, das aber seit der späten Republik mit dem Absterben der *legis actio sacramento* im wesentlichen den Soldateneid bezeichnete. Das *i.i.* wurde bei → Iuppiter, allen Göttern oder beim → Genius des Kaisers geschworen. Die Magistrate beschworen innerhalb von fünf Tagen nach ihrem Amtsantritt mit einem *i.i. in leges* die bestehenden Gesetze, abtretende Magistrate üblicherweise auch die Gesetzmäßigkeit ihrer Amtsführung [1. 94 ff., 253]. Um die lückenlose Befolgung der Gesetze zu gewährleisten, waren während der Amtszeit ergangene Gesetze gleichfalls von den Magistraten zu beschwören. Ein allg. Beamteneid ist für die republikanische Zeit nicht überliefert [1. 95 mit Anm. 152].

Im röm. Zivilprozeß ist der Parteieid verbreitet. Er kann als freiwilliger Eid (*i.i. voluntarium*) im Verfahren vor dem Praetor (*in iure*) von jeder Partei der jeweils anderen »zugeschoben« werden (*i.i. deferri*). Läßt sich die andere Partei darauf ein, kann sie den Eid leisten (*i.i. dare*) oder der »Deferrent« kann die Eidesleistung erlassen (*remittere*); dann steht dies der Eidesleistung gleich. In beiden Fällen ist damit das Recht außer Streit gestellt: Hat der Kläger den Eid dem Beklagten zugeschoben, gilt die Klage nunmehr als unbegründet; eine neue Klage kann nur über die Tatsache der Eidesleistung oder ihres Erlasses und mit einer Einrede der Eidesleistung (*exceptio iurisiurandi*) zugelassen werden. Hat der Beklagte den Eid dem Kläger zugeschoben, kann nur noch eine *actio in factum* (Klage für den Sachverhalt) über den Inhalt des geleisteten oder erlassenen Eides gegeben werden. Wird der Eid verweigert, muß die Sache von Praetor und *iudex* weiter verhandelt werden. Dies ist bei der Klage wegen der Rückzahlung geliehenen Geldes (*actio certae creditae pecuniae*) und einigen wenigen weiteren Klagen anders, wenn der Kläger auf Verlangen des Beklagten das *i.i. calumniae* (Eid, nicht aus Schikane zu klagen) geleistet hat: Dann kann der Kläger wieder dem Beklagten den Eid zuschieben, und wenn der Beklagte den Eid nunmehr verweigert, kann der Kläger die (wohl vorläufige) Zwangsvollstreckung (*missio in bona*) beantragen. Das *i.i. calumniae* kann auch sonst zur Vermeidung mißbräuchlicher Prozeßführung verlangt werden.

Weitere *iura iuranda* dienen dem Beweis durch Partei- oder Zeugenvernehmung vor dem → *iudex*. Dieser kann dem Kläger auch einen Schätzungseid (*i.i. in litem*) auferlegen, wenn der Beklagte die Herausgabe des eingeklagten Gegenstandes willkürlich verweigert oder vorsätzlich verhindert hat. Der Meineid war als solcher urspr. nicht strafbar, unterlag aber der zensorischen Rüge. Mit dem Eid konnte jedoch ein falsches Zeugnis abgelegt worden sein, so daß ein → *crimen falsi* vorlag oder sich der Schwörende beim falschen Eid auf den Kaiser des Majestätsverbrechens (crimen → *laesae maiestatis*) strafbar machte.

1 W. KUNKEL, R. WITTMANN, Staatsordnung und Staatspraxis in der röm. Republik 2, 1995.

M. KASER, K. HACKL, Die röm. Zivilprozeßordnung, ²1997, 266 ff., 284 ff., 365 ff.   G. S.

Ius Latii s. Ius D.2.; Latinisches Recht

Iussum (von *iubere*, anordnen). Eine einseitige Erklärung, die rechtlich als Befehl oder Ermächtigung wirkt. Im Privatrecht begegnet *i.* insbes. 1. als Weisung des Gewalthabers an Gewaltunterworfene (Sklaven bzw. Hauskinder), eine bestimmte Rechtshandlung vorzunehmen, z. B. etwas für ihn zu erwerben; 2. als Ermächtigung des Gewalthabers an einen Dritten, auf seine Rechnung mit einem Gewaltunterworfenen ein bestimmtes Geschäft abzuschließen (für das der Gewalthaber mittels *actio quod iussu* haftet); 3. bei der → *delegatio* als Ermächtigung des Anweisenden an den Angewiesenen, auf seine Rechnung dem Anweisungsempfänger zu leisten; 4. allg. als Ermächtigung des indirekten Stellvertreters (z. B. bei einem → *mandatum*), auf Rechnung des Vertretenen ein Geschäft abzuschließen; 5. im Erbrecht als (v. a. testamentarische) Anordnung des Erblassers.

→ Pater familias

HEUMANN/SECKEL, s. v. *iubere* · KASER, RPR I, 262 f., 265 f., 608; II, 106, 415.   F. ME.

Iustina. Röm. Kaiserin, in zweiter Ehe mit → Valentinianus I. verheiratet, Mutter Valentinianus' II. Weitere Kinder: Iusta, Grata, Galla [2]. Sie hing der arianischen Glaubensrichtung an und soll hinter dem Mailänder Kirchenstreit mit → Ambrosius von 385/86 n. Chr. gestanden haben, in dem es um die Nutzung einer Kirche durch die Arianer ging, doch muß bezweifelt werden, ob sie allein dies hätte betreiben können [1. 170–173]. Jedenfalls hat diese Episode bis heute zu einem negativen Bild der I. bei den (Kirchen-)Historikern geführt. 387 floh sie mit ihren Kindern vor dem Usurpator Maximus nach Thessalonike, wo sie ihre Tochter Galla mit Kaiser → Theodosius I. verheiratete. Noch während des Krieges gegen Maximus oder spätestens kurz nach dem Sieg über diesen starb sie (388). PLRE 1, 488–489.

1 N. B. McLYNN, Ambrose of Milan, 1984.   K. G.-A.

Iustinianopolis (Ἰουστινιανόπολις). Ort auf der Halbinsel von Miletos (→ Milesia), erstmals in einer iustinianischen Inschr. von der Hl. Straße in → Didyma erwähnt (unpubl.). Evtl. identisch mit Didyma, das in byz. Quellen jedoch stets als *To Hierón* (Tò Ἱερόν, daraus türk. *Jeronda*) erscheint, oder mit einer 1995 entdeckten Stadtwüstung am Golf von Akbük [1. 304 f.].

1 H. LOHMANN, Survey in der Chora von Milet, in: AA 1997, 285–311.   H. LO.

Iustinianus

[1] Flavius Iustinianus I. Der röm. Kaiser Iustinian (527–565 n. Chr.), geb. ca. 482 als thrako-illyr. Bauernsohn lat. Sprache namens Petrus Sabbatius in Bederiana bei Tauresium, im Gebiet der von ihm später erbauten Stadt Iustiniana Prima (wohl identisch mit dem heutigen Caričin Grad, 45 km südl. von Niš; s. [1. 1085]), gest. am 14. Nov. 565 in Konstantinopel. Seinen Aufstieg verdankte er → Iustinus [1] I., dem Bruder seiner Mutter. Dieser schenkte I., der bei seinem Regierungsantritt 518 als *candidatus* in der kaiserlichen Palastgarde diente, sein besonderes Vertrauen, adoptierte ihn und ließ ihn im Apr. 527 durch den Patriarchen zum Augustus und Mitkaiser, seine Gattin → Theodora, eine ehemalige Schauspielerin, zur Augusta krönen. Als er am 1. Aug. 527 starb, fiel I. die Alleinherrschaft zu.

A. AUSSENPOLITIK
B. VERWALTUNGSREFORMEN UND RECHTSSAMMLUNGEN   C. RELIGIONSPOLITIK
D. BAUTÄTIGKEIT   E. QUELLEN

A. AUSSENPOLITIK

Während seiner 38jährigen Regierungszeit war I. bemüht, das Röm. Reich, dessen ehemalige westl. Provinzen sich seit dem 5. Jh. in der Hand german. Stämme (Franken, West- und Ostgoten, Vandalen) befanden, in seiner früheren Macht und Größe wiederherzustellen, zugleich aber auch dessen Territorium gegen jede Bedrohung von außen zu verteidigen. Seine außenpolit. Ziele verfolgte er trotz mancher Versuche, Konflikte diplomatisch zu lösen, vor allem durch aufwendige, ausschließlich an seine Generäle delegierte Kriege, die auf die Dauer die Kräfte des Reiches erheblich überforderten.

Zuerst sah er sich zum Eingreifen an der Ostgrenze genötigt. Der König der Lazen am östl. Schwarzen Meer, seit 468 Vasallen des sāsānidischen Persien, hatte bereits 522 in Konstantinopel die Taufe empfangen und sich Ostrom unterstellt. Damit war den Persern der Weg zum Schwarzen Meer abgeschnitten, zugleich aber auch der Block christl. Völker im Kaukasusbereich gestärkt, die in Byzanz ihre Stütze gegen Persien sahen. Einen sich daraus ergebenden kriegerischen Konflikt (seit 526) konnte I. im Sept. 532 durch einen »ewigen Frieden« vorläufig beilegen. Zur Sicherung der syr. Ostgrenze gewann er das arab. Volk der Ghassaniden als Bundesgenossen.

Das Balkangebiet blieb wegen wiederholter Einfälle hunnischer und slavischer, später auch avarischer Stämme ein ständiger Unruheherd, den I. zeitweilig vernachlässigte, um Gebiete des ehemaligen westl. Reichsteils zurückzuerobern. Hier war sein erstes Kriegsziel das seit 429 n. Chr. bestehende Vandalenreich im nw Afrika. Im Frühjahr 533 wurde der General → Belisarios gegen den unbotmäßigen Usurpator → Gelimer entsandt; er konnte den Krieg im Dez. 533 siegreich beenden und 534 das vandalische Gebiet an das Röm. Reich zurückgeben. Bald darauf begannen die wesentlich länger dauernden kriegerischen Auseinandersetzungen mit den Ostgoten in It. Der Konflikt entzündete sich nach der Ermordung der byzanzfreundlichen → Amalasuntha, der Tochter → Theoderichs d. Gr., durch ihren Vetter Theodahad (Apr. 535), weil dieser gegenüber Ostrom eine Politik der Konfrontation verfolgte. Ab Juni 535 leitete wiederum Belisarios die Kriegshandlungen, zunächst gegen Theodahad, der aber bald von Opponenten des eigenen Volkes abgesetzt und getötet wurde, dann gegen dessen Nachfolger → Vitigis. Seit Frühjahr 538 mußte der allzu mächtige Belisarios den Oberbefehl nach dem Willen des Kaisers mit dem *praepositus sacri cubiculi* → Narses teilen. Die erste Phase des Krieges endete im Mai 540 mit der Einnahme Ravennas durch die kaiserlichen Truppen und der Gefangennahme des Königs Vitigis.

Fast gleichzeitig, im März 540, brach Persien unter Chosroes [5] I. den »ewigen Frieden« durch einen neuen Einfall an der Ostfront des Reiches. Dieser zweite Krieg im Osten endete 545 mit einem Waffenstillstand auf fünf Jahre, der aber Unruhen im Gebiet der Lazen nicht verhindern konnte. Ein dritter Perserkrieg ab 550 endete schließlich mit einem Friedensschluß 561.

Im Westen sammelte Totila, seit Herbst 541 König der Goten, eine neue Armee und dehnte in den folgenden Jahren seine Macht über weite Gebiete Italiens aus. Erst nach seinem Tod im Sommer 552 konnte Narses 553 die Goten endgültig schlagen und ganz It. besetzen. Der Versuch (553–555), die oström. Herrschaft auf das westgot. Spanien auszudehnen, war nur im äußersten Süden des Landes erfolgreich.

B. Verwaltungsreformen und Rechtssammlungen

I. war von Anfang an auch bemüht, das Reich im Inneren zu festigen, vor allem durch eine straffe Finanzpolitik, Reformen der Verwaltung und des Rechts, Förderung der orthodoxen Reichskirche und eine rege Bautätigkeit. Doch erregte sein Reformeifer auch Widerspruch, der sich bereits in den ersten Regierungsjahren (13.–18. Jan. 532) im sog. → Nika-Aufstand (benannt nach der Siegesparole der Aufständischen) entlud, einer wohl von der senatorischen Opposition gelenkten Volkserhebung, die sich vor allem gegen die restriktive Finanzpolitik des *praefectus praetorio* → Iohannes [16] richtete; sie konnte jedoch durch Intervention des Belisarios niedergeschlagen werden. Eine schwere innere Bedrohung bedeutete auch die Pestepidemie 542–543, die zahlreiche Todesopfer forderte.

Wohl die wichtigste, die Zeiten überdauernde Leistung des Kaisers war die Erstellung des → *Corpus iuris civilis*. Er beauftragte im Febr. 528 zunächst eine Kommission, der auch der bedeutende Jurist → Tribonianus angehörte, mit einer Sammlung der Kaisergesetze, die als *Codex Iustinianus* bereits im Apr. 529 erstmals, in einer um die nachfolgenden Gesetze ergänzten Endfassung im Nov. 534 promulgiert wurde. Im Nov. 533 erhielt das Rechtshandbuch der → *Institutiones* Gesetzeskraft, im Dez. 533 die ab 530 unter Leitung des Tribonianus erarbeitete Kodifikation der klassischen Jurisprudenz (→ *Digesta*). Den nach Nov. 534 erlassenen Gesetzen, den *Novellae*, wurde als geschlossene Sammlung nicht mehr die von I. vorgesehene offizielle Sanktion zuteil; sie sind nur in privaten Kompilationen überliefert.

C. Religionskritik

Zur Förderung der Reichskirche war I. bemüht, den Einfluß aller nichtchristl. Religionen (Paganer, Juden, Samaritaner, Manichäer) und »häretischen« Bekenntnisse einzuschränken. Allerdings suchte er – wohl unter dem Einfluß der Theodora – nach anfänglicher Konfrontation (s. auch → Iustinus I.) eine Annäherung an die → Monophysiten, u. a. durch Eintreten für die ihrem Bekenntnis näherstehende vorchalkedonische Christologie der Alexandriner (Neuchalkedonismus)

und die Verurteilung antiochenischer Theologen, die auf dem ökumenischen Konzil von Konstantinopel 553 sanktioniert wurde. Es blieb ihm jedoch eine Einigung mit den Monophysiten versagt.

D. Bautätigkeit

Über die rege Bautätigkeit des I. im ganzen Reichsgebiet, einschließlich zahlreicher Bauten zur Befestigung der Grenzen, vor allem im Osten, berichtet umfassend → Prokopios in seiner Schrift *De aedificiis*. Von den vielen Sakralbauten seiner Zeit seien hier nur in Konstantinopel die Neubauten der → Hagia Sophia (Einweihung Dez. 537, Einsturz der Kuppel 558, erneute Einweihung 562) und der nicht mehr erhaltenen Apostelkirche (550), in Ravenna S. Vitale 547 und S. Apollinare in Classe 549 genannt.

E. Quellen

Unter den zahlreichen zeitgenössischen Quellen zu I. und seiner Zeit sind, abgesehen vom *Corpus iuris*, die Geschichtswerke des Prokopios und → Agathias sowie das letzte (18.) Buch der Chronik des → Iohannes [18] Malalas, unter den Quellen der späteren Zeit die Chronik des → Theophanes (frühes 9. Jh.) besonders hervorzuheben.

1 ODB 2, 1083 f. 2 PLRE 2, 645–648 (I. 7) 3 TRE 17, 478–486 4 R. Browning, J. and Theodora, ²1987 5 J. A. S. Evans, The Age of J., 1996 6 C. Mango, Byzantine Architecture, 1976, 97–160 7 G. Prinzing, Das Bild Justinians I. in der Überlieferung der Byzantiner, in: Fontes Minores 7, 1986, 1–99 8 Rubin, 1–2 9 E. Stein, Histoire du Bas-Empire 2, 1949, 275–845 10 F. Tinnefeld, Die frühbyz. Gesellschaft, 1977 11 L. Wenger, Die Quellen des röm. Rechts, 1953, 562–679.

[2] Sohn des → Germanus [1], oström. General, erstmals 550 n. Chr. in verantwortlicher mil. Mission in Dalmatien bezeugt, 552 Truppenführer gegen die »Sclaveni« in Illyricum, 572 *patricius*, 572–573 *magister militum per Armeniam*, 574/575–577 *mag. mil. per Orientem* unter dem Caesar → Tiberius im Perserkrieg, nach anfängl. Erfolgen glücklos, 577 abberufen (ODB 2, 1083; PLRE 3, 744–747 [I. 3]).

[3] I. II. Byz. Kaiser der Herakleios-Dynastie (→ Herakleios [7]), Sohn Constantinus' IV.; geb. um 668 n. Chr., regierte 685–695 und 705–711. I. berief 692 das Konzil im *Tríklinos tu Trúllu* (Kuppelsaal) des Kaiserpalastes ein, das in disziplinären Fragen der orthodoxen Kirche grundlegende Entscheidungen traf. Vom Avers des *Nómisma*, der byz. Standard-Goldmünze, ließ er erstmals das Kaiserbild auf den Revers versetzen, an dessen Stelle trat dafür ein Christusbild. Wegen seiner rigorosen Verwaltungs- und Finanzmaßnahmen unbeliebt, wurde er 695 durch den Usurpator → Leontios gestürzt, der ihm die Nase abschneiden ließ. Er fand zunächst Zuflucht bei den → Chazaren; der Bulgarenkhan Tervel verhalf ihm 705 wieder auf den Thron. 711 brach eine neue Revolte gegen ihn aus, und er wurde auf Geheiß des Usurpators → Philippikos Bardanes zu Damatrys in Bithynien von einem Armeeoffizier enthauptet.

ODB 2, 1084 f. • H. OHME, Das Concilium Quinisextum und seine Bischofsliste, 1990 (zum Trullanum). F. T.

Iustinus/-os

[1] I. I. (518–527 n. Chr.), oström. Kaiser, geb. um 450 als Bauernsohn in Bederiana (wie → Iustinianus [1] I.), kam unter → Leon I. nach Konstantinopel und wurde bald Mitglied der Palastgarde; unter → Anastasios I. war er *comes rei militaris* und seit 515 *comes excubitorum*. Im Streit um die Nachfolge des ohne Thronerben verstorbenen Anastasios fand er als Kandidat einer Senatsmehrheit schließlich auch bei Armee und Volk Zustimmung und wurde am 10. Juli 518 vom Patriarchen gekrönt. Im Gegensatz zu seinem Vorgänger trat er entschieden für die Christologie des Konzils von Chalkedon (451) ein und bekämpfte den → Monophysitismus. Die senator. Anhänger des Anastasios versuchte er polit. auszuschalten. Während seiner Regierungszeit kam es wiederholt zu Volksunruhen. In den letzten J. vor seinem Tod (1. Aug. 518) regierte im wesentlichen bereits sein Neffe, Adoptivsohn und Nachfolger Iustinianus [1] I. ODB 2, 1082; PLRE 2, 648–651 (I. 4).

[2] I., oström. General, *magister militum per Illyricum* um 538 n. Chr., *mag. mil. vacans* 538/544–552, kam 538 mit → Narses zur Unterstützung des → Belisarios im Krieg gegen die Ostgoten nach Italien, wo er mit Unterbrechungen bis 552 bezeugt ist. PLRE 3, 748 f. (I. 2).

[3] I., Sohn des Germanus [1], Bruder des Iustinianus [2], oström. General, geb. ca. 525 n. Chr., kämpfte 551–552 gegen die Sclaveni in Illyricum, seit 554 in Lazica und seit 561 im Bereich der Donaugrenze. Er war 565 aussichtsreicher Anwärter auf das Kaisertum neben Iustinus [2] II. Dieser verbannte ihn, zum Kaiser erhoben, nach Alexandria, wo er − wohl auf sein Geheiß − ermordet wurde. PLRE 3, 750–754 (I. 4).

[4] I. II., oström. Kaiser (565–578 n. Chr.), geb. um 510–515 als Sohn der Vigilantia, Schwester → Iustinianus' [1] I., gest. Okt. 578; verh. mit Sophia, einer Nichte der Kaiserin → Theodora. Seit 552 *cura palatii* (→ Kuropalates) am Kaiserhof, in den letzten J. des Iustinianus praktisch dessen Mitregent, setzte sich nach dessen Tod Nov. 565 gegen seinen Rivalen Iustinus [3], Sohn des Germanus, durch. Der Hofdichter → Corippus schildert in einem lat. Gedicht in idealisierender Weise die Umstände der Machtübernahme. Seine Regierungszeit war durch die schwere Erbschaft der Eroberungskriege seines Vorgängers belastet. 568 wurde das kürzlich erst den Goten abgerungene Italien zum großen Teil durch die aus Pannonien einfallenden Langobarden erobert. In Spanien gewannen die Westgoten mehrere Städte zurück; über die Donaugrenze brachen die Avaren ein; auch Teile Nordafrikas gingen verloren. Zudem provozierte I. 572 durch unkluge Diplomatie einen erneuten langwierigen Krieg mit den Persern. Der im Dez. 574 auf Betreiben seiner Gattin von I. adoptierte und zum Caesar (→ Hoftitel D.) erhobene → Tiberius (II.) führte in den letzten J. mehr und mehr die Regierungsgeschäfte für den von einer Geisteskrankheit befallenen Kaiser.

ODB 2, 1082 f. • PLRE 3, 754–756 (I. 5) • A. CAMERON (ed.), Flavius Cresconius Corippus, In laudem Iustini Augusti minoris, 1976 • E. STEIN, Studien zur Geschichte des byz. Reiches, 1919 • H. TURTLEDOVE, The Immediate Successors of Justinian, Diss. 1977. F. T.

[5] M. Iunian(i)us I. Verfasser eines Auszugs aus den verlorenen *Historiae Philippicae* des → Pompeius Trogus (*Epitome historiarum Philippicarum*). Er bemüht sich nicht um eine gleichmäßige Paraphrase: Unter dem Gesetz der *brevitas* wird auf Anekdotisches und Exemplarisches abgehoben, so daß die dem Original entsprechenden Abschnitte eine Art Anthologie ergeben; konkrete Details (geograph. Exkurse, Chronologie, Prosopographie etc.) werden vermieden. Das Übernommene bleibt auch sprachlich dem Original nahe; eigene Zusätze (etwa 41,4,8) sind selten. Das derart Erhaltene mag 10–15 % des Ursprünglichen ausmachen. Gegenüber älteren Untersuchungen, die den Epitomator ins 2. oder 3. Jh. n. Chr. datieren, ist nach der Eigenart des Textes als Breviarium, der Aktualität des Themas Persien, der um 400 abrupt auftretenden Bezeugung bei den Kirchenvätern und sprachlichen Argumenten plausibel eine Datier. um 390 vorgeschlagen worden [1]. In der Spätant. sind sichere Spuren der Rezeption selten. Hingegen vertritt im MA I. die Stelle des Pompeius Trogus.

Die bisher nicht abschließend gesichtete Texttrad. ist reich und vielfältig: Von über 230 erhaltenen Codices entfallen mehr als 30 auf das frühe und hohe MA (8.–12. Jh.). Zwei italienische Familien, γ (Monte Cassino) und π (Verona), strahlen erst seit dem frühen Humanismus aus; eine dritte, ebenfalls italienische (ι), greift schon früher auf Frankreich über; die letzte (τ) wird über das Kraftfeld der karolingischen Hofbibliothek bzw. des Klosters Lorsch die Basis der frühen Rezeption in Frankreich und Südwestdeutschland. Der reichen ma und humanist. Rezeption I.' als einer der wichtigsten Informationsquellen zur Gesch. Griechenlands und – mit anderen Alexandertexten versetzt – Alexanders d. Gr. entspricht eine kontinuierliche Drucktradition bis zu den Schulausgaben des 19. Jh.

1 SYME, RP 6, 358–371.

ED.: F. RÜHL, 1886 • O. SEEL, ²1972 (unbefriedigend) • J. C. YARDLEY, W. HECKEL, 1997 (Übers. und Komm. von B. 11 und 12).

LIT.: G. BILLANOVICH, La biblioteca di Pomposa, 1994, 181–212 • L. FERRERO, Struttura e metodo dell' Epitome, 1957 • G. FORNI, Valore storico e fonti di Pompeo Trogo, 1958 • Ders., M. G. ANGELI BERTINELLI, in: Pompeo Trogo come fonte di storia, in: ANRW II 30, 2, 1982, 1301–1312 • H. HAGENDAHL, Orosius und I., 1941 • F. RÜHL, Die Verbreitung des Justinus im MA, 1871 • Ders., Die Textesquellen des Justinus, 1872 • P. L. SCHMIDT, in: HLL 6, 637.3 (in Vorbereitung) • W. SUERBAUM, Vom ant. zum frühma. Staatsbegriff, ³1977, 128–146, 368 f. P. L. S.

[6] Iustinos Martys. Philosoph und christl. Märtyrer († 165 n. Chr.). Geb. in Flavia Neapolis/Palaestina, wandte sich I., nach Bekanntschaft mit anderen Richtungen, der mittelplatonischen Schulphilos. zu. Bewunderung für die christl. Märtyrer und die Propheten des AT führten zur Konversion (Iust. Mart. dial. 3–8). Zunächst als Wanderprediger, mit dem Philosophenmantel bekleidet, umherziehend, verbrachte er seine letzten Jahre in Rom. I., der 165 unter dem Praefekten Rusticus hingerichtet wurde, verfaßte zahlreiche Schriften (vgl. Eus. HE 4,18,2–7; fr. u.a. CPG 1078–1089; CPG Suppl. 1082–1084). Drei erh. Werke gelten als originär: die ›Erste‹ und ›Zweite Apologie‹ (150–155 bzw. kurz danach) sowie der ›Dialog mit dem Juden Tryphon‹ (155–160). Die Apologie verteidigt die Christen gegen den Vorwurf des Atheismus und belegt mittels Schriftbeweis aus dem AT die Gottessohnschaft Christi. Mit der aus der Stoa entlehnten Rede vom *lógos spermatikós*, die den Besitz von Keimen der Wahrheit in der Vernunft aller Menschen annimmt, ist die Vorstellung vom Christentum als der einzigen und wahren Philos. verbunden. Aus intensivem Kontakt mit dem Judentum entwickelt, verkündet I. einen bes. die Messiasverheißung des AT erfüllenden Christus [8. 428].

ED.: 1 M. MARCOVICH, Iustini Martyris Apologiae pro Christianis, 1994 (Patristische Texte und Studien 38) 2 Ders., Iustini Martyris Dialogus cum Tryphone, 1997 (Patristische Texte und Studien 47). DT. ÜBERS.: 3 PH. HAEUSER, BKV 33 (Justin), 1917, 1–231 (dial.) 4 G. RAUSCHEN, BKV 12 (Frühchristl. Apologeten 1), 1913, 65–155 (apol.). LIT.: 5 L. W. BARNARD, Justin Martyr, 1967 6 G. GIRGENTI, Giustino martire, 1995 7 E. R. GOODENOUGH, The Theology of Justin Martyr, 1923 8 O. SKARSAUNE, The Proof from Prophecy, 1987. J.RI.

[7] Lebensort und -zeit (2./Anf. 3. Jh. n. Chr.) des Gnostikers I. sind unbekannt. Ein Exzerpt aus seinem »Baruch-Buch« ist erhalten im gnost. Sondergut in → Hippolytos' [2] *Refutatio* (5,23–27); weitere zahlreiche Schriften (Hippolytus, refutatio 5,23,2) sind verloren. Es liegt eine Drei-Prinzipienlehre vor: der Gute (Gott), der Vater (Elohim) und die weibliche Erde (Edem). Aus der Verbindung von Edem und Elohim entstehen 12 väterliche und 12 mütterliche Engel (alle 24 zusammen = das Paradies), darunter als die jeweils dritten Baruch und Naas. Die Engel Elohims schaffen aus Edem die Menschen, die über Pneuma (von Elohim) und Seele (von Edem) verfügen. Elohim trennt sich von Edem und steigt zum Guten auf; ihm soll das menschliche Pneuma folgen. Die verlassene Edem läßt durch Naas das Böse entstehen, Baruch aber fördert (zuletzt durch Offenbarung an Jesus) den Aufstieg des Pneuma.
→ Gnosis, Gnostiker

J. J. BUCKLEY, Transcendence and Sexuality in »The Book Baruch«, in: HR 24, 1984/5, 328–344 (= Ders., Female Fault and Fulfilment in Gnosticism, 1986, 3–19) · E. HAENCHEN, Gott und Mensch, 1965, 298–334 · M. MARCOVICH, Justin's Baruch, in: Ders., Studies in Graeco-Roman Religions and Gnosticism, 1988, 93–119 (mit Lit.) ·

M. TARDIEU, Justin the Gnostic. A Syncretistic Mythology, in: M. BONNEFOY (Hrsg.), Mythologies, 1991, Bd. 2, 686–688. J.HO.

Iustitium. In Rom der von einem Magistrat (dem jeweils höchsten in Rom anwesenden) durch Edikt angeordnete Stillstand der Rechtspflege, verbunden mit weiteren Einschränkungen des Geschäftsverkehrs, z.B. der Schließung der Staatskasse (→ *aerarium*, Cic. har. resp. 55) oder der Läden auf dem Forum (Liv. 9,7,8). Der Anordnung dürfte mindestens in der späten Republik ein Senatsbeschluß vorausgegangen sein (Liv. 3,3,6). Das i. war nicht nur eine Notstandsmaßnahme, sondern kam schon in republikanischer Zeit auch aus Anlaß öffentlicher Trauer über eine mil. Niederlage (Liv. 9,7,8) oder den Tod eines herausragenden Staatsmannes vor.

W. KUNKEL, R. WITTMANN, Staatsordnung und Staatspraxis der röm. Republik, 2, 1995, 225 ff. G. S.

Iustus/-os
[1] s. Pescennius
[2] **Iustos aus Tiberias,** jüd. Historiker des 1. Jh. n. Chr., schrieb einen ›Jüdischen Krieg‹ (66–70/74), in dem er sich krit. mit dem gleichnamigen Werk des → Iosephos [4] Flavios auseinandersetzte (dies veranlaßte Iosephos zu einer Replik in seiner Autobiographie: vita 65), und ein chronolog.-genealog. Werk über jüd. Könige von Moses bis → Iulius [II 5] Agrippa II. Dieses Werk, das dem Patriarchen Photios (Bibl. cod. 33) noch vorgelegen zu haben scheint, trug den Titel *Perí Iudaíōn basiléōn en tois stémmasin* und war vielleicht Teil eines größeren, in dem auch Nichtjüdisches behandelt wurde (s. Diog. Laert. 2,41 = F 1). An der Anfangsphase des großen jüd. Aufstandes nahm I. gezwungenermaßen wie Iosephos teil. Beide verließen das Lager der Aufständischen so schnell wie möglich und versuchten später, sich gegenseitig die Schuld für den Ausbruch der Revolution in Tiberias zuzuschieben. FGrH 734.

SCHÜRER, 1, 34–37. K.BR.

[3] Vetter des Kaiser → Iustinianus [1] I., Bruder des Germanus [1], unterstützte den Kaiser im → Nika-Aufstand 532 n. Chr. (Prok. BP 1,24,53), hatte 542–543 ein Kommando im Perserkrieg inne (2, 20, 20–28; 24, 15; 20; 25, 35) und ist 544 gestorben (2, 28, 1).

PLRE 3 A, 758f. (I. 2) · E. STEIN, Histoire du Bas-Empire 2, 454, 498–502. K.P.J.

[4] Name verschiedener Ärzte. Galen (Methodus medendi 14,19 = 10,1019 K.) beschreibt einen zeitgenössischen Augenarzt namens I., der um 180 n. Chr. wirkte und einige Patienten von eitrigem Augenfluß geheilt haben soll, indem er sie in einen Stuhl setzte und ihren Kopf heftig hin- und herschüttelte, damit der Eiter abfließen und aus dem Auge selbst herausgeschleudert werden sollte. Er mag auch der Widmungsempfänger von Galens *De partibus artis medicae* (ed. M. C. LYONS, CMG, Suppl. Orientale 2, 1969) gewesen sein, da die

Kunst des Starstechens in einiger Ausführlichkeit im 4. Kap. dieser Schrift diskutiert wird. Daß er der Ehemann der liebeskranken Patientin war, die Galen behandelte (De praecognitione 5 = 14,626 K.), ist weniger wahrscheinlich. Er ist vermutlich nicht mit dem I. identisch, der in einer spätlat. Übers. des Oreibasios als Urheber einer Reihe von Klystieren (→ Klyster) auftaucht bzw. auf den andere Arzneimittelzubereitungen, wie sie sich in spätgriech. und -lat. Texten erh. haben, zurückgehen [1]. In einigen Hss. wird I. (der irrtümlicherweise auch Accius I. genannt wird) die *Gynaecia* des → Vindicianus zugeschrieben.

1 E. WICKERSHEIMER, Le médecin Justus, contemporain de Galien et les écrits portants son nom, in: Actes du 10ᵉ Congrès International d'Histoire des Sciences, 1964, I, 525–530.   V. N./Ü: L. v. R. – B.

Iuthungi (»Sprößlinge, Abkömmlinge«). Eine von den Römern mit den → Semnones identifizierte [1; 2], nördl. der Donau ansässige german. Kampfgemeinschaft, am 24./25. April 260 n. Chr. (unnötige Zweifel am Datum bei [3], vgl. [4]) auf dem Rückweg aus It. bei Augsburg von den Römern besiegt (AE 1993, 1231; [5]). Vertragswidrig und ohne Kriegserklärung stießen sie, über das Ausbleiben der Jahrgelder verärgert, im J. 270 wieder bis It. vor, wurden aber von Aurelianus ›beim Übersetzen über die Donau‹ überwunden und nach einem Überfall 271 bei → Fanum Fortunae und am → Ticinus geschlagen (Dexippos fr. 6 f.; [6]). Durch Stellung von Hilfstruppen (Not. dign. or. 22,31; 28,43) geschwächt, wurden sie 297 von → Constantius [1] besiegt (Paneg. 8[5]10,4) und zu einer *pars Alamannorum*. Sie wagten sich 358 sogar an die Belagerung von Städten (Amm. 17,6,1 f.; [7]) und wurden nach Einfällen 383/4 unter Valentinianus II. (Ambr. epist. 18,21; 24,4,6–8; Zos. 4,35,5; Sokrates 5,11,2) und 430 n. Chr. von Aetius [2] besiegt (Sidon. carm. 7,233–235; [8]).

1 T. STICKLER, I. sive Semnones, in: Bayerische Vorgeschichtsblätter 60, 1995, 231–249, bes. 233–239 2 P. LE ROUX, Armées, rhétorique et politique dans l'empire gallo-romain, in: ZPE 115, 1997, 181–290 3 I. KÖNIG, Die Postumus-Inschr. aus Augsburg, in: Historia 46, 1997, 341–354 4 M. JEHNE, Überlegungen zur Chronologie der J. 259 bis 261 n. Chr., in: Bayerische Vorgeschichtsblätter 61, 1996, 185–205 5 L. BAKKER, Raetien unter Postumus, in: Germania 71, 1993, 369–386 6 R. T. SAUNDERS, Aurelian's Two Iuthungian Wars, in: Historia 41, 1992, 311–327 7 G. E. THÜRY, Chronologische und numismatische Bemerkungen zu den Germaneneinfällen von »357«, in: Bayerische Vorgeschichtsblätter 57, 1992, 305–310 8 R. SCHARF, Der Iuthungenfeldzug des Aetius, in: Tyche 9, 1994, 139–145.   K. DI.

Iuturna. Eine röm. Wassernymphe, deren Name in der Volksetym. mit lat. *iuvare* (»helfen«, »unterstützen«) in Verbindung gebracht wurde (Varro ling. 5,71; Serv. auct. Aen. 12,139). Die Endung *-turna* führte zu einer Verbindung mit → Turnus, für dessen Schwester sie gehalten wurde (Verg. Aen. 12,146). Sie wird jedoch auch Diurna (= die ewige, sc. Quelle) genannt (CIL VI 1, 3700). Die Etym. ist jedoch bis heute unsicher.

I. ist eine der Geliebten → Iuppiters, der sie zur Göttin macht und ihr die Herrschaft über Seen und Flüsse verleiht (Verg. Aen. 12,139–141). Die Nymphe Lara/Tacita verrät bei ihrer Quelle auf dem Forum Romanum der → Iuno, daß Iuppiter sie mit I. betrügt (Ov. fast. 2,585). Dennoch sind Iuno und I. in der *Aeneis* Verbündete, um dem → Turnus zu helfen: I. schickt den Rutulern ein falsches Vogelzeichen, so daß sie den Krieg wieder aufnehmen (Verg. Aen. 12,244–265). Schließlich verzichtet sie darauf, den Bruder zu retten, als sie das von Iuppiter gesandte *dirum omen* sieht (Verg. Aen. 12,869–886).

Bei Vergil ist I. die Tochter des → Daunus [2] und der Venilia (Verg. Aen. 10,76; Venilia als Frau des Ianus jedoch: Ov. met. 14,334); Arnobius (3,29) hingegen nennt eine andere Genealogie, nach der I. Tochter des → Volturnus und Frau des → Ianus ist, von dem sie als Sohn den Gott der Quellen Fontus hat. Nur Serv. Aen. 12,139 nennt als Wohnort der I. Lavinium (*iuxta Numicum fluvium*). In der Tat war der Kult der I. in Rom lokalisiert: der kleine *lacus* der I. wurde beim Dioskurentempel in Rom ausgegraben. Nach der Legende von der Schlacht beim Regillus-See kamen die Dioskuren nach Rom, um an der Quelle der I. ihre Pferde zu tränken und den Sieg der Römer zu verkünden (Dion. Hal. ant. 6,13; Ov. fast. 1,707; Lact. inst. 2,7,9; Symm. or. 1,95,3). Eine ähnliche Erscheinung der → Dioskuren am See der I. wird für die Schlacht bei Pydna (168 v. Chr.) überliefert (Cic. nat. deor. 2,6; 3,11; 13; Val. Max. 1,8,1; Min. Fel. 7,3).

Der See der I. ist ein vor 117 v. Chr. zu datierendes viereckiges Bassin, in dem man Statuen der Dioskuren gefunden hat, die wohl nach dem Sieg von Pydna geweiht wurden. Das Bassin hat dieselbe Ausrichtung wie der Dioskurentempel. Daneben finden sich Spuren eines kleinen Tempels oder Sacellum (vgl. CIL VI 36806), ein *puteal* der Göttin (CIL VI 36807). Aus dieser Zone kommen Inschr. der *curatores aquarum* (CIL VI 4.3, 36951; 37121; 37133; AE, 1901, 175) und die Basis einer Statuette des *genius stationis aquarum* (CIL VI 4.3, 36781). Die Quelle der I. war wegen ihrer Heilkraft berühmt (Varro ling. 5,71; Prop. 3,22,26; Frontin. aqu. 4; Serv. Aen. 12,139; Stat. silv. 4,5; 33–36). Aus ihr wurde auch das Wasser für die Opfer geschöpft (Serv. l.c.). Während Dürrezeiten opferte man an der Quelle (Serv. l.c.).

Lutatius Catulus weihte nach dem ersten Pun. Krieg einen zweiten Tempel der I. am Campus Martius bei der *statio aquarum* (am heutigen Largo Argentina). Die *statio* am Forum wurde hingegen in der späten Kaiserzeit errichtet. Ðeren Weihe fand am 11. Januar (Ov. fast. 1,463 f.), den Iuturnalia (Fasti Antiates), statt, die von allen gefeiert wurden, die Wasser für ihre Arbeiten brauchten (Serv. Aen. 12,139).

→ Nymphen

F. COARELLI, L'area sacra di Largo Argentina, 1981, 42–46 · A. ZIOLOWSKI, in: MEFRA 98, 1986, 625 ff. · E. M. STEINBY, Lacus Iuturnae, 1989.   A. MAS.

Iuvavum (h. Salzburg). Im Gebiet der Alauni löste der am linken Salzachufer in der Spätzeit des Augustus (Anf. 1. Jh. n. Chr.) sich entwickelnde Römerort I. (Etym. umstritten) kelt. Höhensiedlungen auf dem Rainberg, dem Festungsberg und Kapuzinerberg ab. Am Verkehrsknoten der von Bregenz (Brigantium) kommenden nördl. Alpenkammstraße und dem aus Aquileia über den Radstädter Tauernpaß führenden Fernweg wurde I. von Claudius zum *municipium* erhoben, das den arch. Funden zufolge im 1. und 2. Jh. bes. Wohlstand erlangte [1; 2; 3; 4]. I. hatte das größte Territorium von allen norischen Städten, das den gesamten Chiemgau bis zum Innbogen sowie die Gebiete der Ambisontes und Alauni umfaßte. Rings um den Siedlungskern, der sich auf das rechte Salzachufer ausdehnte, lagen etwa im Salzachtal nördl. des Lueg-Passes, rund um den Chiemsee und um I. selbst, zahlreiche *villae rusticae*. I. litt, zuvor von ital. Händlern bevorzugt, an den Folgen der Markomannenkriege und der Pest. Während der Zentralort in kleinerem Umfang wiedererrichtet wurde, verödete das Land aufgrund alamannischer Heimsuchungen im 3. Jh. zusehends. Seit Diocletianus (um 300) gehörte I. zu Noricum Ripense. Seine Talsiedlungen (auch die von Cucullis/Kuchl) wurden im 4. und 5. Jh. zunehmend verlassen, die Bevölkerung auf die befestigten Höhenterrassen des Nonnbergs umgesiedelt. Trotz spärlicher Zeugnisse für das frühe Christentum [5] war der Gottesdienst bei I. z.Z. des Severinus verbreitet. Obwohl in der 2. H. des 6. Jh. die Baiern den Flachgau und das Saalfelderner Becken besaßen, hielten sich im südl. Salzburger Becken noch bis über 1000 n. Chr. hinaus geschlossene roman. Bevölkerungsgruppen [6].

1 N. HEGER, Die Skulpturen des Stadtgebietes von I., in: CSIR Österreich 3,1, 1975 2 W. JOBST, Röm. Mosaiken in Salzburg, 1982 3 H. LANGE, Röm. Terrakotten aus Salzburg, 1990 4 W. KOVACSOVICS, Neue arch. Unt. in der Stadt Salzburg, in: Pro Austria Romana 41, 1991, 30 f.
5 E. BOSHOF, H. WOLFF (Hrsg.), Das Christentum im bairischen Raum, 1994, 139 6 H. DOPSCH, s. v. Salzburg, LMA 7, 1331–1336.

N. HEGER, Salzburg zu röm. Zeit (Jahresschrift des Salzburger Mus. Carolino Augusteum 19), 1973 (1974) · N. HEGER, s. v. I., RE Suppl. 13, 173–184 · G. ALFÖLDY, Noricum, 1974, 398 (Index) · H. DOPSCH (Hrsg.), Gesch. Salzburgs. I: Vorgesch., Alt., MA 1, 1981. K. DI.

Iuvenalia. Tacitus berichtet, daß Nero ›I. genannte Festtage einführte, für die man sich in Scharen anwerben ließ. Weder Adel noch Alter noch Ausübung öffentlicher Ämter hinderten irgendjemanden daran, auf die Bühne zu steigen, um auf Griechisch oder Latein zu spielen, sogar mit unmännlichen Gesten und Gesängen. Obendrein studierten vornehme Frauen unanständige Rollen ein‹ (Tac. ann. 14,15,1 f.). Die Aufführungen hatten privaten Charakter und fanden im Palast oder in den kaiserlichen Gärten vor einem relativ begrenzten Publikum statt (Tac. ann. 15,33,1). Sueton verwendet den Begriff *ludi iuvenales* und bestätigt, daß der Kaiser ›als Schauspieler sogar alte Konsulare und betagte Matronen zuließ‹ (Suet. Nero 11,2). Cassius Dio gibt einen ausführlichen Bericht über die ersten I. im Jahre 59 n. Chr.; daraus geht u. a. hervor, daß das Fest die Tatsache, daß Nero sich damals zum ersten Mal rasieren ließ, feiern sollte (Cass. Dio 61,19,1–3). Die Erklärung für diese merkwürdigen Vorgänge muß zweifellos, wie [1] vermerkt hat, in der großen Handlungsfreiheit gesucht werden, die den → *iuvenes* von Rom in alten Zeiten zugestanden war und von der Nero profitierte. Der Auszug des Cassius Dio erklärt den Namen des Festes entsprechend mit dem der »jungen Leute«. Die I. sind noch unter Domitian (Cass. Dio 67,14,3) und Gordianus I. (SHA Gord. 4,6) sowie auch außerhalb von Rom durch Inschr. bezeugt (in Ostia CIL 14,409; in Tusculum: CIL 14,2640; in Velitrae CIL 10,6555).
→ Jugend; Ludi

1 J. P. NÉRAUDAU, La jeunesse dans la littérature et les institutions de la Rome républicaine, 1979, 376.

J. A. HILD, s. v. Juvenalia, DS 3, 782 · W. KROLL, s. v. Juvenalia, RE 10, 1355 f. G. F./Ü: A. T.

Iuvenalis, D. Iunius. Juvenal, der letzte herausragende Satirendichter Roms, wohl aus dem kampanischen Aquinum (vgl. Iuv. sat. 3,318 ff. und ILS 2926 = CIL 10,5382), Zeitgenosse des Tacitus; aus sat. 13,16 f. und 15,27 f. erschließt [1] als Geburtsjahr 67 n. Chr. Die – im Unterschied zu → Horatius – autobiographische Schweigsamkeit der Gedichte und die Fiktivität der erst in der Spätant. kompilierten Vita (Nr. 1 JAHN) machen eine Rekonstruktion der näheren Lebensumstände unmöglich. Glauben verdient die Angabe, daß I. bis in die Mannesjahre als Deklamator tätig war; sein Freund (7,24) → Martialis nennt ihn (Mart. 7,91 vom J. 91/2) *facundus* (»beredt«), und sat. 1,1 ff. führt in den Deklamationsbetrieb der Epoche ein. Die Publikation der ersten beiden B. fällt wohl erst in die letzten Jahre Traians (vgl. [1] und sat. 6,407 ff.; 1,49 f. ergibt 99/100 nur als terminus post quem), I.' Hauptschaffensperiode in die Regierungszeit Hadrians, auf die Iuv. 7,1 ff. große Hoffnungen setzt; immerhin nannte I. ein Landgut in Tivoli sein eigen (11,65). Suspekt sind die Nachrichten über eine Verbannung im hohen Alter; gest. ist der Satiriker vielleicht erst unter Antoninus Pius.

Erh. sind 16 (die letzte in der Überl. verstümmelt) auf 5 B. verteilte Satiren. Ihre Themen sind vornehmlich die Sittenverderbnis (2. 6. 9) und Heuchelei der zeitgenössischen stadtröm. (3) Ges., speziell der Oberschicht (8), die am Maßstab eines idealisierten Altrom gemessen wird. B. 1 reicht von der Programmsatire bis zur Gelagesatire 5, die unter dem Aspekt des gedemütigten Klienten gesehen wird. I.' Stärke zeigt sich hier in präzis beobachteten und epigrammatisch dargestellten Detailszenen, so in der berühmten ›Großstadtsatire‹ 3 oder in der als Epenparodie gegebenen Abrechnung mit dem Domitianischen Regime in 4. Die ungewöhnlich lange ›Frauensatire‹ 6 (= B. 2) kontrastiert mit der Satirisierung der Homoerotik in 2. Das 3. B. (die beklagenswerte Situation der intellektuellen Berufe: 7; der Verfall der Nobilität: 8; eine zweite Attacke gegen die Homoerotik: 9) bleibt auf dem satirischen Niveau der ersten beiden B., während in B. 4 (10–12, das rechte Gebet, hier der bekannteste, meist unvollständig zit. I.-Vers, 356: *orandum est, ut sit mens sana in corpore sano*; das einfache Leben; das Thema der Erbschleicherei) und 5 (13–16, das schlechte Gewissen; die rechte Erziehung; der rel. Fanatismus; das Militär) sich allmählich ein milderer, philosophischerer Ton durchsetzt. Insgesamt ist die – zumal am Anf. der Slg. ausgeprägte – Stilisierung des Protestes innerhalb des Genus Satire bei I. weiter vorangetrieben, mag auch die Schärfe des Tons durch seine persönliche Situation als Klient (vgl. 5. 7 und Mart. 12,18) bedingt sein (→ *cliens*). Ausdrucksmittel der in der Programmsatire 1 vorgestellten *indignatio* (»Entrüstung«) ist nicht die horazische Ironie, sondern ein erst in den späteren Stücken (ab 10) abgeschwächtes Pathos. Traditionell ist die Freizügigkeit der Sprache, die den prätendierten Realismus markiert, auffallend auch die vielfach verwandten rhet. Figuren, wobei eine Neigung zur zugespitzten Sentenz bemerkbar ist.

I.' Satiren wurden in der archaistischen Epoche des 2./3. Jh. wenig gelesen. Im Zusammenhang mit einem neuen Interesse für die kaiserzeitliche Lit. am Ende des 4. Jh. entstand die für unsere Überl. maßgebende komm. Ausg., die von Interpolationen nicht verschont blieb; einen Spezialfall stellen die Zusatzverse nach 6,365 ff. dar. Der spätant. Archetyp wird in einer kleineren Hss.-Gruppe reiner und in einer größeren erneut interpoliert (F) repräsentiert. Das Interesse des MA, als der *ethicus* I. Schulautor war, bezeugen mehrere hundert Hss. und Komm. Die Abwertung I.' als eines »rhetor.« Dichters seit der Romantik macht h. einer gerechteren Würdigung seiner lit. höchst artifiziellen wie zugleich sozialgesch. aufschlußreichen Texte Platz.

→ Satire

1 R. SYME, Tacitus, Bd. 2, 1958, 499 f.; 774 f.

ED.: O. JAHN, 1851 (mit schol. vet. und Vitae) · O. JAHN,
F. BÜCHELER, F. LEO, ⁴1910 · L. FRIEDLAENDER, 1895 (mit
Komm.) · A. E. HOUSMAN, ²1931 · U. KNOCHE, 1950 ·
W. C. CLAUSEN, ²1992 · S. M. BRAUND, 1996 (s. 1–5, mit
Komm.) · J. WILLIS, 1997.
KOMM.: E. COURTNEY, 1980.
SCHOLIEN: P. WESSNER, 1931.
BIBLIOGR.: M. COFFEY, J. 1941–1961, in: Lustrum 8, 1963,
161–215 · R. CUCCIOLI MELONI, Otto anni di studi
giovenali (1969–1976), in: Bollettino di studi latini (Napoli)
7, 1977, 61–87 · M. DE NONNO u. a., s. v. I. in: G. CAVALLO
(Hrsg.), Lo spazio letterario di Roma antica 5, 1991,
452–455.
LIT.: G. HIGHET, J. the Satirist, 1954 (zur Rezeption
179–232) · J. ADAMIETZ, Unt. zu J., 1972 · Ders., J., in:
Ders., Die röm. Satire, 1986, 231–307 · J. GÉRARD, J. et la
réalité contemporaine, 1976 · W. S. ANDERSON, Essays
on Roman Satire, 1982, 197–486 · J. FERGUSON, A
Prosopography to the Poems of J., 1987 · S. H. BRAUND,
Beyond Anger, 1988 (Iuv. 7–9) · ANRW II 33,1, 1989,
592–847 (div. Autoren) · M. COFFEY, Roman Satire, ²1989,
119–146; 277 ff.; 286 ff. · ALBRECHT, 806–820 · J. DE
DECKER, J. declamans, 1913 · I. G. SCOTT, The Grand Style
in the Satires of J., 1927 · F. GAUGER, Zeitschilderung und
Topik bei J., 1936 · A. C. ROMANO, Irony in J., 1979 ·
R. W. COLTON, J.'s Use of Martial's Epigrams, 1991 ·
U. KNOCHE, Handschriftliche Grundlagen des J.-Textes,
1940 · R. J. TARRANT, J., in: REYNOLDS, 200–203 ·
B. MUNK OLSEN, L'étude des auteurs classiques latins aux
XIe et XIIe siècles, Bd. 1, 1982, 553–597 · E. M. SANFORD,
J., in: O. KRISTELLER (ed.), Catalogus translationum et
commentariorum, 1, 1960, 175–238; 3, 1976, 432–445 ·
B. LÖFSTEDT (Hrsg.), Vier J.-Komm. aus dem 12. Jh.,
1995.   P. L. S.

Iuvencus, C. Vettius Aquilinus. Spanischer Presbyter vornehmer Herkunft, dessen lat. Epos *Evangeliorum libri* unter Constantinus [1], wohl nach 325, entstanden ist (vgl. den Epilog 4,802–812 und Hier. chron. 232 H. zu 329 n. Chr.; vir. ill. 84,2; epist. 70,5); ein zweites, ebenfalls hexametrisches Werk zum *Ordo sacramentorum* (Hier. vir. ill. 84,1) ist verloren. – Das Bibelepos zum NT, gerahmt von Vorrede und Epilog, schildert die Lebensgesch. Christi in 4 B. vergilischen Umfangs (d. h. im Schnitt etwa 800 V.) in der Art einer Evangelien-Harmonie: Zugrunde liegt Matthäus, in der Kindheitsgesch. (1,1–306) kommen Lukas und 2,101 ff.; 637 ff. sowie 4,306 ff. drei Johannes-Perikopen hinzu; neben einer Vetus Latina ist auch das griech. Original herangezogen. Die vergilianisierende Versifizierung des jeweiligen Bibeltextes folgt der Vorlage im ganzen getreu; ihr Klassizismus kann auf die poetische Paraphrase der Rhetorenschule, ihr Biblizismus sollte auf ihren erbaulichen Zweck bezogen werden, der auf die christl. Gemeinde der Zeit zielt. Inhalt und Form sicherten denn auch dem Werk bald allg. Anerkennung und breite Rezeption; von seiner Bed. für die karolingische Kulturreform zeugen zumal die zahlreichen Hss. des 9. Jh.

→ Bibeldichtung

ED.: J. HUEMER, 1891.
INDEX: M. WACHT, 1990.
LIT.: N. HANSON, Textkritisches zu J., 1950 · R. HERZOG,
Die Bibelepik der lat. Spätant. 1, 1975 · Ders., in: HLL 5,
§ 561 (Bibl.) · M. FLIEGER, Interpretationen zum Bibeldichter J., 1993 · R. FICHTNER, J. Taufe und Versuchung
Jesu, 1994 · W. RÖTTGER, Stud. zur Lichtmotivik bei I.,
1996.   P. L. S.

Iuvenes (Iuventus). Der Begriff *i.* bezeichnet, obgleich er auch auf Erwachsene bzw. Nicht-Jungmannschaften bezogen wurde, üblicherweise die röm. bzw. ital. Jugend im mil. Ausbildungs- bzw. Dienstalter. Die in spätrepublikanischer Zeit in It. existierenden, ursprünglich mil., später wohl eher para- bzw. prämil. Organisationen der *iuventutes* wurden von Augustus im Rahmen seiner Reorganisation der aristokratischen Jugend revitalisiert; später erhielten sie Vereinigungscharakter. Vor allem für das 2. und 3. Jh. n. Chr. sind solche → *collegia* in It. (*collegia iuvenum*) und in den westl. Prov. (*collegia iuventutis*) nachgewiesen, wobei allein letzteren

noch mil. Bedeutung zukam; beide verband ihre kult. Praxis, die nach 350 auch ihr Ende bewirkt haben mag.
→ Jugend

1 P. GINESTET, Les organisations de la jeunesse dans l'Occident romain, 1991 2 M. JACZYNOWSKA, Les associations da la jeunesse romaine sous le Haut-Empire, 1978 3 D. LADAGE, Collegia iuvenum – Ausbildung einer municipalen Elite?, in: Chiron 9, 1979, 319–347 4 J.-P. NERAUDAU, La jeunesse dans la littérature et les institutions de la Rome républicaine, 1979. J. W.

Iuventius. Röm. Familienname [1. 281; 482; 2. 735]. Die *gens* gehörte zum Municipaladel von Tusculum, kam um 200 v. Chr. in die röm. Politik und gelangte mit I. [I 6] in der Mitte des 2. Jh. v. Chr. zum einzigen Konsulat, worauf sie sich auch später noch berief (Cic. Planc. 12, 15; 18f. u. a.; vgl. Catull. 24,1–3). Wichtigste Familien waren die Thalnae (inschr. auch *Talnae*) und die Laterenses.

1 SCHULZE 2 WALDE/HOFMANN I.

I. REPUBLIKANISCHE ZEIT

[I 1] Nach erfundener Familientradition der erste curulische Aedil aus der Plebs Ende des 4. Jh. v. Chr. (Cic. Planc. 58; vgl. MRR 1,166). K.-L. E.

[I 2] Wenig bekannter röm. Komödiendichter der Republik, wohl der Generation vor Varro (vgl. ling. 7,65). In den Zitierungen, die seinen Namen eindeutig nennen (Varro ling. 6,50; Gellius 18,12,2; Char. p.286,3 f. B.) fehlen die Stücktitel; die Zuweisung einer bei Fest. p. 398L² zit. *Anagnorizomene*, die I. als Palliatendichter auswiese, beruht auf Änderung des überl. Terentius.

FR.: CRF ³1898, 94 ff.
LIT.: BARDON, 1,49f. P. L. S.

[I 3] I. Laterensis, L. Wurde 48 v. Chr. nach einem Attentat auf den allgemein verhaßten Q. Cassius [I 16] Longinus, den Caesar 48 als Propraetor in Spanien eingesetzt hatte, von meuternden Legionen zum Praetor ausgerufen und anschließend vom wieder genesenen Cassius hingerichtet (Bell. Alex. 53,4f.; 54,1; 55,2).

[I 4] I. Laterensis, M. 64 oder 63 v. Chr. gab er als Quaestor Spiele in Praeneste, anschließend vielleicht Proquaestor in Kyrene (MRR 3,116). 55 bewarb I. sich vergebens als Aedil und klagte den erfolgreicheren Cn. → Plancius wegen Bestechung an. Ciceros erhaltene Verteidigungsrede (*Pro Cn. Plancio*) liefert zahlreiche Hinweise auf das Leben des I. Im J. 51 wurde er Praetor. Unter Caesars Ägide folgte offenbar sein Rückzug aus der Politik; zuletzt war I. 43 Legat des → Aemilius [I 12] Lepidus. Seine vergeblichen Anstrengungen, zur Rettung der Republik beizutragen, beendete er mit dem Freitod (vgl. Cic. fam. 10,23,4).

[I 5] I. (Thalna?). Knabe aus vornehmer Familie, erscheint in homoerotischen Gedichten Catulls (24; vgl. 48; 81; 99) [1. 164–167]. Vielleicht auch bei Cicero (Att. 13,28,4; 16,6,1) erwähnt.

1 H. P. SYNDIKUS, Catull, Bd. 1, 1984. W. W.

[I 6] I. Thalna, M. Sohn von I. [I 8]. Klagte als Volkstribun im J. 170 v. Chr. gegen C. Lucretius (Praetor 171) wegen Vergehen gegen die griech. Bundesgenossen. Als *praetor peregrinus* 167 hetzte er zum Krieg gegen die Rhodier, scheiterte aber an der Interzession der Volkstribunen M. Antonius [I 9] und M. Pomponius (MRR 1, 433). Erlangte im J. 163 als erster und auch einziger aus seiner Familie das Konsulat. Sein Kollege war Ti. Sempronius Gracchus, ebenfalls Plebejer (Consul I 177). I. führte noch im gleichen J. erfolgreich Krieg in Korsika, wofür ihm der Senat ein Dankfest bewilligte. Als er während eines Opfers die Nachricht davon erhielt, ereilte ihn plötzlich der Tod (Val. Max. 9,12,3; Plin. nat. 7,182). P. N.

[I 7] I. Thalna, P. Vielleicht Münzmeister zw. 179 und 170 v. Chr. (RRC 161), Praetor 149, fiel 148 als Propraetor in Thessalien gegen den aufständigen maked. Thronprätendenten → Andriskos [1] (Liv. per. 50 und per. Oxyrhynchia 50; Flor. epit. 1,30,4f.; Eutr. 4,13 u. a.; Mz.: [1]).

1 H. GÄBLER, Die ant. Münzen von Makedonia und Paionia, Bd. 1, 1906, 62 f. K.-L. E.

[I 8] I. Thalna, T. Wohl Sohn des T. I. (Thalna ?), der im J. 197 v. Chr. als Kriegstribun in Gallia Transalpina fiel, Vater von [I 6]. Wurde im J. 194 *praetor peregrinus* (Liv. 34,42,4; 43,6). Ging 172 zusammen mit Sex. Digitius und M. Caecilius als Legat nach Apulien und Calabrien, um Getreide für den Krieg gegen → Perseus von Makedonien aufzukaufen (Liv. 42,27,8). P. N.

II. KAISERZEIT

[II 1] M. I. Caesianus. Senator. Legat der *legio VIII Augusta* in Argentorate im J. 186 n. Chr.; später *cos. suff.* Verwandt mit I. [II 5], dessen Frau er in Brixia ehrte.

PIR² J 879 · J. WILLMANNS, in: Epigraph. Stud. 12, 1981, 46ff. W. E.

[II 2] P. I. Celsus T. Aufidius Hoenius Severianus [1]. Röm. Jurist des 2. Jh. n. Chr., Sohn und Schüler des P. Iuventius Celsus *Pater* (Dig. 31,20), von dem er zusammen mit → Neratius Priscus die Führung der proculianischen → Rechtsschule übernahm, war Konsiliar Hadrians, *cos. II* 129 n. Chr. (Dig. 1,2,2,53) und später Statthalter in Asien [4. 221 ff., 263 ff.]. Als Consul nahm er Einfluß auf das *SC Iuventianum* (Dig. 5,3,20,6), das die Haftung des gutgläubigen Besitzers einer kaduzierten (→ *caducum*) Erbschaft auf dessen Bereicherung beschränkte [2].

Ebensowenig wie → Iulianus [1] war I. ein Kommentator des gesetzten Rechts: Die Kenntnis von Gesetzen bedeute keine Wortklauberei, sondern beziehe sich auf deren »Sinn und Zweck« (Dig. 1,3,17, → Interpretatio). Seine früheren kasuistischen Werke *Quaestiones* (mindestens 12 B.), *Epistulae* (11 B.) und *Commentarii* (7 B.) versammelte I. in die 39 Bücher umfassenden *Digesta* [4. 264; 5. 248f.]. Nur diese Schrift wurde von den Kompilatoren der justinianischen → *Digesta* exzerpiert. I. formulierte die für das Rechtskonzept der röm. Juristen maßgebliche Definition des → *ius* (Dig. 1,1,1 pr.) als *ars boni et aequi* (»Kunst des Guten und Gerechten«) [3. 5 ff.]: jurisprudentielle »Technik der Gerechtigkeit« (→ *iuris prudentia*). Dementsprechend befürwortete er die Auslegung [5. 254ff.) von Gesetzen nach der *voluntas legis* (»Wille des Gesetzes«), von Testamenten nach der *voluntas testantis* (»Wille des Erblassers«) und von Verträgen nach dem stillschweigenden Parteiwillen (*quod actum est*). Ebenso wie → Iavolenus [2] und → Iulius [IV 16] Paulus charakterisiert I. im Gegensatz zum ausgewogenen Iulianus ein ausgeprägt polemischer Stil [5. 249ff.]. Typisch für seine Methode sind die Modifikationen der überkommenen Rechtsdogmatik auf Grund der Gerechtigkeit (→ *aequitas*) [5. 252f.]: die sog. *condictio Iuventiana* (Dig. 12,1,32: Bei der Aktivdelegation haftet der Empfänger eines Darlehens, der sich über die Person des Darlehensgebers irrt, dem »wahren Leistenden«) und die *purgatio morae* (Dig. 45,1,91,3: Sogar bei den strengrechtlichen Obligationen kann der Schuldner seinen Verzug durch das nachträgliche Leistungsangebot »bereinigen«). Seltener übt I. eine systematisierende Jurisprudenz (Dig. 12,1,1,1: *credendi generalis appellatio*, allg. Bezeichnung des Kreditgebens bzw. Gläubiger zu sein; dazu [3. 192ff.]).

1 PIR² 4,366f. 2 KASER, RPR I, 739 3 P. CERAMI, La concezione celsina del ius, in: Annali del Seminario giuridico di Palermo 38, 1985, 5–250 4 R. A. BAUMAN, Lawyers and Politics in the Early Roman Empire, 1989 5 H. HAUSMANINGER, Publius I. Celsus, in: FS R. S. Summers, 1994, 245–264. T. G.

[II 3] P. I. Celsus. Nachkomme des *cos. II* von 129 n. Chr., am ehesten sein Enkel (→ I. [II 2] Celsus). *Pontifex* im J. 155; praetorischer Statthalter von Galatia 161–163 (THOMASSON I, 257). *Cos. ord.* 164. PIR² J 881.

[II 4] M. I. Rixa. Ritter; Praesidialprocurator von Sardinien in der ersten Jahreshälfte 67 n. Chr.; er wurde von einem Proconsul abgelöst (CIL X 7852 = ILS 5947; PIR² J 884. Er stammt aus der Transpadana, wohl aus Brixia.

[II 5] M. I. Secundus. Aus Brixia; *cos. suff.* vielleicht E. des 2. Jh. n. Chr.; verheiratet mit Postumia Paulla, InscrIt X 5, 1, 139; 140; 141; 143; 144; PIR² J 887; P 903.

[II 6] M. I. Secundus Rixa Postumius Pansa Valerianus ... Severus. Wohl Sohn von I. [II 5]. Die senatorische Laufbahn führte ihn zu einem praetorischen Prokonsulat, zur Statthalterschaft von Aquitania, zum Konsulat und zur *cura alvei Tiberis* (CIL V 4334/5 = InscrIt X 5, 1, 122f.); er ist vielleicht in die M. des 3. Jh. n. Chr. zu datieren.

G. ALFÖLDY, in: EOS 2, 348; PIR² J 888.

[II 7] M. I. Surus Proculus. Verwandt mit I. [II 2, 4, 5]; aus Brixia stammend. Praetorischer Statthalter von Noricum 201 n. Chr.; dort zum Consul designiert. PIR² J 889. W. E.

Iuventus(-as). Römische Göttin, Personifikation der Jugend. Frühester Beleg für das Appellativum ist *Iuventus* (3. Jh. v. Chr. [1. 154]), seit dem 1. Jh. v. Chr. auch *Iuventas*, selten und spät ist dagegen *Iuventa*.

In Rom besaß I. Kultstätten auf dem Capitol und am Circus Maximus: Die Integration ihrer *aedicula* (»Kapelle«) innerhalb der → *cella* der Minerva des kapitolinischen Iuppitertempels (Dion. Hal. ant. 3,69,5) wurde als Hinweis auf das höhere Alter der I.-Verehrung gedeutet (vgl. Liv. 5,54,7). Zur Baugesch. ihres Tempels am Circus Maximus vgl. Liv. 36,36,5; Cass. Dio 54,19; R. Gest. div. Aug. 4,8. Im Kult stand I. in Verbindung mit dem Übergangsritus zum Wehrfähigenalter (Dion. Hal. ant. 4,15,5): Das Initiationsritual beim Anlegen der *toga virilis* schloß auch eine Geldspende der Knaben an I. ein (*Iuventa novorum togatorum*: Tert. nat. 2,11). Die → *iuvenes* betraf wohl der jährliche Kult der I. am Jahresbeginn (Fest. 92,24; Cic. Att. 1,18,3). Augustus nutzte den I.-Kult auch für polit.-repräsentative Zwecke: die Verleihung des Ehrentitels *principes iuventutis* am Tag der *toga virilis* beschränkte sich auf seine Enkel und Adoptivsöhne Gaius und Lucius (vgl. [2. 465 Nr. 3]). Die offizielle Gleichsetzung der I. mit → Hebe im J. 218 v. Chr. (Liv. 21,62,9) bewirkte keine Substitution: die griech. Züge wurden integrativer Teilaspekt der röm. Göttin (vgl. die Bezeichnung der I. als *Neótēs* in griech. Quellen).

1 WACHTER, 147; 153–154 2 E. SIMON, s. v. Hebe/I., LIMC 4.1, 464–467.

W. BERINGER, s. v. Princeps iuventutis, RE 22, 2296–2311 · SIMON, GR, 118; 137. HE. K.

Iversheim. Röm. Kalkgewinnungszentrum der Germania Inferior, h. Bad Münstereifel-I. an der Erft. Älteste Funde reichen bis ins 1. Jh. n. Chr. zurück. Ausgegraben wurde eine vollständige Kalkbrennerei. Um 270 n. Chr. wurden die Anlagen von Franken stark zerstört, doch bald danach wiedererrichtet. Im 4. Jh. wurde der Betrieb der Brennerei aufgegeben. Das Gebiet war großenteils dem Militär unterstellt. Ab Mitte des 2. bis 3. Jh. stand hier eine *vexillatio* der Bonner *legio I Minervia* (CIL XIII 7943–7948). Aus dem 3. Jh. sind Weihesteine von Angehörigen der Xantener *legio XXX Ulpia victrix* bezeugt (AE 1968, 390; 391; 394, vgl. 393). Die Beweiskraft von AE 1968, 392 für die zeitweise Anwesenheit der *legio III Cyrenaica* oder einer ihrer Vexillationen im letzten Drittel des 3. Jh. wird bezweifelt.

G. ALFÖLDY, Inschr. aus den Kalkbrennereien der niedergerman. Legionen in I., in: Epigraphische Stud. 5, 1968, 17–27 · U. SCHILLINGER-HÄFELE, Vierter Nachtrag zu CIL XIII und zweiter Nachtrag zu Fr. Vollmer, Inscriptiones Baivariae Romanae, in: BRGK 58, 1977, 531–533 (Nr. 152–156) · W. SÖLTER, Röm. Kalkbrennereien, 1970 · Ders., I., in: Führer vor- und frühgesch. Denkmäler 26, 1974, 169–177 · Ders., I., in: H. G. HORN (Hrsg.), Die Römer in Nordrhein-Westfalen, 1987, 338–342. RA. WI.

Ixion (Ἰξίων). Thessal. König und einer der großen Bü-
ßer der Ant. Nach Pindar ist er der erste Verwandten-
mörder (Pindar läßt die Person des Opfers offen, später
– Pherekydes FGrH 3 F 51 – ist es sein Schwiegervater
Eïoneus). Als ihn Zeus persönlich vom Mordblut reinigt
(Aischyl. Eum. 717f.) und bei sich aufnimmt, will er
sich an Hera vergehen; doch Zeus ersetzt sie durch eine
Wolke, und I. zeugt den ersten → Kentauren (etym.
spielerisch als »Windaufspießer« verstanden und auf die
Zeugung bezogen). Zur Strafe wird I. auf ein feuriges
Rad geflochten, das sich ewig dreht (Pind. O. 2,21–48)
– so erscheint er auch in der Ikonographie. In späteren
Berichten und Bildern ist er, wie die anderen Büßer in
der Unterwelt, auf sein Rad gefesselt (Apoll. Rhod.
3,61), oder (isoliert) zusammen mit dem Lapithen
→ Peirithoos unter einem drohend überhängenden
Felsen an einem unerreichbaren, reich gedeckten Tisch
(Verg. Aen. 6,601–607, aber auf dem Rad: Verg. georg.
4,484); er gilt auch als Vater des Peirithoos (Apollod.
1,68).

> D. GIORDANO, s. v. Issione, EV 3, 31–33 · C. LOCHIN, s. v. I.,
> LIMC 5, 857–862.   F. G.

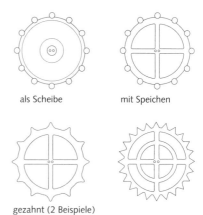

als Scheibe   mit Speichen

gezahnt (2 Beispiele)

Formen griechischer Iynges in der attischen und
unteritalischen Vasenmalerei, 5.–4. Jh. v. Chr.

Iynx (ἴυγξ).
[1] Mit *i.* (»tönend«, vgl. ἰύζω) werden 1. ein Vogel, 2.
ein summendes, in mag. Riten verwendetes Rad und 3.,
in der → Theurgie, ein Dämon bezeichnet, der mit der
Weltentstehung verbunden ist und zw. Menschen und
Göttern vermittelt.

Im Mythos wird der Vogel aus einer verführerischen
Nymphe verwandelt, der Tochter von Echo oder Pei-
tho und vielleicht → Pan (Kall. fr. 685; Phot. und Suda,
s. v. I.), oder aus einer Frau, die mit den Musen im Singen wetteiferte (Nikandros bei Antoninus Liberalis 9).

Rad und Vogel waren wichtig im griech. Liebeszau-
ber und sind im Mythos mit unglücklicher Liebe und
trügerischer Überredung verbunden [1; 2]. In der
Theurgie wurde das Rad für soteriologische Riten verwendet; der I.-Dämon (zuerst in den → *Oracula Chaldai-*
ca) wurde aus der platon. Vorstellung von → Eros (Plat.
symp. 202e–203a) entwickelt und von einigen Theurgen mit den platon. Ideen identifiziert [3. 90–110; 4. 68–
85].

> 1 S. I. JOHNSTON, The Song of the I.: Magic and Rhetoric in
> Pythian 4, in: TAPhA 125, 1995, 177–206
> 2 V. PIRENNE-DELFORGE, L'Iynge dans le discours mythique
> et les procédures magiques, in: Kernos 6, 1993, 277–289
> 3 S. I. JOHNSTON, Hekate Soteira, 1990 4 F. CREMER, Die
> chaldäischen Orakel und Jamblich de Mysteriis, 1969.
>   S. I. J./Ü: H. K.

> ABB.-LIT.: A. S. F. GOW, Iynx, Rhombos, Rhombus,
> Turbo, in: JHS 54, 1934, 1–13 · G. NELSON, A Greek Votive
> Iynx-Wheel in Boston, in: AJA 44, 1940, 443–456 ·
> E. BÖHR, A Rare Bird on Greek Vases: The Wryneck, in:
> J. H. OAKLEY, W. D. E. COULSON, O. PALAGIA (Hrsg.),
> Athenian Potters and Painters, Kongr. Athen 1994, 1997,
> 109–123, bes. 116–120 mit Anm. 49 (Lit.).   M. HAA.

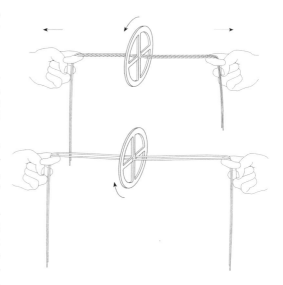

Handhabung der Iynx
Durch Anziehen und Lockern des Bandes gerät
das Rad in Bewegung und Gegenbewegung.   M. HAA.

[2] s. Wendehals

Iyrkai (Ἰύρκαι, Hdt. 4,22; *Tyrcae*, Plin. nat. 6,19; Mela,
1,116). Jägervolk östl. der Thyssagetai, im Osten des
Tanais, wohl im Uralgebiet, in den Ebenen von Kama,
Vjatka, Belaja und Wolga. Genaue Lokalisierung und
ethnische Bestimmung sind umstritten und auf Grund
der Quellen nicht auszumachen. Die russ. Forsch.
verbindet die I. mit der Ananino-Kultur (8.–3. Jh.
v. Chr.), von der Grabhügel und befestigte Siedlungen
bekannt sind und deren Tauschhandel bis an den Kaukasos reichte.

J. HARMATTA, Quellenstud. zu den Skythika des Herodot, 1941 • K. F. SMIRNOV, Die Skythen, 1966 • S. I. RUDENKO, Kul'tura naselenija Gornogo Altaja v skivskoe vremja, 1953.

I. v. B.

Izala. In neuassyr. Quellen ab dem 9. Jh. v. Chr. ist I., ein Zentrum des Weinanbaus, der Gebirgsbereich zw. → Ḥarran, → Amida (h. Diyarbakır) und Mardin im nö Mesopotamien. Babylon. wird das Toponym auch noch später gebraucht. Dareios I. besiegte in I. (altpers. *Izalā*, elam. *Izzila*) die Armenier (TUAT 1, 433 § 29,53). 359 n. Chr. war der *mons Izala* (Amm. 18,6,12; 19,9,4) Schauplatz von röm. Kämpfen gegen die Perser. In syr. u. byz. Texten (Bar Hebraeus; Theophylaktes Simocatta: Ἰζάλας) kann I. auch das Mardin-Gebirge bzw. den Ṭūr ʿAbdīn umfassen.

L. DILLEMANN, Haute Mésopotamie Orientale et pays adjacents, 1962, 32–34 • J. N. POSTGATE, s. v. I., RLA 5, 225 f. • F. H. WEISSBACH, s. v. I., RE 10, 1390. K. KE.

Izates (Ἰζάτης).

[1] I. I., König von → Adiabene bis ca. 30 n. Chr.

[2] I. II., Enkel von I. [1], König seit ca. 36 n. Chr. Einige J. später nahm er seinen bedrängten parthischen Oberherrn Artabanos [5] II. bei sich auf und organisierte dessen Rückkehr auf den Thron, wofür er mit dem Gebiet von Nisibis und Privilegien belohnt wurde. Seine schwankende Politik in den Nachfolgekämpfen nach Artabanos' Tod ist wohl so zu erklären, daß er ein Anhänger von dessen Pflegesohn Gotarzes II. gewesen ist. So weigerte sich I. um 43, Gotarzes' Nebenbuhler Vardanes bei der Eroberung Armeniens zu unterstützen. Ebenso schloß er sich 49 n. Chr. zum Schein dem aus Rom geholten Prätendenten Meherdates an, um ihn vor der Entscheidungsschlacht zu verlassen und damit den Sieg des Gotarzes zu ermöglichen. I. überstand 53 noch einen Konflikt mit Vologaeses I., starb aber bald darauf.

M. SCHOTTKY, Parther, Meder und Hyrkanier, in: AMI 24, 1991, 61–134, bes. 83–117. M. SCH.

K

K (sprachwissenschaftlich). Der elfte Buchstabe des griech. → Alphabets ist bis h. in Gebrauch. Anders im Lat.: Für den Laut /k/ standen zunächst *C K Q* zur Verfügung. Infolge einer – wohl durch die Buchstabennamen *cē kā qū* bedingten – orthographischen Regelung wurde *K* namentlich vor a-Vokal verwendet [3. 10; 5. 15–18]; da es aber neben *C* (und *Q*) eigentlich überzählig war, kam es schon im 6. Jh. v. Chr. weitgehend außer Gebrauch. Die Schreibung <KA> erhielt sich aber neben <CA> in alteingeführten Wörtern: in Eigennamen (*Karthago, Kastrum, Kaeso, Karus*) sowie in juristischen (*iudika-, kaput*) und rel. Ausdrücken (*interkalaris, Kalendae, Karmentalia, Uolkanus*) [1. 816; 2. 822 f.].

Da Griech. und Lat. → Kentumsprachen sind, kann ihr Phonem /k/ unterschiedslos auf uridg. *k̂* (palatal) oder *k* (velar) zurückgehen: *k̂* in δέκα *decem*, ἑκατόν *centum* (altind. *dáśa, śatám*); *k* in κρέας *crūdus* (altind. *kraviṣ-, krūrá-*). Weiterhin kann /k/ aus dem Labiovelar (→ Gutturale) *kʷ* unter dem Einfluß von Nachbarlauten entstanden sein: in βου-κόλος *col-ere* zur Wz. **kʷel(ǝ)* (vgl. πέλ-ομαι, *in-quil-īnus*); in *sec-undus soc-ius* zur Wz. **sekʷ* (vgl. ἔπ-ομαι, *sequ-ī*); in *re-lic-tus* zu Wz. **leikʷ* (vgl. λείπ-ω, *linqu-ere*). Weiterhin kann ein g- oder gh-Laut infolge von Assim. als /k/ erscheinen (ἄκ-τωρ, *āc-tor* zu ἄγ-ω, *ag-ere*; ἀν-εκ-τός zu ἔχ-ω; *uec-tus* zu *ueh-ere*), griech. /kh/ (χ) auch infolge von Dissim. (κέ-χυ-ται zu χέω, → Graßmannsches Gesetz).

Lat. /k/ wurde noch in nachklass. Zeit vor hellen (palatalen) Vok. ebenso gesprochen wie vor anderen Lauten. Somit konnten griech. Κηφεύς κιθάρα mit /k/ durch *Cepheus cithara* angemessen wiedergegeben werden. Auch lat. Lw. und Namen im Griech. (κεντυρίων, Κικέρων) und im älteren German. (vgl. noch nhd. *Keller, Kiste*) weisen deutlich auf die lat. Aussprache [k]. Erst im Ausgang der Ant. wurde k vor e- und i-Vok. palatalisiert (frz. *cent*, it. *cento*) [3. 152 f.; 4. 140].

→ Aussprache; C (sprachwissenschaftlich); Gutturale; Kentumsprache; Lehnwort; Q (sprachwissenschaftlich); X (sprachwissenschaftlich)

1 CIL I² 2 2 ILS III 2 3 LEUMANN 4 SOMMER/PFISTER 5 WACHTER. B. F.

Ka. *K3* ist von den Anfängen bis in die späteste Phase der äg. Kultur belegt. Zusammen mit »Seele« (*b3*), »Geist« (*3ḫ*), »Schatten« (*šwt*) und »Name« (*rn*) konstituiert *k3* gemäß äg. Anthropologie eine Person. In der Forschung wird *k3* als eine Art Lebenskraft verstanden, die Bedeutung geht bes. in Richtung »Personalität, Selbst«. *k3* konnte infolgedessen seit der 3. Zwischenzeit (1080–714 v. Chr.) geradezu »Name« bedeuten.

Götter, König und Menschen besitzen einen individuellen *k3* oder auch mehrere. Der königliche *k3* empfing einen besonderen Kult [1] und wurde in Flach- und Rundbild menschengestaltig dargestellt. Mit dem Ausgang des AR ging die Tradition von *k3*-Statuen für Privatleute zurück. Der *k3* wird in Hymnus, Gebet und Dedikationsformeln adressiert. Im myth. Bild wird er zusammen mit dem Menschen bei dessen Geburt von dem Gott Chnum (→ Chnubis) auf der Töpferscheibe geformt. Der *k3* des Menschen übersteht den Tod. Das kulturspezif. Wort *k3* (**k3ɜ*), »Lebenskraft, Persönlichkeit, Selbst« wurde griech. durch κα bzw. κε wiedergegeben. Aus dem christl. geformten Wortschatz des

Kopt. wurde es ausgeschieden, außer in alten Zusammensetzungen.

1 L. BELL, Luxor Temple and the Cult of the Royal K., in: JNES 44, 1985, 251–294 2 A. A. GORDON, The K. as an Animating Force, in: Journ. of the American Research Center in Egypt 33, 1996, 31–35.   L. D. M.

Kaaba (kaʿba). Bedeutendstes islam. Heiligtum: Gebetsrichtung und Ziel der Wallfahrt, im Innenhof der Großen Moschee von → Mekka (nur Muslimen zugänglich). Die Pilger küssen rituell den Schwarzen Stein in der Ostecke der K., deren Außenwände mit einem jährlich erneuerten schwarzen Tuch verhangen sind. Der Name (»Würfel«) rührt von der Form des Gebäudes, das von → Abraham [1] und Ismael gebaut worden sein soll (Koran 2,127) und in vorislam. Zeit Ort polytheistischer Kult- und Pilgerrituale war. → Baitylia

A. J. WENSINCK, Kaʿba, EI 4, 317a–322b.   H. SCHÖ.

Kabalis (Καβαλίς, lat. Cabalia). Landschaft in Nordlykia, nordwestl. vom Milyas-Bergland, im Süden der Kibyratis, begrenzt vom Tauros (Strab. 13,15,1), wo zw. Lagbe und Tyriaion der See Kabalitis lag (Söğüt Gölü, h. trocken; von dort die das Ethnikon Kabaleús bezeugende Inschr., vgl. [1. 10³²]). Hdt. 7,77 nennt die Einwohner Maionier, Strab. 13,17,1 stellt fest, daß K. von den lyd. Kibyraten beherrscht werde. Nach Plin. nat. 5,101,7 und Ptol. 5,3,8 umfaßte die Cabalia bzw. Kabalía die Städte → Oinoanda, → Balbura und Bubon. Liv. 38,15,2 erwähnt die K. im Zusammenhang mit dem Feldzug des Manlius Vulso 189 v. Chr.

1 CHR. NAOUR, Tyriaion en Cabalide, 1980.

ROBERT, OMS 2, 1328–1334 • O. MASSON, in: MH 41, 1984, 143, 145.   T. D.-B.

Kabeira (Κάβειρα). Pont. Residenz Mithradates' VI. am Südhang des Paryadres, von Pompeius als Diospolis zur Stadt erhoben und ausgestaltet, mehrfach umbenannt (Sebaste, Neokaisareia, Hadrianopolis), h. Niksar/Türkei mit Ruinen einer umfangreichen Burganlage mit hell., röm., byz. und seldschuk. Baustufen, außerdem Inschr., einem Meilenstein der großen OW-Route (CIL III 14184/19) sowie einer röm. Brücke über den Çanakçı (→ Ameria [2]).

C. MAREK, Stadt, Ära und Territorium in Pontus-Bithynia und Nord-Galatia (IstForsch 39), 1993, 39 u. ö. • OLSHAUSEN/BILLER/WAGNER, 44–54, 138 • D. R. WILSON, The Historical Geography of Bithynia, Paphlagonia and Pontus in the Greek and Roman Periods, D. B. Thesis, Oxford 1960 (maschr.), 239–244.   E. O.

Kabeiroi (Κάβειροι, lat. Cabiri, die Kabiren). Eine Gruppe von (meist zwei) göttl. Wesenheiten, gelegentlich aber auch einer allein auftretend, die in einer Reihe von lokalen → Mysterien-Kulten vorkommen, kaum panhellenische Identität haben und nach ant. Auffassung vor- oder ungriech. (phryg. oder thrak.) waren (Übersichten [1; 2]).

A. NAME   B. ABGRENZUNG   C. VERBREITUNG
D. EIGENHEITEN   E. NACHLEBEN

A. NAME

Ursprung und Bed. des Namens K. sind dunkel, die Schreibung nicht ganz sicher: Die Texte verwenden gewöhnlich Kábeiroi, dialektale Inschr. bieten auch Kábiroi. Die ant. Gelehrsamkeit leitete den Namen von einem phryg. Gebirge namens Kabeiron ab (Demetrios von Skepsis bei Strab. 10,3,20 p. 472 und schol. Apoll. Rhod. 1,917), die neuzeitliche seit SCALIGER von semit. kbir, »groß« (Widerspruch seit [3. 1264]). Die erste Etym. greift auf die Verbindung der K. bzw. der mit ihnen identifizierten Korybanten mit der Großen Mutter zurück, die zweite auf die Bezeichnung der samothrak. Götter als Theoí Megáloi, »Große Götter«. Beide Etym. sind zweifelhaft; sie verstehen die K. als fremd/ungriech., was möglich, aber nicht zwingend ist und jedenfalls ebenso sehr mit ihrem kult. Charakter wie mit ihrer histor. Herkunft zu tun hat.

B. ABGRENZUNG

In den ant. Quellen werden die K. mit einer Reihe anderer Wesenheiten identifiziert oder verbunden (Hauptquelle: Strab. 10,3), den → Kureten, Korybanten, → Daktyloi und teilweise den → Dioskuroi; sie können auch unter dem Titel »Große Götter« (→ Theoí Megáloi) zusammengefaßt werden. Gemeinsam ist allen die Mehrzahl, auch wenn die Zahl zwischen zwei (K., Dioskuren) bis zu zehn (Daktyloi) schwankt; gemeinsam ist weiter die Verbindung mit einer Großen Göttin und die kult. Bindung an ekstat. Phänomene und (Waffen-)Tanz junger Männer. Daher werden K. wie Kureten und Korybanten mit dem Mythos von der Zeusgeburt verknüpft, daher kann Cabirus auch als Vater des ekstat. kleinasiat. Dionysos-Sabazios gelten (Cic. nat. 3,58). Das weist auf einen verwandten initiatorischen bzw. mysterienhaften Hintergrund, aber auch auf das Fehlen einer panhellenischen Myth.; faßbar sind allein verschiedene lokale Kult-Aitien (Milet: Nikolaos von Damaskos, FGrH 90 F 52; Thessalonike: Firm. De errore profanarum religionum 11, vgl. Clem. Al. Protreptikos 2,19). Sobald allerdings bestimmte lokale Kultbindungen angesprochen werden, sei es in den Texten oder den Inschr., werden Differenzierungen sichtbar; demnach gehören die K. insbes. nach Westkleinasien (Milet und Pergamon), Thessalonike und Theben, während auf Lemnos und Samothrake der Name nie inschr. erscheint.

C. VERBREITUNG

Eine umfassende Liste der Kultorte bei [1; 2].
1. WESTKLEINASIEN 2. MAKEDONIEN 3. BOIOTIEN
4. INSELN DER NORDOSTÄGÄIS

1. WESTKLEINASIEN

Nach Pherekydes (FGrH 3 F 47) wurden die K. in zahlreichen Städten der Troas verehrt; direkte Bezeugungen fehlen freilich. Gut bezeugt ist der Kult in Pergamon und Milet, mit verwandter Physiognomie. Pergamon [4] konnte als den K., den uralten Göttern, heilig gelten (Paus. 1,4,6; Aristeid. fr. vol. 2, 469 KEIL); die in einem späten Orakel angesprochene Verbindung der K. mit dem Mythos der Zeusgeburt hingegen ist sekundär. Der Kult umfaßte Mysterien ebenso wie das wohl öffentliche mehrtägige Fest der Kabeiria, inschr. bezeugt ist insbes. die Einweihung (*mýēsis*) der Epheben und ein Widderopfer (*kriobólia*). Den Kult in Milet [5] belegt insbes. ein von Nikolaos von Damaskos erzählter Mythos (FGrH 90 F 52), wonach nach der Ermordung des Königs Leodamas zwei junge Männer, Onnes und Tottes, mit einer Kiste (den *hierá* der K.) aus Phrygien seinen vertriebenen Söhnen und ihrer Partei Hilfe bringen; nach dem ersten Opfer wird die Kiste an der Spitze der angreifenden Armee getragen und sichert den Sieg und die Wiederherstellung der legitimen Ordnung. Zentrales Thema ist mithin das richtige Verhältnis der jungen Männer zu Krieg und zur Polis: das geht mit den Riten von Pergamon ebenso zusammen wie mit der Identifizierung von K. und Kureten.

2. MAKEDONIEN

Während Lact. inst. 1,15,8 die Verehrung (*summa veneratio*) der K. als überhaupt bezeichnend für Makedonien ansieht, sind Einzelheiten allein für Olynthos und vielleicht für Thessalonike belegt. In Olynthos gilt eine Inschr. aus einem Tempelbezirk Καβείρῳ καὶ παιδὶ Καβείρου (….) »dem Kabeiros und dem Sohn des Kabeiros«; das belegt, wie in Theben, einen älteren und einen jüngeren Kabeiros. Demgegenüber spricht Firm. De errore profanarum religionum 11 für Thessalonike von einem Cabirus, den er (wie Clem. Al. Protreptikos 2,19,1) mit dem Mythos der Korybanten verknüpft, drei Brüdern, deren einer von den beiden anderen ermordet und anschließend als Gottheit verehrt wird; eine Inschr. des 4. Jh. v. Chr. belegt die *Kyrbantes* in einem privaten Kult vor dem Synoikismos von Thessalonike durch Kassandros, womit möglicherweise hier nicht die K., sondern die Korybanten verehrt wurden [6].

3. BOIOTIEN

Demgegenüber sicher sind die K. in Anthedon und bei Theben. Für Anthedon belegt Paus. 9,22,5 in der Stadtmitte ein *hierón* mit Hain der K., daneben den Tempel der Demeter und ihrer Tochter. Außerhalb Thebens lag, sieben Stadien vom Hain der Demeter Kabiria und ihrer Tochter entfernt, das Kabirion (Paus. 9,26,1.6; Übersicht [7]); seine Ruinen sind etwa 5,5 km westlich von Theben an der Straße nach Livadhia ausgegraben (Publikation [8]); die Ausgrabungen belegen Kultaktivität von der geometrischen Epoche bis in die Kaiserzeit, mit einer Restrukturierung im frühen 3. Jh. Zentraler Fokus des Heiligtums war eine Felsengruppe, die immer sichtbar blieb; charakteristisch für den Kult ist extensiver Wassergebrauch sowie die Weihung von metallenen Stierfiguren (v. a. der archa. Zeit) und der typischen, karikierenden K.-Vasen (späteres 5. bis frühes 4. Jh. v. Chr.). Inschr. belegen als Kultinhaber den Ka-

biros, seit dem 4. Jh. zudem den »Sohn« (*Pais*); daneben muß die »Mutter« wichtig gewesen sein (Paus. 9,25,5). Ein von Paus. 9,25,6 berichteter Mythos läßt Demeter den Kult zwei Ureinwohnern, den Kabeiraioi Prometheus und seinem Sohn Aitnaios, bringen, in denen sich der ältere und der jüngere Kabeiros spiegeln; eine K.-Vase des frühen 4. Jh. v. Chr. legt einen Urmenschmythos nahe, wonach das Kind Pratolaos (»Erster des Volkes«) Sohn von Mitos und Krateia ist. Gleichzeitig können die beiden K. auch einmal als Hermes und Pan, vor allem aber in dionysischer Ikonographie als gelagerter Kabeiros (mit Efeukranz und Kantharos) mit stehendem sehr jugendlichen *Pais* dargestellt werden: Wieder zeigt sich das Fehlen einer panhellenisch verbindlichen Myth., was zugleich die verschiedenen Aspekte der K. – Feuerhandwerker wie → Prometheus, Herdenschützer wie → Hermes, ekstat. Trinker wie → Dionysos – beleuchtet. Die eigentlichen Riten können allein durch die Ikonographie der K.-Vasen erfaßt werden; danach fanden die entscheidenden Riten bei Nacht statt, galten für beide Geschlechter und alle Altersgruppen und umfaßten Symposia und, wohl als Abschluß, eine Panegyris (Markt und Volksfest).

4. INSELN DER NORDOSTÄGÄIS

Alle drei Inseln – Lemnos, Imbros, Samothrake – werden in ant. Texten mit den K. verbunden; Inschr. und Grabungen geben ein differenzierteres Bild. Imbros ist nach Steph. Byz. s. v. den K. und dem Hermes Imbramos heilig, Lemnos gilt seit Aischylos' *Kabeiroi* als deren Kultort (vgl. Myrsilos von Lesbos bei Dion. Hal. ant. 1,23; Accius Philocteta fr. 525 TRF; Hippolytos, Refutatio omnium haeresium 5,6), und der lokale Mythos macht die Kabeiritides (Nymphai) und Kadmilos zu Kindern von Kabeiro und Hephaistos, Enkelkindern von Proteus und Anchinoe; für Samothrake sind die K. seit Hdt. 2,51 genannt. Inschr. sind auf Imbros allein die Großen Götter als Kulttitel belegt. Auf Lemnos ist das K.-Heiligtum nahe der Hauptstadt Hephaistia ausgegraben und bezeugt Kultkontinuität seit vorgriech. Zeit; dominant unter den Kleinfunden sind Trinkgefäße, was mit Aischylos' Bild der K. als standfeste Weintrinker zusammengeht (fr. 45 METTE; [8]). Mythos (und wohl auch Kult) verbinden die K. mit → Hephaistos: man kann die Genealogie, die Hephaistos und Kabeiro zu Eltern von Kadmilos und den Kabeiritides macht, so lesen, daß Kabeiro der Großen Göttin, Hephaistos und Kadmilos dem älteren und dem jüngeren Kabeiros entsprechen; freilich gelten nach anderen die lemnischen K., die Feuerhandwerker waren, als Kinder oder Großkinder des Hephaistos (Akusilaos, FGrH 2 F 20; Pherekydes, FGrH 3 F 48). Wichtig ist jedenfalls die feste Verbindung mit dem Schmiedehandwerk, was hinter dem lemnischen K.-Kult die initiatorischen Riten eines Schmiedebundes aufscheinen läßt.

Am komplexesten ist der Befund von → Samothrake [10], wo (wie auf Imbros) inschr. immer von (*Megáloi*) *Theoí* die Rede ist, der K.-Name wenigstens von Demetrios von Skepsis in Abrede gestellt wird (Strab.

10,3,21 p. 472). Mnaseas von Patara gibt als die Lokal-
namen der Götter Axieros, Axiokersa, Axiokersos und
Kasmilos (schol. Apoll. Rhod. 1,917). Während Kasmilos mit dem lemnischen Kadmilos (= Hermes) zusammengeht, werden die ersten drei Namen verschieden
verstanden; das Schol. l.c. deutet sie als Demeter, Hades
und Persephone, doch ist in der Forsch. die Deutung auf
eine Göttin mit zwei männlichen Begleitern häufiger;
das kann durch die lokale Myth. insofern gestützt werden, als hier Eetion (jünger: Iasion) und Dardanos als
Söhne der Elektra genannt sind, dazu die thebanische
Harmonia als Tochter, die auch im Ritual eine Rolle
spielt (schol. Eur. Phoen. 7). Entscheidender ist jedenfalls, daß die → Mysterien von Samothrake – anders als
die anderen K.-Mysterien – einzig und allein Sicherheit
in der Seefahrt gaben, was wenigstens teilweise für die
Identifizierung der samothrakischen Theoi Megaloi mit
den Dioskuren verantwortlich ist.

D. EIGENHEITEN

Die Übersicht über die lokalen Kulte zeigt, wie die
K. allein lokal gebunden sind und in verschiedenen panhellenischen Identifikationen erscheinen; ob sich dies
aus vorgriech. Ursprung verstehen läßt, muß offenbleiben. Während sie auf Lemnos, nicht zuletzt auch durch
die Verbindung mit Hephaistos, auf Handwerkerbünde
zu beziehen sind und auch in Kabeira am Pontos (Strab.
12,566f.; Athan., De incarnatione 47: PG 25,180; Greg.
Nyss. Vita S. Greg.: PG 46,897d. 913c) mit den Schmie-
den zusammengehen, weisen Kult und Myth. in Milet
und Pergamon auf eine Rolle in der kriegerischen Initiation der Jungbürger; ob schließlich in Thessalonike
und auf Samothrake überhaupt von K. geredet werden
darf, läßt sich nicht entscheiden. Ebenso ist meist die
Zweizahl der K. fest, wobei die Verbindung eines älteren und eines jüngeren als Vater und Sohn (Theben, wo
strikt allein der Vater Kabiros heißt) neben derjenigen als
Brüder (Onnes und Tottes in Milet; Thessalonike) steht.

E. NACHLEBEN

In der Spekulation des 18. und frühen 19. Jh. haben
die K. (teilweise im Gefolge der neuplatonischen Auslegung) eine gewissen Rolle gespielt. CREUZER [11] und
SCHELLING [12] verstanden sie als Vorläufer der christl.
Trinität, andere verbanden sie mit der bibl. Sintflut oder
suchten gar german. Parallelen [1]; dagegen setzte LO-
BECK die (gelegentlich allzu skeptische) philol. Analyse.

1 O. KERN, s. v. Kabeiros und K., RE 10, 1399–1450
2 B. HEMBERG, Die K., 1950 3 CHR. A. LOBECK,
Aglaophamus, 1829 4 E. OHLEMUTZ, Die Kulte und
Heiligtümer der Götter in Pergamon, 1940
5 A. LAUMONIER, Les cultes indigènes en Carie, 1958
6 E. VOUTIRAS, Un culte domestique des Corybantes, in:
Kernos 9, 1996, 243–256 7 A. SCHACHTER, Cults of Boiotia
2, 1986, 66–110 8 P. WOLTERS, G. BRUNS, Das
Kabirenheiligtum bei Theben, 1940ff. 9 W. BURKERT,
Homo necans, 1972 10 S. G. COLE, Theoi Megaloi.
The Cult of the Great Gods at Samothrace, 1983
11 F. G. CREUZER, Symbolik und Myth. der Alten Völker,
1810–1812 12 F. SCHELLING, Über die Gottheiten von
Samothrace, 1815. F. G.

Kabiren-Keramik s. Schwarzfigurige Vasenmalerei

Kabul s. Kabura

Kabura (Κάβουρα, Ptol. 6,18,5, dort irrtüml. auch
Kárura), auch Ortospana genannt; wohl das h. Kabul am
→ Kophen (altind. *Kubhā*). In den Alexandergesch.
wird K. nie erwähnt, doch von Plin. nat. 6,61 nach den
→ Bematistai als Ortospanum zitiert.

A. Herrmann, s. v. K., RE 10, 1452f. • O. Stein, s. v.
Ortospanum, RE 18, 1507f. K. K.

Kabye, Kambyse (Καβύη, Καμβύση). Heroine. Tochter des Epeiers Opus in Elis. Um die lokrische Adels-
genealogie mit der epeischen zu verbinden, läßt Pindar
Zeus die Tochter des Opus aus Elis entführen, mit ihr in
Arkadien einen Sohn zeugen und diesen dem kinderlosen König → Lokros als Adoptivsohn zubringen
(Pind. O. 9,57; vgl. auch Diod. 14,17). Nach Aristoteles
in der *Opuntíōn politeía* heißt Opus' Tochter Kambyse
(schol. Pind. O. 9,86 = Aristot. fr. 561 ROSE). Da Plutarch, bei dem sie Kabye heißt, auch aus Aristoteles
schöpft (Plut. qu.Gr. 15), muß derselbe Namen zwei
Fassungen haben [1].

1 W. A. OLDFATHER, s. v. K., RE 10, 1443f. RE. ZI.

Kabyle (Καβύλη, *Cabyle*). Stadt beim h. Kabile im Bogen des Flusses Tonzos, Bezirk Jambol/Bulgarien. Siedlungsspuren sind seit der Spätbrz. und der frühen Eisenzeit nachgewiesen. Etwa Mitte 5. Jh. v. Chr. entwickelte K. intensive Beziehungen zum ägäischen Raum. Auf
der Akropolis entstand ein Felsheiligtum mit Kybele-
Relief. 342/1 v. Chr. wurde K. von Philippos II. erobert
(Demosth. or. 8,44; 10,14) und zu einer hell. Stadt mit
Agora, Tempel der Artemis Phosphoros, des Apollon
u.a. ausgebaut. E. 4. bis M. 3. Jh. war K. Hauptstadt
eines kleinen Thrakerreiches. Spartokos, einer seiner
Herrscher, ist mit dem Titel βασιλεύς (*basileús*) inschr.
(in Seuthopolis, IGBulg III,2, 1731) und von Mz. bekannt. Ab Mitte 3. Jh. Polisverfassung. 72 v. Chr. von
Lucullus erobert (Eutr. 6,10). Im 2.–3. Jh. n. Chr. war
K. wichtiges röm. Lager der Prov. Thracia mit Zivilsiedlung; der Ort ist als Straßenknotenpunkt in den
röm. Itineraria vermerkt (vgl. Itin. Anton. 175,1).
Bauinschr. sind von Hadrianus, Antoninus Pius, Alexander Severus, Aurelianus und Galerius erh. Aus dem
4./5. Jh. stammen eine große dreischiffige und mehrere
kleine Basiliken. 377 fanden bei K. Kämpfe zw. den
Westgoten und Römern statt (Amm. 31,11,5); 583 wurde K. von den Avaren zerstört (Datier. durch Hortfund). Bis E. 8. Jh. war K. nur noch spärlich besiedelt.
Systematische arch. Grabungen seit 1972. Die Identifizierung von K. mit Diospolis (Hierokles, Synekdoche
390) ist zweifelhaft.

V. VELKOV (Hrsg.), Kabile 1, 1982; 2, 1991 • L. GETOV,
Amforni pečati ot Kabile, 1995. I. v. B.

Kachales (Καχάλης). Nebenfluß des Kephisos in Phokis, h. Kakorrema, am Fuße des Burgfelsens von Tithorea; aus ihm schöpfte diese Stadt ihre Wasserreserven (Paus. 10,32,11). Der griech. Name K. bedeutet »ungestümer, lärmender Fluß« (vgl. καχλάζειν, »lärmen, rauschen«).

H. v. GEISAU, s. v. K., RE 10, 1456 • N.D. PAPACHATZIS, Παυσανίου Ελλάδος Περιήγησις 5, 1981, 424 Anm. 1.
G.D.R./Ü: J.W.M.

Kadiskoi (καδίσκοι). In Athen die in den Gerichtshöfen (→ dikastérion) bei der Abstimmung der Geschworenen verwendeten Urnen, von Aristot. Ath. pol. 68,3 ἀμφορεῖς (amphoreís) genannt. Im 4. Jh. v. Chr. hatte jeder Richter zwei brn. Stimmsteine (ψῆφοι, pséphoi), einen mit durchbohrter Achse für den Schuldspruch, den anderen mit voller Achse für den Freispruch (ebd. 68,4). Er fällte seine Entscheidung, indem er eine pséphos in die »gültige«, brn. und die andere in die hölzerne Urne warf. In Erbschaftsstreitigkeiten (→ diadikasía) wurde für jeden Prätendenten eine Urne aufgestellt, wohl unter Verzicht auf die sonst geheime Abstimmung.

A. L. BOEGEHOLD, The Lawcourts at Athens (The Athenian Agora 28), 1995, 210 f. G.T.

Kadmilos s. Kabeiroi

Kadmos (Κάδμος, lat. Cadmus).
[1] Sohn des → Agenor [1] (bzw. Phoinix) und der → Telephassa (bzw. Argiope oder Tyro), Bruder (bzw. Halbbruder) von → Phoinix, → Kilix u. a., Onkel (bzw. Bruder) der → Europe [2], Gatte der → Harmonia, Vater der → Agaue, → Autonoë, Ino, → Semele und des → Polydoros (zuerst erwähnt Hom. Od. 5,333; *Kadmeíoi Kadmeíōnes* schon Hom. Il. 4,385 u. ö.; Hes. theog. 937; 975–978; zumindest seit Bakchyl. 19,46–51 Nachfahre der Io).
Auf der Suche nach Europe kommt K. aus Tyros (Hdt. 2,49,3; Eur. Phoen. 639) bzw. Sidon (Eur. fr. 819 N²) nach Griechenland, wo ihm das delph. Orakel rät, die Suche aufzugeben und einer Kuh zu folgen, um an der Stelle, an der sie sich niederlasse, eine Stadt zu gründen (schol. Eur. Phoen. 638; alternativ die Gründung durch → Amphion [1] und Zethos). Als die Kuh sich in Boiotien niedergelegt hat, will K. sie der Athene opfern. Einige Männer, die er zum Wasserholen zu einer Quelle geschickt hat, werden aber vom Drachen des Ares getötet, den K. daraufhin, von Athene angespornt (Eur. Phoen. 1062–63), mit einem Schwert (Pherekydes FGrH 3 F 88) oder Stein (Hellanikos FGrH 4 F 96) erschlägt. Auf den Rat der Athene (Eur. Phoen. 667 ff.) bzw. des Ares (Hellanikos FGrH 4 F 1a, Pherekydes FGrH 3 F 22) sät er (Athene selbst: Stesich. 195 PMG) einen Teil der Drachenzähne aus (→ Aietes: Pherekydes FGrH 3 F 22), aus denen die → Spartoi hervorgehen. Um den Zorn des Ares zu besänftigen, muß K. ihm ein bzw. acht Jahre lang dienen (Hellanikos FGrH 4 F 51; Ps.-Apollod. 3,4,2). Daraufhin erhält er → Harmonia

zur Frau (nach Hellanikos FGrH 4 F 23 hat er sie von Samothrake mitgebracht). Zur Hochzeit kommen Götter, Musen und Chariten (Theogn. 15–18; Pind. P. 3,88–95; Eur. Phoen. 822–23).
Hielt man früher die phöniz. Herkunft des K. für Erfindung, wird die Frage nach dem histor. Substrat des Mythos heute meist mit Hypothesen eines Austauschs mit Phönizien bzw. einer phöniz. Einwanderung [3] oder auch einer griech. Migration aus Ägäis und Aiolis [10] beantwortet. Stärkste Indizien für die phöniz. Hypothese sind der – wenn auch isolierte – Fund oriental. Siegelrollen auf der *Kadmeía* [4] und die etym. Ableitung des Namens K. von der semit. Wurzel *qdm* (»vor, östlich, alt«: [1]; alternativ von der kret. Glosse *kádmos*: Hesych. s. v.; [10. 151–152]). Die Überl. von der Vermittlung (Hdt. 5,58–61) bzw. der Erfindung (Ephoros FGrH 70 F 105) von *Kadméïa* bzw. *Phoiníkeïa grámmata* der »Kadmeischen« oder »phoinikischen (Schrift)« durch K. oder dessen Begleiter wirft, von konkurrierenden Mythen abgesehen, schriftgesch. Probleme auf [7]. Ein Kult des K. läßt sich, anders als bei Oikisten üblich, nicht nachweisen, doch gilt K. als Gründer von Kulten auf Stationen seiner Reise.
Nachdem K. in Theben das Unglück seiner Töchter und Enkel erlebt hat (Pind. P. 3,88–99; O. 2,22–30), nimmt er zusammen mit Harmonia Schlangengestalt an, um an der Spitze eines fremden Volks gegen Delphi zu ziehen (Eur. Bacch. 1330–39; vgl. Ov. met. 4,563–603). So wird er König der Encheleer und Illyrier, Vater des Illyrios und Rhizon und Gründer illyr. Städte (Buthoe, Lychnidos, Rhizon). Die Quellen erwähnen zudem Gräber von K. und Harmonia in Epidamnos bzw. Pola, Felsen an dem Ort ihrer Metamorphose und ein *mnēmeíon* (Erinnerungsmal) in Kylikes (= Kilikai: [8]). Eventuell spiegelt sich hier der Sturz einer myk. Dynastie in Theben (Hdt. 5,61) oder eine Wanderung griech. Volksgruppen ([9. 128–130]; zu phöniz. Spuren in Illyrien [9. 120, 129]). Die Identifikation des K. mit einem illyr. Schlangengott liegt nahe [9. 123–125]. In Kilikien ist K. ebenfalls präsent (Nonn. Dion. 1,360 ff.; [11]).
K. wird auch mit Kadmilos (→ Kabeiroi) identifiziert und als boiot. Name des samothrak. Hermes angegeben (Lykophr. 219 mit schol.; Nonn. Dion. 4,85–90).

1 M.L. WEST, The East Face of Helicon, 1997, 58, 442, 448–450 2 R. CALASSO, Le nozze di Cadmo e Armonia, 1988 3 R.B. EDWARDS, K. the Phoenician, 1979 4 E. PORADA, The Cylinder Seals Found at Thebes in Boeotia, in: AfO 28, 1981–82, 1–78 5 L. PRANDI, Europa e i Cadmei: La »versione beotica« del mito, in: Contributi dell' Istituto di storia antica dell' Università del Sacro Cuore 12, 1986, 37–48 6 M. ROCCHI, K. e Harmonia. Un matrimonio problematico, 1989 7 Dies., K. e i Phoinikeia grammata, in: Atti del II congresso di studi fenici e punici, 1991, 2, 529–533 8 K.M. Šašel Kos, Famous Kylikes in Illyris, in: Historia 42, 1993, 247–251 9 Dies., Cadmus and Harmonia in Illyria, in: AArch 44, 1993, 113–136 10 A. SCHACHTER, K. and the Implications of the Tradition for Boiotian History, in: P. ROESCH (Hrsg.), La Béotie antique, 1985, 143–152 11 T.S. SCHEER, Myth. Vorväter, 1993, 307–320.

[2] Gott des gleichnamigen Berges L. [3] bei Laodikeia am Lykos. T. H.

[3] Legte zu Beginn des 5. Jh. v. Chr. in Kos die von seinem Vater → Skythes übernommene Tyrannenherrschaft freiwillig nieder, wanderte nach Sizilien aus und entriß den Samiern Zankle (Hdt. 7,164). → Gelon [1] sandte ihn 481 mit drei Schiffen und großen Schätzen nach Delphi, wo er den Verlauf des Perserkrieges beobachten und im Falle der griech. Niederlage den Persern das Geld überreichen sowie Erde und Wasser als Zeichen der Unterwerfung geben sollte. Nach dem Sieg der Griechen bei Salamis kehrte er mit den Schätzen zu Gelon zurück (Hdt. 7,163).

D. ASHERI, Carthaginians and Greeks, in: CAH 4, ²1988, 739–780, bes. 772 • A. SCHENK GRAF VON STAUFFENBERG, Trinakria, 1963, 163f., 167f. 195f. K. MEI.

[4] Berg in SW-Phrygia (Strab. 12,8,16; Ptol. 5,20,20; Plin. nat. 5,118) im Grenzbereich zu Karia (h. Honaz oder Eşler Dağı) südöstl. von Kolossai; dort entspringen der Lykos (Çürük Su) und der K. [5].

[5] Linker Nebenfluß des Lykos in S-Phrygia (h. Çukur Su), der westl. des gleichnamigen Berges entspringt (Strab. 12,8,16) und dann nordöstl. von Laodikeia durch die Ebene von Hierapolis fließt.

BELKE/MERSICH, 285. T. D.-B.

Kadoi (Κάδοι). Eine erstmals von Pol. 33,12,2 gen. Stadt beim h. Gediz im Quellgebiet des Hermos, in der 155/4 v. Chr. die röm. Zehnerkommission mit → Attalos [5] II. zusammentraf. K. liegt nach Ptol. 5,2,16 im Grenzgebiet von Mysia, Phrygia und Lydia. Die wohl nichtgriech. Anf. der Stadt sind unbekannt. K. war vielleicht seit der Zeit Alexanders d. Gr. mit maked. Veteranen besiedelt (Plin. nat. 5,111). Da Strab. 12,8,12 sie zur *Phrygía Epíktētos* zählt, kam K. wohl 188 v. Chr. mit dieser Landschaft zum pergamenischen Reich. K. bestand noch in christl. Zeit (Not. episc. 8,409; 9,319).

L. BÜRCHNER, s. v. K., RE 20, 1477 • W. M. RAMSAY, The Historical Geography of Asia Minor, 1890 • ROBERT, Villes. E. SCH.

Kados (κάδος; lat. *cadus*; »Krug, Eimer«). Griech.-lat. Bezeichnung für ein – in der Regel irdenes – Gefäß zur Aufbewahrung von Flüssigkeiten. In Athen war K. gleichzeitig Begriff für die größte Einheit der → Hohlmaße, gleichbedeutend mit → Metretes, entsprechend 39,4 l [1. 101–102; 703 Tab. X A]. In Rom war K. die Maßeinheit für griech. Weine, im Gegensatz zu ital. Weinen, die nach der → Amphora [2] bemessen wurden. In der röm. Lit. t. t. für Weinkrug, daher bei den Dichtern der augusteischen Zeit häufig metonymisch für Wein. Bei den Satirikern auch in der Bed. von Sparbüchse, Aschenurne oder Blumentopf belegt [2. 38].

1 F. HULTSCH, Griech. und röm. Metrologie, ²1882
2 ThlL 3, 38. H.-J. S.

Kadusioi (Καδούσιοι, lat. *Cadusii*). Iran. Nomadenstammesverband im Gebirgsland zw. Media und der Küste des Kaspischen Meers, Nachbarn der Anariakoi und Albanoi (Strab. 11,8,1), evtl. gehörten die Pantimatoi und Dareitai (Hdt. 3,92) zu ihnen. Die → Achaimenidai [2] mußten mehrfach Aufstände der K. bekämpfen: Artaxerxes II. 408/7 v. Chr. ohne Erfolg (Xen. hell. 2,1,13), erfolgreich Artaxerxes III. Ochos, der sie nach seinem Regierungsantritt befriedete (359 v. Chr.). Auch Antonius [I 9] hatte auf seinem Partherfeldzug (35/4 v. Chr.) schwere Kämpfe mit ihnen (Strab. 11,13,4).

M. D'JAKONOV, Istorija Midii, 1956 • Ders., The Pre-History of the Armenian People, 1984. I. v. B.

Kadyanda (Καδυανδα). Nordwestlyk. Bergstadt im Süden des h. Dereköy über der Binnenebene Üzümlü mit ausgedehntem, im Norden an Bubon, im Osten an Araxa grenzendem Territorium [1. 377–392; 2; 3]. Grabanlagen und Mz.-Prägung der klass. Zeit bezeugen die Bed. der altlyk. Siedlung Xadawãti im Einflußbereich von Xanthos [4. 31–35; 5; 6. 31f., 56], Stadtmauerreste und Mz. dokumentieren die hell. [7; 8. 46–49], Inschr. und ein komplettes urbanistisches Ensemble die kaiserzeitl. [9. 650–700; 10] Epoche der Stadtgesch.

1 L. ROBERT, A travers l'Asie Mineure, 1980 2 A.-V. SCHWEYER, Le pays lycien, in: RA 1996, 16–18 3 M. WÖRRLE, W. W. WURSTER, Dereköy: Eine befestigte Siedlung im nordwestlichen Lykien und die Reform ihres dörflichen Zeuskultes, in: Chiron 27, 1997, 399–402 4 TAM 1 5 J. BORCHHARDT, G. NEUMANN, Dynastische Grabanlagen in K., in: AA 1968, 174–238 6 M. ZIMMERMANN, Unt. zur histor. Landeskunde Zentrallykiens, 1992 7 W. WURSTER, Survey antiker Städte in Lykien, in: Actes du Colloque sur la Lycie antique, 1980, 32f. 8 H. A. TROXELL, The Coinage of Lycian League, 1982 9 TAM 2 10 E. FRÉZOULS u. a., Villes de Lycie occidentale, in: Ktema 11, 1986, 225–253. M. WÖ.

Käfer. Von der Ordnung der K., deren Namen κολεόπτερα/*koleóptera* Aristoteles (hist. an. 1,5,490a 13–15 und 4,7,552a 22f.) davon ableitet, daß sie ihre Flügel unter einer Decke (ἔλυτρον, *élytron*; *crusta*: Plin. nat. 11,97) haben, wurden nur wenige Arten unterschieden. Volkstümlich hießen sie κάνθαροι, *kántharoi*, lat. *scarabaei*. Sie bilden sich aus Larven (κάμπαι, Aristot. hist. an. 5,19,551b 24) oder Würmern (σκώληκες, 5,19,552b 3, lat. *vermes*). Die wichtigsten der durch nähere Angaben über sie wahrscheinlich identifizierten 112 Arten sind folgende:

A. Lauf-K.: 1. Scarites laevigatus F. (Plin. nat. 30,39 und Isid. orig. 12,8,5: *tauri = scarabaei terrestres = pediculi terrae*). 2. Vertreter der Gattung Zabrus Clairv. von Getreideschädlingen, bei Hesychios ψώμηξ/*psómēx* [1. Nr. 2379, 127f.], offenbar auch von Theophr. h. plant. 8,10,4 (σκώληξ/*skólēx*) und Plin. nat. 18,152 (*cantharis*) gemeint. – *B. Schwimm-K.:* 3. Der nach Hesychios [1. Nr. 1062, 58] in Badeanstalten vorkommende κόλυμβος/*kólymbos* ist wahrscheinlich der Colymbetes coriaceus Hoffm. – *C. Kurzflügler:* 4. Die Larven des Anth. Pal. 7,480,3 erwähnten Philonthus ebeninus G. fressen Leichen an. – *D. Leucht-K.:* 5. Das Glühwürmchen λαμπυρίς, Lampyris noctiluca L., wird bei Aristot. part. an. 1,3,642b 34 als nur manchmal – bei den Männchen – geflügelt erwähnt; nach hist. an. 5,19,551b 26 sollen auch die βόστρυχοι/*bóstrychoi* Leucht-K. sein. Plin. nat. 11,98 beschreibt die leuchtenden Körperteile der *lampyrídes* näher und nennt die K. 18,250 als Ankündiger der Erntezeit für Gerste und der Saatzeit der Hirse im Frühsommer. 6. Der von Aristot. hist. an. 5,19,551b 24f. erwähnte Leucht-K. πυγολαμπρίς/*pygolamprís* ist wahrscheinlich der in Südeuropa häufigste K., der Drilus fulvicornis K. – *E. Bohr-K.:* 7. Der von Apollod. 1,9,11 erwähnte K. ist wohl der Anobium pertinax L., der Trotzkopf. 8. Sitodrepa panicea L., der Brotbohrer, oder eine Mottenart (σής/*sēs*) sollen nach Strab. 13,1,54 (609) die Bibliothek von Aristoteles und Theophrast angefressen haben. – *F. Pflaster-K.* und *Span. Fliegen:* 9. Lytta dives B., die Span. Fliege → Kanthariden. 10. Der langfüßige (Veget. Mul. 1,79,10) Bienenschädling βού-πρηστις/*búprēstis* ist wahrscheinlich der Öl-K. Meloe variegatus L. [2. 63f.]. Von Pferden und Rindern verschluckt, soll er nach Kontakt mit der Gallenblase diese zum Anschwellen und Platzen bringen (Plin. nat. 30,30; vgl. 29,95; 29,105; Isid. orig. 12,8,5). – *G. Bock-K.:* 11. Die Larven von Ergates faber L., dem Mulmbock, waren als *cosses* mit Mehl gemästet und geröstet für die Römer ein Leckerbissen (Plin. nat. 17,220 und 30,115; Hier. Adversus Iovinianum PL 23,101; Gal. De alimentorum facultatibus 3,2,1; [3]). – *H. Rüssel-K.:* 12. Calandra granaria L. ist der Kornwurm (κανθαρίς/*kantharís*) bei Theophr. h. plant. 8,10,1 und Aristot. hist. an. 4,7,531b 25 (vgl. Plin. nat. 18,302 über das Eindringen des *curculio* ins Getreide bis zur Tiefe von vier Fingern). *I. Blatthorn-K.:* 13. Ateuchus sacer L., der zu den Mist-K. gehörende Pillendreher (κάνθαρος, *kántharos*), dessen ägypt. Hieroglyphe Werden und Sein bedeutete, wurde in Ägypten als Sinnbild der Sonne göttl. verehrt (vgl. Hdt. 3,28: Der Apisstier habe unter der Zunge das Bild des K.; Plin. nat. 30,99 *scarabaeus qui pilas volvit*, vgl. 11,98, [2. 217]). Seine Nachbildungen (Ail. nat. 10,15) waren auch in Rom als Amulette beliebt oder wurden als Siegel verwendet. Die Biologie war bekannt: Nach der Verpuppung (Aristot. hist. an. 7(8),17,601a 2) erzeugt er als fertiges Insekt Mistkugeln, in denen er den Winter über lebt und in die er seine Larven hineinlegt. Diese verwandeln sich in vier Wochen (Ail. nat. 10,15) wieder in K. (Aristot. hist. an. 5,19,552a 17–19; Plin. nat. 11,98). Darstellungen auf Mz. und Gemmen sind erh. [4. Taf. VII,12–14; XXIII 16 und 18]. 14. Der europäische Mist-K. soll nach [5. 167] mit dem μηλολόνθη/*mēlolónthē* bei Aristot. hist. an. 1,5, 490a 15 identisch sein. 15. Die ital. Art des Hirsch-K. Lucanus serraticornis Fairm. scheint Plin. nat. 11,97 unter dem von Nigidius verwendeten Namen *lucavus* zu beschreiben [2. 156]. 16. Ob bei Aristoph. Nub. 763 der Mai-K., Melolontha vulgaris F., oder ein Mist-K. (Geotrupes spec.) gemeint ist, bleibt unklar.

1 H. GOSSEN, Die zoologischen Glossen im Lex. des Hesych, in: Quellen und Stud. zur Gesch. der Naturwiss. und der Medizin 7, 1937 [1940] 2 LEITNER 3 G. HELMREICH (Ed.), Galen. de facultatibus naturalibus, 1923 (CMG 5,4,2) 4 F. IMHOOF-BLUMER, O. KELLER, Tier- und Pflanzenbilder auf Mz. und Gemmen des klass. Alt., 1889, Ndr. 1972 5 H. AUBERT, FR. WIMMER (Übers.), Aristoteles: Thierkunde, Bd. 1, 1868.

H. GOSSEN, RE 10,1478–1489 und Suppl. 8, 235–242.

C. HÜ.

Käse   I. ALTER ORIENT
II. GRIECHISCH-RÖMISCHE ANTIKE

I. ALTER ORIENT

K. gehört mit Getreide und Fisch zu den wichtigsten Volksnahrungsmitteln im Alten Orient. Nach vollständiger Entfernung des Butteröls (sumer. ì.nun, akkad. *himētu*) wurde die Buttermilch zu einem fettfreien und damit lange haltbaren K. verarbeitet; er entspricht dem im mod. Nahen Osten *kašk* genannten Hart-K. K. wurde auch mit verschiedenen Zutaten gemischt (u. a. Getreide, Datteln, Wein und zahlreichen Gewürzen) und dann den Göttern dargebracht, erwartungsgemäß oft zusammen mit Butteröl. K. wird in der babylon. Lit. selten erwähnt.

K. BUTZ, Konzentrationen wirtschaftl. Macht im Königreich Larsa, in: WZKM 65–66, 1973/74, 37–45 · M. STOL, s. v. Milchprodukte, RLA 8, 189–201 · R. ENGLUND, Regulating Dairy Productivity in the Ur III Period, in: Orientalia 64, 1995, 377–429 · T. JACOBSEN, Lad in the Desert, in: Journal of the American Oriental Society 103, 1983, 193–200.   R. K. E.

II. GRIECHISCH-RÖMISCHE ANTIKE

Zu K. (griech. τυρός, lat. *caseus*) weiterverarbeitet wurde seit frühester Zeit die leicht verderbliche Milch (Hom. Od. 9,246–249) – im Mittelmeerraum überwiegend Schaf- und Ziegenmilch, im Norden der antiken Welt mehrheitlich Kuhmilch (vgl. Aristot. hist. an. 3,20,521b–522b). Weich- bzw. Frisch-K. (*caseus mollis* oder *recens*), der zum sofortigen Verzehr gedacht war, wurde kurz getrocknet und gesalzen (Varro rust. 2,11,3); die Herstellung von Hart-K. (*caseus aridus* oder *vetus*), der gelagert werden konnte, erforderte stärkeres Salzen und längeres Trocknen, wobei der K. oft auch mit → Gewürzen wie Thymian, Pfeffer oder Pinienkernen aromatisiert wurde (Colum. De re rustica 7,8,6–7). Eine röm. Spezialität scheint über Holz geräucherter K. gewesen zu sein (Plin. nat. 11,241). Überregionaler Wertschätzung erfreuten sich in Griechenland K. aus Keos (Ail. nat. 16,32) und Sizilien (Athen. 14,658a), in It. Sorten aus dem Vestinerland, den Alpen und den Apenninen (Plin. nat. 11,241). Lokaler Frisch- und Trocken-K. war relativ preiswert (Diog. Laert. 6,36; s. auch Edictum Diocletiani 5,11; 6,96 LAUFFER) und daher, auch aufgrund seines Wohlgeschmacks, ein in allen Kreisen der Bevölkerung beliebtes Nahrungsmittel. Auf den Tisch kam er meist zum Frühstück (Mart. 13,31) und Mittagessen, zusammen mit Brot (Apul. met. 1,18,8) oder Gemüse (Athen. 12,542f), nicht aber zur abendlichen Hauptmahlzeit (→ deípnon bzw. → cena). Nur bei opulenten Mählern wurde K., zumal in trockener Form, als Vorspeise, vor allem aber zum Nachtisch serviert (Athen. 11,462e), damit er den Durst auf Wein wieder anregte. In der Gastronomie nutzte man viel geriebenen K., um Kuchen und Süßspeisen (Aristoph. Ach. 1125; Cels. Artes 2,18), Breie (polenta caseata; Apul. met. 1,4,1) und pikante Cremes (App. Vergiliana, Moretum) herzustellen. K. war zudem eine wichtige Zutat für Brot (Anth. Pal. 6,155), Fischragouts (tyrotarichum; Apicius 4,2,17), ja selbst für → Getränke (kykeón: Mischgetränk aus Wein, K. und Mehl; Hom. Il. 11,639–640). Mediziner warnten vor K., weil er schwer verdaulich sei (Hippokr. Perí diaítēs 51; Cels. Artes 2,25), nutzten aber seine therapeutische Wirkung für innere und äußere Anwendungen (Plin. nat. 28,205–207).

J. ANDRÉ, L'alimentation et la cuisine à Rome, ²1981 (dt.: Essen und Trinken im alten Rom, 1998) • E. COUGNY, s. v. Caseus, DS 1, 931–935 • A. DALBY, Siren Feasts. A History of Food and Gastronomy in Greece, 1996 (dt.: Essen und Trinken im alten Griechenland, 1998) • W. KROLL, s. v. K., RE 10, 1489–1496. A. G.

Kaeso (auch *Caeso*). Seltenes lat. Praenomen, vielleicht etrusk. Herkunft, abgekürzt K., nach ant. Etym. ein durch Kaiserschnitt geborenes Kind bezeichnend (Liber de praenominibus 6; Fest. 50L; Plin. nat. 7,47). Da K. unter den patriz. Geschlechtern nur bei den Fabiern und Quinctiern erscheint, die zuerst die Priesterschaft der *luperci* stellten, soll es nach MOMMSEN das rituelle »Schlagen« (*caedere*) am Lupercalienfest kennzeichnen und ursprüngl. der Name eines *lupercus* gewesen sein (→ Lupercal).

SALOMIES, 26f. K.-L. E.

Kaiadas (Καιάδας). Schlucht im Taygetos, in welche die Spartaner zum Tode verurteilte Kriegsgefangene und Verbrecher herunterstürzten; man vermutet sie südöstl. von Mistra bei Parori [1] oder nordwestl. von Mistra bei Tripi [2]. Belege: Καιάδας, Thuk. 1,134,4; Κεάδας, Paus. 4,18,4; Καιέτας, Strab. 8,5,7.

1 E. CURTIUS, Peloponnesos 2, 1852, 252 2 O. RAYET, in: Annales de la Faculté des Lettres de Bordeaux 2, 1880, 353 Anm. 2. E. O.

Kaikalos. Ep. Dichter aus Argos, von Athen. 1,13b in einem Katalog erwähnt, der Autoren von Gedichten ›Über den Fischfang‹ (Ἁλιευτικά) auflistet. Die Namensform, in den Athenaios-Hss. als Καικλον, von der Suda (3,1596) als Κικίλιο überliefert, geht auf eine Konjektur von MEINEKE zurück.

1 SH 237 2 G. THIELE, s. v. K., RE, 11, 1496–1497.
S. FO./Ü: T. H.

Kaikias (καικίας, lat. *caecias*). Dieser lokale Windname ist angeblich vom Fluß → Kaikos [2] in Mysien abgeleitet (Ach. Tat. Introductio in Aratum 33, p. 68 MAAS). Als einer der *ánemoi katholikoí* (der allgemeinen Winde [1. 2305]) sollte der auch von einigen *Hellēspontías* (Ἑλλησποντίας) gen. K. als Gemeinwind von → Boreas und → Euros von Nordost her wehen und aufgrund seiner Kälte und Feuchtigkeit große Wolken bilden (Aristot. meteor. 2,6,364b 18f. und 24–29). Urspr. wurde damit die Windböe bezeichnet, die einer sich nähernden Gewitterfront entgegenblies [1. 2251, Fig. 3]. Für den K. galt als charakteristisch, daß er die Wolken auf sich selbst zutrieb (διά τε τὸ ἀνακάμπτειν πρὸς αὑτόν: Aristot. meteor. 2,6,364b 25f. und 12–14; *caecian in se trahere nubes*: Plin. nat. 2,126), wofür von Aristot. l.c. und probl. 26,29,943a 32–b 3 (sowie in deren Quelle Theophr. De ventis 37) die Redensart (παροιμία) zit. wird: ›auf sich selbst zutreibend, wie der K. die Wolke‹ (ἕλκων ἐφ' αὑτὸν ὥστε καικίας νέφος).
→ Winde

1 R. BÖKER, s. v. Winde, RE 8 A, 2347ff. C. HÜ.

Kaikinos (Καικῖνος). Laut Paus. 6,6,4 Grenzfluß zw. → Lokroi und Rhegion, wo 426 v. Chr. die Athener unter → Laches [1] die Lokrer unter Proxenos schlugen (Thuk. 3,103,3), h. Amendolea/Sizilien. Der lokrische Faustkämpfer Euthymos galt nach seiner Heroisierung als Sohn des Flußgottes K. (Ail. var. 8,18).

NISSEN 2, 955. E. O.

Kaïkos (Κάϊκος).
[1] h. Bakır Çayı. Fluß in Westkleinasien (Hdt. 6,28; 7,42; Xen. an. 7,8,18; Strab. 12,8,12; 13,1,70; Arr. an. 5,6,4; Paus. 1,10,4; 5,13,3). Er entspringt im Westen des Temnos-Gebirges, einer Landschaft, die bei Livius (37,37,3) und Plinius (nat. 5,125) als Teuthrania bezeichnet wird. Die nach dem K. ben. Ebene war fruchtbar und gut besiedelt. Zw. Elaia und Pitane im der Aiolis erreichte der K. das Meer, wo er das Land durch Ablagerungen weit in die Bucht von Elaia (den Ἐλαίτης κόλπος, h. Candarlı körfezi) hinausschob.

W. M. RAMSAY, The Historical Geography of Asia Minor, 1890 • ROBERT, Villes. E. SCH.

[2] Personifikation des mysischen Flusses K. [1], Sohn von Okeanos und Tethys (Hes. theog. 343). In Aischylos' ›Mysern‹ wird ein Priester des K. angeredet (TrGF 3 F 143). K. wurde mit Traian auf Kupfermünzen von Pergamon dargestellt. RE. ZI.

Kaikosthenes (Καικοσθένης). Sohn des Apollonides, Bronzebildner aus Athen. Acht Basen aus dem frühen 2. Jh. v. Chr. tragen seine und seines Bruders Dies Signatur. Einige stammen von Porträtstatuen, weshalb K. meist mit Chalkosthenes, der laut Plinius Schauspieler- und Athletenstatuen geschaffen habe, gleichgesetzt wird. Im Athener Kerameikos sah man von K. »rohe« Götterfiguren aus Terrakotta, vielleicht Tonmodelle für Bronzestatuen.

OVERBECK Nr. 1380–1381 • LOEWY Nr. 113–117; 220 •
G. CARETTONI, EAA 4, 288 • A. STEWART, Attika 1979, 103;
162.   R. N.

Kainai (Καιναί). Siedlung am westl. Tigrisufer, nahe
der Einmündung des Unteren Zab; nach Xen. an. 2,4,28
eine große und blühende Polis; vgl. auch Κάναι bei
Steph. Byz.; zweifelhaft ist die Identität mit neuassyr.
Kannu' nahe Assur, s. [1]. Biblisch ist der Ort als *Kan-
nē(h)* belegt (Ez 27,23), ebenso eine Lokalisierung bei
Tekrit [2]. Die Etymologie ist unklar, vielleicht zu aram.
gannā, »Einfriedung«.

1 F. R. WEISSBACH, s. v. Καιναί, RE 10, 1508 2 R. D.
BARNETT, Xenophon and the Wall of Media, in: JHS 73,
1963, 25.   K. KE.

Kaineus (Καινεύς, lat. Caeneus). Name eines Lapithenfürsten, Vater des Argonauten → Koronos. Im frühgriech. Mythos ist diese Figur offenbar nur mit der
Kentauromachie verbunden: da K. unverwundbar ist,
muß er von den → Kentauren durch das Einrammen in
die Erde mit Hilfe von Baumstämmen und Steinen
überwunden werden (zuerst Pind. fr. 167). Später wird
seine Gesch. dahingehend erweitert, daß K. urspr. ein
Mädchen war (Kainis, lat. Caenis), das von Poseidon
vergewaltigt wurde und sich daraufhin von diesem erbat, in einen Mann verwandelt zu werden (schol. Apoll.
Rhod. 1,57–64a; Ov. met. 12,169–209; 459–535).

F. BÖMER, P. Ovidius Naso, Metamorphosen B. 12–13,
1982, 62–64 • E. LAUFER, K. Stud. zur Ikonographie, 1985.
                                                        E. V.

Kainoi (Καινοί). Thrak. Stamm zw. Astai und Korpiloi
im Gebiet der Paitoi (noch bei Arr. an. 1,11,4 nach
Hdt.), nach dem Zerfall des Odrysenreichs im Gebiet
östl. des Hebros bis an die Küsten der Propontis bzw. der
Ägäis. Nach dem K. war die Strategie Kainike am Unterlauf des Hebros benannt (Plin. nat. 4,47; Ptol. 3,11,6).
188 v. Chr. überfielen die K. auf Rat Philippos' V. den
mit galatischer Beute beladenen Troß des Cn. Manlius
Volso westl. von Kypsela (Liv. 38,40,7–9). Attalos II.
besiegte den König der K. Diegylis, Sohn des Zibelmios
(Diod. 34,12; Strab. 13,4,2).

A. FOL, Trakija i Balkanite prez ranno-elinističeskata epoha,
1975, 86.   I. v. B.

Kainon Chorion, Kainon Phrurion (Καινὸν Χωρίον,
Καινὸν Φρουρίον). Von Pompeius 64/3 v. Chr. eroberte
pontische Burganlage im Paryadres-Gebirge, wo Mithradates VI. die wertvollsten Schätze (Strab. 12,3,31)
und ein Geheimarchiv (Plut. Pompeius 37,1) aufbe-
wahren ließ. K. Ch. ist wohl auf dem Felsmassiv bei
Akgün (ehemals Ahretköy) im NW von Niksar zu lokalisieren, wo sich Burgruinen mit hell. bis byz. Mauerwerk, drei Treppengängen und einer Zisterne befinden.

MAGIE, 1070 Anm. 10 • D. R. WILSON, The Historical
Geography of Bithynia, Paphlagonia, and Pontus in the
Greek and Roman Periods, 1960 (D. B. Thesis, Oxford,
maschr.), 242 • OLSHAUSEN/BILLER/WAGNER, 138.   E. O.

Kainys (Καῖνυς, lat. *Caenus*). Das it. Vorgebirge (h.
Punta del Pezzo), von dem aus die kürzeste Strecke zw.
dem Festland und Sizilien (→ Peloris) über das → Fre-
tum Siculum gemessen wurde (Strab. 6,1,5: 6 Stadien;
Thuk. 6,1: 20 Stadien; Plin. nat. 3,73: 12 Stadien; ebd.
86: 1,5 Meilen – h. mißt man etwa 3,2 km).

NISSEN, Bd. 2, 962.   E. O.

Kaiphas (Και(α)φᾶς, *Cai(a)phas*). Joseph, mit Beinamen
Kaiphas (von aram. *qayyāfā*), amtierte als Hoherpriester
des Jerusalemer Tempels (18–36 n. Chr.) und somit als
Vorsitzender des Sanhedrin (→ Synhedrion), der höchsten für zivile Gerichtsbarkeit und polit. Fragen zuständigen jüd. Instanz in hell. und röm. Zeit. Er gehörte als
Schwiegersohn des Hohenpriesters Ananus (oder *An-
nas, Hannas*; 6–15 n. Chr.) zu einer der wichtigen Priesterfamilien, die regelmäßig dieses Amt besetzte (Jo
18,13; auch mPar 3,5 und tYev 1,10) [4. 234]. Ernannt
durch den röm. *procurator* Valerius Gratus (15–26
n. Chr.), amtierte er auch während der Herrschaft des
Pontius Pilatus (26–36 n. Chr.), z. Z. also des Wirkens
Jesu Christi (Ios. ant. Iud. 18,2,2; Mt 26,3.57; Lk 3,2; Jo
11,49; 18,13 f.; 24; 28; Apg 4,5; Sokr. 5,17,11). Abgesetzt wurde er von Vitellius, dem Statthalter Syriens
(Ios. ant. Iud. 18,4,3). Seine Rolle bei der Festnahme,
Verurteilung und Hinrichtung Jesu ist umstritten [2].

1 J. JEREMIAS, Jerusalem z. Z. Jesu, 1962, 175, 218 ff.; 246 f.
2 K. KERTELGE (Hrsg.), Der Prozeß Jesu, 1988 3 S. SAFRAI,
M. STERN, The Jewish People in the First Century I, 1974,
400–404 4 SCHÜRER 2, 227–236 5 P. WINTER, On the Trial
of Jesus, 1961, bes. 31–43.   I. WA.

Kairatos (Καίρατος). Fluß auf Kreta. An seinem westl.
Ufer liegt → Knosos, gelegentlich auch mit dem Namen
K. versehen (Strab. 10,4,8; Kall. h. 3,44; Eust. in Dion.
Per. 498).

M. S. F. HOOD, D. SMYTH, Archaeological Survey of the
Knossos Area, ²1981.   H. SO.

Kairios (Καίριος). Tragiker, laut DID A 3b, 55 siegte er
einmal an den Lenäen vermutlich im Jahre 351 v. Chr.

METTE, 183 • TrGF 82.   F. P.

Kairos (Καιρός). Männl. Personifikation des selbst für
Cicero kaum zu übersetzenden Begriffs (Auson. epigrammata 33,10) καιρός, *kairós* = »der rechte Augenblick«, »Gelegenheit«, »Vorteil«, »das rechte Maß«, »Pro-
portion« [1]; später mit → Chronos und in byz. Zeit mit
Bios gleichgesetzt. Bei den Römern wird K. als → Oc-
casio weiblich dargestellt. Das Wesen des K. wird vor
allem durch seine Darstellung betont: Er ist geflügelt (an
den Füßen oder Schultern), geht auf Zehenspitzen oder
steht auf Rädern, balanciert eine Waage auf einer Ra-
sierklinge (Tzetz. epist. 95) und hat einen Haarschopf
auf der Stirn, aber einen kahlen Hinterkopf (Anth. Pal.
16,275). Der Augenblick, der flüchtig ist, muß also beim
Schopf gepackt werden, denn von hinten, d. h. wenn er
vorbeigeeilt ist, wird dies unmöglich. Plastische Dar-

stellungen [2], vor allem des Lysippos und eventuell des Polykleitos, waren beliebt. K. wird als Gottheit erst im 5. Jh. v. Chr. faßbar (Ion von Chios, PGM fr. 742) und wurde als jüngster Sohn in die Genealogie des Zeus eingefügt. Seine Kultstätte befand sich in Olympia (Paus. 5,14,9). K. ist in Kunst und Philos. ein wichtiger Begriff. Bei Platon (leg. 4,709b 7) bestimmen K., Tyche und der Gott alle menschlichen Belange; bei den Pythagoreern stand K. für die Zahl 7 [3]. In der bildenden Kunst drückt K. im Zusammenhang mit dem Kanon des Polykleitos (Plut. mor. 45c) die perfekte Proportionierung einer Figur aus.

1 LSJ, s. v. k., 859f. 2 P. MORENO, s. v. K., LIMC 5.1, 920–926 3 W. BURKERT, Lore and Science in Ancient Pythagorism, 1972, 467, Anm. 9.　　　B. SCH.

Kaisareia (Καισάρεια, lat. *Caesarea*, iran. oder keilschriftl. *Mazaka*). Hauptort von → Kappadokia (Strab. 12,2,7–9), h. Kayseri.
I. FRÜHGESCHICHTE BIS RÖMISCHE ZEIT
II. BYZANTINISCHE ZEIT

I. FRÜHGESCHICHTE BIS RÖMISCHE ZEIT
K. folgte dem naheliegenden alten Zentrum Kaniš (Kültepe; → Kleinasien), das aber in hell. und röm. Zeit noch von Bed. war. Der einheimische Name *Mazaka* ist bis in byz. Zeit bezeugt. – Der Ort wurde von Ariarathes IV. in Eusebeia (am Argaios) umbenannt. Seine Bevölkerung wurde ca. 77 v. Chr. von Tigranes nach → Tigranokerta deportiert. 17 n. Chr. war K. Metropolis der röm. Prov. → Cappadocia, später der Cappadocia I; Umbenennung in K.; im J. 260 n. Chr. sāsānidische Eroberung. Frühe christl. Gemeinde. Das ältere Stadtgebiet auf unterster Hügelstufe des → Argaios [2]. In röm. Zeit weitläufige, stark bevölkerte Stadtanlage.

HILD/RESTLE, 193–196 · T. ÖZGÜZ, Kültepe and Its Vicinity in the Iron Age, 1971 · W. RUGE, s. v. Caesarea (5), RE 3, 1289f.　　　K. ST.

II. BYZANTINISCHE ZEIT
Kaiser → Iulianus Apostata nahm der Stadt den Munizipalstatus, nachdem Christen die Tempel der Stadt zerstört hatten. K. behielt aber seine Bed. nicht nur als Militärbasis und Produktionsstätte von Waffen und Textilien bis in das frühe 7. Jh. n. Chr., sondern auch als Zentrum christl. Lehre (→ Basileios [1] d. Gr., → Gregorios [2] von Nyssa, Gregorios [3] von Nazianzos) und des kappadokischen Monastizismus. → Iustinianus I. sah sich allerdings veranlaßt, ein verkleinertes Stadtgebiet durch eine kürzere Mauer zu umgeben (Prok. aed. 5,4,7–14). Die erneut blühende Stadt widerstand dem Sāsāniden Chosrow I. (575 n. Chr.), nicht aber Chosrow II. (→ Chosroes [5–6]), der die Stadt einäscherte. K. blieb, abgesehen von einem arab. Intermezzo 726, byz., bis es im J. 1092 von den türk. Danişmendiden eingenommen wurde.

A. GABRIEL, Monuments turcs d'Anatolie 1, 1931, 6–30.
　　　T. L.

Kaiser (ahd. *cheisar, keisar*; mhd. *keiser*; schon got. *kaisar*; altslaw. *cjesari/kesari*; russ./slow. *cesar/car*, »Zar«). Vermutl. geht das got. *kaisar* auf die Bibelübersetzung (Lk 2,1) des → Ulfila zurück. Im Annolied (V. 271 ff.) vom E. des 11. Jh. n. Chr. wird *keisere* von → Caesar hergeleitet. Zunächst Cognomen der Iulii, nach der Adoption von Octavianus (→ Augustus) durch Caesar Familiencognomen des Augustus (vgl. [3]), seit Claudius [III 1] fester Bestandteil des Kaisernamens, wurde *Caesar* zur Zeit der → Tetrarchie zur Bezeichnung der Unterkaiser. In Byzanz verlor der Titel zunehmend an Bed., u. a. mit Einführung der Bezeichnung *Basileús* für den K. durch Herakleios [7] und Nachordnung des *Caesar* unter den *Sebastokrátōr* durch Alexios I. Komnenos (Kaiser 1081–1118) und unter den *Despótēs* durch Manuel I. (1143–1180).

Anders als in Byzanz ist der Caesartitel (→ Hoftitel D.) im MA weniger Titel als Erinnerung an die Person Caesars (anders mit Bezug auf den Caesartitel des Augustus [1. 2]) und wird allg. für die Bezeichnung der ant. K. (*Caesares*) gebraucht, während → *Imperator* den staatsrechtl. relevanten Begriff darstellt. Mit der Erhebung seines Sohnes Heinrich zum *Caesar* versuchte K. Friedrich I. 1186 die Designation zum K. über die Königswahl hinaus zu befestigen [6], was aber ein Einzelfall blieb. *Caesar* als Titel und die Nennung seiner Person dienten v. a. bei Friedrich II. zur Betonung seiner Sieghaftigkeit. K. bleibt insgesamt ein eher allg. Begriff für den kraftvollen Herrscher, auch außerhalb des Imperium Romanum (K. von China, der Türken).

1 ACCURSIUS FLORENTINUS, Glossa ad Institutiones Iustiniani I, o. J. 2 R. HILDEBRAND, s. v. Kaiser, in: A. u. W. GRIMM (Hrsg.), Deutsches Wörterbuch, Bd. 5, 1873, 36–39 3 D. KIENAST, Röm. Kaisertabelle, ²1996, 24 4 R. SYME, Imperator Caesar, in: Historia 7, 1958, 172–188 5 G. WEISS, s. v. Caesar (Titel), Byzanz, in: LMA 2, 1352 6 G. WOLF, Imperator und Caesar, in: Ders. (Hrsg.), Friedrich Barbarossa, 1975, 360–374.　　　JÜ. STR.

Kaiserfrauen. Das röm. Kaisertum, nicht als Erbmonarchie konstituiert, brachte gegenüber der Republik keine neuen rechtl. Möglichkeiten der polit. Einflußnahme von Frauen des Kaiserhauses. K. konnten Macht nie aus eigenem Recht ausüben. Durch ihre Nähe zum Machtzentrum gewannen sie jedoch Einfluß über ihre Ehemänner, Brüder und v. a. Söhne (im 1. Jh. bes. → Agrippina [3] d. J.). Bei schwachen oder gar unmündigen Herrschern (→ Kinderkaiser) konnten sie faktisch an deren Stelle handeln.

Maßgebend für Rolle und Stellung der K. blieb lange Zeit → Augustus, dessen Sieg über eine hell.-orientalische Herrscherin, → Kleopatra [II 12], und seinen durch diese angeblich »denaturierten« röm. Hauptrivalen, M. Antonius [I 9], zu den realpolit. und ideolog. Grundlagen seiner Herrschaft gehörte. Obgleich Augustus die *mores maiorum* (→ *mos maiorum*) der Republik propagierte, erhielten schon früh Schwester und Gattin Ehren bzw. Ehrenrechte. 35 v. Chr. ›verlieh er Standbilder an → Octavia und → Livia, dazu das Recht, ohne Vormund ihre eigenen Angelegenheiten regeln zu dürfen und dieselbe Sicherheit und Unverletzlichkeit wie die Volkstribunen (*sacrosanctitas*) zu genießen‹ (Cass. Dio 49,38,1). 9 v. Chr. folgte die Gewährung des *ius (trium) liberorum* nur an Livia (Cass. Dio 55,2,5 ff.; → *ius* E. 2). Die dynast. Struktur des → Prinzipats wurde zunehmend deutlich: Entsprachen die Ehen der »Erbtochter« → Iulia [6] mit Marcellus, Agrippa und Tiberius noch dem Muster der Verbindungen zwischen Aristokraten der Republik, so waren die Verleihung des Augusta-Titels an Livia, ihre Adoption in die iulische Familie (durch Testament des Augustus: u. a. Tac. ann. 1,8,1) sowie ihre Ernennung zur Priesterin des Divus Augustus (Senatsbeschluß: Cass. Dio 56,46,1) neuartige Schritte, die das Ansehen ihres Sohnes Tiberius als Nachfolger stützen sollten. 42 n. Chr. veranlaßte Livias Enkel Claudius [III 1] am Jahrestag ihrer Hochzeit mit Augustus ihre Konsekration (Diva Iulia Augusta; → *consecratio*), um seine familiären Wurzeln zu betonen und daraus einen Legitimationsgewinn zu ziehen.

Wie bei den Kaisern selbst lag auch bei den K. ein wesentl. Teil der Monarchisierung im kultisch-charismatischen Bereich. Nach hell. Vorbild wurden seit augusteischer Zeit Frauen der *domus Augusta* v. a. im griech. Osten, aber auch in It. und den Westprov. schon zu Lebzeiten an weibl. Gottheiten assimiliert und mit ihnen identifiziert (darunter Kultpersonifikationen wie Fortuna, Salus, Pietas, Concordia, Fecunditas) und – falls dynast. Erwägungen dies geboten – nach ihrem Tod auf Antrag des Kaisers durch Senatsbeschluß konsekriert (Iulia [13] Drusilla, Livia, → Poppaea, Claudia [II 2] Neronis, → Flavia [2] Domitilla, Iulia Titi, → Ulpia Marciana, → Plotina, → Matidia d. Ä., → Vibia Sabina, → Faustina [2], → Faustina [3], → Iulia [12] Domna, → Iulia [17] Maesa, → Lollia Paulina, Mariniana). Wie hell. Herrscherinnen erschienen die K. als Porträtbüsten auf östl. Mz. (in Alexandreia [1] und anderen Städten), auf röm. Mz. (abgesehen von Octavia unter M. Antonius [I 9]) erst seit Agrippina [3] d. J. (ab 50 n. Chr.). Ebenfalls in hell. Tradition wurden Städte und Ansiedlungen nach K. benannt (Liviopolis, Iulias, Colonia Agrippinensis, Plotinopolis, Marcianopolis, Colonia Marciana Traiana Thamugadi, Faustinopolis u. a.; in der Spätant.: Helenopolis, Eudoxias, Theodoropolis u. a.).

K. hatten wie männl. Mitglieder der Dyn. eine gleichsam universelle bildliche und namentliche Präsenz: Standbilder, histor. Reliefs, dedizierte Bauten, Mz. und Gemmen; öffentl. Gebete und Opfer; Feiern ihrer → Geburtstage, Hochzeiten und Geburten; Verzeichnung familiärer Ereignisse in offiziellen Kalendern wie z. B. den Acta der → *Arvales fratres*, → *fasti Ostienses*, → *feriale Duranum*. Im 2. Jh. (s. auch → Adoptivkaiser) nahmen solche Ehren weiter zu, um die dynast. Basis der Kaiser zu verstärken: So wurde für Hadrians Schwiegermutter Matidia in Rom ein Tempel errichtet und erhielt Faustina [3] schon unter ihrem Vater Anto-

ninus [1] Pius den Augusta-Titel und unter ihrem Ehemann Marcus Aurelius wegen Präsenz im Feldlager den Titel *mater castrorum*. In der auf Kontinuität bedachten Dyn. der Severer (193–235; → Septimius Severus) steigerte sich dies zu einer (teilweise inoffiziellen) adulatorischen Titulatur (*mater castrorum et senatus et patriae*), die Ausdruck sowohl des Anlehnungsbedürfnisses an das Militär als auch einer allg. Intensivierung der kaiserl. Selbstdarstellung war (fortgesetzt im 3. Jh.: Otacilia Severa, Herennia Etruscilla, Ulpia Severina, Magna Urbica, Galeria Valeria).

In der → Tetrarchie (Wende 3. zum 4. Jh.) spielten Frauen als dynast. Legitimationshilfen keine Rolle, dienten Eheverbindungen lediglich der Festigung des gegenseitigen Verhältnisses zwischen den Herrschern. Neue dynast. Bedeutung erhielten K. dann v. a. in der valentinianisch-theodosianischen Dyn. (4. und 5. Jh.: Galla [2], → Galla [3] Placidia, Licinia → Eudoxia [2], → Aelia [4] Eudoxia, → Pulcheria). Die unterschiedliche Herkunft der K. der Spätant., die teilweise den untersten Schichten (→ Helena [2], → Theodora) entstammten oder auch german. Abstammung waren (Aelia [4] Eudoxia, → Verina, Euphemia [2]), gilt als Zeichen für die gesellschaftl. Durchlässigkeit der Zeit.

Polit. wirksame Aktivität von K. ist in Prinzipat und Spätant. vielfach bezeugt oder wird unterstellt; doch sind die Nachrichten oft schwierig zu bewerten, da die Überl. zw. den Extremen der traditionellen Erwartungshaltung (v. a. in Lobreden) und einer Negativtopik der lit. Quellen (Verschwendungssucht, Sittenlosigkeit bis zur Unterstellung von Inzest, Intrigantentum, Konspiration bis zum Hochverrat, Giftmischerei) schwankt. K. erscheinen wegen ihrer grundsätzlichen dynastischen Bed. in der lit. Überl. häufig als »Kaisermacherinnen« (z. B. Livia, Agrippina [3] d. J., Plotina, Iulia [17] Maesa), um die entsprechenden Männer (meist ihre Söhne) abzuwerten. Die kaiserl. Förderung des Christentums schuf für K. ein neues, teils auch polit. relevantes Betätigungsfeld; stärker noch als in früheren Jh. traten sie als Stifterinnen auf (z. B. Helena [2]). Bemerkenswert sind Einflußnahmen auf Glaubensstreitigkeiten, z. B. → Iustina gegen Ambrosius; Aelia [4] Eudoxia gegen Iohannes [4] Chrysostomos; Theodora, fast eine Mitregentin des Iustinianus [1] I. (Zon. 14,6,1), zugunsten der Monophysiten. Beispielhaft wirkte in ihrer Askese und Frömmigkeit → Eudokia [1], in der Übertragung christl. Moralethik (Jungfräulichkeit) auf weibl. Lebensmodelle Pulcheria.

A. DEMANDT, Das Privatleben der röm. Kaiser, ²1998 · U. HAHN, Die Frauen des röm. Kaiserhauses und ihre Ehrungen im griech. Osten, 1994 · L. JAMES, Women, Men and Eunuchs, 1997 · RAEPSAET-CHARLIER · W. SCHULLER, Frauen in der röm. Geschichte, 1987 · H. TEMPORINI – GRÄFIN VITZTHUM, Frauen und Politik im ant. Rom, in: P. KNEISSL (Hrsg.), Imperium Romanum. FS Karl Christ, 1998, 705–732.   H. T.-V.

Kaiserkult. Die kult. Verehrung des Kaisers zu Lebzeiten und nach seinem Tod, und zwar als Gottheit und Teil des städt. → Pantheons. Als solche ist sie die röm.-kaiserzeitliche Spielform des Herrscherkults, wie er bereits für die hell. Könige geläufig war; wie dieser ist der K., von den Städten her gesehen, Ausdruck polit. Bindungen und polit. Selbstdefinition, vom Herrscher aus betrachtet ein Mittel zur symbol. Herrschaftssicherung.

Der griech. Herrscherkult kann weder allein aus dem Vorderen Orient noch vom griech. Heroenkult abgeleitet werden. Er ist vielmehr eine eigenständige Schöpfung im Anschluß an den Götterkult und geht mit dem in hell. Zeit weitverbreiteten Kult der Wohltäter (→ euergétēs) zusammen; myth. Exempel ist die Karriere des → Herakles [1]. Dabei erhält der → Herrscher – oft im Rahmen eines Polisfestes – Opfer, Gebete und Hymnen; er besitzt in den einzelnen Städten ein Heiligtum mit Altar und Kultstatue; je nach den polit. Konstellationen und Entwicklungen lebt dieser Kult lange nach dem Tod des Königs weiter oder wird bald wieder beseitigt (Übersichten [1; 2]).

Der erste griech. polit. Führer, der zu Lebzeiten göttl. Ehren erhielt, war der spartan. Feldherr → Lysandros (Duris FGrH 76 F 71. 26); die Samier widmeten ihm 404 v. Chr. ihr Hauptfest, die Heraia, als Lysandreia mit Opfern und Paianen um (vgl. das Fr. eines Paians auf Seleukos, CollAlex p. 140). Weiter verbreitet waren solche Kulte seit der kult. Verehrung Alexandros' [4] d. Gr. in zahlreichen griech. Städten (der diejenige seines Vaters Philippos II. und seines Großvaters Amyntas an einigen Orten voranging); diese Kulte wurden meist zu seinen Lebzeiten gegründet, aber oft durch die ganze hell. Zeit fortgeführt worden. Die Eroberung Ägyptens und das Orakel des Ammon, das Alexander zu einem Sohn von Zeus Ammon machte – sein Eintreten also in die Nachfolge der als Götter verehrten → Pharaonen – verstärkte die kult. Verehrung, war aber kein auslösendes Moment. Neben den Ptolemaiern als den neuen Pharaonen in Äg. erhielten Antigoniden, Seleukiden und Attaliden in zahlreichen Städten ihres jeweiligen Herrschaftsgebiets Kulte, in denen sie (und teilweise ihre Frauen) als Teil des städt. Pantheons erschienen.

In konsequenter Weiterführung des Kultes polit. Machtträger wurden seit dem röm. Sieg über Philippos V. (197 v. Chr.) röm. Imperiumsträger göttlich verehrt, angefangen mit T. → Quinctius Flamininus (eine Liste [3. 150f.]); wie im Fall des Herrscherkults ist der Kult röm. Imperatoren zunächst ein polit.-diplomatischer Akt. Der Kult → Caesars nach 48 [4] und ebenso derjenige des Octavian (→ Augustus) seit 29 v. Chr. (als die Provinzen Asia und Bithynia um Errichtung von heiligen Bezirken in Nikomedeia und Pergamon ersuchten, Cass. Dio 51,20,7 [3. 112–121; 5]) fügen sich nahtlos ein, wobei Octavian seinen Kult nur in Verbindung mit dem der (seit 195 v. Chr. in Smyrna faßbaren) Dea → Roma [6; 7] zuließ (Suet. Aug. 52, vgl. Tac. ann. 4,37), mit Rücksicht auf stadtröm. Empfindlichkeiten. Demgegenüber wurden im Westen durch Rom nur wenige Kultstätten eingerichtet, so die *ara Romae et Augusti* in Lyon (geweiht am 1. August 12 v. Chr.) und die *ara Ubiorum* bei Köln (vor 9 v. Chr.; Tac. ann. 1,57,2); einzelne Städte folgten unabhängig dem griech. Vorbild, so zuerst Tarraco [8; 9]. Erst unter Claudius und bes. Vespasian wurden Kulte des lebenden Herrschers im Westen häufiger.

In Rom selbst wurde 46 v. Chr. C. Iulius Caesars Statue als »Kultgenosse« (*sýnnaos*) des Romulus-Quirinus in dessen Tempel aufgestellt (Cic. Att. 12,45 [10]); vom Senat wurde Anfang 44 ein unabhängiger Kult für Caesar beschlossen, aber nicht mehr realisiert (Cass. Dio 44,6,4; zur Diskussion [4]). Octavian hingegen lehnte kult. Ehrungen zwar ab; doch seine enge Beziehung zu Apollo (vgl. [11]) und der Titel *Augustus* hoben ihn jedenfalls in die Nähe der Götter, worauf die zeitgenössischen Dichter reagierten (vgl. Verg. ecl. 1). Noch deutlicher in die Nähe der Götter wurde Augustus durch den Kult des *Genius Augusti* gerückt, der spätestens 12 v. Chr. eingerichtet und von den ital. Munizipien übernommen wurde. Dem Vorbild des Augustus folgen die meisten späteren Kaiser.

Daneben steht die kult. Ehrung nach dem Tod (→ Vergöttlichung), vorbereitet durch die Übernahme griech. philos. Gedanken in Rom (Cic. rep. 6,13) und durch die Identifizierung des entrückten → Romulus mit → Quirinus. Caesar wurde nach seinem Tod auf dem Forum an einem am Ort seiner Verbrennung errichteten Altar verehrt, dann mit dem bei den *ludi Victoriae Caesaris* (Juli 44) erschienenen Kometen (*sidus Iulium*) identifiziert und schließlich auf Senatsbeschluß als *Divus Iulius* konsekriert (→ *consecratio*) und im Tempel der Venus Genetrix verehrt, bis er 29 v. Chr. einen eigenen Tempel erhielt. Ebenso wurde Augustus am 17.9.14 n. Chr. durch den Senat als *Divus Augustus* konsekriert. Die Konsekration durch Senatsbeschluß, das entsprechende Begräbnis (ausführlich beschrieben von Cass. Dio 56,34ff.; satirische Zeichnung in Senecas *Apolocyntosis*), die Einsetzung eines *flamen* und die Errichtung von Tempel und Altar wurden nach dem Vorbild des Augustus bis zu Diocletian in etwa derselben rituellen Form durchgeführt [12; 13; 14]; erst Constantin I. brach mit dieser Tradition.

→ HERRSCHER

1 F. TAEGER, Charisma. Stud. zur Gesch. des ant. Herrscherkultes, 2 Bde., 1957, 1960 2 C. HABICHT, Gottmenschentum und griech. Städte, ²1970 3 G. W. BOWERSOCK, Augustus and the Greek World, 1965 4 S. WEINSTOCK, Divus Julius, 1971 5 R. MELLOR, ΘΕΑ PΩMH. The Worship of the Goddess Roma in the Greek World, 1975 6 Ders., The Goddess Roma, in: ANRW II 17.2, 1981, 950–1030 7 S. R. F. PRICE, Rituals and Power. The Roman Imperial Cult in Asia Minor, 1984 8 D. FISHWICK, The Imperial Cult in the Latin West. Studies in the Ruler Cult of the Western Provinces of the Roman Empire, 1987, 1990 9 Ders., The Development of Provincial Ruler-Worship in the Western Empire, in: ANRW II 16.2, 1978, 1201–1253 10 NOCK, 202–236 11 A. ALFÖLDI, Die zwei Lorbeerbäume des Augustus, 1973

12 J. BICKERMAN, Consecratio, in: O. REVERDIN (Hrsg.),
Le culte des souverains dans l'Empire romain, 1973, 3–25
13 E. J. BICKERMAN, Die röm. Kaiserapotheose, in:
E. GABBA, M. SMITH (Hrsg.), Religions and Politics in the
Hellenistic and Roman Periods, 1985, 1–34 (urspr. 1929)
14 S. R. F. PRICE, From Noble Funerals to Divine Cult. The
Consecration of Roman Emperors, in: D. N. CANNADINE,
S. R. F. PRICE (Hrsg.), Rituals of Royalty. Power and
Ceremonial in Traditional Societies, 1987, 56–105.   F. G.

Kaiserzeit s. Dominat; Periodisierung; Princeps;
Prinzipat

Kakegoria (κακηγορία), Beleidigung durch Worte,
stand in Athen bereits seit Solon (6. Jh. v. Chr.) unter
Strafe. Verstorbene waren in jedem Fall geschützt, Lebende nur bei Schmähung in qualifizierter Öffentlichkeit (Plut. Solon 21; Demosth. or. 20,104). Dem Verletzten stand eine private Klage (→ díkē) zur Verfügung,
er hatte jedoch die verhängte Geldbuße mit dem Staat
zu teilen. Im 4. Jh. v. Chr. gab es eine feste Liste ver-
botener Vorwürfe (z. B. Mord, Schlagen der Eltern,
Wegwerfen des Schildes), doch durfte der Beklagte hier
durch Wahrheitsbeweis seinen Freispruch erreichen
(nicht aber beim Vorwurf, als Bürger auf dem Markt zu
verkaufen). Unter verschärfter Sanktion stand die k. gegenüber einem Amtsträger; dieser konnte eine Geldstrafe (→ epibolḗ) verhängen, bei verbotenen Vorwürfen
konnte eine → éndeixis oder → apagōgḗ durchgeführt
werden, Sanktion war → atimía (Ausschluß von Agora
und Heiligtümern).

R. W. WALLACE, The Athenian Law against Slander, in:
Symposion 1993, 1994, 109–124.   G. T.

Kakogamion (κακογάμιον, wörtlich »schlechtes Heiraten«) wurde in Sparta bestraft (Stob. 66,16), bzw. ›wie
es scheint‹ (Plut. Lysander 30,7) sicher mit → díkē verfolgt, womit aber, wie bei der → agamíu díkē, gewiß
keine Privatklage gemeint war. Wogegen der Ehemann
beim K. verstieß und welche Strafe ihn traf, ist ungewiß.

D. M. MACDOWELL, Spartan Law, 1986, 73 f.   G. T.

Kakosis (κάκωσις), wörtlich »schlechte Behandlung«
von Personen, die bes. Hilfe bedurften. In Athen waren
das drei Gruppen: 1. Eltern, 2. Waisen, 3. Erbtöchter
(→ epíklēros), Aristot. Ath. pol. 56,5. Da die Betroffen-
en sich in der Regel nicht selbst zur Wehr setzen konnten,
hatte jeder Bürger die Möglichkeit, den Täter durch
→ graphḗ, → eisangelía oder → phásis zur Verantwortung
zu ziehen, und zwar ohne Prozeßrisiko. Wer seinen Eltern oder Großeltern (auch Adoptiveltern) weder Unterhalt noch Wohnung gewährte, sie schlug oder die
Begräbnispflicht verletzte, erlitt die Sanktion der → atimía (Ausschluß von Agora und Heiligtümern). Keinen
Unterhalt schuldete ein Sohn, den der Vater nicht in
einem Handwerk hatte ausbilden lassen. K. gegen Waisen wurde vor allem dem Vormund (vgl. → epítropos) zur
Last gelegt, wenn er das Vermögen des Mündels schlecht
verwaltete; die Sanktion ging bis zur Todesstrafe. K.

gegen eine Erbtochter konnte ihr Vormund durch Vernachlässigung, jeder Dritte durch Verletzung der An-
standspflicht und schließlich ihr Mann durch Verweigerung des ehelichen Verkehrs begehen. Einen eigenen
Tatbestand der k. erfüllte der Vormund, der das Mün-
delvermögen nicht oder schlecht verpachtete.

A. R. W. HARRISON, The Law of Athens I, 1968, 112,
117f. • D. M. MACDOWELL, The Athenian Procedure of
Phasis, in: Symposion 1990, 1991, 187–198.   G. T.

Kakotechnion dike (κακοτεχνιῶν δίκη). Klage wegen
»übler Machenschaften«, speziell in Athen gegen einen
Prozeßgegner gerichtet, dessen Zeuge wegen falschen
Zeugnisses (→ pseudomartyrías díkē) verurteilt worden
war (Demosth. or. 47,1; 49,56). Zuständig war der
Amtsträger, der auch den Hauptprozeß geleitet hatte.
Den Zeugensteller traf eine an den Kläger zu bezahlen-
de Geldbuße. Da dieser aber zumeist schon im Zeug-
nisprozeß eine Buße erstritten hatte, ist es wenig wahrscheinlich, daß die k. d. in jedem Fall ohne weitere
Voraussetzung gegen den Zeugensteller zustand. Ge-
richtsreden, die eine k. d. zum Gegenstand haben, sind
nicht überliefert.

A. R. W. HARRISON, The Law of Athens 2, 1971, 198.
        G. T.

Kakurgoi (κακοῦργοι). Allg. »Übeltäter«, jedoch in
Athen in einem speziellen Gesetz aufgezählte Straftä-
ter: nächtliche Diebe, Kleiderräuber, Menschenräuber,
Einbrecher und Beutelschneider. Gegen diese zumeist
der Unterschicht entstammenden Verbrecher konnte
jedermann, wenn er sie auf frischer Tat ertappte, durch
private Verhaftung (→ apagōgḗ) einschreiten und den
Täter vor die Elfmänner (→ Hendeka) führen. Diese
ließen den Geständigen sofort hinrichten; wer die Tat
mit einiger Wahrscheinlichkeit bestreiten konnte, wurde vor Gericht gestellt, wo ihm die Todesstrafe drohte.
Kompliziert ist die Abgrenzung zwischen den k. und
sonstigen Straftätern, gegen die ebenfalls die apagōgḗ zu-
lässig war.

A. R. W. HARRISON, The Law of Athens 2, 1971, 223 f. •
M. H. HANSEN, Apagoge, Endeixis and Ephegesis against
K., Atimoi and Pheugontes, 1976.   G. T.

Kakyparis (Κακύπαρις). Fluß im Osten von Sizilien,
entspringt bei Palazzolo Acreide, mündet 17 km südwestl. von Syrakusai (Thuk. 7,80,5 zum Rückzug der
Athener 413 v. Chr.); h. Cassibile.

BTCGI 5, 45–53.   GI. MA.

Kalach s. Kalḫu

Kalachene (Καλαχηνή). Von → Tigris und Großem
Zab begrenzte Region um die frühere neuassyr. Residenzstadt → Kalḫu (h. Nimrūd), östl. des Tigris, nördl.
der → Adiabene (Strab. 11,4,8; 11,14,12; 16,1,1; Ptol.
6,1,2)

F. H. WEISSBACH, s. v. K., RE 10, 1530.   K. KE.

Kalaïs und Zetes (Κάλαϊς, Ζήτης). Boreaden, Windgötter, d. h. Söhne des → Boreas und der → Oreithyia, Brüder der Kleopatra und Chione [1]; mit Flügeln ausgestattet. Vom Vater aus Thrakien gesandt (Pind. P. 4,179–183), nehmen sie am → Argonauten-Zug teil (Apollod. 1,111; 3,199; Apoll. Rhod. 1,211–223; Ov. met. 6,712–721): In Salmydessos befreien sie den mit Kleopatra verheirateten blinden Seher → Phineus von den → Harpyien. Beim Zusammentreffen müssen, wie diese, urspr. auch K. und Z. sterben (Apollod. 1,122; 3,199 [1. 229¹; 2. 104 ff.]). Später rettet beide eine göttliche Intervention: Die Harpyien fliehen in eine Höhle auf Kreta, nachdem die Boreaden sie (nach Gebet an Zeus: Hes. cat. 156) an den Plotai-Inseln bzw. Echinaden eingeholt haben, die seitdem nach ihrer Umkehr → Strophaden heißen (Apollod. 1,122f.; Antimachos fr. 71; Apoll. Rhod. 2,178–300; Val. Fl. 4,424–528; zur Abb. des Kampfes mit den Harpyien auf dem Thron von → Amyklai [1] und der → Kypseloslade: Paus. 3,18,15; 5,17,11). Die Boreaden werden nach Einführung des → Herakles [1] unter die Argonauten von diesem auf Tenos bei ihrer Rückkehr von den Leichenspielen für → Pelias getötet und begraben, weil sie sich in Kios gegen die Suche nach ihm ausgesprochen hatten (Apoll. Rhod. 1,1298–1308; ebd. 1,1304–1308: ihr Grab mit Aitiologie). In Libyen suchen die Boreaden Herakles, ohne ihn einzuholen (Apoll. Rhod. 4,1484).

Nach einer Trag.-Version (Soph. TrGF 4 F 645; 704–717; Soph. Ant. 966–987; Diod. 4,43f.; Orph. Arg. 671–679) bestrafen die Boreaden ihren Schwager Phineus, weil dieser seine und Kleopatras Söhne aufgrund einer Verleumdung seiner zweiten Frau geblendet (bzw. lebend eingegraben) hat. Zudem machen sie ihre Neffen wieder sehend. Bei Sil. 8,512–514; 12,525f. ist K. Gründer der Stadt → Cales. Zur Entstehung der rationalistischen Deutung des Mythos von K. und Z. [2. 104ff.]; zur Repräsentation in der Kunst [3. 51ff.].

1 U. v. WILAMOWITZ-MOELLENDORFF, Hell. Dichtung 2, 1924, ²1962 **2** Ders., Die griech. Heldensage 2, 1925, in: KS V 2, 85–126 **3** M. VOJATZI, Frühe Argonautenbilder, 1982. P.D.

Kalam (kalām). Im Islam (scholastische) Theologie, (defensive) Apologetik. Eigentlich: ʿilm al-kalām, wörtlich: »Wissenschaft vom Wort, von der Rede«, gemeint ist: Darlegung und Erklärung, Disput, Diskussion, (rational-dialektische) Argumentation, Beweisführung sowie Verteidigung der islam. Glaubensinhalte und der göttl. Einheit gegen Anders- und Ungläubige, Zweifler und Ketzer (→ Häresiologie). Seit dem 7. Jh. religionswiss. Disziplin. Rational-dialektische, ab dem 11. Jh. syllogistische Argumentation bei der Diskussion der Fragen nach a) der Konzeption des Kalifats/Imamats, b) Prädestination/freiem Willen, c) Glaube/Unglaube, d) göttl. Attributen, e) Erschaffenheit des → Koran stehen im Mittelpunkt. Seit den → ʿAbbāsiden (750–1258 n.Chr.) kommt es durch Übers. aus dem Griech. ins Arab. zu Kontakt mit und Rezeption von Methoden

der griech. Dialektik, Philos. (aristotelische Logik) und Metaphysik und infolgedessen zur Ausbildung verschiedener Schulen und Richtungen (Strömungen). Die rationalistische Theologie der Muʿtazila im 8.–10. Jh. gründet v. a. auf der These der Einheit und Gerechtigkeit Gottes. Daraus ging im 10. Jh. die oppositionelle Reformbewegung der Ašʿariten [1] hervor, die anfangs mit der traditionellsten Rechtsschule, den Hanbaliten, inhaltlich und methodisch verflochten war. Die Schule der Ašʿariten hatte als Repräsentant des orthodoxen k. bis ins 19. Jh. Bestand.
→ Imam; Islam; Kalif

1 G. MAKDISI, Ashʿarī and the Ashʿarites in Islamic Religious History, in: Studia Islamica 1962, 37–80; 1963, 19–39.

L. GARDET, ʿIlm al-kalām, EI 3, 1141b–1150b • L. GARDET, M.-M. ANAWATI, Introduction à la théologie musulmane, 1948 (³1981). H.SCHÖ.

Kalamai (Καλάμαι). Ortschaft in SO-Messenia (κώμη, Paus. 4,31,3; χωρίον, Pol. 5,92,4 zum J. 217 v.Chr.). Kleiner Hügel mit Mauerresten 1 km südl. vom h. Jannitsa. K. erstreckte sich verm. auf einen weiteren nahegelegenen Hügel, wo h. eine Kapelle Hagios Vasilios steht. Das h. Kalamata (amtlich K.) entspricht dem ant. Pharai. Inschr.: IG V 1, 1369f.

E. MEYER, s. v. Messenien, RE Suppl. 15, 180f. Y.L.

Kalamis. Griech. Bildhauer; ant. Quellen rühmen seine Pferde und Frauengestalten, erwähnen ihn als Bildhauer des Übergangs zur Klassik mit den Qualitäten der »Härte« und zugleich der »Anmut« und bringen ihn in Verbindung mit → Onatas, → Praxiteles und → Skopas. Die chronologischen Widersprüche wurden in der Forsch. durch die Annahme von mehreren gleichnamigen Bildhauern mit variierender Zuweisung der überl. Werke zu lösen gesucht. Da kein Werk ausreichend sicher identifiziert ist, bleibt K. eine unbekannte Größe.

Vom berühmten K. stammte ein Pferdegespann in Olympia, das er 466 v.Chr. mit Onatas für → Hieron [1] I. schuf. Weitere Gespanne, denen Praxiteles einen Wagenlenker hinzugefügt habe, wurden ihm zugeschrieben. Eine Gruppe bronzener Knabenstatuen in betender Haltung, Weihgeschenk der Polis Akragas in Olympia nach einem Sieg um 450 v.Chr., schreibt Pausanias K. zu. Ein Kultbild des Zeus Ammon in Theben schuf K. für Pindar. In Tanagra befanden sich von K. die Marmorkultbilder des Dionysos und des Hermes Kriophoros (»widdertragend«); beide sind auf lokalen Mz. wiedergegeben. Für Sikyon schuf K. das → Goldelfenbein-Kultbild eines jugendlichen Asklepios. Eine kolossale Apollonstatue von K. in Apollonia am Pontos brachte später Lucullus nach Rom. Auf der Athener Agora stand ein Apollon des K. mit dem Beinamen Alexikakos (»übelabwehrend«), den Pausanias fälschlich mit dem E. der Pest 426 v.Chr. erklärt. Um 465 v.Chr. schuf K. als Weihung des Kallias auf der Akropolis von

Athen eine Aphrodite-Statue, die Pausanias an den Propyläen sah, und deren Basis erh. ist; sie wird meist mit einer als Sosandra bekannten Statue am Zugang zur Akropolis gleichgesetzt, deren Anmut Lukian rühmend beschreibt. An weiteren Frauengestalten schuf K. eine Hermione als Weihung der Spartaner in Delphi und eine verderbt als *Alcumena* bezeichnete (Plin. nat. 34,71), verm. Alkmene darstellende Statue. Die mittlere von drei Semnai (Erinnyen) auf der Athener Agora wurde sowohl K. als auch einem unbekannten Kalos zugewiesen, was auf eine Verschreibung zurückgehen wird. Eine Nike ohne Flügel schuf K. für die Mantineer in Olympia.

Zu allen überl. Werken wurden Identifizierungen in Kopien vorgeschlagen: Als Apollon Alexikakos wird aus der Schar frühklass. Apollonstatuen der Typus Omphalos-Apollon (Athen, NM) bevorzugt. Die Sosandra wird oft mit dem Typus der sog. Aspasia Louvre-Neapel identifiziert, die Lukians Beschreibung entspricht, jedoch an einer Replik inschr. als Europa bezeichnet wird. Somit fehlen sichere Grundlagen für die zahlreichen Zuschreibungen weiterer Werke. Vielleicht ein gleichnamiger Nachfahre des K. war ein von Plinius mehrfach erwähnter Toreut, von dem ein weiterer Apollon, jedoch aus Marmor, in den Horti Serviliani in Rom stand, sowie K., der Lehrer des → Praxias.

OVERBECK Nr. 508–532; 857; 1155; 2167; 2185 ‧ LOEWY Nr. 415; 485 ‧ PICARD 2, 1, 45–66 ‧ A. RAUBITSCHEK, Dedications from the Athenian Akropolis, 1949, 136; 505–508 ‧ P. ORLANDINI, Calamide. Bibliografia e sviluppo della questione dalle origini ai nostri giorni, 1950 ‧ Ders., Calamide, 1–3, 1950 ‧ G. RICHTER, The Sculpture and Sculptors of the Greeks, 1950, 203–207 ‧ LIPPOLD 110–112 ‧ J. MARCADÉ, Recueil des signatures de sculpteurs grecs, 1, 1953, 39–44 ‧ M. ROBERTSON, Europa, in: JWI 20, 1957, 1–3 ‧ P. ORLANDINI, EAA 4, 291–294 ‧ J. DÖRIG, K.-Stud., in: JDAI 80, 1965, 138–265 ‧ B. S. RIDGWAY, The Severe Style in Greek Sculpture, 1970, 61–70; 87; 89 ‧ Dies., Fifth Century Styles in Greek Sculpture, 1981, 184–186; 235; 237 ‧ G. HAFNER, Zu K., in: Riv. di archeologia 15, 1991, 61–68.　　　　R. N.

Kalamites (Καλαμίτης). Att. Heros, dessen Heiligtum wohl unweit des Marktes, nahe dem städt. Lenaion in Athen lag, was auf Beziehungen zu Dionysos schließen ließe [1. 124]. Nach schol. Patm. zu Demosth. or. 18,129 ist K. von → *kálamos* (»Schilfrohr«) abzuleiten [3]; bei Ableitung von *kalámē* (»Getreidehalm«) nach einer anderen Trad. [2], würde K. dem Demeter-Kreis angehören.

1 DEUBNER 2 S. EITREM, s. v. K., RE 10, 1537 3 M. J. SAKKÉLION, Scholies de Démosthène, in: BCH 1, 1877, 142.
JO. VO.

Kalamos

[1] (Κάλαμος). Sohn des Flußgottes → Maiandros. Als sein Liebhaber Karpos ertrinkt, bittet K. Zeus ebenfalls um den vorzeitigen Tod. Dieser verwandelt K. in ein Schilfrohr, Karpos in eine Feldfrucht (Serv. ecl. 5,48;

Nonn. Dion. 11,370ff.; [2. 279]). In einer anderen Sage ist K. Geliebter des → Kissos [3. 168 Anm. 2].

1 H. MEYER, s. v. K., RE 10, 1538 2 J. MURR, Die Pflanzenwelt in der griech. Myth., 1880 3 E. ROHDE, Der griech. Roman, ³1914.　　　　JO. VO.

[2] κάλαμος, lat. *calamus, harundo, canna,* heißen alle Rohr- und Schilfarten, δόναξ, *dónax* fast nur bei Homer (Il. 10,467 und 11,584; Od. 14,474). Der K. begegnet bei vielen Dichtern und in der Prosa seit Aischylos und Herodot (Hdt. 3,98 und 5,101). Die botanische Lit. seit Theophr. h. plant. 1,5,2 und 3 (u. ö.) bietet viele Angaben über Bau, Wachstum, Verbreitung und Verwendung der durch besondere Attribute unterschiedenen, aber kaum bestimmbaren Arten. Dioskurides 1,85 WELLMANN = 1,114 BERENDES kennt je ein Flöten- (Einzelheiten über die Instrumente bei Plin. nat. 16,170–172, zu dessen Zeit sie jedoch bereits weitgehend aus anderen Materialien hergestellt wurden), Pfeifen- (welche beide Theophr. h. plant. 4,11,12 mit dem minderwertigen spartanischen *dónax* identifiziert), Schreib- und Pfeilrohr (= das kretische bei Theophr. h. plant. 4,11,11; eine sachkundige Schilderung der mil. Bed. der Rohrpfeile bei den Völkern um das Mittelmeer und im Orient bei Plin. nat. 16,159–161) sowie das u. a. als Umschlag bei Entzündungen aufgelegte gewöhnliche Schilfrohr φραγμίτης/*phragmítēs*. Das Gras φλοιός/*phloiós* sollte gebrannt und mit Essig aufgetragen die »Fuchskrankheit« heilen; nach Hdt. 3,98 wurde es von den Indern zum Flechten von Kleidern verwendet.

Bei Plin. nat. 16,157f. wird das Schilfrohr mit seinem hohlen und knotigen, sich zur Spitze hin verjüngenden und in ein Haarbüschel auslaufenden Stengel gut beschrieben. Dieses Büschel diente zur Füllung von Polstern in den Schenken und, zerstoßen, zur Dichtung von Fugen in Schiffen. Aus dem mit Gelenken versehenen Wurzelstock sprießen viele Halme (Plin. nat. 16,163), die von Blättern umfaßt werden. Nur aus dem Norden Europas kennt Plinius (nat. 16,156) Reetdächer. Unter Rückverweis auf die in B. 16 erwähnten 28 Rohrarten bietet Plinius (nat. 24, 85–87) einige Rezepte, die sich u. a. auf den wohlriechenden Kalmus, Acorus calamus L. (κ. ἀρωματικός bzw. εὐώδης/*k. arōmatikós* bzw. *euṓdēs*, lat. *calamus odoratus*) beziehen. Dieser wurde aus Syrien, Arabien und Indien (Plin. nat. 12,104–106) getrocknet als Droge für die Herstellung von Parfüm und Salben importiert (vgl. u. a. Theophr. h. plant. 4,8,4 und 9,7,1–2; c. plant. 6,18,2 und 6,14,8; Dioskurides 1,18 WELLMANN = 1,17 BERENDES; Strab. 16,2,16 (755)). Bes. erwähnt wird noch der baumhohe Bambus, das indische Rohr (κ. Ἰνδικός), seit Hdt. 3,98 (aus dem in Indien Boote verfertigt wurden). Theophr. h. plant. 4,11,13 (vgl. Geop. 2,6,23) und Plin. nat. 16,162 unterscheiden je eine männliche und weibliche Art, Strab. 15,1,56 (710f.) übertreibt (nach → Megasthenes) ihre Höhe von 30 Klaftern.

→ Feder; Gramineen

H. STADLER, s. v. K., RE 10,1538–1544.　　　　C. HÜ.

Kalanos. Name oder Spitzname eines indischen Weisen, der mit den Griechen in Kontakt gekommen sein soll, als Alexander d. Gr. Anfang 326 v. Chr. in Taxila weilte. Laut seinem eigenen Bericht nahm Onesikritos auf Befehl Alexanders mit den Brahmanen von Taxila Verbindung auf; K. habe ihn zunächst verspottet, ihm dann aber seine Theorie über die Altersstufen der Welt vorgetragen (vgl. Strab. 15,1,63–65; Plut. Alexander 65). Laut Megasthenes (bei Strab. 15,1,68; Arr. An. 7,2) und nach den späteren Versionen des PGenev. Inv. 271 sowie Palladios, De vita Bragmanorum 2,3 und 11 habe K. die Einladung Alexanders, sich ihm anzuschließen, eilfertig angenommen, während sein Kollege → Dandamis sie ablehnte. Nach den Berichten des Philon von Alexandria (Phil. Probus 94–96) und des Ambrosius (epist. 34; 37) hingegen habe K. allein vor Alexander gestanden und sich geweigert, ihm zu folgen. Alle ant. Quellen (außer Philon und Ambrosius) berichten übereinstimmend, daß K. damit einverstanden gewesen sei, Taxila zu verlassen und Alexander nach Persien zu folgen, wo er sich kurz vor dessen Tod auf dem Scheiterhaufen das Leben genommen habe. Die Beschreibungen seines Sterbens weichen in Einzelheiten voneinander ab, aber alle unterstreichen den Mut des Weisen [1]. Diese Art, aus dem Leben zu scheiden, bedeutete für den indischen Weisen die Vollendung seines spirituellen Weges, darf also nicht mit einem gewöhnlichen Selbstmord gleichgesetzt werden [2].

1 C. MUCKENSTURM, s. v. Calanos, in: GOULET 2, 157–180
2 J. FILLIOZAT, L'abandon de la vie par le sage et les suicides du criminel et du héros dans la tradition indienne, in: Arts Asiatiques 15, 1967, 65–88.   C. M.-P.

Kalapodi s. Hyampolis

Kalasirieis (Καλασιριεῖς). Neben den *Hermotybies* eine der beiden Klassen der äg. Kriegerkaste (μάχιμοι), deren Einrichtung nach Diod. 1,94 auf einen König Σεσόωσις/*Sesóōsis* (Scheschonk I.?) zurückgeht. Nach Hdt. 2,166 waren es bis zu 250000 Mann, die im äg. Theben und bestimmten Orten des Nildeltas siedelten. Die äg. Bezeichnung *krj-š* (Bed. unsicher) ist seit der 20. Dyn. belegt, eine entsprechende Gruppe mit mil. und polizeilichen Funktionen von der 26. Dyn. bis zum Beginn der röm. Herrschaft.

H. KEES, s. v. K., RE 10, 1547 · A. B. LLOYD, Herodotus, Book II, Bd. 3, 1988, 186f. · J. K. WINNICKI, in: Orientalia Lovanensia Periodica 17, 1986, 17–32.   K. J.-W.

Kalasiris (καλάσιρις).
[1] Nach Hdt. 2,81 ein fransenbesetztes leinenes Unterkleid der Ägypter, nach Demokr. (FGrH 267, F. 1) auch von Persern und Ioniern getragen, vermutl. mit der äg. Kriegerklasse der → Kalasirieis zu verbinden.
[2] Der Priester K. ist eine der Hauptfiguren in → Heliodoros'[8] Roman *Aithiopiká*.

H. KEES, s. v. K., RE 10, 1547 · A. B. LLOYD, Herodotus, Book II, Bd. 2, 1976, 342.   K. J.-W.

Kalathos (ὁ κάλαθος; Dim. τὸ καλάθιον/*kaláthion* und ὁ/τὸ καλαθίσκος, -ν/*kalathískos*/-*n*; lat. *calathus*). Sich blütenartig öffnender Korb aus unterschiedlichen Materialien wie Ton, Holz, Edelmetall (Hom. Od. 4,125), der auch aus Ruten geflochten sein kann [1]. Er diente als Arbeitskörbchen der Wollspinnerinnen (z. B. Iuv. 2,54; Ov. ars 1,693 und 2,219) – so ist er Requisit der Frauengemachszenen (z. B. Rhyton London, BM E 773 [2]) – oder im Haushalt als Behältnis für Käse, Milch oder Öl; daher konnte der K. ein typisches Hochzeitsgeschenk sein. Des weiteren war er ein Blumen- (Ov. met. 5,393 und 14,267) und Fruchtkorb (Ov. ars 2,264); in der Landwirtschaft nutzte man ihn als Hühnerkorb oder zum Aufsammeln von Feldfrüchten. Erhaltene *kálathoi* sind seit protogeom. Zeit belegt, bes. Berühmtheit erlangte der rf. bemalte K. in München, SA (Inv. 2416, JAHN 753 [3]), zu erwähnen ist auch ein steinerner K. (Athen, NM Inv. 1052 [4]) als Grabmonument. Ton-K. wurden u. a. in Heraheiligtümer gestiftet und aufgrund ihrer Funktion in den Kult der fruchtspendenden Götter übertragen. So erscheint der K. auch als Attribut der → Demeter, des → Dionysos und in verwandter Form als → Modius bei → Hekate und → Sarapis.

1 Archeologia Warszawa 9, 1957, 1958, Taf. 7,4 2 BEAZLEY, ARV² 805.89 3 E. SIMON, Die griech. Vasen, 1976, Abb. 150 4 E. BRÜMMER, Griech. Truhenbehälter, in: JDAI 100, 1985, 155 Abb. 38a.

A. QUEYREL, Calathoi en terre cuite à décor de sphinx, in: F. VANDENABEELE, Cypriote terracottas, 1991, 210–212 · F. PIROVANO, K. e kiste nel culto urbano, in: Atti Centro ricerche e documentazione sull'antichità classica 11, 1980–1981, 171–174 · H. CASSIMATIS, Propos sur les calathoi dans la céramique italiote, in: J.-P. DESCOEUDRES (Hrsg.), Eumusia, FS A. Cambitoglou, 1990, 195–201.
R. H.

Kalatiai (Hekat. bei Steph. Byz. FGrH; *Kallatiai* bei Hdt. 3,38). Indische Ethnie, deren Angehörige nach Hdt. ihre Eltern zu verzehren pflegten – eine ethnologische Kuriosität, die an einer anderen Stelle (Hdt. 3,99) einem anderen indischen Volk, den Padaioi, zugeschrieben wurde, ebenso den iranischen Massagetai (Hdt. 1,216) und den → Issedones (Hdt. 4,26).

K. KARTTUNEN, India in Early Greek Literature, 1989, 197–202.   K. K.

Kalaureia (Καλαύρεια). Insel im Süden des Saronischen Golfs an der Küste der argolischen Akte (21 km², bis zu 283 m H), h. Poros. Eine Besiedlung schon in myk. Zeit ist durch Grabfunde erwiesen [1. 297ff.]. Die ant. Stadt mit berühmtem → Poseidon-Heiligtum (Asylrecht) – z. T. erh. und ausgegraben – lag im Inneren der Insel. Die frühesten Funde aus dem Heiligtum datieren in die geom. Zeit; der Tempel stammt vom E. des 6. Jh., im 5./4. Jh. v. Chr. kam es zum weiteren Ausbau. K. war Zentrum einer alten Amphiktyonie mit Hermione, Epidauros, Aigina, Athen, Prasiai, Nauplia und dem boiot. Orchomenos. In gesch. Zeit gehörte K. zu → Troizen. Auf K. beging Demosthenes [2] Selbstmord (dort auch sein Grab). Quellen: Skyl. 52; Strab. 8,6,3; 14; Paus. 2,33,2–5; Mela 2,109; Inschr.: [1. 287ff.]; IG IV 839–852.

1 S. WIDE, L. KJELLBERG, Ausgrabungen auf K., in: MDAI(A) 20, 1985, 267ff.

H. v. GEISAU, s. v. K., RE 10, 2535–2541 · PHILIPPSON/KIRSTEN 3, 199ff. · G. WELTER, Troizen und K., 1941, 43ff. · J. P. HARLAND, The Calaurian Amphictiony, in: AJA 29, 1925, 160ff. · D. FIMMEN, Die kret.-myk. Kultur, ²1924, 13, 66 · D. HENNIG, s. v. Poros, in: LAUFFER, Griechenland, 561.   H. KAL.

Kalchas (Κάλχας, lat. Calchas). Sohn des Thestor, Vogeldeuter und Seher auf dem griech. Feldzug nach Troia, der ›wußte, was ist und was sein wird und was zuvor gewesen‹ (Hom. Il. 1,70). Dem in → Aulis zur Abfahrt versammelten Heer prophezeit K. aufgrund eines Vogelzeichens die Eroberung Troias im zehnten Kriegsjahr (Hom. Il. 2,303 ff.; Kypria argumentum p. 40 BERNABÉ). Die Verhinderung der Ausfahrt durch Sturmwinde erklärt er mit Artemis' Zorn und verlangt die Opferung der → Iphigeneia (Kypria arg. p. 41 BERNABÉ; Aischyl. Ag. 104–257; Eur. Iph. A.). Selbst ein Apollon-Priester, führt K. die im Belagerungsheer grassierende Seuche auf die Entehrung des Apollon-Priesters Chryses durch → Agamemnon zurück (Hom. Il. 1,93 ff.). K.' hohes Ansehen wird auch daran ersichtlich, daß Poseidon den Griechen in seiner Gestalt Ratschläge erteilt (ebd. 13,45 ff.). K. antizipiert den Selbstmord des Aias [1], aber seine Intervention erfolgt zu spät (Soph. Ai. 745 ff.). Auf dem Rückweg von Troia soll K. in Kolophon dem Seher → Mopsos in einem Wettstreit unterlegen und aus Gram gestorben sein (Hes. fr. 278 M.-W.). Spätere Quellen ergänzen: K. ist an der List mit dem hölzernen Pferd beteiligt (Verg. Aen. 2,176ff.); er erklärt Troia für uneinnehmbar ohne Herakles' Bogen, den → Philoktetes besitzt (Apollod. epit. 5,8), bzw. ohne Achilleus' Sohn → Neoptolemos (Q. Smyrn. 6,65 ff.); er verlangt die Opferung von → Astyanax und → Polyxena (Sen. Tro.). Bildliche Darstellungen zeigen K. meist im Zusammenhang mit der Opferung Iphigeneias [1].

1 V. SALADINO, s. v. K., LIMC 5.1, 931–935.   RE. N.

Kalchedon (Καλχηδών, auch Chalkedon; lat. Calchedon, Calcedon, Chalcedon).
I. VORGESCHICHTE BIS RÖMISCHE ZEIT
II. SPÄTANTIKE UND BYZANTINISCHE ZEIT

I. VORGESCHICHTE BIS RÖMISCHE ZEIT
Vorgesch. Siedlungsraum am SO-Eingang des → Bosporos (Karte), ca. 685 v. Chr. Gründung der Hafenstadt von Megara aus; h. Kadıköy. Territorium am Ostufer des Bosporos über Chrysopolis zeitweise bis zum Hieron (»Heiligtum«) des Zeus Urios, im Hinterland das

Gebiet um die Flüsse K. und Aretas, im SW bis Panteichion (h. Pendik). Im → Ionischen Aufstand Belagerung und Eroberung durch die Perser, die Bevölkerung wich nach Mesambria aus. Mitglied des → Attisch-Delischen Seebundes; 412/1 Abfall von Athen, 409 Kapitulation vor Athen, 405 von Lysandros für Sparta, 389 von Thrasybulos für Athen gewonnen. 416 Vernichtungsfeldzug von K., Byzantion und verbündeten Thrakern gegen Bithynia (Diod. 12,82,2). Seit 387/6 unter persischer Oberherrschaft, dennoch 357 von Byzantion besetzt; Einrichtung einer → *sympoliteía* zw. K. und Byzantion, die auch im 3. Jh. zeitweise bestand. 315 Belagerung durch Zipoites, die von Antigonos [1] aufgehoben wurde, zu dem K. in eine Symmachie trat. 302/1 völlige Niederlage gegen Zipoites, der sich Astakos' bemächtigte; Frieden auf Vermittlung von Byzantion [1. 191]. Weitgehende Unabhängigkeit gegenüber Lysimachos. 281 Eintritt in die antiseleukidische Allianz mit Byzantion, Herakleia [7], Mithradates I. von Pontos, seit 280 auch Nikomedes I. von Bithynia; 278 Vertragspartner der Galatai bei ihrer Anwerbung als *sýmmachoi* des Nikomedes und der Allianz [1. 203 ff.]. 213/203 Isopolitie mit den Aitoloi, 202 von Philippos V. erobert; 196 röm. Freiheitserklärung. Enge Bindung an Byzantion auch im 2. Jh. 73 Belagerung des Aurelius Cotta durch Mithradates VI. In augusteischer Zeit vorübergehend von Rhoimetalkes I. abhängig.

1 K. STROBEL, Die Galater 1, 1996.

R. MERKELBACH, Die Inschr. von K. (IK 20), 1980 · H. MERLE, Die Gesch. der Städte Byzantion und K., 1916 · W. ORTH, Die Diadochenzeit im Spiegel der histor. Geogr. (TAVO-Beih. B 80), 1993, 40f. · W. RUGE, s. v. K., RE 10, 1555–1559 · R. JANIN, Les églises et les monastères des grands centres Byzantins, 1975, 31–60 · D. FEISSEL, De C. à Nicomède, in: Travaux et mémoires 10, 1987, 405–436.   K. ST.

II. SPÄTANTIKE UND BYZANTINISCHE ZEIT
Im 3. und 4. Jh. n. Chr. litt K. unter mil. Ereignissen: 258 Plünderung durch die Goten, 365 Belagerung durch Kaiser → Valens, da K. den Usurpator → Prokopios unterstützt hatte, und Zerstörung der Mauern (Amm. 26,6,4f.; 26,8,2f.; 26,10,3; 31,1,4). Seit dem 2./3. Jh. Bistum, zunächst zur Metropolis → Nikomedeia gehörig, seit 451 selbst Metropolis, freilich ohne Suffragane. Berühmt wurde K. durch das (4. Ökumenische) Konzil, das Kaiser → Marcianus aus unbekannten Gründen kurzfristig von → Nikaia nach K. verlegte und das in der Euphemia-Basilika vom 8. bis 25.10.451 tagte. Im 7. Jh. wurde K. mehrfach von Persern und Arabern besetzt. Im MA wird die Stadt oft als Vorort zu → Konstantinopolis beschrieben, da sie den Kaisern sowohl als Ausweichort wie als Ausgangspunkt ihrer Unternehmungen diente. Im J. 1350 wurde K. von den Türken erobert und von Meḥmed II. als Lehen an Hidir bey, den ersten Kadi von Istanbul, übertragen (daher der türk. Name Kadıköy, »Dorf des Richters«). Nur spärliche Reste der spätant. und ma. Bauten sind erh.

G. E. Bean, s. v. Chalkedon, PE, 216 · C. Foss, s. v.
Chalcedon, ODB 1, 403 f. · R. Janin, s. v. Chalcédoine,
DHGE 12, 270–277 · A. Kazhdan, s. v. Chalkedon, LMA 2,
1650 f. · U. Peschlow, s. v. Chalkedon, LThK³ 2, 999 ·
W. Ruge, s. v. K., RE 10, 1555–1559.   E. W.

Kalchos (Κάλχος).

König der Daunier (→ Daunia), Ge-
liebter der → Kirke vor der Ankunft des Odysseus. Weil
er sie gegen ihren Willen weiter belästigt, schlägt sie ihn
mittels verzauberter Speisen mit Wahnsinn. Als ein dau-
nisches Heer nach seinem Verbleiben forscht, löst Kirke
die Verzauberung, aber erst nachdem K. versprochen
hat, nie wieder ihre Insel zu betreten (Parthenios 12).
                                                    C. W.

Kale Akte (Καλὴ Ἀκτή).

Griech. Stadt an der Nord-
küste Siziliens, 446 v. Chr. von → Duketios mit Unterstützung des Archonides, des Tyrannen von Herbita,
gegr. (Diod. 12,8,2 f.). Schon 495 v. Chr. hatte → Skythes von Zankle dort die Anlage einer ion. Kolonie geplant. K. A. ist wohl um 200 v. Chr. in die Liste der
theōrodókoi von Delphoi aufgenommen worden. Von
Verres geplündert (Cic. Verr. 2,3,101). Geburtsort des
Rhetors → Caecilius [III 5]. Lokalisiert bei h. Caronia
Marina. Überreste eines Wasserreservoirs, Statue eines
togatus. Mz.: [1. 129 f.].

1 R. Calciati (Hrsg.), Corpus Nummorum Siculorum 1,
1983.

R. J. A. Wilson, Sicily under the Roman Empire, 1990,
102, 157, 371 Anm. 283 · BTCGI 5, 11 f.
                                          Gl. MA./Ü: J. W. M.

Kalendae s. Kalender

Kalendarium, Calendarium.

Das röm. *k.* war ein
Verzeichnis von → Darlehen; die Bedeutung des Wortes beruht darauf, daß Darlehensverträge oft an den *Kalendae*, dem ersten Tag des Monats, in Kraft traten und
der Fälligkeitstermin allgemein auf den Tag der *Kalendae*
oder der *Idus* (Monatsmitte) festgesetzt war. Privatleute
führten in ihrem *k.* Buch über die Geldbeträge, die sie
gegen Zins ausgeliehen hatten, über die Schuldner, die
Bestimmungen der Darlehensverträge und die Fällig-
keitstermine (Sen. epist. 87,7; vgl. Dig. 15,1,58).
    Im Bereich der → öffentlichen Finanzen konnte das
Wort *k.* die Gesamtheit der von einer Stadt auf Zins
ausgeliehenen Geldbeträge bezeichnen. Oft bezog das
Wort sich jedoch auf einen Geldbetrag, der der Stadt im
Rahmen einer Stiftung geschenkt oder vererbt worden
war. Eine solche Geldsumme wurde strikt getrennt von
den übrigen Einnahmequellen der Stadt verwaltet; normalerweise wurde sie verliehen und erbrachte Zinsen,
deren Verwendung vom Stifter bestimmt worden war.
Für das 2. Jh. n. Chr. sind *curatores* (→ *cura* [2]) oder *procuratores kalendarii* belegt, die vom Princeps oder vom
Provinzstatthalter ernannt wurden, um die Finanzen der
Provinzstädte zu ordnen; so kennt man *procuratores kalendarii Vegetiani* in Iliberri (Baetica). Eine einzige Stadt

konnte durchaus im Besitz mehrerer *kalendaria* sein; in
Puteoli etwa ist ein *curator kal(endariorum) maioris et Clo-
diani et Minu[ciani]* bekannt (CIL X 1824).

1 F. Jacques, Le privilège de liberté, 1984, 143–148
2 D. Manacorda, Il *kalendarium Vegetianum* e le anfore della
Betica, in: MEFRA 89, 1977, 313–332.   J. A./Ü: C. P.

Kalender A. Grundprinzipien B. Historische Kalender C. Pragmatik D. Wirkungs- und Wissenschaftsgeschichte

A. Grundprinzipien
1. Begriff 2. Soziale Konstruktion der Zeit 3. Technische Probleme

1. Begriff
In seiner heutigen Bed. hat sich K. in nachant. Zeit
aus dem lat. Wort für »Schuldbuch«, *calendarium* (→ Kalendarium), entwickelt. Der Begriff wird im folgenden
als Element der → Zeitrechnung einer Kultur verstanden, das jährliche Periodizitäten zu beschreiben oder
regulieren versucht. Die kleinste Einheit, mit der ein K.
typischerweise rechnet, ist dabei der Tag (→ Uhr).

2. Soziale Konstruktion der Zeit
Jagd wie Ackerbau verlangen eine Abstimmung auf
jahreszeitliche Gegebenheiten (→ Jahreszeiten) und
führen so zu jährlich wiederholten Handlungsmustern
(Periodizität). Mit wachsender Komplexität von Gesellschaften und Arbeitsteilung steigt der Koordinie-
rungsbedarf (s. [1]). Es gilt nicht nur, die richtige Zeit
(etwa zur Aussaat) zu finden, sondern auch Zeiten für
gemeinsame Aktivitäten zu definieren: »Zeitmessung«
ist weniger ein deskriptives, analytisches Verfahren als
vielmehr ein normatives Vorgehen: Zeit wird sozial
konstruiert, auch wenn das vielfach durch Metaphern
des »Messens« kaschiert wird [2]. Die Regeln, die die
Strukturierung der Zeit bestimmen, müssen nicht ex-
pliziert oder gar verschriftlicht werden. Systematisierte
K.-Systeme finden sich in den ant. Ges. oft spät; dabei
können verschiedene K. konkurrieren; die laufenden
Eingriffe in einzelne K. sind im Vergleich zu den Anforderungen an die Stabilität von K., die hoch arbeits-
teilige Ges. der Gegenwart stellen, überraschend stark
(s. etwa [3; 4] für Griechenland).

3. Technische Probleme
Charakteristisch für alle frühen K. ist die Orientierung an den Mondphasen: ein Zeitgeber, der überall
leicht zu beobachten ist und überschaubare Periodizitäten, die Monate (griech. μείς, *meís*, lat. *mensis*), produziert. Zwar bleibt auch hier die präzise empirische
Beobachtung schwierig, doch läßt sich die schwankende Lunationslänge von durchschnittlich 29,5306 Tagen
leicht durch einen Wechsel von Monaten mit 29 und 30
Tagen konventionalisieren (→ Mond).
    Für systematisierte K. bildet das Verhältnis von Son-
nenjahr (365,2422 Tage) und Mondmonat das größte
Problem. Die Differenz von 12 Monaten (354 Tagen)
zum Sonnenjahr läßt sich empirisch durch gelegentli-

ches Einschalten eines Monats problemlos ausgleichen, während die Definition von langfristig korrekten Schaltregeln größere Schwierigkeiten bereitet (vgl. [5. 35]). Solche Schaltregeln scheinen zunächst mit einer Oktaëteris E. des 6./Anf. des 5. Jh. v. Chr. formuliert worden zu sein, etwa mit der Interkalation von 30tägigen Monaten im 3., 5. und 8. Jahr einer »8-Jahres-Periode« (Geminus, Elementa astronomiae 8; Cens. 18). Präziser (im Hinblick auf die Übereinstimmung mit den tatsächlichen Lunationen) war der aus 235 Monaten bestehende 19-Jahres-Zyklus des → Meton, der nach Diod. 12,36 am 27.6.432 v. Chr. [6. 44f.] begann. Derartige Zyklen, die durch weitere Komplizierung verbessert wurden (z. B. durch → Kallippos [5], Epoche: 330 v. Chr.) ermöglichten die langfristige Prognose von → Finsternissen; Einfluß auf das tatsächliche, oft willkürliche Schaltverhalten der zuständigen, zumeist polit. Entscheidungsträger übten sie kaum aus. Den entscheidenden Fortschritt in der Praktikabilität brachte erst die radikale Lösung des röm. K. in der Form Caesars, der in einen röm. Solar-K. mit neu fixierten, ganz vom Mond gelösten Monatslängen eine nur eintägige Schaltperiode alle 4 J. einfügte. Dennoch blieben Lunisolar-K. vielerorts die dominierenden Lokal-K.; durch die (modifizierte) Übernahme der (lunisolaren) jüd. Passafestrechnung für das Osterfest benötigte auch das Christentum eine wenigstens rechnerische Fortführung dieser K.-Form.

Die kalendarische Grundeinheit des Monats ist intern oft noch weiter strukturiert. Voll- und Neumondtage sind ausgezeichnet (babylonisch *šapattum* = Sabbat in der ältesten Bed.; lat. *Idus*). Für empirische Mondmonate stellen sich auch hier Probleme; erst konventionelle Mondmonate ermöglichen Dekadenbildung wie im griech. K. Solche Unterteilungen bilden keine → Wochen; das Konzept der durchlaufenden, sich ohne »Schalttage« wiederholenden Woche erfordert das Überspielen der Monatsgrenze und scheint nur unter bes. Bedingungen (exiliertes Judentum; frührepublikanisches Rom) institutionalisiert worden zu sein. Es sind die monatlichen Strukturen, die am stärksten das Alltagsleben ant. Ges. geprägt haben dürften; häufig haben die großen Feste, die die Außenwahrnehmung bestimmen und dem J. als ganzes Profil verleihen, einen festen Ort in der monatlichen Struktur. Den Anforderungen eines systematisierten K., die (12) Monate des J. gleichmäßig zu unterscheiden, entsprechen die individualisierenden → Monatsnamen, die häufig auf wichtige → Feste oder zugehörige Götter Bezug nehmen; solche Bezugspunkte verteilen sich aber nur in abstrakten Schemata (Zwölfgötter-K. oder frz. Revolutions-K.) gleichmäßig über das J.; bei der ungleichmäßigen Verteilung von Festen (mit typischen Schwerpunkten im Frühjahr und Herbst; → Feriale; → *feriae*) sind die namengebenden Bezugspunkte für den K. ganz unterschiedlicher Qualität.

→ Astronomie   J.R.

B. HISTORISCHE KALENDER

1. ALTER ORIENT UND ÄGYPTEN
2. GRIECHENLAND 3. JUDENTUM/
HELLENISTISCH-RÖMISCHES PALÄSTINA
4. ITALIEN 5. CHRISTENTUM

1. ALTER ORIENT UND ÄGYPTEN

Der K. im alten Mesopot. beruhte auf dem Tag als kleinster Einheit, der mit dem Sonnenuntergang begann und aus zwölf Doppelstunden bestand, und rechnete mit einem Mondjahr aus zwölf Monaten zu je 29 oder 30 Tagen, d. h. insgesamt 354 Tagen. Die Woche als kalendarische Einheit war unbekannt, doch gibt es in vergleichbarem Turnus Bezeichnungen für die Tage der einzelnen Mondphasen sowie nach Festen benannte Tage. Von den Jahreszeiten bedingt lag der kalendarische Jahresanfang und damit der Termin des → Neujahrsfestes in Babylonien seit Beginn des 2. Jt. v. Chr. um das Frühjahrsäquinoktium, in Assyrien sicher zunächst im Herbst. Im nordsyr. → Ugarit begann das Jahr im September/Oktober [7. 50–52]. Das AT kennt ein Mond-Sonnenjahr zu 365 Tagen. Über den Ausgleich durch Schaltmonate ist aus dem AT wenig [8. I 303–305], aus Ugarit nichts bekannt. In Äg. wurde schon zu Beginn des 3. Jt. der Frühaufgang des Sirius (→ Sothis) Mitte Juli als zeitgleich mit dem Beginn der Nilüberschwemmung beobachtet, die das Ackerbaujahr mit den Abschnitten »Überschwemmung«, »Herauskommen (der Saaten)« und »Hitze« zu je vier Monaten einleitete. Unabhängig von einem ebenfalls beachteten Lunisolarjahr (zu je 12 oder 13 Mondmonaten) richtete sich die Verwaltung schon früh nach einem K.-Jahr zu 365 Tagen mit 12 Monaten und 5 Zusatztagen (Epagomenen). Dessen Einführung ist auf Grund einer unkorrigiert gebliebenen jährlichen Verschiebung des Jahresanfangs um ¼ Tag auf etwa 2270 v. Chr. zu datieren. Für Kult und Feste galt der Mond-K. [9].

Die Länge des Monats als kalendarischer Einheit wurde in Mesopot. aus dem Abstand zw. den Zeitpunkten ermittelt, zu denen der Mond nach der Konjunktion mit der Sonne als Neumond wieder sichtbar wurde. Der Monat konnte danach 29 oder 30 Tage umfassen. Zwölf Monate enthielten folglich nur etwa 354 Tage gegenüber dem Sonnenjahr mit 365,2492 Tagen. Spätestens seit der Ur III-Zeit (um 21. Jt. v. Chr.) versuchte man, die sich summierenden Abweichungen zwischen Lunar- und Solarjahr durch Schaltmonate auszugleichen. Unklar ist die Praxis der mittelassyr. Zeit (2. Hälfte des 2. Jt. v. Chr.), für die bisher keine Schaltmonate nachweisbar sind. In Recht und Verwaltung sowie in bestimmten astronomischen Texten wurde bisweilen mit schematischen Monaten von ausnahmslos 30 Tagen gerechnet. Erst nach 380 v. Chr. wurde nahezu Übereinstimmung zu Mond- und Sonnenjahr erreicht, als man in Mesopot. einen 19jährigen (sog. metonischen, vgl. → Meton) Zyklus beachtete, in dem für das 1., 3., 6., 9., 12., 14. und 17. Jahr je ein Schaltmonat vorgesehen war.   H.FR.

2. Griechenland

Mit Namen versehene Monate als kalendarische Einheiten lassen sich schon für die myk. Zeit nachweisen [11]. In histor. Zeit beherrschen konventionelle (gelegentlich, etwa am Jahresanf., empirisch kontrollierte, aber durch Schalttage oft in Abweichung zu den Mondphasen gebrachte) Lunisolar-K. mit lokal jeweils unterschiedlich benannten Monaten die griech. Welt. Stabile Folgen von → Monatsnamen könnten bereits dem späten 2. Jt. v. Chr. entstammen (der ion. »Ur-K.«: [12. 18–38]) und erklären die Gemeinsamkeiten innerhalb größerer Gruppen von K.; die rekonstruierbaren K. haben Nilssons [13] Theorie einer zentralen Einführung des K. von Delphi aus den Boden entzogen (s.a. [14]). Die Tage wurden monatlich, beginnend mit dem Neumond (numēnía) durchgezählt; für die letzte Dekade wurde auch Rückwärtsrechnung praktiziert; in den sog. hohlen Monaten mit 29 Tagen fiel der vorletzte Tag einfach aus. Das Athener Jahr begann mit dem Neumond nach der Sommersonnenwende mit dem Monat Hekatombaion; es folgten: Metageitnion, Boëdromion, Pyanopsion, Maimakterion, Posideon, Gamelion, Anthesterion, Elaphebolion, Munychion, Thargelion und Skirophorion. Die nötige Schaltung folgte zumeist dem Posideon, also nach der Wintersonnenwende. Die Solstizien (Sonnenwenden) dienten in vielen Poleis als Indices für den Jahresanf.; die Tagundnachtgleiche im Herbst wurde als Beginn erst in der röm. Kaiserzeit populär: Der Geburtstag des Augustus (23. September) wurde astronomisch gedeutet. Neben dem Jahresanf. bildeten die Monatsnamen das beweglichste Element; Umbenennungen zu Ehren hell. Herrscher und röm. Kaiser waren geläufig [15]. Seit hell. Zeit finden sich auch gelegentlich K., die eine Zwölfergruppe von Gottheiten zur Namengebung verwenden ([12. 266ff.]; umfassend [16]; das Konzept der Schutzgottheit eines Monats findet sich auch in den röm. Menologien, den sog. »Bauern-K.«, die Zusammenstellungen der sakral und astronomisch wichtigsten Ereignisse jeden Monats bieten). Der griech. K. war ein Exportartikel. Kolonien übernahmen weitgehend die K. ihrer Mutterstädte und führten so griech. K. weit in den Mittelmeerraum. Die Fixierung von Monatslängen, d.h. die Erstellung konventioneller Mondmonate, in ital. K. könnte auf griech. Einfluß zurückzuführen sein. Selbst auf Sizilien hielten sich griech. K. noch bis weit in die Kaiserzeit und par. zur Kenntnis des röm. K. (zu Tauromenion s. [17. 133f.; 18]). In den hell. Königreichen wurden immer wieder Gleichungen einheimischer und griech. bzw. maked. K. fixiert, die eine par. Handhabung der K. erlaubten. Dies konnte so weit gehen, daß der griech. K. seinen lunisolaren Charakter zugunsten eines Solar-K. verlor: Das gilt für das ptolem. Äg. und den äg. K. ebenso wie für manche kleinasiatischen Prov., die unter weitgehender Beibehaltung alter Monatsnamen, Jahresanfänge und Zählweisen (»Doppel-30« statt – für Mond-K. undenkbar – »31«) den röm. K. übernahmen [19].

3. Judentum/hellenistisch-römisches Palästina

Der jüd.-palästin. Lunisolar-K. scheint spätestens seit dem 1. Jh. n. Chr. zur Unterstützung der empirischen Interkalation (die nach 70 dem Nāśĩ als Vorsitzendem des Sanhedrins oblag) einen 19jährigen Zyklus herangezogen zu haben [20. 430–437]; gesichert ist die Verwendung eines Zyklus seit 359 n. Chr. (Hillel II. von Tiberias). Für die Monate setzten sich in nachexilischer Zeit die babylon. Bezeichnungen durch: Nissan, Ijjar, Siwan, Tammuz, Ab, Elul, Tischri, Marcheschwan, Kislew, Tebet, Schebat, Adar; die Interkalation erfolgte nach letzterem. Mit der Konkurrenz des seleukidischen K. ist im 3. und 2. Jh. v. Chr. zu rechnen. Kompliziert wurde das jüd. K.-System durch die durchlaufende 7-Tage- → Woche. Bestimmte Festtage durften nicht auf den → Šabbat fallen, was sich nur durch entsprechende, später in Regeln gefaßte Plazierungen des Jahresanf. realisieren ließ [21]. Diesen Schwierigkeiten war ein früherer, im Jubiläenbuch (→ Liber Iubilaeorum) ausführlich dargestellter Solar-K. von 364 Tagen in 52 Wochen ausgewichen, der möglicherweise in frühnachexilischer Zeit den Tempeldienst geregelt hatte [22; 23]; derselbe ([24]; kritisch [25]) oder ähnliche K. wurden von einzelnen jüd. Gruppen, u.a. in → Qumrān, tradiert.

4. Italien

Das älteste aussagekräftige Zeugnis ital. K. bietet die etr. Tabula Capuana [26], ein → Feriale. Sie zeigt einen K.-Typ, der noch nicht wie später die Agramer Mumienbinden (→ liber linteus) die aus dem Griech. bekannte Tageszählung der Monate aufweist [27]. Eher scheint es sich um eine Struktur von Tagen zu handeln, die ihr Zentrum in den Idus hat und auch im übrigen den röm. Strukturtagen (die ihrerseits als aus dem Etr. stammend verstanden wurden: Macr. Sat. 1,15,14) entspricht [28]. – Die wenigen in antiquarischer Lit. überl. Notizen über weitere ital. K. (Macr. Sat. 1,15,18; Sol. 1,34; Cens. 20,3) stellen Curiosa dar, die im Überl.-Zusammenhang bestimmten argumentativen Zwecken dienen [17. 197], aber keine Rekonstruktion der zugrundeliegenden K. erlauben.

Der röm. K. ist der am besten bezeugte ital. K., er scheint in der Kaiserzeit alle anderen ital. K.-Systeme verdrängt zu haben, auch wenn in bezug auf Jahresanfänge und Monatsnamen weiter Differenzen bestanden haben mögen. Erst in den → Fasti Antiates aus den 60er J. des 1. Jh. v. Chr. sicher faßbar ist der voriulianische K., der im wesentlichen auf die dezemvirale Kodifizierung der Zwölftafelgesetze um 450 v. Chr. zurückgehen könnte [29]. Die fixierte Form, die sich mit festen Monatslängen von den Lunationen trennt, läßt noch einen empirischen Mond-K. erkennen, bei dem aus der Mondbeobachtung an den Kalendae (de facto der Monatsschluß, in der verschriftlichten Form der Monatsanf.) der Beginn einer Struktur aus dreimal 8 Tagen zw. Nonae und den nächsten Kalenden festgelegt wurde, deren zweiter Kopftag, die Iden, auf die Monatsmitte

Kalendae Februariae   1. Februar

|

(dieser Zeitraum war im vorrepublikanischen Kalender variabel; danach auf 3, in anderen Monaten auch auf 5 Zwischentage fixiert)

|

Nonae   5. 2.

|

(7 Zwischentage)

|

Idus   13. 2.

|

(7 Zwischentage)

|

Feralia   21. 2.

Caristia   22. 2.

Terminalia   23. 2.

2 ante diem bissextum K. Mart.   (24.) 2.

---

1 *statt Regifugium in jedem 2. Jahr Interkalation = Kalendae Interkalariae (im 4. Jahr: prid. K. Interk.)*

|

(3 Zwischentage)

|

Nonae Interk.

|

(7 Zwischentage)

|

Idus Interk.

|

(9 Zwischentage)

|

a. d. sextum Kal. Mart. = Regifugium   (25.) 24. 2.

|

(2 Zwischentage)

|

a. d. tertium Kal. Mart. = Equirria   (28.) 27. 2.

|

pridie Kal. Mart.   (29.) 28. 2.

|

Kalendae Martiae   1. März

Schaltung im römischen und Iulianisch-Gregorianischen Kalender

1 Schaltverfahren im voriulianischen Kalender (die letzten 5 Tage des 27tägigen Schaltmonats – ab dem Regifugium – sind mit den letzten 5 Tagen des Februar identisch).
2 Schaltung im Iulianischen Kalender. Die moderne Zählung (rechts) verdeckt die Einschubstelle des Schalttages. Der 24. Februar von Schaltjahren ist als Einschub nur noch im Heiligenkalender zu identifizieren, da er das sonst auf diesen Tag fallende Fest auf den 25. verlegt.
Die römische Rückwärtsrechnung zählt den Ausgangs- und Zieltag jeweils mit, so daß der vorletzte Tag des Februar (27.) als *ante diem tertium Kalendas Martias* bezeichnet wird.

(Vollmond) fallen sollte und deren dritter Kopftag (8 Tage nach den Iden) Gelegenheit für die wichtigsten Feste des Jahres bot [17. 214–225]. Mit der Fixierung des Abstandes Kalenden–Nonen auf 5 bzw. 7 (im März, Mai, Juli, Oktober) Tage wurde auch die Monatslänge auf 29 bzw. 31 Tage festgelegt. Von den gen. Tagen (Kal., Non., Id.) wurden durch Rückwärtsrechnung die Bezeichnungen der K.-Daten gewonnen. Falls es bereits in der Mitte des 5. Jh. v. Chr. eine Verschriftlichung gab, ermöglichte sie es, eine durchlaufende 8-Tage-Woche, deren Kopftage als Markttage dienten (→ *nundinae*), mit dem K. zu koordinieren.

Die Monatsfolge von *Martius, Aprilis, Maius, Iunius, Quintilis* (augusteisch: *Iulius*), *Sextilis* (augusteisch: *Augustus*), *September, October, November, December, Ianuarius* und *Februarius* war verm. schon älter als der dezemvirale K. Die Interkalation erfolgte innerhalb einer komplizierten rituellen Struktur vor E. Februar; Indikator für die Notwendigkeit dürfte die Wintersonnenwende gewesen sein [17. 296]. Bei einer Jahreslänge von 355 Tagen des fixierten J. betrug die effektive Einschaltung des 27 Tage umfassenden, aber die letzten 5 Tage des Februar ersetzenden Schaltmonats 22 – bzw. bei Verdoppelung des 22. Februars (*bisextilis*) 23 – Tage; diese Position blieb auch für den Iulianischen (und Gregorianischen) Schalttag erh. Die in der auffälligen Jahreslänge und Schaltform implizierten Schaltregeln sind weder überl. noch – den überl. Störungen nach zu urteilen – langfristig praktiziert worden: Urspr. könnte die Angleichung bestimmter Daten mit bestimmten astronomischen Ereignissen (Äquinoktialpunkte o.ä.) anvisiert worden sein. Am E. der Republik lag die Interkalation in der Hand der *pontifices* (→ pontifex) und konnte zu erheblichen Störungen des polit. und wirtschaftlichen Lebens führen.

C. Iulius → Caesars »Iulianischer K.« reduzierte 45 v. Chr. die Schaltperiode auf einen einzelnen Tag, indem er, angeblich unter Rückgriff auf den ägypt. K., die 29-Tage-Monate auf 30 und 31 Tage, und somit das J. insgesamt auf 365 Tage verlängerte; zur Beseitigung aufgelaufener Fehler wurden in einer einmaligen zweiten Schaltung dem Schaltjahr 45 v. Chr. weitere 67 Tage eingefügt [17. 369 ff.]. In dieser Form wurde der stadtröm. K. als K. einer zunehmend intensivierten röm. Verwaltung in das Imperium Romanum exportiert und vielfach zumindest als technisches System (unter Verwendung lokaler und neuer Monatsnamen und Jahresanf.) übernommen [6. 171 ff.]. Mit den geringfügigen Präzisierungen der Gregorianischen (1582) und orthodoxen (1924) Reform (s. u. D.) ist der Iulianische K. noch h. weit verbreitet.

5. Christentum

Auch wenn benachbarte Orte unterschiedliche K. benutzen konnten und (wie in der Sprache) der K. der röm. Verwaltung und des röm. Militärs vom dominierenden lokalen K. abweichen konnte, scheint der Druck zur Benutzung des lokalen K. sehr hoch gewesen zu sein (Ausnahmen sind selten, z. B. ILLRP 210 = ILS 4053 auf

Rekonstruktion der Fasti Antiates, d.h. des voriulianischen römischen Kalenders

IAN	FEB	MAR	APR	MAI	IVN	QVIN
A K IAN F	F K FEB N	B K MAR	A K APR F	F K MAI F	E K IVN N	B K QVIN N
B F\AESCVLA CORO VEDIOVE	G N\IVNON SOSP MATR REG	C F\IVNON	B F	G F	F F\MARTI IN CLIVO IVNON IN ARCE	C N\IVNON FELICITAT
C C	H N	D C	C C	H C	G C	D N
D C	A N	E C	D C	A C	H C	E N
		F C		B C		F POPLI NP
		G C		C C		G N
E NON F	B NON N	H NON F VEDI	E NON N	D NON N	A NON	H NON N
F F\VICAE POTAE	C N\CONCORD IN CAPIT	A F\IN CAPITOL	F N\FORT PVBL	E F	B N\DIFIDI	A N\PALIBVS II
G C	D N	B C	G N	F LEMVR N	C N	B N
H C	E N	C C	H N	G C	D N	C C
A AGON	F N	D C	A N	H LEMVR N	E VEST N	D C
B C	G N	E C	B N	AC\MANI	F N\VESTAE	E C
C CAR NP	H N	F EN	C N M D M I	B LEMVR N	G MATR NP	F C-LOED APOL
D C\IVTVRNAE	A N	G EQVIR	D N	C C	H N\MATRI MATV FORTVNAE	G C
E EIDVS NP	B EIDVS FAVON	H EIDVS ANN	E EIDVS NP	D EIDVS NP	A EIDVS NP	H EIDVS NP
F EN	C N	A F\PERENNAE	F N\IOVI VICTOR IOV LEIBERT	E F\MAIAE INVICT	B N	A F
G CAR NP	D LVPER NP	B LIBER NP	G FORDI NP	F C	C QST D F	B C-HONORI
H C\CARMENT	E EN	C C	H N	G C	D C	D C-ALLIENS DIE
A C	F QVIR NP	D QVIN NP	A N	H C	E C	D LVC NP
B C	G C\QVIRINO	E C MINERVAE	B N	A C	F C	E C
C C	H C	F C	C CERIA NP	B AGON NP	G C − MINERVAE	F LVC NP
D C	A C	G C	D N\CERERI LIB LIB	C	H C	G C\CONCORDIAE
E C	B FERA F	H TVBIL NP	E PARIL NP	D TVBIL NP	A C	H NEPT NP
F C	C C	A Q R C F	F N\ROMA COND	E Q R C F	B C	A N
G C	D TERMI NP	B C	G VINAL F	F C\FORT P R O	C C	B FVRR NP
H C	E REGI N	C C	H C\VENER ERVC	G C	D C	C C
A C	F C	D C	A ROBIG NP	H C	E C	D C
B C	G EN	E C	B C	A C	F C	E C
C C	H EQVIR NP	F C	C C	B C	G C − LARVM	F C
D C	A C	G C	D C	C C	H C	G C
E C		H C	E C	D C	A C	H C

Die Buchstabenfolge A−H ganz links in jeder Monatsspalte dient dazu, die achttägige römische Nundinalwoche zu verfolgen (»Nundinallettern«). Darauf folgt (z. B. am 2. Januar) die Angabe der rechtlichen Qualifikation des Tages (→ Fasti. B.): F für dies fasti, C für d. comitiales und N für d. nefasti; NP bezeichnet feriae (wohl nefas piaculum). Zwischen diese beiden Elemente wird ggf. der Festname des Tages eingeschoben: regelmäßig die K(alendae) mit der adjektivischen Angabe des Monatsnamens (Ianuariae etc.), die Non(ae) und die Eidus (Iden). Weitere Festkürzel: 9.1. Agonium; 11./15.1. Carmentalia; 15.2. Lupercalia; 17.2. Quirinalia; 21.2. Feralia; 23.2. Terminalia; 24.2. Regifugium; 27.2./14.3. Equirria; 17.3. Liberalia; 19.3. Quinquatrus/-tria; 23.3. Tubilustrium; 24.3. Q(uando) R(ex) C(omitiavit) F(as);

Samothrake). Selbst Juden und Christen scheinen als Rechengrundlage jeweils die lokalen K. benutzt zu haben, auch wenn sie (wie bei anderen migrierenden Kulten) fremde Daten mittels Umrechnung integrierten. Dieser Prozeß ist in den christl. Differenzen über die richtige Terminierung des Osterfestes gut greifbar: Die Durchsetzung der modifizierten jüdischen Passafestrechnung erfolgte erst nach langer Zeit und gegen zumal im Westen verbreitete Praktiken einer festen Iulinischen Datierung (25. März) [20]. Insgesamt übernahm die Kirche für die überörtliche Verständigung den röm. K., dessen Möglichkeiten zur graphischen Repräsentation von Wochenrhythmen (vgl. → Fasti) auch die Integration der 7-Tage- → Woche mit dem Sonntag erleichterten. Lokal konnten die Formen variieren; der koptische K. etwa verband den Iulianischen K. und dessen alle 4 J. anfallenden Schalttag mit dem alten ägypt. K. von 12 Monaten mit je 30 Tagen und 5 Epagomenen [30].

Neben dem durchlaufenden Sonntag (der liturgisch zunächst stärker durch die kontinuierliche Lektüre, »Bahnlesungen«, geprägt war, als es die Vielzahl von Sonderfesten h. erscheinen läßt) und den (zunächst sehr wenigen) damit koordinierten Festen boten die Gedenktage der → Märtyrer das entscheidende Medium zur rel. Neuqualifikation der röm. Zeitstruktur. Die zu-

A K SEX F	F K SEP F	C K OCT N	B K NOV F	G K DEC N	G K INT F
B F\SPEI VICTOR II	G F	D F\FIDEI	C F	H N	H F
C C	H C	E C	D C	A N	A C
D C	A C	F C	E C	B C	B C
		G C			
		H C			
E NON	B NON F	A NON F	F NON F	C NON F	C NON F
F F\SALVTI	C F\IOVI STATORI	B F\IOVI FVLGVR IVNON QVIR	G F	D F	D F
G C	D C-M	C C	H C-P	E C	E C
H C	E C-M	D C-IVNON MON	A C-P	F C-TIBERINO GAIAE	F C
A C	F C-M	E MEDI NP	B C-P	G C	G C
B C	G C-M	F C	C C-P	H C	H C
C C	H C-M	G FONT NP	D C-P	A AGON NP	A C
D C	A C-M	H EN	E C-P	B EN	B C
E EIDVS NP	B EIDVS NP	A EIDVS NP	F EIDVS NP	C EIDVS NP	C EIDVS NP
F F\DIANAE VORTV FORTEQV HERC VIS CAST POLL CAME	C F\IOVI O M EPVLVM	B EN	G F\FERON FORT PR PIETATI	D F	D F
G C	D N\LOED MAGNI	C C	H C-LOED PLEBEI	E CONS EN	E C
H C	E C	D C	A C	F C	F C
A PORT NP	F C	E ARMI NP	B C	G SATVR EN	G C
B C	G C	F C	C C	H C\SATVRNO	H C
C VINA FP	H C	G C	D C	A OPA N-OPI	A C
D C\VENERE	A C	H C	E C	B C	B C
E CONS NP	B C	A C	F C	C DIVAL	C C
F EN	C C	B C	G C	D C\LAR PERM	D C
G VOLK NP	D C	C C	H C	E LARE NP	E REGI N
H C\VOLK HORAE QVI MAIAESVPR COMI	E C	D C	A C	F C\DIAN IVNON R INCAMP TEMPE	F C
A OPIC NP	F C	E C	B C	G C	G EN
B C	G C	F C	C C	H C	H E QVIR NP
C VOLTV NP	H C	G C	D C	A C	A C
D C	A C	H C	E C	B C	
E C	B C	A C	F C	C C	

11. 4. (kleiner Eintrag) M(agnae) D(eum) M(atri) I(deae); 15. 4. Fordicidia; 19. 4. Cerialia; 21. 4. Parilia; 23. 4. Vinalia; 25. 4. Robigalia; 9./11./13. 5. Lemuria; 21. 5. Agonium; 23. 5. Tubilustrium; 24. 5. Q(uando) R(ex) C(omitiavit) F(as); 9. 6. Vestalia; 11. 6. Matralia; 15. 6. Q(uando) St(ercus) D(elatum) F(as); 5. 7. Poplifugia; 19./21. 7. Lucaria; 23. 7. Neptunalia; 25. 7. Furrinalia; 17. 8. Portunalia;

19. 8. Vinalia; 21. 8. Consualia; 23. 8. Volkanalia; 25. 8. Opiconsivia; 27. 8. Volturnalia; 7.–12. 9. (kleiner Eintrag) (ludi) M(agni); 11. 10. Meditrinalia; 13. 10. Fontinalia; 19. 10. Armilustrium; 7.–12. 11. (kleiner Eintrag) (ludi) P(ublici); 11. 12. Agonium; 15. 12. Consualia; 17. 12. Saturnalia; 19. 12. Opalia; 21. 12. Divalia; 23. 12. Larentalia; zum Interkalationsmonat s. den Februar.

meist an die Bestattungstermine (*dies depositionis*) anknüpfenden Gedenktage [31. 571 f.] waren zunächst Daten eines bes. Kults an den Gräbern selbst, sie wurden aber bald zu feriale-artigen Listen zusammengestellt (»Sanctorale«), die anfangs neben dem nichtchristl. rel. qualifizierten K. tradiert wurden (so im → Chronographen von 354), aber bald im K. selbst die alten Daten verdrängten (→ Polemius Silvius) und im 5. Jh. zu umfassenden Martyrologien zusammenwuchsen, die auch überregionale Daten integrieren konnten [32].

C. PRAGMATIK

Es gibt keine Indizien dafür, daß die K. in ant. Ges. ähnlich stark internalisiert wurden, wie das etwa mit dem Wochenrhythmus in zeitgenössischen westl. Ges. der Fall ist. Für breite Bevölkerungsschichten wurde die Zeit in erster Linie durch die Monatsunterteilungen (7/8-Tage-Wochen, Dekaden, Kalenden/Iden) strukturiert, kaum im Sinne von Arbeits- und Ruhetagen (→ *feriae*), sondern im Sinne alternativer Tätigkeiten (Markt/Produktion); Familienfeste wurden häufig auf solche Strukturtage gelegt. Die den Jahreslauf prägenden und den Alltag unterbrechenden → Feste waren je nach sozialer Gruppe in Anzahl und Ausdehnung stark beschränkt; eine Datierung nach Festen findet sich in der röm. Lit. kaum. Die geringe ideologische Besetzung des K. erklärt auch die Bereitschaft, Daten eigener rel.

K. in die Lokal-K. umzurechnen (Qumrān bildet darin eine Ausnahme); in dieser Hinsicht war die eponyme Jahreszählung (→ Ären; → Zeitrechnung) brisanter. Monatsumbenennungen zeigen zwar eine propagandistische Instrumentalisierung des K., sie wurden in der Regel aber eben so schnell zurückgenommen wie vergeben.

Aufschlußreich ist das weitgehende Fehlen von Verschriftlichungen des K. Eine verbreitete graphische Darstellungsform aller Tage eines J. wurde nur in Rom entwickelt (→ Fasti); sie scheint hier – jenseits der praktischen Funktion, die *nundinae* mit den Monatsdaten zu koordinieren – zunächst zur Systematisierung der polit. und juristischen Qualität der Tage und damit der zeitlichen Spielräume öffentlichen Handelns genutzt worden zu sein (E. 4. Jh. v. Chr.), dann als Medium der Darstellung mil. Erfolge, die sich in Tempel- und Kulteinrichtungen niederschlugen (Anf. 2. Jh. v. Chr.; [17]). Die Kommentierung des K. wurde damit zu einer Form aitiologischer Reflexion auf die rel., polit. und urbane Verfassung (→ Ovidius, nachgeahmt von Baptista Mantuanus [33]; → Verrius Flaccus; → Polemius Silvius). Im Christentum wurde das zum K. vervollständigte Martyrologium – als K., Liste oder Gedicht präsentiert – zu einem Instrument für Andacht [34; 35]. Theologische Systematisierungsleistung weisen auch die ägypt. Tagewählerei-K. aus, die in ihrer mehrfachen theologischen und pragmatischen Qualifikation jeden Tages weit über einen konkreten Orientierungsbedarf möglicher (z. T. wohl fiktiver) Nutzer hinausgehen ([36]; → Hemerologion).

D. WIRKUNGS- UND WISSENSCHAFTSGESCHICHTE

Der Iulianische Solar-K. hat sich, ohne andere K. zu verdrängen, zu einem global verwendeten Zeitraster entwickelt. Dazu trugen neben dem europ. Imperialismus auch die in der Osterfestrechnung (dazu detailliert [37]; s.a. [38]) entwickelten astronomischen Kenntnisse bei, die eine Verbesserung und langfristige Koordinierung lokaler Lunisolar-K. erlaubten; der in China in der kaiserlichen K.-Produktion tätige Mönch Johann Adam SCHALL (1592–1666) ist dafür das beste Beispiel [39]. Die langfristige Stabilität des Iulianischen K. und seine christl.-theologische Aufladung erklären zugleich rel. bedingte Ablehnungen und die zunehmende Unveränderlichkeit. Schon die Gregorianische Reform (1582 durch Gregor XIII.: keine Schaltung in den nicht durch 4 teilbaren Jh.-J. 1700, 1800, 1900, 2100 ...) mit ihrer geringfügigen Änderung der Schaltregeln und der Unterdrückung von 10 Tagen der aufgelaufenen Differenz führte zu einem jahrhundertelangen Nebeneinander von zwei K. im christl. Europa (Übernahme der Reform in protestantischen Ländern oft erst im 18. und 19. Jh.; in der Sowjetunion erst 1918) [40]. Die Neufassung der Schaltregeln im Rahmen der orthodoxen Kirche von 1924 stellte für das nächste Jt. den Gleichschritt von Gregorianischem und Iulianischem K. sicher, beseitigte aber nicht die entstandenen Differenzen. Ein

völliges Gegenmodell – zunächst sogar mit dem Preis der technischen Verschlechterung – schuf der frz. Revolutions-K. (1792–1805), der mit seiner Provokation mittelfristig zu einer Reflexion und vertieften Internalisierung des Gregorianischen K. beitrug [41].

Die Gesch. der wiss. Beschäftigung mit dem K. und seinen astronomischen Grundlagen steht in fortlaufender Auseinandersetzung mit der Ant.; die chronologischen Arbeiten → Bedas bilden eine wichtige Scharnierstelle. Die im engeren Sinne histor. orientierte mod. K.-Forsch. beginnt mit den Arbeiten des preußischen Hofastronomen IDELER zur ant. Astronomie und Zeitrechnung [42; 43] und zu Ovids *Libri fastorum* [44].   J. R.

→ Zeitrechnung; KALENDERWESEN

1 M. P. NILSSON, Primitive Time-Reckoning, 1920
2 N. ELIAS, Über die Zeit, 1988 3 B. D. MERITT, The Athenian Year, 1961 4 J. D. MIKALSON, The Sacred and Civil Calendar of the Athenian Year, 1975 5 J. GOODY, s. v. Time II. Social Organization, International Encyclopedia of the Social Sciences 16, 1968, 30–42 6 A. E. SAMUEL, Greek and Roman Chronology, 1972 7 J. v. BECKERATH, s. v. K., LÄ 3, 1980, 297–299 8 H. HUNGER, s. v. K., RLA 5, 297–303 9 R. DE VAUX, Die Lebensordnungen des AT, ²1964 10 P. VITA, Datation et Genres littéraires à Ougarit, in: F. BRIQUEL-CHATONNET, H. LOZACHMEUR (Hrsg.), Proche-Orient Ancien – temps vécu, temps pensé, 1998 11 C. TRÜMPY, Nochmals zu den myk. Fr.-Täfelchen, in: SMEA 27, 1989, 191–234 12 Dies., Unt. zu den altgriech. Monatsnamen und Monatsfolgen, 1997 13 M. P. NILSSON, Die Entstehung und rel. Bed. des griech. K., 1918 14 J. SARKADY, Zur Entstehung des griech. K., in: Acta Classica Universitatis Scientiarium Debreceniensis 8, 1972, 3–9 15 C. R. LONG, The Twelve Gods of Greece and Rome, 1987 16 K. SCOTT, Greek and Roman Honorific Months, in: YClS 2, 1931, 199–278 17 J. RÜPKE, K. und Öffentlichkeit, 1995 18 B. RUCK, Die Fasten von Taormina, in: ZPE 111, 1996, 271–280 19 U. LAFFI, Le iscrizioni relative all'introduzione nel 9 a. C. del nuovo calendario della provincia d'Asia, in: Studi Classici e Orientali 16, 1967, 5–98 20 A. STROBEL, Ursprung und Gesch. des frühchristl. Oster-K., 1977 21 L. BASNIZKI, Der jüd. K., 1938 (Ndr. 1989) 22 J. OBERMANN, Calendaric Elements in the Dead Sea Scrolls, in: Journal of Biblical Literature 75, 1956, 285–297 23 J. M. BAUMGARTEN, The Calendars of the Book of Jubilees and the Temple Scroll, in: Vetus Testamentum 37, 1987, 71–78 24 J. C. VANDERKAM, 2 Maccabees 6,7a and Calendrical Change in Jerusalem, in: Journal for the Study of Judaism in the Persian, Hellenistic and Roman Period 12, 1981, 52–74 25 P. R. DAVIES, Calendrical Change and Qumran Origins, in: Catholic Biblical Quarterly 45, 1983, 80–89 26 M. CRISTOFANI, Tabula Capuana, 1995 27 K. OLZSCHA, Die K.-Daten der Agramer Mumienbinde, in: Aegyptus 39, 1959, 340–355 28 J. RÜPKE, Rezension von [26], in: Gnomon 71, 1999 29 A. K. MICHELS, The Calendar of the Roman Republic, 1967 30 C. WISSA WASSEF, Le calendrier copte, de l'antiquité à nos jours, in: JNES 30, 1971, 1–48 31 Y. DUVAL, Loca sanctorum Africae, 2 Bde., 1982 32 W. H. FRERE, Studies in Early Roman Liturgy, Bd. 1, 1930 33 H. TRÜMPY, Die Fasti des Baptista Mantuanus von 1516 als volkskundliche Quelle, 1979 34 J. HENNIG, Kalender und Martyrologium als Lit.-Formen, in: Ders., Lit. und Existenz,

1980, 37–80 **35** P. McGurk, The Metrical Calendar of Hampson, in: Analecta Bollandiana 104, 1986, 79–125 **36** C. Leitz, Die Nacht des Kindes in seinem Nest in Dendara, in: Zschr. für äg. Stud. 120, 1993, 136–165 **37** J. Mayr, Der Computus ecclesiasticus, in: Zschr. für Katholische Theologie 77, 1955, 301–330 **38** A. Borst, Computus, 1990 **39** H. Bernard, L'encyclopédie astronomique du Père Schall, in: Monumenta Serica 3, 1938, 35–77; 441–527 **40** G. V. Coyne, M. A. Hoskin, O. Pedersen, Gregorian Reform of the Calendar, 1983 **41** M. Meinzer, Der frz. Revolutions-K., 1992 **42** L. Ideler, Histor. Unt. über die astronomischen Beobachtungen der Alten, 1806 **43** Ders., Hdb. der mathematischen und technischen Chronologie, 2 Bde., 1825–26 (verkürzt und verbessert als: Ders., Lehrbuch der Chronologie, 1831) **44** Ders., Über den astronomischen Theil der Fasti des Ovid, in: Abh. der Königl. Akad. der Wiss. Berlin, Histor.-philol. Kl. 1822–3, 137–169.

J. R. u. H. FR.

Kales (Κάλης). Emporion und Fluß in Bithynia im Gebiet von → Herakleia [7]; h. wahrscheinlich Alaplı an der Mündung des Alaplı Çayı.

W. Ruge, s. v. K., RE 10, 1603 · K. Belke, Paphlagonien und Honorias, 1996, 223. K. ST.

Kalesios (Καλήσιος). Troischer Bundesgenosse aus Arisbe (nördl. Troas), Wagenlenker des Axylos, zusammen mit diesem von Diomedes getötet (Hom. Il. 6,18).

P. Wathelet, Dictionnaire des Troyens de l'Iliade, 1988, Nr. 184. MA. ST.

Kaletedu-Typ. Gallische Quinarprägung (→ Quinarius) des 2. und 1. Jh. v. Chr. im Gewicht um 1,90–1,94 g mit der griech. Aufschrift ΚΑΛΕΤΕΔΟΥ auf dem Rv., zuweilen abgekürzt ΚΑΛ oder als Rest einer Trugschrift in Verbindung mit einem mehrspeichigen Rad oder einer Kreispunktverzierung. Die Bed. der griech. Buchstaben ist nicht geklärt. Vorbild der Prägung war entweder ein röm. Denarius des P. Cornelius Sulla aus dem Jahr 151 v. Chr. oder des Dictators Sulla aus dem Jahr 89 v. Chr. mit dem behelmten Roma-Kopf auf dem Av. und einer → Biga auf dem Rv., die auf den K.-Mz. auf ein galoppierendes Pferd reduziert ist. Die frühen kelt. Nachprägungen haben neben der griech. Aufschrift auch die lat. SVLA. Die Herkunft der Mz. ist nicht sicher; nach den Funden kann man davon ausgehen, daß sie in Ostgallien entstanden sind.

1 K. Castelin, Kelt. Mz., 1, 1978, Nr. 612–696; 2, 1985, 122–125 **2** B. Ziegaus, Das Geld der Kelten und ihrer Nachbarn, 1994, 38. GE. S.

Kaletor (Καλήτωρ).
[1] Achaier, Vater des von Aineias getöteten Aphareus (Hom. Il. 13,541).
[2] Troer, Sohn des → Klytios [4], Vetter Hektors (Hom. Il. 15,419ff.), Schwager des → Kyknos [2] (Paus. 10,14,2). Beim Versuch, ein Schiff der Achaier in Brand zu setzen, von → Aias [1] getötet (Hom. Il. 15,419ff.; → Tabula Iliaca).

R. Hampe, s. v. Alexandros (89), LIMC 1.1, 517 · P. Wathelet, Dictionnaire des Troyens de l'Iliade, 1988, Nr. 185. MA. ST.

Kalḫu. Arab. Nimrūd (Irak), einst am Ostufer des Tigris gelegene assyr. Residenzstadt. Früheste Siedlungsspuren aus der Ḥalafzeit (5. Jt.); erste Erwähnung unter Salmanassar I. (1263–1234 v. Chr.). Durch Aššurnaṣirpal II. (883–858) wurde K. in der Nachfolge von → Assur [1] zur Hauptstadt des neuassyr. Reiches. Grabungen galten der Architektur neuassyr. Päläste, Verwaltungsgebäuden und Tempeln (NW-Palast, »Fort Shalmaneser«, Nabû-Tempel u. a.); reiche Funde von Orthostatenreliefs, Bestattungen, Elfenbeinarbeiten u. a. sind belegt. Nach erneuter Verlegung der Hauptstadt unter Sargon II. (722–705) blieb K. bis zum Ende des assyr. Reiches bedeutende Provinzstadt. Auf die Zerstörung durch Meder und Babylonier (614/2) folgte eine kurzzeitige nachassyr. Wiederbesiedlung. Belegt sind achäm. und neubabylon. Überreste; publiziert ist der hell. Befund (münzdatiert zw. 240 und 140 v. Chr., Seleukos III. bis erste Regierung Demetrios' II.); eine parth.-sāsānidische Besiedlung ist nicht nachgewiesen, aber nicht auszuschließen. Die Identifizierung K.s mit dem bei Xen. an. 3,4,7 genannten Toponym → Larisa [8] ist umstritten [2. 144].
→ Assyria

1 J. Curtis, s. v. Nimrud, The Oxford Encyclopedia of Archaeology in the Near East, Bd. 4, 1997, 141–144 **2** S. Dalley, Ninive after 612 B. C., in: Altorientalische Forsch. 20, 1993, 134–147 **3** D. und J. Oates, Nimrud 1957: The Hellenistic Settlement, in: Iraq 20, 1958, 114–158 **4** D. Oates, Studies in the Ancient History of Northern Iraq, 1968 **5** J. N. Postgate, J. E. Reade, s. v. Kalḫu, RLA 5, 303–323. AR. HA.

Kaliadne (Καλιάδνη, Καλιάνδη/*Kaliande*). Naiade, die dem Aigyptos zwölf Söhne zur Welt bringt (Apollod. 2,19). RE. ZI.

Kalif (*ḫalīfa*). »Nachfolger«, »Stellvertreter«, elliptisch für »Nachfolger des Propheten« → Mohammed, seit den Omajjaden (661–750; umstritten, ggf. schon früher) »Stellvertreter Allahs«. Als »rechtgeleitete« K. (durch Wahl; Mohammed hatte keine Regelung hinterlassen) gelten: → Abubakr (632–634), → Omar (634–644), der als erster auch den Titel »Fürst der Gläubigen« führte, → Othman (644–656), → Ali (656–661). Seit den → Omajjaden gilt Erbfolge; Postulat der → Abbasiden (750–1258): der K. soll aus der Prophetenfamilie stammen. Der K. besitzt polit.-mil., administrative, juristische und rel. Funktion, letztere ist auch im schiitischen Titel → »Imam« (später auch von → Sunniten gebraucht) dokumentiert. Ab dem 10. Jh. kam es zum Einsetzen von Delegierten: Emire, später Sultane, damit allmählich Schwächung und Verfall des Kalifats. Gleichzeitig etablierte sich auch in al-Andalus (Spanien) ein K. Erst 1924 wurde das Kalifat auch formell durch die Nationalversammlung in Ankara abgeschafft.

TH.W. ARNOLD, The Caliphate, ²1967 • P. CRONE,
M. HINDS, God's Caliph, 1986 • D. SOURDEL u. a., s. v.
KHalīfa, EI 4, 937a–953a.   H. SCHÖ.

Kalindoia (Καλίνδοια). Stadt in Mygdonia/Makedonia
bei h. Kalamoton. Im 5. Jh. v. Chr. Teil der → Bottike
(IG I³ 76), war K. um 360 v. Chr. wohl noch selbständig
(IG IV² 1, 94 Ib 13), dürfte aber unter Philippos II. maked. Königsland geworden und mit Nachbarorten von
Alexander d. Gr. an maked. Siedler als »Schenkung«
(dōreá) abgegeben worden sein (SEG 36, 626). Spätestens
unter Augustus war K. autonome Stadt mit Rat, Ek-
klesia und Politarchai (SEG 35, 744).

R. M. ERRINGTON, Neue epigraphische Belege für
Madekonien z. Z. Alexanders des Großen, in: W. WILL
(Hrsg.), Alexander der Große. Eine Welteroberung und ihr
Hintergrund, 1998, 79–82 • M. B. HATZOPOULOS, L. D.
LOUKOPOULOU, Recherches sur les marches orientales des
Téménides, 2 Bde., 1992 bzw. 1996.   MA. ER.

Kalingai. Volk an der Ostküste Indiens, altind. Kalinga,
lebte etwa im heutigen Orissa; Hauptstadt Pertalis (Plin.
nat. 6,64; 65; 7,30, vielleicht nach Megasthenes). Ihr
Land wurde 261 v. Chr. von → Aśoka in blutigem Krieg
erobert und dem Reich der → Mauryas eingegliedert;
wahrscheinl. mit der Kalliga des Ptol. (7,1,93, in der
→ Maisolia im östl. Indien) identisch.

A. HERRMANN, s. v. K., RE 10, 1604 f.   K. K.

Kalk. Die von den Griechen angewandte Technik, bei
der Errichtung von Quadersteinmauern die einzelnen
Blöcke mit unterschiedlich geformten Klammern aus
Metall zu verbinden, wurde von den Römern für die
Monumentalarchitektur übernommen. Daneben verwendeten sie im Hausbau schon früh Mörtel als Bindemittel, der aus K. und Sand bestand. Auf diese Weise
erhielt K., der in Griechenland vor allem für den Verputz von Gebäuden gebraucht worden war, unter den
Baustoffen in röm. Zeit eine größere Bedeutung.

K. wird durch Brennen bei Temperaturen von etwa
1000° C aus Kalkstein gewonnen; aus dem Kalziumcar-
bonat (CO_3Ca) entsteht Kalziumoxid (CaO; »ungelöschter K.«), das durch eine Reaktion mit Wasser zu
Kalziumhydroxid ($Ca(OH)_2$; »gelöschter K.«) wird.

Als Baustoff wird K. (calx) bereits bei Cato (1. H.
2. Jh. v. Chr.) in den Vorschriften für den Bau einer
→ villa oder von Hofmauern erwähnt; der dafür benötigte K. sollte vom Bauherrn geliefert werden und wurde möglicherweise auch auf dem Gut selbst gebrannt.
Cato beschreibt ausführlich einen K.-Ofen (fornax cal-
caria), der eine Breite von 10 Fuß und eine Höhe von 20
Fuß besaß, und empfiehlt weißen Kalkstein für das K.-
Brennen (Cato agr. 14–16; 38). Ein früher Beleg für die
Verwendung von K. ist ferner die lex operum Puteolana
(105 v. Chr.; ILS 5317). Vitruvius (1. Jh. v. Chr.), der
dem K. in seinem Überblick über die Baumaterialien
ein eigenes Kapitel widmet, ist der Meinung, daß aus
hartem Stein gewonnener K. für Mauerwerk geeignet

sei, solcher aus porösem Stein für Verputz. Bei der Herstellung von Mörtel sollten drei Teile Grubensand oder
aber zwei Teile Fluß- oder Meersand auf ein Teil K.
kommen. Nach Vitruvius bewirkte der K. dadurch, daß
er mit dem Sand und dann auch mit dem Stein eine
Verbindung einging, die Festigkeit eines Bauwerks
(Vitr. 2,5). Für die Verwendung als → Stuck mußte der
K. sorgfältig gelöscht werden, weil sonst Risse im Verputz entstanden (Vitr. 7,2); für das Abdichten von Wasserleitungen wurde hingegen ungelöschter K. gebraucht (calx viva; Vitr. 8,6,8). Plinius, der die Aussagen
von Cato und Vitruvius wiederholt, führt die häufigen
Einstürze von Häusern in Rom darauf zurück, daß dem
Mörtel zuwenig K. beigemischt wurde (Plin. nat.
36,174–177; zur Verwendung in der Heilkunde vgl.
36,180).

In der Spätant. gehörten das K.-Brennen und die
Lieferung von K. zu den munera sordida (→ munus); privilegierte Gruppen wurden von dieser Verpflichtung
ausdrücklich befreit (Cod. Theod. 6,23,3–4; 11,16,15;
11,16,18). Es wurde festgesetzt, daß jährlich 3000 Wa-
genladungen K. nach Rom zu bringen waren, von denen jeweils die Hälfte für die Wasserleitungen und die
Reparatur von Gebäuden bestimmt war (Cod. Theod.
14,6,3 aus dem J. 365 n. Chr.; vgl. Nov. Valentiniani
5,1,4 aus dem J. 440). Der Abbruch von Grabdenkmä-
lern zur Gewinnung von Stein zum K.-Brennen wurde
349 streng untersagt (Cod. Theod. 9,17,2).

Eine große Anlage mit sechs K.-Öfen wurde bei
Iversheim (bei Bad Münstereifel) im Rheinland ausgegraben; es gelang 1969, einen der Öfen wieder in Betrieb zu nehmen und 25 t Stein zu brennen; dieser Versuch hat gezeigt, daß etwa 9–10 Tage für einen Brand
notwendig waren. Wie aus einer Vielzahl von Inschr.
hervorgeht, unterstand diese K.-Brennerei den am
Rhein stationierten Legionen.
→ Bautechnik; opus caementicium

1 ADAM, 69–76 2 G. ALFÖLDY, Inschr. aus den
K.-Brennereien der niedergerman. Legionen bei Iversheim
(Kr. Euskirchen), in: Epigraphische Studien 5, 1968, 17–27
3 T. BECHERT, Röm. Germanien zw. Rhein und Maas,
1982, 189ff. 4 W. SÖLTER, Röm. Kalkbrenner im
Rheinland, 1970.   H. SCHN.

Kalkriese. Seit 1987 kommen im Zuge systematischer
arch. Unt. in K. bei Bramsche, Landkreis Osnabrück,
zahlreiche römerzeitliche Funde zutage, welche einen
ausgedehnten Kampfplatz zw. Römern und Germanen
belegen. Bis E. 1997 wurden einschließlich Altfun-
den nahezu 3000 Objekte geborgen, darunter etwa
1300 Mz. und 1600 im weiteren Sinne den Römern zu-
zuschreibende »Militaria«. Hinzu kommen organische
Überreste u. a. von Kulturpflanzen, aber auch Men-
schen- und Tierknochen. Die Funde stammen überwiegend aus der Kalkrieser-Niewedder Senke, einem
6 km langen und an der schmalsten Stelle 1 km breiten
Engpaß zw. dem Großen Moor im Norden und dem
Kalkrieser Berg im Süden. Durch die Enge, die nur auf

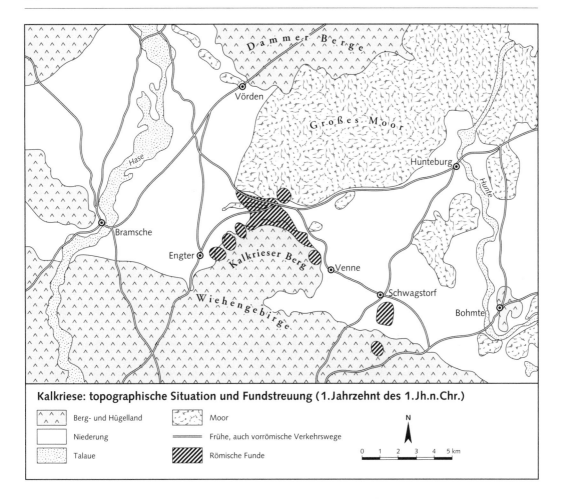

Kalkriese: topographische Situation und Fundstreuung (1.Jahrzehnt des 1.Jh.n.Chr.)

Berg- und Hügelland
Niederung
Talaue
Moor
Frühe, auch vorrömische Verkehrswege
Römische Funde

N

0 1 2 3 4 5 km

schmalen, trockenen Streifen im Süden und Norden passiert werden konnte, führten seit alters her zwei Routen, welche den Niederrhein mit der mittleren Weser verbanden und deren Kenntnis auch beim röm. Militär vorauszusetzen ist. Seit prähistor. Zeit war das Gebiet um K. eine Agrarlandschaft mit Ackerbau und Viehzucht. Durch Prospektion und Grabungen konnte bislang nur ein geringer Teil des fundträchtigen Areals näher untersucht werden. Jedoch belegen eine zweifellos von Germanen errichtete Abschnittsbefestigung in Form von Erdwällen und die Funde als solche, daß hier ein großer röm. Heeresverband in einen Hinterhalt geriet.

Schon 1883 hatte Th. MOMMSEN – wenngleich nicht als erster – aufgrund der aufgelesenen Silber- und Goldmünzen behauptet, daß sich hier der seit Jh. gesuchte »Ort der Varusschlacht« (→ Quinctilius Varus; → Arminius) befunden habe [1]. Die für die zeitliche Einordnung entscheidende Auswertung des reichen, mit einem hohen Anteil von Aurei und Denaren bestückten Münzbestandes bestätigt den Zusammenhang der Kämpfe bei K. mit der »Varusschlacht«, wobei jedoch sachgerechter von deren »Region« als vom deren »Ort«

zu sprechen ist. Einzelheiten bleiben der weiteren Erforschung vorbehalten, jedoch sind Funde und Befunde nicht nur wegen ihrer Zuordnung zur röm. Niederlage *in saltu Teutoburgiensi* (Tac. ann. 1,60) von weitreichender histor. Bed.

→ Saltus Teutoburgensis

1 Th. MOMMSEN, Die Örtlichkeit der Varusschlacht, 1883 und 1885.

FR. BERGER, K. 1. Die röm. Fundmz. (Röm.-Germ. Forsch. 55), 1996 · W.SCHLÜTER u. a., Arch. Zeugnisse zur Varusschlacht?, in: Germania 70, 1992, 307–402 · Ders. (Hrsg.), K. – Römer im Osnabrücker Land, 1993 · W.SCHLÜTER, Neue Erkenntnisse zur Örtlichkeit der Varusschlacht?, in: R. WIEGELS, W. WOESLER (Hrsg.), Arminius und die Varusschlacht, 1995, 67–95 · Ders., Zum Stand der arch. Erforschung der Kalkrieser-Niewedder Senke, in: R. WIEGELS (Hrsg.), Rom, Germanien und die Ausgrabungen von K., 1999 (im Druck) · R. WIEGELS, K. und die lit. Überlieferung zur *clades Variana*, in: ebd. · R. WOLTERS, Varusschlachten – oder: Neues zur Örtlichkeit der Varusschlacht, in: Die Kunde N. F. 44, 1993, 167–183.
RA.WI.

Kallaischros (Κάλλαισχρος). Sohn des Kritias, Athener, geb. um 490 v. Chr., Großneffe Solons und Vater des Sophisten → Kritias (Diog. Laert. 3,1; Plat. Charm. 153c; Plat. Prot. 316a). K. ist möglicherweise mit dem gleichnamigen Oligarchen vom J. 411 (Lys. 12,66) identisch.

DAVIES 8792,VI.   HA.BE.

Kallas (Κάλλας). Fluß an der Nordküste von Euboia [1] bei Histiaia-Oreos, wohl mit dem h. Xerias oder Xeropotamos identisch (Strab. 10,1,4).

F. GEYER, Top. und Gesch. der Insel Euboia 1, 1903, 9, 82 · PHILIPPSON/KIRSTEN 1, 574f.   H.KAL.

Kallatis (Κάλλατις). Hafenstadt an der West-Küste des → Pontos Euxeinos, h. Mangalia in Rumänien, E. 6. Jh. v. Chr. von → Herakleia [7] Pontike gegr. Der Aufschwung der Stadt war urspr. durch die landwirtschaftliche Nutzung des Umlandes bedingt, als Hafenstadt war K. dagegen im Vergleich zu Odessos, Tomis und Istros weniger bedeutend. In den → Perserkriegen stand K. auf seiten Athens und trat offenbar dem → Attisch-Delischen Seebund bei. Dadurch verstärkten sich auch die Handelsbeziehungen zw. beiden Städten. Wirtschaftliche Kontakte unterhielt K. auch zu Thasos, Rhodos, Paros und Delos. Den Versuchen der Makedonenkönige Philippos II. und Lysimachos, ihre Herrschaft bis zur westpont. Küste auszuweiten, leistete K. Widerstand, unterlag jedoch. Nach dem Zerfall des Makedonenreiches war K. vorübergehend an der Westküste des Pontos tonangebend. Im 2. Jh. v. Chr. von den → Bastarnae bedroht, im 3. Mithradatischen Krieg von Lucullus erobert (72 v. Chr.; Eutr. 6,10; App. Ill. 30), später von den Dakoi unter → Burebista beherrscht; unter Augustus administrativ mit Thracia verbunden. Auf dem Areal von K. fanden sich Gebäudereste (röm. und byz.), Grabanlagen, Stadtmauerreste sowie Inschr. und Münzen.

CHR. DANOFF, s. v. Pontos Euxeinos, RE Suppl. 9, 1079ff. · C. PREDA, K., 1963 · T. W. BLAWATSKAJA, Westpont. Städte im 7.–1. Jh. v. u. Z., 1952 (russ.).   J.BU.

Kalleas (Καλλέας) von Argos. Sonst unbekannter Verf. eines sympotischen Epigramms (Anth. Pal. 11,232), das auf dem Sprichwort aufbaut: ›Der Wein verrät den Charakter‹, einer Version des alten Sprichworts *in vino veritas* (vgl. Alkaios fr. 333 VOIGT; Thgn. 500; Aischyl. fr. 393 RADT usw.). Das sehr seltene Kompositum λυσσομανής (»rasend«, V. 2) wurde wahrscheinlich aus → Antipatros [8] von Sidon (Anth. Pal. 6,219,2) übernommen.

V. LONGO, L'epigramma scoptico greco, 1967, 106 · H. BECKBY, Anthologia Graeca, III-IV, ²1967.
                                                   M. G. A./Ü: T. H.

Kalliades (Καλλιάδης).
[1] Dichter der Neuen Komödie, auf der inschr. Liste der Lenäensieger an 6. Stelle nach Menandros, an 5.

nach Philemon und an 3. nach Diphilos [5] mit einem Sieg verzeichnet und damit ins ausgehende 4. Jh. v. Chr. zu datieren [1]. Athen. 9,401a zitiert ›Diphilos oder K.‹ als Verf. einer *Ágnoia*, an anderer Stelle (15,700c) spricht er aber nur von Diphilos als Autor dieses Stücks. Auch die K. von Athen. 13,577b zugeschriebene Spitze gegen den Redner Aristophon [2] ist zweifelhaft [1. 53].

1 PCG IV, 1983, 37.   T.HI.

[2] Bildhauer; laut Tatian schuf K. eine Statue der Hetäre → Neaira (2. H. 4. Jh. v. Chr.). Unsicher ist eine genealogische Verbindung mit K., dem Vater eines namentlich nicht bekannten Bildhauers in Delphi vor der Mitte des 3. Jh. v. Chr., sowie mit K., dem Sohn des → Sthennis, um 240–220 v. Chr. in Lindos tätig.

OVERBECK Nr. 1370 · C. BLINKENBERG, Lindos, 2. Inscriptions, 1, 1941, 331–336 Nr. 103 · J. MARCADÉ, Recueil des signatures de sculpteurs grecs, 1, 1953, 45f. · G. CARETTONI, in: EAA 4, 296 · F. COARELLI, Il complesso pompeiano del Campo Marzio e la sua decorazione scultorea, in: RPAA 44, 1972, 99–122 · A. STEWART, Attika, 1979, 160 · P. MORENO, Scultura ellenistica, 1994, 370.
                                                   R.N.

Kallianax (Καλλιάναξ). Arzt, Anhänger des → Herophilos [1] und Mitglied seines »Hauses«, was womöglich darauf hindeutet, daß er Mitte des 3. Jh. v. Chr. tätig war [1]. → Bakcheios [1] erwähnt in seiner Denkschrift über die frühen Herophileer (Galen in Hippocratis Epidemiarum 6 comment. 4,10 = CMG V 10,2,2,203), K. habe Homer und die griech. Trag.-Dichter zit., wenn ihm seine Patienten ihre Angst vor dem Sterben bekannt hätten. Damit habe er ihnen zu verstehen gegeben, daß nur Unsterbliche dem Tod entrinnen (bzw. daß sogar Helden wie Patroklos sterben müßten). Galen fand K.' Kommentare gefühllos und unangebracht.

1 STADEN, 478f.   V.N./Ü: L. v. R.-B.

Kalliaros (Καλλίαρος, τὰ Καλλίαρα). Im Verzeichnis der ostlokrischen Städte des homer. Schiffskatalogs (Hom. Il. 2,531) erwähnte Stadt, z.Z. Strabons entvölkert (Strab. 9,4,5; Hesych. s. v. K.), benannt nach der umgebenden Ebene, etym. vom gleichnamigen Heros abgeleitet bei Steph. Byz. s. v. K. (= Hellanikos FGrH 4 F 13). Die Lokalisierung von K. bei Skala Atalandis, wo Keramik aus FH und MH sowie aus myk. Zeit gefunden wurden, ist unsicher.

W. A. OLDFATHER, s. v. K. (1) und (2), RE 10, 1613–1615 · J. M. FOSSEY, The Ancient Topography of Opountian Lokris, 1990, 75, 94.   G. D. R./Ü: J. W. M.

Kallias (Καλλίας, ion. Καλλίης). Verbreiteter att. Name im 6.–4. Jh. v. Chr., bes. in der reichen, mit dem Kult von Eleusis verbundenen Priesterfamilie (mehrere Daduchoi) der Kerykes, wo K. im Wechsel mit → Hipponikos erscheint.

PA, Stemma S. 520 · F. BOURRIOT, Recherches sur la nature du genos, 1976, Bd. 2, 1198ff., bes. 1216ff.   M. MEI.

[1] Mythischer Sohn des Herakleiden → Temenos, des Königs von Argos, und Bruder des Agelaos, Eurypylos und der → Hyrnetho. Da der König Hyrnetho und ihren Gatten → Deïphontes seinen Söhnen vorzieht, lassen sie Temenos ermorden, werden aber vom Heer zugunsten des legitimen Königspaares vom Thron verdrängt (Apollod. 2,179). R.A.MI.

[2] K. aus Athen, Sohn des Hyperochides, gehörte zu den Gefolgsleuten des → Peisistratos, wahrscheinlich nach einer Heiratsallianz (um 550 v. Chr.), die seine Tochter Myrrhine mit → Hippias [1], dem Sohn des Peisistratos, verband (Thuk. 6,55,1).

DAVIES 450 · L. DE LIBERO, Die Archaische Tyrannis, 1996, 67.

[3] K. aus Athen, Sohn des Phainippos, pyth. und olymp. Siege (Hdt. 6,122). K. hat nach Herodot (6,121) die Güter des ins Exil gegangenen → Peisistratos aufgekauft und ist wahrscheinlich nach dessen Rückkehr 546/5 v. Chr. aus Athen geflohen. Nach Pausanias (1,26,4) ist er wohl in der Inschr. der von Endoios gearbeiteten Sitzstatue der Athena auf der Akropolis genannt.

DAVIES 42. B.P.

[4] Sohn des Hipponikos, Enkel des Kallias [1], verheiratet mit Elpinike, der Schwester des Kimon [2]. 490 v. Chr. nahm K. an der Schlacht von Marathon teil (Plut. Aristeides 5). Die Nachwelt hielt ihn für den reichsten Mann Athens (Plut. Aristeides 25,6; Lys. 19,48: 200 Talente), schol. Aristoph. Nub. 64 nennt drei olymp. Siege. Das Vermögen der Familie basierte offenbar auf Grubenbesitz: Der von der Komödie erfundene Spottname *Lakkóplutos* ist wohl entgegen der von Plutarch (Aristeides 5) um ihn gesponnenen Geschichte mit »Grubenbaron« [1. 1616] zu übersetzen. 465/4 weilte K. als Gesandter am Hofe Artaxerxes' I. in Susa. Herodot (7,151) nennt den Grund der Mission jedoch nicht. Nach Demosthenes (or. 19,273) wurde K. bei seiner Rückkehr mit einer Geldbuße von 50 Talenten belegt. Im Winter 446/5 wirkte er – K. war spartanischer → *próxenos* – an einer Gesandtschaft mit, die den dreißigjährigen Frieden mit Sparta abschloß (Diod. 12,7).

Der Name des K. wird aber v. a. mit einem Frieden verbunden, der 449 zwischen Athen und den Persern geschlossen oder erneuert [2] worden sein soll. Den erh. späten Quellen zufolge (meist aus dem 4. Jh. v. Chr.) verpflichteten sich die Perser, die Autonomie der Griechenstädte Kleinasiens zu achten, sich mit dem Heer nicht weiter als bis auf drei Tagesmärsche der kleinasiat. Küste zu nähern und die Ägäis nicht mit Kriegsschiffen zu befahren (Demarkationspunkte: Phaselis bzw. Kyaneen), während die Athener im Gegenzug zusicherten, das Gebiet des Großkönigs nicht anzugreifen. Die schon in der Ant. umstrittene (Kallisthenes FGrH 124 F 16, Theop. FGrH 115 F 153, 154) Historizität des Friedensschlusses von 449 wird indes von der Mehrheit der Forsch. bezweifelt (s. bes. [3]).

1 H. SWOBODA, s. v. K. (2), RE 10,2, 1615–1618 2 E. BADIAN, The Peace of Callias, in: JHS 107, 1987, 1–39 3 K. MEISTER, Die Ungeschichtlichkeit des Kalliasfriedens und deren histor. Folgen, 1982.

[5] Sohn des → Hipponikos, Enkel des Kallias [4], geb. ca. 450 v. Chr., gest. nach 371. Seine Mutter heiratete in zweiter Ehe → Perikles (so Plut. Perikles 24), die Schwester Hipparete war Gattin des → Alkibiades (Plut. Alkibiades 8). Polit. oder mil. scheint K. während des Peloponnesischen Krieges nicht hervorgetreten zu sein. Ziel des Komödienspottes war er wegen seiner Verschwendungssucht. Die 421 aufgeführten *Kólakes* (›Schmarotzer‹) des Eupolis brachten die Lebensweise im Hause des K., in dem auch der Sophist Protagoras und Sokrates verkehrten, parodistisch verzeichnet auf die Bühne (›Der nach den Grazien duftet, im Menuettpas schwänzelt, Sesamgewürzbrot kaktusst und Pomeranzen hinspuckt.‹, Eupolis, Kolakes 17 FCG 2,1; Ü.: O. WEINREICH [1]). Ein anderes Bild entwerfen Platon im *Prōtagóras* (337d) und Xenophon im *Sympósion* (passim). Im sog. Mysterienprozeß (→ Hermokopidenfrevel) trat K. mit offenbar falschen Beschuldigungen gegen den Angeklagten Andokides [1] auf (And. 1,112–116). Als athen. Stratege von 391/90 [2] war er 390 am Sieg über ein spartan. Regiment bei Korinth beteiligt (Xen. hell. 4,5,13–18). Wie sein Großvater Kallias [4] → *próxenos* der Lakedaimonier (Xen. hell. 5,4,22), weilte er 371 zu Friedensverhandlungen in Sparta (Xen. hell. 6,3,2f.). Der Rede zufolge, die Xenophon ihn bei dieser Gelegenheit halten läßt (Xen. hell. 6,3,4–6), hätte K. Athen schon vorher bei zwei anderen Friedensmissionen erfolgreich vertreten. Berichte über völlige Verarmung (Athen. 12,537b f., Ail. var. 4,23; größere Vermögensverluste: Lys. 19,48) und eheliche Skandale verdienen nur begrenzten Glauben, sie entstammen zum Teil wohl den in att. Prozessen üblichen Verleumdungen (And. 1,124–127).

1 L. SEEGER, O. WEINREICH (Hrsg.), Sämtliche Komödien des Aristophanes ... nebst Fr. der Alten und Mittleren Komödie, Bd. 2, 1953, 419 2 DEVELIN, 213. W.W.

[6] Dichter der Alten → Komödie, Zeitgenosse und Konkurrent [1 test. 2] des → Kratinos, dem er auf der inschr. Dionysiensiegerliste [1 test. *5] wahrscheinlich folgt. Dort sind zwei Dionysiensiege bezeugt, von denen einer ins Jahr 446 v. Chr. gehört [1 test. 3]. IGUR 216 bezeugt je einige hintere Plätze, die K. in verschiedenen Agonen belegte [1 test. *4]: einen 3. Platz mit den Κύκλωπες (›Die Kyklopen‹) an den Dionysien von 434, einen 4. Platz mit den Σάτυροι (›Die Satyrn‹) an den Lenäen von 437 und einen weiteren mit den Βάτραχοι (›Die Frösche‹) an den Lenäen von 431; ferner zwei Dionysienplätze (einen vor 440, einen 440, beide Titel unbekannt), einen 3. Lenäenplatz (Zeit und Titel unbekannt), einen weiteren 4. Platz zw. 437 und 431 (Stücktitel]ερα σιδηρᾶ) und einen 5. Platz 434 (Titel unbekannt). Insgesamt sind 8 Stücktitel und 40 Fr. erh., von denen fast die Hälfte aus den ›Kyklopen‹ (die

z. T. auch dem Diokles [5] zugewiesen werden) und den Πεδῆται (›Die Gefangenen‹) stammt. Die ›Kyklopen‹ behandelten vielleicht die Gesch. von Odysseus und Polyphemos; aus den ›Gefangenen‹ ist noch Spott gegen Sokrates (als »Mitautor« des Euripides; fr. 15), den trag. Dichter Akestor (fr. 17), den Seher Lampon (fr. 20), und gegen → Aspasia (als Redelehrerin des Perikles; fr. *21) erkennbar. Ob K. identisch ist mit dem gleichnamigen Verf. einer γραμματικὴ τραγῳδία (›Die Buchstabentragödie‹) ist umstritten ([1 test. *7] mit Komm.).

1 PCG IV, 38–53.   H.-G. NE.

[7] Sohn des Kalliades, athen. Politiker, nach Platon (Alk. 119a) Schüler des Zenon von Elea. K.' Aktionen zielten auf eine Stärkung Athens für den drohenden Krieg gegen Sparta. In diesen Kontext gehören die sog. Kalliasdekrete (Syll.³ 91 = ML 58 A/B = IG I³ 52), die wohl 434/3 v. Chr., d. h. noch vor der Unterstützung Korkyras durch Athen (433), anzusetzen sind (zur Datierung: [1. 519–523]; vgl. dagegen [2]) und in denen u. a. die Rückzahlung von Staatsschulden an die Götter außer Athena verfügt wurde, nachdem 3000 Talente in das Athena-Heiligtum auf der Akropolis gebracht wurden. Das übrige Geld sollte für Werften und Befestigungen verwendet werden (zum Zusammenhang der Dekrete mit dem perikleischen Bauprogramm vgl. [3. 70]). 433/2 setzte K. sich für das Bündnis mit Rhegion und Leontinoi ein (ML 63 und 64 = IG I³ 53 und 54). Er fiel 432 als *stratēgós* vor Poteidaia (PA 7827).

1 R. MEIGGS, The Athenian Empire, 1984 2 L. KALLET-MARX, The Kallias Decree, in: CQ 83, 1989, 94–113 3 W. SCHMITZ, Wirtschaftliche Prosperität, 1988.   M. MEI.

[8] Sohn des Teloklos aus der athen. Phyle Pandionis (IG II² 3018: Weihinschrift als siegreicher Gymnasiarch vom Anfang des 4. Jh. v. Chr.), Ehemann der Schwester des Rhetors → Andokides [1], in der Hermokopiden-Affäre (→ Hermokopidenfrevel) 415 v. Chr. zunächst auf Anzeige des Diokleides als Mittäter verhaftet, dann aber wieder freigelassen (And. 1, 40, 42, 66, 68).

A. W. GOMME, A. ANDREWES, K. J. DOVER, A Historical Commentary on Thucydides, vol. IV (Books V 25 – VII), 1970, 271–288.

[9] K. aus Chalkis, Sohn des Mnesarchos. Als Chalkis Ende 342 v. Chr., vermutlich als einzige Polis Euboias, noch nicht in der Hand des → Philippos II. oder seiner Anhänger war, setzte K. sich – noch 349/8 ein Gegner Athens – mit seinem Bruder Taurosthenes für einen Bund der Poleis Euboias unter Führung von Chalkis und eine Allianz des Euboiischen Bundes mit Athen ein. Im Frühjahr 341 wurde eine Symmachie zwischen Athen und Chalkis geschlossen (StV 339), im gleichen Jahre eine ähnliche zwischen Athen und Eretria (StV 340); ebenfalls 341 erhielt K. durch den Einsatz des → Demosthenes [2] athenische polit.-mil. Unterstützung gegen die Tyrannen von Eretria und Oreos; auf Initiative des Demosthenes wurde K. das athen. Bür-

gerrecht verliehen [1. T 73]. K. führte den Euboiischen Bund (StV 342) im Frühjahr 340 in den Hellenenbund des Demosthenes gegen Philipp II. und damit in die Kriegsniederlage von 338. Sein Ziel, Euboia den Euboiern zu erhalten, den Einfluß Philipps II. und der Athener auf der Insel aber zu begrenzen, scheiterte.

1 M. J. OSBORNE, Naturalization in Athens, vol. III-IV, 1983, 72–75.

SCHÄFER II² 84 f., 418–424 · H. WANKEL, Rede für Ktesiphon über den Kranz, 1976, 425 f., 451–454.   J. E.

[10] K. aus Syrakus, Günstling und Historiker des → Agathokles [2]. K. beschrieb in 22 B. ›Die Taten des Agathokles‹ (FGrH 564 T 1 und 2), wobei er dessen Verbrechen verschwieg, seine Menschlichkeit und Götterfurcht jedoch panegyrisch hervorhob (Diod. 21,17,4 = T 3). Unsicher ist, ob und wieweit das exkursreiche Werk (F 5: Anfänge Roms, F 3: *Thaumásia*, »Wundersames«) die Überl. beeinflußt hat: Timaios (FGrH 566 T 17) polemisierte jedenfalls gegen K. FGrH 564.

K. MEISTER, Die griech. Geschichtsschreibung, 1990, 136 · L. PEARSON, The Greek Historians of the West, 1987, 32.   K. MEI.

[11] Griech. Grammatiker, geb. in Mytilene auf Lesbos (Athen. 3,85–86), lebte wahrscheinlich im 3./2. Jh. v. Chr.: Die relative Datierung zu Aristophanes [4] von Byzanz, mit dem zusammen K. bei Athenaios erwähnt wird, ist umstritten. K. befaßte sich mit der Sappho- und Alkaiosexegese (Strab. 13,618); Athen. ebd. bezeugt den Titel eines seiner Werke: Περὶ τῆς παρ' Ἀλκαίῳ λεπάδος.

A. GUDEMAN, s. v. K. (23), RE 10, 1629–1630 · A. NAUCK, Aristophanis Byzantii fragmenta, 1848, 61; 275 · A. PORRO, Vetera Alcaica, 1994, 8–11 · W. J. SLATER, Aristophanis Byzantii fragmenta, in: SGLG 6, 132–133 · U. VON WILAMOWITZ-MOELLENDORFF, Textgesch. der griech. Lyriker, 1900, 74–76.   F. M./Ü: T. H.

Kallibios (Καλλίβιος). Spartiat, wurde 404/3 v. Chr. auf Bitten der Dreißig und nach Intervention des Lysandros als Harmost nach Athen geschickt, wo er von den dortigen Machthabern hofiert wurde und ihr Regime zu stützen suchte (Xen. hell. 2,3,13 f.; [Aristot.] Ath. pol. 37,2; 38,2; Diod. 14,4,4).   K.-W. WEL.

Kallichoron s. Athenai

Kallichoros (Καλλίχορος). Fluß in Bithynia zw. → Herakleia [7] Pontike und Tieion (Apoll. Rhod. 2,904; Plin. nat. 6,1; Amm. 22,8,23); er soll nach den Orgien des Dionysos benannt sein, wird aber auch Oxynon gen. (schol. Apoll. Rhod. 2,904; vgl. Arr. per. p. E. 19; peripl. m. Eux. 12; Markianos von Herakleia, epit. peripli Menippi 8). Die Gleichsetzung mit dem Parthenios (Orph. Arg. 731) kann nicht zutreffen.

J. TISCHLER, Kleinasiat. Hydronymie, 1977, 70.   C. MA.

Kallidike (Καλλιδίκη).
[1] Schönste Tochter des eleusinischen Königs → Keleos und der → Metaneira. Sie trifft mit ihren Schwestern Kleisidike, Demo und Kallithoe die um ihre Tochter → Persephone trauernde → Demeter an und lädt sie im Namen ihrer Schwestern zu sich nach Hause ein (Hom. h. 2,110; 146).
[2] Königin der Thesproter in Epeiros. Im kykl. Epos → Telegonia wird sie nach der Irrfahrt Gattin des → Odysseus. Nach ihrem Tod überträgt Odysseus ihrem gemeinsamen Sohn → Polypoites die Herrschaft und kehrt nach Ithaka zurück (Apollod. Epitome 7,34–35; PEG I, 101–103).   RA.MI.

Kallidromos (ὁ/ἡ Καλλίδρομος; *Kallidromon*, τὸ Καλλίδρομον; lat. *Callidromus*). Name des Gebirgsstocks oberhalb der → Thermopylai (Strab. 9,4,13), h. Saromata, bis zu 1374 m hoch, in seiner Ausdehnung unterschiedlich abgegrenzt. Allg. gilt er als Teil der Oite (→ Oitaioi). Teile des K. sind Akrurion (nachmals Galates gen., Plut. Phokion 33), K. (im engeren Sinn), Phrikion (Höhe mit Festung K., Liv. 16–18; App. Syr. 77; 81; 85). Über den K. wurden die Thermopylai 480 von den Persern (→ Perserkrieg) und 191 v. Chr. von den Römern umgangen.

H. v. GEISAU, s. v. K., RE 9, 428 • F. STÄHLIN, Das
hellenische Thessalien, 1924, 192, 194 (Quellen).   HE.KR.

Kallieis (Καλλιεῖς). Der westlichste Teilstamm der aitolischen → Ophieis im oberen Tal des Daphnos (h. Mornos; Thuk. 3,96,3). Ihr Hauptort Kallion (oder Kallipolis, h. Kallion, ehemals Velouchovo) besetzte die strategische Position oberhalb des rechten Ufers des Daphnos und wird deshalb bei den Kriegszügen des → Demosthenes [1] 426 und des → Acilius [I 10] Glabrio 191 v. Chr. sowie dem Galliereinfall 279 v. Chr. (Vernichtung von Stadt und Einwohnern, vgl. Paus. 10,22,3–7) erwähnt. Der Siedlungsplatz mit befestigter Akropolis wurde von geom. bis in spätant.-byz. Zeit bewohnt. Die im 4. Jh. v. Chr. planmäßig angelegte Stadtanlage ist h. größtenteils vom Mornos-Stausee überflutet. Wichtige Funde sind spätklass. Häuser, Freilassungsurkunden und das sog. Archiv der K. mit über 600 Siegeln [1]. Inschr.: SGDI 2137; FdD III 4, 240; IG IX 1², 1, 154–158; SEG 16, 368; 28, 504; 37, 427f.; 40, 458.

1 P. A. PANTOS, Ta sphragismata tis Aitolikis Kallipoleos,
1985.

C. ANTONETTI, Les Étoliens, 1990, 289–294 • S. BOMMELJÉ
(Hrsg.), Aetolia and the Aetolians, 1987, 84f. • R. SCHEER,
s. v. Kallion, in: LAUFFER, Griechenland, 294f. •
D. STRAUCH, Röm. Politik und griech. Trad., 1996,
291–294.   D.S.

Kalliena. Nach peripl. m. r. 52f. ein *empórion* an der Westküste Indiens, in der Nähe des h. Bombay, altindisch Kalyāṇa. K. wurde vom älteren Saraganes als wichtiger Handelshafen angelegt, unter Sandanes im 1. Jh. n. Chr. zu Gunsten → Barygazas vernachlässigt.

Auch bei Kosmas [2] Indikopleustes als Kalliana belegt (11,16; 11,22).

H. P. RAY, Monastery and Guild. Commerce under the
Sātavāhanas, 1986.   K.K.

Kalligeneia (ἡ Καλλιγένεια). Göttin der Geburt und des Wachstums, aus dem K.-Fest abgeleitet, das bes. in Athen (Aristoph. Thesm. 298 mit schol.; Alki. 2,37) gefeiert wurde. Bereits in der Ant. wurde K. verschieden interpretiert: als Epitheton zu Ge (→ Gaia) oder → Demeter (Hesych. s. v. K.; CIG III 5432) oder als Amme, Priesterin oder Dienerin der Demeter.
→ Thesmophoria

H. USENER, Götternamen, 1896, 122f.   AL.FR.

Kalligone-Roman. Als K.-R. bezeichnet man einen griech. Roman, von dem uns zwei Fr. erh. sind, eines davon noch unveröffentlicht [3]. Im anderen (PSI 981, 2. Jh. n. Chr.) kommt die Protagonistin K. in das Zelt eines Eubiotos; ihr Schmerz scheint durch eine Nachricht über das Schicksal eines Eraseinos verursacht. K. sucht daher ihr Schwert, doch Eubiotos hat es ihr in weiser Voraussicht schon von der Seite her abgenommen. Der Name Eubiotos und die Erwähnung der Sauromaten lassen eine gewisse Beziehung zu Lukians ›Toxaris‹ erkennen [4].

ED. PRINCEPS: 1 M. NORSA, PSI 981.
LIT.: 2 S. A. STEPHENS, J. J. WINKLER (Hrsg.), Ancient
Greek Novels. The Fragments, 1995, 267–276
3 P. PARSONS, in: STEPHENS, WINKLER (s.o.), 268, Nr. 1
4 F. ZIMMERMANN, Lukians Toxaris und das Kairener
Romanfragment, in: Philol. Wochenschrift 55, 1935,
1211–1216 5 S. STEPHENS, Fragments of Lost Novels, in:
G. SCHMELING (Hrsg.), The Novel in the Ancient World,
1996, 666–667.   M. FU. u. L. G./Ü: T. H.

Kalligraphie s. Schriftstile

Kallikles (Καλλικλῆς).
[1] Gesprächspartner in Platons ›Gorgias‹, der dort, ausgehend vom Vorrang der Natur vor dem Gesetz, das Recht des Stärkeren vertritt (Plat. Gorg. 483 c-d). Dies ist die Lehre des → Gorgias (Gorg. Encomium Helenae 6), die Aristoteles (Aristot. soph. el. 12,173a 8–16) als den Gegensatz zw. der Wahrheit und der Meinung der Mehrheit versteht. K. ist jedoch kein Sophist, vielmehr distanziert er sich von ihnen (Plat. Gorg. 520a). Aus der sophistischen Ausbildung zieht er einen ausschließlich praktischen Nutzen für seine polit. Ziele. K. wird außerhalb des ›Gorgias‹ in keiner Quelle erwähnt; Versuche, in dem Namen ein Pseudonym für den einen oder anderen athenischen Politiker zu sehen, überzeugen nicht.

1 ZELLER III.1, 1919–1920 (Ndr. 1963), 1330, Anm. 3
2 W. NESTLE, Vom Mythos zum Logos, ²1942 (Ndr. 1975),
335 3 E. R. DODDS (Hrsg.), Plato, Gorgias, 1959 4 A. LEVI,
Storia della Sofistica, hrsg. von D. PESCE, 1966, 39–41.
     MI. NA./Ü: J. DE.

[2] Bronzebildner aus Megara. Da sein Vater → Theokosmos bis 405 v. Chr., sein Sohn → Apellas [1] im frühen 4. Jh. v. Chr. tätig war, fällt die Schaffenszeit des K. in das späte 5. Jh. v. Chr. In Olympia schuf K. zwei der Siegerstatuen für die Familie der Diagoriden. Ungewiß ist eine familiäre Verbindung mit K. [4] sowie die Zuweisung von Philosophenstatuen, die Plinius unter K. anführt.

> OVERBECK, Nr. 1035–1038; 1370 · LIPPOLD, 174; 204 · G. CARETTONI, EAA 4, 297, Nr. 3.   R. N.

[3] Griech. Maler wohl des 4. Jh. v. Chr., der nach Plin. nat. 35,114 alltägliche Genreszenen in bes. kleinen Formaten hergestellt haben soll. Derartige Miniaturisten müssen sich – ihrer Sujets und der dazu nötigen Technik wegen – einer bes. Beliebtheit beim Publikum erfreut haben, da sie in den Quellen immer wieder rühmend hervorgehoben werden.

> L. FORTI, s. v. K. (1), EAA 4, 296 · G. LIPPOLD, s. v. K. (7), RE 10, 1637.   N. H.

[4] Sohn des Eunikos, griech. Bronzebildner. Eine erh. Statuettenbasis aus Megara mit Signatur des K. wird in das späte 4. Jh. v. Chr. datiert. Unsicher ist eine familiäre Verbindung mit K. [2].

> LIPPOLD, 174; 362 · EAA 4, 296f., Nr. 2.   R. N.

[5] Griech. Historiker oder Grammatiker aus hell. Zeit (3. Jh. v. Chr.?). Er betrachtete das kyprische Salamis als Heimat Homers (FGrH 758 F 13). FGrH 758.   K. MEI.

[6] Sohn des Kallikles, aus Alexandreia, unter Ptolemaios VI. *archisōmatophýlax*, Reiteroffizier und *didáskalos tu basiléōs taktikōn* (OGIS 149; vgl. die anderen Titel in SEG 20, 199; 41, 1478).

> L. MOOREN, The Aulic Titulature in Ptolemaic Egypt, 1975, 172f., Nr. 0279/220; Nr. 0057.   W. A.

Kallikolone (Καλλικολώνη). Ort 40 Stadien östl. von Troia, der Siedlungshügel Karatepe östl. von Sarıçalı (auch Sarçalı) [3. 110f.]. Dort oberhalb des Simoeis soll Ares die Troianer zum Kampf aufgerufen haben (Hom. Il. 20,51; Strab. 13,1,35). Nach den schol. Hom. Il. 20,3 fand dort auch der Wettkampf der drei Göttinnen Hera, Athena und Aphrodite (Urteil des → Paris) statt. Während FORCHHAMMER nur wenige Siedlungsspuren und Fundamente sah [1. 26], glaubte VIRCHOW [2. 72], ein ant. Gebäude gefunden zu haben, das er für einen Tempel hielt. SEYK meinte, einen 20 × 15 m großen Peripteraltempel, KOSAY/SPERLING, einen 12 × 26 m großen Tempel, möglicherweise aus dem 4. Jh. v. Chr., mit oktagonalen Holzsäulen gefunden zu haben. Die wenigen Keramikspuren weisen nur auf spätklass. und hell. Besiedlung hin.

> 1 P. W. FORCHHAMMER, Beschreibung der Hochebene von Troia, 1850 2 R. VIRCHOW, Ilios, 1880 3 J. M. COOK, The Troad, 1973.

H. Z. KOSAY, J. SPERLING, Troad'da dört yerleşme yeri, 1936, 21 ff. · V. SEYK, Das wahre und richtige Troia-Ilion, 1926.   E. SCH.

Kallikrates (Καλλικράτης).

[1] Athenischer Demagoge und Politiker in der Nachfolge des → Kleophon, schaffte die → *diobelía* ab unter dem Versprechen, sie um einen *obolós* zu erhöhen; später zum Tode verurteilt (Aristot. Ath. pol. 28,3).

> RHODES, 356–357.   W. S.

[2] Bildhauer in Lakonien. Mit → Myrmekides galt K. als der legendäre, verm. archa. Schöpfer von mikroskopisch kleinen Plastiken aus Eisen, Bronze, Elfenbein oder Marmor. Gen. werden Ameisen, deren Füße nicht mehr zu erkennen gewesen seien, und ein von Fliegen gezogener Wagen.

> OVERBECK, Nr. 293; 2168; 2192–2197 · FUCHS/FLOREN, 215.   R. N.

[3] Griech. → Architekt und Bauunternehmer (?) des 5. Jh. v. Chr. Schriftquellen, erh. Bauinschr. und Zuschreibungen ergeben ein Œuvre, das K. als einen der aktivsten Baumeister seiner Zeit erkennen läßt. Am Bau der »Langen Mauern« von Athen war er ebenso beteiligt (Plut. Perikles 13.5) wie an Ausbesserungsarbeiten auf der Athener Akropolis (IG I² 44). Gemeinsam mit → Iktinos wird er als Baumeister des → Parthenon gen. (Plut. Perikles 13.4). Dabei ist strittig, ob er lediglich für den sog. »Vorparthenon« verantwortlich zeichnete [1. 15–62] oder führend bei der Planung des »Perikleischen« Parthenon tätig war [2]. Eindeutig beurkundet ist ein Beschluß der Volksversammlung Athens (IG I² 24), nach dem er wahrscheinlich 449/8 v. Chr. mit dem Bau des Niketempels auf der Athener Akropolis (→ Athenai II. A. 1.) beauftragt wurde. Offensichtlich kam der Bau dieses Tempels, dessen Baugesch. vieldiskutiert ist [3], erst nach 425/4 v. Chr. (IG I² 25) zum Abschluß. Häufig ist vermutet worden, daß die Propyläen des → Mnesikles die Ausführung des Niketempels vorerst verhindert hätten, K. statt dessen den am Ilissos gelegenen Artemistempel [4] ausgeführt habe und nach 425/4 v. Chr. wegen der inzwischen durch die Propyläen beengten Baustelle seinen ursprüngl. Entwurf der veränderten Situation angepaßt habe [5]. Beibehalten wurden der Typus eines viersäuligen Amphiprostylos ionischer Ordnung und die für die Bauzeit selbst etwas altertümlich oder ungelenk anmutenden Säulenbasen und Kapitelle. Neuartig ist die durch die knapp gewordene Baufläche erzwungene Verschmelzung von Vorhalle und Türwand, so daß lediglich zwei Pfeiler zwischen den Anten übrig blieben, hinter denen sich der Cellaraum unmittelbar anschließt.

Ausgehend vom Niketempel und dem Stil seiner Bauglieder sind K. sowohl der Tempel der Athener auf → Delos als auch das Erechtheion zugeschrieben worden [6]. Darüber hinaus wurde erwogen, das Hephaisteion und den Artemistempel in Athen, den Poseidontempel auf Kap Sunion und den Nemesistempel in → Rhamnus mit dem Atelier des K. in Verbindung zu bringen [1. 93–103]. Allerdings ist zweifelhaft, ob ein Architekt derart zahlreiche Repräsentationsbauten in kürzester zeitlicher Abfolge entworfen und ausgeführt haben könnte.

1 R. CARPENTER, Die Erbauer des Parthenon, 1970 2 B. WESENBERG, Wer erbaute den Parthenon?, in: MDAI(A) 97, 1982, 99–125 3 Ders., Zur Baugesch. des Niketempels, in: JDAI 96, 1981, 28–54 4 M. M. MILES, The Date of the Temple on the Ilissos River, in: Hesperia 49, 1980, 309–315 5 G. GRUBEN, Die Tempel der Griechen, ³1980, 188–193 6 I. M. SHEAR, K., in: Hesperia 62, 1963, 375–424.

G. LIPPOLD, s. v. K. (11), RE 10, 1639 f. · W. MÜLLER, Architekten in der Welt der Ant., 1989, 171–173 · H. SVENSON-EVERS, Die griech. Architekten archa. und klass. Zeit, 1996, 214–236 (Quellen) · C. WEICKERT, s. v. K., in: THIEME-BECKER, Allg. Lex. der bildenden Künstler 19, 472–474.   H. KN.

[4] Dichter der att. Mittleren Komödie, über dessen Lebensumstände nichts bekannt ist. K. ist einzig belegt bei Athen. 13,586a, wo sein *Moschíon* (Μοσχίων) als eine jener Komödien angeführt wird, welche die bekannte Hetäre Sinope (um die Mitte des 4. Jh. v. Chr.) erwähnen [1].

1 PCG IV, 1983, 54.   T. HI.

[5] Der Athener K. verhandelte zusammen mit Metagenes im Auftrag der Volksversammlung und des Strategen Proxenos 346 v. Chr. bei den Phokern erfolglos über die Übernahme dreier befestigter Plätze, Alponos, Thronion und Nikaia, welche die Zugänge zu den → Thermopylen kontrollierten (Aischin. leg. 132–134). → Athenai III.; Phokis   J. E.

[6] Makedone; *phílos*, *kólax* (?) und Gesandter Ptolemaios' I.; 310 v. Chr. mit → Argaios [1] erfolgreich gegen Nikokreon in Zypern tätig (Diod. 20,21,1 f.; FGrH 74 F 1); wohl → *próxenos* von Ephesos (IK 14, 1422), stiftete aber vielleicht zwei Kränze in Delos.

F. JACOBY, Abhandlungen, 1956, 348 ff. · H. HAUBEN, Callicrates of Samos, 1970, 16 ff., 21 ff.   W. A.

[7–8] Zwei Bildhauer, beide Sohn je eines Aristeus von Argos, der ältere durch Signaturen für zwei Bronzestatuen um 300 v. Chr. in Epidauros bekannt (IG IV 1000, 1001), der jüngere durch eine Signatur aus dem Asklepieion in Argos um 220 v. Chr. (IG IV 1478); der jüngere war vielleicht Enkel des älteren.   DI. WI.

[9] Sohn des Boiskos, aus Samos, nach 279 v. Chr. ptolem. *naúarchos*, d. h. Oberbefehlshaber der ganzen Flotte. In dieser Funktion vorwiegend in der Ägäis, aber auch auf Zypern geehrt. K. weihte in Olympia Statuen Ptolemaios' II. und Arsinoës II. und in Kanopos ein Isis- und Anubis-Heiligtum »für« Ptolemaios und Arsinoë. Er war erster eponymer Priester Alexanders und der *theoí adelphoí* (θεοί ἀδελφοί) (269/8). Zwei Epigramme des Poseidippos für ihn sind erhalten (XII/XIII

GOW/PAGE), die den Bau eines weiteren Tempels bei Kanopos und die Gründung eines Kultes der Arsinoë als Aphrodite Euploia feiern (wohl noch vor 268). Während des Chremonideischen Krieges 264 zusammen mit seinen Brüdern Perigenes und Aristonikos (PP 6,14941; 14896; die weitere Familie läßt sich nicht sicher rekonstruieren) → *próxenos* von Olus, dann 262/1 als ptolem. Diplomat in Milet. 257 noch als Einzieher des *triērár-chēma* bezeugt, daher wohl noch *naúarchos*.

Robert, OMS 7, 1990, 622, 624 ff. · H. HAUBEN, Callicrates of Samos, 1970 · L. MOOREN, The Aulic Titulature in Ptolemaic Egypt, 1975, 58 ff., Nr. 010 · W. CLARYSSE, G. v. D. VEKEN, The Eponymous Priests of Ptolemaic Egypt, 1983, 4.   W. A.

[10] K. von Tyros. Verf. einer panegyrischen Schrift über → Aurelianus [3]. Das Exzerpt in der Historia Augusta (SHA Aurelian. 4,2–5,6) betrifft die Vorzeichen, die Aurelians künftige Stellung anzeigten. FGrH 213.

F. JACOBY, s. v. K. (10), RE 10, 1639.   K. MEI.

[11] Sohn des Theoxenos aus Leontion, *stratēgós* des Achaierbundes 180/79 v. Chr., umstrittener Politiker, von Polybios scharf verurteilt wegen seiner bedingungslos proröm. Haltung, die er erstmals als Gesandter nach Rom im J. 180 offenbarte und dann rücksichtslos u. a. gegen → Lykortas durchsetzte (vgl. Pol. 24,10,6–12,4; 28,3,3–10; 29,25,1 f.; Paus. 7,10,5; Liv. 41,23–24,4; 42,30,2 f.; 43,17,4) [1. 135 ff.; 2. 15 ff.]. Im J. 167 unterstützte K. die Deportation von 1000 Achaiern nach Rom; er starb 149/8 auf einer Gesandtschaftsreise nach Rom (Pol. 30,13,3–11; Paus. 7,12,8; Liv. 45,31,5 f.) [1. 197 ff., 211 ff., 221; 2. 91 ff., 107 ff.].

1 J. DEININGER, Der polit. Widerstand gegen Rom in Griechenland, 1971 2 K. NOTTMEYER, Polybios und das Ende des Achaierbundes, 1995.   L.-M. G.

Kallikratidas (Καλλικρατίδας).

[1] Spartanischer Nauarch (Flottenkommandant) 407/6 v. Chr., konnte erst im Frühjahr 406 → Lysandros im Kommando ablösen und wurde durch dessen Intrigen vor größte Probleme bei der Vorbereitung seiner Operationen gestellt, ließ sich aber hierdurch ebensowenig beeindrucken wie durch die Brüskierung, die ihm durch Kyros d. J. widerfuhr. K. sicherte jedoch die Finanzierung seiner Kriegführung und riß die Initiative an sich. Nach Verlegung seiner Flottenbasis von Ephesos nach Milet eroberte er Methymna und schloß ein athen. Geschwader unter Konon in Mytilene ein, unterlag aber der athen. Entsatzflotte im August 406 bei den Arginusen und fiel dort im Kampf (Xen. hell. 1,6,1–33; Diod. 13,76–79; 97–99; Plut. Lysandros 5–7,1). K. wird von Xenophon als Repräsentant altspartan. Mentalität mit einer in die Zukunft weisenden gesamthellen. Vision charakterisiert. Die nur bei Ailian (Ail. var. 12,43) vorliegende Nachricht, K. sei ein *móthax* gewesen, ist kaum zutreffend, wenn auch zu den → *móthakes* nicht nur uneheliche Söhne von Spartiaten zählten. → Peloponnesischer Krieg

D. LOTZE, Mothakes, in: Historia 11, 1962, 427–435 ·
D. KAGAN, The Fall of the Athenian Empire, 1987,
327–353 · J. L. MOLES, Xenophon and Callicratidas, in:
JHS 114, 1994, 70–94. K.-W. WEL.

[2] Wohl pseudonymer Autor einer pythagoreischen
Schrift ›Über das Glück des Hauses‹ (Περὶ οἴκου εὐδαι-
μονίας) in dor. Dial.; vier Fr. überliefert Stobaios
(4,22,11; 28,16–18). Die Datier. ist umstritten: 3. Jh.
v. Chr. [1] oder 2. Jh. n. Chr. [2], jedenfalls kaum vor
dem Ende des 1. Jh. n. Chr. Die Fr. beziehen sich auf
den Haushalt (28,16), insbes. auf die Ehe. Ein Abschnitt
von 22,11 ist fast identisch mit einem Teil von 28,18. Fr.
22,11 setzt eine Version der platonischen Lehre von der
bestimmenden Einheit als erstem und aktivem Prinzip
und der zu bestimmenden Zweiheit (→ Dyas) sowie
den Kategorien des Absoluten und des Relativen voraus, ferner die platonische Mikrokosmosvorstellung
vom Menschen und die Seelenteilungslehre. Fr. 28,11
unterscheidet drei Formen von Herrschaft: despotische,
epistatische und polit. – je nachdem, ob sie auf das eigene Wohl, das der anderen oder das allgemeine zielt.
Ideal in der Ehe und im Staat ist nach Vorbild des Kosmos die polit. Herrschaft; interessant ist die Vorstellung,
daß das Göttliche die Welt polit. regiert.

ED.: 1 H. THESLEFF, The Pythagorean Texts, 1965,
103–107.
LIT.: 2 F. WILHELM, in: RhM 70, 1915, 167–185
3 H. THESLEFF, An Introduction to the Pythagorean
Writings of the Hellenistic Period, 1961, 57–59. M. FR.

Kallikter (Καλλικτήρ) von Manesion. Epigrammatiker,
vielleicht aus dem 1. oder 2. Jh. n. Chr., dem die satirischen Einzeldistichen Anth. Pal. 11,2; 5; 6 und, Planudes zufolge, 333 zugeschrieben werden. Ihm gehören
wahrscheinlich auch die Epigramme gegen die Ärzte
11,118–122, nach Planudes jedoch dem Nikarchos.
Dem Namen Killaktor werden die erotischen Gedichte
Anth. Pal. 5,29 und 45 zugeschrieben; zugunsten einer
Gleichsetzung mit K. spricht die Seltenheit der beiden
sonst nicht belegten Namen, über deren genuine Form
noch Unsicherheit besteht.

FGE 114f. · V. LONGO, L'epigramma scoptico greco, 1967,
75, 113–115 · M. LAUSBERG, Das Einzeldistichon. Studien
zum ant. Epigramm, 1982, 305, 406. M. G. A./Ü: T. H.

Kallimachos (Καλλίμαχος).
[1] Athener, *árchōn polémarchos* (→ *árchontes*) 490 v. Chr.,
Oberbefehlshaber bei → Marathon (490 v. Chr.). Es ist
umstritten, ob K. durch Los zum *polémarchos* bestellt
wurde (Hdt. 6,109). Vorzuziehen ist die Nachricht des
Aristoteles (Ath. pol. 22,5), wonach die neun Archonten erstmals 487/6 erlost wurden. Vielleicht wurden seit
509/8 aber die Kompetenzbereiche unter ihnen ausge-
lost. Zwar hatte K. nur nominell den Oberbefehl, war
aber stimmberechtigtes Mitglied des Kriegsrates. Beim
Patt unter den zehn Strategen führte sein Votum zur

Annahme des Planes des → Miltiades, die Perser in offener Schlacht zu stellen. K. kämpfte am rechten Flügel
und fiel beim Angriff auf die persischen Schiffe (Hdt.
6,110; 111; 114). Im Marathon-Gemälde der Stoa Poikile wurde er ehrenvoll neben Göttern und Heroen dargestellt (Paus. 1,15,3). Eine Inschr. auf der Athener
Akropolis erinnerte an seine Leistung (ML 18).

J. F. LAZENBY, The Defence of Greece, 1993, 57ff. E. S.-H.

[2] Bildhauer, Toreut und Maler. K. trug den Beinamen
Katatēxítechnos (Paus. 12,26,7), der seine Sorgfalt im
Detail und seine Erfindungsgabe bezeichnete. K. wurde
die Erfindung einer Bohrtechnik und des korinth. Ka-
pitells zugeschrieben. Als sein technisches Meisterwerk
galt eine vergoldete Öllampe mit Palme als Rauchabzug
im Erechtheion von Athen. Die Schriftquellen nennen
von K. eine thronende Hera in Plataiai sowie *saltantes
Lacaenae* (»tanzende Spartanerinnen«). Sein Stil wurde
als fein und elegant gelobt, andererseits als manieriert
kritisiert. Die Forsch. sieht daher in ihm den Hauptvertreter des sog. Reichen Stils (spätes 5. Jh. v. Chr.) und
ein Vorbild für die sog. Neuattische Schule, deren teils
archaistische, teils klassizistische Reliefwerke einen
feinlinigen Stil vortragen. Hypothetisch ist die Rückführung der Kalathiskostänzerinnen-Reliefs auf die
saltantes Lacaenae und die Zuschreibung von Mänaden-
reliefs an K. Einem archaistischen Relief mit Pan und
Nymphen (Rom, KM) wurde die Signatur des K. nachträglich hinzugefügt. Weitere Zuschreibungen von
Meisterwerken des Reichen Stils (Aphrodite vom Typus Fréjus; Nike-Balustrade) an K. sind spekulativ.

Tert., De corona 7 · OVERBECK Nr. 531; 532; 795; 894–896;
1950 · LOEWY Nr. 500 · PICARD 2, 2, 615–636 · LIPPOLD
222f. · W. FUCHS, Die Vorbilder der neuattischen Reliefs,
1959, 72–96; 127–128 · L. GUERRINI, EAA 4, 1961, 298–300
Nr. 2 und G. CARETTONI, 300 Nr. 4 · B. SCHLÖRB, Unt. zur
Bildhauergeneration nach Phidias, 1964, 45–53 ·
B. RIDGWAY, Fifth Century Styles in Greek Sculpture,
1981, 97; 200; 213 · H. FRONING, Marmor-Schmuckreliefs
mit griech. Mythen im 1. Jh. v. Chr., 1981, 37 · H. U.
CAIN, in: Forsch. zur Villa Albani. Kat. der ant. Bildwerke,
1, 1988, Nr. 15. 94 · L. TODISCO, Scultura greca del IV
secolo, 1993, 52 Taf. 39 · L. TOUCHETTE, The Dancing
Maenad reliefs, 1995. R. N.

[3] K. aus Kyrene, hell. Dichter und Grammatiker.
A. WÜRDIGUNG B. LEBEN C. WERKE
D. SPRACHE UND STIL E. NACHLEBEN

A. WÜRDIGUNG

K. war ein außergewöhnlich produktiver Dichter
und Grammatiker: Der Suda zufolge umfaßten seine
Werke mehr als 800 B. Als Dichter war er ein Hauptvertreter der gelehrten Dichtung des Hoch-Hell.; in der
Gattung der Elegie erreichte er einen solchen Grad an
Perfektion, daß Quintilian ihm den Titel *elegiae princeps*
zuerkannte (Quint. inst. 10,1,58). Als Grammatiker begründete er die systematische Katalogisierung des lit.
Erbes der Griechen (*Pínakes*, in 120 B.).

B. Leben

Die so gut wie einzige Quelle ist der Eintrag K. in der Suda (κ 227 Adler). Heute neigt man dazu, den Nachrichten dieser Quelle und denen der Scholien zu Apollonios [2] Rhodios über einen Streit zw. den beiden Dichtern keinen Wert mehr beizumessen. Vielversprechend scheint dagegen die Möglichkeit, K.' gleichnamigen Großvater, der um 345 Nauarchos von Kyrene war (Kall. epigr. 21), prosopographisch in die Oberschicht dieser Stadt einordnen zu können. K. wurde zwischen 320 und 303 v. Chr. in Kyrene geb.; im Jahre 263 wurde er in Alexandreia am Hofe des Ptolemaios gefeiert (*Alexandriae apud Ptolemaeum regem celebratus est*, Gell. 17,21,41). Er war Page am Ptolemaierhof (wenn Tzetzes' Ausdruck νεανίσκος τῆς αὐλῆς, CGF p. 31 Kaibel, so zu fassen ist), stand in der Folge Ptolemaios II. Philadelphos und vor allem dessen Schwester Arsinoë [II 3] II. nahe und war schließlich von 246 an Mitglied des Kreises von Berenike [3] II.; in der zweiten Hälfte der vierziger Jahre verlieren sich sichere Spuren. Daß Battos als Name seines Vaters genannt wird, geht vielleicht auf eine spontane Ableitung von seinem Beinamen Battiades (= Kyrenäer, vgl. Kall. h. 2,96) zurück, den er für sich etablieren wollte (Kall. epigr. 35). Auch können wir nicht sagen, auf welcher Grundlage K. sich als Nachfahre von Battos [1] dem Oikisten (Strab. 17,838c) bezeichnete.

K. war eine der Hauptfiguren im kulturellen Leben von Alexandreia [1], doch als Ausländer so gut wie sicher nicht Leiter der Bibliothek (→ Bibliothek II. B.2.a). Er war Schüler des Hermokrates von Iasos gewesen und hatte seinerseits → Apollonios [2] Rhodios, die Landsleute → Eratosthenes [2] und Philostephanos, den Sklaven → Istros [4] und den Peripatetiker → Hermippos [2] von Smyrna zu Schülern.

C. Werke

Zwar ist der größte Teil von K.' Werken völlig verloren (die Liste der Suda nennt kurze myth. Gedichte, dramatische Dichtungen, Prosaschriften zur Gramm., Geogr. und Paradoxographie), doch liegt von den drei nicht hs. überlieferten Werken *Aítia*, *Iamboi* und *Hekálē* eine solch große Menge von Fr. vor, daß man sie als einigermaßen erh. ansehen kann.

Die *Aítia* (›Ursprünge‹) sind eine Slg. von Elegien in vier B., mit einem Gesamtumfang von 4000–6000 Versen. Die Sammlung war, wie heute scheint, in zwei Dyaden eingeteilt und behandelte sporadisch den Ursprung (*aítion*) einzelner Kulte und Riten: Ein Traumgespräch mit den Musen fungierte als Rahmen der ersten Dyade, die zweite reihte verstreute Elegien aneinander und wurde durch Gedichte auf Berenike [3] II. (die Gattin des Ptolemaios III. Euergetes) eingeleitet und abgeschlossen. Das Werk erschien so gut wie sicher in zwei Auflagen. Der Schlußpentameter (fr. 112,9) verband es mit den nachfolgenden *Iamboi*. Das erste Buch beginnt mit einer Invektive (fr. 1 = Prolog) gegen die ›Telchinen‹, mißgünstige Geister und Gegner des Dichters; daß Apollonios [2] Rhodios zu ihnen zählte, wird

nicht gesagt, doch Asklepiades und Poseidippos, Verehrer der *Lýdē* des → Antimachos [3] aus Kolophon, gehörten dazu. K. verteidigt sich gegen den Vorwurf, er sei nicht in der Lage, ›ein einheitliches, zusammenhängendes Gedicht‹ (ἓν ἄεισμα διηνεκές) zu verfassen, sondern nur kurze, bescheidene Gedichte nach dem Vorbild der besten Kompositionen des Mimnermos und des Philetas. K. gibt vor, altersschwach zu sein, wirft den Telchinen eine rein quantitative Auffassung des Dichtens vor und erinnert daran, daß Apollon persönlich hinter seiner Berufung zur zarten (λεπταλέη) Muse stand, als er noch jung war. Festzuhalten ist, daß Prolog wie Epilog erst der zweiten Auflage hinzugefügt wurden; doch möchten ihn jetzt manche Gelehrte zur gleichen Zeit wie die erste Dyade entstanden sein lassen, also um 270, als Arsinoë [II 3] Philadelphos auf dem Höhepunkt ihrer Macht stand.

Auf den Prolog folgten ein → Musenanruf und eine Erinnerung an jenen Jugendtraum, in dem der Dichter, der von Libyen zum → Helikon gebracht worden war (Anth. Pal. 7,42), von jeder der neun Göttinnen abwechselnd die *aítia* für rel. Bräuche (von Ägypten bis zum fernen Westen) erfuhr. Die zweite Dyade begann mit einem → Epinikion auf den Gespannsieg Berenikes II. bei den Nemeischen Spielen (244 v. Chr.?) und schloß, vor dem Epilog, mit der Verstirnung (*katasterismós*) der Locke der Königin – in Anspielung auf kriegerische und astronomische Ereignisse des Jahres 246/5 v. Chr. Der von ungewöhnlicher Verfügbarkeit der Bücher genährte Kult des Erinnerns und gelehrtes Eingehen auf das Verlangen einer kolonialen Hofelite nach Neuem machen die *Aítia* zum Prototyp des neuen alexandrinischen → Gedichtbuches und zum geschliffenen Erben der enzyklopädischen Tradition homer.-hesiodischer Prägung.

Es folgten, nach Intention von Verf. und Herausgeber, 17 ›Jamben‹ (*Iamboi*; die ›Epoden‹ des Horaz haben später dieselbe Anzahl): 13 in Trimetern und verschiedenen epodischen Metren, die anderen in lyrischen Metren im eigentlichen Sinne, die jedoch nicht strophisch, sondern stichisch eingesetzt werden. Die eigentlichen ›Jamben‹ verbinden Elemente der Trad. des → Hipponax (dessen persönliches Auftreten im ersten ›Jambos‹ gibt den Ton für das gesamte Werk an) mit Anregungen aus der Weisheitslit. und dem orientalisierenden → Ainos [2], mit Szenen aus dem Privatleben und dem städtischen Mimos, mit phallischen Übergriffen (die jedoch durch aitiologische Ironie abgemildert werden) und mit epigrammatischen und epinikischen Elementen. Die ›Jamben‹ sind im Ton geistreicher Reflexion gehalten, der auf Horaz' ›Satiren‹ vorauszuweisen scheint: Sie behalten wenig von der urspr. Angriffslust des Iambos bei und verdanken viel einer ungewohnten Gattungskreuzung. Unter den vier unpassend als μέλη (*mélē*, »Lieder«) bezeichneten Gedichten ist vor allem die Klage (*thrénos*) auf den Tod der Arsinoë (frg. 228) beeindruckend, in dem die Apotheose der Königin von Tönen persönlicher Loyalität und der Anteilnahme an der Trauer ihres Hauses durchzogen ist.

Das kleine Gedicht *Hekálē* (1000–1500 Hexameter), das einen Ableger der Theseussage zum Thema hat und sich auf den bescheidenen Rahmen einer Berghütte beschränkt, setzte die Richtlinien für eine neue Untergattung des Epos, das → Epyllion: Theseus, von Troizen nach Athen zurückgekehrt, macht sich auf, den marathonischen Stier zu bezwingen, wird aber auf dem Brilettos von einem Unwetter überrascht. Hier bietet die Hütte der Witwe Hekale, die durch widrige Lebensumstände in Armut geraten ist, dem vor Kälte erstarrten Reisenden für eine Nacht Zuflucht. Im Morgengrauen bricht Theseus wieder auf und erschlägt das Ungeheuer, doch wird seine triumphale Rückkehr von der Nachricht vom Tode der Alten überschattet. Zu ihrem Gedächtnis gründet er den att. Demos Hekale [2] und die jährlich stattfindenden Riten für Zeus Hekaleios. Die ›Hekale‹ wendet die neue Technik der Gattungsmischung in größerem Maßstab an; ebenso die des Mißverhältnisses zw. einzelnen Aspekten ein- und derselben Gattung. Der Antiheld Theseus erscheint von der menschlichen Größe seiner Gastgeberin beinahe erdrückt, und sein heroischer Kampf verschwindet gegenüber dem bescheidenen, aber warmherzigen Empfang, den sie ihm bereitet. Meteorologische Präzision, dialektale Archaismen und topographische Details könnten die ›Hekale‹ zu einer abstrakten Konstruktion gefrieren lassen; doch wirft die Zartheit, mit der K. Vögel sprechen läßt (frg. 70–74 H.) oder Gegenstände und Speisen in liebevoller Genauigkeit zeichnet, ein warmes Licht auf diese einsame Begegnung von Jugend und Tod.

Ganz erh. sind sechs ›Hymnen‹ (1084 Verse), die ersten vier und der sechste (›An Zeus‹, ›An Apollon‹, ›An Artemis‹, ›An Delos‹, ›An Demeter‹) in Hexametern, der fünfte (›Auf das Bad der Pallas‹) in elegischen Distichen. Hinter der anschaulich hierarchischen Anordnung der Überl. könnten sich Elemente einer relativen Chronologie verbergen: Der ›Hymnos an Zeus‹ bestätigt mit der Niederlage der Giganten den dynastischen Übergang von Ptolemaios Soter zu Ptolemaios Philadelphos; der ›Hymnos an Apollon‹ enthält poetologische Überlegungen, die ihn in die Nähe des Prologs der *Aítia* stellen; der ›Deloshymnos‹ scheint die Ausdehnung der Seeherrschaft der Lagiden vor der Schlacht von Kos widerzuspiegeln; der ›Hymnos an Demeter‹ steht (wenn jene Recht haben, die ihn mit einem kyrenäischen Kult in Verbindung bringen) vielleicht in Bezug zu Berenike II. Die Diskussion von Bed. und Bestimmungszweck der ›Hymnen‹ ist noch im Gange. Die These, daß sie in Verbindung zu festlichen Anlässen gestanden hätten, findet heute immer weniger Anhänger, doch kann man bei dreien (›Apollon‹, ›Pallas‹ und ›Demeter‹) von einem sakralen Mimos sprechen, während in den anderen drei, die vielleicht zur Rezitation am Hofe bestimmt waren, der rhapsodische Vortrag selbst dargestellt werden soll. Nur in einem Fall läßt sich das Bezugsfest mit Gewißheit identifizieren: die kyrenäischen → Karneia im ›Apollonhymnos‹, der reich an Verweisen auf die Gründung

der Stadt Kyrene ist. Der für die argivischen → Plynteria bestimmte ›Pallashymnos‹ und der für eine → Thesmophoren-Zeremonie bestimmte ›Demeterhymnos‹ enthalten je ein mythisches Exempel: der erste die Gesch. des Teiresias, der erblindete, weil er die Göttin beim Bad gesehen hatte, der zweite die des → Erysichthon, der mit Heißhunger bestraft wurde, weil er die Göttin des Getreides mutwillig beleidigt hatte. Im ›Artemishymnos‹ und im ›Deloshymnos‹ kommt die reine göttliche Macht in einem kataloghaften Überfluß an Eigennamen und Epitheta zum Ausdruck; die Stimmung schwebt zw. dem Dekorativen und dem Pittoresken.

Etwas mehr als sechzig Epigramme des K. sind erh., unter ihnen alle Hauptgattungen: Manche gehen mit entschlossener Vereinfachung Themen der Poetik an (Ablehnung des kyklischen Gedicht 2 GA, Lob der Feinheit 56), andere bewegen sich im höfischen Gefolge der Arsinoë oder der Berenike (14 und 15). Anklänge an den sympotischen Eros zeigen sich gelegentlich, doch scheint K. dem Thema weniger Aufmerksamkeit zu schenken als etwa → Asklepiades [1] von Samos. K. ist ein Meister des Grabgedichts: verhaltene Ergriffenheit wechselt mit Akzenten heroischer Skepsis im Hinblick auf das Jenseits (31 GA); ohnmächtige Trauer und Freude an der Dichtung machen die Klage um → Herakleitos [3] von Halikarnassos zu einem der lebendigsten Momente der hell. Lit. (34).

D. SPRACHE UND STIL

Der Sprache des K. liegt offenkundig Homer zugrunde, in den ›Aitia‹ kommen deutliche Einflüsse aus der Trad. der Elegie hinzu, in den ›Jamben‹ aus der des Archilochos und des Hipponax. K. experimentiert sowohl mit dem Stil als auch mit Dialekten. Er zeigt eine Vorliebe für kurze, auseinandergerissene Syntax mit häufigem Gebrauch von Hyperbata und Unterbrechungen. Der Einfluß der Umgangssprache ist stark (bes. in den Formen der Selbstanrede, der direkten Frage und der Interjektion); dazu treten (in oft mimetischem Stil) Dialektformen, Technizismen, Neologismen und *hapax legomena* (nur einmal bezeugte Wörter). In der ›Hekale‹ findet sich att. Dialektfärbung, in den Choliamben ionische. Anderswo wird auf das lit. Dorisch zurückgegriffen, so in einigen ›Jamben‹ und vor allem im ›Pallashymnos‹ (durch seine Quellen Hagias und Derkylos) und im ›Demeterhymnos‹, zu dessen Lesern (oder Hörern im Falle der Deklamation) die kyrenäischen Emigranten in Alexandreia gehört haben könnten.

Das Grundkennzeichen des kallimacheischen Stils ist eine neue Erzählweise; sie basiert auf zwei Bestandteilen: einerseits Kürze und Neuheit, Inversion der Proportionen, Ironie und Anspielungen; andererseits auf emotionaler Intensität, Direktheit des Tons und bewußtem Gebrauch des Pathos. K. führte Neuerungen auch im Metrum ein, indem er den Hexameter durch die ausnahmslose Beachtung der Hermannschen und der Naëkeschen Brücke und einer Reihe anderer Gesetze auf 21 Grundtypen (darunter sieben häufige) reduzierte.

Die (im Vergleich zu Homer) Verarmung des Rhythmus wird durch eine rigorose Kontrolle der Variation in der Sequenz von Daktylen und Spondeen, durch den häufigen Gebrauch des Enjambement und durch eine Bevorzugung der Zäsur *katà tríton trochaíon* und der bukolischen Dihärese kompensiert (→ Metrik).

E. NACHLEBEN

Trotz der polemischen Auseinandersetzungen setzte sich das Werk des K. schon zu seinen Lebzeiten (von Apollonios Rhodios an) mit Leichtigkeit als Modell einer neuen Dichtung durch. Die Nachwirkung der Elegien war sogleich immens, Züge der ›Hekale‹ (das Motiv der Götterbewirtung, *theoxénion*) tauchen von der ›Erigone‹ des Eratosthenes bis zu Ovids ›Metamorphosen‹ und ›Fasten‹, von Silius Italicus bis zu Nonnos wieder auf. Man begann schon sehr früh, K. zu erläutern; die Reihe der Kommentatoren umfaßt unter anderen → Theon und → Epaphroditos [3] zu den ›Aitia‹, in der Spätant. Salustios zur ›Hekale‹. Um etwa 100 n. Chr. müssen die unter dem Titel *Dihēgếseis* (›Erzählungen‹) laufenden Zusammenfassungen seiner Werke fertig gewesen sein.

K. übte einen unwiderstehlichen Reiz auf die gebildete Dichtung der Römer bis zum Ende des 1. Jh. n. Chr. aus. Während sein Einfluß auf Ennius sich auf das Traumproömium von dessen *Annales* zu beschränken scheint, zählten → Lucretius und → Cicero zu seinen Lesern; → Catullus (65–66) übersetzt Vers für Vers die Elegie von der ›Locke der Berenike‹ und teilte seine Abneigung gegenüber Antimachos (95,10). Von den Augusteern war ihm Ovid am nächsten, der ganze Geschichten (Baucis und Philemon, Erysichthon, Hyrieus, Acontius und Cydippe in den ›Metamorphosen‹) und Titel (›Ibis‹) nach seinem Beispiel formt, während → Propertius, der im 4. Buch eine Reihe aitiologischer Elegien vorlegt, sich entschlossen als *Callimachus Romanus* (4,1,64) bezeichnet. Den Formenreichtum seiner Schriften hielten, zuweilen auch in kritischer Absicht, unzählige Grammatiker fest, so daß heute (auch durch die Auswahl der großen ma. Lexika und der Scholiencorpora) ein Schatz von mehr als 2000 Zitaten zugänglich ist.

Der größte Teil der Schriften ging in der Kaiserzeit verloren, doch noch 1205 scheint eine Abschrift der ›Aitia‹ und der ›Hekale‹ im Besitz des Michael Akominatos, des Metropoliten von Athen, gewesen zu sein. Die Epigramme blieben teilweise durch den ›Kranz‹ des Meleagros (und auf anderen Wegen) erhalten. Die ›Hymnen‹ gingen in der Zeit zw. dem 6. und dem 10. Jh., aber vielleicht auch später, zusammen mit den ›homer.‹ und den ›orphischen Hymnen‹, den ›orphischen Argonautika‹ und den ›Hymnen‹ des Proklos in eine Sammlung ein, von der der Archetyp ψ unserer Überlieferung abhängt. Die *editio princeps* wurde um 1495 von J. LASKARIS in Florenz besorgt. Die erste kritische Ausgabe der Fr. (schon damals mehr als 400) ist R. BENTLEY (1697) zu verdanken, während der Holländer A. HECKER 1842 das nach ihm benannte Gesetz entdeckte, durch das zahlreiche ep. Fr. aus der Suda ermittelt werden konnten (→ Indirekte Überlieferung). Nach der Entdeckung von 56 Papyri beträgt die Zahl der Fr. des K. heute fast 900, darunter auch einige sehr umfangreiche. Die ψ-Scholien zu den ›Hymnen‹ sind ärmer als die Scholien zu Theokritos und Apollonios Rhodios; doch handelt es sich, wie die Papyri zeigen, um Exzerpte aus einem wohl urspr. ebenso gelehrten Kommentar.

→ Hellenistische Dichtung; Neoteriker

ED.: R. PFEIFFER, 2 Bde., 1949–1953 (mit Dihegeseis und Scholien) · SH, 1983.
KOMM.: Fr.: R. PFEIFFER, 1 Bd., 1949 (mit Zusätzen und Berichtigungen im 2. Bd.) · Aitia 1–2: G. MASSIMILLA, 1996 · Iamben: C. M. DAWSON, 1950 · Hekale: A. S. HOLLIS, 1990 · Hymnen: É. CAHEN, 1930 · H. 1 (Zeus): G. R. McLENNAN, 1977 · H. 2 (Apollon): F. WILLIAMS, 1978 · H. 3 (Artemis): F. BORNMANN, 1968 · H. 4 (Delos): W. H. MINEUR, 1984 · V. GIGANTE LANZARA, 1990 · H. 5 (Pallas): A. W. BULLOCH, 1985 · H. 6 (Demeter): N. HOPKINSON, 1984 · Epigramme: GA, Bd. 1, 1965.
LEXIKA: Hymnen: E. FERNÁNDEZ-GALIANO, 4 Bde., 1976–1980.
BIBLIOGR.: H. HERTER, Bericht … Hell. Dichtung, in: Bursians Jahresber. 255, 1937, 82–218 · L. LEHNUS, Bibliografia callimachea 1489–1988, 1989.
LIT.: M. ASPER, Onomata allotria, 1997 · P. BING, The Well-Read Muse, 1998 · T. FUHRER, Die Auseinandersetzung mit den Chorlyrikern in den Epinikien des K., 1992 · M. A. HARDER, R. F. REGTUIT, G. C. WAKKER (Hrsg.), Callimachus, 1993 · H. HERTER, K. aus Kyrene, RE Suppl. 5, 386–452 · Ders., K. aus Kyrene, RE Suppl. 13, 184–266 · G. O. HUTCHINSON, Hellenistic Poetry, 1988, 26–84 · L. KOENEN, The Ptolemaic King as a Religious Figure, in: A. BULLOCH u. a. (Hrsg.), Images and Ideologies, 1993, 81–113 · M. R. LEFKOWITZ, The Quarrel between Callimachus and Apollonius, in: ZPE 40, 1980, 1–19 · L. LEHNUS, Callimaco tra la polis e il regno, in: G. CAMBIANO u. a. (Hrsg.), Lo spazio letterario della Grecia antica, Bd. 1.2, 1993, 75–105 · E. LIVREA, Studia Hellenistica, 1 Bd., 1991, 161–219 · Ders., Κρέσσονα βασκανίης, 1993, 9–117 · Ders., Da Callimaco a Nonno, 1995, 7–74 · H. LLOYD-JONES, Academic Papers, 2 Bd., 1990, 123–152 und 231–249 · C. MEILLIER, Callimaque et son temps, 1979 · C. W. MÜLLER, Erysichthon, 1987 · P. J. PARSONS, Callimachus: Victoria Berenices, in: ZPE 25, 1977, 1–50 · PFEIFFER, KP I, 123–151 · R. SCHMITT, Die Nominalbildung in den Dichtungen des K. von Kyrene, 1970 · E.-R. SCHWINGE, Künstlichkeit von Kunst, 1986 · G. WEBER, Dichtkunst und höfische Ges., 1993 · U. VON WILAMOWITZ-MOELLENDORFF, Hell. Dichtung in der Zeit des K., 1 Bd., 1924, 169–218 · W. WIMMEL, K. in Rom, 1960.   L. L./Ü: T. H.

[4] K. d. J. Epiker, Sohn einer Schwester des → Kallimachos [3] (Suda 3,227 und 3,228). Verf. eines Werks ›Über Inseln‹ (SH 309), das zu den geogr. Interessen des Onkels paßt (vgl. fr. 580–583 Pfeiffer).   S. FO./Ü: T. H.

[5] Arzt, Anhänger des → Herophilos [1] und Mitglied seines »Hauses«, was womöglich darauf hindeutet, daß er Mitte des 3. Jh. v. Chr. in Alexandreia tätig war [1].

Ein spätlat. Katalog berühmter Ärzte weist darauf hin, daß K. aus Bithynien stammte, doch besteht darüber keine Gewißheit [2]. Polybios (12,25d 4) spricht von ihm als dem Begründer der rationalistischen bzw. dogmatischen Schule (→ Dogmatiker [2]) und sagt von seinen Nachfolgern, sie unterschieden sich von den Herophileern. Galen (In Hippocratis Epidemiarum 6,1,4 comment., 1,5 = CMG 5,10,2,2, S. 21) behauptet, K. habe seinen Lehrer verspottet, da dieser Dinge gelehrt habe, die allen bekannt gewesen seien. In seinen medizinischen Schriften betonte er, wie wichtig Symptome und Krankheitszeichen seien (Rufus, Quaestiones medicinales 3,21). Er setzte eine herophileische Trad. der Hippokratesauslegung fort (Erotianus Vocum Hippocraticarum collectio, praef.; fr. 33) und interessierte sich auch für Pharmakologie (Plin. nat. 21,9,12; 25,106,167–168).

1 STADEN, 480–483 2 M. WELLMANN, Zur Gesch. der Medizin im Alt., in: Hermes 35, 1900, 369f.
V.N./Ü: L.v.R.-B.

[6] Bildhauer aus Athen. Am Frg. einer späthell. Heroenstatue aus Minturnae ist seine Signatur erh. Die Signatur auf einem archaistischen Relief (Rom, KM) bezieht sich verm. auf K. [2].

L. GUERRINI, EAA 4, 300 Nr. 3 · A. STEWART, Attika, 1979, 168.
R.N.

[7] Stratēgós → Mithradates' VI., verteidigte 72/1 v. Chr. → Amisos unter Nutzung aller Möglichkeiten der Verteidigungskunst 18 Monate lang gegen röm. Truppen; er setzte die Stadt in Brand und entkam, als → Licinius Lucullus die Stadtmauer durchbrach (Plut. Lucullus 19,2). K. konnte im Sommer 68 auch → Nisibis eine Zeitlang gegen Lucullus halten (Plut. l.c. 32,5f.); nach Erstürmung der Festung wurde er zur Strafe für die Brandschatzung von Amisos hingerichtet (Plut. l.c. 32,5f.); Amisos [1. 238], Nisibis [1. 250f.].

1 L. BALLESTEROS PASTOR, Mitrídates Eupátor, rey del ponto, 1996.

E. OLSHAUSEN, Zum Hellenisierungsprozeß am Pont. Königshof, in: AncSoc 5, 1974, 153–170.
E.O.

[8] Vater des Kronios (PP 8, 194b) und K. [9] sowie Großvater des K. [10] (manchmal werden die drei Kallimachoi als eine Person behandelt, s. etwa [1]). Syngenés, stratēgós des äg. Gaues Koptites, Oberbefehlshaber über das Rote und Indische Meer (74/3 v. Chr.), dann epistratēgós der Thebais. K. bekleidete auch einige Ämter in Ptolemais, wo er auch einen Isistempel gestiftet hatte (78 v. Chr.; [2]).
→ Hoftitel B. 2

1 HÖLBL, 252 2 SB, 2264; 3926.

PP 1/8, 171 · L.M. RICKETTS, The Epistrategos K. and a Koptite Inscription, in: AncSoc 13/4, 1982/3, 161–165.

[9] Sohn des Kallimachos [8] und Vater des Kallimachos [10]. Syngenés, stratēgós und epistratēgós der Thebais (→ Hoftitel B.2.), Oberbefehlshaber über das Rote und Indische Meer, Thebarch (62 und 51 v. Chr.). Von ihm sind Proskynémata an die Isis von Philae erhalten [1]; OGIS 190 ist eine Weihung für K. in der Art, wie sie sonst den Königen gebührt: Nachdem die königl. Zentralgewalt zerfiel, muß die Abfolge derselben hohen Ämter in der Familie eine bes. Loyalität der Bevölkerung bewirkt haben (vgl. K. [10]).

1 SB, 4084; 8398.

PP 8,267a · J.D. THOMAS, The Epistrategos in Ptolemaic and Roman Egypt 1, 1975, 106ff., Nr. XI.

[10] Sohn und Enkel von K. [8] und [9]; syngenés, oberster Beamter des Gaues Perithebas (unter seinem Vater?), ihm unterstanden Finanzen, Wirtschaft, Militär. In einem großen Ehrendekret (SEG 24, 1217) wurden 39 v. Chr. seine Leistungen an die der Könige angeglichen; er hat deutlich die Aufgaben der Dynastie übernommen, als er der Bevölkerung in den Hungersnöten von 41 und 40 half.

PP 1/8, 194; 418 · R. HUTMACHER, Das Ehrendekret für den Strategen K., 1965.
W.A.

Kallimandros (Καλλίμανδρος). Gesandter der Alexandriner, der einem seleukidischen Prinzen im J. 56 v. Chr. das ägypt. Königtum antragen sollte. PP 6, 14768.
W.A.

Kallimedes (Καλλιμήδης). Ptolem. Ortskommandant, der → Ainos [1] im J. 200 v. Chr. an Philipp V. übergab. PP 6, 15113.
W.A.

Kallimedon (Καλλιμέδων). Athener, Sohn des Kallikrates, oligarchisch gesinnter Politiker. Wegen seiner promaked. Haltung mußte er vor 324 v. Chr. Athen verlassen. In Megara beteiligte er sich an verfassungsfeindlichen Umtrieben athen. Emigranten, weswegen Demosthenes [2] eine → Eisangelia gegen ihn einbrachte (Deinarch. 1,94). Während des → Lamischen Krieges hielt sich K. bei → Antipatros [1] auf, in dessen Auftrag er dem Anschluß peloponnes. Staaten an den Hellenenbund entgegenzuwirken suchte (Plut. Demosthenes 27,2; Plut. Phokion 27,9). 322 konnte er infolge der oligarch. Umgestaltung nach Athen zurückkehren und betätigte sich als Minenpächter. Nach dem demokrat. Umschwung im Frühj. 318 mußte K. erneut aus Athen flüchten und begab sich nach Beroia. In Abwesenheit wurde er zusammen mit → Phokion und anderen zum Tode verurteilt (Plut. Phokion 33,4; 35,2 und 5; Ps.-Aischin. epist. 12,8).

BERVE 2, 190 Nr. 404 · M. CROSBY, The Leases of the Laureion Mines, in: Hesperia 19, 1950, 280f. · DAVIES, 279 · H.-J. GEHRKE, Phokion, 1976, 98–100 · O. SCHMITT, Der Lamische Krieg, 1992.
W.S.

Kallimorphos. Militärarzt, der Lukian (Quomodo historia 16,24 = FGrH II 210) zufolge in einem höchst tragischen und geschraubten Stil unter dem Titel *Parthica* eine Gesch. der Partherkriege des Lucius Verus in den Jahren 162–166 n. Chr. schrieb. Falls es sich bei ihm nicht um eine Ausgeburt der lukianischen Phantasie handelt, dürfte er im Partherkrieg gedient haben, und zwar entweder in der *legio VI Ferrata*, oder in einer *ala contariorum* (einem Truppenflügel von Pikenträgern).

V.N./Ü: L.v.R.-B.

Kallinikos (Καλλίν(ε)ικος: »Der edle Sieger«).
[1] Beiname des → Herakles (Eur. Herc. 582; Aristeid. or. 40,15; OGIS 53; Iscrizioni di Cos ED 180,28 f.; SEG 28,616), bei Archil. fr. 324 IEG in einem als Siegeslied in Olympia verwendeten Hymnus (Pind. O. 9,1 ff. mit schol.; nach schol. Aristoph. Av. 1764 in Paros gedichtet: vgl. IG XII⁵, 234); zuerst wohl für Herakles als siegreichen Krieger verwendet (vgl. den aitiologischen Mythos bei Apollod. 2,135), später oft in einem apotropäischen Epigramm (PREGER, Inscr. Graecae metricae 213; EpGr 1138).

AN.W.

[2] C.f. (?) Sutorius (Hieronym. in Danielem, praef., PL 25, 494A, CCL 75A, p. 775; Σουητώριος: Suda K 231 s.v. Καλλίνικος) K. aus Petra. Laut Suda unterrichtete er – als Rivale von → Genethlios (Suda s.v. Γενέθλιος) – Rhet. in Athen (vgl. Lib. Vita 1,11) und verfaßte ›Enkomia und Reden‹ (vgl. Menander Rhetor 386, 30 SP. für einen *epibatérios*), namentlich eine Schrift Περὶ τῆς Ῥωμαίων ἀνανεώσεως (›Über die Erneuerung der Römer‹). Aus letzter stammen eventuell Fr. der Codices Laurentianus 57,12 und Vaticanus 1354 mit dem Titel Εἰς τὰ πάτρια Ῥώμης (›Über die Gesch. Roms‹), die Rom oder einen Kaiser (? Aurelian [1]) preisen. Die Suda erwähnt eine Rede an Gallienus (zw. 260 und 268), schwerlich ὁ μέγας βασιλικός (›Die große kaiserliche Rede‹) aus Menander Rhetor 370, 14 SP. [2]. Weitere Werke handeln ›Über Affektiertheit‹ (Περὶ κακοζηλίας ῥητορικῆς), einem (Virius) Lupus gewidmet (*cos. ord.* 278, vielleicht *praes Syriae et Arabiae* gegen 268) und ›Über philos. Schulen‹. 10 Bücher ›Über alexandrinische Gesch.‹ sind Kleopatra gewidmet (? vielleicht Name der Zenobia nach ihrer Eroberung Ägyptens 269, vgl. SHA trig. tyr. 30,2), eher 271 als 270 v. Chr. [3].

1 JACOBY, FGrH 281 (mit Komm.) 2 D.A. RUSSELL, N.G. WILSON, Menander Rhetor, 1981, 275 3 A. CAMERON, The Date of Porphyry's Κατὰ Χριστιανῶν, in: CQ n.s. 17, 1967, 383.

PIR² C 229 · A. STEIN, K. von Petra, in: Hermes 58, 1923, 448–456.

E.BO./Ü: J.S.

[3] Ingenieur aus Heliopolis (Baalbek) in Syrien, floh 673/4 n. Chr. nach Konstantinopel, leitete bei der Belagerung von 674–678 den Einsatz des »griech. Feuers« (Theophanes 354, 13–16), das er wahrscheinlich technisch verbesserte, aber wohl nicht erfand.

→ Feuer, griechisches

H. WADA, Tὸ λεγόμενον θεῖον ἄπυρον bei Malalas, in: Oriens 11, 1975, 25–34.

[4] K. I. Patriarch von Konstantinopel 693–705, Heiliger der orthodoxen Kirche, war 695 am Sturz des Kaisers Iustinianus II. beteiligt und wurde nach dessen Rückkehr gestürzt, geblendet und nach Rom verbannt.

J.L. VAN DIETEN u.a., Gesch. der Patriarchen von Sergios I. bis Johannes VI. (610–715), 1972, 156–160.

AL.B.

Kallinos (Καλλῖνος).
[1] Elegischer Dichter aus Ephesos, ca. 650 v. Chr. Sein einziges langes Fr. (21 Verse, 1 W./G.-P., aus Stobaios) ermahnt junge Männer (*néoi*), vermutlich Symposiasten, ihre Stadt zu verteidigen. Gegner waren vielleicht die Kimmerier – diese werden in einem Hexameter in 5(a) W./G.-P. erwähnt, der von Strab. 14,1,40 (vgl. 13,4,8) als Beweis für einen in der Einnahme von Sardeis resultierenden (also ca. 652 v. Chr.) Einfall der Kimmerier angeführt wurde. Dieser hatte früher als derjenige der Trerer (auch in 4 W./G.-P.) stattgefunden, welcher Magnesia zerstörte. In Thema, Darstellung und Sprache ähnelt K. Tyrtaios, doch handhabt er Enjambement und Satzumbruch kunstvoller. Strab. 14,1,4 kannte ein Gebet an Zeus (2 W. 2a W./2 G.-P.) und Pausanias 9,9,5 (6 W./T 10 G.-P.) ein Gedicht, in dem K. Homer (wenn auch nicht nachweislich unter diesem Namen; skeptischer [1]) als den Dichter einer ›Thebais‹ zitierte. K. wird als »Erfinder« der Elegie beansprucht (T 3; 5; 11; 13; 15 G.-P.), Xen. an. 3,1,14 erinnert phraseologisch an ihn [2] und Athen. 525c verweist auf ihn, doch wird K. nur von Strabon, Pausanias, Stobaios und Stephanos zitiert.

1 J.A. DAVIDSON, Quotation and Allusion in Early Greek Literature, in: Eranos 53, 1955, 136 = Ders., From Archilochos to Pindar, 1968, 81 f. · P. GIANNINI, Echi di Callino e Tirteo …, in: Studi D. Adamesteanu, 1983, 145–151.

ED.: IEG II² · GENTILI/PRATO I.
KOMM.: D.A. CAMPBELL, Greek Lyric Poetry, 1967, 161–168 · W.J. VERDENIUS, Callinus fr. 1, in: Mnemosyne 4.25, 1972, 1–8 · A.W.H. ADKINS, Callinus 1 and Tyrtaeus 11 on Poetry, in: HSPh 81, 1977, 59–97 (adaptiert in: Ders., Poetic Craft in the Early Greek Elegists, 1985, 55–66) · G.F. GIANOTTI, Alla ricerca di un poeta, Callino di Efeso, in: E. LIVREA (Hrsg.), Studi A. Ardizzoni I, 1978, 403–430 · D.E. GERBER, in: Lustrum 33, 1991, 136–8 (weitere Bibliogr.).

E.BO./Ü: J.S.

[2] Peripatetiker. Er wird im Testament des → Theophrastos (288/286 v. Chr.) als vierter der zehn »Genossen« (*koinōnúntes*) und als Testamentsvollstrecker genannt: Er erhält Theophrasts Gut in Stageira und 3000 Drachmen (Diog. Laert. 5,52–6).
→ Peripatos
[3] von Hermione. Peripatetiker. Er wird im Testament des → Lykon (228/224 v. Chr) als zweiter der zehn »Genossen« (*koinōnúntes*) genannt. Neben anderen Legaten vermachte ihm Lykon seine unveröffentlichten

Bücher, ›damit er sie sorgfältig herausgebe‹ (Diog. Laert. 5,74; 70; 73). Vielleicht war er der Enkel von K. [2].
→ Peripatos

H. B. GOTTSCHALK, Notes on the Wills of the Peripatetic Scholarchs, in: Hermes 100, 1972, 321, 337. H. G.

Kalliope

[1] (griech. Καλλιόπη, Καλλιόπεια; lat. Calliopa; zur Etym. Diod. 4,3). K. wird unter den 9 → Musen (Hes. theog. 79) am häufigsten erwähnt und bes. individualisiert dargestellt. Sie ist urspr. die Muse des Kriegstaten verherrlichenden Epos, später auch – in paradoxer Umkehr – der »friedlichen« röm. Liebeselegie (Prop. 3,3) oder der gehobenen Dichtung überhaupt (Ov. trist. 2, 568). K. wird als Schutzherrin der Dichtung angerufen, u. a. im homer. Hymnos an Helios (31,1–2), der als Verherrlichung der Taten der Meropen eine Art ep. Gesang ist; ferner: Alkman, fr. 27 PMG; Sappho fr. 124 VOIGT; Pind. O. 10,14; Bakchyl. Epinikion 5,176). Bei Kallimachos (Aitia 1,7,22; 3,75,77 PFEIFFER) und Ovid (fast. 5) tritt sie als Erzählerin auf. Seit Empedokles wird K. in besonderer Weise zur Muse der Wahrheitsforschung und des Schönen und Guten (31 B 3, 121 DK; vgl. Plat. Phaidr. 259b-d). Zu ihren Kindern zählen u. a. → Orpheus (Apollod. 1,3,2; vgl. aber Paus. 9,30,4;), → Linos (Apollod. ebd.), aber auch (entsprechend K.s Funktion als Muse des krieger. Epos) der Dichter → Homeros [1] (Meles 76; Anth. Pal. 16,296,8). In Orph. Arg. 1384 macht K. ihren Sohn Orpheus auf die Gefahren der Symplegaden aufmerksam. In der spätant. Epik spielt sie eine aktive Rolle als Person der Handlung: bei Nonnos (Dion. 24,92) trägt sie ihren verwundeten Gatten Oiagros aus der Schlacht; bei Q. Smyrn. 3,594 tritt sie als Trösterin der → Thetis auf.

LIT.: s. Musen. C. W.

[2] (Καλλιόπη; mittelind. *Kaliyapa*). Indogriech. Königin im 1. Jh. v. Chr., Gemahlin des → Hermaios [1], nur durch ihre gemeinsamen Mz. bekannt.

BOPEARACHCHI, 112; 325. K. K.

Kalliphana (lat. Calliphana, auch Calliphoena). Priesterin der Ceres in Rom. Urspr. Priesterin der Demeter in Elea/Velia, wurde sie – gemäß der Vorstellung, daß Ceres eine Göttin griech. Herkunft sei und ihr Ritual die griech. Form wahren müsse – wie die meisten Cerespriesterinnen Roms aus Elea geholt. Damit sie ihr Amt jedoch als Bürgerin im Dienst der Bürger (*civis pro civibus*) (und der entsprechenden Gesinnung) erfüllen konnte – so Cic. Balb. 55 –, erhielt sie durch den Praetor C. Valerius Flaccus um das J. 95 v. Chr das röm. Bürgerrecht (Val. Max. 1,1,1b).

B. STANLEY SPAETH, The Roman Goddess Ceres, 1996.
FR. P.

Kallipolis (Καλλίπολις).

[1] Ort in Karia (Arr. an. 2,5,7; Steph. Byz. s. v. K.), Lage umstritten: entweder bei h. Gelibolu, südl. des Ostendes des Keramischen Golfs (ant. und ma. Reste, keine Siedlungsfunde) oder östl. davon, 10 km landeinwärts bei Duran Çiftlik (Reste eines ant. Heiligtums und einer Kirche; die Siedlung dazu 1,5 km östl. von Kızılkaya, Steinkistengräber an der Ostseite des Hügels). Bis zur Niederlage im Kampf gegen Ptolemaios und Asandros 333 v. Chr. konnte der Perser Orontopates K. behaupten [1. 196]. Eine Ehreninschr. des Demos von K. für Domitia Longina, die Frau des Domitianus [2. 651], sowie Br.-Mz. des 2./1. Jh. v. Chr. sind erh.

1 A. B. BOSWORTH, A Historical Commentary on Arrian's History of Alexander 1, 1980 2 W. BLÜMEL, Die Inschr. der rhodischen Peraia (IK 38), 1991.

G. E. BEAN, J. M. COOK, The Carian Coast 3, in: ABSA 52, 1957, 81–85 · G. E. BEAN, Kleinasien 3, 1974, 164 f. · L. BÜRCHNER, s. v. K. (2) und (3), RE 10, 1658 f. · P. M. FRAZER, G. E. BEAN, The Rhodian Peraea and Islands, 1954, 71 f. · L. ROBERT, Ét. Anatoliennes: Recherches sur les inscriptions grecques de l'Asie mineure, 1937, 491–500 · J. SEIBERT, Die Eroberung des Perserreiches durch Alexander d.Gr. (TAVO Beih. 68), 1985, 61. H. KA.

[2] Syr. Stadt (App. Syr. 57,298) unbekannter Lage, von → Seleukos Nikator gegründet. J. RE. u. H. T.

[3] Stadt auf der Thrak. Chersones am → Hellespontos, gegenüber von Lampsakos (Strab. 7a,1,36; 56; 13,1,18; Ptol. 3,11,9; Amm. 22,8,4), h. Gelibolu. In byz. Zeit wichtiger Stützpunkt und Versorgungslager (Prok. aed. 4,10,22); Suffraganbistum von Herakleia (ant. Perinthos).

H. AHRWEILER, Byzance et la mer, 1966, 318–325. I. v. B.

[4] Angeblich griech. Siedlung (nach Dion. Hal. ant. 19,3 Hafen der Tarentiner, wo sich der Spartaner Leukippos durch List ansiedelte; ein ähnlicher Bericht für Metapontum bei Strab. 6,1,15; vgl. auch *urbs Graia*, Mela 2,67; *Callipolis quae nunc est Anxa*, Plin. nat. 3,100) an der ion. Küste von Calabria bei → Aletium, ca. 45 km nördl. von Leuca, 90 km südl. von Tarentum (*LXXV m.p.*, Plin. nat. 3,100).

NISSEN 2, 886 · BTCGI 7, 542 f. M. L.

[5] Vom sizilischen → Naxos aus gegr. Stadt, von → Hippokrates [4] von Gela (498–491 v. Chr.) erobert (Hdt. 7,154), zu Strabons Zeit verödet (Strab. 6,2,6); K. dürfte beim h. Máscali an der NO-Küste von Sizilien zu lokalisieren sein. Keine epigraphischen und numismatischen Quellen.

E. MANNI, Geografia fisica e politica della Sicilia antica, 1981, 153 · BTCGI 7, 544–548. D. SA./Ü: J. W. M.

Kallipos. Aufgrund eines Überlieferungsfehlers bei Athen. 15,668c, wo drei Verse aus Κάλλιπος ἐν Παννυχίδι (›K. in der *Pannychís*‹) zitiert werden, früher angenommener Komödiendichter. Seit Erscheinen des PBerolinensis 13417 mit Resten des Weingedichtes *Pannychís* des → Kallimachos [3], darunter auch die von

Athenaios zitierten Verse, steht fest, daß an der betreffenden Stelle Καλλίμαχος zu lesen ist [1; 2].

1 A. KÖRTE, s. v. K. (18), RE 10, 1667 **2** R. PFEIFFER, Callimachus I, 1949, 217 (F 227). T. HI.

Kallip(p)idai (Καλλιπ(π)ίδαι).

Bezeichnung der dem Emporion Borysthenes am h. Dnjepr benachbarten Bevölkerung, charakterisiert als *Hellenoskýthai* (Ἑλληνοσκύθαι, Hdt. 4,17; vgl. Strab. 12,3,21; Mela 2,7). Es scheint sich hier um die griech.-skythische Bevölkerung zu handeln, die im Dekret IOSPE I² 32, Z. 26f. als *Mixhéllēnes* (Μιξέλληνες) bezeichnet wird. Der Name spielt sowohl auf die Skythen als Reitervolk als auch auf den Spottnamen Kallipos (»Pechvogel«) an.

I. VON BREDOW, Der Begriff der Mixhellenes, in: B. FUNCK (Hrsg.), Hell., 1996, 467–474. I. v. B.

Kallippides (Καλλιππίδης).

Trag. Schauspieler des 5./4. Jh. v. Chr., der, populär und umstritten, lange nach seinem Tod in Erinnerung blieb. Er selbst war mehrfach siegreicher → Protagonist, so an den Lenäen des J. 418, jedoch errang die Tetralogie seines Dichters keinen Preis [1]. Sein ausdrucksstarkes, auf realistische Wirkung zielendes Gebärdenspiel entsprach moderner Manier; es mißfiel dem Mynniskos, der einst noch mit Aischylos aufgetreten war und den jungen Kollegen wegen seiner übertriebenen Mimesis als »Affen« bezeichnete (Aristot. poet. 26,1461b 34). Seine Frauengestalten wirkten eher zerrissen als würdevoll (ebd. 1462a 9) und spiegelten wohl euripideische Psychologie. K. war stolz darauf, auch ein großes Publikum zu Tränen zu rühren (Xen. symp. 3,11). Als einer der frühesten Starschauspieler war er in der griech.-sprachigen Welt zu Hause (Polyain. 6,10), suchte die Nähe der Mächtigen (Plut. Alkibiades 32,2) und reagierte beleidigt, wenn man ihn nicht beachtete (Plut. Agesilaos 21,8; mor. 212ef). K. scheint sogar Titelfigur einer Komödie des → Strattis gewesen zu sein (PCG VII, 630).

1 H.-J. METTE, Urkunden dramatischer Aufführungen in Griechenland, 1977, 144, 184.

J. B. O'CONNOR, Chapters in the History of Actors and Acting in Ancient Greece, 1908, 107 Nr. 274 · P. GHIRON-BISTAGNE, Recherches sur les acteurs dans la Grèce antique, 1976, 334. H.-D. B.

Kallippos (Κάλλιππος).

[1] Athenischer Schüler → Platons, der 361 v. Chr. den in Athen in einem → *eisangelía*-Verfahren verurteilten Kallistratos im Auftrag des *stratēgós* Timomachos nach Thasos brachte (Demosth. or. 50,47–52). 357 entzog sich K. selbst einer Anklage in Athen, indem er → Dion [I 1] bei seiner mit Gewalt erzwungenen Rückkehr nach Sizilien begleitete (Plut. Dion 22,5 und 54,1; Plat. epist. 7, 333e). Zunächst als philosophisch-polit. Berater und »condottiere« von Dion hoch geschätzt, wandte sich K. 354 gegen Dion und ließ ihn von seinen eigenen Söldnern ermorden (Plut. Dion 54,3–57,5; Nep. Dion 8,1–9,6 mit Verschreibung des Namens; Aristot. rhet.

1373a 19ff.). Die Syrakusaner feierten ihn als Tyrannenmörder, und K. konnte selbst für kurze Zeit die Politik im demokrat. Syrakus bestimmen [1], bis → Hipparinos [2], der Sohn des Dionysios [1], während eines Feldzuges des K. gegen Katane Syrakus erobern konnte. Als K. beim Versuch, dem Dionysios untertänige Städte zu befreien, seine Söldner nicht mehr bezahlen konnte, wurde er umgebracht (Diod. 16,45,9; Plut. Dion 58,1–5).

[2] Der Athener K. aus Lamptrai war Schüler des → Isokrates (Isokr. or. 15,93); möglicherweise identisch mit dem → *próxenos* der Herakleoten, der in dieser Eigenschaft Prozeßgegner des → Apollodoros [1] war (Ps.-Demosth. or. 52) [2].

[3] Der Athener K. aus Paiania beantragte 357/6 v. Chr. ein → *psḗphisma* über die Regelung der Besitzverhältnisse in → Kardia und wurde deswegen von Hegesippos (→ *paranómōn graphḗ*) erfolglos angeklagt (Ps.-Demosth. or. 7,42f.; hypoth. Demosth. or. 7,3 f.) [3; 4].

→ Athenai; Kersobleptes

1 K. TRAMPEDACH, Platon, die Akademie und die zeitgenöss. Politik, 1994, 111, 121–124 **2** SCHÄFER 4, 134–137 **3** PA 8078 **4** DEVELIN, Nr. 1550. J. E.

[4] s. Kallipos

[5] K. von Kyzikos, geb. um 370 v. Chr., Astronom, führte seine Beobachtungen nach Ptol. phaseis p. 67,5 am Hellespont aus, kam als Mitschüler und Freund des → Eudoxos [1] von Knidos nach Athen und schloß sich dem Aristoteles [6] an. K. verbesserte die Planetentheorie des Eudoxos, indem er den Sphären von Sonne und Mond je zwei, den Sphären von Mars, Venus und Merkur je eine Sphäre hinzufügte. Er rechnete somit mit $(2 \times 4) + (5 \times 5) = 33$ Sphären (Aristot. metaph. 12,8,1073b 32; Simpl. in Aristot. cael. 2,12,293a 4; p. 493,5–497,21 HEIBERG nach Eudemos, Ἀστρολογικὴ ἱστορία/*Astrologikḗ historía*).

K. beobachtete die genaue Länge der → Jahreszeiten bzw. die Abstände (διαστήματα/*diastḗmata*) zwischen den Jahrpunkten. Das daraus resultierende → Parapegma mit variabler Sonnengeschwindigkeit in den einzelnen Tierkreiszeichen wirkte auf die ptolemäischen *Phaseis*.

Seine bedeutendste Leistung besteht in der Verfeinerung des lunisolaren → Kalenders. Er vervierfachte den von → Meton und → Euktemon aufgestellten 19-Jahreszyklus auf 76 J. mit 912 regulären und 28 Schaltmonaten = 27759 Tagen (Geminos 8,50–60). Der Beginn lag im Jahr 330 v. Chr. (= Ol. 112,3). Auf diese Weise können Daten des athenischen Kalenders genau in den ägypt. oder iulianischen Kalender umgerechnet werden. Das Apogäum der scheinbaren Sonnenbahn nahm er in der Mitte der Zwillinge an, den Jahreswechsel bei der Sommersonnenwende. Die nach ihm benannte Kallippische Periode wird benutzt von → Hipparchos [6] (Ptol. syntaxis 3,1 p. 195,10–207,17), vielleicht auch schon von → Timocharis (ebd. 7,3 p. 28, 11–13).

J. K. FOTHERINGHAM, The Metonic and Callippic Cycles, in: Monthly Notices of the Royal Astronomical Society 84, 1924, 383–392 · F. K. GINZEL, Hdb. der mathematischen und technischen Chronologie II, 1911 · K. MANITIUS, Ptolemäus, Hdb. der Astronomie I, 1963, 426f. · A. REHM, s. v. K., RE suppl. 4, 1431–1438 · Ders., s. v. Parapegma, RE 18, 1346–1348 · B. L. VAN DER WAERDEN, Die Astronomie der Griechen, 1988, 88–92, 100.   W. H.

Kallirhoë (Καλλιρ[ρ]όη, »die Schönfließende«).

[1] Tochter des Okeanos, Gattin des → Chrysaor [4], Mutter des → Geryoneus (Hes. theog. 351; 979ff.; Apollod. 2,106; Hyg. fab. 151); sie erscheint im Kreis der → Persephone (Hom. h. 5,419); überl. auch als Gattin des Manes oder des Poseidon (Dion. Hal. ant. 1,27,1; schol. Pind. O. 14,5).

[2] Tochter des Acheloos, Gattin des → Alkmaion [1], Mutter von Amphoteros und Akarnan (Apollod. 3,88ff.; Eur. Alcestis TGF fr. 79).

[3] Tochter des Flußgottes → Skamandros, Gattin des → Tros, Mutter von → Ilos [1] und → Ganymedes [1] u. a. (Hellanikos schol. Hom. Il. 2,231); überl. auch als Gattin des → Erichthonios [2] (Dion. Hal. ant. 1,62,2).

[4] Mädchen aus Kalydon, in das sich der Dionysospriester Koresos verliebte. Da K. diese Liebe nicht erwiderte, sollte sie auf Weisung des Dionysos-Orakels geopfert werden. Koresos brachte es nicht über sich, K. zu opfern, und tötete sich selbst. Da wurde sich K. seiner Liebe bewußt und kam selbst zu Tode (Paus. 7,21,1 ff.).

[5] Eine Braut aus Ilion, die bei rituellem Bad im Skamandros von einem Kimon verführt wurde (Ps.-Aischin. 10).   RE. ZI.

[6] s. Athenai

[7] Am Ostufer des Toten Meeres gelegenes Thermalbad, das von Iosephos (ant. Iud. 17,6,5, bell. Iud. 1,33,5), Plinius (nat. 5,16) und Hieronymus (quaestiones hebraicae in genesim 10,19) erwähnt wird und mit den Quellen von ʿAin az-Zāra zu identifizieren ist [1. 4]. Es findet sich namentlich auf der byz. Mosaikkarte von Madaba (Θερμὰ Καλλιρόης, Thermá Kallirhóēs; 6. Jh. n. Chr.) [2].

1 ABEL 1, 87, 156, 461 2 M. AVI-YONAH, The Madaba Mosaic Map, 1954, 40 3 H. DONNER, Kallirhoe, in: ZPalV 79, 1963, 59–89 4 SCHÜRER 1, 325f.   I. WA.

Kallisthenes (Καλλισθένης).

[1] K. von → Olynthos, → Alexanderhistoriker, Sohn einer Kusine von → Aristoteles [6], bei dem er aufwuchs (Plut. Alexander 55,8) und den er nach → Assos, nach Makedonien und vielleicht dann nach Athen begleitete. Nach dem Tod des → Hermias [1] verfaßte er eine Lobschrift auf diesen (Zitat bei Didymos, In Demosthenem 5–6). Gemeinsam mit Aristoteles stellte er eine Liste der Pythionikai (→ Pythia) und Agonothetai (→ Agonothetes) der Pyth. Spiele zusammen, für die beide in Delphoi geehrt wurden (Syll.³ 275). Die Aufstellung der Liste verzögerte sich einige J. und wird von der Überl. Aristoteles allein zugeschrieben. In Makedonien

verfaßte K. eine ›Griech. Geschichte‹ (behandelter Zeitraum: 387/6–356 v. Chr.) in zehn B. und eine Monographie über den 3. → Heiligen Krieg (356–346 v. Chr.).

Auf Aristoteles' Empfehlung wurde er von Alexandros [4] d. Gr. eingeladen, ihn als Historiker seiner Taten nach Asien zu begleiten. Sein für die griech. Welt bestimmtes Werk Alexándru práxeis (›Die Taten Alexanders‹) erreichte zumindest das J. 330 und war für die ersten J. des Feldzugs die einzige Primärquelle. K. berichtete über die Märsche und Siege Alexanders und feierte ihn mit homerischen Anklängen als Heros und – nach dem Zug zu Ammon – als Sohn des Zeus-Ammon. → Parmenion scheint er, vielleicht im Einverständnis mit dem König, herabsetzend geschildert zu haben.

K. pflegte auch wiss. Interessen und schrieb in den Alexándru práxeis z. B. über die Nilquellen. Wahrscheinlich in Kleinasien verfaßte er einen → Periplus des Schwarzen Meeres.

K.' starres Selbstbewußtsein entfremdete ihn dem Kreis der Hofleute, und nach 330 führte Alexanders Einführung eines pers. Hofzeremoniells auch zur Entfremdung vom König. Zum Bruch kam es, als K. sich dessen Versuch, die → Proskynesis auch von Griechen und Makedonen zu verlangen, widersetzte, was den König tief beleidigte. (Der Streit wurde später von beiden Seiten ausgemalt, und K. wurde von Philosophen als Held gefeiert.) Nach der Verschwörung der Pagen (→ basilikoí paídes), die K. zum Unterricht anvertraut waren, wurde er verdächtigt, diese angezettelt zu haben. Daß die Knaben K. unter Folter dessen beschuldigten (so → Ptolemaios und → Aristobulos [7] bei Arr. an. 4,14,1), ist aber gehässige Erfindung, wie ein sicher authentischer Brief Alexanders bei Plut. Alexander 55,6 zeigt [1. 219–221]. Doch ließ der König ihn verhaften und wahrscheinlich sofort hinrichten (so Ptolemaios bei Arr. an. 4,14,3); → Chares [2] und wohl im Anschluß an ihn Aristobulos [7] berichten zur völligen Entlastung Alexanders, K. sei als Häftling Monate später eines natürlichen Todes gestorben.

Einige Fr., die scheinbar aus anderen Schriften zitiert wurden, sind entweder den oben genannten Schriften zuzuweisen oder unecht. Fragmente: FGrH 124 (Add. in III B).

→ Alexanderhistoriker; Alexandros [4]

1 T. R. HAMILTON, Three Passages in Arrian, in: CQ 5, 1955, 217–221.

L. PEARSON, The Lost Histories of Alexander the Great, 1960 · P. PÉDECH, Historiens compagnons d' Alexandre, 1984 · L. PRANDI, Callistene, 1985 (mit vollem Quellennachweis).   E. B.

[2] Freigelassener des L. Licinius [I 25] Lucullus, der nach Nepos (fr. 51 [52 M] bei Plut. Lucullus 43,1 f.; vgl. Plin. nat. 25,25; Vir. ill. 74,8) seinem ehemaligen Herrn einen Liebestrank einflößte, der dessen Verstand trübte und zum Tode führte (56 v. Chr.).   P. N.

Kallisto (Καλλιστώ, lat. Callisto). Arkad. Nymphe bzw. Prinzessin, Tochter des → Lykaon (Eumelos von Korinth, EpGF p. 100 fr. 10; Hes. cat. fr. 163; Apollod. 3,100), nach Asios (EpGF p. 90 fr. 9) des Nykteus, nach Pherekydes (FGrH 3 fr. 157) des Keteus; Jagdgefährtin der Artemis, in die sich Zeus verliebt. Dieser nähert sich ihr in Gestalt von Artemis oder Apollon und verführt oder vergewaltigt sie (Amphis, CAF II fr. 47; Apollod. 3,100; Ov. met. 2,425). Artemis (Hes. cat. fr. 163) oder Hera (Kall. fr. 632; Paus. 8,3,6; Ov. met. 2,476–484) entdecken ihre Schwangerschaft und verwandeln sie zur Strafe in eine Bärin. Nach anderen verwandelt sie Zeus, um seine Tat vor Hera zu verbergen (Apollod. 3,101). K. gebiert → Arkas, den Stammvater der Arkader (z. B. Paus. 8,4,1). K. stirbt durch die Pfeile der Artemis und wird von Zeus zum Sternbild des Großen Bären verstirnt (Kall. fr. 632), oder sie wird von ihrem Sohn Arkas auf der Jagd getötet und Zeus verwandelt beide in Sternbilder (Eratosthenes, Katasterismoi 1 p. 1 OLIVERI). Nach einer weiteren Version wird sie von Arkas ins Heiligtum des Zeus Lykaios gejagt, wo Zeus K. und Arkas verstirnt, als die Arkader beide töten wollen (Eratosthenes ebd. p. 9f.). Die älteste Überl. des Mythos findet sich bei Hesiod, der eventuell schon zwei Versionen kannte. Aischylos schrieb eine Tragödie ›K.‹ (TrGF III, p. 216). Eur. Hel. 375–380 erwähnt K. Vor Ovid (Ov. met. 2,409–530; Ov. fast. 2,153–192) ist keine zusammenhängende Fassung erhalten.

1 A. ADLER, s. v. K., RE 10, 1726–1728   2 R. ARENA, Considerazioni sul mito di Callisto, in: Acme 32, 1979, 5–26 3 I. McPHEE, s. v. K., LIMC 5.1, 940 f.   4 W. SALE, The Story of Callisto in Hesiod, in: RhM 105, 1962, 122–141   5 Ders., Callisto and the Virginity of Artemis, in: RhM 108, 1965, 11–35   6 M. L. WEST, The Hesiodic Catalogue of Women, 1985, 91–93.   K. WA.

Kallistos (Κάλλιστος). Verf. eines Epos über die Perserkriege des Kaisers → Iulianus, den er als *domesticus* auf seinen Feldzügen begleitete (Sokr. 3,21,14–17). Er erzählte, wie der Kaiser von einem Daimon geschlagen gestorben sei. Möglicherweise ist K. identisch mit Kallistion, dem ep. Dichter und Assessor des *praefectus praetorio Orientis* Sallustius Secundus, an den die Briefe 1233 und 1251 des Libanios gerichtet sind.

O. SEECK, RE Suppl. 4, 864.   S. FO./Ü: T. H.

Kallistratos (Καλλίστρατος).

[1] Tragiker (TrGF I 38), belegte an den Lenäen 418 v. Chr. den 2. Rang mit einem ›Amphilochos‹ und ›Ixion‹ (DID A 2b, 80), wohl nicht identisch mit dem *didáskalos* (»Regisseur«) des → Aristophanes [3].

P. GEISSLER, Chronologie der altatt. Komödie, 1969, 6 f. • PCG IV, p. 56.   B. Z.

[2] Bedeutender athen. Politiker und hervorragender Redner, Neffe des → Agyrrhios und *kēdestḗs* (wohl Schwiegervater) des Timomachos (Demosth. or. 18,219; 19,297; 24,135; vgl. Xen. hell. 6,3,10–17; OA

2,218). 392/1 erreichte er mit einer Anklage wegen Amtsmißbrauchs (*parapresbeía*) die Verurteilung des → Andokides [1] und seiner Mitgesandten (Philochoros FGrH 328 F 149a). 378/7 zum *stratēgós* gewählt (Diod. 15,29,7), nahm er maßgeblichen Einfluß auf Bildung und Organisation des Zweiten → Attischen Seebundes (Theop. FGrH 115 F 98: K. machte den Vorschlag, die Beiträge *syntáxeis* statt *phóroi* zu nennen). 373/2 trat er, erneut zum *stratēgós* gewählt (Xen. hell. 6,2,39), mit → Iphikrates als Kläger gegen den seines Amtes enthobenen → Timotheos auf (Ps.-Demosth. or. 49,9; 13). 372/1 begleitete er Iphikrates auf der Expedition in das Ionische Meer. 371 war er Sprecher der Athener bei den Friedensverhandlungen in Sparta (Xen. hell. 6,3,10–17), für dessen Unterstützung gegen Theben er sich in der Folgezeit einsetzte (Ps.-Demosth. or. 59,27). Der Verlust von Oropos an Theben (366) und das Ausbleiben spartan. Hilfe führten zu einer Klage wegen Verrats (Aristot. rhet. 1364a 19 ff.); der Verurteilung entging K. durch seine glänzende Verteidigungsrede, die auf den jungen → Demosthenes [2] großen Eindruck gemacht haben soll (Plut. Demosthenes 5,1–5; Gell. 3,13). Um 366/5 war er Syntriearch (IG II² 1609,103; 118 f.), anschließende Gesandtschaftsreisen in die Peloponnes sind nicht zweifelsfrei zu sichern (Aristot. rhet. 1418b 10). Ca. 361 wurde er, wahrscheinlich wegen athen. Mißerfolge in Thrakien und gegen Alexandros [15] von Pherai, in ein → Eisangelie-Verfahren verwickelt, entzog sich dem Todesurteil durch freiwillige Verbannung und ging nach Methone, Thasos und Byzanton (Hyp. 4,1; Ps.-Demosth. or. 50,46–49). Zeitweilig stand er auch in Diensten Philipps II. von Makedonien (Aristot. oec. 1350a 16–22). Als er, wohl im J. 355, nach Athen zurückkehrte, wurde er hingerichtet (Lykurg. 93).

DAVIES, 277–282 • M. DREHER, Hegemon und Symmachoi, 1995, 27–29, 42, 73 • P. FUNKE, Homonoia und Arché, 1980, 145–147, 166 f. • R. SEALEY, Callistratos of Aphidna and his Contemporaries, in: Historia 5, 1956, 178–203.   W. S.

[3] Bronzebildner. Plinius erwähnt K. unter den Bildhauern nach 156 v. Chr. Tatian nennt von K. die Statue der Euanthe, die mit Statuen denkwürdiger Frauen in den Pompeius-Portiken in Rom stand.

OVERBECK, Nr. 2206 • F. COARELLI, Il complesso pompeiano del Campo Marzio e la sua decorazione scultorea, in: RPAA 44, 1972, 99–122.   R. N.

[4] Griech. Grammatiker, 1. H. des 2. Jh. v. Chr. Seine Herkunft ist unbekannt, doch arbeitete er gewiß in Alexandreia und war Schüler des → Aristophanes [4] von Byzanz (so das – problematische – schol. Aristoph. Thesm. 917; bei Athen. 1,21c und 6,263e heißt K. ὁ Ἀριστοφάνειος (»der Aristophanier«), doch wäre das allein noch nicht entscheidend), also ein Zeitgenosse des → Aristarchos [4] von Samothrake.

Der größte Teil der erh. Fr. betrifft Homer (35 sicher, allesamt aus den Schol.: 15 zur ›Ilias‹, 20 zur ›Odyssee‹. Das Material zur ›Odyssee‹ ist, wie sonst selten, umfangreicher als das zur ›Ilias‹; dies zeigt wohl die Präferenzen des K.). K. behandelt darin größtenteils textkritische Probleme und reiht sich somit in die alexandrinische Philol.- und Gramm.-Trad. ein. Er übernimmt die Ansichten seines Lehrers Aristophanes und polemisiert gegen den Mitschüler Aristarchos. Wir kennen drei Titel: Πρὸς τὰς ἀθετήσεις (›Gegen die Athetesen‹, d. h. die des Aristarchos; eine polemische Erörterung von dessen Streichungen); Περὶ Ἰλιάδος (›Über die Ilias‹, mindestens 2 B.); Διορθωτικά (›Textverbesserungen‹), vielleicht eine Abh. oder ein Komm. spezifisch philol.-textkrit. Inhalts. Eine Homerausgabe (ékdosis) ist ungewiß. Darüber hinaus beschäftigte sich K., wie die Testimonien zeigen, mit Hesiod, Pindar (vielleicht auch Simonides) und Dramatikern wie Sophokles, Euripides (vielleicht auch Aischylos), Kratinos und vor allem Aristophanes, denen schon die spezifischen Interessen seines Lehrers galten. Die weitreichenden philol.-krit. Interessen schlugen sich auch in seinem »Mischwerk« Συμμικτά (Symmiktá, mindestens 7 B.; FGrH 348 F 2–6) nieder. Eine Schrift Περὶ ἑταιρῶν (›Über die Hetären‹, FGrH 348 F 1; bei Athen. 13,591d erwähnt), gehörte zu einer zw. Geschichtsschreibung und Gelehrsamkeit anzusiedelnden Gattung (ein ähnliches Werk verfaßte auch Aristophanes von Byzanz).

ED.: R. SCHMIDT, Commentatio de Callistrato Aristophaneo, in: A. NAUCK (ed.), Aristophanis Byzantii fragmenta, 1848, 307–338 · FGrH III B, 348 · H.-L. BARTH, Die Fr. aus den Schriften des Grammatikers K. zu Homers Ilias und Odyssee, Diss. Bonn 1984.
LIT.: BARTH, s.o. · P. BOUDREAUX, Le texte d'Aristophane et ses commentateurs, 1919, 48–51 · A. GUDEMAN, s. v. K. (38), RE 10, 1738–1748 · D. HOLWERDA, K. Schüler des Aristophanes von Byzanz, in: Mnemosyne 40, 1987, 148 · A. LUDWICH, Aristarchs hom. Textkritik, 1884–85 (s. Index s. v.) · PFEIFFER, KP I, 236, 258–9, 271, 274 · SCHMIDT, s.o. · F. SUSEMIHL, Gesch. der griech. Lit. in der Alexandrinerzeit, 1891–92, I, 449–450.
F.M./Ü: T.H.

[5] (Domitius) K. Verfasser einer Lokalgesch. über das pont. Herakleia in mind. 7 B., offenbar mit ausführlicher Berücksichtigung der Urgesch. Vielleicht Fortsetzung des → Nymphis für die Zeit, in der die Römer an die Stelle der Griechen bzw. Makedonen traten. Vermutlich eine der Hauptquellen → Memnons. FGrH 433; 434.

F. JACOBY, s. v. K. (39), RE 10, 1748.
K.MEI.

[6] Verf. von »Beschreibungen« (ekphráseis) von 14 Statuen, nach Art der ›Bilder‹ (eikónes) beider → Philostratos, die K. auch zitiert. Akzentklauseln legen eine Abfassung nicht vor 400 n. Chr. nahe, doch bleibt der Abfassungsort unklar: Die Statuen in Sikyon (6), Athen (11), Makedonien (13) oder dem ägypt. Theben (1) muß er nicht unbedingt gesehen haben. K. gibt Thema, Hintergrund und (oft) Material sowie Bildhauer an, seine Rhet. ist jedoch mehr darum bemüht, die gelungene Darstellung von Affekten und Lebensnähe zu würdigen, als eine eine klare Beschreibung zu vermitteln.
→ Zweite Sophistik

ED.: bei Manutius, Venedig, 1503 (Erstausg., mit Lukian) · C. SCHENKL, E. REISCH, 1902 · A. FAIRBANKS, 1931 (mit Philostratos; Text, Übers.).
LIT.: ST. ALTEKAMP, Zu den Statuenbeschreibungen des K., in: Boreas (Münster) 11, 1988, 77–154.
E.BO./Ü: T.H.

Kallithera (Καλλιθήρα). Stadt im Süden von Thessalia, wohin die Aitoloi 198 v. Chr. einen Raubzug unternahmen; sie trieben die Bewohner von K. hinter ihre Mauern zurück, konnten die Stadt aber nicht einnehmen (Liv. 32,13,11 f.). K. ist nach der Marschroute der Aitoloi nicht beim h. Kallithira (ehemals Seklitsa), sondern ca. 10 km südöstl. davon bei Paliuri zu suchen.

B. HELLY, Incursions chez les Dolopes, in: I. BLUM (Hrsg.), Topographie antique et géographie historique en pays grec, 1992, 48–91, bes. 77 ff. · F. STÄHLIN, Das hellenische Thessalien, 1924, 132.
HE.KR.

Kallithoe

[1] (Καλλιθόη, »durch Schnelligkeit glänzend«). Älteste Tochter des → Keleos, des Königs von Eleusis, und der → Metaneira. Sie und ihre Schwestern Kallidike, Kleisidike und Demo laden die um ihre Tochter Persephone trauernde → Demeter zu sich nach Hause ein (Hom. h. 2,110).

N. J. RICHARDSON, The Homeric Hymn to Demeter, 1974, 183–185.
R.A.MI.

[2] Erste Priesterin des Heiligtums der Hera Argeia in Argos oder in Tiryns [1]. Sie schmückte als erste eine Säule mit Kränzen, die für eine Abbildung der Göttin gehalten wurde (Phoronis fr. 4 KINKEL, bei Clem. Al. strom. 1,24,164). Der Name K. – belegt auch in der Form Kallithyia (Plut. bei Eus. Pr. Ev. 3,8) und Kallithýessa (Hesych. s. v. Ἰὼ Καλλιθύεσσα) – ist von Καλλιθόη abgeleitet und bedeutet »die schön Opfernde«. K. wurde später mit → Io, der ersten Priesterin des Heraion von Argos, gleichgesetzt.

1 K. SCHERLING, s. v. K. (2), RE 10, 1750 f.
FR.P.

Kallixeinos (Καλλίξεινος) von Rhodos, wohl 2. Jh. v. Chr. Schrieb ›Über Alexandreia‹ in mind. 4 B. Daraus sind zwei längere Zitate bei Athenaios (5,196a–206c) erh.: F 2 über einen prächtigen Festzug (pompḗ) des Ptolemaios II. Philadelphos (279/78? v. Chr.), F 1 über großartige Schiffsbauten Ptolemaios' IV. Philopator (221–204).

Die Schrift war weder eine Lokalgesch. noch eine Perihegese (→ periēgētḗs) Alexandreias, vielmehr eine Slg. von Berichten über bes. Ereignisse, die nach sachlichen Gesichtspunkten geordnet waren. FGrH 627.

G. GRIMM, Alexandreia. Die erste Königsstadt der hell. Welt, 1998, 50 ff. · F. JACOBY, s. v. K., RE 10, 1751–1754 · O. LENDLE, Einführung in die griech. Geschichtsschreibung, 1992, 270 · H. VOLKMANN, s. v. Ptolemaier, RE 23, 1578–1590.
K.MEI.

Kallixenos (Καλλίξενος). Athener, plädierte 406 v. Chr. im Rat erfolgreich für eine Verurteilung der Strategen wegen unterlassener Bergung von Schiffbrüchigen nach der Arginusenschlacht; sein Antrag, die Strategen bei Schuldspruch hinzurichten, wurde der Volksversammlung vorgelegt. Nachdem → Euryptolemos gezwungen worden war, eine Klage wegen Gesetzwidrigkeit (→ *paranómōn graphế*) fallenzulassen, wurden die Strategen zum Tode verurteilt. Als man später gegen die Ankläger vorging, entfloh K. und kehrte erst nach der Amnestie von 403 nach Athen zurück, wo er Hungers starb (Xen. hell. 1,7; Suda s. v. ἐναύειν).

R. A. Bauman, Political Trials in Ancient Greece, 1990, 70–73; 78; 96.   W. S.

Kallonitis (Καλλωνῖτις, andere Namensform Χαλωνῖτις/ *Chalōnítis*). Von Pol. 5,54,7 erwähntes und zu Medien gerechnetes Gebiet unmittelbar westl. der großen → Zagros-Pässe entlang der oberen Diyālā, in dem → Antiochos [5] III. den Leichnam des Aufrührers → Molon pfählen ließ; Nachbarregion der Apolloniatis. Strab. 16,1,1 rechnet die K. noch zu Ἀτουρία, d. h. zum Zweistromland.

H. H. Schmitt, Unt. zur Gesch. Antiochos d.Gr. und seiner Zeit, 1964, Index s. v. Chalonitis.   J. W.

Kallynteria s. Plynteria

Kalokagathia (καλοκἀγαθία). »Vortrefflichkeit«, wie *kalós k(ai)* (»und«) *agathós* zusammengesetzt aus *kalós* (»schön«), und *agathós* (»gut«). Da sich griech. Aristokraten seit homer. Zeit u. a. mit diesen beiden Adjektiven selbst definierten [1. 8f.], deutete man bisher *k.* als Ausdruck adliger Selbstrepräsentation in homer. Trad. (vgl. z. B. [2]). Dies hat sich jedoch als unzutreffend erwiesen [3. Bd. 1, 611 ff.]: *k.* ist erst in der 2. H. des 5. Jh. v. Chr. als feste Wendung bezeugt (Belege: [4. 1054 ff.; 1070 ff.]; vgl. [3. Bd. 1, 113 ff.]); sie erscheint in Athen erstmals im Umfeld von Sophisten, die sich selbst und die von ihnen vermittelten Fähigkeiten mit dieser Formel anpreisen. Die Herkunft dieser Formel aus Sparta, wo sie herausragende mil. Leistungen umschrieben haben soll, wird vermutet [5]. Zunächst wurde die Bezeichnung *k.* in Athen aber nur für »Snobs« vom Schlage eines Alkibiades [3] verwendet, in der Komödie verspottet und von Aristokraten sogar gemieden (vgl. [3. Bd. 1, 137 f.]). Erst → Theramenes machte *k.* zum positiven Prädikat der Anhänger einer von ihm vertretenen moderaten Oligarchie; in dieser Bedeutung ging *k.* im 4. Jh. als soziales Statussymbol auf reiche, angesehene Bürger über, die sich in demonstrativer Generosität für die Polis einsetzten. Zugleich wurde unter dem Einfluß des → Sokrates *k.* auch zu einer ethischen Kategorie. Für Aristoteles (eth. Eud. 1248b 10–1249a 18) stellte *k.* daher eine umfassende, nur für eine soziale Elite erreichbare Form moralisch-bürgerlicher Tugend dar [3. Bd. 1, 564 ff.].
→ Sophistik

1 E. Stein-Hölkeskamp, Adelskultur und Polisgesellschaft, 1989 2 H. Wankel, Kalos kai Agathos, Diss. Würzburg 1961 3 F. Bourriot, Kalos Kagathos – Kalokagathia, 2 Bde., 1995 4 L. Welskopf-Henrich (Hrsg.), Soziale Typenbegriffe im alten Griechenland ..., Bd. 2, 1988 5 F. Bourriot, Kaloi Kagathoi, Kalokagathia à Sparte, in: Historia 45, 1996, 129–140.   M.MEI.

Kalon (auch: Kallon).

[1] Bildhauer aus Aigina. K. galt als Zeitgenosse des → Hegesias und Schüler von Tektaios und → Angelion, sein Stil als altertümlich gegenüber → Kanachos. Eine erh. Basis von der Akropolis wird um 500 v. Chr. datiert. Pausanias beschreibt einen von K. gearbeiteten Bronzedreifuß mit Kore als Stützfigur in Amyklai als Weihung Spartas nach einem Sieg über Messene; wegen verm. Zugehörigkeit weiterer Dreifüße von → Gitiades wird eine Entstehung im späten 6. Jh. angenommen. Ein → Xoanon der Athena von K. befand sich in Troizen.

Overbeck, Nr. 334; 358; 417; 418; 420; 454 · A. Raubitschek, Dedications from the Athenian Akropolis, 1949, 85–87 · A. Borbein, Die griech. Statue des 4. Jh. v. Chr., in: JDAI 88, 1973, 200–202 · Fuchs/Floren, 216 · E. Walter-Karydi, Die äginetische Bildhauerschule, 1987, 13–18.

[2] Bronzebildner aus Elis. Plinius gibt als Akmé 432–429 v. Chr. an. Sein Hauptwerk war ein Gruppenanathem in Olympia, ein Chor von 35 Knaben mit Flötenbläser und Chorleiter, das die Messener ca. 430 v. Chr. weihten. Von einer Hermesstatue des K. in Olympia ist die Basis mit Inschr. erh. und ca. 420 v. Chr. datiert.

Overbeck, Nr. 419; 475; 476 · M. T. Amorelli, EAA 4, 303 f. · J. Dörig, Kalon d'Elide, in: Mélanges P. Collart, 1976, 125–146 · B. Ridgway, Fifth Century Styles in Greek Sculpture, 1981, 119 f.   R.N.

Kalpas s. Kalpe [2]

Kalpe

[1] Der Felsen von Gibraltar (→ Pylai Gadeirides). Die Ableitung des Namens von griech. κάλπη (*kálpē*) = κάλπις/ *kálpis* »Krug« (so schon Avien. 348) ist Volksetym., hervorgerufen durch die Höhlung des Felsens im Westen (Mela 2,95), die h. durch Anschüttungen und die Stadt Gibraltar größtenteils ausgefüllt ist [1]. Vielleicht ist der Name – unbekannter Herkunft – von dem bithynischen Kalpe (h. Kirpe) durch die Griechen auf die span. Halbinsel übertragen worden [2]. K. war eine der beiden »Säulen des Herakles«; die andere, afrikan., war Abila (Alybe, Abilyx). Die Araber benannten dann beide um in Gibraltar (= Ǧabal aṭ-Ṭāriq und Ǧabal Mūsā. Die Beschreibungen aus dem Alt. (bes. Mela 2,95 und Strab. 3,1,7) zeigen, daß der Felsen damals genau so aussah wie h. [3]. Es scheint einen unbedeutenden Ort dieses Namens gegeben zu haben (Itin. Anton. 406,3; Nikolaos von Damaskos, Vita Augusti 2,34; 79).

1 O. Jessen, Die Straße von Gibraltar, 1927, 191 ff. 2 Fontes Hispaniae Antiquae 1, 1955, 122; 4, 144 3 F. de Carranza, Gibraltar histórico, 1943, 25 ff.

Tovar 1, 72 ff. P.B.

[2] (Κάλπης λιμήν, auch Κάρπεια, *Calpas*). Hafen in Bithynia (Thynias) nahe der Mündung des Kalpas, versuchte Koloniegründung der »Zehntausend« (Xen. an. 6,2–6; Strab. 12,3,7; Plin. nat. 6,4,1–6); beim h. Kefken (Kerpe).

W. Ruge, s. v. K., RE 10, 1760 · C. Marek, Stadt, Ära und Territorium in Pontus-Bithynia und Nord-Galatia, 1993, 16. K. ST.

Kalpis s. Gefäßformen/-typen

Kalybe (Καλύβη).
[1] Nymphe, die dem troianischen König → Laomedon einen Sohn, Bukolion, gebiert (Apollod. 3,12,3). Ohne den Namen der Mutter zu nennen, erwähnt auch Homer (Il. 6,23–24) die Geburt von Laomedons unehelichem Sohn Bukolion.
[2] Priesterin der → Iuno in Ardea. Die Furie Allecto nimmt ihre Gestalt an, als sie dem → Turnus im Traum erscheint und ihn gegen die Troianer aufhetzt (Verg. Aen. 7,419). FR. P.

Kalydnai (Κάλυδναι).
[1] Inselgruppe zw. Tenedos und dem Festland (Sen. Tro. 839; Q. Smyrn. 7,407; 12,453; Lykophr. 25); gegen Strab. 13,1,46 wohl nicht zw. Lekton und Tenedos, sondern nördl. von Tenedos; h. Tavşan Adaları.
[2] s. Kalymna

L. Bürchner, s. v. K., RE 10, 1761 f. H. KAL.

Kalydnos (Κάλυδνος). Sohn des → Uranos, Erbauer und erster König von Theben (→ Thebai), das er mit Mauern befestigt. Deshalb heißt die Stadt auch *Kálydna* oder *Kalýdnu týrsis*, »Burg des K.« (Steph. Byz. bei schol. Lykophron 1209). Die falsche Übers. von K. als »Schönsänger« wurde mit der Erbauung der theban. Mauern durch Musik in Verbindung gebracht. AL. FR.

Kalydon (Καλυδών).
[1] Eponymer Heros der gleichnamigen aitolischen Stadt K. [3], Sohn des → Aitolos und der → Pronoe, Bruder des Pleuron, Gatte der Aiolia und von ihr Vater der Epikaste und der Protogeneia (Apollod. 1,58–59). Ein ähnliches, ebenfalls die Namen des Landes und der beiden größten Städte genealogisch verbindendes Konstrukt bei Deimachos (FGrH 65 F 1 = schol. Hom. Il. 217–218 Erbse), wo sich die Abfolge Endymion-Aitolos-Pleuron-K. findet. Steph. Byz. s. v. bietet als Vater des K. den Endymion oder den Aitolos.
K. ist auch der Name einer Heroine, die als Figur in einem Gemälde dargestellt wird, das den Kampf zw. Herakles und Acheloos zeigt (Philostr. imag. 397,23 K.). Ihr Eichenlaubkranz verweist auf den dichten Eichenbestand um die Stadt K.

[2] Sohn des → Ares und der Astynome, sieht → Artemis baden und wird dafür in den gleichnamigen, früher Gyros genannten Berg am Acheloos verwandelt (Ps.-Plut. De fluviis 22,4 = 7,322 Bernard). Dieselbe Schrift (22,1) kennt einen K., dessen Vater Thestios ihn nach einer Rückkehr aus Sikyon bei der Mutter ruhen sieht, für einen Ehebrecher hält und tötet. Nach Entdeckung seines Irrtums stürzt er sich in den Fluß Axenos, der nach ihm Thestios und später Acheloos genannt wird.
JO. S.

[3] (lat. *Calydon*). Stadt in der Küstenebene von Aitolia am Südfuß des Arakynthosgebirges oberhalb des rechten Ufers des Euenos, 2 km nördl. des h. Evenochori. K. wird schon bei Homer (Il. 2,640; 13,217; 14,116) als aitolische Stadt gen., sie spielt in der Myth. eine wichtige Rolle (König Oineus; Meleagros und der Eber von K.). Im 5. Jh. v. Chr. selbständig als Teil der Aiolis, von ca. 390 bis 366 im Achaiischen Koinon, danach einer der Hauptorte des Aitolischen Bundes (→ Aitoloi, mit Karte). Unter Augustus fiel das Territorium an Patrai, die Kultbilder wurden dorthin überführt; die Stadt verödete, röm. Veteranen siedelten im Umland [5]; in der Spätant. entstand eine Straßenstation [3; 4]. Eine ca. 4 km lange Stadtmauer (4. Jh. v. Chr.) umschließt den Siedlungshügel mit zwei Spitzen, auf deren nördl. sich myk. Reste befinden sollen. Ausgegraben ist das Hauptheiligtum vor dem Westtor [2], das der Artemis Laphria, dem Apollon Laphrios und Dionysos geweiht war (Paus. 4,31,1; 7,18,8 f.; 21,1), mit Tempeln vom E. des 7., Anf. des 6. und der 1. H. des 4. Jh.; freigelegt ist auch ein Heroon des 1. Jh. v. Chr. [1]. Weitere Belege: Skyl. 35; Strab. 10,2,21. Inschr.: IG IX 1², 1, 135–153, p. 83; CIL III 509; SEG 15, 360; 25, 621 f.; 38, 429.

1 P. Bol, Die Marmorbüsten aus dem Heroon in K., in: AntPl 19, 1988, 35–47 2 E. Dyggve, Das Laphrion, der Tempelbezirk von K., 1948 3 Miller, 564 4 Pritchett 3, 281 f. 5 D. Strauch, Röm. Politik und griech. Trad., 1996, 294–300.

C. Antonetti, Les Étoliens, 1990, 243–269 · S. Bommeljé (Hrsg.), Aetolia and the Aetolians, 1987, 86 · R. Scheer, s. v. K., in: Lauffer, Griechenland, 296 · L. Schneider, Ch. Höcker, Griech. Festland, 1996, 243 ff. D. S.

Kalydonische Jagd s. Meleagros

Kalykadnos (Καλύκαδνος). Bedeutendster, wasserreicher (Amm. 14,3,15) Fluß der Kilikia Tracheia (→ Kilikes) in Isauria, mit mit einem südl. Quellarm (h. Gevne Çayı) im pamphyl.-isaurischen Grenzgebiet entspringt, durch die Kietis südl. an Germanikupolis vorbeifließt und sich bei → Klaudiupolis [2] mit dem Quellarm (Gök Çayı) aus der Gegend von Bozkır im lykaonisch-isaurischen Grenzgebiet vereinigt, um als Göksu über Seleukeia (dort eine röm. Brücke aus der Zeit des Vespasianus) nach etwa 15 km das Mittelmeer zu erreichen (hier schiffbar, vgl. Amm. 14,8,1), wo er durch Anschwemmungen das Kap Kalykadnon (→ Zephyrion) bildete. Sein Tal diente als Verbindung zw. Seleukeia und → Ikonion, durch einen Meilenstein (z.Z. des Titus) bezeugt [1]. Im MA hieß der K. nach der Stadt Seleukeia (Saleph). In seinen Fluten starb 1190 Kaiser Friedrich I. Barbarossa.

1 M. H. SAYAR, Straßenbau in Kilikien unter den Flaviern nach einem Meilenstein, in: EA 20, 1992, 57–61.

HILD/HELLENKEMPER, 284.   F. H.

Kalyke (Καλύκη = »Knospe«, »Rosenblüte«).
[1] Tochter des thessal. Königs → Aiolos [1] und der Enarete; sie hat sieben Brüder und vier Schwestern und ist Mutter des → Endymion von Aethlios oder Zeus (Apollod. 1,50; 56; Hes. fr. 10a M-W).
[2] Tochter des Hekaton, von Poseidon Mutter des → Kyknos (Hyg. fab. 157; vgl. schol. Pind. O. 2,91, wo sie Kalykía heißt).
[3] Unglücklich verliebte Frau; bittet Aphrodite, Euathlos möge sie heiraten, wird von ihm zurückgewiesen und stürzt sich vom Leukadischen Felsen (Stesich. fr. 277 DAVIES). Nach ihr hieß ein Frauenlied K.: Athen. 14,619d (nach Aristoxenos).
[4] Weiblicher Name (Aristoph. Lys. 322); Name einer Angehörigen des Herrscherhauses des Bassaros (Nonn. Dion. 29,251 f.); Name einer Bakchantin auf einer rf. Schale aus Vulci [1].

1 A. KOSSATZ-DEISSMANN, s. v. K., LIMC 5.1, 945.   RE. ZI.

Kalymna (Κάλυμνα, lat. *Calymna*). Insel der Sporaden im Norden von Kos (auch *Kálydna* bzw. *Kálydnai*, womit wohl auch umliegende kleinere Inseln gemeint sind), h. häufiger Kalymnos gen. (109 km², vorwiegend Kalkstein, bis 686 m H). Belegt bei Hom. Il. 2,677; Stadiasmus maris magni 280f.; Skyl. 90; Hdt. 7,99,2f.; Strab. 10,5,19; Diod. 5,54,1f.; Plin. nat. 5,133; 11,32; Steph. Byz. s. v. K.; [1; 2. 8f. Nr. 10].
Die ältesten Funde stammen aus dem Neolithikum. Im Norden von K. bei Emporios fand sich ein myk. Kuppelgrab; bei Damos, oberhalb von Chorio, myk. Gräber; auf dem Hügel Perakastro eine größere myk. Siedlung. K. wurde wohl zuerst von Karern besiedelt, denen Dorier aus Epidauros folgten. Verfassung und Einrichtungen von K. waren dorisch. Eine *pólis* K. scheint es nicht gegeben zu haben. Bei Chorio an der Südküste fanden sich Mauerreste aus klass. und hell. Zeit. Dort lag der Tempel des delischen Apollon, im 6. Jh. n. Chr. von der Basilika ›Christos von Jerusalem‹ überbaut. Im Apollonheiligtum wurden athletische und musische Wettspiele (Dalia) gefeiert. Eine Kultstatue des Asklepios, nahe der Kirche Hagia Sophia gefunden, läßt auf ein Heiligtum des → Asklepios schließen, der seinen Hauptkult auf der Nachbarinsel → Kos besaß. Seit 546 v. Chr. unter persischer Herrschaft, gehörte K. im 5. und 4. Jh. v. Chr. den att. Seebünden an [1]. Aus der Zeit des Maussollos (4. Jh. v. Chr.) stammen Befestigungsanlagen bei Kastri oberhalb von Emporios. E. des 3. Jh. v. Chr. gehörte K. zu Kos und war seitdem in

drei Damoi gegliedert: Porthaia im SW, Panormos im Norden und Orkatos im SO (Inschr.; Dion Chrys. 31,593). In hell. und röm. Zeit lag nach Ausweis der Funde im fruchtbaren Vathys-Tal eine ausgedehnte Siedlung. Inschr.: [2]; SEG 3,673; 743f.; 19,547. Mz.: HN 631. Byz. Gebäudereste deuten auf dichte Besiedlung auch in späterer Zeit hin.

1 ATL 1, 294 f.; 3, 213 2 M. SEGRE, Tituli Calymnii, in: ASAA 22/3 (N.S. 6/7), 1944/5 (erschienen 1952).

L. BÜRCHNER, s. v. K., RE 10, 1768 ff. · C. E. BEAN, J. M. COOK, The Carian coast III, s. v. K., in: ABSA 52, 1957, 127 ff. · G. GEROLA, I monumenti medioevali delle tredici sporadi, Calamo, in: ASAA 2, 1916, 55 ff. · K. HÖGHAMMER, The Koan Incorporation of Kalymnos and Statues Honouring Ptolemy and Arsinoe III, in: Dt. Arch. Inst. (Hrsg.), Akten XIII Kongreß für Klass. Arch. Berlin 1988, 496 f. · A. MAIURI, Clara Rhodos 1, 1928, 104 ff. · F. G. MAIER, Griech. Mauerbauinschr. 1, 1959, 172 f. · R. HOPE SIMPSON, J. F. LAZENBY, Notes from the Dodecanes, in: ABSA 57, 1962, 154 ff. · H. KALETSCH, s. v. K., LAUFFER, Griechenland, 296–298 · PHILIPPSON/KIRSTEN 4, 282 f. · L. ROSS, Reisen auf den griech. Inseln des ägäischen Meeres 2, 1840, 92 ff.; 3, 1845, 139 ff.   H. KAL.

Kalynda (τὰ Κάλυνδα). Ort an der SW-Küste Kleinasiens, zu Karia wie Lykia gerechnet, 60 Stadien vom Meer entfernt am Axon (h. Kargın çayı) östl. des → Indos [2] (Hdt. 1,172; Strab. 14,2,2; Plin. nat. 5,103; Ptol. 5,3,2; Steph. Byz. s. v. K.). 480 v. Chr. unter → Damasithymos (Hdt. 8,87 f.), Mitte 5. Jh. im → Attisch-Delischen Seebund (als *Klaÿnda*), Mitte 3. Jh. ptolem.; 166 v. Chr. → Kaunos [2] untertan, 163 abgefallen und belagert, von Knidos und Rhodos (Pol. 31,4 f.) unterstützt, dann von Rhodos (wohl durch einen Sympolitievertrag) eingebürgert; im 1. Jh. wieder zu Kaunos gehörig. Im 2. Jh. n. Chr. im Lykischen Bund (vgl. Inschr.), dem es evtl. seit Einrichtung der Prov. Lycia et Pamphylia unter Vespasianus (69–79 n. Chr.) angehörte. Arch.: ummauerte Stadt von 4 ha mit kleiner hell. Akropolis und Felsgräbernekropole 4 km östl. Dalaman beim h. Kozpınar.

G. E. BEAN, Kleinasien 4, 1980, 30 ff. · BENGTSON 3, 175 f. · P. M. FRASER, G. E. BEAN, The Rhodian Peraea and Islands, 1954, 70 mit Anm. 3 · MAGIE 2, 929, 1371, 1391 · H. H. SCHMITT, Rom und Rhodos, 1957, 169 f., 175 f. · G. E. BEAN, s. v. K., PE, 434.   H. KA.

Kalypso (Καλυψώ, »Bergerin«, »Retterin«; lat. Calypso). Der gesamte K.-Mythos geht auf die ›Odyssee‹ [1. 115] zurück (Hom. Od. 1,50 ff.; 5,55 ff.; 7,244 ff.; 12,447 ff.; 23,333 ff.): K., Göttin und Nymphe, Tochter des → Atlas [2] (eine Mutter → Pleïone nennt nur Hyg. fab. praef. 16), lebt mit Dienerinnen auf der Insel → Ogygia. K. nimmt → Odysseus, der neun Tage im Meer getrieben ist (Hom. Od. 7,253 ff.), bei sich auf, macht ihn zu ihrem Mann und sucht ihn mit dem Versprechen der Unsterblichkeit für sich zu gewinnen [2. 29 ff.; 3. 100 ff.]. Doch muß sie ihn nach sieben Jahren unter Kritik an den Göttern freigeben (geschlechts-ideologische Erklärung [4. 204f., 295ff.; 5. 28ff.]); daß dies auf Zeus' durch Hermes taktvoll [6] übermittelten Befehl geschieht, deutet sie an (Hom. Od. 5,169f.; 7,263; anders [2. 31]). Bevor sie jedoch den mißtrauisch gewordenen Odysseus auf dem Floß entlassen kann, nuß sie ihm schwören, ihm nicht zu schaden, und versucht anschließend, ihn mit der Prophezeiung seiner künftigen Leiden ein letztes Mal zurückzuhalten.

Die Funktion der K.-Gestalt liegt darin, Odysseus vor die Wahl zwischen zwei Daseinsformen zu stellen [7. 243f.; 8. 161f.]: Bewußt nimmt er bei seinem ersten Auftritt im Epos die Irrfahrten neu auf sich und entscheidet sich gegen die Unsterblichkeit neu für die menschl. Existenz, d.h. seine Ehe, Heimat und Herrschaft auf Ithaka. So tritt funktional der lange Aufenthalt bei K. als Entscheidungsbasis für Odysseus anderen Begründungen [9. 1793] zur Seite: Reifen [10. 215ff., 46ff.] bzw. »Erweckung« des → Telemachos, der sich parallel auf »kleiner Odyssee« befindet [5. 117ff.]; Gelegenheit für jahrelanges Treiben der Freier; Dehnung der Irrfahrt auf 10 Jahre; Folge des Athene-Zorns (Hom. Od. 5,108ff. [11. 49f.]).

Daraus folgt, daß die homer. K. »eine berückend schöne Erfindung« [12. 177f.; 1. 115f.], vgl. [13. 18f. Anm. 3] nur des ›Odyssee‹-Dichters selbst sein kann. Doch wegen der Dürftigkeit des Stoffes wird die Charakteristik von »Figuren« (K., Odysseus) und bes. »Local« (Grotte, Meer) zur Hauptsache: ›eine Naturschilderung, die in … innerer künstlerischer Beziehung zu den auf dieser Scene handelnden Personen steht‹ [1. 139]. Insbes. K. wird als eine kulturellen Tätigkeiten (Herdfeuer; Singen; Weben; Weinbau) nachgehende Frau und somit als Gegenbild der (deswegen schon Hom. Od. 2,94ff. webend eingeführten) Penelope gezeichnet [8. 155f.].

Andererseits kann K. als Angehörige des frevelhaften Titanengeschlechts und Tochter des bösegesonnenen Atlas (Hom. Od. 1,52) im Rückblick (ebd. 7,245f.) ganz natürlich (SCHADEWALDT:) »ränkevoll« und »furchtbar« (δολόεσσα, δεινή) sowie wegen der ehemals elementarischen Natur auch »begabt mit Sprache« (αὐδήεσσα, ebd. 12,449) genannt werden [14. 80f.]. Die Verbindung der Nymphe K., der »Seele der Insel des Weltmeeres« [12. 177 Anm. 1], mit Atlas, ›der die Tiefen des ganzen Meeres kennt‹ (Hom. Od. 1,52f. [15. 76ff., 181]), findet eine Parallele im hethit.-hurrit. Mythos, wo im ›Lied des Ullikummi‹ der Urweltriese Upelluri ähnliche Wesensart zeigt [16. 363ff.]; anders (Heraklessage) [1. 23]; schamanistisch [17. 26ff.].

Mit der Annahme einer funktionalen Erfindung Homers sind symbol. Deutungen K.s auf Ogygia (Todesdämonin [18. 15ff.] im Volksglauben bzw. Schamanismus [17. 26ff.]; Überblick [9. 1773ff.; 19. 250, 253]) und Parallelisierungen mit Gestalten anderer Kulturen (Sinuhe im äg. Märchen [19. 250]; Ischtar-Hypostase Siduri im → Gilgameschepos [9. 1775; 14. 82]; Hel in der german. Sage [20. 28, 49f.]) gegenstandslos, ohne

daß feenhafte Züge (K. als Elfe; Elfenbann [8. 155] als Liebeszwang, vgl. Plat. rep. 458d 5) auszuschließen sind.

Der Vergleich von → Kirke und K. (gleiche Epitheta: δεινή, δολόεσσα, αὐδήεσσα; gleiche Tätigkeiten: Weben, Singen; beide schwören einen Eid; bei beiden tritt Hermes auf) erweist das Kirke-Abenteuer als sagengesch. älter, mit magischen, märchenhaften, auch novellist. Zügen [1. 115ff.; 9. 1788ff.]; dagegen vertritt in der Dichtung von K. »das Seelische das Magische«, so daß die K.-Episode als epische Situation »bereits das Psychologische auf seiner Höhe« zeigt [21. 77ff.]; vgl. [1. 116ff.; 10. 46ff.].

Die nachhomer. Belege für K. in Lit. und Kunst setzen die ›Odyssee‹ voraus [1. 115]: Hesiod (theog. 359) verwendet den Namen [1. 17, 23] für eine Tochter des Okeanos und der Tethys (als → Okeanide wohl auch Hom. h. Cereris 422; dagegen → Nereide Apollod. 1,12); er gibt ihr und Odysseus (Hes. theog. 1017f.) die Söhne → Nausithoos/Nausinoos und macht sie (Hes. cat. 150,30f.) wegen Hermes' Besuchs auf Ogygia (Hom. Od. 5,88; 12,390) zur Stammutter der Kephallenen. Bei Lukian (Verae historiae 2,29; 35) kündigt Odysseus K. brieflich seine Flucht von den Inseln der Seligen und Penelope zu ihr an. K.s Liebesqualen malen Ov. ars 2,119ff.; Prop. 1,15,9ff. aus; K. als Selbstmörderin nennt Hyg. fab. 243,7. Zu romanhaften Zügen vgl. [22. 284]; zu bildl. Darstellungen (Plin. nat. 35,132) s. [23].

1 U. VON WILAMOWITZ, Homer. Unt., 1884 2 A. LESKY, Vom Eros der Hellenen, 1976 3 P. MAURITSCH, Sexualität im frühen Griechenland, 1992 4 J.J. WINKLER, Der gefesselte Eros, 1994 5 G. WÖHRLE, Telemachs Reise, 1999 6 M. BALTES, Hermes bei K., in: WJA 4, 1978, 7–26 7 F. FOCKE, Die Odyssee, 1943 8 R. HARDER, Odysseus und K., 1952, in: Ders., KS, 1960, 148–163 9 H. LAMER, s.v. K. (I), RE 10, 1772–1799 10 W.J. WOODHOUSE, The Composition of Homer's Odyssey, 1930, Ndr. 1969 11 J. STRAUSS CLAY, The Wrath of Athena, 1983 12 U. VON WILAMOWITZ, Die Heimkehr des Odysseus, 1927, ²1969 13 Ders., Die Ilias und Homer, 1916, ³1966 14 F. DIRLMEIER, Die »schreckliche« K., 1967, in: Ders., Ausgewählte Schriften zu Dichtung und Philos. der Griechen, 1970, 79–84 15 A. LESKY, Thalatta, 1947, ²1973 16 Ders., Hethit. Texte und griech. Mythos, 1950, in: Ders., Gesammelte Schriften, 1966, 356–371 17 A. THORNTON, People and Themes in Homer's Odyssey, 1970 18 G. CRANE, Calypso, 1988 19 A. HEUBECK et al., A Comm. on Homer's Odyssey 1, 1988 20 L. RADERMACHER, Die Erzählungen der Odyssee, SAWW 1915, 178.1 21 K. REINHARDT, Die Abenteuer der Odysseus, 1942/1948, in: Ders., Trad. und Geist, 1970, 47–124 22 W. KULLMANN, Homer. Motive, 1992 23 B. RAFN, s.v. K., LIMC 5.1., 945–950. P.D.

Kamara (Καμάρα).

[1] Hafenort in Ost-Kreta, urspr. Lato (Λατὼ πρὸς bzw. ἐπὶ Καμάραι, Ptol. 3,17,5; Hierokles, Synekdemos 650,1), h. Agios Nikolaus. Enge polit. Anbindung an → Lato [1. Nr. 72, S. 428].

1 A. CHANIOTIS, Die Verträge zw. kret. Poleis in der hell. Zeit, 1996.

F. GSCHNITZER, Abhängige Orte im griech. Alt., 1958, 49–51.   H. SO.

[2] Nach peripl. m. r. 60 ein → *empórion* an der SO-Küste Indiens, vielleicht mit Chaberis des Ptol. 7,1,13 als Kaveripattinam, die große alte Handelsstadt des südindischen Cola-Reiches an der Kaverimündung, zu identifizieren.   K. K.

Kamaresvasen
s. Minoische Archäologie; Tongefäße

Kamarina
Kamarina (Καμάρινα, lat. *Camarina, Camerina*). Dor. Stadt 60 km westl. der Südspitze von Sizilien auf einem etwa 40 m hohen Hügel an der Mündung des Hipparis. Die Gründung durch → Syrakusai 599 v. Chr. (Thuk. 6,5,3) markiert den Abschluß der dor.-syrakusischen Expansion ins südwestl. Hinterland. Evtl. erfolgte die Gründung von See her; doch muß, wie die Entwicklung griech. und siculischer Binnenlandsiedlungen im 6. Jh. zeigt, der Landkontakt rasch hergestellt worden sein. Im Gegensatz zu den Militärkolonien Akrai und Kasmenai ist K. die erste eigentliche Kolonie von Syrakusai, die eine selbständige Entwicklung durchmachte.

Der Anlage nach nicht gegen die östl. Siculerzentren gerichtet, wandte sich K., im sicheren Besitz der westl. Ebene, einer friedlich-kommerziellen Ausweitung nach Osten bis zur siculischen Stadt Hybla Heraia zu, wo für die 2. H. des 6. Jh. mit einer griech. Vorstadt (Nekropole Contrada Rito) gerechnet werden muß. So ist auch das Bündnis mit diesen Siculi in der Auseinandersetzung mit Syrakusai 553 verständlich, in der dieses die Gegner schlug und K. zerstörte (Thuk. l.c.; Philistos FGrH 556 F 5). Das Gebiet von K. mußte Syrakusai nach 492 an Hippokrates von Gela abtreten; unter ihm als *oikistēs* wurde K. wieder aufgebaut (Hdt. 7,154,3; Thuk. l.c.; Philistos F 15). Gelon [1] hob 484 die Neugründung auf und überführte die Bewohner nach Syrakusai (Hdt. 7,156,2; Thuk. l.c.; Philistos l.c.). Zum dritten Male wurde K. nach dem Sturz der Deinomeniden von Gela aus neu gegr. (Thuk. l.c.; Diod. 11,76,5) und erlebte etwa von 460 an eine Zeit des Wohlstands, in die der Olympische Sieg des Psaumis (Pind. O. 4 f.) fällt. Der Mauerring umschloß mit 180 ha Raum für etwa 15 000 Einwohner.

Im → Peloponnesischen Krieg trat K. 427 zunächst als einzige dor. Polis auf die ion.-athen. Seite (Thuk. 3,86,2). Die Kampfhandlungen wurden 424 durch den Kongreß zu Gela beendet. An der Bestimmung des Friedensvertrages, daß Syrakusai Morgantine an K. abtreten solle (Thuk. 4,65,1), läßt sich die Größe des Einflußbereiches messen: Morgantine liegt über 60 km nördl. von K. Im J. 422 noch bereit, wieder auf athen. Seite zu treten (Thuk. 5,4,6), wies K. 415 die athen. Flotte ab (Thuk. 6,52), schickte geringe Hilfe nach Sy-

rakusai (Thuk. 6,67,2) und erklärte schließlich seine Neutralität (Thuk. 6,75,3–88, vgl. Diod. 13,4,2); 413 trat K. auf die Seite von Syrakusai (Thuk. 7,33,1; 58,1; Diod. 13,12,4). Beim Angriff der Karthager 406 kämpfte K. im Heer der Sikelioten (Diod. 13,86,5; 87,5). 405 wurde das Gebiet von K. beim karthagischen Vorstoß auf Gela verwüstet (Diod. 13,108,3), die Stadt selbst aufgegeben; die Bevölkerung, von Dionysios nach Syrakusai geführt (Diod. 13,111,3), ging von dort ins Exil nach Leontinoi (Diod. 13,113,4). Nach dem Friedensschluß konnten die Bürger von K. heimkehren, waren aber Karthago tributpflichtig. Der schwachen Siedlung führte → Timoleon 339 neue Siedler zu (Diod. 16,82,7) und bewirkte eine letzte Blütezeit. Nach der Niederlage des Agathokles [2] 311 schloß sich K. den Karthagern an (Diod. 19,110,3); 309 verwüsteten Söldner des Agathokles das Umland (Diod. 20,32,1 f.), drei Jahrzehnte später die Mamertiner (Diod. 23,1,3). Im 1. → Punischen Krieg eroberten die Römer 258 K. (Pol. 1,24,12; Diod. 23,9,4 f.; Zon. 8,12); die Stadt wurde zerstört, die Einwohner in die Sklaverei verkauft (Diod. l.c.).

K. war von prähistor. Zeit bis ins MA besiedelt: Frühe brz. befestigte Siedlung bei Branco Grande; archa. und klass. Zeit: Stadtmauern mit Toren und Türmen (1. H. 6. Jh. v. Chr.). Im Westteil befand sich ein Athenatempel (1. H. 5. Jh.); die Agora mit Porticus war durch eine enge Gasse mit dem Kanalhafen an der Mündung des Hipparis verbunden und durch die westl. Stoa in zwei Abschnitte geteilt. In röm. und arab.-normannischer Zeit beschränkte sich die Siedlung auf den Westteil; Reste aus dem 3./2. Jh. v. Chr. finden sich bei der Flußmündung. In der Gegend von Rifriscolaro lag ein Heiligtum vor den Stadtmauern, das chthonischen Gottheiten geweiht war. In klass. und hell. Zeit bestand in der Nähe des Hipparis ein Töpferviertel. Im Osten der Siedlung (bei Rifriscolaro) archa. Nekropolen; im Süden (bei Passo Marinaro) klass. Nekropolen. Mz. und Inschr., Meeresfunde (Schiffsreste). In der Umgebung Gutshöfe und ländliche Ansiedlungen.

B. PACE, Camarina, 1927 · BTCGI, Bd. 4, 286–314 · F. CORDANO, s. v. Camarina, EAA, 2. Suppl. 1970–1994, 827–829 · M. MATTIOLI, Camarina in età ellenistica e romana, in: Kokalos 41, 1995, 229–270.
           GI. F. u. H.-P. DRÖ./Ü: H. D.

Kamasarye Philoteknos
Kamasarye Philoteknos (Καμασαρύη Φιλότεκνος). Tochtes des bosporan. Königs Spartokos V. und Gemahlin seines Nachfolgers Pairisades III., polit. sehr aktiv und in mehreren Inschriften zusammen mit ihm erwähnt (z. B. Opferliste aus Didyma, CIG 2, 2855, 178/7 v. Chr.; Syll.³ 439 aus Delphi u. a.). IOSPE I² 19 (→ Pantikapaion) nennt als Herrscher des → Regnum Bosporanum K. und ihren Sohn (?) → Pairisades IV. Vor 160 v. Chr. heiratete sie Argotas.

B. N. GRAKOV, Materialy no istorii Skifii v grečeskih nadpisjah Balkanskogo poluostrova i Maloj Azii, in: VDI 3, 1939, 231–315 · V. F. GAIDUKEVIČ, Das Bosporanische Reich, 1971, 95.
           I. v. B.

Kambaules (Καμβαύλης). Führer eines Keltenheeres, das 281 v. Chr. in Thrakien einfiel, dort aber umkehren mußte (Paus. 10,19,5–6). W. SP.

Kambles (Κάμβλης, auch Κάμβης/Kambes). Myth. König von Lydien. Seine (vielleicht von Feinden durch Gift verursachte) unersättliche Eßgier treibt ihn zum Kannibalismus. Als er im Hungerwahn sogar die eigene Frau aufgefressen hat, was ihm erst dadurch bewußt wird, daß er am nächsten Morgen mit den Resten ihrer Hand im Mund aufwacht, bringt er sich um (Xanthos, Lydiaka, fr. 12., FHG Bd. I, 36ff.; Nikolaos von Damaskos FGrH 2 A 90 F 28; Ail. var. 1,27). C. W.

Kambunia (Καμβούνια). Gebirgsregion in Nordgriechenland im Westen des Olympos, welche die maked. Landschaft → Elimeia von der Tripolis der Perrhaiboi trennte und die südl. Wasserscheide für den → Haliakmon bildet. Über den Volustana-Paß (918 m) war die K. am leichtesten zu überqueren (vgl. Liv. 42,53,6; 44,2,10).

B. SARIA, s. v. Volustana, RE 9A, 906. MA. ER.

Kambyses (Καμβύσης; altpers. *Ka^mbūjiya*; elam. und babylon. *Kambuzija*).
[1] Vater → Kyros' II., im Kyros-Zylinder »der große König, König von Anšan« (TUAT I 409,21) genannt. Nach Hdt. 1,107 mit der medischen Königstochter → Mandane verheiratet; laut Ktesias waren Kyros II. und der Mederkönig nicht verwandt (FGrH 680 F 9,1). Die neuere Forsch. betont, daß zw. der Kyros-Dyn. und den Achaimeniden vor Dareios keine Familien-Verbindung bestand [1]; alle Versuche, aus diesen genealogischen Konstrukten (geo-)polit. Gesch. abzuleiten, sind deshalb hinfällig.

1 D. STRONACH, Darius at Pasargadae, in: Topoi, Suppl. 1, 1997, 351–363.

[2] K. II., ältester Sohn Kyros' II., pers. Großkönig 530–522. Nach Hdt. 2,1; 3,2–3 war Kassandane, die Tochter des Pharnaspes, seine Mutter, nach Ktesias Amytis, die Tochter des Mederkönigs → Astyages. Die »äg.« Abstammung des K. nach Hdt. 3,2 ist ein äg. Versuch, die pers. Eroberung mit der einheimischen Trad. zu verbinden.
K. war – wie babylon. Jahresdaten bezeugen – nur im ersten Jahr nach der Eroberung Babylons (539/8) König in Babylon. Der Grund dieser kurzen Amtszeit bleibt unklar. Nach der an dieser Stelle verstümmelten Nabonid-Chronik [5. 111 iii 24–8] nahm er am babylon. Neujahrsfest (→ Akītu-Fest) teil. Bis zum Tode seines Vaters, dem er 530 nachfolgte, gibt es keine weiteren Berichte über K.' Tätigkeiten. Vor Beginn des Feldzuges nach Äg. soll er laut der → Bisutun-Inschr. Dareios' I. [TUAT I 424 f. i 29–32] seinen leiblichen Bruder → Bardiya [1] getötet haben. Diese Tat wird auch von Hdt. 3,30 überliefert, der den Mord allerdings während des Aufenthaltes des K. in Äg. stattfinden läßt. Ktesias

(FGrH 688 F 13) bietet eine sehr farbige, in großen Zügen aber ähnliche Geschichte. Der Bruder heißt hier Tanyoxarkes und wird mittels Stierblut – das nur in der griech. Lit., nicht aber in der Realität ein tödliches Getränk ist – getötet.

Die erfolgreiche Eroberung von Äg., schon von Kyros II. geplant, fand 525 v. Chr. statt. Araber halfen K. bei der Durchquerung der Sinai-Wüste. Nach der entscheidenden Schlacht bei Pelusion marschierte K. nach Memphis, das nur wenig Widerstand leistete. → Psammetichos III., seit 526 Nachfolger seines Vaters Amasis, wurde gefangengenommen. Nach Hdt. 3,16 wurde sein Leben verschont, später aber, als seine Rolle in einem Aufstand entdeckt wurde, wurde er gezwungen, Stierblut zu trinken. In Äg. stellte sich K. als Nachfolger der → Pharaonen dar: Sein Horus-Name ist inschr. (in der traditionellen Pharaonen-Kartusche) belegt. Laut der Inschr. des Udjahorresnet nannte sich K. »Sohn des Re«. Udjahorresnets → Autobiographie bezeugt das Bemühen des K., die traditionelle Rolle eines Pharao zu erfüllen, so wie sich Kyros II. in Babylonien an der einheimischen Trad. orientierte.

Dies steht in starkem Kontrast zur griech. Trad., v. a. bei Hdt. 3,27–29, der K. einen zornigen Charakter zuschreibt, der sich allmählich zum Wahnsinn gesteigert habe: K. soll den heiligen → Apis-Stier getötet, sich an der Leiche des → Amasis [2] vergriffen (3,16), seine eigene schwangere Frau, die gleichzeitig seine Schwester war (3,31–32), getötet und den Auftrag gegeben haben, → Kroisos umzubringen, weil er ihn kritisiert hatte. Diese Freveltaten werden von äg. Quellen nicht bestätigt: Die aufgefundenen Sarkophage der Apisstiere im → Serapeum zu Saqqara (Memphis) zeigen vielmehr, daß im Sept. 524 ein Apisstier in einem von K. gestifteten Sarkophag bestattet wurde [11. 35 f.]. Der nächste Apisstier – geboren 525 – starb im 4. Jahr Dareios' I. Ägyptologen bestreiten seit langem die Historizität von Herodots Bericht [8; 12] und halten ihn für ein lit. Topos, da die gleichen Untaten auch Artaxerxes III. zugeschrieben wurden [1]. Neuerdings wird allerdings argumentiert, daß die lange Zeit, die zw. Tod und Bestattung des Stieres verstrichen sei (anderthalb Jahre statt der üblichen 70 Tage), Zweifel an der Unschuld des K. erlauben [4]. Die Schändung der Leiche des Amasis bleibt gleichfalls unbestätigt, das Verbrennen der Mumie unglaubhaft wegen des iran. Feuerkults. Die Zerstörung von Amasis-Kartuschen (vielleicht in dieser Zeit) könnte der Anlaß für die Entstehung dieses Motivs sein. Die äg. Quellen stellen K. eher als Herrscher dar, der polit. vernünftig regierte, als einen, der gegen äg. Trad. verstoßen habe. K. privilegierte zwar bestimmte Tempel (Neith zu Sais, Elephantine, Ptah in Memphis), ergriff aber zugleich auch Steuermaßregeln gegen die Priesterschaft. Hierin liegt wahrscheinlich der Ursprung der feindseligen Überl., die Herodot vorfand [2. 109].

Libyen und Kyrene unterwarfen sich dem K. freiwillig. Nicht erfolgreich waren nach Herodot K.' Expeditionen gegen Nubien und die Oase Siwa (522).

Pers. Anwesenheit in der Gegend des 2. Kataraktes ist im 5. Jh. v. Chr. bezeugt und geht vielleicht auf die Zeit des K. zurück [6; 10].

K.' Ehen mit seinen zwei Schwestern (mit Atossa vor, mit einer jüngeren Schwester – laut Ktesias Roxane – während des äg. Feldzuges) deutet Hdt. 3,31 als Hochmut. Sie sind aber wohl eher als erster Ansatz zu einer bewußten Heiratspolitik innerhalb des Königshauses denn als Ausdruck zoroastrischer Praxis oder äg. Trad. zu sehen.

K. wurde wegen der Rebellion des Bardiya nach Persien zurückgerufen. Er starb in Ekbatana in Syrien, nicht, wie er aufgrund einer Prophezeiung gedacht haben soll, im medischen Ekbatana. Die Bisutun-Inschrift [TUAT I 425,43] beschreibt seinen Tod als *uvamaršiyuš* (wörtl. »seinen eigenen Tod«) – ob Selbsttötung oder der »ihm vorbestimmte Tod« gemeint ist, ist unklar [14]. Laut Hdt. 3,65 hat K. den Mord an Bardiya auf seinem Sterbelager eingestanden und die anwesenden Perser aufgefordert, den Usurpator zu beseitigen. Wenn, wie die neuere Forsch. glaubt, Bardiya wirklich der Sohn des Kyros war, wäre dies ein Beispiel narrativer Ausarbeitung wie die Abschiedsszene des Kyros in Xen. Kyr. 8,7,1–28 und bei Ktesias FGrH 688 F 8. Das dem Grab des Kyros ähnliche, unvollendete und unbeschriftete Grabmal von Taḫt-i Rustam sowie eine nahe Terrassenanlage [13] sind wohl die einzigen Bauten in Iran aus K.' Regierungszeit.

1 E. BRESCIANI, The Persian Occupation of Egypt, in: Cambridge History of Iran II, 526 2 BRIANT, 71, 109 3 P. BRIANT, Ethno-classe dominante et populations soumises, in: AchHist 3, 1988, 137–174 4 L. DEPUYDT, Murder in Memphis, in: JNES 54, 1995, 119–126 5 A. K. GRAYSON, Assyrian and Babylonian Chronicles, 1975 6 L. A. HEIDORN, The Saite and Persian Period Forts at Dorginarti, in: W. W. DAVIES (Hrsg.), Egypt and Africa: Nubia from Prehistory to Islam, 1991, 205–219 7 A. KUHRT, Babylonia from Cyrus to Xerxes, in: CAH 4, 112–138 8 A. B. LLOYD, The Inscription of Udjahorresnet, in: JEA 68, 1982, 166–180 9 Ders., Hdt. on Cambyses, in: AchHist 3, 1988, 55–66 10 R. MORKOT, Nubia and Achaemenid Persia, in: AchHist 6, 1991, 321–336 11 G. POSENER, La première domination perse en Egypte, 1936 12 J. RAY, Egypt 525–404 BC, in: CAH 4, 254–260 13 D. STRONACH, Pasargadae, 1978, 302–304 14 G. WALSER, Der Tod des K., in: Historia-Einzelschriften 40, 1983, 8–23.   A. KU. u. H. S.-W.

Kamel I. ALLGEMEIN II. ALTER ORIENT III. KLASSISCHE ANTIKE

I. ALLGEMEIN

Altwelt-Paarhufer aus heißen Wüsten- und Steppenlandschaften Afrikas und der Arab. Halbinsel (*Camelus dromedarius*, einhöckerig) sowie den kalten Wüsten SW- und Zentralasiens (*Camelus bactrianus*, zweihöckerig): diverse anatomische und physiologische Anpassungen an extreme Klimate. Das K. stammt ab von einer nordamerikanischen Fossilform (*Protolabis*),

die vor ca. 3 Mill. Jahren nach Eurasien einwanderte. Wild-K. waren von Zentralasien bis Nordafrika (Knochenfunde) verbreitet. Fruchtbare Kreuzungen zwischen Dromedar und Trampeltier sind möglich.

II. ALTER ORIENT

Die bisher ältesten Spuren für eine autochthone → Domestikation von *C. dromedarius* auf der Arab. Halbinsel kommen u. a. aus Umm an-Nār, Ra's Ghanāda (spätes 3. Jt. v. Chr.) und Hīlī 8 (Ende 4. Jt. v. Chr.; Zusammenhang mit Kupferbergbau und Transport). Zur Abstammungsgesch. zweihöckeriger Haus-K. ist wenig bekannt: Scherbe mit K.-Darstellung aus Sialk, wenige Funde von K.-Dung, -Haar und -Knochen aus Šar-e Soḫta. Ein Problem besteht darin, daß sich osteologisch kaum Unterschiede zwischen Wild- und Haus-K. feststellen lassen, außerdem ist die Zahl der Funde noch klein. Die Ableitung afrikanischer Dromedare von einheimischen Fossilformen oder durch Einwanderung bereits domestizierter K. in der Eisenzeit von der Arab. Halbinsel ist strittig. Domestizierte Camelidae liefern Fleisch, Milch, Wolle, Dung und werden als Reit-, Last- und Pflugtiere verwendet.

H. GAUTHIER-PILTERS, A. I. DAGG, The Camel, 1981 • I. KÖHLER, Zur Domestikation des K., Diss. Hannover 1981 • H.-P. UERPMANN, TAVO A 27, 1987, 48–55.   CO. B.

III. KLASSISCHE ANTIKE

Der griech. Name κάμηλος/*kámēlos* (vgl. lat. *camelus*) ist vermutlich eine Transliteration der üblichen semit. Bezeichnung *gamal*. K. waren den Griechen bereits im 5. Jh. v. Chr. bekannt; Herodot hielt deswegen eine genaue Beschreibung der Tiere für überflüssig (Hdt. 3,103). Dennoch bieten die lit. Texte insgesamt nur wenig präzise und bisweilen auch falsche Informationen. So glaubt Herodot irrtümlich, K. seien genauso schnell wie Pferde (Hdt. 3,102,3; 7,86,2); zur Anatomie der K. merkt er zu Recht an, daß die Genitalien nach hinten gerichtet seien, seine Beschreibung der Hinterbeine ist aber unzutreffend (Hdt. 3,103). Ferner nahm Herodot an, daß Pferde vor K. scheuten, was im Krieg den Ausgang von Schlachten entscheiden könne (Hdt. 1,80,4; vgl. 7,86). Aristoteles erwähnt das K. zwar wiederholt in den zoologischen Schriften (Aristot. hist. an. 499a; 578a; 630b), ist aber oft ungenau und auch widersprüchlich (zur Dauer der Trächtigkeit vgl. Aristot. hist. an. 546b; 578a); er unterscheidet zw. dem baktrischen K. mit zwei Höckern und dem arab. K. mit einem Höcker (Dromedar; Aristot. hist. an. 499a). Die meisten Bemerkungen der ant. Lit. beziehen sich auf das einhöckerige Dromedar, das auch in der Ikonographie dominiert. Als exotisches Tier, das wie ein Pferd zum Reiten verwendet werden konnte, übte das K. auf die Griechen große Faszination aus, wie einzelne Berichte (z. B. Hdt. 7,125 oder die ausdrückliche Erwähnung von K. unter der Kriegsbeute spartanischer Könige bei Hdt. 9,81,2; Xen. hell. 3,4,24) zeigen.

Als Last- wie auch als Reittier war das K. in Arabien, Syrien, Ägypten und Nordafrika weit verbreitet (Amm. 28,6,5); es wurde gelegentlich auch in der Landwirtschaft verwendet und sogar, zumindest im röm. Tripolitania, vor den Pflug gespannt; seine Nutzung für mil. Zwecke beschränkte sich hingegen auf den Nahen Osten. Im röm. Heer wurden K. in den östl. Prov. für den Transport von Versorgungsgütern eingesetzt (Tac. ann. 15,12,1). Gerade in Mesopot., Arabien und Ägypten hat man K. in großer Zahl für den Transport von Handelsgütern eingesetzt. Spätestens zur Zeit Strabons (um 100 n. Chr.) reisten die Kaufleute mit ihren K. (καμηλέμποροι/*kamélémporoi*, wörtl. »Kamelkaufleute«) in großen Karawanen entlang deutlich gekennzeichneter Routen mit regelmäßigen Haltepunkten (Strab. 16,1,27; 16,4,23; 17,1,45). Diese Handelswege verbanden Persien und Babylonien mit Städten wie → Petra und → Palmyra sowie mit den Küsten des Mittelmeeres, des Roten Meeres und des Persischen Golfs, in röm. Zeit die Häfen am Roten Meer mit dem Nil. K. waren in diesen wasser- und vegetationsarmen Regionen ein leistungsfähiges und wirtschaftl. Beförderungsmittel. Die Nomaden im westl. Arabien hielten große K.-Herden und hatten eine Lebensweise entwickelt, die fast gänzlich auf die Tiere abgestimmt war. Obwohl das K. in Nordafrika sowie im Nahen Osten in hohem Maß domestiziert war, gab es zur Zeit Strabons noch einige wilde Herden von Dromedaren in der Ebene von Nabataia (Strab. 16,4,18; → Nabataioi).

Die symbolische Bed. des K. in der griech. und röm. Kultur war eng mit den großen Handelswegen nach Arabien und Indien verbunden. Bei dem feierlichen Prozessionszug von Ptolemaios II. Philadelphos (ca. 270 v. Chr.) trugen die K. indische Gewürze (Athen. 200f-201a; [5]). Gelegentlich wurden bei röm. Spielen K. gezeigt (Claudius: Cass. Dio 60,7,3); sowohl → Nero als auch → Elagabalus [2] ließen an → Circus Wagen von vier K. ziehen (Suet. Nero 11,1; SHA Heliog. 23,1).

Die Darstellung von K. auf röm. Mz. hatte die Funktion, röm. Siege im Osten zu verdeutlichen (*denarii* von 58 und 55 v. Chr.). Das Jagdmosaik von → Piazza Armerina (Sizilien, 4. Jh. n. Chr.) zeigt neben einer Antilope und einem Tiger ein K.; die Szene kann wohl als Verschiffung von Tieren aus Afrika oder dem Nahen Osten für die Arena nach Rom interpretiert werden (→ *munera*). Auf Reliefskulpturen aus Palmyra symbolisierten K. Handel und Wohlstand. Christl. Künstler integrierten K. in bildlichen Szenen sowohl des Alten als auch des Neuen Testamentes. K. erscheinen auf christl. Mosaiken, Wandgemälden sowie Sarkophagen aus dem weström. Reich.

→ *Dromedarii*; Karawanenhandel

1 O. BROGAN, The Camel in Roman Tripolitania, in: PBSR 22, 1954, 126–131 2 R. W. BULLIET, The Camel and the Wheel, 1975 3 KELLER 4 D. J. MATTINGLY, Tripolitania, 1995 5 E. E. RICE, The Grand Procession of Ptolemy Philadelphus, 1983 6 M. I. ROSTOVTZEFF, Caravan Cities, 1932 7 RRC, I, 446f.; II, Taf. LI 8 J. M. C. TOYNBEE, Animals in Roman Life and Art, 1973. P.D.S./Ü: A.H.

Kameo s. Steinschneidekunst

Kamephis (Καμηφίς, Καμῆφις < äg. *k3-mw.t=f*; etym. nicht < κμηφις [2. 155]), wörtlich »Stier (d. h. Begatter) seiner Mutter«; dem liegt die kühne Idee vom Sohn, der sich mit seiner Mutter selbst zeugt (d. h. zu seinem eigenen Vater wird) zugrunde.

In dem anschaulich-paradoxen Sprachbild des K. als äg. Symbol der zyklischen Regeneration wurde die myth. Zeit als regelmäßige Wiederkehr gefaßt. Der männliche Teil (*k3*) verkörpert das dynamische, der weibliche (*mw.t*) das permanente Prinzip. Die K.-Konzeption hängt mit der → *Ka*-Vorstellung zusammen. Wahrscheinlich entstammt sie der Schöpfergott-Theologie und wurde (deutlich faßbar erst im NR) radikal in die »Theologie« des (Gott-)Königtums einbezogen, indem die Generationenkette den → Pharao an seine Vorgänger und letztlich an den Schöpfergott bindet. Als K. galten → Amun und → Min. Durch den K. wurde der königliche *Ka* in den designierten König übertragen und so mit jedem einzelnen König »(wieder-)geboren«. Die K.-Vorstellung gründete in spekulativer Theologie und diente hauptsächlich dazu, den »politischen Körper« des Königs neben seinem »natürlichen« zu erklären. In der Zwei-Naturen-Vorstellung vom Pharaonentum steht der K. für die geheimnisvolle Schöpfung des göttl. Aspekts des Pharao.

1 H. JACOBSOHN, s. v. Kamutef, LÄ 3, 308 f. 2 H. J. THISSEN, K. – ein verkannter Gott, in: ZPE 112, 1996, 153–160. L.D.M.

Kamikos (Κάμικος). Stadt (und Fluß) bei → Akragas auf Sizilien. Der Sage nach (Diod. 4,78 f.) hat → Daidalos die Felsenburg des Sikanerkönigs Kokalos erbaut, der hier Minos ermorden ließ, als dieser die Auslieferung des Daidalos forderte. Kreter sollen auf göttliche Weisung einen Kriegszug nach Sizilien unternommen und K. fünf J. lang vergeblich belagert haben (Soph. Kamikoi, fr. 300–304).

476/5 v. Chr. empörten sich Verwandte des Theron von Akragas gegen den Tyrannen und setzten sich in K. fest (schol. Pind. O. 2,173; Pind. P. 6,5). Im 1. Pun. Krieg wurde K. 258 v. Chr. von den Römern erobert (Diod. 23,9,5). Zur Zeit Strabons (6,2,6) war der Ort verlassen.

K. wurde verschiedentlich im Gebiet von Akragas gesucht; mit G. CAPUTO und P. GRIFFO neigt man h. dazu, K. in Sant'Angelo Muxaro, ca. 30 km nordwestl. von Akragas, zu lokalisieren, wo P. ORSI 1931 eine Nekropole ausgegraben hat (Tholos-Gräber myk. Typs). Der Ort war vom 13. Jh. v. Chr. bis in röm. Zeit bewohnt.

P. GRIFFO, Sull'identificazione di Camico con l'odierna S. Angelo Muxaro a nord-ovest di Agrigento, in: Archivio Storico per la Sicilia Orientale 50, 1954, 58–78 • P. ORLANDINI, s. v. Sant'Angelo Muxaro, PE, 783 f. • G. RIZZA, S. Angelo Muxaro e il problema delle influenze micenee in Sicilia, in: Cronache di Archeologia 18, 1979,

19–30 · E. MANNI, Geografia fisica e politica della Sicilia antica, 1981, 102, 155 · D. PALERMO, Early Societies in Sicily, 1996, 147–154.   DA.P.u.K.Z./Ü: J.W.M.

Kamille (ἀνθεμίς, lat. *anthemis*, Plin., später *chamomilla*, davon der dt. Name abgeleitet) ist wohl die heutige Kompositen-Gattung Matricaria L. Dioskurides 3,137 WELLMANN = 3,144 BERENDES (vgl. Plin. nat. 22,53 f.) kennt drei Arten mit unterschiedlicher Blütenfarbe und erwärmender sowie verdünnender Kraft. Die K. wurde schon in der Ant. als Blütenaufguß äußerlich und innerlich als entzündungshemmendes und krampflösendes Mittel verwendet.

→ Anthemis

P. WAGLER, s. v. Anthemis (2), RE 1,2364 f.   C. HÜ.

Kaminiates, Iohannes. Verf. eines Ber. über die Eroberung von → Thessalonike durch die Araber 904 n. Chr., angeblich Kleriker und Augenzeuge der Ereignisse. Der Schilderung der Eroberung geht eine Beschreibung der Stadt voraus. Die Authentizität ist in neuerer Zeit bezweifelt worden, tatsächlich wurde wohl ein kurz nach 904 entstandener Text unter dem Eindruck der Eroberung Thessalonikes durch die Osmanen 1430 überarbeitet und mit zeitgenössischen Details angereichert.

G. BÖHLIG (ed.), Ioannes Caminiates, De expugnatione Thessalonicae, 1973 · Dies., Die Einnahme Thessalonikes durch die Araber im Jahre 904, 1975 (Übers.) · A. KAZHDAN, Some Questions Addressed to the Scholars Who Believe in the Authenticity of Kaminiates' »Capture of Thessalonica«, in: ByzZ 71, 1978, 301–314.   AL. B.

Kaminos s. Herd; Ofen

Kamiros (Κάμιρος, lat. *Camirus*). Stadt an der Westküste von → Rhodos beim h. Kalavarda, gehörte mit → Ialysos und → Lindos zu den drei alten rhodischen Städten (in dieser Kombination bereits bei Hom. Il. 2,656). K. war nach Ausweis der Grabfunde schon in myk. Zeit bewohnt. Die eigentliche Gründung erfolgte durch dor. Siedler. Mit Ialysos und Lindos sowie Kos, Knidos und Halikarnassos bildete K. die dor. Hexapolis (Hdt. 1,144; schol. Thuk. 17,69). Seit 478/7 v. Chr. war K. Mitglied des → Attisch-Delischen Seebundes und zahlte, seiner u. a. auf dem Export von Keramikprodukten beruhenden wirtschaftlichen Leistungsfähigkeit entsprechend, einen jährlichen Tribut von erst neun, dann sechs und schließlich zehn Talenten (ATL 1, 296 f.; 2, 80; 3, 213; 242). Im → Peloponnesischen Krieg ließ sich K. 412/1 v. Chr., gemeinsam mit Ialysos und Lindos, von den Spartanern zum Abfall von Athen überreden (Thuk. 8,44,2). K. verfügte über eine ausgedehnte *chóra* (Diod. 5,59,2) sowie über Insel- (Chalke) und Festlandsbesitz. Als sich 408 v. Chr. die drei großen rhodischen Städte zu einem Einheitsstaat zusammenschlossen und an der Nordspitze der Insel eine neue Stadt gegr. wurde, blieb K. zwar als Siedlung bestehen, verlor aber

sehr an Bed. K. wird in der röm. Kaiserzeit im Zusammenhang mit einem schweren, Rhodos und Teile Kleinasiens heimsuchenden Erdbeben erwähnt (nach 140 n. Chr., Paus. 8,43,4), das angeblich zur völligen Zerstörung führte (Aristeid. 25,31). Vielleicht profitierte auch K. von den umfangreichen Hilfsmaßnahmen des Kaisers Antoninus Pius (SHA Antoninus Pius 9,1).

Die Ausgrabungen vermitteln einen ausgezeichneten Eindruck von der ant. Stadtanlage mit Straßen, Häusern und Plätzen. An öffentlichen Gebäuden ragen das Athene-Heiligtum auf der Akropolis und eine 220 m lange Stoa aus dem 3./2. Jh. v. Chr. hervor. Ausgedehnte Nekropolen mit reichen Funden.

A. ANDREWES, The patrai of K., in: ABSA 52, 1957, 30 ff. · P. M. FRASER, G. E. BEAN, The Rhodian Peraea and Islands, 1954 · R. SCHEER, s. v. K., in: LAUFFER, Griechenland, 299 f.   H. SO.

Kamm (ὁ κτείς, lat. *pecten*). K. für Wolle und Kopfhaare waren bereits im vorgesch. Europa, Ägypten und Vorderasien bekannt. Sie waren aus unterschiedlichen Materialien (Oliven- oder Buchsbaumholz, Elfenbein, Knochen, später auch aus Bronze, Eisen) und konnten auch in der Form variieren (trapezförmig oder länglich). In der nachmyk. Zeit wurden sie auch zweizeilig gezahnt, wobei im letzteren Fall eine Seite enger angebrachte Zähne besaß. In der archa. Zeit kamen noch halbkreisförmige Kämme hinzu. Die klass. griech. und röm. Zeit bevorzugte wieder den geraden, ein- oder zweizeiligen K. Das Mittelstück war unterschiedlich breit und vielfach mit Ritzverzierungen, Einlegearbeiten oder Reliefbildern versehen, wobei einfache ornamentale wie auch figürliche oder myth. Bilder angebracht wurden. Für den K. gab es ein Etui, in das man die gezahnte Seite stecken konnte. Als Attribut der Frau erscheint der K. auch als Weihgabe an die bes. mit Frauen verbundenen Göttinnen wie Artemis Orthia, Athena (Kall. h. 5,31) und Aphrodite (Anth. Pal. 6,211). Als Instrument der → Körperpflege war der K. unentbehrlich; ungekämmte Menschen waren entweder in Trauer (Soph. Oid. K. 1261) oder galten als ungepflegt. K. haben sich aus allen Epochen der Ant. erh., jedoch ist die Darstellung des sich kämmenden Menschen nicht allzu häufig (z. B. [1]); allerdings halten des öfteren Frauen und auch Aphrodite [2] einen K. in der Hand. Bemerkenswert ist auf zypriot. Vasen die Tragweise von K. in der Armbeuge an einem Band [3]. In lat. Inschr. werden K.-Macher (CIL V 2543; 5812) genannt.

1 TRENDALL/CAMBITOGLOU, 20 Nr. 89 Taf. 7,1
2 W. HORNBOSTEL (Hrsg.), Kunst der Ant.: Schätze aus norddt. Privatbesitz, 1977, 180 Nr. 161 3 C. MORRIS, Combs on Cypriot Iron Age Pottery, in: RDAC 1983, 219–224.

S. MARINATOS, Kleidung, Haar- und Barttracht (ArchHom B), 1967 · S. OPPERMANN, s. v. Pecten, KlP 4, 1972, 576 f. · K. J. GILLES, German. K. und Fibeln des Trierer Landes, in: Arch. Korrespondenzblatt 11, 1981, 333–339 · C. NAUERTH, Bemerkungen zu koptischen K., in: Stud. zur spätant. und frühchristl. Kunst und Kultur des Orients, 1982, 1–13 • H.CUPPERS, Die Römer an Mosel und Saar, 1983, passim • G.DIACONU, Über die eisernen K., in: Dacia 30, 1986, 181–189 • H.-G. BUCHHOLZ, Ägäische Bronzezeit, 1987 • J.WERNER, Eiserne Woll-K. der jüngeren Eisenzeit aus dem freien Germanien, in: Germania 68, 1990, 608–660. R.H.

Kamma (Κάμμα). Im 2. Jh. v.Chr. Frau des galat. Tetrarchen Sinatos, Priesterin der Artemis. Plutarch erwähnt sie als Beispiel ehelicher Liebe und Treue, da sie, vom Mörder ihres Mannes, → Sinorix, zur Ehe gezwungen, diesen und sich selbst im Tempel durch Gift tötete (Plut. mor. 257e–258c; 768b–e; Polyain. 8,39). W.SP.

Kammergrab s. Grabbauten

Kampanische Vasenmalerei. In der k.V. des 5.–4. Jh. v.Chr. sind die Gefäße aus einem hellbräunlichen Ton hergestellt, häufig wird die Oberfläche mit einem rosafarbenen bis roten Überzug versehen. Allg. bevorzugen die Maler kleinere Gefäßtypen, daneben als Leitform die Bügelhenkelamphora, ferner Hydrien und Glockenkratere, nur selten erscheint die Pelike (→ Gefäße, Gefäßformen mit Abb.). Die für die → apulische Vasenmalerei charakteristischen Voluten- und Kolonettenkratere, Lutrophoren, Rhyta oder Nestoriden fehlen; auch sind Inschr. selten. Die Motivik der dargestellten Themen ist begrenzt: Zum Repertoire gehören stehende Jünglings- und Frauengestalten, Thiasos-Szenen, Manteljünglinge (auf den Rückseiten der Gefäße), Vogel- und Tierbilder, v. a. aber Darstellungen der einheimischen Krieger und Frauen. Myth. Themen sind nicht so bedeutsam wie in der apulischen Vasenmalerei; das gleiche gilt für Grab- und → Naiskos-Darstellungen, die erst nach 340 v.Chr. unter apulischem Einfluß dargestellt werden. Entsprechendes gilt für einige in der apul. Vasenmalerei gebräuchliche Gegenstände (z.B. »Xylophon«, Luterion) und ebenso für die ornamentale Verzierung mit Efeu- und Weinranken und die Polychromie. Außer der → Owl-Pillar-Gruppe der 2. H. des 5. Jh. v.Chr. fehlt in Kampanien (→ Campania) eine Keramikproduktion bis zum 2. Viertel des 4. Jh. v.Chr. Die Maler der k.V. kamen urspr. aus Sizilien und etablierten in Kampanien verschiedene Werkstätten.

Die k.V. läßt sich in drei Hauptgruppen einteilen: 1. Die Werkstatt des Kassandra-Malers, der – benannt nach einer Darstellung Kassandras in Capua – stilistisch noch unter dem Einfluß der → sizilischen Vasenmalerei steht. Der Kassandra-Maler hatte zwei Nachfolgewerkstätten, die erste um den Parrish-Maler, die zweite um den Laghetto- und Caivano-Maler. Ein Hang zur farblichen Gestaltung durch weiße, rote und gelbe Zusatzfarben ist jetzt festzustellen; kennzeichnend in diesen Schulen sind Satyrfiguren mit → Thyrsos, Kopfdarstellungen bes. unter den Henkeln von Hydrien, Zinnenbordüren an den Gewändern. Offenbar ist es zu einer Wanderbewegung gekommen, denn mehrere Gefäße des Caivano- und Laghetto-Malers sind in Paestum herge-

stellt und gefunden worden (→ paestanische Vasenmalerei).

2. Die AV-Gruppen (AV steht für Avella) waren ebenfalls in Capua ansässig. Von den ersten Malern dieser Hauptgruppe ist der »Whiteface«-Frignano-Maler bedeutsam, benannt nach der weißen Zusatzfarbe auf den Gesichtern seiner Frauengestalten. In diesen AV-Gruppen sind die Darstellungen der einheimischen Frauen und Krieger, Kriegerabschiedszenen, Kampfszenen ein Leitmotiv. Häufig sind die Gefäße nur noch mit einer Figur auf jeder Gefäßseite versehen, vielfach in flüchtig angegebenen Mänteln, oder nur noch mit einer Kopfdarstellung. Relativ selten sind dagegen mehrfigurige Bilder (z. B. Jagdszenen).

3. Der in Cumae nach 350 v.Chr. arbeitende CA-Maler, die Maler seiner Werkstatt und die Nachfolgegruppen. Der CA-Maler ist der qualitätsvollste – vielleicht sogar der gesamten k.V.; er steht nach 330 v.Chr. unter dem Einfluß der zeitgenössischen apulischen Vasenmalerei. Zu seinen Hauptmotiven zählen Grab- und Naiskos-Szenen, dionysische Themen und Symposienbilder. Charakteristisch sind auch Frauenkopfbilder, die mit → Diadem, → Sakkos oder → Kekryphalos geschmückt sind. Seine Bilder überzeugen durch die Anwendung der Polychromie, auch wenn mitunter weiße Farbe an Architekturteilen und an Körperteilen der Frau überreich angewandt wird. Einige seiner Nachfolger können die von ihm erreichte Qualität erhalten, doch bald setzt in den Nachfolgegruppen ein motivischer und stilistischer Niedergang ein, der um 300 v.Chr. zum E. der k.V. führt.

TRENDALL, Lucania, 189–572 • Ders., Lucania Suppl. I, 1970, 31–98 • Ders., Lucania Suppl. II, 1973, 181–251 • Ders., Lucania Suppl. III, 1983, 89–261 • Ders., Red Figure Vases of South Italy and Sicily, 1989, 157–174 • H. KASIMATES (CASSIMATIS), Le Lébès à anses dressées Italiote (Cahiers du Centre Jean Bérard 15), 1993 • G. SCHNEIDER-HERRMANN, The Samnites of the Fourth Century B. C. as Depicted on Campanian Vases and in other Sources (BICS Suppl. 61), 1996 • B. RÜCKERT, in: CVA Tübingen, Antikenslg. des Arch. Inst. der Univ. 6, 1996, 80–90. R.H.

Kampanischer Standard s. Münzfüße

Kampe (Κάμπη). Ungeheuer, das die im → Tartaros gefangenen → Kyklopen und Hunderthänder zu bewachen hatte. In der Titanomachie wird K. auf Rat der Gaia von Zeus getötet (nach Diod. 3,72,3 von Dionysos nahe der libyschen Stadt Zabrina), so daß die zuvor Gefangenen Zeus unterstützen können (Apollod. 1,6); eine ausführliche Beschreibung der K. als eine Art Drache (ausgehend von der appellativen Bed. »Raupe«) findet sich bei Nonn. Dion. 18,236–264.

W. KROLL, s. v. K., RE 10, 1842. E. V.

Kampfpreis. Das Aussetzen von K. bei sportlichen Wettkämpfen ist bereits bei den Sumerern [1], Ägyptern [2] und Hethitern [3; 4] bezeugt (Silberring; Ehrenmahl;

Kuchen, Silber, Widder, Hofamt des königlichen Zaumhalters). Die im Brautagon als K. erworbene Frau (Beispiele: ägypt. Märchen ›Vom verwunschenen Prinzen‹ [2. 67, 78]; Pelopsmythos in Olympia [5]; Bogenwettkampf des Odysseus: Hom. Od. 21; Agariste, Tochter des Kleisthenes von Sikyon: Hdt. 6,126–130) verleiht die Legitimation der Herrschaft. Unermeßlich ist der Reichtum, den Achilleus beim Totenagon für Patroklos aussetzt: Frauen, Tiere, kostbare Gefäße, Waffen, Rohmetall, Ehrenmahl [6]. K. sind auch von histor. Totenagonen bekannt [7]. In Athen gab man den Siegern an den Panathenaia bis zu 140 Amphoren Öl (ein Fünftel den Zweitplazierten) [8].

Bei den panhellenischen Agonen wurden Kränze an die Sieger vergeben (vgl. [9]). Nach Einführung des Geldes wurde zunehmend das neue Zahlungsmittel als K. benutzt, ohne daß die angesehensten Feste jedoch von der Verwendung von Kränzen absahen [10; 11]. K. konnten bes. in späteren Zeiten Ehrensitz (*proedría*), Steuerfreiheit (*atéleia*), lebenslanger Freitisch (*sítēsis*), Befreiung von → Liturgien (*aleiturgēsía*) sein. Bis zu 60000 Sesterzen pro Rennen waren die Prämien der Wagenrennen im röm. → Circus (CIL VI 10048,16), und auch bei den *venationes* (→ *munera*) wurden hohe Summen als K. verteilt (z.B. auf einem Mosaik aus dem Amphitheater Smirat im Mus. Sousse [12]). Bei den Etruskern dienten u.a. Schläuche (mit Wein) als K. [13].

1 R.ROLLINGER, Aspekte des Sports im Alten Sumer, in: Nikephoros 7, 1994, 7–64: 30f., 56 Nr. 261 2 W.DECKER, Sport und Spiel im Alten Äg., 1987, 71, 115, 153 3 I.SINGER, The Hittite KI.LAM Festival I, 1983, 103–104 4 J.PUHVEL, Hittite Athletics as Prefigurations of Ancient Greek Games, in: W.RASCHKE (Hrsg.), The Archaeology of the Olympics, 1988, 26–31, bes. 27, 30 5 H.-V. HERRMANN, Olympia, 1972, 136–142 6 S.LASER, Sport und Spiel (ArchHom T), 1987, 79–81 7 E.ROLLER, Funeral Games for Historical Persons, in: Stadion 7, 1981, 1–18 8 D.C. YOUNG, The Olympic Myth of Greek Amateur Athletics, 1984, 115–127 9 H.BUHMANN, Der Sieg in Olympia, 1972, 53 nr. 4 10 H.W. PLEKET, Zur Soziologie des ant. Sports, in: Mededelingen van het Nederlands Instituut te Rome, n.s. 36, 1974, 56–87, bes. 67, 71f. 11 Ders., Games, Prizes, Athletes and Ideology, in: Stadion 1, 1975, 49–89, bes. 54–71 12 M.YACOUB, Splendeurs des mosaïques de Tunisie, 1995, 274 Fig. 137 13 J.-P. THUILLIER, Les jeux athlétiques dans la civilisation étrusque, 1985, 440–444 mit Fig. 52.   W.D.

Kampyle (καμπύλη). Stock mit gebogenem Griff, der überwiegend von Bauern und Hirten, Bettlern, Greisen und Reisenden benutzt wurde, im Gegensatz zum gerade geformten Spazier- oder Wanderstab *baktēría* (βακτηρία) der Vollbürger. Gemäß der vit. Soph. 6 (nach Satyros) soll → Sophokles die K. in das Theater eingeführt haben, bei Poll. 4,119 tragen die Greise in der Komödie die K. Auf den Theaterdenkmälern sind vielfach Schauspieler mit einer K. abgebildet.
→ Lituus; Stab

LIT.: → Stab.   R.H.

Kampylos (Καμπύλος). Einer der Zuflüsse des Acheloos in Aitolien (Diod. 19,67,3); die Lage ist nicht näher zu bestimmen.

H. V. GEISAU, S.V. K., RE 10, 1844.   D.S.

Kamulianai (Καμουλιαναί, *Kamuliana*). Ort an der Straße Kaisareia/Mazaka – Tavium in Kappadokien, h. evtl. Kermer. Name nicht kelt. (anders [1. 197f.]); als Wallfahrtsstätte (Christusbild, 574 n.Chr. Translatio nach Konstantinopel) zur Stadt Iustinianopolis erhoben; als Bistum von 553 bis ins 13.Jh. belegt.

1 HILD/RESTLE.

W.RUGE, S.V. K., RE 10, 1844.   K.ST.

Kana (Κάνη, Κάναι). Ein häufig bezeugtes Vorgebirge (ἀκρωτήριον, Hdt. 7,42,3; Diod. 4,53,2; 13,97,4,1; Strab. 10,1,5; 13,1,68; Καινὴ ἄκρα, Ptol. 5,2,6,1) mit Siedlung und Hafen in der nordwestl. Aiolis, am Südende der Bucht von Adramytteion, beim h. Kara Dağ. In einem Dekret aus Demetrias [1] werden drei Bürger von K. geehrt (IG IX 2, 1105 I).

L.BÜRCHNER, S.V. K., RE 20, 1844f. · W.LEAF, Strabo on the Troad, 1923, 335–337 · ROBERT, Villes, 18 · J.STAUBER, Die Bucht von Adramytteion I (IK 50), 1996, 273–277.   E.SCH.

Kanaan s. Palaestina

Kanaanäisch. Traditioneller Oberbegriff für eine Dialektgruppe des NW-Semitischen, in Syrien, Palästina und im Mittelmeerraum gesprochen und geschrieben (ca. 10. Jh. v.Chr. bis heute; mit proto-k. Vorläufern). K. umfaßt das → Phönizische, das eng mit ihm verwandte → Ammonitische, das → Punische als späte Weiterentwicklung des Phöniz., → Edomitisch als Zwischenglied zwischen Phöniz. und → Hebräisch (dem am längsten und am besten überlieferten k. Dialekt) und das dem Hebr. nahe → Moabitische. Noch umstritten ist die Existenz weiterer lokaler Dialekte.

W.R. GARR, Dialect Geography of Syria-Palestine, 1000–586 B.C.E., 1985.   C.K.

Kanachos (Κάναχος).

[1] Bildhauer aus Sikyon, tätig in spätarcha. Zeit. Die Quellen bezeichnen seinen Stil als hart und streng. Sein berühmtestes Werk, die Bronzestatue des Apollon Philesios in Didyma mit einem beweglichen Hirsch auf der Hand, wurde 494 v.Chr. von den Persern geraubt. Eine Wiederholung aus Zedernholz schuf K. für den Tempel des Apollon Ismenios in Theben. Reliefs und Mz. geben eine Vorstellung von der Statue, die auch in röm. Nachbildungen erkannt wurde. In Sikyon schuf K. eine Goldelfenbein-Sitzstatue der Aphrodite und mit seinem Bruder Aristokles und Hageladas eine von drei Musenstatuen. Laut Plinius hat er Knaben auf Rennpferden (*celetizontes*) geschaffen und auch in Marmor gearbeitet. Eine Verwechslung mit dem jüngeren K. [2] ist nicht auszuschließen.

OVERBECK, Nr. 403–410; 418; 477; 796 · L. LACROIX, Les reproductions de statues sur les monnaies grecques. La statuaire archaique et classique, 1949, 221–226 · G. CARETTONI, in: EAA 308 f. Nr. 1 · K. TUCHELT, Die archa. Skulpturen von Didyma (IstForsch 27), 1970, 200–203 · I. LINFERT-REICH, Musen- und Dichterinnenfiguren des 4. und frühen 3. Jh., maschr. Diss. Freiburg 1971, 7 · B. RIDGWAY, The Archaic Style in Greek Sculpture, 1977, 316 · FUCHS/FLOREN, 212–213.   R. N.

[2] Bronzebildner aus Sikyon. K. gehörte zur Gruppe der Schüler des → Polykleitos, die in Delphi die Sieges-Weihung des Lysandros nach der Schlacht von Aigospotamoi (405 v. Chr) schuf. In Olympia sah Pausanias von K. die Statue eines Knabensiegers.

OVERBECK, Nr. 395; 979; 983; 984 · L. GUERRINI, in: EAA 4, 310 Nr. 2 · D. ARNOLD, Die Polykletnachfolge, 1969, 6–13; 85–65; 97–109; 175 · C. VATIN, Monuments votifs de Delphes, 1991, 103–138.   R. N.

Kanake (Κανάκη). Tochter des thessal. → Aiolos [1] und der Enarete, die weitere fünf Töchter und sechs Söhne hatten (Apollod. 1,50). Durch Poseidon ist K. Mutter von fünf Söhnen, darunter Aloeus, der Stammvater der → Aloaden (Apollod. 1,53). Nach Diod. 5,61 ist der tyrrhen. König Aiolos Vater von K. Der tyrrhen. und der thessal. Aiolos wurden kontaminiert und mit dem Windkönig → Aiolos [2] bei Homer identifiziert, dessen zwölf Kinder paarweise in Geschwisterehe leben (Hom. Od. 10,1–9). Euripides beschrieb in der Tragödie *Aiolos* eine Geschwisterliebe zw. K. und ihrem Bruder Makareus, die mit dem Tod beider endet (TGF fr. 14–41; Teil der Hypothesis: [1]). Auf dieser Tragödie und eventuell weiteren nicht erh. Quellen beruht die Bearbeitung des Stoffes durch Ovid (Ov. epist. 11; vgl. Ov. trist. 2,384). Weitere Zeugnisse: Aristoph. PCG III 2 fr. 1–16; Hyg. fab. 238. Das Motiv war beliebt in der Pantomime (Anth. Pal. 11,254). Nach Suet. Nero 21 und Cass. Dio 63,10,2 soll die *Canace parturiens* (»in den Wehen liegende K.«) eine Rolle Neros gewesen sein.

1 C. AUSTIN, Nuova fragmenta Euripidea, 1968, 88 f.

G. BERGER-DOER, s. v. K., LIMC 5.1, 950 · K. SCHERLING, s. v. K., RE 10, 1853–1855.   K. WA.

Kanal, Kanalbau A. SCHIFFAHRTSKANÄLE
B. BEWÄSSERUNGSKANÄLE
C. ENTWÄSSERUNGSKANÄLE

A. SCHIFFAHRTSKANÄLE

Sowohl der Nil als auch die weitverzweigten K.-Systeme Babyloniens dienten gleichermaßen als Verkehrswege und zur Wasserversorgung des Landes. Nur wenige K. waren ausschließlich für den Verkehr bestimmt. Zu diesen Ausnahmen gehörte ein Schifffahrts-K. zwischen Nil und Rotem Meer, dessen Bau gegen 600 v. Chr. unter Pharao Necho II. begonnen wurde; weitere Arbeiten daran fanden in der Zeit des Dareios I. (Hdt. 2, 158), Ptolemaios I. und II. (Strab. 17, 804) sowie Traian statt. Eine in Heroopolis (Pithome) gefundene Inschr. aus dem Jahr 265/4 v. Chr. bezeugt die Fertigstellung des K. durch Ptolemaios II.; er soll nördl. des Timsah-Sees in das Rote Meer gemündet haben (bei anderen Höhenverhältnissen als h.). Die Technik des hier erfolgten Schleusenbaus scheint bereits eine Erfindung der Pharaonenzeit gewesen zu sein. Gleichfalls wohl v. a. der Schiffahrt dienten verschiedene Verbindungskanäle zwischen Euphrat und Tigris an der engsten Stelle zw. den beiden Flüssen.

Wegen der Sturmkatastrophe des Jahres 492 v. Chr. ließ Xerxes 480 nach dreijähriger Bauzeit einen Durchstich an der Halbinsel → Athos vollenden (Hdt. 7,22–24; Thuk. 4,109), während Demetrios von Skepsis (fr. 35) auf einen teilweise früher vorhandenen K. hinweist. Der K. führte von Nea Roda nach Tripiti, war ca. 2200 m lang und wies eine Wassertiefe von 1,5 – 2 m auf; in der Breite konnten sich zwei Triremen gefahrlos begegnen. Die maximale Tiefe des Einschnittes bis zum Meeresspiegel lag bei 15,7 m. Ebenfalls von mil. Bed., zur sicheren Umgehung von Stromschnellen der Donau

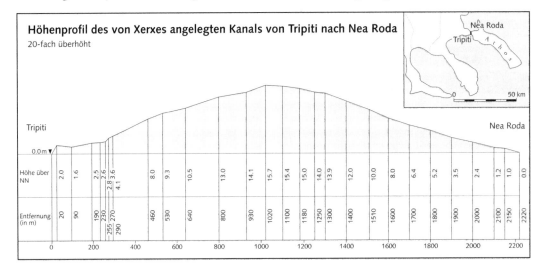

Höhenprofil des von Xerxes angelegten Kanals von Tripiti nach Nea Roda
20-fach überhöht

am Eisernen Tor, war ein 3 km langer und ca. 14 m breiter Kanal aus den Dakerkriegen Traians. Ein System von ant. K. in Verbindung mit Flußläufen (Gesamt-L: 112 km) in Ostengland wird in erster Linie ebenfalls als mil. Maßnahme angesehen, nämlich zur Versorgung der Legionen im nördl. Britannien mit Agrarprodukten. Zur Diskussion steht auch die Deutung der K. als Drainage- und Abzugskanäle für Salz- und Landgewinnung.

Wie Traian am Eisernen Tor ließ vor ihm bereits Claudius [II 24] Drusus im Rahmen der Feldzüge am Niederrhein (12 v. Chr.) ein K.- und Deichsystem bauen, das vom Legaten Paulinus Pompeius im Zuge von Beschäftigungsmaßnahmen für das Heer 58 n. Chr. vollendet wurde. Ein Ergebnis des Arbeitseinsatzes nach einem abgebrochenen Feldzug ist auch die *fossa Corbulonis*, die im Jahre 47 n. Chr. entstand; der Legat Cn. Domitius [II 11] Corbulo wollte mit einem ca. 37 km langen K. Rhein und Maas verbinden, um die gefährliche Fahrt durch die Nordsee zu vermeiden. Der K. des Legaten L. Antistius Vetus zwischen Mosel und Saône sollte ein Schiffahrtsweg zw. Mittelmeer und Nordsee werden, blieb aber im Planungsstadium stecken (Tac. ann. 13,53). Wie bei dem geplanten und von Nero begonnenen K.-Durchstich des Isthmos von Korinth (Cass. Dio 63,16) verfolgte ein Flußumleitungsprojekt in Bithynien wirtschaftliche Ziele, wie sie schon Plinius in einem Brief an Traian festhielt (Plin. epist. 10,41). Durch die Umleitung des Flusses Sangarios und des Melas in den Sapanca-See sollte ein Wasserweg vom Schwarzen Meer bis ins Marmara-Meer (Golf von Ismit) geschaffen werden. Die Umleitung und ein erh. Brückenbau (561 n. Chr.) aus der Zeit Kaiser Iustinians sind in spätant. und byz. Quellen gen. (Prok. aed. 5,8,3; Theophanes, Corp. Scr. Hist. Byz. 41,362; Pachymeres, Corp. Scr. Hist. Byz. 2,330). Für die Verwirklichung des Projektes waren Schleusen notwendig.

B. Bewässerungskanäle

Bewässerungs-K. (s. auch → Bewässerung) dienten der Bestellung von Gärten und Feldern in regenlosen Gebieten oder zur Anbauintensivierung. Ganzjährige Bewässerung kam in der ant. Welt für den Gartenbau (→ Hortikultur, → Landwirtschaft) wegen der zu bewältigenden Fläche in Frage. Ständige Wartung der Anlagen war dabei nötig; bereits in Mesopotamien existierten Anweisungen und Gesetze zur Erhaltung der Bewässerungs-K. sowie Regelungen der Wasserrechte. K. standen in Verbindung mit Dämmen (aus Stein oder Erde) zum Aufstauen des Wassers und zur Regulierung des Wasserflusses. Unsachgemäße Handhabung konnte zu Schadenersatz führen. Babylonien und Ägypten waren mit einem dichten Netz von Bewässerungs-K. durchzogen, einem charakteristischen Merkmal des Landes (Hdt. 2,108). Lange stehendes Wasser führte zur Versalzung der Böden, daher wurden entsprechende Entwässerungs-K. (s. u.) notwendig. Das Quanat-System (→ Wasserversorgung) kam – ausgehend von Persien – in semiariden bis ariden Gegenden unter bestimmten geologischen Voraussetzungen sowohl für die

Trinkwasserversorgung als auch für die Bewässerung zum Einsatz. Das Grundwasser wurde vom Wasserspendegebiet in Stollen bei geringstem Gefälle (0,2 – 1,0 Promille) in das Zielgebiet geleitet (Tunnel- und Stollenbau). Eine Regulierung der Bewässerung war dabei aber nicht möglich.

Für Griechenland ist die Nutzung gefaßter Quellen für Bewässerung der Pflanzungen und Gärten seit Homer (Hom. Od. 7,129–130; Hom. Il. 21,257–262) bezeugt. Steingebaute Bewässerungs-K. mit geringer Dichtigkeit und zumeist Erdgerinne sind auf dem Lande wegen ihrer späteren Vernachlässigung, Aufgabe oder Veränderung arch. selten nachweisbar und datierbar. In den hell. Palästen sind vielfach Gartenanlagen vorauszusetzen (→ Palast), die jedoch ebenso wenig wie ihre Bewässerung durch Ausgrabungen erfaßt sind. Die hell. Herrschaftsgärten waren Vorbild für die röm. Villen- und Palastarchitektur. Die reichliche Wasserversorgung wie in Pompeii ermöglichte Gartennymphäen (→ Nymphaeum) und die Nutzung des überschüssigen Wassers, wobei die K. oder Rinnen z. T. aus aufgestellten Dachziegeln bestehen konnten (Delphi). Die *aqua Alsietina* und der *Anio Novus* lieferten Nutzwasser aus Seen nach Rom (dort zur Verwendung für Naumachien (→ *munera*) und Mühlen geeignet). Überlaufwasser wurde auch für öffentliche Anpflanzungen genutzt, bei den Römern gegen Entgelt für Walkereien und Bäder verwendet. Bewässerungs-K. (künstliche Gräben) und Bäche durften nicht tiefer ausgehoben, im Lauf verändert oder mit Wehren versehen werden (IG 14,645).

C. Entwässerungskanäle

Entwässerungs-K. (s. auch → Entwässerung, zu Entwässerungs-K. in den Städten → Kanalisation) entstanden zur Gewinnung und zum Schutz von Ackerland sowie zur Vermeidung von Versalzung; die Unkenntnis darüber, daß Entwässerung die Versalzung des Bodens verhindern kann, führte in Babylonien zu großen landwirtschaftlichen Einbußen. Der Zweck von Entwässerungs-K. war die Ableitung von Regenwasser im Herbst und Winter; eine intensive Pflege der Gräben, die z. T. aus einfachen, mit dem Pflug hergestellten Rinnen bestanden, war notwendig (vgl. Colum. 2,8,3; 2,2,9–11; Varro rust. 1,14,2). Theophrast (c. plant. 3,6, 3–4) beschreibt ein Drainagesystem, zu dem Gräben gehörten, die – wie die bei röm. Schriftstellern bezeugten – mit Steinen gefüllt und mit Erde, Laub oder Stroh abgedeckt waren.

Durch Flußregulierungen und Dammbauten wurden Seen in Beckenlandschaften zumindest teilweise trockengelegt (Polder) und auf diese Weise Ackerland gewonnen. Bereits in myk. Zeit sind solche Maßnahmen im Kopais-Becken (Böotien) belegt, an dessen Nordrand ein ca. 25 km langer, 40 m breiter, 2–3 m tiefer K. verlief, dessen Wangen einerseits vornehmlich vom Berghang und andererseits von einem 30 m breiten Erddamm mit beidseitiger Steinmauer gebildet wurden. Der K. führte zu einem abgedämmten Retensions- und Sedimentationsraum vor den Katavothren (den natür-

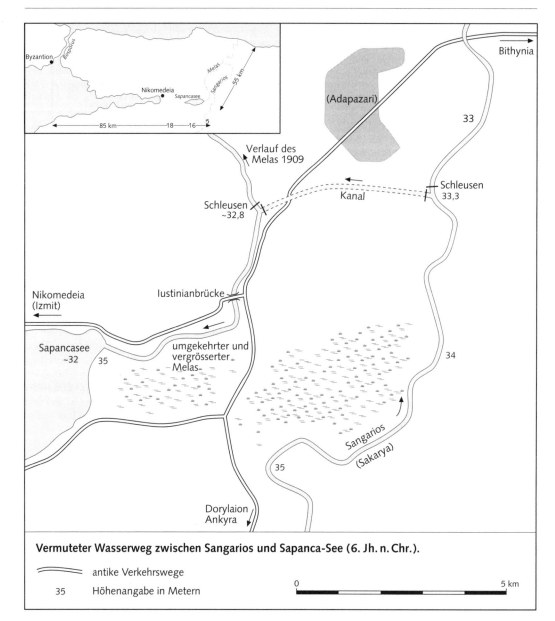

Vermuteter Wasserweg zwischen Sangarios und Sapanca-See (6. Jh. n. Chr.).

〰〰〰 antike Verkehrswege

35 Höhenangabe in Metern

0   5 km

lichen unterirdischen Vorflutern) und hatte die Aufgabe der Hochwasserableitung, zugleich auch des Zubringens von Brauchwasser, und diente zudem wahrscheinlich als Binnenwasserstraße. Durch geschlossene und offene Binnenlandpolder sowie durch Buchtenpolder wurden ca. 50 km² agrarische Anbaufläche gewonnen. Beschädigungen des Deichsystems – verm. durch Erdbeben im 4. Jh. v. Chr. – gaben Anlaß zu Maßnahmen des Ingenieurs Krates (in der Alexanderzeit). Ein weiterer K. und ein (unfertig gebliebener) Stollen zum Meer sollten Land zurückgewinnen. Neuerliche Erddämme und finanzielle Unterstützung sind für die Zeit Kaiser Hadrians bezeugt. Flußregulierungen durch K. finden sich auch in Arkadien (→ Entwässerung) und am

Peineios in Elis. Flußumleitungen durch K. kamen im Krieg als Waffe zum Einsatz.

In den sumpfigen Ebenen Italiens legten die Etrusker Drainagesysteme im Tuffgestein in Form von Stollen (*cuniculi*) an, wobei die Arbeitsschächte eine Tiefe von 30–40 m erreichen konnten. Sumpfgebiete bei Ravenna wurden z.Z. Theoderichs für die Anlage von Obstgärten entwässert. Für die Ableitung des Fuciner Sees unter Kaiser Claudius wurden für einen 5,5 km langen Tunnel mehr als 40 Schächte (4,32 × 4,32 m) im 100 m starken Deckgebirge abgeteuft (→ Entwässerung).

Im Wohnbau sind seit der Jungsteinzeit K.-Gräben zur Regen- und Sickerwasserableitung belegt. Vitruv (7,4,1) empfiehlt zur Entwässerung doppelte Mauerzüge mit Abstand für den vertieften Drainage-K. ins Freie. Die Ableitung erfolgte auch unter den Fußböden (gelegentlich durch gedeckte, U-förmige Holzrinnen, z. B. Magdalensberg); Regen- und Sickerwasser wurde bei Bedarf in → Zisternen eingeleitet.

Zu K. für die Warmluftführung → Heizung; zu K. für die Trinkwasserversorgung → Wasserleitungen; → Wasserversorgung.

SCHIFFAHRTS-K.: F. G. MOORE, Three Canal Projects, Roman and Byzantine, in: AJA 54, 1950, 97–111 · J. SAŠEL, Trajan's Canal at the Iron Gate, in: JRS 63, 1973, 80–85 · M. STOL, H. J. NISSEN, s. v. Kanal(isation), RLA 5, 355–368 · S. FRORIEP, Ein Wasserweg in Bithynien, in: Antike Welt 1986, 2. Sondernummer, 39–50 · C. TUPLIN, Darius' Suez Canal and Persian Imperialism, in: H. SANCISI-WEERDENBURG (Hrsg.), Achaemenid History 6, 1991, 237–283 · W. WERNER, Der K. von Korinth und seine Vorläufer, in: Das Logbuch 1993, Sonderheft · B. S. J. ISSERLIN, R. E. JONES u. a., The Canal of Xerxes on the Mount Athos Peninsula, in: ABSA 89, 1994, 277–284 · N. HANEL, Ein röm. K. zw. Rhein und Groß-Gerau, in: Arch. Korrespondenzblatt 25, 1995, 107–116.
BEWÄSSERUNGS-K.: R. TÖLLE-KASTENBEIN, Ant. Wasserkultur, 1990, 39–42 · M. CAROLL-SPILLECKE, Der Garten von der Ant. bis zum MA, 1992 · W. SONNE, Hell. Herrschaftsgärten, in: R. HOEPFNER, G. BRANDS (Hrsg.), Basileia. Die Paläste der hell. Könige, 1996, 136–143 · W. F. JASHEMSKI, The Gardens of Pompeii, 1979, 249 · G. GARBRECHT, Wasserversorgungstechnik in röm. Zeit, in: Wasserversorgung im ant. Rom, ²1983, 33 f.
ENTWÄSSERUNGS-K.: H. VETTERS, G. PICCOTTINI, Die Ausgrabungen auf dem Magdalensberg 1975 bis 1979, 1986, 20 f. · H. J. KALCZYK, B. HEINRICH, Die Melioration des Kopaisbeckens in Böotien, in: Antike Welt 1986, 2. Sondernummer, 15–38 · J. KNAUSS, Die Melioration des Kopaisbeckens durch die Minyer im 2. Jt. v. Chr., 1987 · E. PAPAKONSTANTINOU, Stoicheia tes agoras tes Elidas sto parachthio analema tou Peneiou, in: Archaia Achaia kai Eleia, 1991, 329–334 · M. P. GOFA, He neolithike Nea Makre. Ta oikodomika, 1991, 180 · J. P. ADAM, Roman Building Materials and Techniques, 1994, 263 · E. ZANGGER, Landschaftskontrolle im griech. Alt., in: Spektrum der Wissenschaft 5, 1995, 88–91.   F. GL.

Kanalisation.

Kanalisation. Ein System von → Kanälen diente zur Ableitung von Niederschlags- und Brauchwasser sowie von überschüssigem Frischwasser. In den vorderasiatischen und ägypt. Hochkulturen gab es, wie auch bei den Minoern, gut organisierte Entsorgungssysteme; außer durch Kanalsysteme erfolgte die Entsorgung in Vorderasien häufig durch individuelle Sickerschächte. Im myk. Palast von → Tiryns sind diese Kanäle (ca. 90 x 60 cm) aus großen Steinen mit Plattenabdeckung in das Erdreich gebaut, stellenweise auch in den Felsen eingetieft. Enge Einlaufschächte sind mit gelochten Deckplatten verschlossen. Nicht nur die Hofbereiche wurden entwässert; aus dem Baderaum beispielsweise führte eine Tonrinne in den Kanal.

Die Ableitung des Regenwassers erfolgte in der Ant. vielfach auch unabhängig von der Entsorgung des Schmutzwassers durch die K. Auf felsigem Untergrund erfüllten in den Städten Steinrinnen, aber sicherlich auch nicht nachweisbare kleine Gräben ihren Zweck. Monumentalen Bauten wie Tempeln oder Säulenhallen waren oft Steinrinnen oder gemauerte Rinnen mit Absetzbecken (z. B. Südstoa in Elis) vorgelegt. Schmale Gänge, sog. Kanalgassen, zw. Wohnbauten erlaubten den Durchgang und ermöglichten die Ableitung des Regenwassers. Entsprechendes Gefälle und V-förmige Rinnen des steinernen Straßenbelages (z. B. Pompeii, Ephesos) leiteten das Niederschlagswasser und das Überlaufwasser der Brunnen durch vertikale Öffnungen an der Gehsteigkante in den Kanal.

Überschüssiges Wasser aus Brunnenhäusern wurde in archa. und klass. Zeit in Athen oder Olynth in östl. Trad. (wie sie in Habuba Kabira am Euphrat belegt ist) in Tonrohren abgeleitet. An der Enneakrunos auf der Agora in Athen (→ Athenai) vereinigte ein Y-förmiges Rohrstück zwei Ableitungsstränge. Gedeckte und ungedeckte U-förmige Tonrinnen mit Falzen waren in nachklass. Zeit gebräuchlich. Neben der gesonderten Entsorgung bzw. Nutzung von Regen- oder Überlaufwasser war deren Einleitung in das Kanalsystem zur Spülung üblich.

Die Errichtung einer K. läßt sich in Athen seit der späten Archaik und in Rom seit dem Ende der Königszeit fassen. Im wesentlichen kann ant. K. in vier Kategorien geschieden werden. Anfangskanäle (1. Ordnung) von verschiedenen einzelnen Gebäuden mündeten in Straßenkanäle (2. Ordnung), die wiederum Hauptkanälen mit größerem Querschnitt (3. Ordnung) untergeordnet waren. Diese wiederum konnten in größeren Städten in einem Sammelkanal (4. Ordnung) zusammenfließen. So wurden z. B. in Athen, Delos, Pergamon, Pompeii oder Thasos solche K.-Systeme untersucht. Senkrechte Schächte mit Mörtelauskleidung bei einem Querschnitt von 15 × 15 cm (Delos) oder Tonrohre (Pompeii) leiteten das Wasser vom Obergeschoß in die steingebauten Haus-K. Bleigitter in der Abflußöffnung am Boden dienten zum Schutz vor Verstopfung. Neben Stein war in röm. Zeit die Verwendung von Dachziegeln (Leistenziegeln) für Hauskanäle beliebt.

Ungewöhnlich erschienen schon Strabon (14,1,37) die offenen Straßenkanäle in Smyrna. Diese 50 cm tiefen, offenen Kanäle »zweiter Ordnung« wurden, wie in Priene, am Straßenrand geführt und besaßen Absetzbecken für Sedimente. Geschlossene Kanäle mit ähnlichem Querschnitt liefen meist unmittelbar unter der Pflasterung in der Straßenmitte. Durch den Verlauf der Straßenkanäle lassen sich Rückschlüsse auf das Straßennetz und den Stadtplan ziehen. Bei Städteneugründungen wurden Straßen und K.-Netz in einem Zuge geplant und baulich umgesetzt. Die Orchestrakanäle in den Theatern bekamen entsprechend große Dimensionen.

Die Querschnittform der Abwasserkanäle läßt sich mit den Kanälen für die Wasserleitungen vergleichen: Quaderwerk mit flachen oder gewölbten Decken und

Beispiele für antike Kanalisation

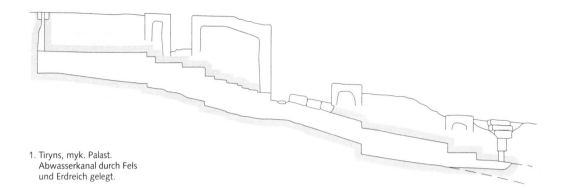

1. Tiryns, myk. Palast.
   Abwasserkanal durch Fels
   und Erdreich gelegt.

2. Priene, offener Kanal,
   ca. 50 cm tief.

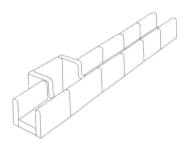

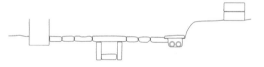

4. Priene,
   geschlossener Kanal.

3. Priene, offener Kanal,
   mit Absetzbecken
   für Sedimente.

5. Xanten, Holzkanal.

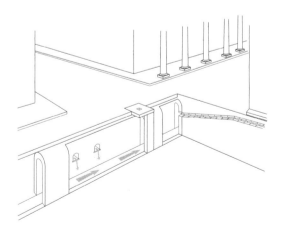

6. Schema eines röm. Abwasserkanals.
   Der kleinere Kanal mündet oberhalb
   der Sohle des Hauptkanals.

gemörteltes Bruchsteinmauerwerk (oder → *opus caementicium*) mit Gewölbe oder mit flacher Abdeckung aus unregelmäßigen Steinplatten waren ebenso gebräuchlich wie die satteldachförmige Eindeckung aus Steinplatten oder Ziegeln. Aus Athen ist ein Tonrohrkanal (Dm ca. 67 cm) aus verklammerten Ringhälften, aus Xanten und Osterburken ein Holzkanal bekannt. Mit ca. 50 cm Br und einer Höhe von 60 bis 80 cm waren die Kanäle von Revisionsschächten her bekriechbar, in größeren Städten bis zu einer Höhe von fast 2 m auch begehbar. Die Kanaldeckel der Schächte bekamen in röm. Zeit wie in den Bädern meist etwa sternförmige Öffnungen. Die kleineren Kanäle mündeten in den röm. Systemen oft in einem gewissen Abstand über der Sohle der größeren, um einen Rückstau zu vermeiden. Eine Verengung des Querschnitts an der Kanalsohle, um die Fließgeschwindigkeit bei geringem Wasserstand zu erhöhen, war in der Ant. nicht üblich. Die Hauptkanäle (3. Ordnung) aus Quadern, Ziegeln, Bruchsteinmauerwerk oder *opus caementicium* entsorgten das Abwasser ins Meer, in Flüsse oder ins offene Land.

Kanalisation 3. und 4. Ordnung kam nur in wirklichen Großstädten vor. Der »Große Kanal« (*great drain*) in Athen führte v. a. Regenwasser aus der Gegend südl. der Agora nach Norden zum Eridanos und zum 4,20 m breiten Sammelkanal (aus Piräuskalkstein) in der Gegend des → Kerameikos. Es wird, wie bei der Cloaca Maxima in Rom, vermutet, daß urspr. nur ein Graben vorhanden war, der von einer Brücke mit Kraggewölbe überspannt und später gänzlich eingewölbt wurde. Etwas westl. der Kapnikarea-Kirche wird ein gewölbter, 2,10 m breiter Abwasserkanal (aus Piräuskalkstein, abschnittsweise aus Ziegeln) in 6 m Tiefe geführt. Aufgrund der Datier. des »Großen Kanals« ins 1. Viertel des 5. Jh. sind die Kanäle 3. und 4. Ordnung wohl nicht lange nach dem spätarcha. Wasserleitungsnetz der Stadt entstanden.

Die → Cloaca Maxima in Rom ist für Plinius (Plin. nat. 36,24,104) das größte von Menschen erbaute Werk; sie soll laut lit. Überl. (Plin. l.c.; Liv. 1,38,6; 1,56,2; Dion. Hal. ant. 3,67,5; 4,44,1) in das 6. Jh. zurückreichen und hatte anfangs den Zweck der Entwässerung der Senken zw. den Hügeln Roms in den Tiber. Die verschiedenen Baumaterialien geben im Vergleich zu den datierten Bauten Hinweise auf die Entstehungszeit der einzelnen Abschnitte des Kanalsystems. Neben den bereits gen. Formen der Abdeckung kommt auch das Kraggewölbe vor. Zw. der Basilica Aemilia und der Basilica Iulia wurde die Cloaca Maxima in zwei par., unmittelbar nebeneinander liegenden Strängen geführt, damit der Gewölbescheitel nicht das Gehniveau des → Forum [III 8] Romanum überragte. Der Zweck der sog. »Verteilungsgänge« im Bereich des Forums ist noch ungeklärt. Die jüngeren Abschnitte der Cloaca Maxima sind offenbar auch die breiteren. Wie in Athen beobachtete man Schlitze für Sperrvorrichtungen (Wehren), damit aufgestautes Wasser im Schwall den Kanal spülen konnte. Zuführung von Wasser war v. a. für → Latri-

nen-Kanäle wichtig. Scharfe Knicke in der Cloaca Maxima zeigen, daß Überlegungen zur Strömungstechnik keine Rolle spielten. Die schlechte Abdichtung der Wände ergab eine Drainagewirkung und führte zum Absinken des Grundwasserspiegels, wodurch es zu Bodensenkungen bis zu 50 cm kam, die etwa zum Einsturz der Fassade der → Basilica Aemilia (um 410 n. Chr.?) führten. Eine letzte Restaurierung der Cloaca Maxima in der Ant. unter Theoderich wird von Cassiodor (var. 3,30) bezeugt.

E. ZILLER, Wasserleitungen Athens, in: MDAI(A) 2, 1877, 117–119 · K. MÜLLER, Tiryns 3, 1930, 172f. · R. MARTIN, L'urbanisme dans la Grèce antique, 1956, 209f. · J.D. KONDIS, Zum ant. Stadtbauplan von Rhodos, in: MDAI(A), 1958, 146–158 · J.M. CAMP, Die Agora von Athen, 1989, 43 · H. BAUER, Die Cloaca Maxima in Rom, in: Schriftenreihe der Frontinus-Ges., H. 12, 1989, 45–63 · R. TÖLLE-KASTENBEIN, Ant. Wasserkultur, 1990, 166–176 · D. P. COUCH, Water Management in Ancient Greek Cities, 1993, 176; 178f. · C. HEMKER, Altoriental. K. Unt. zu Be- und Entwässerungsanlagen im mesopotam.-syr.-anatol. Raum (Abh. der Dt. Orient-Ges. 22), 1993 · J.P. ADAM, Roman Building. Materials and Techniques, 1994, 261–263 · U. GROTE, in: Xantener Ber. 6, 1995, 277–300.
F.GL.

Kanastraion (Καναστραῖον). Das h. Kap Paliuri gen. Kap K. war das südöstl. Ende der Halbinsel → Pallene und wird als auffällige Küstenmarke von Herodot an (Hdt. 7,123) bei Schriftstellern und Dichtern häufig erwähnt.

E. OBERHUMMER, s. v. K., RE 10, 1955f.   M.Z.

Kanatha (Κάναθα). Stadt in der südsyr. Landschaft Ḥaurān (jetzt Qanawāt), ca. 90 km südsüdöstl. von Damaskos, am Westrand des eigentlichen Ḥaurāngebirges (Ǧabal Durūz). Hanglage oberhalb der wichtigen ant. Straße Damaskos–Bostra. Möglicherweise bereits im AT erwähnt (Nm 32,42; 1 Chr 2,23). Um die Mitte des 1. Jh. v. Chr. von den Römern Pompeius bzw. Gabinius (erstmals?) als erster Ort im Ḥaurān als griech. Polis konstituiert, zeitweise zur Städtegruppe der → Dekapolis gehörend. Nach 23 v. Chr. wohl unter der Herrschaft des → Herodes [1] d.Gr. bzw. seiner Nachfolger. Seit dem Tode des → Iulius [II 5] Agrippa II. (96 n. Chr.?) zur Prov. Syria, seit Septimius Severus (193–211 n. Chr.) zu Arabia gehörig. K. besaß spätestens Anf. 2. Jh. n. Chr. ein ausgedehntes Territorium, das im Osten den zentralen Teil des Berglandes und im Westen Teile der Ḥaurānebene umfaßte. Inschr. zeigen griech. Verfassungsform kombiniert mit einheimischen Clanstrukturen; in der Kaiserzeit ist Münzprägung belegt. In der folgenden Zeit büßte K. seine Rolle als wichtigster Ort des Ḥaurān zugunsten von Bostra ein. In der 2. H. des 2. Jh. wurde ein Teil des Landbesitzes an die neugegr. Polis Dionysias abgetrennt (h. as-Suwaidāʾ). K. war anscheinend in arab.-islam. Zeit zur Bedeutungslosigkeit herabgesunken. Arch.: z. T. guterh. Baureste aus Kaiserzeit und Spätantike.

GH. AMER u. a., L'ensemble basilical de Qanawát (Syrie du Sud), in: Syria 59, 1982, 257–318 · H. C. BUTLER, Ancient Architecture in Syria, Southern Syria (Publ. of the Princeton Univ. Archaeol. Exped. to Syria 1904–1905 and 1909, Div. II, Sect. A, Part 5), 1915, 346–354 · R. DONCEEL, L'exploration de Qanaouat, in: Annales Archeologiques Arabes Syriennes 33/2, 1983, 129–139 · H. I. McADAM, Studies in the History of the Roman Province of Arabia. The Northern Sector, 1986, 75–78 · M. SARTRE, Le territoire de Canatha, in: Syria 58, 1981, 343–357 · Ders., Les cités de la Décapole septentrionale. Canatha, Raphana, Dion et Adraha, in: Aram 4, 1992, 139–156 · SCHÜRER 2, 140–142 · A. SPIJKERMAN, The Coins of the Decapolis and Provincia Arabia, 1978.   J. G.

Kanathos (Κάναθος). Quelle, in der Hera nach argivischer Legende durch jährliches Bad ihre Jungfräulichkeit zurückgewann (Paus. 2,38,2); wohl die h. große Quelle im Kloster Hagios Moni 2 km östl. von Nauplia.

J. G. FRAZER, Pausanias's Description of Greece 3, ²1913, 304f.   Y. L.

Kandahar (h. Šahr-e Kohna). Hauptstadt der Satrapie → Arachosia, rechteckige Stadt der Kuschanen (→ Kuschan(a)) und Kuschano-Sāsāniden, dreiteilig: 1. die befestigte Wohnstadt mit zentraler Zitadelle; 2. zwei Vororte; 3. ein buddhistisches Kloster mit Stupa und Wasserleitungssystem. Eine Felsinschrift des → Aśoka (griech.-aram. → Bilingue) enthält eine rel.-soziale Proklamation des Maurya-Herrschers. Die Wahl beider Sprachen weist auf die Ansiedlung von Griechen und Syrern in K. im 3. vorchristl. Jh. hin. Eine griech. Bauinschrift enthält Fragmente zweier Edikte Aśokas. Eine weitere Bilingue Aśokas ist in Prakrit und Aram. abgefaßt.

P. BERNARD, Les noms anciens de Qandahar, in: Studia Iranica 3, 171–185.   B. B.

Kandake. Von den griech.-röm. Schriftstellern und den frühen Reisenden wurde K. irrtümlich als Eigenname aufgefaßt. H. ist es erwiesen, daß es sich dabei um einen Titel handelte: das → meroitische Wort *kdke* oder *ktke* < *kd* (»Frau«) + *-ke* (ein Suffix bei Titeln). Der Titel K. bezeichnete die Königsmutter bzw. Mutter des Thronfolgers. Die bekannten Kandaken von → Meroe sind Bartare und Sl[...]tine˙ (Anf. 3. Jh. v. Chr.), Amanirenas und Amanischacheto (Mitte bis Ende 1. Jh. v. Chr.), Amanitore (Anf. 1. Jh. n. Chr.)

S. WENIG, Bemerkungen zur Chronologie des Reiches von Meroe, in: MIO 13, 1967, 1–44, bes. 36ff. · I. HOFMANN, Zu den meroitischen Titeln ktke und pqr, in: ZDMG Supplementa 3/2, 1977, 1400–1409 · M. ZACH, Meroe: Mythos und Realität einer Frauenherrschaft im ant. Afrika, in: E. SPECHT (Hrsg.), Nachr. aus der Zeit. Ein Streifzug durch die Frauengesch. des Alt., 1992, 73–114.   A. LO.

Kandalos (Κάνδαλος). Einer der sieben Söhne des Helios und der Nymphe Rhodos; in der Urgeschichte der Insel Rhodos sind sie Kulturbringer nach der → Sintflut.

Nach dem gemeinsamen Mord am schönsten Bruder, → Tenages, fliehen sie; K. besiedelt die Nachbarinsel Kos (Diod. 5,56f.; schol. Pind. O. 7,72f.). Der Mythos spiegelt wohl polit. Ansprüche der Insel Rhodos auf Kos.   F. G.

Kandaules (Κανδαύλης). Nach Hdt. 1,7–12 der letzte Herrscher der Heraklidendynastie im lyd. Sardis, von den Griechen nach seinem Vater Myrsos auch Myrsilos genannt. K. gab seinem Vertrauten → Gyges [1] Gelegenheit, seine Frau nackt zu sehen, damit der sich von ihrer Schönheit überzeuge, wurde dann aber von Gyges ermordet, nachdem diesem von der bloßgestellten Gattin nur der Selbstmord als Alternative gestellt worden war. Eine dramat. Fassung des Stoffes ist in Resten faßbar (TrGF II Adespota F 664). Sonst ist K.' Name Sadyattes oder Adyattes (Nikolaos von Damaskos FGrH 90 F 46–47), wozu K. ein sakraler Beiname sein könnte [1]. Zur Rezeption des K.-Motivs bei HEBBEL, GIDE und ZEMLINSKY vgl. [2].

1 J. G. PEDLEY, Carians in Sardis, in: JHS 94, 1974, 96–99
2 H. SCHWABL, H. KRONES, K.: Von Herodot bis Zemlinsky, in: Wiener humanist. Blätter 39, 1997, 1–106.   R. B.

Kandelaber s. Beleuchtung

Kandyba (Κάνδυβα). Ort in Lykien (lyk. Xakba, hethit. Hinduwa?) beim h. Gendive, der im 5./4. Jh. v. Chr. als Xakba polit. Bed. besaß. Überreste der 1,5 ha großen Akropolis-Siedlung bezeugen Siedlungskontinuität bis in byz. Zeit. K. war in hell. Zeit Polis, prägte zuletzt unter Gordianus III. (238–244 n. Chr.) Mz.; spätant. Bischofssitz.

M. ZIMMERMANN, Unt. zur histor. Landeskunde Zentrallykiens, 1992, 56–61.   U. HA.

Kane (Κανή). Ant. Hafenstadt an der Süd-Küste Arabiens in der Bucht des h. Bīr ʿAlī (14° 02' N, 48° 20' O). Nach der peripl. m. r. 27 war K. mit der vorgelagerten Insel Ὀρνέων/*Ornéōn*, dem ant. ʿUrr Māwiyat und h. Ḥuṣn al-Ghurāb, ein wichtiger Handelsplatz, der zum hadramitischen Königreich des Eleazos gehörte und Ausgangspunkt der → Weihrauchstraße war; auch Ptol. 6,7,10 verzeichnet K. als → Emporion, und Plin. nat. 6,104 lokalisiert *Cane* in der Weihrauchregion. Der Hafenort K. (Qanaʾ) wird in sechs sabäischen Inschr. (→ Saba) erwähnt, davon dreimal in Feldzugsberichten gegen → Hadramaut in der 1. H. des 3. Jh. n. Chr.

Seit 1985 von russischen Archäologen durchgeführte Grabungen haben Teile der vom Anf. des 1. Jh. n. Chr. bis zum Anf. des 7. Jh. besiedelten Stadt freigelegt. Funde importierter Keramik und Amphoren aus dem Mittelmeerraum, fremdländische Mz. und eine fünfzeilige griech. Inschr. aus dem 4. Jh. belegen die Bed. von K. als Handelszentrum.

B. Doe, Ḥuṣn al-Ghurâb and the Site of Qanaʾ, in: Le Museon 74, 1961, 191–198 · A. V. Sedov, New Archaeological and Epigraphical Material from Qana (South Arabia), in: Arabian Archaeology and Epigraphy 3, 1992, 110–137 · P. A. Grjaznevič, Morskaja torgovlja na aravijskom more: Aden i Kana, in: Ders., A. V. Sedov (Hrsg.), Chadramaut I, 1995, 273–301.   W. W. M.

Kanephoroi (Κανηφόροι, »Korbträger/-innen«) waren die Mädchen, welche in griech. Opferprozessionen, insbes. den großen Staatsprozessionen, den Opferkorb (κανοῦν, → *kanún*) trugen; auf den bildlichen Darstellungen von Opferszenen und Prozessionen hat dieser Korb drei Henkel und wird von den Mädchen auf dem Kopf getragen [1; 2. 10–12]. K. zu sein, war eine Ehre für schöne freigeborene Töchter (Aristoph. Lys. 646). In Athen sind K. insbes. für die Prozession der → Panathenaia (IG II² 334; Aristeid. or. 18,2), der → Dionysia (Syll.² 388,32) und der nach Delphi gesandten *Pythais* (Syll.² 711E, 728E) genannt, doch auch für die Opferprozessionen im Privatkult (ländliche Dionysia, Aristoph. Ach. 242); an anderen Orten sind sie meist im Kontext großer Staatsfeste erwähnt, etwa der Delia und Apollonia auf Delos oder des Festes von Zeus Basileus in Lebadeia (Plut. mor. 772a). An manchen Orten der griech. Welt und bes. im ptolemäischen Äg. galten die K. geradezu als Priesterinnen, standen mithin für eine bestimmte Zeit im Dienst einer Gottheit.

Entsprechend der Bed. des Amtes wurden auch Statuen von K. als Weihegeschenke dediziert, die teilweise von berühmten Bildhauern stammten. Cicero beschreibt zwei unterlebensgroße Bronzebilder von K. (»nach athen. Sitte«, *more Atheniensium*) des Polykleitos, die in Messana in Privatbesitz waren (Cic. Verr. 2,4,5); zu Plinius' Zeiten standen marmorne K. des Skopas in Rom in den *horti Serviliani* (Plin. nat. 26,225).

1 J. Schelp, Das Kanoun – der griech. Opferkorb, 1975 2 F. T. van Straten, Hiera Kala. Images of Animal Sacrifice in Archaic and Classical Greece, 1995.   F. G.

Kaneš (Kaniš), später hethit. Neša (h. Kültepe bei Kaiserı/Türkei), war Zentrum altassyr. Handelskolonien in Kleinasien (weitere u. a. in Ališar und → Ḫattusa) und Umschlagplatz für von assyr. Händlern mit Eselskarawanen aus Assur importierte Waren (Zinn aus Iran, Textilien u. a. aus Babylonien), die in der Hauptsache gegen Edelmetalle – vor allem Gold und Silber – eingetauscht wurden. Gleichzeitig spielte K. – unter maßgeblicher Beteiligung assyr. Händler – eine führende Rolle im ausgedehnten inneranatolischen Kupferhandel. Die Strukturen und Prozesse dieses Handels und das tägliche Leben der assyr. Händler lassen sich durch bisher ca. 20 000 Rechtsurkunden (Schuldscheine, Darlehens-, Transport- und Gesellschaftsverträge), Geschäftsnotizen und Briefe detailliert nachvollziehen. Der Handel wurde von assyr. privaten Entrepreneuren organisiert, stand auf anatolischer Seite aber unter Kontrolle der jeweiligen Regionalherrscher. In ihrer Bedeutung lassen sich diese Dokumente ohne weiteres qualitativ und quantitativ mit denen aus den Handelszentren des europ. MA vergleichen. Die fast ausschließlich in dem als *kārum* bezeichneten Teil der Stadt gefundenen Tontafeln aus den Archiven der Händler stammen aus zwei verschiedenen arch. Schichten (*kārum* K. II und Ib), mit einer Dauer von jeweils ca. 100 Jahren (ca. 1900–1700 v. Chr.). → Handel; Kleinasien, Neolithikum – Bronzezeit

1 J. G. Dercksen, The Old Assyrian Copper Trade in Anatolia, 1996 (mit ausführlicher Bibliogr.) 2 H. Klengel, Gesch. des hethit. Reiches, 1999, 21–32 3 G. Kryszat, Zur Chronologie der Kaufmannsarchive aus der Schicht II des Kārum K., 1999 (mit Lit.; im Druck) 4 W. Orthmann, K. R. Veenhof, s. v. K., RLA 5, 369–383.   GU. KR.

Kanethos (Κάνηθος). Z. Z. Alexanders d. Gr. in die Stadtbefestigung von Chalkis einbezogener Festlandhügel, h. Kara Baba, der zuvor als Nekropole gedient hatte. Belege: Strab. 9,2,8; 10,1,8; Theophr. h. plant. 8,8,5; schol. Apoll. Rhod. 1,77.

Philippson/Kirsten, Bd. 1, 409, 602.   H. KAL.

Kaninchen s. Hase

Kanischka (Kaniṣka). Bedeutendster Herrscher der → Indoskythen; genaue Datierung strittig, Regierungsanfang etwa 100 n. Chr. Sein Reich erstreckte sich von Baktrien und der Sogdiana bis ins Innere Indiens, mit Baktra, Surkh Kotal, Taxila und Mathurā als wichtigen Zentren. K. unterhielt Beziehungen zu Rom und führte wahrscheinlich – neben indischen und iran. Titeln – den griech. Titel *Kaísar*.

A. L. Basham (Hrsg.), Papers on the Date of K., 1968.   K. K.

Kanitas. Einer der skyth. Könige, die Ende 3./2. Jh. v. Chr. in Scythia minor (Dobrudža) regierten und durch ihre offensichtlich in Tomis, Kallatis, Dionysopolis und Odessos emittierten Mz. bekannt wurden. K. prägte mehrere Typen und Nominale von Bronze-Mz. und wird als König der Skythen in einem Dekret aus Odessos (CIG 2, 2056; IGBulg I², 41; Moretti, 124) erwähnt.

K. Regling, Charaspes, in: Corolla Numismatica, 1906, 259–265 · J. Youroukova, Nouvelles données sur la chronologie des rois scythes en Dobrudža, in: Thracia 4, 1977, 105–121.   U. P.

Kan(n)a (Κάν[υ]α). Stadt in Ost-Lykaonia, h. Beşağıl (ehemals Gene), östl. von → Ikonion an einer Straße von Amorion zur Kilikischen Pforte [1. 100f., 185]. Von Ptol. 5,6,15 zu Lykaonia (innerhalb von Kappadokia) gerechnet. Spätestens seit 381 n. Chr. Bistum in Lykaonia (Suffragan von Ikonion), das bis ins 12. Jh. bestand [1. 185]. Inschr., darunter zwei mit dem Stadtnamen, sind erh. ab dem 2. Jh. n. Chr. [2].

1 Belke 2 MAMA 8, XIII, 38–40.   K. BE.

Kannelur s. Säule

Kannibalismus (ἀνθρωποφαγία/ *anthrōpophagía*, »Menschenfresserei«) erscheint in ant. Mythen und ethnographischen Berichten als etwas, was sich im Gegensatz zum Hier und Jetzt entweder in der Vergangenheit oder an den Rändern der bekannten Welt unter auch sonst die Grundwerte griech. Kultur nicht achtenden Bevölkerungen abspielt oder was, in dionysischen Mythen, die Grenzüberschreitung in der → Ekstase bezeichnet [1; 2]. In dieser Struktur decken sich die ant. Berichte erstaunlich mit den neuzeitlichen [3].

Menschenfresser ist schon der Kyklop → Polyphemos, den die ›Odyssee‹ überhaupt als Gegenbild zum zivilisierten Dasein der Griechen entwirft [4]. Die skyth. *Androphágoi* sind gesetz- und kulturlos (Hdt. 4,106; generalisiert Ephoros FGrH 70 F 43; Plin. nat. 7,11 f.). Sonst wird K. meist in der Form von Altentötung und Verzehrung der Toten beschrieben (Hdt. 1,216,2 Massageten; 3,38,4 und 99 Inder, 4,26,1 Skythen; Theophr. De pietate fr. 3,19 PÖTSCHER Bassarer; Strab. 4,5,4 Iren; Plin. nat. 6,195 Aethiopen). K. gehört auch in die gesetzlose Urzeit der Menschheit und wird dort mit Menschenopfern verbunden (Orph. fr. 292; Aristoph. Ran. 1032). Er wird auch dem von Herakles getöteten → Busiris [3], der wie Polyphemos und die Bewohner von Tauris das Gastrecht durch → Menschenopfer verletzt, zugeschrieben (Isokr. Busiris 7; 31). Für Notlagen unter Belagerung wird K. von den Kelten und Iberern berichtet, was Caesar propagandistisch ausnützt (Strab. 4,5,4; Caes. Gall. 7,77,12). Ebenso Propaganda, doch auch Ängste vor Randgruppen, drücken Erzählungen über Kinderopfer und K. bei Juden und Christen, aber auch bei christl. Häretikern aus [5; 6].

Noch drastischere Grenzüberschreitung ist K. an den eigenen Kindern. In den Mythen von den Töchtern des → Proitos und → Minyas, die nach ihrem Widerstand gegen Dionysos in übersteigerter Ekstase ihre eigenen Kinder essen (Apollod. 3,37; Ail. var. 3,42), ist dies Kultaitiologie, zugleich Ausdruck der Gefahren der Ekstase [7]; in denjenigen von → Lykaon und → Tantalos verletzt das Töten und Auftischen des Sohnes die Grenze zw. Gott und Mensch – so wird diese Grenze erst gesetzt.

→ Kyklopen

1 M. DETIENNE, Dionysos mis à mort, 1977, 135–160 u.ö.
2 D. D. HUGHES, Human Sacrifice in Ancient Greece, 1991
3 W. ARENS, The Man-Eating Myth. Anthropophagy and Anthropology, 1979 4 G. S. KIRK, Myth. Its Meaning and Function in Ancient and Other Cultures, 1972, 162–171
5 M. J. EDWARDS, Some Early Christian Immoralities, in: AncSoc 23, 1992, 71–82 6 J. B. RIVES, The Blood Libel against the Montanists, in: Vigiliae Christianae 50, 1996, 117–124 7 W. BURKERT, Homo necans, 1972, 189–200.
F. G.

Kanobos, Canopus. Ort an der Mündung des damals westlichsten Nilarms, äg. *P(r)-gwtj*, beim h. Abū Qīr westl. von Alexandreia; als Hafenstadt war K. seit dem 8. Jh. v. Chr. Tor Ägyptens (Weg nach → Naukratis), bis Alexandreia, mit dem K. durch einen Kanal verbunden

wurde, diese Funktion übernahm. K. war bedeutendes rel. Zentrum mit → Sarapis als Hauptgott (berühmter Tempel als Stätte des Heilschlafes und von Orakeln [1; 2]). Isis und Harpokrates wurden hier verehrt. Ein → Ibis-Friedhof aus griech.-röm. Zeit weist auf einen → Thot-Kult hin. Der Name K. soll auf den nach der Sage hier begrabenen Steuermann des Menelaos zurückgehen, der als Osiris K. verehrt wurde [1; 2]. Sein Kultbild hatte die Form eines bauchigen Gefäßes mit Osiriskopf (→ Kanope). Ant. Autoren kennen K. auch als Vergnügungsort der Alexandriner. Im Jahr 238 v. Chr. fand in K. eine Synode der äg. Priester statt (»Kanoposdekret«). K. ist arch. noch unzureichend erforscht. 1989 wurde eine Statue der Göttin Isis gefunden [3]; seit kurzem erneute Grabungen.

1 A. BERNAND, Le Delta égyptien d'après les textes grecs I, 1970, 153–327 2 H.-J. THISSEN, s. v. Kanopus, LÄ 3, 320–321 3 S. DORREYA, A Statue of Isis, Bulletin de la Societé d'Archéologie d'Alexandrie 45, 1993, 291–294.
HE. FE.

Kanon [1] I. ALLGEMEIN II. ALTER ORIENT III. GRIECHISCHE LITERATUR IV. LATEINISCHE LITERATUR V. BIBEL VI. KUNST

I. ALLGEMEIN

Das griech. Wort K. (κανών, *kanṓn*) leitet sich wahrscheinlich von κάννα ab (*kánna*: »Binsenrohr, -rute«), einem semit. Lehnwort im Griech. Von der urspr. Bed. »gerades Rohr, Stange, Stab (in verschiedener Anwendung)« ausgehend entwickelten sich mehrere spezifisch technische Bedeutungen. So bezeichnet griech. *k.* die Richtlatte bzw. das Winkelmaß des Zimmermanns oder Maurers, eine chronologische oder astrologische Tafel, in der musikalischen Terminologie ein Monochord (ab Eukleides [3]) usw. Zahlreiche Sonder-Bed. entwickelten sich im juristischen und rel. Vokabular, verschiedene technische Fachsprachen kennen andere Ableitungen. Allg. bedeutet *k.* dann »Maß«, woraus die metaphorische und abstrakte Bed. »Regel, Paradigma, Modell, K.« in verschiedener Anwendung hervorging (etwa ein metrisches Schema, eine präskriptive Norm oder ein Flexionsparadigma in der griech. Sprachwiss. und Gramm., ein beispielhaftes Vorbild auf künstlerisch-lit. Feld).

›K.‹ war der Titel einer kunstgesch. Abh., in der der Bildhauer → Polykleitos die theoretischen Prinzipien seiner Kunst und die Lehre von den Proportionen darlegte. Wahrscheinlich bezeichnete der Begriff auch eine Modellstatue (den *Doryphóros*?), die diese Normen beispielhaft darstellen sollte. In der Philos. erscheint der Begriff als Titel von Werken des → Demokritos [1] (Περὶ λογικῶν κανών/›Richtschnur über Logik‹: 68 A 33[47], B10b–11 DK) und des Epikur (Περὶ κριτηρίου ἢ κανών/›Über Kriterien oder K.‹: Diog. Laert. 10,27), die in den Bereich von Logik und Erkenntnistheorie gehören.

II. Alter Orient

→ Literatur (babylonisch).

III. Griechische Literatur

In der rhet.-lit. Kritik ist die Bedeutung von K. als beispielhaftes und der Nachahmung vorzuziehendes Vorbild (das wir heute einen »Klassiker« nennen würden) gut bezeugt. Dionysios [18] von Halikarnassos will denen, die gut schreiben oder sprechen möchten, gültige Vorbilder (κανόνες, kanónes) benennen (Dion. Hal. Thuk. 1), und definiert den Redner → Lysias als kanốn des reinen att. Stils (Dion. Hal. Lys. 2).

In hell. Zeit wurden Auswahllisten von denjenigen griech. Autoren zusammengestellt, die man für die besten Repräsentanten ihrer jeweiligen Gattung hielt. Das war keine neue Idee, wenn man an den Streit um den Rang des besten Trag.-Dichters in den ›Fröschen‹ des Aristophanes und die Schrift des Herakleides Pontikos (4. Jh. v. Chr.) ›Über die drei Tragödiendichter‹ denkt: Sie setzen voraus, daß Aischylos, Sophokles und Euripides als herausragende Dichter anerkannt waren. Die ausgewählten Autoren hießen ἐγκριθέντες (enkrithéntes, von enkrínō, »(aus)wählen, zulassen«); ihre Werke waren Gegenstand philol.-exegetischer Bemühungen von hell. Grammatikern und Kritikern – dies wirkte sich auf ihren Erhalt in der Überl. aus (→ Klassizismus). Die alexandrinische → Philologie spielte in dieser Hinsicht (zumindest mit → Aristophanes [4] von Byzanz und → Aristarchos [4] von Samothrake) gewiß eine bed. Rolle bei der Herstellung von Listen ausgewählter Autoren, doch ist dieses Ergebnis der krísis, d. h. des kritischen Urteils, sicherlich nicht ausschließlich ihr zu verdanken. Herkunft und Konsolidierung einzelner Listen in verschiedenen hell. und kaiserzeitl. Kontexten werden diskutiert. Die neun Lyriker, die drei Iambographen, die drei Tragiker, die zehn att. Redner sind bekannte und dokumentierte Beispiele, doch stellte man sicher auch Listen von ep. und komischen Dichtern sowie Historikern auf (eine wichtige Quelle ist Quint. inst. 10,1,53 ff.).

Der Gebrauch im Sinne einer beispielhaften »Liste/Auswahl von Autoren/Werken« einer Gattung scheint jedoch nicht antik zu sein. Der Begriff K. in diesem Sinne ist modern: Seit seiner Einführung durch D. Ruhnken im Jahr 1768 (vgl. [5. 255; 7. 1873]) spricht man vom »K.« der neun Lyriker, der zehn Redner usw. bzw. von den neun »kanonischen« Lyrikern oder den drei ›kanonischen‹ Tragikern (Aischylos, Sophokles, Euripides). Möglicherweise liegt der Begriffswahl der Gebrauch von kanốn zur Bezeichnung jener Bücher der Bibel zugrunde, die offiziell als göttlich inspiriert galten (erste Belege: Eus. HE 6,25,3; Athan. de decretis Nycaenae synodi 18).

→ Literatur, griechische; Klassizismus; Philologie; Kanon

1 J. Cousin, Études sur Quintilien, 1, 1936, 565–572 2 A. E. Douglas, Cicero, Quintilian and the Canon of Ten Attic Orators, in: Mnemosyne 9, 1956, 30–40 3 O. Kroehnert, Canonesne poetarum, scriptorum, artificum per antiquitatem fuerunt?, Diss. Königsberg 1897 4 G. W. Most, Canon Fathers: Literary, Mortality, Power, in: Arion 3, 1990, 35–60 5 Pfeiffer, KP I, 251–256 6 H. Oppel, KANΩN, in: Philologus Suppl. 30.4, 1937 7 L. Radermacher, s. v. K., RE 10, 1873–1878 8 B. Reicke, s. v. K., LAW 1482–1484 9 D. Schulz, Zum K. Polyklets, in: Hermes 83, 1955, 200–220 10 U. v. Wilamowitz, Textgesch. der griech. Lyriker, 1900, 63 ff.
F. M./Ü: T. H.

IV. Lateinische Literatur

Lat. Übers. des griech. k. ist regula, norma; kanonisieren: inserere (Hor. carm. 1,1,35), in numerum (ordinem) redigere; Gegensatz: numero eximere (Quint. inst. 1,4,3; 10,1,54); classici für kanonische Autoren erstmals Gell. 19,8,15 [1. 366].

K. hat in Rom eine doppelte Orientierung: Er umfaßt sowohl den Gebrauch griech. K. als Muster der eigenen lit. Produktion als auch die Herausbildung eines eigenen K. lat. Autoren, der indes keine dem griech. vergleichbare Listenform erlangt – eine frühe Ausnahme ist der Komiker-K. des → Volcacius Sedigitus (E. 2. Jh. v. Chr.). Infolge des konstitutiven griech. Bezuges der lat. Lit. setzt K.-Bildung im engeren Sinn erst ein, als man über eine Lit. verfügt, die für gleichwertig gehalten wird, d. h. im Zusammenhang der augusteischen Klassik sowie im Anschluß an Selbstkanonisierungen des 1. Jh. v. Chr. [2. 248]. Ein früher Zeuge ist Vell. 2,36 [3. 89 ff.]. Am wirkungsmächtigsten wird dann die wertende Lektüreliste Quint. inst. 10,1, die die Herausbildung eines lat. Klassikerkanons anzeigt; in dem Katalog, der nach Gattungen und unter Anwendung des → Synkrisis-Schemas in die beiden Großgruppen griech. und röm. Autoren (46–84; 85–131) gegliedert ist, finden sich spätrepublikanische bzw. frühaugusteische Vertreter nach Möglichkeit privilegiert [2. 248 f.]. Zwecksetzung der Aufnahme ist die praktische Verwendung zur Imitatio (Nachahmung), die im Gramm.- und Rhet.-Unterricht vermittelt wird. Zum Kernbestand der kaiserzeitlichen Schule gehört die Quadriga → Terentius, → Vergilius, → Sallustius und → Cicero, in geringerem Maße → Horatius [7], → Plautus und → Livius. Die silberne Latinität findet kaum Eingang, was ihrem Selbstverständnis als nicht zum K. gehörig entspricht [3]; ebensowenig setzt sich ein archaistischer Erweiterungsversuch im 2. Jh. durch [4]. Innerhalb des K. werden für Dichtung und Prosa nochmals je die erstrangigen Vertreter bestimmt; daraus ergibt sich für den lat. Bereich das bis weit in die Neuzeit hineinwirkende Paar Cicero und Vergil. Ab dem 4. Jh. werden auch nachklass. Autoren aufgenommen; die erheblichen Erweiterungen sind Voraussetzung der reichen und nicht mehr klassizistisch gebundenen Lektürelisten von MA und früher Neuzeit [1].

→ Literatur, lateinisch; Klassizismus; Kanon

1 P. L. Schmidt, De honestis et nove veterum dictis, in: W. Vosskamp (Hrsg.), Klassik im Vergleich, 1993, 366–388 2 E. A. Schmidt, Histor. Typologie der Orientierungs-

funktionen von K. in der griech. und röm. Lit., in: A. und J. Assmann (Hrsgg.), K. und Zensur, 1987, 246–258 **3** S. Döpp, Nec omnia apud priores meliora, in: RhM 132, 1989, 73–101 **4** U. Schindel, Archaismus als Epochenbegriff, in: Hermes 122, 1994, 327–341.   G. V.-S.

V. Bibel

Im christl. Sprachgebrauch taucht das Wort K. in drei Zusammenhängen auf, im 2. Jh. n. Chr. bei der Bekenntnisbildung (*regula fidei*) und im 4. Jh. n. Chr. bei der Sammlung und Festlegung kirchl. Rechtsbestimmungen (*canones*) sowie für Umfang und Geltung der christl. Bibel aus AT und NT [7. 3], die aber jeweils schon früher feste Größen waren.

A. Alttestamentlich

In der dreiteiligen jüd. Bibel (Tenach: Tora = Gesetz, Nebiim = Propheten, Ketubim = Schriften) wurde die »Tora« (= → Pentateuch) um 300 v. Chr. (samaritanisches Schisma: → Samaria) zuerst abgeschlossen (es ist ›nichts dazu- und nichts abzutun‹, Dt 4,2; 13,1), dann um 200 v. Chr. die Zahl der »Propheten«, zu denen Daniel (Mitte des 2. Jh. v. Chr.) nicht mehr gehört. Um 100 n. Chr. sind für → Iosephos [4] Flavios unter Einschluß der »Schriften« 22 Bücher ›zu Recht anerkannt‹ (Ios. c. Ap. 1,38; 4 Esra 14,45 hat 24). Im Umfang unterscheiden sich die hebräische und die griech. (→ Septuaginta) Bibel. Neben einigen Umstellungen und Zusätzen enthält letztere auch die Bücher Tobit, Judit, Weisheit Salomos, Jesus Sirach, Baruch und 1.–4. Makkabäer. Der Septuaginta entspricht in etwa die lat. Bibel (→ Vulgata), die seit 1546 (Trienter Konzil) für die röm.-kathol. Kirche kanonisch ist – gegen die Protestanten, die sich auf die hebräische Bibel beriefen. In jüngster Zeit wird vor allem im englischsprachigen Bereich unter dem Schlagwort »canon criticism« gefordert, die at. Texte im Rahmen des K. auszulegen [3; 4; 9].

B. Neutestamentlich

Von Anfang an war die jüd. Bibel, bes. die → Septuaginta, für die Christen »Hl. Schrift«. Dazu traten als neue Norm zunächst die »Herrenworte«, dann die »Erinnerungen der Apostel«. Wie der nt. K. im einzelnen zustande kam, weiß man nicht, wohl aber, wann etwa und warum er entstand. Noch in der Mitte des 2. Jh. n. Chr. gab es ihn nicht; → Iustinus [6] nennt neben der jüd. Bibel nur »Herrenworte« und die »Erinnerungen der Apostel«. Wenige Jahrzehnte später ist der nt. Kanon bei → Eirenaios [2] (Irenaeus) von Lyon und → Tertullianus vorhanden. Als Damm gegen die → Gnosis und den → Montanismus – vielleicht auch, um → Markions Bibel (Lukasevangelium und 10 Paulusbriefe) zu korrigieren [2] – wurden nach dem histor. Prinzip der »Apostolizität« [1. 118] alle Schriften gesammelt, die von Aposteln oder deren Schülern stammten [8]. Für zwei Jh. war neben der wegen ihrer Bed. für den Montanismus umstrittenen Apokalypse des Johannes einzig die Zugehörigkeit jener Schriften zum nt. K. unsicher, deren Apostolizität nicht eindeutig war (Hebr, Jak, Jud, 2 und 3 Jo, 2 Petr). Dem entspricht es, daß → Origenes im

3. Jh. und → Eusebios [7] von Kaisareia am Anfang des 4. Jh. n. Chr. diese Schriften als Antilegomena (umstrittene Schriften) bezeichnen – im Unterschied zu den Homologumena (allgemein anerkannten Schriften) –, und daß erst am Ende des 4. Jh. n. Chr. alle 27 Schriften des NT kommentarlos als »kanonisch« aufgezählt werden (→ Athanasios’ 39. Osterbrief von 367; Synode von Laodikeia, zwischen 351 und 380 [7. 402–406]).
→ Apokryphe Literatur; Bibel; Christentum; Neutestamentliche Apokryphen

1 J. Assmann, Das kulturelle Gedächtnis. Schrift, Erinnerung und polit. Identität in frühen Hochkulturen, 1992 **2** H. v. Campenhausen, Die Entstehung der christl. Bibel, 1968 **3** B. S. Childs, Bibl. Theologie und christl. K., in: Jb. für Bibl. Theologie 3, 1988, 13–27 **4** Ders., Biblical Theology of the Old and New Testament, 1993 (dt. 1994/96) **5** E. Käsemann (Hrsg.), Das Neue Testament als K. Dokumentation und kritische Analyse zur gegenwärtigen Diskussion, 1970 **6** B. M. Metzger, Der K. des Neuen Testaments. Entstehung, Entwicklung, Bedeutung, 1993 (engl. 1987) **7** H. Ohme, K. ekklesiastikos. Die Bed. des altkirchl. Kanonbegriffs, 1998 **8** F. Overbeck, Zur Gesch. des K., 1880, Ndr. 1965, jetzt in: E. W. Stegemann, R. Brändle (Hrsg.), Franz Overbeck, Werke und Nachlaß, Bd. 2. Schriften bis 1880, 1994, 379–538 **9** J. A. Sanders, s. v. Canon. Hebrew Bible, Anchor Bible Dictionary 1, 837–852 **10** W. Schneemelcher, Zur Gesch. des nt. K., in: Ders. (Hrsg.), Nt. Apokryphen in dt. Übers., Bd. 1: Evangelien, ⁵1987, 7–27 **11** Th. Zahn, Grundriß der Gesch. des Nt. K., ²1904, ³1985, mit einer Einführung von U. Swarat **12** E. Zenger (Hrsg.), Die Tora als K. für Juden und Christen, 1996 (mit neuerer Lit.).   M. RE.

VI. Kunst
→ Polykleitos

[2] (κανών). Neben dem → Kontakion bildet der K. die zweite und letzte Steigerung der byz. Kirchendichtung. Die Grundform des K. ist die aus drei → Troparia bestehende → Ode, die im Orthros (Morgengottesdienst) verwendet wird. Anfangs nur zu kirchlichen Festen gesungen, löste der K. im 7. Jh. n. Chr. das Kontakion ab. Seine Blüte erreichte er in den Schöpfungen des → Iohannes [33] von Damaskos, des → Kosmas von Maiuma und des → Andreas [2] von Kreta.

E. Wellesz, A History of Byzantine Music and Hymnography, ²1961, 198–239.   K. SA.

Kanones-Sammlungen s. Collectiones canonum

Kanonik s. Erkenntnistheorie

Kanope. Name der (meist steinernen) Krüge, in denen die Ägypter die Eingeweide beisetzten, oft in einem eigenen Kasten aufbewahrt. Sie unterstehen dem Schutz von vier Göttern (»Horussöhnen«) und vier Göttinnen (→ Isis, → Nephthys, → Neith, → Selkis) und sind oft mit entsprechenden Sprüchen, die Leichenteile mit den entsprechenden Gottheiten identifizieren, beschriftet. Seit der 1. Zwischenzeit (2190–1990 v. Chr.) sind die

Deckel der K. meist menschenköpfig gebildet, seit der 19. Dyn. auch als Köpfe der Horussöhne (Mensch, Pavian, Schakal, Falke). Der Name K. entstand, weil man früher in diesen Krügen das von Rufinus, Historia ecclesiastica 11,26 beschriebene Kultbild von Kanopos (→ Kanobos) zu erkennen glaubte.
→ Bestattung

K. MARTIN, s. v. K. II, LÄ 3, 316–319.   K. J.-W.

Kanopos s. Kanobos

Kanthariden (κανθαρίδες) sind offizinell verwendete schlanke, metallisch-grüne Ölkäfer wie die sog. Spanische Fliege (Lytta vesicatoria), deren Inhaltsstoff Kantharidin bei oraler Einnahme zu Vergiftungen führt, wie Plin. nat. 29,93–96 (vgl. [1. 70f.]) an einem Fall belegt. Äußerlich u. a. mit Schafstalg auf Wunden gestrichen, seien die *cantharidae* durch ihre blasenziehende Brandwirkung, von der das MA durch Isid. orig. 12,5,5 unterrichtet wurde, nützlich. Man sammelte die auf Pflanzen wie der Hundsrose oder der Esche lebenden Käfer in einem mit Leinwand zugebundenen Tongefäß und tötete sie durch mit Salz erhitzte Essigdämpfe (ähnlich Dioskurides 2,61 WELLMANN = 2,65 BERENDES). Von Plinius (nat. 29,76) werden K. in einem Getränk als Gegenmittel gegen den als sehr giftig angesehenen Salamander empfohlen. Die spätere Verwendung als Aphrodisiakum ist weder in der Ant. noch im MA belegt.

1 LEITNER.   C. HÜ.

Kantharos (Κάνθαρος).
[1] Kelchförmiges Trinkgefäß mit hochgezogenen Schlaufenhenkeln (→ Gefäße Abb. D 5). Attribut des → Dionysos, bes. mit seinem Kult und dem der Heroen und Toten verbunden. K. als Gigantenname im Siphnierfries von Delphi wird trotz Helmbügelmotiv in Form eines K. neuerdings angezweifelt. Aufkommen der Form in hellad. Zeit, mit hohem Fuß erst gegen 600 v. Chr. Profanierte Varianten im spätklass.-hell. Tafelgeschirr (Daumenplatten-K.). Die sog. Kabiren-Kantharoi gehören zu den → Skyphoi.

P. COURBIN, Les origines du canthare attique archaïque, in: BCH 77, 1953, 322–345 · M. GRAS, Canthare, société étrusque e monde grec, in: OPUS 3, 1984, 325–335 · V. BRINKMANN, Die aufgemalten Namensbeischriften an Nord- und Ostfries des Siphnierschatzhauses, in: BCH 109, 1985, 91–93 · H. A. G. BRIJDER, The Shapes of the Etruscan Bronze Kantharoi from the Seventh Century B. C. and the Earliest Attic Black-Figure Kantharoi, in: BABesch 63, 1988, 103–114.   I. S.

[2] Die große Haupthafenbucht des → Peiraieus (Plut. Phokion 28,3; Aristoph. Pax 145 mit schol.; Hesych. s. v. K.; Anecd. Bekk. 1,271,8), sonst nur *mégas* oder *mégistos limén* (»großer« oder »größter Hafen« gen.; Plut. Themistokles 32,4; Paus. 1,1,2; IG II² 1035,45f.) [1. 61f.; 2. 9], h. Kentrikos limen. Benannt nach einem (sonst unbekannten) Heros [1] K. (Philochoros, FGrH 328 F 203) oder nach der Gefäßform K. [1] (vgl. [3]).

Molen verengten die Einfahrt des K., der als *limén kleistós* (»geschlossener Hafen«; schol. Aristoph. Pax 145) innerhalb der Peiraieus-Befestigung lag [1. 61f.].

1 K. V. VON EICKSTEDT, Beiträge zur Top. des ant. Piräus, 1991 2 R. GARLAND, The Piraeus from the Fifth to the First Century B. C., 1987 3 W. JUDEICH, Top. von Athen, ²1931, 443ff.   H. LO.

[3] Der Name K. wurde von [3] als Namensbeischrift eines Giganten auf dem Siphnierfries in Delphi gelesen; wahrscheinlicher ist die neue Lesung als Tharos (Θάρ(ρ)ος »Mut«, »Dreistigkeit«) [1; 2].

1 V. BRINKMANN, Namensbeischriften an Friesen des Siphnierschatzhauses, in: BCH 109, 1985, 92; 128–130 2 Ders., Die Friese des Siphnierschatzhauses, 1994, 161–162 3 E. MASTROKOSTAS, Zu den Namensbeischriften des Siphnier-Frieses, in: MDAI(A) 71, 1956, 77ff. 4 F. VIAN, s. v. K., LIMC 5.1., 952.   R. A. MI.

[4] Dichter der att. Alten Komödie, dessen Wirkungszeit ins ausgehende 5. Jh. v. Chr. fällt [1]. Falls sein Name auf den entsprechenden Inschr. richtig ergänzt ist, war K. mindestens einmal an den Großen Dionysien siegreich (422 v. Chr.) [2. test. *2; *3]. Aus seinem Œuvre kennt die Suda noch die Titel von fünf Stükken (Μήδεια/›Medea‹, Τηρεύς/›Tereus‹, Συμμαχίαι/›Die Bündnisse‹, Μύρμηκες/›Die Ameisen‹, Ἀηδόνες/›Die Nachtigallen‹), welche bis auf ganz geringe Reste verloren sind [2].

1 A. KÖRTE, s. v. K. (3), RE 10, 1884f. 2 PCG IV, 1983, 57–62.   T. HI.

[5] Sohn des Alexis. Bronzebildner aus Sikyon, Schüler von → Eutychides und somit im frühen 3. Jh. v. Chr. tätig; da sein Vater kaum der Polyklet-Schüler Alexis war, ist die chronologische Einordnung entgegen LIPPOLD gesichert. Plinius reiht K. unter jene Bildhauer ein, die durch keines ihrer Werke Berühmtheit erlangten. Pausanias sah in Olympia von K. zwei Statuen von Knabensiegern.

OVERBECK Nr. 1536–1538 · LIPPOLD, 317 · G. CARETTONI, EAA 4, 313.   R. N.

Kanthos (Κάνθος). Aus Euboia stammender Teilnehmer an der Argonautenfahrt (→ Argonautai), bei Apollonios Rhodios Sohn des Kanethos, des Eponymen eines euboiischen Berges, und Enkel des → Abas [1c], des Eponymen der gesamten Insel in ihrer alten Bezeichnung Abantis (1,77), bei Valerius Flaccus Sohn des Abas. K. tritt in der Argonautengeschichte kaum in Erscheinung, lediglich sein Tod im Kampf – entweder auf der Rückfahrt in Libyen (Apoll. Rhod. 4,1485–1501: er ist hier der einzige der Argonauten, der in einer Schlacht fällt; vgl. Orph. Arg. 141–143), oder in Kolchis im Kampf gegen die Iazygen (Val. Fl. 6,317–341) – wird ausführlicher beschrieben.

H. FRÄNKEL, Noten zu den Argonautika des Apollonios Rhodios, 1968, 602.   E. V.

Kanun (τὸ κανοῦν). Aus Weidenruten geflochtener, flacher Korb – auch ein Körbchen – von runder oder ovaler Form mit drei Henkeln; das K. konnte mitunter auch aus Br. (z. B. Hom. Il. 630) oder Gold (Hom. Od. 10,355; Eur. Iph. A. 1565) sein. Bereits bei Homer (Hom. Il. 9,217; Hom. Od. 1,148) als Haushaltsgegenstand erwähnt, um mit Brot, Zwiebeln (Hom. Il. 11, 630) u. a. m. beim Mahl auf den Tisch gestellt zu werden (Abfallkorb bei Hom. Od. 20,300 ?); ebenfalls bei Homer als Opfergerät im Kult aufgeführt (Od. 3,442 ff.; 4,759 f.; vgl. z. B. Eur. Iph. A. 1565; 1569; 1578; Aristoph. Pax 748; 956; Aristoph. Av. 850), wo es dazu diente, Opfergerste und -messer aufzunehmen. Auf den griech. Vasen der spätarch. und klass. Zeit mit Darstellungen der Opferzüge tragen die Mädchen (→ kanephóroi) das K., z. T. in recht unterschiedlicher Form, mit den zur Opferhandlung notwendigen Geräten auf dem Kopf (Thuk. 6,56; Ail. var. 11,8, vgl. Aristoph. Ach. 253), die als unentbehrliches Utensil bei den diversen Opferhandlungen mit zu der Szenerie [2. 123–143] gehören.

→ Canistrum; Opfer

1 J. SCHELP, Das K., der griech. Opferkorb, 1975 2 J. L. DURAND, Sarcifice et labour en Grèce ancienne, 1986, 123–143 3 R. HÄGG, N. MARINATOS, G. C. NORDQUIST (Hrsg.), Early Greek Cult Practice: Proceedings of the Fifth International Symposion at the Swedish Institute at Athens, 26–29 June 1986, 1988, passim. R. H.

Kanytelis (Kanytella?). Großes Dorf (κώμη) der Chora von → Elaiussa (überl. nur inschr. Κανυτηλλέων oder Κανυτηλιδέων δῆμος [1. 49]), das um eine ca. 60 m tiefe Karstdoline auf einer Anhöhe oberhalb der kilikischen Küste schon z. Z. des hell. Priesterfürstentums von → Olba bestand; aus dieser Zeit stammt ein dreigeschossiger Dynastenwohnturm, aus späthell. bis frühbyz. Zeit zahlreiche Wohnbauten, als man um den Dolinenrand fünf Kirchen baute (vier dreischiffige Säulenbasiliken in wesentlichen Teilen erh.); h. Kanlıdivane (ehemals Kanideli).

1 G. DAGRON, D. FEISSEL, Inscriptions de Cilicie, 1987.

HILD/HELLENKEMPER, 285 f. F. H.

Kanzlei. Dt. »Kanzlei« (von lat. cancelli über ahd. canceli, cancli) meint abstrakt einen Funktionsbereich, in dem Urkunden für den Rechtsverkehr vorbereitet, ausgestellt, übermittelt und sicher verwahrt werden. Dies ist seit dem Altertum v. a. Bestandteil der Gerichts- und Behördentätigkeit. In der röm. Kaiserzeit gibt es für K. verschiedene Namen – officium, cancelli (cancer = »Gitter«), scrinium (= Schriftkapsel oder »Schrein«) und burellum (spätlat. = Vorhang, Büro) – und unterschiedl. Organisationsformen. In den provinzialen Zivil- und Militärverwaltungen sind es kleinere Büros (officia) mit einigen Dutzend Beschäftigten (vgl. etwa Cod. Iust. 1,27,2,20 ff. und Nov. 24–27, jeweilige Gehaltslisten). Am kaiserl. Hof oder am Sitz eines praefectus praetorio (Cod. Iust. 1,27,1,21 ff.) sind mehrere hundert Beschäftigte auf mehrere scrinia und scolae verteilt, unter ihnen im Palast die traditionsreichen scrinia ab epistulis, a memoria, a libellis und a dispositionibus (→ scrinium). Die sachkundige Urkundenaufnahme besorgen u. a. → notarii (des Palastes: Cod. Iust. 12,7) und → exceptores (Cod. Iust. 12,23,7,2). In den Praefekturverwaltungen finden sich folgende scrinia: primum, commentariensis, ab actis, exceptorum und libellorum. Wie im Palast gibt es auch Dienste für Audienzorganisation (nomenclatores), Zustellung oder öffentl. Bekanntmachung (singularii, cursores, mittendarii, praecones), Kassiertätigkeit (arcarii), Erzwingungshandlungen (draconarii) und Archivierung (chartularii). Die K.-Tätigkeit pflegt einem hauptverantwortlichen Beamten unterstellt zu sein: so etwa im Palast dem magister officiorum, beim praefectus praetorio einem → cancellarius, in den provinzialen Zivil- und regionalen Militärverwaltungen einem assessor (Cod. Iust. 1,27,21; 1,31; 1,51).

→ Bürokratie III; Verwaltung

HIRSCHFELD, 318–342 · JONES, LRE, 367–369, 427 f., 459 f. · H. C. TEITLER, Notarii and exceptores, 1985. C. G.

Kanzleischrift s. Urkundenschrift

Kapaneus (Καπανεύς). Sohn des Hipponoos [3], verheiratet mit → Euadne [2] und Vater des → Sthenelos. K. ist einer der → Sieben gegen Theben (und ist deshalb in den thebanischen Epen anzusetzen, auch wenn er in den erh. Fr. nicht vorkommt). Seine prahlerische Behauptung, nicht einmal Zeus' Blitz könne ihn an der Eroberung Thebens hindern, provoziert den göttlichen Beweis des Gegenteils (Aischyl. Sept. 423 ff.). Nach Stesichoros (fr. 194 PMG) wird er von → Asklepios wiederbelebt. Für die griech. Tragiker ist K. der gewaltige Kämpfer, der in seinem zügellosen Ansturm die dem Menschen gesetzten Grenzen verläßt und die Bestrafung durch die Götter heraufbeschwört (Soph. Ant. 127 ff.; Eur. Phoen. 1172 ff., anders Eur. Suppl. 860 ff.). Die spektakuläre K.-Episode findet sich auf zahlreichen Bilddarstellungen (inbes. in Etrurien [1]).

1 I. KRAUSKOPF, s. v. K., LIMC 5.1, 952–963. RE. N.

Kapelos (κάπηλος). Der k. war ein griech. Kleinhändler auf dem lokalen Markt und verkaufte verschiedene Waren, darunter auch Nahrungsmittel; außerdem schenkte er Wein, Essig oder andere Getränke aus. Die zum Wort k. hinzugesetzten Spezifizierungen (z. B. ἐλαιο-, οἰνο-, σιτο-κάπηλος; Öl-, Wein-, Getreide-k.) zeigen, wie differenziert der Kleinhandel in Athen im 5. und 4. Jh. v. Chr. war. Spezialisierte kápēloi konzentrierten sich an bestimmten Stellen des Marktes oder in bestimmten Straßen. Auch Kleinhändlerinnen (καπηλίς, kapēlís) sind belegt (vgl. Demosth. or. 57,30 ff.). Das καπηλεῖον (kapēleíon) war ein fester Stand oder Laden, wo Waren verkauft wurden, speziell auch die Weinschenke. Der Kleinhandel wurde allg. als καπηλεία (kapēleía) bezeichnet (Plat. leg. 918a-b).

Zwischen Fernhändlern (*émporoi*) und Kleinhändlern wurde begrifflich klar unterschieden (Plat. rep. 371a-d). Die *k.*, in Athen zum Teil Bürger, meist aber Metoiken, stellten häufig die Waren selbst her und hatten im Gegensatz zu den *émporoi* nur geringes soziales Ansehen; vor allem wegen des Vorwurfs der Manipulation mit Maß und Gewicht besaßen sie einen schlechten Ruf. In Platons idealer Polis sollte der Kleinhandel auf Metoiken und Fremde beschränkt, die Gewinnspanne festgelegt und der Markthandel streng reglementiert werden (Plat. leg. 849a–850a; 915d–920c).

Im hell. Äg. war der freie Handel mit bestimmten Produkten wie Öl durch königliche Monopole und durch Festsetzung der Preise beeinträchtigt, der Kleinhandel mit diesen Produkten lizensierten Kaufleuten übertragen.

→ Agoranomoi; Emporos; Metoikoi

1 V. Ehrenberg, Aristophanes und das Volk von Athen, 1968, 122–124; 127–143 2 M. I. Finkelstein, Emporos, Naukleros and Kapelos, in: CPh 30, 1935, 320–336 3 J. Hasebroek, Staat und Handel im alten Griechenland, 1928, Ndr. 1966 4 R. J. Hopper, Trade and Industry in Classical Greece, 1979, 61–70 5 L. Kurke, Kapeleia and Deceit: Theognis 59–60, in: AJPh 110, 1989, 535–544 6 Préaux, 81–90 7 Rostovtzeff, Hellenistic World, 304; 1271–1278; 1628. W.S.

Kapernaum. Stadt in → Galilaea, am NW-Ufer des Sees Genezareth (→ Tiberias). Die griech. Bezeichnung Καφαρναούμ, im NT in einigen Varianten auch Καπερναούμ (Mk 1,21), leitet sich ab vom hebr. *K'far Naḥūm* (Dorf Naḥūms), das in einer in der Synagoge von Ḥammaṯ-Gāder gefundenen byz. Inschr. genannt wird. In der späteren jüd. Trad. wurde der Name in K'far Tanḥūm oder nur Tanḥūm geändert, woraus sich die heutige arab. Form Talḥūm ergab (nicht Tall Ḥūm als Abwandlung von Tall Naḥūm).

Wenn auch K. schon seit dem 3. Jt. v. Chr. bewohnt war, so läßt sich eine dauerhafte Besiedlung erst ab dem 5. Jh. v. Chr. nachweisen. Aufgrund seiner Lage an der Grenze der Tetrarchie des → Herodes [4] Antipas zur transjordanischen Tetrarchie des → Philippus wurde in K. ein Zollamt (Mk 2,14) eingerichtet und eine röm. Garnison stationiert (Mt 8,15 erwähnt einen *centurio*). In der Zeit des Wirkens Jesu in Galilaea stellte K. einen Mittelpunkt seiner Tätigkeit dar. Hier ließ er sich nieder, nachdem er Nazareth verlassen hatte (Mt 4,13, vgl. jedoch Jo 2,12). Zudem soll Jesus in K. Wunder gewirkt und in der Synagoge gelehrt haben (Mk 1,21–27), so daß der Ort geradezu als »seine eigene Stadt« bezeichnet wird (Mt 9,1). Aus K. stammten die Apostel → Petrus und Andreas.

Seit seiner Neubesiedlung in hell. Zeit expandierte K. kontinuierlich bis zur arab. Eroberung. Neben den Einnahmen aus der Zollstation und der Fischerei profitierte der Ort von seiner Lage an einer Handelsstraße nach → Damaskos. Zur Zeit seiner größten Ausdehnung in byz. Zeit dürfte die Einwohnerzahl etwa 1500

Personen betragen haben. Das Zentrum der byz. Stadt war von der Synagoge und einem benachbarten oktogonalen Kirchenbau geprägt, beide im Gegensatz zu den übrigen Basaltgebäuden aus herbeigeschafftem Kalkstein errichtet. Die h. noch erh., restaurierte dreischiffige Synagoge stellt mit ihrem reichen floralen und figürlichen Dekor das herausragende Beispiel des frühen galilaeischen Synagogentyps dar. Ihre Datierung ist jedoch umstritten. Während Corbo [2] und Loffreda [3] sich aufgrund von Mz.-Funden für eine Datierung in die zweite H. des 4. Jh. aussprechen, geht Avigad [1] aus stilistischen Gründen von einer Errichtung im 3. Jh. aus. Die oktogonale Memorialkirche wurde im 5. Jh. am traditionellen Ort des Hauses des Petrus errichtet. Tatsächlich befand sich dort schon seit dem 1. Jh. eine Hauskirche, die im 4. Jh., vermutlich mit Erlaubnis → Constantinus' [1] d. Gr., umgestaltet worden war und sich zu einer christl. Pilgerstätte entwickelt hatte.

→ Jesus; Synagoge

1 N. Avigad, s. v. Capernaum, Encyclopedia of Archaeological Excavations in the Holy Land 1, 286–290 2 V. Corbo, Cafarnao 1, 1975 3 S. Loffreda, s. v. Capernaum, The Oxford Encyclopedia of Archaeology in the Near East 1, 416–419 4 J. L. Reed, The Population of Capernaum, 1992 5 V. Tzaferis, Excavations at Capernaum 1, 1989. J.P.

Kapetis (καπέτις). Pers. → Hohlmaß für trockene Güter; es entspricht 1/48 → Artabe, damit der att. → Choinix und ca. 1,1 l [1. 479–482]. Xenophon erwähnt außerdem eine καπίθη/*kapíthē*, die 2 att. Choinikes entsprach (Xen. an. 1,5,6).

1 F. Hultsch, Griech. und röm. Metrologie, ²1882. H.-J. S.

Kaphene (Καφένη). Karisches Mädchen, das aus Liebe zum Melier Nymphios dessen Landsleuten den Plan der Karer verriet, die Melier zu einem Festessen einzuladen, um sie hinterhältig umzubringen. Statt dessen wurden nun die Karer umgebracht. K. erhielt als Dank den Nymphios zum Ehemann (Plut. mor. 246d–247a, 207f.; Polyain. 8,46). AL. FR.

Kaphereus (Καφηρεύς, Καφαρεύς). Bes. gefürchtetes SO-Kap von Euboia, h. Kavo Doro. Belegstellen: Hdt. 8,7,1; Strab. 8,6,2; Ptol. 3,14,22; Plin. nat. 4,63; Mela 2,107.

F. Geyer, Top. und Gesch. der Insel Euboia 1, 1903, 6f. H. KAL.

Kaphisodoros (Καφισόδωρος). Sohn des Kaphisodoros; Vater des Metrophanes (PP 6, 14679) und Ptolemaios (PP 6, 14688); zwischen 163 und 145 v. Chr. *archisōmatophýlax* (→ Hoftitel B.2.); *stratēgós* des äg. Gaues Xoite und Priester des *políteuma* der Boioter; 156/55 eponymer Alexanderpriester. PP 1/8, 269; 3/9, 5167.

W. Clarysse, G. v. d. Veken, The Eponymous Priests of Ptolemaic Egypt, 1983, 28. W. A.

Kaphisophon (Καφισοφῶν). Sohn des Philippos (PP 6, 16640), aus Kos, Arzt (?); theorós (→ theoría, theoroí) Ptolemaios' II. oder III. an den Asklepios von Kos.

S. SHERWIN-WHITE, Ancient Cos, 1978, 103. W. A.

Kaphyai (Καφυαί). Stadt in NO-Arkadia im Norden der nördl. Ebene von Orchomenos, 1 km südöstl. vom h. Chotusa, mit geringen ant. Resten. Weihung aus der Kriegsbeute in Delphoi aus dem 5. Jh. v. Chr. (Syll.³ 48). K. kämpfte im Chremonideïschen Krieg (267–261 v. Chr.) gegen → Antigonos [2] (Syll.³ 434 f.,25), gehörte anschließend zum Achaiischen Bund mit der kurzen Unterbrechung der Eroberung durch Kleomenes III. (Plut. Agis und Kleomenes 25,4; Pol. 2,52,2; Syll.³ 504). Aitolischer Sieg über die Achaioi unter Aratos bei K. 221/0 v. Chr. (Pol. 4,11 f.). Zur Zeit Strabons (8,8,2) existierte K. ›kaum noch‹. Paus. 8,23,3 erwähnt Heiligtümer für Poseidon und für Artemis Knakalesia; vermutlich gab es zwei verschiedene Artemis-Heiligtümer: eines in der Stadt selbst, ein anderes auf dem Berg Knakalos. Aineias soll K. gegr. haben und dort gest. sein (Strab. 13,1,53; Dion. Hal. ant. 1,49), Agamemnon eine Platane bei K. gepflanzt haben (Theophr. h plant. 4,13,2; Plin. nat. 16,238). Belege: Paus. 8,13,4; 6; 23,2–8; 36,4. Mz.: HN 418; 446.

F. CARINCI, s. v. Arcadia, EAA², 333 f. · JOST, 109–113 · PRITCHETT 2, 120–132. Y. L.

Kapisa (Καπίσα; Kapiša-kaniš, Behistun-Inschrift [1. D]), h. Bagrām. Stadt im Ghorband-Tal, 45 km nördl. von Kabul, seit 1833 bekannt. Hauptstadt indo-griech. Könige (2.–1. Jh. v. Chr.), Sommerresidenz der Kuschanen (→ Kuschan(a)). Zwei Räume im »Palast« enthielten eingelagerte Kunstwerke: chinesische Lackarbeiten, indische Elfenbeine und hell. Arbeiten. Gipsformen zum Guß von Metallreliefs werden als alexandrinische Importe angesehen, belegen aber die Produktion hell. Kunstwerke in Baktrien.

1 R. KENT, Old Persian, 1953. B. B.

Kapitale A. DEFINITION
B. ANTIKE UND SPÄTANTIKE C. MITTELALTER
D. DAS 15. JAHRHUNDERT

A. DEFINITION

Die erste kanonisierte lat. Majuskelschrift [1. 7]; ihre Bezeichnung stammt aus dem MA, als sie in ihrer Eigenschaft als → Auszeichnungsschrift ausschließlich für den Beginn der capita verwendet wurde [2. 60]. Die spärlichen ant. Quellen bezeichnen sie dagegen allgemeiner als littera lapidaria (Petron. 29), vielleicht auch littera quadrata (Petron. 58) [3. 73], litterae unciales [4], litterae virgiliae oder virgilianae [5. 464–465]. Im Laufe des Kanonisierungsprozesses bildete die Majuskel jedoch in Abhängigkeit vom verwendeten Schriftträger und Schreibinstrument sowie je nach Funktion der Schrift zwei verschiedene Typen aus: die capitalis quadrata, die hauptsächlich auf Stein oder anderem harten Material (Bronze, Terrakotta usw.) benutzt wurde, und eine capitalis rustica, die vornehmlich als Buchschrift zum Einsatz kam und mit einem Schreibrohr auf Papyrus und Pergament ausgeführt wurde.

B. ANTIKE UND SPÄTANTIKE

Die capitalis quadrata wurde seit dem 3. Jh. v. Chr. zunehmend vereinheitlicht und erhielt im 1. Jh. v. Chr. ihre kanonische Form. Sie zeichnete sich aus durch die harmonische Geometrie ihrer Formen, die sich dem Quadrat annähernde Grundform der Buchstaben, die Bilinearität, den Hell-Dunkel-Kontrast zw. vollen und feinen Strichen und die ausschmückende Verbreiterung des äußeren Endes der Striche mit einem Füßchen. Diese Schrift wurde vom ordinator auf den Stein zuerst gezeichnet [6. 17–22, 44–57], dann eingemeißelt. In der Spätant. entwickelte der Kalligraph Furius Dionysius → Filocalus bes. Formen der capitalis quadrata für Inschr., die Papst Damasus zur Ehrung der Märtyrergräber in Auftrag gegeben hatte; diese Schrift wird daher damasianische oder filocalianische K. genannt [7].

Die capitalis rustica wurde nahezu zeitgleich mit der capitalis quadrata, wahrscheinlich unter deren Einfluß, kanonisiert und war bis zum 3. Jh. n. Chr. die übliche Buchschrift. Sie zeichnet sich durch einen im Vergleich mit der capitalis quadrata flüssigeren, nicht so streng geometrischen Duktus aus, den sie dem Schreibrohr verdankt; zudem zeigt sie einen schärferen Hell-Dunkel-Kontrast zw. vollen und Haarstrichen, eine dem Rechteck angenäherte Grundform (wobei die kurze Seite die Basis des Buchstabens darstellt) und charakteristische, leicht gewellte apices am Ende der Hasten. Das Adj. rustica entsprang der Ansicht, diese Schrift sei in Büchern niedriger Qualität zum Einsatz gekommen, während man für wertvolle Hss. eine der quadratischen ähnliche K. benutzt habe, die capitalis elegans, deren aussagekräftigstes Beispiel die sog. Vergilius Augusteus sei (Cod. Vaticanus lat. 3256 und Berlin, Staatsbibliothek, 2°.416). In der Tat ist die capitalis elegans durch die Nachahmung epigraphischer Vorbilder in der Buchschrift zw. dem Ende des 5. und dem dritten Jahrzehnt des 6. Jh. n. Chr. entstanden [8]. In der capitalis rustica sind die ältesten Vergil-Codices überliefert [1; 9]. Darüber hinaus wurde die capitalis rustica vom 1. Jh. n. Chr. an hauptsächlich für acta in Inschr. verwendet; sie wird daher auch actuaria genannt [10. xxii-xxiv und xxxiv].

C. MITTELALTER

Capitalis quadrata wie capitalis rustica wurden an der Schwelle zum MA immer seltener für die Abschrift ganzer Texte eingesetzt: Beide überlebten nur als Auszeichnungsschriften, oft in Hybridformen, die nur entfernt der ant. Norm entsprachen. Im Gefolge der karolingischen Renaissance des 9. Jh. setzte man die ant. Vorbilder imitierende K. wieder ein und reproduzierte präzise sowohl die epigraphischen als auch die buchmäßigen Charakteristika der ant. Norm, im Fall der Buchproduktion jedoch stets nur als auszeichnende Schrift [11. 40–43]. Dies geschah nur in ganz bestimmten Kopierzentren, die mit dem karolingischen Hof in Verbindung standen. Mit dem Niedergang der karolingischen Herrschaft verschwand daher unvermittelt auch die K. klass. Prägung

D. Das 15. Jahrhundert

Um die Mitte des 15. Jh. wurde die klass. K. an verschiedenen it. Zentren gleichzeitig wieder aufgenommen. Leon Battista Alberti, zunächst in Rimini, dann in Florenz, Felice Feliciano in Padova und Rom und andere studierten die in Stein gehauenen Buchstabenformen aus röm. Zeit und setzten sich deren Nachahmung zum Ziel. Etwa von der Mitte des 15. Jh. an wurde die K. darüber hinaus als Majuskelschrift eingeführt und der humanistischen Minuskel zur Seite gestellt [13. 550–551].

→ Paläographie

1 A. Pratesi, Nuove di vagazione per uno studio della scrittura capitale, I Codices Vergiliani Antiquiores, in: Scrittura e civiltà 9, 1985, 5–33 2 G. Gencetti, Lineamenti di storia della scrittura latina. Dalle Lezioni di paleografia, 1953–54 (Ndr. 1997) 3 J.S.-A.E. Gordon, Contributions to the Paleography of Latin Inscriptions, 1997 (Ndr.) 4 P. Mayvaert, Uncial Letters; Jerome's Meaning of the Term, in: The Journ. of Theological Studies, n.s., 1983, 185–188 5 B. Bischoff, Die alten Namen der lat. Schriftarten, in: Philologus 89, 1934, 461–465 6 G. Susini, Il lapicida romano, 1966 7 A. Ferrua, Epigrammata Damasiana, 1942 8 A. Petrucci, Per la datazione del »Virgilio Augusteo«: . . ., in: Miscellanea in memoria G. Gencetti, 1973, 29–45 mit Taf. I–VI 9 A. Petrucci, Virgilio nella cultura scritta romana, in: Virgilio e noi, 1982 10 A. Hübner, Exempla scripturae epigraphicae latinae a Caesaris dictatore morte ad aetatem Iustiniani, 1885 11 E.K. Rand, A Survey of the Manuscripts of Tours, 1919 12 M. Meiss, Toward a More Comprehensive Renaissance Palaeography, in: The Art Bulletin 42, 1960, 97–112 13 E. Casamassima, Per una storia delle dottrine paleographiche dall'Umanesimo a Jean Mabillon, in: StM ser. 3ª, 5, 1964, 527–578.

J.S.-A.E. Gordon, Album of Dated Latin Inscriptions, I–V, 1958–1965 · J. Mallon, Paléographie romaine, 1952 · R. Seider, Paläographie der lat. Papyri, I–II/2, 1972–1981.
E.CA./Ü: T.H.

Kapitell s. Säule

Kapitoleia (*Agon Capitolinus*). Im Gegensatz zu den Neroneia überdauerten die 86 n.Chr. von Kaiser Domitian in Rom eingeführten Wettkämpfe der K. (Suet. Dom. 4,4) aufgrund ihrer Namensbindung an Iuppiter Capitolinus ihren Gründer beträchtlich. Der nach griech. Vorbild aus gymnischem (im Stadium Domitiani, heute Piazza Navona [1] ausgetragenen), musischem und hippischem Programm bestehende, hochangesehene Agon, von dem 64 Sieger sicher überl. sind [2. 123–155], existierte noch Mitte des 4. Jh. Zu Domitians Zeit enthielt er auch einen *cursus virginum* (»Wettlauf junger Mädchen«; Suet. Dom. 4,4). Preise [2. 105–107] waren der Kranz aus Eichenlaub, vom Kaiser als Festpräsident vergeben, die *Eiselasis* (Recht der

Sieger auf feierlichen Einzug in die Heimatstadt) sowie das röm. Bürgerrecht. Unter den Teilnehmern (als *poeta Latinus*) befand sich auch P. Papinius Statius, freilich sieglos (Stat. silv. 3,5,31 ff.). K. gab es später auch in äg. Städten [3].

1 E. Nash, Bildlex. zur Top. des ant. Rom, 2, 1962, 387–390 2 M.L. Caldelli, L'Agon Capitolinus, 1993 3 P. Frisch, Zehn agonistische Papyri, 1986, 1,17,22; 8,6 (Oxyrhynchos); 9,8 (Antinoupolis).
W.D.

Kapiton (Καπίτων). Sonst unbekannter Epigrammatiker, von dem ein geistreiches Distichon erhalten ist: Schönheit ohne Anmut wird mit einem »Köder ohne Angel« verglichen (Anth. Pal. 5,67,2). K. (Capito) ist ein ziemlich weit verbreitetes röm. *cognomen*: Ohne Grundlage ist daher die Gleichsetzung mit dem Epiker von Alexandreia, den Athen. 10,425 erwähnt; wenig wahrscheinlich ist auch die mit Pompeius K., der sein Können in jedem Metrum und Rhythmus unter Beweis stellt (TrGF 186).

FGE 34.
M.G.A./Ü: T.H.

Kapitulation s. Deditio; Kriegsrecht

Kappadokia (Καππαδοκία). Landschaft und Königreich in Kleinasien.

I. Geographie und Bevölkerung
II. Geschichte

I. Geographie und Bevölkerung

K. (Strab. 12,1 f.) erstreckt sich vom Tauros bis zur Schwarzmeerküste, grenzt im Westen am Halys (und am Großen Salzsee) an Paphlagonia und Phrygia, später zudem an Galatia, im SW an Lykaonia, im Osten an Kolchis, (Klein-)Armenia und den oberen Euphrates, im Süden an Kilikia und Kommagene; der gesamte Raum gilt als ethnisch-sprachliche Einheit. Sie gehört zur luw.-sprachigen Bevölkerung Anatoliens (in hethit. Zeit: oberes Land, östl. unteres Land, Region im Halysbogen, nordanatolische Kaska-Völker). Die griech. Bezeichnung als Syrioi (oder kappadokische Syrer) respektive »helle Syrer« (→ Leukosyroi) unterscheidet die luw. Bevölkerung im Norden Syriens von der syr.-palästinischen. K. teilt sich in K. am Tauros, das eigentliche K. bzw. Groß-K., und K. am Pontos oder Pontos (Grenze: Bergkämme nördl. des Kappadox und nördl. sowie südl. des oberen Halys; vgl. Strab. 12,2,10). Groß-K., im 3. Jh. v.Chr. um Kataonia und Melitene vergrößert, gliederte sich in 10 Strategien (jeweils von Osten nach Westen: Melitene, Kataonia, Kilikia, Tyanitis, Garsauritis im Süden, Laviansene, Sargarausene, Saravene, Chamanene, Morimene im Norden); Zentrum war Mazaka (→ Kaisareia). K. war landwirtschaftlich reich (Ackerbau, Pferdezucht, Viehhaltung) und barg bed. Bodenschätze. Verkehrswege führten über Tyana bzw. Mazaka zu den kilikischen Pässen und zum Euphrates.

II. GESCHICHTE
A. VOM 8. JH. V. CHR. BIS ZUR RÖM. PROVINZ
B. RÖMISCHE PROVINZ   C. SPÄTANTIKE UND
BYZANTINISCHE ZEIT

A. VOM 8. JH. V. CHR. BIS ZUR RÖM. PROVINZ

Groß-K. gehörte im 8./7. Jh. v. Chr. zum östl.
Machtbereich der Phrygerkönige, befand sich seit
591/585 unter medischer Oberherrschaft (Grenze Süd-
Nord-Lauf des Halys) und wurde 546/5 durch Kyros
dem Achaimenidenreich (→ Achaimenidai [2], mit Karte) einverleibt. Der Name K. geht auf die nun errichtete
Satrapie Katpatuka (unrichtig [1. 250–252]) zurück
(Hdt. 3,90 [1. 255 ff.; 2]; er ist nichtiran. altoriental. Ursprungs). Unter Artaxerxes [3] III. wurde eine Teilung in
eine nördl. und südl. Satrapie vorgenommen. Von Alexander d.Gr. (→ Alexandros [4], mit Karte) nicht unterworfen, behauptete sich Ariarathes (I.), Satrap von
Nord-K., bis 322. Ganz K. wurde 323 → Eumenes [1] I.
übertragen, Ariarathes 322 von Perdikkas besiegt und
hingerichtet. Antigonos [1] I. gewann K. bis 316; nach
301 war das südl. K. seleukidischer Machtbereich [3].
Der Neffe Ariarathes' I., Ariarathes II. (die frühe Dy-
nastiegesch. bei Diod. 31,19 ist ein Konstrukt), faßte vor
301 als Dynast in Groß-K. Fuß und emanzipierte sich bis
ca. 260 von der seleukidischen Herrschaft. Ariarathes III. (ca. 255–220) heiratete Stratonike, Tochter Antiochos' [3] II., und war als König von K. anerkannt.
Ariarathes IV. Eusebes (ca. 220–163), Gatte der Antiochis, Tochter Antiochos' [5] III., war dessen Verbündeter gegen Pergamon und Rom, schloß sich aber 188
Eumenes [3] II. an. Ariarathes V. Eusebes Philopator
(163–130), Schüler des Karneades, wurde 156 von Attalos [5] II. in seine Herrschaft zurückgeführt. 155/4
dessen Verbündeter gegen Prusias II., fiel Ariarathes V.
131/0 im Kampf gegen Aristonikos [4]. Der junge Ariarathes VI. wurde von Mithradates V. gegen die Mutter
Nysa durchgesetzt und mit seiner Tochter Laodike verheiratet; diese hielt die Herrschaft in Händen und stand
hinter der Ermordung Ariarathes' VI. 117/6 durch Gordios [4]. Als Regentin verband sie sich im Konflikt gegen ihren Sohn ca. 103 mit Nikomedes III.: Beide wurden von → Mithradates VI. vertrieben, der Ariarathes
VII. zurückführte, dann jedoch 101 diesen ermordete
und einen eigenen Sohn als Ariarathes (IX.) unter dem
Regenten Gordios einsetzte.

Im J. 96 erklärte der röm. Senat K. für frei, gestattete
dann aber dem Adel die Wahl eines Königs, wobei sich
Ariobarzanes [3] I. durchsetzte und von Rom anerkannt
wurde. Dieser wurde 95/4 von Tigranes, 90 und 89 von
Mithradates VI. vertrieben. 89–85 Herrschaft Ariarathes' IX. Im 3. Mithradatischen Krieg erneut vertrieben,
wurde Ariobarzanes [3] 66 endgültig von Pompeius zurückgeführt; er erhielt 65/4 das Gebiet von Kastabala,
Kyzistra bis Derbe und die Sophene und Gordyene.
63/2 Abdankung zugunsten seines Sohnes Ariobarzanes
[4] II., der 52/1 ermordet wurde. Ariobarzanes [5] III.
unterstützte Pompeius und erhielt trotzdem von Caesar

die westl. → Armenia Minor; er wurde 42 von Cassius
getötet. Antonius setzte 36 → Archelaos [7] in K. durch.
Nach der Schlacht von Aktion (31 v. Chr.) zum nachmaligen Augustus übergetreten, erhielt er 20 v. Chr.
Teile von Kilikia Tracheia und Armenia. Um 8 n. Chr.
heiratete er Pythodoris, die Königin-Witwe von Pontos; 17 von Tiberius nach Rom gerufen und dort als
Angeklagter verstorben. K. wurde zur prokuratorischen
Prov. → Cappadocia.

In K. behauptete der auf Großgrundbesitz und Festungen gestützte Adel mit seinen Fraktionen eine bedeutende Stellung. Fast unabhängig waren die Tempel-
fürstentümer der Ma von → Komana und des Zeus von
Venasa (Morimene), deren Oberpriester im Rang dem
König folgten.
→ Kleinasien

B. RÖMISCHE PROVINZ
Zur röm. Prov. s. → Cappadocia.

1 P. HÖGEMANN, Das alte Vorderasien und die Achämeniden
(TAVO-Beih. B 98), 1992 2 B. JACOBS, Die
Satrapienverwaltung im Perserreich z.Z. Darius' III.
(TAVO-Beih. B 87), 1994 3 W. ORTH, Die Diadochenzeit
im Spiegel der histor. Geogr. (TAVO-Beih. B 80), 1993, 41 f.
4 K. STROBEL, Mithradates VI. Eupator von Pontos, in:
Ktema 21, 1996, 55–94.

HILD/RESTLE 39–70 · E. KIRSTEN, s. v. K., RAC 2,
862–891 · B. LE GUEN-POLLET, O. PELLON (Hrsg.), La
Cappadocie méridionale jusqu'à la fin de l'époque romaine,
1991 · MAGIE, 200 ff. · P. PANITSCHEK, Zu den
genealogischen Konstruktionen der Dynastien von Pontos
und K., in: Rivista storica dell' Antichità 17/18, 1987/88,
73–95 · W. RUGE, s. v. K., RE 10, 1910–1917 · H. H.
SCHMITT, s. v. K., in: Kleines WB des Hell., 1988, 328–331 ·
R. D. SULLIVAN, Near Eastern Royalty and Rome, 1990 ·
M. WEISKOPF, s. v. Cappadocia, EncIr 4, 1990, 780–786.
K. ST.

C. SPÄTANTIKE UND BYZANTINISCHE ZEIT

In der frühbyz. Zeit wurde K. als Heimat der drei
Kirchenväter → Basileios [1] d.Gr., → Gregorios [2] von
Nyssa und → Gregorios [3] von Nazianzos berühmt. K.
wurde 371 in zwei Prov. mit den Hauptstädten → Kaisareia und → Tyana aufgeteilt. Die Zeit wirtschaftlicher
Prosperität endete mit den Einfällen von Isauriern und
Hunnen im 5./6. Jh. n. Chr. Unter → Iustinianus [1] I.
wurde eine Reihe von Orten neu befestigt, darunter
Kaisareia. Von 611 bis 628 war K. teilweise von Persern
besetzt und geriet bald danach durch das Vordringen
islamischer Araber in eine exponierte Randlage. 646
wurde Kaisareia vorübergehend von diesen besetzt, 656
der Osten von K. mit → Melitene dauerhaft erobert,
708 Tyana zerstört. Zum Schutz gegen die jährlichen
Plünderungszüge wurden im Tuffboden bis zu zehn
Stockwerke tiefe unterirdische Verstecke gebaut. Zahlreiche Höhlenkirchen, die Formen von Bauarchitektur
imitieren und teilweise figürlich ausgemalt sind, wurden
in die durch die Erosion entstandenen Tuffkegel oder in
Felswände eingehauen. Die ständige Bedrohung von K.

endete erst mit der Rückeroberung von Melitene im J. 934 und dem anschließenden Vordringen der Byzantiner nach Osten. Nach 1071 wurde K. von den Türken erobert, doch hielt sich dort eine christl. Minderheit bis 1923.

HILD/RESTLE 2. AL.B.

Kappadox (Καππάδοξ). Nebenfluß des → Halys, h. Delice Irmağı (Oberlauf Karanlık/Boğazlıyan Çayı, nordöstl. Nebenfluß Kanak Çayı); aus Nord-Kappadokia kommender Hauptfluß von Ost-Galatia.

W. RUGE, s. v. K., RE 10, 1919 f. · K. STROBEL, Die Galater, 1, 1996. K.ST.

Kapros (Κάπρος).
[1] Fluß im oberen Einzugsbereich des → Maiandros in Ost-Karia, h. Başlı çayı; fließt östl. nahe an → Laodikeia [4] vorbei (Plin. nat. 5,105) und ergießt sich perennierend in den ca. 1,5 km unterhalb der Stadt nach NW zum Maiandros ziehenden Lykos (Strab. 12,8,16; Plin. nat. 2,225). Mz. der Stadt zeigen einen Flußgott mit Legende K.

G. E. BEAN, Kleinasien 3, 1974, 259, 263 · MAGIE 2, 785; 986 · MILLER, 726 · RAMSAY 1, 35. H.KA.

[2] Östl. Nebenfluß des Tigris (Pol. 5,51,4; Strab. 16,1,4; Ptol. 6,1,7); die Identität mit dem unteren Zab (Ζαπάτας) ist wahrscheinlich.

F. H. WEISSBACH, s. v. K., RE 10, 1921. K.KE.

Kaputtasaccura. Ort in der Mauretania Caesariensis, in der Nähe des → Limes, etwa 30 km östl. von Altava, h. Chanzy. In severischer Zeit wurde in K. für die *eq(uites) alae I Aug(ustae) Parthor(um)* ein *castrum* gebaut (CIL VIII 2, 9827 f.). Weitere Inschr.: CIL VIII 2, 9826; 9829 f.; Suppl. 3, 21716–21718; vgl. 22616–22618; Libuca 3, 1955, 186.

AAAlg, Bl. 32, Nr. 59 · X. LORIOT, Faltonius Restitutianus, in: AntAfr 6, 1972, 145 f. W.HU.

Kapys (Κάπυς; lat. Capys).
[1] Troer, Nachkomme des Dardanos (→ Dardanidai), Vater des → Anchises (Hom. Il. 20,239). Nach einigen Mythographen soll sein Enkel Aineias [1] das arkad. Kap(h)yai (Dion. Hal. ant. 1,49,1; Steph. Byz. s. v. Καφύαι), sein Urenkel Rhomos Capua (Dion. Hal. ant. 1,73,3) gegründet und nach ihm benannt haben.
[2] Als Gründer Capuas erscheint dagegen bei Vergil u. a. (Verg. Aen. 10,145 mit Servius ad loc.) ein gleichnamiger Troianer der Generation des Aineias [1], der nach dem Untergang seiner Vaterstadt nach It. entkam; nach Verg. Aen. 2,35 hatte er vergeblich zur Vernichtung des hölzernen Pferdes geraten. Suet. Iul. 81 berichtet, kurz vor Caesars Ermordung hätten Kolonisten in Capua K.' Grab zerstört.

J. HEURGON, Recherches sur l'histoire, la rel. et la civilisation de Capoue préromaine, 1942, 136 ff. · P. WATHELET, Dictionnaire des Troyens de l'Iliade, 1988, Nr. 186.
MA.ST.

[3] Samnitischer Feldherr, sagenhafter Eponym von Capua (Verg. Aen. 10,145 und Serv. Aen. z. St.).
[4] König von → Alba Longa mit verschieden überl. Genealogie, weshalb die Abgrenzung zu K. [1] und K. [3] umstritten ist (Liv. 1,3,8: Sohn des Atys, Vater des Capetus; Ov. met. 14,613 ff.; Ov. fast. 4,34 ff.: Sohn des Assaracus, Vater des Anchises; Apollod. 3,12,3) C.W.

Kar (Κάρ).
[1] Eponym der Burg von Megara (urspr. Karia) (Paus. 1,39,5), Sohn von → Phoroneus; Gründer des Demeter-Tempels.
[2] Eponym der kleinasiat. → Kares; Bruder von Lydos und Mysos (Hdt. 1,171; Strab. 14,659). Sohn von Zeus und Krete (Ail. nat. 12,30); Gründer der Stadt → Alabanda, begraben in Euangela (Steph. Byz. s. v. K.).
RE.ZI.

Karäer. Die K. sind eine Gruppierung innerhalb des Judentums, die in der 2. H. des 8. Jh. n. Chr. unter der Führung Anans entstand, eines Mitglieds der Exilarchenfamilie (→ Exilarch), der bei bei der Besetzung des Exilarchats im J. 767 übergangen wurde. Fundament des Karäertums, das sich in verschiedene Unterströmungen aufspaltet, ist die Anerkennung der jüd. → Bibel (hebr. miqra) als einziger Grundlage des Glaubens (vgl. daher auch die Bezeichnung K., die sich von hebr. qara'im oder bne bzw. baʿale-ha-miqra ableitet). Damit stellten die K. die Gültigkeit der Trad. des rabbinischen → Judentums, die sog. »mündliche Tora«, infrage, die auf der Auslegung und Weiterentwicklung der biblischen Überl. beruht, und damit die Autorität des rabbinischen Judentums als solche. Aufgrund der überragenden Bed. der Hl. Schrift entwickelten die K. ein bes. Interesse am Text und an der → Exegese der Bibel, das sich in zahlreichen Komm. niederschlug (vgl. für das 9. Jh. Benjamin ben Mose Nahawendi und Daniel ben Mose al-Qumisi; für das 10. Jh. Salmon ben Jeruham und Japhet ben 'Eli; vgl. auch das WB des David ben Abraham al-Fasi). Diskutiert wird die Frage, ob die tiberische Familie Ben Asher, die im 9. Jh. die → Masora des hebr. Bibeltextes erstellte, zu den K. zu zählen ist (vgl. die Zusammenstellung der Argumente von P. KAHLE und N. WIEDER gegen I. BEN ZWI und A. DOTHAN [1]) oder ob das karäische Interesse am Bibeltext lediglich die masoretischen Arbeiten angeregt hat.

1 E. WÜRTHWEIN, Der Text des Alten Testaments. Eine Einführung in die Biblia Hebraica, ⁵1988, 28 f.
2 A. SCHENKER, s. v. K., TRE 17, 625–628 (beide mit weiterführender Lit.). B.E.

Karallia (Καράλ(λ)ια). Stadt in → Kilikia Tracheia (Hierokles, Synekdemos 682,10; Mz. und Inschr. Καραλλια), h. Güney Kalesi, 20 km nordöstl. von Korakesion. Seit der frühen Kaiserzeit durch Inschr. und Mz. belegte *pólis*, später Bistum [2. 244 ff.]. Arch.: Ummauerte Stadtanlage mit Kaiserkultbau, Tempel und Kirchen, im Westen Nekropole [1. 59; 2. 237 ff., 268 Plan].

1 G. E. Bean, T. B. Mitford, Journeys in Rough Cilicia 1964–1968, 1970 • 2) J. Nollé, Pamphylische Stud. 6–10, in: Chiron 17, 1987, 235–276.   K. T.

Karambis (Κάραμβις, lat. *Carambis*). Vorgebirge an der paphlagonischen Schwarzmeerküste, h. Kerempe Burnu westl. von İnebolu (Apoll. Rhod. 2,361; Ps.-Skymn. 953; Lukian. Toxaris 57; Strab. 2,5,22; 7,4,3; 11,2,14; 12,3,10; Plin. nat. 4,86) mit einem gleichnamigen Dorf (Eust. comm. in Hom. Il. 1,570). Das Kap liegt dem → Kriu Metopon, der Südspitze der Taurischen Halbinsel (h. Krim), direkt gegenüber. Zw. beiden Vorsprüngen überquerten die ant. Seefahrer das Meer.

CH. Marek, Stadt, Ära und Territorium in Pontus-Bithynia und Nord-Galatia, 1993, 90 • W. Ruge, s. v. K., RE 10, 1927 f.   C. MA.

Karanis (Καρανίς). Bedeutende griech. Siedlung (κώμη) am Nordrand des → Fajum, h. Kom Ausīm; in frühptolem. Zeit gegründet, im 5. Jh. n. Chr. wieder aufgegeben. Große Teile des Ortes sind noch gut erhalten und sorgfältig ausgegraben, darunter zwei Tempel. Aus K. stammen ca. 5000 griech. Papyri und Ostraka, meist aus röm. Zeit (2.–3. Jh. n. Chr.).

A. Calderini, s. v. K., Dizionario dei nomi geografici e topografici 3, 1978, 70–79 • R. Alston, Soldier and Society in Roman Egypt, 1995, 117–42.   K. J.-W.

Karanos (Κάρανος).
[1] Begründet nach Diod. 7,15–17 als Nachfahre des Herakleiden Temenos (Theopompos FGrH 115 F 393) nach der Einwanderung aus Argos das maked. Königshaus. Er ersetzt den bei Hdt. 8,137–139 als Stammvater der Makedonen genannten → Perdikkas.   RA. MI.
[2] Angeblicher Sohn von → Philippos II., von → Alexandros [4] d. Gr. nach Philippos' Tod umgebracht (Iust. 11,2,3). Da ihn → Satyros bei Athenaios (12,557) nicht nennt, ist seine Existenz zweifelhaft.   E. B.

Karatepe-Aslantaş (ʾZTWDY/*Azatiwadaya*). Späthethit. (frühes 1. Jt. v. Chr.) Grenzburg im Norden von Osmaiye, gegr. von Azatiwatas in NO-Kilikia, in den Ausläufern des Tauros am rechten Ufer des → Pyramos an einer Karawanenstraße mit Wasser- und Landweg beherrschender Lage. Gegenüber, auf dem Domuztepe, liegt eine weitere späthethit. (9. Jh. v. Chr.), röm. überbaute Burganlage.

Die Burgmauer (Areal von 196 × 375 m) mit einem Hilani-Bau (→ Bīt Ḫilāni) befindet sich auf dem Gipfel. Zwei monumentale Torbauten mit Orthostaten (Inschr. und Bildwerke), innen die monumentale Statue des Wettergottes (BʿL/ *Tarhunzas*) auf einem Stiersockel sind erh. Die Inschr. bilden die bis jetzt längste bekannte Bilingue mit phöniz. und hieroglyphenluw. Schrift (→ Hieroglyphenschriften, Kleinasien) und Sprache (→ Kleinasien, Sprachen). Die Bildwerke enthalten Szenen aus dem myth., kult. und höfischen Leben, angefertigt von Bildhauern aus verschiedenen Trad. Der

Burgherr (ʾZTWD/*Azatiwadas*) weist sich als Schützling des Wettergottes aus, ist von ʾWR/*Awarikus*, dem König von DNNM/*Adanawa*, gefördert, hat das Haus »seines Herrn« auf den väterlichen Thron gesetzt, die Rebellen dem Hause von Mopsos (MPS/*Muksas*) unterworfen, diese Burg zum Schutz der Ebene von → Adana und des Hauses von Mopsos erbaut, ringsum Frieden gestiftet, die Speicher von Pahri (PʿR/*Pahar*, Mopsuhestia, Misis) gefüllt. Eine Datier. in das E. 8./Anf. 7. Jh. v. Chr. findet paläographisch und, falls Awarikus der von Tiglatpilesar III. erwähnte Urikki von Que ist, auch histor. allg. Zustimmung. Spätere Datier. in die Zeit von Sanherib (spätes 8. Jh. bis 689 v. Chr.) oder Asarhaddon (um 680) unter Postulierung eines späteren Urikki sowie frühere ins 9. Jh. v. Chr. auf Grund von arch. Motiven wurden vorgeschlagen.

Entdeckung 1946 (H. Th. Bossert, H. Çambel), Grabung ab 1947 (H. Th. Bossert, U. B. Alkim, H. Çambel), Restaurierung und Konservierung ab 1952 sowie Einrichtung eines Freilichtmuseums (H. Çambel) h. am Aslantaş-Stausee inmitten eines Waldschutzgebietes.
→ Kleinasien, Hethitische Nachfolgestaaten

H. Th. Bossert, U. B. Alkim, H. Çambel u. a., Die Ausgrabungen auf dem K., 1950 • W. Orthmann, Unt. zur späthethit. Kunst, 1972 • J. D. Hawkins, The Hieroglyphic Luwian Inscriptions of the Iron Age (seit 1992 im Druck) • H. Çambel, The K.-Aslantaş Inscriptions (im Druck) • W. Röllig, Sinn und Form. Formaler Aufbau und lit. Struktur der K.-Inschr., in: G. Arsebük u. a. (Hrsg.), Light on Top of the Black Hill. FS H. Çambel, 1998, 675–680 • M. G. Amadasi Guzzo, A. Archi, La bilingue fenicio-ititta geroglifica di K., in: Vicino Oriente 3, 1980, 95–102, bes. 87–96.   HA. ÇA.

Karawanenhandel. In der Zeit des Hell. hatten die Handelsbeziehungen zwischen dem östl. Mittelmeerraum sowie dem Vorderen Orient einerseits und Indien sowie dem Fernen Osten andererseits schon eine lange Geschichte. Güter wurden vor allem auf Landwegen befördert; die jeweiligen Abschnitte der Landrouten vom Mittelmeer bis Indien und China wurden von den ansässigen Völkern kontrolliert, die vom K. als Zwischenhändler profitierten. Mehrere Routen werden in der Lit. erwähnt: Während der Handelsweg über Baktrien, den Oxos und das Kaspische Meer zum Schwarzen Meer (Strab. 2,1,15; 11,7,3; Plin. nat. 6,52) wohl nur eine geringe Bed. hatte, führte eine wichtige Route des K. von Seleukeia am Tigris über Edessa, Antiocheia, Tarsos und Apameia bis nach Ephesos. Die Seleukiden schufen die Route über Palmyra und Damaskos zu den alten phöniz. Handelshäfen, wo Luxusgüter aus Arabien, Indien und China umgeschlagen wurden; die Ptolemäer nahmen ebenfalls Einfluß auf den K., um → Alexandreia [1] eine führende Stellung im Handel mit Gütern aus dem Osten zu sichern. Der Handel mit Arabien wurde weitgehend von den Nabatäern kontrolliert, deren Hauptstadt → Petra eine zentrale Position im K. hatte (Strab. 16,4,21; 16,4,24).

Seit dem 1. Jh. v. Chr. bis in das 3. Jh. n. Chr. spielte die Wüstenstadt → Palmyra im K. eine herausragende Rolle, die stets vor dem Hintergrund der Spannungen zwischen Rom und dem Partherreich gesehen werden muß. Die griech.-palmyrenischen Inschr. (größtenteils ediert in CIS II 3; vgl. OGIS 632; 633; 638; 646) bieten Informationen über Organisation und Struktur des K., der im 2. Jh. n. Chr. seine Blütezeit erlebte. Die palmyrenischen ἀρχέμποροι (archémporoi) und συνοδιάρχαι (synhodiárchai), die mit großem finanziellem Aufwand die Karawanen organisierten und für mil. Schutz sorgten, waren auch die polit. führenden Persönlichkeiten der Stadt; ihnen wurden für die gelungene Rückführung der Karawanen Inschr. und Statuen auf der Agora und der großen Kolonnadenstraße gestiftet. Wahrscheinlich hat man jährlich eine Karawane von Palmyra zum Persischen Golf und zurück ausgerüstet; sie bestand – wie Zeugnisse aus späterer Zeit vermuten lassen – wohl aus Hunderten, vielleicht sogar tausend und mehr Kamelen neben Hunderten von begleitenden Menschen in verschiedenen Funktionen. Die Ladekapazität eines Kamels wird nach Schwierigkeit und Länge der Wegstrecke sehr unterschiedlich gewesen sein; vielleicht kann man von 250 kg als Mittelwert ausgehen. Eine aus 1000 Kamelen bestehende Karawane hätte demnach Güter im Gewicht von 250 t befördern können, was der Ladekapazität eines Handelsschiffes mittlerer Größe entsprach. Sofern es sich um ausgesprochene Luxusgüter handelte, wurden von einer Karawane erhebliche Werte transportiert, auf die Rom Zoll in Höhe von 25% erhob.

Auch der Import von → Weihrauch aus Südarabien (Plin. nat. 12,63–65) war auf Karawanen angewiesen. Der Handel mit Ostasien nutzte die Häfen am Roten Meer, die vom Nil aus mit Karawanen erreicht wurden; für die etwa 385 km lange Strecke von Koptos nach Berenike [9] brauchte eine Karawane 12 Tage (Strab. 17,1,45; Plin. nat. 6,102 f.). Der Transsaharahandel wird nur vage erwähnt (Plin. nat. 5,34; 5,38) und hatte kaum den Umfang des östl. K. Die Durchquerung von Wüstenstrecken gelang nur, weil mit dem → Kamel ein Tragtier zur Verfügung stand, das an das trockene, heiße Klima hervorragend angepaßt war und nur wenig Wasser benötigte (Plin. nat. 8,67 f.); zur Sicherung des K. wurden seit den Ptolemaiern an den Handelswegen Stationen mit Brunnen angelegt (Strab. 17,1,45). → Handel; Weihrauchstraße

1 R. DREXHAGE, Untersuchungen zum röm. Osthandel, 1988 2 W. HABERMANN, Statistische Datenanalyse an den Zolldokumenten des Arsinoites aus röm. Zeit II, in: MBAH 9,1, 1990, 50–85 3 P. HEINE, Transsaharahandelswege in ant. und frühislamischer Zeit, in: MBAH 2,1, 1983, 92–99 4 S. J. DE LAET, Portorium, 1949, 335 f. 5 J. I. MILLER, The Spice Trade of the Roman Empire, 1969, 119–152 6 ROSTOVTZEFF, Roman Empire, 94 f.; 157; 171; 338 7 M. I. ROSTOVTZEFF, Caravan Cities, 1932 8 W. TARN, Die Kultur der hell. Welt, ³1966, 283–296.   H.-J. D.

Karbatine (καρβατίνη, vgl. lat. *pero*). Bes. von Hirten und Bauern getragener Schuh aus rohem Leder, dann auch ein Soldatenschuh (Xen. an. 4,5,14), der offenbar geschnürt wurde (vgl. Lukian. Alexandros 39). Bei Aristot. hist. an. 499a 29 auch der Hufschuh der Kamele.

O. LAU, Schuster und Schusterhandwerk in der griech.-röm. Lit. und Kunst, 1967, 119–121.   R. H.

Karchesion

[1] s. Schiffahrt

[2] Ein recht großes, dem → Kantharos [1] ähnliches Trinkgefäß (Athen. 11,474e–475b; Macr. Sat. 5,21,1–6) für Wein (Mart. 8,56,14; Ov. met. 12,317), das nach Athen. 11,500 f. zu den Gefäßen eines griech. → Symposions gehörte, ferner im Röm. ein Opfergefäß (z. B. Ov. met. 7,246).

W. HILGERS, Lat. Gefäßnamen, BJ, 31. Beih., 1969, 48; 140 f. · S. ROTTROFF, Hellenistic Pottery, The Athenian Agora 29, 1997, 88 f.   R. H.

Kardamyle (Καρδαμύλη). Spartanische Perioiken-Gemeinde an der Westseite der → Taygetos-Halbinsel. Die ant. Akropolis auf einem von schroffen Felswänden umringten Hügel (Strab. 8,4,4) liegt ca. 2 km vom Meer entfernt, 1 km nördl. des h. K. Keramik von myk. bis röm. Zeit; Ringmauerreste aus klass. oder hell. Zeit. Bei Hom. Il. 9,150 und 292 wird K. unter den Städten, die Agamemnon dem Nestor anbot, gen. Seit 146 v. Chr. im Bund der → Eleutherolakones, in der Kaiserzeit wieder spartanisch. Der Hafen von K. ermöglichte den Spartanern den Zugang zum messen. Golf. Belegstellen: Strab. 8,4,4; Paus. 3,26,7; Ptol. 3,14,43. Inschr.: IG V 1, 1331–1334a; SEG 11, 948; 966 II.

E. MEYER, s. v. Messenien, RE Suppl. 15, 176 f. · B. SERGENT, La situation politique de la Messénie du Sud-Est à l'époque mycénienne, in: RA 1978, 3–26.   Y. L.

Kardia (Καρδία). Stadt auf der Nordseite der Thrak. Chersones am → Melas Kolpos (Ps.-Skyl. 67; Ps.-Skymn. 698 f.; Strab. 7a,1,52;54), nicht lokalisiert (das h. Bakla Liman?), von Demosth. or. 23,182 als Tor nach Thrakien bezeichnet. Gegr. E. 7. Jh. v. Chr. von Miletos, evtl. mit Kolonisten aus Klazomenai (Strab. l.c.). Neugründung durch → Miltiades mit att. Kolonisten (560 v. Chr., Hdt. 6,34 ff.; → Kolonisation); von K. aus gründete dieser noch weitere Städte (u. a. Paktye). Gegen die dauernde Gefahr von Angriffen der Thrakes ließ er die lange Mauer von K. nach Paktye bauen (Hdt. 6,36,2; Ephor. FGrH 70 F 40). K. stand zeitweilig unter pers. Herrschaft (Xerxes zog mitten durch die Stadt hindurch, Hdt. 7,58,2; der Perser Oiobazos floh auf dem pers. Rückzug von K. nach Sestos, Hdt. 9,115). Während des → Peloponnesischen Krieges war K. Stützpunkt der att. Flotte (Xen. hell. 1,1,11). Im Konflikt zw. Philippos II. und Athen stand K. auf maked. Seite und verweigerte die Aufnahme von → klērúchoi aus Athen (352/1 v. Chr.; Demosth. or. 5,25; 7,41). Zur Zeit Alexanders d. Gr. stand K. unter der Verwaltung des Heka-

taios. Vertraute des Königs wie Eumenes und Leonnatos, die aus K. stammten, setzten sich für ihre Heimatstadt ein. 309 v. Chr. wurde K. von Lysimachos zerstört,
seine Bewohner in seine nahegelegene Neugründung
→ Lysimacheia übergesiedelt.

In röm. Zeit war K. eine bed. Stadt (Plin. nat. 4,48 f.).
Der griech. Historiker → Hieronymos [6] stammte aus
K.

> MÜLLER 2, 852 ff. · B. ISAAC, The Greek Settlements in
> Thrace until the Macedonian Conquest, 1989, 166 f., 187.
>   I. v. B.

Karduchoi (Καρδοῦχοι). Zuerst von Xenophon (Xen.
an. 3,5,15 u.ö.) erwähntes, in den nördlichsten Ausläufern des → Zagros, den Καρδούχεια ὄρη (Diod.
14,27,4), wohnendes Bergvolk. Xenophon beschreibt
die K. als in Dörfern lebend und Ackerbau, Weinbau
und Viehzucht sowie handwerkliche Tätigkeiten be-
treibend. Bes. hervorgehoben wird ihre mil. Bedeutung
als Bogenschützen und Schleuderer. Während in den
griech. Zeugnissen v. a. die (»natürliche«) Aggressivität
der K. und ihre Feindschaft dem Großkönig gegenüber
betont wird (Xen. an. 3,5,16; Diod. a.O.), dürfte – nach
allem, was wir über die Beziehungen zwischen Achaimeniden und Bergvölkern wissen – eher das von Xenophon angedeutete reglementierte Reziprozitätsver-
hältnis (Geschenke/Gegengeschenke; Anerkennung
von Autonomie/Loyalität und Heeresfolge) die Regel
gewesen sein. Als »Vorfahren« der Kurden kommen statt
der K. wohl eher die bei Polybios, Livius und Strabon
genannten → Kyrtioi (*Cyrtii*) in Betracht.

> BRIANT, bes. 747–753 · D. N. MACKENZIE, The Origins of
> Kurdish, in: TPhS 1961 (1962), 68–86, bes. 68 f.   J. W.

Kares, Karia (Κᾶρες/die Karer, Καρία; lat. *Cares, Caria*).
I. GEOGRAPHIE II. HERKUNFT III. GESCHICHTE

I. GEOGRAPHIE
Stamm bzw. Landschaft in SW-Kleinasien, vom
Maiandros bzw. den Gebirgen Mykale und Mesogis im
Norden, Salbakos im Osten begrenzt; die Südküste von
K. erstreckt sich vom Triopischen Vorgebirge bis zur
Bucht von Telmessos (Strab. 14,2,1; Liv. 37,16). An der
durch Golfe und langgezogene Halbinseln gegliederten
Westküste liegen zunächst die noch zu Ionia zählenden
Städte → Miletos, → Myus, → Herakleia [5] und
→ Priene, landeinwärts → Magnesia am Maiandros,
wiederum an der Küste nach Süden zu → Iasos [5],
→ Bargylia, → Myndos, → Halikarnassos, → Keramos,
→ Knidos, → Kaunos, → Kalynda. K. ist ein Berg- und
Hügelland mit kleineren Ebenen. Nach Norden ent-
wässern die linken Nebenflüsse des Maiandros, Harpa-
sos und Marsyas, nach Süden fließt im Grenzgebiet zu
Lykia der Indos (h. Dalaman Çayı). Entlang der kar.
Südküste führte die ant. Hauptseeroute von der Levan-
teküste zur Ägäis. Die Unterscheidung »K. am Meer«
(Thuk. 2,9,4) und »oberes (= binnenländisches) K.«
(Paus. 1,29,7) scheint geogr. bedingt.

II. HERKUNFT
Die Herkunft der K. war schon im Alt. umstritten:
Nach kret. Überl. (Hdt. 1,171,2 f.) urspr. → Leleges
gen., bewohnten sie die Ägäisinseln, dienten auf Minos'
Flotte, wurden von → Iones und → Dorieis – bzw. als
Seeräuber bereits von Minos (Thuk. 1,4; 1,8,1) – nach
Kleinasien vertrieben (Hdt. 1,171,5); nach eigener Trad.
waren sie autochthone Kleinasiaten, was jedoch eher
auf die Bevölkerung von → Kaunos zuträfe (Hdt.
1,172,1). Die K. verstanden sich als verwandt mit den
(eine hethit.-luw. Sprache sprechenden; → Kleinasien,
Sprachen) Lydoi und den (thrak., folglich nichtver-
wandten) Mysoi (Hdt. 1,172,6). Ob es sich bei den im
13. Jh. v. Chr. unter den Hilfstruppen der Hethiter in
der Schlacht bei → Qadeš [1] bzw. später unter den
Gegnern Tudḫalijas IV. auftretenden Leuten aus *Krkš*,
»Karkiša« [2; 3. 349 f.], um K. handelt, ist umstritten,
ebenso eine Verbindung der *Wešeš* unter den Seevöl-
kern (→ Seevölkerwanderung) mit → Iasos (inschr.
auch *Ouassos*, [3. 377]). Spät- bzw. submyk. Funde an
der kar. Westküste können ebenso von myk. Achaioi
wie K. stammen. Die myk. Funde bei Müskebi auf der
Halbinsel von Halikarnassos gehören in das Siedlungsgebiet der nichtgriech. Leleges (→ Myndos): Die K. sind
in K. bislang arch. kaum isolierbar.

III. GESCHICHTE
A. ARCHAISCHE ZEIT B. KLASSISCHE ZEIT
C. FRÜHHELLENISTISCHE ZEIT
D. HELLENISTISCHE ZEIT E. RÖMISCHE PROVINZ

A. ARCHAISCHE ZEIT
Die Griechen kannten die K. bes. als Söldner, zusammen mit → Iones, und Erfinder bestimmter mil. Aus-
rüstungsstücke (Helmbusch, Schildgriff, Hdt. 1,171,4;
Strab. 14,2,27: Anakr. fr. 81 D.; Alk. fr. 58 D.); die ion.
Frauentracht (→ Kleidung) sei eigentlich die karische
gewesen (Hdt. 5,87,3–88,1). Miletos (heth. Millawanda?) mit seinen spätbrz. Zerstörungsphasen gehörte den
»rauhsprechenden K.« (βαρβαρόφωνοι, Hom. Il. 2,867);
seit der griech. Landnahme entstand hier eine ion.-kar.
Mischbevölkerung (Hdt. 1,146,2; vgl. 1,92); in Miletos,
Myus und Priene wurde ein Unterdial. des → Ionischen
(Hdt. 1,142) gesprochen. In den → »Dunklen Jahr-
hunderten« [1] erscheinen die eingesessenen K. als natürliche Gegner der griech. Eindringlinge (Paus. 7,2,8 f.).
Eine kar. Stadt war wohl Melie an der Mykale, von
Iones im Zusammenhang mit der Bildung des Ionischen
Bundes (→ Panionion) im 8. Jh. v. Chr. zerstört (Vitr.
4,1,3–5; [4]). Der SW-Teil der kar. Küste wurde Anf.
1. Jt. v. Chr. von → Dorieis besetzt (Hdt. 1,144); ein
Beispiel für die Absorbierung eines großen kar. Bevöl-
kerungsanteils durch die griech. Siedler bietet Halikarnassos. Die kar. »Thalassokratie« (um 721 v. Chr., Diod.
7,11; Eus. (Hier.) chron. 1,225 schol.) gilt, wie eine kar.
Kolonisation im Schwarzmeergebiet, als apokryph [5].

Um 660 (?) v. Chr. traten K. und Iones als Abenteurer
und als Söldner → Psammetichos' I. in Äg. auf (Hdt.

2,152), nahmen 591 an Psammetichos' II. Aithiopia-Feldzug teil (Hdt. 2,161; ML 7; [6; 7; 8]), kämpften 570 zu angeblich 30 000 Mann unter → Apries gegen Amasis (Hdt. 2,163; 169), wurden sodann aus ihren Feldlagern beiderseits des Pelusinischen Nilarms (Hdt. 2,154,1 f.; [9]) nach Memphis (Hdt. 2,154,3) umgesiedelt; ihr Stadtquartier wurde *Karikón* gen., seine Bewohner *Karomemphítai* mit kar.-ägypt. Mischkultur (kar. Grabstelen aus Saqqāra, 2. H. 6. Jh. v. Chr., [10]). K. gehörte unter → Kroisos zum lyd. Reich (Hdt. 1,6), wurde 546 von → Harpagos [1] den Persern unterworfen und gehörte als *Karkā* [11] seit → Dareios [1] I. (521–485 v. Chr.) zur 1. Satrapie (Hdt. 3,90) Sardeis/Sparda. In Äg. standen 525 v. Chr. kar. und ion. Söldner im Abwehrkampf gegen → Kambyses (Hdt. 3,11). Nach Teilnahme am → Ionischen Aufstand wurde K. bis 494 wieder von den Persern unterworfen (Hdt. 5,103; 117–122; 6,20,25); im Kriegsrat der K., der an den »Weißen Säulen« (*Leukaí Stélai*, wohl am Marsyas, h. Çine Çayı), später im kar. Bundesheiligtum des Zeus-Stratios in → Labraunda tagte (Hdt. 5,118 f.), nahm ein Pixodaros, Sohn des Maussollos, aus Kindye, verm. ein Vorfahr des gleichnamigen Hekatomniden (→ Hekatomnos) teil.

B. KLASSISCHE ZEIT

480 v. Chr. kämpften kar. Schiffe nebst der Fürstin → Artemisia [1] in Xerxes' Flotte vor Salamis (Hdt. 7,9; 97 ff.; 195; 8,19). Der K. Mys aus Euromos erhielt 479 als Mardonios' Beauftragter im Apollon-Ptoios-Heiligtum in Boiotien angeblich Orakel in kar. Sprache (Hdt. 8,135 f.; vgl. die kar. liturgische Formel in Didyma, Kall. fr. 224 PFEIFFER). Während Kimons K.-Lykia-Pamphylia-Expedition 469/466 wurden die meisten kar. Städte, auch kar. Dynasten, dem → Attisch-Delischen Seebund angeschlossen, 446–438 bestand ein eigener kar. Steuerbezirk: Nach Niederschlagung des Samischen Aufstands 439/8 fielen 14 kar. Bundestädte von Athen ab; Athen verzichtete auf mil. Sanktionen [12]. Eine 428/7 zur Geldkollektion ins Maiandros-Tal vorgedrungene athen. Truppe unter Lysikles wurde von den K. aufgerieben (Thuk. 3,19). 412 traten bislang noch athentreue kar. Städte, darunter Halikarnassos, auf pers. Seite über. Der aufständische kar. Dynast Amorges, ein Sohn des vormaligen Satrapen Pissuthnes, dessen Unterstützung durch Athen zum Kriegseintritt Persiens auf Spartas Seite führte, wurde von Iasos ausgeliefert und von Tissaphernes, dem Satrapen von Sardeis und Karanos (Vizekönig) von Kleinasien, getötet; K. besaß er als Hausmacht, die er gegen das spartanische Expeditionskorps unter → Agesilaos [2] verteidigte (Xen. hell. 3,4,12). Bald nach Tissaphernes' Sturz 395 wurde K. als eigener Verwaltungssprengel von Sardeis abgetrennt und dem Dynasten Hekatomnos von Mylasa als Satrapen unterstellt.

C. FRÜHHELLENISTISCHE ZEIT

Die Herrschaft der Hekatomniden (391–334) brachte für K. eine kulturelle Blütezeit, eine Entwicklung des Städtewesens mittels → *synoikismós* von kar. Dorfgemeinden und durch → Hellenisierung über die vom Attisch-Delischen Seebund erreichten Küstenzonen hinaus. Unter → Maussollos (377–353) wurde die Residenz von → Mylasa nach Halikarnassos verlegt. Im Konflikt mit dem alten *koinón* der K. setzte sich Maussollos 367 mit Hilfe des Großkönigs durch, mehrere Attentate (367, 361, 355) wurden vereitelt; am Ende der Satrapenrevolte in Kleinasien 362 wurde der klug taktierende Fürst vom Großkönig begnadigt. Sein Fürstentum reichte von Süd-Lydia bis West-Lykia, das ihm nach dem Ende der lyk. Dynasten zugeschlagen und, wie später unter seinen Nachfolgern, durch Strategen und Epimeleten verwaltet wurde [13; 14]. Mit der von Maussollos initiierten Konföderation von Chios, Kos, Rhodos, Byzantion (deren Abfall von Athen er unterstützte; att. → Bundesgenossenkrieg [1] 357–355) dehnte er seine Macht auch über die K. vorgelagerten Inseln aus. Der Regentschaft seiner Schwester und Witwe → Artemisia [2] (353–351) folgte die seines Bruders Idrieus (351–344), der gleichfalls mit einer Schwester, → Ada, verheiratet war. Sie folgte ihm für 344–340 nach, wurde jedoch 340 vom jüngsten Bruder Pixodaros vertrieben und zog sich nach Alinda (h. Karpuzlu) zurück, das sie 334 Alexander d. Gr. übergab.

Eine dynastische Verbindung mit dem maked. Königshaus – Heiratsprojekt von Pixodaros' Tochter mit Philippos' II. Sohn → Arridaios [4] 337/6 – zerschlug sich. Im J. 334 nahm Alexander K. ein und wurde, von Ada adoptiert, beim Tode der Dynastin 326(?) Rechtsnachfolger der Hekatomniden in K. Der letzte Satrap von K., Pixodaros' Schwiegersohn Orontopates, hatte 334/3 noch die Burg von Halikarnassos und die Städte Myndos, Kaunos, Thera, Kallipolis behauptet, wurde aber rasch von Asandros und Ptolemaios besiegt (Arr. an. 2,5,7). K. fiel 323 und 320 Asandros zu und kam 313 in → Antigonos' [1] Machtbereich (StV 425); nach dessen Tod 301 behauptete sich sein Sohn → Demetrios [2] in einigen Küstenstädten, während das Binnenland nacheinander an Kassandros' Bruder Pleistarchos, um 295 an Lysimachos und 281 an das Seleukidenreich fiel, in dessen Besitz Ost-K. mit Salbakos-Gebirge und Tabai-Ebene bis 188 verblieb. Unter ptolem. Herrschaft oder doch Einfluß gelangten bereits 309 im Zuge von Ptolemaios' I. K.-Expedition, bzw. erst im sog. »Syr. Erbfolgekrieg« (280–275) und spätestens im 3. Syr. Krieg (246–241) zahlreiche Städte an den kar. Küsten [15; 16] und im Binnenland [17. 118 ff.; 18], vermutlich mit mehrmaligem Besitzerwechsel [19].

D. HELLENISTISCHE ZEIT

Auch → Rhodos hatte auf der ihm gegenüberliegenden kar. Südküste seit dem 5. Jh. v. Chr. Besitz (vgl. Liv. 32,33,6); indem es 240/237 die Neugründung → Stratonikeia von den Seleukiden zum Geschenk erhielt, konnte Rhodos seine Peraia wiederherstellen und landeinwärts ausbauen. Das Binnenland K. unterstand dagegen den Seleukiden, nördl. Teile waren nach → Attalos' [4] I. Sieg über Antiochos Hierax für 228–223 pergamenisch. 228/7 besetzte → Antigonos [3] Teile von K. (Pomp. Trog. 28; Pol. 20,5,11; [20]), wohl im

Einverständnis mit dem kar. Dynasten Olympichos, dessen Herrschaft im Gebiet um Mylasa und Alinda lag; wie dieser zuvor den Seleukiden als Stratege gehorcht hatte (Seleukos II., um 240?), diente er nun, vermutlich in gleicher Funktion, den Antigoniden [21. 367ff.]; ob danach eine maked. Strategie (Prov.) K. errichtet wurde, bleibt fraglich; unklar ebenso, wieweit → Achaios [5] 223/2 die seleukid. Position in K. gegen Makedonien festigte (Pol. 4,48).

204/3 eroberte → Antiochos [5] III. erstmals ptolem. Orte in K. [22. 38; 17. 146ff.] und brach in die maked. Einflußzone ein; Philippos V. eroberte nach seinem Abkommen mit Antiochos III. (StV 547) und dessen mil. Engagement in Syria im J. 201 die bereits antigonidischen Orte in K. mit wechselndem Glück zurück (Pol. 16,24,6–8; [23. 243ff.]). Er kontrollierte damit West-K. einschließlich der rhodischen Peraia (Pol. 16,11,2; Liv. 32,33,6). Diese wurde bis 197 von rhodischen Truppen freigekämpft [24. 69ff.], womit sich die maked. Einflußzone (oder Strategie?) in K. auflöste (Liv. 33,18,6; [21. 370ff.]). Gleichzeitig wurden aber die ehemals ptolem. Besitzungen Ziel seleukid. Angriffe, die abermals tief nach K. hinein in die von den Makedonen geräumten Gebiete vorstießen. Rhodos sicherte mil. Kaunos, Knidos, Myndos, Halikarnassos (Liv. 33,20,11) und erreichte von Antiochos III. deren Freiheit, erhielt auch Stratonikeia zurück (Liv. 33,17,5–18,1; 18,22; [24. 76ff.]). Iasos erwies dem König (wegen Erdbebenhilfe im J. 198) überschwenglichen Dank.

189 wurden Teile von K. von den Römern unter Cn. Manlius Vulso erobert. Im Frieden von Apameia 188 v. Chr. fiel der Nordteil von K. wiederum an Pergamon, der Südteil an Rhodos (Pol. 21,24,7f.; Liv. 37,55,5; 56,6; 38,39,13) – mit der ebenfalls zugeteilten Lykia eine beträchtliche Erweiterung der rhodischen Peraia. Die unter ptolem. und seleukid. Oberhoheit weitgehend autonom gebliebenen Städte sträubten sich heftig gegen eine Unterstellung unter Rhodos. Spannungen zw. den kar. Landgemeinden und den griech. Städten in K. nutzte Rhodos für sich: Apollonia am Salbakos etwa forderte Autonomie, dagegen wünschte seine Landbevölkerung, Rhodos untertan zu werden [25. 92ff., 303f.; 24. 87f.]. Die griech. Küstenstädte von Milet bis Knidos und die Binnenstädte Euromos, Pedasa, Mylasa blieben, da 197/6 bereits frei oder 188 von Rom für frei erklärt, autonom. 167 v. Chr. erhielten K. und Lykia, soweit 188 Rhodos zugeteilt, von Rom die Freiheit (Pol. 30,5,12; Liv. 45,25,6), Rhodos behauptete nur knapp seine alte Peraia in K.: Rhodos besiegte Mylasa und Alabanda, die das Gebiet um Euromos besetzt hatten, und zwang das die Rebellion anführende Kaunos zur Unterwerfung (Liv. 45,25,11); 166 aber erklärte der röm. Senat Kaunos und Stratonikeia, obwohl rhodischer Altbesitz, für frei und veranlaßte Räumungsbefehl für die rhodischen Garnisonen (Pol. 30,21,3; Strab. 14,2,3; [26; 27]).

E. RÖMISCHE PROVINZ
1. REPUBLIK 2. KAISERZEIT 3. DOMINAT

1. REPUBLIK

129 v. Chr. wurde K. verm. Teil der röm. Prov. → Asia [2], einige Städte blieben wohl weiterhin frei. Wie in ganz Kleinasien wurde → Mithradates VI. auch in K. überwiegend als der »Retter Asiens« vor der Römerherrschaft willkommen geheißen. Städte wie Tabai, zuvor einem romtreuen Städtebündnis angeschlossen, sowie Stratonikeia, Vorort des wohl im 3. Jh. v. Chr. entstandenen jüngeren kar. Städtebundes, des »Chrysaorischen koinón« (auch σύστημα τῶν Χρυσαορέων, [28]), widersetzten sich und wurden hart unterworfen. Bei der »Ephesischen Vesper« (→ Cornelius [I 90] Sulla) ging Kaunos bes. grausam gegen die verhaßten Italiker vor, wurde daher 81 vom Senat wieder Rhodos unterstellt; romtreue Städte erhielten stattdessen die Freiheit. 40/39 überrannte das von Q. Labienus angeführte Partherheer Teile von K.; Mylasa, Alabanda u. a. leisteten Widerstand. Um 40 v. Chr. erhielten die Rhodier von M. → Antonius [I 9] Myndos zum Geschenk, büßten es aber, zusammen mit Kaunos, um 30 unter dem nachmaligen Augustus wieder ein.

2. KAISERZEIT

In der Kaiserzeit hatte K. an dem allg. wirtschaftlichen und kulturellen Wiederaufstieg in Kleinasien Anteil. Das Griech. war längst einzige Verkehrssprache. Die von Maussollos begonnene → Hellenisierung der kleineren kar. Binnensiedlungen erreichte im 2. Jh. n. Chr. auch durch deren städtischen Ausbau mit ansehnlichen öffentlichen Gebäuden ihren Höhepunkt. Von den Seezügen der Goti und Heruli (253–262) war K. nur peripher (Maiandros-Tal) betroffen.

3. DOMINAT

Nach der Diocletianischen Reichsreform war K. im 4. Jh. eine der sieben aus der Asia gebildeten Prov. (Hierokles, Synekdemos 687,7) unter einem konsularischen Statthalter (30. Eparchie mit 28 Städten). Von den Missionsreisen des Apostels Paulus nicht berührt, wurde K., von Laodikeia und Kolossai im Osten abgesehen, offenbar erst spät (4. Jh.) dem Christentum erschlossen. In byz. Zeit, in der K. zu den Themen Thrakesion und Kibyraioton gehörte, war → Aphrodisias [1] Metropolis von K., im 7. Jh. in Stauropolis umbenannt; im 9. Jh. unter dem Namen Karia (Not. episc. 1,360 P.).

Zu Sprache, Religion und Kultur s. → Karisch, Kleinasien.

1 R. D. BARNETT, in: CAH II³ 2, 1975, 360f. 2 G. L. HUXLEY, Achaeans and Hittites, 1960, 34–37 3 F. H. STUBBINGS, in: CAH II³ 2, 1975 4 G. KLEINER u. a., Panionion und Melie (JDAI Ergh. 23), 1967, 78f. 5 I. v. BREDOW, K. im Pontos?, in: U. FELLMETH, H. SONNABEND (Hrsg.), Alte Gesch., FS E. Olshausen, 1998, 1–6 mit Anm. 2 6 J. BOARDMAN, Kolonien und Handel der Griechen, 1981, 136f. 7 O. MASSON, J. YOYOTTE, Objects pharaoniques à inscription carienne, 1956 8 O. MASSON, Les Cariens en Égypte, in: Bull. Soc. française Égyptiene 56, 1969, 25f.

9 T. F. R. G. BRAUN, in: CAH III² 3, 1982, 35 ff., 43 ff.
10 O. MASSON u. a., Carian Inscriptions from North Saqqâra and Buhen, 1978 **11** W. EILERS, Das Volk der Karka in den Achämenideninschr., in: OLZ 38, 1935, 201–213
12 W. SCHULLER, Die Herrschaft der Athener im Ersten Att. Seebund, 1974, 173 mit Anm. 106 **13** H. METZGER u. a., La stèle trilingue du Létôon (Fouilles des Xanthos 6), 1979 **14** T. BRYCE, The Lycians 1, 1986, 48 f., 91 ff. **15** R. S. BAGNALL, The Administration of Ptolemaic Possessions outside Egypt, 1976, 89 ff. **16** H. HAUBEN, On the Ptolemaic Inscription IGSK 28.1,2–3, in: EA 10, 1987, 3–6 **17** J. und L. ROBERT, Fouilles d'Amyzon en Carie 1, 1983 **18** ROBERT, OMS 5, 1989, 449 ff. **19** BENGTSON 3, 174 ff. **20** H. BENGTSON, Die Inschr. von Labranda und die Politik des Antigonos Doson, in: SBAW 1971, 3, 25 f.
21 BENGTSON, Bd. 2 **22** WELLES **23** H. H. SCHMITT, Unt. zur Gesch. Antiochos' d. Gr., 1964 **24** Ders., Rom und Rhodos, 1957 **25** J. und L. ROBERT, La Carie 2, 1954 **26** E. MEYER, Die Grenzen der hell. Staaten in Kleinasien, 1925, 49 ff., 58 ff., 145 ff. **27** P. M. FRASER, G. E. BEAN, The Rhodian Peraea and Islands, 1954, 79 ff., 101 ff. **28** MAGIE 2, 1031 f.

W. BLÜMEL, Die Inschr. der rhodischen Peraia (IK 38), 1991 • BMC, Gr, Caria • G. BOCKISCH, Die K. und ihre Dynasten, in: Klio 51, 1969, 117–175 • L. BÜRCHNER, s. v. Karer, Karia, RE 10, 1940–1947 • S. HORNBLOWER, Mausolus, 1982 • F. IMHOOF-BLUMER, Kleinasiat. Mz., 1901/2, 112 ff. • Ders., K. Mz., in: NZ 5, 1912, 193 ff. • A. LAUMONIER, Les cultes indigènes en Carie, 1958 • O. MASSON, Le nom des cariens dans quelques langues de l'antiquité, in: Mél. E. Benveniste, 1975, 407–414 • A. MASTROCINQUE, La Caria e la Ionia meridionale in epoca ellenistica (323–188 a.C.), 1979 • R. T. MARCHESE, The Historical Archaeology of Northern Caria, 1989 • J. und L. ROBERT, La Carie 2, 1954 • H. H. SCHMITT, s. v. Karien, KWdH, 331–335.　　　　　　　　H. KA.

Karikatur.

Die Begriffe K., Groteske, → Grylloi werden teils verschieden definiert, teils nicht strikt getrennt, teils syn. gebraucht [11. 89]; aber obwohl sich gerade das Groteske von der K., weil nicht wie sie unbedingt auf ein Vorbild bezogen, von dieser unterscheiden läßt, wird hier zur Erfassung möglichst vieler Erscheinungen ein weiter gefaßter K.-Begriff bevorzugt [4. 4]. Zu Begriff und Abgrenzung vgl. daher unbedingt [9].

K. als Abweichung vom Normalen rief schon früh Spott hervor (Thersites: Hom. Il. 2,212 ff.); mißproportionierte Gestalten erscheinen auf den Kabirenbechern und -terrakotten [11. 90 ff.] und in der att. Keramik des 5. Jh. v. Chr. ([4. 10–20]; Aisop mit Füchslein: [3. 343; 11. 78]. Auf den Phlyakenvasen des 4. Jh. parodieren häßliche und dickbäuchige Figuren mit riesigen Phalloi griech. Mythen, oft bestimmte Trag.-Szenen.

Sehr beliebt war die K. v. a. im Hell.; viele Terrakotta- und Bronzestatuetten zeigen Zwerge, Bettler und Krüppel, oft mit überdimensionierten Geschlechtsteilen; auch werden häßliche, oft betrunkene und obszöne Vetteln dargestellt (z. T. großformatig: [17; 12]); solche Statuetten wurden vornehmen Mädchen ins Grab gegeben (dicke Alte, die sich mit Lederphallos befriedigt [15]). Dies zeigt die Einstellung der Ant. zum Komischen: Aristot. (poet. 1449a) definiert das Lächerliche als

Teil des Häßlichen; körperliche Abnormitäten riefen Heiterkeit hervor (vgl. Cic. de orat. 2,239 [8. 710 ff.; 2. 19]); verkrüppelte und debile Sklaven, die nur zur Belustigung dienen konnten, wurden laut Mart. (8,13) zu Spitzenpreisen verkauft. Bettler, Krüppel und Spaßmacher (Übergänge fließend: tanzende Zwerge [16. 495 ff.]) sollten den am Ort herrschenden Überfluß zeigen [11. 15; 12. 85 ff., v. a. 92–97]. Krüppelgrotesken, z. T. zur Abwendung des »Bösen Blicks« [2. 19 f.], sind als alexandrinische Erfindung seit 300 v. Chr. nachgewiesen [10. 61–64], ihr apotropäischer Aspekt zeigt aber auch altägypt. Einfluß [1; 13].

Ebenfalls erst in der hell. Kunst anzutreffen sind Tierparodien bestimmter Berufsgruppen, z. B. das Tonfigürchen eines Geldwechslers mit Hundekopf; andere ägypt.-alexandrinische Terrakotten zeigen Esel als Schulmeister inmitten einer kynoskephalen Klasse oder ithyphallische Affen als Magistrate oder Gelehrte mit Pap.-Rollen bzw. Schreibtafeln in der Hand [4. 50 f.; 14]. Auf verschiedensten Medien gehen Tiere menschlichen Tätigkeiten nach: Ratten und Katzen musizieren im Triumphzug, Ratte und Katze boxen, zwei Heuschrecken duellieren sich mit Schild, Schwert und Lanze, ein Fuchs fängt mit einer Leimrute Vögel, eine Ratte schlägt im Rennwagen mit der Peitsche auf den ziehenden Adler ein (Belege in [6]). Zu all dem gibt es oriental. und altägypt. Vorläufer (Rollsiegel aus Ur; Papyri mit Tierparodien [6. 225]). Verbreitet sind auch tierische Mythen-Persiflagen: Röm. Lampen des 1./2. Jh. n. Chr. zeigen Ganymed als Henne oder als tierköpfigen Knaben, der sich wild strampelnd gegen seinen Entführer wehrt [6. 201–206]; zum »Affen-Aeneas« s. [5]; weitere röm. Wandmalerei [4. 31–35]; röm. Lit. [7] und jetzt v. a. [9]. Seit dem 3. Jh. n. Chr. ist die ant. K. nicht mehr nachweisbar [4. 53].

→ Parodie; KARIKATUR

1 A. M. BADAWY, Le grotesque: invention égyptienne, in: Gazette des Beaux Arts 1965, 2, 189–198 **2** B. BÄBLER, Der Zwerg am Pranger, in: Hefte des Arch. Seminars der Univ. Bern 13, 1990, 17–20 **3** G. BECATTI, Caricatura, in: EAA II 1959, 342–345 **4** H. BINSFELD, Grylloi, 1956 **5** O. J. BRENDEL, Der Affen-Aeneas, in: MDAI(R), 60/61, 1953/4, 153–159 **6** PH. BRUNEAU, Ganymède et l'aigle, in: BCH 86, 1962, 193–228 **7** J.-P. CÈBE, La caricature et la parodie dans le monde romain, 1966 **8** L. GIULIANI, Die seligen Krüppel. Zur Deutung von Mißgestalten in der hell. Kleinkunst, in: AA 1987, 701–721 **9** J. HAMMERSTAEDT, Die K. in ant. Komödie und satir. Lit. (erscheint demnächst) **10** N. HIMMELMANN, Alexandria und der Realismus in der griech. Kunst, 1983 **11** Ders., Realist. Themen in der griech. Kunst der archa. und klass. Zeit, JDAI Ergh. 28, 1994 **12** H. P. LAUBSCHER, Fischer und Landleute, 1982 **13** D. LEVI, The Evil Eye and the Lucky Hunchback, in: R. SITWELL (ed.), Antioch-on-the Orontes III, The Excavations of 1937–1939 (1941), 224–232 **14** G. NACHTERGAEL, La caricature d'un banquier à son comptoir, in: M. GEERARD et al. (Hrsg.), Opes Atticae. Miscellanea philol. et histor. R. Bogaert et H. v. Looy oblata, 1990, 315–322 **15** A. A. PEREDOLSKAJA, Att. Tonfiguren aus einem südruss. Grab (AK, Beih. 2), 1964 **16** S. PFISTERER-

HAAS, Die bronzenen Zwergentänzer, in: G. HELLEN-
KEMPER-SALIES et al. (Hrsg.), Das Wrack, Kat. Bonn 1994,
483–504 **17** P. ZANKER, Die trunkene Alte, 1989
18 V. DASEN, Dwarfs in Ancient Egypt and Greece, 1993.

B. BÄ.

Karisch. Sprache der Bewohner Kariens (→ Kares, Karia), bezeugt durch ca. 200 zumeist sehr kurze bzw. frag-
mentarische, in eigentümlicher Alphabetschrift geschriebene Inschr. des 7.–4. Jh. v. Chr., die abgesehen
von einer griech.-k. Bilingue aus Athen zum größeren
Teil – von k. Söldnern herrührend und fast nur PN ent-
haltend – aus Äg. (z. B. Saqqāra, Abydos, Abu Simbel),
zum geringeren Teil aus Karien selbst (z. B. Kaunos,
Hyllarima, Sinuri) und Lydien (Sardes, Smyrna) stammen, sowie durch PN, ON und wenige Glossen in
griech. (epigraphischer und lit.) Nebenüberlieferung.
Der erst ab etwa 1990 gelungene Durchbruch in der
Entzifferung des k. Alphabets (zusammenfassend [1])
hat die schon lange als wahrscheinlich geltende Zugehörigkeit des K. zu den → anatolischen Sprachen bestätigt, während infolge der z. T. noch vorläufigen Festlegung (und Notation) einzelner Phonemqualitäten wie
auch aufgrund des Umstandes, daß unbetonte Vok. (bes.
$e < *\breve{a}$; 1. Jt.) graphisch nicht ausgedrückt werden, zudem die Kenntnis von Lexikon und Gramm. sich bisher
überwiegend auf PN und ON stützt, seine genetische
Stellung innerhalb des westanatol. Zweigs noch nicht
verbindlich zu bestimmen ist.

So läßt sich gerade auch bei kar.-luw. Gleichungen,
bes. mit den etwa zeitgleich überl. luw. Dial. Lykisch
und Milyisch (→ Luwisch), vorerst kaum sicher entscheiden, was auf ur(west)anatol. bzw. urluw. Verwandtschaft oder aber – zumal bei PN – auf Entlehnung
beruht; z. B.: *wbt* [*úb't*] = lyk. *ubete* »er stiftete«; *sb* = lyk.
se, mily. *sebe* »und« [2. 78 f.]; PN Nom. *Msnori*
[*M's⁽ᵉ⁾norí*/*M's⁽ᵉ⁾nór'i̯*?] = keilschriftluw. (kluw.), hieroglyphenluw. (hluw.) *Mass(a)na-ura(/i)-* [3. 170¹⁶]
(bzw. mit nichtsynkopiertem HG *urai̯a(/i)*-, Sg. Nom.
c(ommune) *urai̯is*) »groß durch die Götter« (aber *s* – im
Unterschied zu *ś* (Fortis [*ss*]) – auch = *z*, z. B. in Sg.
Nom./Akk. c. *san*/*sn-n* = kluw., hluw. *zā̆-s*/*zā̆-n* »die-
ser/n« bzw. kluw. Sg. Nom./Akk. n. *zāni* »dies, das«
[2. 79 f.]). Abweichend von allen luw. Dial. verhält sich
das K. jedenfalls in der Kontraktion *$\breve{a}u̯$ > *eu̯ > o* (z. B.
Adj. genetivale Sg. N. c. *Múdoṅś* [*Múdon'ss*] : Sg. Nom.
c. *Mdaùn* [*Mᵘdáu̯'n'*] (Akz.!) mit kluw., hluw. *-u̯ann(i)-*,
mily. *-wñn(i)-*, lyk. *°ã/ẽnn(i)-* entsprechendem Eth-
nikonsuffix *-u̯⁽ᵉ⁾n⁽ⁱ⁾* [2. 82 f.]); in der Sonderentwicklung *l > λ (griech. Umschrift λδ, λλ, lit. auch λ) [4.
328 f.], namentlich etwa in den Adjektivsuffixen
°ολ- (*-u̯λ(i)-), wie z. B. PN Nom. *Uśoλ* [*Ussoλ'*]/
Ὑσσωλδ/λλος, Μαυσσωλλος, Ἰβανωλλις (vgl. den kluw.
PN *Tablazunau̯al(i)-*/ *Tablazunaul(i)*- aus Arzawa, außerdem [5. 271⁹¹⁹]), und -ελ- (z. B. PN Nom. *Ioneλ* [*Ioneλ'*]
»Ionier«, *Iμreλ* [*Iᵐbreλ'*]/Ιμβαρηλδος »aus Imbros stammend« [3. 172 f.]) = luw. *-al(i)*- (jünger -*el(i)*-), das aber
eigentlich keine Ethnika bildet (mily. *Wesñtel(i)*- »aus
Phellos stammend« im Unterschied zu lyk. *Wehñ-*

teze(/i)- Karismus?); im (konditionierten?) Zusammen-
fall von Fortis und Lenis des Laryngals *h_z (kluw. $\hbar\hbar : \hbar$,
lyk. χ : g) in kar. *k*, wie z. B. die diesbezüglich schwankende lyk. Wiedergabe des PN *Píxes-ere-*/*Píges-ere-* (=
griech. Πιξῳέδαρος) »eine Zeit des Glanzes habend« <
kar. *Piks-°* [*Pík's-°*] (vgl. kluw. *pīhas-* »Glanz, Blitz«,
ā̆ra(/i)- »Zeit«) nahelegt [5. 105, 116³³⁹ᵃ; 6. 28–31]; ferner etwa in der Ptz.- (bzw. Verbalstamm-)bildung, z. B.
-é- : luw. *-ái- (-éi-)* in *Qtblem* [*Q'tb'le-m⁽ᵉ⁽ⁱ⁾⁾*-] : mily. *qet-
belei-me(/i)*- und *pi*- : luw. *pii̯a- (pije)* »geben« in
(Nετερ-)βι-μος : lyk. (*Natr-)bbijẽme(/i)*- = Ἀπολλόδοτος
[2. 78, 80; 5. 247 f.].

Andererseits sind im K. spezifisch luw. Neuerungen
wie der Schwund von uranatol. *g, die Umbildung der
ur(west)anatol. Pl.-Endungen (so im Kluw., Hluw.,
Mily.) oder die Ausweitung des Motionssuffixes *-i-*
(das allgemein durch griech. Stammvarianten, z. B.
Κυτβελημις/Κοτβελημος, °λλις/°*λλος, °σσις/°σσος,
gesichert wird) auf kons. Subst. (noch) nicht greifbar, so
daß die Bestimmung des K. als luw. Dial. derzeit wohl
möglich, aber nicht zwingend erscheint, vielmehr
grundsätzlich auch ein engeres genetisches Verhältnis
– vergleichbar dem zw. → Palaisch und Luw. – in Betracht kommt. Gegen ein näheres Zusammengehen mit
dem → Lydischen sprechen z. B. Bewahrung des Laryn-
gals, Verbalendung Prät. Sg. 3. [-*t'*] (s. o. *wbt*) : lyd. -*l* und
Patronymikonbildung auf -*ś* [-*ss⁽ᵉ⁽ⁱ⁾⁾*] : lyd. -*li-*, wie im
übrigen auch kar. und lyd. o bzw. λ jeweils verschiedene
Ausgangspunkte haben.

→ Kleinasien: Alphabetschriften

1 D. SCHÜRR, Zur Bestimmung der Lautwerte des kar.
Alphabets 1971–1991, in: Kadmos 31, 1992, 127–156
2 H. C. MELCHERT, Some Remarks on New Readings in
Carian, in: Kadmos 32, 1993, 77–86 **3** D. SCHÜRR, *Imbr-* in
lyk. und kar. Schrift, in: Sprache 35, 1991–1993, 163–175
4 N. OETTINGER, Etymologisch unerwarteter Nasal im
Hethit., in: J. E. RASMUSSEN (Hrsg.), GS H. Pedersen, 1995,
307–330 **5** F. STARKE, Unt. zur Stammbildung des kluw.
Nomens, 1990 **6** I.-J. ADIEGO, in: Contribuciones al
descifriamiento del Cario, in: Kadmos 34, 1995, 18–34.

F. S.

Karkabos (Καρκάβος, Καρνάβας bei Eust. zu Hom. Il.
4,88). Gründer von Zeleia bei Kyzikos, Sohn des
→ Triopas und Vater des → Pandaros. Er tötet seinen
grausamen Vater und flieht zu Tros, dem König von
Dardanien, der ihn entsühnt und ihm das Land von Zeleia schenkt (schol. Hom. Il. 4,88). F. G.

Karkemiš, Karkamis. Nordsyr. Stadt am Schnittpunkt wichtiger Handelsrouten am Euphrat, wirtschaftl. und polit. begünstigt durch die Lage am Rande
einer fruchtbaren Ebene mit Zugang zu den rohstoff-
reichen Bergregionen; eine Besiedlung ist durch Keramikfunde seit dem 5. Jt. v. Chr., namentlich (u. a. akkad. K/*Gark/gamis*/*š*; hethit., luw. *Karkamissa*-; hebr.
Karkemiš) ca. 2500–600 v. Chr. bezeugt; in griech. Zeit
Europos bzw. Hierapolis gen. (> arab. *Ǧarābulus*, türk.
Cerablus).

Der Stadtstaat K. unterstand um die Mitte des 3. Jt. dem Königtum → Ebla. Nach Ausweis der Texte von → Mari zumindest in der 2. H. des 18. Jh. unabhängig, geriet K. in der Folgezeit wieder unter die Oberhoheit zunächst des Großkönigtums Jamḫad/Ḫalpa (→ Aleppo), dann (z.Z. Mursilis I., ca. 1540–1530) der Hethiter (→ Ḫattusa) und schließlich (ab E. 16. Jh.) von → Mittani, wo es ungeachtet äg. Versuche, die Euphratfestung in die Hand zu bekommen, für ca. 200 J. verblieb.

Die 1322 v.Chr. (im Todesjahr → Tutenchamuns) erfolgte Einnahme von K. als letztem westeuphratischen Stützpunkt Mittanis durch den hethit. Großkönig Suppiluliuma I. (ca. 1355–1320) leitete nicht nur den Zusammenbruch Mittanis ein, sondern stellte zugleich den Abschluß der hethit. Eroberung aller nordsyr. Kleinstaaten (u.a. → Alalaḫ, → Ugarit, Nuḫassa/Nuḫašše, → Amurru [2], Astata (Emar); vgl. → Ḫattusa II (mit Karte)) dar, die vertraglich an Ḫattusa gebunden wurden und nunmehr innerhalb des hethit. Großreiches einen eigenen Verband eng miteinander kooperierender Vasallenstaaten bildeten. Polit. Zentrum dieses Staatenverbandes wurde K., wo Suppiluliuma I. für seinen Sohn Sarrikusuḫ-Pijassili (ca. 1321–1309) eine Sekundogenitur (Skg.) einrichtete, deren Territorium östl. des Euphrat etwa bis zur Linie Samsat-Emar/Meskene reichte, westl. des Euphrat an Alalaḫ und an die (gleichzeitig eingerichtete) hethit. Skg. Ḫalpa grenzte. Der

Skg. K. direkt angegliedert war Astata (Emar), dessen König ein karkamis. Prinz als »Landesaufseher« zur Seite stand.

Wie aus den Archiven von Ḫattusa sowie insbes. von Ugarit und Emar hervorgeht, war die Skg. K. mit bes. Hoheitsrechten ausgestattet, die sie in enger Abstimmung mit der Reichsregierung in Ḫattusa wahrnahm. Dazu gehörten v.a. die eigenverantwortliche Sicherung des syr. Reichsteils nach innen und außen (gegen Assyrien, Äg.), die polit. und mil. Weisungsbefugnis gegenüber allen syr. Vasallenkönigen, die richterliche Entscheidungsgewalt in Rechtsfällen (z.B. Grenzstreitigkeiten, Handelsangelegenheiten) zw. den syr. Vasallenstaaten bzw. zw. diesen und ausländischen Mächten sowie die Beteiligung an diplomatischen Verhandlungen der Reichsregierung (z.B. Vertragsschluß mit Ramses II. im J. 1259). Prinzen der Skg. K. konnten als »Prinzen des Landes Ḫattusa« auch der Reichsregierung angehören. Der polit. Bedeutung des Königs von K. trug bereits Mursili II. (ca. 1318–1290) dadurch Rechnung, daß er seinem Bruder Pijassili (und dessen Nachfolgern) per Gesetzeserlaß den dritten Rang nach Großkönig und Kronprinz in der Reichshierarchie zuerkannte. Pijassilis Enkel Initesub wurde darüber hinaus von Tudḫalija III. (sog. »IV.«; ca. 1240–1215), wenn auch auch nur inoffiziell, der Status eines Großkönigs eingeräumt.

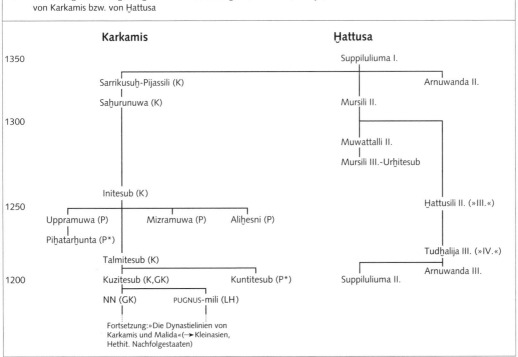

Die Dynastie der hethit. Sekundogenitur Karkamis (14. Jh. bis Anf. 12. Jh. v. Chr.)

K	König von Karkamis	P*	Prinz, in offizieller Funktion in Astata (Emar) residierend
GK	Großkönig von Karkamis	LH	Landesherr (Titel) der karkamisischen
P	Prinz, Mitglied der Regierung von Karkamis bzw. von Ḫattusa		Sekundogenitur Malida (Malatya)

Karkamis   **Ḫattusa**

1350 .... Suppiluliuma I.

Sarrikusuḫ-Pijassili (K) .... Arnuwanda II.

Saḫurunuwa (K) .... Mursili II.

1300

Muwattalli II.
Mursili III.-Urḫitesub

Initesub (K)

1250 .... Ḫattusili II. (»III.«)

Uppramuwa (P) ...... Mizramuwa (P) ...... Aliḫesni (P)
Pihatarḫunta (P*)

Talmitesub (K) .... Tudḫalija III. (»IV.«)

.... Arnuwanda III.

1200 ... Kuzitesub (K,GK) ...... Kuntitesub (P*) ... Suppiluliuma II.

NN (GK) ...... PUGNUS-mili (LH)

Fortsetzung: »Die Dynastielinien von Karkamis und Malida« (→ Kleinasien, Hethit. Nachfolgestaaten)

Unter Kuzitesub trat die Skg. K. beim Zusammenbruch des hethit. Großreiches (kurz nach 1200) dessen Nachfolge als Großkönigtum in SO-Kleinasien und Nord-Syrien an, das sich allerdings spätestens im 11. Jh. v. Chr. in mehrere Einzelstaaten auflöste (→ Kleinasien, Hethit. Nachfolgestaaten). Der auf das westeuphratische Gebiet der früheren Skg. reduzierte Kernstaat K. blieb bis 717 unabhängig und war danach bis zum E. des assyr. Reiches assyr. Prov. Bedeutende reliefierte Bildprogramme und monumentale Inschriften luw. Könige an den Toren und Mauern der Innenstadt zeugen von einer kulturellen Blütezeit in der sog. späthethit. Periode (1000–700 v. Chr.; → Kleinasien, Hethit. Nachfolgestaaten, Kunst). Im J. 605 entschied die Eroberung von K. durch den babylon. Kronprinzen → Nebukadnezar den Kampf um das Erbe Assyriens gegen die Ägypter (→ Necho) und zugunsten der Babylonier.

J. D. HAWKINS, s. v. K., RLA 5, 428–446 • H. KLENGEL, Syria 3000 to 300 B. C., 1992 • S. MAZZONI, The Gate and the City: Change and Continuity in Syro-Hittite Urban Ideology, in: G. WILHELM (Hrsg.), Die oriental. Stadt, 1997, 307–338 (mit Lit.) • I. WINTER, Carchemish ša kišad puratti, in: Anatolian Stud. 33, 1983, 177–197. F. S. u. DO. BO.

Karkinos (Καρκίνος).

[1] Zum Tierkreiszeichen verstirnter Krebs, der Herakles auf Geheiß der Hera in den Fuß beißt, als er mit der Hydra kämpft (Eratosth. Katasterismoi 11). Danach der alexandrinische Monatsname Karkinon (Καρκινών). C. W.

[2] K. aus Naupaktos, ep. Dichter der archa. Zeit. Bei Paus. 10,38,11 wird mit Verweis auf Charon von Lampsakos K. als Verf. der Ναυπάκτια ἔπη (Naupáktia épē) genannt, offenbar einer Gesch. dieses am Eingang in den Korinthischen Golf gelegenen Ortes; die erh. Fr. verweisen jedoch primär auf die Argonautensage. Trotz etwa einem Dutzend Zeugnissen zu diesem Epos fehlen weitere Belege für K.' Autorschaft.

ED.: PEG I 123–126 • EpGF 145–149.
LIT.: V. J. MATTHEWS, Naupaktia and Argonautika, in: Phoenix 31, 1977, 189–207. E. V.

[3] Tragiker aus Thorikos (PA 8254, DAVIES 283–285), Sohn eines Xenotimos, siegte an den Dionysien 446 v. Chr., Stratege 431 (Thuk. 2,23,2), zwei Weihungen auf der Akropolis sind bezeugt (TrGF I 21 T 7). Von seinem Werk ist nichts erhalten außer dem trag. Klageruf ἰὼ μοί μοι (Aristoph. Nub. 1259–61); der Titel ›Die Mäuse‹ ist vom Scholiasten erfunden. K. wird zusammen mit seinen Söhnen → Xenokles, Xenotimos und Xenarchos in der Exodos von Aristoph. Vesp. 1498 ff. als einer der modernen tragischen Tänzer verspottet (vgl. auch Aristoph. Pax 782 ff.), die der alten Tanzart eines an → Phrynichos geschulten Philokleon unterlegen sind. Daraus läßt sich folgern, daß er in seinen Kompositionen wie die anderen Vertreter der Neuen Musik expressive, mimetische Einlagen bevorzugte.
→ Musik; Tanz

B. GAULY u. a. (Hrsg.), Musa tragica, 1991, 146 f. • D. M. MACDOWELL, Aristophanes, Wasps, 1971, 326 f. • A. H. SOMMERSTEIN, The Comedies of Aristophanes 4, 1983, 246 • B. ZIMMERMANN, Der Tanz in der Aristophanischen Komödie, in: Primeras Jornadas Internacionales de Teatro Griego, 1996, 126 f.

[4] Tragiker aus Thorikos, Enkel von K. [3], Sohn des Tragikers → Xenokles, ca. 420/410 – vor 341/40 v. Chr. Er hat sich mehrfach in Sizilien aufgehalten und vermutlich das Bürgerrecht von Akragas erhalten. Er soll 160 Stücke verfaßt haben (TrGF I 70 T 1) und hat elf Dionysiensiege errungen (T 2). Erh. sind 32 Verse, als Titel sind bezeugt: ›Aias‹, ›Alope‹, ›Amphiaraos‹ (oder ›Eriphyle‹), ›Medea‹, ›Oidipus‹, ›Orestes‹, ›Semele‹, ›Tyro‹. Aristot. poet. 17,1455a 26 ff. tadelt K. wegen eines technischen Fehlers, da er im ›Amphiaraos‹ den Protagonisten durch einen der Seitenausgänge der Orchestra (eísodoi) hatte abtreten und durch die Tür der Bühne (skēnḗ) wieder auftreten lassen. Ob das sprichwörtliche Lachen des Aias (F 1a, vgl. Men. Perinthia fr. 10 SANDBACH) auf eine Regieanweisung des K. oder einen Einfall des Schauspielers Pleisthenes zurückzuführen ist, läßt sich nicht klären. In der ›Medea‹ hat vermutlich gegen die Version des → Euripides [1] und → Neophron Medea ihre Kinder nicht umgebracht, sondern in Sicherheit gebracht. Der K. zugeschriebene Rätselstil (F 1g) läßt sich in den Fr. nicht nachvollziehen.

B. GAULY u. a. (Hrsg.), Musa tragica, 1991, 146–155, 288 f.

[5] aus Akragas (TrGF I 235), wohl mit K. [4] gleichzusetzen, der sich häufig in Sizilien aufgehalten hatte (TrGF I 70 T 4) und vermutlich das Bürgerrecht von Akragas erhalten hatte.

B. GAULY u. a. (Hrsg.), Musa tragica, 1991, 288 Anm. 2.
B. Z.

Karko (Καρκώ).

Von Hesychios (s. v. K., 834) der → Lamia gleichgesetzt, ist K. eines der furchteinflößenden weiblichen Ungeheuer, die als Personifikationen des Todes vor allem kleiner Kinder, die sie fressen, gelten können. Dieser Aspekt wird durch K.s Namen (verwandt mit kárcharos = »bissig«, »scharf«) betont. B. SCH.

Karmania (Καρμανία, lat. Carmania; Etym. unklar).

Name einer iran. Landschaft östl. der Persis und westl. der → Gedrosia. Die Bewohner von K. werden in den westl. Zeugnissen Καρμάνιοι/Karmánioi bzw. lat. Carmanii genannt. Diese Überlieferung unterscheidet zugleich den unfruchtbaren Norden (ἡ ἔρημος K. z. B. Ptol. 6,5,1) vom eigentlichen K., das als bes. fruchtbar beschrieben wird (Strab. 15,2,14; Arr. Ind. 32,4 f.; Amm. 23,6,48).

In den achäm. Königsinschriften wird K. als Lieferant von yakā-Holz für den Palast Dareios' I. in Susa erwähnt [2. 143 DSf 35], in den elam. Täfelchen aus Persepolis als Ausgangspunkt von Reisen nach Susa [3. Nr. 14]. Schon in achäm. Zeit war K. Satrapie – der Satrap Astaspes wurde von Alexander zunächst bestätigt;

K. und seine Bewohner tauchen bei den Alexanderhistorikern häufiger auf, allerdings zuweilen in topischer Verzerrung (vgl. Strab. 15,2,14). Als spätere Statthalter erscheinen Sibyrtios (nach 324) und Tlepolemos. Auch unter Seleukiden, Parthern und Sāsāniden blieb K. (Kermān) eigenständige Prov., war dann in frühislam. Zeit strategische und logistische Basis für die arab. Ostunternehmungen.

Ein christl. Bischof ist erst Mitte des 7. Jh. in K. nachzuweisen. Bei Ptol. (6,8,13; 8,22,20) erscheint Karmana als μητρόπολις Ἄρμουζα/metrópolis Hármuza (= Alt-Hurmuz; Ptol. 6,8,5) sowie als wichtigster Hafenplatz. Die h. Stadt Kermān besitzt in der Gründung Ardaxšīrs I., Veh-Ardaxšīr, ihren Vorläufer.

1 R. GYSELEN, La géographie administrative de l'empire sassanide, 1989, bes. 85 f. 2 R. KENT, Old Persian, 1953 3 R. T. HALLOCK, Selected Fortification Texts, in: Cahiers de la Délégation Archéologique Française en Iran 8, 1978, 109–136 4 D. T. POTTS, Seleucid Karmania, in: L. DE MEYER, E. HAERINCK (Hrsg.), Archaeologia Iranica et Orientalis 2, 1989, 581–603 5 R. SCHMITT, s. v. Carmania, EncIr 4, 1990, 822 f. J. W.

Karmanor (Καρμάνωρ).

[1] Ein kret. Seher und Reinungspriester, als solcher eng mit → Apollon, dem Gott der rituellen Reinigung, und mit Delphoi, seinem Kultzentrum, verbunden. Er reinigt Apollon und Artemis nach der Tötung der Schlange → Python (in Tarrha, Phaistos oder Dion auf Kreta, Paus. 2,30,3; Eus. Pr. Ev. 5,31); in seinem Haus liebt Apollon die Nymphe Akakallis, die Mutter der Gründerheroen der kret. Stadt Elyros wird (zum Aussetzungsmythos Paus. 10,16,5), K. ist auch Vater des Chrysothemis, des ersten Menschen, der am delphischen Agon der Pythia im Gesang siegt (Paus. 10,7,2). In diesen Mythen spiegelt sich zum einen das hohe Ansehen Kretas als Heimat der rituellen Entsühnung (→ Epimenides), zum andern die seit Hom. h. Apollon 391 ff. bezeugte Verbindung von Delphi und Kreta. F. G.

[2] Älterer Name des Flusses → Inachos [2] in der Argolis (Ps.-Plut. De fluviis 18). Y. L.

Karme (Κάρμη).

Von Zeus Mutter der kret. Lokalgöttin Britomartis, die nach Paus. 2,30,3 und Diod. 5,76 mit → Diktynna gleichzusetzen ist. K. ist Tochter des Eubulos und Enkelin des Karmanor [1], eines engen Gefährten des Apollon, der diesen von der Tötung des Python entsühnt; ihre Mutter ist → Demeter. Einer anderen Genealogie zufolge stammt K. vom Agenor-Sohn Phoinix und der Arabios-Tochter Kassiopeia (Antoninus Liberalis 40). Auf Grund dieser Verbindungen scheint es sich bei K. um eine in minoischer Zeit aus dem vorderorient. Raum nach Kreta übernommene Lokalgottheit zu handeln.

J. B. HARROD, The Tempering Goddess. The Britomartis-Dictynna-Artemis Mythologem, 1980. E. V.

Karmel

(hebräische Bibel: »Obstgarten, Baumhain«; arab. Ğabal Karmel oder Ğabal Mār Ilyās; griech. Κάρμηλος; Vulgata: Carmelus; Kreuzfahrer: Mons Carmel). Kalkstein- und Kreidegebirge in Nord-Palaestina, 5–8 km breit, 23 km lang und bis zu 552 m hoch.

Nach biblischer Trad. lag der K. im Süden des Stammes Ascher (Jos 19,26). Die hebr. Bibel preist die Schönheit des Gebirges (HL 7,6; Jes 33,9; 35,2; Jer 46,18; 50,19; Am 1,2; 9,3; Nah 1,4). Im 3. und 2. Jt. v. Chr. in äg. Quellen wird der K. als »Gazellennase«, später als »Heiliges Haupt« bezeichnet, wahrscheinl. in Anspielung auf ein Heiligtum. Auf dem K. wurde der kanaanäisch-phöniz. Gott → Baal verehrt, der bei Ps.-Skyl. 104 (4. Jh. v. Chr.) mit Zeus gleichgesetzt, bei Tac. hist. 2,78,3 und Suet. Vesp. 5,6 als Deus Carmelus bezeichnet wird. Im 2./3. Jh. n. Chr. bestanden Verbindungen zum Zeuskult von → Baalbek (Weihinschr. für Zeus Heliopoleites Karmelos). Arch. und histor. Belege stellen den K. seit dem späten 11. Jh. v. Chr. bis in röm. Zeit (Ios. bell. Iud. 3,35) als Südgrenze des Territoriums von Tyros dar. Gegen den starken phöniz. Einfluß auf Israel wehrte sich der Prophet → Elias [1] um 860 v. Chr. am Nordkap des K. (1 Kg 18; 19,43; 2 Kg 2,25; 4,25–29).

Der K. war bereits im Alt-Paläolithikum bewohnt. Die Verkehrsstraßen des Alt. führten um den K. herum. In der Bronze- und Eisenzeit war der K. nur dünn besiedelt; in röm.-byz. Zeit existierten vermehrt dörfliche Siedlungen mit zahlreichen landwirtschaftlichen Installationen und Gräbern. In byz. Zeit bestand bes. im NW des K. eine bedeutende samaritanische Kolonie (→ Samaria), im Zentral-K. dagegen eine gemischte jüd. und christl. Bevölkerung mit Kirchen und Synagogen. Hauptsächlich wurden Wein, Oliven sowie Obst angebaut.

QUELLEN: Y. TSAFERIS u. a., Tabula Imperii Romani, Iudaea-Palaestina, 1994, 100 (ausführl. Bibliogr.). LIT.: D. GARROD, D. BATE, The Stone Age of Mount Carmel 1, 1937 · T. D. MCCOWN, A. KEITH, The Stone Age of Mount Carmel 2, 1939 · H. P. KUHNEN, Stud. zur Chronologie und Siedlungsarch. des K. (Israel) zwischen Hell. und Spätant., TAVO B 72, 1989. G. LE.

Karmir Blur s. Teschebaini

Karmo s. Carmo

Karnaim

(Qarnaim). Der in Am 6,13 qarnayim, in der LXX und bei Ios. καρναιν, καρνιον oder καρναια, bei Hier. carnae/eas genannte Ort wird mit Šaiḫ Saʿd, 4 km nö von Aštarot (Gn 14,5 zieht beide Orte zu Aštarot-K. zusammen) im Ostjordanland identifiziert [1]. Der israelitische König Jerobeam II. soll K. in den Aramäerkämpfen kurz vor 760 v. Chr. erobert haben, wenn Am 6,13 nicht als Wortspiel (Lobedar = »Unding«, Qarnaim = »Hörner« als Symbol der Stärke) verstanden werden muß [2]. Nach dem Fall von Damaskos 732 v. Chr. wurde K. Hauptstadt der assyr. Provinz Qarnini [3]. Judas Makkabaios besiegte hier um 614 v. Chr. die Ammoniter und deren Verbündete. 2 Makk 12,26 kennt ein Heiligtum der Atargatis (→ Syria Dea) in K. Nach byz. (Eus. On. 112,5) und jüd. (LvR 17,4) Trad. gilt K. als Heimat Hiobs; der von der Pilgerin Egeria (CSEL 39: 13,2; 16,5; [4]) um 400 n. Chr. erwähnte Hiob-Stein ist jedoch eine Stele Ramses' II.

1 D. KELLERMANN, ʿAštārōt – ʿAštārōt Qarnayim – Qarnayim, in: ZPalV 97, 1981, 45–61 2 Z. KALLAI, Historical Geography of the Bible 1986, 265 mit Anm. 348 3 E. FORRER, Die Provinzeinteilung des assyr. Reiches, 1921 4 H. DONNER, Pilgerfahrt ins Heilige Land, 1979, 112 Anm. 108; 119 Anm. 124. M. K.

Karneades (Καρνεάδης).

[1] Akademischer Philosoph, geb. 214/3 (oder 219/8 v. Chr.) in Kyrene, gest. 129/8 in Athen. Er kam wohl bereits in frühen Jahren nach Athen, wo er später das Bürgerrecht erhielt, und schloß sich nach Studien u. a. bei dem Stoiker → Diogenes [15] von Babylon der Akademie (→ Akademeia) an, deren Leitung er etwa 164/60 von → Hegesinus [1], dessen Hörer er ebenfalls war, übernahm. Das Scholarchat gab er 137/6, also lange vor seinem Tod, ab, vielleicht aus gesundheitlichen Gründen (vgl. Diog. Laert. 4,66). Eine Vielzahl von Schülern ist namentlich bekannt (eine Liste bei [1. 122f.]). 155 kam er im Auftrag Athens zusammen mit Diogenes von Babylon und dem Peripatetiker → Kritolaos nach Rom. K.' Reden für und wider die Gerechtigkeit an zwei aufeinanderfolgenden Tagen (Lact. inst. 5,14f.) werden als Schlüsseldatum im Prozeß der »Einbürgerung« der Philos. in Rom angesehen (vgl. etwa Plut. Cato maior 22) (dazu [2. 849f., 853]. Eigene Schriften hat K., wie vor ihm Arkesilaos [5], nicht hinterlassen (Diog. Laert. 4,65). Seine Lehre wurde von → Hagnon [3] von Tarsos, → Zenon von Alexandreia und vor allem von → Kleitomachos, auf den sich auch Sextus Empiricus beruft, aufgezeichnet. Cicero nennt als Quelle ferner → Antiochos [20] von Askalon.

Zentral scheint für K. die Auseinandersetzung mit Positionen der Stoa, namentlich mit → Chrysippos [2], gewesen zu sein. Daher wurde ein Vers zu Ehren des Chrysippos auf ihn gemünzt (Diog. Laert. 4,62): εἰ μὴ γὰρ ἦν Χρύσιππος, οὐκ ἄν ἦν ἐγώ ›Wenn es nämlich Chrysippos nicht gäbe, gäbe es auch mich nicht‹. Obwohl K. als erster Vertreter einer Neuen Akademie gilt (S. Emp. P. H. 1,220), ist mit seinem Namen keine entscheidende Neuorientierung in der Akademie verbunden: Er steht in der Tradition der skeptischen Richtung des → Arkesilaos [5], für den die Frage der Erkenntnis zum zentralen Problem geworden war. K. wendet sich gegen die Lösung des Chrysippos, nämlich die Annahme einer erkenntnisvermittelnden Vorstellung zur Überwindung der Kluft zw. Wahrnehmung und Erkenntnis (Cic. ac. 1,64–90). In der Konsequenz dieser radikalen Position liegt die völlige Urteilsenthaltung (→ epoché; Cic. ac. 1,91–98). Um jedoch andererseits der Untätigkeit (apraxía) zu entgehen, sucht er für den Bereich des Handelns eine relative Gewißheit durch eine

genauere, dreifache Abstufung des Wahrscheinlichen (pithanón, lat. probabile) zu erlangen. Im Bereich der Ethik lenkt K. den Blick auf das Lebensziel und sucht alle möglichen Ziele in einer systematischen Zusammenschau zu erfassen (divisio Carneadea: Cic. fin. 5,16– 21): Entscheidendes Kriterium ist für K. die Frage, ob das tatsächliche Erlangen der drei von ihm anerkannten Lebensziele (der Lust, des Schmerzlosen oder des »ersten Naturgemäßen«) unabdingbar ist ober bereits das Streben danach für ausreichend gehalten wird. Auch diese Unterscheidung dient der schärferen Abgrenzung gegen die Stoa, mit der K. in der Bestimmung des Lebenszieles, dem »ersten Naturgemäßen«, übereinstimmte.

Kenntlich sind ferner einige Positionen des K. in Fragen der Theologie, v. a. seine Auseinandersetzung mit geläufigen Gottesvorstellungen (S. Emp. adv. math. 9,182–190), u. a. mit dem stoischen Gottesbegriff (ebd. 148–151; 180f.) sowie mit der Vorsehungslehre (vgl. Porph. De abstinentia 3,20,1–6) sowie mit gängigen rel. Praktiken.

→ Arkesilaos [5]

1 H. J. METTE, Weitere Akademiker heute: Von Lakydes bis zu Kleitomachos, in: Lustrum 27, 1985, 53–148 (Testimonien und Fr. mit Erläuterung) 2 W. GÖRLER, K., GGPh² 4.2., 1994, 849–897 3 F. RICKEN, Ant. Skeptiker, 1994, 53–67.

[2] **K. d. J.** Sohn des Polemarchos. Akad. Philosoph des 2. Jh. v. Chr. K. d. Ä. übergab ihm (und nicht → Kleitomachos) 137/6 das Scholarchat (Philod. Academicorum index 24,28; 30,1), das er bis zu seinem Tod 131/30 innehatte. Nachrichten über seine Lehre fehlen völlig. K.-H. S.

Karneia, Karneios, Karnos (Κάρνεια, Κάρνειος, Κάρνος).

Die K. waren ein gemeindor., dem Apollon Karneios (dem »Widder«-Apollon, vgl. Hesych. s. v. κάρνος … πρόβατον) geweihtes Hochsommerfest mit musikal. Agonen (Hellanikos von Lesbos, FGrH 4 F 85). Es wurde angeblich 676/3 v. Chr. institutionalisiert (Sosibios, FGrH 595 F 3). Zu dem Fest gehörte ein Widderopfer: Bei Theokrit (5,82f.) zieht ein Hirte einen auserlesenen Widder eigens für die K. auf. Das Epitheton Karneios war nicht ausschließlich dem → Apollon eigen, sondern auch dem → Zeus (in Argos: schol. Theokr. 5,83bd); es dürfte eine urspr. selbständige, widdergestaltige Hirtengottheit repräsentieren [1. 120; 2]. Inschr. bezeugt ist der von Pausanias (3,13,3) als vordor. ausgegebene Karneios Oiketas neben einem Karneios Dromaios (IG V 1, 497; 589).

Einzelheiten sind nur über die K. Spartas und Kyrenes bekannt. Daß auch die übrigen Dorer dieses Fest feierten, läßt sich meist nur aufgrund des gemeindor. Monats Karneios (etwa August/September) postulieren [3], der sicherlich dem Fest seinen Namen verdankt. In Sparta beendeten die K. einen sommerlichen Zyklus von drei apollinischen Initiationsfeiern [4. 42–56]. Den Beginn machten die Hyakinthia (→ Hyakinthos [1]) an den frühen Hundstagen; im nächsten Monat folgten die Gymnopaidiai sowie – vermutlich unmittelbar anschließend [5] – die K. Das Fest dauerte neun Tage (Athen. 4,141ef), an denen strikte Waffenruhe herrschte (Hdt. 7,206; Thuk. 5,54,2); es endete mit dem Vollmond (Eur. Alc. 448ff.). Nach Demetrios von Skepsis (bei Athen. 4,141ef) ahmten die K. die mil. Lebensordnung nach: Neun zeltähnliche Schattendächer beherbergten Speisegemeinschaften von jeweils neun Männern, die alles auf Kommando auszuführen hatten; sie rekrutierten sich aus den drei Phratrien (gemeint ist die dreiteilige dor. Stammesgliederung). Wahrscheinlich wurden hierbei Jugendliche durch erstmalige Teilnahme an den rituellen Mählern in die Wehrgemeinschaft der Erwachsenen aufgenommen. Die Organisation des Festes lag für jeweils vier Jahre in den Händen von unverheirateten jungen Männern, den *Karneátai*, die durch Los bestimmt wurden (Hesych. s.v. καρνεᾶται). Ihnen oblag es auch, einen rituellen Lauf auszuführen: Einer von ihnen, der mit Opferbinden behängt war, lief voraus, indem er Segenswünsche für die Stadt aussprach; die anderen verfolgten ihn. Wenn sie ihn ergriffen, galt das als ein gutes Vorzeichen für das Wohl des Landes; die als unheilvolles Omen gewertete Möglichkeit eines Nichteinfangens ist wohl als Ritualfiktion zu betrachten (Anecd. Bekk. 1, p. 305, 25ff.). Die Verfolger hießen *staphylodrómoi*, »Traubenläufer« (ebd. und Hesych. s.v. σταφυλοδρόμοι), ein Name, der eine Beziehung zur beginnenden Weinlese nahelegt. In den Hundstagen wurden die ersten Eßtrauben reif. Bekränzten die *staphylodrómoi* sich mit Rebzweigen, an denen Trauben hingen, oder hielten sie solche in den Händen? Markierte der Ritus die Freigabe der Eßtrauben zum Konsum?

Man hat die K. früher als Erntefest gedeutet und in dem verfolgten Läufer einen Repräsentanten des Erntesegens gesehen, der urspr. in Gestalt eines Tieres geopfert worden sei [6. 73ff.; 7. 254ff.]. Demgegenüber leugnet ein neues Interpretationsparadigma alle wirtschaftl. Bezüge und versteht die K. als rein mil. Initiationsfest, bei dem der verfolgte Läufer die Institution des zur Sicherung des Kriegsglücks notwendigen Sehertums vertreten habe [4. 62ff.]. Beide Auffassungen sind einseitig und daher korrekturbedürftig; die angesprochenen Aspekte lassen sich in einer komplexeren Theorie zusammenfügen: Der mit Binden behängte Segensträger evozierte offenbar ein Opfertier, nämlich jenen Widder, der an den K. geschlachtet und in den Laubhütten kollektiv verzehrt wurde [8; 9]. Dem korrespondierte vermutlich eine symbol. Tötung des eingeholten Läufers. Der Widder starb stellvertretend für ihn.

Welchen Sinn das Festbrauchtum im Bewußtsein der Dorer hatte, verrät der aitiologische Mythos. Ihm zufolge stellte der mit Binden ausstaffierte Läufer einen fremden Seher namens Karnos dar, der den in die Peloponnes einwandernden Dorern (den »Herakleiden«) durch seine Orakelsprüche den Weg gewiesen hatte, von ihnen aber aus Mißtrauen umgebracht worden war.

Apollon schickte deswegen eine Seuche (nach Apollod. 2,8,3 eine Hungersnot). Darauf seien zur Sühne für diesen Frevel die K. institutionalisiert worden (Theopompos, FGrH 115 F 357; Konon, FGrH 26 F 1, 26; Paus. 3,13,3f.; schol. Kall. h. 2,71). Nach der spartan. Version des Mythos verriet ein in Sparta wohnender Seher namens Krios (»Widder«), in dessen Haus der Karneios Oiketas verehrt wurde, die vordor. Stadt an die Herakleiden (Paus. 3,13,3). Die K. erinnerten im Bewußtsein der Dorer also an die imaginäre Zeit der Landnahme, als ihre nomadisierenden Vorfahren durch Inbesitznahme des Kulturlandes seßhaft geworden waren. Der die Herde führende Widder fungierte als Symboltier dieses Übergangs; sein Opfertod wiederholte die Ermordung des Sehers. Insofern dieser den landlosen Stämmen den Weg in ihre histor. Siedlungsgebiete gewiesen hatte, galt er als heroisches Gegenstück des Kolonistenführers Apollon (Karnos nach Konon, FGrH 26 F 1, 26 eine »Erscheinung des Apollon«). Seine Figur läßt sich deuten als mythische Projektion des verfolgten Läufers, der im Durchgang durch einen symbol. Opfertod, und zwar komplementär zur Aufnahme der anderen Epheben in die Altersklasse der Erwachsenen, zum Seher geweiht wurde. Weil die Initiationsriten Jugendliche nicht nur in Krieger, sondern primär in landbesitzende Ackerbürger verwandelten, die auf das Gedeihen der Feldfrüchte angewiesen waren, bildete ein Erntefest den geeigneten Rahmen für ihren sozialen Statuswechsel. Die landzuweisenden Orakelsprüche des Sehers Karnos manifestierten sich jährlich neu in den Segenswünschen seines im Ritual gefangenen Nachfolgers und verteilten sich auf die Feiernden sakramental in Gestalt des stellvertretend geopferten und verzehrten Widders. Damit das dor. Initiationsfest an den panhellenischen Mythos aitiologisch anschließbar wurde, datierte man die Entstehung der K. auch in die Zeit des troian. Krieges zurück: Sie seien zur Erinnerung an das aus dem Holz des Kornelkirschbaums gezimmerte Pferd gefeiert worden, das den Griechen die Eroberung Trojas ermöglichte (Paus. 3,13,5 mit volksetym. Rückführung von Karneios auf *kráneia*).

Auch in Kyrene aktivierten die K. eine pseudohistor. Erinnerung an die Stadtgründung. Bezeugt sind gemischtgeschlechtliche Reigentänze von Jugendlichen – pränuptiale Initiationsriten, welche die mythischen Ur-K. der dor. Kolonie wiederholten, die dem Mythos zufolge der Gründung Kyrenes unmittelbar vorausgegangen waren (Kall. h. 2,85ff.).

→ Dorieis; Dorische Wanderung; Kyrene; Sparta

1 NILSSON, Feste, 118–129 2 S. EITREM, Der vordor. Widdergott, 1910 3 A. E. SAMUEL, Greek and Roman Chronology, 1972 (Index) 4 M. PETTERSSON, Cults of Apollo at Sparta. The Hyakinthia, the Gymnopaidiai and the K., 1992 5 B. SERGENT, La date de la bataille de Leuctres et celle de la fête du Gymnopaidiai, in: Rivista Storica dell' Antichità 21, 1991, 137–143, hier 139ff. 6 WIDE, 73–87 7 W. MANNHARDT, Wald- und Feldkulte, 1905 8 BURKERT, 354–358; bes.356ff. 9 N. ROBERTSON, The Dorian Migration and Corinthian Ritual, in: CPh 75, 1980, 1–22.

G. B.

Karneiskos (Καρνεῖσκος). Schüler des → Epikuros, aus Kleinasien, vielleicht aus Kos oder Rhodos stammend. In seinem mindestens 2 B. umfassenden Werk Φιλίστας (*Philístas*) schrieb er über den epikureischen Freundschaftsbegriff. Das Ende des 2. B. (erh. in PHercul. 1027) ist einem unbekannten Zopyros gewidmet. Hier wendet sich K. gegen den Peripatetiker → Praxiphanes, dessen Schrift über die Freundschaft er kritisiert, da er unangemessene Formen des Umganges mit Freunden vorschlage.
→ Epikureische Schule

    T. DORANDI, in: GOULET 2, 1993, 227–228.   T. D./Ü: J. DE.

Karnion (Καρνίων). Nebenfluß des südl. von Megale Polis in den Alpheios [1] mündenden Gatheatas, h. Xerilas, der am NW-Hang des Taygetos entspringt (Paus. 8,34,5; Kall. h. 1,24). Plin. nat. 4,20 erwähnt möglicherweise irrtümlich eine sonst unbekannte arkadische Stadt dieses Namens.

    PHILIPPSON/KIRSTEN, Bd. 3, 288 f.   E. MEY. u. E. O.

Karnos (Κάρνος).
[1] s. Karneia
[2] Insel an der akarnanischen Westküste vor Alyzeia, identifiziert mit dem h. Kalamos. Belegstellen: Skyl. 34; Plin. nat. 4,53; Artem. bei Steph. Byz. s. v. K.

    W. M. MURRAY, The Coastal Sites of Western Akarnania, 1982 · PHILIPPSON/KIRSTEN 2, 390–392.   D. S.

Karolingische Minuskel s. Minuskel

Karos (Κάρος, Κάκυρος). Keltiberer aus Segeda, Feldherr mehrerer iber. Stämme und Städte, die am 23. 8. 153 v. Chr. das Heer des Consuls Q. → Fulvius [I 17] Nobilior schlugen. Anlaß der Schlacht war das röm. Verbot, eine Mauer um Segeda zu errichten. K. fand bei der Verfolgung der Feinde den Tod (App. Ib. 45; Diod. 31,39; Flor. epit. 1,34 [Megaravicus]).
→ Hispania

    HOLDER 1, 669 · A. SCHULTEN, Die Keltiberier und ihre Kriege mit Rom, in: Numantia 1, 1914, 332–341.   W. SP.

Karpasia (Καρπασία, Καρπάσεια). Stadt an der Nordküste der gleichnamigen NO-Spitze von Kypros (Zypern) nördl. des h. Rizokarpaso (Hellanikos FGrH 4 F 57). Reste von Hafenanlagen, Stadtmauer und Nekropole mit Kammergräbern; ausgegraben bisher Häuser aus klass. bis röm. Zeit und ein frühchristl. Basilikakomplex. 306 v. Chr. von → Demetrios [2] Poliorketes erobert. Eine selbständige *pólis* ist erst in ptolem. Zeit inschr. belegt. Seit dem 4. Jh. n. Chr. Bischofssitz.

    MASSON, 329 f. · T. B. MITFORD, Further Contributions to the Epigraphy of Cyprus, in: AJA 65, 1961, 122–125 · E. OBERHUMMER, s. v. K., RE 10, 1996–1999 · J. D. P. TAYLOR u. a., Excavations at Ayios Philon, the Ancient Carpasia 1, in: RDAC 1980, 152–216 · Dies., A. H. S. MEGAW, Excavations at Ayios Philon, the Ancient Carpasia 2, in: RDAC 1981, 209–250.   R. SE.

Karpaten (Καρπάτης ὄρος/Κάρπαθον ὄρος, lat. *Carpates montes, Carpatae, Alpes Bastarnicae*). Bogenförmige, wald- und wasserreiche Gebirgskette zw. dem Balkangebirge (→ Haimos) und den Alpen, natürliche Grenze zw. Balkan und nordosteurop. Steppengebiet. Erst Marinos (Ptol. 3,5,6; 15; 18; 20; 7,1; 8,1) erkannte die K. als selbständiges Gebirge, während sie früher meist als Teil der Alpen oder des Haimos galten. In den West-K. gab es Gold-, Silber- und Salzvorkommen. Mit K. bezeichnet Ptol. (l. c.) nur den Teil des Bergmassivs, der von der Südspitze der Sarmatischen Berge (= Ungarisches Erzgebirge) in östl. Richtung führt. Als getrennt betrachtet wurde auch der Gebirgszug → Peuke (Ptol. 3,5,15). Bewohnt wurden die K. von dak.-thrak. und skyth. Stämmen (z. B. Agathyrsoi). Mitte 1. Jh. v. Chr. wurde hier das dak. Reich gegr. (→ Dakoi); 106–248 n. Chr. gehörten die K. zur röm. Prov. Dacia. Die K. waren Zufluchtsort und Ausfallbastion vieler kriegerischer Stämme (Karpoi, Iazyges, Bastarnae, Getai, Rhoxolanoi, Gepidai, Hunni, Goti u. a.).

    R. HERRMANN, s. v. Karpates, RE 10, 1999 f. · C. DAIKOVICIU, La Transylvanie dans l'antiquité, 1938.
    I. v. B.

Karpathos (Κάρπαθος, lat. *Carpathus*). Mit etwa 332 km² zweitgrößte Insel des Dodekanes zw. Kreta und Rhodos, Küstenlänge von 160 km (im Süden der Gipfel des Kali Limni 1220 m H). Diod. 5,54,4, dem zufolge K. (der Name ist vorgriech., Hom. Il. 2,676 nennt die Insel Κράπαθος, *Krápathos*) einst zum Herrschaftsbereich des → Minos gehörte, wird durch Bodenfunde bestätigt. Im h. K. an der SO-Küste fand sich in einem myk. Kammergrab aus dem 14.–13. Jh. v. Chr. min. beeinflußte Keramik wie auch anderswo auf der Insel. Der min. Einfluß auf K. bestand offenbar auch nach der Katastrophe von → Thera fort. Die ältesten Funde beim h. K. reichen bis ins 16. Jh. v. Chr. zurück (prähistor. Funde: [1. 32 ff.]). Reste der Vorbevölkerung waren wohl die Eteokarpathier (Syll.³ I 129).

Nach Diodoros (l. c.) wurde K. zuerst von Argos aus besiedelt. Skyl. 99 erwähnt drei, Strab. 10,5,17 vier Städte; bekannt sind Arkaseia (h. Arkassa), Brykus (h. Vurkunda), Eteokarpathioi, Karpathos (h. K.), Nisyros (auf der nördl. an K. anschließenden Insel Saria?), Porthmos mit einem Heiligtum des Poseidon Porthmios und Potidaion. Ptol. 5,2,33 nennt offenbar das Südkap Ephialtion (h. Akra Kastellu), das Nordkap Thoanteion, während das Kap Poseidion im Stadiasmus maris magni 272 wohl das östl. Kap beim h. K. ist. Nach K. war der südöstl. Teil der Ägäis benannt (τὸ Καρπάθιον πέλαγος, Strab. 2,5,21; 10,5,13 f.; einfach K. bei Hdt. 3,45,3).

Um die Mitte des 5. Jh. v. Chr. gehörte K. dem → Attisch-Delischen Seebund an, wobei die Geschicke der Insel insgesamt immer eng mit Rhodos verbunden waren. Im 4. Jh. v. Chr. ist wohl der endgültige Anschluß an Rhodos erfolgt, der bis in hell. und röm. Zeit bestand. Die selbständigen Orte K., Arkaseia und Brykus wurden rhodische Demen. Frühchristl. Basiliken entstanden im 5./6. Jh. bei Vrukunda im NW sowie bei Arkassa. Im MA war K. Sitz des Bistums der Kykladen. Seit dem 9. Jh. gehörte es dem Thema Aigaion Pelagos an. Mz.: HN 361 ff. Inschr.: SEG 14, 510; 16, 462; 19, 543; [2. 577 ff.; 3. 122 ff.; 4. 188 ff. Nr. 50].

1 D. FIMMEN, Die kret.-myk. Kultur, ²1924 2 M. SEGRE, Iscrizioni di Scarpanto, in: Historia 7, 1933, 577–579 3 M. JAMESON, Inscriptions of K., in: Hesperia 27, 1958 4 F. G. MAIER, Griech. Mauerbauinschr. 1.

H. KALETSCH, s. v. K., in: LAUFFER, Griechenland, 301 ff. • E. M. MELAS, Hi epochi tou chalkou stin K., 1979 • Ders., The Islands of K., Saros and Kasos in the Neolithic and Bronze Age, 1985 • PHILIPPSON/KIRSTEN 4, 314 ff. • M. G. PICOZZI, s. v. K., PE, 437.   H. KAL. u. E. MEY.

Karpfen (Familie der Cyprinidae). (1.) Der in Flüssen und Teichen lebende (Athen. 7,309a) K. (Cyprinus carpio L.; κυπρῖνος/kyprínos, lat. cyprinus oder carpa) war ein beliebter Speisefisch (Cassiod. var. 12,4,1; vgl. Nep. Themistocles 10,3). Aristoteles beschreibt seinen eine Zunge vortäuschenden fleischigen Gaumen, οὐρανός/uranós (hist. an. 4,8,533a 28–30), und erwähnt seine Betäubung durch Gewitter (hist. an. 7(8),20,602b 23 f.; Plin. nat. 9,58). Angeblich laicht er jährlich 5–6mal (Aristot. hist. an. 6,14,568a 16 f.; Plin. nat. 9,162), doch ist die Entwicklung der manchmal vom Männchen bewachten Eier (6,14,569a 4 f.) langsam (568b 17 f.). Die K. ohne Milch und Rogen schmeckten am besten (Aristot. hist. an. 4,11,538a 15–17). (2.) Der λεπιδωτός/lepidōtós gen. (Athen. 7,309b) ägypt. K. (Cyprinus bynni L.) wurde in Äg. oft als heilig verehrt (Hdt. 2,72; Strab. 17,1,40(812); vgl. Plut. Is. 18). (3.) Die nur von Auson. Mos. 125 erwähnte Schleie (Tinca vulgaris) und (4.) die barbus gen. Flußbarbe (Barbus barbus) (Auson. Mos. 94) spielten keine Rolle. (5.) Auch der Gründling (Gobius niger L.) wird als κωβιός/kōbiós, lat. gobius oder gobio (cobio bei Plin. nat. 32,146 als Meerfisch!) erwähnt (Aristot. hist. an. 7(8),19,601b 21 f.; Lucil. 938 M.).

1 D'A. W. THOMPSON, A Glossary of Greek Fishes, 1947 2 H. GOSSEN, s. v. K., RE 10, 2004 f.   C. HÜ.

Karphyllides (Καρφ-/Καρπυλλίδης). Epigrammatiker, wahrscheinlich aus dem »Kranz« des Meleager. Erh. ist, unter dem Lemma Καρφυλλ-, ein Grabepigramm (Anth. Pal. 7,260), in dem der Verstorbene voller Zufriedenheit auf sein langes, von der Zuneigung seiner Kinder und Enkel gekröntes Leben zurückblickt. Stilistisch weniger hochwertig ist das epideiktische Gedicht, das unter dem Lemma Καρπυλλ- überliefert ist (9,52): Die Seltenheit des Namens, der in keiner der beiden Formen sonst irgendwo belegt ist, steht einer Annahme von zwei verschiedenen Autoren (KNAACK) entgegen.

GA I 1, 75 • GA I 2, 218–220.   M. G. A./Ü: T. H.

Karpo (Καρπώ). Wie Thallo, Auxo und Hegemone ein att. Kultname von Göttinnen, die für Fruchtbarkeit und die Beständigkeit des Staates sorgen. Pausanias (9,35,1 f.) versucht, sie in → Charites und → Horai einzuteilen; K. gilt wohl ihres Namens wegen (karpós = »Frucht«, »Ertrag«) als eine der Horai.   B. SCH.

Karpokrates, Karpokratianer. Clemens Alexandrinus (strom. 3,2) bezeugt einen K. aus Alexandreia, dessen Sohn Epiphanes früh verstarb und in einer Schrift ›Über die Gerechtigkeit‹ lehrte, alles sei allen gemein. Um 160 n. Chr. soll → Marcellina die Lehre des K. in Rom verbreitet haben (Iren. 1,25,6; Orig. 5,62). Die Welt sei von Engeln geschaffen; ihnen müsse die Seele entkommen, um zum ungezeugten Vater zurückzukehren; dem Zwang zur Reinkarnation entgehe sie, wenn sie das Irdische und die (jüd.) Gesetze verachte und ihre Freiheit und Überlegenheit in libertinistischen Handlungen kundtue, wobei wohl auch Magie eine Rolle spielte. Jesus sei der Sohn Josephs; seine reine Seele habe die Überwindung der kosmischen Herrscher vorgelebt und durch göttl. Kraft die Rückkehr zum Vater erlangt (Iren. 1,25; Hippolytus, Refutatio omnium haeresium 7,32).

→ Clemens [3] von Alexandreia; Eirenaios [2] von Lyon

1 R. M. GRANT, Carpocratians and Curriculum, in: Christians among Jews and Gentiles, FS K. Stendahl, 1986, 127–136 2 H. KRAFT, Gab es einen Gnostiker K.?, in: Theolog. Zschr. 8, 1952, 434–443 3 P. LAMPE, Die stadtröm. Christen, 1987, 269 f. 4 H. LIBORON, Die karpokratian. Gnosis, 1938 5 W. A. LOEHR, Karpokatianisches, in: Vigiliae Christianae 49, 1995, 23–48 6 M. SMITH, Clement of Alexandria and a Secret Gospel of Mark, 1973, 266–278; 295–350.   J. HO.

Karpophoros s. Demeter

Karpos (Κάρπος).

[1] Schöner Jüngling, Sohn des Zephyros und einer Hore (→ Horai). Mit → Kalamos, seinem besten Freund, veranstaltet er ein Wettschwimmen, bei dem er ertrinkt. Aus Trauer tötet sich sein Freund und verwandelt sich in Schilfrohr. K. wird in eine Feldfrucht verwandelt (Nonn. Dion. 11,385–481).   AL. FR.

[2] **K. aus Antiocheia.** Mathematiker, lebte verm. im 1. oder 2. Jh. n. Chr. Über K.' Schriften informieren vier Fr. bei Pappos (8,3), Proklos (in Eucl. elem. 1,125,25–126,4 und 241,19–243,11 FRIEDLEIN) und Simplikios (in Aristot. phys. 60,15 DIELS). Demzufolge beschäftigte sich K. mit der Kreisquadratur und benutzte dafür eine spezielle Kurve, die ›aus einer doppelten Bewegung‹ (ἐκ διπλῆς κινήσεως) entsteht. Er interessierte sich für die Definition des Winkels und lehrte in seiner Schrift Ἀστρολογικὴ πραγματεία (Astrologikḗ pragmateía), daß mathematische Konstruktionen Vorrang vor Lehrsätzen hätten. K., der als μηχανικός/mēchanikós bezeichnet wird, benutzte die Geometrie für praktische Zwecke.

T. L. HEATH, History of Greek Mathematics, 1921, Bd. 1, 225, 232; Bd. 2, 359 · J. L. HEIBERG, s. v. K. (3), RE 10,2008 f. M. F.

Karr(h)ai s. Ḥarran

Karter (mittelpers. Kerdīr oder Kirdīr). Bed. sāsānidischer rel.-polit. Funktionär und Würdenträger des 3. Jh. n. Chr. In seinen vier Inschr. [1. KKZ, KNRm, KNRb, KSM], die z. Z. des Königs Vahrām II. (276–293) entstanden, gibt K. Auskunft über seine Ämterlaufbahn vom einfachen *hērbed* (Lehrpriester) unter Šābuhr I. bis zum *mōbad* und *dādvar* (Richter) des ganzen Reiches, rühmt seinen Einsatz für den zoroastrischen Glauben und erläutert seine visionären Erfahrungen. Die ihm zugeschriebene bedeutende Rolle bei der Inhaftierung des → Mani unter Vahrām I. ist zugunsten der des Königs zu relativieren. Von K.s Stellung unter Vahrām II., die allerdings in spätsāsānidischer Zeit unterschlagen wurde und deshalb nicht im zoroastrischen Schrifttum aufscheint, sowie von seinem Selbstbewußtsein zeugen auch seine Selbstbildnisse an den Felswänden von → Naqš-e Rostam und → Naqš-e Raǧab.
→ Zoroastres

1 PH. GIGNOUX, Les quatre inscriptions du mage Kirdīr, 1991 2 G. GNOLI, De Zoroastre à Mani, 1985, bes. 78 f. 3 P. HUYSE, Kerdīr and the First Sasanians, in: 3rd European Conference of Iranian Stud. 1, 1998, 109–120 4 J. WIESEHÖFER, Geteilte Loyalitäten, in: Klio 75, 1993, 362–382. J. W.

Karthago (phoinik. *Qrt-ḥdšt*, »neue Stadt«; griech. Καρχηδών/ *Karchēdṓn*, lat. *Carthago*).
I. HISTORISCHER ÜBERBLICK II. ARCHÄOLOGIE

I. HISTORISCHER ÜBERBLICK
A. VON DER PHÖNIZISCHEN GRÜNDUNG BIS ZUR RÖMISCHEN KOLONIE B. BYZANTINISCHE ZEIT

A. VON DER PHÖNIZISCHEN GRÜNDUNG BIS ZUR RÖMISCHEN KOLONIE
Nach dem Bericht des Timaios (FGrH 566 F 60) wurde K. im J. 814/3 oder 813/2 v. Chr. – an der Stelle des h. Vororts Carthage der tunesischen Metropole – gegr. Die Kolonisten waren Bürger der alten und mächtigen phoinik. Stadt → Tyros. Der Legende nach standen sie unter der Führung der Prinzessin Elissa bzw. → Dido. Vermutlich spielten bei der Gründung der Stadt handelspolit. Gesichtspunkte, die z. T. mit dem Fernen Westen (Tarschisch), z. T. mit Afrika zu tun hatten, eine entscheidende Rolle – vielleicht aber war das agrarisch gut nutzbare Hinterland von einiger Bed. Im übrigen bot der Ort günstige Voraussetzungen für den Bau von Befestigungs- und Hafenanlagen.
Wahrscheinlich stand K. urspr. unter der Aufsicht eines »Statthalters« (*skn*), der im Namen des Königs von Tyros agierte. Als sich die Stadt im 8./7. Jh. polit. emanzipierte, ersetzte möglicherweise ein »König« (*mlk*) den

Statthalter. Im Lauf des 6. Jh. scheinen dann »ein Richter« (*špṭ*) oder »zwei Richter« (*špṭm*) die Macht übernommen zu haben.
Nach einer Periode der Stabilisierung der ökonomischen und polit. Verhältnisse erlebte die Stadt aufgrund ihrer weitreichenden und intensiv gepflegten Handelsbeziehungen einen verhältnismäßig raschen Aufschwung, der sich nicht zuletzt in der Anlage von Faktoreien und Kolonien zeigte. Es gelang ihr in zunehmendem Maße, die verschiedenen phoinik. Expansionsbewegungen zu koordinieren und die diversen westphoinik. Stützpunkte und Kolonien (→ Kolonisation III.) in einem großen »Reich« zusammenzufassen, das sich von → Arae [2] Philaenorum bis Mogador und → Gades erstreckte und u. a. auch die Balearen, Sardinien und West-Sizilien umfaßte. In vielen dieser Gegenden vertrat K. seine teils defensiven, teils offensiven Interessen mit mil. Mitteln. Bes. zahlreich und bed. waren die Kriege, die die Karthager gegen sizilische Griechen und gegen deren Verbündete führten: um die Mitte des 6. Jh. gegen Selinus, gegen E. des 6. Jh. gegen → Dorieus [1], im zweiten Jahrzehnt des 5. Jh. gegen → Gelon [1], in den J. 410–405, 397–392, 382–374 oder 373, 368–362 (?) (hauptsächlich) gegen → Dionysios [1] I. bzw. → Dionysios [2] II., in den J. 345–339 (?) gegen → Timoleon, in den J. 311–306 gegen → Agathokles [2] und in den J. 278–275 gegen → Pyrrhos.
Hatten sich bis zum J. 264 die Beziehungen zw. K. und Rom im allg. friedlich entwickelt – dazu hatten die fünf Verträge, die in der ersten H. des 5. Jh. und in den J. 348, 343, 306 und 279/8 geschlossen worden waren, wesentlich beigetragen –, so führte nun die karthag. Intervention zugunsten der → Mamertini von Messana zum folgenschweren Konflikt mit der expandierenden röm. Macht. In drei von den Römern herbeigeführten Kriegen (264–241, 218–201 und 149–146) entluden sich die Spannungen zw. beiden Rivalen und führten schließlich – im J. 146 – zur Vernichtung des karthag. Staats und völligen Zerstörung der Stadt (→ Punische Kriege; → Hannibal). Einen ersten Anfang zum Wiederaufbau der Stadt machte im J. 122 (?) der Volkstribun C. Sempronius Gracchus, als er in der Volksversammlung den Antrag stellen ließ, die Stadt solle unter dem Namen *Colonia Iunonia C.* neu gegr. werden. Seine optimatischen Gegner brachten jedoch im J. 121 das Projekt zu Fall. Doch wurde (auch) in den folgenden J. ital. Kolonisten »karthagischer« Grund zugewiesen – wenn auch nur einzeln (*viritim*). Von bes. Bed. war, daß Caesar im J. 44 v. Chr. den alten gracchanischen Plan der Neugründung K.s aufgriff. Allerdings wurde die *Colonia Iulia C.* erst nach seinem Tod deduziert (44). Im J. 40 oder 39 scheint sie dann zur Hauptstadt der Prov. Africa Nova (→ Afrika [3]) erhoben worden zu sein. Im J. 29 siedelte der nachmalige Augustus weitere 3000 Kolonisten in K. an. Der Neuaufschwung der Stadt setzte ein. Die Kaiser Hadrianus, Antoninus Pius, Marcus Aurelius und Commodus widmeten K. ihre bes. Aufmerksamkeit, und in der Mitte des 2. Jh. war sie bereits

eines der bedeutendsten Zentren des Reichs. Unter den »afrikanischen« Severern erlebte sie ihre Blütezeit.

Zur karthagischen Zivilisation und zum K.-Bild in der Ant. s. → Punier, → Sufeten; ferner → Punisch, → Punische Religion, → Punische Archäologie, → Barkiden, → Hamilkar, → Hannibal, → Hanno, → Hasdrubal, → Mago, → Malchos, → Massinissa, → Numidia.

M. H. Fantar, Carthage, 2 Bde., 1993 · S. Gsell, Histoire ancienne de l'Afrique du Nord, 8 Bde., 1924–1930 · Huss · W. Huss (Hrsg.), K. (Wege der Forschung 654), 1992 · Ch.-A. Julien, Ch. Courtois, Histoire de l'Afrique du Nord I, ²1951 · S. Lancel, Carthage, 1995 · O. Meltzer, U. Kahrstedt, Gesch. der Karthager, 3 Bde., 1879–1913.   W. HU.

B. Byzantinische Zeit

Das Christentum hatte sich früh in K. etabliert und war hier spätestens seit dem 2. Jh. n. Chr. eine bed. Kraft: Aus K. stammten der Kirchenschriftsteller → Tertullianus und der Bischof → Cyprianus; außerdem war K. eine Hochburg der Donatisten (→ Donatus [1]). – In der Folge des Edikts von Mailand (312 n. Chr.) entstanden in K. als Hauptsitz der afrikan. Diözese zahlreiche Kirchen, die dem Basilika-Modell folgten (→ Basilika). Die Eroberung K.s durch die arianischen → Vandali (→ Geisericus; → Arianismus) (439) brachte kaum Veränderung; allerdings weisen Funde auf eine wachsende Abhängigkeit von Importen und eine Vernachlässigung öffentlicher Bauten. Nach der byz. Rückeroberung durch Kaiser → Iustinianus' I. General → Belisarios (534) wurde K., umbenannt in *Carthago Iustiniana*, Sitz der zivilen und mil. Verwaltung der Präfektur → Afrika [4] und später Sitz des Exarchen (→ Exarchat). Gleichzeitig begann mit großem Aufwand der Wiederaufbau städtischer Anlagen (Stadtmauer, beide pun. Häfen) und der Ausbau bestehender Kirchen und Klöster, der aber durch Aufstände von Stämmen und Armeeteilen in den Prov. sowie aufgrund von Geldmangel in den Anfängen steckenblieb. Seit Anf. des 7. Jh. wurde K. zum Sammelpunkt des Widerstandes gegen Konstantinopel, der sich in Rebellionen der Exarchen Herakleios (608) und Gregorios (647) entlud und von der urbanen Bevölkerung sowie nordafrikan. Stämmen getragen wurde. Der zusammenbrechende Handel im Mittelmeer verschlechterte die Lage K.s, wozu die arab. Militärsiedlung Qairawān eine zusätzliche Bedrohung darstellte. 695 fiel K. an die Muslime (Eroberung durch Hassan ibn an-Numan al-Ġassāni, den General des Kalifen Abd al-Malik) und wurde nach einem Aufstand 698 zerstört. Das nahe, aufstrebende Tunis ersetzte K., dessen Ruinen bis in das 13. Jh. als Steinbruch für Bauten in Afrika, Pisa und Genua dienten.

J. H. Humphrey, The Archaeology of Vandal and Byzantine Carthage, in: J. G. Pedley (Hrsg.), New Light on Ancient Carthage, 1980, 85–120 · W. H. C. Frend, The Early Christian Church in Carthage, in: J. H. Humphrey (Hrsg.), Excavation at Carthage 1976 Conducted by the Univ. of Michigan 2, 1977, 21–40 · L. Ennabli, Results of the International Save Carthage Campaign: The Christian Monuments, in: World Archaeology 18, 1987, 291–311.   T. L.

II. Archäologie

K. war nach kurzer Gründungsphase bereits im 8. Jh. v. Chr. eine ausgedehnte Siedlung (50 bis 60 ha) von urbanem Zuschnitt, mit festem Straßenraster und *insula*-ähnlicher Bebauung (→ insula), wie der archa. Befund unter dem röm. *decumanus maximus* zeigt. Das städtische Weichbild war im Westen und Norden begrenzt von den auf dem Byrsa-Hügel sowie den seewärtigen Hängen der sog. Junon-, Douimès- und Dermech-Hügel gelegenen großen Nekropolen (s. Karte: Das pun. K., Nr. 1 und 4). Auf der → Byrsa befand sich (wohl seit Gründung der Stadt) die Akropolis und auch das Hauptheiligtum des → Ešmūn (Nr. 8); von einem weiteren bedeutenden Tempel wurden hangabwärts Reste gefunden [1] (zw. Nr. 9 und 10), kleinere »Kapellen« unmittelbar in den Häuservierteln. In der niederen Küstenebene sind Schmiede- und Töpferwerkstätten nachgewiesen.

Im 5. Jh. v. Chr., der Zeit der Magoniden, ist dieses Areal durch großzügige Villenbebauung überformt und in die wachsende Siedlung integriert worden (Nr. 6). Etwa gleichzeitig erfolgte die Errichtung der monumentalen Seemauer. Im 3./2. Jh. v. Chr. wurde der sö Byrsa-Hang, vorher Gewerbegebiet, durch mehrere *insulae* mit »Normhäusern« urbanisiert (Nr. 16).

Die älteren Hafenanlagen waren einfach (Schiffländen). Die h. noch als Lagunen erh. → Häfen der pun. Stadt (rechteckiger Handelshafen, kreisförmiger Kriegshafen mit zentraler »Admiralitäts-Insel«: App. Lib. 96, Schiffshäuser) gehen erst auf das 3. Jh. v. Chr. zurück (Nr. 11–13).

Westl. der Häfen liegt das 1922 entdeckte sog. Tophet (Nr. 14; Name, vgl. z. B. Jes 30,33, strittig), ein seit dem 8. Jh. v. Chr. genutzter, im 4. Jh. v. Chr. über 6000 m² großer hl. Bezirk mit Brandgräbern von totgeborenen und frühgestorbenen, verm. auch geopferten Kleinkindern (bis ca. 3 J.; [2]), woher über 20000 Urnen und mehrere Tausend ikonographisch aufschlußreiche Grabstelen stammen.

Bildsprache, Lebenskultur und Wohnausstattung der Karthager waren hochentwickelt und orientierten sich ab dem 5. Jh. v. Chr. verstärkt an Vorbildern der hellen. Mittelmeer-Koine, die mit pun. Elementen angereichert wurden.

Das röm. K. stieg im 1. Jh. zu einer mit den üblichen Repräsentationsbauten (Forum, Theater, Circus usw.) üppig ausgestatteten Prov.-Hauptstadt auf (→ Afrika [3] mit Karte). Das monumentale »Kaiserforum« auf dem breitflächig planierten Byrsa-Plateau (s. Karte: Das röm. K., Nr. 9) wurde, wie andere Großbauten in K., nach einem Großbrand in spätantoninischer Zeit über dem augusteischen Vorläufer neu errichtet und hatte die größte → Basilika Nordafrikas [3]. Aus dieser Zeit stammen auch die nach dem Kaisertyp errichteten → Thermen am Küstensaum (Nr. 8).

→ Karthago

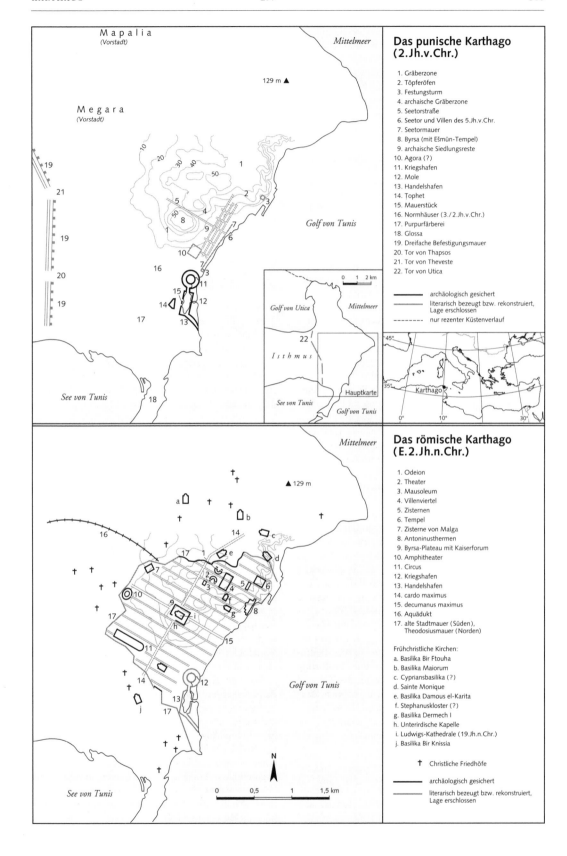

Das punische Karthago (2.Jh.v.Chr.)

1. Gräberzone
2. Töpferöfen
3. Festungsturm
4. archaische Gräberzone
5. Seetorstraße
6. Seetor und Villen des 5.Jh.v.Chr.
7. Seetormauer
8. Byrsa (mit Ešmūn-Tempel)
9. archaische Siedlungsreste
10. Agora (?)
11. Kriegshafen
12. Mole
13. Handelshafen
14. Tophet
15. Mauerstück
16. Normhäuser (3./2.Jh.v.Chr.)
17. Purpurfärberei
18. Glossa
19. Dreifache Befestigungsmauer
20. Tor von Thapsos
21. Tor von Theveste
22. Tor von Utica

archäologisch gesichert
literarisch bezeugt bzw. rekonstruiert, Lage erschlossen
nur rezenter Küstenverlauf

Das römische Karthago (E.2.Jh.n.Chr.)

1. Odeion
2. Theater
3. Mausoleum
4. Villenviertel
5. Zisternen
6. Tempel
7. Zisterne von Malga
8. Antoninusthermen
9. Byrsa-Plateau mit Kaiserforum
10. Amphitheater
11. Circus
12. Kriegshafen
13. Handelshafen
14. cardo maximus
15. decumanus maximus
16. Aquädukt
17. alte Stadtmauer (Süden), Theodosiusmauer (Norden)

Frühchristliche Kirchen:

a. Basilika Bir Ftouha
b. Basilika Maiorum
c. Cypriansbasilika (?)
d. Sainte Monique
e. Basilika Damous el-Karita
f. Stephanuskloster (?)
g. Basilika Dermech I
h. Unterirdische Kapelle
i. Ludwigs-Kathedrale (19.Jh.n.Chr.)
j. Basilika Bir Knissia

† Christliche Friedhöfe

archäologisch gesichert
literarisch bezeugt bzw. rekonstruiert, Lage erschlossen

1 F. RAKOB, Ein pun. Heiligtum in K., in: MDAI(R) 98, 1991, 3380 2 C. GÓMEZ BELLARD, s. v. Tophet, DCPP, 461–463 3 F. RAKOB, in: Gnomon 59, 1987, 257–271.

P. CINTAS, Manuel d'Archéologie Punique, 2 Bde., 1970/1976 · S. LANCEL, Carthage. A History, 1995 · S. LANCEL, E. LIPIŃSKI, s. v. K., DCPP, 92–94 · H. G. NIEMEYER u. a., Die Grabung unter dem Decumanus Maximus. 2. Vorber., in: MDAI(R) 102, 1995, 475–502 · Ders. u. a., Karthago – Die alte Handelsmetropole am Mittelmeer, 1996 · J. HOLST u. a., Die dt. Ausgrabungen in K., 3 Bde., 1991–1997.

KARTEN-LIT.: W. ELLIGER, K. Stadt der Punier, Römer, Christen, 1990 · M. H. FANTAR, Carthage. La cité punique, 1995 · P.-A. FÉVRIER, Urbanisation et urbanisme de l'Afrique romaine, in: ANRW II 10.2, 321–396 · J. HOLST u. a., Die dt. Ausgrabungen in K. (K. 1), 2 Teile, 1991 · W. HUSS, Die Karthager, ²1994, 20 · F. RAKOB, Die internationalen Ausgrabungen in K., in: Gymnasium 92, 1985, 489–515 und Taf. 13–24 · Ders., Die internationalen Ausgrabungen in K., in: W. HUSS (Hrsg.), K. (WdF 654), 1992, 46–75, bes. 54 · Ders., Neue Ausgrabungen in K. Ein pun. Heiligtum und das Stadtzentrum der pun. und röm. Metropole, in: Antike Welt 1992, 158–174 · W. SCHUMACHER, P. WÜLFING, K. und die Römer. Eine Nachbarschaft im Mittelmeerraum, 1998, bes. 47.   H. G. N.

Karthalo (pun. *Qrthls = »(Ml)qrt hat gerettet«; griech. Καρθάλων).

[1] Sohn des → Malchos (2. H. 6. Jh. v. Chr. ?). Als karthag. Priester des → Melqart mit der Darbringung des sizil. Beutezehnten an den Gott in → Tyros betraut, weigerte sich K. bei der Rückkehr, die Rebellion seines Vaters zu unterstützen und wurde von jenem hingerichtet (Iust. 18,7,7–15) [1. 23 f.].

[2] Karthag. Nauarch (»Flottenkommandant«) im 1. Pun. Krieg in den J. 256/5–248/7 v. Chr. unter dem Strategen → Adherbal [2]. K. operierte erfolgreich bei → Akragas und Drepanon 255/4, bei Lilybaion und Phintias 249, besiegte 249/7 den röm. Consul L. → Iunius [I 27] Pullus und eroberte dessen letzten west-sizil. Stützpunkt Aigithallos (Pol. 1,53 f.; Diod. 23,18,2–4; 24,1,7–11) [1. 24–26].

[3] Karthag. Reiterführer im 2. Pun. Krieg in Italien; besiegte 217 v. Chr. im Falernergebiet den L. Hostilius Mancinus und überwältigte 216 im Dorf → Cannae 2000 flüchtige röm. Soldaten (Liv. 22,15,8). Wohl identisch mit dem K., der als Unterhändler → Hannibals [4] vom Dictator M. → Iunius [I 26] Pera abgewiesen wurde (Liv. 22,58,6–9) [1. 26, Anm. 128; 27, Anm. 132], evtl. identisch mit K., der 212 den Kopf des Ti. → Sempronius Gracchus den Römern überbrachte (Liv. 25,17,7) [1. 28, Anm. 137; 2. 72] sowie mit dem K., der 209 als Besatzungskommandant von → Tarentum bei der röm. Eroberung den Tod fand (Liv. 27,16,5) [1. 27, Anm. 130; 2. 108].

[4] Karthag. Politiker (1. H. 2. Jh. v. Chr.), Exponent der Parteiung, die den Handlungsspielraum Karthagos gegen Numidien und Rom erweitern wollte und im J. 151 v. Chr. gemeinsam mit Hamilkar »Samnites« die Verbannung der sog. Massinissafreunde aus der Stadt erreichte (App. Lib. 70,316) [1. 29, Anm. 143; 3. 434f.].

[5] Karthag. Feldherr (»Boetharch«) in den J. 153–150 v. Chr., der wegen seiner Angriffe auf numid. Gebiet zur Beschwichtigung der Römer hingerichtet wurde (App. Lib. 68,306f.; 74,341) [1. 28f.].

1 GEUS 2 D. A. KUKOFKA, Süditalien im Zweiten Punischen Krieg, 1990 3 HUSS.   L.-M.G.

Kartographie I. KARTOGRAPHIE II. GLOBUS

I. KARTOGRAPHIE
A. DEFINITION
B. DIE KARTENKONZEPT-DISKUSSION C. LISTEN
D. TABULAE PICTAE E. DIE ENTWÜRFE DER AGRIMENSORES F. ERDKARTEN
G. KARTENNUTZUNG

A. DEFINITION

Im folgenden sind »Karten« verstanden als graphische Repräsentationen, die räumlich-geogr. Begreifen erleichtern. Die Frage, inwieweit Griechen und Römer K. anfertigten und nutzten, ist in den letzten Jahren kontrovers diskutiert worden, nicht zuletzt weil sie die weitergehende Frage berührt, wie weit wir ohne Bedenken davon ausgehen dürfen, daß unsere eigenen kulturellen Einstellungen und Erwartungen in der klass. Ant. vorausgesetzt werden dürfen.

B. DIE KARTENKONZEPT-DISKUSSION

Es ist offenkundig, daß es in der Ant. kein Konzept von K. (und ebensowenig eines von Landschaft) gab [1]. Sicherlich gab es keine Atlanten, erst recht keine kartograph. Disziplin. Der mod. Begriff (und damit das Konzept) stammt aus dem 15. Jh., entwickelte aber erst in jüngerer Zeit eine umfassende histor. Dimension [2].

Im Bereich der älteren Kulturen, mit denen Griechen und Römer in Kontakt kamen, wurden Karten insbes. von Babyloniern, Ägyptern und Etruskern hergestellt [2. Bd. 1 Kap. 6, 7, 12; 3. 549–554]. Ob und gegebenenfalls welchen Einfluß diese Vorläufer auf griech.-röm. K. ausübten, liegt freilich im Dunkeln. Weder bei den Griechen noch bei den Römern entwickelte sich ein allg. Konzept von »Landkarten« mit einem anerkannten Satz von Konventionen zur Orientierung, Entfernungsmessung, Symbolik, Farbgebung usw. So ist die Auffassung, man könne auf gewissen Mz. die physische ion. Landschaft in einem uns vertrauten Sinne wiedergegeben sehen, wohl irrig [4. 141 f.], und es ist zu bezweifeln, daß je »Allzweck-Karten« hergestellt wurden. Es fehlte an geeigneten und preiswerten Materialien (→ Papyrus war teuer und brüchig, Seide unvorstellbar teuer), ebenso an Methoden der Vervielfältigung in großen Stückzahlen, die selbst in rudimentärer Form erst durch den Druck ermöglicht worden wäre. Daß das ant. Konzept von »Karten« schlecht definiert ist, spiegelt sich im Fehlen eines Äquivalents für den mod. Begriff: Die griech. Worte *gēs períodos* (γῆς περίοδος) und *pínax* (πίναξ), die lat. *charta, forma, mappa* und *tabula* haben jeweils eine Vielzahl weiterer Bed. So bleibt etwa die Frage offen, ob die *Sardiniae insulae forma*, die 174 v. Chr. als Erinnerung an die Siege des Ti. Sempronius Gracchus angefertigt wurde, eine Art von Karte darstellte. Ebenso problematisch ist die Form der *picta Italia* (»gemaltes Italien«) an der Wand des Tellus-Tempels in Rom. Sicher falsch ist es, dem spätant. Beamten *comes formarum* die Verantwortung für die kaiserlichen Karten und Pläne zuzuschreiben. Bes. umstritten ist, ob die sog. ›Weltkarte des Agrippa‹ in der Porticus Vipsania in Rom überhaupt eine Karte und nicht nur ein Text war, der mit dem *Tropaeum Alpium* oder den *Res Gestae* des Augustus zu vergleichen ist [4. 19, 152–155, 157–160, 268–285].

Dennoch besteht in der Forsch. weithin Übereinstimmung darin, daß Griechen und Römer seit der Frühzeit Karten in großer Vielfalt herstellten. Die Diskussion dreht sich eher um das Ausmaß dieser Produktion und v. a. um die Zwecke, zu denen man solche Karten einsetzte. Ein Exponent der Annahme, daß die Art der Kartennutzung durch Griechen und Römer unserer eigenen im wesentlichen vergleichbar war, war O. A. W. DILKE [5; 6; 7]; Widerspruch dagegen löste P. JANNI mit der These aus, das Raumkonzept der Römer sei im wesentlichen linear und eindimensional gewesen; jede Kartenherstellung, die einer größeren Verfeinerung bedurft hätte, sei ihnen verschlossen gewesen [4; 7; 8. Kap. 3; 9; 10; 11; 12].

C. LISTEN

Zweifellos bestanden die kartograph. Daten, die von Griechen und Römern gesammelt wurden, am häufigsten aus Namen von Siedlungen und die Entfernungen zw. diesen entlang anerkannter Routen. Für Fahrten zur See wurden daraus *períploi* (→ *períplus*) gen. Listen hergestellt (Ps.-Skylax, GGM 1, 15–96; peripl. m. r. CASSON; Arr. per. p. E. SILBERMAN; Stadiasmus maris magni, GGM 1, 427–514), später dann für Fahrten über Land sog. *itineraria* [13] (→ Itinerare). Vier Weihebecher aus Vicarello in It. (1.–2. Jh. n. Chr.) sind charakteristisch: Sie haben die Form von zylindrischen Miniatur-Meilensteinen und legen die Namen der Straßenstationen von Gades nach Rom und die Entfernungen zw. ihnen dar [4. 178 f.; 14. Kap. 6]. Das gleiche leistet für Routen im NW der Iberischen Halbinsel mindestens ein (wenn nicht mehrere) Terrakotta-Täfelchen [14. Kap. 8]. Ein inschr. Zeugnis aus Rom – wahrscheinlich Teil eines umfangreicheren Dokuments – zählt die Stationen der Reise des Hadrianus durch Kilikia im Oktober 117 n. Chr. Tag für Tag auf (CIL VI 5076; [15. 190]).

D. TABULAE PICTAE

Entwickelt man auf der Grundlage solcher Listen eine Karte, bietet diese tatsächlich nur eine lineare Wiedergabe des Raums. Es ist unmöglich zu sagen, wie oft dies geschah; daß es solche Karten gab, zeigt die → *Tabula Peutingeriana*, eine *tabula picta* [16], die ihre gegenwärtige Form erst im 4. Jh. n. Chr. erreicht haben mag, aber Elemente (wie einzelne Routen in Dacia) enthält,

die in das 1. oder 2. Jh. zurückgehen. Auf mindestens zwölf Bl. (deren westlichstes verloren ist), über 670 cm lang, aber nur 30 cm hoch, ist der Hauptzweck dieses Werks die Wiedergabe der Landrouten in der bekannten Welt zw. Britannia und Taprobane (Sri Lanka). Die NS-Erstreckung ist übermäßig verkürzt, die OW-Erstreckung ausgedehnt, und zwar nicht zuletzt, um der Mittelmeerwelt im allg. und It. im bes. eine hervorgehobene Stellung zu verleihen. Unabhängig von dieser Mißachtung von Maßstäben wird eine beachtliche Zahl von detaillierten und korrekten top. Informationen vermittelt: Meere, Flüsse und Wälder werden benannt und grün gefärbt dargestellt, Berge erscheinen braun. Für bestimmte Regionen und Völker werden Namen genannt, doch ist das Werk hauptsächlich mit kulturellen Merkmalen befaßt, die mit einer bemerkenswerten Vielzahl von standardisierten Bildsymbolen bezeichnet werden (darunter Altar, Hafen, Leuchtturm, Bad). Siedlungen werden nach Größe und Typ unterschieden, die Entfernungen zw. ihnen (entlang rot markierter Straßen) meist in röm. Meilen, aber auch in lokalen Einheiten angegeben. Insgesamt bietet das Werk etwa 4000 ON, darunter die von mehr als 550 Städten. Es stellt einen einzigartig bedeutsamen Beitrag auch zur mod. K. der röm. Welt dar. Freilich läßt sich nicht sagen, wie typisch es war oder wer es kompilierte, ebensowenig, in welcher unmittelbaren Absicht und aus welchen Quellen es erstellt wurde. Möglicherweise waren Informationen aus dem kaiserlichen Transportsystem (*vehiculatio*) und dem → *cursus publicus* eine bes. wichtige Komponente, wenngleich uns jegliches Wissen über die von jenen Institutionen bewahrten Unterlagen fehlen.

Ähnlich eindrucksvoll, wenngleich rätselhaft, ist eine musivische »Karte« von Palaestina und Unteräg. aus der Mitte des 6. Jh. n. Chr., deren Teile in einer Kirche in Madaba (Jordanien) bewahrt werden (eine genaue Abformung besitzt die Univ. Göttingen; [4. 149 f., 163]). Der Zweck dieses Werks muß teils darin bestanden haben, denjenigen, die die Hl. Stätten nicht selbst besuchen konnten, eine gewisse Vertrautheit mit diesen zu vermitteln: So erscheint Jerusalem unverhältnismäßig groß, und die Bildsymbole sind nicht standardisiert. Pilgertexte wie das *Itinerarium Burdigalense* aus den 30er und das unvollständig erh. *Itinerarium Egeriae* (→ *Peregrinatio ad loca sancta*) aus den 80er J. des 4. Jh. [17. 1–26; 18] wurden aus demselben Grund geschrieben. Christen entwickelten von sich aus eine Sicht ihrer Umwelt, die sich im Fokus und im Blick von den etablierten Normen unterschied; überdies hatten sie einen neuen Anlaß zum Reisen (→ Pilgerschaft).

In der Forsch. zu den großen ma. Karten (etwa aus Ebstorf oder Hereford) wurde die Auffassung vertreten, daß diese bestimmte Merkmale aus einer Vielzahl röm., seither verlorener Vorläufer entnommen haben könnten, doch bleibt dies die wohl schwächste Grundlage für die Annahme, die Römer hätten eine solche Gruppe von Karten hergestellt [19. Kap. 1].

E. Die Entwürfe der Agrimensores

Auf lokaler Ebene wurden sicherlich Karten hergestellt, die kleinere Gebiete detailliert darstellten. Die Praxis war im ptolem. Äg. und in Rom am weitesten verbreitet. Professionelle Landvermesser (*agrimensores*, → Feldmesser), die das kultivierbare Land röm. Gemeinden aufteilten, indem sie quadratische oder rechtwinklige *centuriae* ergebende *limites* (→ Limitation), anlegten, erwähnen in ihren Hdb., man habe von ihnen erwartet, daß sie nicht nur eine Bronzekarte ihrer Arbeit vor Ort hinterließen, sondern auch eine Kopie in Rom selbst deponierten (Hyginus Gromaticus p. 165 THULIN; [20. 88–90]). Von solchen Bronzekarten ist nur ein kleines, aber repräsentatives Frg. erh., ein in den 1980er J. in Spanien gefundenes Frg. einer *forma* des Geländes am Ana-Fluß (der markiert und benannt ist) in Lusitania [4. 221 f.], doch sind die weit besser erh. Marmorpläne des Territoriums von Arausio (h. Orange) in Gallia Narbonensis aus flavischer Zeit ähnlich [21]. Eine entsprechende Tätigkeit von *mensores aedificiorum* in den Städten, die Pläne in einem Standardmaßstab von etwa 1 : 240 herstellten, ist nur schwach dokumentiert (vgl. Plin. epist. 10,17b–18). Doch zeigt der einzigartige, riesige (235 m²) severische Marmorplan von Rom (von dem etwa ein Zehntel durch Frg. oder Abzeichnungen aus der Renaissance bekannt ist; → *forma Urbis Romae*) die sorgfältige Arbeit jener *mensores* – in einer so hügeligen Landschaft bes. bemerkenswert. Dieser nach SO ausgerichtete ichnographische Plan war an einer hohen Wand des *templum Pacis* angebracht, wo die meisten feinen Details von den Betrachtenden nie wahrgenommen werden konnten. Sein Zweck war propagandistischer, nicht praktischer Natur [22]. Ein oder mehrere Kaiser sollen reichsweite Vermessungen in Auftrag gegeben haben, was freilich kaum nachzuweisen ist; Regionalkarten wurden nicht hergestellt [4. 261–267].

F. Erdkarten

Es gab vielleicht im 6. Jh. v. Chr. in Ionia mit → Anaximandros einsetzende Versuche (Strab. 1,1,11; Diog. Laert. 2,1,2), großräumige Wiedergaben der Welt sowohl auf Globen (s. u.) als auch auf Flächen herzustellen [23]. Es muß eines dieser Objekte gewesen sein, das → Aristagoras [3] – auf der Suche nach Verbündeten gegen die Perser – dem König Kleomenes I. von Sparta zeigte, womit er freilich einen allzu deutlichen Eindruck von der Größe des Perserreichs vermittelte (Hdt. 5,49). Es gibt kaum gute Hinweise darauf, wie solche großräumigen Wiedergaben aussahen; gelehrte »Rekonstruktionen« können sich nicht von unserer zeitgenössischen Perspektive befreien und sollten daher mit Skepsis angesehen werden.

Spätestens seit dem 4. Jh. v. Chr. stellten sich griech. Naturwissenschaftler und Astronomen die Erde als Kugel und Teil eines Sonnensystems vor. Entscheidende Fortschritte wurden im 3. Jh. v. Chr. von → Eratosthenes [2] erzielt, dessen Schriften auch Berechnungen zur Bestimmung des Erdumfangs und Anleitungen für die graphische Wiedergabe boten. Seine Methodik war stimmig, auch erkannte er die Notwendigkeit präziser physischer und astronomischer Daten. Auch wenn die Schwierigkeiten, diese zu erhalten und die geogr. Länge genauer zu bestimmen, die Ergebnisse beeinträchtigten, blieben sie grundlegend. Eratosthenes' Fortschritte liegen der ›Geographie‹ des Klaudios → Ptolemaios aus dem 2. Jh. n. Chr. zugrunde, dem umfassendsten ant. Versuch einer Projektion der physischen und kulturellen Landschaft auf die gerundete Erdoberfläche. Auch wenn Ptolemaios (nicht immer korrekte) Koordinaten nennt und Anleitungen für die Erstellung von einer Welt- und von 26 Regionalkarten gibt, ist es keineswegs sicher, daß er solche Karten selbst in Umlauf brachte (vgl. [2. Bd. 1, Kap. 11] mit den Rekonstruktionen, die der unvollendeten Ptolemaios-Ausgabe von C. MÜLLER 1901 postum beigegeben wurden).

G. Kartennutzung

Jedenfalls dürfen wir mit guten Gründen bezweifeln, daß diese Fortschritte in der gelehrten K. je außerhalb ihrer eigenen Kreise eine größere Wirkung entfalteten. Freilich konnte Aristophanes [3] im späten 5. Jh. v. Chr. erwarten, daß das att. Publikum über die Reaktionen eines alten, ungebildeten Bürgers lachte, der das erste Mal eine Karte sah (Aristoph. Nub. 200–217). Ebenso konnte ein gall. Redner in Augustodunum zu E. des 3. Jh. n. Chr. dem röm. Statthalter eine große Wandkarte als Unterrichtsmittel empfehlen (Paneg. 9(4),20,2; 21,3). In einem gewissen Ausmaß scheinen also die Gebildeten Karten gekannt zu haben. Zugleich aber ist deutlich, daß Karten nicht zu den Mitteln gehörten, auf die man sich üblicherweise für die Erfassung des Raums verließ. Von mil. Befehlshabern etwa wurde nie kartograph. Bewußtsein oder Ausbildung erwartet; die einzige Ausnahme bildet eine Empfehlung in dem akad. Hdb. des spätant. Antiquars Vegetius (Pol. 9,12–21; Veg. mil. 3,6; [24]) – Rückschlüsse aus bestimmten Passagen bei Velleius Paterculus (2,109,3) und Plinius (nat. 6,40; 12,19), denen zufolge »Militärkarten« verwendet worden seien, überzeugen nicht.

Auch in der Verwaltung scheinen Karten weitestgehend zu fehlen. Für eine griech. *pólis* muß dies wohl kaum überraschen, da das Territorium meist klein und den Behörden vertraut war. Doch scheinen auch größere Staaten sich nicht auf Karten verlassen zu haben, nicht einmal das Röm. Reich, trotz seines zunehmenden Bedarfs an schriftlichen Dokumentationen aller Art. Das Potential der *formae* der Landvermesser wurde nie weiter genutzt. Tatsächlich sollte ein solcher Impetus für die Kartenerstellung erst im 15. Jh. ausgehen: ›Die K. ist nirgends gut verankert vor dem Aufstieg des modernen Nationalstaats, mit dem sie sich zusammen entwickelt als Instrument der Politik zur Einschätzung von Steuern, zur Kriegführung, zur Erleichterung der Kommunikation und zur Ausbeutung strategischer Ressourcen‹ ([3. 552]; vgl. [25]). Zu dieser plötzlichen Entwicklung kam es nicht nur in Europa, sondern auch im Osmanischen Reich und in Asien. Das allg. Fehlen eines »Kartenbewußtseins« in der klass. Ant. (außer für sehr große und sehr kleine Räume) und die Bevorzugung von anderen, nicht weniger effektiven Methoden zur Aufzeichnung räumlicher Verhältnisse (diese bedürfen weiterer Erforschung, s. vorerst etwa [26; 27]), sollten als insgesamt typisch für die Gesellschaften vor dem 15. Jh. angesehen werden.

→ Forma Urbis Romae; Itinerare; KARTOGRAPHIE

1 P. BROWN u. a. (Hrsg.), Guide to the Late Antique World, s. v. Landscape (im Druck) 2 J. B. HARLEY, D. WOODWARD (Hrsg.), The History of Cartography, 1987ff. 3 D. WOOD, Maps and Mapmaking, in: H. SELIN (Hrsg.), Encyclopaedia of the History of Science, Technology, and Medicine in Non-Western Cultures, 1997 4 K. BRODERSEN, Terra Cognita: Stud. zur röm. Raumerfassung, 1995 5 O. A. W. DILKE, Greek and Roman Maps, 1985 6 Ders., in: J. B. HARLEY, D. WOODWARD (Hrsg.), The History of Cartography 1, 1987, 201–275 7 C. NICOLET, L'Inventaire du monde: Géographie et politique aux origines de l'empire romain, 1988 8 P. JANNI, La mappa e il periplo, 1984 9 R. TALBERT, Rez. zu: O. A. W. DILKE, Greek and Roman Maps, 1985, in: JRS 77, 1987, 210–212 10 Ders., Rome's Empire and Beyond, in: E. HERMON (Hrsg.), Gouvernants et gouvernés dans l'Imperium Romanum (Cahiers des Ét. Anciennes 26), 1991, 215–223 11 N. PURCELL, Rez. zu: C. NICOLET, L'Inventaire du monde: …, 1985, in: JRS 80, 1990, 178–182 12 A. D. LEE, Information and Frontiers, 1993 13 O. CUNTZ, J. SCHNETZ, Itineraria Romana, 1929–1940 (Ndr. 1990) 14 J. M. ROLDÁN HERVÁS, Itineraria Hispana, 1975 15 H. HALFMANN, Itinera principum, 1986 16 E. WEBER, Tabula Peutingeriana, 1976 17 P. GEYER, Itinerarium Burdigalense (CCL 175), 1965 18 P. MARAVAL, Itinerarium Egeriae, 1982 19 E. EDSON, Mapping Time and Space, 1997 20 B. CAMPBELL, Shaping the Rural Environment: Surveyors in Ancient Rome, in: JRS 86, 1996, 74–99 21 A. PIGANIOL, Les documents cadastraux de la colonie romaine d'Orange, 1962 22 D. WEST REYNOLDS, Forma Urbis Romae, Diss. Michigan 1996 23 G. AUJAC, in: J. B. HARLEY, D. WOODWARD (Hrsg.), The History of Cartography 1, 1987, 134 f. 24 B. CAMPBELL, Teach Yourself How to Be a General, in: JRS 77, 1987, 13–29 25 D. BUISSERET (Hrsg.), Monarchs, Ministers, and Maps, 1992 26 G. SUNDWALL, Ammianus geographicus, in: AJPh 117, 1996, 619–643 27 A. BERTRAND, Stumbling through Gaul, in: Ancient History Bull. 11, 1997, 107–122.

RI. T./Ü: K. BRO.

II. GLOBUS

Der Globus (G.; griech. σφαῖρα/*sphaira*, lat. *sphaera*) als ideales Mittel zur verzerrungsfreien Oberflächendarstellung kugelförmiger Körper war in der Ant. wohlbekannt, wie aus zahlreichen schriftlichen Zeugnissen, aber auch aus Abb. in Kunst und Architektur hervorgeht. Doch während der mod. Mensch zunächst an den vertrauten Erd-G. denkt, diente der G. im Alt. vornehmlich der Veranschaulichung der Himmelserscheinungen: Zwar ist die Angabe bei Cic. rep. 1,22 (*sphaera … tornata*), bereits Thales habe einen G. angefertigt, mit dessen Vorstellung von einer auf dem Wasser schwimmenden Erde (11 A 14–15 DK) kaum vereinbar. Doch schon → Anaximandros (6. Jh. v. Chr.), wohl der erste, der von einer freischwebenden Erde inmitten eines kugelförmigen Kosmos ausging (12 A 11 DK), scheint diese

Lehre mit Hilfe eines G., über dessen Beschaffenheit freilich nichts bekannt ist, demonstriert zu haben (12 A 1 DK).

Auf → Eudoxos [1] geht nach unserer Überl. die erste Abb. des Sternenhimmels auf einem G. zurück (Cic. rep. 1,22), wofür wir aus späterer Zeit Beispiele besitzen: Auf der Kugeloberfläche waren die Sterne und Sternbilder spiegelverkehrt zur Perspektive des irdischen Beobachters angebracht, d. h. der G. illustrierte den fiktiven Blick »von außen« auf einen kugelförmigen Kosmos, in dessen Mitte man sich die Erde vorstellte (vgl. [1. 131]; → Kosmologie). Die detaillierteste ant. Beschreibung dieser einfachen Fixsterngloben ist uns aus der Feder des großen Astronomen und Geographen Klaudios → Ptolemaios erh. (2. Jh. n. Chr.; Ptol. Almagest 8,3). Vollständigkeit und Genauigkeit dürften freilich – je nach verfolgter Absicht – stark variiert haben: So weisen etwa der auf einem hell. Vorbild beruhende G. des ›Atlas Farnese‹ oder das jüngst von E. KÜNZL behandelte Exemplar im Röm.-German. Zentralmuseum (Mainz) trotz ihrer eindeutig repräsentativen Ausgestaltung eine beachtliche Exaktheit auf, die durch die für den wiss. Gebrauch angefertigten Instrumente gewiß noch übertroffen wurde. Andere kaiserzeitliche Darstellungen von Globen, die lediglich allg. die röm. Universalherrschaft symbolisieren sollten, beschränken sich auf die vereinfachende Wiedergabe einiger weniger markanter Sternbilder, soweit sie nicht überhaupt abstrakte Figuren enthalten. Weiterentwicklungen wie jene des Archimedes (Cic. rep. 1,22), der mit Hilfe eines Systems konzentrischer Ringe die Bahnen von Sonne, Mond und Planeten in ihrer Gesamtheit zu erklären versuchte, können demgegenüber nicht als Globen im eigentlichen Sinne gelten.

Auch als die Lehre von der Kugelgestalt der Erde längst etabliert war, blieb die Darstellung der Erde als G. die Ausnahme. Der Hauptgrund hierfür dürfte in der erwiesenen Unkenntnis eines größeren Teils ihrer Oberfläche liegen: Nur demjenigen, der sich auf eine vollkommen hypothetische Gesamtdarstellung einließ, konnte der G. als Anschauungsobjekt der Erdkunde nützen: so im 2. Jh. v. Chr. dem pergamenischen Homerexegeten Krates (Strab. 2,5,10), dessen einprägsames Schema von zwei senkrecht zueinander verlaufenden Gürtelozeanen und vier Erdvierteln (Strab. 1,1,7; 1,2,24) über Macrobius auf die bekannte Ikonographie des Reichsapfels nachgewirkt haben mag [2. 458].

→ Astrolabium; Feldmesser; Geographie; Itinerare; Kosmologie; KARTOGRAPHIE

1 E. KÜNZL, Sternenhimmel beider Hemisphären, in: Antike Welt 27, 1996, 129–134 2 H. BERGER, Gesch. der wiss. Erdkunde der Griechen, ²1903.

F. BOLL, s. v. Globen, RE 7, 1427–1430 · A. SCHLACHTER, Der G. (Stoicheia 8), 1927 · O. BRENDEL, Symbolik der Kugel, in: MDAI(R) 51, 1936, 1–95 · O. MURIS, G. SAARMANN, Der G. im Wandel der Zeiten, 1961 · W. EKSCHMITT, Weltmodelle (Kulturgesch. der ant. Welt 43), ²1990 · A. STÜCKELBERGER, Der Astrolab des Ptolemaios, in: Antike Welt 29/5, 1998, 377–383. KL. ZI.

Kartonnage. Aus gebrauchten → Papyrus-Stücken gefertigter Karton oder Papiermaché zur Herstellung von Mumienbinden (für Menschen oder Tiere). Im Ägypten der Ptolemaierzeit verbreitet (FO: Nekropolen von Ghoran, Madīnet an-Nuḥās, al-Ḥība); einige Exemplare sind zum Ende der augusteischen Zeit zu datieren (FO: Abū Ṣīr al-Malaq). Aus der zerlegten K. wurden zahlreiche Fr. lit. griech. Texte (z. B.: Kallimachos, Menandros, Platon; Aufstellung in [1]) und Dokumentkopien (Petitionen oder Eingaben/*enteúxeis* an den Ptolemaierhof) des 3. Jh. v. Chr. gewonnen.

1 A. BLANCHARD, Les papyrus littéraires grecs extraits de cartonnages: études de bibliologie, in: M. MANIACI, P. F. MUNAFÒ (Hrsg.), Ancient and Medieval Book Materials and Techniques, 1993, 15–40.   T. D./Ü: J. DE.

Karura (τὰ Κάρουρα).
[1] Stadt in SW-Kleinasien am oberen → Maiandros an der Grenze zw. Karia und Phrygia (Strab. 12,8,17; 14,2,29), beim h. Sarayköy. Dank heißer Quellen war K. im Alt. Kurort; eine Ärzteschule (in der Trad. des → Herophilos [1]) hatte ihren Sitz am Heiligtum des Men Karu (Strab. 12,8,20), auf halbem Weg zw. K. und Laodikeia [4] (2./1. Jh. v. Chr.).

MILLER, 726 • W. M. RAMSAY, The Historical Geography of Asia Minor, 1890, 49 • RAMSAY 1, 164; 168; 374 • W. RUGE, s. v. K. (1), RE 10, 2243 f.   H. KA.

[2] Tamil Karūr (Karuvūr), die Hauptstadt des südindischen Cera-Reiches (Ptol. 7,1,86 βασίλειον Κηροβόθρου) im Tiruccirappalli-Distrikt. Durch K. führte ein wichtiger Handelsweg vom Hafen Muziris (umfangreiche röm. Mz.-Funde, 1. Jh. n. Chr.) nach Osten.

K. KARTTUNEN, Early Roman Trade with South India, in: Arctos 20, 1995, 81–91 • R. NAGASWAMY, Roman K., 1995.   K. K.

Karus(s)a (Κάρουσσα). Ort an der paphlagonischen Schwarzmeerküste östl. von → Sinope (peripl. m. Eux. 24; Skyl. 89; Plin. nat. 6,7).

W. RUGE, s. v. K., RE 10, 2244.   C. MA.

Karya (Καρύα). Tochter des lakonischen Königs Dion, Geliebte des Dionysos. Ihre Schwestern Orphe und Lyko, die K. einsperren, werden von Dionysos mit Wahnsinn geschlagen und in Felsen des Taygetos verwandelt, K. aber in einen Nußbaum (Serv. ecl. 8,29). Beim Epiker Pherenikos ist K., wie andere Hamadryaden, Tochter des Oxylos und seiner Schwester Hamadryas (Athen. 3,78b).   C. W.

Karyai (Καρύαι).
[1] Arkadische Ortschaft (χωρίον) am Süd-Ufer des Sees von Pheneos (Paus. 8,13,6; 14,1).   Y. L.
[2] Ort im NW-Parnon an der NO-Grenze von Sparta gegen Arkadia, entweder bei h. Analipsis am Ufer des Saranda-Potamos im NO der Kambos-Ebene, oder bei Arachova im Norden vom h. wieder K. gen. Dorf gelegen. Wegen der Lage zw. Lakonia, Arkadia und Argolis war K. bedeutsam in der Gesch. der Beziehungen zw. Sparta und den Nachbarstaaten. Urspr. arkad., in klass. Zeit spartan. (Thuk. 5,55,3; Xen. hell. 6,5,25; 7,1,28; Polyain. 1,41,5; Phot. s. v. Καρύατεια), in hell. Zeit tegeatisch (Liv. 34,26,9; 35; 27,13; Paus. 8,45,1). In der Kaiserzeit spartan. Heiligtum der Artemis Karyatis mit Kultbild und jährlichem Fest. Die Fest-Tänzerinnen hießen *Karyatídai*. Quellen: Paus. 3,10,7; 4,16,9; Steph. Byz. s. v. K. Inschr.: IG V 1, 922–925.

T. CHRISTIEN, Promenades en Laconie, in: DHA 15,1, 1989, 80–86 • D. MUSTI, M. TORELLI, Pausania. Guida della Grecia, 3. La Laconia, 1991, 189.   Y. L.

Karyanda (τὰ Καρύανδα). Karische (Hekat. FGrH 1 F 242; Skyl. FGrH 709 T 1 f.) Hafenstadt zw. Myndos und Bargylia (Strab. 14,2,20), im Süden des h. Güllük körfezi, urspr. auf vorgelagerter Insel (Salih adası?), später auf das Festland verlegt. K. war Mitglied im → Attisch-Delischen Seebund und Heimat des Seefahrers (Hdt. 4,44,1) und Geographen → Skylax.

Auf Salih adası finden sich Reste einer ummauerten Niederlassung; die Festlandssiedlung von K., im 3. Jh. v. Chr. nach → Myndos eingebürgert, ist nicht weit von Salih adası bei Güvercinlik oder eher an der Nordküste der Halbinsel von Halikarnassos bei Türkbükü und Göl köyü zu suchen (Siedlungsreste mit griech. Keramikimport, schon 6./5. Jh. und byz. Ruinen am Ufer). – Inschr., Mz.

G. E. BEAN, J. M. COOK, The Halicarnassus Peninsula, in: ABSA 50, 1955, 121 f., 131 • G. E. BEAN, Kleinasien 3, 1974, 134 • L. BÜRCHNER, s. v. K. (1) und (2), RE 10, 2246 f. • C. FOSS, Strobilos and Related Sites, in: AS 38, 1988, 147–174.   H. KA.

Karyatiden (Καρυάτιδες). Überwiegend langgewandete, weibliche Stützfiguren an verschiedenem Gerät (u. a. Spiegelgriffen) oder in architektonischem Kontext (→ Bauplastik), wo sie Säulen, Halbsäulen oder Pilaster ersetzen. Der Begriff K. ist nach Vitruv (1,1,5) vom peloponnesischen Ort → Karyai [2] abgeleitet, im griech. Sprachgebrauch erst für das 4. Jh. v. Chr. nachgewiesen (Lynkeus bei Athen. 6,241d); in Bauinschr. des 5. Jh. v. Chr. (Erechtheion) werden K. hingegen als κόραι (*kórai*, »Koren«) bezeichnet.

Die frühesten architektonischen K. begegnen in Griechenland im 6. Jh. v. Chr. (Knidier- und Siphnierschatzhaus in Delphi); aus dieser Zeit stammt auch der früheste Hinweis auf Gebälkträgerinnen in nicht-architekton. Kontext bei der Schilderung des Throns des Apollon von Amyklai durch Pausanias (3,18,9 f.). Inwieweit das Motiv der K., das im 5. und 4. Jh. v. Chr. eher selten begegnet (Koren des Erechtheion, Grabkammer von Sveštari/Bulgarien), altorient. Vorläufern entlehnt ist, bleibt umstritten. Ihre größte Verbreitung finden die K. in der archaistischen und neo-att. Kunst (1. Jh. v. Chr. – 2. Jh. n. Chr.).

Sachlich inkorrekt, jedoch in ihrer Rezeption äußerst folgenreich ist die bei Vitruv (1,1,5) überl. Anekdote, derzufolge die gebälktragende K. ein Motiv der Unterwerfung (*servitutis exemplum*) sei als eine Folge des verräterischen → *mēdismós* der Bewohner der Stadt Karyai; die nachant. Architekturtheorie hat diese Passage intensiv diskutiert und seit dem 18. Jh. in den Mittelpunkt einer »architecture parlante« gestellt. Bes. die K. des Erechtheion finden sich in der röm. Kunst ebenso wie im Klassizismus des späten 18. und 19. Jh. als Paradigmen klassischer Kunst kopiert bzw. umgebildet.
→ KARYATIDEN

M. BUSHART, S. HÄNSEL, M. SCHOLZ, K. an Berliner Bauten des 19. Jh., in: W. ARENHÖVEL, CHR. SCHREIBER (Hrsg.), Berlin und die Ant., Ausst.-Kat. Berlin 1979, 531–555 · H. DRERUP, Zur Bezeichnung 'Karyatide', in: MarbWPr 1975/6, 11–14 · D. M. FULLERTON, The Archaistic Style in Roman Statuary, Mnemosyne Suppl. 110, 1990 · H. HERES, Eine archaistische K. aus dem Theater von Milet, in: Eirene 18, 1982, 5–11 · H. LAUTER, Die Koren des Erechtheion (AntPl 16), 1976 · F. SCHALLER, Stützfiguren in der griech. Kunst, 1973 · E. SCHMIDT, Gesch. der K., 1982 · A. SCHMIDT-COLINET, Ant. Stützfiguren, 1977 · L. SCHNEIDER, CH. HÖCKER, P. ZAZOFF, Zur thrak. Kunst im Frühhell. Griech. Bildelemente in zeremoniellem Verwendungszusammenhang, in: AA 1985, 633–638 · A. SCHOLL, Die Korenhalle des Erechtheion auf der Akropolis, 1998. C.HÖ.

Karyke s. Speisen

Karyotos Phoinix (καρυωτὸς φοῖνιξ) ist eine nicht genau bestimmbare Art von Dattelpalmen mit schmackhaften Früchten (lat. *caryotae*, abgeleitet von der Nuß κάρυον), also nicht Caryota urens L. Plin. nat. 13,44 f. rühmt den Saft aus den Früchten, aus dem man im Orient hervorragende, aber zu Kopfe steigende Weine herstellte. Am besten waren die Datteln von Jericho mit ihrem fetten, milchartigen Saft und sehr süßem Geschmack. Weitere Stellen: Plin. nat. 14,102 und 23,52; Varro rust. 2,1,27; Mart. 13,27; Dioskurides 1,109 WELLMANN = 1,148 BERENDES (und 5,31 WELLMANN = 5,40 BERENDES: φοινικίτης sc. οἶνος) und Strab. 17,1,51.

F. ORTH, s. v. K., RE 10, 2253 f. · V. HEHN, Kulturpflanzen und Haustiere (ed. O. SCHRADER), ⁸1911, Ndr. 1963.
C.HÜ.

Karystios (Καρύστιος) aus Pergamon. Griech. Polygraph mit vielfältigen Interessen, lebte wahrscheinlich in der 2. H. des 2. Jh. v. Chr. Der größte Teil der Fr. ist bei Athenaios erh., der v. a. die Ἱστορικὰ ὑπομνήματα (mindestens 2 B., oder 3 B., wenn die beiden Verweise ἐν τρίτῳ Ὑπομνημάτων bei Athen. 12,542e; 13,577c demselben Werk zuzuweisen sind: Erörterung in [2]) zitiert, eine vermischte Sammlung von Nachr. über verschiedene histor. Persönlichkeiten, Gebräuche und Sitten. Darüber hinaus sind zwei Werke Περὶ Σωτάδου und Περὶ Διδασκαλιῶν bezeugt, Schriften, mit denen K. sich

in die Reihe peripatetischer und alexandrinischer Unt. zu Dichtern und dramatischen Aufführungen zu stellen scheint. Er hat sich wohl auch mit Kunstgesch. befaßt: Eine Nachricht bringt ihn mit der Erfindung des Typs der geflügelten → Nike in Verbindung (schol. Aristoph. Av. 574).
→ Sotades

ED.: 1 FHG 4, 356–359.
LIT.: 2 F. JACOBY, s. v. K., RE 10, 2254–2255.
F.M./Ü: T.H.

Karystos (Κάρυστος, lat. *Carystus*).
[1] Stadt in der Küstenebene am gleichnamigen Golf im Süden von → Euboia, auch h. K., etwa 3 km landeinwärts zw. Burgberg und Hafen, als Gründung der Dryopes bekannt, die im Rahmen der → Dorischen Wanderung ihre mittelgriech. Heimat verlassen mußten, nach Hom. Il. 2,539 Gründung der Abantes. Eine prähistor. Besiedlung ist nicht auszuschließen. 490 v. Chr von den Persern erobert, mußte K. im J. 480 v. Chr. Schiffe für die Flotte des Xerxes stellen. Den Beitritt zum → Attisch-Delischen Seebund erzwangen die Athener 475; der Tribut (7 ½ bzw. 5 Talente nach 450/449) spricht für die Bed. von K. (ATL 1, 302 f.; 3, 175; 198). Vorübergehend schloß sich K. den Thebanern an (Syll.³ I 190). Mitglied im 2. → Attischen Seebund (Syll.³ I 147,83). Als einzige Stadt auf Euboia beteiligte sich K. am → Lamischen Krieg 323 v. Chr. gegen die Makedonen, die z.Z. der Diadochen über K. herrschten. 198 v. Chr. von einer röm.-pergamenischen Flotte erobert, wurde K. 196 v. Chr. zur freien Stadt erklärt. Im → Bundesgenossenkrieg [3] unterstützte K. die Römer mit Schiffen (CIL I² 203). Im Laufe der Zeit hatte sich das Zentrum der ant. Stadt zur Küste hin verlagert, von wo aus der in röm. Zeit bes. geschätzte grüne Marmor (CIL XIV 14301), nordwestl. von K. gebrochen, über den eigens dazu angelegten Hafen Marmarion ausgeführt wurde. In der Kaiserzeit waren die Brüche Staatsbetriebe (CIL VI 8486; [1. 167]). Im MA war K. Bistum. Aus dem 5. Jh. ist der Bischof Kyriakos bekannt; die Reste einer byz. Metropoliskirche sind erhalten.

K. war Geburtsort des Arztes → Diokles [6], des Komödienautors → Apollodoros [5] und des Biographen Antigonos [7]. Inschr.: IG XII 9, 1–43; Suppl. 527–530; SEG 3, 758 f.; 14, 575; CIL III 563; 12286; 12289. Mz.: HN 356 f.

1 HIRSCHFELD.

IG XII 9, p.159 f. · H. V. GEISAU, s. v. K., RE 10, 2256 ff. · FR. GEYER, Top. und Gesch. der Insel Euboia 1, 1903, 102 ff. · S. LAUFFER, s. v. K., in: LAUFFER, Griechenland, 305 f. · PHILIPPSON/KIRSTEN 1, 630 · M. B. WALLACE, The history of K., 1972. H.KAL.

[2] Ort der südwestarkad. Landschaft Aigytis (Strab. 10,1,6; Athen. 1,31d; Steph. Byz. s. v. K.; Hesych. s. v. Καρύστιος), der für seinen Wein bekannt war (Alkm. fr.

92d CAMPBELL). Ant. Reste auf dem Hügel von Palaiokastro, 18 km nordöstl. von Sparta.

R. BALADIÉ, Le Péloponnèse de Strabon, 1980, 179 f.　Y. L.

Kasai (Κάσαι). Stadt in → Kilikia Tracheia (Ptol. 5,5,8;
Κασσά, Hierokles, Synekdemos 682,5), h. Asar Tepe,
30 km nordnordöstl. von → Korakesion. Existenz in
hell. Zeit unsicher, inschr. seit augusteischer Zeit belegt,
später Bistum [1. 48 ff.]. Eine große Kirchenruine trägt
an der Außenwand eine lange Rechtsinschr. aus der 2.
H. 5. Jh. n. Chr. [1. 51 ff.].

1 G. E. BEAN, T. B. MITFORD, Journeys in Rough Cilicia
1964–1968, 1970.　　　　　　　　　　　　　　　K. T.

Kasia s. Zimt

Kasion (Κάσιον sc. ὄρος). Gräzisierte Form von hurrit.
Ḫazzi, bezeichnet den 1770 m hohen Ǧebel al-Aqraʿ,
d. h. den Götterberg Ṣaphon mit dem Sitz des Gottes
→ Baal ca. 40 km nördl. von → Ugarit in NW-Syrien.
Im 1. Jt. v. Chr. wurde der Ṣaphon/K. zum Götterberg
Syrien-Palästinas *par excellence*; der Name K. findet sich
auch im Nildelta am Sirbonischen See (Hdt. 2,6,1;
3,5,2), wo die Grenze zw. Äg. und Syrien verlief (Hdt.
2,158,4). In Syrien wurde auf dem K. der Kult des
→ Zeus Kasios bis ins 4. Jh. n. Chr. vollzogen. Bedeutende Besucher der Kultstätte waren König Seleukos I.
und die Kaiser Hadrian, Traian und Iulian Apostata. Als
K. ist der Berg bei Philon Byblios (Eus. Pr. Ev. I 10,9)
zusammen mit dem Amanus, dem Libanon und dem
Tabor genannt.

1 K. KOCH, Ḫazzi-Ṣafôn-K., in: B. JANOWSKI et al. (Hrsg.),
Religionsgesch. Beziehungen zw. Kleinasien, Nordsyrien
und dem AT, 1993, 171–223　2 H. NIEHR, s. v. Zaphon,
Dictionary of Deities and Demons, 1746–1750.　H. NI.

Kasios s. Baal; Typhoeus; Zeus

Kaškäer (»Männer/Feinde aus dem Lande Kaška«). In
den hethit. Quellen eine Gruppe von (halb-)nomadisch
lebenden Clans oder Stämmen, die die nördl. an das
Schwarze Meer grenzende Region des Pontischen Gebirges besiedelten. Herkunft und Sprache sind unbekannt.

Die Grenze zum hethit. Siedlungsgebiet im Süden
war ständigen Verschiebungen unterworfen, da die K.
über Jh. versuchten, weiter nach Süden vorzudringen,
und dabei je nach der machtpolitischen Situation des
Reiches von Ḫattusa mehr oder weniger erfolgreich
waren. V. a. in der mittelhethit. Zeit (15. Jh. v. Chr.)
wurden die Plünderungen und Zerstörungen für die
Hethiter zu einer existentiellen Bedrohung, der auch
durch zeitweilige vertragliche Regelungen mit diversen
kaškäischen Clangruppen etwa während der Regierungszeit Arnuwandas I. nicht entscheidend zu begegnen war. In einer Schwächephase unter Tudḫalija II.,
dem Vater Suppiluliumas I., führte ein K.-Einfall zur
Brandschatzung der Hauptstadt Ḫattusa; eine ähnlich

große Bedrohung mag auch bei der späteren Verlegung
der hethit. Hauptstadt weiter nach Süden unter Muwattalli II. eine Rolle gespielt haben. Die Konflikte
setzten sich während der Großreichszeit (14.–13. Jh.)
fort und führten zu regelmäßigen hethit. Feldzügen gegen die K., wie sie ausführlich z. B. die Annalen Mursilis II. dokumentieren, in dessen Regierungszeit (ca.
1318–1290) auch die zumindest zeitweilige Vereinigung
zahlreicher Stämme unter einer Art kaškäischem König
fiel. Erst mit der Übergabe der Verwaltung des »Oberen
Landes« an den späteren König Ḫattusili II. und dessen
konsequenter Verbindung von Militäraktionen mit
großräumigen Wiederbesiedlungen und Kultrestaura-
tionen der zeitweise jh.lang an die K. verlorenen ehemals hethit. Städte, deren bedeutendste Nerik war,
konnte die Gefahr im 13. Jh. für längere Zeit gebannt
werden.

Mit dem Abbruch der keilschriftl. Überlieferung der
Hethiter enden die Nachrichten über die K. jedoch
nicht, denn spätere assyr. Quellen bekunden sporadisch
(→ Tiglatpilesar I., → Sargon II.) Kämpfe gegen weiter
vordringende K. in Kappadokien, so daß es möglich ist,
eine ethnische Kontinuität zu den in den hieroglyphenluw. Inschr. des Königtums Tabal (um 730 v. Chr.) genannten Kašku zu sehen.
→ Ḫattusa (mit Übersicht zu den Königen)

E. VON SCHULER, Die K., 1965.　　　　　　　　　　J. KL.

Kasmenai (Κασμέναι). Stadt auf Sizilien, 644 v. Chr.
von Syrakus gegr. (Thuk. 6,5,3); Festungsposition und
Fehlen eigener Mz.-Prägung charakterisieren die Stadt
als nichtautonome »Militärkolonie«.

554/3 v. Chr. versuchte Kamarina, sich mit Unterstützung verschiedener siculischer Gemeinden aus der
Abhängigkeit von Syrakusai zu lösen. Im darauffolgenden Krieg, in dem K. Syrakusai unterstützte, wurde K.
zerstört (Dion. Hal. epist. ad Pompeium 5,5 = FGrH 556
Philistos F 5 mit der Lesung von 1. 236¹). Der Inschr.-
Rest auf einem offenbar von Monte Erbesso Casale
stammenden Bronzeblech im Metropolitan Museum
[2] könnte auf einen Vertrag zw. den emigrierten Oligarchen von Megara und den nach K. exilierten syra-
kusischen *gamóroi* (»Landbesitzer«) deuten und damit
den Bericht bei Hdt. 7,155,2 (Κασμένη) bestätigen: Eine
Revolte des → *démos* und der hörigen *kyllýrioi* hatte die
gamóroi 491 aus Syrakusai nach K. vertrieben; ihre
Rückführung nahm → Gelon [1] 485 zum Anlaß, sich
der Herrschaft über Syrakusai zu bemächtigen.

Gegen verschiedene andere Ansätze (Comiso, Ispica,
Scicli) wird K. allgemein mit der am Monte Casale auf
dem 830 m hohen Plateau des Monte Erbesso im
Quellgebiet von Irminio, Anapo und Tellaro, 6 km
nordwestl. von Akrai (12 km westl. von Palazzolo
Acreide) ausgegrabenen archa.-griech. Siedlung identifiziert. Der durch Türme verstärkte Mauerring umlief
urspr. die ganze 3,4 km lange Bergkante und schloß eine
ausgedehnte Gipfelfläche (1370 × 450 m) mit regelmä-
ßiger Stadtanlage (2. H. 7. bis 4. Jh. v. Chr.) ein. Schma-

le Häuserblocks aus Lavagestein wurden gegliedert von 38 senkrecht zur Hauptachse des Plateaus parallel von NW nach SO verlaufende Straßen. Auf der Westseite (Akropolis) befand sich ein Tempel (sehr schmale *cella*, architektonische und figürliche Ausschmückung mit polychromer Terrakotta); entlang der Südseite des *témenos* Weihegaben (Waffen). An der SW-Seite Befestigungsanlagen mit rechteckigen Türmen; an der Ostkante eine an die Hauptbefestigung angelehnte Mauer (1. H. 4. Jh. v. Chr.) mit doppelter Kurtine und vorspringenden Türmen, teilweise die archa. Häuserblocks überlagernd. An den SW-Abhängen Nekropolen (Mitte 6. bis 4. Jh. v. Chr.)

> 1 E. PAIS, Storia della Sicilia, 1834 2 A. DI VITA, La penetrazione siracusana nella Sicilia sud-orientale alla luce delle più recenti scoperte archeologiche, in: Kokalos 2, 1956, 177 ff.
>
> BTCGI, Bd. 10, 289–296 (s. v. Monte Casale) · G. VOZA, s. v. K., EAA, 2. Suppl., 174 f. GI.F.u.H.-P.DRÖ./Ü: H.D.

Kasos (Κάσος). Südlichste Insel des Dodekanes, 27 Seemeilen von Kreta entfernt, Nachbarinsel von Karpathos, 66 km² groß, 17 km lang und 6 km breit, bergig, erreicht mit dem Berg Prionas eine H von 600 m. Die Bevölkerung war dor. Ursprungs. Geringe Reste der ant. Stadt sind beim h. Polio oberhalb des h. Fry erh. K. war Mitglied im → Attisch-Delischen Seebund mit einem Tribut von 1000 Drachmen (ATL 1,302 f.; 2,80; 3,24; 210). Später wurde K. genauso wie auch Karpathos rhodisch. Quellen: Hom. Il. 2,676; Skyl. 99; Strab. 10,5,18; Plin. nat. 4,70f; 5,133; Ptol. 5,2,19; Steph. Byz. s. v. K.; Stadiasmus maris magni 318; IG XII 1, 173 f. Nr. 1041–1064.

> F. WEISSBACH, s. v. K., RE 10, 2268 ff. · G. GEROLA, I monumenti medioevali delle tredici Sporadi 2, in: ASAA 2, 1916, 82 f. · H. KALETSCH, s. v. K., in: LAUFFER, Griechenland, 307 · L. ROSS, Reisen auf den Inseln des ägäischen Meeres, 2 Bde., 1840–1843, 3, 32 ff. · PHILIPPSON/KIRSTEN 4, 314, 317. H. KAL.

Kaspapyros (Stadt in Indien, Hekat. bei Steph. Byz.; Kaspatyros des Hdt. 4,44). Hier hatte Skylax seine Reise mit der Flotte des Dareios I. den Indus hinab und durch die See nach Ägypten begonnen. Die Identifikation mit Multan (als Kāśyapapura) im Pandschab, wie oft gemeint wurde, kommt kaum in Frage, eher sollte K. im Westen des Indus, etwa am Kabul-Fluß, gesucht werden, weil sich die Reise zunächst nach Osten richtete.

> K. KARTTUNEN, India in Early Greek Literature, 1989, 41–46. K. K.

Kaspeira (Κάσπειρα). Stadt der indischen Kaspiraioi (Ptol. 7,1,47; 49). Der Name K. wurde oft mit dem h. Kaschmir verbunden, aber während Ptolemaios K. in den östl. Pandschab verlegt, reicht das Gebiet des Volkes von Pandschab aus sogar bis zum Vindhya-Gebirge im Süden; die Kaspiraioi scheinen also etwa im h. Rajasthan und Gujarāt gelebt zu haben. Allerdings verbindet

Ptol. (7,1,42) das Land Kaspeiria mit den Oberläufen von Jhelum, Chenāb und Rāvi, was wieder eher auf Kaschmir deutet.

> A. HERRMANN, s. v. K., Kaspeiraioi, RE 10, 2270–2272. K. K.

Kaspioi. Indischer Bergstamm am Hindukusch; die Vorfahren der Kāfir (d. h. »Ungläubigen«) in den Tälern des Kūnar, des Flusses von Tschitral. Im Verzeichnis der pers. Steuerbezirke bei Hdt. 3,93 mit den Saken zusammengefaßt. J. RE.

Kaspisches Meer (Κασπία θάλαττα; auch »Hyrkanisches Meer« nach den voriran. Kaspioi bzw. Hyrkanioi, die am SW-Ufer siedelten). Größter abflußloser Salzsee der Erde (371 000 km²) mit ca. 50 kleineren Inseln; er grenzt im Westen an den Kaukasos, im Osten an das iran. Hochland, im Süden an das Elburz-Gebirge und im Norden an das russ. Tiefland. In das K. M. münden Wolga (Tanais), Ural, Terek (Atrek), Sulak und Kura (Kyros). Während das K. M. nach Hdt. 1,203 eine Binnensee war, betrachtete Strab. 11,6,1 es mit Eratosthenes als eine sich zum Ozean nordwärts öffnende Bucht; erst seit der Herrschaft der Römer und Parther habe man genauere Angaben darüber (Strab. 11,6,4). Bei Ptol. 7,5,4 wird es wieder als Binnenmeer beschrieben. Es war fischreich und diente als wichtiger Teil der Verbindung zw. dem Fernen Osten und dem → Pontos Euxeinos (Strab. 11,7,3 f.). Die Stämme, die um das K. M. wohnten, waren hauptsächlich iran. Herkunft: im SW z. B. die Medoi und Kadusioi, im Osten die Daai, Massagetai und Sakai, im Westen iran. und kaukas. (z. B. Albanoi, Armenioi, Iberes) sowie im Norden skyth. und sarmat. Stämme. Unter den → Achaimenidai [2] gehörten nur die südl. Küstengebiete des K. (bis südl. der Kyros-Mündung im Westen und etwa auf demselben Breitengrad im Osten) zur 11., 10. und 15. Satrapie des pers. Reichs. Den Parthern gelang es nicht, die kaukas. Küste des K. M. zu unterwerfen.

Zu Anf. des 3. Jh. n. Chr. gehörten diese Gebiete zum Großreich der Sāsāniden.

> R. FRYE, Persien, 1962. I. v. B.

Kassandra (Κασσάνδρα, »die unter den Männern hervorragt« [1. 54–57]; lat. Cassandra). In der *Ilias* ›die schönste Tochter‹ des Priamos (Hom. Il. 13,366–67), die ›der goldenen Aphrodite gleicht‹ (ebd. 24,699); Ibykos bezeichnet sie als ›die mit den schmalen Fesseln‹ (fr. S 151 DAVIES).

Schönheit, Jugend und gesellschaftlicher Status als Prinzessin machen sie zur paradigmatischen weibl. Adoleszenten. Dazu paßt der Vergewaltigungsversuch des → Aias [2], nachdem K. bei einem Bildnis der Athena in deren Heiligtum Zuflucht gesucht hatte, was schon in der *Iliupersis* und bei Alkaios (S 262 PAGE) berichtet wird und auch in den frühesten bildlichen Darstellungen im 6. Jh. v. Chr. durch K.s (partielle) Nacktheit und ihre jugendliche Erscheinung angedeutet wird [2. Nr. 48–

55]. Diese Episode gehört zu den meistdargestellten des troian. Sagenkreises. Um die Mitte des 6. Jh. wird K. zur Feier der Athena in Verbindung mit der Rekonstruktion der → Panathenaia auch auf sf. att. Vasen dargestellt [3. 108–109, 120]; zur Zeit der Perserkriege wird K. auch zur Metapher der Grausamkeit des Krieges [3. 120–121]. Auf einer myth. Ebene ist die Vergewaltigung eines jungen Mädchens typisch für die erste Stufe der Initiation [4. 145]. Zudem findet die Vergewaltigung im Tempel der Athena, einer mit der Initiation in Verbindung stehenden Göttin, statt [4. 128–134; 5. 75–77], und Aias [2] ist mit Lokroi Epizephyrioi und der initiatorischen Mädchenprostitution assoziiert [5. 73–74]. Offensichtlich hat der Mythos der K. einen initiatorischen Hintergrund [6. Bd. 1, 672].

Vielleicht in Analogie zu den Wahrsagekünsten ihres Zwillingsbruders → Helenos [1] schrieben ihr die → Kýpria und die posthomer. Trad. dieselben prophetischen Fähigkeiten zu. Demnach lecken Schlangen beiden Geschwistern im Tempel des Apollon Thymbraios die Ohren (Antikleides FGrH 140 F 17; POxy. 56.3830). Weil K. die Annäherungsversuche des Gottes zurückweist, nimmt er ihr ihre Glaubwürdigkeit als Prophetin (Aischyl. Ag. 1203–1208; Lykophr. 348; Verg. Aen. 2,247; Apollod. 3,12,5). In der Trag. wird K. als ekstat. Seherin mit sibyllinischen Qualitäten dargestellt (Aischyl. Ag. 1140; Eur. Hec. 121, 676–77; Eur. Tro. 170, 341, 349, 408), aber der Umstand, daß sie in eigener Person und nicht Apollon durch sie weissagt, spricht gegen wahre Ekstase und deutet auf eine post-iliadische, dichterische Konstruktion [7. 347–348].

Nach dem Troian. Krieg wird K. von → Agamemnon als Kriegsbeute verschleppt; beide werden von → Klytaimestra ermordet (Hom. Od. 11,421–422), nach der ep. und trag. Tradition in der Argolis, nach den Lyrikern aber in Lakonien (Stesich. F 216 DAVIES; Simonides F 549 PAGE; Pind. P. 11,33), was sich auch im Kult widerspiegelt. Pausanias (3,19,6; Hesych. s. v. K.) sah in Amyklai das Heiligtum einer Göttin Alexandra, die mit K. identifiziert wurde und belegt auch ihren Kult für Leuktra (3,26,5); im Orakel von Thalamai wurde sie mit Pasiphae identifiziert (Plut. Agis 9,2). Die Gleichsetzung mit Alexandra tritt zuerst bei Lykophron auf, ist aber wahrscheinlich älter.

Zur Rezeption der Gestalt der K. bes. in der mod. Lit. [8; 9; 10].

1 J.L. GARCÍA RAMÓN, Homerico kékasmai, in: Die Sprache 34, 1988–90, 27–58   2 O. PAOLETTI, s. v. K., LIMC 7.1, 956–970   3 J.B. CONNELLY, Narrative and Image in Attic Vase-Painting: Ajax and Cassandra at the Trojan Palladion, in: P.J. HOLLIDAY (Hrsg.), Narrative and Event in Ancient Art, 1993, 88–129   4 C. CALAME, Choruses of Young Women in Ancient Greece, 1997   5 F. GRAF, Die lokr. Mädchen, in: Studi Storico-Religiosi 2, 1978, 61–79   6 P. WATHELET, Dictionnaire des Troyens de l'Iliade, 1988, Bd. 1, 646–675; Bd. 2, 1388–1400   7 GRAF   8 TH. EPPLE, Der Aufstieg der Untergangsseherin K., 1993   9 K. GLAU, Christa Wolfs ›K.‹ und Aischylos' ›Orestie‹, 1996   10 S. JENTGENS, K., 1995.

J. DAVREUX, La légende de la prophétesse Cassandre, 1942 · K. LEDERGERBER, K., 1950 · D. NEBLUNG, Die Gestalt der K. in der ant. Lit., 1997.   J.B.

Kassandreia s. Poteidaia

Kassandros (Κάσσανδρος). Sohn des → Antipatros [1], geb. vor 353 v. Chr. (Athen. 1,18a), vom Vater 324 an seiner Statt zu → Alexandros [4] nach Babylon geschickt und vom König mißhandelt, was ihm lebenslangen Haß für diesen einflößte (Plut. Alexandros 74). Die vom Kreis der → Olympias ausgestreute Verleumdung, K. hätte mit seinem Bruder → Iolaos [3] Alexandros vergiftet, findet sich in mehreren Quellen und im → Alexanderroman (s. aber Arr. an. 7,27; Plut. Alexandros 74). Nach Alexanders Tod (323) befehligte K. die Elitetruppe der Hypaspistai (Iust. 13,4,18), wurde dann bei → Triparadeisos vom Vater zum → Chiliarchos des Antigonos [1] ernannt, wohl um ihn zu beobachten (Diod. 18,39,7). K. klagte ihn im Herbst 320 bei dem Vater an, und dieser beschloß, die Könige Philippos → Arridaios [4] und → Alexandros [5] nach Makedonien mitzunehmen (Arr. succ., FGrH 156 F 11,43–44). K. blieb bis zu Antipatros' Tod bei seinem Vater und bewirkte u. a. die Hinrichtung von → Demades (Plut. Demosthenes 31,4–6). Schwer beleidigt, als Antipatros vor seinem Tode → Polyperchon zu seinem Nachfolger bestimmte, verbündete K. sich mit Antigonos und → Ptolemaios gegen Polyperchon und Olympias, die diesen unterstützte. Polyperchon erwiderte mit der Proklamation der »Freiheit der Griechen«, und K. verlor bis auf Megalopolis und dem von → Nikanor mit einer Besatzung gehaltenen athen. Hafen Munichia fast ganz Griechenland. In Munichia konnte K. mit einer von Antigonos ausgerüsteten Flotte landen, und Nikanor erwarb ihm auch den Peiraieus. Nach einigen Rückschlägen gelang es Nikanor, mit Antigonos' Hilfe Polyperchons Flotte zu vernichten. Zum »Dank« entledigte K. sich seiner, da er ihm zu ehrgeizig schien.

Athen mußte sich jetzt dem K. ergeben und den Peripatetiker → Demetrios [4] faktisch als Statthalter unter einer oligarchischen Verfassung annehmen. Mehrere Städte schlossen sich freiwillig K. an, und → Eurydike [3] ließ ihn durch Arridaios zum Reichsverweser ernennen (Iust. 14,5,1–3). Nach kurzem Aufenthalt in Makedonien versuchte K., die Peloponnesos zu gewinnen, mußte aber ohne größere Erfolge nach Makedonien zurückkehren, wo die wütende Olympias das Königspaar und viele seiner Anhänger hatte töten lassen. K. belagerte Olympias in Pydna, während seine Offiziere Makedonien für ihn gewannen, und Epeiros sich ihm anschloß. Olympias ergab sich 316 unter Zusicherung ihres Lebens. K. ließ sie jedoch vor seiner Armee anklagen und hinrichten. Alexandros [5] und → Roxane fielen in K.' Hände und wurden interniert, Arridaios und Eurydike feierlich bestattet, wahrscheinlich im Königsgrab Nr. 2 bei Vergina (vgl. [1]). So war die Dyn. der → Argeadai ausgeschaltet. Um eine Verbindung mit der

Dyn. herzustellen, heiratete K. → Thessalonike. Sich und ihr zu Ehren gründete K. Kassandreia (→ Poteidaia) und → Thessalonike. Das von Alexandros zerstörte → Thebai ließ K. wieder als Polis aufbauen. K. konnte jetzt seine Herrschaft über einen Großteil von Griechenland ausdehnen.

Inzwischen war → Antigonos [1] nach seinem Sieg über → Eumenes [1] zu mächtig und herrschsüchtig geworden. K. verband sich 315 mit Ptolemaios, → Seleukos und → Lysimachos gegen ihn. Antigonos machte Polyperchon, der sich ihm unterwarf, zum → stratēgós der Peloponnes, wo er einige Städte hielt, proklamierte seinerseits die »Freiheit der Griechen« und ließ K. von seiner Armee verurteilen. K. gewann aber Polyperchons Sohn Alexandros [8] für sich, sandte eine Armee nach Karia und dehnte seine Herrschaft vorübergehend bis zur Adria aus. Der Krieg ging mit wechselndem Erfolg in Europa und Asien weiter. Ein Versuch Antigonos', mit K. einen Separatfrieden zu schließen, mißlang (Diod. 19,75,6), doch verlor K. 312 den Großteil seiner Eroberungen an Ptolemaios. Im folgenden J. schlossen K., Lysimachos, Ptolemaios und Antigonos einen unsicheren Frieden: K. wurde »stratēgós von Europa«, mußte aber die Freiheit der griech. Poleis anerkennen; Alexandros [5] sollte bei Volljährigkeit die Herrschaft über das Gesamtreich übernehmen. Daher ließ ihn K. zusammen mit seiner Mutter ermorden. Im J. 310 brach der Krieg wieder aus. Ptolemaios versuchte, K.' Stützpunkte in Griechenland zu »befreien«, und Polyperchon rief → Herakles [2], den ihm Antigonos zugeschickt hatte, zum König aus. Doch bald bewog K. diesen dazu, Herakles zu töten und mit ihm ein Bündnis zu schließen.

307 landete → Demetrios [2] mit einer Flotte im Peiraieus, vertrieb Demetrios [4] und »befreite« Athen und Megara. Als Antigonos und Demetrios 305 den Königstitel annahmen, mußte K. 304 dasselbe tun. Er nannte sich »König der Makedonen« (Syll.³ 332). K. half Rhodos bei der Belagerung durch Demetrios [2] (Diod. 20,96,3; 100,2) und hatte bis 304 in Griechenland einige Erfolge. Doch 303–302 verlor er fast ganz Griechenland an Demetrios. K., Lysimachos, Seleukos und Ptolemaios erneuerten jetzt ihr Bündnis, und K. sandte → Prepelaos unter Lysimachos nach Asien, wo er schnell einen Großteil von Aiolia und Ionia eroberte (eine Invasion unter K.' Bruder → Pleistarchos hatte keinen Erfolg). Als aber Demetrios [2] E. 302 nach Asien übersetzte, ging alles ebenso schnell verloren.

Der Tod Antigonos' bei → Ipsos (301) sicherte K. Makedonien und Pleistarchos einen Teil von Kleinasien, doch mußte K. fast ganz Griechenland aufgeben und 299 die Unabhängigkeit Athens anerkennen. Die letzten J. sahen einen schnellen Niedergang. K. konnte Pleistarchos in Asien nicht helfen und wurde bei Korkyra von → Agathokles [2] vernichtend geschlagen. Er starb 298/7. Nach Pausanias (9,7,2f.) traf ihn und sein Geschlecht (s. → Antipatros [2]) die Strafe der Götter für seine Frevel gegenüber der Familie Alexandros' [4].

In den Quellen wird der Name Asandros (→ Asandros [2]) oft als K. verschrieben. Hauptquelle für K. ist Diod. 18–20. Die beste Behandlung bei [2. 2293–2313]; für die Jahre bis 301 [3].

→ Antipatros [1] mit Stemma; Diadochen und Epigonen; Diadochenkriege

1 E. N. BORZA, The Royal Macedonian Tombs and the Paraphernalia of Alexander the Great, in: Phoenix 41, 1987, 105–121 2 F. JACOBY, s. v. K., RE 10, 2293–2313 3 R. BILLOWS, Antigonos the One-Eyed, 1990. E. B.

Kassanitai (Ptol. 6,7,6: Κασσανῖται; Plin. nat. 6,150: *Casani*; Agatharchidas bei Diod. 3,45,6: Γασάνδαι/ *Gasándai*). Völkerschaft an der SW-Küste Arabiens, die im Norden an die Kinaidokolpiten und im Süden an die Elisaroi angrenzte. Im Gebiet der K. lagen die Königsresidenz *Badeó* (Βάδεως πόλις Steph. Byz.; wohl al-Badī in ʿAsīr), die Stadt *Ambé*, das Dorf *Mámala* (wohl Maʿmala in ʿAsīr) und *Adédu* (wohl al-Ḥudaida). Die K. sind zu identifizieren mit den Ghassān, die ursprünglich in der jemenitischen Tihāma beheimatet waren, ehe sie im 6. Jh. n. Chr. in Syrien ansässig wurden. Der Stamm bzw. das Land der Ghassān (*ġsn*) werden auch in den sabäischen Inschriften ZI 75 und ʿAbbādān 1,29 aus der Zeit um das Jahr 200 bzw. 350 erwähnt.

H. v. WISSMANN, De Mari Erythraeo, in: Stuttgarter Geogr. Stud. 69, 1957, 289–324. W. W. M.

Kassetten(decke) s. Lacunar; Überdachung

Kassia (auch *Kassiane* oder *Eikasia*). Byz. Dichterin, Adressatin eines Briefs des → Theodoros Studites vom J. 816/818 n. Chr., in dem sie als Novizin bezeichnet wird, geb. also ca. 800/805. Ihre angebliche Teilnahme an einer Brautschau für Kaiser Theophilos um 821 (?) ist legendär, doch wird deren Historizität h. noch ernsthaft diskutiert. K. lebte als Äbtissin eines von ihr gegr. Klosters in Konstantinopel, wo sie nach 843 starb. Überl. sind unter ihrem Namen verschiedene liturgische Dichtungen und eine Gruppe von teilweise sehr persönlich gehaltenen, kurzen moralisierenden Gedichten, den sog. ›Gnomen‹.

I. ROCHOW, Studien zu der Person, den Werken und dem Nachleben der Dichterin K., 1967 ⋮ ODB 1, 323f. • C. Ludwig, Sonderformen byzantinischer Hagiographie, Diss. Berlin 1995, 130–136. AL. B.

Kassiepeia, Kassiopeia, Kassiope (Κασσιέπεια, Κασσιόπεια, Κασσιόπη, lat. *Cassiepeia, Cassiopeia, Cassiope*).
[1] Tochter des Arabos, Ehefrau des Agenoriden → Phoinix, Mutter des → Phineus, des Kilix und des Doryklos, von Zeus des → Atymnios [2] (Hes. cat. fr. 138; Pherekydes FGrH 3 F 86; Apollod. 3,1,2). Nach Antoninus Liberalis (40) auch Mutter der → Europe [2] und der → Karme (vgl. Hes. cat. fr. 140).
[2] Ehefrau des Epaphos, des Sohnes von Zeus und → Io, Mutter der Libye, nach der die Libyen benannt ist

(Hyg. fab. 149; vgl. Lactantius Placidus schol. Stat. Theb. 4,737).

[3] Ehefrau des Kepheus und Mutter der → Andromeda (Apollod. 2,4,3; vgl. Soph. TrGF 4 F 125–136).

J. C. Balty, s. v. K., LIMC 8.1 (Suppl.), 666–670 · W. Bubbe, s. v. K., RE 10, 2315–2328 · R. Klimek-Winter, Andromeda-Trag., 1993.   K. WA.

[4] s. Sternbilder

Kassiope (Κασσιόπη, lat. *Cassiope*). Hafen an der NO-Küste von → Korkyra (Korfu), h. Kassiopi. Seit hell. Zeit (Gründung durch Pyrrhos?) wichtiger Überfahrtshafen nach Italien, den Cicero 50 v. Chr. (Cic. fam. 16,9,1) und Nero 66 n. Chr. (Suet. Nero 22,3) nutzte. Hier wurde Zeus Kasios verehrt (Plin. nat. 4,52), von dem Mz. [2] und Inschr. (ILS 4043; SEG 23, 395; 477) zeugen [1]. Über seinem Tempel wurde in frühchristl. Zeit eine dreischiffige Basilika errichtet [3; 4]. In spätant. Itinerarien erscheint K. (*Cassiape, Cassiope*) als Bezeichnung für die Insel Korkyra. Weitere Quellen: Gell. 19,1,1; Ptol. 3,13,2; Prok. BG 4,22 (Κασώπη); Strab. 7,7,5; Oros. 1,2,58; Geogr. Rav. 5,22; Itin. marit. 520,4 f.; Cosmogr. 2,25 (GLM 96) [4].

1 K. Kostoglou-Despini, Anaskaphe eis Kassiopin Kerkyras, in: AAA 4, 1971, 202–206 2 RPC I, 274 3 Soustal, Nikopolis, 172 4 D. Triantaphyllopulos, s. v. Kerkyra, RBK 4, 1–63.   D. S.

Kassiphone (Κασσιφόνη, »Brudermörderin«). Tochter des → Odysseus und der → Kirke, damit Schwester des → Telegonos. K. wird in Umschreibung bei Lykophr. 807 ff. erwähnt; der Name selbst ist nur im Komm. des Tzetzes genannt. Diese Figur ist wohl eine spätklass. oder hell. Erfindung, um die Struktur der Telegonie zu erweitern: dort tötet Telegonos seinen ihm unbekannten Vater Odysseus und heiratet seine Stiefmutter Penelope, Telemachos aber seine Stiefmutter Kirke; K. wird von Odysseus, nachdem er durch Kirke vom Tod wiedererweckt wurde, mit ihrem Halbbruder Telemachos verbunden. Schließlich erschlägt K. den Telemachos, nachdem dieser Kirke getötet hat (Tzetz. Comm. in Lykophr. Alexandra 798, 805, 808, 811).

E. V.

Kassiten, Kassitisch s. Kossaioi

Kassope (Κασσώπη). Stadt im SW von Epeiros beim h. Kamarina, Hauptort des zu den Thesprotoi zählenden Stammes der Kassopaioi (Κασσωπαῖοι, Strab. 7,7,1; 7,7,5 und Inschr.: Κασσωποί, Skyl. 31), deren ca. 900 km² großes, im Süden sehr fruchtbares Siedlungsgebiet zw. Ambrakischem Golf, Ion. Meer und dem Acheron lag (Karte: [6. 116]). Innerhalb des Stammesterritoriums befanden sich die sog. elischen Kolonien Buchetion, Elatria, Pandosia, Batiai (Lokalisierungen [2]). Ungefähr Mitte 4. Jh. v. Chr. ersetzte die systematische Anlage einer Polis (erste Nennung IG IV 1² 95 Z. 25; 73 um 360 v. Chr.) durch einen *synoikismós* die bis

dahin vorwiegend dörfliche Siedlungsweise (Skyl. 31). K. war seit ca. 330 v. Chr. Mitglied in der Symmachie der Epeirotai, seit Anf. 2. Jh. v. Chr. Mitglied in deren Koinon. Nach 31 v. Chr. wurden die Bewohner von K. in die neu gegr. Stadt Nikopolis umgesiedelt und auch die öffentlichen Gebäude versetzt. Bei großflächigen Ausgrabungen [3; 6] wurden ein orthogonales Straßensystem und Herdraumhäuser auf Einheitsparzellen, Agora mit Kaufmarkt (oder Katagogion?), Prytaneion, Buleuterion, Heroon, Theater freigelegt. Mz.: [4], andere Datierungen [5. 545 f.; 6. 116, 172–174]; Inschr.: ArchE 1914, 238 f.; SEG 15, 383; 17, 309–311; 24, 437–441; 26, 718; 30, 540; 34, 589 f.; 35, 671–3; 36, 554 f.; [1. 564 f.].

1 P. Cabanes, L'Épire, 1976 2 S. I. Dakaris, Cassopaia and the Elean Colonies, 1971 3 Ders., K., 1989 4 P. R. Franke, Die ant. Mz. von Epirus, 1961, 55 ff. 5 N. G. L. Hammond, Epirus, 1967 6 W. Hoepfner, E.-L. Schwandner, Haus und Stadt im klass. Griechenland, ²1994, 114–179.

R. Scheer, s. v. K., in: Lauffer, Griechenland, 307 f.   D. S.

Kastabala (Καστάβαλα). Am NO-Rand der kilikischen Ebene in der Nähe von → Karatepe gelegenes Kultzentrum der Artemis → Perasia (Strab. 12,2,7; [2]; die Göttin Kubaba (→ Kybele) von *Kaštabalay* schon in einem aramäischen Text des 5./4. Jh. [1]). Polis seit Antiochos [6] IV. unter dem Namen *Hierapolis* (Mz.). Ca. 63 v.–17 n. Chr. wohl Sitz einer Klientelfürsten-Dyn. (Tarkondimotos). Röm. Bauten: Theater, Stadion, Säulenstraße, Aquädukt, Thermen. In der Spätant. Bischofssitz (zwei Kirchen [3]).

1 A. Dupont-Sommer, L. Robert, La déesse de Hiérapolis Castabala, 1964 2 H. Taeuber, Eine Priesterin der Perasia in Mopsuhestia, in: EA 19, 1992, 19–24 3 Hild, 293 f.   H. Tä.

Kastalia (Κασταλία, lat. *Castalia*). Apollon und den Musen geweihte Quelle in → Delphoi, am Ausgang der Fedriadenschlucht, deren Wasser in den Fluß Pappadia mündet; nach einer – geologisch falschen – ant. Vorstellung vom Kephisos [1] gespeist, der am gegenüberliegenden Hang des Parnassos fließt (Paus. 10,8,9 f.; schol. Pind. Paian 6,5; POxy. 5, 841). Lit. häufig als Syn. für → Delphoi verwendet. Dem für seine Frische und Fülle berühmten Wasser der K. wurden prophetische (Pind. P. 4,163; Strab. 9,3,3; Lukian. Iuppiter tragoedus 30; Ov. am. 1,15,35; Nonn. Dion. 4,309; Suda s. v. K.; schol. Eur. Phoen. 221; schol. Aristeid. Panathenaikos 107,20) und reinigende (Eur. Ion 94 ff.; Eur. Phoen. 222–225 mit schol.) Eigenschaften zugeschrieben; für die ant. Dichter war sie Quelle der Inspiration (vgl. Pind. Paian 6; Verg. georg. 3,293; Stat. Theb. 1,565; → Musen). Die 1957 aufgedeckte Quelle entspricht der archa. und klass. K., evtl. ist sie mit der bei Hdt. 8,39 erwähnten Quelle identisch.

H. v. Geisau, s. v. K., RE 10, 2336–2338 · A. Orlandos, La fontaine découverte à Delphes, in: BCH 84, 1960, 148–160 · P. Amandry, La fontaine Castalia, in: BCH, Suppl. 4, 1977, 179–228 · H. W. Parke, Castalia, in:

BCH 102, 1978, 199–219 • Ders., Notes de topographie
e d'architecture delphiques, 7. La fontaine Castalie
(Compléments), 221–241, 1981 • J.F. BOMMELAER, Guide
de Delphes. Le site (Sites e Monuments 7), 81–85, 1991 •
M. MAASS, Das ant. Delphi, Orakel, Schätze und
Monumente, 1993.   G.D.R./Ü: H.D.

Kastanie. Die Edel-K. oder Marone (Castanea sativa
Mill.) wuchs bereits in der Frühgesch. in Südeuropa.
Theophrast nennt die Frucht εὐβοική (euboikḗ sc. karýa)
und beschreibt sie in h. plant. 1,11,3 als mit einer Le-
derhaut umhüllt. Der Baum war nach l.c. 4,5,4 sehr häufig auf Euboia und in der Umgebung von Magnesia.
Sein von Natur aus gegen Fäulnis widerstandsfähiges
Holz (5,4,2, nach 5,4,4 sogar im Wasser) wird als bes.
geeignet für dem Wetter und dem Boden ausgesetzte
Zimmermannsarbeit empfohlen (5,7,7). Bevor K.-Bal-
ken zerreißen, warnen sie durch ein Geräusch die dar-
unterstehenden Menschen (5,6,1). Holzkohle (ἄνθραξ)
aus ihrem weichen Holz diente zur Verhüttung von Eisen (7,9,2). Im Vergleich mit dem dunklen Bast um die
Lotoswurzel nennt Theophr. h. plant. 4,8,11 ihre
Frucht, die sonst als καρύα/karýa oder βάλανος/bálanos
kaum von anderen Nüssen unterschieden wurde, καστα-
ναικὸν κάρυον/kastanaikón káryon. Plin. nat. 15,92–94
beschreibt die nuces castaneas (so auch Verg. ecl. 2,52)
sehr genau und benennt mehrere z.T. durch Pfropfen
erzeugte Sorten. Die glattesten Früchte dienten als –
z.T. umstrittenes (Athen. 2,54c-d) – Nahrungsmittel
und die rauheren zur Schweinemast. Colum. 4,33,1–5
gibt genaue Vorschriften für die Anlage eines K.-Waldes
(castanetum) zur profitablen Gewinnung von Stützpfo-
sten für die Weingärten. Pall. agric. 12,7,17–22 beschreibt die Aussaat (v.a. im November/Dezember)
und ihre Pfropfung, sogar auf den Weidenbaum (salix).
Durch die Römer wurde die K. auch in Südgermanien
eingebürgert. Dioskurides 1,106,3 WELLMANN = 1,145
BERENDES nennt sie adstringierend und verordnet das
Fruchtfleisch als Gegenmittel bei einer Vergiftung. Die
eine eigene Familie bildende Roß-K. (Aesculus hip-
pocastanum L.) kam erst im 16. Jh. [1. 399 f.] vom nördl.
Balkan nach Südeuropa.

1 V. HEHN, Kulturpflanzen und Haustiere (ed.
O. SCHRADER), ⁸1911, Ndr. 1963.

H. STADLER, s.v. K., RE 10, 2338–2342.   C.HÜ.

Kastel. Röm. Kastell und Vicus Castellum Mattiacorum
rechts des Rheins im Gebiet der Mattiaci, h. Mainz-
Kastel. Als Brückenkopf sicherte wohl schon seit Augustus ein Holz-Erde-Kastell den Rheinübergang. Spätestens ab Tiberius (14–37 n. Chr.) überspannte hier eine
hölzerne Pfahlrostbrücke (ca. 700 m L) den Fluß. Ihr
Ausbau in Stein begann vielleicht schon in claudisch-
neronischer Zeit (41–68 n. Chr.). Die Wehranlage wurde wohl im Vierkaiserjahr (69 n. Chr.) zerstört, aber bald
wieder als kleines Steinkastell erneuert. Evtl. schon Anf.
2. Jh. wurde dieses aufgegeben, während der vicus aufblühte. Inschr. nennen einen vicus vetus bzw. einen vicus

novus Meloniorum (CIL XIII 7301; 7270). Von den übrigen Inschr. ist bes. CIL XIII 7281 aus dem J. 236 n. Chr.
zu beachten, welche die Wiederherstellung eines mons
Vaticanus gen. Heiligtums der Mater Magna durch hastiferi civitatis Mattiacorum (›Lanzenträger des Staates der
Mattiaci‹; vgl. auch CIL XIII 7317) festhält. Wohl Anf.
des 3. Jh. wurde K. ummauert, aber um die Mitte desselben stark zerstört. Um 300 n. Chr. wurden der Brük-
kenkopf erneut befestigt und die Rheinbrücke wiederhergestellt, was ein 1862 bei Lyon gefundenes Bleimedaillon durch Darstellung und Beschriftung bestätigt.
Das weitere Schicksal ist unklar, der späteste aus diesem
Bereich datierte Fund ist ein Schatz des 5. Jh.

1986/7 wurde in K. ein röm. Fundament mit Bau-
marken der legio XIIII entdeckt, das auf einen repräsentativen Ehrenbogen für einen Kaiser schließen läßt. Dieser Bogen wird mit dem arcus apud ripam Rheni (›Bogen
am Rheinufer‹, Tac. ann. 2,83,2) bzw. ianus (›Bogen‹,
Tabula Siarensis fr. I 26–34) gleichgesetzt, der nach dem
Tod des Germanicus 19 n. Chr. auf Senatsbeschluß beim
Kenotaph des Drusus (wohl der »Eichel-« oder »Dru-
susstein« bei → Mogontiacum), errichtet wurde [1; 2],
jedoch ist dies nicht unbestritten; vorgeschlagen wird
auch eine Datier. in domitianische Zeit (81–96 n. Chr.)
[3; 4; 5].

1 H.G. FRENZ, Der röm. Ehrenbogen von Mainz-K., in:
Nassauische Annalen 100, 1989, 1–16 2 Ders., Zur
Zeitstellung des röm. Ehrenbogens von Mainz-K., in: JRGZ
19, 1989, 69–75 3 H. BELLEN, Der röm. Ehrenbogen von
Mainz-K., in: Arch. Korrespondenzblatt 19, 1989, 77–78
4 W. LEBEK, Die Mainzer Ehrungen für Germanicus, den
älteren Drusus und Domitian, in: ZPE 78, 1989, 45–82
5 M. RÖHMER, Der Bogen als Staatsmonument (im Druck).

D. BAATZ, K., in: FR.-R. HERRMANN (Hrsg.), Die Römer in
Hessen, ²1989, 369–372 • K. DECKER, W. SELZER,
Mogontiacum, in: ANRW II 5.1, 1976, 457–559 •
B. STÜMPEL, Bemerkungen zum Lyoner Bleimedaillon, in:
Fundber. Hessen 19/20, 1979/80, 791–793.   R.A. WI.

Kasthanaia (Κασθαναία). Bei K. (›Dorf‹, Strab. 9,5,22)
an der magnesischen Ostküste scheiterte 480 v. Chr. die
pers. Flotte im Sturm (Hdt. 7,188; → Perserkrieg). Um
290 v. Chr. wurde K. bei der Gründung von → Demetrias [1] in den synoikismós einbezogen. Mz.-Prägung
z.Z. des Constantinus (Mz.-Funde). K. wird mit den
noch kaum untersuchten Ruinen beim h. Keramidion
gleichgesetzt.

H. KRAMOLISCH, s.v. K., in: LAUFFER, Griechenland, 310 •
W.K. PRITCHETT, Xerxes' Fleet at the »Ovens«, in: AJA 47,
1963, 1ff. • F. STÄHLIN, Das hellenische Thessalien,
1924, 51f.   HE. KR.

Kastianeira (Καστιάνειρα). Legitime Nebenfrau des
→ Priamos, Mutter des von Teukros getöteten Gorgy-
thion (Hom. Il. 8,302ff.). Sie stammt aus Aisyme in
Thrakien: Die Heiratspolitik des Priamos schafft ein
weitgespanntes Beziehungsnetz zu diversen Koalitions-
partnern.

G. Wickert-Micknat, Die Frau (ArchHom R), 1982, 83.   MA. ST.

Kastolos (Καστωλός). Stadt (und Fluß?) in Lydia. Die »Ebene von K.« (Καστωλοῦ πεδίον) war ständiger Sammelplatz des persischen Heeres im Alarmfall (vgl. Kyros d. J.: Xen. hell. 1,4,3; Xen. an. 1,1,2; 9,7). Die Ebene ist nicht sicher lokalisierbar, aber nicht fern von Sardeis, nahe der persischen Königsstraße zu suchen: nach Inschr. evtl. die Burçak-Ebene um den Söğüt çayı, K. dort das h. Bebekli. Früher selbständig (Ethnika IG II² 3059; 3233) mit Befestigungen (Tetrapyrgia) um seine Ebene, war K. in der Kaiserzeit (1./2. Jh.) nur *kṓmē* (OGIS 448) von Philadelphia (h. Alaşehir) südwestl. jenseits des Flußtals (des Kogamis?). Die Lydoi sollen die Dorieis Καστολοί/*Kastoloí* genannt haben (Steph. Byz. s. v. K.).

K. Buresch, Aus Lydien, 1898, 109 f., 197, Karte · L. Robert, Ét. Anatoliennes, 1937, 159 f. · Robert, Villes, 311 · Magie 2, 982, 1023, 1027, 1502.   H. KA.

Kastor (Κάστωρ).
[1] s. Dioskuroi
[2] **K. von Rhodos.** Griech. Gesch.-Schreiber der 1. H. des 1. Jh. v. Chr., dessen Vita in Suda s. v. mit der des gleichnamigen galatischen Dynasten verwechselt ist, Verf. von *Chroniká* in 6 B. von Belos (→ Baal) und → Ninos (2123/2 v. Chr.) an bis zur Neuordnung Vorderasiens durch Pompeius (61/0 v. Chr.), mit Königs- und Beamtenlisten von Assyrien, Sikyon, Argos, Athen, Alba und Rom. Das Gerüst seines mehrsträngigen chronologischen Systems beruht auf → Eratosthenes [2] und → Apollodoros [7] (Zählung nach Olympiaden und Archonten, Synchronismus mit Consuln fraglich) [2]. Die Tab.-Form ist umstritten [4; 5]. Benutzt wurde sein formalistisch-pedantisches Werk von Varro, Ps.-Apollodor, Iosephos [4], Kephalion, Plutarch, Iulius Africanus, Eusebios, byz. Autoren und Scholiasten, möglicherweise auch von T. → Pomponius Atticus und Diodor [4]. Aus anderen Schriften (Περὶ τοῦ Νείλου/*Perí tu Neílu*, Περὶ ἐπιχειρημάτων/*Perí epicheirēmátōn*, Περὶ πειθοῦς/*Perí peithús*, Τέχνη ῥητορική/*Téchnē rhētorikḗ*; möglicherweise nicht eigenständig sind Ἀναγραφὴ Βαβυλῶνος καὶ τῶν θαλασσοκρατησάντων/*Anagraphḗ Babylónos kaí tṓn thalassokratēsántōn* und Χρονικὰ ἀγνοήματα/*Chroniká agnoḗmata*) ist nichts Sicheres überl. Ein byz. Traktat (cod. Paris. gr. 2929 = Walz III, 712 ff.) trägt fälschlich seinen Namen als Verf.

1 F. Susemihl, Gesch. der griech. Lit. in der Alexandrinerzeit 2, 1892, 365–372 2 E. Schwartz, Die Königslisten des Eratosthenes und K., 1894 3 W. Kubitschek, s. v. K. (8), RE 10, 2347–2357 4 FGrH 250 5 O. Regenbogen, s. v. Πίναξ, RE 20,1463 f. 6 J. Poucet, Temps mythique et temps historique, in: Gerión 5, 1987, 69–85.   KL. GE.

[3] *Dioikétēs*, *syngenḗs*, *ídios lógos* und *oikónomos* des Königs, seiner Schwester und ihrer Kinder (Inscriptions Greques de Philae 1, 32 f.; 5. Juli 89 v. Chr.?); nicht notwendig, aber wahrscheinlich nicht in der Chora, sondern in Alexandreia angesiedelt.

PP 1/8, 35; 1057 · L. Mooren, The Aulic Titulature in Ptolemaic Egypt, 1975, 140 f., Nr. 0177.   W. A.

[4] K., Freigelassener des → Septimius Severus, hatte bei Hofe die Ämter des → *cubicularius* und des *a memoria*, des Kanzleisekretärs zur Redigierung kaiserlicher Reden und Reskripte, gleichzeitig inne (Cass. Dio 76,14,1 ff.). Er war dem → Caracalla zutiefst verhaßt und wurde auf seinen Befehl 212 n. Chr. getötet (Cass. Dio 78,1,1). PIR² C 537.   T. F.

Kastoreion (Καστόρειον, sc. μέλος). Eine nach Kastor benannte Melodie, die von den Spartanern unter Aulosbegleitung gesungen wurde, wenn diese in die Schlacht zogen; der König begann gleichzeitig mit dem → Embaterion (Plut. de musica 26,1140c; Plut. Lykurgos 22; Polyain. 1,10). Das Metrum dieser beiden Militärlieder war zweifelsfrei anapästisch (Val. Max. 2,6,2). Die Assoziation Kastors mit Pferden (vgl. Hom. Il. 3,237) bringt das K. in Verbindung mit dem → Epinikion, insbes. bei Pferdewettkämpfen (Pind. P. 2,69; → Hyporchema; Pind. I. 1,16 Καστορείῳ … ὕμνῳ. → Arbeitslieder).   E. R./Ü: J. S.

Kastration von Tieren (*castratio*) war in der ant. Landwirtschaft ein häufig praktiziertes Verfahren, um die Eigenschaften von männlichen Nutztieren den Interessen der Menschen anzupassen. Bei Pferden und Stieren hatte die K. den Zweck, das Temperament der Tiere zu verändern, ohne ihre Lebensfähigkeit zu beeinträchtigen (Xen. Kyr. 7,5,62). Aristoteles beschrieb in seinen zoologischen Schriften die Wirkungen der K. und betont, daß die Verstümmelung eines kleinen Körperteils das ganze Erscheinungsbild eines Tieres beeinflusse. Bei Jungtieren vorgenommen, führe der Eingriff dazu, daß das Tier größer und einem weiblichen Tier ähnlich werde (Aristot. hist. an. 545a; 590a; 631b–632a; vgl. Aristot. gen. an. 716b). Die röm. Agronomen erwähnen die K. mehrfach (Schweine: Varro rust. 2,4,21; Colum. 7,9,4; 7,11,1 f.; Stiere: Varro rust. 2,5,17; Colum. 6,26,1 ff.; Schafe: Colum. 7,4,4; Pferde: Varro rust. 2,7,15); kastrierte Schweine wurden als *maiales*, Wallache als *cantherii* bezeichnet (Varro rust. 2,7,15).

Als Termin wurde die Zeit zwischen Februar und Mai, aber auch der Herbst empfohlen (Colum. 11,2,33; vgl. 7,11,1; zu Mago vgl. Colum. 6,26,2). Stierkälber wurden kastriert, indem die Hoden durch ein gespaltenes Holzstück zusammengedrückt und so langsam zerstört wurden. Bei älteren Tieren wurden die Hoden mit einem Messer herausgeschnitten; vor diesem Eingriff wurde das Tier in einem engen Verschlag (*machina*; Colum. 6,19) so angebunden, daß es sich nicht bewegen und den Menschen nicht gefährden konnte (Colum. 6,26,2). Für die K. von zweijährigen Stieren beschreibt Columella ein Verfahren, bei dem Nebenhoden und Samenstränge nicht entfernt wurden. Das Tier soll dadurch sein Aussehen nicht verändert, aber die Zeugungskraft verloren haben (Colum. 6,26,2 f.).

Aufgrund der K. war es möglich, Schweine leichter zu mästen (Colum. 7,9,4), Hammelherden zur Gewinnung hochwertiger Wolle zu halten (Colum. 7,4,4), Ochsen für schwere und monotone Arbeiten einzusetzen (Colum. 6,2,8 ff.; 6,20) und Pferde im Straßenverkehr zu gebrauchen (Varro rust. 2,7,15).

1 R. E. WALKER, Röm. Veterinärmedizin, in: TOYNBEE, Tierwelt, 321 f.   H. SCHN.

Kataballein (καταβάλλειν). Jede Art, eine Geldzahlung vorzunehmen, aber auch sonstige Leistungen zu erlegen. Reichliche Belege aus dem öffentlichen Leben bei [1]. Zahlen von Gerichtsgebühr in IPArk 17,42 (=IG V 2,357).

1 J. OEHLER, s. v. K., RE 10, 2357 f..   G. T.

Katabasis I. GRIECHISCH-RÖMISCHE ANTIKE II. CHRISTENTUM

I. GRIECHISCH-RÖMISCHE ANTIKE

K. (κατάβασις, »Gang in die Tiefe«, präziser εἰς Ἀιδου κ., »Gang in die Unterwelt«; Plur. katabáseis; seit Isokr. or. 10,20, vgl. Hdt. 2,122,1). K. ist, als spezielle Ausprägung der Jenseitsreise, die (myth.) Erzählung oder die (rituelle) Inszenierung einer Reise in die → Unterwelt mit dem Ziel, entweder einen bestimmten Bewohner (einen Toten, eine Gottheit oder ein Ungeheuer) oder das von den Unterirdischen gehütete Zukunftswissen, oft auch einfach präzise Information über das Leben nach dem Tod zu erhalten. Narrativer Prototyp in der griech.-röm. Welt ist Odysseus' Bericht von seinem Jenseitsgang in der homer. ›Odyssee‹ (Buch 11, die sog. *Nekyía*), hinter dem eine verbreitete vorderoriental. Erzähltrad. steht (Gilgamesch, Ištar/Inanna) und an den sich Vergils Erzählung von Aeneas' K. anschließt (Verg. Aen. 6); allerdings ist die homer. *Nekyía* in dieser Trad. insofern eigenständig, als Odysseus nicht in die Unterwelt eindringt, sondern an ihrem Rand bleibt. Das ägypt. Totenbuch (Amduat) hingegen, als Beschreibungen des Schicksals des Menschen nach dem Tod, wirkt höchstens in den orph. K. nach [1. 370–376]. Eigentliche Jenseitsreisen, vollzogen in der Absicht, einen Bewohner der Unterwelt an die Oberwelt zu holen, werden von → Herakles, → Theseus und → Orpheus erzählt; insbes. die K. des Orpheus wird dann zum Vehikel eschatologischer Information. Daneben stehen einige wenige rituell zu divinatorischem Zweck vollzogene K., insbes. diejenige im Kult des → Trophonios in Lebadeia; K.-Erzählungen im Umkreis des Pythagoras ebenso wie Aeneas' Gang durch die Unterwelt dienen ebenso dazu, die Zukunft zu erfahren.

Die K. des Herakles ist seit Hom. Il. 11,622–626 belegt und später fester Teil des Dodekathlon (→ Kerberos), der für das spätarcha. Athen durch Vasenbilder als populär nachgewiesen ist [2]; die K. des Dionysos in Aristoph. Ran. setzt diejenige des Herakles voraus. Dieser geht im Auftrag des Eurystheus in die Unterwelt, um den → Kerberos heraufzuholen; das gelingt ihm dank göttlicher Hilfe (Hom. Od. 11,626 nennt Athena und Hermes). Seit dem 5. Jh. ist belegt, daß sich Herakles vor der K. in Eleusis einweihen ließ und sich dadurch unter den persönlichen Schutz der → Persephone stellte (Bakchyl. 5,62 ff. [3]; Eur. Herc. 613, ausführlich Diod. 4,25,1–26,4 und Apollod. 2,124); dahinter steht eine spätarcha. ep. Gestaltung im Umkreis der eleusinischen → Mysteria [4; 5. 142–150]. Die K. des → Theseus ist eng mit dem Raub der Helene verbunden: um sich für Peirithoos' Hilfe bei diesem Mädchenraub zu revanchieren, hilft Theseus dem Peirithoos beim Versuch, Persephone zu entführen; dies mißlingt, und nach der verbreiteten Version bleibt Peirithoos für immer im Hades, während Theseus von Herakles befreit wird, nach anderen werden beide befreit (Tzetz. zu Aristoph. Ran. 142, nach Euripides) oder bleiben zusammen in der Unterwelt (Diod. 4,63,4; Verg. Aen. 6,617). Die Gesch. ist seit der → Minyas und Ps.-Hes. bezeugt (Paus. 9,31,5, vgl. Hes. fr. 280 M-W; ausführlich Diod. 4,63; Plut. Theseus 35; Apollod. 2,12, epit. 1,24) und wird auf att. Vasen des 5. Jh. dargestellt [6. 97–103; 7].

Unter den (pseudepigraph.) Werken des → Orpheus ist mehrfach der Titel ›K.‹ belegt; es muß ein »autographischer« Bericht über die Jenseitsfahrt gewesen sein, um → Eurydike [1] wieder heraufzuholen (auch wenn diese Erzählung erst seit dem späten 5. Jh. v. Chr. sicher nachgewiesen ist [8]), allerdings angereichert um eine Vielzahl von Informationen über das Jenseits. Die K.-Gedichte standen im Dienst insbes. der »orph.« Dionysosmysterien; entsprechend der Nähe dieser Mysterien zu Pythagoreischem wird als wirklicher Verfasser der ›K.‹ der unbekannte Pythagoreer Kerkops (Epigenes bei Clem. Al. strom. 1,131 = Orph. test. 222 KERN) genannt [9. 12 f.]. Eng verwandt damit muß ein mit → Musaios und → Eumolpos verbundenes K.-Gedicht sein, dessen Jenseitsschilderungen sich auf die eleusinischen → Mysteria beziehen (Plat. rep. 2,363cd [5. 94–126]). In den Mysterienkontext gehören die zahlreichen Nachrichten über Belohnungen und Jenseitsstrafen der Eingeweihten und Ungeweihten bzw. der Gerechten und Ungerechten nach Orpheus und Musaios seit Pindar (Pind. O. 2; fr. 129, 130, 133) und Platon (Phaid. 69c, 70c), wobei die Zuordnung zu einem spezifischen Gedicht äußerst schwierig ist (→ Orphik). Ebenso muß die in den sog. orph. Goldblättchen (→ Orphicae Lamellae, [10]) enthaltene Information über das Jenseits auch in solchen Gedichten enthalten gewesen sein.

Eine rituelle Erfahrung, die eine K. miteinschloß, gehörte wohl auch zu den → Mysterien der → Isis, wenigstens nach der Beschreibung von Apul. met. 11,23; wieweit andere Mysterienkulte Ähnliches kannten und wieweit dies als symbol. Todeserfahrung zu lesen ist, bleibt umstritten [11. 99–101; 12. 296–301]. Eine ausführliche rituelle K. zu divinatorischen Zwecken wird im Orakelheiligtum des → Trophonios von Lebadeia durchgeführt; sie ist ausführlich beschrieben von Paus. 9,39,2–14. Der Kult muß zumindest auf das 6. Jh. v. Chr. zurückgehen und ist in Athen in der 2. H. des 5. Jh. bekannt, wie verschiedene Hinweise im Drama (Aristophanes, Euripides) zeigen; der Aristoteles-Schüler Dikaiarchos stellte dann seine mantischen Theorien in einer Schrift mit dem Titel Εἰς Τροφωνίου (»K. zu Trophonios«) vor (fr. 13–22 WEHRLI) [13]. Zentrum des Kults war, nach langen rituellen Vorbereitungen, die individuelle K. des Ratsuchenden in die Erdentiefe zu Trophonios. Einen Sonderfall stellt die im Zusammenhang mit → Pythagoras erzählte K. dar. Sie ist allein in parodistischer Brechung in der Erzählung vom Thraker → Zalmoxis (Hdt. 4,94–96) und von Pythagoras' angeblichem Betrug (Hermippos bei Diog. Laert. 8,41, vgl. Hieronymos von Rhodos, fr. 42 WEHRLI) faßbar, doch steht hinter ihr rituelle Realität im Zusammenhang mit den pythagoreischen → Jenseitsvorstellungen [14; 15].

Das Thema der K. als ein Weg zur persönlichen Gotteserfahrung hat bes. die spätere Ant. fasziniert. Der Erzähler → Philostratos läßt den Neupythagoreer Apollonios von Tyana auch Trophonios besuchen und nach sieben Tagen von ihm ein Buch des Pythagoras zurückbringen (Philostr. Ap. 8,19); Plutarch erzählt mehrere eschatologische Mythen in der Form der K., und Lukian parodiert die Erzählung (»Menippos oder das Totenorakel«).

In der christl. Lit. setzt sich die K. u. a. als Vision einer Jenseitsreise im Anschluß an die seit dem → Er-Mythos bei Plat. rep. 10 begründete Trad. fort.

1 G. ZUNTZ, Persephone, 1971 2 Div. Autoren, s. v. Herakles, LIMC 5.1., 87–100 3 H. LLOYD-JONES, Heracles at Eleusis, in: Maia 19, 1967, 206–229 = Ders., Greek Epic, Lyric and Tragedy, 1990, 167–187 4 E. NORDEN, P. Vergilius Maro. Aeneis 6, ²1915, 20–23 5 F. GRAF, Eleusis und die orph. Dichtung Athens, 1972 6 F. BROMMER, Theseus, 1982 7 J. NEILS, s. v. Theseus, LIMC 7.1, 946 8 F. GRAF, Orpheus. A Poet Among Men, in: J. BREMMER (Hrsg.), Interpretations of Greek Mythology, 1987, 80–106 9 M. L. WEST, The Orphic Poems, 1983 10 C. RIEDWEG, Initiation – Tod – Unterwelt, in: F. GRAF (Hrsg.), Ansichten griech. Rituale, 1998, 359–398 11 W. BURKERT, Ancient Mystery Cults, 1987 12 J. GWYN GRIFFITHS, Apuleius of Madauros. The Isis-Book, 1975 13 P. und M. BONNECHÉRE, Trophonios à Lébadée. Histoire d'un oracle, in: Études Classiques 57, 1989, 289–302 14 W. BURKERT, Weisheit und Wiss. Stud. zu Pythagoras, Philolaos und Platon, 1962, 136–142 15 Ders., Lore and Science in Ancient Pythagoreanism, 1972, 147–165. F. G.

II. CHRISTENTUM

In der christl. Trad. lebt das Thema der K. unter dem Begriff des *descensus* (Christi) *ad inferna* (*inferos*) weiter (→ *inferi*). Spezifisch christl. dabei ist, daß der *descensus Christi* den Verstorbenen Erlösung bringt. Die nt. Stellen, aus denen die christl. Vorstellung erwachsen ist, sind 1 Petr 3,19 f.; 4,6; Eph 4,8–10. Weitere Texte: Oden Salomos 17; 22; 31; 42. Christus predigt in der Unterwelt denen, die vor seinem Offenbarwerden gestorben

sind, er tauft die Gerechten des Alten Bundes und besiegt den Hades. Weitere Vorstellungen, die vom Glauben an den *descensus Christi* ausgehen, formen sich aus in Visionen, in denen eine Seele oder Person die Hölle gezeigt bekommt. Das führt zu Verchristlichungen ant. Vorstellungen von Unterweltsreisen (Passio Sanctuarum Perpetuae et Felicitatis 4; Apokalypse des Petrus; Akten des Paulus).

→ Apokalypsen; Divination; Eschatologie; Hades; Jenseitsvorstellungen; Inferi; Mysterien; Perpetua; Unterwelt

P. HABERMEHL, Perpetua und der Ägypter (TU 140), 1992, 130–170 • C. COLPE, s. v. Jenseitsfahrt II, RAC 17, 490–543. R. BR.

Katabathmos (Καταβαθμός). In ptolem. Zeit war das Kastell K. mit seinem Hafen – h. Sollum – Grenzort Ägyptens zur → Kyrenaia hin. Den Charakter als Grenzort bewahrte K. auch in den folgenden Jh. Die strategische Lage des Orts war bedeutend. Belegstellen: Sall. Iug. 19,3; Strab. 17,1,5; 13; 3,1; 22; Mela 1,40; Plin. nat. 5,38 f.; Itin. Anton. 71,7; Stadiasmus maris magni 29 f. (GGM I 437 f.). Auch die Umgebung des Orts wird gelegentlich als K. – K. (»Steig«) *mégas* – bezeichnet; vgl. Pol. 31,18,9; Ptol. 4,5,4; Sol. 27,3; Oros. 1,2,88.

H. KEES, s. v. Katabathmus (2), RE 10, 2449 f. W. HU.

Katablemata s. Theater

Katacheirotonia (καταχειροτονία) bezeichnet den Schuldspruch eines griech. Gerichts durch Heben der Hand (*cheir*). Die Verurteilung durch Stimmstein (*psḗphos*) heißt *katapséphisis*. In Athen steht das Wort *k.* für den Schuldspruch des Volkes in Fällen der → *eisangelía* (z. B. Lys. 29, 2; Demosth. or. 51,8) und bei ablehnenden Voten der Volksversammlung nach einer *probolḗ* (Beschwerde über eine Person; z. B. Demosth. or. 21,2) oder nach einer *apóphasis* (Empfehlung) des → Areios pagos (z. B. Deinarch. 2,20; darauf bezieht sich wahrscheinlich [Aristot.] Ath. pol. 59,2).

M. H. HANSEN, Eisangelia, 1975, 44. P. J. R.

Katachorizein (καταχωρίζειν). Allg. »einreihen«, auch mil., in der hell. Kanzleisprache speziell »registrieren, in eine Liste aufnehmen«. So wurden z. B. im griech. Mutterland einfache Volksbeschlüsse (bes. Ehrungen) gegen Aufhebung geschützt, indem man sie formell unter die Gesetze »einreihte«. Im röm. Ägypten konnte *k.* jede Eintragung in eine Liste bezeichnen, wichtig vor allem die Einverleibung der Urkundenabschrift in die *bibliothḗkē enktḗseōn* (→ Grundbuch). K. konnte auch eine Anzeige gegen unbekannte Täter bedeuten; der Verletzte stellte den Antrag, die Behörde möge die Anzeige in ihr Aktenverzeichnis aufnehmen.

O. SCHULTHESS, s. v. K., RE 10, 2451–4 • WOLFF, 227. G. T.

Katadike (καταδίκη). Für schuldig erklärendes Urteil eines Geschworenengerichts, darin ausgesprochene Strafsanktionen, oder von einer Behörde verhängte Geldstrafe (synonym mit → *díkē* verwendet), in den Papyri Ägyptens auch vertraglich festgesetzte Buße. G.T.

Katadupa. Bezeichnung des ersten Nilkatarakts an der Grenze zw. Äg. und Nubien bei → Elephantine, zuerst bei Hdt. 2,17 bezeugt. Der Name spielt auf das geräuschvolle Brausen des Wassers an (Cic. rep. 6,19).

> H. KEES, s. v. K., RE 10, 2458.   K. J.-W.

Katagogeion s. Versammlungsbauten

Kataibates (Καταιβάτης, »der herabsteigt«). Epiklese des → Zeus und des → Hermes. Für Zeus ist die Epiklese inschr. sehr oft belegt und gilt dem Gott, der sich durch den Blitzeinschlag manifestiert (»der [im Blitz] herniederfährt«). Das vom Blitz getroffene Erdstück (*enēlýsion*, Poll. 9, vgl. das röm. *fulmen condere*) ist unbetretbar (*ábaton*), wird dem Zeus geweiht und durch eine Stelle oder einen Altar markiert. Daß die Athener dann auch den Ort, an dem Demetrios [2] Poliorketes vom Wagen stieg, mit einem Altar für ihn als Demetrios K. weihten, zählt Plutarch unter die maßlosen athen. Ehrungen auf (Plut. Demetrios 10,5). Demgegenüber ist die Epiklese für Hermes nur einmal spät belegt (schol. Aristoph. Pax 650) und bezieht sich wohl auf den Gott, der in die Unterwelt geht.

> A. B. COOK, Zeus 2, 1925, 10–32 · H. SCHWABL, s. v. Zeus, RE 10 A, 322 · GRAF, 22 f.   F. G.

Katakekaumene (Κατακεκαυμένη, »verbranntes Land«).

[1] Durch aschenartige Erde und schwärzliches Gestein gekennzeichnete Vulkanzone im westl. Kleinasien (Mysia und östl. Lydia: Xanthos FGrH 765 F 13; Strab. 12,8,18 f.), über ca. 40×10 km groß (übertrieben von Strab. 13,4,11), am oberen Maiandros, der die K. durchfließt (Strab. 13,4,5); südl. parallel befindet sich eine vulkanfreie kristalline Schieferzone; davon abgesetzt der Grabenbruch des Kogamis-Tals mit Philadelpheia (Alaşehir), erdbebengefährdet. Auf der als baumlos bezeichneten K. gedieh Wein (Strab. 13,4,11; 14,1,15; Plin. nat. 14,75; Steph. Byz. s. v. K.). Das myth. feuerspeiende Ungeheuer Typhon (→ Typhoeus) wurde mit der K. verbunden (Strab. 12,8,19; 13,4,6 mit Hom. Il. 2,782 f.).

> L. BÜRCHNER, s. v. K., RE 10, 2462 f. · K. BURESCH, Aus Lydien, 1898, 99 f. · MAGIE 2, 783 · A. PHILIPPSON, Das Vulkangebiet von Kula, die K. der Alten, in: Petermanns Mitteilungen 59, 1912/13, 237–241.   H. KA.

[2] (Κατακεκαυμένη, peripl. m. r. 20; Ptol. 6,7,44), Exusta (Plin. nat. 6,175), »verbrannte (Insel)«; zu identifizieren mit der im Roten Meer gelegenen Vulkaninsel Ǧabal Ṭayr bzw. Ǧabal Ṭāʾir »Vogelberg« (15° 33′ N, 41°

50′ O), die bis 245 m hoch ansteigt und ein Orientierungspunkt für Seefahrer ist.

> L. CASSON, The Periplus Maris Erythraei, 1989, 147.   W. W. M.

Katakomben A. FUNKTION, ARCHITEKTUR, ENTWICKLUNG B. KATAKOMBENMALEREI

A. FUNKTION, ARCHITEKTUR, ENTWICKLUNG

Abgeleitet vom ant. Flurnamen der unterirdischen christl. Grabanlage S. Sebastiano (*coemeterium catacumbas* von griech. *katá kýmbas*, »bei den Mulden«) an der Via Appia bei Rom, wurden auch die in Rom seit dem 16. Jh. wiederentdeckten unterirdischen → Nekropolen statt *coemeterium* oder *crypta* K. genannt. In Abgrenzung zu kleineren privaten → Hypogäen versteht die mod. Forsch. unter K. größere Gemeindezömeterien, die geeignete geologische Schichten (z. B. Tuff) für Bestattungen in unterirdischen Gangsystemen nutzen. Die zugehörigen oberird. Grabbezirke sind h. oft verloren. Neben ca. 70 Anlagen in Rom gibt es weitere K. z. B. in Latium, Neapel, auf Sizilien, Malta und Melos.

Beginnend mit A. BOSIO und dann seit G. B. DE ROSSI wurden v. a. die K. von Rom in Entstehung und Nutzungsphasen erforscht: Im Verlauf des 2. Jh. n. Chr. kam die in Begräbnis-Vereinen (*collegia funeraticia*; s. → *collegium* [1]) organisierte Urnenbestattung aus der Mode. Ab dem E. des 2. Jh. wurden private, pagane bzw. meist nicht christl. charakterisierte Mausoleen vermehrt um kleine unterirdische Grabbezirke erweitert. Diese kostengünstige Lösung griffen v. a. Christen auf, die mit Blick auf die leibliche Auferstehung die Inhumation der Kremation trotz Mehrkosten vorzogen. Zudem boten K. Platz zur Bestattung der armen Gemeindemitglieder, wie es die christl. *caritas* forderte. Kennzeichnend ist die intensive Raumnutzung für einfache Wandgräber in rostartigen Gangsystemen, die eine spätere Erweiterung zuließen. Auch Juden und andere Gemeinschaften nutzten K. sepulkral. Die meisten und größten Anlagen dienten aber als christl. Gemeindezömeterien. Diese dürften auf Stiftungen zurückgehen, wie z. B. die Namen *Domitilla* und *Priscilla* andeuten, oder direkt auf päpstliche Initiative, wie *S. Callisto* belegt. Der häufigste Grabtyp war der entlang der Gänge eingetiefte einfache *loculus* (flaches Wandgrab), ferner gab es *formae* (Bodengräber) und aufwendigere *arcosolia* (Bogengräber), die je auch in familiengruftartigen *cubicula* (Kammern) liegen konnten.

Fast alle K. zeigen zwei Ausbauphasen: Ein moderates Wachstum im sog. kleinen Kirchenfrieden zw. valentinianischer und diokletianischer Verfolgung (258–303 n. Chr.) und ein starkes Wachstum im 4. Jh. nach der konstantinischen Wende (312 n. Chr.), wobei die Bekehrung hoher Gesellschaftsschichten sich auch in reicheren *cubicula* spiegelt. Papst → Damasus (366–384) förderte intensiv den Märtyrerkult, indem er die Gräber der in der Verfolgung Getöteten suchen, monumental gestalten und durch Zu- und Ausgänge für den Pilgerverkehr herrichten ließ. Eine Reihe unterird. Basiliken *ad corpus* und die starke Konzentration von Bestattungen auf Grabbereiche *retro sanctos* (d. h. nahe bei den Märtyrern) bezeugen kirchliche wie private Verehrung ab dem letzten Drittel des 4. Jh. Pilgerorte blieben die K. auch im 5. und 6. Jh., doch wurden wohl nach dem Gotensturm 410 n. Chr. Bestattungen selten. Mit der systematischen Translozierung der Reliquien in geschützte innerstädtische Kirchen im 8. und 9. Jh. endete auch diese letzte Nutzung der K.

B. KATAKOMBENMALEREI

Für das Ausgraben der Gänge, Bestatten, Verschließen der Gräber mit Ziegeln oder Marmorplatten und das Anbringen von Gedenkzeichen wie Goldgläsern oder Inschr. waren *fossores* (Totengräber) zuständig, die oft auch die bei den Gräbern angebrachten K.-Malereien ausgeführt haben dürften.

Der K.-Malerei kommt, trotz oft nur geringer künstlerischer Qualität, große Bed. zu, da sie mit über 400 Ensembln die größte geschlossene Materialmenge der spätant. Malerei bietet und zugleich das Entstehen einer christl. Kunst im Westen dokumentiert. Zunächst tastend und experimentierend, erscheinen in der 1. H. des 3. Jh. n. Chr. in Systemen der Wandgliederung, wie sie aus Wohnbauten in Rom und Ostia bekannt sind, symbolisch verkürzte christl. Szenen vorwiegend des AT. Im Lauf des Jh. bildet sich ein begrenzter Kanon von Bildern zumeist at. Rettungsgeschichten (z. B. Daniel zw. den Löwen, Noah in der Arche, Jonas) heraus, der ab dem 4. Jh. zunehmend um nt. Wunder- und Heilsepisoden ergänzt wird (z. B. Anbetung der Magier, Brotvermehrung, Weinwunder). Die Wandlung von Endymion zu Jonas oder vom bukolischen Schafhirten zum Guten Hirten Christus belegt den freien Umgang der Maler mit traditionellem Bildgut zur Erschließung der neuen, christl. Bildinhalte. Diesen Zug belegt neben den röm. K. bes. gut auch die Januarius-K. in Neapel. Ein für die Forsch. überraschend unproblematisches Nebeneinander »paganer« und »christl.« Mythen fand sich in der privaten K. der Via Latina. Aber auch in Gemeinde-K. gibt es neben den schematischen, formelhaft wiederholten Rettungsbildern Malereien mit originellen, auf den persönlichen Heilswunsch abgestimmten Bildkombinationen. Mit Aufkommen des → Märtyrer-Kultes dringen schließlich vermehrt theologisch durchdachte Bildthemen vor wie etwa die Einführung Verstorbener ins Paradies oder Heilige, die Christus akklamieren. Trotz intensiver Forsch. sind viele kunstgeschichtliche Aspekte und Fragen der Deutung von Bildzusammenhängen weiterhin umstritten.

→ Grabbauten; Grabmalerei; Nekropolen; Wandmalerei; ROM

A. BOSIO, Roma Sotterranea, 1632 (Ndr. 1998) · H. BRANDENBURG, Überlegungen zu Ursprung und Entstehung der K. Roms, in: E. DASSMANN (Hrsg.), Vivarium. FS T. Klauser, 1984, 11–49 · J. G. DECKERS, H. R. SEELIGER, G. MIETKE, Die K. »Santi Marcellino e Pietro«, 1987 · J. G. DECKERS, G. MIETKE, A. WEILAND, Die K. »Anonima di Via Anapo«, 1991 · Dies., Die K. »Commodilla«, 1994 · G. B. DE ROSSI, La Roma sotterranea cristiana, Bd. 1–3, 1864–77 · J. ENGEMANN, Altes und Neues zu Beispielen heidnischer und christl. K.-Bilder im spätant. Rom, in: JbAC 26, 1983, 128–151 · U. FASOLA, Le catacombe di San Gennaro a Capodimonte, 1975 · A. FERRUA, K., Unbekannte Bilder des frühen Christentums an der Via Latina, 1991 · V. FIOCCHI NICOLAI, s. v. K, RAC (im Druck) · Ders., F. BISCONTI, D. MAZZOLENI, Roms christl. K., 1998 · A. NESTORI, Repertorio topografico delle pitture delle catacombe romane, ²1993 · P. PERGOLA, Le catacombe romane, 1997 · J. WILPERT, Die Malereien der K. Roms, 1903.   NO. ZI.

Katakremnismos (κατακρημνισμός). Archa., später als bes. grausam gebrandmarkte Todesstrafe durch Herabstürzen von einem Felsen (in Athen in das Barathron, in Delphi wegen → *hierosylía* vom Hyampischen Felsen, in Sparta in den Kaiadas). Der Strafvollzug durch *k.* wurde als kultisches Opfer verstanden; wer den Sturz überlebte, war straffrei.

G. THÜR, Die Todesstrafe im Blutprozeß Athens, in: The Journ. of Juristic Papyrology 20, 1990, 143–155.   G. T.

Katalog A. DEFINITION B. DICHTUNG C. PROSA

A. DEFINITION

Der K. ist eine zumeist formal deutlich abgegrenzte Aufzählung gleichartiger Begriffe in einem einheitlichen Zusammenhang. Jedes seiner Glieder ist ›Element einer durchgehenden Entwicklung‹ [4. 64]. Eine zusammenhängende ant. Definition fehlt; ein Definitionsmerkmal ist das Zählen (vgl. Hom. Od. 16,235), das auch in der differenzierten ästhetischen Beurteilung durch die ant. Homer-Philol. eine wichtige Rolle spielt (vgl. schol. zu Hom. Il. 2,494ff. u.ö.). Aristoteles versteht den K. als ordnendes Element (Aristot. poet. 1459a 35). In der Verwendung des K. als gestalterisches Element beeinflussen die lit. Gattungen einander stark.

B. DICHTUNG

Wohl der älteste erh. K. ist der Schiffs-K. bei Homer (Il. 2,484–877). Bemühungen, aus ihm auf die myk. Quellen des Iliasdichters zu schließen oder ihn für die Datier. heranzuziehen, führen nicht zu sicheren Ergebnissen (vgl. [10. 168–236]). GIOVANNINI [5] hält als Quellen → Itinerare oder Gesandtenlisten für wahrscheinlich, die nach geogr. Prinzipien angeordnet waren, sog. Theoros-Listen. Der Bezug zur lit. Periegese (→ Periegetes) und zum → Periplus ist, schon aus chronologischen Erwägungen, sekundär. Da also seit Beginn der Trad. der K. ein unverzichtbarer Bestandteil ep. Erzählens ist, begegnen K. von Truppenkontingenten, unterschiedlich geordnet und gewichtet nach geogr. Herkunft, Persönlichkeit der Anführer, aber auch Listen von einzelnen Kriegern, z. B. der Freier im Hause des Odysseus (Hom. Od. 16,247–253) oder der Argonauten (Apoll. Rhod. 1,23–233, umfangreicher als der homer. Schiffs-K.), regelmäßig in der ep. Dichtung. In der wei-

teren Entwicklung bleibt der K., häufig durch Musenanruf eingeleitet, fester Bestandteil ep. Dichtung.

Über K. in den frühen röm. Epen besteht Unklarheit; die Nennung der 12 Olympischen Götter (fr. 62
V² = 239 Sĸ. mit Komm.) in den ›Annalen‹ des Ennius
steht auf einem anderen Niveau. In den subtil organisierten K. der *Aeneis* (7,641–817 und 10,120–145) ar-
beitet Vergil andere Erzählelemente in die K. ein, z. B.
die → Ekphrasis (7,812–817: [2]). Mitunter weitet er sie
zu kurzen Szenen, in denen auf das Schicksal der jeweiligen Personen vorausgedeutet wird, z. B. Verg.
Aen. 7,750–760 [9; 7]. Diese zunehmende Aufwei-
chung der strengen Form des K. macht sich in der nach-
vergilischen Epik vollends bemerkbar, wenn z. B. Lucan
auf die Nennung von Personennamen ganz verzichtet
und nur noch auf das kollektive Sterben der aufgeliste-
ten Personen abhebt (so 3,689–696).

Ebenfalls in archa. Zeit liegt der Ursprung der genealogischen K., für die Beispiele im *corpus Hesiodeum*
(→ Hesiodos) überl. sind. Die Fruchtbarkeit dieser Gattung wird nicht nur in den verwandten K. der *Ilias* offenbar (Hom. Il. 6,151–211: Abstammung des Glaukon,
24,247–264 und schol. z.St.: die Söhne des Priamos),
sondern namentlich in der Gattung der ›Ehoien‹, in
denen mit der formelhaften Einleitung ἢ οἵη (*ḗ hoíē*)
Geliebte von Heroen und deren Nachkommenschaft
aufgelistet werden (→ Hesiodos B. 2.). Über die daraus
entwickelte K.-Dichtung sind wir nur spärlich unterrichtet. Antimachos' ›Lyde‹, Nikainetos' ›Frauen-K.‹
(vgl. Athen. 1,590b), die ›Eroten‹ (καλοί) des Phanokles
und insbesondere die Kallimacheischen ›Aitia‹ werden
als erfolgreiche Produkte dieses Genres genannt.

Dem → Lehrgedicht dienen Ketten von Beweisen
zum Beleg der vorgetragenen These (vgl. unten zur
Rhet.). In der → Lyrik werden die Versuche zur Erweiterung der möglichen Gegenstände fortgeführt; bestimmte Gegenstände wie der Dichter-K. gehören zum
Repertoire des → Epigramms (vgl. Anth. Pal. 4,1f.;
9,26) und dann der röm. → Elegie (z. B. Hor. sat.
1,10,78–99; Prop. 2,34,61–66; Ov. am. 1,15,9–30; Ov.
trist. 2,359–484; [1]). Der Einfluß alexandrinischer
Lit.-K. (*pínakes*) scheint noch ungeklärt. Vollends in den
›Metamorphosen‹ des Ovid ist dann ein souveräner
Umgang mit dem K. erkennbar, der ein Abrücken von
der ep. Trad. in Anlehnung an die hell. K.-Dichtung
erkennen läßt. Neben Eposparodie (Ov. met. 3,206–
225: die Hunde des Actaeon) finden sich formale Ex-
perimente (8,300–317: die Aufzählung der Beteiligten
an der Jagd auf den Kalydonischen Eber wird narrativ
erweitert), die auch über die Gattungsgrenzen hinweg
ausgedehnt werden. So bezieht sich Ovid auf die Hymnendichtung, auf die Exemplareihen in der Lehrdich-
tung und v. a. in der Rhet. [8]. Davon ist natürlich auch
die nachovidische Epik beeinflußt.

C. PROSA

Obwohl der K. der kämpfenden Parteien in der
→ Geschichtsschreibung ein unverzichtbares Element
zu sein scheint, treten gravierende Unterschiede auf.

Während Herodot (3,90–96: Tributpflichtige der
Perser; 7,61–99: Kontingente im Perserkrieg) um genaue Zahlenangaben bemüht ist, verzichtet Thukydides
(7,57f.: Schiffe vor Sizilien) nach einer pauschalen Angabe (52,1) auf weitere Nennung von Zahlen. Dagegen
ist er in seiner Rekapitulation des Troianischen Krieges
(1,10,4) um akribischen Nachvollzug des homer. Zahlenmaterials bemüht. In der rhet. Praxis ist dem K. v. a.
die Verwendung von Ketten von *paradeígmata* (*exempla*)
als Schmuck- und Beweismittel verwandt. Ausgehend
von Reden wie Hom. Il. 5,381–415 und 1,260–274 hat
die rhet. Theorie die Funktionen dieses Stilmittels definiert (Aristot. rhet. 1393a 28–1394a 23; Rhet. Her.
1,6,10; 2,29,46; Quint. inst. 5,11,6) und auch Stellung
zum Zusammenhang mit der → Priamel genommen [1].

1 U. BERNHARDT, Die Funktion der K. in Ovids Exilpoesie,
1986 2 W. BOYD, Virgil's Camilla and the Traditions of
Catalogue and Ecphrasis, in: AJPh 113, 1992, 213–234
3 E. COURTNEY, Vergil's Military Catalogues and Their
Antecedents, in: Vergilius 34, 1988, 3–8 4 J. GASSNER, K. im
röm. Epos, Diss. München 1973 5 A. GIOVANNINI, Étude
historique sur les origines du catalogue des vaisseaux, 1969
6 W. KÜHLMANN, K. und Erzählung, Diss. Freiburg/Br.
1973 7 J. J. O'HARA, Messapus, Cycnus, and the
Alphabetical Order of Vergil's Catalogue of Italian Heroes,
in: Phoenix 43, 1989, 35–38 8 C. REITZ, Zur Funktion der
K. in Ovids Metamorphosen, in: W. SCHUBERT, Ovid:
Werk und Wirkung, FS für M. v. Albrecht, 1998, 359–372
9 C. F. SAYLOR, The Magnificent Fifteen: Vergil's
Catalogues of the Latin and Etruscan Forces, in: CPh 69,
1974, 249–257 10 G. S. KIRK, The Iliad Commentary Bd. 1,
1995. CH. R.

Katalogeion (καταλογεῖον). Unter der Kontrolle des
archidikastḗs in → Alexandreia stehende Verwaltungs-
stelle, bei der seit augusteischer Zeit Privaturkunden registriert, bearbeitet, kopiert wurden; das Original wurde
(ab 127 n. Chr., POxy. 34) in die *Hadrianḗ bibliothḗkē* gebracht, die Kopie in die *tu Nanaíu bibliothḗkē* (vergleichbares Verfahren unter den Ptolemäern?). In röm.
Zeit bearbeitete das K. auch die Ephebenlisten.

F. BURKHALTER, Archives locales et archives centrales en
Egyte, in: Chiron 20, 1990, 191–216, bes. 203 ff. W. A.

Katalogeis (καταλογεῖς) sind aus Athen als Registra-
turbeamte bekannt. Während des oligarch. Umsturzes
von 411 v. Chr. wurden 100 Männer im Mindestalter
von 40 J. als *k.* gewählt – jeweils zehn aus einer → Phyle
–, um ein Verzeichnis der 5000 Athener zu erstellen, die
das volle Bürgerrecht haben sollten ([Aristot.] Ath. pol.
29,5). Die Rede des Lysias für Polystratos (Lys. 20) dient
der Verteidigung eines dieser *k.*, der zugleich Mitglied
der Vierhundert war und behauptet, er habe den Hin-
termännern der 5000 nur widerwillig gedient, eine Liste
von 9000 Männern vorgeschlagen und Athen nach wenigen Tagen verlassen (Lys. 20,13 f.). Das Verzeichnis
der 5000 wurde niemals veröffentlicht (Thuk. 8,92,11–
93,2).

Im Athen des 4. Jh. v. Chr. wurde eine Kommission von zehn *k.* gewählt; sie sollten ein Verzeichnis der zum Reiterdienst Verpflichteten erstellen und es den Hipparchen (Reiterobersten) und Phylarchen (Abteilungsführern) aushändigen. Falls einer der Registrierten eidlich erklärte, er sei aus gesundheitl. Gründen oder wegen Armut nicht in der Lage zu dienen, entschied die → *bulḗ* darüber ([Aristot.] Ath. pol. 49,2).   P.J.R.

Katalogos (κατάλογος). Der *k.* war in Athen wohl ein Verzeichnis aller Hopliten (allerdings von HANSEN bestritten), aufgrund dessen die Strategen das Aufgebot für einen Feldzug erließen (Thuk. 6,43; 7,16,1; 8,24,2; Aristot. Ath. pol. 26,1; Xen. mem. 3,4,1). Mannschaftslisten wurden auch für einzelne Feldzüge geführt (Thuk. 6,31,2). Erfaßt wurden, spätestens seit Mitte des 4. Jh. v. Chr. vermutlich jahrgangsweise (Aristot. Ath. pol. 53,4), die 18- bis 60jährigen Bürger; die Ausgemusterten wurden ὑπὲρ τὸν κατάλογον (*hypér ton katálogon*) genannt (Demosth. or. 13,4). Die Reiter hatten eine eigene Liste (Xen. hipp. 1,2; Aristot. Ath. pol. 49,2). Aufgeboten wurde nach Phylen oder nach Jahrgängen (Aischin. leg. 168), auf eine faire Reihenfolge war zu achten (Aristoph. Pax 1179ff.; Aristoph. Lys. 9,4ff.). Auch Syrakus führte wahrscheinlich einen *k.* seiner Reiter und Hopliten (Plut. Nikias 14,6).
→ Heerwesen; Hoplitai

1 A. ANDREWES, The Hoplite K., in: Classical Contributions. Studies in Honour of M. F. McGregor, 1981, 1–3   2 L. BURCKHARDT, Bürger und Soldaten, 1996, 21   3 M. H. HANSEN, Demography and Democracy, 1986, 83–89.   LE.BU.

Katalysis (κατάλυσις). Wörtlich »Auflösung«, gemeint »der Verfassung« (τοῦ δήμου, *tu dḗmu*), Hochverrat, in Athen entweder mit → *graphḗ* oder → *eisangelía* durch Einschreiten jedes beliebigen Bürgers zu verfolgen. Ob eine derartige *eisangelía* bereits auf Solon (6. Jh. v. Chr.) zurückgeht und vor den → Areios pagos gehörte (Aristot. Ath. pol. 8,4), ist strittig. Nach dem in Demosth. or. 24,144 überlieferten Ratseid war bei *k.* die → *bulḗ* zum Einschreiten berechtigt. Nach Aufhebung des Eisangeliegesetzes im J. 411 v. Chr. (Aristot. Ath. pol. 29,4) wurde *k.* 410/09 (And. 1,96–98) und 403 (Hyp. 4,7f.) ausführlich geregelt: Zuständig für die Entscheidung waren zunächst die Volksversammlung (→ *ekklēsía*), später die Geschworenengerichtshöfe (→ *dikastḗrion*). Sanktion war urspr. vielleicht → *atimía*, später Todesstrafe mit Vermögensverfall und Verbot des Begräbnisses in Attika.

M. H. HANSEN, Eisangelia, 1975 • Ders., The Athenian Democracy in the Age of Demosthenes, 1991, 213f. • R. W. WALLACE, The Areopagos Council, to 307 B. C., 1989 (Diss. 1985), 64ff.   G. T.

Katane (Κατάνη, lat. *Catina*). Stadt an der Ostküste Siziliens in der fruchtbaren Ebene südl. des Vulkans → Aitne [1], h. Catania; gegr. 729 v. Chr. von den einige

J. vorher in Naxos siedelnden Chalkideis. In der 2. H. des 6. Jh. wirkte in K. der Gesetzgeber → Charondas; → Ibykos und → Xenophanes besuchten K.; → Stesichoros starb dort. In der 1. H. des 5. Jh. war K. den Herrschern von Syrakusai unterworfen, → Hieron [1] verpflanzte die Bewohner nach Leontinoi, siedelte 10000 Neubürger an und benannte die Stadt → Aitne [2]; dem Hieron aus Aitne gilt Pind. P. 1 und das Hyporchema fr. 108f., der neuen Stadt die Tragödie *Aitnaioi* des Aischylos. Nach dem Sturz der → Deinomeniden kehrten die urspr. Bewohner nach K. zurück; die Bewohner von Aitne siedelten um nach Inessa, jetzt in Aitna umbenannt.

425 wurde K. bei einem Vulkanausbruch durch einen Lavastrom verwüstet (Thuk. 3,116,1). 415 diente K. den Athenern als Operationsbasis gegen Syrakusai, nach ihrer Katastrophe den Überlebenden als Zuflucht. Vor der Rache der siegreichen Syrakusier schützte K. der Einbruch der Karthager, doch wurde K. 403 von Dionysios [1] erobert, die Einwohner versklavt und die Stadt mit kampanischen Söldnern besiedelt (396 nach Aitne/Inessa verpflanzt). 353 bemächtigte sich Kallippos, der Mörder des Dion [I 1], der Stadt; 344 herrschte Mamercus in K., der sich Timoleon anschloß. 278 nahm K. als eine der ersten Städte auf Sizilien Pyrrhos auf und wurde im 1. → Punischen Krieg 263 von den Römern erobert. K. wurde in der röm. Prov. *civitas decumana*. Schwer litt die Stadt 135 im ersten sizil. Sklavenkrieg, 123 wurde sie erneut durch einen Vulkanausbruch zerstört (vgl. Diod. 11; 13f.; 16; 19; 22; 24). Die reichen Bürger der Stadt hatten unter → Verres zu leiden (Cic. Verr. 2,3,103; 4,50; 99–102). Großen Schaden nahm K. im Krieg des nachmaligen Augustus mit Sex. Pompeius; seit Augustus war K. röm. Kolonie.

K. lag auf seit prähistor. Zeit besiedeltem Boden. Von der Blüte der Stadt in der Kaiserzeit zeugen bedeutende Ruinen (Mauern, Aquädukte, Badeanlagen, Mosaiken, zwei Theater innerhalb, ein Amphitheater außerhalb der Stadt), die die vielfachen Zerstörungen durch Vulkanausbrüche und Erdbeben (bezeugt bes. für 251, 1170, 1669, 1693) sowie die Zerstörung durch Heinrich VI. im J. 1197 überstanden haben. Weite Nekropolen um K. erbrachten große arch. Ausbeute (auch aus der älteren Zeit). Zahlreiche Inschr. (IG XIV 448–566; CIL X 7014–7119; 8312) vermehren sich fortlaufend durch Neufunde. Die Mz. von K. sind z. T. von bes. Schönheit (HN 130–135).

BTCGI 5, 153–177 • G. RIZZA, s. v. Catania, EAA 2. Suppl., 1994, 59–61 • E. PROCELLI, Appunti per una Topografia di Catania pregreca, in: Kokalos 38, 1992, 69–78 • A. PATANÈ, Saggi di scavo all'intorno del Castello Ursino di Catania, in: Kokalos 39/40, 1993/94, II 1, 901–907 • B. GENTILI (Hrsg.), Catania Antica. Atti Convegno Catania 1992, 1997.   GI.F.u.K.Z.

Kataonia (Καταονία). Landschaft und Strategie im SO von Kappadokia zw. Tauros und Antitauros, an Kilikia, Kommagene und Melitene grenzend (Strab. 11,12,2;

12,1,1–2,4), urspr. luwischsprachiger Raum; 301 v. Chr. an Seleukos I. gefallen, wohl als Mitgift der Stratonike an Ariarathes III. von Kappadokia; 17 n. Chr. Teil der Prov. Cappadocia, unter Diocletianus zu → Armenia Minor, um 386 n. Chr. zu Armenia II, 536 n. Chr. zu Armenia III gehörig.

W. RUGE, s. v. K., RE 10, 2478f. · HILD/RESTLE, 202.

K. ST.

Kataphraktoi (κατάφρακτοι). Der Begriff *k.* bezeichnete die gepanzerte → Reiterei, mit der die Römer zuerst im Jahre 190 v. Chr. im Krieg gegen Antiochos III. konfrontiert wurden (Liv. 37,40,5). Bei Carrhae wurde das Heer des Crassus 53 v. Chr. von der parth. Reiterei, deren Reiter und Pferde gepanzert waren, besiegt (Plut. Crassus 24f.). Seit 69 n. Chr. hatten die Römer mit der gepanzerten Reiterei der Sarmaten an der unteren Donau zu tun (Tac. hist. 1,79). Im röm. Heer wurde die erste Einheit von gepanzerten Reitern wahrscheinlich unter Hadrianus aufgestellt (*ala I Gallorum et Pannoniorum catafractata*; ILS 2735 = CIL XI 5632; vgl. außerdem ILS 9208; 9209), wobei unklar ist, ob die Pferde tatsächlich regelmäßig einen Panzer trugen. *Catafractarii* kämpften 356/7 n. Chr. unter Iulianus gegen die Alamannen (Amm. 16,2,5; 16,12,7; 16,12,22; 16,12,38; 16,12,63; vgl. außerdem 28,5,6); sie waren normalerweise mit einer Lanze bewaffnet und griffen die feindliche Schlachtreihe im Galopp frontal an (Veg. mil. 3,23). Sie galten jedoch als verwundbar, wenn es gelang, sie aus dem Sattel zu stoßen (Amm. 16,12,22). Auch die überlegene Kampfkraft der Sāsāniden beruhte im 3. und 4. Jh. wesentlich auf den Verbänden gepanzerter Reiter (SHA Alex. 56,5; Amm. 18,8,7; 24,6,8; 25,1,12; 25,3,4; 25,6,2).

Die seit dem 3. Jh. belegten *clibanarii* waren ebenso wie ihre Pferde vollständig durch einen Plättchen- oder Lamellenpanzer geschützt (Amm. 16,10,8). Die meisten dieser röm. Einheiten wurden im Osten rekrutiert, einige waren mit einem Bogen ausgerüstet. Ein Graffito aus Dura-Europos stellt wohl einen *clibanarius* dar; eine lit. Beschreibung findet sich im spätant. Roman (Heliodoros, Aithiopika 9,15).

→ Auxilia; Reiterei

1 J. C. COULSTON, Roman, Parthian and Sassanid Tactical Developments, in: P. FREEMAN, D. KENNEDY (Hrsg.), The Defence of the Roman and Byzantine East, 1986, 59–75 2 J. W. EADIE, The Development of Roman Mailed Cavalry, in: JRS 57, 1967, 161–173 3 A. HYLAND, Equus: The Horse in the Roman World, 1990, 148–156 4 M. SPEIDEL, Catafractarii Clibanarii and the Rise of the Later Roman Mailed Cavalry, in: EA 4, 1984, 151–156.

J. CA./Ü: A. BE.

Katapontismos (καταποντισμός). Hinabstürzen ins Meer, Tötung eines Menschen durch Ertränken oder kult. Versenken von Gegenständen. War das Meer weit weg, nahm man den *k.* auch durch Stürzen in einen Fluß vor. *K.* ist bereits im Mythos als bes. Grausamkeit

oder als Todesstrafe mit Ordalcharakter (die Götter konnten den Bestraften retten) in Fällen belegt, in denen das Recht auf Begräbnis und Totenkult verwirkt war. In histor. Zeit wurden Tyrannen oder grausame Herrscher durch *k.* bestraft, manchmal auch nur ihr Leichnam oder gar ihr Standbild versenkt (Paus. 6,11,6 vergleicht damit den Prozeß gegen Mordwerkzeuge, die dann über die Grenze geworfen wurden).

O. SCHULTHESS, s. v. K., RE 10, 2480–2482.

G. T.

Katapult A. ERFINDUNG DER KATAPULTE B. HELLENISMUS C. ROM D. MECHANISCHE HANDWAFFEN E. EINSATZ UND WIRKUNG

A. ERFINDUNG DER KATAPULTE

Bei den ant. K. handelt es sich um im Krieg eingesetzte Fernwaffen, die ihre Geschosse mittels Federkraft warfen. Wohl für kein anderes technisches Gerät der Ant. gibt es so ausführliche Informationen durch technische Fachschriften mit den zugehörigen Zeichnungen (Philon, Vitruvius, Heron), Geschichtsschreibung (Ammianus Marcellinus), mil. Fachlit. (Vegetius) und Abbildungen. In letzter Zeit ist auch die Anzahl arch. Funde wesentlich gewachsen, die die lit. Zeugnisse ergänzen. Die ersten K. sind um 400 v. Chr. in Syrakus für den Kampf gegen Karthago gebaut worden (Diod. 14,41–43). Das Ziel war, eine Waffe zu entwickeln, die eine größere Reichweite und Durchschlagskraft als der Handbogen hatte (Heron, Belopoiika 71–81). Grundgedanke war dabei die Mechanisierung des mediterranen Bogengriffs. Durch seine Übersetzung in eine Abzugsmechanik aus Metall und Holz entstand der γαστραφέτης (*gastraphétēs*), eine armbrustartige Waffe mit verstärktem Bogen. Diese Erfindung bildete einen Wendepunkt in der Waffentechnik, denn die Fernwaffen waren nun von der Kraft eines einzelnen Menschen unabhängig. Schon in der ersten Hälfte des 4. Jh. v. Chr. wurden große Bogen-K. gebaut, die auf einer Lafette ruhten und mit einer Winde gespannt wurden. Die schweren Bogen-K. benötigten nun eine spezialisierte Bedienungsmannschaft. Die Bogenarme des *gastraphétēs* und der frühen Bogen-K. waren komposit gebaut, aus Holz, Hornlamellen und Sehnen. Für die Vergrößerung solcher Federelemente gibt es jedoch eine technische Grenze (Heron, Belopoiika 81), die griech. Techniker um die Mitte des 4. Jh. v. Chr. überwanden, indem sie die federnden Bogenarme durch Seilbündel-Drehfedern (Torsionsfedern; Seilmaterial aus Haar oder Tiersehnen) ersetzten. Die neuen zweiarmigen Torsions-K. waren kompakter und konnten sehr groß gebaut werden (Heron, Belopoiika 81–83).

B. HELLENISMUS

Das Torsions-K. (καταπάλτης/*katapáltēs*, später καταπέλτης/*katapéltēs*) ist inschr. spätestens 326 v. Chr. für Athen erstmals belegt (IG² II 1467 B, col. II 48–56). Vermutlich hat Alexandros [4] d. Gr. die Waffe bereits eingesetzt. Torsions-K. verbreiteten sich rasch in der

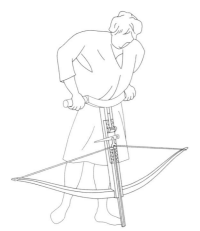

Gastraphetes nach Heron.

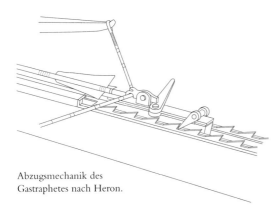

Abzugsmechanik des
Gastraphetes nach Heron.

hell. Welt, weil sie beim Angriff und bei der Verteidigung von Städten als unentbehrlich galten. Im 3. Jh. v. Chr. wetteiferten griech. Techniker vor allem in Alexandreia und Rhodos mit Konstruktionsvarianten, dem Luftdruck-K. (ἀερότονον, aerótonon), dem Bronzefeder-K. (χαλκότονον, chalkótonon, beide → Ktesibios von Alexandreia zugeschrieben; vgl. Philon, Belopoiika 70–78) und einem Torsions-K. mit Mehrlade-Einrichtung (καταπέλτης πολυβόλος, katapéltēs polybólos), das Dionysios von Alexandreia konstruiert haben soll (Philon, Belopoiika 73–74). Diese technisch interessanten Waffen blieben jedoch mil. bedeutungslos. Versuche der Techniker und Erfahrungen im Einsatz führten im 3. Jh. v. Chr. schließlich zur Formulierung von Konstruktionsnormen – getrennt für das leichte Pfeil-K. (εὐθύτονον, euthýtonon) und den schweren Steinwerfer (παλίντονον, palíntonon) – und damit zur Verbesserung der Torsions-K. Die Konstruktionsvorschriften, die in Fachschriften mit mathematischen Formeln und technischen Zeichnungen veröffentlicht wurden (Philon, Belopoiika 51–56; Heron, Belopoiika 91–119), ließen es zu, K. verschiedener Größe zu bauen, wobei die Pfeil-K. nach der Pfeillänge, die Steinwerfer nach dem Geschoßgewicht benannt wurden. Das tragende Gerüst dieser K. bestand aus Holz, das durch Metallbeschläge verstärkt wurde. Die hell. Reiche und bedeutende Städte wie Rhodos, Massalia oder Karthago besaßen umfangreiche Bestände solcher K.; so mußte Karthago 149 v. Chr. rund 2000 K. an Rom ausliefern (App. Lib. 80).

C. ROM

Rom kam erstmals während der Pyrrhoskriege (280–272 v. Chr.) mit K. in Berührung, die seit den Punischen Kriegen vor allem bei Belagerungen eingesetzt wurden. Aber erst gegen Ende der röm. Republik gehörten Torsions-K. (tormenta) zur regelmäßigen Ausrüstung der Legionen. Eigene Techniker sorgten für die Konstruktion der tormenta, unter ihnen Vitruvius (Vitr. 1 praef. 2) und C. Vedennius Moderatus (ILS 2034 = CIL IV 2725). Vitruvius behandelte die K. in seinem Werk leicht modifiziert nach den hell. Konstruktionsvorschriften (catapulta, scorpio: Vitr. 10,10; ballista: Vitr. 10,11). Während des Prinzipats war jeder centuria einer Legion ein Pfeil-K. (scorpio), jeder Legionskohorte ein Steinwerfer (ballista) zugeordnet; eine Legion hatte somit 10 Steinwerfer und etwa 60 Pfeil-K. (Veg. mil. 2,25). Als schwerste Legions-K. sind eintalentige Ballisten belegt (Geschoßgewicht ca. 26 kg; Ios. bell. Iud. 5,270).

Um 100 n. Chr. haben sich röm. Waffentechniker von den hell. Konstruktionsvorschriften gelöst und neuartige Pfeil-K. mit einem weiten Spannrahmen aus Eisen entwickelt (Abb. auf der Trajanssäule). Die Pfeil-K. wurden auf einachsige Karren montiert und in der Spätant., in der auch das Pfeil-K. als ballista bezeichnet wurde, carroballista genannt (Veg. mil. 3,24). Schwere zweiarmige Torsions-K. erhielten ebenfalls einen neu konstruierten, weiten Rahmen, allerdings aus Holz mit Metallbeschlägen. Seit dem 4. Jh. n. Chr. ist ein anderer Steinwerfer (onager) bezeugt, ein schweres, einarmiges K. mit einer einzigen, horizontal gelagerten Torsionsfeder. Grundgedanke der Konstruktion war die Mechanisierung der Stockschleuder (Amm. 23,4,4–7). Mit dem Untergang des weström. Reiches hörte der Bau und die Verwendung von K. im Westen auf; in Byzanz wurden jedoch weiterhin K. eingesetzt (Prok. BG 1,21,14–19).

D. MECHANISCHE HANDWAFFEN

Seit dem 2. Jh. n. Chr. ist neben dem gastraphétēs eine weitere Bogenarmbrust nachweisbar, die zunächst als Jagdwaffe diente. In der Spätant. gehörte diese Waffe als arcuballista zur Heeresausrüstung (Veg. mil. 4,22). Armbrustartige Torsionswaffen wurden seit dem 1. Jh. n. Chr. auch im röm. Heer verwendet, aber erst in der Spätant. häufiger eingesetzt (manuballista; Veg. mil. 2,15; 4,22).

E. EINSATZ UND WIRKUNG

Der Einsatz der Torsions-K. – auch der Steinwerfer – erfolgte im Regelfall auf kurze Entfernung im flachen Direktschuß. Die günstigste Gefechtsentfernung lag etwa zw. 50 und 170 m. Der Durchschlagskraft eines Pfeil-K. konnte kein Körperpanzer und kein Schild

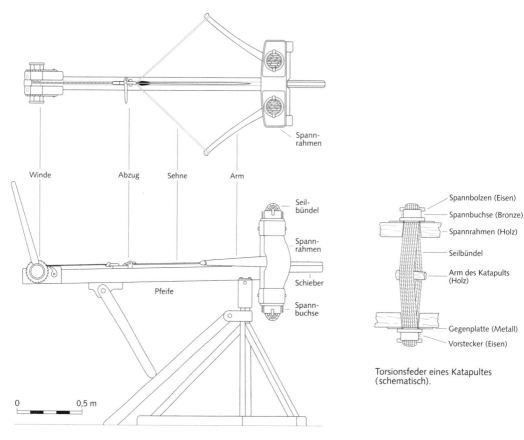

Spann-rahmen

Winde　　　Abzug　　Sehne　　　Arm

Seil-bündel

Spann-rahmen

Schieber

Spann-buchse

Pfeife

0　　　0,5 m

Spannbolzen (Eisen)

Spannbuchse (Bronze)

Spannrahmen (Holz)

Seilbündel

Arm des Katapults (Holz)

Gegenplatte (Metall)

Vorstecker (Eisen)

Torsionsfeder eines Katapultes (schematisch).

Katapult nach Vitruv (10, 10); Aufsicht und Seitenansicht.

widerstehen. Bei der Verteidigung einer Befestigung wurden die Steinwerfer gegen feindliche Deckungen, Belagerungsgeräte und K. verwendet. Beim Angriff auf eine Wehrmauer konnten Steinwerfer zwar keine Bresche schießen, aber die Mauerzinnen und die Obergeschosse von Wehrtürmen zerstören. Wegen der Transportprobleme kamen schwere Steinwerfer im Felde jedoch nur selten zum Einsatz. Auf die Strategie der Feldschlacht hatten die K. daher nur selten entscheidenden Einfluß (Tac. hist. 3,23).
→ Poliorketik

1 D. BAATZ, Bauten und K. des röm. Heeres (Mavors 11), 1994 2 T. G. KOLIAS, Byz. Waffen, 1988, 240 3 E. W. MARSDEN, Greek and Roman Artillery, Bd. 1: Historical Development, 1969; Bd. 2: Technical Treatises, 1971 4 E. SCHRAMM, Die ant. Geschütze der Saalburg, 1918, Ndr. 1980 5 ZIMMER, Katalog Nr. 151. D. BA.

Katastasis s. Reiterei

Kataster. Im Unterschied zum → Grundbuch als Register zur Sicherung des privaten Grundstücksverkehrs, das es – wohl nach altägypt. Vorbild [1] – im ptolem. und röm. Ägypten (und in der Ant. möglicherweise nur

dort) gegeben hat, dienen K. oder ähnliche Register vornehmlich der Erhebung von Grundsteuern sowie der Verwaltung der Staatspachten und sind daher fast zwangsläufig genauso verbreitet wie diese staatlichen Einnahmen selbst. Voraussetzung für die Anlegung von Archiven oder Büchern mit Aufzeichnungen über die Lage und Größe von Grundstücken ist die Kenntnis der Vermessungstechnik und das Vorhandensein des Berufs von Land- oder → Feldmessern. Für das ant. Rom und It., von dem wir die bei weitem besten Kenntnisse über diesen Beruf haben, fehlt freilich eine unmittelbare Überlieferung eines K. (*forma*). Aus viel früherer Zeit berichtet ein sog. »K.-Text« des Urnammu (Herrscher von Ur in Mesopotamien 2111–2094 v. Chr.) über die genau vermessenen Distriktsgrenzen seines Reiches. Auch sonst waren K. in Mesopotamien offenbar verbreitet, vielleicht sogar allg. üblich [2. 57]. Vom K. in Ägypten handelt u. a. die »Dienstordnung für den Wesir« aus der M. des 2. Jt. v. Chr. [5]. Demnach hatte sich der oberste Beamte des ganzen Reiches u. a. um die Felderprozesse, die Überprüfung der Feldvermessungen und die Verwaltung der K. und Grenzkarten zu kümmern. Umso erstaunlicher ist auf den ersten Blick, daß für die ptolem. Zeit Ägyptens Zeugnisse eines K. im technischen Sinne fehlen. Gerade deshalb ist das Grundbuch (*bibliothḗkē enktēseōn*) zunächst als K. gedeutet worden (vgl. noch [3. 75]). Ein eigenes K. mag aber in ptolem. Zeit überflüssig gewesen sein, weil zum einen die Behörden jederzeit auf das Grundbuch zugreifen konnten und weil zum andern aufgrund einer bes. Registrierung (*katagraphḗ*) nunmehr Verkehrsgeschäfte über Grundstücke (und andere Gegenstände) ohnehin von ihnen erfaßt wurden [4. 184 ff.].

→ Apographe

1 S. ALLAM, Publizität und Schutz im Rechtsverkehr, in: Ders. (Hrsg.), Grund und Boden in Altägypten, 1994, 31–44 2 H. SAUREN, Zum Beweis des Eigentums an Grund und Boden in Mesopotamien, ebd., 45–64 3 H. A. RUPPRECHT, Kleine Einführung in die Papyruskunde, 1994 4 WOLFF 5 K. SETHE, Urkunden der 18. Dyn., Bd. 4 (G. STEINDORFF u. a., Urkunden des ägypt. Alt. IV), ²1961 (Ndr.), 1103–1117.

G. S.

Katasterismoi s. Sternsagen

Kategorien (κατηγορίαι, lat. *praedicamenta*).
A. DEFINITION   B. ARISTOTELES UND STOA
C. PS.-ARCHYTAS   D. PLOTINOS, PORPHYRIOS
UND NEUPLATONISMUS

A. DEFINITION

K. ist ein universeller Begriff: K. werden teils als »Klassen« oder Gattungen von Gegenständen, teils als Begriffe oder Bedeutungen und teils als universelle »Prädikate« (Grundformen der Aussage; griech. κατηγορίαι) aufgefaßt. → Aristoteles, die Stoa und der → Neuplatonismus (Plotinos und die Aristoteleskommentatoren) entwickelten verschiedene K.-Lehren, die mehrere Disziplinen (Grammatik und Logik, Semantik und Prädikationstheorie, Physik und Ontologie, aber auch Psychologie) betreffen.

B. ARISTOTELES UND STOA

Die zehn aristotelischen K. sind vollständig nur in zwei Texten aufgelistet (Aristot. cat. 4,1b 25–2a 4, und top. 1,9,103b 20–39). Sie stehen im Zusammenhang einer Lehre von der Homonymie des Seienden und bringen die vielfältige Bedeutung von »Sein« zum Ausdruck (»Sein« stellt für Aristoteles keine Gattung dar). Es handelt sich um Ausdrücke, die – »ohne jede [syntaktische] Verbindung« – bedeuten: Substanz (οὐσία, τί ἐστι), Quantität (ποσόν), Qualität (ποιόν), Relation (πρός τι), Wo (πού), Wann (ποτέ), Lage (κεῖσθαι), Haben (ἔχειν), Wirken (ποιεῖν) und Leiden (πάσχειν). Unvollständige Aufzählungen der K. finden sich an weiteren Stellen im Corpus Aristotelicum (z.B. Aristot. metaph. 5,7,1017a 24–30 und 28,1024b 12–15; 6,2,1026a 33–b 1; 7,1,1028a 10–b 7; 9,1,1045b 27–33; 11,12,1068a 8–14; eth. Nic. 1,4(6),1096a 23–27 ff.; eth. Eud. 1,8,1217b 20–40, mit einem Vergleich der Homonymie des Seienden und der Homonymie des Guten). Der konkurrierende Ansatz der Stoiker, die die vier K. Substrat (ὑποκείμενον), Qualität (ποιὸν oder ποῖον), Sich-in-bestimmter-Weise-

Verhalten (πὼς ἔχον oder πῶς ἔχον) und Sich-relativ-in-bestimmter-Weise-Verhalten (πρὸς τί πως ἔχον) als »System aufeinanderfolgender Abfragen, denen jedes Wirkliche zu unterziehen sei« [9], herausstellten (vgl. SVF 2, 369–375, und HÜLSER, 4.3.2, fr. 827–873), war nie so erfolgreich wie der aristotelische Ansatz.

C. PS.-ARCHYTAS

Den Erfolg des aristotelischen Ansatzes belegt – nach der Ausg. der aristotelischen Schriften durch Andronikos [4] von Rhodos – die zwischen der Mitte des 1. Jh. v. Chr. und dem 1. Jh. n. Chr. unter dem Namen des Archytas [2] von Tarent verfaßte pseudopythagoreische Schrift Περὶ τῶν καθόλου λόγων (›Über die universellen Begriffe‹). Dabei handelt es sich um eine Version der aristotelischen Kategorienschrift in dor. Dial. sowie um einige Abschnitte der ›Physik‹ (mit Elementen der stoischen Philos.), wobei einige inhaltliche Veränderungen auf neuere Diskussionen der K.-Lehre selbst zurückgehen. In der neuplatonischen Schule ab Iamblichos (4. Jh. n. Chr.) war man im Sinne einer Übereinstimmung zw. Pythagoras, Platon und Aristoteles darüber einig, daß Ps.-Archytas als Quelle der aristotelischen ›Kategorienschrift‹ zu betrachten sei.

D. PLOTINOS, PORPHYRIOS UND NEUPLATONISMUS

→ Plotinos (3. Jh. n. Chr.) schrieb seine drei Schriften ›Über die Gattungen des Seienden‹ (Enneaden 6,1–3 = Schriften 42–44 der chronologischen Reihenfolge) gegen Aristoteles, aber auch gegen die Stoiker. An den aristotelischen K. kritisiert er, daß sie uneinheitlich und deshalb keine wirklichen Gattungen seien und daß sie nicht adäquat auf die intelligible Welt angewandt werden könnten. Er reduziert sie auf fünf Gattungen (Substanz, Quantität, Qualität, Relation und Bewegung) und fügt stattdessen die fünf »größten Gattungen« (μέγιστα γένη) aus Platons ›Sophistes‹ (254d 4–255a 2 ff.), die er ontologisch deutet, als Gattungen des Intelligiblen hinzu. Gegen Plotinos' Kritik an den aristotelischen K. wandte sich → Porphyrios, der in den 270er Jahren n. Chr. auf Sizilien das ›Organon‹ kommentierte und die ›Isagoge‹ sowie zwei Komm. zur ›Kategorienschrift‹ verfaßte (einen kleinen Komm. in Frage- und Antwortform, CAG 4,1, und einen großen Komm. ›An Gedalios‹, von dem wir durch Dexippos und Simplikios wissen). Porphyrios, der auf die peripatetische Komm.-Trad. (Boethos [4] von Sidon, Herminos, Alexandros [26] von Aphrodisias u.a.) zurückgriff, versuchte die Aporien des Plotinos zu lösen und diesen mit Aristoteles in Übereinstimmung zu bringen; damit stand er am Beginn der gegen Plotinos gewandten und auf Harmonisierung zielenden ›Kategorien‹-Deutung des späteren Neuplatonismus. In dieser Perspektive bot Aristoteles nun eine Propädeutik zur Philos. Platons; die ›Kategorien‹, der im Unterricht noch die ›Isagoge‹ des Porphyrios vorausging, machten den Anfang bei der Logik, die zusammen mit ›De interpretatione‹ (Hermeneutik) und den ›Analytika‹ (sowie den ›Topika‹ und den ›Sophistischen Widerlegungen‹) das Werkzeug (ὄργανον/ *órganon*) der Wiss. bildete.

Die K. sind die ersten Terme, die die Bildung des Aussagesatzes (ἀποφαντικὸς λόγος), also der Prämisse (πρότασις), des Syllogismus und des apodiktischen Syllogismus, ermöglichen. Im Curriculum der neuplatonischen Schulen von Alexandreia und Athen im 5. und 6. Jh. n. Chr. nahmen die aristotelischen ›Kategorien‹, die während der gesamten Ant. mit großem Eifer gelesen wurden (vgl. den Überblick bei Simpl. in Aristot. Cat. p. 1,3–3,17 KALBFLEISCH), eine außerordentlich wichtige Stelle ein. Zahlreiche griech. Komm. (publiziert in den CAG) sind vollständig erh.; der zu Beginn des 6. Jh. n. Chr. verfaßte lat. Komm. des Boethius (PL 64, 159 A 1 f.) übermittelte die neuplatonische Lehre dem MA. Diese war von Porphyrios und → Iamblichos [2] entwickelt worden und wurde in den Schulen des 4.–6. Jh. n. Chr. einheitlich gelehrt (Dexippos [4], Ammonios [12], Iohannes Philoponos, Simplikios, Olympiodoros und David [Elias]). Sie prägte noch den anon. Autor der um 900 von Arethas kopierten Scholien des Cod. Vaticanus Urbinas Graecus 35 (ed. M. SHARE, 1994). In Übereinstimmung mit der Bestimmung des *skopós* (»Objekt, Ziel«) der ›Kategorien‹ sind die K. solche Wörter, die im Rahmen der Bed. sowie in der (durch die im Körper befindliche Einzelseele geäußerten) menschlichen Sprache die »ersten« und einfachsten sind. Diese Wörter bezeichnen die ersten und einfachen Gegenstände (die universellsten transzendenten Gattungen, τὰ γενικώτατα γένη) mittels ebenfalls erster und einfacher Begriffe in der Seele, die in der neuplatonischen Sprachwiss. den »Bedeutungen« entsprechen und bei denen es sich um universelle Begriffe handelt.

Das Dreierverhältnis von Wörtern, Begriffen und Gegenständen, wie es auch aus dem Beginn von Aristoteles' ›De interpretatione‹ (16a 3–18) hervorgeht und das Boethius in seinem Komm. der ma. Philos. übermittelt, spiegelt in ontologischer Hinsicht eine transzendente Vereinigung von Gegenständen und ihren Begriffen im göttlichen Intellekt wider (Aristoteles-Interpretation, z. B. in Aristot. an. 3,4,430a 3–5; vgl. Simpl. in Aristot. Cat. p. 12,13 ff. KALBFLEISCH). Diese ersten bezeichnenden Wörter sind bei einer »ersten Setzung« (πρώτη θέσις) der Sprache als Wortschatz entstanden; dieser folgte eine »zweite Setzung«, bei der alle zur Bildung komplexer Sätze (folglich auch der Wiss.) notwendigen sprachlichen Elemente sowie metasprachliche Bezeichnungen (die Wortarten) entstanden. Mit dieser Lehre versuchten die Neuplatoniker den Platon des ›Kratylos‹ mit dem Aristoteles des ›De interpretatione‹, den Ansatz des φύσει (»von Natur aus«) mit dem des θέσει (»durch menschliche Setzung«) zu verbinden (Ammonios in De interpretatione p. 34,15–41,11 BUSSE).

1 [F.]A. TRENDELENBURG, Gesch. der Kategorienlehre. Zwei Abh., 1846 2 P. AUBENQUE, Le problème de l'être chez Aristote, ³1972 3 Ders. (Hrsg.), Concepts et catégories dans la pensée antique, 1980 4 TH.A. SZLEZÁK, Pseudo-Archytas über die K. (Peripatoi 4), 1972 5 MORAUX 5–6, 1973–1984 6 CL. IMBERT, Pour une réinterpretation des catégories stoïciennes, in: H. JOLY (Hrsg.), Philos. du langage et grammaire dans l' Antiquité, 1986, 263–285 7 CHR. EVANGELIOU, Aristotle's Categories and Porphyry (Philosophia antiqua 48), 1988 8 I. HADOT et al., Simplicius. Commentaire sur les »Catégories«, fasc. I et III (Philosophia antiqua 50–51), 1990 9 FR. ILDEFONSE, La naissance de la grammaire dans l' Antiquité grecque, 1997. PH. H./Ü: S. P.

Kategoros (κατήγορος). In Athen »Ankläger«. Das öffentliche Strafrecht beruhte dort auf dem Prinzip der Popularklage (→ graphē), eigene Anklagebehörden gab es nicht. Gleichwohl konnte in Fällen, die den Staat selbst unmittelbar gefährdeten, der Rat oder die Volksversammlung Bürger bestimmen, welche die Interessen des Staates vertraten, ohne selbst Amtsträger zu sein: sie wurden k., häufiger noch → synēgoros (»Anwalt«) genannt (Vertretung der Demen: Aristot. Ath. pol. 42,1; IG II² 1196; 1205). Die Volksversammlung konnte in solchen Fällen dem → Areios pagos die Untersuchung übertragen, auf dessen Bericht (*apóphasis*) hin sie wiederum k. einsetzte. Auch um eine → eisangelía zu betreiben, wurden bisweilen die Ankläger und die Anklageschrift vom Rat festgelegt. Im röm. Ägypten gab es k. vor allem für öffentliche Gelder.

BUSOLT/SWOBODA 2, 967 • TAUBENSCHLAG, 467, 548 f.

G. T.

Katene (*catena*; συναγωγὴ/συλλογὴ ἐξηγήσεων; »Kette«). K. meint die florilegistisch aneinandergereihte, fortlaufende Kommentierung biblischer Schriften unterschiedlichen Umfangs. Dabei können die Auslegungen eines oder mehrerer Kirchenväter redaktionell durch den Kompilator überarbeitet werden und den Bezug zum urspr. Exzerpt verlieren.
→ Florilegium; Scholia

U. und D. HAGEDORN, Die älteren griech. Katenen zum Buch Hiob Bd. 1 (Patristische Texte und Stud. 40), 1994.

K. SA.

Katenechyrasia (κατενεχυρασία). Vom Faustpfand (ἐνέχυρον/*enéchyron*, → Hypotheke [1] A) abgeleitet, wurde die in der Regel vom Gläubiger privat durchzuführende Zwangsvollstreckung k., häufiger jedoch → enechyrasía genannt. Die gängigste Bezeichnung war allerdings → *práxis* (selten → *eispráxis*). Im griech. Bereich fand die Zwangsvollstreckung stets durch Beschlagnahme und Verkauf einzelner Vermögensstücke des Schuldners statt, nie in das Gesamtvermögen, jedoch (bes. in Ägypten) auch gegen die Person. Während in den Poleis der Gläubiger privat einzuschreiten hatte, mußte er in Ägypten die Hilfe der Behörden in Anspruch nehmen. Titel waren gerichtliches Urteil und vollstreckbare Urkunde. Die in den Papyri übliche Praxis-Klausel καθάπερ ἐκ δίκης (*kathráper ek díkēs*, ›wie nach einem Gerichtsurteil‹) gestattete allerdings nach neuerer Auffassung [4. 147] nicht die sofortige private Vollstreckung, vielmehr war auch hier der Gläubiger auf die Behörde angewiesen. Details der Zwangsvollstreckung für den gesamten griech. Bereich sind bei [1] und [2] zusammengetragen, überholt allerdings für Athen [3] und Ägypten [4; 5].

1 E. WEISS, s. v. K., RE 10, 2495–2512 2 Ders., s. v. Exekution, RE Suppl. 6, 56–64 3 A. R. W. HARRISON, The Law of Athens 2, 1971, 185–190 4 H.-A. RUPPRECHT, Einführung in die Papyruskunde, 1994, 147–151 5 Ders., Zwangsvollstreckung und dingliche Sicherung in den Papyri, in: Symposion 1995, 1997, 291–302.   G. T.

Katengyan (κατεγγυᾶν). »Vom Beklagten für dessen Erscheinen vor Gericht Bürgen fordern«. In Athen war das in Privatprozessen gegen Nichtbürger möglich (Demosth. or. 32,29; Isokr. or. 17,12; Lys. 23,9), die vor dem *árchōn polémarchos* anzubringen waren. Andernfalls wurde der Beklagte in Haft genommen. Bürgern drohte Entsprechendes in Verfahren, die mit → *apagōgḗ*, *ephḗgēsis* (Aufforderung an einen Magistrat zur Festnahme eines Delinquenten) oder → *éndeixis* eingeleitet waren. Im Freiheitsprozeß konnte derjenige, der die umstrittene Person als Sklaven beanspruchte, vom Gegner, der für die Freiheit eintrat, durch *k.* Bürgen verlangen (→ *exhairéseōs díkē*). Auch schlichte Beschlagnahme von Sachen wurde *k.* genannt (Demosth. or. 23,11).

J. PARTSCH, Griech. Bürgschaftsrecht 1, 1909, 66, 90 · A. R. W. HARRISON, The Law of Athens 1, 1969, 273 und 2, 1971, 11, 87.   G. T.

Katepanat. Da Süditalien vor der normannischen Eroberung von einem Katepano (byz., meist mil. Titel, von κατ' ἐπάνω, belegt seit dem 9. Jh. n. Chr.) verwaltet wurde, bezeichneten die Normannen nach der Eroberung die ehemals byz. Gebiete als K. (*capitanata*). Dieser Begriff deckt sich daher z. T. mit → Magna Graecia.

ODB, s. v. Katepano.   J. N.

Kathaioi (Καθαῖοι). Indisches Volk im Pandschab entweder östl. des → Hydraotes oder zw. → Hydaspes und → Akesines [2], von Alexander d. Gr. unterworfen (Arr. an. 5,22; Diod. 17,91,2; Curt. u. a.); vielleicht zu identifizieren mit altindisch *Kāthaka* (belegt als vedische Schule, wie auch die Kambistholoi und Madyandinoi). Ihre Sitten (Witwenverbrennung, Brautwahl, das Tragen von Schmuck und hohes Ansehen der körperlichen Schönheit) wurden von Onesikritos (fr. 34 bei Strab.) beschrieben, der auch berichtet, daß es in ihrem Land viele Metalle gab, die sie aber nicht zu verwerten verstanden. Sie waren Nachbarn des Königs → Sopeithes.

             K. K.

Katharsis (ἡ κάθαρσις). Allg. bedeutet K., abgeleitet von καθαίρειν (*kathaírein*, »reinigen«), jede Art von Reinigung und Beseitigung von sichtbarer (Schmutz) wie unsichtbarer Unreinheit (rel. Besudelung: *míasma*, vgl. Hdt. 1,35; Aristot. poet. 17,1455b 15). In der 2. H. des 5. Jh. v. Chr. wurde der Begriff als med. t. t. für die Entfernung von schädlichen Stoffen aus dem menschlichen Körper oder der Seele verwendet (LSJ, s. v. κ. II). Die kult.-rituelle und med.-psychologische Bed. fließen zusammen in dem in der Forsch. seit je kontrovers diskutierten K.-Begriff des → Aristoteles. In Aristot. pol. 8,1341b 32 ff. – einer textkritisch umstrittenen Passage – unterscheidet dieser unter didaktischen Gesichtspunkten ethische, enthusiastische und praktische Melodien. Während die ethischen Melodien der Erziehung der Bürger dienen können, sind die enthusiastischen und praktischen zum bloßen Zuhören gedacht und der Reinigung (K.) oder dem Zeitvertreib zugeordnet; die enthusiastischen versetzen den Rezipienten in einen Rauschzustand und können wie bei einer med.-psychotherapeutischen Kur zur K. (Abfuhr) von überschüssigen Affekten (wie Furcht, Mitleid, Begeisterung) und zu einer lustvollen Erleichterung führen. Die therapeutische Wirkung von Musik und Tanz ist für den Kult (vgl. Aristoph. Vesp. 8: Korybanten) und bei den Pythagoreern (vgl. Aristoxenos fr. 26 WEHRLI) bezeugt. Der Hinweis in Aristot. pol. 8,1341b 38–40 auf eine ausführlichere Behandlung und Def. von K. wird in seiner ›Poetik‹ nicht eingelöst. In poet. 6,1449b 24–28 bezeichnet Aristoteles K. als die Wirkung der Trag.: Die Darstellung einer ernsten und vollständigen Handlung führt durch die Erweckung von »Furcht und Mitleid« (ἔλεος καὶ φόβος, *éleos kai phóbos*), nicht »Jammer und Schauder« [1; 2], beim Rezipienten zu einer Reinigung von eben diesen Affekten. Dieses Wirkungsziel ist in erster Linie nicht als intellektuelle Leistung oder moralische Erbauung zu verstehen, sondern ist die durch Furcht und Mitleid erweckende Handlung hervorgerufene spezifische Lust (οἰκεία ἡδονή, *oikeía hēdonḗ*) der Trag.

In der neuzeitlichen Rezeption der aristotelischen ›Poetik‹ seit der Renaissance spielte der K.-Begriff eine herausragende Rolle. Die it. Aristoteles-Kommentatoren und Herausgeber wie VETTORI, PICCOLOMINI, ROBERTELLO, MAGGI und CASTELVETRO versuchten, in K. das »Nützliche« (*utile*) von Hor. ars 343 f. zu sehen, und fanden darin eine didaktisch-moralische Wirkung – eine Interpretation, die sich in der frz. Klassik (RACINE, CORNEILLE) fortsetzte. Für die dt.-sprachige Lit. und Theorie war LESSINGS ›Hamburgische Dramaturgie‹ (74.–78. Stück) von Bedeutung, in der K. als »moralischen Endzweck« der Trag. verstanden wird, wobei der Rezipient von Furcht (d. h. ›das auf uns selbst bezogene Mitleid‹) und Mitleid derart gereinigt wird, daß eine ›Verwandlung der Leidenschaften in tugendhafte Fertigkeiten‹ (78. Stück) die Folge ist. Erst J. BERNAYS (1857) leitete den Blick darauf, daß hinter der K.-Konzeption des Aristoteles nicht eine Kultivierung der Affekte in moralischer Absicht, sondern eine befreiende Abfuhr in med.-psychotherapeutischem Sinn zu sehen ist – eine Position, die von W. SCHADEWALDT ausgebaut wurde (Furcht und Mitleid als die »Elementaraffekte« Schauder und Jammer). Die gegenwärtige Diskussion bewegt sich zwischen den Polen psychotherapeutischer, moralisch-intellektueller und hedonistischer Deutung des K.-Begriffs.

→ Aristoteles [6]; Musik; Tragödie; TRAGÖDIE

1 W. SCHADEWALDT, Furcht und Mitleid? in: Hermes 83, 1955, 129–171 2 M. FUHRMANN, Aristoteles, Poetik, 1982, 19.

J. BERNAYS, Grundzüge der verlorenen Abh. des Aristoteles über Wirkung der Trag., 1857 · H. FLASHAR, Die med. Grundlagen der Lehre von der Wirkung der Dichtung in der griech. Poetik, in: Hermes 84, 1956, 12–48 = M. KRAUS (Hrsg.), Eidola, 1989, 109–145 · M. FUHRMANN, Die Dichtungstheorie der Ant., 1992, 109f. · S. HALLIWELL, Aristotle's Poetics, 1986, 168ff., 286ff. · M. HEATH, The Poetics of Greek Tragedy, 1987 · D. W. LUCAS, Aristotle. Poetics, 1968, 273ff. · A. ZIERL, Affekte in der Tragödie, 1994, 72ff. B. Z.

Kathartik A. EINLEITUNG B. RELIGIÖS C. PHILOSOPHISCH D. MEDIZINISCH E. MUSIKALISCH F. TRAGÖDIE (LITERARISCH)

A. EINLEITUNG

Reinigung von Befleckung/Unreinheit (griech. *kátharsis, katharmós*) läßt sich als Strategie zur Bewältigung von Unheil verstehen [5. 149–155]. Im griech. Kulturbereich entwickelt sich solche K. aus dem Kontakt mit dem Alten Orient [6. 55–64].   T. H.

B. RELIGIÖS
1. ALTER ORIENT UND ÄGYPTEN
2. GRIECHENLAND 3. ROM 4. IN MYSTERIEN

1. ALTER ORIENT UND ÄGYPTEN

Die altoriental. Kulturen zeigen trotz einiger allg., weiter verbreiteter Gemeinsamkeiten Unterschiede darin, welche Formen von Unreinheit besonders beachtet und wie sie entfernt wurden.

In Mesopot. beruht Unreinheit auf dem Verletzen von Ordnung und Tabus, kann sich in Omina (z. B. Mondfinsternissen) ankündigen und in Krankheiten äußern. Körperliche, insbesondere sexuelle Unreinheit, Blut und Tod spielen ebenso wie Speisevorschriften in den Texten eine erstaunlich geringe Rolle. Die Reinigung durch den Fachmann (*āšipu*) gilt dem Patienten, zuerst dem König, weiterhin z. B. dem Haus oder Kultgerät. Wichtigste Materie der K. ist Wasser für Waschungen, oft mit Zutaten (z. B. Silber, Gold) versehen; als Pflanze zuerst Tamariske, auch »Seifenkraut«; unterstützend Feuer (Fackel) und Rauch (mit Duftstoffen; Räucherständer); zudem Abreiben mit Teig oder Mehl; Salben des Körpers; Rasur, Ablegen der alten Kleider usw. Beschwörungen (→ Magie) werden rezitiert, Opfer dargebracht, auch symbolische Handlungen (z. B. Auflösen eines Fadens) durchgeführt. Die abgelösten, abgestreiften Verunreinigungen werden entfernt (deponiert, verbrannt, einem Substitut, etwa einer Figurine oder einem Opfertier, mitgegeben). Kathartische Riten finden meist im Freien oder in eigenen Gebäuden (»Badehaus«) in der Regel zu Sonnenaufgang statt. Die für den Kult erforderliche Reinheit bedingt Waschungen (Hände) und Anlegen eines weißen Gewandes.

Im Hethit. sind den Körper betreffende Reinigungsriten etwas besser bezeugt. Neben dem Waschen besonders auch für den Tempeldienst und dem Abbürsten und Abreiben erfolgt Reinigung durch Durchschreiten, etwa von Dornsträuchern.

Wasser, Räucherwerk und Öle oder Salben sind auch in Äg. belegt, zudem Natron (auch als zu kauendes) Reinigungsmittel. Äußere Zeichen kult. Reinheit, die auch ethisch reines Handeln voraussetzt, sind ein weißes Gewand oder Goldverkleidung für Kultstätten und -gerät. Neben (Hand-)Waschungen und Rasur sind Speisevorschriften und die Sitte der Beschneidung hervorzuheben. Kult. Reinigung erfolgt beim Eintreten in den Königspalast oder Tempel im sog. »Morgenhaus« sowie vor dem Betreten einer Grabstätte; die Mumie wird in ein Reinigungszelt gebracht.

Im AT überliefert v. a. Lv 11–15 Reinheitsgebote, darunter Speisevorschriften, sowie Waschungen oder seltener Opfer, insbesondere bei körperlich-sexueller Unreinheit.

R. GRIESHAMMER, s. v. Reinheit, kult., LÄ 5, 212f. · V. HAAS, Gesch. der hethit. Rel., 1994 · S. MAUL, Zukunftsbewältigung, 1994.   WA. SA. u. HE. FE.

2. GRIECHENLAND

Nach griech. Vorstellung war Befleckung/Unreinheit eine Störung rel. und gesellschaftlicher Ordnung, aber auch dem menschl., bes. dem weibl. Körper inhärent. In der Opposition Rein/Unrein stellte sich die kategorische Trennung Gott/Mensch dar; aber auch Götter konnten sich verunreinigen (z. B. Apollon). Als bes. befleckend/unrein empfunden wurden Blutschuld, Tod, Geburt, Menstruation, Geschlechtsverkehr, Krankheit (bes. Epidemien, Wahnsinn), Inzest, Kannibalismus und Entweihungen des göttl. Bereichs. Zur Bezeichnung von »Befleckung/Unreinheit« benutzte das Griech. v. a. *míasma, mýsos, ágos* usw., zur Bezeichnung von »Reinheit/Reinigung« umfassend v. a. *katharós* (»rein«), *kathaírein* (»reinigen«), *katharmós*, *kátharsis* (»Reinigung«) usw. (etym. von idg. **g^hed^h*-, **g^hod^h*- »zusammenpassen« [8], alternativ von semit. *qtr* »räuchern, bes. im Kult« [1. 77]), rel. auch die Adjektive *hierós, hósios, hágios, hagnós* und Ableitungen.

In schwerwiegenden Fällen wurden meist von Priestern (speziellen Reinigungspriestern, *kathartaí*; → Melampus, → Epimenides) kathartische → Opfer und Rituale durchgeführt, bei Blutschuld Blutopfer (Kritik daran schon Herakleitos 22 B5 DK; in klassischer Zeit ist Mord-K. in die Rechtsprechung eingebunden). Verstrichene Zeit hatte obliterierenden Effekt. Regelmäßige Reinigung fand vor Opfer und Gebet statt, beim Betreten des Heiligtums, als Reinigung von Götterbildern, von Tempel, Temenos (→ Plynteria) und öffentl. Raum (Volksversammlung, Agora, Polis; → *pharmakós*). Kathartische Vorschriften, gegenüber Priestern und Frauen bes. anspruchsvoll, wurden in Sakralgesetzen festgehalten (z. B. Selinunt, um 460 v. Chr. [2]; Kyrene, E. 4. Jh. v. Chr.). An Techniken sind v. a. Waschen, Besprengen, Räuchern, Verbrennen, an Mitteln Wasser, Blut, Schwefel, → Feuer, Salz, Nieswurz und Meerzwiebel zu erwähnen. Götter der Reinigung waren → Zeus Katharsios und → Apollon (B.4).

3. ROM

In der röm. Religion scheint K. eine geringere Rolle als in der griech. gespielt zu haben: s. dazu → Lustratio.

4. IN MYSTERIEN

In eschatologischen → Mysterien erhielt rituelle K. durch Orientierung auf jenseitige Glückseligkeit neue Bed. In den → Eleusinia bereiteten Bad im Meer, Fasten und Waschungen auf die Initiation vor, der weitere kathartische Riten unmittelbar vorangingen (Ferkelopfer, Getreideschwinge, Fackel; → Mysteria). Wahrscheinlich haben sich schon orphische Vorstellungen mit ritueller K. verbunden, wenn es heißt, daß Uneingeweihte verdammt waren, in der Unterwelt im Schlamm zu liegen (vgl. das Einschmieren mit Schlamm im Meterund Sabazioskult [7. 103–107]), daß Eingeweihte hingegen Teilnahme am »Gelage der Reinen« erhoffen konnten (*sympósion tōn hosíōn*: Plat. rep. 363cd). Orphischer K. (→ Orphik, Orphische Dichtung) liegt wohl ein Mythos vom befleckten Ursprung der Menschen als Nachfahren der Titanen zugrunde, die → Dionysos ermordet hatten (OF 220). Sie war jedenfalls dazu bestimmt, individuelle Schuld abzutragen (Plat. Krat. 400c; rep. 364be; Aristot. fr. 60 ROSE). In den orphischbakchischen Mysterien diente das Erleiden von Furcht und Schrecken wie auch von Schlägen der Reinigung der Seele; kathartischen Gebrauch von Musik und Tanz kennt hier noch Arist. Quint. 3,25. Auf Goldlamellen, die wohl als Totenpässe fungierten, kündigen sich initiierte Seelen im Jenseits an: ›Ich komme als Reine von Reinen‹ (A1–3.5 ZUNTZ; → Orphicae Lamellae). Inwieweit die Lebensregeln der Pythagoreer kathartisch zu verstehen sind, bleibt unklar; der ihnen nahestehende → Empedokles [1] spricht in den *Katharmoí* jedoch ebenfalls von einer alten Blutschuld (31 B115, 136–137 DK).

C. PHILOSOPHISCH

In freiem Anschluß an orphische Vorstellungen hatte Platon eine philos. K. gestaltet, die auf Trennung der Seele vom Körper abzielt, um im Jenseits »einen reineren Ort sehen« zu können (Plat. *Phaidon*; K. als »Scheidekunst«, *diakritikḗ*, im *Sophistes*). Im Anschluß an den *Phaidon* bildet der → Neuplatonismus Katharsis zur ersten Stufe des Aufstiegs der Seele zur Erkenntnis des Einen aus. Die Stoa verstand die *ekpýrōsis* (»Weltbrand«, → Stoizismus) als Katharsis (SVF II 598), Freiheit von Affekten als Reinheit (Epikt. 2,18,19).

D. MEDIZINISCH

In Konkurrenz zur Priestermedizin (Hippokr. *De morbo sacro*) entwickelte die Schule des → Hippokrates [6], ohne rel. Metaphorik zu vermeiden, eine kathartische Medizin. Störungen der natürl. K., v.a. Überschuß der vier Säfte Blut, Schleim, schwarze und gelbe Galle und anderer physiologischer Stoffe sowie der vier Qualitäten Warm, Kalt, Feucht, Trocken (auch als Korrelate von Affekten) wurden v.a. durch Verabreichung von *phármaka* behandelt (*kathartiká*, *purgativa*), die die *materia peccans* (den »schädlichen Stoff«) hinaustragen sollten. Prophylaktisch wurde u.a. auf Reinheit von Umwelt und Klima geachtet (Hippokr. *De aere, aquis, locis*). Den Priestern vergleichbar, verpflichtete sich der Arzt zu »reiner« Lebensführung und Berufsausübung (*hagnôs kai hosíōs*: Hippokr. Iusiurandum 17–18 EDELSTEIN).

E. MUSIKALISCH

Die Zuschreibung einer Reinigung der Seele durch Musik an Pythagoras bzw. frühe Pythagoreer durch Aristoxenos (fr. 26 WEHRLI² und Iambl. v.P. 110–111, 114) bleibt umstritten. Kathartisch aufgefaßt wird jedoch Flötenspiel im Korybantenkult (schol. Aristoph. Vesp. 119). Aristoteles unterscheidet neben Bildung und Entspannung einen kathartischen Zweck von Musik, ohne den Begriff wie angekündigt zu erklären (Aristot. pol. 8,7), während Theophrastos das Wesen der Musik als ›Bewegung der Seele analog zur Befreiung (*apólysis*) von den schädlichen Auswirkungen der Affekte‹ definiert (fr. 716 FORTENBAUGH).

F. TRAGÖDIE (LITERARISCH)

→ Katharsis.

1 W. BURKERT, Lešepfiguren, Apollon von Amyklai und die »Erfindung« des Opfers auf Cypern, in: Grazer Beitr. 4, 1975, 77 2 M.H. JAMESON, D.R. JORDAN, R.D. KOTANSKY, A Lex Sacra from Selinous, 1993 3 K. ALBERT, s.v. Katharsis, TRE 18, 35–37 4 A. BENDLIN, s.v. Reinheit/Unreinheit, HrwG 4, 412–416 5 W. BURKERT, Kulte des Altertums, 1998 6 Ders., The Orientalizing Revolution, 1992 (dt. 1984) 7 F. GRAF, Eleusis und die orph. Dichtung Athens in vorhell. Zeit, 1974, 79–150 8 CH. LICHTENTHAELER, Der magische Hintergrund der hippokratischen Materia peccans in den Epidemienbüchern III und I, in: G. BAADER, R. WINAU (Hrsg.), Die hippokratischen Epidemien, 1989, 109–116 9 G. NEUMANN, καθαρός »rein« und seine Sippe in den ältesten griech. Texten, in: H. FRONING (Hrsg.), Kotinos. FS für E. Simon, 1992, 71–75 10 R. PARKER, Miasma. Pollution and Purification in Early Greek Rel., ²1996 (1983; grundlegend) 11 H. VON STADEN, Character and Competence, in: H. FLASHAR, J. JOUANNA (Hrsg.), Médecine et morale dans l'Antiquité (Entretiens 43), 1996, 157–195. T.H.

Katholikos (καθολικός). Im frühen 4. Jh. n. Chr. Bezeichnung des Finanzaufsehers einer Reichsdiözese, später nur noch im kirchl. Sinne gebraucht: im byz. Bereich für einen Abt über mehrere Klöster, im christl. Orient für Bischöfe und vor allem kirchl. Oberhäupter ganzer Länder (Armenien, Georgien). ODB 2, 1116.

F.T.

Katoikos (κάτοικος). K. (Pl.: *kátoikoi*) bezeichnet häufig den bzw. die »Einwohner« (z.B. [Aristot.] oec. 2, 1352a 33; WELLES 47). In hell. Zeit entwickelte sich *k.* zum Fachausdruck für – früher → *klērúchoi* genannte – Bürger, denen Landstücke in Kolonien zugewiesen worden waren, damit sie dort ggf. für den mil. Dienst verfügbar waren. Der Ausdruck findet sich zum ersten

Mal in der Verwendung *kátoikoi híppeis* in Äg. im J. 257 v.Chr. (PMich. 1, 9, 6–7).

Katoikíai (Siedlungen von *k*.) sind v.a. bezeugt in Äg. (z.B. PTeb(t). 30,7; Corpus des Ordonnances des Ptolemées 71) und im westl. Kleinasien (z.B. Pergamon: WELLES 16; 51; Magnesia am Sipylos: OGIS 229).

→ Kleruchoi [2]

1 G.M. COHEN, The Seleucid Colonies, 1978 2 E.V. HANSEN, The Attalids of Pergamon, ²1971 3 F.UEBEL, Die Kleruchen Ägyptens unter den ersten sechs Ptolemäern, 1968. P.J.R.

Katoptai (κατόπται, »Beobachter«, »Prüfer«). K. wurde als Titel in Boiotien allgemein zur Bezeichnung eines Gremiums benutzt, das die Abrechnungen von Beamten kontrollierte, und zwar sowohl im Boiotischen Bund (→ Boiotia mit Karte; vgl. den Hinweis auf den *katoptikós nómos*, IG VII 3073 = Syll.³ 972, 88) wie auch in den einzelnen Städten (z.B. Akraiphia: IG VII 4131; Orchomenos: IG VII 3171–73); nach IG VII 3202 hatte Orchomenos zwei *k*. Die *k*. waren auch für öffentl. Arbeiten zuständig (etwa Oropos: IG VII 303, 22; Akraiphia: IG VII 3073). Die Stadt Thisbe beschäftigte einen einzigen *epimelétés* (zuständigen Beamten; IG VII 4139). P.J.R.

Katoptromanteia s. Divination

Katoptron s. Spiegel

Katreus (Κατρεύς). Sohn von → Minos und Pasiphae, Eponym der kret. Stadt Katre; er wird von seinem Sohn → Althaimenes getötet, obwohl dieser vor dem durch ein Orakel gewarnten Vater nach Rhodos geflohen war (Apollod. 3,12–16); als sein Enkel → Menelaos an seinem Begräbnis teilnimmt, entführt Paris Helene (ebd. 3,3). F.G.

Kattabaneis s. Qatabān

Kattigara (Καττίγαρα). Erst von Ptol. (1,11,1; 17,4; 23) und Marcianus von Herakleia (1,46, GGM I, p. 538) erwähnter Hafenplatz SO-Asiens; ein ὅρμος τῶν Σινῶν (»Hafen der Sinai«). Der Name der Σῖναι (*Sínai*) weist K. in den Bereich des Golfs von Tonking, des an. Μέγας κόλπος (*Mégas kólpos*) [1] oder Σινῶν κόλπος (*Sinón kólpos*) [2], wie ihn Marcianus selbst und auch Ptol. 7,3,3 nennen. Er bildete die Süd-Grenze der *Sínai* und bedeutete nach ant. Vorstellung um 200 n.Chr. das östl. Ende der → *Oikuméné*. In diesem Bereich kann nur das h. Hanoi an der Mündung des Song-koi für das alte K. in Frage kommen. Nach F. VON RICHTHOFEN entspricht es dem alten Kiau-tschi (von Marco Polo Kau-tscheh gen.; [3. 46f.]). Nach späteren chinesischen Berichten (7.–10. Jh. n.Chr.) nahmen alle Könige der Süd-Meere, die seit der Han-Zeit kamen, um dem Kaiser ihre Verehrung zu erweisen, ihren Weg über Kiau-tschi/Hanoi. Äg. Seefahrer in röm. Dienst drangen E. 2. Jh.n.Chr. bis K. vor, das den Mittelpunkt eines ausgedehnten Handels bildete, dessen Hauptträger wohl die Sabäer (→ Saba) des südl. Arabiens waren.

Trotz der späten Erwähnung von K. in der griech.-röm. Lit. muß es schon lange vorher entdeckt worden sein, und zwar durch die weiten Fahrten der Araber und der seetüchtigen Bewohner von → Taprobane (Ceylon) bis Ost-Asien. Dem → Nearchos wurden nach seinem Bericht bei Strab. 15,693 die Seidenstoffe erstmalig über den Seeweg bekannt (→ Seidenstraße).

Als sicher kann die Identifizierung von K. mit Hanoi nicht gelten. Weiter nördl., wenn auch außerhalb des *Mégas kólpos*, erfüllt das am Fluß Sikiang gelegene Kanton (Kwang-tung) alle Bedingungen für einen guten Handelshafen, und Araber und Perser sind jedenfalls im 3. Jh.n.Chr. bis dahin gekommen, weshalb es, zumal bei der wenig durchsichtigen Topographie SO- und Ost-Asiens, bisweilen für K. in Anspruch genommen worden ist [4]. Ausscheiden muß eine Lokalisierung von K. an der Mekong-Mündung.

1 H. TREIDLER, s.v. Μέγας κόλπος, RE Suppl. 10, 385f. 2 A. HERRMANN, s.v. Sinai (1), RE 3A, 221 3 Ders., s.v. K., RE 11, 46–51 4 OCD¹, 175.

A. FORBIGER, Hdb. der alten Geogr. 2, 1962, 479. B.B. u.H.T.

Kattiterides (Καττιτερίδες, die »Zinninseln«). Mit K. waren wohl Gebiete und Inseln an den gallischen und südwestbritannischen Atlantikküsten gemeint; K. bezog man aber im allg. auf den britannischen SW und die vorgelagerten Inseln. Die meisten ant. Autoren hatten nur ungenaue Kenntnisse von dieser Gegend. So berichtet Plinius, daß der Grieche Midakritos als erster Zinn von der Insel *Cassiteris* importiert habe (*Midacritus*, Plin. nat. 7,197), ohne genauere top. Angaben zu machen. Hdt. 3,115 bezweifelt die Existenz der Zinn-Inseln überhaupt, wohl weil die Karthager ihre Handelsrouten in den Westen absolut geheim hielten. Ende des 4. Jh. v.Chr. besuchte Pytheas die Zinnlagerstätten von Belerion im britannischen SW und erfuhr von dem Zinn-Handelsplatz auf der Insel *Ictis*. Erst P. Licinius Crassus, wohl der Proconsul in Spanien 96–93 v.Chr., machte die Zinn-Routen richtig bekannt [1]. Nach Strab. (2,5,15; 2,5,30; 3,2,9; 3,5,11) waren es 10 Zinn-Inseln; er beschreibt auch die Zinngewinnung und die dafür zuständigen Einheimischen. Als die Römer in Britannien fest Fuß faßten, war der Name K. nicht mehr gebräuchlich. Es gibt keinen Zweifel daran, daß es die Zinnvorkommen von Devon und Cornwall waren, welche die allg. Aufmerksamkeit auf die Zinn-Inseln gezogen haben, nicht etwa Inseln wie die Scillies und Wight, wo kein Zinn gewonnen wurde [2].
→ Zinn

1 C.F.C. HAWKES, Pytheas, 1977 2 M. TODD, The South-West to AD 1000, 1987, 185–188.

M.CARY, E.H. WARMINGTON, The Ancient Explorers, 1929 · A.L.F. RIVET, C. SMITH, The Place-Names of Roman Britain, 1979, 42f. M.TO./Ü: I.S.

Katze I. Ägypten und Vorderasien
II. Klassisches Altertum

I. Ägypten und Vorderasien

Bes. Bedeutung hatte die K. in Äg., wo sie spätestens seit Beginn des 2. Jt. v. Chr. als Haustier nachweisbar ist; allerdings hat sich ihre Domestizierung bis weit ins 1. Jt. erstreckt. Früher wurde die äg. Haus-K. als Vorläuferin der europ. betrachtet, heute wird deren Ursprung eher in Vorderasien vermutet: In Mesopot. [1] wurde sie erstmals im 17. Jh. v. Chr. als wildes Tier erwähnt; für das 1. Jt. sind Haus-K. dort sicher bezeugt. Ein lit. Text (1. Jt.) nennt eine »indische« K. (šurān Meluḫḫa). Allerdings bezeichnet Meluḫḫa im 1. Jt. v. Chr. Nubien, daher ist vielleicht die nubische Falbkatze gemeint.

In Äg. sind K. seit dem MR bildlich und inschr. (auch als Name) gut bezeugt, ihre Wertschätzung stieg ständig und erreichte im 1. Jt. einen Höhepunkt, wo sie als Haustiere wie auch als hl. Tiere, v. a. der Göttin Bastet, überaus häufig waren und unter bes. Schutz standen (vgl. Diod. 1,83; Hdt. 2,66). Aus dieser Zeit gibt es große Tierfriedhöfe mit K.-Mumien und zahllose Bronzefiguren von K.

1 J. Malek, The Cat in Ancient Egypt, 1993 2 L. Störk, s. v. K., LÄ 3, 367–70.   K.J.-W.

II. Klassisches Altertum

1) Wild-K. (Felis silvestris): Die ersten lit. Zeugnisse für den αἴλουρος/aíluros oder αἰέλορος/aiéloros in der griech. Welt sind Soph. Ichn. 269; Aristoph. Ach. 879; das Tier hat sich erst allmählich aus Afrika (Ägypten und Nubien) nach Europa ausgebreitet. Varro (rust. 3,11,3 und 12,3; vgl. Colum. 8,3,6; 14,9 und 15,1; Babr. 17; Geop. 13,6) kennt den *faelis* ein für Hühnerhöfe, Enten- und Hasenzucht schädliches Raubtier. Aristot. hist. an. 8(9),6,612b 14 f. nennt sie »Vogelfresser« (ὀρνιθοφάγος/ornithophágos) (vgl. Sen. epist. 121). Plin. nat. 10,202 beschreibt ihre Lauerjagd auf Vögel und Mäuse und erklärt das Bedecken ihres Kots mit Erde mit dessen verräterischem Geruch. In der Fabel (Aisop. 7; 16 und 81 Hausrath) gilt sie als hinterlistig und schlau wie der → Fuchs, hat aber oft keinen Jagderfolg. Sie lebt 6 J. (Aristot. hist. an. 6,35,580a 23 f.; Plin. nat. 10,179), hat ebenso viele Junge wie der Hund, und das Männchen begattet stehend das liegende Weibchen (Aristot. hist. an. 5,2,540a 10–13; vgl. Plin. nat. 10,174). Nachts leuchten ihre Augen (Plin. nat. 11,151). Ihre Zunge ist rauh (Plin. nat. 11,172).

2) Die Haus-K. (Felis ocreata domestica): Sie wurde aus Ägypten, wo sie als hl. verehrt wurde (Hdt. 2,66 f.; Diod. 1,83; Cic. Tusc. 5,78; Ov. met. 5,330; Plin. nat. 6,178), nach Europa eingeführt. Mart. 13,69 ist die erste lat. lit. Erwähnung. Pall. agric. 4,9,4 lobt den *cattus* (vgl. Anth. Lat. 181 und 375) als Maulwurfsjäger. Dieser Name ging in die mitteleurop. Sprachen seit der Völkerwanderungszeit ein. Als *murilegus* oder *musio* (Isid. orig. 12,2,38) wird ihr Verhalten als Haustier z. B. bei Thomas von Cantimpré 4,76 [1. 151 f.] eingehend beschrieben.

1 H. Boese (ed.), Thomas Cantimpratensis, Liber de natura rerum, 1973.

V. Hehn, Kulturpflanzen und Haustiere (ed. O Schrader), ⁸1911, Ndr. 1963, 463–476 · Keller Bd. 1, 64–81.   C.HÜ.

Kauf I. Einleitung II. Alter Orient
III. Griechenland und Rom

I. Einleitung

Seit der Überwindung von Vorstellungen, daß die ideale Wirtschaftsform eine autarke, auf keinen Handel angewiesene Produktions- und Konsumeinheit (etwa der homer. *oíkos*) sei, und seit der Erfindung von Zahlungsmitteln – sei es als ungeprägtes Edelmetall, sei es als Münzgeld – ist der K., also der Tausch von Waren gegen Geld, ein selbstverständliches Element ant. Gesellschaften. Trotz seiner vermutlich allg. Verbreitung ist der K. jedoch rechtstechnisch vielfach unterentwickelt: Gesetze und theoret. Schriften widmen ihm wenig Aufmerksamkeit. Aber schon in den Urkunden Mesopotamiens spielt er eine große Rolle.   G.S.

II. Alter Orient

K.-Geschäfte, charakterisiert durch den Austausch eines (Vermögens-)Gegenstandes gegen Zahlung eines Preises, sind in der keilschriftl. Überl. Mesopotamiens seit Anfang des 3. Jt. v. Chr. [1] bis in hell. Zeit (2./1. Jh. v. Chr.) [2. 2–19] bezeugt. Der K. war in der Regel Bar-K. (Leistungsaustausch Zug um Zug), jedoch lassen sich Kredit- und Lieferungs-/Pränumerationskäufe, bei denen Kaufpreiszahlung und Leistung der K.-Sache zeitlich auseinanderfielen, seit altakkad. Zeit (24.–22. Jh. v. Chr.) nachweisen.

Die K.-Urkunde diente dem Käufer als Beweismittel, um Vertragsanfechtungen erfolgreich begegnen zu können; sie hatte also selbst keine konstitutive Wirkung. Die durch Zeugen beglaubigten und mit → Siegel bzw. Fingernagelabdruck (in der Regel des Veräußerers) versehenen K.-Urkunden konnten *ex latere emptoris* oder *ex latere venditoris* (von Seiten des Käufers oder Verkäufers) stilisiert sein und enthielten verschiedene, regional und zeitlich variierende (z. T. fakultative) Schlußklauseln (Klageverzicht, Nichtanfechtungsklausel, Eviktionshaftung, Eid, Strafklauseln). K.-Gegenstand schriftlich fixierter K.-Geschäfte waren v. a. Immobilien (Felder, Haus[-Grundstücke] oder Gärten), Einkommensrechte (Pfründen, Deputate) und Mobilien (Personen, Vieh), nur selten vertretbare Sachen. Für das altbabylon. (18./17. Jh. v. Chr.) → Alalaḫ in Nordsyrien ist zudem der Kauf eines ganzen Ortes bezeugt. Der K.-Preis wurde in Silber und Gerste, seltener in Kupfer, Gold oder Blei angegeben, wobei die Metalle häufig als Wertmaßstab dienten, während in der Praxis mit Naturalien u. a. bezahlt wurde [3. 270–278; 4. 147 f.[16]].

Früheste Kaufrechtsdokumente sind Steinurkunden (sog. Kudurrus) aus der 1. H. des 3. Jt. v. Chr. v. a. aus Südmesopot. Gegen Ende der frühdynast. Zeit (25./24. Jh. v. Chr.) treten die ersten Personenkaufurkunden (aus Girsu) auf (→ Sklaverei). Inwieweit das Fehlen (Ur III-Zeit/21. Jh. v. Chr.) bzw. die geogr. ungleichmäßige Verteilung (altbabylon./20.–16. Jh. v. Chr.) von Feldkaufverträgen auf fehlendes Privateigentum an Feldflur bzw. Restriktionen betr. den Verkauf von Ackerland in der jeweiligen Periode hindeuten, ist umstritten [5. 34–36; 6. 49–67; 7. 295–302]. Das offensichtliche Veräußerungsverbot von Grund und Boden in Arrapḫa/→ Nuzi (15./14. Jh. v. Chr.) umging man durch die sog. Verkaufsadoption [8. 52–66]. Für den mittelassyr. Grundstücks-K. (2. H. 2. Jt. v. Chr.) war das öffentl. Aufgebotsverfahren kennzeichnend [8. 27–36], das wohl auch für die spätbabylon. Zeit (6.–4. Jh. v. Chr.) anzunehmen ist, bevor es in hell. Zeit außer Gebrauch kam [9. 93 f. mit Anm. 273 f.]. Das Abbrechen der Überl. keilschriftl. Sklaven- und Feldkaufverträge nach 272/1 v. Chr. ist wohl auf eine staatlicherseits verfügte Verkaufssteuer für entsprechende Objekte zurückzuführen, da diese die Fixierung derartiger Verträge unter Mitwirkung eines Verwaltungsbeamten in Griech. oder Aram. auf vergänglichen Schriftträgern bedingte [10. 109].

Der K. in Äg., auch von Naturalien und handwerklichen Produkten, ist seit dem AR bezeugt [11. 52–58]. Ostraka aus Deir el-Medineh (NR) bieten das Formular von Kaufpreisquittungen und haben die Veräußerung u. a. von Nahrungsmitteln, Gewändern, Vieh und Grabinventar (Särgen) zum Inhalt. Der Wert dieser Güter wurde v. a. in Kupfer, Getreide und Silber angegeben [12]. Schriftliche Belege für den privaten K. in Äg. vom AR bis zum 4. Jh. v. Chr. liegen allerdings nur in relativ geringer Anzahl vor. Bezogen auf den Immobilienkauf dürfte dies mit den vorherrschenden Eigentumsverhältnissen zusammenhängen, die kaum Raum für entsprechende private Transaktionen ließen. Die demot. Überl. betrifft den K. von Immobilien, Liturgien, Pfründen, Vieh u. a. [13. 370 f.].

→ Ägyptisches Recht; Demotisches Recht; Hethitisches Recht; Keilschriftrechte; Pfandrecht; Sozialstruktur; Wirtschaft

1 I. J. Gelb, P. Steinkeller, R. M. Whiting, Earliest Land Tenure Systems in the Near East, 1989/1991 2 U. Lewenton, Stud. zur keilschriftl. Rechtspraxis Babyloniens in hell. Zeit, 1970 3 M. Müller, Gold, Silber und Blei als Wertmesser in Mesopot. während der zweiten H. des 2. Jt. v. u. Z., in: J. N. Postgate (Hrsg.), FS I. M. Diakonoff, 1982, 270–278 4 H. Petschow, Die Sklavenkaufverträge des šandabakku Enlil-kidinnī von Nippur (I), in: Orientalia 52, 1983, 143–155 5 H. Neumann, Zum Problem des privaten Bodeneigentums in Mesopot. (3. Jt. v. u. Z), in: Jb. für Wirtschaftsgesch. 1987, 29–48 6 J. Renger, Das Privateigentum an der Feldflur in der altbabylon. Zeit, in: Jb. für Wirtschaftsgesch. 1987, 49–67 7 Ders., Institutional, Communal, and Individual Ownership or Possession of Arable Land in Ancient Mesopotamia from the End of the Fourth to the End of the First Mill. B. C., in: Chicago-Kent Law Review 71, 1995, 269–319 8 P. Koschaker, Neue keilschriftl. Rechtsurkunden aus der El-Amarna-Zeit, 1928

9 H. Petschow, Neubabylon. Pfandrecht, 1956 10 J. Oelsner, Kontinuität und Wandel in Gesellschaft und Kultur Babyloniens in hell. Zeit, in: Klio 60, 1978, 101–116 11 J. Renger, Patterns of Non-Institutional Trade and Non-Commercial Exchange in Ancient Mesopotamia at the Beginning of the Second Millenium B. C., in: A. Archi (Hrsg.), Circulation of Goods in Non-Palatial Context in the Ancient Near East, 1984, 31–123 12 J. Jansen, On Prices and Wages in Ancient Egypt, in: Altoriental. Forsch. 15, 1988, 10–23 13 K.-Th. Zauzich, s. v. K.-Urkunden, demot., LÄ 3, 370 f.

B. Kienast, Das altassyr. Kaufvertragsrecht, 1984 · J. Krecher u. a., s. v. K., RLA 5, 490–541 · J. Oelsner, Neu/spätbabylon. und aram. K.-Verträge, in: AOAT 247, 1997, 307–314 · H. Petschow, Die neubabylon. K.-Formulare, 1939 · K. Radner, Die neuassyr. Privatrechtsurkunden als Quelle für Mensch und Umwelt, 1997, 316–356 · M. San Nicolò, Die Schlußklauseln der altbabylon. K.- und Tauschverträge, ²1974 · E. Seidl, Altäg. Recht, in: HbdOr, Erg. Bd. 3, 1964, 1–48, bes. 18 f., 31 · Ders., Äg. Rechtsgesch. der Saiten- und Perserzeit, 1968 · P. Steinkeller, Sale Documents of the Ur-III-Period, 1989 · C. Wilcke, Neue Rechtsurkunden der Altsumer. Zeit, in: ZA 86, 1996, 1–67.   H. N.

III. Griechenland und Rom

Auch im griech. Recht entstanden durch die bloße Verabredung eines Austauschs von Waren gegen Geld noch keine Forderungen und Verpflichtungen. Wie schon nach dem AT konnte jedoch eine Haftung durch eine (Teil-)Vorausleistung, insbes. eine Anzahlung des Käufers, begründet werden (→ árra). Wurde die (Rest-)Leistung nicht erbracht, verfiel die árra dem Empfänger; erbrachte dieser seine Gegenleistung nicht, mußte er im allg. die árra mit einem Strafaufschlag erstatten. Störungen des Käufers durch die Inanspruchnahme des Kaufgegenstandes von seiten des Verkäufers oder Dritter konnten eine Bußklage gegen den Verkäufer (→ bebaíōsis) nach sich ziehen.

Vorbild des modernen kontinentaleurop. K.-Rechts ist der Konsensual-K. des röm. Rechts: Die → emptio venditio ist seit etwa dem 2. Jh v. Chr. ein voll ausgebildeter, durch die bloße Einigung der Parteien begründeter Vertrag mit gegenseitigen Pflichten und einem differenzierten System der Gewährleistung für Rechts- und Sachmängel. Der K.-Vertrag allein führte noch nicht zum Eigentumserwerb an der K.-Sache. Dazu bedurfte es eines zusätzlichen Verfügungsgeschäftes, z. B. der → traditio ex iusta causa oder der → mancipatio, die zugleich die Urform des röm. K. gewesen sein dürfte, ehe sich unter dem Einfluß der vom Fremdenpraetor (→ praetor peregrinus) bes. beachteten bona → fides (II.) die Verbindlichkeit des einfach verabredeten Kaufs durchsetzte.

Auch der dt. Ausdruck »K.« ist dem Lat. entlehnt, jedoch nicht einem lat. Rechtsbegriff, sondern dem Wort caupo, »Gastwirt« (→ Wirtshaus). Bei ihm wurden wohl seit der Völkerwanderungszeit Warentausch und Hökerhandel betrieben.

→ Arra, arrabon; Emptio venditio; One en pistei; Prasis

G. S.

Kaukasa (Καύκασα). Hafenort an der Nordküste von Chios (Hdt. 5,33,1); seine Einwohner werden auf Inschr. *Kaukaseís* gen. (SGDI 5654; SEG 19, 575; *Apollon Kaukaseus* und *Artemis Kaukasis* in Erythrai, Syll.³ 3, 1014a,19f.).

L. BÜRCHNER, s. v. K., RE 6, 2292.　　　H. KAL.

Kaukasiai Pylai (Καυκάσιαι Πύλαι). Paß im → Kaukasos, nur bei Plin. nat. 6,30 erwähnt; identisch mit der h. Georg. Heerstraße, bei Ptol. 5,8,9 als Σαρματικαὶ Πύλαι (*Sarmatikaí Pýlai*) bezeichnet.　　　B. B. u. H. T.

Kaukasien. Das Land zw. Schwarzem und Kaspischem Meer, mit dem Großen → Kaukasos, war seit dem 4. Jt. v. Chr. besiedelt und ist bis h. polyethnisch geprägt. Seit dem späten 3. Jt. wurde K. zu einem Zentrum der → Bronze-Metallurgie für den vorderasiat. Raum; E. 2. Jt. Beginn der → Eisen-Metallurgie. Im 9.–6. Jh. war K. von der Expansion des Reichs von → Urarṭu betroffen; in Nord-K. lebten skythische und sarmatische Stämme (→ Skythai; → Sarmatae). Seit dem 6. Jh. v. Chr. wurde die Pontosküste griech. besiedelt (→ Kolchis). In hell. Zeit kam es zum Aufstieg der Königreiche → Armenia und → Iberia [1]. Mit dem Orientfeldzug des Pompeius 66/65 v. Chr. kam die Region in den röm. Interessenkreis – u. a. wegen ihrer strategischen Position gegen die nördl. Nomaden – und blieb bis zum Ausgang der Ant. Pufferzone zw. Iran und Rom; in Nord-K. fanden seit dem 3. Jh. n. Chr. Völkerbewegungen statt (→ Alanoi, → Goti, → Hunni).

K. PLATT, Armenien, Wiederentdeckung einer Kulturlandschaft (Ausst.-Kat.), 1995 • W. MARKOWIN, R. MUNTSCHAJEW, Kunst und Kultur im Nordkaukasus, 1988.　　　A. P.-L.

Kaukasische Sprachen. Die (mit Ausnahme des → Georgischen erst in der Neuzeit bezeugten) Sprachen des Kaukasusgebiets, die keiner der angrenzenden Sprachfamilien (Idg., Türk., Semit.) angehören und als autochthon gelten. Die Zuordnung heutiger kaukas. Ethnien zu den in ant. Quellen erwähnten Ethnonymen (z. B. die Tscherkessen – Eigenbezeichnung *Adǝγe* – und die Κερκέται/*Kerkétai* des Hekataios, die Abchasen und Abasiner – Eigenbezeichnung *Apswa* – sowie die Ἀψίλαι/*Apsílai* bzw. Ἀβασκοί/*Abaskoí* des Arrianos) bleibt vielfach unsicher.

Verwandtschaftliche Zusammenhänge sind nur innerhalb der drei großen Gruppen [1. 398ff.] (Südkaukas.: Georgisch, Lasisch, Mingrelisch und Svanisch; Westkaukas.: Abchasisch-Tscherkessisch; Ostkaukas.: Tschetschenisch-Inguschisch und Daghestan-Sprachen) evident, doch neigt die jüngere Forschung dazu, die nordkaukas. Sprachen als genetisch zusammengehörig von den südkaukas. Sprachen zu trennen. Verwandtschaftliche Beziehungen zu anderen Sprachen (Baskisch, Dravidisch, altkleinasiatische Sprachen) sind bislang nicht zu erweisen.

Die k. S. sind nach Lautstand, Morphologie und Syntax z. T. sehr heterogen. Es gibt jedoch auch sprachübergreifende Gemeinsamkeiten bei den Lauttypen und in der Morphosyntax: 1. Ejektive (d. h. mit Kehlkopfverschluß gesprochene), uvulare und (nicht überall) pharyngale Konsonanten; verbreitet phonologische Labialisierung und Pharyngalisierung von Konsonanten; nordkaukas. auch laterale Frikative und Affrikaten; 2. Ergativ-Konstruktion, d. h. der Agens des transitiven Verbums wird formal unterschieden vom Subjekt intransitiver Verben, das genauso bezeichnet wird wie das direkte Objekt des transitiven Verbums; das persönliche Subjekt von Empfindungsverben steht in vielen k. S. im Dativ. Die Flexionsmorphologie divergiert stark: Fehlen nominaler Kasus bei polypersonalem Verb (Affixe für maximal vier Aktanten) im westkaukas. Abchasisch gegenüber ausgebauter Nominalflexion (18 Kasus) bei apersonalem Verb im ostkaukas. Lesgisch (die südkaukas. Sprachen nehmen eine Zwischenstellung ein). Verbreitet sind Ablauterscheinungen und Infigierungen. Lexikalisch sind die k. S. in unterschiedlichem Maße durch Entlehnungen v. a. aus dem Iran., Arab., Türk. und Russ. beeinflußt worden. Die Annahme von alten Entlehnungen aus idg. Sprachen in k. S. [3] ist umstritten, ebenso die von idg. Entlehnungen aus k. S. (z. B. die idg. Wörter für »Pferd« und »Flachs, Leinen«: lat. *equus*, *līnum*).

1 G. KLIMOV, Einführung in die kaukas. Sprachwiss. (aus dem Russ. übers. von J. GIPPERT), 1994 **2** A. C. HARRIS u. a. (Hrsg.), The Indigenous Languages of the Caucasus, 1989ff. **3** G. KLIMOV, Some Thoughts on Indo-European-Kartvelian Relations, in: Journal of Indo-European Studies 19, 1991, 325–341.　　　M. J.

Kaukasos (Καυκάσιον ὄρος, Hdt. 3,97; Καύκασον ὄρος, App. praef. 4, App. Mithr. 103; καυκάσια ὄρη, Strab. 11,2,1; *Caucasii/Caucasei montes*, Plin. nat. 5,98; 6,47; Mela 1,15; 1,19; Geogr. Rav. 2,20). Zuerst erwähnt bei Aischyl. Prom. 422; 719 (πόλισμα καυκάσου, καύκασον); Name bis h. bewahrt. Hochgebirge (1100 km lang, bis 60 km breit) zw. Schwarzem und Kaspischem Meer, das die Welt der nördl. Steppenvölker (Skythen, Sarmaten, Alanen) von den Kulturen Südkaukasiens trennte und zugleich als Grenze zwischen Asien und Europa galt; wichtigste Durchgangsrouten waren die → *Kaukásiai Pýlai* (Kreuzpaß) und *Albánai Pýlai* (Straße von Derbent). Der K. und die zahlreichen Bergvölker werden behandelt bei Strab. 11,2,14–19; 5,4–7.　　　A. P.-L.

Über den K. liefen in byz. Zeit Wege des byz. Seidenhandels; mit seiner z. T. christl. Bevölkerung (→ Armenia, → Armenier, → Georgier, Georgier) lag er an der Nordgrenze des sāsānidischen, später des arab. Reiches.

→ Albania [1]; Iberia [1]; Kaukasien; Kolchis

G. OSTROGORSKY, Gesch. des byz. Staates, ³1963, 260f. • A. Herrmann, s. v. Kaukasos (3), RE 11, 59–62.　　　G. MA.

Kaukon (Καύκων). Eponymer Heros des peloponnes. Volkes der → Kaukones [1]; seine Genealogie hängt von der ant. Lokalisierung des zuerst in Hom. Od. 3,366 genannten Volkes ab. Sein Grab wurde in Lepreon in Triphylien gezeigt (Paus. 5,5,5; Strab. 8,345), und nach dem triphylischen Kultzentrum auf dem Samikon gilt er als Sohn des Poseidon (Ail. nat. 1,24). Doch heißt K. infolge der arkad. Lokalisierung auch Sohn des Arkas (schol. Hom. Od. 3,366) oder des Lykaon (Apollod. 3,97). Schließlich wird K. mit Messenien und den → Mysterien der Großen Götter von Andania verbunden: Bei der Gründung von Megalopolis erhält er ein Opfer (Paus. 4,27,6); als Hierophant der andanischen Mysterien soll er dem Epameinondas und dem mit ihm verbündeten arkad. Feldherrn Epiteles vor der Schlacht von Leuktra erschienen sein, dem Epameinondas Ruhm und Sieg versprochen haben, wenn er den Messenern ihre Heimat gebe, sowie dem Epiteles das vergrabene heilige Buch mit der Kultsatzung der Mysterien gezeigt haben (Paus. 4,26,6–8). Dabei gilt hier K. als Athener, der die Mysterien aus Eleusis nach Andania gebracht hat, was den Versuch reflektiert, diese lokalen Mysterien mit denjenigen von Eleusis zu verbinden (Paus. 4,1,5).

F. G.

Kaukones (Καύκωνες).

[1] Hom. Od. 3,366 gab Logographen und Homererklärern Anlaß, die Siedlungsgebiete dieses Volkes auf der Peloponnesos zu bestimmen. Die Ergebnisse dieser Unt. liegen uns bei Strabon (7,7,1 f.; 8,3,11; 8,3,16 f.) vor. Danach siedelten die K. vorzugsweise in Triphylia (Grab des Kaukon in → Lepreon), stießen aber auch nach Arkadia und Messenia vor. Antimachos bezeichnete sogar das westachaiische → Dyme [1] als kaukonisch (schol. Lykophr. 571), wohl nach dem Bach Kaukon. Hekataios betrachtete die K. als nichtgriech. (FGrH 1 F 119).

A. M. BIRASCHI, Strabone e Omero, in: Ders. (Hrsg.), Strabone e la Grecia, 1994, 23–57.   Y. L.

[2] Volk am Parthenios, dem Grenzfluß zwischen → Bithynia und → Paphlagonia, mit Tieion als Stadt (Strab. 12,542). Sie zählten zu den Bundesgenossen der Troianer (Hom. Il. 10,429), bei denen auch Poseidon den mit Achilleus kämpfenden Aineias in Sicherheit bringt (Hom. Il. 20,329).   RA. MI.

Kaulonia (Καυλωνία, lat. *Caulonia, Caulonea*). Achaiische Kolonie an der Ostküste von Bruttium, von Typhon von Aigion (Paus. 6,3,12) E. 8. Jh. v. Chr. gegr., beim h. Monsterace Marina [1]. K. geriet unter die Herrschaft von → Kroton, galt schließlich als krotonische Gründung (Ps.-Skymn. GGM 1, 318 f.). Die anfängliche Autonomie bezeugt die im 6. Jh. v. Chr. einsetzenden Mz.-Prägung. Hauptwirtschaftszweig war der Holzhandel (Thuk. 7,25,2). 388 v. Chr. wurde K. von Dionysios I. belagert, 387 v. Chr. erobert und zerstört, die *chóra* Lokroi Epizephyrioi zugeteilt. K. wurde von Dionysios II. wiederaufgebaut, von Campanern aus

Rhegion 280 v. Chr. erobert. Endgültig verlassen wurde K. nach der Eroberung durch die Römer 205 v. Chr. im 2. Pun. Krieg (Strab. 6,1,10). Arch. Befund: griech. spätgeom. Keramik; Stadtanlage mit Befestigung gut erkennbar. Abgesehen von einem dor. Tempel (430–420 v. Chr.) sind verschiedene Kultplätze durch Architektur-Terrakotten am Hügel von Passoliera bezeugt, darunter ein großes Heiligtum außerhalb der Mauern (Kult noch unbekannt; 6. Jh. v. Chr.).

1 P. ORSI, Caulonia, in: Monumenti Antichi dei Lincei 23, 1916, 685–944.

E. TOMASELLO, Monsterace Marina, in: NSA ser. VIII, 26, 1972, 685–944 • H. TREZINY, K. 1, 1989 • E. GRECO, Archeologia della Magna Grecia, 1992 • BTCGI 10, 190–217.   A. MU./Ü: J. W. M.

Kaunos (Καῦνος).

[1] Eponym der karischen Stadt K. [2], der hauptsächlich Konturen gewinnt im Zusammenhang mit seiner Zwillingsschwester → Byblis. Der Mythos kennt verschiedene Konstellationen ihrer inzestuösen Beziehung (Parthenios 11).

S. JACKSON, Apollonius of Rhodes: the Cleite and Byblis Suicides, in: SIFC 14, 1997, 48–54.   C. W.

[2] Küstenstadt im Grenzgebiet zw. Karia und Lykia am Kalbis (Strab. 14,2,2; h. Dalyan çayı), h. verlandet, 3 km vom Meer entfernt, Ruinen gegenüber von Dalyan. Die Kaunioi galten als autochthon, beanspruchten selbst kret. Herkunft (Hdt. 1,172; Strab. 14,2,3); eigene Gebräuche, Sprache dem Karischen ähnlich; Inschr. in vom Karischen abweichenden Alphabet.

K. wurde 546 v. Chr. von Harpagos [1] erobert (Hdt. 1,171; 176), war am Ion. Aufstand beteiligt (Hdt. 5,103) und Mitglied im → Attisch-Delischen Seebund; nach 387/6 Ausbau zur griech. Stadt (unter → Hekatomnos, → Maussollos). Der *Basileus Kaunios* (*Zeus Kaunios*) war Hauptgott von K. Die Stadt wurde 333 von Ptolemaios und Asandros [1] besetzt (Arr. an. 2,5,7; Curt. 3,7,4), 313 von Antigonos [1], 309 von Ptolemaios eingenommen (Diod. 19,75,5; 20,27,2); 287/6 unter Demetrios [2] (Plut. Demetrios 49), 285 unter Lysimachos, danach ptolem. 197 oder 195 für 200 Talente von Rhodos erkauft. 189–167 (bzw. 185–165) unter einem rhodischen Gouverneur. 167 fiel K. von Rhodos ab, wurde aber wieder unterworfen (Pol. 30,5,11; 5,13 f.; Liv. 45,25,11 ff.). 166 befahl der röm. Senat den Abzug der rhodischen Garnison aus K. (Pol. 30,21,3; Strab. 14,2,3); K. war frei. Kalynda, 166 von K. annektiert, verlor K. 163 an Rhodos (Pol. 31,4 f.).

Seit 129 war K. *civitas libera* der Prov. Asia, 88 auf → Mithradates' VI. Seite; es befolgte den »Blutbefehl von Ephesos« (App. Mithr. 23) und wurde daher 81 vom Senat wieder Rhodos unterstellt; vor 51/50 wieder in die Prov. Asia aufgenommen (Cic. fam. 13,56,3). In der Kaiserzeit *oppidum liberum* (Plin. nat. 5,104); um 80 n. Chr. wieder von Rhodos abhängig (Dion Chrys. 31,124 f.).

K. lag in fruchtbarer, aber wegen Malaria (Dion Chrys. 32,92) ungesunder Umgebung. Die Stadt exportierte Sklaven, Salzfisch, Pinienharz, Feigen (*cauneae*, auch in It. geschätzt: Cic. div. 2,84; Plin. nat. 15,83; Colum. 10,414; Stat. silv. 1,6,15) und Meersalz, das zur Herstellung von Augensalben und Pflastern verwendet wurde (Plin. nat. 31,99). In der Felswand gegenüber Dalyan befinden sich Felsgräber, in der oberen Reihe mit ion. Tempelfassaden (4. Jh. v. Chr.). Im Stadtbereich zwei Akropolishügel, schroff ansteigend der östl. (wohl der Imbros, Strab. 14,2,3), stadtseitig mit ma. Doppelmauer, niedriger der westl.; im Alt. waren beide durch eine Mauer miteinander verbunden. Oberhalb der Stadt auf dem Hochplateau ein starker Mauerzug (am Nordabfall aus hekatomnidischer, sodann aus hell., westl. des Hafens aus spätklass. Zeit), evtl. das 309 v. Chr. von Ptolemaios eroberte Herakleion. Theater, frühchristl. Basilika, Thermen; in der Unterstadt Stoa, kleiner dor. Antentempel für Zeus Kaunios, eine → Tholos, verm. kaiserzeitliches Nymphaeum. Am Hafen Rundbau und Reste von Schiffswerften (Strab. 14,2,3); an der Agora nördl. des Hafens Stoa (Ehreninschr. für L. Licinius Murena), Brunnenhaus. Rest der Hafenbucht h. Sülüklü gölü (»Blutegelsee«).

E. AKURGAL, Griech. und röm. Kunst in der Türkei, 1987, 428 · G. E. BEAN, Notes and Inscriptions from Caunus, in: JHS 73, 1953, 10–35; 74, 1954, 85–110, bes. 97ff. (zur Zollinschr.) · Ders., Kleinasien 3, 1974, 175–188 · BENGTSON 3, 175 · L. BÜRCHNER, s. v. K. (1), RE 11, 86–88 · M. COLLIGNON, Ville de Kaune, in: BCH 1, 1877, 338–346 · P. M. FRASER, G. E. BEAN, The Rhodian Peraea and Islands, 1954, 52f., 68ff., 118f. · MAGIE 2, 922, 926, 952, 958, 1111, 1123 · H. METZGER u. a., La stèle trilingue du Létôon, (Fouilles de Xanthos 6), 1979 · L. ROBERT, À Caunos avec Quintus de Smyrne, in: BCH 108, 1984, 499–532 · P. ROOS, Research at Caunus, in: OpAth 8, 1968, 149ff. · Ders., Topographical and Other Notes on Southern Caria, in: OpAth 9, 1969, 60ff. · Ders., The Rock-Tombs of Caunus 1–2, 1972–74 · Ders., Survey of Rock-Cut Chamber-Tombs in Caria, 1: South-Eastern Caria and the Lyco-Carian Borderland, 1985 · B. SCHMALTZ, K., 1988/9, Belleten 55, 1991, 121–177 (Forschungsber.) · H. H. SCHMITT, Rom und Rhodos, 1957, 77, 111f., 156ff. · J. WAGNER, Südtürkei, 1991, 35–41. H. KA.

Kausalität A. BEGRIFF B. VORSOKRATIKER C. PLATON D. ARISTOTELES E. STOA

A. BEGRIFF

Der K.-Begriff beginnt sich erst im MA zu formieren (lat. *causalitas*) und ist in der ant. Lit. nicht belegbar. Aber die ant. Philos. und Naturwiss. hat seit ihrem Beginn über die Formen nachgedacht, die die Verkettung des Geschehens (K. im weitesten Sinne) annehmen kann. Dabei wurde insbes. auch diskutiert, in welchem Ausmaß das Geschehen im Kosmos kausal verkettet ist (K.-Prinzip).

B. VORSOKRATIKER

Das frühgriech. Denken versteht Dinge und Sachen primär als Träger von Kräften und Leistungen. Entsprechend werden auch die Prinzipien der vorsokratischen Naturphilos. (→ Vorsokratiker; z. B. Erde, Wasser oder Feuer) vor allem unter dem Aspekt ihrer Kräfte und Qualitäten bestimmt (Semonides fr. 7 DIEHL; Anaximen. fr. 13 B1 DK; Herakl. fr. 22 B 76 DK; Parmenides fr. 28 B9 DK; Emp. fr. 31 B 21,1–9 DK; Anaxag. fr. 59 B 15–16 DK). Aus dieser Perspektive hat K. ihren Ursprung in Dingen, die ihre kinetischen und qualitativen Dispositionen aktualisieren und eine Wirkung in anderen Dingen hervorrufen, die ihrerseits geeignete Dispositionen zur Erzielung des Effektes aufweisen (Aneximand. fr. 12 B 1 DK; Xenophan. fr. 21 B30 DK; Emp. fr. 31 B65, B67, B71, B81, B98 DK; Anaxag. fr. 59 B 13, B19 DK). Aber zugleich haben die vorsokratischen Naturphilosophen das kosmische Geschehen im Lichte umfassender abstrakter und z. T. zyklischer Regularitäten gedeutet. Die Erklärung eines Ereignisses (sog. αἰτιολογία, *aitiología*) erforderte dieser Auffassung zufolge eine Einordnung dieses Ereignisses in eine kosmische Regularität (Anaximen. fr. 13 B 1 DK; Herakl. fr. 22 B 8; B 51; B 67; B 90; B 126 DK; Emp. fr. 31 B 20; B 22; B 26 DK; Demokr. fr. 68 A 135 DK; zur *aitiología* Demokr. fr. 68 B 118 DK).

Bereits die vorsokratische Philos. hat also jene großen Modelle von K. entwickelt, die das spätere westliche Denken maßgeblich bestimmt haben und deren Verhältnis stets ebenso strittig wie wichtig blieb: das Aktorenmodell, demzufolge ein Ding aufgrund seiner Dispositionen kausale Wirkungen in anderen Dingen hervorbringt, und das Regularitätsmodell, demzufolge einzelne Ursachen und ihre Wirkungen kosmische Regularitäten instanziieren. Einige vorsokratische Systeme (insbes. der → Atomismus) haben zudem ein umfassendes K.-Prinzip formuliert, demgemäß nichts im Kosmos ohne Ursache geschieht (Leukippos fr. 67 B 2 DK; Aristot. gen. 789b 2 zu Demokrit; Diog. Laert. 9,45).

C. PLATON

Platon scheint in der Gesch. des ant. K.-Begriffes auf den ersten Blick eine Sonderstellung einzunehmen. In einer berühmten Passage des ›Phaidon‹ lehnt er die vorsokratische Vorstellung von K. rigoros ab und schlägt stattdessen unter Rückgriff auf die Formenlehre als Modell für Ursachenforschung und K. die Formel vor: Die Ursache (αἰτία, *aitía*) dafür, daß ein Einzelding a die Eigenschaft F hat, ist die Teilhabe von a an der Form F (Plat. Phaid. 96a–101e; vgl. allerdings Plat. Tim. 47e–48b). Damit ist ein formaler ontologischer K.-Begriff skizziert: Die Ursache dafür, daß Einzeldinge strukturiert und damit identifizierbar und existent sind, ist ihr Bezug zu platonischen Formen. Näher betrachtet stellt dieses formale Modell jedoch einen wichtigen theoretischen Schritt in der Gesch. des K.-Begriffes dar. Denn die platonischen Formen bilden das Reich der (moralischen, mathematischen und empirischen) Regularitäten, und Platons K.-Formel stellt einen expliziten Bezug zwischen den Dispositionen von Einzeldingen und ihrer Einbindung in Regularitäten her: ersteres ist von letzterem abhängig. Dieses Modell bietet daher eine Grundlage für eine Vereinigung der beiden vorsokratischen K.-Modelle an: der Sache nach schlägt Platon vor, das Aktorenmodell aus dem Regularitätsmodell abzuleiten.

D. ARISTOTELES

Aristoteles vertritt die Auffassung, daß die wichtigsten Arten von Antworten auf Warum-Fragen (*diá ti*) auf die wichtigsten Formen von Ursachen und kausalen Beziehungen verweisen. Antworten auf Warum-Fragen sind Erklärungen, die die Gestalt von Demonstrationen haben, also von gültigen Syllogismen etwa der Form (i) A kommt allen B zu, (ii) B kommt (allen) C zu → (iii) A kommt (allen) C zu, derart daß (ii) als eine aristotelische Ursache (Bewegungsursprung, Ziel, Material, Form) von (iii) klassifiziert werden kann (Aristot. phys. 2,3; 2,7,198a 14–21; metaph. 1,3,983a 25–32; an. post. 2,11; 1,14; 1,2,71b 9–16, 22–31; 1,13,78a 22–28; metaph. 7,17). Kausale Beziehungen bestehen also stets zw. Tatsachen, und zwar im Kern zwischen Tatsachen, die Aspekte der Aktualisierung von Potentialitäten sind, d. h. der Realisierung von Dispositionen (*dynámeis*), die Dingen zukommen. Das Material (*hýlē*) erklärt, warum gewisse Dispositionen vorhanden sind; die Bewegungsursache erklärt, warum die Realisierung von Dispositionen in Gang gesetzt wird, und das Ziel (*télos*) erklärt die Endform dieses Prozesses (dies ist die Form der aristotelischen *aitiología*). K. ist also Kraft- oder Bewegungsübertragung (vom Bewegenden auf das Bewegte) oder hypothetische Notwendigkeit (der Material- oder Phaseneigenschaften gegenüber den Endformen des Prozesses) oder materielle Notwendigkeit (mit der Dispositionen aus Materialeigenschaften folgen). Stets aber beruht K. auf Regularitäten, vgl. die Oberprämisse (i), enthält jedoch nicht notwendigerweise einen Zeitpfeil (Aristot. an. post. 2,12). Insofern vereinigt Aristoteles im Anschluß an Platon das Regularitätsmodell und das Aktorenmodell der K. auf perfekte und konsistente Weise. Aristoteles ist jedoch kein Determinist: nicht jede Tatsache ist Teil einer kausalen Verkettung. Es gibt kontingente Tatsachen, und es gibt auch kontingente Ursachen und Wirkungen (die Unterprämisse (ii) und daher auch die Konklusion (iii) von Demonstrationen können nämlich kontingente singuläre Tatsachen beschreiben, die auch nicht hätten eintreten können).

E. STOA

Die stoische Philos. hat die ant. Vorstellung von K. rigorosen Restriktionen unterworfen. Die Konzeption der Ursache wird auf den Begriff der bewegenden körperlichen Ursache zugespitzt: jede Ursache ist ein Körper mit einer bestimmten Aktivität, deren kausaler Einfluß darin besteht, durch materiellen Kontakt eine Bewegung oder kinetische Kraft auf einen anderen Körper zu übertragen (ggf. vermittelt über das *pneúma*) (S. Emp. PH 3,14; SVF II 336, 338–341, 346, 351). Dabei wird eine innere Kraftdisposition des affizierten Körpers aktualisiert, und meist bringt erst das Zusammenwirken der externen Ursache (*synaítion*) und der internen Ursache (*autotelḗs aítion*) einen Effekt hervor. Insofern scheinen die Stoiker wieder vom Aktorenmodell der K. auszugehen. Aber dieser Anschein täuscht, denn zugleich binden sie die K. an Regularitäten, die ausnahmslos und mit Notwendigkeit wirken. Unter denselben Randbedingungen bringen bestimmte Ursachen in allen Situationen stets mit Notwendigkeit dieselben Effekte hervor (damit nähern sich die Stoiker dem neuzeitlichen Begriff des Naturgesetzes). Dieses K.-Gesetz gilt schließlich ausnahmslos für alle Ereignisse im Kosmos, die daher durch eine lückenlose kausale Kette verknüpft sind (SVF I 89, II 917–925, 945–951, 959 (umfassendste Formulierung des stoischen K.-Prinzips), 1000). Diese kosmische Struktur erlaubt induktiv gestützte Prognosen; allerdings standen die Stoiker der Möglichkeit von Ursachenforschung (*aitiología*) eher skeptisch gegenüber (Strab. 2,3,8; Galenos, Placita Hippocratis et Platonis 348,16ff; 395,12ff.; 400,2ff. MUELLER). Den desaströsen moralphilos. Konsequenzen dieses strikten Determinismus versuchten die meisten Stoiker dadurch zu entgehen, daß die interne Ursache eines aktiven Dinges die Verantwortlichkeit dieses Dinges für den Effekt sichert (SVF II 974–1007, bes. 974, 979, 984, 1002, 1004).

Es ist die stoische Auffassung von K., die für die Entwicklung des neuzeitlichen physikalischen K.-Begriffes maßgeblich wurde: K. ist eine Bewegungsübertragung zw. Körpern, die naturgesetzartigen Regularitäten unterworfen ist und das Geschehen der Natur ausnahmslos bestimmt. Allerdings sind die Stoiker dabei stets von Nahwirkungen über direkten materiellen Kontakt ausgegangen. Der wichtigste Beitrag der Spätant. zur Gesch. der K.-Vorstellung war der neuplatonische Angriff auf das Prinzip der Nahwirkung. Vor dem Hintergrund mystischer und rel. Erfahrungen wurde die Möglichkeit von Fernwirkungen postuliert, die in der neuzeitlichen Physik eine bedeutende Rolle spielen sollte (Iambl. bei Simpl. cat. 302. 29).

J. BARNES, The Presocratic Philosophers, 2 Bde., 1979 · W. DETEL, Aristoteles, Analytica Posteriora, 2 Bde., 1993 · H. FRÄNKEL, Dichtung und Philos. des frühen Griechentums, 1962 · M. FREDE, The Original Notion of Cause, in: M. SCHOFIELD, M. BURNYEAT, J. BARNES (ed.), Doubt and Dogmatism: Studies in Hellenistic Philosophy, 1980 · M. HOSSENFELDER, Stoa, Epikureismus und Skepsis (Gesch. der Philos. 3), 1985 · A. A. LONG, Hellenistic Philosophy, 1986 · J. MORAVCSIK, What Makes Reality Intelligible? Reflections on Aristotle's Theory of Aitia, in: L. JUDSON (Hrsg.), Aristotle's Physeis: A Collection of Essays, 1991 · K. REICHS, Der histor. Ursprung des Naturgesetzbegriffes, in: FS E. Kapp, 1958 · S. SAMBURSKY, Das physikalische Weltbild der Ant., 1965 · R. SORABJI, Necessity, Cause and Blame, 1980 · Ders., Causation, Laws and Necessity, 1980 · Ders., Matter, Space and Motion: Theories in Ambiguity and Their Sequel, 1988 · G. VLASTOS, Plato's Universe, 1975, Kap. 1. W. DE.

Kausia (καυσία). Vornehmlich makedonische Kopfbedeckung mit breit ausladender Krempe zum Schutz gegen Sonnenstrahlen (*kaúsis*), doch konnte sie ebenso als Helm dienen (Anth. Pal. 6,335). Die *k.* war aus Leder oder Filz gefertigt und mitunter mit einem Kinnriemen versehen. Bereits auf Münzbildern des 5. Jh. v. Chr. als Bekleidung der maked. Könige belegt, wird die jetzt purpurne *k.* seit → Alexandros [4] d.Gr. (Athen. 12,537e) zu einem der Hauptelemente der maked. Königstracht (Plut. Antonius 54; vgl. Arr. an. 7,22,2) und mit einem Diadem (→ *diádēma*) getragen (Athen. 12,536; Plut. Demetrios 41). Die *k.* erscheint als Kopfbedeckung noch in röm. Zeit (Plaut. Mil. 1189; Mart. 14,29).

B. M. KINGSLEY, The *k.* diadematophoros, in: AJA 88, 1984, 66–68 • E. A. FREDRICKSMEYER, Alexander the Great and the Mecedonian K., in: TAPhA 116, 1986, 215–227 • R. S. BIANCHI, Alexander the Great as a *k.* Diadematophoros from Egypt, in: Studia Aegyptiaca 14,1992, 69–75 • A. M. PRESTIANNI GIALLOMBARDO, Un copricapo dell'equipaggiamento militare macedone. La *k.*, in: Numismatica e Antichità Classica 22, 1993, 61–90.   R. H.

Kauterisation. Therapeutische Intervention in der Human- und Veterinärmedizin, die in der Herbeiführung einer »Verbrennung« auf der Körperoberfläche nach zwei verschiedenen Techniken mit ihren jeweiligen Indikationen besteht: die Verbrennung im eigentlichen Sinne mittels eines auf Kohlen zur Rotglut gebrachten Eisens, dann mittels eines Lampendochts (*mýkēs*, z. B. Hippokr. de internis affectionibus 212,14 L.); sie wurde eingesetzt, um eine Zusammenziehung des Gewebes herbeizuführen. Dadurch sollte eine mechanische Richtung von Brüchen erzielt [3. 164–165] oder bei einem giftigen Biß bzw. Stich das Gift in der Wunde zerstört werden (vgl. [Dioskurides], Theriaca, praef.). Bes. aber wurde die K. in der Chirurgie eingesetzt, wenn eine Hämostase angezeigt war, die sich nach herzwärtiger Anlegung einer Staubinde durch Verbrennung der Blutgefäßenden effizient durchführen ließ (Darstellungen von Eisen in den arab. Hss. des Abul Qassim [4]; K.-Szenen in den türkischen Hss. des Šarafad-dīn ibn ʿAlī [1. 182–183]). Andererseits bestand die K. in der Anwendung von Brandpflastern an bestimmten Stellen des Körpers zur Behandlung innerer Krankheiten: Es sollte eine Reizung und dadurch eine Hyperämie hervorgerufen werden, die einen im Organismus verteilten Stoff aus dem Inneren an die Körperoberfläche aufsteigen und sich an einer Stelle konzentrieren lassen sollte; dieser Stoff war – ungefähr bis in Platons Zeit (1. H. 4. Jh. v. Chr., s. unten) – der pathogene Stoff, später dann einer der Säfte des physiologischen Systems. Bei den kaustischen Substanzen handelte es sich um Reiz-Pflanzen (Senf, Meerzwiebel, Nieswurz) oder die *kantharís*, ein blasenziehendes Insekt, das sich nicht genauer bestimmen läßt [2. 222–243].

Spuren dieser uralten (steinzeitlichen?) und nicht spezifisch griech. Therapieform, die oft mit der Sektion [2. 149–154] in Verbindung gebracht wird, konnten sich dann vor allem in Abh. aus hippokratischer Zeit halten, die, wie man feststellen konnte, knidisch ausgerichtet waren (→ Chrysippos [3]). Konkurrenz bekam sie durch die Entfernung des pathogenen Stoffes durch Erbrechen oder Purgation. Die K. wurde etwa ab Platons Zeit (Plat. rep. 3, 406d; 4, 426b; Phaidr. 268b; s. auch [Aristot.] probl. 1, 32, 34) auf extreme Fälle eingeschränkt ([Hippokr.] aphorismi 7, 87); zugleich wurde die K. mittels Eisen von den Griechen, die sie den Skythen ([Hippokr.] de aere, aquis, locis 20) und Libyern (Hdt. 4, 187) zuschrieben, aus Mentalitätsgründen abgelehnt. Die K. wurde auch in röm. Zeit praktiziert (Celsus 3,21,9) und hielt sich in der chirurgischen Trad. der Byzantiner, Araber und des Okzidents.

1 D. BRANDENBURG, Islamic Miniature Painting in Medical Manuscripts, 1982 2 G. LORENZ, Ant. Krankenbehandlung in histor.-vergleichender Sicht, 1990 3 G. MAJNO, The Healing Hand, 1975 4 M. S. SPINK, G. L. LEWIS, Albucasis, On Surgery and Instruments, 1973.

E. KIND, s. v. καυτήρ, RE 11, 93 f. • Ders., s. v. K., RE 11, 94–99.   A. TO./Ü: T. H.

Kautes, Kautopates (Καύτης, Καυτοπάτης; lat. *Cautes, Cautopates*). Antithetisches Paar von Begleitern des → Mithras, mit einer Vielzahl von Attributen, v. a. brennenden Fackeln, assoziiert [1]. Die Etym. ist umstritten, am plausibelsten ist die Ableitung von altiran. **kaut-* »jung« [2]. Schon die früheste ikonograph. Repräsentation stellt sie als komplementäre Gegensätze dar [3]. Sie sind die »Zwillingsbrüder«, die von Mithras' Wasserwunder genährt werden (Mithraeum von Santa Prisca, Rom). Der einzige lit. Nachweis (Porph. de antro Nympharum 24 mit Konjektur *Arethusa*, p. 24,14 f.; vgl. [4]) assoziiert Kp. mit dem Norden und Kälte (Tod/*génesis*), K. mit dem Süden und Hitze (Leben/*apogénesis*) [5]. Auf ca. 50 Reliefs, auf denen K. links, Kp. rechts abgebildet ist, verweist jedoch K. auf die aufgehende, Kp. auf die untergehende Sonne.
→ Mithras

1 J. R. HINNELLS, The Iconography of Cautes and Cautopates: the Data, in: Journal of Mithraic Studies 1, 1976, 36–67 2 M. SCHWARTZ, Cautes and Cautopates, the Mithraic Torchbearers, in: J. R. HINNELLS (Hrsg.), Mithraic Studies 2, 1975, 406–423 3 M. J. VERMASEREN, Corpus Inscriptionum et Monumentorum Religionis Mithriacae, 1956–60, 2269 (c. 100 n. Chr.) 4 L. SIMONINI, L'antro delle ninfe, 1986, 70, 2 f. 5 R. HANNAH, The Image of Cautes and Cautopates in the Mithraic Tauroctony Icon, in: M. P. J. DILLON (Hrsg.), Rel. in the Ancient World: New Themes and Approaches, 1996, 177–192.   R. GOR.

Kavalkade-Maler. Hauptmeister der um 580 v. Chr. tätigen »Gorgoneion-Gruppe«, einer Malergruppe der → korinthischen Vasenmalerei, in der v. a. Schalen und Kratere bemalt wurden; sie ist nach einem häufigen Motiv der Schaleninnenbilder benannt. Auf den Außenseiten finden sich beim K.-M. meist die namengebenden Reiterfriese, Kämpfe und Tierfriese; einmal ein

»Selbstmord des Aias« mit reichen Namensbeischriften (Basel, AM, BS 1404). Die Kratere zeigen Reiterfriese, Kämpfe, Wagenzüge und Tierfriese. Die neun Werke des K.-M. zählen zu den besten seiner Zeit. Als FO sind Aigina und Kameiros (Rhodos) gesichert.

AMYX, CVP, 197 f. • AMYX, Addenda, 57 • B. KREUZER (Hrsg.), Frühe Zeichner 1500 – 500 v. Chr., Ausst.-Kat. Freiburg, 1992, 31 f., Nr. 21.   M. ST.

Kavaros, Kauaros (Καύαρος). Letzter König des Keltenreiches im östl. Thrakien mit der Hauptstadt → Tyle im ausgehenden 3. Jh. v. Chr. (Pol. 4,46,4). Die zahlreichen Funde seiner – in mehreren Nominalen und Typen emittierten – Bronzemz. führten in der jüngeren Forsch. zur erneuten Diskussion über die Lokalisierung und den Charakter seines Reiches [1. 7–15; 2]. Die Silbermz. des K. wurden in → Kabyle geprägt [3]. Polybios lobt K.' Verdienste: K. sicherte die Handelsschiffahrt in das Schwarze Meer, unterstützte 220 v. Chr. Byzantion im Krieg gegen Rhodos und erwirkte einen Friedensschluß (Pol. 4,52,1–2; 8,22).

1 L. LAZAROV, The Problem of the Celtic State in Thrace, in: Bulgarian Historical Review 21/2–3, 1993, 3–22
2 M. DOMARADZKI, La diffusion des monnaies de Cavaros au Nord-Est de la Thrace, in: Eirene 31, 1995, 120–128
3 D. DRAGANOV, The Minting of Silver Coins of Cabyle and of King Cavarus, in: Études Balkaniques 20/4, 1984, 94–109.

K. STROBEL, Die Galater, Bd. 1, 1996, 233–236.   U. P.

Kaystros
[1] Fluß in Lydia (Καΰστριος: Hom. Il. 2,461; Hdt. 5,100; Κάϋστρος: Strab. 13,3,2; Arr. an. 5,6,4; Mela 1,88), h. Küçük Menderes (»Kleiner Mäander«); seine Quellen liegen am Südhang des Tmolos oberhalb von Koloë (h. Keles bei Kiraz); er durchfließt die Kilbisebene, dann das → Kaystru pedion [1], nimmt rechts vom Tmolos, links von den Mesogis (h. Cevizli dağı) Nebenflüsse auf (Plin. nat. 5,115) und mündete nördl. von Ephesos ins Meer; der K. hat schon im Alt. durch Schlammablagerungen (Strab. 15,1,16; Plin. l.c.) der Mündungsbucht zugesetzt und Ephesos [1. 6 ff.] zunehmend vom Meer abgeschnitten (h. ca. 10 km entfernt).

1 F. HUEBER, Ephesos, 1997, mit Abb. 1, 39, 48, 59.

L. BÜRCHNER, s. v. K., RE 11, 100 f. • W.-D. HÜTTEROTH, Türkei, 1982, 64 f. • MILLER, 719 • A. PHILIPPSON, Top. Karte des westl. Kleinasien, 1910 • H.-E. STIER, E. KIRSTEN, Westermann Atlas zur Weltgesch. 1, 19 V.
          H. KA.

[2] (Κάϋστρος). Zentralphryg. Fluß, lit. nicht überl., dessen Name aus der Stadt → Kaystru pedion (Xen. an. 1,2,11) und dem gleichnamigen Fluß (h. Küçük Menderes) zw. Sardeis und Ephesos erschlossen ist. Heute Akar Çay, der von der Gegend um Afyon bis zum Eber Gölü fließt.

W. RUGE, s. v. Phrygia, RE 20, 835.   T. D.-B.

Kaystru pedion
[1] (Καΰστρου/Καΰστριον πεδίον). Flußebene des → Kaystros [1] von der Ebene Kilbis am Oberlauf des Flusses (Κιλβιανὸν πεδίον, Strab. 13,4,13; Steph. Byz. s. v. Assos) nach Westen; am Mittel- bzw. Unterlauf liegt die »Asische Aue« (Ἄσιος λειμών) mit Schwärmen von Wildgänsen, Kranichen, Schwänen (Hom. Il. 2,461; Cic. orat. 163; Strab. 14,1,45). Vom Tmolos Blick auf die Ebenen ringsum, auch auf das K.p. (Strab. 13,4,5); von dort absteigend erreicht man das K.p. bei Hypaipa (Strab. 13,4,7 f.), nördl. des h. Ödemiş.

L. BÜRCHNER, s. v. Καΰστριανὸν πεδίον, RE 11, 100 • Ders., s. v. Ephesos, RE 5, 2799–2802 • D. KNIBBE, s. v. Ephesos, RE Suppl. 12, 270 f. • H.-E. STIER, E. KIRSTEN, Westermann Atlas zur Weltgesch. 1, 19 V.   H. KA.

[2] (Καΰστρου πεδίον). Zentralphryg. ›bevölkerte Stadt‹ (Xen. an. 1,2,11; vgl. Xen. Kyr. 2,1,5) zw. → Keramon agora und Thymbrion, zweifellos in der Ebene des Flusses Akar Çay zw. Afyon und dem Eber Gölü.

W. RUGE, s. v. K., RE 11, 101.   T. D.-B.

Kebes (Κέβης) aus Theben. Freund des Sokrates (Plat. Krit. 45b; Xen. mem. 1,2,48; 3,11,17), zusammen mit seinem Gefährten Simmias Hauptgesprächspartner des → Sokrates in Platons *Phaídōn*. Nach Plat. Phaid. 61d-e traf K. vor seinem Aufenthalt in Athen in Theben mit dem Pythagoreer → Philolaos zusammen, doch war er selbst kein Pythagoreer [1]. Bei Diog. Laert. 2,125 werden K. drei (nicht erh.) Dialoge mit den Titeln *Pínax* (›Gemälde‹), *Hebdómē* (›Der siebte Tag‹) und *Phrýnichos* zugeschrieben.

Bei dem unter dem Namen des K. überlieferten Dialog mit dem Titel *Pínax* handelt es sich um eine pseudepigraphe Schrift, die wahrscheinlich im 1. Jh. n. Chr. verfaßt wurde; frühester Zeuge ist Lukian (De mercede conductis 42; Rhetorum praeceptor 6). In dem Dialog berichtet ein Anon., wie ihn ein gleichfalls anon. Alter in einem Heiligtum des Kronos ein dort aufgestelltes Gemälde erklärt habe, auf dem in Form einer Allegorie der falsche und der rechte Lebensweg dargestellt waren. Die Schrift erfreute sich im 16. und 17. Jh. großer Beliebtheit.

1 Th. EBERT, Sokrates als Pythagoreer und die Anamnesis in Platons Phaidon (AAWM 1994 Nr. 13), 8–10.

ED.: K. PRAECHTER, Cebes, Pinax, 1893 • D. PESCE, La tavola di Cebete, 1982.
LIT.: J. T. FITZGERALD, L. M. WHITE, The Tabula of Cebes, 1983 • R. JOLY, Le Tableau de Cébès et la philos. religieuse, 1963 • C. E. LUTZ, S. SIDER, Ps. Cebes, in: Cat. translationum et commentariorum VI, 1986, 1–14; VII, 1992, 299–300 • R. SCHLEIER, Tabula Cebetis. Stud. zur Rezeption einer ant. Bildbeschreibung im 16. und 17. Jh., 1973.   K. D.

Kebren (Κέβρην). Stadt in der Troas auf zwei Hügeln, dem Çal Dağı und dem Fuğla Tepesi bei Akpınarköyü am mittleren Skamandros. Auf der anderen Seite des

Flusses lag Skepsis, mit dem sich K. dauernd im Streit befand. Wohnsitz eines illegitimen Sohnes des Priamos (Hom. Il. 16,738; Strab. 13,1,33). K. wurde von Kyme gegr. (Ephor. FGrH 239 F 22); die frühesten Keramikfunde weisen auf das 7. Jh. v. Chr. [1. 333]. COOK nimmt allerdings eine Gründung von Mytilene aus an [1. 337]. Zuvor Mitglied des → Attisch-Delischen Seebundes, befand sich K. um 400 v. Chr. in der Hand der pers. Hyparchin → Mania. K. wurde 399 vom Spartaner Derkylidas erobert (Xen. hell. 3,1,17–20). 360/359 besetzte der athen. Stratege Charidemos die Stadt; er mußte aber bald wieder pers. Druck weichen (Demosth. or. 23,154). Durch → Antigonos [1] wurde K. zw. 310 und 306 v. Chr. in einem *synoikismós* mit Alexandreia Troas zusammengeführt. Der Weiterbestand der Siedlung ist fraglich, obwohl der Stadtname im 3. Jh. v. Chr. in einem Ehrendekret aus Assos gen. ist (IK, Assos Nr. 4). ROBERT [2] nimmt sogar einen weiteren *synoikismós* im J. 281 mit Berytis (Βέρυτις) zur Stadt Antiocheia an.

1 J. M. COOK, The Troad, 1973 2 L. ROBERT, Études de numismatique grecque, 1951.

W. ORTH, Die Diadochenzeit im Spiegel der histor. Geogr., 1993 · W. JUDEICH, Bericht über eine Reise im nordwestl. Kleinasien. SB Berlin 1898, 531 ff. · W. LEAF, Strabo on the Troad, 1923. E. SCH.

Kebriones (Κεβριόνης). Unehelicher Sohn des → Priamos, Halbbruder → Hektors, der ihn nach Archeptolemos' Tod zu seinem Wagenlenker macht (Hom. Il. 8,318 f.). K. nimmt am Sturm auf das griech. Schiffslager teil, der Wagen wird für diese Zeit einem schwächeren Kämpfer anvertraut (ebd. 12,91 ff.). Schließlich tötet Patroklos K. mit einem Steinwurf und verhöhnt den vom Wagen stürzenden, indem er ihn mit einem Taucher vergleicht (ebd. 16,737–750).

P. WATHELET, Dictionnaire des Troyens de l'Iliade, Bd. 1, 1988, 677–679. RE. N.

Kedalion (Κηδαλίων, zu κήδαλον, das wohl ein Werkzeug bezeichnet: »Schüreisen«?). Stammt von der Insel Naxos, führt → Hephaistos auf Veranlassung von dessen Mutter → Hera in die Schmiedekunst ein (schol. Hom. Il. 14,296). Dieser macht auf Lemnos K. zum Führer des geblendeten → Orion. Auf dessen Schultern sitzend, führt K. Orion der Sonne entgegen, durch deren Strahlen dieser von seiner Blindheit geheilt wird (Hes. fr. 148a M-W; Eratosth. Katasterismoi 32; Apollod. 1,4,3). Von Sophokles' Satyrspiel ›K.‹ ist kaum mehr als der Titel bekannt (TrGF IV fr. 328–333).

R. VOLLKOMMER, s. v. K., LIMC 5.1, 978–979. RE. N.

Kedoi (Κηδοί). Att. Demos der Phyle Erechtheis, zwei → *buleutaí*. Lage ungewiß, wohl kaum bei Kara (so [3]), dem FO des Demendekrets IG II² 1212, das offenbar weder K. noch Themakos erlassen hat [4. 392]. Auf den Raum östl. des → Hymettos, evtl. bei Koropi, deuten Grabinschr. [1. 100 Nr. 118, 103 Nr. 137; 2].

1 A. MILCHHOEFER, Antikenbericht aus Attika, in: MDAI(A) 12, 1887, 81–104 2 TRAILL, Attica, 7; 38; 69; 110 Nr. 61, Tab. 1 3 J. S. TRAILL, Demos and Trittys, 1986, 125 4 WHITEHEAD, Index zur Inschr. IG II² 1212. H. LO.

Kedon (Κήδων).
[1] Athener, möglicherweise aus der Familie der → Alkmaionidai, versuchte vor 514 v. Chr. vergeblich, die Tyrannis der → Peisistratidai zu stürzen. Dieser ruhmreichen Tat gedachte man später beim Symposion mit einem → Skolion (Aristot. Ath. pol. 20,5).

RHODES, 248. E. S.-H.

[2] Athener, befehligte unter dem Kommando des Chabrias den linken Flügel in der Seeschlacht bei Naxos (und Paros) im Herbst 376 v. Chr., wobei er fiel (Ephoros bei Diod. 15,34,3–6). Nach Plutarch (Plut. Phokion 6) führte dagegen Phokion den linken Flügel, was unmöglich ist, da Phokion, 401 geb., für das Amt noch zu jung war. PA 8281. BO. D.

Kedreai (Κεδρέαι, auch Κεδρεῖαι, Κεδρεαί). Stadt in Karia am Ostende des Keramischen Golfs, auf der Insel Şehir adası und auf dem Festland bei Taşbükü. Die Bevölkerung war urspr. rein karisch, später karisch-griech. (μιξοβάρβαροι, *mixobárbaroi*, Xen. hell. 2,1,15). Die Kedreaten sprachen den Dial. der kleinasiat. Doris (vgl. Inschr.). E. 6. Jh. v. Chr. wird K. von Hekat. (FGrH 1 F 248) als Stadt erwähnt, im 5. Jh. war es Mitglied des → Attisch-Delischen Seebundes (IG I³ 259,5,17). 406 v. Chr. von Lysandros erobert, wurde die Bevölkerung versklavt (Xen. l.c.). In hell. Zeit war K. einer der bedeutendsten Orte der rhodischen Peraia in Karia, ein *dámos* (→ Demos) im rhodischen Staatsverband. Im 2. Jh. v. Chr. fanden in K. athletische Agone statt. Um 70 n. Chr. wurde Vespasianus hier geehrt [1. 554].

Ruinen aus spätklass. bis röm. Zeit: mächtige Ufermauern in Quaderwerk mit Türmen am Festland wie auf der Insel; auf deren Osteil Reste eines dor. Apollontempels, Theater, Hausruinen; auf dem Westteil Agora (Inschr.); auf dem Festland Nekropole (Kammergräber, Sarkophage).

1 W. BLÜMEL, Die Inschr. der rhodischen Peraia (IK 38), 1991.

G. E. BEAN, Kleinasien 3, 1974, 165 f. · L. BÜRCHNER, s. v. K., RE 11, 111 f. · P. M. FRASER, G. E. BEAN, The Rhodian Peraea and Islands, 1954, 67, 69, 81, 96 · MAGIE 2, 879, 952 f., 1030 · L. ROBERT, Ét. Anatoliennes, 1937, 476 Anm. 1. H. KA.

Kedrenos Georgios. Verfasser einer bis 1057 reichenden Weltchronik, über dessen Leben nichts bekannt ist. Die Chronik beruht v. a. auf den Werken des Theophanes, des Ps.-Symeon Magistros und des Georgios [5] Monachos, enthält aber auch wichtige Angaben aus sonst unbekannten Quellen z. B. zur Stadtgesch. von Konstantinopel. Von 811 an gibt sie die Chronik des Iohannes Skylitzes so getreu wieder, daß sie bis zum

Erscheinen von deren Neuausgabe als Ersatz verwendet werden konnte.

→ Georgios [5] Monachos; Skylitzes; Symeon Magistros; Theophanes

> I. Bekker (ed.), Georgii Cedreni Historiarum
> Compendium, 1838/9.   AL. B.

Keilschrift ist das Schriftsystem des alten Mesopot., dessen Gebrauch westl. bis nach → Kleinasien (19.–13. Jh. v. Chr.), in den Kaukasus (→ Urartu, 9.–7. Jh.) und sw nach → Syrien (seit dem 24. Jh., → Ebla) und Palästina, vorübergehend bis nach Ägypten (→ Amarna-Briefe) gereicht hat. K. wurde von links nach rechts geschrieben. Die »Keil«-Form der einzelnen Strich-Elemente eines Zeichens entstand beim Eindrücken des Griffels in den feuchten Ton, aber auch die Übertragung solcher »Keil«-Förmigkeit auf Inschr. auf Stein hat den modernen Ausdruck K. hervorgerufen. Am Anfang (»Erfindung« der K. Ende des 4. Jt. v. Chr. in Südmesopot.) stehen zwar überwiegend bildhafte Zeichen; lineare Formen wurden aber binnen weniger Generationen abstrahiert, wobei sich Zeichen nunmehr aus einzelnen Strichen, sog. »Winkelhaken« und eingedrückten Kreisen (für Zahlzeichen) zusammensetzten (Abb. 1). Die Reihenfolge der einzelnen Elemente bei der Schreibung eines Zeichens war verbindlich (wie die Strichfolge im sino-japanischen System, Abb. 2).

Das urspr. Inventar enthielt Zeichen für Wörter, Zahlen und Maßeinheiten. Durch lautliche Abstraktion (z. B. wurde *gi*/»Rohr« leicht verändert auch für sumer. *gi*/»zurückkehren« verwendet) entstand ein Silbensystem (wo *gi* dann nur noch einen abstrakten Silbenwert hatte) mit den Typen V(okal) (z. B. *a, e, i, u*), K(onsonant)V (z. B. *ba, bu*), VK (z. B. *ab, ub*) und KVK (z. B. *bar, bul*). Den weiteren Schritt zum Alphabet (Notierung bloßer Konsonanten) hat die K. nicht vollzogen; doch war K.-Syllabographie mit der präzisen Angabe der Vokale reiner Konsonantenschrift an Deutlichkeit überlegen.

K.-Texte sind nur selten rein syllabograph. geschrieben (syllabograph. Schreibung: Abb. 3; logograph. Schreibung: Abb. 4). Bezeichnend ist ein Mischsystem aus Wort- und Silbenzeichen (vergleichbar der japanischen Verwendung von Sinogrammen und *Kana*-Silbenzeichen). Da Syllabographie nicht zwei Konsonanten im An- oder Auslaut (z. B. *tra-*, *-art*) oder drei im Inlaut (*-astra-*) darstellen kann, mußte man sich behelfen, wenn man Wörter in Sprachen schrieb, in denen solche Konsonantenhäufungen vorkommen: hethit. *ši-pa-* für *spa-* oder griech. *As-ta-ar-ta-* für *Strato-(nike)*. K. diente 3000 Jahre lang zur Wiedergabe des Sumer. und Akkad. und – zu verschiedenen Zeiten – weiterer Sprachen: → Hurritisch, → Amoritisch, Kassitisch (→ Kossaioi), → Hethitisch und verwandter indeur. Sprachen, → Elamisch und → Urartäisch. Die ugaritische → Alphabet-Schrift (14./13. Jh. v. Chr.) war formal ein Ableger der K.; auch die → altpersische Keilschrift ist nach ihrer Form (nicht ihrem System) eine K. Die Gesamtzahl der in Gebrauch befindlichen K.-Zeichen schwankt je nach Periode; so lag die Zahl der im 1. Jt. v. Chr. in Assyrien gebrauchten Zeichen bei nur noch ca. 600 (gegenüber ca. 1000 Zeichen im 3. Jt.). Doch kamen die Schreiber z. B. in altassyr. (20./19. Jh.) bzw. altbabylon. (19./17. Jh.) Zeit notfalls mit einem Minimalsystem von 70–80 Zeichen aus.

Die K. hat vom frühen 3. bis zum E. des 1. Jt. eine erhebliche paläographische Entwicklung erfahren, wobei die K. in Assyrien und Babylonien seit dem 2. Jt. einen jeweils eigenen Duktus annahm. Auch in den Randgebieten, bes. im Hethiterreich (→ Ḫattusa) finden sich eigene Ausprägungen der K. Unterschiede bestehen auch zwischen monumentaler K. (auf Stein) und stark kursiven Formen (etwa in Briefen).

→ Schrift

1 B. André-Leicknam, C. Ziegler (Hrsg.), Naissance de l'Écriture, ⁴1982   2 D. O. Edzard, s. v. K., RLA 5, 544–68   3 M. Geller, The Last Wedge, in: ZA 87, 1997, 43–95

Abb. 1: Entwicklung des Zeichens »Stier« (gud)
1.1 bis 1.3: Teilbild (Stierkopf) auf dem Wege zur Abstraktion, ca. 3100–2800 v. Chr. – 1.4: Keilform ca. 2000 v. Chr. (um 90° nach links gedreht). – 1.5: Keilform neuassyrisch (1. Jt. v. Chr.).

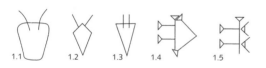

Abb. 2: Reihenfolge der Keile des Zeichens ù (ca. 2000 v. Chr.)

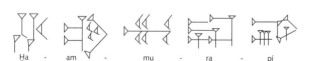

Ḫa - am - mu - ra - pí

Abb. 3: Der Königsname Ḫammurapi in Silbenschrift (ca. 1750 v. Chr.).

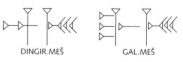

DINGIR.MEŠ   GAL.MEŠ

Abb. 4: »Die großen Götter« DINGIR.MEŠ GAL.MEŠ, akkadisch, mit den Sumerogrammen DINGIR »Gott«, GAL »groß« und dem Logogramm MEŠ = Plural geschrieben (1. Jt. v. Chr.).

4 M. Krebernik, H. J. Nissen, Die Sumer.-akkad. K., in: H. Günther u. a. (Hrsg.), Schrift und Schriftlichkeit, 1994, 274–88 (mit Lit.) **5** E. Reiner, How We Read Cuneiform Texts, in: JCS 25, 1973, 3–58. D.O.E.

Keilschriftrechte A. Allgemeines B. Einzelheiten C. Wirkungsgeschichte D. Forschungsgeschichte

A. Allgemeines

K. – benannt nach der gegen E. des 4. Jt. v. Chr. in Mesopot. geschaffenen, im ganzen Vorderen Orient verbreiteten → Keilschrift, mit der in diesem Raum rechtlich relevante Vorgänge schriftlich festgehalten wurden. Wie die lat. Schrift sagt die Keilschrift unmittelbar nichts über die kulturelle und rechtliche Zugehörigkeit des Geschriebenen aus. Der Plural »K.« ist daher sachgerecht. Nur in Mesopot. selbst umfassen Schriftzeugnisse die gesamte Zeitspanne von der Erfindung der Keilschrift bis zu deren allmählicher Ablösung im Alltagsgebrauch ab der Mitte des 1. Jt. v. Chr. durch das → Aramäische und dann durch das Griech.

Die Beleglage zu den einzelnen Rechtsordnungen ist höchst unterschiedlich; innerhalb derselben sind die verschiedenen Geschäftstypen und Quellengattungen ungleichmäßig vertreten. Ca. 80% des erh. Keilschriftmaterials besteht aus Rechts- und Verwaltungsurkunden sowie Briefen. Der rechtsspezifische Anteil reicht von einigen Dokumenten (z. B. Ebla: 10–15 von 15 000 Texten; → Hattusa: ca. 200 von mehreren tausend Texten) bis zu ca. 30% der Texte im altbabylon. Material und besteht v. a. aus Geschäfts- und Prozeßurkunden, in weit geringerem Maß aus Rechtssetzung, darunter die altbabylon. *mēšarum*-Akte (»Seisachthien«), Rechts-Slgg., → Staatsverträgen u. a. Hinzu treten mittelbare Rechtsquellen wie amtliche und private Briefe, Verwaltungsurkunden, Königsinschr., → Weisheits-Literatur, Omina (→ Omen), Hymnen und Epen.

Die für → Mesopotamien unterscheidbaren Gesch.-Perioden sind auch rechtsgesch. markant. Erste (altsumer.) Urkunden entstammen der frühdynastischen Zeit (bis 2330 v. Chr.). Nach dem rechtshistor. ebenfalls weniger ergiebigen Reich von Akkad (ca. 2330–2190) liegen aus der neusumer. Epoche (21. Jh.) mehr als 30 000 Tontafeln vor, darunter weit über 1000 Verträge und Prozeßurkunden, ferner ein erstes Zeugnis der sumer.-altbabylon. *Codices*. Ihr Charakter als Gesetze wird kontrovers erörtert, ist aber zu verneinen. Aus der altbabylon. Epoche (ca. 2000–1595) sind bislang allein über 7000 Verträge und Prozeßurkunden, einige tausend Briefe, mit dem *Codex* → *Hammurapi* der umfangreichste der *Codices* sowie Akte königlicher Rechtssetzung (»Seisachthien«) veröffentlicht. Die etwa gleichzeitige altassyr. Epoche hat bislang aus dem assyr. Kerngebiet in Nord-Mesopot. kaum Schriftzeugnisse geliefert; auch die mittelbabylon. Zeit ist im Gegensatz zur mittelassyr. karg belegt. Herausragendes Rechtszeugnis dieser Zeit ist das »Mittelassyrische Rechtsbuch«

(ca. 1100 v. Chr.). Aus der neuassyr. wie der neubabylon. Zeit liegen zahlreiche Rechtsurkunden vor, außerdem ein als »Neubabylonisches Gesetz« diskutiertes Bruchstück. Die letzten keilschriftl. Rechtszeugnisse gehören in die Seleukiden- und Arsakidenzeit (3.–1. Jh.).

Außerhalb Mesopot. sind die rechtlich bezeugten Kulturperioden kürzer. Die älteste bislang bekannte Stadt mit umfangreichen Textfunden ist → Ebla (ca. 2300). Wenige Rechtsurkunden stammen aus dem von Hammurapi zerstörten → Mari. Aus → Kaneš, einer altassyr. Handelskolonie in Anatolien, liegen aus der Zeit von ca. 1900–1700 v. Chr. – im wesentlichen aus dem 19. Jh. – über 20 000 Texte vor, darunter viele Rechtsurkunden; sie spiegeln altassyr. und einheimisches Recht wider. Das → Hethitische Recht Anatoliens ist vor allem faßbar in den »Hethitischen Gesetzen« und in Urkunden, die man h. dem öffentlichen Recht zurechnen würde (z. B. Landschenkungen; Dienstanweisungen). Weitere Urkundengruppen von nennenswertem Umfang und rechtshistor. Interesse sind vor allem erhalten aus → Elam (ca. 26. – 6. Jh.), aus den hurri(ti)schen Fürstentümern Arrapḫa und Nuzi (ca. 1460–1330; → Hurriter), ferner aus → Alalaḫ (18. und 15. Jh.) und → Ugarit (ca. 1400–1200), kaum hingegen aus → Urartu (ca. 825–640).

B. Einzelheiten

Der für die K. typische Schriftträger ist die Tontafel. Kodifikationen sind unbekannt, die Rechtssetzung betrifft Einzelmaterien, keine der Sammlungen im Gebrauch befindlicher Rechtsnormen umfaßt die gesamte Rechtsordnung. Letztere ergibt sich vorrangig aus den Alltagsurkunden, welche neben dem Personen-, Familien- und Sachenrecht (→ Ehe; → Familie; → Freilassung; → Frau) die Verkehrsgeschäfte belegen, deren die rege Wirtschaft bedurfte (Antichresis; Auftrag; → Bürgschaft; → Darlehen; Dienstvertrag; (Erb-)Teilung; (Handels-)Gesellschaft; → Kauf; → Miete; → Pacht; → Pfand; Schenkung; Tausch; Vergleich; Verwahrung; Werkvertrag). Die Geschäftsurkunden waren vorrangig Beweisurkunden, u. U. auch Dispositivurkunden. Generell wurden Zeugen zugezogen, unter ihnen der Schreiber der Urkunde; als Sicherung bediente man sich z. T. des (promissorischen) → Eids, des → Fluchs und der (u. U. blutigen) Vertragsstrafe. Die Siegelung vertrat die heute übliche Unterschrift. Äußerlich waren die Urkunden bis in die neubabylon. Zeit vorwiegend als Doppelurkunde (Hüllentafel um die Innentafel) gefaßt; nicht auszuschließen ist, daß diese Form sich auf die Gestaltung der (späteren) griech. Doppelurkunde auswirkte. Die Stilisierung folgte Formularen, in denen sich auch örtliche Abweichungen und zeitlicher Wandel ausdrückten. Verbreitetes Urkundenformular war der (oft abstrakte) Verpflichtungsschein. Mitunter sind symbolische Akte, die die Vollendung eines Rechtsgeschäfts anzeigen, erkennbar (z. B. Abschneiden des Gewandsaums), doch ist kein Formalismus röm. Art ersichtlich. Eine allgemeine Archivierung von Rechtsurkunden war unbekannt, doch fanden sich öffentliche wie private → Archive. Den Prozeß belegen ebenfalls eine Vielzahl von Urkunden. Die Einzelheiten differieren in allem je nach Rechtsordnung.

C. WIRKUNGSGESCHICHTE

Alle K. gehören zu den »vorwissenschaftl.« Rechten (vor der röm. Jurisprudenz), d.h. sie entbehren der theoretischen Durchdenkung und werden allein von der Schreiberpraxis getragen. Dies mindert nicht den rechtlichen Wert, ist aber bei der Exegese hinsichtlich Terminologie und Urkundenübung zu beachten. Die anhand der Abschrift von Musterverträgen und Formularkompendien in Rechtsklauseln geschulten → Schreiber genügen den Anforderungen des Rechtsalltags durchaus. Zur rechtsgesch. Fortwirkung der K. ist zu unterscheiden einerseits zwischen möglicherweise in der Praxis »abgeschauten« – nur im Vergleich nachweisbaren – Klauseln und Geschäftstypen und andererseits der bis in die Bibel spürbaren lit. Tradition der Rechtssammlungen und des sonstigen Schrifttums (vgl. z.B. [5]).

D. FORSCHUNGSGESCHICHTE

Bald nach der Entzifferung der Keilschrift erschienen seit Ende des 19. Jh. Urkundeneditionen, Übersetzungssammlungen ([4. 210ff.]; TUAT 1: Rechtssammlungen; TUAT 3: Urkunden in kulturvergleichendem Überblick) und erste zusammenfassende Darstellungen [4. 51ff.]. Die Publikation des *Codex Ḫammurapi* 1902 stimulierte die keilschriftrechtl. Forsch. wie die Urkundenpublikation stark. Allerdings ist zu unterscheiden zwischen Fundbestand, in Autographie veröffentlichten und mit Komm. und Übers. bearbeiteten Texten. Da viele Urkunden Raubgrabungen entstammen, ist die Bearbeitung zusammenhängender Bestände bisher nur beschränkt geschehen. Publikationsstand und Materialfülle lassen eine erschöpfende Darstellung der K. auf absehbare Zeit nicht zu, obgleich rechtshistor. Unt. zu Einzelfragen in großer Zahl vorliegen und laufend erscheinen.

→ Personenrecht

1 S. GREENGUS, Legal and Social Institutions of Ancient Mesopotamia, in: J.M. SASSON (Hrsg.), Civilizations of the Ancient Near East 1, 1995, 469–484 2 R. HAASE, Einführung in das Studium keilschriftl. Rechtsquellen, 1965 3 Ders., Die keilschriftl. Rechts-Slgg. in dt. Fassung, 1979 4 V. KOROŠEC, K., in: HbdOr, Erg.-Bd. 3, 1964, 49–219 5 E. OTTO, Rechtsgesch. der Redaktionen im Kodex Ešnunna und im Bundesbuch, 1989 6 M. SAN NICOLÒ, Beitr. zur Rechtsgesch. im Bereiche der keilschriftl. Rechtsquellen, 1931.

BIBLIOGRAPHIEN UND NACHSCHLAGEWERKE:
R. BORGER, Hdb. der Keilschriftlit. 3, 1975 · RLA (mit zahlreichen rechtl. Lemmata) · M. SAN NICOLÒ, É. SZLECHTER, in: SDHI 16, 1950–1962, 1996 (dreij. Turnus) · G. CARDASCIA, S. LAFONT, in: Revue Historique de Droit Français et Étranger 75, 1997.
JO.HE.

Keiriadai (Κειριάδαι). Att. Asty-Demos der Phyle Hippothontis, zwei → *buleutaí*. Die Lage vor den Mauern Athens westl. von Nymphenhügel und Pnyx [2. 51] (h. Ano Petralona) sicherte das Βάραθρον (*Bárathron*), eine Schlucht in K., in die man zum Tode Verurteilte stürzte (Anecd. Bekk. 1,219,10) [1].
→ Athenai

1 TH. THALHEIM, s.v. Βάραθρον, RE 2, 2853 2 TRAILL, Attica, 51; 69; 110 Nr. 62, Tab. 8 3 WHITEHEAD, 26, 83.
H.LO.

Keiris (κεῖρις, lat. *ciris*) hieß ein h. unbestimmbarer [1; 2] Wasservogel, dem das Gedicht *Ciris* (Ps.-Verg., V. 205 und 501ff.) bei weißer Körperfärbung bläuliche Flügel, einen roten Schopf und dünne rote Beine zuschreibt. SCALIGER identifizierte ihn mit einem Reiher, mit dem nach Aristot. hist. an. 8(9),1,609b 26 der Seeadler (*haliáetos?*) kämpft; bei Hyg. fab. 198 ist *ciris* jedoch ein analog dazu vom Adler verfolgter Fisch [3. 144]. In der Myth. wird in der Sage von (dem in einen Seeadler verwandelten) → Nisos und seiner Tochter → Skylla diese in den K. verwandelt (Verg. georg. 1,404–409; Ov. met. 8,14–151; Hyg. fab. 198). Aischylos (Ag. 1231ff., Choeph. 613ff.) kennt die Verwandlung noch nicht, da diese wohl erst im Hell. wegen der Etym. des Namens (von *keírein*, »scheren«, weil Skylla ihrem Vater das Haupthaar abgeschnitten hatte) erfunden wurde.

1 D'ARCY W. THOMPSON, Ciris, in: CQ 19, 1925, 155–158 2 E. SIECKE, De Niso et Scylla in aves mutatis, Diss. phil. Berlin 1884 3 D'ARCY W. THOMPSON, A Glossary of Greek Birds, 1936, Ndr. 1966.
C.HÜ.

Keisos (Κεισός, Κίσσος). Ältester Sohn des Herakliden → Temenos, des Königs von Argos, und Bruder des → Phalkes, Kerynes, Agaios (anders bei Apollod. 2,179) und der → Hyrnetho. Als der König Hyrnetho und ihren Gatten → Deïphontes seinen Söhnen bei der Nachfolge vorzieht, verschwören sie sich unter der Führung des K. gegen ihren Vater und lassen ihn ermorden. Sie werden aber vom Heer zugunsten des legitimen Königspaares vom Thron verdrängt und des Landes verwiesen (Nikolaos von Damaskos FGrH 90 F 30; Diod. 7,13,1). Einer anderen Überl. zufolge tritt K. nach der Verschwörung die Nachfolge seines Vaters an (Paus. 2,19,1).
R.A.MI.

Kekropios (-us). K. war Praefekt einer Reiterabteilung (der *ala Dalmatorum*) und beteiligt an der Verschwörung gegen Kaiser → Gallienus, den er 268 n. Chr. bei Mailand ermordete (SHA Gall. 14,4; 7ff.; Zos. 1,40,2). PIR² C 595.
T.F.

Kekropis (Κεκροπίς). Seit der Phylenreform des → Kleisthenes [2] siebte der zehn Phylen Attikas (→ Attika mit Karte); eponymer Heros: → Kekrops. Die K. umfaßte z.Z. der zehn Phylen elf (vier Asty-, fünf Mesogeia-, zwei Paralia-) Demoi. Daidalidai, Melite und Xypete wechselten von 307/6 v. Chr. bis 201/0

in die Demetrias. Wie die übrigen kleisthenischen Phylen gab die K. je einen Demos an die Ptolemaïs (224/3 v. Chr.), Attalis (200 v. Chr.) und die Hadrianis (127/8 n. Chr.) ab. Statt acht Demoi erscheinen im Prytanenkatalog IG II² 1782 von 177/8 n. Chr. nur sechs.
→ Attalos [4]

TRAILL, Attica, xvii, 11 f., 20 f., 23 Nr. 11, 28, 50 f., 57, 71, 85, 102, 106, 133, Tab. 7 • J. S. TRAILL, Demos and Trittys, 1986, 1 ff., 134 ff.   H. LO.

Kekrops (Κέκροψ). Autochthoner (Apollod. 3,177) att. Urkönig, der auf der Akropolis von → Athenai, wo auch sein Grab lag (Antiochos-Pherekydes FGrH 333 F 1), kultisch verehrt wurde. Das Kekropion (Bauinschr. Erechtheion IG I³ 474,56–63) ist wohl mit der Struktur an der SW-Ecke des Erechtheions identisch, auf die bei der Errichtung des Tempels Rücksicht genommen wurde, und kann vor die → Perserkriege (Hekatompedoninschr. IG I³ 4B, 10–11) datiert werden. Eine Inschr. augusteischer Zeit nennt einen Priester des K. aus dem Geschlecht der Amynandriden (IG III 1, 1276). Bei Apollod. 3,177 und im Marmor Parium (FGrH 239 A) wird K. als erster König Athens genannt, ferner findet sich in den Königslisten ein später ersonnener K. II. als Nachfolger des → Erechtheus (Paus. 1,5,3; Apollod. 3,196 und 204). K.' Regierungsbeginn kann nach Philochoros (FGrH 328 F 92 = Eus. Pr. Ev. 10,10,7) auf das J. 1607 v. Chr. bestimmt werden, seine Regierungszeit betrug nach Philochoros (FGrH 328 F 93) 50 Jahre. Sein Aussehen dachte man sich zweigestaltig (*diphyḗs*) mit schlangenförmigem Unterleib (Eur. Ion 1163–1164; Apollod. 3,177; schol. Aristoph. Vesp. 438; bei Eupolis in den ›Kolakes‹ fr. 159 PCG V Mischwesen aus Mensch und Thunfisch), allerdings wird K. in der bildenden Kunst, wenn zusammen mit den anderen Phylenheroen, in rein menschlicher Gestalt gezeigt [2. 1089–1091]. Rationalistische Erklärungen versuchen die Zweigestaltigkeit mit seiner Zweisprachigkeit (er stammte aus dem äg. Saïs: Philochoros FGrH 328 F 93, schol. Aristoph. Plut. 773) oder einem Wechsel in seinem Wesen zu begründen (Plut. mor. 551ef).
   K. ist als Urkönig Begründer zahlreicher zivilisatorischer Errungenschaften wie der Einehe (schol. Aristoph. Plut. 773), der Totenbestattung (Cic. leg. 2,63) oder des Alphabets (Tac. ann. 11,14,2) und hat die Menschen aus dem Zustand der Wildheit herausgeführt (schol. Aristoph. Plut. 773). Im kult. Bereich wird K. die Einrichtung der Verehrung des → Zeus Hypatos (Paus. 8,2,3) und des Kronos (Philochoros FGrH 328 F 97 = Macr. Sat. 1,10,22) sowie das erste → Hermes-Bild (Paus. 1,27,1) zugeschrieben, im polit. Bereich die Zusammenführung der 12 att. Städte in ein Gemeinwesen (Philochoros FGrH 328 F 94) und die erste Volkszählung (Philochoros FGrH 328 F 95). Unter seiner Regierung wurden die Bewohner Attikas Kekropiden (Hdt. 8,44), Stadt und Landschaft Kekropia (Plin. nat. 7,194; Apollod. 3,177) genannt, und auch später behält der Name den Glanz des Altehrwürdigen und Adligen (Lukian.

Timon 23; Anth. Pal. 11,319,5). Als Gattin des K. erscheint Aglauros [1], als seine Töchter Aglauros [2], Pandrosos und Herse (Paus. 1,2,6; Apollod. 3,180), als sein Sohn Erysichthon (Apollod. 3,180), der zu Lebzeiten des K. starb und so die Herrschaft nicht übernehmen konnte (Kranaos als Nachfolger, Paus. 1,2,6; bei Isokr. or. 12,126 Erichthonios).
   Eine gewisse Rolle spielt K. beim Streit der → Athena und des → Poseidon um das att. Land, sei es als Schiedsrichter (Kall. fr. 194,66–68), als Zeuge für die Ölbaumpflanzung Athenas (was die 12 Götter zu ihrem für diese günstigen Urteil veranlaßt, Apollod. 3,178) oder als Organisator der durch ein Orakel befohlenen Volksabstimmung, die wegen der größeren Anzahl Frauen für Athena einen glücklichen Verlauf nimmt (Varro bei Aug. civ. 18,9). Seit der kleisthenischen Reform (→ Kleisthenes) ist K. einer der 10 eponymen Phylenheroen (Paus. 10,10,1); der Phyle Kekropis können 11 Demen zugeordnet werden [1. 372]. Vereinzelte Zeugnisse weisen auf andere Landschaften Griechenlands, so auf Megara (Hesych. s. v. ἐν δ' Αἴθυια), Euboia (Heroon als Sohn des Pandion, Paus. 9,33,1) und auf Thrakien und Thessalonike (Steph. Byz. s. v. Κεκροπία). Seine sonst nirgends belegte Verstirnung zum Wassermann begründet Hyg. astr. 2,29 damit, daß zu K.' Zeiten der Wein noch nicht erfunden war und das Wasser herrschte.

1 WHITEHEAD 2 I. KASPER-BUTZ, B. KNITTLMAYER, I. KRAUSKOPF, s. v. K., LIMC 6.1, 1084–1091; Abb.: LIMC 6.2, 721–723.   JO. S.

Kekryphaleia (Κεκρυφάλεια). Insel im Saron. Golf, vermutlich das h. Angistri, im Zusammenhang mit der Seeschlacht zw. Athen und Aigina 458 v. Chr. gen. (Thuk. 1,105; Diod. 11,78,2; Plin. nat. 4,57; Steph. Byz. s. v. K.).

E. MEYER, s. v. Pityonesos, RE 20, 1880 f. • PHILIPPSON/KIRSTEN 3, 45.   H. KAL.

Kekryphalos (κεκρύφαλος, -άλιον, lat. *reticulum*), Haarnetz, Haartuch. Bereits bei Hom. Il. 22,469 als Bestandteil der weiblichen Tracht erwähnt, diente der K. dazu, das Kopfhaar oder Teile desselben zu bedecken. Die griech. (vgl. z. B. Aristoph. Thesm. 257) und röm. Frau trug nicht nur nachts einen K., um die sorgfältig angeordneten Frisuren zusammenzuhalten, sondern auch bei Tag (Varro ling. 130; Non. 14,32 u. a.). Wenn vereinzelt Männer den K. trugen, war dies allerdings rügenswert (Athen. 15,681c; Iuv. 2,96) und galt als weibisch. Der K. konnte als Tuch in verschiedenen Formen um den Kopf gelegt oder gewunden werden oder aber als groß- bzw. engmaschiges Netz das Haar bedecken. Auch war die Kombination einer Haube oder eines → Sakkos mit Haarnetz möglich [1]. Mitunter haben sich Reste von K. erhalten (byz. (?), 11. Jh., [2]).

1 A. ONASSOGLOU, Ein Klappspiegel aus einem Grab in der Ostlokris, in: AA 1988, 439–459 2 Wikinger, Waräger,

Normannen. Die Skandinavier und Europa 800–1200, Ausstell. Paris-Berlin-Kopenhagen, 1983, 330 Nr. 392.

H. BRANDENBURG, Studien zur Mitra, 1966, 131–132 · E. MOTTAHEDEH, The Princeton Bronze Portrait of a Woman with Reticulum, in: A. HOUGHTON (Hrsg.), FS Mildenberg: Numismatik, Kunstgesch., Arch., 1984, 193–210 · I. JENKINS, D. WILLIAMS, Sprang Hair Nets. Their Manufacture and Use in Ancient Greece, in: AJA 89, 1985, 411–418 · J. P. WILD, The Clothing of Britannia, Gallia Belgica and Germania Inferior, in: ANRW 12.3, 1985, 394 f.   R. H.

Keladon (Κελάδων). Im Lykaion entspringender Nebenfluß des → Alpheios zw. Pylos und Arkadia – seine Identifikation ist ein homer. Problem (Hom. Il. 7,133–135: Nestors Erzählung vom Kampf der Pylier gegen die Arkader am ›schnellfließenden K. ... bei den Mauern von Pheia an den Strömungen des Iardanos‹). Ant. Homerphilologen versuchten bereits erfolglos, den K. im Küstenbereich festzumachen (vgl. Didymos, schol. Hom. Il. 7,135; Strab. 8,3,21; vgl. auch Paus. 8,38,9: Κέλαδος/Kélados).   E. O.

Kelainai (Κελαιναί). Ehemals Hauptort von Phrygia (Liv. 38,13), später als → Apameia [2] von → Antiochos [2] I. neugegr. (Strab. 12,8,15); h. Dinar. Hier stand im Palast des Xerxes (Xen. an. 1,2,9) mit einem → parádeisos (»Jagdpark«) des Kyros (Xen. an. 1,2,7), ben. nach Kelainos, einem Sohn des Poseidon, dort verehrt wegen der häufigen Erdbeben (Strab. 12,8,18; Mz. der Stadt stellen aber Zeus und Dionysos Kelaineus dar). Der Sage nach erfand Athena bei K. die Flöte; der Satyr → Marsyas griff diese auf, wagte es, mit Apollon in einen Flötenwettkampf zu treten und wurde deshalb von dem Gott gehäutet. Marsyas soll K. 268 v. Chr. vor einem galatischen Angriff geschützt haben (Paus. 10,30,9). Verschiedene Autoren erwähnen zu unterschiedlichen Zeiten in Verbindung mit K. die Flüsse → Menandros, → Marsyas, Orgas, Katarrhektes und Obrimas (die ersten drei auf Mz. der Stadt unter Gordianus III. mit der Quelle Therma; zur Identifizierung [1. 112–125]) sowie die Quellen Klaion und Gelon.

1 P. CHUVIN, Mythologie et géographie dionysiaques, 1992.

W. RUGE, s. v. K., RE 11, 133 f. · MÜLLER, 129–148.
                                              T. D.-B./Ü: I. S.

Kelaino (Κελαινώ, von κελαινός/»dunkel«, lat. Celaeno).
[1] Eine der → Pleiaden (Hes. fr. 275,2 RZACH; Ov. fast. 4,173), von Poseidon Mutter des Lykos (Apollod. 3,111; Eratosth. Katasterismoi 23) und des Nykteus (Hyg. astr. 2,21).
[2] Eine der bei den Strophaden wohnenden → Harpyien, die den Aeneaden voraussagt, sie würden vor der Stadtgründung ihre Tische verschlingen (Verg. Aen. 3,209–258; vgl. Val. Fl. 4,453 ff.).   C. W.

Kelaitha (Κελαίθα). Stadt, die nach einer delph. Theorodokenliste des 2. Jh. v. Chr. bei → Kierion und Metropolis in SW-Thessalia lag. Wohl nicht identisch mit dem vicus Celathara, den die Aitoloi bei ihrem Raubzug 198 v. Chr. nach Dolopia und Süd-Thessalia eroberten und plünderten (Liv. 32,13,12 f.). Dagegen ist Kelaíthra als boiot. Stadt ›bei Arne‹ (verm. eher Kierion in Thessalia) überl. (Steph. Byz. s. v. Κελαίθρα).

B. HELLY, Incursions chez les Dolopes, in: I. BLUM (Hrsg.), Topographie antique et géographie historique en pays grec, 1992, 48–91, bes. 77 ff., 85 ff. · F. STÄHLIN, Das hellenische Thessalien, 1924, 133.   HE. KR.

Kelch s. Gefäße, Gefäßformen/-typen

Kelenderis (Κελένδερις). Stadt der → Kilikia Tracheia (Strab. 14,5,3), von dem Syrer Sandakos gegr., von Samos kolonisiert [1. 105]; der arkadengeschmückte Hafen ist in einem Mosaik (vgl. auch Tab. Peut. 10,3; [4]) dargestellt, h. Gilindire. Mitglied des → Attisch-Delischen Seebunds. 260 n. Chr. von den Sāsāniden erobert (Res Gestae divi Saporis 30). Suffraganbistum von Seleukeia/Kalykadnos. Im MA in Palaiopolis umbenannt.

1 E. BLUMENTHAL, Die altgriech. Siedlungskolonisation ..., 1963 2 W. RUGE, s. v. K. (2), RE 11, 138 3 HILD/HELLENKEMPER, 298 4 L. ZOROĞLU, K. I, 1994.   F. H.

Keleos (Κελεός). Ein eleusinischer Lokalheros, Ortskönig und Mann der → Metaneira, der auf Wunsch seiner vier Töchter die auf der Suche nach ihrer Tochter umherirrende → Demeter gastlich aufnimmt, ihr die Pflege seines neugeborenen Sohnes → Demophon [1] anvertraut und ihr schließlich nach ihrer Epiphanie ihren ersten Tempel baut (Hom. h. Cer.; eine leicht andere Version nach dem alten Dichter Pamphos bei Paus. 1,38,3); als Lokalheros erhält K. Kult an den Eleusinia (LSCG 10,72). Wohl wegen seiner Gastfreundschaft wird ihm später die Stiftung der öffentl. Speisung im athen. Prytaneion (Plut. symp. 4,4,1) zugeschrieben, doch gilt er auch als Urheber eines Mordanschlags auf den eleusinischen Heros Triptolemos (Hyg. fab. 147).

N. J. RICHARDSON, The Homeric Hymn to Demeter, 1974, 177–179.   F. G.

Keles s. Schiffahrt

Keletron (Celetrum). Stadt in der epeirotischen bzw. obermaked. Landschaft Orestis, unter diesem Namen ein einziges Mal lit. erwähnt (Liv. 31,40,2), aber wegen der genauen Ortsbeschreibung mit h. Kastoria identifiziert. Wohl unter Galerius Anf. 4. Jh. n. Chr. als Diokletianopolis neu gegr., danach verlassen, unter Iustinianus Wiederaufbau (Prok. aed. 4,3). Bischofssitz im 6. Jh. n. Chr. (Hierokles, Synekdemos 642,12).

F. PAPAZOGLOU, Les villes de Macédoine, 1988, 238 f.
                                              MA. ER.

Keleutor (Κελεύτωρ). K. und seine Brüder entreißen ihrem Onkel → Oineus, dem König von Aitolien, die Herrschaft und sperren ihn ein; sie machen ihren Vater → Agrios [1] zum König, bis Diomedes seinen Großvater Oineus befreit und alle Söhne des Agrios bis auf zwei, die fliehen können, tötet. Da Oineus zu alt ist, übergibt Diomedes die Herrschaft dessen Schwiegersohn → Andraimon [1] (Apollod. 1,77f.; Paus. 2,25,2; Hyg. fab. 175). AL. FR.

Keleystes s. Flottenwesen

Kelmis (Κέλμις, lat. Celmis; ältere Form wohl Σκέλμις bei Kall. fr. 100,1 PF. und Nonn. Dion. 14,39; 37,164). Einer der des Schmiedehandwerks kundigen idäischen → Daktyloi. Sprichwörtlich wird K. ἐν σιδήρῳ (Zenob. 4,80) in Beziehung auf eine Stelle im sophokleischen Satyrspiel *Kōphoí* (TGF, fr. 337 N.²) von allzu Kraftbewußten gebraucht. K., der bei Ovid (met. 4,281f.) Spielgefährte des Knaben Zeus ist, wird, weil er Rhea schmäht, in Stahl verwandelt. C. W.

Kelones (Κέλωνες). Nur von Diod. 17,110,4 erwähnte Volksgruppe, die während des Xerxeszuges aus Boiotia nach Media verschleppt wurde, wo Alexander d. Gr. sie noch 326 v. Chr. antraf. Wahrscheinlich eine Verwechselung mit den 490 v. Chr. von Datis und Artaphernes verschleppten Bewohnern des euboiischen → Eretria [1] (Hdt. 6,119,1f.; Strab. 16,1,25; Anth. Pal. 7,256; 259; vgl. auch die bei Curt. 4,12,11 gen. Gortuae, die aus Euboia den Persern nach Media gefolgt sein sollen). P. F.

Kelossa (Κηλῶσσα, Strab. 6,8,24; Κηλοῦσα, Xen. hell. 4,7,7; Κηλοῦσσα, Paus. 2,12,4), h. Megalovouni. Gebirgszug zw. Phleius und Argos (1273 m). Auf dem K. befand sich ein Artemisheiligtum [1].

1 M. TH. MITSOS, Inscriptions of the Eastern Peloponnesus, in: Hesperia 18, 1949, 75. E. MEY. u. E. O.

Kelsos (Κέλσος). Platoniker, 2. H. des 2. Jh. n. Chr., Verf. der ›Wahren Lehre‹ (Ἀληθὴς λόγος, *Alēthḗs lógos*), einer antichristl. Schrift, die der Christ → Origenes (auf Bitten seines Freundes und Mäzens Ambrosius) in seinen acht Büchern ›Gegen die Schrift des Kelsos mit dem Titel: Die Wahre Lehre‹ ausführlich widerlegte [1. 180–301]. Über das von K. (8,76) angekündigte ethische Werk ist nichts bekannt. Alles, was wir von ihm und seinem Werk wissen, stammt von Origenes, und schon dieser war hinsichtlich Person, Lebenszeit, Schulzugehörigkeit und Absichten des K. ganz auf Rückschlüsse aus dem *Alēthḗs lógos* angewiesen. Obschon Origenes erkennt, daß K. Anhänger Platons sein will (4,83), identifiziert er ihn doch fälschlicherweise mit einem gleichnamigen Epikureer (1,8) [1. 27, 188, 196f.; 2. 5186f., 5191f.]. Da Origenes das Werk des K. weitgehend Abschnitt für Abschnitt zitiert und widerlegt, können aus seiner Widerlegung große Teile des *Alēthḗs lógos* wie-

dergewonnen werden. Das Werk scheint nur ein Buch umfaßt zu haben. Aufbau und Zielsetzung sind umstritten, lassen sich aber einigermaßen rekonstruieren [1. 15–26, 38, 118–176].

Nach K. läßt sich ›bei vielen Völkern eine Verwandtschaft in ein und derselben Lehre‹ (1,14a) feststellen. Diese sei in ihrem Kern altüberkommen (ἀρχαῖος ἄνωθεν λόγος), da schon die weisesten und ältesten Völker (τὰ ἀρχαιότατα καὶ σοφώτατα γένη) sowie weise Männer der Vergangenheit (ἄνδρες ἀρχαῖοι καὶ σοφοί) sich mit ihr auseinandergesetzt hätten. Zu diesen ältesten und weisesten Völkern zählt K. u. a. die Ägypter, Arkader, Assyrer, Athener, Chaldäer, Eleusinier, Inder, Kelten, Perser und Samothraker, zu den ältesten Weisen u. a. Heraklit, Hesiod, Homer, Musaios, Orpheus, Pherekydes, Pythagoras, Zoroaster und auch Platon (1,5; 14; 16; 4,36; 6,3; 12f.; 42; 80; 7,28; 53; 8,68); denn auch Platons Lehre sei keineswegs neu (6,10; 13), sondern Ausdruck eben dieses alten »wahren Logos«, der sich bei ihm in ganz bes. Weise offenbart (6,1; 3) – in seiner Metaphysik und Theologie [3; 4. 82–85, 329–332; 5. 79–83] wie auch in seiner Dämonologie, Seelenlehre, Kosmologie und auch Anthropologie [2. 5203–5211; 5. 83f.]. Bei Platon erhält die »alte« oder »wahre Lehre« ihre gültige Form, in der Deutung des Platonikers ihre gültige Auslegung.

Den Christen und Juden wirft K. vor, beide hätten mit der gemeinsamen Trad. aller alten Völker – also dem *alēthḗs lógos* – gebrochen (8,2); die Juden seien von den Ägyptern abgefallen (3,5–8; 4,31) und die Christen von den Juden (2,4; 5,33). Das Charakteristikum beider Rel. sei also nicht die Eintracht (ὁμόνοια/*homónoia*, ὁμολογία/*homología*), sondern die Zwietracht und Neuerungssucht (στάσις/*stásis*, καινοτομία/*kainotomía*, 3,5–14). Juden und Christen wollten etwas Besonderes sein und meinen es doch nicht (5,25; 34; 41), vielmehr stammten auch ihre Lehren aus der den alten Völkern gemeinsamen »alten Lehre« (*palaiós lógos*), und wo sie von dieser Lehre abwichen, handle es sich nur um Mißverständnisse (3,16; vgl. 4,11).

Eine der Hauptquellen für die jüd. und die christl. Rel. sei natürlich diejenige der Ägypter gewesen (6,42). Daneben hätten die Juden Lehren von den Persern (6,22; 23), Juden und Christen Lehren von den Griechen (6,12; 13) – insbes. von den Kabiren auf Samothrake (6,23), Homer und Platon (6,7; 21; 7,28; 31) – übernommen, aber z. T. in mißverstandener und entstellter Form (6,7; 15; 16; 19; 47; 7,28; 32; 58). In ihrer Distanzierung von den überkommenen Kulten und vom röm. Staat stellten sie eine Gefahr für den Fortbestand des Reiches dar (8,68) [2. 5212f.].

Die Nachwirkung des K. bei den christl. und den späteren antichristl. Schriftstellern ist umstritten; letztere bedürfte einer neuen Unt. [1. 60–62]. Noch notwendiger aber ist eine kommentierte Neuedition.

1 K. PICHLER, Streit um das Christentum. Der Angriff des K. und die Antwort des Origenes, 1980 2 M. FREDE, Celsus philosophus Platonicus, in: ANRW II 36.7, 1994, 5183–5213

3 H. DÖRRIE, Die platonische Theologie des K. in ihrer Auseinandersetzung mit der christl. Theologie (Nachr. der Akad. der Wiss. in Göttingen, philol.-histor. Kl.), 1967 (2), 19–55 = Ders., Platonica minora, 1976, 229–262 4 DÖRRIE/BALTES IV, 1996 5 S. LILLA, Introduzione al Medio platonismo, 1992.

ED.: R. BADER, Der ἀληθὴς λόγος des K., 1940 (Tübinger Beitr. zur Altertumswiss. 33) · M. BORRET, Origène, Contre Celse I–IV, 1967–1969 (SChr 132, 136, 147, 150). ÜBERS.: H. CHADWICK, Origen: Contra Celsum, ²1965. LIT.: P. PILHOFER, Presbyteron kreitton, 1990, 285–289. BIBLIOGR.: L. DEITZ, Bibliographie du platonisme impérial antérieur à Plotin: 1926–1986, in: ANRW II 36.1, 1987, 145–147. M. BA.

Kelten   I. NAME   II. KELTEN IM WESTEN
III. KELTEN IM OSTEN
IV. DAS ANTIKE KELTENBILD   V. RELIGION

I. NAME

Der Name K. taucht zum ersten Mal bei den griech. Autoren des 5. Jh. v. Chr. auf (Hdt. 4,49: Κελτοί; Skyl. 18). Ihr Siedlungsgebiet wird *Keltiké* (Κελτική) genannt. Um 270 v. Chr. erscheint bei Timaios die Bezeichnung »Galater« (Γαλάται), alleiniger Name der K. in der östl. Welt. K. und Galater wurden von den Griechen nicht verwechselt. Ursprung der Verwirrung war die Übers. von *Galli* mit *Galatai* durch die Römer (Caes. Gall. 1,1,1). Diese zweite Bezeichnung der K. als *Galatai* steht sicherlich in Verbindung mit einer zweiten kelt. Einwanderungswelle nach Gallien um 390 v. Chr. (Pol. 1,6); eine Gegenposition zu der hier vorgetragenen Ansicht bei [2. 123 ff.]. Ant. Tendenzen zur Differenzierung folgend, nennt man h. in der Regel die ant. Bewohner Galatiens »Galater«, die kelt. Bevölkerung Galliens und der → Gallia Cisalpina »Gallier«; K. dient als Oberbegriff und schließt auch zugehörige Völker außerhalb der gen. Gebiete ein.

II. KELTEN IM WESTEN
A. SIEDLUNGSGEBIET   B. URSPRÜNGE UND HALLSTATT-KULTUR   C. LATÈNE-KULTUR D. WEITERE ENTWICKLUNG

A. SIEDLUNGSGEBIET

Zur Zeit ihrer größten Ausbreitung besiedelten die K. in Europa ein riesiges Gebiet, das im Westen an den Atlantik von der iberischen Halbinsel bis zu den britischen Inseln, im Norden an die großen dt. und polnischen Landebenen, im Osten an den Karpatenbogen und im Süden an die Mittelmeerküste von der katalanischen Küste über die Nordflanke des Appennins bis zur südl. Seite des Donaubeckens grenzte. Sehr deutlich erkennbar ist die Vorliebe der frühgesch. K. für Hochebenen oder durch Flußtäler zerschnittene Hügel. Eine solche Umgebung entsprach ganz einer Wirtschaft, in der Bodenanbau durch Viehzucht ergänzt wurde. Geringes Interesse zeigten die K. dagegen an großen Ebenen, am Hochgebirge und an Küstenstreifen mit ihren bes. Lebensbedingungen. Das kelt. Kerngebiet bestand aus einem Landstrich nördl. der Alpen. Dieses weite Gebiet war von großen Flüssen durchzogen, die seit alters her Verkehrsverbindungen darstellen. Eine Schlüsselrolle kam dem Schweizer Mittelland als wichtigstem Knoten der Verbindungen zu den Donaugebieten, dem Rheinland, dem Tal der Saône, Norditalien und dem Tal der Rhône zu. Das übrige Nordgallien war mit dem Hauptgebiet durch die Hochebenen der Champagne und das Moseltal, das sich mit dem weitflächigen Rheinland-Knoten zw. Mannheim und Koblenz vereinigte, verbunden. Außer Rhône und Flüssen der Champagne galten ganz offensichtlich Seine und Loire als die wichtigsten Flußwege, die die Atlantikküste mit dem Landesinneren verbanden.

B. URSPRÜNGE UND HALLSTATT-KULTUR

Zw. 1800 und 1200 v. Chr. bildeten sich Siedlungsgebiete mit einer protokelt. Kultur, die sich von Süddeutschland aus in einem Teil von Zentral- und Westeuropa ausbreiten. Zw. 1200 und 750 v. Chr. dehnte sich der kelt. Einfluß bis nach Südfrankreich und Spanien aus. Gegen 725 v. Chr. bildete sich nach dem Eindringen der → Kimmerioi ins Donautal die kelt. Zivilisation der ersten Eisenzeit (Hallstatt-Periode) in Süddeutschland, im h. Tschechien und Slowakien, in Österreich und Frankreich, die zahlreiche Beziehungen zu regionalen Kulturen und benachbarten Völkern pflegte (Ligures, Iberi, Illyrioi). Von 650 v. Chr. an begünstigte die Ausdehnung der griech. Kolonisation und des etr. Handels an den Südküsten Frankreichs Kontakte zw. den K. und dem Mittelmeerraum. Zudem verstärkten sich die Handelsbeziehungen zw. Etruria und dem Rheintal über die Alpenpässe. → Massalia, um 600 v. Chr. gegr., beherrschte allmählich den Warentausch zw. Griechen und K., der zw. 550 und 480 v. Chr. hauptsächlich durch das Rhônetal erfolgte. Während der ersten Periode der → Hallstatt-Kultur (ca. 850–600 v. Chr.) scheint die Besiedlung weit verstreut.

Die seit dem Neolithikum entstandenen sozialen Differenzen verstärkten sich weiter.. Die Häuptlinge wurden mit ihrem Wagen bestattet; Krieger sind an ihren Schwertern zu erkennen; doch enthält die große Masse der Grabstätten einfache Gegenstände. Eine gewisse kulturelle Gleichartigkeit über weite geogr. Bereiche hinweg bestand, aber die Besiedlung war ganz und gar zersplittert in kleine regionale Gemeinschaften, beherrscht von lokalen Dynastien, deren Grabstätten in *tumuli* zu finden sind. Ein bedeutsames Phänomen zeigte sich vom 9. Jh. v. Chr. an in der Entwicklung von Befestigungsanlagen im Hallstatt-Gebiet. Eine weitere Veränderung findet sich hier seit Anf. 6. Jh. v. Chr. in der Entwicklung von Handelsbeziehungen mit dem Mittelmeerraum: Eine Nord-Süd-Achse wurde allmählich aufgebaut. Dagegen verlor die alte Ost-West-Achse, auf der die zur Herstellung von Bronze notwendigen Rohstoffe Kupfer und Zinn herangeführt wurden, nach und nach an Bed. Die Hallstättische *Keltiké* übernahm so eine günstige Zwischenhändlerrolle im Wa-

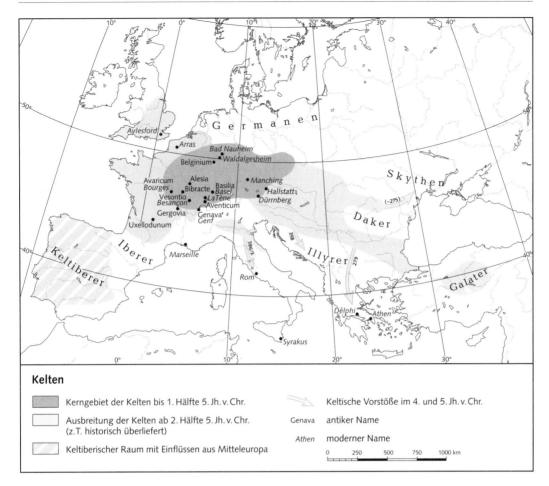

Kelten

Kerngebiet der Kelten bis 1. Hälfte 5. Jh. v. Chr.

Ausbreitung der Kelten ab 2. Hälfte 5. Jh. v. Chr.
(z.T. historisch überliefert)

Keltiberischer Raum mit Einflüssen aus Mitteleuropa

Keltische Vorstöße im 4. und 5. Jh. v. Chr.

Genava   antiker Name

Athen   moderner Name

0   250   500   750   1000 km

renaustausch zw. Nordeuropa und dem Mittelmeerraum über die Rhônefurche und die Alpenpässe. Arch.
belegt ist die Existenz einer Anzahl von Höhenfestun-
gen, Residenzen kelt. Fürsten und → Fürstengräber, so
am Oberlauf der Donau (die → Heuneburg am Kreuzungspunkt zw. Norden, Süden, Westen und dem Donautal; der Hohenasperg ca. 100 km nördl. der Heuneburg) und in Burgund (Vix).

C. Latène-Kultur

Anf. 5. Jh. v. Chr. verfielen die Fürstentümer rapide.
Die Residenzstätten verschwanden teils unter gewalt-
samen Umständen, die Grabstätten verloren an Pracht,
und die importierten Prestigegüter wurden seltener. In
bestimmten Regionen (Wetterau/Hessen, Südthürin-
gen, Nordbayern oder Böhmen) blieben jedoch bed.
polit. und wirtschaftliche Zentren bis ins 4. Jh. v. Chr.
bestehen, z.B. Ehrenbürg bei Forchheim, Steinsburg
(Thüringen; Höhepunkt in Frühlatène, stadtähnliches
Zentrum) oder Závist (Böhmen), kleinere regionale
Mittelpunkte bis zum Beginn der Mittellatène-Zeit
(Eierberg, Nord-Unterfranken, vgl. [1. 110ff.; 2. 153f.,
178f.]). Im deutschen Mittelgebirgsraum kam es zur
Ausbildung großer Fluchtburgen in der späten Frühlatène-Zeit, die auf eine neue polit. Organisation größe-

rer Volksverbände hinweist. Der → Glauberg (Hessen)
mit großer Höhenbefestigung und monumentaler
Grabanlage (dynastischer Totenkult, lebensgroße Statuen) zeigt nunmehr ein überregionales Herrschaftszen-
trum der Frühlatène-Zeit mit deutlichen Beziehungen
zum ital. Raum [3]. Gleichzeitig aber kommen offenbar
im Norden, bes. im Bereich Hunsrück/Eifel, beiderseits
der Mosel und in der Champagne neue mächtige und
wohlhabende Zentren auf. Charakteristisch für den
Anf. dieser Periode ist der allg. Gebrauch von → Eisen
und kriegerische Bewegungen.

Die Gräber um Mosel und Marne sind nicht so
prunkvoll wie die der Hallstätter Fürsten, doch enthalten sie recht wertvolle Geräte mit entscheidenden regionalen Unterschieden. Neben aus Griechenland und
Etruria importierten Gegenständen findet man lokale
Handwerksprodukte, häufig Imitationen der Importware. Die vierrädrigen Grabwagen der Fürstengräber
sind hier durch zweirädrige Kriegswagen ersetzt (so z.B.
in den Gräbern von Berru, La Gorge-Meillet, Sept-
Saulx, Cuperly, Somme-Bionne, Waldalgesheim oder
→ Dürrnberg). Neben den adligen Grabstätten gibt es
eine große Anzahl von mit wenigen Eisenwaffen ausgestatteten Kriegergräbern, ein Hinweis auf die ange-

wachsene Bed. dieser Gruppe. Einige Gräber sind mit befestigten Höhensiedlungen verbunden, als Wohnort oder öfter als Fluchtburgen verwendet. Obwohl die Gesellschaftsordnung auch hier vermehrt hierarchisch strukturiert ist, können weder die für die Fürstentümer des 6. Jh. charakteristischen, stark zentralisierten Gebiete noch Lehnsherrschaften festgestellt werden. Eher scheint es sich um kleine autonome Gemeinschaften mit Häuptlingen zu handeln, deren Macht die Gebietsgrenzen nicht überschritt.

Das typischste Merkmal der weiteren Umgestaltung der kelt. Ges. ist das Oppidum: eine einfach befestigte Stadt an einer wichtigen Handelsstraße oder in der Nähe von bedeutsamen Vorkommen an Bodenschätzen. Es ist das Wirtschaftszentrum eines bestimmten Gebietes, das verschiedene spezialisierte Handwerkszweige zusammenfaßte, den Hauptmarkt enthielt, vermehrt auch polit. Zentrum und manchmal Kultzentrum war (z. B. → Alesia, → Bibracte, Heidengraben, Kelheim oder Závist).

Die K. der → Latène-Kultur waren gefürchtete Krieger, die sich einer bemerkenswerten → Metallurgie bedienten und deren Dienste die Mächte um das Mittelmeer oft als → Söldner in Anspruch nahmen. Ihre Süd-Wanderung nahm schnell radikale und massive Formen an. Überbevölkerung wie auch durch Klimaverschlechterung bedingte Agrarflächenverknappung veranlaßten zw. dem 6. und 5. Jh. ganze Völker (→ Senones, → Lingones, → Boii) oder kriegerische Banden der dicht bevölkerten Nord-*Keltiké* und anderer Gebiete (Böhmen), angezogen von Reichtümern und oft von ehemaligen Söldnern geführt, die Alpen zu überqueren oder die bekannten großen Handelswege einzuschlagen. Schon im 5. Jh. erreichten sie den SO von Gallien, unterwarfen → Ligures und bedrohten Massalia, bevor sie Anf. 4. Jh. in It. einfielen (Liv. 5,34; Pol. 2,17,3 ff.). 387 v. Chr. kam es zur röm. Niederlage an der → Allia. Die Senones ließen sich an der adriatischen Küste auf einem 60 km breiten, 100 km langen Landstreifen zw. Pesaro und Macerata nieder (*ager Gallicus*), einem Gebiet von großer strategischer Bed., da es die Kontrolle über den Zugang zum Tibertal und damit zu Mittelitalien ermöglichte und eine ständige Bedrohung der Städte von Apulia und Campania darstellte. 181 v. Chr. führte erneutes Eindringen von K. über die Alpen zur Gründung der röm. Kolonie → Aquileia [1]. Innerkelt. Völkerverschiebungen in den letzten drei Jh. v. Chr. endeten mit der Inbesitznahme von Südbritannia durch → Belgae (Caes. Gall. 5,12,2), der Mittelmeerküste durch → Volcae Tectosages und Volcae Arecomici, arch. zu verfolgen im Umkreis von → Narbo und im Rhônedelta. Die letzte Bewegung, die Verschiebung und schließliche Auswanderung der → Helvetii, zog → Caesars Aktionen und damit die Eingliederung von Gallien in das Imperium Romanum nach sich.

D. WEITERE ENTWICKLUNG

Überall sonst im kelt. Europa sind nur abgeschlossene Landnahmen zu greifen: Für die Gallia im weiteren Sinn (Frankreich, Belgien, Nordschweiz) bezeugt Strab. 4,1,1 eine einheitliche Sprache, kelt. PN sind in den Randzonen eher noch dichter anzutreffen als im Zentrum. In der Gallia Cisalpina behaupten sich als nichtkelt. Bereiche nur Liguria, die Alpentäler östl. vom Gardasee (Raeti) und Venetia. → Britannia war wahrscheinlich schon vor dem Einfall der Belgae kelt.; Rel. (Caes. Gall. 6,13,11 f.) und Sprache (Tac. Agr. 11) waren denen Galliens ähnlich. In Böhmen bestätigen Oppida (Hradiště bei Prag) und andere Bodenfunde die Gegenwart von kelt. Boii (Tac. Germ. 28; 70 ff.; 127 ff.). Östl. Grenzmarken der kelt. Expansion in Europa sind kelt. Völker- und PN in Pannonia sowie ant. Nachrichten über die kelt. → Iapodes und Scorisci im Illyricum (Strab. 4,6,10; Pol. 1,6,4).

Auf der Pyrenäenhalbinsel fehlen Latène-Funde und ant. Trad. über Einwanderungen. Onomastik und Inschr. des Nordens und Westens zeigen kelt. Merkmale, weichen aber deutlich von Gallien ab. Die Namen der Celtici und → Celtiberi sind wohl von lat. oder griech. Beobachtern gegeben worden, die Ähnlichkeiten zu den *Celtae* nördl. der Pyrenäen feststellten. Man rechnet mit einem bes. frühen Eindringen der K. in Spanien und Portugal. Über viele Randzonen herrscht noch Unklarheit, bes. auch über die NO-Grenze Galliens, wo ein german. Anteil und Bevölkerungsgruppen, die weder german. noch kelt. sind, in Belgien und am Mittel- und Niederrhein vermutet werden. Ob in all diesen Randzonen mit kelt. »Eroberungen« zu rechnen ist oder ob nur Kulturaustausch über Sprachgrenzen hinweg anzunehmen ist, kann in der Regel mit den verfügbaren Quellen nicht entschieden werden.

Der Rückgang des Keltentums, verstanden in erster Linie als Verlust von kelt. Sprachgebiet (→ Keltische Sprachen), begann im Osten. Die Ausbreitung der german. Völker ist seit dem 2. Jh. v. Chr. spürbar (→ Cimbri, um 113 v. Chr.), zu Caesars Zeit was sie voll im Gang: → Suebi unter → Ariovistus; Umsiedlung der → Ubii auf das linke Rheinufer durch → Agrippa [1] 38 v. Chr.; Untergang der Macht der → Boii in Pannonia und Böhmen (Tac. Germ. 42; Plin. nat. 3,146). Im übrigen K.-Gebiet des Kontinents fallen kelt. Sprache und Autonomie der polit. und sprachlichen → Romanisierung zum Opfer. Dauer und Verlauf dieses Prozesses ist umstritten, ebenso wieweit abgelegene Gebiete (Bretagne, kantabrische Küstengebirge) davon verschont blieben.

Nur auf den britischen Inseln überdauerten kelt. Sprachen und Gesellschaftsformen; ihr Areal wurde durch die im 5. Jh. n. Chr. beginnende angelsächsische Landnahme verringert, hat sich aber bis zum Beginn der Neuzeit in Cornwall, Wales, Schottland und Irland, bis h. in Wales und in schottischen und irischen Rückzugsgebieten gehalten. In der Bretagne wurde im frühen MA das kelt. Volkstum durch Zuwanderer aus Südengland neu eingeführt oder aufgefrischt.

1 S. GERLACH, Der Eierberg, 1995 2 K. STROBEL, Die Galater 1, 1996 3 F.-R. HERRMANN, O.-H. FREY, Ein

frühkelt. Fürstengrabhügel am Glauberg, Wetteraukreis, Hessen, in: Germania 75, 1997, 459–550.

D. ALLEN, The Coins of the Ancient Celts, 1980 · F. AUDOUZE, O. BUCHSENSCHUTZ, Villes, villages et campagnes de l'Europe celtique, 1989 · G. BERGONZI, P. PIANA AGOSTINETTI, s. v. La Tène (Civiltà di), EAA², 272–284 · P. BRUN, Princes et princesses de la Celtique, 1987 · Ders., B. CHAUME (Hrsg.), Vix et les éphémères principautés celtiques, 1997 · F. BURILLO MOZOTA u. a., Celtiberos, 1988 · B. CUNLIFFE, The Ancient Celts, 1997 · G. DOBESCH, Die K. in Österreich nach den ältesten Ber. der Ant., 1980 · P. DRDA, A. RYBOVA, Les Celtes de Bohême, 1995 · P. M. DUVAL, Les Celtes, 1977 · Ders., G. PINAULT, Les calendriers (Coligny, Villards d'Héria), 1986 · Ders., V. KRUTA (Hrsg.), Les mouvements celtiques du Vᵉ au Iᵉʳ siècle avant notre ère, 1979 · F. FISCHER, Frühkelt. Fürstengräber in Mitteleuropa (Antike Welt 13), 1982 · A. FURGER-GUNTI, Die Helvetier, 1984 · V. KRUTA, L'Europe des origines, 1992 · Ders. (Hrsg.), Les Celtes au IIIᵉ siècle av. J.-C. (Études celtiques 28, 1991), 1993 · Ders., W. FORMAN, Les Celtes en Occident, 1985 · V. KRUTA, E. LESSING u. a., Les Celtes, 1978 · F. LE ROUX, CHR. GUYONVARC'H, La société celtique, 1991 · E. LESSING, Hallstatt, 1980 · J. P. MOHEN u. a. (Hrsg.), Les princes celtes et la Méditerranée, 1988 · S. MOSCATI u. a. (Hrsg.), I Celti, 1991 · B. RAFTERY, Pagan Celtic Ireland, 1994 · H. D. RANKIN, Celts and the Classical World, 1987 (Ndr. 1996) · S. RIECKHOFF, Süddeutschland im Spannungsfeld von Kelten, Germanen und Römern (TZ Beih. 19), 1995 · D. und Y. ROMAN, Histoire de la Gaule, 1997 · K. H. SCHMIDT (Hrsg.), Gesch. und Kultur der K., 1986 · K. SPINDLER, Die frühen K., 1983 · M. SZABO, Les Celtes de l'Est, 1992. Y. L.

III. KELTEN IM OSTEN
A. KELTEN IN SÜDOSTEUROPA
B. KELTEN IN KLEINASIEN (GALATAI)

A. KELTEN IN SÜDOSTEUROPA

Um 400 bzw. in den ersten Dezennien des 4. Jh. v. Chr. erfolgte eine Migrationsphase der frühlatènezeitlichen Welt [1. 33 ff., 58 ff., 153 ff.]: neue K.-Gruppen kamen nach Nordit.; der mittlere Donau- und Karpatenraum wurde durchdrungen, die ostkelt. Welt in diesen Bewegungen neu formiert. In der 2. H. des 4. Jh. ist im mittleren Donauraum ein impulsgebendes Zentrum der Latène-Zivilisation ausgebildet. Vor 338 drangen die K. nach Nordbosnien und Nordserbien vor; 335 Aufnahme diplomatischer Beziehungen mit Alexander d. Gr. (Freundschafts- und Symmachievertrag).

Kelt. Söldner sind im 4. Jh. im Mittelmeerraum präsent (Karthago, → Dionysios [1] I.). Die weiträumigen Bewegungen sind von einer mobilen Kriegeraristokratie mit ihren Gefolgschaften getragen. Der polit., rel. und soziale Wandel im Übergang von der Späthallstatt- zur Frühlatène-Periode stellt den adeligen Einzelkämpfer als heroischen Vorkämpfer mit Schwert in den Mittelpunkt; der hochadelige Führer fährt auf zweirädrigem Kriegswagen ins Kampfgeschehen. Militärisch entscheidend sind Adelsreiterei und der Gewalthaufen der Fußkämpfer, dessen todesverachtender Sturman-

griff (spezifisches Schwertgehänge entwickelt) die Entscheidung sucht. Die Lebensweise bleibt bäuerlich-seßhaft. Grundformen der Mobilität sind Heereszug, getragen vom Kriegerverband, oder Migration von verschiedenen akkumulierten Bevölkerungsgruppen mit dem Ziel der Landnahme. Wanderphasen wechseln sich mit Territorialisierungen ab, wobei große soziale Mobilität entsteht. Jede Stufe der Entwicklung der histor. Völker ist mit Ethnogeneseprozessen verbunden.

Nach dem Ende des → Lysimachos und dem Chaos 281/0 v. Chr. gingen 280 von den um Drau, Save und Donau etablierten K.-Gruppen drei Heereszüge gegen Paionia, Thrakia und Illyria aus [1. 214 ff.]. Letzterer Zug traf auf Ptolemaios Keraunos; der maked. König und sein Heer fanden den Untergang, Makedonia wurde geplündert. Dieses traumatische Ereignis ist der Ausgang für den überragenden mil. Nimbus der K. in der hell. Welt. Im J. 279 v. Chr. unternahm → Brennus [2] seinen großen Heereszug durch Makedonia nach Griechenland. Die Abwehrstellung mehrerer griech. Staaten bei den → Thermopylai löste sich nach dem Abzug der Aitoloi zur Abwehr eines detachierten kelt. Angriffs (Massaker von Kallion) auf. Der kelt. Angriff auf → Delphoi wurde im Winter 279/8 abgewehrt, die K. erlitten auf dem Rückzug schwere Verluste. 277 siegte → Antigonos [2] Gonatas über ein kelt. Heer bei Lysimacheia; dieser erste große Schlachtensieg über die K. brachte ihm überragendes Prestige als Retter vor der Barbarengefahr und Anerkennung als maked. König. In Süd-Pannonia und Nord-Obermoesia formierte sich der große Stammesverbund der → Scordisci. Nach Thrakia ziehende Verbände gründeten dort das kelt. Reich von → Tyle, eine relativ lockere Herrschaftsbildung, die 214/212 von → Thrakes vernichtet wurde. Im J. 218 warb → Attalos [4] I. die Aigosages in Thrakia als Söldner an und siedelte sie trotz einer Meuterei vertragsgemäß am Hellespontos an; 216 vernichtete → Prusias I. sie im Rahmen seiner Expansionspolitik (Pol. 5,77 f.; 111).

B. KELTEN IN KLEINASIEN (GALATAI)
1. EINFÜHRUNG 2. DER GALATER-BEGRIFF
3. GESCHICHTE

1. EINFÜHRUNG

Die Etablierung der Galatai in Kleinasien und die Behauptung ihrer Eigenstaatlichkeit bis 25 v. Chr. waren Ergebnis der Politik der hell. Mächte und dann Roms; die Galatai wurden rasch integrierter Bestandteil der hell. Staatenwelt; hiervon abzusetzen ist das ideologische Bild des galat. »Barbaren«.

2. DER GALATER-BEGRIFF

[1. 123 ff.]. Der Name Galátai (Γαλάται) und die verwandte diminutive lat. Form Galli, bedeutet »die tapferen, ungestümen Kämpfer« und ist die appellative Selbstbenennung des Kriegerverbandes, des Heerbanns in seiner kollektiven Kriegeridentität. Sie wird als Fremdbenennung zur generalisierenden, ethnisch ver-

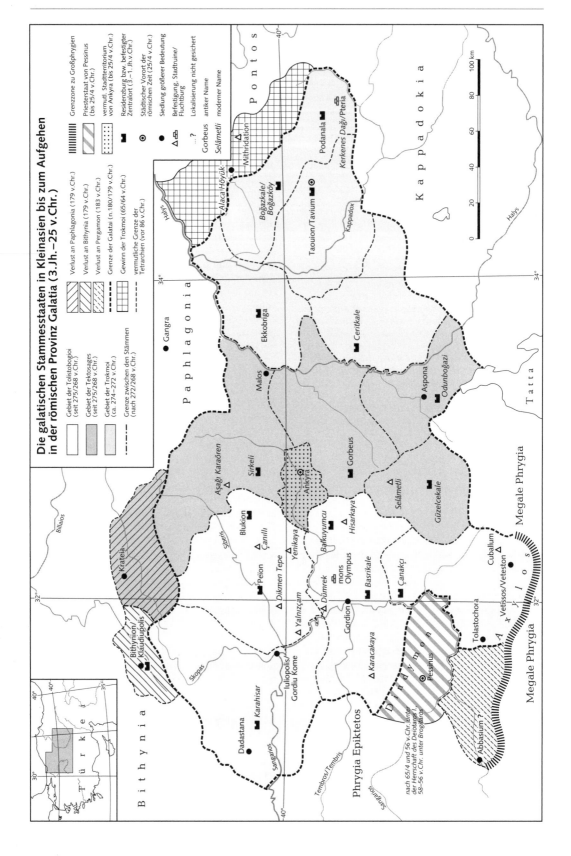

Die galatischen Stammesstaaten in Kleinasien bis zum Aufgehen in der römischen Provinz Galatia (3.Jh.–25 v.Chr.)

standenen Bezeichnung. Der Name wurde im griech. Sprachgebrauch, wo noch im 4. Jh. die ältere ethnische Sammelbezeichnung *Keltoí* üblich war, zu einer damit synonymen generalisierenden Benennung. Gleiches gilt für den lat. Gallier-Begriff. Für die Galatai Kleinasiens finden wir zudem die röm. Begriffsbildung *Gallograeci*, die von dem aus röm. Sicht gegebenen Erscheinungbild ausgeht. Der vom Apostel Paulus verwendete Galater-Begriff entspricht dem hell. Verständnis und ist im Sinne der histor.-ethnischen Galatai (christl. Gemeinden im ländlichen galat. Milieu) zu interpretieren [1. 117ff.].

3. GESCHICHTE

278/7 wurden Wanderverbände der → Tolistobogioi und → Trokmoi, dann auch der → Tektosages im Vertragsverhältnis als *sýmmachoi* → Nikomedes' I. und der beigeschriebenen Mitglieder der antiseleukidischen Allianz nach Kleinasien geholt und in den J. 277–275 erfolgreich zum Einsatz gebracht. Als Lohn erhielten sie ca. 275/4 von Nikomedes den östl. Teil der gewonnenen nördl. Phrygia zur Ansiedlung, von → Mithradates I. für die Hilfe gegen ein ptolem. Landunternehmen (Konflikt mit → Herakleia [7] Pontike um die Stadt Amastris) 274/272 einen Teil von West-Kappadokia. Dieses wurde Territorium der Trokmoi, während die Tolistobogioi als stärkste Gruppe das Gebiet westl. von Ankyra mit dem städtischen Zentrum → Gordion hielten (s. Karte). Die relativ kleinen kelt. Gruppen mit starken demographischen Ungleichgewichten überschichteten in diesem agrarisch reichen Gebiet eine zahlenmäßig weit überlegene dörfliche Bevölkerung und prägten den Raum als neu entstandene histor. Landschaft → Galatia in ethnischer Identität und Sprache [1. 139ff.] bis in frühbyz. Zeit. Die histor. Großstämme sind Ergebnis der Ethnogenese- und Kulturationsprozesse im Rahmen der Landnahme (Galatisierung), wobei die Galatai zugleich eine → Hellenisierung Zentralanatoliens förderten; die Alltagskultur blieb von der Vorbevölkerung geprägt.

Die drei Großstämme gliederten sich jeweils in vier polit. selbständige Teilverbände eigener ethnischer Namens-Trad., an deren Spitze jeweils ein »Viertelfürst« (*tetrárchēs* bzw. *regulus*) steht, ferner ein Richter und ein Waffenmeister mit zwei *hypostratophýlakes* (Strab. 12,5,1). Sie gehörten den Fürstengeschlechtern an. Neben den 12 »Viertel«-Stämmen gliederten sich die Galatai in 183 weitere identitätstragende Teilverbände (*populi*, Plin. nat. 5,146; Clanstruktur). Die 12 Tetrarchien waren zu einer Föderation mit Bundesheiligtum (Drynemeton, hl. Eichenhain) und repräsentativer Bundesversammlung (3 × 100 Mitglieder) zusammengeschlossen, welche die Blutgerichtsbarkeit ausübte und damit den inneren Frieden zw. den Sippen- und Volksverbänden gewährleistete. Nur in Ausnahmesituationen gab es eine befristete gemeinsame Führung der einzelnen Stämme oder aller Galatai. Ansätze zum Gewinn einer Königsstellung scheiterten; der Königstitel konnte bis zum Ende der Eigenstaatlichkeit nur mit nichtgalat. Territorien gewonnen werden.

270/268 v. Chr. führten die Galatai Krieg mit → Antiochos [2] I., der sie wohl 268 in der sog. »Elefantenschlacht« besiegte und zu Stützen der seleukidischen Herrschaft in Kleinasien machte. Im folgenden wurden die Galatai in innere Konflikte hell. Staaten einbezogen, so 253 bzw. vor 250 im bithynischen Erbfolgekrieg und 240–238/7 im Bruderkrieg zw. Seleukos II. und Antiochos Hierax, dessen mil. Hauptstütze die Galatai waren (deshalb Angriff des Seleukos und ca. 238 Niederlage gegen Hierax und die Galatai bei Ankyra). Attalos I. nutzte die Schwäche der Position des Usurpators Hierax zum Kampf für die pergamenische Vorherrschaft und brach hierbei zuerst die diplomatischen Beziehungen zu den Tolistobogioi ab. Ca. 238/7 errang er den Sieg über diese an den Kaïkosquellen, der – als idealer Barbarensieg zur Rettung der Hellenen stilisiert – die Annahme der Königswürde legitimierte. Es folgten Siege über Hierax und seine galat. Verbündeten, die sich 230 bzw. vor 228 von Hierax lösten, wobei sein Schwiegervater Ziaëlas von Bithynia den Tod fand. Ein Friedens- und Freundschaftsverhältnis entstand zw. Pergamon und den Galatai. 192/190 waren 11 der Tetrarchen Verbündete → Antiochos' [5] III. gegen Pergamon und Rom.

189 erfolgte der Feldzug des Cn. Manlius Vulso gegen die Verbündeten des Antiochos in Kleinasien, der mit dem Sieg über die Tolistobogioi am Berg Olympos und über Tektosages, Trokmoi, Morzios von Paphlagonia und Ariarathes IV. von Kappadokia am Berg Magaba endete. Die Feier des Siegers durch die kleinasiat. Städte stand in der Trad. des hell. Galatai-Barbaren-Sieges; im Frieden von 188 fiel das röm. Verbot von mil. Operationen der Galatai außerhalb ihrer Territorien und damit einer aktiven Rolle im röm. geordneten Kleinasien. 187–184/3 führten Prusias' I. und die Galatai Krieg gegen die pergamenische Vormachtstellung: Sieg → Eumenes' [3] II., pergamen. Oberherrschaft über die Galatai. 182–179 erfolgte der Krieg Pharnakes' I. gegen Eumenes II. und seine Verbündeten, darunter Prusias II. und Morzios; mehrere Tetrarchen schlossen sich Pharnakes an. Verlust von Gebieten der Tolistobogioi und Tektosages im Norden (Becken von Bolu an Bithynia; Becken von Gerede, wo Gaizatorix herrschte, an Paphlagonia), strenge pergamenische Oberherrschaft über die Galatai war die Folge. 168–166 erhoben sich diese als Kern einer gegen Pergamon gerichteten Bewegung. 166 siegte Eumenes II. erneut, doch stellte Rom die galat. Unabhängigkeit wieder her und garantierte sie als Gegengewicht zu Pergamon.

Im J. 89 befanden sich galat. *socii* im Aufgebot gegen → Mithradates VI. Nach der röm. Niederlage wurde Galatia zunächst nicht besetzt; Familien der Tetrarchen wurden in Pergamon interniert, wo eine Verschwörung aus ihren Reihen im J. 86 scheiterte. Mithradates VI. ließ fast den gesamten Tetrarchenadel liquidieren und Galatia besetzen. Dies war der tiefste Einschnitt in der galat. Gesch. Drei überlebende Tetrarchen übernahmen jeweils an der Spitze eines Großstammes die Führung des Widerstandes, darunter → Deiotaros I. Noch im J.

86 kam es zur Vertreibung der pont. Satrapen und Garnisonen. 73 vernichtete Deiotaros I. ein pont. Heer unter Eumachos. Galat. Kontingente befanden sich in den Heeren des Lucullus und Pompeius. 65/4 bestätigte Pompeius die regierenden Tetrarchen gemäß ihrer dynastischen (Strab. 12,3,1) Legitimation: Deiotaros seit 86 als alleiniger Tetrarch der Tolistobogioi, Brogitaros der Trokmoi, Kastor I. Tarkondarios und Domnilaos der Tektosages. Deiotaros erhielt die Gazelonitis, das ostpont. Gebiet und Klein-Armenia mit dem Königstitel, Brogitaros die pont. Grenzregion mit Mithridation.

59 erkannte der Senat Deiotaros formell den Königstitel zu, ebenso dem Brogitaros, der die Kontrolle über Pessinus erhielt, diese aber 56 an Deiotaros verlor, der seit ca. 52 nach dem Tod des Brogitaros auch über die Trokmoi herrschte. 47 erlitt Deiotaros eine Niederlage bei Nikopolis gegen Pharnakes II., Klein-Armenia und das Gebiet der Trokmoi wurden durch Caesar eingezogen. 47–46 herrschte Mithradates von Pergamon, Neffe des Brogitaros, Tetrarch der Trokmoi; nach dessen Tod kam es zur erneuten Besetzung durch Deiotaros, der 43/2 den regierenden Tektosages-Tetrarches Kastor I. beseitigte. Deiotaros war bis zu seinem Tod im J. 41/40 alleiniger Tetrarch aller Galatai. 41/0 wurde Kastor II., Sohn Kastors I. und Enkel des Deiotaros, König von → Paphlagonia – wo sein Sohn Deiotaros Philadelphos (37/6–6/5) nachfolgte –, und Tetrarch aller Galatai. → Amyntas [9], Sohn des Dyitalos, Angehöriger des Tetrarchenadels und ehem. Kanzleichef des Deiotaros, erhielt 39 Pisidia und Phrygia Paroreios mit dem Königstitel, 37/6 Lykaonia und wurde Tetrarch aller Galatai. Nach 31/0 erhielt er Kilikia Tracheia (→ Kilikes) und gewann das Gebiet des Antipatros von Derbe. Amyntas, der mächtigste Vasall Roms in Kleinasien, fiel 25 auf dem Feldzug gegen die Homonadenses. Augustus annektierte sein Reich als Prov. → Galatia.

IV. Das antike Keltenbild

Das Bild des kelt. »Barbaren« hell. Tradition und das röm. Feindbild der K., das innenpolit. instrumentalisiert wurde, die griech. Topik bewußt aufgriff und in der livianischen Trad. (schematische negative Charakterzeichnung und Topik barbarischer Wesensart) bes. faßbar ist [1. 105 ff.; 3], wirken bis in die Fachlit. fort (pauschales Bild der unzivilisierten, ja zivilisationsfeindlichen, nichtseßhaften Wesensart) [1. 18 ff., 54 ff.; 2; 4]. Der griech. Typus des nördl., kelt. »Barbaren« wurde bereits im 4. Jh. v. Chr. geformt und im 3. Jh. zur festen, ideologisch funktionalisierten Typisierung: Maßlosigkeit in Sieg und Niederlage, Mangel an rechtem Maß und Vernunft, negativer Grundzug zur Selbsttötung bzw. Selbstzerstörung, tierische Wesensart, Verkörperung des bedrohlichen Fremden und der Kräfte des Chaos, Frevler gegen göttliches und menschliches Recht (archa. Kriegsbräuche, Menschenopfer, Übergriffe auf Heiligtümer). Dies spiegelt sich wider in der Ikonographie: starrende Haartracht (Kriegerfrisur), gro-

be Physiognomie, fremdartiger Schnurrbart, Unmaß leidenschaftlicher Erregung, Kampf in Nacktheit mit typischem Schild und Schwertgehänge, obwohl dies nur Kennzeichen bestimmter Gruppen von Elitekriegern (»Kriegerorden«) war.

Der panhellenische Abwehrsieg vor Delphoi gegen die erste Barbareninvasion seit 480 wurde zum neuen Moment histor. Identität und polit. Selbstverständnisses der Griechen und auf eine Ebene mit den Perserkriegen gehoben. 278 v. Chr. wurde mit der delph. → Soteria das erste panhellenische Siegesfest seit den → Perserkriegen eingerichtet. Die Bezwingung der K./Galatai wurde zum idealen »Barbarensieg« zur Rettung der Hellenen und der Abwehr der Kräfte des Chaos von allgemeingriech. Bed.; er legitimierte hegemonialen Machtanspruch bzw. monarchische Stellung durch den Ausweis charismatischer Sieghaftigkeit. In diesem Sinne stilisierte → Antigonos [2] Gonatas den Sieg bei Lysimacheia, Pyrrhos den Sieg über die kelt. Söldner des Antigonos im J. 274, Ptolemaios II. die Vernichtung seiner 4000 meuternden Söldner im J. 275, Antiochos I. den Sieg in der Elefantenschlacht und Prusias I. die Vernichtung der Aigosages. Die Attaliden (→ Attalos, mit Stemma) führten die Ideologie des Galater-Sieges, seit 278 wesentliches Element der hell. polit. Ideologie, mit den Monumenten in Pergamon, Delphoi, Delos und Athen auf den Höhepunkt. Seit 225/222 bzw. 189 erhob Rom den Anspruch, der wahre Sieger über die K. im Westen wie im Osten zu sein.

→ Keltische Sprachen (mit Karte); Hallstatt-Kultur; Latène-Kultur; Keltische Archäologie; Kleinasien (mit Karte)

1 K. Strobel, Die Galater 1, 1996 2 Ders., Keltensieg und Galatersieger, in: E. Schwertheim (Hrsg.), Forsch. in Galatien (Asia Minor Stud. 12), 1994, 67–96 3 B. Kremer, Das Bild der K. bis in augusteische Zeit, 1994 4 I. Opelt, W. Speyer, R. M. Schneider, s. v. Barbar, RAC Suppl. 1, 811–962 5 H.-J. Schalles, Unters. zur Kulturpolitik der pergamenischen Herrscher im 3. Jh., 1985.

H. Birkhan, Kelten, ²1997 · H. Dannheimer, R. Gebhard (Hrsg.), Das kelt. Jt., 1993 · W. Hoben, Unters. zur Stellung kleinasiat. Dynasten in den Machtkämpfen der ausgehenden Republik, 1969 · S. Mitchell, Termessos, King Amyntas, and the War with the Sandaliôtai, in: D. French (Hrsg.), Stud. in the History and Topography of Lycia and Pisidia, 1994, 95–105 · G. Nachtergael, Les Galates en Grèce et les Sôteria de Delphes, 1977 · F. Stähelin, Gesch. der kleinasiat. Galater, ²1907 · K. Strobel, Die Galater im hell. Kleinasien, in: J. Seibert (Hrsg.), Hell. Stud., Gedenkschr. H. Bengtson, 1991, 101–134 · Ders., Die Galater 1–2, 1996–1999 · Ders., Mithradates VI., in: Ktema 21, 1996, 55–94. K. ST.

V. Religion
A. Gottheiten B. Kult

Die kelt. Völker und Stämme bildeten keine nationale Einheit. Daher ist es nicht möglich, von *einer* kelt. Rel. zu sprechen. Für die kelt. Spätzeit (1. Jh. v. Chr.)

zeigen die lit., epigraph. und arch. Quellen aber deutlich gemeinsame rel. Strukturen – zumindest der Festland-K. – auf, die letztlich in der gemeinsamen indeur. Herkunft wurzeln.

A. GOTTHEITEN

Obwohl es den röm. Eroberern kelt. Siedlungsgebiete möglich war, durch → *interpretatio Romana* kelt. Götter teilweise mit griech.-röm. Gottheiten gleichzusetzen, unterscheidet sich das kelt. Pantheon und die damit verbundenen rel. Vorstellungen doch von den in ihren Funktionen eng gefaßten griech.-röm. Göttern.

Von den gall. Völkern berichtet Caesar (Gall. 6,17), daß diese an erster Stelle »Mercurius« verehren; es folgen ohne Rangunterschied untereinander »Apollo« (vertreibt Krankheiten), »Mars« (lenkt den Krieg), »Iuppiter« (König des Himmels) und »Minerva« (lehrt die Künste und das Handwerk); göttlicher Stammvater aller Gallier sei »Dis Pater«. Da Caesar die einheimischen Namen der aufgezählten Götter nicht erwähnt und seine *interpretatio* das Wesen dieser Götter, das sich nach anderen Quellen umfassender darstellt, nur unzureichend erfaßt, wird die entsprechende Zuweisung der namentlich überlieferten kelt. Götter erschwert. Von den im 1. Jh. n. Chr. von Lucanus (1,443 ff.) erwähnten (Haupt-)Göttern → Teutates, → Esus und → Taranis werden in den später entstandenen Adnotationes und Commenta zu Lucan [1; 2] Teutates ebenso wie Esus sowohl mit Mercur als auch mit Mars gleichgesetzt, Taranis sowohl mit Iuppiter als auch mit Dis Pater. Dies zeigt, daß – im Gegensatz zu röm. Gottheiten – kelt. Göttern höchst unterschiedliche Aspekte eigen sein können. Der Gott Mars z. B. ist in Gallien epigraph. mit ca. 50 einheimischen Beinamen belegt. Hier ist mit dem so benannten kelt. Gott nicht nur der Kriegsgott, sondern ein umfassenderer, weil im weitesten Sinne fertiler und heilender Gott gemeint.

Wenn aber eine Vielzahl lokaler oder regionaler bzw. auf Stammesverbände begrenzter Götter mit dem röm. Mars interpretiert werden kann, so weist dies darauf hin, daß es sich vermutlich um Varianten ein- und derselben Gottheit handelt, die wohl pankelt. Vorstellungen entstammt. Darauf deutet auch die überregionale Verbreitung einer Anzahl von durch römerzeitliche Inschr. und Darstellungen überlieferten kelt. Gottheiten hin. Neben den erwähnten, durch *interpretatio Romana* näher bezeichneten Gottheiten mit vorwiegend Schutz- und Heilcharakter gehören hierzu auch die Götter, die kein Pendant im griech.-röm. Pantheon besitzen, z. B. der Hammergott → Sucellus; der mit übereinander geschlagenen Beinen sitzende, von Schlange, Hirsch und Stier begleitete Gott mit dem Hirschgeweih, der nach der einzigen mit Inschr. versehenen Darstellung auf dem Altar der Nautae Parisiaci als → Cernunnos benannt ist und den wohl auch die Darstellung auf dem Kessel von Gundestrup meint; der dreiköpfige, mitunter gehörnte Gott, dessen Name nicht belegt ist; der Gott → Ogmios, der an Ketten, die an seiner Zunge befestigt sind, kriegerisches Gefolge mit sich führt; der

von Raben begleitete Lugus; die Pferdegöttin → Epona sowie die fertilen → Matres oder Matronae. Dabei zeigt sich in der römerzeitlichen Darstellung kelt. Gottheiten innerhalb des benutzten hell.-röm. Typenrepertoires genuin Keltisches in der Zusammenstellung der Attribute, in der Verwendung von einheimischer Tracht und Trachtzubehör – hier bes. des → *torques* –, in dem Sitzmotiv der untergeschlagenen Beine, in der bestimmten Paarbildung männlicher und weiblicher Gottheiten.

Darstellungen des trikephalen Gottes sowie drei- oder mehrzahlige Darstellung einer Gottheit sind kelt. Formulierung der Totalität und Universalität der Gottheit. Die bemerkenswerte Vielfalt lokaler und regionaler weiblicher kelt. Heil- und Schutzgottheiten, die oft mit Wasser verbunden sind, geht insgesamt wohl auf einen urspr. Kult weniger oder nur einer Muttergöttin zurück. Häufig sind kelt. Gottheiten, teilweise schon aus dem Namen ersichtlich, mit Tieren verbunden: Epona mit Equiden, Artio mit dem Bären, die Matres mit Hund und Hasen, Arduina und Moccus mit Eber bzw. Wildschwein, Lugus und Nantosvelta mit Raben, Cernunnos mit Hirsch und Schlange, gallischer Mercur und Mars mit Widder bzw. Stier, Esus mit Stier und Kranichen. Rückschlüsse auf urspr. theriomorphe Gottheiten bzw. auf Totemismus ergeben sich dadurch aber nicht. Dagegen genossen bestimmte Baumarten kult. Verehrung. Plinius d. Ä. (nat. 16,45) berichtet, daß den Kelten nichts heiliger ist als die Mistel und die Eiche, auf der diese wächst. Dazu passen inschr. Votive röm. Zeit aus Gallien an Deus Robur sowie Deus Fagus u. ä. Auch die Baumdarstellungen auf Altären der rhein. Matronae weisen auf urspr. → Baumkult hin. Verehrung galt ebenso signifikanten Naturobjekten wie Gebirgen und Bergen sowie allen Arten von Gewässern. Bes. verehrungswürdig waren die Quellen, wie die große Zahl dort verehrter Gottheiten belegt. Depots von Opfergaben, deren Fundspektrum z. T. bis in die Brz. zurückreicht, bezeichnen auch isolierte Felsformationen als numinose Orte.

B. KULT

Mythologien des kelt. Kulturkreises sind weitgehend unbekannt, da diese ebenso wie Glaubensinhalte und Kultriten von den Druiden (→ Druidae) geprägt und von diesen nur mündlich weitergegeben wurden. Die Druiden bildeten gemeinsam mit Vaten und Barden die Priesterkaste, wobei den Druiden durch ihren rel., aber auch umfassend gesellschaftspolit. Einfluß eine Vorrangstellung zukam. Für die myth. Forsch. bieten die wohl erst im 11./12. Jh. n. Chr. unter christl. Einfluß schriftlich fixierten, bis dahin mündlich tradierten inselkelt. Sagensammlungen aufgrund des zeitlichen, aber auch räumlichen Abstandes nur begrenzt eine Basis. Die wichtigsten ant. Quellen (Poseidonios, Caesar, Lucan) berichten vom großen Aberglauben der Gallier, von Magie, von Prophetie durch Vogel- und Opferschau, von dem Glauben an ein Jenseits und an Seelenwanderung. Der Jenseitsglauben veranlaßte die ant. Autoren zu Vergleichen mit der pythagoreischen Lehre (→ Pythagoras); die Druiden werden folglich auch als Philosophen bezeichnet.

1. Menschenopfer

Die als tendenziös beurteilten Schilderungen von Menschenopfern durch die ant. Quellen gewinnen in jüngster Zeit durch arch. Funde zunehmend an Glaubwürdigkeit. So erinnert das in Ribemont-sur-Acre im Bereich des latènezeitlichen Kultplatzes entdeckte Flächendepot mit Tausenden von Knochen erwachsener Männer und Hunderten von Waffen an die Berichte über Opferung von Kriegsgefangenen und von Beutewaffen (Diod. 5,32,6); Funde und Befunde sprechen für eine Rekonstruktion von tropaionartig fixierten schädellosen Körpern in Kampfausrüstung und -formation auf einem trocken-speicherartigen Podest. Der Steinportikus von Roquepertuse legt die gesonderte Aufstellung der Schädel am Eingang zum Opferplatz nahe. In enge Kastengruben gezwängte Skelette vor dem Eingang eines Kultbaus der spätlatènezeitlichen Siedlung von Acy-Romaine (Reims) bestätigen wohl die Berichte über Opferung von Zivilpersonen (Caes. Gall. 6.16). Während die Riten so aus arch. Befunden ansatzweise erschließbar sind, erhellt aus ihnen nicht, welche Götter die Opfer erhielten, da bisher kein Kultbild *in situ* gefunden wurde (ikonographisch sind auch die wenigen überkommenen vermutlichen Kultbilder vorröm. Zeit, etwa die beiden monumentalen Holzstatuen aus dem Genfersee bei Villeneuve, keinen bestimmten Göttern zuzuordnen).

Bereits in spätkelt. Zeit, wohl spätestens aber seit der polit. motivierten Ächtung und Vertreibung der Druiden unter Kaiser Claudius (Mitte 1. Jh. n. Chr.) ändert sich das Opferbrauchtum. Das Objektopfer (Waffen, Gerätschaften, Edelmetall u. ä.) wandelt sich weitgehend zum Symbolopfer (Rädchenanhänger, Miniaturgerät, Mz.). Beim Tieropfer ersetzen – wie z. T. auf Weihreliefs belegt – Ziegen, Schafe und Schweine die Stiere und Pferde. Menschenopfer sind nicht mehr nachzuweisen.

2. Kultplätze

Architektonisch gefaßte Kultplätze zeichnen sich ebenso wie Funeralplätze, die wohl der Verehrung heroisierter Ahnen dienten (Glauberg, Vix), durch Einfriedungssysteme aus Wall/Palisade und Graben aus. Nahezu quadratische Einfassungen umgeben ebensolche Pfostenbauten, die sich über Opfergruben erheben, denen Altarfunktion zukommt. In gall. Heiligtümern mit Kulttradition bis in röm. Zeit finden sich diese Grundrißschemata als Vorgängerbauten der gallo-röm. Umgangstempel. Nicht abschließend geklärt ist die Bed. der zahlreichen sog. Viereckschanzen, die sich vorwiegend im südl. Mitteleuropa, weniger in Frankreich und dort in abweichender Funktion finden. Von den großflächig untersuchten Vertretern dieser Erdwerke in Süddeutschland sind vermutlich zumindest die aus der Spätlatènezeit stammenden Anlagen überwiegend als Heiligtümer anzusehen, wobei aber auch bei diesen eine monofunktionale Deutung wohl auszuschließen ist.

1 H. Usener (ed.), M. Annaei Lucani Commenta Bernensia, 1869, 32 f. 2 J. Zwicker, Fontes religionis Celticae, Bd. 1, 1934, 51,18; 52,19.

W. Krause, Die K. Religionsgesch. Lesebuch 13, 1929 · J. Moreau, Die Welt der K., 1958 · J. DeVries, Kelt. Rel., in: Die Rel. der Menschheit 18, 1961 · H. Dannheimer, R. Gebhard (Hrsg.), Das kelt. Jahrtausend, 1993 · A. Haffner (Hrsg.), Heiligtümer und Opferkulte der K., 1995 (Lit.) · H. Birkhan, K., 1997. M. E.

Keltiberisch

s. Hispania, Sprachen; Keltische Sprachen

Keltische Archäologie A. Allgemeines
B. Quellen C. Methoden
D. Forschungsschwerpunkte

A. Allgemeines

Die k. A. untersucht die dinglichen Hinterlassenschaften eisenzeitlicher Bevölkerungsgruppen vornehmlich im südl. und sw Mitteleuropa in Ergänzung zur sich nördl. bzw. nö anschließenden → Germanischen Archäologie. Es handelt sich dabei um die → Hallstatt-Kultur der älteren und die → Latène-Kultur der jüngeren Eisenzeit. Die Gleichsetzung dieser arch. faßbaren Kulturen mit dem Ethnikum der → Kelten ist nicht durchgängig und eindeutig möglich; so sind zwar → Caesars Gallier (→ Gallia) mit der späten Latène-Kultur im heutigen Frankreich unstrittig zu identifizieren, doch ist die Gleichsetzung von → Herodotos' [1] Κελτοί/*Keltoí* ›an der oberen Donau‹ mit der etwa zeitgleichen späten Hallstatt-Kultur des späten 6. oder frühen 5. Jh. v. Chr. in SW-Deutschland, der Schweiz und Ostfrankreich bereits viel unsicherer. Ob die arch. Gruppen der dort vorkommenden älteren Hallstatt-Kultur (spätes 8.– E. 7. Jh. v. Chr.) oder gar der spätbrz. → Urnenfelder-Kultur (12.–8. Jh. v. Chr.) auch bereits als »Kelten« oder »Protokelten« angesprochen werden können, ist noch fraglicher.

B. Quellen

Die Quellen für die arch. Beurteilung der Kelten sind ziemlich ausschnitthaft und begrenzt in ihren Aussagemöglichkeiten. Von jeher spielen dabei v. a. die Gräber und die z. T. riesigen Gräberfelder eine große Rolle, deren Beigabenreichtum und -zusammensetzung Hinweise auf Sozialstrukturen, demographische Aspekte, rel. Vorstellungen usw. der jeweiligen Bevölkerungsgruppen geben. Zunächst sind v. a. im 6./5. Jh. v. Chr. Grabhügelanlagen – z. T. reich ausgestattet (→ Fürstengrab) – und Grabhügelfelder, in denen sich eine sozial stark differenzierte Bevölkerungsstruktur abzeichnet. Von der Mitte des 5. Jh. an herrschen dann die großen Flachgräberfelder mit Körperbestattungen vor. Dieser Brauch geht allmählich im 3./2. Jh. in Brandgräber über, die am E. der kelt. Latène-Kultur im letzten Jh. v. Chr. zumindest in einigen Regionen dominieren. Im Verlauf dieser Entwicklung scheint die zunächst so deutliche, sich in den Gräbern abzeichnende Schichtung der Bevölkerung zurückzutreten, und die Bestattungen sind viel einheitlicher angelegt und ausgestattet. Das Bild der Siedlungen wird für den älteren Abschnitt durch offene, dorfähnliche und auch befestigte (Höhen-)Siedlungen bestimmt (z. B. die → Heuneburg). Den Höhepunkt bilden ab dem 2. Jh. v. Chr. die stadtähnlichen Großsiedlungen der → *oppida*, die sich arch. weit über den gall. Raum – im Osten bis zu den Karpaten und Ostalpen, im Norden bis in die Mittelgebirge hinein – nachweisen lassen. Dazu kommen Kultplätze, Opferplätze wie z. B. die → »Viereckschanzen« oder bestimmte Seen, Moore oder Flüsse (La Tène u. a.). Eine wichtige Quellengruppe sind die Fundobjekte selbst, deren Form, Herstellung, Material, Dekoration usw. vielfältige Angaben zu technischem Vermögen (z. B. → Handwerk, → Metallurgie), Handels- und Verkehrsverbindungen (→ Etrusci, Karte: Etruskische Exporte; → Fürstengrab mit Karte), Wirtschaft, Rel. usw. ermöglichen. Ein Verzierungsstil aus vegetabilischen und zoomorphen Elementen, die in charakteristischer Weise aus mediterranen Wurzeln (griech./etr.) umgestaltet sind, wird als typisch kelt. Kunststil des 5.–3. Jh. v. Chr. bezeichnet. Die zahlreich vorkommenden kelt. Mz. geben Einblick in entwickelte wirtschaftliche Zusammenhänge und Gruppierungen.

C. METHODEN

Im Vordergrund der Arbeitsweise der k. A. stehen natürlich die traditionellen Methoden der Ausgrabung und des Surveys zur Erschließung des arch. Quellenbestandes. Zahlreiche Siedlungen und ganze Gräberfelder sind mittlerweile systematisch untersucht, wie z. B. → Heuneburg, → Glauberg, → Dürrnberg, → Hochdorf, → Manching, → Bibracte usw. Fundanalyse an Einzelstücken, Herausarbeitung typischer Formelemente (z. B. bei → Fibeln, anderen → Schmuck-Objekten, → Tongefäßen, → Waffen), Betrachtung von zusammengehörigen Fundkomplexen, stilistische Analysen von typischen Ornamenten usw. führen zu einer arch. Phasen-Gliederung der kelt. Latène-Kultur, aber auch deren regionalen Differenzierungen und Verbindungen mit älteren bzw. benachbarten Kulturen.

Zunehmend werden dazu auch verschiedenste naturwiss. Methoden herangezogen, um weitere Bereiche kelt. Kulturgesch. zu erfassen bzw. exaktere Ergebnisse zu erlangen. Durch absolute Datierungen, bes. über die Dendrochronologie durch Jahrringanalysen von Holzfunden, lassen sich die einzelnen Abschnitte der kelt. Kulturentwicklung der Späthallstatt- und Latène-Kultur recht genau zeitlich festlegen. Materialanalysen mit chem. und physikal. Methoden ergeben detaillierte Einblicke in die verwendeten Technologien der verschiedenen Rohmaterialien (Erze, Metalle, → Glas, Keramik usw.), deren Herkunft und deren Aufbereitungs- und Verarbeitungstechniken. Biolog. Methoden der Paläobotanik und Paläozoologie erschließen mit höchst interessanten Ergebnissen Aspekte der → Landwirtschaft, wie z. B. den angebauten Pflanzen, den gehaltenen Haustieren, den Ernte- und Schlachtmethoden, der

Vorratshaltung usw.; darüber hinaus sind die Umweltverhältnisse, deren Veränderungen und großräumige Klimawechsel rekonstruierbar. Die Anthropologie schließlich wird v. a. eingesetzt, um – etwa durch Gräberfeldanalysen – demographische Aspekte wie Ernährungs- und Gesundheitszustände oder medizinische Kenntnisse der Kelten zu ermitteln. Zudem kann die Anthropologie zeigen, daß im kelt. Kulturbereich die Menschen durch recht einheitliche Merkmale großräumig charakterisiert waren, wobei auch die Skelette der späten Hallstatt-Kultur einzuschließen sind. Dies spricht u. U. für die schon angesprochene (s. A. und D.) Entwicklung der Kelten aus dieser Gruppe.

D. FORSCHUNGSSCHWERPUNKTE

Die k. A. versucht zunächst, Kriterien im arch. Fundgut zu ermitteln, die eine Identifizierung des Sachguts der Kelten und eine Abgrenzung von anderen Völkerschaften (z. B. → Germani, → Ligures, Iberer (→ Hispania), → Dakoi usw.) und Kulturen ermöglichen. Die Ermittlung der Herausbildung der kelt. Kultur, deren Wurzeln und Ausgangsgebiete sind seit langem ein Forschungsziel der k. A. Es läßt sich zwar zeigen, daß neben ältereisenzeitl. autochthonen Elementen sicherlich die intensiven Anregungen aus dem mediterranen Raum (It., Griechenland) entscheidende Faktoren sind, daß aber letztlich die Frage offen bleibt, ab wann und wo man mit welchen arch. Funden »Kelten« fassen kann. Damit eng verbunden ist die Frage nach der Verbreitung der kelt. Kultur in den unterschiedlichen Epochen der jüngeren Eisenzeit. Über ein späthallstatt-frühlatènezeitl. Kerngebiet im 6./5. Jh. v. Chr. (s. Karte) von Zentralfrankreich bis nach Böhmen und vom Alpenraum bis in die Mittelgebirge erweitert sich das arch. faßbare Ausdehnungsgebiet der Kelten bzw. der Latène-Kultur bis in das letzte Jh. v. Chr. vom Atlantik bis nach Siebenbürgen und von den Britischen Inseln bis in die Po-Ebene.

Die arch. Belege für die histor. überl. Wanderungen der Kelten bes. nach It. und nach SO-Europa bis Anatolien (→ Kelten III. im Osten, mit Karte; → Galatia) im 4./3. Jh. v. Chr. sind dürftig; meist handelt es sich um einzelne Grabinventare und Fundstücke, wie z. B. Fibeln o. ä., während kelt. Siedlungen oder größere Gräberfelder an der unteren Donau, in Anatolien oder Mittelitalien fehlen. Eine intensivere kelt. Landnahme oder → Kolonisation ist in diesem Zusammenhang mit arch. Quellen nicht faßbar. Es bereitet auch Schwierigkeiten, die »innerkeltischen« Völkerbewegungen späterer Zeit (die Züge der → Cimbri und → Teutoni oder den Auszug der → Helvetii) im Fundbild zu identifizieren. Kontakte der iberischen Welt mit der kelt. Latène-Kultur Mitteleuropas führen zwar im 4.–3. Jh. v. Chr. zur Herausbildung keltiberischer Kulturgruppen in Spanien und Portugal (→ Celtiberi, → Pyrenäenhalbinsel); diese behalten oder bilden jedoch ein eigenständiges arch. Gepräge, in dem nur Einzelelemente nach Mitteleuropa weisen. Die vielfach überl. Gliederungen der kelt. Welt in Stammesbereiche läßt sich im arch. Fund-

bild kaum ablesen; die Regionalgliederungen der Latène-Kultur spiegeln offensichtlich andere Gruppierungen innerhalb des kelt. Kulturbereichs.

Ein weiteres Forschungsziel ist der Vergleich arch.
Aussagemöglichkeiten zur Kulturgesch. der Kelten mit
den Aussagen der griech. und röm. Schriftquellen und
auch der Sprach- und Namens-Forsch. Bei kritischer
Betrachtung ergeben sich vielfältige Ergänzungen, aber
auch Abweichungen bzw. Korrekturmöglichkeiten:
z. B. für die angesprochenen »Wanderungen«, die Rolle
der Kelten auf der → Iberischen Halbinsel, die Einschätzung kelt. Kulturstandes – mit → Münzwesen,
→ Schriftgebrauch, technologischen Fertigkeiten, Sozialstrukturen usw. –, der Ausweitung der »Oppida-
Zivilisation« (→ Oppidum) auf den rechtsrheinischen
Raum. Aus dem einseitigen Blickwinkel griech. oder
röm. Berichterstatter liegt hier – mangels entsprechender Überl. aus kelt. Sicht – sicherlich manche Fehlin-
formation vor. Auch das Nachleben kelt. Stil- und
Kulturelemente – v. a. auf den Britischen Inseln – bis in
das MA wird von der k.A. untersucht.

→ Befestigungswesen; Grabbauten; KELTISCH-GERMA-
NISCHE ARCHÄOLOGIE

H. DANNHEIMER, R. GEBHARD, Das kelt. Jt., 1993 ·
M. EGG, C. PARE, Die Metallzeiten in Europa und im
Vorderen Orient: Die Abt. Vorgesch. im Röm.-German.
Zentral-Mus. Mainz, 1995, 192–222 · M. GREEN (Hrsg.),
The Celtic World, 1995 · A. HAFFNER (Hrsg.), Heiligtümer
und Opferkulte der Kelten, 1995 · P. JACOBSTHAL, Early
Celtic Art, 1944 · S. KLUG, Die Ethnogenese der Kelten aus
der Sicht der Anthropologie, in: W. BERNHARD,
A. KANDLER-PÁLSSON (Hrsg.), Ethnogenese europ. Völker,
1986, 225–246 · S. MOSCATI (Hrsg.), I Celti, 1991 ·
L. PAULI (Hrsg.), Die Kelten in Mitteleuropa, 1980 ·
S. PLOUIN u. a. (Hrsg.), Trésors Celtes et Gaulois.
Le Rhin supérieur entre 800 et 50 avant J.-C., 1996 ·
K. SPINDLER, Die frühen Kelten, 1983.   V. P.

Keltische Sprachen. Die k. S. gehören zur Gruppe der
→ Kentumsprachen innerhalb der → indogermanischen
Sprachen. Umstritten war lange Zeit die These, daß die
Vorstufen des ital. und des keltischen (k.) Sprachzwei-
ges eine Einheit bildeten. Aus v. a. morphologischen Gründen (gemeinsame Neuerungen ausschließlich im Keltischen und Ital.) ist aber eine frühe italo-k. Spracheinheit
wohl anzunehmen [1]. Die k. S. werden gewöhnlich
nach zwei Gesichtspunkten unterteilt.

a) Rein geogr. Einteilung in »Festland-K.« und »Insel-K.« ohne Bezug auf dialektale Unterschiede und
Gemeinsamkeiten. Die insel-k. Sprachen Kymrisch
(Welsh), Kornisch, Bretonisch sind ca. ab dem 7./8. Jh.
n. Chr., das Ir. schon ab dem 4./5. Jh. n. Chr. (→ Ogam)
in z. T. reichhaltiger Lit. bezeugt. Ir., Kymr. und Breton. werden auch h. noch gesprochen. Die festland-k.
Sprachen Gallisch, Keltiberisch, → Lepontisch dagegen
sind mehr oder weniger spärlich bezeugt und frühzeitig
ausgestorben (s.u.).

b) Einteilung nach sprachlichen Gesichtspunkten in
»p-K.« – idg. k^w wird zu p im Gall. (pinpetos »fünfter«),

Lepont., Kymr. (pumed, pymed »fünfter«), Korn., Breton. – und das »q-K.« – idg. k^w bleibt erh. im Keltiber.
(necue »und nicht«) und ältesten Ir. (Ogam-PN Eqaqni
»Pferdchen«) und wird später k oder ch (z. B. altir. nech
»und nicht«).

Inschr. in k. S. auf dem Festland finden sich hauptsächlich in vier Gebieten: a) Norden und Zentrum von
Hispanien: Keltiber.; b) Gebiet um den Luganer See:
Lepont.; c) Gallia Cisalpina und Transalpina: Gall. mit
kleineren Dial.; d) kleinere Gebiete in Kleinasien: Galat.
(s. Karte).

Spracheigene Zeugnisse dieser festland-k. Sprachen,
v. a. Weihinschr. und Inschr. auf Haushaltsgeräten, z. B.
die Töpfernotizen der Manufaktur in La Graufesenque,
einige längere Texte magischen, rel. oder juristischen
Inhalts, z. B. die Br. von Larzac, die Inschr. von Botor-
rita, und einige Kalendarien, v. a. der Kalender von Coligny, sind aus der Zeit vom 3. Jh. v. Chr. bis 4. Jh.
n. Chr. überliefert. Auch wenn sich festland-k. Sprachen in einigen Gebieten länger halten konnten, dürften sie doch spätestens im 6./7. Jh. vom Lat. verdrängt
worden sein. Mit dem Prinzip »Schrift« erst durch die
Berührung mit der röm. und griech. Kultur bekannt
geworden, schufen die Kelten keine eigene Schrift
(Ausnahme: Ogam), sondern bedienten sich v. a. der
griech. (Gall., Galat.) und lat. Schrift (Gall., Keltiber.,
insel-k. Sprachen), z. T. auch der etr. (Lepont.) und der
iber. Schrift (Keltiber.). K. Wörter und häufig Perso-
nen-, Völker- und Ortsnamen finden wir in lat. Kontexten (v. a. bei Caesar), z. B. druides »Druiden« (dru-
»Eiche«, -uid- »kundig«), Aremorici (Volksname: are- vgl.
altir. ar-, »an, bei«, mori-, altir. muir, »Meer«), Vercingetorix (PN: uer- »über«, cingeto-, altir. cing, Gen. cinged,
»Held«, »Krieger«, rīx, altir. rí, »König«). Die griech.
Nebenüberl. bietet an K. z. B. κοῦρμι »Bier« (Dioskurides; vgl. altir. cuirm »Bier«). Die k. S. des Festlands leben
häufig in Orts-, Völker- und Personennamen fort; z. B.
Lyon (< gall. Lug(u)dunum »Lugs Festung«), Kempten (<
Cambiodunum »Festung an der (Fluß-)Krümmung«),
Paris (< Parisii »die Parisier«), York (< Eburacum mit ebu-
ro- »Eibe«). K. Lw. sind v. a. ins Lat. übernommen wor-
den (carrus, paraveredus, caballus, gladius) und von da ins
Iberoroman. und Galloroman. (span. camino, frz. chemin
»Weg«, vgl. keltiber. camanom »Weg«) [2; 3], aber auch ins
German., z. B. dt. Reich < gall. *rīgio- »Königreich«, zu
gall. rīk-s »König«; Eisen, eisern, engl. iron, aus *īsarno-.

Nach der Eroberung Britanniens durch die Römer
sind sehr viele lat. Lw. ins Ir., Kymr. und Breton. ein-
gedrungen (kymr. plant »Kinderschar«, ir. clan »Clan« <
lat. planta; kymr. ffenestr »Fenster« < lat. fenestra) [4] mit
Lit.).

→ Hispania, Sprachen; Indogermanische Sprachen;
Kentumsprache; Lepontisch; Ogam

1 W. COWGILL, Italic and Celtic Superlatives and the
Dialects of Indo-European, in: G. CARDONA u. a. (Hrsg.),
Indo-European and Indo-Europeans, 1970, 113–153
2 M. L. PORZIO GERNIA, Gli elementi celtici del latino, in:
E. CAMPANILE (Hrsg.), I Celti d'Italia, 1981, 97–122

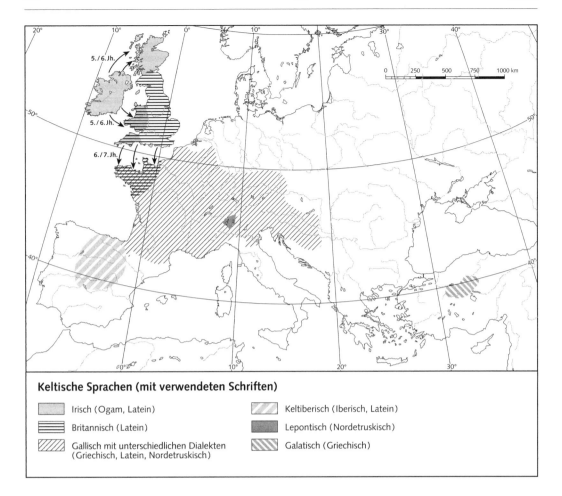

Keltische Sprachen (mit verwendeten Schriften)

Irisch (Ogam, Latein)	Keltiberisch (Iberisch, Latein)
Britannisch (Latein)	Lepontisch (Nordetruskisch)
Gallisch mit unterschiedlichen Dialekten (Griechisch, Latein, Nordetruskisch)	Galatisch (Griechisch)

3 K. H. SCHMIDT, K. Wortgut im Lat., in: Glotta 44, 1967, 151–174 **4** Ders., Latin and Celtic: Genetic Relationship and Areal Contacts, in: Bull. of the Board of Celtic Studies 38, 1991, 1–19.

P.-H. BILLY, Thesaurus Linguae Gallicae, 1993 ·
H. BIRKHAN, Die Kelten, 1997 · Ders., Germanen und Kelten bis zum Ausgang der Römerzeit, 1970 · P.-M. DUVAL, Die Kelten, 1978 · EVANS · HOLDER · K. H. JACKSON, Language and History in Early Britain, 1953 · P.-Y. LAMBERT, La langue Gauloise, 1994 · H. LEWIS, H. PEDERSEN, A Concise Comparative Celtic Grammar, 1937, Suppl. 1961 · W. MEID, Celtiberian Inscriptions, 1994 · Ders., Die k. S. und Literaturen, 1997 · Ders., Gall. oder Lat.?, 1980 · Ders., Gaulish Inscriptions, 1992 · H. PEDERSEN, Vergleichende Gramm. der k. S., 1909/1913 · K. H. SCHMIDT, Galat. Sprachreste, in: E. SCHWERTHEIM (Hrsg.), Forschungen in Galatien, 1994, 15–28 · Ders., Celtic Movements in the First Millenium B.C., in: Journal of Indo-European Studies 20, 1992, 145–178 · SCHMIDT · R. THURNEYSEN, A Grammar of Old Irish, 1946 · WHATMOUGH · S. ZIEGLER, s. v. Gallien. § 5 Sprachliches, RGA 10, 370–376.
KARTEN-LIT.: M. LEJEUNE, RIG II/1, 1988, 5 (Lepontisch).
S. ZI.

Kemai. Kampanische Vasengattung des späten 4. und frühen 3. Jh. v. Chr., benannt nach der Inschr. auf einer Vase in London (BM, Inv. F 507, [1. 674 Nr. 4]). Die vorherrschende Gefäßform ähnelt einem Stamnos (→ Gefäße, Abb. C 6) mit allerdings senkrechten Henkeln, scharf eingezogener Gefäßschulter und ausladender Lippe; oftmals haben sich auch die Deckel erh., so daß die arch. Forsch. die Gefäße auch als → Pyxis bezeichnet. Die Bemalung ist ornamental und besteht aus Palmetten, Kreuzmustern, Wellenlinien, Punktmotiven, Efeuranken u. ä. Vorwiegend wird das Dekor auf Gefäßschulter und Deckel aufgetragen, das übrige Gefäß bleibt tongrundig. Eine weiße Zusatzfarbe ist häufig.

1 TRENDALL, Lucania, 674–680 **2** TRENDALL, Lucania Suppl. II, 1973, 268 **3** K. BERGER, in: Kölner Jahrbuch 28, 1995, 54–55 Nr. 56–57.   R. H.

Kemos (κημός, spätgriech. χάμος; lat. c[h]amus, -um). Unter k. sind diverse Sachgüter zusammengefaßt, die offenbar von der Grundbedeutung des Umschlingens, Verhüllens usw. ausgehen. Darunter fallen der Maulsack der Pferde, aus dem sie ihr Futter zu sich nehmen (Hesych. s. v.), wie auch die Fischreuse, ferner ein Tuch, das sich die Bäcker um Mund und Nase banden (Athen. 12,548c) bzw. das die Frauen zur Verhüllung der unteren Gesichtshälfte in der Öffentlichkeit trugen.

H. Schenkl, s.v. K., RE 11, 157–162. R.H.

Kenaion (Κήναιον, lat. *Cenaeum*). Die NW-Ausläufer von → Euboia, h. Kap Lihada, eine flache Schwemmlandspitze an jungtertiärer Küstenterrasse, mit einem Heiligtum des Zeus Kenaios (Skyl. 58). Das wohl in hell. Zeit befestigte Heiligtum besaß keinen Tempel. Auf K. lagen die Städte Athenai Diades und Dion. 427/6 v. Chr. versanken Teile der Halbinsel infolge eines Erdbebens im Meer (Demetrios von Kallatis, FGrH 85 F 6). Quellen: Hom. h. 1,219; Thuk. 3,93,1; Strab. 1,3,20; 9,4,4; 9,4,17; 9,5,13; 10,1,2; 10,1,5; 10,1,9; Ptol. 3,14,22; Liv. 36,20,5; Plin. nat. 4,63; Mela 2,107; Solin. 11,24; IG XII 9, 188.

H. v. GEISAU, s.v. K., RE 11, 163 f. · PHILIPPSON/KIRSTEN 1, 569 ff. H.KAL.

Kenchreai (Κεγχρεαί).
[1] Ort am Weg von Argos nach Tegea mit Gräbern der in der Schlacht beim nahen Hysiai (Pausanias zufolge 669/8 v. Chr.) gefallenen Argiver. K. lag am Nordhang des Ktenias gegenüber von Hysiai auf der Südseite. Nicht genau lokalisierbar, evtl. beim h. Sta Nera, ca. 3 km nordöstl. von Achladokambos. Die »Pyramide von K.« am Ausgang des Tals weiter im NO über der argivischen Ebene ist vermutlich ein Wehrturm (*pýrgos*) eines Bauernhofs. Quellen: Strab. 8,6,17; Paus. 2,24,7.

H.M. FRACCHIA, The Peloponnesian Pyramids Reconsidered, in: AJA 89, 1985, 683–689 · PRITCHETT 3, 1980, 58–64 · Ders., Thucydides' Pentekontaetia and other Essays, 1995, 207–228. Y.L.

[2] (Κεγχρεαί und mehrere Var., lat. *Cenchreae*). Hafen von → Korinthos am Saronischen Golf, etwa 7 km südöstl. am Nordufer einer flachen Bucht beim h. Kehries, in der ant. Lit. oft gen. (zuerst Thuk. 4,42,4; 44,4; 8,10,1; 20,4; 23,1; vgl. bes. Apul. met. 10,35). Prähistor. Siedlung auf dem Hügel über dem Hafen. K. wurde in röm. Zeit groß ausgebaut und bestand bis ans E. des Alt. Als befestigt ist K. bei Skyl. 55 bezeichnet. K. wird auf Mz. dargestellt. Ausgegraben sind ein wichtiger Teil der beiden Molen, die den Hafen im NO und SW schützten, sowie Gebäude des 1. und 2. Jh. n. Chr. Paus. 2,2,3 erwähnt einen Aphroditetempel, den Kult des Asklepios und der → Isis (das Isisfest bei Apul. met. 11,8–11; 16f.) und eine Bronzestatue des Poseidon (vgl. auch Kall. h. 4,271). Eine christl. Gemeinde erwähnt schon Paulus im Römerbrief 16,1, das angebliche Bistum K. ist aber Legende. Nach K. wurde auch der Saronische Golf als *Kenchreátēs* (Κεγχρεάτης) bezeichnet (Skymn. 508 f.). Inschr.: IG IV 206 f.; SEG 11,50. Mz.: [1. Bd. 3].

1 R. SCRANTON u.a., K., 5 Bde., 1976–1981.

D. MUSTI, M. TORELLI, Pausania. Guida della Grecia, 2. La Corinzia e l'Argolide, 1986, 214–216. Y.L.

Kenchreios (Κέγχρειος, Κέγχριος, *Cenchreus*). Bach im SW von Ephesos (Alexandros Aitolos fr. 2 POWELL; Strab. 14,1,20; Paus. 7,5,10; Tac. ann. 3,61,1), h. Arvalia Çayı (nicht der Değirmen dere, vgl. aber [1]); er entspringt am Solmissos (h. Agadağ), mündete vor deren Verlandung in die Kaystrosbucht, h. linksseits in den → Kaystros [1]. Der K. durchfloß die Ortygia, einen Hain, in dem Leto Apollon und Artemis geboren haben soll (Strab., Tac. l.c.); hier befand sich ein Heiligtum der Opis-Artemis (→ Opis), Schauplatz eines alljährlichen Festes. Der Flußgott K. ist auf Mz. der 1. H. des 2. Jh. n. Chr. dargestellt [2].

1 J. KEIL, Ortygia, die Geburtsstätte der ephesischen Artemis, in: JÖAI 21/2, 1922/1924, 113–119
2 S. KARWIESE, s.v. Ephesos, RE Suppl. 12, 335 f.

O. BENNDORF, in: FiE 1, 1906, 76–79 · L. BÜRCHNER, s.v. Ephesos, RE 5, 2773 Abb. 2, 2782 · F. HUEBER, Ephesos, 1997, 30 f. mit Abb. 2, 39 · S. KARWIESE, Groß ist die Artemis von Ephesos, 1995, 79, 104 mit Abb. 79. H.KA.

Kengavar (arab. *Kangāwar, Qaṣr al-Luṣūṣ*, pers. *Kinkiwar*). Stadt auf dem westiran. Hochplateau zwischen Hamadān und Kermānšāh. An der Handelsstraße zwischen Mesopot. und Ostiran entstanden Vorgängersiedlungen seit dem 5. Jt. v. Chr. (Godīntappe, Seh Gāvī). Seit parth. Zeit. (2. Jh. v. Chr.) besaß K. (Konkobar bei Isidor von Charax) ein der Göttin → Anāhita geweihtes Heiligtum.

G. LESTRANGE, The Lands of the Eastern Caliphate, 1889, 188 f. · S. KĀMBAKHSH FARD, Les fouilles de Kangavar, in: Bāstān-shenāsī va hunar-i Īrān, 1970, 10–13 · Ders., Fouilles archéologiques à Kangavar, in: Bāstān-shenāsī va hunar-i Īrān 9–10, 2–23. T.L.

Kenotaphion (κενοτάφιον, lat. *cenotaphium*, wörtl. »leeres Grab«). Als K. bezeichnet die klass. Arch. einen → Grabbau ohne die Überreste einer Bestattung; ein K. bildete in der Regel ein Ehrenmal für einen Verstorbenen, dessen Leichnam entweder nicht mehr greifbar war, wie z. B. bei in der Fremde oder auf See gefallenen Kriegern, oder aber eine besondere Form des Heroon (→ Heroenkult). Nicht selten stellte die Errichtung eines K. eine herausragende Ehrung seitens des Gemeinwesens oder der Familie auch für diejenigen Krieger oder Feldherren dar, deren sterbliche Überreste an bekanntem Ort, aber in individueller Hinsicht anonym, etwa in einem Staatsgrab bestattet waren (Marathon-Tumulus der Athener u. ä.). Die Errichtung eines K. als Ehrenmal ist eine in der gesamten Ant. von homer. bis in spätant. Zeit durchlaufende Erscheinung. Berühmte K. im Sinne von Memorialarchitekturen waren der Bezirk des Dexileos im → Kerameikos in Athen, das K. des Teiresias in Theben, das des C. Iulius [II 32] Caesar in Limyra und das des Drusus in Mainz.

R. BIERIG, H. v. HESBERG, Zur Bau- und Kultgesch. von S. Andreas apud S. Petrum, in: Röm. Quartalschrift für christl. Alt.-Kunde und Kirchengesch. 82, 1987, 145–182 · H.G. FRENZ, Drusus Maior und sein Monument zu Mainz, in:

JRGZ 32, 1985, 394–421 · J. GANZERT u. a., Das K. für Gaius Caesar in Limyra (IstForsch 35), 1984.   C. HÖ.

Kentauren

Kentauren (griech. Κένταυρος, Plur. Κένταυροι; Ἱππο-κένταυροι; Κενταυρίδες; lat. *Centaurus*, Pl. *Centauri*).
I. MYTHOLOGIE II. IKONOGRAPHIE

I. MYTHOLOGIE
A. DEFINITION B. ABSTAMMUNG UND KENTAUROMACHIEN C. CHARAKTER ALS MISCHWESEN

A. DEFINITION

K. sind vierbeinige → Mischwesen aus Mensch und Pferd, als deren Heimat das griech. Festland, etwa die Bergwälder Thessaliens, insbes. das Pholoe-Gebirge und das Kap Malea angesehen wurde. Sie treten oft als aggressive Gruppe von Frevlern auf, die v. a. durch Frauenraub provoziert. Sie fordern sowohl Heroen (wie z.B. Herakles, Peleus, Atalante) als auch Menschen(-gruppen) heraus. Alle Kämpfe enden mit ihrer Niederlage und Vertreibung. Individuen wie → Eurytion, Hasbolos, → Hylaios und → Nessos teilen zumeist die Charakteristika der Gruppe; menschenfreundliche Ausnahmen sind → Chiron und → Pholos. Familien und weibliche K., die den Volksstamm zum Gegenbild der menschlichen Gesellschaft werden lassen, sind erst seit dem 5. Jh. v. Chr. belegt und wahrscheinlich eine Erfindung des Malers → Zeuxis, der als erster eine Kentaurin darstellte (Lukian. Zeuxis 3,4; Kentaurenfamilien: Philostr. imag. 2,3; Ov. met. 12,393–428; Vitr. 7,5,5).

B. ABSTAMMUNG UND KENTAUROMACHIEN

Ihr Stammvater ist → Kentauros, der Sohn des → Ixion und der roßgestaltigen → Nephele (Pind. P. 2,42–48). Die Überl. schwankt, ob schon die ersten oder erst spätere, aus der Paarung mit Rossen hervorgegangene Nachfahren Mensch-Pferd-Wesen waren. Diod. 4,69–70 stellt etwa den menschengestaltigen K. die Hippokentauren gegenüber (Lukian. Zeuxis 3,4 verwendet die Begriffe jedoch synonym). Andere Genealogien bieten ScholiaIl. 1,266 (die Sklavin Dia vereinigt sich in einer Nacht sowohl mit Ixion als auch mit → Pegasos) und Nonnos, der drei Klassen von K. nennt (Nonn. Dion. 14,143 ff.; 193 ff.). Die wichtigste Sage ist der Kampf von → Lapithen und K. Die beiden sind bei Diod. 4,70 Halbbrüder, die ums väterliche Erbe streiten. Bei Homer ist dieser Kampf Ursache und Antizipation aller späteren Kämpfe zwischen Menschen und K. (Hom. Il. 2,741 ff; Od. 21,295 ff.). Die ausführlichste Schilderung findet sich bei Ov. met. 12,210–535. Während in den frühen Versionen der Anlaß des Streits nicht angegeben wird, berichten spätere davon, daß die K. auf der Hochzeit des Lapithen → Peirithoos im Rausch versuchen, sich an den Frauen zu vergreifen. (Ares als Anstifter des Kampfes erscheint nur bei röm. Autoren: Verg. Aen. 7,304 und Serv. z. St.). Die Lapithen entscheiden den Kampf für sich (Apollod. epit. 1,21 f.).

Nach der Vertreibung aus Thessalien flüchten einige der K. ins Pholoe-Gebirge, wo sie brandschatzen und die Einwohner töten (Diod. 4,70). Als → Herakles den K. Pholos besucht, kommt es durch die Provokation der K. zu einem Kampf, der trotz der Intervention ihrer Mutter Nephele mit der Niederlage der K. endet (Diod. 4,12).

C. CHARAKTER ALS MISCHWESEN

Schon Homer trennt die K. von den Menschen (Hom. Od. 21,303), auch wenn er nicht ausdrücklich ihre Tiergestalt erwähnt. Pindar (fr. 166 MAEHLER) bezeichnet sie trotz ihrer menschl. Komponente als Tiere. Die K. sind Tiermenschen, bei denen die Aggressivität des Tiers mit dem menschlichen Verstand gepaart ist. Ihre Haupteigenschaften sind Lüsternheit und Weingier; sie werden deshalb ähnlich wie die in Charakter und Aussehen verschiedenen (ebenfalls tiergestaltigen, aber nicht kulturgefährdenden) → Silene mit Dionysos in Verbindung gebracht (Nonn. Dion. 14,143 ff.; Eur. Iph. A. 1058 ff.; Plin. nat. 33,155). Als rohes Fleisch verschlingende (Hes. theog. 542), gottesfrevelnde Anti-Gesellschaft, die zwangsläufig vom zivilisierten Menschen besiegt wird, sind sie ein Pendant zum myth. Volk der → Amazones.

C. ANGELINO, E. SALVANESCHI (Edd.): Il Centauro. Florilegio di testi letterari e figurativi, 1986 · E. BETHE, s. v. K., RE 11, 172–179 · P. DU BOIS, Centaur and Amazons: Women and the Pre-History of the Great Chain of Being, 1991 · G. DUMÉZIL, Le probleme des Centaures, 1929 · M. O. HOWEY, The Horse in Magic and Myth, 1923 · A. ISARD, Le centaure dans la légende et dans l'art, 1939.   C. W.

II. IKONOGRAPHIE

Frühe Darstellungen überliefern K. in vollständiger Menschengestalt mit Rumpf und Hinterbeinen eines Pferdes (Tonstatuette aus Lefkandi, Eretria, Mus., Ende 10. Jh. v. Chr., spätgeom. Vasen, ab 725/700 v. Chr.); die menschlichen Vorderbeine werden nur vereinzelt mit Pferdehufen gezeigt (»Campana«-Dinos, Kopenhagen, NM, 540/525 v. Chr.). Seit der 2. H. des 7. Jh. v. Chr. werden K. bes. auf att. Vasen als Pferde mit menschlichem Oberkörper gestaltet: François-Krater (Florenz, AM, 570 v. Chr.), auf dem die thessal. Kentauromachie erstmals gesichert dargestellt wird. In der Bauplastik des 5. und 4. Jh. v. Chr. wird der Kampf mit den die (soziale) Ordnung verletzenden K. wiederholt umgesetzt: Westgiebel des Zeustempels in Olympia (um 460 v. Chr.), Südmetopen des Parthenon (447/440 v. Chr.), Westfries des Hephaisteions in Athen (um 440 v. Chr.), Cellafries des Apollontempels in Bassai (spätes 5. Jh. v. Chr.), Südfries des Heroons von Gjölbaschi-Trysa (380/370 v. Chr.), Fries des Mausoleums in Halikarnassos (Mitte des 4. Jh. v. Chr.) u. a.

Als Waffen führen die K. zunächst nur Äste und entwurzelte Bäume, im 6. Jh. v. Chr. kommen Steine, Felsblöcke und Keulen hinzu; im Kampf gegen die → Lapithen setzen sie außerdem Gefäße und anderen Hausrat

ein; Anf. 5. Jh. v. Chr. erhalten sie als Schutz öfter ein Tierfell. Darstellungen des gastfreundlichen K. → Pholos stehen in Verbindung mit dem Pholoe-Abenteuer des Herakles; häufiger ist dessen Verfolgung durch die vom Wein angelockten K. (korinth. Skyphos, Paris, LV, 590/580 v. Chr.); nicht erh. sind die Szenen des gleichen Themas auf der → Kypseloslade, Mitte 6. Jh. v. Chr. (Paus. 5,19,9) und am »Thron« des Apollon von Amyklai, Ende 6. Jh. v. Chr. (Paus. 3,18,10–11). Die Nessos-Szene findet sich bes. auf archa. Vasen (Amphora des Nettos-Malers, Athen, NM, um 620 v. Chr.). → Chiron, als freundlicher und weiser K. charakterisiert, erscheint v. a. als Erzieher des Achilleus und Ratgeber des Peleus (bei dessen Hochzeit mit Thetis zugegen: François-Krater; Amphora, München, SA, 510–500 v. Chr.). Zur Betonung ihrer Wildheit sind K. oft mit langen Haaren, strähnigem Bart, Stupsnase und Pferdeohren dargestellt. Attribute wie Trinkgefäße, Kränze, Musikinstrumente u. ä. setzen sie in klass. Zeit zunehmend mit dem dionysischen Kreis in Beziehung. – In röm. Zeit wird das Spektrum griech. K.-Ikonographie meist unverändert übernommen, u. a. in Wandmalereien und Mosaiken, auf den Sarkophagen des 2.–3. Jh. n. Chr., in der Glyptik und Toreutik (Achilleusplatte aus dem Silberschatz von Kaiseraugst, 330–345 n. Chr.).
→ Chiron; Nessos; Pholos

> D. Castriota, Myth, Ethos and Actuality. Official Art in Fifth-Century B.C. Athens, 1992, 34–43, 152–165 · L. Marangou, M. Leventopoulou et al., s. v. Kentauroi et Kentaurides, LIMC 8.1, 671–721 (mit weiterer Lit.) · R. Osborne, Framing the Centaur. Reading 5th-Century Architectural Sculpture, in: S. Goldhill, R. Osborne (Hrsg.), Art and Text in Ancient Greek Culture, 1994, 52–84 · C. Weber-Lehmann, s. v. Kentauroi (in Etruria), LIMC 8.1, Suppl., 721–727.   A. L.

Kentauros (Κένταυρος).

[1] Nach Pind. P. 2,21 ff. Sohn des → Ixion und der → Nephele (der vermeintlichen Hera). K. zeugt mit den Stuten vom Pelion die → Kentauren (Diod. 4,70).

[2] Bei Vergil (Aen. 5,122; 10,195) Name eines Schiffes mit dem Bild eines Kentauren.

[3] Das Sternbild K., üblicherweise mit → Chiron oder → Pholos identifiziert.   C. W.

Kentoripa (Κεντόριπα, lat. Centuripa(e), Centuripinum).

Sikulische Stadt 30 km südwestl. des Vulkans → Aitne [1] (726 m H) in strategisch wichtiger Lage zw. der Ebene von Katane und dem Landesinnern. 414–413 v. Chr. Anschluß an Athen (Thuk. 6,94,3; 7,32). Involviert in Ereignisse z. Z. des Dionysios, Timoleon, Agathokles und Hieron II. Im 1. Pun. Krieg schloß K. 263 v. Chr. mit Rom einen Friedensvertrag (Diod. 23,4). K. war in der röm. Prov. Sicilia eine der wenigen *civitates liberae atque immunes* (Cic. Verr. 2,3,13; vgl. 2,2,163; 4,50; 5,83). Arch. Befund: Spät-prähistor. Malereien, neolith., brz. Siedlungen; Nekropolen ab 8. Jh. v. Chr.; hell. Terrakotten; Br.-Mz. von Timoleon bis ins 2./1. Jh. v. Chr. Gebäudereste, Skulpturen röm. Zeit.

> G. Manganaro, Una biblioteca storica nel ginnasio a Tauromenion nel II sec. a.C., in: PdP 29, 1974, 395 ff. · Ders., Iscrizioni, epitaffi ed epigrammi in greco della Sicilia centro-orientale di epoca romana, in: MEFRA, 106, 1994, 85 f., 102 f. · BTCGI 5, 235–243 · R. Calciati, Corpus Nummorum Siculorum 3, 1987, 163–179 · R. Patané, Timoleonte a Centuripe e ad Agira, in: Cronache di Archeologia 31, 1992, 67–82 · G. Rizza, s. v. Centuripe, EAA 2. Suppl. 2, 1994, 100 · W. Eck, Senatorische Familien der Kaiserzeit in der Prov. Sizilien, in: ZPE 113, 1996, 109–128.   RO. PA./Ü: H. D.

Kentrites (Κεντρίτης, Xen. an. 4,3,1; Diod. 14,27,7);

nach der Wegbeschreibung bei Xenophon identisch mit dem östl. Tigrisnebenfluß Bohtan Su (Provinz Siirt), byz. Zirmas, arab. Zarm. Der K. bildete danach die Grenze zw. dem Gebiet der → Karduchoi und Armenien bzw. der armen. Satrapie des → Tiribazos. Die Griechen überschritten im Winter 401/400 v. Chr. den K. bei einer Talweitung mit Siedlungen auf Flußterrassen, evtl. ca. 15 km nördl. des Zusammenflusses mit dem Tigris, nahe der Mündung des Zorova Su.

> F. H. Weissbach, s. v. K., RE 11, 181.   K. KE.

Kentumsprache.

Das Merkwort K. (nach lat. *centum*) steht für solche idg. Sprachen, in denen von den uridg. Tektalen (→ Gutturale) die palatale Reihe $\hat{k}$, $\hat{g}$, $\hat{g}^h$ und die unmarkierte k, g, g^h in der unmarkierten zusammengefallen sind: uridg. *kreuh̥,-* »blutiges Fleisch« > lat. *cruor*, griech. *kréas*, *k̥rd-* »Herz« > lat. *cor*, griech. *kardía*. Sonst (in sog. → Satemsprachen) werden die als eigenständige Phoneme erh. Palatale zu Zischlauten. In K. blieben die Labiovelare k^w, g^w, g^{wh} (anfänglich) als Phoneme erh., z. B. im Urgriech. und → Mykenischen mit der geringen Einbuße *k^w > k neben u. Die frühere Forsch. bewertete die Kentum-Satem-Scheidung als älteste und wichtigste Isoglosse der idg. Sprachen, der geogr. eine WO-Verteilung entsprechen sollte. Es gibt jedoch Gründe zu der Annahme, daß die einschlägigen Lautentwicklungen erst in (vor)einzelsprachlicher Zeit stattfanden, d. h. daß K. wie Lat. (mit den ital. Sprachen) oder Griech. den Phonemzusammenfall unabhängig voneinander durchgeführt haben. Neben den klass. Sprachen gehören → anatolische Sprachen (teilweise umstritten), → germanische Sprachen, → keltische Sprachen und das → Tocharische (meist *k^w > *k) zu den K.
→ Gutturale; Indogermanische Sprachen; Lautlehre

> W. Cowgill, M. Mayrhofer, Idg. Gramm. I.1/2, 1986, 102–109 · J. Tischler, Hundert Jahre *kentum-satem* Theorie, in: IF 95, 1990, 63–98.   D. ST.

Keos

[1] (Κέως). Nördlichste der westl. Kykladen-Inseln (Xen. hell. 5,4,61: Κέως; Hdt. 8,76; Bakchyl. 6,5; 16: Κέος; Liv. 36,15: Cia), h. Kea. 12 Seemeilen von der Südspitze Attikas entfernt, von der sie durch die Insel Makronisos getrennt ist. K. ist 131 km² groß, bergig

(Prophitis Elias 567 m) und besteht in der Hauptsache aus kristallinem Schiefer. Silbervorkommen am Hagios Symeon, wo auch Kupferschlacken gefunden wurden [9. 88f.].

Auf dem Vorgebirge Kephala an der NW-Spitze der Insel bestand eine spätneolith. Fischersiedlung (4. Jt. v. Chr.); südl. davon auf der Landzunge Hagia Irini Reste einer brz. Siedlung, die mit einem dem Dionysos geweihten Heiligtum sogar Kontinuität bis in die archa. Zeit aufweist [1; 2]. Auch an anderen Orten traten prähistor. Funde zu Tage. Frühkykladische Keramik (3. Jt. v. Chr.; [3. 14]). – Die frühesten Bewohner von K. waren der Überl. nach → Kares und → Leleges; vorgriech. Ursprungs sind die ON Karthai, Poiessa, Karessia sowie K. Die griech. Besiedlung soll von Arkadia, Naupaktos und Athen erfolgt sein.

In gesch. Zeit gab es vier Städte auf K.: Iulis (h. K., im Zentrum der Insel), Karthaia (im SO beim h. Poles), Poiessa (h. Pisses, im SW) und Koresia (wohl im 3. Jh. v. Chr. auch Arsinoe gen.: IG XII 5, 1061; IMagn. 50,78; [4. 144ff.], h. Koressia an der SW-Küste). Zu Strabons Zeit waren Koresia und Poiessa aufgegeben, die Bewohner nach Iulis bzw. Karthaia umgesiedelt. Die vier Städte wurden nach vorübergehender Abhängigkeit von Eretria E. 6. Jh. v. Chr. selbständig (Strab. 10,1,10). K. beteiligte sich an den Perserkriegen, war Mitglied im → Attisch-Delischen Seebund (ATL 1,306f.; 3,197f.), auch im 2. → Attischen Seebund (IG II² 404). In hell. Zeit gehörte K. dem Nesiotenbund an. Um 220 v. Chr. erfolgte der Anschluß an den Aitol. Bund [7. 204, 215]. Seit etwa 200 v. Chr. war K. mit Rhodos verbündet (Pol. 16,26,10; Liv. 31,15,8; SEG 14,544; [8. 159ff.]). Marcus Antonius schenkte die Insel den Athenern (App. civ. 5,1,7).

Aus Iulis stammen → Simonides und sein Neffe → Bakchylides, von K. der Logograph → Xenomedes (FGrH III B Nr. 442), → Erasistratos, der Sophist → Prodikos und → Ariston [3] [5. 27ff.]. K. besaß auf Delos ein Schatzhaus (Hdt. 4,35) [6. 54f.]. Im Stadtareal von Iulis wurde der Kuros von K. (um 530 v. Chr.) gefunden, in der Nähe die kolossale Felsskulptur eines ruhenden Löwen (frühes 6. Jh. v. Chr.).

1 J. L. CASKEY, Excavations in K., in: Hesperia 31, 1962, 263ff.; 33, 1964, 314ff. 2 G. DAUX, Chroniques des fouilles 1963, s. v. Céos, in: BCH 88, 1964, 821–829 3 D. FIMMEN, Die kret.-myk. Kultur, ²1924 4 L. ROBERT, Hellenica 11/12, 1944ff., 144ff. 5 WEHRLI, Schule 6 6 N. M. KONTOLEON, Führer durch Delos, 1950 (griech.) 7 R. FLACELIÈRE, Les Aitoliens à Delphes, 1937 8 P. M. FRASER, G. E. BEAN, The Rhodian Peraea and Islands, 1954 9 H. W. CATLING, Archaeology in Greece 1988–1989, s. v. Keos, in: Archaeological Reports 35, 1988/9, 88 f.

L. BÜRCHNER, s. v. K. (2), RE 11, 182–190 · J. TH. BENT, Aegean Islands, ²1966 · J. E. COLEMAN, K. I, 1977 · CHR. DUNANT, J. THOMOPOULOS, Inscriptions de Céos, in: BCH 78, 1954, 316–348 · P. GRAINDOR, Kykladika, in: Musée Belge 25, 1921, 78ff. · DERS., Fouilles de Karthaia, in: BCH 29, 1905, 329–361; 30, 1906, 92–102, 433–452 ·

H. KALETSCH, s. v. Kea, in: LAUFFER, Griechenland, 315–318 · D. M. LEWIS, The Federal Constitution of K., in: ABSA 57, 1962, 1–4 · PHILIPPSON/KIRSTEN 4, 66ff. · A. PRIDIK, De Cei insula rebus, 1892 · L. ROSS, Reisen auf den Inseln des ägäischen Meeres 1, 1840, 110ff. · K. CH. STORCK, Die ältesten Sagen der Insel K., 1912, 192.

H. KAL. u. E. MEY.

[2] (Κέος). Ortschaft in der Nähe des Kaps → Kynosura auf Salamis, bei Hdt. 8,76,1 im Zusammenhang mit der Schlacht 480 v. Chr. (Griechen gegen die Perser unter Xerxes) erwähnt. Nicht zu lokalisieren.

C. HIGNETT, Xerxes' Invasion of Greece, 1963, 218ff., 397ff.

H. KAL.

Kephalai (Κεφαλαί). Vorgebirge (»Köpfe«), das den westl. Beginn der Großen Syrte anzeigt, h. Kap Mesrâta oder Râs Bou-Chaifa. Strab. 17,3,19; Plut. Dion 25,8; Ptol. 4,3,13; Stadiasmus maris magni 92 (GGM I 460).

H. KEES, s. v. K., RE 11, 190.

W. HU.

Kephale (Κεφαλή). Att. Paralia-Demos der Phyle Akamantis, neun (zwölf) → buleutaí, h. Keratea [4. 47]. Der eponyme Heros von K., Kephalos [1], war Stammheros der Kephaliden, der Könige von → Thorikos. Frühmyk. Füstensitz auf 220 m Höhe [2], in klass. Zeit verm. mehrere Siedlungszentren. Bedeutende Nekropole (geom. Zeit bis 4. Jh. v. Chr.) in Rudseri [1]. Zahlreiche Kulte [1. 491; 3], u. a. der Aphrodite [3. 36] und der Dioskuren (→ Dioskuroi; Paus. 1,31,1).

1 H. G. BUCHHOLZ, Ein Friedhof im Gebiet des att. Demos K., in: AA 1963, 455–498 2 H. LOHMANN, Atene, 1993, 65 mit Anm. 468 3 S. SOLDERS, Die außerstädt. Kulte und die Einigung Attikas, 1931, Index s. v. K. 4 TRAILL, Attica, 47; 59; 67; 110 Nr. 63, Tab. 5.

WHITEHEAD, Index s. v. K.

H. LO.

Kephalion (Κεφαλίων).

[1] Sklave Ciceros, der 49 v. Chr. den Briefwechsel mit Atticus und 47 den mit Q. Cicero als Briefbote besorgte (Cic. Att. 7,25; 9,19,4; 10,1,2; 2,1; 15,1; 11,12,1; 16,4).

P. N.

[2] Pseudonymer (?) hadrianischer Historiker und Rhetor, dessen Vita in Suda s. v. mit der des Kephalon verwechselt ist; Verf. eines Werks Músai bzw. Pantodapaí Historíai (›Musen‹ bzw. ›Allerlei Geschichten‹, 9 B.) in ion. Dialekt, das die Zeit von → Ninos und → Semiramis bis Alexandros [4] d. Gr. umfaßt. Im wesentlichen auf → Ktesias und → Kastor [2] fußend [1; 3], ist seine Universalgesch. trotz krassem Rationalismus [2] und zahlreichen Quellenangaben kein seriöses Gesch.-Werk, wurde aber von Eusebios [7] und Byzantinern (meist mittelbar) benutzt. Andere Schriften (u. a. Melétai rhētorikaí) sind nicht mehr faßbar.

1 E. SCHWARTZ, Die Königslisten des Eratosthenes und Kastor, 1894 2 F. JACOBY, s. v. K. (4), RE 11,191 f. 3 DERS., FGrH 93 4 R. DREWS, Assyria in Classical Universal Histories, in: Historia 14, 1965, 135–137.

KL. GE.

Kephallenia (Κεφαλληνία). Die größte der Ion. Inseln im Westen Griechenlands mit ca. 761 km², 50 km lang in NS-Richtung, bis zu 25 km breit. Bedingt durch die Kontur der Insel und die hohen Kalkberge (h. Enos, Efmorfia, Agia Dinati), existieren mehrere abgeschlossene Siedlungsgebiete, die erst in der Neuzeit durch Straßen miteinander verbunden wurden. Vom Hauptkörper der Insel ragt nach Norden die Halbinsel Erisos hervor, während im Westen die Halbinsel Paliki mit diesem durch einen 4 km schmalen Isthmos verbunden ist. Paliki gegenüber, durch den Golf von Levadi getrennt, liegen östl. des h. Hauptortes Argostoli die fruchtbare Krania-Ebene und das Hügelland von Livatho. Im südöstl. Siedlungsraum befinden sich die Binnenebene von Arakli (Agia Irini) sowie die Küstenstädte Poros und Skala, im Osten der Hafenort Sami mit einer fruchtbaren Ebene. Weitere Siedlungskammern liegen im Landesinneren (z.B. Tal von Pilaros). Markant erhebt sich der 150 km weit sichtbare Ainos (h. Enos), der höchste Berg der Inseln im Ion. Meer (1628 m), der noch h. mit Wäldern der K.-Tanne bewachsen ist. Das dortige Heiligtum des Zeus Ainesios (Strab. 10,2,15) ist arch. nicht nachgewiesen.

Unter den myk. Funden ist am bedeutendsten das um 1400 v.Chr. (SH II) erbaute, ca. 100 Jahre später (SH III A) erneuerte Kuppelgrab von Tsannata bei Poros [5]. Aus SH III B-C sind mehrere Friedhöfe mit Kammergräbern in den Distrikten Argostoli und Paliki (z.B. Mazarakata, Metaxata, Lakkithra) bekannt [2; 8 mit Karte; 9].

Bei Homer werden die Kephallenes als Untertanen des Odysseus bezeichnet (Hom. Il. 2,631-7; Hom. Od. 20,210; 24,355; 378; 429), explizit wird aber nur eine Insel Samos genannt. Umstritten ist, ob damit ganz K. (Strab. 10,2,10) oder nur die Umgebung der späteren Stadt Same gemeint ist. Manche Wissenschaftler erkennen in der homer. Insel Dulichion die Halbinsel Paliki [11] oder identifizieren gar das Ithaka der ›Odyssee‹ mit K. [12]. In gesch. Zeit bezeichnet K. nur die Insel mit vier selbständigen Städten (Thuk. 2,30,2): Same (h. Sami) an der Küste gegenüber Ithaka, Pronnoi beim h. Poros, Krane südöstl. vom h. Argostoli, Pale nördl. des h. Lixuri auf der Halbinsel Paliki.

Die angebliche Beteiligung der Paleer an der Schlacht von Plataiai 479 v.Chr. (Hdt. 9,28,5; 31,4) ist irrtümlich für die der *Valeioi* (Elis). 456 v.Chr. erfolgte durch → Tolmides der Anschluß an Athen (Diod. 11,84,7), 435 unterstützte Pale Korinth (Thuk. 1,27,2); 431 v.Chr. kam ganz K. wieder an Athen (Thuk. 2,30,2). 375 brachte → Timotheos Pronnoi zum Anschluß an den 2. → Attischen Seebund (IG II-III² 43; 96; [3. 14-47, 103-108]). 372 gewann Iphikrates die übrigen Städte (Xen. hell. 6,2,31; 33; 38; StV 2, 267; [3. 74f.]). Seit ca. 226 besaß K. enge Beziehungen zum Aitolischen Bund [4]; 223/2 wurde eine aitolische Kolonie nach Same ausgesandt (IG IX 1² 1, 2; SEG 37, 427 Nr. 165); im J. 218 erfolgte ein vergeblicher Angriff Philippos' V. auf Pronnoi und Pale (Pol. 5,3,3f.). 189

v.Chr. wurde Same durch Fulvius [I 15] Nobilior belagert und zerstört (Liv. 38,28,5-30,1). Nach 59 v.Chr. gehörte die Insel C. Antonius [I 2] (Strab. 10,2,13). Plin. nat. 4,54 nennt K. eine *civitas libera*; Pale bezeichnet sich in einer Inschr. als frei und autonom (IG II-III² 3301). Hadrianus schenkte K. den Athenern (Cass. Dio 69,16,2). Im 2. Jh. n.Chr. gehörte K. zur Prov. Epirus (Ptol. 3,18,9). Eine Neugründung im späten Hell. ist der Hafen Panormos (h. Phiskardo) im NO (Artem. fr. 55 STIEHLE; Anth. Pal. 10,25; SEG 37, 790; Hierokles, Synekdemos 648,6), der wie Same in röm. Zeit aufblühte.

Im 4. Jh. wird K. als wohlhabend bezeichnet (Expositio totius orbis 64 in der für die seit der Spätant. typischen Form *Cephalonia*, vgl. Prok. BG 3,40,14). 550/1 n.Chr. war K. Stützpunkt bei der byz. Rückeroberung von It. (Prok. BG l.c.). Seit 787 ist K. als Bistum belegt. Mz.: [1; 7]; Inschr.: IG IX 1, 610-652; SEG 3, 448-450; 17, 250f.; 23, 388-390; 25, 607; 27, 179; 30, 516f.; 34, 475; 39, 380 und 486; 40, 466; 41, 323; IGUR 1239; [6; 10].

1 BMC, Gr (Peloponnes) 77-93 2 S. BRODBECK-JUKER, Myk. Funde von K. im Arch. Mus. Neuchâtel, 1986 3 J. CARGILL, The Second Athenian League, 1981 4 R. FLACELIÈRE, Les Aitoliens à Delphes, 1937, 258, 284f. 5 L. KOLONAS, Tsannata Porou, in: AD 47 B1, 1992, 154-157 6 K.J. RIGSBY, Asylia, 1996, Nr. 85 7 RPC, 271f. 8 R. HOPE SIMPSON, Mycenean Greece, 1981, 156-158 9 CH. SOUYOUDZOGLOU-HAYWOOD, Mycenean Refugees and the Kefalonian Cemetries, in: Praktika tou E' Diethnous Panioniou Synedriou, 1991, 59-67 10 D. STRAUCH, Aus der Arbeit am Inschr.-Corpus der Ion. Inseln: IG IX 1², 4, in: Chiron 27, 1997, 217-226 11 E. VISSER, Homers Kat. der Schiffe, 1997, 574-598 12 H. WARNECKE, Die histor.-geogr. Lösung des Ithaka-Problems, in: Orbis Terrarum 3, 1997, 77-99.

Archaeological Reports 39, 1992/3, 25 • K. BIEDERMANN, Die Insel K. im Alt., 1887 • H. KALETSCH, s.v. K., in: LAUFFER, Griechenland, 319-321 • G. KAVVADIAS, He palaiolithiki Kephalonia, 1984 • J. PARTSCH, K. und Ithaka (Petermanns Mitt., Ergh. 98), 1890 • PHILIPPSON/KIRSTEN 2, 503-527, 558-566, 600-604 • SOUSTAL, Nikopolis, 149f., 154f., 175-177, 185, 187f., 220f., 234, 254 • R. SPEICH, Korfu und die Ion. Inseln, 1982, 249-290.   D.S.

Kephaloidion (Κεφαλοίδιον, Κεφαλοιδίς, *Cephaloedium*). Stadt auf einem Kap an der Nordküste von Sizilien, h. Cefalù, mehrfach erwähnt im Zusammenhang mit → Dionysios [1] I. und → Agathokles [2] (Diod. 14,56,2; 78,7; 20,56,3; 77,3), 254 v.Chr. von den Römern im 1. Pun. Krieg erobert (Diod. 23,18,3), dann *civitas decumana*. Von Verres geplündert (Cic. Verr. 2,2,128; 3,103). Arch.: Reste archa. Befestigungsanlagen; auf der Akropolis der »Tempel der Diana« in vorgriech. Anlage. Reiche Mz.-Kollektion [1. 97, 99], bes. aus Lipara im Mus. Mandralisca. Inschr.: IG XIV 349-351; CIL X 2, 7456f.; [2].

1 G.K. JENKLAS, in: Atti IV Conv. Studi Numismatici 1973, 1975 2 A. TULLIO, s.v. Cefalù, EAA², 90-93.

GI.MA. u.K.Z./Ü: J.W.M.

Kephalos (Κέφαλος, *Cephalus*).
[1] Athen. Heros, Eponym der att. Deme → Kephale (NW von Thorikos) und Gründervater des Kephalidengeschlechts (Pherekydes, FGrH 3 F 34; Hesych. s. v. Κεφαλίδαι). K. gilt a) als Sohn des athen. Königs → Pandaros (Pandion) oder des → Hermes und der Herse, der Tochter des Kekrops; oder b) als Sohn des phokischen Königs Deïon(eus) und der Diomede, der Tochter des Xuthos, womit er zum Bruder von Ainetos, Phylakos, Aktor und Asteropeia wird.

K. ist ein außergewöhnlicher Jäger von atemberaubender Schönheit. Als er auf den Hängen des Hymettos jagt, wird er von der Göttin → Eos verfolgt und verschleppt. Kinder dieser menschlich-göttl. Mesalliance sind nach verschiedenen Trad. → Phaethon (Hes. theog. 986 f.), → Tithonos (Apollod. 3,14,3), Hesperos (Hyg. astr. 2,42,4). In späteren Versionen der K.-Sage wird mit der Eos-Geschichte das Schicksal der → Prokris kontaminiert (Ov. met. 7,655 ff.; Hyg. fab. 189; Antoninus Liberalis 41). Sie ist die erste menschl. Frau des K. (die zweite ist die Boioterin Klymene [3], mit der er den Iphiklos zeugt: Hyg. fab. 14,2; Hes. fr. 62 M.-W.). Wie K. ist sie eine ausgezeichnete Jägerin, die von Minos (Apollod. 3,15,1–3) oder Artemis (Ov. met. 7,753 ff.) ihren unfehlbaren Speer und den Hund → Lailaps erhält, die sie an K. weiterverschenkt.

Ihre Ehe ist von Beziehungskrisen – Ehebruch, Zweifel an der Treue, Zerwürfnissen – geprägt. Die eifersüchtige Eos überredet K., die Treue der Prokris zu erproben: Fast mühelos kann der verkleidete K. sie zum Ehebruch bewegen. Auch umgekehrte Versuche der Prokris, die als Mann verkleidet K. zu einer homosexuellen Liaison provoziert, sind von Erfolg gekrönt. Obwohl die wechselseitige Untreue in eine Versöhnung mündet, ist Prokris nicht mehr von der Treue des K. zu überzeugen. Als sie ihm mißtrauisch über die häufigen Jagdausflüge auf den Hymettos folgt, belauscht sie sein Gespräch mit der hitzemildernden Aura, der Luft (oder der Wolke Nephele). K., der sie für ein im Gebüsch verstecktes Wild hält, tötet sie aus Versehen (Pherekydes l.c.; Ov. ars 685–746). Der Gerichtshof auf dem Areopag verbannt K. wegen dieses Mordes lebenslang aus Attika (Apollod. 3,15). Danach beteiligt K. sich in Theben an der Jagd auf den telmessischen Fuchs, auf den er den Hund Lailaps hetzt; ferner hilft er Amphitryon, den Krieg gegen die Taphier oder Teleboai siegreich zu entscheiden (Apollod. 2,4,7). K. siedelt sich dann auf der nach ihm benannten Insel → Kephallenia an, wo er Lysippe heiratet (Strab. 10,2,14; Paus. 1,37,6). Nach ihren vier Söhnen werden die vier Stämme/Städte der Insel benannt (Etym. m. 507,26: Pronoi, Samaioi, Kraneioi, Paleis).

I. LAVIN, Cephalus and Procris. Transformations of an Ovidian Myth, in: JWI 17, 1954, 260 ff. · CH. SEGAL, Ovid's Cephalus and Procris: Myth and Tragedy, in: Grazer Beitr. 7, 1978, 175–205 · E. SIMANTONI-BOURNIA, s. v. K., LIMC 6.1, 1–6. C.W.

[2] Syrakusaner, Sohn des Lysanias und Vater des Rhetors → Lysias, lebte als Metöke (→ *métoikoi*) und Freund des Perikles 30 J. in Athen (Lys. 12,4), starb vor 404 v. Chr. K. mußte angeblich (Plut. mor. 835c) vor dem syrakusan. Tyrannen Gelon [1] fliehen. Platon ehrt K., indem er ihn im 1. Buch der *Politeía* als Gesprächspartner auftreten läßt (Plat. rep. 328b-c u.ö.) [1].
[3] Athener aus dem Demos Kollytos (?), von Beruf Töpfer, nach dem E. des Peloponnes. Krieges aktiver Rhetor, der die Wiedererrichtung der Demokratie 403 v. Chr. nachhaltig unterstützte (Deinarch. 1,76; Demosth. or. 18,219), den Rhetor → Andokides [1] 399 im Mysterienprozeß verteidigte (And. 1,115 f. und 150), 387/6 ein probuleumatisches Dekret beantragte, durch das Phanokritos von Paros die Proxenie (→ *proxenía*) verliehen wurde (IG II² 29,6), als Gesandter Athens 384/3 das für die spätere Gesch. des Zweiten → Attischen Seebundes wegweisende Bündnis mit Chios abschloß (IG II² 34,35 ff.) und 379/8 angeblich die athen. Unterstützung für die Thebaner im Kampf gegen die Spartaner beantragte (Deinarch. 1,38–39; Diod. 15,25 f.; vgl. aber Xen. hell. 5,4,19) [2; 3; 4;].

1 D. WHITEHEAD, The Ideology of the Athenian Metic, 1977, 16, 160 2 PA 8277 3 J. SUNDWALL, Nachträge zur Prosopographia Attica, 1910, 109 4 DEVELIN Nr. 1581.
J.E.

Kepheus (Κηφεύς).
[1] Arkad. Lokalheros, Sohn des → Aleos [1], des Gründers von Tegea, und der Neaira, Gründerheros der Stadt → Kaphyai (deren Namen man aus dem des K. ableitete). Seine Tochter Antinoe gründet Mantineia. K. übernimmt später von seinem Vater die Herrschaft in Tegea. Als → Herakles nach der Eroberung des Neleïdenreichs zu einer Strafexpedition gegen den spartan. König → Hippokoon aufbricht, fordert er K. mit seinen 20 Söhnen zur Teilnahme auf, die dann alle auf diesem Feldzug umkommen. Als Teilnehmer an der Argonautenfahrt wird er bei Apoll. Rhod. (1,161) aufgeführt.

M. JOST, Sanctuaires et cultes d'Arcadie, 1985, 367 f.

[2] Sohn des Belos (= Baal), Vater der → Andromeda und Gemahl der → Kassiepeia. K.' Herrschaftsgebiet wird im (Süd-)Osten des griech. Kulturkreises lokalisiert: nach Hdt. 7,61 in Persien, nach Hellanikos in Babylon (Steph. Byz. s. v. Χαλδαῖοι), nach Paus. 4,35,9 im phöniz. Ioppe; mit Euripides' *Andromeda* setzt sich als Herrschaftsgebiet »Aithiopien« durch. Durch einen Frevel der Kassiepeia gegenüber den Nereiden wird K. gezwungen, seine Tochter einem Meeresungeheuer auszusetzen, doch wird Andromeda von → Perseus befreit (Apollod. 2,43 f., Ov. met. 4,668 ff.). Nach ihrem Tod werden K. und seine Familie als Sternbilder an den Himmel versetzt (Eratosth. Katasterismoi 15). Die Verbindung von Perseus als Stammvater griech. Dynastien mit einem oriental. Herrscher dürfte histor. Entwicklungen der myk. Zeit reflektieren.

F. BUBEL, Euripides, Andromeda, 1991, 24–44. E.V.

Kephisia (Κηφισιά). Att. Mesogeia-Demos der Phyle Erechtheis, sechs (acht) → *buleutaí*, h. Kifissia [1. 38]. Ort der att. Dodekapolis (Philochoros bei Strab. 9,1,20; FGrH B Fr. 94). Quellen- und waldreicher Vorort von → Athenai im Westen des → Pentelikon (Harpokr. s. v. Κηφισιεύς; Diog. Laert. 3,41; Synes. epist. 272) mit *villa* des Herodes [16] Atticus (Gell. 1,2,2; 18,10,2; Philostr. soph. 2,1,12) [2. 197 Abb. 251–254]. Seiner Familie schrieb man früher einen röm. Grabbau auf der Plateia Platanou zu [2. 197f. Abb. 255–257; 3]. Ein Demendekret (2. H. 4. Jh. v. Chr.) [4. 248; 382 Nr. 68] bezeugt erstmals eine → Palaistra in einem ländlichen att. Demos.

1 TRAILL, Attica, 15; 38; 59; 63; 67; 110 Nr. 64, Tab. 1
2 TRAVLOS, Attika, 197ff., Abb. 250–257 3 A. TSCHIRA, Eine röm. Grabkammer in K., in: AA 1948/49, 83–97.
4 WHITEHEAD, Index s. v. K.   H. LO.

Kephisios (Κηφίσιος). Der Athener K. war Hauptankläger des → Andokides [1] im Mysterienprozeß 399 v. Chr.; K. erhob harte Vorwürfe wegen dessen polit. und rel. Vergehen, die teilweise rhetor. Verleumdung zuzuschreiben sein dürften (And. 1,92–93; Lys. 6,42).

A. MISSIOU, The Subversive Oratory of Andokides, 1992, 50.   J. E.

Kephisodoros (Κηφισόδωρος).
[1] Dichter der att. Alten Komödie, für den Lysias einen nicht weiter spezifizierten Sieg i. J. 402 bezeugt (Lys. or. 21,4) und dessen Name auch auf der Liste der Dionysiensieger (nach Nikophon und Theopompos) verzeichnet ist [1. test. 2; 3]. Überliefert sind vier Stücktitel (Ἀμαζόνες/›Die Amazonen‹, Ἀντιλαΐς/›Antilaïs‹, Τροφώνιος/›Trophonios‹, Ὗς/›Hys‹) und insgesamt 13 Verse; darunter als längstes Fr. fünf Verse eines Dialoges, in dem ein verweichlichter Herr seinem Sklaven den Auftrag erteilt, Parfüm und Salben zu kaufen [1. fr. 3].

1 PCG IV, 1983, 63.   T. HI.

[2] Athener aus Marathon, befahl in der Schlacht bei Mantineia 362 v. Chr. die Reiterei, fiel in einem Gefecht vor der Schlacht (Ephoros FGrH 70 F 85; vgl. Xen. hell. 7,5,15 [Diod. 15,85,3f.]), wobei K. sich nächst → Gryllos [2] herausragend bewährte (Paus. 8,9,10; Harpokration s. v. K.). PA 8376.   BO. D.

[3] Bronzebildner. Plinius rühmt von K. eine Athenastatue und einen Altar für Zeus Soter im Peiraieus, wo Pausanias ohne Künstlerangabe eine Athena- und eine Zeusstatue beschreibt. Vorgeschlagene Identifizierungen anhand eines Urkundenreliefs von 325–322 v. Chr. sind nach korrigierter Lesung der Inschr. obsolet, die Schaffenszeit des K. bleibt unbekannt. Eine Verwechslung mit Kephisodotos [4] wurde vermutet.

OVERBECK Nr. 1141 • LIPPOLD, 275 • G. CARETTONI, EAA 4, 340 Nr. 1 • M. MEYER, Die griech. Urkundenreliefs, 1989, 172f.   R. N.

[4] Athener aus Xypete, einflußreicher Politiker ca. 226–196 v. Chr.: Schatzmeister der Kriegskasse (204/3) und der Getreidekasse (203/2), Gesandter nach Rom 200 (?) und 198/7 (MORETTI 33; Pol. 18,10,11; Paus. 1,36,5f.). Als Exponent der Makedonenfeinde in Athen schlug K. am Vorabend des Zweiten Maked. Krieges (200–197 v. Chr.) – nach dem Beispiel Attalos' I., der Rhodier und Aitoler – einen proröm. Kurs ein (vgl. Liv. 31,1,9) [1. 201–206]. K. starb im Frühjahr 195.

1 HABICHT.   L.-M. G.

Die Identität von K. [5] und [7] oder [6] und [7] ist möglich, K. [5] und [6] dagegen werden durch die Angabe der Herkunft klar unterschieden:

[5] Athener Rhetor, Schüler des → Isokrates, 4. Jh. v. Chr. Aus Dion. Hal. (De Isocrate 18,4) und Athenaios (2,60de; 3,122bc; 8,354c) ist bekannt, daß er in einer 4 B. umfassenden Schrift seinen Lehrer gegen Angriffe des Aristoteles verteidigt – die Tätigkeit als Logograph sei unbedeutend gewesen und unmoralische Sentenzen finde man auch bei anderen Autoren – und diesen seinerseits attackiert hat (u. a. wegen seines Interesses an Sprichwörtern); dabei kritisierte er auch Platon in der falschen Annahme, daß Aristoteles dessen Philos. unverändert übernommen habe (Dion. Hal. Epistula ad Pompeium 1,16; Numenios bei Eus. Pr. Ev. 14,6,9f.). K. wird auch als Autor einer rhetor. Lehrschrift genannt (Dion. Hal. Epistula ad Ammaeum 1,2).

[6] Thebaner, nach Athen. 12,548ef Autor einer Schrift über den makedonischen Strategen Antipatros.

[7] Nach schol. Aristot. eth. Nic. 3,11,46 (CAG 20,166,2 = FGrH 112) Verf. eines Gesch.-Werkes über den 3. → Heiligen Krieg.   M. W.

Kephisodotos (Κηφισόδωτος).
[1] Athenischer *stratēgós*, 405/4 v. Chr. in der Schlacht von → Aigos potamos gefallen oder danach mit anderen athen. Kriegsgefangenen hingerichtet (Xen. hell. 2,1,16–32; Diod. 13,105f.; Plut. Alkibiades 36,4; Plut. Lysander 13,1) [1].

[2] Athenischer *stratēgós* aus dem Demos Acharnai; Freund des → Charidemos [2], auf dessen Bitten er 360/59 v. Chr. mit einem Kommando zum Hellespont geschickt wurde. Da inzwischen Charidemos auf seiten des → Kotys [1 1] kämpfte, standen er und K. sich unerwartet als Feinde gegenüber. Ein durch K. ausgehandelter Vertrag zur Beendigung der Kampfhandlungen wurde in Athen abgelehnt, K. abgesetzt, mit einer → *eisangelía* angeklagt und zur Zahlung von fünf Talenten verurteilt. (Demosth. or. 19,180; 23,153–167; Aischin. Ctes. 51f. mit schol.; Androtion FGrH 324 F 19). Es ist daher fraglich, ob K. mit dem *árchōn* von 358/7 identisch ist [2; 3].

[3] Einer der athen. Gesandten 372/1 v. Chr. bei den Friedensverhandlungen in Sparta (Xen. hell. 6,3,2); 369 an der Diskussion vor der → *ekklēsía* über die Bedingungen des Bündnisses mit Sparta beteiligt. Auf Initiative K.' sollte der Oberbefehl zu Wasser und zu Lande alle

fünf Tage wechseln (Xen. hell. 7,1,1; 7,1,12–14). 367/6 Antragsteller eines Ratsdekretes gegen den Aitolischen Bund und die Einwohner von Trichoneion (Tod 137), 364/3 eines Ehrendekretes für Straton, den König von Sidon (Tod 139), 358/7 eines → *psếphisma* zur Unterstützung Euboias (Aristot. rhet. 1411a 6–11) [4].
→ Athenai III.; Strategos

1 PA 8312 2 PA 8313 = Develin Nr. 1601 und evtl. PA 8314 = Develin Nr. 1599 3 M. H. Hansen, Eisangelia, 1975, Nr. 96 4 PA 8331 = Develin Nr. 1603.   J. E.

[4] Bildhauer aus Athen. K. war verschwägert mit Phokion und Begründer einer Bildhauerfamilie mit Sohn (?) → Praxiteles und Enkeln → K.[5] und Timarchos. Als seine Akmé galt 372–369 v.Chr. Sein berühmtestes Bronzewerk, Eirene mit dem Knaben Plutos auf der Agora von Athen, entstand um 377–371 v.Chr. und ist anhand von Darstellungen auf Mz. und Preisamphoren in Kopien (München, GL) identifiziert. Einen Hermes mit Dionysoskind aus Bronze und Philosophenstatuen, darunter ein *contionans manu elata* (›mit erhobener Hand Redender‹), weist Plinius ausdrücklich dem älteren K. zu. Umstritten ist die Zuweisung mehrerer Musenstatuen vom Helikon; an einer Gruppe von neun Musen war verm. K. [4] beteiligt, da die übrigen von → Strongylion und Olympiosthenes aus dem späten 5. Jh. stammten; eine weitere Gruppe von drei Musen kann von K. [5] sein. Eine Kultbildgruppe in Megalopolis ist ebenfalls zw. K. [4] und K. [5] umstritten.

Overbeck Nr. 878; 1137–1140; 1143 · G. Richter, The Sculpture and Sculptors of the Greeks, 1950, 257–259 · Lippold 223–225 · J. Marcadé, Recueil des signatures de sculpteurs grecs, 1, 1953, 51 · D. Mustilli, in: EAA 4, 342–344 · I. Linfert-Reich, Musen- und Dichterinnenfiguren des 4. und frühen 3. Jh., maschr. Diss. Freiburg 1971, 8f., 29f. · H. Jung, Zur Eirene des Kephisodot, in: JDAI 91, 1976, 97–134 · L. Todisco, Scultura greca del IV secolo, 1993, 63–65.

[5] Bildhauer aus Athen. K. gehörte der vermögenden Schicht Athens an und war Schüler und Sohn des → Praxiteles, Enkel (?) von → K. [4] und Bruder des Timarchos, mit dem er zusammen arbeitete. Die überl. Akmé 296–293 v.Chr. ist zu spät, da eine Basis-Signatur in Eleusis bereits um 344 v.Chr. datiert ist. Weitere Basen mit der Signatur der Brüder sind in Athen, Delphi, Kos, Megara und Troizen erh. Mehrere Werke des K. kamen später nach Rom; eine Leto stand im Apollotempel auf dem Palatin, Asklepios und Artemis im Iunotempel der Porticus Octaviae, eine Aphrodite in der Slg. des Asinius Pollio. Für Athen werden eine Statue der Enyo beim Arestempel der Agora und hölzerne Statuen des Lykurg und seiner Söhne im Erechtheion überl. In Theben schuf K. mit Timarchos eine Dionysos-Statue oder einen Altar. Eine Kultbildgruppe in Megalopolis, mit Zeus, Artemis und Megalopolis, wird meist K. [5] zugewiesen, kann aber ebenso von K. [4] sein, da die Schaffenszeit des Mitarbeiters → Xenophon unbekannt ist. Umstritten ist die Zuweisung von zwei Musen-Gruppen am Helikon an K. [4] bzw. K. [5].

Die Schriftquellen rühmen K. als Vollender der Kunst des Praxiteles und loben naturnahe Details insbes. an einem später in Pergamon aufbewahrten → *sýmplegma* (»Verknüpfung«). Dessen Identifizierung mit in Kopien überl. erotischen Satyr-Mänaden-Gruppen ist ungesichert, da auch eine Ringergruppe möglich ist. Als lebensnah rühmt Herondas eine Statue der Praxiteles-Söhne im Asklepieion von Kos. Von den Porträts des K. werden Philosophen und die Dichterinnen Myro und Anyte gen. Bekannt ist das Porträt des Menander vom Dionysostheater in Athen, das in röm. Kopien überl. und dessen Thron mit Inschr. erh. ist. Weitere Identifizierungen und Zuschreibungen sind hypothetisch.

Overbeck Nr. 1160; 1331–1341 · Lippold, 299–301 · J. Marcadé, Recueil des signatures de sculpteurs grecs, 1, 1953, 53–59 · W. Fuchs, Die Vorbilder der neuattischen Reliefs, 1959, 71 · D. Mustilli, EAA 4, 344f. Nr. 2 · I. Linfert-Reich, Musen- und Dichterinnenfiguren des 4. und frühen 3. Jh., maschr. Diss. Freiburg 1971, 8–11; 29f.; 43–47 · H. P. Müller, Praxiteles und Kephisodot der Jüngere. Zwei griech. Bildhauer aus hohen Ges.-Schichten?, in: Klio 70, 1988, 346–361 · R. Kabus-Preisshofen, Die hell. Plastik der Insel Kos, 1989, 52–63; 73 · Stewart, 295–297 · K. Fittschen, Zur Rekonstruktion griech. Dichterstatuen, 1. Die Statue des Menander, in: MDAI(A) 106, 1991, 243–279 · L. Todisco, Scultura greca del IV secolo, 1993, 132–136 · P. Moreno, Scultura ellenistica, 1994, 108f.; 175–177.   R. N.

Kephis(s)os

[1] (Κηφισ(σ)όϛ). Hauptfluß in Mittelgriechenland (Pind. O. 14,1; Pind. P. 4,46). Seine perennierende Hauptquelle befindet sich in → Lilaia (Phokis) am Parnassos (Hom. Il. 2,523; Strab. 9,2,19; Paus. 9,24,1; 10,33,4f.; Plin. nat. 4,27; dort großes Quellheiligtum, dessen Priester für Lilaia eponym war: FdD 3,4,2, p. 206–209, Nr. 132–135), weitere, nicht permanente Quellen in der Doris. Der K. durchquert Phokis und Boiotia, mündet südöstl. von Orchomenos zusammen mit anderen Flüssen in den oberirdisch abflußlosen Kopais-See (daher auch Kephisis gen., Hom. Il. 5,709), der durch Katavothren in den euboiischen Golf entwässert, in der Bucht von → Larymna (bis in hell. Zeit lokrisch, dann boiotisch) sowie in der Bucht von Skroponeri.
Myth.: Sohn des Okeanos und der Thetys, ohne einheitliche Genealogie vielfach in Lokalmythen eingebunden; die Quellnymphe Lilaia gilt als seine Tochter (Belege bei [1]).

1 R. Latte, s. v. K. (12), RE 11, 250.

F. Bölte, s. v. K. (1), RE 11, 241–244 · Philippson/Kirsten 1, 395; 419–431; 470ff.; 480f. · P. M. Wallace, Strabo's Description of Boiotia, 1979, 79.   M. FE.

[2] (Κεφισ(σ)όϛ). Hauptfluß des Pedion (der Ebene) von Athenai mit Zuflüssen aus allen umgebenden Bergen. Östlichste Quellen am Südhang des Parnes, durch weitere Quellen unterhalb verstärkt, aber nicht perennierend (Strab. 9,1,24), h. vollständig kanalisiert. Als Quelle

galt im Alt. (Strab. 9,1,24) der kräftigste Zufluß vom Westhang des Pentelikon in Trinemeia (h. Kokkinaras) östl. Kephisia, das nach dem Fluß heißt. Im Pedion zur Felderbewässerung genutzt (Soph. Oid. K. 685ff.), mündete der K. nach Unterquerung der Straße zum Peiraieus und der Langen Mauern in die Bucht von Phaleron. Wichtigster Nebenfluß ist der Ilisos. Einen Kult des K. bezeugen für Phaleron Eur. Ion 1261 und Ail. var. 2,33, ferner IG II² 4547f., für Oropos Paus. 1,34,3. Belege: Strab. 9,24,1; Paus. 1,37,3f.; Xen. hell. 2,4,19.

F. BÖLTE, s. v. K. (3), RE 11, 244 ff. · PHILIPPSON/KIRSTEN 1, 798 f.

[3] (Κηφισ(σ)ός). Fluß am Ostrand der thriasischen Ebene in Attika (h. Sarantapotamos), der als Kokkini am Kithairon oberhalb Vilia entspringt und sich mit dem Sarantapotamos vor Eintritt in die Thriasia vereinigt (Paus. 1,38,5). Eine Flußregulierung hadrianischer Zeit (117–138 n. Chr.) bezeugt Eus. (Hier.) chron. 166, eine Brücke des 4. Jh. v. Chr. IG II² 1191; Syll.³ 1048,15ff. Zur hadrianischen Brücke 1 km östl. Eleusis s. [1].

1 TRAVLOS, Attika, 98, 178f., Abb. 243–244.

F. BÖLTE, s. v. K. (4), RE 11, 248 f. · PHILIPPSON/KIRSTEN 1, 861.   H.LO.

[4] (Κηφισ(σ)ός). Rechter Nebenfluß des → Inachos [2] in der Argolis (Paus. 2,15,5; Strab. 9,3,16), der Bach von h. Epano-Belesi. Er durchquerte die Agora in Argos, wo er ein Heiligtum besaß (Paus. 2,20,6f.), von Nord nach Süd und war spätestens seit dem 5. Jh. v. Chr. kanalisiert.

CH. KRITZAS, Χρονικά, in: AD 27, 1972, B'1, 211 · P. MARCHETTI, Recherches sur les mythes et la topographie d'Argos. 4: L'agora revisitée, in: BCH 119, 1995, 453–456.   Y.L.

Kepos
[1] (Κηπός, Κηποί). Milesische Gründung auf der asiatischen Seite des Bosporos [2], nördl. von Phanagoreia, in der Sindike (Ps.-Skyl. 72, dagegen Strab. 11,2,10), evtl. das h. Artjuhovskoe gorodište. Ant. Siedlung mit reichen Kurganen. Ab Mitte des 6. Jh. v. Chr. bis zu den Hunneneinfällen im 4. Jh. n. Chr. war K. Ausgangspunkt der Hellenisierung des Binnenlandes. Im Kampf der Söhne des Pairisades I. um den bosporanischen Thron (310 v. Chr.) floh Prytanis nach K. (Diod. 20,22–25). Gylon, dem Großvater des Demosthenes, wurde K. von einem bosporanischen König zugewiesen (Aischin. Ctes. 171).

V. F. GAIDUKEVIČ, Das Bosporanische Reich, 1971, 215f.   I.v.B.

[2] Der Philosoph → Epikuros besaß im att. Demos Melite ein Haus (Diog. Laert. 10,17) und einen Garten (κῆπος), den Sitz seiner Schule (Cic. fin. 5,1,3; Sen. epist. 21,10; Plin. nat. 19,50; Diog. Laert. 10,11). Die Lokalisierung des Gartens ist umstritten. Er befand sich entweder vor der Stadt zwischen dem Dipylon und der Akademie (Heliodoros, Aithiopika 1,16,5) [2], oder

Stadt selbst (in ipsa urbe, Plin. nat. 19,50), anschließend an das Haus im Demos Melite oder direkt danebenliegend [1].

→ Epikuros; Epikureische Schule

1 E. WYCHERLEY, The Garden of Epicurus, in: Phoenix 13, 1959, 73–77 2 M. L. CLARKE, The Garden of Epicurus, in: Phoenix 27, 1973, 386–387.   T.D./Ü: J.DE.

Ker (griech. ἡ Κήρ). Der Name K. ist seit Homer in zweifacher Bed. belegt: 1. als »Schädling«, »Schadegeist«, »Verderben« und »Tod« (Hom. Il. 2,302; 12,326–327; Od. 22,66). 2. als »Todeslos«.

Die erste Kategorie von K., die in Einzahl, zumeist aber in Scharen (Kéres) auftritt, sind weibliche Schadegeister mit unterschiedlicher Wirkung. Während Homer sie u. a. als »schwarz« (Hom. Il. 3,454) und »verderbenbringend« (ebd. 13,665) bezeichnet, bietet Hesiod eine Beschreibung des äußeren Erscheinungsbildes und der Genealogie einer K. (Hes. theog. 211–217): Die Tochter der → Nyx (Nacht) und Schwester von Moros, Thanatos, Hypnos und der Träume. Sie ist menschengestaltig, hat weiße, knirschende Zähne und trägt blutbeschmierte Gewänder (Hes. scut. 156–160). Die bevorzugten Opfer der Keren bei Homer sind Menschen (bes. verwundete Krieger), denen sie auflauern und die sie in die Unterwelt verschleppen und verschlingen. In der späteren Lit. erscheinen die Keren als allgemein verderbenbringende Unglücksgeister, die Bäume, Äcker und Fluren verseuchen und Menschen mit Blindheit oder Verblendung schlagen (Semonides, fr. 1,21 IEG; Plat. leg. 937d; Orphica lithica 268; Theophr. c. plant. 5,10,4; vita Homeri Herodotea 14; Orph. h. 12,15,16). K. verliert zunehmend, spätestens seit Aischylos, ihre eigenständige Bed. und wird mit anderen dämon. Wesen (z. B. Aischyl. Sept. 776–777: → Sphinx; Eur. El. 1252: Erinyen/→ Erinys) gleichgesetzt. → Koroibos (Anth. Pal. 7,154) und → Herakles (Orph. h. 12,16; mit Beinamen Keramyntes: Etym. m. s. v. K.) sind als Antagonisten der Keren bekannt.

Die zweite Kategorie von K. bezeichnet das »Todeslos«, das jedem Menschen bei der Geburt zugeteilt wird (Hom. Od. 3,410). So wählt sich Achilleus statt eines langen und langweiligen Lebens ein kurzes und ruhmreiches (Hom. Il. 23,78–81). Hiermit in Verbindung zu bringen ist die sog. Kerostasie (→ »Seelenwägung«), die auch für den ägypt. und hethit. Kulturkreis bezeugt ist. Der rituelle Ruf θύραζε κῆρες (»zum Tor hinaus, Keren!«) bei den → Anthesteria wird entweder als Vertreibung eines Schadedämons oder als Austreibung der Totenseelen gedeutet [1].

1 J. BREMMER, The Early Greek Concept of the Soul, 1983.

R. VOLLKOMMER, s. v. K., LIMC 6.1, 14–24.   C.W.

Keraia (Κεραία; Κεραῖαι). Stadt auf Kreta, im NW der Insel, in unbestimmter Lage zw. Lappa und Polyrrhenia (Steph. Byz. s. v. Βήνη). Im Lyttischen Krieg (220 v. Chr.) fiel K. zusammen mit anderen kret. Städten von

Knosos und Gortyn ab (Pol. 4,53,6). 183 v. Chr. gehörte
K. zu den kret. Städten, die ein Bündnis mit Eumenes II.
von Pergamon abschlossen [1. 179].

1 M. GUARDUCCI (Hrsg.), Inscriptiones Creticae IV, 1950.
                                                      H.SO.

Kerambos (Κέραμβος, lat. Cerambus). Sohn des Poseidonsohnes Euseiros und der Nymphe Eidothea; Hirte am Othrys, der Syrinx und Lyra erfindet und den
Nymphen zum Tanz aufspielt. Pans Rat, dem bevor-
stehenden kälteklirrenden Winter zu entfliehen, befolgt
er nicht. K. und seine Herden erfrieren unter den
Schneemassen. Die Nymphen verwandeln ihn in einen
Käfer mit langen Hörnern, der einer Lyra gleicht (Antoninus Liberalis 22; Kerambyx: Hirschkäfer; vgl. Hesych. s. v. Κεράμβυξ). Ovid hingegen berichtet (met.
7,353–356), daß die Nymphen K. mit Flügeln ausstat-
ten, damit er der deukalionischen Flut entrinnen kann.
                                                      C.W.

Kerameikos. Ant. Bezeichnung für einen → *dēmos*/
Stadtteil Athens (→ Athenai II.7), vom Norden der
athenischen Agora bis hin zur Akademeia reichend; eine
urspr. sumpfige, vom Lauf des → Eridanos [2] durch-
zogene Ebene, in der Athens Töpferviertel, v. a. aber
seit sub-myken. Zeit der Hauptbegräbnisplatz der Stadt
lag. Dieser entwickelte sich im 6. Jh. v. Chr. zur zentralen, von verschiedenen Straßen durchzogenen
→ Nekropole Athens, die durch die themistokleische
Mauer (479/8 v. Chr.) geteilt wurde; auf dem Gebiet
des K. lag das Dipylon-Tor. Der K. bildete den Beginn
der hl. Straße nach Eleusis, umfaßte den Start- und Ziel-
bereich des *drómos* (Laufbahn) der → Agora ebenso wie
das Pompeion, den Ausgangspunkt von Festzügen, etwa
der → Panathenaia.
→ Kerameis

U. KENZLER, Archaia Agora? Zur urspr. Lage der Agora
Athens, in: Hephaistos 15, 1997, 113–136 · U. KNIGGE, Der
K. von Athen, 1988.   C.HÖ.

Kerameis (Κεραμεῖς). Att. Asty-Demos, Phyle Akamantis, 6 → *buleutaí*. Demotikon: ἐκ Κεραμέων. Die
Örtlichkeit wird in den Quellen [1. LXXf.] stets → Kerameikos gen. Schönster Vorort von Athenai (Thuk.
2,34,5; → Athenai, Lageplan) innerhalb und nordwestl.
außerhalb des Dipylon zw. der Hl. Straße nach Eleusis
und der Straße zur Akademeia. Die *hóroi Kerameíku* an
dieser (IG II² 2617–2619) markieren entgegen [2. 167;
5. 300; 6. 29¹⁰⁹; 7] wohl die Demosgrenze (zu solchen
[4]). K. war Ausgangspunkt des Festzugs an den → Panathenaia; Töpferviertel und vornehmste Nekropole mit
öffentlichen und privaten Gräbern [3; 5]. Öffentliche
Inschr. fehlen; einen → *démarchos* bezeugt IG I³ 425 Z. 30
[2. 58], einen Kult des eponymen Heros Keramos Paus.
(1,3,1), Philochoros (FGrH 328 F 25) und die Suda (s. v.
Κεραμίς).

1 E. CURTIUS, Stadtgesch. von Athen, 1891 2 W. JUDEICH,
Top. von Athen, ²1931 3 U. KNIGGE, Der Kerameikos

von Athen, 1988 4 H. LOHMANN, Atene, 1993, 55ff.
5 TRAVLOS, Athen, 299–322 Abb. 391–424 6 WHITEHEAD,
Index s.v. K. 7 R. E. WYCHERLEY, Agora 3, 221–224.

TRAILL, Attica, 47, 63, 67, 110 Nr. 65, Tab. 5.   H.LO.

Keramikhandel. Hersteller einfacher Gebrauchskera-
mik deckten in der Ant. in der Regel lediglich den lokalen Bedarf ihrer Region, während verzierte Feinkeramik auch für überregionale Absatzgebiete bestimmt
war, allerdings den Export von schlechterer Ware nach
sich ziehen konnte. Die Fundverbreitung von Keramik
deutet vielfach auf entsprechende Handelskontakte,
kann aber auch andere Gründe haben; der ausgedehnte
Fundradius myk. Keramik etwa reflektiert eher die Präsenz myk. Siedler. Mit dem im 8. Jh. v. Chr. aufblühen-
den griech. Seehandel begannen korinth. Töpfereien,
bes. die westl. Apoikien (→ *apoikía*) und Etrurien zu be-
liefern; ostgriech. Tierfriesvasen gelangten dagegen
vorwiegend in die ion. Schwarzmeer-Kolonien. Händ-
lermarken (*dipinti* und *graffiti* an den Unterseiten der
Gefäße) tauchen in Korinth, Ionien und Attika um 600
v. Chr. erstmals auf. Sie dienten offensichtl. dem organisierten Fernhandel. Att. sf. und rf. Vasen beherrschten
nach 550 v. Chr. für etwa 200 Jahre lang die Märkte der
Alten Welt. Denselben Kulturhorizont verdeutlicht später die Verbreitung von → Schwarzfirnis-Keramik und
hell. → Reliefkeramik aus Produktionszentren wie Pergamon. Im frühen Prinzipat wurde die → *Terra sigillata*
zum führenden feinkeramischen Exportartikel.

Während Feinkeramik als Tafel- und Kultgeschirr
selbst das Handelsgut bildete, fungierten die Trans-
portamphoren lediglich als Behälter von verschiedenen
Erzeugnissen wie Wein, Öl oder Fisch. Die Bed. von
Feinkeramik als Wirtschaftsfaktor und ihr Mengenan-
teil am Seehandel ist umstritten. Selbst größere Posten
dürften eher als Beipack gemischter Frachtladungen
nach Übersee gelangt sein. Auf den K. spezialisierte
Händler sind für die Prinzipatszeit inschr. belegt (ILS
4751: *negotiator cretarius Britannicianus*; ILS 7531: *negotiator
Lugdunensis artis cretariae*; vgl. ILS 7587). Gefäßpreise sind
nur vereinzelt überliefert, bes. durch merkantile *graffiti*
auf den Gefäßen selbst. Danach schwankte der Preis im
klass. Athen für größere Gefäße zw. 4 Obolen und 3
Drachmen. Gemessen am Wert anderer Artefakte gehörte Keramik zu den billigeren Produkten, doch Son-
deranfertigung oder Serienherstellung garantierten den
Töpfern offenbar angemessene Erträge.
→ Handel; Keramikherstellung

1 K. ARAFAT, C. MORGAN, Pots and Potters in Athens and
Corinth: A Review, in: Oxford Journal of Archeology 8,
1989, 311–346 2 B. L. BAILEY, The Export of Attic
Black-Figure Ware, in: JHS 60, 1940, 60–70 3 C. DEHL, Die
korinth. Keramik des 8. und frühen 7. Jh. v. Chr. in Italien,
1984 4 J. DE LA GENIÈRE, Les acheteurs des cratères
corinthiens, in: BCH 112, 1988, 83–90 5 D. W. J. GILL,
Positivism, Pots and Long-Distance Trade, in: I. MORRIS
(Hrsg.), Classical Greece, 1994, 99–107 6 L. HANNESTAD,
Athenian Pottery in Etruria, in: AArch 59, 1988, 113–130

7 A. W. Johnston, Trademarks on Greek Vases, 1979
8 R. E. Jones, Greek and Cypriot Pottery, 1986 **9** B. R.
McDonald, The Distribution of Attic Pottery from 450 to
375 B. C., 1979, ²1985 **10** D. P. S. Peacock, Pottery in
the Roman World, 1982 **11** G. Pucci, Pottery and Trade in
the Roman Period, in: Garnsey/Hopkins/Whittaker,
105–117 **12** I. Scheibler, Griech. Töpferkunst.
Herstellung, Handel und Gebrauch der ant. Tongefäße,
1983, ²1995 **13** Y. Tuna-Nörling, Die Ausgrabungen von
Alt-Smyrna und Pitane. Die att. sf. Keramik und der att.
Keramikexport nach Kleinasien, 1995 **14** I. K. Whitbread,
Greek Transport Amphorae, 1995.   I.S.

Keramikherstellung I. Keltisch-Germanische
Kulturen II. Klassische Antike

I. Keltisch-Germanische Kulturen

Die K. der kelt. und german. Welt wird durch zwei
Formungsverfahren charakterisiert: 1) die Freihandfor-
mung ohne technische Hilfsmittel und 2) die Formung
auf der → Drehscheibe. Bis zur Übernahme der schnell-
rotierenden Drehscheibe aus der mediterranen Welt
durch die frühen → Kelten sind freihändiges Aufwül-
sten u. a. Freihandformungen die alleinigen Verfahren,
die auch später bis zum MA verschieden intensiv in Gebrauch blieben.

In Mitteleuropa sind drehscheibengefertigte → Ton-
gefäße seit dem 6./5. Jh. v. Chr. von den frühkelt.
→ »Fürstensitzen« der späten Hallstattzeit aus lokalen
Töpfereien bekannt. Über die gesamte kelt. Zeit bis um
Christi Geburt bleibt die Drehscheibe in Gebrauch. In
den spätkelt. Oppida (→ Oppidum) ermöglicht sie eine
Massenproduktion für Tongefäße. Im german. Bereich

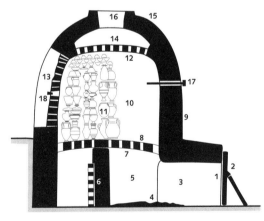

Griechischer Töpferofen (Rekonstruktion A. Winter).

1	Schürloch	10	Brennraum
2	Vorsetzer	11	Brenngut
3	Schürkanal	12	Zwischendecke
4	Feuerung	13	zugemauerte Einsetzöffnung
5	Hölle	14	Rauchdom
6	Kolonna	15	Kuppel
7	Lochtenne	16	Abzug
8	Feuerdurchlässe	17	Kontrollöffnung
9	Ofenmantel	18	Kontrollöffnung

ist sie kaum belegt; nur in Kontaktzonen mit spätkelt.
und röm. Töpfereien taucht sie auf.

Neben dem Formprozeß ist der Brand bei der K. ein
wichtiger Schritt. Er erfolgte zunächst in Feuergruben
und ab der kelt. Zeit in zweiteiligen Töpferöfen mit
getrennter Feuer- und Brennkammer und mit Regulie-
rungsmöglichkeiten für die Luftzufuhr. Bei reduzieren-
dem Brand wird das Gefäß mehr grau-schwarz und bei
oxydierendem mehr rötlich-braun.

→ Germanische Archäologie; Handwerk; Keltische Archäologie

H. Krüger (Hrsg.), Die Germanen, Bd. 1, 1976, 145–151,
456–459 · A. Lang, Geriefte Drehscheibenkeramik der
Heuneburg: 1950–1970, 1974 · V. Pingel, Die glatte
Drehscheibenkeramik von Manching, 1971 · J. Riederer,
Arch. und Chemie, 1987, 175–201 · A. Rieth, 5000 J.
Töpferscheibe, 1960 · A. O. Shepard, Ceramics for the
Archaeologist, ⁵1965 · A. Winter, Die Technik des griech.
Töpfers in ihren Grundlagen, in: Technische Beitr. zur
Arch. 1, 1959, 145.   V.P.

II. Klassische Antike
A. Quellen B. Technik C. Werkstätten

A. Quellen

Sieht man von den Hinweisen zur Töpferei in den
Geoponika ab (1,87 f.), fehlen zusammenhängende Angaben zur ant. K. in den lit. Quellen. Zur Technik der K.
bieten vor allem die Produkte selbst mit Arbeitsspuren,
die Tonsorten und Ausschußware wichtiges Anschau-
ungsmaterial. Von den Arbeitsprozessen vermitteln
Werkstattbilder eine Vorstellung, zu Fragen der Werkstattorganisation tragen Signaturen von Töpfern und
Vasenmalern, Fabrikmarken sowie die Töpferrechnungen von La Graufesenque Informationen bei. Anhand
freigelegter ant. Töpferwerkstätten sind Brennöfen,
Gebäude sowie gesamte Werkstattanlagen griech. wie
röm. Zeit rekonstruierbar. Unsere Kenntnisse zur ant.
K. werden ferner durch ethnologische Analogien in
heutigen Reservaten traditioneller K. ergänzt.

B. Technik

Töpferton (κέραμος/*kéramos*; *creta figularis*) ist im
Rohzustand ein Verwitterungsprodukt der Erde, in
chemisch reinster Form ein weißes Feldspatsediment
(Kaolin), das je nach geologischer Formation durch ein-
gespülte mineralische Spurenelemente zum farbigen
»sekundären« Ton wird. Der ant. Tonabbau erfolgte
meist in offenen Gruben, seltener unter Tag; meist waren die Töpferzentren von den Tonlagern nicht allzu
weit entfernt. Tontransporte über weite Entfernungen
oder mit dem Schiff waren aber möglich.

Der abgebaute Ton wurde in der Werkstatt von gro-
ben Partikeln befreit und durch Sieben und Schlämmen
verfeinert. Lange Lagerung, Versetzen mit Fäulnisstof-
fen (Mauken) oder Beimischung alter Tone führte zur
gewünschten Plastizität des Tons. Je nach den intendierten Eigenschaften der fertigen Ware mischte man auch
die Tonsorten oder »magerte« sie mit Sand, Häcksel,

vulkanischem Schotter und zerriebenem gebranntem Ton; ein allzu »fetter« Ton erwies sich bes. für die Herstellung von hitzebeständigem Kochgeschirr oder dickwandiger Grobkeramik als ungünstig.

Artefakte aus Ton lassen sich mit den zur beginnenden Seßhaftigkeit gehörenden Wirtschaftsformen schon im Neolithikum nachweisen. Gefäße wurden vor der Erfindung der Drehscheibe von Hand geknetet oder »aufgewülstet« – Techniken, die sich in einigen Regionen lange hielten. Frühformen der Töpferscheibe sind einfache runde Arbeitsplatten, aus denen sich die langsam drehbare Formplatte entwickelte. Der Übergang zur schnell rotierenden Scheibe zu Beginn des 3. Jt. v. Chr. veränderte die K. grundlegend. Die Töpferscheibe (τρόχος/ *tróchos*; *rota figularis*) bestand nach erhaltenen griech. und röm. Exemplaren aus Stein oder gebranntem Ton. Zwei Konstruktionsformen waren gebräuchlich: Der Drehzapfen (Holzachse, »Spindel«) konnte fest mit der Scheibe verbunden sein und in der tief liegenden Pfanne mit Führungszylinder laufen, oder letzterer saß an der Scheibe, und die Achse war im Boden verankert. Große Gefäße wurden auf niedriger Scheibe im Stehen geformt, kleinere im Sitzen auf Scheiben mit hoher Achse. Gewöhnlich verwendete die ant. K. Schwungscheiben mit Handantrieb.

Die Handgriffe der ant. Töpfer wie das Zentrieren des Tons auf der Scheibe, das Hochziehen der Form, das Zusammensetzen gesondert geformter Teile und das »Garnieren«, nämlich Anbringen von Henkeln, Tüllen u. ä. haben sich bis heute wenig verändert. Die Verwendung von Matrizen war bekannt und wurde seit hell. Zeit für die Vervielfältigung von Reliefschmuck genutzt. Zum Eindrehen der Gefäße in die Formschüssel zentrierte man letztere auf der Drehscheibe, Ränder und Füße wurden nachträglich angedreht. Die Kombination von Scheiben- und Matrizentechnik war bes. in der → Terra Sigillata-Produktion üblich. → Ziegeleien benutzten kastenförmige Negativformen und andere Spezialvorrichtungen. Tongefäße wurden nach dem Antrocknen in lederhartem Zustand weiter bearbeitet und bei Bedarf mit Engobe und Bemalung versehen. Überzüge dichteten den Scherben ab und verfeinerten die Ware. Oberflächenglanz wurde durch den Glanzton (»Firnis«) erzielt, einen stark ausgeschlämmten Schlikker, dessen hoher Eisengehalt bei Oxidation rot, bei Reduktion schwarz brannte; Glanz und Dichte entstanden durch Sinterung beim Brand. Beliebte Überzugfarben waren ferner Korallenrot (Illite), Weiß (stumpfes Koalin), Metallimitationen (Bleizusätze), Grün, Blau oder Gelb bei Glasuren (Kupferzusätze). Erst die genaue

Kaiserzeitlicher Töpferofen von La Graufesenque (Aveyron), 1.–2. Jh. (Rekonstruktion A. Vernhet).
2 m hoch erh. Unterbau aus 80 cm dicken Steinmauern, mit zentralem Feuerungskanal, oberer Teil ergänzt. Mitgefundene Tontuben, Tonplatten (45 x 62 cm), Brennstützen und Fehlbrandstapel belegen die Rekonstruktion der Einsetzordnung des Brenngutes.

0　　　　　　　　　　　2 m

Überwachung des Dreistufenbrandes (Oxidation, Reduktion, Reoxidation) ermöglichte allerdings ein gleichmäßiges Absetzen dunkler Figuren vom hellen Tongrund (sf. Stil) oder tongrundiger Figuren vom schwarzen Grund (rf. Stil). Reliefdekor entstand durch Stempeln, Aufsetzen von Appliken oder freies Aufbringen dickflüssigen Tonschlickers (Barbotine-Technik). Formschüsseln von hell. Reliefbechern wurden zunächst über reliefierte Patrizen gewonnen, später überwog das Einstempeln von Mustern direkt in die Formschüssel.

Die meisten Risiken waren mit dem Brennen der Ware verbunden, das sorgfältig vorbereitet und überwacht wurde. Während der primitive Gruben- oder Meilerbrand noch Zufallsergebnisse brachte, erfüllte der seit frürarcha. Zeit in Griechenland nachweisbare Schachtofen mit Schürkanal und aufsteigender Flamme höhere Ansprüche. Die Töpfer bauten und reparierten ihre Brennöfen aus Ziegeln oder Feldsteinen mit Lehm in der Regel selbst; im Mittelmeerraum wurden die Grundmauern vieler ant. Öfen freigelegt. Nach rundem, ovalem oder rechteckigem Grundriß und anderen Merkmalen werden Typen unterschieden. Die durchschnittliche Größe ant. Töpferöfen beträgt 1–2 m im Dm; der bisher größte bekannte Ofen der Prinzipatszeit in La Graufesenque mißt 6,80 m × 11,30 m. Das Fassungsvermögen normaler Öfen betrug ca. 150–200 Gefäße, für La Graufesenque errechnete man ein Brennraumvolumen von 64 m³ und einen Einsatz von ca. 30 000 kleinen Gefäßen.

Während des Brandes war der gefüllte Schacht oben mit Ziegellagen abgedeckt; der geschlossene Kuppelofen, der für den Dreistufenbrand benötigt wurde, ist in Korinth seit dem 6. Jh. v. Chr. belegt. Das luftgetrocknete Brenngut wurde auf der Lochtenne gestapelt bzw. auf Etageren installiert; Brennstützen oder Tuben sorgten für gleichmäßige Hitzezufuhr; Brennkapseln schützten bes. zerbrechliche Ware. Anhand von Probescherben wurde der Brandverlauf kontrolliert. Durch den Schürkanal gelangte beim Feuern Sauerstoff in den Brennraum (Oxidation), die Drosselung des Ofens führte zur Entwicklung von Kohlenmonoxid (Reduktion). Geheizt wurde mit großen Reisigmengen; ein Brand des Ofens von La Graufesenque erforderte ca. 6 t Holz. Je nach Ofenvolumen dauerte der Brand 3–6 Tage. Das Vorfeuer befreite die Ware von chemischen Wasserrückständen, bei 500° begannen die Gefäße zu glühen, das Hauptfeuer bewirkte bei 900° die Sinterung, bei 1200° die Glasur der Ware. Mindestens einen Tag lang kühlte der Ofen langsam ab.

C. WERKSTÄTTEN

Töpfereien lagen meist außerhalb der Siedlungen; für die Wahl des Standortes war die Nähe von Wasser, Holz und Tonvorkommen wichtig, nicht zuletzt auch von guten Absatzmöglichkeiten. Größere Anlagen wiesen Plätze für Tonlager, Schlämmbecken, Räume für Drehscheiben, Trockenhallen und Töpferöfen auf. Die meisten Arbeitsprozesse fanden im Freien statt. Viele Werkstätten spezialisierten sich auf Fein- oder Grobkeramik, auf Tonlampen oder Matrizenware, auf Mauerziegel oder Dachterrakotten, doch sind auch Werkstätten mit gemischter Produktion nachzuweisen. Die Wirtschaftsformen reichten von bescheidenen Haustöpfereien über kommerziell orientierte Familienbetriebe von 4–6 Arbeitskräften bis zu größeren ἐργαστήρια (ergastéria) und officinae mit 20–40 Arbeitern. Gutshöfe besaßen oft eigene Töpfereien; umgekehrt arbeitete ein nicht voll ausgelasteter Töpfer je nach Saison auch in der Landwirtschaft.

Signaturen von Töpfern und Vasenmalern erlauben bereits für das 6. Jh. v. Chr. Rückschlüsse auf die Werkstattorganisation in Athen. Demnach arbeiteten für einen Töpfer oft mehrere Maler, wobei diese Kooperation Veränderungen unterlag. Dies spricht für Zusammenschlüsse mehrerer Werkstätten eines Distrikts (Töpferkommunen), die Schlämmbecken und Brennöfen gemeinsam benutzten und Arbeitskräfte austauschten. Seit dem 5. Jh. v. Chr. begannen einige größere ergastéria zu dominieren. In der Regel befanden sich Töpfereiwerkstätten im Besitz von Töpfern. In Athen zeugen Weihgeschenke vom sozialen Status und guten Einkommen dieser Handwerkergruppe. Organisierte Arbeitsteilung ist für das 6. und 5. Jh. kaum bezeugt, dürfte aber mit der Einführung der Matrizentechnik im 3. Jh. v. Chr. deutlich zugenommen haben. Einblicke in die röm. Werkstattverhältnisse erlauben die Fabrikstempel der Terra Sigillata-Werkstätten von Arretium. Für einzelne Werkstätten sind bis zu 60 Sklavennamen belegt (Rasinus), andere Töpfereien scheinen allerdings kleiner gewesen zu sein (13 oder weniger Namen). Die Namensstempel lassen jedoch keinen sicheren Rückschluß auf die Werkstattgröße zu, da mit ungenannten Handlangern zu rechnen ist und außerdem nicht alle genannten Sklaven gleichzeitig in einer Werkstatt gearbeitet haben müssen. In der südgallischen Terra Sigillata-Produktion des 1.–2. Jh. n. Chr. ist mit einem konkurrenzlosen Nebeneinander von Werkstätten zu rechnen; die Töpfer arbeiteten hier für die zentral betriebenen Brennöfen: Aus den »Töpferrechnungen« von La Graufesenque geht hervor, daß an einer Ofenfüllung jeweils mehrere Töpfer beteiligt waren, deren Brenngutanteil die graffiti genau verzeichnen. Die Signaturen südgallischer Terra Sigillata geben durch Namensplazierung und Zusätze wie FE(cit), OF(ficina) oder MA(nu) (»hat gemacht«, »Werkstätte«, »Hand des ...«) Hinweise auf die Arbeitsorganisation. Der Töpfer signierte gewöhnlich im Dekor, der Formschüsselhersteller darunter, der Fertiger des einzelnen Gefäßes am Rand. Die Ausbreitung der Terra Sigillata-Produktion von It. nach Gallien und später nach Germanien sowie Nordafrika erfolgte teils durch die Gründung von Zweigbetrieben, teils durch Abwanderung erfahrener Töpfer in fremde Keramikzentren.

Öffentliche Töpfereien sind in der Ant. selten bezeugt. In Griechenland entstanden im Auftrag der Polis Exportamphoren, geeichte Gefäße oder Sonderanfertigungen für rel. Feste (panathen. Preisamphoren). Töpfereien der Prinzipatszeit wurden z. T. von Militär oder Flotte betrieben.

→ Handwerk

1 K. ARAFAT, C. MORGAN, Pots and Potters in Athens and Corinth: A Review, in: Oxford Journal of Archaeology 8, 1989, 311–346 2 C. BÉMONT, J. P. JACOB (Hrsg.), La terre sigillée gallo-romaine, 1986 3 F. BLONDÉ, J. Y. PERRAULT (Hrsg.), Les ateliers de potiers dans le monde grec (BCH Suppl. 23), 1992 4 H. A. G. BRIJDER (Hrsg.), Ancient Greek and Related Pottery, 1984 5 N. CUOMO DI CAPRIO, La ceramica in archeologia, 1985 6 D. EVELY, The Potter's Wheel in Minoan Crete, in: ABSA 83, 1988, 83–126 7 R. HAMPE, A. WINTER, Bei Töpfern und Töpferinnen in Kreta, Messenien und Zypern, ²1976 8 Dies., Bei Töpfern und Töpferinnen in Südit., Sizilien und Griechenland, 1965 9 F. LANG, Archa. Siedlungen in Griechenland, 1996 10 F. LAUBENHEIMER, Sallèles d'Aude. Un complexe de potiers gallo-romain, 1990 11 S. E. VAN DER LEEUW, Studies in the Technology of Ancient Pottery, 1976 12 F. LENY, Les fours de tuiliers gallo-romains, 1988 13 R. MARICHAL, Les graffites de La Graufesenque, 1988 14 M. MASSA, La ceramica ellenistica con decorazione a rilievo della Bottega di Efestia, 1992 15 J. V. NOBLE, The Techniques of Painted Pottery, ²1988 16 J. H. OAKLEY, W. D. E. COULSON, O. PALAGIA (Hrsg.), Athenian Potters and Painters, 1997 17 J. K. PAPADOPOULOS, Lásana, Tyères and Kiln Firing Supports, in: Hesperia 61, 1992, 203–221 18 ST. PAPADOPOULOS, L'organisation de l'espace dans deux ateliers de potiers, in: BCH 119, 1995, 591–606 19 D. P. S. PEACOCK, Pottery in the Roman World: An Ethnoarchaeological Approach, 1982 20 G. PRACHNER, Die Sklaven und Freigelassenen im arretinischen Sigillatagewerbe, 1980 21 K. REBER, Untersuchungen zur handgemachten Keramik Griechenlands, 1991 22 G. M. A. RICHTER, The Craft of Athenian Pottery, 1923 23 I. SCHEIBLER, Formen der Zusammenarbeit in att. Töpfereien, in: FS S. Lauffer, 1986, 787–804 24 Dies., Griech. Töpferkunst. Herstellung, Handel und Gebrauch der ant. Tongefäße, 1983, ²1995 25 A. VERNHET, Un four de La Graufesenque, in: Gallia 39, 1981, 25–43 26 A. WINTER, Die ant. Glanztontechnik, 1978 27 G. ZIMMER, Ant. Werkstattbilder, 1982.   I. S.

Keramon agora (Κεράμων ἀγορά). Eine ›bevölkerte Stadt‹ zw. Peltai und → Kaystru pedion, ›die letzte Stadt (in Phrygia) gegen Mysia‹, nur von Xen. an. 1,2,11 erwähnt; Lokalisierung unmöglich.

W. RUGE, s. v. K., RE 11, 254f.   T. D.-B.

Keramos (Κέραμος). Stadt in SW-Karia an der Nordküste des nach K. benannten Golfs (Κεράμειος oder Κεραμικὸς κόλπος, sinus Ceramicus; h. Gökova körfezi), durch Deltabildung des zuletzt unterirdisch fließenden Koca Çay von der Küste entfernt (Plin. nat. 5,109; Ptol. 5,2,10; Paus. 6,13,3 f.). Urspr. karisch, ab dem 6. Jh. v. Chr. hellenisiert (archa. Kuroskopf, ca. 540/530 [1]); 454/3 v. Chr. im → Attisch-Delischen Seebund (IG I³ 259,5,18), in hell. Zeit im Chrysorischen Koinon (Strab. 14,2,25). 189/8 wurde K. von Rom an Rhodos

gegeben, 167 für frei erklärt; K. unterstellte sich bald wieder Rhodos; 81 v. Chr. von Sulla → Stratonikeia zugewiesen (OGIS 441,51; [2. Test. 14]). Erh. sind Inschr. [2] und, seit 2. Jh. v. Chr., Mz. [3]. Arch.: Von den Stadtmauern noch ein Teil (frühhell.) am Berghang erh., vor den Toren Sarkophage, karische Gräber, Reste wohl eines Tempels des Zeus Chrysaoreus (Hauptgott von K.), östl. von K. eines korinth. Tempels (Kurşunlu Yapı) mit Stifterinschr. des Priesters M. Aurelius Chrysantas.

1 E. AKURGAL, Die Kunst Anatoliens von Homer bis Alexander, 1961, 266 f. 2 E. VARINLIOĞLU, Die Inschr. von K. (IK 30), 1986 3 HN, 613.

G. E. BEAN, Kleinasien 3, 1974, 53–58 · L. BÜRCHNER, S. V. K., RE 11, 255 · P. M. FRASER, G. E. BEAN, The Rhodian Peraea and Islands, 1954, 110 f. · ROBERT, Villes, 61, 167 · H. H. SCHMITT, Rom und Rhodos, 1957, 176 f. · M. SPANU, K. di Caria. Storia e monumenti, 1997.   H. KA.

Keras
[1] (Κέρας). Gleichbedeutend mit Chrysokeras/ »Goldenes Horn« (vgl. Amm. 22,8,7).
→ Byzantion   E. O.
[2] s. Gefäße, Gefäßformen/-typen

Kerasus (Κερασοῦς). Am gleichnamigen Fluß gelegene Hafenstadt an der Südküste des Schwarzen Meeres (→ Pontos Euxeinos), Kolonie von Sinope, drei Tagesmärsche westlich von Trapezus (Xen. an. 5,3,2; Diod. 14,30,5), östl. von Vakfıkebir zu suchen; zu unterscheiden von K. westl. von Sinope (Skylax 89: Karaköy am Karasu?) und von der unter Pharnakes I. (185–160/54 v. Chr.) durch *synoikismós* mit Kotyora vereinigten und in Pharnakeia umbenannten Stadt (h. Giresun, Arr. per. p. E. 24; Anon. peripl. p. E. 34 mit der Insel Aretias bzw. Areos Nesos, h. Giresun Adası; vgl. Strab. 12,3,17). – Aus welcher Stadt K. Lucullus die bes. gute Kirschensorte nach Rom gebracht hat (Athen. 2,35), läßt sich nicht entscheiden.   E. O.

Kerata (Κέρατα). Nach ihrer auffälligen Form (»Hörner«) bezeichnete Gipfel (h. Trikeraton; Trikeri, 470 m) des Grenzgebirges zw. Attika und Megaris östl. Eleusis (Diod. 11,65,1; Plut. Themistokles 13,1; Strab. 9,1,11).

F. BÖLTE, s. v. K., RE 11, 265 f. · PHILIPPSON/KIRSTEN, Bd. 1, 760; 973.   H. LO.

Keration (κεράτιον, »Hörnchen«; Samen des Johannisbrotbaumes). Gewicht und Münze, entspricht der → Siliqua. Als Gewicht $\frac{1}{1728}$ → Libra = 0,189 g. Die Mz. hat einen Wert von $\frac{1}{24}$ → Solidus, wurde aber nicht in Gold, sondern nur in Silber seit der constantinischen Zeit gemünzt.

SCHRÖTTER, s. v. K., 303.   GE. S.

Keraunische Berge (Κεραύνια ὄρη). Das nördlichste Küstengebirge von Epeiros (Strab. 7,5,8; 7,6,1; 7,7,5), h. Rëza e Kanalit (oder Karaburun) in Albanien. Es beginnt im Süden beim Gebirge Çikë (2045 m) und endet im Norden in dem weit vorspringenden Kap → Akrokeraunia. Die schroffe Kalkmauer (H bis 1593 m) ist wegen der häufigen Gewitter gefürchtet, nach denen das »Gewittergebirge« benannt ist. Nur im Süden finden sich ant. Landeplätze und Siedlungen: Kemara/Chimera (h. Himarë) [1. 679] und Palaeste (h. Palasë) [1. 125], wo 48 v. Chr. Caesar mit seinen Truppen landete. Quellen: Skyl. 26f.; Plin. nat. 3,97; 3,145; 4,1f.; 4,4; Mela 2,54; Ptol. 3,13,1f.; Dion. Per. 389; Geogr. Rav. 5,13; Guido, Geographia 112.

1 N. G. L. HAMMOND, Epirus, 1967.   D. S.

Keraunos s. Baitylia; Zeus

Kerausion (Κεραύσιον). Am Berg K., einem Teil des → Lykaion, entspringen die Quellen der Neda (Paus. 8,41,3); er ist also im Gebirgsbereich zw. dem h. Likeo und dem Tetrazio zu lokalisieren.

E. MEYER, s. v. K, in: RE Suppl. 9, 382.   E. O.

Kerbela (arab. *Karbalā*). Schiitisches Pilgerzentrum in Irak, ca. 95 km sw von Baghdad gelegen; bis in das 20. Jh. Endstation von Karawanenrouten aus Iran und Ausgangspunkt für pers. Mekkapilger. Der Name K. bezeichnet die Palmgärten, die das Grabheiligtum und den Ort Mašhad al-Ḥusain umgeben. Eine Stadt Kerbelā ist bereits im AT genannt (Dan 3,21), schiitische Lexikographen erklären K. aber als eine Kombination von arab. *karb* (Trauer) mit *balā* (Unheil). Seine Bed. für die schiitisch-islam. Welt erlangte K. durch das Martyrium des Prophetenenkels Ḥusain b. ʿAlī b. Abī Ṭālib (680 n. Chr.). Der Bau eines prächtigen Schreines (*mašhad*) wurde im 7. Jh. n. Chr. vom abbāsidisch-sunnitischen Kalifat (→ Abbasiden) nicht behindert, sondern sogar tatkräftig unterstützt. Die Umgebung von K. gilt im Islam als einer der Paradiesgärten nach der Auferstehung, was zur Anlage großer Friedhöfe in der unmittelbaren Umgebung führte.
→ Hussain; Schiiten

M. AYOUB, Redemptive Suffering in Islam, 1978 · E. HONIGMANN, s. v. Karbalāʾ, EI 4, 637ff. · A. NOELDEKE, Das Heiligtum al-Husains zu Kerbelâ, 1909.   T. L.

Kerberos (Κέρβερος, lat. Cerberus). Zum Standardrepertoire der griech.-röm. → Unterwelt gehöriger Wachhund, der unbefugtes Betreten oder Verlassen des Totenreichs anzeigt und verhindert. Oft erscheint er an der Seite von → Hades und/oder → Persephone. In hell. Zeit wurde K. in veränderter Gestalt auch dem Gott → Sarapis beigesellt (Macr. Sat. 1,20,13–14).
Erstmals, allerdings ohne Namen und nähere Beschreibung, wird K. bei Homer in Zusammenhang mit dem Unterweltsabenteuer des → Herakles erwähnt (Hom. Il. 8,366ff.; vgl. Od. 11, 623ff.). Erste Namenserwähnung und Genealogie bietet Hes. theog. 306–312: K.' Eltern sind die Ungeheuer → Typhon und → Echidna, seine Geschwister Orthros (→ Geryoneus),

→ Hydra [1] und → Chimaira, die sich alle durch Mehrköpfigkeit und Schlangengarnitur auszeichnen. Über K.' Aussehen, insbes. Art und Anzahl der Köpfe, gibt es verschiedene Aussagen: Hes. theog. 769ff. beschreibt ihn als fünfzigköpfigen, rohes Fleisch verschlingenden Höllenhund mit schneidender Stimme, Pind. Dithyramboi 2, fr. 249a gar als hundertköpfig. Die meisten lit. Quellen schildern ihn als Vierbeiner mit drei Hundeköpfen, der zusätzlich unzählige Schlangenköpfe an Genick und Hals trägt (z. B. Apollod. 2,5,12; Verg. Aen. 6,417ff.; Sen. Herc. f. 782ff.; Ausnahme: Hor. carm. 3,11,17–20). Im Mythos ist K. – wie seine Geschwister – mit Herakles verbunden, der ihn an die Oberwelt zerrt. K.' auf die Erde tropfender Geifer ist das Aition für den giftigen Fingerhut (Aconitum). Die rationalistische Mythendeutung interpretiert K. wahlweise als giftige Schlange (Hekataios FGrH 1 F 27) oder als wilden Hund (Plut. Theseus 31,4). Zur allegor. Deutung des K. in MA und Renaissance als Erde, Habgier oder Tod s. [4].

1 S. EITREM, s. v. K., RE 11, 271–282 2 B. LINCOLN, The Hellhound, in: Journal of Indo-European Studies 7, 1979, 273–286 3 M. SANADER, K. in der Ant., Diss. Innsbruck 1983 4 J. J. H. SAVAGE, The Medieval Trad. of Cerberus, in: Traditio 7, 1949–51, 405–410 5 H. THIRY, La diffusion du mythe de Cerbère (ca. 540–400), in: Živa Antika 22, 1972, 61–70 6 S. WOODFORD, J. SPIER, s. v. K, LIMC 6.1, 24–32.
C. W.

Kerdo (Κερδώ, die »Gewinnbringende«). Die Frau des argiv. Urmenschen → Phoroneus; sie hat Grab (und damit Kult) an der Agora von → Argos, neben dem Heiligtum des → Asklepios (Paus. 2,21,1).   F. G.

Kerdylion (Κερδύλιον). Erhöhter Ort am rechten Ufer des Strymon auf dem Territorium von Argilos nahe → Amphipolis in Thrakia. Dort bezog Brasidas im J. 422 v. Chr. Stellung gegen die Athener (Thuk. 5,6,3ff.).   I. v. B.

Kerebia (Κηρεβία). Gattin des Poseidon, Mutter von → Diktys [1] und → Polydektes, der über die Kykladeninsel Seriphos herrscht (schol. Lykophr. 838). Nach Hesiod (fr. 6 RZACH) und Apollodor (1,88) sind Magnes und eine Naiade die Eltern der beiden.   AL.FR.

Kereia (Κέρεια). Kykladen-Insel (15 km², über 200 m hoch) zw. Naxos und Amorgos, h. Keros (Stadiasmus maris magni 282; Geogr. Rav. 5,21: *Cerus*). 425/4 im Att.-Delischen Seebund (630 Drachmen Tribut, [1. Bd. 1, 231, 308f., 501; Bd. 3, 198]). Ausgrabungen brachten eine bedeutende frühkykladische Siedlung zutage. Idolfunde im Nationalmuseum Athen.

1 ATL.

L. BÜRCHNER, s. v. K., RE 11, 253 · PHILIPPSON/KIRSTEN Bd. 4, 146f. · E. KARPODINI-DEMETRIADE, Die griech. Inseln, 1987, 82 · H. KALETSCH, s. v. Keros, in: LAUFFER, Griechenland, 328 · IG XII 7 p. VII.   H. KAL. u. E. MEY.

Keressos (Κερησσός). Festung in Boiotia bei Thespiai. Lokalisierung umstritten [1]. Der Trad. nach haben sich die Bürger von Thespiai zweimal nach K. zurückgezogen: im 6. Jh. v. Chr. vor der Schlacht bei K. im thessal.-boiot. Krieg [2] und 371 v. Chr. im Krieg zw. den abtrünnigen Bürgern von Thespiai und den Boiotoi [3]. Belegstellen: Plut. Camillus 19,138a; Plut. mor. 866f; Paus. 9,14,1–4.

1 R. J. Buck, The Site of Ceressus, in: Teiresias, Suppl. 1, 1972, 31–40 **2** M. Sordi, La battaglia di Ceresso e la secessione di Tespie, in: J. Fossey (Hrsg.), Boeotia antiqua 3, 1993, 25–32 **3** C. Tuplin, The Fate of Thespiae during the Theban Hegemony, in: Athenaeum 64, 1986, 333f. K.F.

Keret (Kirta). Protagonist eines Epos (TUAT 4,1213–53) aus → Ugarit mit Bezug auf eine Königsfamilie, die zu den Vorfahren des ugaritischen Königshauses gehört. Das Epos zeigt die enge Verbindung zwischen dem Königshaus und dem Gott → El und beschäftigt sich mit der Frage nach der königlichen Nachkommenschaft und Sukzession. König K. hat sieben Frauen und seine Nachkommenschaft nacheinander durch verschiedene Schicksalsschläge verloren. El verspricht ihm im Traum eine Frau und Kinder. Seine Frau gebiert ihm acht Söhne und sechs Töchter. Wegen eines nicht eingehaltenen Gelübdes erkrankt K. schwer; als er – genesen – wieder auf seinem Thron Platz nehmen will, macht ihm sein ältester Sohn diesen streitig. K. verflucht ihn. Damit endet der erh. Text, dessen vierte Tafel fehlt, so daß über den Ausgang des Epos Unklarheit besteht.

1 G. N. Knoppers, Dissonance and Disaster in the Legend of K., in: Journal of the American Oriental Society 114, 1994, 572–582 **2** B. Margalit, KRT-Studies, in: Ugarit-Forsch. 27, 1995, 215–315. H.NI.

Kerethrios (Κερέθριος). Führer eines der drei Teile des galatischen Heeres, plünderte 280 v. Chr. Thrakien (Paus. 10,19,7).
→ Belgius; Brennus [2] W.SP.

Kerinthos (Κήρινθος).
[1] Stadt an der Ostküste von → Euboia (Hom. Il. 2,538; Strab. 10,1,3; 5), beim h. Mandudion lokalisiert. Die Ursprünge von K. reichen ins Neolithikum zurück. In histor. Zeit gehörte K. wohl zu → Histiaia. Inschr.: IG XII 9, 1184f.

E. Freund, s. v. K., in: Lauffer, Griechenland, 323.
H.KAL.

[2] Judenchristl., in apostolischer Zeit (1./Anf. 2. Jh. n. Chr.) auftretender → Gnostiker. Nach dem Hauptzeugen → Eirenaios [2] (Iren. adversus haereses 1,26,1) leugnete er, in Kleinasien lehrend, die Schöpfung der Welt durch den obersten Gott. Damit verband K. eine »Trennungs- oder Einwohnungschristologie« [2. 37]. Er verwarf die Jungfrauengeburt und sah Jesus als den natürlichen Sohn Josefs und Marias an, auf den bei der Taufe Christus herabgestiegen sei, um ihn vor der Passion wieder zu verlassen. Gegen K. und seine Lehren richtete nach Eirenaios (Iren. adversus haereses 3,11,1) der Apostel Iohannes – nach Polykarpos von Smyrna soll er K. auch persönlich begegnet sein (ebd. 3,3,4) – sein Evangelium. Spätere Autoren vervollständigen die Angaben des Eirenaios, widersprechen ihnen aber auch. So weiß Hippolytos von der Ausbildung des K. in der Wiss. der Ägypter (wohl von Eirenaios unabhängige genuine Trad.: [4]). Als Gegner des Paulus, der chiliastische Vorstellungen vertrete, die Beschneidung fordere und Verf. der Apk sei, bekämpft ihn der Römer Gaius (u. a. Eus. HE 3,28,2). → Epiphanios [1] von Salamis sieht in K. bevorzugt den Judaisten. Er berichtet auch von den als Kerinthianer bezeichneten Anhängern des K. und nennt Galatien als ihr Wirkungsgebiet (Epiphanios, adversus haereses 28,1,1; 28,6,4; 28,8,1 f.). Eine Identifizierung der 1 Joh 2,19 gen. Personen mit Anhängern des K. bleibt offen. Die Kerinthianer benutzten nach Epiphanios eine verstümmelte Fassung des Mt, fälschlicherweise als Evangelium des K. bezeichnet.

1 G. Bardy, Cérinthe, in: RBi 30, 1921, 344–373 **2** H.-J. Klauck, Der erste Johannesbrief, 1991, 34–42 **3** A. F. J. Klijn, G. J. Reinink, Patristic Evidence for Jewish-Christian Sects, 1973, 3–19 **4** B. G. Wright III, Cerinthus *Apud* Hippolytus, in: The Second Century 4, 1984, 103–115. J.RI.

Kerkaphos (Κέρκαφος). Einer der sieben → Heliadai, von → Kydippe [3] Vater der Eponymoi der rhodischen Städte Lindos, Ialysos und Kameiros (Pind. O. 7,73 mit schol. 7,131c-d; 132c; 135; Diod. 5,57,8; Strab. 14,2,8).
T.H.

Kerkasoros (Κερκάσωρος, Κερκέσουρα). Stadt in Unteräg., wo sich nach Hdt. 2,15; 2,17 der Nil in die Arme von Pelusion und Kanobos teilt, nach Strab. 17,806 auf dem Westufer gegenüber von Heliopolis gelegen, vielleicht das äg. Ḥwt-šd-ꜣbd.

F. Gomaà, s. v. Hutsched-abed, LÄ 3, 89–90. K.J.-W.

Kerkenes Dağı. Bergmassiv südl. von Sorgun, in hethit. Zeit wohl die Kultberg Daḫa bei Zippalanda (Kuşaklı Höyük). Nach 600 v. Chr. Errichtung der Stadt Pteria, der größten vorgesch. Stadt Anatoliens (ca. 2,5 km² dicht bebaut): planmäßige Anlage mit herrschaftlichen, administrativen und mil. Komplexen, nachträgliche Verdichtung der einphasigen Bebauung; Lehmziegeloberbau des Stadtwalls (ca. 7,5 km L) wohl aus polit. Gründen nicht vollendet; zahlreiche Tumuli. Neues Zentrum des durch die lyd. Expansion auf den Osten beschränkten Phrygerreiches, das sich zum Schutz der medischen Oberherrschaft unterstellte [1]. 546 von → Kroisos zerstört (Hdt. 1,72–76), danach kein Wiederaufbau; Errichtung frühachaimenidischer Befestigungen (Zitadelle, erneute byz. Nutzung; Kleinfestungen).

1 K. STROBEL, Phryger-Lyder-Perser: Polit., ethnische und kulturelle Größen bei der Errichtung der achaimenidischen Herrschaft, in: T. BAKIR AKBAŞOĞLU (Hrsg.), Anatolia in the Achaemenid Period, 1999.

O. R. GURNEY, The Hittite Names of K. and Kuşaklı Höyük, in: AS 45, 1995, 69–71 · K. STROBEL, Galatica I, in: Orbis Terrarum 3, 1997, 131–157 · G. D. SUMMERS u. a., The Regional Survey at K.(D.), in: AS 45, 1995, 42–68; 46, 1996, 201–234 · Ders., The Identification of the Iron Age City on K., in: JNES 56, 1997, 81–94. K. ST.

Kerketai (Κερκέται).
Stamm an der NO-Küste des → Pontos Euxeinos am Abhang des Kaukasos. Der Name der h. Tscherkessen wurde den griech. Geographen früh bekannt, aber ihre Angaben über die Wohnsitze der K. stimmen nicht überein (nach Strab. 11,492; 496f. zwischen den → Heniochoi und den → Moschoi).

W. KROLL, s. v. K., RE 11, 291 f. · T. M. MINAJEVA, Arch. Forsch. im Tscherkessenland (russisch), 1953, 34 ff. · CH. DANOFF, s. v. Pontos Euxeinos, RE Suppl. 9, 1017 ff.
B. B. u. CHR. D.

Kerkidas (Κερκιδᾶς, Κερκίδας).
[1] K., von → Demosthenes [2] (Demosth. or. 18,295) in seinem bekannten »Verräterkatalog« der »Kranzrede« genannter, angeblich im polit. Interesse → Philippos' II. tätiger arkad. Rhetor (ähnlich auch Theop. FGrH 115 F 119; Pol. 18,14,1–2). Die Stichhaltigkeit der Vorwürfe des Demosthenes und Theopompos läßt sich heute nicht mehr überprüfen. K. stammte aus reicher Familie in Megalopolis in Arkadien und war verwandt mit einem gleichnamigen Dichter [1].
[2] Ein damiorgós, d. h. einer der 50 vermutlich geschäftsführenden Ratsmitglieder des Arkadischen Bundes (→ dēmiurgós [2]), der in einer Siegerliste 308 v. Chr. erwähnt wird (IG V 2, 550) [2].

1 H. WANKEL, Demosthenes. Rede für Ktesiphon über den Kranz, 1976, 1250 f. 2 J. A. O. LARSEN, Greek Federal States, 1968, 187. J. E.

[3] K. von Megalopolis, bekannt als Autor der sog. »Meliamben«, lebte ca. 290 v. Chr. bis ins letzte Viertel des 3. Jh. Seiner Heimatstadt diente er ca. 226 als einer der Gesandten des Achaiischen Bundes beim Makedonenkönig Antigonos [3] Doson (Pol. 2,48) und im Jahr 222 als Führer eines Kontingents von 1000 Megalopolitanern beim Aufmarsch des Antigonos gegen Sparta bei Sellasia (Pol. 2,65). Andere Quellen nennen seine bemerkenswerte Tätigkeit als Gesetzgeber der Achaier (Ptol. Hephaistion ap. Phot. bibl. p. 151a 6–20 = 3,64 HENRY). Athenaios (8,347d-e) erwähnt ihn als Kyniker; dies wird durch die Überschrift ›Die Meliamben des Kynikers Kerkidas‹ (Κερκίδα Κυνὸς Μελίαμβοι: POxy. 1082 fr. 4, Z. 15–17), sowie einige Stellen in den Meliamben selbst bestätigt: fr. 6a-b erwähnt Zenon aus Kition, fr. 60 preist Diogenes aus Sinope als ›wahren Nachfahren des Zeus und himmlischen Hund‹

(ἀλαθέως Διογένης Ζανὸς γόνος οὐράνιός τε κύων). Auch inhaltlich weisen die erh. Überreste der Meliamben Gemeinsamkeiten mit den kynischen → Diatriben auf: Habgier, Wollust, Genußsucht werden angeprangert; das einfache, aufrichtige Leben hochgehalten. LOMIENTO sieht keinen Widerspruch zw. der hohen Stellung des K. im öffentl. Leben und seiner kynischen Philos.; Kynismus sei zur Zeit des K. nicht die ›Philos. des Proletariats‹, sondern habe gleichermaßen arme wie reiche Anhänger gehabt [1. 26–31].

Der Begriff »Meliambos« bezeichnet ein Gedicht, dessen Inhalt zur Gattung der »Spottgedichte« (= Iambos) paßt, das aber im lyrischen Versmaß (= Melos) verfaßt ist [1. 31]. Die Veröffentlichung von POxy 1082 brachte einige längere Fragmente seines Schaffens an den Tag: Fr. 1 prangert – wohl in Anlehnung an Aristophanes' ›Plutos‹ – die Götter dafür an, daß sie den Reichtum nicht gerechter unter den Menschen verteilen. Fr. 2 behandelt zwei verschiedene »Winde« der Liebe, die Aphrodite den Menschen bringt: einen maßvollen, zu genießenden und einen gefährlichen, unbändigen. In fr. 3 spricht der Dichter sein eigenes alterndes »Ich« (θυμέ) an; hier scheint er die zur Jugend passenden Freuden von denen, die sich einem grauhaarigen Greis geziemen, zu unterscheiden. Die Themen der Meliamben lassen sich – dem philos. Kynismus des Autors angemessen – als »Lebensweisheit« bezeichnen. Von ihrer poetischen Form läßt sich sagen, ohne daß man Gewißheit in der → Kolometrie erlangen kann, daß K. ein daktylisches Maß (häufig einen Hemiepes) neben einen Teil-Iambos setzt (z. B. ∪∪–∪∪–∪ + x ––– x) und dieses Muster katá stíchon wiederholt [4]. Ob »daktylo-epiritisch« [7] die richtige Bezeichnung dafür ist, ist fraglich.

Die Sprache des K. zeichnet sich durch erstaunliche Kreativität bei der Bildung neuer Komposita aus; dieser Zug paßt wohl zum »empörten« Stil der Diatribe, wobei einiges auch auf die humorvollen Wortschöpfungen des → Aristophanes [3] zurückgehen mag. Insgesamt hell. wirken bei K. sowohl die Mischgattung des Meliambos als auch der extrem gesuchte sprachliche Ausdruck.

ED.: 1 L. LOMIENTO (Hrsg.), Cercidas. Testimonia et Fragmenta, 1993 (42–48 zur Metrik; umfassende Bibliogr. 57–73) 2 CollAlex p. 201–213 (219) 3 E. DIEHL (ed.), Anthologia Lyrica Graeca 3, ³1952, 141–152 4 P. MAAS, Cercidae cynici meliambi nuper inventi κωλομετρία instructi, in: Berliner Philol. Wochenschr. vol. 31, nr. 32, 1911, 1011 f. 5 A. HUNT, The Oxyrhynchus Papyri 8, 1911, 20–59.
LIT.: 6 E. LIVREA, Studi Cercidei, 1986 7 M. L. WEST, Greek Metre, 1982, 140. W. D. F.

Kerkine (Κερκίνη).
Unbewohntes Grenzgebirge zw. Sintoi und Maidoi im Süden und Paiones im Norden, durch das → Sitalkes (429 v. Chr.) gegen den Makedonenkönig Perdikkas II. nach Doberos zog. Dazu mußte er selbst einen Weg durch K. anlegen lassen (Thuk. 2,98,1 f.). K. wird mit den Bergrücken Belasica, Orbelos oder Kruša im Grenzgebiet zw. Makedonia und Thrakia

gleichgesetzt. Möglicherweise ist K. aber der Name mehrerer kleiner Gebirge auf der Linie Kočani-Bobo-ševo, Struma und Belasica, die später als Orbelos bekannt waren.

A. Fol, T. Spiridonov, Istoričeska geografija na trakijskite plemana, 1983, 118 f.   I. v. B.

Kerkinitis (Κερκινῖτις).
Ion. Gründung des 6. Jh. v. Chr. im nordwestl. Teil der Krim beim h. Dorf Evpatorija (Hellanikos FGrH 4 F 70; Strab. 12,3,18; Arr. per. p. E. 19,5), ab Mitte 4. Jh. v. Chr. im Besitz der Chersonesos [3] [1. 352] und eng mit ihr verbunden; zweitgrößte Stadt mit wichtigem Hafen, Landwirtschaft und Handwerk, auch dor. Inschr. [1. 339]. Im 2.–1. Jh. v. Chr. mehrmals von Skythen eingenommen. Diophantos, Feldherr Mithradates' VI., eroberte K. zurück und benannte den Ort in Eupatoria um. K. existierte bis ins 2. Jh. n. Chr.

1 IOSPE I².

A. N. Ščeglov, Severo-zapadnyj Krym v antičnuju epohu, 1, 1978 · E. I. Solomik, Graffiti c hory Hersonesa, 1984, Nr. 114–176 · A. N. Zograph, Ancient Coinage, II, 1977, 254–256.   I. v. B.

Kerkopen (Κέρκωπες,
lat. Cercopes; zu κέρκος, »Schwanz«: »die Geschwänzten«; auch als Schimpfwort verwendet, vgl. Diog. Laert. 9, 114). Die Anzahl und die Namen dieser Söhne der → Theia und des → Okeanos (Suda s. v. Κέρκωπες) variieren; zumeist treten sie als Paar auf (z. B. Olos und Eurybatos; Akmon/Aklemon und Passalos; Sillos und Tribalos). Als ihre Heimat werden in Kleinasien Ephesos oder auf dem griech. Festland die Thermopylen angegeben. Die K. sind elfenartige, sprichwörtliche Gauner und Tunichtgute, die aufs engste mit der Herakles-Sage verbunden sind: → Herakles schläft übermüdet ein, wird aber von den K. mit konstanter Boshaftigkeit um den Schlaf gebracht und seiner Waffen beraubt. Als er sie eingefangen und kopfüber an einem Tragballen aufgehängt hat, läßt er sie wegen ihrer drolligen Scherze, die sich auf das Orakel ihrer Mutter beziehen, sie sollten sich vor dem Mann mit dem schwarzen Hintern (Melampyges: Suda s. v. Μελαμπύγου τύχοις) hüten, als den sie Herakles identifizieren, wieder laufen. Andere Versionen berichten, daß er sie tötet oder → Omphale schenkt oder dem → Eurystheus überbringt (Diod. 4,31,7). Später verwandelt Zeus, den sie ebenfalls zu betrügen suchen, die K. entweder in Steine (Pherekydes FGrH 3 F 77) oder versetzt sie auf die »Affeninsel« Pithekusa-Ischia (Xenagoras FGrH 240 F 28; Ov. met. 14, 89 ff.). Die K.-Geschichten wurden vielfach und markant abgebildet, z. B. auf der Metope des Tempels C in Selinus um 550 v. Chr.

S. Woodford, s. v. K., LIMC 6.1, 32–35.   C. W.

Kerkouane (Dar es-Safi/Tamzerat).
Im späten 6. Jh. v. Chr. gegründete, etwa 8 ha große, von einer (einmal verstärkten) Mauer umgebene karthagische »Prov.«-Stadt an der Ostküste des → Cap Bon, verm. im 3. Jh. v. Chr. während der Invasion des → Regulus zerstört. Der Befund dokumentiert die kleinbürgerliche Kultur des 4. Jh.; in Grabkammern sind eschatologische Malereien erhalten.

M. Fantar, K., Bd. 1–3, 1984–1986 · H. Gallet de Santerre, L. Slim, Recherches sur les nécropoles puniques de K., 1983.   H. G. N.

Kerkyon (Κερκυών).
[1] In Eleusis wohnhafter Unhold der att. Sage, Sohn des Poseidon (Paus. 1,14,3; anders Hyg. fab. 38, Apollod. epit. 1,3), der die Vorbeikommenden in einem tödlichen Ringkampf zu überwältigen pflegt, bis er von → Theseus besiegt wird (Plut. Theseus 11; Paus. 1,39,3). Der Kampf gegen K. ist als fester Bestandteil des Zyklus der Theseus-Taten seit dem späten 6. Jh. v. Chr. bildlich [1], seit Aischylos' Satyrspiel ›K.‹ (TrGF F 102–107) und Bakchyl. 18,26 auch lit. bezeugt (vgl. Isokr. or. 10,29; Diod. 4,59,5; Ov. met. 7,439) [2]. Als grausamer Vater der → Alope tritt K. auch in der Tragödie auf.
[2] Arkader, Sohn des Agamedes, Vater des → Hippothoos [4] (Paus. 8,5,4), später mit K. [1] identifiziert, der aus Arkadien nach Eleusis geflohen sein soll (Kall. fr. 49,8 ff. Hollis [3]; Plut. Theseus 11,1; Charax FGrH 103 F 5).

1 J. Neils, s. v. Theseus, LIMC 7.1, 925–929, 932 f.
2 F. Brommer, Theseus: Die Taten des griech. Helden in der ant. Kunst und Lit., 1982, 19–21 3 Callimachus: Hecale, ed. A. S. Hollis, 1990, 88 f., 200 f.   A. A.

Kerkyros s. Schiffahrt

Kernos (ὁ oder τὸ κέρνος).
Nach Athen. 11,476f; 478d ein Kultgefäß mit angefügten Kotylisken (Näpfen), die Mohn, Weizen, Linsen, Honig, Öl u. ä. (nach Art einer Panspermie) enthielten. K. wurden in der Prozession umhergetragen, ihr Inhalt zuletzt von den Trägern (Mysten) verzehrt. Auch K. mit aufgesteckten Lichtern werden erwähnt (Sch. Nik. Alex. 217). Verwendet wurden K. in Kulten von Fruchtbarkeits- und Muttergottheiten, bes. der Rhea → Kybele. Größere Mengen von Tonschüsseln mit Kotylenkränzen (→ Gefäße Abb. E 15), die man für K. hält, fanden sich in Eleusis und im Eleusinion von Athen (5.–3. Jh. v. Chr.). Durchbohrungen an Henkeln und breitem Kopf dienten wohl der Befestigung am Kopf. Allg. gilt die Bezeichung K. auch als t. t. für Komposit- und Mehrlingsgefäße unterschiedlicher Form, deren Aufsätze durch Schüsseln, Platten und Ringe verbunden sein können. In vorklass. Zeit war der Ring-K., ein Hohlring mit Gefäßkranz, eine verbreitete Grabbeigabe. Er ist im Orient vorgebildet und wird als Sinnbild unterirdisch kommunizierender Ringströme und Quellen bzw. als Lebensspender interpretiert.

F. LEONARD s. v. K., RE 11, 316–326 • J. J. POLLITT, Kernoi
from the Athenian Agora, in: Hesperia 48, 1979, 205–233 •
A. KOSSATZ-DEISSMANN, Apul. Kernos, in: AA 1985,
229–239 • G. BAKALAKIS, Les Kernoi éleusiniens, in:
Kernos 4, 1991, 105–117 • C. BÖRKER, Ringkernoi, in:
Dialog 31, 1997, 59–79.   I. S.

Keroma (κήρωμα, ceroma). Im medizinischen Sinn ein
Umschlag, Hippokr. Acut. 8 (Bd. 2, p. 424) oder eine
Salbe (Mart. 4,4,10). In der röm. Kaiserzeit bezeichnet
k. ein gewachstes Täfelchen, ferner den lehmigen,
wachsfarbenen Untergrund für einen Ringplatz, der
den Körper oder Nacken der Athleten beschmutzt (Iuv.
3, 68); davon ging der Begriff K. auf den damit bedeckten Ringplatz bzw. die -anstalt über (Plin. nat. 30,5).
Auch erhielten die dort Beschäftigten den Namen
kērōmatistaí.   R. H.

Kerostasia s. Seelenwägung

Kersobleptes (Kersebleptes). Thrakischer König, den
ant. Autoren als Κερσοβλέπτης bekannt, in Inschr. (z. B.
Syll.³ 195 = FdD III 1, 392) und auf einem Gefäß aus
dem Schatzfund von Rogozen [1. 197 Nr. 15]
Κερσεβλέπτης (*Kersebléptēs*). Seine kleinen Bronzemz.
tragen die Legende **KEP** (*KER*).
    K. folgte seinem Vater, → Kotys [I 1] I., 360 v. Chr.
in der Herrschaft (Demosth. or. 23,163). Er mühte sich,
die odrysische Macht auf der → Chersonesos aufrecht
zu erhalten und trat damit in einen andauernden Konflikt mit Athen, der von wechselndem Erfolg gekrönt
war. K. erhielt dabei tatkräftige Unterstützung von seinem Schwager, dem griech. Söldnerführer → Charidemos [2] (Demosth. or. 23,129). 358 beherrschte K.
sogar die gesamte Chersonesos (Demosth. or. 23,171;
176–178). Der Kampf gegen die Thronprätendenten
des K., → Berisades und → Amadokos [2] führte jedoch 357 zur Reichsteilung, die im Vertrag mit Athen
besiegelt wurde. K. behielt das östl. Gebiet. Er mußte
die Macht Athens auf der Chersonesos anerkennen und
konnte nur Kardia halten (Demosth. or. 23,170; 173;
181–183; Diod. 16,34,4; IG II/III² 126; ToD 151; ATL II
104, T 78d; StV 303). In den darauffolgenden J. wurde
Thrakien schrittweise von Philippos II. erobert. K.
mußte 351 die maked. Oberhoheit akzeptieren und seinen Sohn als Geisel zu Philippos II. senden (Aischin. leg.
81–83; StV 319). 346 nahm Philippos II. die Hauptfe-
stung des K., Hieron Oros, ein, und 342/1 wurde K.
endgültig entthront (Demosth. or. 12,8; 10; Diod.
16,71,1).

1 SEG 37, 1987 (1990), Nr. 618.

E. BADIAN, Philip II and Thrace, in: Pulpudeva 4, 1980
(1983), 51–71 • U. PETER, Die Mz. der thrak. Dynasten
(5.–3. Jh. v. Chr.), 1997, 125–132.   U. P.

Kertscher Vasen. Name der arch. Fachsprache für die
att.-rf. Gefäße des 4. Jh. v. Chr., der letzten Phase der rf.
Technik. Ihre genaue zeitliche Einordnung bleibt problematisch, sie wurden jedoch allg. in die Jahre zwischen dem Tod des Königs Euagoras von Zypern (374
v. Chr.) und der Gründung von Alexandreia in Ägypten
(331 v. Chr.) datiert. Die jüngste Unt. der panathenäi-
schen Amphoren des 4. Jh. v. Chr. aus Eretria [3] erbrachte neue zeitliche Anhaltspunkte. Grundsätzlich
gibt es keine deutliche Grenze zwischen der vorangegangenen Periode des *plain style* in der Vasenmalerei
(Jena-Maler, → Meleager-Maler) und den K. V., wobei
ihr Ende mit dem Ende der rf. Kunst im att. Kerameikos
gleichgesetzt wird.
    Solange sie hergestellt wurden, exportierte man sie in
die wichtigsten Häfen des Mittelmeers, vor allem aber
in die Länder am Schwarzen Meer. Unter den K. V.
kommen die meisten bekannten → Gefäßformen vor,
es überwiegen jedoch die Kratere, die Lekanides, die
Peliken u. a. Die Darstellungsthemen stammen aus der
idyllisch gesehenen Welt der Frauen, des Dionysos, der
Aphrodite und der Demeter. Beliebt ist auch das Thema
des Greifenkampfes. Die Gestalten sind elegant, oft geschmückt, aber stilisiert und manieristisch; es werden
aufgesetzte weiße, gelbe und goldene Farben verwendet. Die Bildkompositionen sind in der Regel einfach,
so daß sie der Symbolik der Darstellungen dienen. Charakteristisch ist die vereinfachte und flüchtige Wiedergabe der Gestalten auf der Rückseite der Gefäße. Unter
den zahlreichen Werkstätten und Künstlern der K. V.
zeichnete sich um die Mitte des 4. Jh. v. Chr. eine kleine
Gruppe hervorragender Vasenmaler aus, wie der
→ Marsyas-Maler, der Eleusinische Maler, der Maler
von Athen 12592 u. a., deren Werke die letzte und hinsichtlich der Qualität eindrucksvolle Blüte der rf. Vasenmalerei bildeten. Durch die neuere Forsch. konnte
die Existenz lokaler Produktionswerkstätten rf. K. V.
außerhalb Attikas, wie z. B. auf der Chalkidike, nachgewiesen werden.
→ Gefäße, Gefäßformen

1 BEAZLEY, ARV², 1406ff. 2 K. SCHEFOLD, Unt. zu den
Kertscher Vasen, 1934 3 P. VALAVANIS, Παναθηναϊκοί
Αμφορείς από την Ερέτρια, 1991.   S.DR.

Kerub (hebr. כרוב, von akkad. *karābu*, »weihen, grü-
ßen«; Pl. Keruben/*kerubim*). Mischwesen mit Men-
schenkopf, Löwenkörper und Flügeln, das höchste
Kraft symbolisiert. Nach Gn 3,24 dienten K. zur Bewachung des Gartens Eden (vgl. auch Ez 28,14 und 16).
Bes. Bed. kommt den K. in der biblischen Überl. von
der Ausgestaltung des Salomonischen Tempels zu: Im
Allerheiligsten befinden sich zwei aus Olivenholz an-
gefertigte und mit Gold überzogene K. von je 10 Ellen
Höhe. Mit ihren Flügeln von je 5 Ellen Spannweite
schützen sie die darunter stehende Lade (1 Kg 6,23–28).
Gleichzeitig bilden diese eine Art Thronsitz des unsicht-
baren Zionsgottes, was der formelhaften Prädikation
יושב הכרובים, »Kerubenthroner« (1 Sam 4,4; 2 Sam 6,2)
entspricht. Diese Bezeichnung gehörte wohl primär
nach Jerusalem und wurde erst sekundär mit der Lade
und ihrem urspr. Aufenthaltsort in Silo verbunden. K.

bildeten außerdem als Relief mit Blumen und Palmen den Wandschmuck des Salomonischen Heiligtums (1 Kg 6,29). K. erscheinen – wohl ausgehend von der Thronvorstellung – auch als Reittiere → Jahwes (Ps 18,11). In der frühjüd. Angelologie wird der Terminus K. zu einer Bezeichnung der Engelfürsten. Darstellungen solcher geflügelter Sphingen v. a. auf Elfenbein (z. B. Meggido) sind arch. ebenso bezeugt wie Sphingenthrone in Vorderasien und im östl. Mittelmeerraum.

B. Janowski, Lade und Zion. Thesen zur Entstehung der Zionstrad., in: Ders., Gottes Gegenwart in Israel, 1993, 248–280 • O. Keel, Jahwevision und Siegelkunst, in: Stuttgarter Bibel-Studien 84/5, 1977, 128–131 • M. Metzger, Königsthron und Gottesthron (AOAT 15/1), 1985, 309–351 • S. Schroer, In Israel gab es Bilder (Orbis Biblicus Orientalis 74), 1987, 121, 135. B.E.

Keryneia (Κερύνεια).

[1] (arkadisch Καρύνεια). Binnenstadt in Achaia (Peloponnesos), urspr. nicht unter den 12 Städten des Achaiischen Bundes bei Hdt. 1,145 und Strab. 8,7,4. Nach Strab. 8,7,5 lag K. hoch im Gebirge zw. Bura und dem Meer. Lange wurde K. mit Resten oberhalb des Dorfes Rizomylo und der Uferstraße beim h. K. identifiziert. Im Anschluß an Wilhelm schlug Meyer vor, die Stadt im Norden vom h. Mamusia zw. den Schluchten von Kerynitis und Buraïkos an einem früher mit Bura identifizierten Ort zu lokalisieren [1. 130–132]. Die Ruinen oberhalb von Rizomylo werden der ant. Stadt Kallistai zugeschrieben, die nur durch Inschr. und Mz. bekannt ist [1. 142; 2. 87f]. Ant. Reste finden sich in Mamusia: geom. Gefäße, Gräber des 4./3. Jh. v. Chr., ein Heroon, Baureste aus hell. Zeit. K. war von myk. bis in röm. Zeit besiedelt [3; 4. 36; 5]. Die Stadt nahm um 460 v. Chr. [6] aus Mykenai vertriebene Bürger auf (Paus. 7,25,5f.). Urspr. vermutlich nur eine kleine Zitadelle im Gebirge zur Verteidigung der Bevölkerung von → Helike [1], wurde K. später selbständig und Mitglied des Achaiischen Bundes anstelle der von ihren Einwohnern verlassenen Stadt Aigai. Nach K. hieß der östl. vorbeifließende Fluß Κερυνίτης (Kerynítēs), h. Fluß von Vuphusia oder Kalavryta. Belegstellen: Pol. 2,41,8; 14f.; 43,2. Mz.: HN 417.

1 E. Meyer, Peloponnesische Wanderungen, 1939 2 Ders., Neue Peloponnesische Wanderungen, 1957 3 J. K. Anderson, Excavations near Mamousia, in: ABSA 48, 1953, 154–171 4 Th. J. Papadopoulos, Mycenaean Achaea 1 (Studies in Mediterranean Archaeology 55), 1979 5 I. Dekoulakou, Ἀνασκαφὴ Μαμουσίας, in: Praktika 1981, 1983, 183 6 M. Piérart, Deux notes sur l'histoire de Mycènes, in: Serta Leodiensia secunda, 1992, 377–382. Y.L.

[2] Hafenstadt an der Nordküste von Kypros (Zypern), h. Kyrenia. Das selbständige Fürstentum wurde 312 v. Chr. von Ptolemaios I. aufgelöst und → Nikokreon von Salamis unterstellt. K. war in der Spätant. Bischofssitz. Ant. Reste sind außer wenigen Gräbern einer Nekropole im Westen kaum bekannt. Fund eines griech. Schiffswracks vor der Küste.

Masson, 268f. • E. Oberhummer, s. v. K., RE 11, 344–347 • H. W. Swiny, M. L. Katzev, The Kyrenia Shipwreck, in: D. J. Blackman (Hrsg.), Marine Archaeology, 1973, 339–355. R.SE.

Keryx

[1] (Κῆρυξ). Stammvater des in Eleusis tätigen Priestergeschlechts der Keryken, nach denen er Sohn des Hermes und einer der drei Kekropstöchter → Aglauros [2], → Herse oder → Pandrosos war; einer anderen Genealogie zufolge Sohn des Eumolpos (schol. Soph. Oid. K. 1053). RA.MI.

[2] (κῆρυξ, »Ausrufer«, Herold). Synonym begegnen zuweilen auch ἄγγελος (*ángelos*) oder πρεσβευτής (*presbeutēs*), ohne daß eine strikte Unterscheidung vorliegt. Die Funktionen des *k*. umfassen polit., diplomat., jurist. und rituelle Angelegenheiten (vgl. Poll. 8,103). In homer. Zeit treten *kērykes* als Boten des → *basileús* sowie als Opferdiener in Erscheinung (Hom. Il. 1,320–336; 3,116–120). Ihr hohes Ansehen reicht offenbar bis in die myk. Zeit (Linear B bereits *ka-ru-ke*) zurück [1; 2].

Mit der Herausbildung der Polisorgane übernimmt der *k*. zunehmend die Rolle eines öffentl. Verkünders (vgl. ML 20, Z. 19–21), seit dem 5. Jh. v. Chr. ist er in Athen als (besoldeter) »*k*. des Rates«, der die Volksversammlung leitet, institutionalisiert (Aristoph. Ach. 45; IG II² 120,9f.). In den zwischenstaatl. Beziehungen agiert der *k*. als Abgesandter seiner Polis, er überbringt Kriegserklärungen und Bedingungen für den Waffenstillstand (Paus. 4,5,8; Xen. hell. 4,3,21). Im Krieg kann der Empfang gegnerischer *kērykes* per Gesetz untersagt werden (Thuk. 2,12,2). Seine Person gilt als unverletzlich (symbolisiert durch den Heroldsstab: *kērýkeion*), weshalb die Gefangennahme oder Tötung des *k*. als Verstoß gegen das »Völkerrecht« aufgefaßt wird (ToD 2, 137). Die kultisch-rituellen Funktionen des *k*. gingen in die Hände einzelner Priesterfamilien über. In Athen leiteten die Eumolpidai und Kerykes als *hierokērykes* die Mysterien (→ *mystēria*) von Eleusis, in Sparta hatten die Talthybiadai eine ähnliche Stellung inne [3].

1 Ventris/Chadwick 123 2 R. Mondi, The Function and Social Position of κῆρυξ in Early Greece, in: HSPh 83, 1979, 405f. 3 K. Murakawa, Demiurgos, in: Historia 6, 1957, 400f.

F. Adcock, D. J. Mosley, Diplomacy in Ancient Greece, 1975 • E. Olshausen (Hrsg.), Antike Diplomatie, 1979. HA.BE.

Kestrine (Κεστρίνη).

Landschaft in Epeiros gegenüber Korkyra nördl. des Thyamis, h. im albanisch-griech. Grenzgebiet. Nach Hekataios (bei Thuk. 1,46,4; [3. 446f.]) zu den → Chaones gehörig, seit dem 4. Jh. v. Chr. (?) im Gebiet der Thesprotoi. Einen Küstenort *Cestria* nennt Plin. nat. 4,4; [2. 111f.; 3. 677f.]. Berühmt war K. für seine Rinder (Hesych. s. v. Κεστρινικοὶ βόες). Inschr.: [1. 126, 137, 586].

1 P. Cabanes, L'Épire, 1976 2 S. I. Dakaris, Thesprotia, 1972 3 N. G. L. Hammond, Epirus, 1967. D.S.

Kestrinos (Κεστρῖνος). Eponym der griech. Landschaft → Kestrine, vormals Kammania, im Süden Thesprotiens gegenüber der Insel Kerkyra (Steph. Byz. s.v. Καμμανία). K. ist der Sohn des → Helenos [1] und der → Andromache; nach Helenos' Tod übernimmt Molossos, der Sohn des Neoptolemos und der Andromache, die Herrschaft über Thesprotien, wodurch K. zur Auswanderung nach Kammania veranlaßt wird; als neuer Herrscher wird er zum Namensgeber (Paus. 1,11,1f.; 2,23,6). E.V.

Kestroi (Κέστροι). Stadt in Kilikia Tracheia (Hierokles, Synekdemos 709,5; bei Ptol. 5,7,5 verderbt Κάϋστρος), h. Macar Kalesi, 6 km südöstl. von Selinus [1. 155 f. (mit Planskizze); 2].

1 G. E. BEAN, T. B. MITFORD, Journeys in Rough Cilicia 1964–1968, 1970 2 HILD/HELLENKEMPER I, 301. K.T.

Keteioi (Κήτειοι). Krieger des → Eurypylos [2] (Hom. Od. 11,521; Strab. 13,1,69f.), die aus dem mys. Theutranien im westl. Kleinasien stammen (schol. Hom. l.c.). Der Name K. wird verschieden interpretiert: entweder als »die Großen« oder als Ableitung des Flusses Keteios (Hesych. s.v. K.; Strab. l.c.). AL.FR.

Keteus (Κητεύς). Myth. König in Arkadien, Sohn des → Lykaon; nach Pherekydes bei Apollod. 3,7,2 auch Vater der → Kallisto. C.W.

Ketion s. Cetium

Keto (Κητώ). Tochter des Pontos und der Gaia. Sie ist von ihrem Bruder → Phorkys Mutter der → Graien, der Gorgonen (→ Gorgo), der → Echidna und der Schlange, die die goldenen Äpfel der → Hesperiden hütet (Hes. theog. 238; 270–336; Apollod. 1,10; 2,37); einer späteren Version zufolge galten auch die → Hesperiden als ihre Töchter (schol. Apoll. Rhod. 4,1399). RA.MI.

Ketos s. Sternbilder

Ketriporis (Κετρίπορις). Thrakischer König, der zusammen mit seinen Brüdern dem Vater → Berisades in der Herrschaft über das westl. Thrakien folgte. Sie alle wurden vom griech. Söldnerführer → Athenodoros [1] unterstützt (Demosth. or. 23,10) und schlossen 356 v. Chr. – zusammen mit Lyppeios von Paionien und Grabos von Illyrien – ein Bündnis mit Athen gegen → Philippos II. (IG II/III³ 127; Syll.³ 1, 196; StV 309; TOD 157) [1. 27]. Die Koalition war jedoch erfolglos, und K. wurde Vasall des maked. Königs (Diod. 16,22,3). K. prägte sehr schöne Bronze-Mz. in mehreren Nominalwerten.

1 C. L. LAWTON, Attic Document Reliefs, 1995.

E. BADIAN, Philip II and Thrace, in: Pulpudeva 4, 1980 (1983), 51–71 • U. PETER, Die Mz. der thrak. Dynasten (5.–3. Jh. v. Chr.), 1997, 144–146. U.P.

Kettos (Κηττός). Att. Asty- [2] oder Mesogeia-Demos [3] der Phyle Leontis, 3 (4) *buleutaí*. Inschr. sichern weder eine Lage bei Daphni [2] noch in der Gegend nordöstl. Menidi [3. 174f.].

1 TRAILL, Attica, 18, 43, 62, 68, 110 Nr. 66, Tab. 4 2 J.S. TRAILL, Demos and Trittys, 1986, 81 Anm. 7, 130
3 E. VANDERPOOL, The Acharnanian Aqueduct, in: Χαριστήριον εἰς Ἀναστάσιον Κ. Ὀρλάνδον 1, 1965, 166–175. H.LO.

Keyx (Κήϋξ; lat. Ceyx). Sohn des Hesperos und der Philonis (Apollod. 1,7,4), König von → Trachis. K. gewährt dem aus Kalydon flüchtigen Herakles, der von dort in den Tod auf den Oita ging, und dessen Gattin Deianeira Asyl (Apollod. 2,7,6; Diod. 4,57,1). Später nimmt K. auch die Herakliden auf, die er aber weiterschicken muß (Hekataios FGrH 1 F 30). K.' Leben ist von Schicksalsschlägen geprägt: Sein Sohn Hippasos nimmt an Herakles' Zug gegen Oichalia teil und fällt dort (Apollod. 2,7,7). Er verliert ebenso den frevelhaften Bruder Daidalion und dessen Tochter (Ov. met. 11,270; Hyg. fab. 244) und den Schwiegersohn → Kyknos. Über das Ende von K. und seiner Gattin Alkyone [2], einer Tochter des Aiolos, gibt es zwei Versionen: Beide nennen sich in ihrem Übermut Zeus und Hera und werden zur Strafe in Eisvögel verwandelt (Apollod. l.c.). Die bekanntere Version wird von Ovid berichtet (Ov. met. 11, 410ff; Hyg. fab. 65; Lukian. Halcyon 1 ff.). Sie zählt zu den rührendsten Liebesgeschichten der Ant.: K., der nach dem Tode des Bruders das klarische Orakel des → Apollon befragen will, kommt in einem gigantischen Seesturm ums Leben. Alkyone wird darüber in einem von Iuno initiierten Traum informiert. Als sie am Strand die Leiche des K. findet, werden beide in Eisvögel, während deren Brutzeit Windstille herrscht, verwandelt.

A. H. F. Griffin, The Ceyx Legend in Ovid's Metamorphoses Book 11, in: CQ 33, 1981, 147–154. C.W.

Khabour s. Ḫābūr

Kibyra (Κίβυρα).
[1] Bed. südphryg. Stadt (h. Gölhisar, ehemals Horzum) an der Grenze zu Lykia, Mitglied einer Tetrapolis mit Bubon, Balbura und Oinoanda, in der K. zwei Stimmen, die anderen drei dagegen nur je eine Stimme hatten, bis die Tetrapolis 84 v. Chr. von L. → Licinius Murena aufgelöst und K. mit der röm. Prov. Asia vereinigt wurde (Strab. 13,4,17); etwa in den J. 56 bis 49 Teil der Prov. → Cilicia. Seit Diocletianus gehörte K. zur Prov. Caria. K. war Mitglied des Panhellenion. Sagenhaft ist die Gründung durch Sparta [1. 497]; Strab. (l.c.) stellt jedoch fest, daß die Stadt durch Lydoi gegr. und anschließend von Pisidai besiedelt wurde, deren Sprachen dort neben Griech. gesprochen wurden. Nach einem Erdbeben 23 n. Chr. (Tac. ann. 4,13) war die Neugründung der Stadt durch Tiberius der Anf. einer lokalen Ära. Zentrum eines Rechtsdistrikts (*conventus*); Suffra-

ganbistum von Stauropolis (→ Aphrodisias [1]) in Caria. Weitläufige Ruinen: mehrere Theater und Tempel, Aquädukt, Nekropole.

1 OGIS.

W. RUGE, s. v. K., RE 11, 374–377 • Ders., s. v. Phrygia, RE 20, 836 • W. LESCHHORN, Ant. Ären (Historia Einzelschr. 81), 1993, 352–367.   T. D.-B./Ü: I. S.

[2] s. Pamphylia

Kidame (*Cidamus* bzw. *Cydamus*). Vorort der Phazanii im Schnittpunkt der Grenzen von Libyen, Tunesien und Algerien, h. Gadames. Nach Plin. nat. 5,35f. sind die Phazanii von den → Garamantes zu trennen. Zw. den Gebieten dieser beiden Stämme lag der Mons Ater, h. Hamada el-Homra. K. wurde – wie → Garama – 20 v. Chr. von L. Cornelius [I 7] Balbus, dem *proconsul Africae*, erobert. Eine *vexillatio* der *legio III Augusta* wurde in der Stadt stationiert [1]. Im Sahara-Handel spielte K. eine bed. Rolle. Unter Iustinianus wurden die Einwohner der Stadt christl. (Prok. aed. 6,3,9).

1 J. M. REYNOLDS, J. B. WARD PERKINS (Hrsg.), The Inscriptions of Roman Tripolitana, 1952, 907–912.

P. TROUSSET, s. v. Cidamus, EB 13, 1953f.   W. HU.

Kidenas (Κιδήνας, babylon. *Kidinnu*), chaldäischer Astronom, spätestens im 2. Jh. v. Chr., von Strabon neben Sudines und Naburianus gen., Entdecker der Gleichung 251 synodische Monate = 269 anomalistische Monate, Urheber des Systems B der babylon. Mondrechnung. Seine Beobachtungen wurden wahrscheinlich von → Kritodemos (CCAG 5,2,128,15), → Hipparchos [6] und → Ptolemaios benutzt.

→ Astronomie

QUELLEN: P. SCHNABEL, Berossos und die babylon.-hell. Lit., 1923, 121–130 • O. NEUGEBAUER, Astronomical Cuneiform Texts, 1955, 22f.
LIT.: B. L. VAN DER WAERDEN, Das Alter der babylon. Mondrechnung, in: Archiv für Orientforschung 20, 1963, 97–102 • F. H. WEISSBACH, W. KROLL, s. v. K., RE 11,379.   W. H.

Kiefer s. Pinus

Kierion (Κιέριον). Stadt in der thessal. Tetras Thessaliotis im Tal des Kuarios (h. Sophaditikos oder Onochonos), von den einwandernden Thessaloi als Hauptort nordöstl. der Stadt → Arne [2] der Boiotoi gegr., welche sie in der Folgezeit nach Süden in ihre histor. Sitze abdrängten (Thuk. 1,12,3; Strab. 9,5,14). Arne wird mit der Makria-Magula, K. mit den Ruinen auf einem nahen Hügel beim h. Pyrgos Kieriu gleichgesetzt. Bei K. lag das thessal. Stammesheiligtum der Athena Itonia (→ Iton). K. ergab sich 198 v. Chr. dem Flamininus (Liv. 32,15,3), wurde 191 von Philippos V. erobert (36,10,2) und kurz darauf den Römern übergeben (36,14,6). Die Beilegung eines Grenzstreits mit Metropolis z. Z. des

Tiberius ist im Tempel des Hercules inschr. dokumentiert (IG IX 2, 261). Mz. (HN 292).

B. HELLY, Incursions chez les Dolopes, in: I. BLUM (Hrsg.), Topographie antique et géographie historique en pays grec, 1992, 48–91 • V. MILOJČIĆ, in: AA 70, 1955, 229ff.; 75, 1960, 168 • D. THEOCHARIS, The Tumulus of Exolophos and the Thessalian Invasion, in: AAA 1, 1968, 268ff. • F. STÄHLIN, Das hellenische Thessalien, 1924, 130f.
                                                        HE. KR.

Kieselmosaik s. Mosaik

Kietis (Κιῆτις, Κῆτις). Landschaft der → Kilikia Tracheia (mit den Teilen Kennatis, Lakanitis, Lalassis), die an der Küste von → Anemurion bis zur Kalykadnos-Mündung, im Binnenland bis ins Quellgebiet des Kalykadnos reichte (Ptol. 5,7,3; 6). Von den *Cietae* bewohnt, die 52 n. Chr. Anemurion belagerten (Tac. ann. 6,41; 12,55). Mz.-Prägung von → Antiochos [18] IV. und von einzelnen Städten der K. ist belegt. Vgl. die Vita der Hl. → Thekla [1. 276]; → Hagia Thekla.

1 G. DAGRON, Vie et miracles de Sainte Thecle, 1978.

W. RUGE, s. v. K(i)etis, RE 11, 380f. • HILD/HELLENKEMPER, 301.   F. H.

Kikones (Κίκονες). Stammesverband an der nordägäischen Küste zw. Nestos und Hebros, dem späteren Siedlungsgebiet der Bistones und Sapaioi, in den hom. Epen Bundesgenossen der Troer (Hom. Il. 2,846f.; 17,72f.). Homer unterscheidet zw. K. an der Küste und im nördl. Gebirge. Ismaros wird als reiche Stadt der K. beschrieben, auch Schaf-, Rinderherden und Weinbau werden erwähnt (Hom. Od. 9,39–59). Die thrak. Zugehörigkeit der K. ist zweifelhaft. Ihr Name ging in die myth.-hom. Onomastik der ant. Lit. ein.

V. VELKOV, Thraker und Phryger nach den Epen Homers, in: Studia Balcanica 5, 1971, 279–285.   I. v. B.

Kikynna (Κίκυννα). Att. Mesogeia-Demos der Phyle → Akamantis, 2 (3) *buleutaí*. Nur ein Demos K. ist bezeugt [1. 83; 3. 20]. Lage unsicher (Chalidu? [1. 48; 2]).

1 TRAILL, Attica, 19, 48, 59, 68, 83, 110 Nr. 67, Tab. 5
2 J. S. TRAILL, Demos and Trittys, 1986, 132 3 WHITEHEAD, Index s. v. K.   H. LO.

Kilikes, Kilikia (Κίλικες, Κιλικία).
I. KILIKES II. KILIKIA III. GESCHICHTE

I. KILIKES
a) Von Homer (Hom. Il. 6,397; 415; vgl. Strab. 13,1,7; 60) erwähntes, in der südl. Troas ansässiges Volk. b) Die Bewohner der Landschaft Kilikia. Die Beziehung zw. beiden ist unklar.

II. KILIKIA
Der Name erscheint erstmals 858 v. Chr. in assyr. Quellen in der Form Ḫilakku, bezeichnet dort allerdings

nur den (von den Griechen zuerst aufgesuchten) gebirgigen Teil. Ein eponymer Heros Kilix erscheint in der myth. Lit. (z.B. Apollod. 3,1,1) als von Phoinikia kommender Siedler in K. Die histor. Landschaft K. (Strab. 14,5,1; Plin. nat. 5,91–93) an der Südküste Kleinasiens reicht im Westen bis → Korakesion bzw. zum Fluß Melas, im Osten bis zum → Amanos-Gebirge; im Norden bildet der Tauros eine nur an wenigen Stellen (→ Kilikische Tore [1]) passierbare Grenze. Der westl., gebirgige Teil wird als »Rauhe K.« (Κιλικία τραχεῖα/ *Kilikía tracheía*, lat. *Cilicia aspera*), der östl., von den Schwemmebenen der Flüsse → Kydnos, → Saros und → Pyramos geprägte Teil als »Ebene K.« (Κιλικία πεδιάς/ *Kilikía pediás*, lat. *Cilicia campestris*) bezeichnet.

III. GESCHICHTE
A. VORGRIECHISCHE ZEIT   B. GRIECHISCHE UND RÖMISCHE ZEIT   C. BYZANTINISCHE ZEIT

A. VORGRIECHISCHE ZEIT
Für die vorgriech. Gesch. → Kizzuwatna. In späthethit. Zeit (9./8. Jh.v.Chr.) entstanden in K. lokale Fürstentümer, z.B. in → Karatepe (unter Azitawadda), wo eine luwisch-phoinik. Bilingue auf das ›Haus des‹ (luwisch) ›Muksas‹ bzw. (phoinik.) ›Mpš‹ Bezug nimmt; dieser wird von manchen mit dem griech. Seher → Mopsos identifiziert, der auch Mopsuhestia und Mallos gegr. haben soll. K. war außerdem wichtiger Silberlieferant für Äg. (MR) und Assyrien (1. Jt.v.Chr.).

B. GRIECHISCHE UND RÖMISCHE ZEIT
Die Ansiedlung griech. Händler und Kolonisten während des 8. und 7. Jh.v.Chr. (z.B. in den samischen Kolonien Nagidos und Kelenderis, dem lindischen Soloi sowie Anchiale und Tarsos) ist vielfach auch arch. nachweisbar. Nach dem Zerfall der assyr. Herrschaft entstand das kilikische Reich der Syennesis-Dyn., welche noch zur Perserzeit in Tarsos als Vasall des Großkönigs residierte (Xen. an. 1,2,23). Durch die Schlacht bei → Issos (333 v.Chr.) kam K. zum Reich Alexanders d.Gr. und in weiterer Folge zu dem der Seleukiden, welche (v.a. → Antiochos [6] IV.) die Hellenisierung des Landes mit der Gründung bzw. Neukonstituierung zahlreicher *póleis* (Seleukeia am Kalykadnos, Antiocheia am Kydnos = Tarsos, Seleukeia am Pyramos = Mopsuhestia, Hierapolis → Kastabala, Epiphaneia) betrieben. Im 3. Jh.v.Chr. ist daneben auch zeitweilige ptolem. Präsenz in der »Rauhen K.« (→ Arsinoë [III 3]) zu beobachten. Die zunehmende Schwäche des Seleukidenreiches E. 2. Jh.v.Chr. begünstigte in K. die Ausbreitung der Seeräuberei, zu deren Bekämpfung die Römer erstmals 102 v.Chr. eine praetorische *provincia* → Cilicia einrichteten.

P. Servilius Vatia (später Isauricus gen.) unterwarf 78–74 v.Chr. die Bewohner der »Rauhen K.«. Die »Ebene K.« war 83 v.Chr. in die Hände des → Tigranes gefallen; die von ihm nach Tigranokerta verschleppten Kilikes konnte erst Lucullus 69 v.Chr. in ihre frühere Heimat zurückführen (Plut. Lucullus 26; 29). Ein ent-

scheidender Erfolg gegen die Piraten gelang dem mit *imperium proconsulare maius* ausgestatteten Pompeius 67 v.Chr., welcher die Unterlegenen in Pompeiopolis (dem früheren Soloi) und anderen entvölkerten Städten von K. ansiedelte (Plut. Pompeius 28; App. Mithr. 96; → Seeraub). Cicero führte als *proconsul* in Cilicia (51/0 v.Chr.) einen siegreichen Feldzug gegen die Eleutherokilikes im Amanosgebirge. Die große Prov. Cilicia wurde bis 43 v.Chr. aufgelöst, wobei der Hauptteil der »Rauhen K.« zunächst an → Amyntas [9] von Galatia, dann an → Archelaos [7] von Kappadokia fiel. Neben anderen kleineren Klientelstaaten (→ Olba) war in der »Ebenen K.« ein Reich des Tarkondimotos I. (*topárchēs*, »Ortskommandant«, ab ca. 40 v.Chr. *basileús Philantōnios*, »den Antonius liebender König«; Mz.) etabliert worden, der in beiden Bürgerkriegen auf Seite der Verlierer stand (Flottenhilfe für Pompeius und Antonius, Cass. Dio 41,63,1; 50,14,2; Tod bei → Aktion). Sein Sohn Tarkondimotos II. Philopator verlor daher 30 v.Chr. die Herrschaft (Cass. Dio 51,2,2), durfte aber zw. 20 v. und 17 n.Chr. erneut regieren.

Caligula überließ Teile von K. → Antiochos [18] IV. von Kommagene (Cass. Dio 59,8,2; Gründung von Antiocheia [3] am Kragos, Iotape), der Rest wurde der Prov. Syria angegliedert. Erst 72 n.Chr. schuf Vespasianus wieder eine eigene Prov. Cilicia mit der Hauptstadt Tarsos. 194 besiegte Septimius Severus seinen Rivalen Pescennius Niger an den → Kilikischen Toren [2]; 260 verwüstete Šapur I. große Teile von K. Diocletianus richtete die »Rauhe K.« unter dem Namen Isauria als eigene Prov. (mit Hauptstadt Seleukeia) ein.

→ Cilicia (röm. Prov.); Isauria; Kleinasien, Hethitische Nachfolgestaaten (mit Karte)

P. DESIDERI, A. M. JASINK, Cilicia – Dall'età di Kizzuwatna alla conquista macedone, 1990 • C. MUTAFIAN, La Cilicie au carrefour des empires, 1988 • T. B. MITFORD, Roman Rough Cilicia, in: ANRW II 7.2, 1230–1261 • HILD/HELLENKEMPER • G. DAGRON, D. FEISSEL, Inscriptions de Cilicie, 1987 • SNG Schweiz I/Levante, 1986 • R. ZIEGLER, Kaiser, Heer und städtisches Geld, 1993 • S. HAGEL, K. TOMASCHITZ, Repertorium der westkilikischen Inschr., 1998.   H.TÄ.

C. BYZANTINISCHE ZEIT
Die »Ebene K.« wurde um 400 n.Chr. in zwei Prov. mit den Hauptstädten → Tarsos (*Cilicia* sc. *Prima*) und → Anazarbos (*Cilicia Secunda*) unterteilt (Not. dign. or. 1,62; 94), die Kirche unterstand dem Patriarchat von → Antiocheia [1]. Nach einer langen Phase der Prosperität, die eine ausgedehnte, v.a. kirchliche Bautätigkeit zur Folge hatte, geriet K. seit der Mitte des 7. Jh. an die Grenze zum Kalifat und wurde weitgehend entvölkert. Um 700 wurde K. von den Arabern erobert und kam erst 965 an das Byz. Reich zurück. Bei der Neubesiedlung kamen in großer Zahl Armenier nach K., die dort nach 1071 das sog. Kleinarmen. Reich errichten (bis 1375).

HILD/HELLENKEMPER.   AL.B.

Kilikische Tore (Πύλαι Κιλίκιαι).

[1] In 1050 m Höhe gelegene, h. durch die Autobahn hoch verschüttete Engstelle im → Tauros, h. Gülek Boğazı, mit der Paßstraße von Tyana/Kappadokia nach Tarsos/Kilikia (Strab. 12,2,7), die u. a. in Xenophons *Anábasis* (Xen. an. 1,4,4; 401 v.Chr.), beim Zug Alexanders des Gr. (vgl. Arr. an. 2,4,3; 333 v.Chr.) und im Kampf des Septimius Severus gegen Pescennius Niger (Cass. Dio 74,7,1; 193/4 n.Chr.) eine Rolle spielte. Eine Bauinschr. am Nordeingang der K. T. (z.Z. Caracallas) nennt die *hóroi Kilíkōn* (ὅροι Κιλίκων, IGR III 892), das Itin. Burdig. 578,5–579,1 die *mutatio Pilas, fines Cappadociae et Ciliciae*. Die Straße selbst, von der weiter südl. bei Sağlıklı (früher Bayramlı) noch ein großes Stück mit der alten Pflasterung und einem Straßenbogen erh. ist, hieß *via Tauri* [1]. Im MA wurden die K. T. Darb as-Salāma (»Paß des Heils«), Porta Iuda, Kuklak kapan oder Porta de Ferre gen. [2. 263f.; 3. 213, 387].

1 R. P. HARPER, in: AS 20, 1970, 149–152 2 HILD/RESTLE 3 HILD/HELLENKEMPER.

W. RUGE, s. v. Κιλίκιαι Πύλαι, RE 11, 389f. •
H. TREIDLER, s. v. Πύλαι Κιλίκιαι, RE Suppl. 9, 1352–1366 •
D. FRENCH, Roman Roads and Milestones of Asia Minor, Fasc. 1, 1981, 122f.   F.H.

[2] Ca. 10 km nördl. von → Alexandreia [3] zw. Amanosgebirge und Mittelmeer gelegener Strandpaß, zur Unterscheidung von den K. T. [1] auch »Kilikisch-Syrische Tore« (Xen. an. 1,4,4) gen. Zw. 72 und ca. 300 n.Chr. Grenze der röm. Prov. → Cilicia und Syria [1]. In unmittelbarer Nähe fand 194 n.Chr. bei → Issos die Entscheidungsschlacht zw. Septimius Severus und Pescennius Niger, der zuvor schon bei den K. T. [1] geschlagen worden war, statt (Cass. Dio 74,7), zu deren Gedenken ein Triumphbogen (»Jonaspfeiler«) erbaut und Agone eingerichtet wurden.

1 H. TAEUBER, Die syr.-kilik. Grenze während der Prinzipatszeit, in: Tyche 6, 1991, 201–210
2 HILD/HELLENKEMPER, s. v. Kilikiai Pylai, 302.   H.TÄ.

Kilix (Κίλιξ). Sohn der Telephassa und des → Agenor [1], der ihn mit seinen Brüdern auf die (vergebliche) Suche nach der entführten → Europe [2] schickt. K. wird Begründer und Eponym Kilikiens (Hyg. fab. 178). Durch Kriegshilfe, die er Sarpedon leistet, gewinnt K. auch einen Teil Lykiens (Apollod. 3,2ff.; Hdt. 7,91). In einer späteren Version wird Sarpedon, der auf der Suche nach seiner Schwester ist, unerkannt von seinem Onkel K. erschlagen (vita Theclae PG 85, 478ff.; vgl. das Hildebrandslied). Schol. Apoll. Rhod. 2,178, wo verschiedene Gewährsmänner referiert werden, nennt K. den Sohn des Phoinix und Enkel des Agenor.   C.W.

Killa

[1] (Κίλλα, lat. *Cilla*). Es scheint mindestens zwei Orte dieses Namens gegeben zu haben. Den einen erwähnt Hdt. 1,149; er gehörte zu den 11 aiolischen Städten und lag nach [1. 216f.] nicht in der Troas. Der andere wird in

der ›Ilias‹ erwähnt (Hom. Il. 1,38; 452) und soll in der Nähe von Chryse und Thebe – wohl nordwestl. der Bucht von Adramytteion – gelegen haben; seine genaue Lokalisierung ist noch nicht gelungen. Davon unterschieden werden kann vielleicht auch noch die Stadt Cilla, die nach Diktys (2,13) von den Griechen unter Achilleus zerstört wurde; diese ist in der Nähe von Neandreia und Kolonai zu suchen. Welchem der beiden letztgen. K. das berühmte Heiligtum des Apollon Killaios (Strab. 13,1,62) zuzuordnen ist, bleibt fraglich.

1 W. LEAF, Troy, 1912 2 E. SCHWERTHEIM, Neandria, in: Ders. (Hrsg.), Neue Forsch. zu Neandria und Alexandria Troas, 1994, 21–37 3 J. STAUBER, Die Bucht von Adramytteion 1 (IK 50), 1996.   E.SCH.

[2] (Κίλλα). Tochter des → Laomedon [1]. Als der Seher Aisakos in bezug auf die mit → Paris schwangere → Hekabe weissagt, Mutter und Sohn müßten sterben, um Unheil von Troia abzuwenden, wird K. infolge einer Fehldeutung zusammen mit ihrem am gleichen Tag wie Paris geborenen Sohn getötet (Tzetz. zu Lykophr. 224).   RE.N.

Killaktor s. Kallikter

Killas (Κίλλας; auch *Kíllos*, Κίλλος). K., der nach troizenischer Sage Sphairos heißt, ist Wagenlenker des → Pelops (Paus. 5,10,7; schol. Eur. Or. 990). Auf dem Weg zum Wagenrennen mit Oinomaos fällt K. bei Lesbos ins Meer und ertrinkt. Pelops errichtet ihm ein Grabmal, einen Tempel des Apollon Killaios und gründet die Stadt Killa (Theopompos 339 FHG 1).   AL.FR.

Killes (Κίλλης). Makedone, *phílos* und *stratēgós* Ptolemaios' I. K. konnte nach der Schlacht von Gaza 311 v.Chr. Demetrios [2] aus Syrien vertreiben, wurde aber von diesem gefangengenommen und zu Ptolemaios zurückgeschickt. PP II/VIII 2164.   W.A.

Kimissa (Κιμίσσα). Stadt auf Sizilien, bekannt durch zwei Silber-Mz. (*lítra*; *hēmídrachmon*) aus der Zeit des → Timoleon (Mitte 4. Jh. n.Chr.); Av.: mit Ohrring, Halskette und Krone geschmückter Nymphenkopf und der Legende OMONOIA, Rv.: Altar mit brennendem Opferfeuer und der Legende KIMIΣΣAIΩN (FO: Raffe di Mussomeli Agrigento); hier ist auch K. zu lokalisieren.

G. MANGANARO, Homonoia dei Kimissaioi, Eunomia dei Geloi e la ninfa (termitana) Sardó, in: U. FELLMETH, H. SONNABEND (Hrsg.), Alte Geschichte. FS E. Olshausen, 1998, 131–142.   GI.MA./Ü: J.W.M.

Kimmerioi (Κιμμέριοι, lat. *Cimmerii*). Nomadenvolk wohl iran. Herkunft, für das 8./7. Jh. v.Chr. bezeugt. Assyr. und babylon. Formen des Namens: *Ga-mir, Gimir-a-a* u. ä.; im AT als *gmr*, in der Masora *Gòmär*. Nach einem Dokument aus der Zeit Sargons II. [1. Nr. 30–32] zog der urartäische König Rusa I. ins Land *Gami(ra)* (zw.

720 und 714 v. Chr.) und wurde dort geschlagen. Aus derselben Zeit bezeugt ein weiteres Dokument einen Einmarsch der K. in → Urartu aus dem Gebiet südl. des Sees Urmia [2. Nr. 2,1]. Der Ausgangspunkt der Aggression der K. lag also wohl im transkaukasischen Gebiet. 679 v. Chr. wurde Teušpa, der König der K., bei der Stadt Ḫubušnu von den Assyrern besiegt. In den folgenden Jahren sind sie im Gebiet westl. des Van-Sees, in Parsua westl. von Medien und evtl. in Ellipi zw. → Media und → Elam anzutreffen. Zur Zeit des medischen Aufstandes (674–672 v. Chr.) waren sie Bundesgenossen der Meder.

Nach Strab. 1,3,21 drangen K. in → Kleinasien ein, als der phryg. König → Midas starb (etwa 700–675 v. Chr.). Nach assyr. Quellen griffen sie um 665 v. Chr. das lyd. Reich an, doch → Gyges, dessen Nachfolger, konnte sie mit Hilfe → Assurbanipals abwehren. Zu dieser Zeit befanden sich die K. in → Kappadokia, von wo aus sie auch Teile von Syria unter Kontrolle hatten. 644 v. Chr. besiegten sie die Lydoi und nahmen ihre Hauptstadt → Sardeis ein. Möglicherweise waren die K. mit den Lykioi und Treres verbündet, die 637 Sardeis erneut erstürmten. Von etwa 640–630 an griffen die K. unter der Führung ihres Königs → Lygdamis (akkad. *Dugdammē*) zusammen mit den Treres die aiol. und ostion. griech. Städte an (Hdt. 1,6; Kall. h. 3,253ff.; Strab. 1,3,21; 3,2,12; 11,2,5). Sie fielen auch in → Paphlagonia (Strab. 1,3,21), in das Gebiet von → Sinope, → Herakleia [7] Pontike und in → Bithynia (Arr. FGrH 156 F 60; 76) ein. Um etwa 640 versuchten sie, ein Bündnis mit dem Staat Tabal abzuschließen und griffen die Assyrer zweimal an. Lygdamis starb kurz nach dem zweiten Angriff. Sein Nachfolger wurde sein Sohn Sa-andak-KUR-ru. Nachdem der skythische König Madyes die Treres besiegt hatte (Strab. 1,3,21), schlug der lyd. König → Alyattes gegen E. 7. oder Anf. 6. Jh. die K. (Hdt. 1,16; Polyain. 7,2,1). Danach gibt es keine histor. Quellen über die K. mehr.

In der griech. Lit. werden die K. zuerst bei Hom. Od. 11,14 erwähnt, wo sie als Bewohner des Gebiets jenseits des → Okeanos beschrieben sind, dort, wo sich der Eingang zum Hades befände. Die westl. Griechen lokalisierten diesen Ort schon früh am → *lacus Avernus* (Ephor. FGrH 70 F 134; Strab. 5,4,5). Die K. wurden auch mit den Kelten (Poseid. FGrH 87 F 31) identifiziert. Fast alle ant. Schriftsteller der hell. und röm. Zeit betrachteten die K. aus der Perspektive der ›Odyssee‹. Nach der klass. ant. Geschichtsschreibung dagegen lagen die Stammsitze der K. im südrussischen Steppengebiet oberhalb der Nordküste des Schwarzen Meeres. Der erste Beleg dafür findet sich in den *Arimáspeia* des Aristeas von Prokonnesos (etwa 550 v. Chr.), wonach die → Skythai die K. aus ihrem Stammland vertrieben hätten. Nach Hdt. 4,11–13 hätten sich die Aristokraten der K. gegenseitig umgebracht, um nicht dem Volk nachzugeben, das angesichts der skyth. Übermacht auswandern wollte. Die Könige seien in Grabhügeln am → Tyras begraben worden, wonach sich die K. an der

kaukasischen Schwarzmeerküste nach Sinope aufmachten.

Am Kimmerischen → Bosporos [2] weisen viele Toponyme auf die K. hin; diese histor. Ansicht stammt von den frühen Kolonisten am Tyras und am Bosporos und wurde von den meisten neuzeitlichen Historikern übernommen. Dementsprechend werden meist vorskyth. Funde, die der Černaja gora- und Novočerkask-Kulturen in Südrußland/Ukraine, den K. zugesprochen. Dagegen sprechen allerdings schwerwiegende Argumente: Vom 10. Jh. v. Chr. bis zur Ankunft der Skythai waren die Gebiete beiderseits des Kimmerischen Bosporos weitgehend unbesiedelt; die altorientalischen Quellen geben andere Lokalisierungen, die gesichert sind; es gibt keine Analogien zur Novočerkask-Kultur in Transkaukasien, Anatolien oder im Nahen Osten. Erst die griech. Kolonisten haben wahrscheinlich Reste brz. Siedlungen und Gräber mit den K. verbunden, die in für sie nicht ferner Vergangenheit die Ostküste des → Pontos Euxeinos angegriffen hatten und mit ihrer Aggressivität sicherlich früh sagenumwoben waren. Die Kolonisten haben dann dementsprechend die »kimmerische« Toponymie am Bosporos geschaffen. Nach arch. Funden sind die K. nicht von Skythai zu unterscheiden, weshalb man sie für Iranier hält.

1 S. PARPOLA, State Archives of Assyria 1. The Correspondence of Sargon II, 1987 2 K. DELLER, Ausgewählte neuassyr. Briefe betreffend Urartu zur Zeit Sargons II, in: P. E. PECORELLA u. a., Tra lo Zagros e l'Urmia, 1984, 97–104.

A. I. TERENOŽKIN, Kimmerijcy, 1976 · M. A. DANDAMAEV, Data of the Babylonian Documents from the 6th to the 5th Century B. C. on the Sakas, in: J. HARMATTA (Hrsg.), Prolegomena to the Sources on the History of Preislamic Central Asia, 1970, 95–109 · I. M. D'JAKONOV, The Cimmerians, in: Monumentum Georg Morgenstierne 1 (Acta Iranica 21), 1981, 103–140 · A. I. IVANCIK, Les Cimmériens au Proche-Orient, 1993 · S. R. TOKHTAS'EV, Die Kimmerier in der ant. Überl., in: Hyperboreus 2, fasc. 1, 1996, 1–46.   I. v. B.

Kimolos (Κίμωλος). Kykladeninsel (35 km²) im NO von Melos, bergig (Palaiokastro 398 m H), besteht aus den gleichen vulkanischen Tuffen wie Melos. Die »Kimolische Erde« (Cimolith), ein fettlösender Seifenton, wurde zum Waschen und für die Porzellanherstellung verwendet. Ein weiterer Exportartikel von K. waren Feigen. Die ant. Stadt lag im SW beim h. Hellenika. Die Nekropole enthält Gräber schon aus vormyk. Zeit; die Funde reichen vom 2. Jt. v. Chr. bis in hell. Zeit. Eine andere ant. Siedlung befand sich beim h. Palaiokastro, wo die Reste einer Stadtmauer und eines Rundturmes erh. sind. K. gehörte im J. 425/4 v. Chr. dem → Attisch-Delischen Seebund mit einem Tribut von 1000 Drachmen an (ATL 1,312f.; 2,81; 3,24; 198). Quellen: Aristoph. Ran. 712 mit schol.; Strab. 10,5,1; 3; Ptol. 3,15,8; Plin. nat. 4,70. Inschr.: IG XII 3, 1259f. und p. 336; SEG XII 367; HN 484.

L. BÜRCHNER, s. v. K., RE 11, 435 f. · CH. MUSTAKAS, K.,
in: MDAI(A) 69/70, 1954/5, 153 ff. · H. KALETSCH, s. v. K.,
in: LAUFFER, Griechenland, 328 f. · PHILIPPSON/KIRSTEN 4,
186, 194 f.   H. KAL.

Kimon (Κίμων).

[1] K., genannt *Koálemos* (»Dummkopf«), Sohn des
Stesagoras aus Athen, geboren um 585 v. Chr., mußte
unter der Tyrannis des → Peisistratos Athen verlassen.
Im Exil erzielte er zwei olymp. Siege mit dem Vierge-
spann (536 und 532 v. Chr.). Da K. den 2. Sieg für Peisistratos ausrufen ließ, konnte er zurückkehren. K.s
hohes Prestige nach dem 3. olymp. Sieg (528) brachte
ihn in Konflikt mit den Nachfolgern des Tyrannen.
Jedenfalls wurde er wenig später auf Veranlassung des
Hippias [1] ermordet. K.s Söhne Stesagoras und → Miltiades gingen als Nachfolger seines Stiefbruders
→ Miltiades als Tyrannen auf die Chersonesos (Hdt.
6,34; 38; 103).

DAVIES 8429 VII · M. STAHL, Aristokraten und Tyrannen im
archa. Athen, 1987, 116 ff.

[2] Sohn des → Miltiades und der thrak. Prinzessin He-
gesipyle, geb. um 510 v. Chr., wichtigster Heerführer
und Politiker Athens in den 70er und 60er J. des 5. Jh.
Seit 478 wurde K. immer wieder zum *stratēgós* gewählt
und kommandierte die Streitkräfte des → Attisch-
Delischen Seebunds bei allen wichtigen Operationen
zw. 476 und 463: So etwa bei der Eroberung von Eion
[1] am Strymon; bei der Einnahme der Insel Skyros und
der Vertreibung der dort ansässigen Doloper; bei der
zwangsweisen Eingliederung der Stadt Karystos auf Euboia in den Seebund; beim mil. Schlag gegen → Naxos,
das den Seebund verlassen wollte; bei dem Feldzug in
Kleinasien, der in der Doppelschlacht am Eurymedon
seinen Höhepunkt fand, und schließlich bei der Belagerung des abtrünnigen Bündnerstaates → Thasos
(Thuk. 1,98–101). Von einer 463 von innenpolit. Gegnern erhobenen Anklage wegen Bestechung wurde K.
freigesprochen ([Aristot.] Ath. pol. 27,1; Plut. Kimon
14,3–15,1).

462 entschieden sich die Athener auf seinen Vorschlag hin, Sparta bei der Niederschlagung des → He-
loten-Aufstandes zu unterstützen. Als die Spartaner jedoch das Hilfscorps der Athener zurückschickten, weil
man deren »verwegene Art« fürchtete und sie revolutio-
närer Tendenzen verdächtigte, geriet K. als Initiator in
Mißkredit (Thuk. 1,102; Plut. Kimon 16,8–17,2). Während seiner Abwesenheit war in Athen auf Initiative des
→ Ephialtes [2] der Areopag entmachtet worden. K.s
Versuch, gegen diese Entscheidung zu opponieren und
die Reform rückgängig zu machen, hatte seine Ostra-
kisierung (→ Ostrakismos) und das Ende seiner Karriere
zur Folge (Plat. Gorg. 516d; Plut. Kimon 15,3; 17,3).
458 soll K. auf dem Schlachtfeld von Tanagra erschienen
sein, um am Kampf gegen die Spartaner teilzunehmen.
Man traute ihm jedoch nicht und wies ihn ab. Ob es ihm
tatsächlich gelang, seine spartafreundlichen Freunde zu

einem loyalen Einsatz für Athen zu überreden, und er
dafür mit einer vorzeitigen Rückberufung belohnt
wurde, läßt sich aufgrund der Überl.-Lage nicht mehr
ausmachen (And. 3,3; Theop. FGrH 115 F 88; Plut. Kimon 17,4–9; Plut. Perikles 10,1–5). Als K. nach Athen
zurückkehrte, vermittelte er einen Friedensvertrag mit
Sparta, nahm an dem Feldzug zur Rückgewinnung Zyperns teil und starb dort an einer Seuche (And. 3,3; Aischin. leg. 172; Thuk. 1,112,4).

Lange galt K. als Prototyp des »konservativen« Aristokraten und als Vertreter einer prospartan., antide-
mokrat. Politik. Neuere Unt. zeigen jedoch, daß sein
offizieller Status als → *próxenos* und seine persönl. Beziehungen nach Sparta seine Aktionen als *stratēgós* nicht
beeinflußten: Diese zielten auf eine kompromißlose
Erweiterung des Seebundes und des athen. Einflußbereiches auf die gesamte Ägäis. Auch K.s Aktivitäten
auf der polit. Bühne in Athen weisen ihn nicht als den
›Führer der Partei der Reichen und Vornehmen‹ aus,
›der mit den Führern des Volkes um die Macht im Staate
kämpfte‹, als den ihn erstmals die *Athēnaíōn Politeía* darstellt ([Aristot.] Ath. pol. 26,1). Die Großzügigkeit, mit
der K. seine Demengenossen mit Mahlzeiten, Kleidung
und Almosen unterstützte, die von ihm errichteten öffentl. Bauten und ihre Bildprogramme zeigen ebenso
wie die spektakuläre Rückführung der Gebeine des
myth. Königs → Theseus, daß K. das Instrument der
publikumswirksamen Mittel beherrschte, mit denen ein
ambitionierter Aristokrat auch in demokrat. Athen polit. Einfluß gewinnen konnte (Plut. Kimon 4,5; 10,1–9;
13,6 f.). K.s Karriere kann als Beispiel dafür angesehen
werden, daß eine Interpretation der athen. Geschichte
des 5. Jh. mit dem aristotelischen Raster eines ewigen
Gegensatzes zw. Aristokraten und Demokraten in die
Irre führt.

M. STEINBRECHER, Der delisch-att. Seebund und die
athen.-spartan. Beziehungen in der kimon. Ära, 1985 ·
E. STEIN-HÖLKESKAMP, Adelskultur und Polisgesellschaft,
1989, 218 ff.

[3] Athener, möglicherweise Nachkomme von K. [2],
war 346 v. Chr. Mitglied einer Friedensgesandtschaft an
Philippos II. (Aischin. leg. 21; Demosth. or. 19, hyp. 2
§4). DAVIES 8429 XV.   E. S.-H.

[4] Griech. Maler aus Kleonai auf der Chalkidike, wirkte in den letzten Jahren vor 500 v. Chr. und der Dekade
danach. Neben der Zugehörigkeit zur Gruppe der Mo-
nochrom-Maler wurden seine maltechnischen Neuerungen, darunter die sog. κατάγραφα (*katágrapha*), gerühmt. Dies bedeutete einen wichtigen Fortschritt, v. a.
hinsichtlich der Entwicklung der Körperperspektive unter
wechselndem Blickwinkel (→ Perspektive). So gab K.
Köpfe und Gesichtszüge, aber auch komplizierte Hal-
tungen von Figuren mithilfe kunstvoller Verkürzungen
in Schräg- und anderen Ansichten vielfältiger als zuvor
üblich wieder. Einzelne Körperteile wurden zudem
durch eine naturgetreuere Angabe organischer Details

differenzierter dargestellt, ebenso die Stofflichkeit der Gewänder (Plin. nat. 35,56). Alle gen. Kriterien finden sich auf etlichen rf. att. Vasenbildern der sog. Pioniergruppe wieder, deren Hersteller Zeitgenossen K.s waren (→ Vasenmaler).

N. Hoesch, Bilder apulischer Vasen und ihr Zeugniswert für die Entwicklung der griech. Malerei, 1983, 98 ff. · N. Koch, De Picturae Initiis, 1996, 28 f. · G. Lippold, s. v. K. (10), RE 11, 454 · I. Scheibler, Griech. Malerei der Ant., 1994. N. H.

Kinadon (Κινάδων). Als *hypomeíōn* (»Minderberechtigter«) wohl vollbürtiger Spartaner ohne Vollbürgerrecht, suchte K. 398 v. Chr. bei → Heloten, Neodamoden, Hypomeiones und → Perioiken nach breiter Unterstützung für einen Umsturz, um die herrschende Spartiatenschicht zu entmachten. Einzelheiten über Reformpläne sind nicht bekannt. K. wurde verraten, in eine Falle gelockt und getötet, nachdem er auf der Folter seine Mitwisser genannt hatte. Im Bericht Xenophons (Xen. hell. 3,3,4–11) übertreibt K. generalisierend die Spannungen in Sparta.

P. Cartledge, Sparta and Lakonia, 1979, 312 f. · M. Whitley, Two Shadows, in: A. Powell, St. Hodkinson (Hrsg.), The Shadow of Sparta, 1994, 87–126, bes. 102 f. K.-W. Wel.

Kinados (Κίναδος, »Fuchs«). Einer der Steuerleute des → Menelaos. Sein Grabmal soll sich auf dem lakon. Vorgebirge Onugnathos (»Eselskinn«) gegenüber der Insel → Kythera, unweit eines angeblich von Agamemnon erbauten Athenaheiligtums, befunden haben (Paus. 3,22,10). In der ›Odyssee‹ (Hom. Od. 3,282) heißt er → Phrontis; dieser war jedoch am Kap Sunion begraben. R. A. Mi.

Kinaidologoi s. Pornographie

Kinaithon (Κιναίθων). Ep. Dichter aus Sparta; als Lebenszeit ist das 7. oder 6. Jh. v. Chr. anzunehmen. Von seinen Werken ist nichts im Wortlaut erhalten, aus den Testimonien ergibt sich als Grundcharakteristik seiner Epen das Darstellen von Genealogien. Eine Notiz auf den *Tabulae Iliacae* nennt K. als Verf. einer *Oidipodeia*. Nach Hier. chron. 4,2 wäre er auch der Dichter einer Telegonie gewesen, doch ist als Verfassername für dieses Epos üblicherweise Eugammon überliefert. Ob K. ein Herakles-Epos verfaßt hat, ist unsicher; noch zweifelhafter ist K.s in einem Scholion zu Eur. Tro. 821 erwähnte Autorschaft für die *Ilias Mikra* (→ Epischer Zyklus).

Ed.: PEG I 115–117 · EpGF 92 f., 142.
Lit.: U. v. Wilamowitz, Homer. Untersuchungen, 1884, 348 f. · A. Rzach, s. v. K., RE 11, 462 f. E. V.

Kind, Kindheit A. Begrifflichkeit und Einstellung zum Kind B. Geburt und Annahme des Kindes C. Frühe Kindheit und Bezugspersonen D. Krankheit und Tod E. Sklavenkinder

A. Begrifflichkeit und Einstellung zum Kind

Zahlreiche ant. Bezeichnungen für das Kind (Lit., Rechtssprache etc.) unterscheiden Stadien der Kindheit (βρέφος/*bréphos*, παιδίον/*paidíon*, παῖς/*pais*; lat. *infans*, *puer*), betonen die unterschiedliche Bedeutung des Kindes für beide Elternteile (*pais*/*téknon*) oder die Schuld- und Haftungsunfähigkeit von Kindern (*infans*, *impuber*); manche Begriffe besitzen dabei ein breites Bedeutungsspektrum [6. 12–22].

In der für Griechenland wie Rom zu beobachtenden Dichotomie von Kindheit und Erwachsensein besaß die Kindheit als Lebensphase keinen Wert an sich; sie wurde als Phase menschlicher Unvollkommenheit charakterisiert [6. 1–22; 12. 17–25]. Ohne daß eine solche Einstellung, die durchaus mit Anteilnahme am Alltag und Schicksal des Kindes einhergehen konnte, verschwunden wäre, zeigte sich bereits in hell. Zeit auch ein intensiveres Nahverhältnis zum Kind, das nun um seiner selbst willen beobachtet und bildlich wie poetisch dargestellt wurde. Man erfreute sich an seiner unverfälschten Natürlichkeit sowie an seiner Integrität und nahm es bereits in seiner körperlichen und seelischen Eigenart wahr. Auch die röm. Lit. (vgl. Cic. Att. 1,10,6; 7,2,4) und Kunst thematisierten seit dem 1. Jh. v. Chr. Kinder und Kindheit, betonten die spezifischen Charakteristika des Kindes im Unterschied zum Erwachsenen und fanden auch zu einer gefühlsbetonten Sprache (Kosenamen) und Ikonographie [3. 102 f.]. Daneben findet sich auch das Lob des *puer senex*, des begabten Kindes, das sich wie ein Erwachsener verhält. In der Spätant. wurde die Phase der Kindheit von Augustinus (Aug. conf. 1) prägnant beschrieben, wobei aufgrund des kindlichen Verhaltens die Sündhaftigkeit des Säuglings postuliert und Zwang als Mittel der Erziehung bejaht wird.

B. Geburt und Annahme des Kindes

Lit., philos., juristische und medizinische Texte, die den Wunsch ant. Menschen nach Kindern zum Ausdruck bringen bzw. die Zeugung von Kindern als den eigentlichen Zweck der Ehe und zugleich als Pflicht eines guten Bürgers bezeichnen (vgl. etwa Plin. epist. 4,15,3 und die Rechtsformel *liberorum quaerendorum causa*), bieten Hinweise auf das Wissen um die gesundheitlichen Risiken für Kind und Mutter in der Geburts- und Säuglingsphase [9. 93 f., 103 ff.] sowie auf die Bedeutung der Ehelichkeit und damit auch des Rechtsstatus eines Kindes. Die Reinigung des Hauses nach einer → Geburt und die Annahme des Kindes durch den κύριος (→ *kýrios*) bzw. → *pater familias* sind dabei Zeichen der Versöhnung mit den Göttern; die verzögerte Aufnahmezeremonie (ἀμφιδρόμια/*amphidrómia*; → *lustratio*) und die noch spätere Namengebung und Registrierung dokumentierten die rechtliche Anerkennung des Kindes und bezeugen gleichzeitig das Bewußtsein um seine physische Gefährdung (Plat. Tht. 160e–161a; Aristot. hist. an. 588a; Macr. Sat. 1,16,36) [5. 51–56; 2. 284–287; 4. 323–327]. Überprüfungen der physischen Konstitution des Kindes wurden von Medizinern empfohlen und in Sparta praktiziert.

C. Frühe Kindheit und Bezugspersonen

Neben Mutter und Geschwistern unterhielten in der Säuglings- und Kleinkindphase auch andere Personen intensive Kontakte zu Kindern eines Hauses: in den Haushalten reicher Familien etwa die (zumeist unfreien) → Ammen, *paedagogi* und anderes Dienstpersonal, in ärmeren Familien Verwandte und Nachbarn bzw. deren Kinder (zum Vater vgl. Aristoph. Nub. 1380–1385). Mediziner und Philosophen haben die Auswahl sowie die physische und charakterliche Eignung dieses Personenkreises (Plut. mor. 4b–5a), aber auch die frühkindliche Erziehung und Charakterbildung selbst in ihren Schriften behandelt [1. 13–36, 37–75]. In diesem Alter besaßen die Kinder, soweit sie nicht aus wirtschaftlichen Zwängen bereits zu Arbeiten herangezogen wurden [1. 103–124], einen Freiraum für nachahmende und freie Spiele (mit Reifen, Jo-Jo, Ball, Nüssen etc.); ant. Erziehungstheorien versuchten, bereits diese Spielphase in den Dienst der → Erziehung zu stellen (Plat. leg. 643b-d; Aristot. pol. 1336a; vgl. für das Christentum Hier. epist. 107,4). Die erste Lebensphase, die auch spezifische Feste für Kleinkinder kannte (z. B. in Athen die χόες/*chóes*), endete mit dem Beginn des außerhäuslichen Unterrichts oder der ἀγωγή (→ *agōgḗ* für die Jungen und der häuslichen, aber ebenfalls auch außerhäuslichen (vor allem im Hell. und in Rom) Ausbildung für die Mädchen im Alter von etwa 7 Jahren.

D. Krankheit und Tod

Angesichts hoher Säuglings- und Kindersterblichkeit hat man ant. Eltern Indifferenz gegenüber dem Tod ihrer Kinder (Lit. in [5. 48–51]) oder Strategien emotionalen Selbstschutzes unterstellen wollen (vgl. Cic. Tusc. 1,93); zuweilen ging man in der neueren Forsch. so weit, Kindesmißhandlung und Kindestötung als regelrechte Kennzeichen der Ant. zu postulieren. Nun sind elterliche Grausamkeit und mangelnde Fürsorge zwar in der Überl. nachzuweisen, ebensogut jedoch auch elterliche Zuneigung, Liebe und Trauer [5]. Wenn etwa kleine Kinder in Grabinschr. unterrepräsentiert sind, wohl öffentliche Erinnerung blieben oder nur mit eingeschränkten Trauerriten und -zeiten bedacht wurden (Vat. 321), hatte dies wohl seinen Grund darin, daß sie noch nicht als vollwertige Familienmitglieder angesehen wurden und früh als Träger familiärer Traditionen, als Versorger der Eltern, Pfleger des Ahnenkultes, Arbeitskräfte und Erben ausfielen. Auch ist zu bedenken, daß die ant. Erinnerungs- und Dedikationspraxis stark von lit. und gesellschaftlichen Konventionen abhängig war. Dabei wird man die Einstellung der – in der Überl. meist stummen – Mütter zu ihren Kindern nach den Mühen und Ängsten von Schwangerschaft, Geburt und

Kinderpflege nicht ohne weiteres mit derjenigen der Väter, Ärzte, Rechtsgelehrten, Politiker oder Moralisten gleichsetzen dürfen. Früher Kindstod stand in der Ant. – wie heute in den Entwicklungsländern – in enger Verbindung mit elterlicher Armut, mangelnder Ernährung und Kinderkrankheiten. Überstanden Kinder die in dieser Hinsicht besonders kritischen ersten Lebensjahre, traf die *mors immatura* die Eltern umso heftiger [5].

E. Sklavenkinder

Die unfreie Geburt spielte in Griechenland, im griech.-röm. Ägypten und im Westen des Imperium Romanum eine bedeutende Rolle für den Fortbestand der Sklaverei. Der Lebenslauf von »hausgeborenen Sklaven« (οἰκογενεῖς/*oikogeneís*, lat. *vernae*: Ausbildung, Konkubinat, Verkauf oder Freilassung) war dabei abhängig von der sozialen Stellung und den Vorstellungen des Herrn. Sklavenkinder werden in der röm. Lit. als frech und schlecht erzogen geschildert (Sen. de providentia 1,6; Hor. sat. 2,6,66; Mart. 10,3,1), dennoch scheinen Sklavenbesitzer solche *vernae* durchaus geschätzt zu haben (Sen. epist. 12,3) [7].

→ Erziehung; Familienplanung; Familie; Geburt; Jugend; Kinderspiele; Kindesaussetzung

1 K. Bradley, Discovering the Roman Family, 1991 2 M. Deissmann-Merten, Zur Sozialgesch. des Kindes im ant. Griechenland, in: [8], 267–316 3 S. Dixon, The Roman Family, 1992, 98–132 4 E. Eyben, Sozialgesch. des Kindes im Röm. Altertum, in: [8], 317–363 5 P. Garnsey, Child-Rearing in Ancient Italy, in: D. I. Ketzer, R. P. Saller (Hrsg.), The Family in Italy from Antiquity to the Present, 1991, 48–65 6 M. Golden, Children and Childhood in Classical Athens, 1990 7 E. Herrmann, Ex ancilla natus, 1994 8 J. Martin, A. Nitschke (Hrsg.), Zur Sozialgesch. der Kindheit, 1986 9 T. G. Parkin, Demography and Roman Society, 1992 10 B. Rawson, Adult-Child Relationships in Roman Society, in: Dies. (Hrsg.), Marriage, Divorce and Children in Ancient Rome, 1991, 7–30 11 Dies., The Iconography of Roman Childhood, in: Dies., P. Weaver (Hrsg.), The Roman Family in Italy, 1997, 205–232 (Komm. von J. Hudkinson, 233–238) 12 Th. Wiedemann, Adults and Children in the Roman Empire, 1989. J. W.

Kinderkaiser. K. (nach lat. *principes pueri*, SHA Tac. 6,5; Sidon. carm. 7, 533) bezeichnet seit Hartke [1] die Angehörigen der Valentinianisch-Theodosianischen Dyn. (Stammbaum s. → Theodosius), die als ein- bis achtjährige Knaben auf den Thron gelangten: die Söhne Valentinianus' I., Gratianus [2] (geb. 359 n. Chr.; Augustus 367) und Valentinianus II. (geb. 371; Augustus 375); die Söhne des Theodosius I., Arcadius (geb. 377; Augustus 383) und Honorius (geb. 384; Augustus 393) sowie seine Enkel Theodosius II. (geb. 401; Augustus 402) und Valentinianus III. (geb. 419; Augustus 423). Als Reflex auf die schwere Krise des Westreiches an der Wende vom 4. zum 5. Jh. n. Chr. verbinden die spätant. Autoren mit den K. das Bild des im Palast eingeschlossenen Kaisers (*princeps clausus*), der – polit. ohnmächtig und den Regierten entfremdet – ein Opfer des Günstlings-, Eunuchen- und Weiberregiments sei (Paneg. 2,21,3 f.; Synes. De regno 15 (16D); Sidon. carm. 5,354–57; 7,532–36; Sulpicius Alexander bei Greg. Tur. Franc. 2,9; rückprojiziert ins 3. Jh.: SHA Gord. 23,6–24,2; SHA Alex. 66,1–3; SHA Tac. 6,5 f.).

1 W. HARTKE, Röm. K., 1951, bes. 207–242 2 F. KOLB, Unters. zur Historia Augusta, 1987, 52–67. K.-L. E.

Kinderspiele. Der erzieherische Wert des kindlichen Spiels war bereits der Ant. bekannt; so sah Platon (Plat. leg. 643b-c; vgl. Aristot. pol. 7,17,1336a) in Spielen, die Tätigkeiten der Erwachsenen imitierten, die Vorbereitung auf das spätere Leben. Quintilian (Quint. inst. 1,1,20; 1,1,26; 1,3,11) forderte Rätselraten, das Spiel mit elfenbeinernen Buchstaben und ein Lernen im Spiel, um geistige Fähigkeiten des Kindes zu fördern; hierzu war bes. das *ostomáchion*-Spiel (*loculus Archimedius*) geeignet, bei dem vierzehn unterschiedlich geformte geometrische Figuren zu einem Quadrat bzw. zu Gegenständen, Menschen, Tieren gelegt werden mußten.

Die Kinder der Ant. hatten eine Fülle an Spielzeug und Spielen, deren lit. Überl. heute mehr als lückenhaft ist und weitgehend auf Poll. 9,94–129 fußt; verloren sind z. B. Suetons Schrift ›Über die Spiele bei den Griechen‹ (vgl. p. 322–331 REIFFERSCHEID) und Krates' *Paidiaí* (vgl. Athen. 11,478f.). Manche der Spiele waren mehr Zeitvertreib, so Obst o. ä. mit dem Mund aufzufangen (Suet. Claud. 27,1), Passanten johlend nachzulaufen bzw. Philosophen am Bart zu zupfen (Hor. sat. 1,3,133–135; Hor. ars 455 f.); anderes ergab sich aus der Gelegenheit, wie das Schreiten auf dem Eis (Anth. Pal. 7,542; 9,56; vgl. auch Petron. 64,12). Das kleine Kind hatte Freude an Rasseln, Klappern, Glöckchen oder Spielzeugtieren aus Ton, Wachs oder Bronze. Später kamen → Kreisel, Jojo, Schaukel, Wippe, Steckenpferd-Reiten, Wägelchen, Reifenschlagen, bei Jungen das Spiel u. a. mit Soldaten, bei Mädchen mit Miniaturmöbeln oder -geräten, Puppen hinzu (mit z. T. beweglichen Gliedern). Zu erwähnen sind auch Marionetten (νευρόσπαστα, *neuróspasta*, vgl. Hor. sat. 2,7,82; → Puppenspiel), die jedoch meist von berufsmäßigen Puppenspielern vorgeführt wurden (vgl. Petron. 34,8–10; Vitr. 10,7,4 zu beweglichen und Töne erzeugenden Puppen); Puppenstuben scheint es nicht gegeben zu haben. Das Spielzeug verwahrte man in kleinen Kästen. Die ant. Kunst hat oft Kinder mit Spielzeug bzw. im Spiel damit festgehalten (→ Choenkannen), wie auch Funde ant. Spielzeugs recht häufig sind.

Daneben bauten sich Kinder Sandburgen, machten sich Figuren aus Ton und verfertigten sich selbst Spielsachen (z. B. Aristoph. Nub. 877–881). Auch das Spielen mit Tieren war dem ant. Kind nicht fremd. Vögel (Tauben), Hasen, Hunde sind hier an erster Stelle zu nennen; so mußten z. B. Mäuse ein Wägelchen ziehen (Hor. sat. 2,3,247f.), auch band man Leinen um die Beine von Vögeln oder Käfer und ließ sie fliegen (Aristoph. Nub. 764); einige Denkmäler zeigen allerdings Kinder, die Tiere quälen, indem sie z. B. eine Katze nach einem Vogel greifen lassen, den sie an den Flügeln halten, oder über einen Hund eine Schildkröte hängen, die an einem Bein festgebunden ist. Für Jungen und Mädchen boten sich in der Gruppe die unterschiedlichen Spiele zum Zeitvertreib an, zu denen → Ball-, → Geschicklichkeits-, → Lauf- und Fangspiele oder → Rätsel zählten. Viele Spiele imitierten die Handlungen der Erwachsenen; beim → *Basilínda*-Spiel mußten dem durch Los bestimmten »König« die anderen Kinder als »Soldaten« gehorchen (Poll. 9,110). Auch spielte man Gerichtsszenen (*ludus ad iudices*), Gladiatoren- und Soldatenspiele. Vor allem → Astragale [2] und Nüsse erfreuten sich als Spielgeräte (→ Geschicklichkeitsspiele) größter Beliebtheit, so daß Pers. 1,10 das Erwachsenwerden als *nuces relinquere* (»Nüsse verlassen«) bezeichnen kann. Spielsachen wurden beim Eintritt in das Erwachsenenalter in Heiligtümern geweiht (z. B. Pers. 2,70; Anth. Pal. 6,280; 282; 309; → Hochzeitsbräuche; → Kreisel), verstorbenen Kindern ins Grab gegeben.

R. AMEDICK, Die Sarkophage mit Darstellungen aus dem Menschenleben 4. Vita Privata, 1991, 97–104 · L. DEUBNER, Spiele und Spielzeug der Griechen, in: Die Ant. 6, 1930, 162–177 · G. v. HOORN, Choes and Anthesteria, 1951 · A. RIECHE, Röm. Kinder- und Gesellschaftsspiele (Limesmuseum Aalen 34), 1984 · H. RÜHFEL, Kinderleben im klass. Athen, 1984 · Dies., Das Kind in der griech. Kunst, 1984 · K. SCHAUENBURG, Erotenspiele, 1 und 2, in: Ant. Welt 7, 1976, H. 3, 39–52; H. 4, 28–35 · E. SCHMIDT, Spielzeug und Spiele der Kinder im klass. Alt., 1971 · C. WEISS, A. BUHL, Votivgaben aus Ton. Jojo oder Fadenspule, in: AA 1990, 494–505. R. H.

Kindesaussetzung. Die K. (griech. ἔκθεσις/*ékthesis*; lat. *expositio/oblatio*), die deutlich von der Kindestötung unterschieden werden muß, ist als eine Methode der ant. Familienplanung anzusehen. Die Entscheidung über die K. lag beim Familienoberhaupt, in Griechenland – mit Ausnahme von Sparta, wo die Ältesten der Angehörigen einer Phyle (τῶν φυλετῶν οἱ πρεσβύτατοι) die Neugeborenen untersuchten und deren Aufzucht anordneten oder untersagten (Plut. Lykurgos 16,1) – beim κύριος/→ *kýrios*, in Rom beim *pater familias*. Die Thesen der demographischen Forschung zur Häufigkeit der K. sind nicht unproblematisch, da die Attraktivität des Themas etwa im ant. → Roman sowie die ungenaue Terminologie sichere Aussagen nicht zulassen. Immerhin ist die K. aber auch außerhalb fiktionaler Texte gut bezeugt (vgl. P Oxy. 744). Bes. häufig oder gar regelmäßig sollen Kinder mit körperlichen Defekten ausgesetzt bzw. getötet worden sein (Plut. Lykurgos 16; Plat. rep. 460c; Aristot. pol. 1335b; Soran. 2,6), doch ist angesichts der in den hippokratischen Schriften und sonst bezeugten angeborenen Defekte Vorsicht geboten. Die in der Lit. erwähnten altröm. Gesetze und Bräuche zur Tötung bzw. Aussetzung von »Mißgeburten« (Lex XII tab. 4,1; Dion. Hal. ant. 2,15,2; Cic. leg. 3,19; Sen. de ira 1,15,2; Liv. 27,37,5 f.) sind in erster Linie nicht Hinweis auf allg. Praxis, sondern auf die Vorstellung vom defekt geborenen Kind als *portentum* (schlechtes Vorzeichen).

Auch illegitime Kinder waren von K. betroffen; allerdings gibt es viele Beispiele von νόθοι/ *nóthoi*, lat. *spurii* (→ *nóthos*, *spurius*), die nicht ausgesetzt worden sind.

Allg. wird angenommen, weibliche Neugeborene seien häufiger ausgesetzt worden als männliche; dies mag angesichts der anthropologisch nachweisbaren Bevorzugung von Knabengeburten in traditionalen Gesellschaften zutreffen, doch hätte eine deutlich höhere Aussetzungsrate von Mädchen gut erkennbare Rückwirkungen auf die Zahl heiratsfähiger Frauen haben müssen. Als Gründe für die K. sind vor allem wirtschaftliche und soziale Not, un- oder außereheliche Geburt, vielleicht auch Angst vor »gefährlichem« Nachwuchs zu vermuten. Neugeborene wurden wahrscheinlich je nach Situation höchst unterschiedlich gesehen, etwa als zusätzliche Esser, als potentielle Erben bzw. Mitgiftträger oder als zukünftige Arbeitskräfte. Gegen eine bewußt betriebene Bevölkerungsreduktion, die Polybios für Griechenland andeuten soll (Pol. 36,17), spricht das begrenzte demographische Verständnis der Antike.

Die Wahl der Aussetzungsplätze (Dunghaufen, Heiligtümer, belebte Plätze) und die Verwendung von γνωρίσματα/ *gnōrísmata*, lat. *crepundia* (Wiedererkennungszeichen) verweist auf den Wunsch von Eltern, die Kinder mögen überleben und später identifiziert werden. Die überlebenden Kinder konnte ein hartes Los treffen (Sklaverei, Bettelei, Prostitution). In Athen und Rom scheint das Findelkind nominell unter der κυριεία/ *kyrieía*, lat. *patria potestas* des leiblichen Vaters oder des → *pater familias* geblieben zu sein. Die Quellen sprechen für die Zeit bis Constantinus gegen eine *de iure*-Versklavung des Findelkindes; *de facto* wurden aber wohl viele freie Kinder unfrei. Seit 331 n. Chr. bestimmte der Finder den Status des aufgenommenen Kindes (Cod. Theod. 5,9,1 f.), seit 529 n. Chr. erhielt der *expositus* (Ausgesetzte) immer die Stellung eines Freigeborenen (Cod. Iust. 1,4,24). Spätestens seit 374 n. Chr. (Cod. Theod. 9,14,1; vgl. Cod. Iust. 8,51,2; 9,16,7) wurde K. ein Kapitalverbrechen.

Die erste eindeutige Verurteilung der K. findet sich bei Philon (Phil. de specialibus legibus 3,110–119), dessen Position später von vielen christl. Autoren wie etwa Tertullian (Tert. apol. 9,6 f.; Tert. nat. 1,15) geteilt wurde.

→ Aussetzungsmythen; Familienplanung; Geburt; Herrschergeburt

1 D. ENGELS, The Problem of Female Infanticide in the Greco-Roman World, in: CPh 75, 1980, 112–120
2 E. EYBEN, Family Planning in Antiquity, in: AncSoc 11–12, 1980/81, 5–82 3 M. GOLDEN, Demography and the Exposure of Girls at Athens, in: Phoenix 35, 1981, 316–331
4 F. KUDLIEN, Wie erkannte der ant. Ehemann einen Bankert?, in: RhM 132, 1989, 204–214 5 H. S. NIELSEN, Alumnus: A Term of Relation Denoting Quasi-Adoption, in: Classica et Mediaevalia 38, 1987, 141–188
6 R. OLDENZIEL, The Historiography of Infanticide in Antiquity, in: J. BLOK, P. MASON (Hrsg.), Sexual

Asymmetry, 1987, 87–107 7 C. PATTERSON, »Not Worth the Rearing«. The Causes of Infant Exposure in Ancient Greece, in: TAPhA 115, 1985, 103–123 8 S. TREGGIARI, Roman Marriage, 1991. J. W.

Kineas (Κινέας).

[1] K. aus Konde, König (*basileús*) der Thessaler, bot 511 v. Chr. dem von den Spartanern bedrohten athen. Tyrannen → Hippias [1] mil. Unterstützung in Form von 1000 thessal. Reitern und schlug die Spartaner bei Phaleron (Hdt. 5,63 f.; [Aristot.] Ath. pol. 19,5). B. P.

[2] Der Thessaler K. (ca. 350–277 v. Chr.), Diplomat des Königs → Pyrrhos, soll – so Pyrrhos – mehr Städte mit Worten als er selbst mit Waffen gewonnen haben (Plut. Pyrrhos 14,3). Als Epikureer soll er Pyrrhos vom Eroberungskrieg in It. abgeraten und dabei die Sinnlosigkeit grenzenlosen Eroberungsstrebens vorgeführt haben (ebd. 14,4–14). K. wurde nach Italien vorausgeschickt, um die Landung in Tarent vorzubereiten (ebd. 15,1; 16,1). Viele ant., fast immer römerfreundliche Quellen berichten über seine erfolglosen Verhandlungen mit den Römern nach den Siegen des Pyrrhos bei Herakleia und Ausculum. K. galt als Kenner der röm. Aristokratie; er soll bei einem Aufenthalt in Rom die Senatoren und Ritter schon nach einem Tag mit Namen begrüßt (ebd. 18,4–7; Plin. nat. 7,88) sowie den röm. Senat als ein → »Synhedrion von Königen« bezeichnet haben (ebd. 19,6; App. Samn. 10,2–3; Eutr. 2,13,2–3). 278 verhandelte K. mit den Städten Siziliens (Plut. Pyrrhos 22,4–5).

K., Schüler des → Demosthenes [2], trat auch als Epitomator der mil. Fachschriften des Aineias [2] Taktikos und als Autor einer thessal. Gesch. (FGrH 603 T 1–3 und F 1–2) hervor.

P. E. GAROUFALIAS, Pyrrhus, King of Epirus, 1979 · P. LÉVÊQUE, Pyrrhos, 1957. J. E.

[3] Sohn des Dositheos [4] (PP I/VIII 249 etc.), Vater der Berenike (PP III 5060)? 177/6–170/69 v. Chr. Priester des Königskultes in Ptolemais; 173 als eponymer Offizier belegt. K. spielte 169 eine wichtige Rolle im → *synhédrion* Ptolemaios' VI. PP II/VIII 1926?; III/IX 5169; VI 14610.

F. WALBANK, A Historical Commentary on Polybius 3, 1979, 353 f. W. A.

Kinesias (Κινησίας).

Athenischer Dithyrambendichter, dessen Schaffenszeit ungefähr die Jahre 425–390 v. Chr. umfaßt. Sein Vater Meles (Plat. Gorg. 501e–502a) wird in den *Ágrioi* des Pherekrates (PCG VII 6, vgl. Aristoph. Av. 766) als der denkbar schlechteste Kitharode bezeichnet. IG II² 3028 aus dem frühen 4. Jh. v. Chr. bewahrt bruchstückhaft die Weihinschr. eines siegreichen Choregen für einen von K. trainierten Chor. Als → *buleutḗs* brachte K. im Jahre 394/3 v. Chr. den Volksbeschluß ein (IG II² 18), Dionysios I. von Syrakus zu ehren. Lysias (Athen. 551d–552f) griff ihn in seiner Verteidigungsrede für Phanias an, gegen den K. eine Klage wegen Ungesetzlichkeit (*graphḗ paranómōn*) eingereicht hatte.

Für die Komödiendichter war K. ein bevorzugtes Ziel des Spottes. Im *Cheírōn* des Pherekrates macht die Musik ihn neben anderen für den Verfall des → Dithyrambos verantwortlich (PCG VII 155; vgl. Plat. Gorg. 501e–502a); Strattis schrieb über ihn eine komplette Komödie (PCG VII 14–22) und auch Aristophanes läßt ihn in Av. 1372–1409 als Charakter auftreten, wo er »luftige Präludien« aus den Wolken herunterholen will (→ Anabole) und dabei ein Beispiel seiner Kunst zum besten gibt. K. wurde auch wegen seiner Kränklichkeit und Magerkeit angeprangert. In den *Gērytádēs* zählt ihn Aristophanes zu den abgemagerten Leuten, die von den Dichtern zum Besuch des Hades in die Unterwelt befördert wurden (PCG III.2 156); dieselbe Magerkeit erscheint auch ideal zum Fliegen (Aristoph. Ran. 1437; vgl. Aristoph. Av. 1378). In Aristoph. Eccl. 328–330 wird erwähnt, daß K. in einem Anfall von Durchfall die Tunika eines Mannes gelb verfärbt hatte. Auf diese Inkontinenz wird vermutlich auch in Ran. 366 (vgl. schol.) angespielt, wobei K.' Ruf der Gottlosigkeit es Aristophanes möglich machte, diese physische Schwäche als bewußtes Sakrileg hinzustellen. In der *Lysistrátē* mußte K. seinen Namen für den lächerlichen Ehemann der Myrrhine hergeben. Von K. selbst sind keine Fr. erhalten, doch wird berichtet, daß Asklepios in einem Dithyrambos gleichen Namens Hippolytos wieder zum Leben erweckt und dafür von Zeus mit dem Blitz erschlagen wird (PMG 774–776).   E.R./Ü: J.S.

Kinna (Κίννα, auch Κίνα). Stadt in der Prov. Galatia, h. Karahamzalı; in antoninischer Zeit (2. Jh. n. Chr.) als Stadtgemeinde organisierter Distrikt Proseilemmene (→ Proseilemmenitai); als Bistum der Galatia I vielleicht bereits 325 n. Chr., dann bis 12. Jh. belegt.

BELKE, 198 • MITCHELL 1, 96 • K. STROBEL, Galatien und seine Grenzregionen, in: E. SCHWERTHEIM (Hrsg.), Forsch. in Galatien (Asia Minor Stud. 12), 1994, 59.   K. ST.

Kinnamomon s. Zimt

Kinnamomophoros chora (Κινναμωμοφόρος χώρα, »Zimtland«). So bezeichnet Strab. 2,133 die Region um Kap Guardafui/Somalia. Strab. 16,774 gibt als Herkunftsgebiet des → Zimts das Innere dieses Landes an; Ptol. 4,7,10 suchte es bei den Nilquellen. Schließlich wurde das gesamte südl. Äthiopien als Zimtland angesehen. Hdt. 3,110,111; Plin. nat. 10,97 und 12,82 u. a. gaben Südarabien als Herkunftsland des Gewürzes an, das aber über See aus Indien importiert und in Südarabien und NO-Afrika nur umgeschlagen wurde (Periplus maris Erythrai 20 ff.; Ptol. 4,7,3,4).   B. B.

Kinolis (Κίνωλις, auch Κίναλις, Κιμωλίς). Kleiner Umschlagplatz (*empórion*) an der paphlagonischen Schwarzmeerküste zw. → Abonuteichos und → Sinope, genauere Lage nach den Periploi (Arr. per. p. E. 14; peripl. m. Eux. 21) und Ptol. 5,4,2; h. evtl. Ginolu.

W. RUGE, s. v. Kimolis, RE 11, 435.   C. MA.

Kinyps. Fluß, der 18 km südöstl. von → Leptis Magna ins Meer mündet, h. Oued Caam. Belegstellen: Hdt. 4,175; 198; Verg. georg. 3,311–313; Mela 1,37; Plin. nat. 5,27; Ptol. 4,3,13; 20 (wohl nicht 4,6,11); Tab. Peut. 7,3 f.; Vibius Sequester, Geographica 147 RIESE; Geogr. Rav. 38 f.; Thgn. 2,98 CRAMER; Suda s. v. Κινύφειος. Wohl gegen E. des 6. Jh. gründete → Dorieus [1], der Sohn des spartan. Königs Anaxandridas, an der Mündung des K. eine → *apoikía*. Die Apoikisten konnten sich jedoch nur zwei J. halten, da die libyschen Makai und die mit ihnen verbündeten Karthager sie zwangen, nach Sparta zurückzukehren (Hdt. 5,42). Die Niederlage der Spartaner hatte zur Folge, daß die Expansion der Griechen auf afrikanischem Boden zum Stillstand kam. Die Ruinen der spartan. *apoikía* waren noch im 4. Jh. v. Chr. zu sehen (Ps.-Skyl. 109, GGM I 85).

J. DESANGES, Catalogue des tribus africaines …, 1962, 87 • HUSS, 73 f. • H. KEES, s. v. K., RE 11, 483 f. • P. TROUSSET, s. v. Cinyps, EB 13, 1961 f.   W. HU.

Kinyras (Κινύρας, lat. Cinyras). Myth. Gründer des Tempels der → Aphrodite von Paphos und Ahnherr der Priesterfamilie der Kinyraden, die sich mit der Familie der Tamiraden (deren Ahn, den kilikischen Seher Tamiras, K. eingeführt hatte) die Leitung des Kults teilte, später aber allein Kult und Orakel vorstand (Tac. hist. 2,3). K. ist mit → Apollon verbunden (Pind. P. 2,15), was auf die Rolle der Sänger im Kult weist. Er gilt oft als Apollons Sohn; es heißt aber auch, daß er aus Assyrien eingewandert sei und Metharme, die Tochter des Pygmalion, geheiratet habe (Apollod. 3,181). Er ist Vater einer Reihe von Töchtern, die mit Aphrodite in Konflikt kamen; am bekanntesten ist die inzestuöse Liebe der Smyrna zu ihrem Vater, aus der → Adonis erwuchs (Ov. met. 10,270–502, vgl. Antoninus Liberalis 34); doch kann Adonis auch als legitimer Sohn gelten (Apollod. 3,182). Seinen Tod fand er durch Selbstmord wegen des Inzests (Hyg. fab. 242) oder weil er Apollon zu einem musischen Wettkampf herausforderte (Eust. 776,10; 827,34).

K. ist bereits bei Hom. Il. 22,20 f. als Kyprier genannt, der → Agamemnon einen prächtigen Panzer schenkte [1]; spätere Autoren schmückten dies zur Begegnung, gar zum Krieg zwischen Agamemnon und K. aus. In der archa. Dichtung ist er einer der reichen oriental. Könige (Tyrtaios 12,6, vgl. Pind. P. 2,15). Damit ist die Bindung an Zypern ebenso wie die Interaktion mit Griechenland alt; später wird dann seine Verbindung zum Orient betont, indem er zum Assyrer gemacht und sein Name aus einer semit. Wurzel abgeleitet wird (schol. Hom. Il. 11,20). Die Erzählung, daß K. Agamemnon Tonschiffe sandte, reflektiert wohl die Bed. der zypriotischen Terrakottagroßplastik (Eust. zu Hom. Il. 11,20; [2]).

1 M. L. WEST, The East Face of Helicon, 1997, 628 f.
2 A. T. REYES, Archaic Cyprus. A Study of the Textual and Archaeological Evidence, 1994, 32.   F. G.

Kios (Κίος). Hafenstadt im Ostteil des nach K. benannten Golfs der → Propontis am gleichnamigen Fluß, h. Gemlik. K. war Ausgangspunkt für Straßen nach → Nikaia und → Prusa. Nach Apoll. Rhod. 4,1470 Gründung der Argonauten (→ Argonautai, Karte), die Mz. zeigen Herakles als Stadtgründer (HN 512–514); nach Plin. nat. 5,144 hingegen von Milesiern gegr. K. nahm am → Ionischen Aufstand teil (Hdt. 5,122) und war als einzige Stadt in der östl. Propontis von Anf. an Mitglied im → Attisch-Delischen Seebund (ATL 3, 204 Anm. 49; 4, 64). Philippos V. zerstörte K. (Pol. 15,21 ff.; 18,3,12; 4,7). Von Prusias I. (ca. 230–182 v. Chr.) wieder aufgebaut, führte K. zeitweise den Namen »Prusias am Meer«. In röm. Zeit war K. wieder autonom (Strab. 12,4,3). In christl. Zeit Bischofsitz.

T. CORSTEN, Die Inschr. von K. (IK 29), 1985.
H. KAL. u. F. K. D.

Kirche (in Urchristentum und Spätantike).
A. BEGRIFFLICHKEIT B. JESUS UND DAS URCHRISTENTUM C. ALTE KIRCHE UND WELTBEWUSSTSEIN D. MONARCHISCHER EPISKOPAT E. NEUES VOLK F. EINHEIT DER KIRCHE G. TRANSZENDENZ UND HIESIGKEIT H. METAPHYSIK UND POLITIK I. KIRCHENBAUTEN

A. BEGRIFFLICHKEIT

K. bezeichnet die Gemeinschaft sowohl der Christen an einem einzigen Ort als auch der gesamten Christenheit. In diesem letzteren Sinne ist K. eine Raum und Zeit transzendierende Wirklichkeit, die Gegenstand der altchristl. Glaubensbekenntnisse ist (so etwa das Bekenntnis Nicaeno-Constantinopolitanum vom Jahr 381: *Credo ... unam sanctam catholicam et apostolicam ecclesiam*: »Ich glaube an eine heilige, katholische und apostolische K.«) [1]. Das dt. »K.« leitet sich vom griech. κυριακόν/*kyriakón* (»Haus des Herrn«) her. Die roman. Sprachen greifen, durch Vermittlung des Lat., auf das im NT (für die Gesamt-K. wie für die Einzelgemeinde) gebrauchte → *ekklēsía* (ἐκκλησία, lat. *ecclesia*) zurück. Dessen (profan)griech. Verwendung für die jeweils zusammentretende → Volksversammlung ist dem urchristl. Sprachgebrauch nicht fremd (Apg 19,32 und 39f.). Doch ist von Haus aus ἐκκλησία (τοῦ θεοῦ) / *ekklēsía* (*tú theú*), »K./Gemeinde (Gottes)«, die von der Septuaginta geborgte Übers. des hebr. *qᵉhal (jahwe)*. Ist hiermit die Gemeinde(versammlung) Israels namentlich als Kultusgemeinschaft, mithin als (erwähltes) Gottesvolk gemeint, so bezeichnet entsprechend das nt. *ecklēsía* das neue, das endzeitliche Gottesvolk.

B. JESUS UND DAS URCHRISTENTUM

Hat in diesem Sinn → Jesus von Nazareth eine K. gründen wollen? Seine den eschatologischen Erwartungshorizont des Judentums ins Unverfügbare weitende Botschaft war die nahe gekommene Gottesherrschaft (Mk 1,15). Ob noch er selbst »die Zwölf« als Repräsentanten des neuen Israel um sich versammelt, ob er selbst den Bau seiner (endzeitlichen) *ekklēsía* auf Petrus

(den »Fels«) ins Auge gefaßt hat (Mt 16,18), bleibt umstritten. Als gesichert muß gelten, daß die Anhänger Jesu (vermutlich unter Führung des Petrus) sich zur »K.« sammelten, sobald nach Jesu Kreuzestod in einigen von ihnen durch die als Selbstbekundung des Auferstandenen erfahrenen »Erscheinungen« der Glaube geweckt war (von legendärer Übermalung noch freies ältestes Überlieferungsgut: 1 Kor 15,3–5). Dieser Glaube verstand sich als Berufung und Sendung. Die hierdurch entbundene missionarische Energie hat von da an die K. vorwärtsgetrieben.

Auf dem schwer zu überblickenden gesch. Terrain der Urchristenheit treten einige Grundgestalten von »K.« deutlicher hervor. Die Jerusalemer Urgemeinde, von Petrus, danach von Jakobus, Bruder des Jesus, geleitet, praktizierte ein durch den Glauben an den zu Gott erhöhten Menschensohn-Richter modifiziertes Judentum. Die »Hellenisten«, d. h. Griech. sprechende, dem jüd. Gesetz gegenüber freiere Judenchristen, missionierten nach ihrer Vertreibung aus Jerusalem (Apg 6 in kritischem Verständnis) unter den Anhängern paganer Religionen. Die Bezeichnung »Christen« kam zuerst im syr. Antiocheia auf (Apg 11,26). Im Bewußtsein eines durch die Erhöhung des → Kyrios Jesus Christus initiierten weltweiten Heilsgeschehens (und insoweit in der Nachfolge der großen Propheten) überschritt der aus dem gebildeten Tarsos stammende hell. Judenchrist → Paulus in großem Stil die Grenzen der nationaljüd. Religiosität und begründete auf seinen nach Westen führenden Missionsreisen das »gesetzesfreie« Heidenchristentum. Einen religionsgesch. schwer zu bestimmenden Typus bilden die johanneischen Gemeinden: Die »gnostisierende« Sprache des vierten → Evangeliums interpretiert das AT als Zeugnis für das übergreifende Wirken des Sohnes, der mit dem Vater eins ist (Jo 10,30).

C. ALTE KIRCHE UND WELTBEWUSSTSEIN

Das älteste Dokument der Groß-K. aus Griechen und Römern, der wohl im J. 96 aus Rom nach Korinth adressierte 1. Clemensbrief, ist auch der erste Beleg für die These ›Die Alte K. ist die Alte Welt, die ihre christl. Stunde begriffen hat‹ (U. WICKERT). Das stabile Grundgerüst des popularphilos. konzipierten Kosmos ist nunmehr vom Gott Israels durchflutet (Kap. 20). Der Wille des biblischen Schöpfers gründet diesen Kosmos (Kap. 33). Der Mensch ist das überlegene Wesen (ebd.), und Gott beginnt mit diesem Menschen die Heilsgesch. (Kap. 17f.), die zur Menschwerdung des Präexistenten, zum Sühneleiden Jesu Christi hinführt (Kap. 16,7). Die Parusie des auferstandenen Christus ist auf eine Welt bezogen, von der man weiß, daß sie einstweilen im Schöpferwillen Gottes ruht (Kap. 50). Eine Balance also zwischen Erschaffung und Aufhebung des Kosmos, die, bewirkt durch die Verschmelzung hell.-synagogaler und urchristl. Trad., von der »Krise« nichts spüren läßt, in welche das Ausbleiben der Parusie die frühe K. gestürzt haben soll. Daß die K. Tritt faßt, zeigt die Fiktion der »Presbytersukzession«: Die Apostel hätten vorausschau-

end bestimmt, daß die Leiter der Gemeinden ordnungs-
gemäß (ein stoisch-röm. Motiv) aufeinander folgten
(Kap. 44). So wurde die Kontinuität der in der Gesch.
fortdauernden K. gewahrt.

D. Monarchischer Episkopat

Von Bischof → Ignatios [1] von Antiocheia, der
zuerst die K. als καθολική/*katholikē* (»katholisch«), d. h.
universal auf Christus bezogen versteht (Smyrnäerbrief
8,2), ist, wohl um 110, ein Monepiskopat bezeugt. Der
förmlich monarchische Episkopat entwickelt sich im
2. Jh. im Westen. Sein wichtigster Zeuge ist der kleinasiatische Grieche → Eirenaios (Irenaeus) [2], seit
177/78 Bischof von Lyon. Sein Weltbewußtsein ist
strikt christologisch bestimmt: Rekapitulierend hat
Christus das All in sich zusammengefaßt und die eschatologische Zukunft antizipiert. Die daran partizipieren-
de K. wird durch die apostolische Sukzession stabilisiert,
was sich im Kampf gegen die Gnosis bewährt. Der
durch Handauflegung in die Nachfolge der Apostel
aufgenommene Bischof steht *vice apostoli*, an des Apostels Statt. Mit dem »Charisma der Wahrheit« ausgerüstet, bezeugt er die apostolische Lehre (Iren. adversus
haereses 4,26,2)

E. Neues Volk

Der mit Eirenaios wohl gleichzeitige Diognetbrief
umschreibt das gesch.-polit. Bewußtsein der K.: Die
Christenheit ist das Neue Volk (Kap. 1,1: καινὸν γένος/
kainón génos; Äquivalente bei anderen Vätern: τρίτον
γένος/*tríton génos*, lat. *tertium genus*, »drittes Volk/Ge-
schlecht«). Gegen den Hintergrund von Texten wie Gal
3,28, Eph 2,11ff., Jo 4,21f. weiß sich die K. dazu bestimmt, Juden und andere in sich aufzunehmen und im
Glauben an Christus die Menschheit zur Einheit zu führen. In diesem Sinne bezeichnet → Tertullianus, der erste lat. Kirchenschriftsteller um 200, die Christen als *gentes totius orbis*, »Menschen des ganzen Erdkreises« (Tert.
apol. 37,4).

F. Einheit der Kirche

Gegen die im 3. Jh. aufbrechenden Schismen stellt
→ Cyprianus [2] (†258), Märtyrerbischof von Karthago, die »eine« K. Sie ist im ›sakral-juristisch und sakral-
polit.‹ (H. v. Campenhausen) begriffenen Collegium
der Bischöfe zusammengefaßt. *Ecclesia in episcopo*, die K.
ist im Bischof (Cypr. epist. 66,8): Dies bedeutet jedoch,
daß im bischöflichen Handeln die von Christus auf die
Erde herabgeholte himmlische Kirche (Cypr. de unitate
ecclesiae 7) im Geheimnis (*sacramentum* nach Eph 5,32 =
μυστήριον/*mystérion*, ebd. 4) präsent wird. Der 2. Clemensbrief (14,1) und der ›Hirte des → Hermas‹ (8,1),
wohl beide um die Mitte des 2. Jh. in Rom verfaßt,
kennen die vorweltliche K. als erstes, grundlegendes
Geschöpf. Der Gedanke dürfte von Rom nach Nordafrika übergesprungen sein. Cyprians episkopale, nicht
episkopalistische Ekklesiologie impliziert, daß vorzugsweise dem röm. Bischof die Aufgabe zufällt, das My-
sterium der Einheit zu wahren. Dieser gilt seit dem 3. Jh.
als Nachfolger Petri, dem nach Mt 16,19 die Schlüssel-
gewalt verliehen wurde: Hierunter verstand man die

Einsetzung des ersterwählten Apostels zum (ersten) Bischof. Stephan I. von Rom (254–257) griff im sog. Ket-
zertaufstreit Cyprians Gedanken auf, blendete das My-
sterium aus, behielt die *cathedra* (»Bischofsthron«) *Petri*
im Zentrum und verlangte von der Gesamt-K. Gehorsam: die Geburtsstunde des Papsttums.

G. Transzendenz und Hiesigkeit

Bei → Augustinus (354–430), Bischof von Hippo,
hat D. Wyrwa das ›Unvermischt und Ungeschieden‹
zweier ekklesiologischer Konzeptionen erkannt: Die *civitas dei* (»Gottesstaat«) ist das in gleitenden Übergängen
vom Ursprung her auf die eschatologische Vollendung
zuwandernde Gottesvolk; sein wesentlichstes Merkmal:
die transzendentale Fundierung. Im *totus Christus*, dem
»ganzen Christus« hingegen gewinnt die gnadenhafte
Einwohnung Christi in seinem Leib, der K., im Hiesi-
gen Gestalt. Papst → Leo [3] d. Gr. (440–461) hat von
Augustins Gedanken eine Auswahl getroffen, die, ähnlich wie bei Stephan I., um den Preis eines Transzen-
denzverlustes (vom *totus Christus* sind Restbestände der
civitas-Lehre absorbiert) die papale Institution ins Zentrum rückt. Der Primat Petri, in dessen tiefer Gemeinschaft mit Christus wurzelnd, wird vom röm. Bischof
stellvertretend ausgeübt.

H. Metaphysik und Politik

Der große Alexandriner → Origenes (†254) hatte die
K. in das von ihm konzipierte Weltendrama eingebunden, das in gleichsam heraklitischem Zirkel die gefallene Schöpfung in den heilen Ursprung zurückführen
sollte. → Eusebios [7] von Kaisareia (†339), Enkelschü-
ler des Origenes und »Vater der Kirchengesch.«, histo-
risierte dieses Heilsgeschehen und sah durch Constantin
I. einen entscheidenden Schritt zur Einung der Menschheit in der wahren Gottesverehrung getan (Vita Constantini; vgl. oben E.). Hierin reflektiert sich die seit
dem 4. Jh. vom oström. Kaiser in der K. geübte Macht,
von der sich die Päpste erst befreien konnten, als sie im
Westen den Kaiser nicht mehr vorfanden, sondern
krönten.

→ Christentum; Hierarchie; Kirchengeschichte; Kirchenväter; Kirche

1 R. Staats, Das Glaubensbekenntnis von Nizäa-Kon-
stantinopel, 1996, 19–21.

K. Berger, Theologiegesch. des Urchristentums ²1995 ·
C. Andresen, Die Kirchen der alten Christenheit (Die Rel.
der Menschheit 29, 1/2), 1971 · Ders., A. M. Ritter, E.
Mühlenberg u. a., Die Lehrentwicklung im Rahmen der
Katholizität, in: C. Andresen (Hrsg.), Hdb. der Dogmen-
und Theologiegesch., Bd. 1, ²1999 · H. v. Campenhausen,
Kirchliches Amt und geistliche Vollmacht in den ersten drei
Jh. (Beitr. zur histor. Theologie 14), ²1963 · U. Wickert,
Sacramentum Unitatis. Ein Beitr. zum Verständnis der K.
bei Cyprian (Beih. zur Zschr. für die nt. Wiss. 41), 1971 ·
D. Wyrwa, Christus praesens. Ekklesiologische Studien zu
Augustin und Leo d. Gr. Maschr. Habilitationsschrift
Berlin, 1987.   U. Wi.

I. Kirchenbauten
→ Sakralbauten.

Kirchenbesitz. Ursprünglich bestritten die christl. Gemeinden ihre Aufwendungen für Kultmahl und karitative Tätigkeit aus freiwilligen Gaben der Gläubigen (καρποφορίαι / *karpophoríai*); diese Spenden bildeten dauerhaft eine der wichtigsten Einnahmequellen der frühen Kirche. Spätestens im 3. Jh. n. Chr. verfügten die Gemeinden über Eigentum, das aus liturgischen Gegenständen und Gewändern, Gebäuden für den Gottesdienst und Grabstätten bestehen konnte (Eus. HE 7,13); die Rechtsgrundlage hierfür ist unklar. Das Restitutionsedikt des Licinius sprach dann vielleicht von *ius corporis . . . ecclesiarum* (Lact. mort. pers. 48,9).

Mit Constantinus I. änderte sich die Eigentumssituation der Kirche grundlegend: Er gewährte der Kirche 321 das Erbrecht (Cod. Theod. 16,2,4) und stiftete ihr in großem Umfang Kirchenbauten, Ländereien und Sachwerte. Allein Rom erhielt sechs große Basiliken, die mit liturgischem Gerät im Gesamtgewicht von über 500 kg Gold und nahezu 6 t Silber sowie jährlichen Einnahmen von 28 800 *solidi* ausgestattet wurden (Lib. pontificalis 34 f.). Freiwillige Gaben, Schenkungen, Erbschaften und Erträge aus eigenem Besitz bildeten fortan die Grundlagen der kirchlichen Finanzen; der alttestamentarisch begründete Zehnte findet sich erst im merowingischen Gallien Ende des 6. Jh. Fromme Angehörige der alten Eliten übertrugen der Kirche gewaltige Vermögen, so daß ein kirchlicher Großgrundbesitz entstand (z. B. → Melania: Vita Melaniae 21; → Olympias: Vita Olympiadis diaconissae diac. 5). Vielleicht wurde Tempelland im 4. Jh. regelmäßig der Kirche zugeschlagen. Fiskalische Privilegien begünstigten kirchlichen Landbesitz (Cod. Theod. 11,1,1; 16,2,15; 16,2,40; 11,16,21; 11,16,22). Seit 434 gelangte der Besitz verstorbener Kleriker ohne Erben an die Kirche (Cod. Theod. 5,3,1); von Bischöfen wurden entsprechende Testamente erwartet (Cod. Can. Eccl. Afr. 81 für 409 n. Chr.) und getätigt (Greg. Naz.: PG 37, 389–396; Caesarius [4] von Arelate: SChr 345, 380–397). Auch Laien sollten testamentarisch die Kirche bedenken (Salv., MGH AA I 120 f.; Aug. serm. 355,4: PL 39, 1572 u. a.), doch untersagten Gesetze bald die Benachteiligung von Hinterbliebenen und verboten etwa die klerikale Erbschleicherei bei reichen Witwen und Waisen (Cod. Theod. 16,2,20; vgl. Hier. epist. 52,6; Amm. 27,3,14; Cod. Theod. 16,2,27 f.; [1]). Seit Constantinus bekam die Kirche auch Subsidien (*annona*; → *cura annonae*) zur Unterstützung von Witwen, Waisen und Klerus (Theod. hist. eccl. 1,11; 4,4; Soz. 5,5; Cod. Iust. 1,2,12); die röm. Kirche hatte bereits Mitte des 3. Jh. aus eigenen Mitteln mehr als 1500 Witwen und Arme unterstützt (→ Almosen). Kaiser Iulianus [11] strich die *annona*, Iovianus nahm sie in reduziertem Umfang wieder auf.

Verantwortlich für Eigentum und Finanzen der Kirche war der Bischof, oft unterstützt von einem fähigen Kleriker (im Osten: *oikonómos*). Früh galt die Regel, alle Einkünfte den kirchlichen Aufgaben zu bestimmten Teilen zuzuwenden (Cypr. epist. 7); so erhielten in Rom seit dem Ende des 5. Jh. der Bischof, die Kleriker (über 150 Personen; Eus. HE 6,43,11) sowie die Armen je ein Viertel; ein weiteres Viertel wurde für die Beleuchtung und Erhaltung der Kirchengebäude bereitgestellt (Simpl. epist. 1; Gelasios epist. 14,27), doch gab es auch andere Möglichkeiten der Verteilung. Die wirtschaftliche Situation der einzelnen Diözesen und Gemeinden war allerdings sehr verschieden, ist aber vor dem 5./6. Jh. nur selten zu fassen. Die Kirche von Alexandreia war um 280 im Getreide- oder Bankgeschäft aktiv (P Amhurst I,3a), besaß ca. 315 schon acht Kirchen (Antiochia bis 380 nur zwei); dem arianischen Bischof Georgios (357–361) gelang es, die Salpeter-, Papyrus-, Schilfrohr- und Salzgewinnung zu monopolisieren und gewaltige Einnahmen aus der Kontrolle des Bestattungswesens zu ziehen (Epiphanios, Panarion 76, 1,5 ff.); Bischof Kyrillos (412–444) gab am Kaiserhof für Bestechungszwecke über 2500 Pfund Gold aus (Acta Conciliorum Oecumenicorum I 4,222 ff. SCHWARTZ). Bischöfe hatten unter Iustinianus ein Einkommen zwischen 2 und weit über 30 Pfund Gold jährlich (Iust. Nov. 123,3), was etwa der Besoldung hoher weltlicher Amtsträger entsprach. Der niedere Klerus hatte insbesondere auf dem Land ein weit kärglicheres Auskommen. Ein besonderes Problem bedeutete die Möglichkeit bischöflichen Mißbrauchs von kirchlichem Besitz zum Vorteil von Verwandten oder zur Einflußnahme; in diesem Zusammenhang ist auch der Verkauf von einträglichen, Immunität bietenden Kirchenämtern zu sehen (→ Simonie). Gesetzliche (auch synodale) Einschränkungen seit 470 gipfelten in einem generellen Veräußerungsverbot von Kircheneigentum durch Iustinianus (Cod. Iust. 1,2,24; vgl. Iust. Nov. 7 pr.; Cod. Iust. 1,2,14); Ausnahmeregelungen folgten aber bald (Iust. Nov. 64; 120 u. a.).

Der wachsende Besitz gestattete auch eine zunehmende karitative Tätigkeit gegenüber Armen, Kranken, → Witwen, → Waisen, Alten, Fremden und Kriegsgefangenen: Es entstanden Xenodochien (→ *xenodocheíon*; → Krankenhaus), Asyle und Waisenhäuser. Wohltätige Institutionen sowie Klöster wurden seit dem 4. Jh. oft auch von Laien oder Kaisern gestiftet, mit Landbesitz ausgestattet und teilweise unabhängig verwaltet, seit 451 aber meist vom Lokalbischof beaufsichtigt (Konzil von Chalkedon, Canon 8; Cod. Iust. 1,3,7; 34; Iust. Nov. 120,6). Gerade Klöster konnten über beträchtliches Grundeigentum verfügen, produktiv wirtschaften und enorme karitative Leistungen erbringen: Das »Weiße Kloster« bei → Panopolis in Oberägypten (mit vielleicht fast 50 km² Grundbesitz) versorgte gegen 450 drei Monate lang 20000 Flüchtlinge. Die ökonomischen Ressourcen der Kirche gestatteten es den Bischöfen auch, verschiedene öffentliche Aufgaben in den Städten (Infrastrukturmaßnahmen, Steuereinziehung) zu übernehmen, etwa in Gallien. Im Verlauf dieser Entwicklung wurde der Bischof zum Stadtherr. Die private Stiftung von Kirchen (Cod. Theod. 16,5,14 von 388 spricht von *ecclesiae publicae vel privatae*) führte in Verbindung mit dem spätant. *patrocinium* zum Eigenkirchwesen.

→ KIRCHENBESITZ

1 E. F. BRUCK, Kirchenväter und soziales Erbrecht, 1956
2 R. DELMAIRE, Largesses sacrées et res privata, 1989,
641–645 3 J. DURLIAT, Les finances publiques de Diocletien
aux Carolingiens (284–889), 1990, 58–63; 143–151
4 J. GAUDEMET, L'Église dans l'Empire romain (IVe – V^e
siècles), 1958, 288–305 5 M. HEINZELMANN, Bischof
und Herrschaft vom spätant. Gallien bis zu den
karolingischen Hausmeiern, in: F. PRINZ (Hrsg.), Herrschaft
und Kirche, 1988, 23–82 (bes. 37–57) 6 JONES, LRE II,
894–910 7 C. PIETRI, Roma Christiana I, 1976, 77–96;
558–573. J. H.

Kirchengeschichte
A. KIRCHLICHES GESCHICHTSDENKEN
B. KIRCHENGESCHICHTSSCHREIBUNG

A. KIRCHLICHES GESCHICHTSDENKEN

Ein histor. Bewußtsein – auch im Blick auf ihre eigene Gesch. – ist der christl. → Kirche seit dem 1. Jh. zu eigen und spiegelt sich schon im nt. → Kanon (v. a. im lukanischen Doppelwerk, → Apostelgeschichte, vgl. [8]) wider. Zum Gegenstand theologischer Reflexion wurde die Gesch. im Altersbeweis der Apologeten (→ Apologien; vgl. [6]). Sie standen vor der Aufgabe, eine neue Rel. im Kontext einer religiösen Kultur diskussionsfähig zu machen, die das Althergebrachte als Norm und eine junge Rel. wie das Christentum mit Skepsis sah. In innerchristl. Auseinandersetzung mit Häretikern (→ Häresie) entwickelte sich daneben schon bald das Bedürfnis, die eigene Orthodoxie durch Aufweis einer ununterbrochenen Sukzessionskette mit den Aposteln zu beglaubigen (Ansätze in den Pastoralbriefen, deutlich ausgeprägt bei → Eirenaios [2] von Lyon). Dieses Motiv scheint zuerst → Hegesippos [5] E. des 2. Jh. zum Prinzip einer histor. Darstellung gemacht zu haben (5 Bücher *Hypomnḗmata*, nicht erh.). Im 3. Jh. entwickelte sich als eigenständige Gattung die Chronographie (vgl. [4] und → Chronik); die bedeutendste Vertreter sind → Sextus Iulius Africanus und → Hippolytos [2] zu nennen. In diesen Werken verbindet sich in eigentümlicher Weise wiss.-theoretisches Interesse an der Weltgesch. mit theologischen Endzeitberechnungen (oder Widerlegung derselben). Die Trad. wurde fortgeführt durch die Chroniken des → Eusebios [7] von Kaisareia und des → Hieronymus, die stark ins MA hineingewirkt haben. Dabei spielten bes. die Versuche einer theologischen Periodisierung der Gesch. eine große Rolle (7–Schöpfungstage- bzw. 70-Wochen-Schema, Weltreichelehre).

In seiner ›K.‹ knüpfte Eusebios dagegen an die apologetische und antihäretische Trad. des Geschichtsdenkens an (s. u. B.). Während für den Osten in reichskirchlicher Zeit die damit begründete Gattung den Hauptzeugen für das christl. Geschichtsdenken darstellt, hat der Westen mit → Augustinus' *De civitate Dei* ein großes Werk hervorgebracht, das explizit Geschichtstheologie reflektiert (vgl. [5]). Den konkreten histor. Hintergrund – nicht aber den alleinigen Schlüssel zum Verständnis – bilden die Einnahme Roms durch die Westgoten im J.

410 und der damit verbundene Vorwurf, der Niedergang sei auf die Vernachlässigung der traditionellen paganen Rel. zurückzuführen. In einem weit gespannten heilsgesch. Bogen konzipiert Augustinus die Gesch. als Auseinandersetzung zweier Gemeinwesen, der *civitas terrena* (»irdischer Staat«) und der *civitas Dei* (»Gottesstaat«), die faktisch stets vermischt auftreten, doch am Ende geschieden werden. Eine universale Friedensordnung ist daher erst im eschatologischen Horizont zu erwarten. Der pessimistischen Sicht auf konkrete polit. Realitäten (einschließlich des Imperium Romanum) setzt er damit eine optimistische Sicht auf die (linear konzipierte) Gesamtgesch. entgegen. Doch bietet Augustinus mit guten Gründen keine konkrete historiographische Umsetzung dieser Konzeption; diese wurde von seinem Schüler → Orosius versucht. Die theologischen Anregungen des Augustinus aufnehmend, schildert dieser in einem konkreten Geschichtswerk, den *Historiae adversus paganos*, die Zeit von der Schöpfung bis zum J. 418 (vgl. [2]).

Eine Reihe weiterer Gattungen spiegelt kirchliches Geschichtsdenken wider, so v. a. Hagiographie (→ Acta Sanctorum) und → Biographie.

B. KIRCHENGESCHICHTSSCHREIBUNG

Eusebios [7] von Kaisareia erhebt im Proömium seiner berühmten ›K.‹ (*Ekklēsiaské historía*) den Anspruch, eine völlig neue Gattung zu vertreten (HE 1,1,3). Dieser Anspruch, den ihm die Nachwelt nicht bestritten hat, gründet sich auf eine neue Kombination von Vorgaben der klass. Historiographie mit theologischen Anliegen des christl. Geschichtsdenkens: Die K. setzt ein mit Jesus Christus, der zunächst im Anschluß an → Origenes als präexistent-göttl. → Logos beschrieben wird und dann in seinem Wirken als Inkarnierter in die histor. Konkretion hinein verfolgt wird. Programmatisch werden gleich zu Beginn als Darstellungsprinzip die *diadochaí* (wörtlich »die Nachfolgen«) der hl. Apostel genannt (HE 1,1,1). Damit ist zum einen der Nachweis ungebrochener apostolischer Sukzession auf den wichtigsten Bischofssitzen gemeint; zum anderen geht es aber auch allgemeiner um die ungebrochene Lehr-Kontinuität von Jesus Christus bis zur Kirche der Jetzt-Zeit – mit stark anti-jüd. und anti-häretischer Stoßrichtung. In formaler Hinsicht geht Eusebios der ant. historiographischen Trad. gegenüber insofern neue Wege, als er auf fiktive Reden und ausführliche Exkurse verzichtet und statt dessen seine Darstellung durch wörtl. zitierte Urkunden und Quellen abstützt. Auch macht sich ein ausgeprägtes literar- und theologiegeschichtliches Interesse bemerkbar (Schriftenverzeichnisse wichtiger Autoren, Biographie des Origenes in B. 6). Die sorgfältigen und breit angelegten Archivstudien, die Eusebios dafür betrieb, haben von Anfang an Anerkennung gefunden und machen das Werk bis heute als Quelle unersetzlich.

Interessant für die Überl.-Gesch. und wichtig zum Gesamtverständnis ist die Tatsache, daß Eusebios die ›K.‹ mehrfach überarbeitet hat (bahnbrechend [7. 1402–1406]); die verschiedenen Bearbeitungsstufen haben in der hsl. Überl. noch Spuren hinterlassen. Die Erstfassung geht dabei wohl noch auf die Zeit vor 303 zurück (vgl. [14. 189], anders zuletzt [1. 482–486]). Insofern ist die ›K.‹ jedenfalls ›nicht die historiographische Bewältigung von diokletianischer Verfolgung und konstantinischer Wende‹ [9. 175]. In der Folgezeit hat Eusebios sein Werk mehrfach aktualisiert und erweitert, bis hin zum Sieg Constantinus' [1] über Licinius 324. Dabei kommt die Freude über den Triumph des Christentums deutlich zum Ausdruck, doch spielt insgesamt der polit. Bereich in dem Werk eine eher untergeordnete Rolle.

Obgleich die ›K.‹ des Eusebios Anf. des 5. Jh. von → Rufinus ins Lat. übertragen wurde und im Westen bis ins MA hinein sehr stark gewirkt hat, regte das lit. Vorbild nur im griech. Osten zu eigenständigen Fortsetzungen an. Die lat. ›K.‹ des Rufinus umfaßte die Zeit bis 395, doch in den beiden über Eusebios hinausgehenden Büchern stützte sich Rufinus weitgehend auf die (nur in Fr. erh.) griech. ›K.‹ des → Gelasios [1], eines Nachfolgers des Eusebios auf dem Bischofsstuhl von Kaisareia (vgl. [11]). In der ersten H. des 5. Jh. entstanden mehrere nach Umfang und Anlage sehr ähnliche Werke, die die ›K.‹ des Eusebios bis in die eigene Zeit fortsetzten: die des → Philostorgios, → Sokrates, → Sozomenos, → Theodoretos. Sie übernehmen grundsätzlich die Konzeption des Vorgängers, modifizieren sie aber dort, wo veränderte Zeitumstände es erfordern. Das gilt vor allem für die Stellung zur staatlichen Macht. Nach den ambivalenten Erfahrungen des 4. Jh. – das einerseits christl., doch andererseits nicht immer orthodoxe Kaisertum – war eine differenziertere Bewertung nötig (vgl. [3]). Alle genannten Autoren beziehen die kaiserl. Religionspolitik in ihre Darstellung mit ein und gliedern ihr Werk sogar nach den Regierungszeiten der Kaiser. Sokrates (5, pr. sowie 1,1,2) reflektiert die Zusammenhänge auch explizit und in kritischer Auseinandersetzung mit Eusebios.

Differenzierter wird das Bild auch in bezug auf die → Häresie. Allenfalls noch bei Theodoretos ist der Sieg der Orthodoxie über abweichende Lehren ein grundlegendes Motiv der K.-Schreibung. Der Novatianer Sokrates (vgl. [10. 235–257]) und der Eunomianer Philostorgios hatten selbst heterodoxe Hintergründe und konnten daher K. nicht als unreflektierte Erfolgsgesch. schreiben. Während Philostorgios in scharfer Abgrenzung gegen die Großkirche die Rolle des ungerecht Verfolgten annimmt, wirbt Sokrates um Versöhnung und stellt Streit und Häresie als unvermeidliche, doch unsachgemäße Motive der K. dar. Diese Haltung sicherte ihm einen Platz in der orthodoxen Überl., während das Werk des Philostorgios nur fragmentarisch (hauptsächlich bei → Photios) erh. ist.

Die Ähnlichkeit der drei »Synoptiker« Sokrates, Sozomenos und Theodoretos führte zu dem Wunsch, aus den drei Werken eine gleichsam »kanonische« Eusebios-Fortsetzung zu gewinnen. → Theodoros Anagnostes schuf Anf. des 6. Jh. auf diese Weise eine Historia tripartita, die er bis in seine eigene Zeit fortsetzte (nur in

einer Epitome erh.). Zunächst auf dieses Werk gestützt, verfaßte im lat. Bereich → Cassiodorus mit Hilfe des Mönches Epiphanius eine ähnliche Historia tripartita, die wiederum weite Verbreitung fand, doch keine lit. Nachfolge.

Ein eigenständiges K.-Werk ist nochmals E. des 6. Jh. entstanden: → Euagrios [3] Scholastikos beschreibt die Zeit der christologischen Streitigkeiten (vom Konzil von Ephesos 431 bis zum J. 594). Neben diesem Hauptthema gewinnt die Berichterstattung über den staatlich-polit. Bereich sehr breiten Raum. Vielleicht ist eine der Ursachen für das Aussterben der K.-Schreibung im byz. Bereich darin zu erblicken, daß auf diese Weise das Proprium der Gattung nicht mehr deutlich genug erkennbar war (während umgekehrt wichtige Anliegen der K.-Schreibung in die profane Historiographie eingingen). Nikephoros Kallistos Xanthopoulos (14. Jh.) ist als interessanter, doch singulärer Nachzügler anzusprechen.

Bed. Wirkung entfalteten die griech. K.-Werke in der (non-chalkedonensischen) armenischen und syrischen Lit., allerdings ohne daß die Gattung als solche eigenständige Vertreter gefunden hätte (Ausnahme: Iohannes [26] von Ephesos). Bei den Armeniern war es v. a. die allg. Historiographie, bei den Syrern die Chronistik, die Traditionen der K.-Schreibung aufnahmen.

Weitere griech. Autoren, deren Werke weniger wichtig oder nur in kleinen Bruchstücken erh. sind: Philippos von Side, Gelasios von Kyzikos, Iohannes [14] Diakrinomenos, Hesychios von Jerusalem, Zacharias Scholastikos, Basileios Kilix (Näheres bei [12. 207 f.]).
→ Geschichtsschreibung; KIRCHENGESCHICHTE

1 R. W. BURGESS, The Dates and Editions of Eusebius' Chronici Canones and Historia ecclesiastica, in: Journal of Theological Studies 48, 1997, 471–504 2 H.-W. GOETZ, Die Geschichtstheologie des Orosius (Impulse der Forsch. 32), 1980 3 H. LEPPIN, Von Constantin dem Großen zu Theodosius II. Das christl. Kaisertum bei den Kirchenhistorikern Socrates, Sozomenus und Theodoret (Hypomnemata 110), 1996 4 A. A. MOSSHAMMER, The Chronicle of Eusebius and Greek Chronographic Tradition, 1979 5 G. J. P. O'DALY, s. v. De ciuitate dei, Augustinus-Lexikon, Bd. 1, 1986–94, 969–1010 6 P. PILHOFER, Presbyteron kreitton. Der Altersbeweis der jüd. und christl. Apologeten und seine Vorgesch. (WUNT II 39), 1990 7 E. SCHWARTZ, s. v. Eusebios, RE 6, 1370–1439 8 G. E. STERLING, Historiography and Self-Definition. Josephus, Luke-Acts and Apologetic Historiography, 1992 9 D. TIMPE, Was ist K.? Zum Gattungscharakter der Historia Ecclesiastica des Eusebius, in: W. DAHLHEIM u. a. (Hrsg.), FS R. Werner, 1989, 171–204 10 M. WALLRAFF, Der Kirchenhistoriker Sokrates. Unt. zu Geschichtsdarstellung, Methode und Person (Forsch. zur Kirchen- und Dogmengesch. 68), 1997 (Lit.) 11 F. WINKELMANN, Unt. zur K. des Gelasios von Kaisareia (SDAW, Klasse für Sprachen, Lit. und Kunst, 1965 H. 3), 1966 12 Ders., Kirchengeschichtswerke, in: Ders., W. BRANDES (Hrsg.), Quellen zur Gesch. des frühen Byzanz (4.–9. Jh.), Berliner byz. Arbeiten, 1990, 202–212 und 365 f. 13 Ders., s. v. Historiographie, RAC 15, 724–765 14 Ders., Euseb von Kaisareia. Der Vater der K., 1991. M. WA.

Kirchenordnungen A. DEFINITION
B. ÜBERSICHT C. GATTUNGSMERKMALE
D. VERFASSERFRAGE E. INHALTE

A. DEFINITION

Für den Bereich des ant. Christentums bezeichnet K. eine Gattung altkirchlicher Texte, die Ausführungen zur kirchlichen Verfassung (Amt in der Gemeinde), zu Kultus (Gottesdienst in der Gemeinde) und Diszplin (ethische Standards in der Gemeinde) zum Gegenstand haben. Zur Gattung gehören Texte, die über den Zeitraum vom 2. bis zum 5. Jh. n. Chr. entstanden und in einem komplizierten Beziehungsgeflecht lit. Abhängigkeit miteinander vernetzt sind. Originaltexte sind in der Regel nicht vorhanden, sondern lediglich spätere (zumeist oriental.) Versionen eines zu rekonstruierenden (zumeist griech.) Originals.

B. ÜBERSICHT

Als K. werden zwölf separate Schriften bezeichnet, die in drei Gruppen zu je vier Texten unterteilt werden können (Sammelausgaben existieren nicht): 1. Die erste und wichtigste Gruppe enthält vier Schriften, die sich als voneinander unabhängige lit. Einheiten präsentieren: die → *Didache* (*didachḗ tōn dṓdeka apostólōn*, entstanden wohl E. 1. Jh. in Syrien), die sogenannte *Traditio apostolica* (Anf. 3. Jh. in Rom, → Hippolytos [2] von Rom zugeschrieben), die *Didascalia* (*didaskalía tōn apostólōn*, etwa Mitte 3. Jh. in Syrien), die ›Apostolische Kirchenordnung‹ (*kanónes ekklēsiastikoí tōn hagíōn apostólōn*, lat. *Canones ecclesiastici apostolorum*, E. des 3. Jh. in Ägypten). 2. Lit. von der *Traditio apostolica* abhängig sind drei Sonderformen: die *Canones Hippolyti* (entstanden 1. H. 4. Jh. in Ägypten), die *Epitome Constitutionum apostolorum VIII* (Anf. 5. Jh.) sowie das *Testamentum Domini Nostri Iesu Christi* (Anf. 5. Jh.). Dazu kommen die ›Apostolischen Kanones‹ (2. H. 4. Jh.). 3. Als Sammelwerke werden jene K. bezeichnet, in denen Schriften der ersten und/oder zweiten Gruppe vereinigt sind; für vier solcher Sammelwerke läßt sich eine eigenständige lit. Existenz vermuten: das *Fragmentum Veronense LV* (entstanden 2. H. 4. Jh.), die ›Apostolischen Konstitutionen‹ (*diatagaí tōn hagíōn apostólōn*, lat. *Constitutiones apostolorum*, um 375) – an sie angehängt sind die o. genannten ›Apostolischen Kanones‹ (8,47), des weiteren der ›Alexandrinische Sinodos‹ (Mitte 5. Jh.) und als spätestes Sammelwerk der *Oktateuchus Clementinus* (spätes 5. Jh.).

C. GATTUNGSMERKMALE

Merkmale der Gattung sind: die Verwendung von appellativen (katalogische Paränese, Mahnrede, Mahnspruch) und präskriptiven Formen (apodiktische Dekretierung mit kasuistischer Erweiterung und anschließender Begründung); Verwendung von rubrikalen Floskeln; begriffliche und (seltener) sachl. Assoziationen als formale Reihungselemente. Was die Kommunikationsstruktur der K. betrifft, so ist die Adressatenanrede großer Variabilität unterworfen, verursacht durch die Verschränkung appellativer und präskriptiver Gattungen. Die pseudapostolische Stilisierung der K. ist nicht pri-

mär gattungskonstitutiv, sondern partizipiert als lit. Ausdrucksmittel, um ein spezifisches Trad.- und Normverständnis zur Geltung zu bringen, an der gattungseigenen Legitimationsstruktur und trifft überdies für zwei der vier lit. Einheiten nicht zu (sc. *Didache, Traditio apostolica*).

D. VERFASSERFRAGE

Die Verfasser bzw. Kompilatoren der Texte nahmen nur dann »legislative Kompetenz« in Anspruch (sc. gemeindliches »Recht« zu formulieren), wenn sie dies im Konnex an die jeweilige Adressatengemeinde realisieren konnten; daher erstreckt sich der Gültigkeitsbereich der gegebenen Ordnungen auf die Adressatengemeinde. Dazu steht nicht im Widerspruch, daß die Gattung lit. universale Geltung (ausgedrückt u. a. durch pseudapostolische Verfasserschaft) beansprucht; die reale Adresse bildet zur universalen Prätention lediglich das pragmatische Korrelat. Was den materialen Umfang der Ordnungen betrifft, so gilt analog: K. beanspruchen zwar in ihrer Tendenz, alle Bereiche des Gemeindelebens umfassend in ihren jeweiligen Ordnungsbestand zu integrieren, jedoch wird eine Vollständigkeit der Ordnungen ausdrücklich dementiert; denn in ihrer Tendenz sind K. nicht konservativ auf den Erhalt und die Absicherung der bestehenden Verhältnisse ausgerichtet, ihnen eignet auch ein innovatorisches Potential, das sich verschieden äußert: Harmonisierung divergierender Trad. (*Didache*), programmat. Offenhalten des Trad.-Bestandes zugunsten etwaiger Ergänzungen (*Traditio apostolica*), Durchsetzung spezifischer Ziele (*Didascalia*). Bei alldem geht es in der schriftlich fixierten Ordnung um die rechtliche Fassung einer bestehenden oder intendierten gemeindl. Praxis. K. beanspruchen, gerade weil sie zur Fortschreibung fixiert werden, für ihre Anordnungen unbegrenzte Geltungsdauer.

E. INHALTE

Inhaltliche Schwerpunkte bilden in den K. die christl. Initiation (Taufe), das christl. Kultmahl (Agape, Eucharistie) und die Ämterordnung; in diesen Kristallisationspunkten christl. Existenz sehen die K. die Gewährleistungsinstanzen für Einheit und Stabilität der Gemeinde: Im Kultmahl, das die Einheit der Zerstreuten symbolisiert, konstituiert sich die Gemeinde der Diaspora (*Didache*); diese Tischgemeinschaft wird später »sakramental« begründet (*Traditio apostolica, Didascalia*). Die Gemeinden bestellen Amtsträger (zunächst, damit diese dem Kultmahl vorstehen) und weisen bestimmte Tätigkeiten verschiedenen Dienstgruppen zu (*Didache*). Die Träger der kirchlichen Ämter und Dienste entwickeln Standesbewußtsein und Amtsethos, was in der *Traditio apostolica* als hierarchischer Ämterordnung zur folgenreichen Separation des → Klerus von den Laien führt, während die Didaskalie einseitig den monarchischen Episkopat (→ Episkopos) propagiert und in dieser Engführung singulär bleibt. Der allmähliche Verlust an Verfassungsrealität, die Konkurrenz synodaler Rechtsetzung (→ Collectiones canonum) seit dem 4. Jh. sowie das für (amtliche) Rezipienten zunehmend suspekter

werdende Mittel der Pseudepigraphie, das die Texte immer offensichtlicher in einer Scheinrealität ansiedelt,
verursacht seit dem 5. Jh. das Verschwinden der Gattung
aus der theologischen Produktion.

1 P.F. BRADSHAW, s. v. K., I. Altkirchliche, TRE 18, 662–670
2 R. H. CONNOLLY, The So-Called Egyptian Church-
Order and Derived Documents, 1916 **3** G.DIX,
H.CHADWICK, The Treatise on the Apostolic Tradition,
²1968 **4** A.FAIVRE, Naissance d'une hiérarchie, 1977
5 E.HAULER, Didascalia Apostolorum fragmenta
Veronensia latina, 1900 **6** C.N. JEFFORD (Hrsg.), The
Didache in Context. Essays, 1998 **7** J.MAGNE, Tradition
apostolique sur les charismes et Diataxeis des saints apôtres,
1975 **8** G.SCHÖLLGEN, Die Didache als Kirchenordnung, in:
JbAC 29, 1986, 5–26 **9** Ders., Die lit. Gattung der syrischen
Didaskalie, in: Orientalia Christiana analecta 229, 1987,
149–159 **10** Ders., W.GEERLINGS (Hrsg.), Fontes christiani,
Bd. 1, 1991 (Edition von Didache und Traditio apostolica)
11 Ders., Der Abfassungszweck der frühchristl. K., in: JbAC
40, 1997, 55–77 **12** E.SCHWARTZ, Über die pseudoapostolischen Kirchenordnungen, in: Ders., Gesammelte
Schriften, Bd. 5, 1963, 193–273 = 1910 **13** B.STEIMER,
Vertex traditionis, 1992.　　　　　　　　　BR.ST.

Kirchenrechtliche Sammlungen
s. Collectiones canonum

Kirchenslavisch ist eine schriftsprachliche Norm des
Gemeinslavischen (językъ slověnьskъi), deren älteste
Gebrauchsform (Alt-K.) durch die Übersetzungs- und
Missionstätigkeit von Konstantinos (→ Kyrillos [5]) und
Methodios in der liturgischen Praxis verwendet wurde
(Vita Methodii 15). Der Konflikt zw. Methodios (*arch-
episcopus Pannoniensis ecclesiae*) und der röm. Kurie betraf
nicht seine apostolische Lehrtätigkeit, sondern das liturgische Vortragen der *sacra missarum solemnia* in slav. Sprache. Die Heiligung der slav. liturgischen Bücher durch
Papst Hadrian II. beim Empfang der beiden Brüder sowie das Abhalten der gesamten Liturgie in slav. Sprache
in der Petruskirche in Rom (Vita Constantini 17) erhob
das K. zu einer liturgischen Sprache.

Neuerdings wird behauptet, das Alt-K. als Kirchen-
sprache seit 863/4 in den Missionsgebieten von Kon-
stantinos/Kyrillos und Methodios, d.h. in den Fürstentümern Rastislavs, Svętopulks und Kocels sei vom
Altbulgarischen als Kirchen- und Reichssprache seit 893
n.Chr. zu unterscheiden [4]. Die Schwierigkeit liegt
darin, daß keine Hss. aus der Zeit der Tätigkeit der beiden Slavenlehrer erh. sind. Die in Mähren verwendete
Sprachnorm läßt sich nur aus späteren Abschriften in
verschiedenen »Redaktionen« rekonstruieren, da die
Autographa bei der Verfolgung der Methodiosschüler
(ab 885 n.Chr.) oder bei der Invasion der Ungarn verlorengingen [7; 2; 5].

Schon im *Skazanie o pismenech* des KONSTANTIN KO-
STENECKI (ca. 1380–1431) ist die Problematik – Her-
kunft und Identität des K. – zu erkennen [3], die später
im 19. Jh. zum Zankapfel der Slavistik wurde: Von der
Romantik inspirierte Ansprüche veranlaßten einige
Sprachforscher, das Alt-K. im Lichte der später entwik-

kelten Nationalsprachen zu sehen (DOBROVSKY 1806,
KALAIDOVIĆ 1822, KOPITAR 1838). Als regionale Varianten (»Redaktionen«) des K. nach dem Untergang
des »Großmährischen Reiches« (906) gelten: die bul-
garisch(-maked.); die ostslav.-Kiever (später russ.), die
als einzige kontinuierlich über das Hoch-MA hinaus-
geht, während volkssprachliche Einflüsse die althergebrachten Formen des Alt-K. in den anderen Ländern
verdrängten; die serbisch-bosnische (štokavische); die
kroatische (čakavische), die direkt vom Alt-K. Mährens
oder Bulgariens (→ Bulgarisches Reich; Bulgaroi) abzuleiten wäre; die böhmische und die polnische Variante [1]. Drei »Entwicklungszentren« des Alt-K. zeichnen
sich aus: Vor 863 n.Chr. rund um Thessaloniki; von 863
bis 885 n.Chr. in Mähren und Bosnien-Slavonien; bis
883 n.Chr. in Pannonien (Westungarn); von 885 bis 893
n.Chr. in Ost- und Westbulgarien (Preslav, Ochrid). Es
gibt auch Versuche, das Problem des Unterschieds zw.
westslav. Mährisch und südslav. Alt-K. als → »Diglossie«
zu interpretieren [6. 284].

1 D.BOGDAN, La vie et l'œuvre des frères
Constantine-Cyrille et Méthode, in: I. ANASTASIOU (Hrsg.),
Kyrillo kai Methodio, 1966, 31–82 **2** A.DOSTÁL, La
tradition cyrillo-méthodienne en Moravie, in:
I. ANASTASIOU (Hrsg.), Kyrillo kai Methodio, 1966, 153–182
3 H.GOLDBLATT, Orthography and Orthodoxy: Constantin
Kostenecki's Treatise on the Letters, 1977 **4** R.PICCHIO,
Pravoslavnoto slavjanstvo i starobǎlgarskata kulturna
tradicija, 1993 **5** R.VEČERKA Zur Periodisierung des Alt-K.,
in: Ann. Instituti Slavici 9, 1976, 92–121 **6** Ders., Das Alt-K.
als Schriftsprache Großmährens, in: Wiener Slawistischer
Almanach 6, 1980, 279–297 **7** N. v.WIJK, Gesch. der alt-k.
Sprache, 1931.　　　　　　　　　　　　　L.D.

Kirchenväter. Der Rekurs auf »Väter« (*patres*) als au-
toritative Zeugen der kirchlichen Lehre bildet sich im
Rahmen einer an der gesch. Überl. orientierten Theologie bereits in altkirchlicher Zeit heraus (→ Eirenaios
[2] von Lyon, → Basileios [1] d. Gr., → Augustinus,
→ Kyrillos [2] von Alexandreia), um die eigene Glau-
benslehre abzusichern und apologetisch gegen konkurrierende Traditionen abzugrenzen. Im MA (und schon
im *Decretum Gelasianum*, frühes 6. Jh.) rücken die ant.
Theologie und Kirche, soweit sie als rechtgläubig gelten, insgesamt in den maßgeblichen Rang der »Väter-
zeit«, wobei in der Praxis bestimmte »Väter« bevorzugt
werden (vor allem → Ambrosius, → Hieronymus, Augustinus, → Gregorius [3] I. d. Gr.; → Athanasios, Basileios d. Gr., Gregorios [3] von Nazianzos, Iohannes [4]
Chrysostomos; (Ps.-)→ Dionysios [54] Areopagites).

Durch den Rückgriff von Reformation und Gegen-
reformation – hinter die Scholastik auf »die Väter« – zur
doktrinären Orientierung im konfessionellen Disput
entsteht aus dem Väterargument eine eigene theologische Disziplin, die *Theologia patristica* (J. F. BUDDEUS,
1727). Schon im Humanismus, verstärkt durch die Auf-
klärung, entwickelt sich die »Väterkunde« (»Patrologia«
als Buchtitel erstmals: J. GERHARD, posthum 1653) zur
wiss. Beschäftigung mit den »Vätertexten« (Editionen,

Quellen-, Methoden- und Echtheitskritik), die seit dem
19. Jh. dezidiert aus histor.-kritischer Perspektive betrieben wird. Die formale Definition der eher populären Bezeichnung »K.« ist heute obsolet geworden, weil
die vier Merkmale der Orthodoxie (*doctrina orthodoxa*),
der persönlichen Integrität (*sanctitas vitae*), der Akzep-
tation durch die Kirche (*approbatio ecclesiae*) und der Zugehörigkeit zum kirchlichen Alt. (*antiquitas*) sich als zu
schablonenhaft erwiesen haben, um eine sinnvolle Auswahl aus der frühchristl. Trad. zu liefern. In vielfacher
interdisziplinärer Vernetzung widmet sich die mod.
Patrologie (Patristik) mit Hilfe der Methoden der allg.
Lit.- und Geschichtswiss. der Erforschung der gesamten
ant. christl. Lit. und Theologie in allen verfügbaren
Textsorten bis → Isidorus [9] von Sevilla (gest. 636) im
lat. Westen und → Iohannes [33] von Damaskos (gest.
um 750) im griech. Osten und behandelt die christl.
Texte sowohl als erste Phase der Gesch. des Christentums als auch als Teil der Lit.-, Rel.-, Philos.-, Sozial-
und Kulturgesch. der hell.-röm. Spätant.

Klass. lat. »Patrologie«: Hieronymus, De viris illustribus (392 nach dem Vorbild Suetonius'), fortgesetzt
von Gennadius von Marseille (um 480), Isidorus von
Sevilla (615/16), Ildefons von Toledo (gest. 667).
Griech.: Photios, *Bibliothékē* (um 850).

→ Patristische Theologie

Ed. und Übers.: Corpus Christianorum Series
Apocryphorum • CCG • CCL • Corpus Christianorum
Continuatio Mediaevalis • CSCO • CSEL • Fontes
Christiani • GCS • MGH AA • PG • PL (mit
Suppl.-Bden.) • Patrologia Orientalis • Patrologia
Syriaca • SChr. • BKV[1.2].
Übersichten: CPG • CPL.
Hdb.: B. Altaner, A. Stuiber, Patrologie. Leben,
Schriften und Lehre der K., ⁹1980, Ndr. 1993 • S. Döpp,
W. Geerlings (Hrsg.), Lex. der ant. christl. Lit., ²1999.
Lit.: **1** N. Brox, Zur Berufung auf »Väter« des Glaubens,
in: Th. Michels (Hrsg.), Heuresis. FS A. Rohracher, 1969,
42–67 **2** Ders., Patrologie, in: P. Eicher (Hrsg.), Neues
Hdb. Theologischer Grundbegriffe, Bd. 4, 1991, 184–192
3 E. Mühlenberg, s. v. Patristik, TRE 26, 97–106
(mit Lit.). A.FÜ.

Kirke (Κίρκη, lat. Circe, Circa). Unsterbliche (Hom.
Od. 12,302), mit Sprache begabte Göttin (ebd. 10,136)
und Nymphe (ebd. 10,543), Tochter des Helios und der
→ Okeanide Perse(is), Schwester des → Aietes (ebd.
10,135 ff.; Hes. theog. 956 f.; Apollod. 1,83), des
→ Perses (Apollod. 1,147) und der → Pasiphae (Apollod. 3,7), von Odysseus Mutter des → Agrios und Latinos (Hes. theog. 1011 ff.) sowie der → Kassiphone (Lykophr. 808 mit schol.). Nach Diodor (4,45,3 ff.) ist K.
Tochter des Aietes und der → Hekate, Schwester der
→ Medeia, Frau des Sarmatenkönigs; sie vergiftet ihn
und flieht nach Italien. Im → Argonauten-Mythos ist K.
urspr. im Westen beheimatet; sie entsühnt → Iason und
→ Medea vom Mord an → Apsyrtos ([1. 116]; Apollod.
1,134; Apoll. Rhod. 4,659 ff. [2. 429]), womit eine Liaison Iason-K. (und K. als Wegweiserin und Parallele zu
Phineus: [3. 97 ff., 112 ff.]) ausgeschlossen ist [5. 3 f.].

Homer versetzt K. in den Osten, weil ihre Nichte
Medeia eine Generation zuvor von den Argonauten
entführt worden war, und gibt ihr, die er nach Medeia
aus → Aia gestaltet hat [5. 236, 247], die Insel Aiaia
(Hom. Od. 12,3 f.). Hier wohnt K. in einer der ep.
Handlung angepaßten Märchenlandschaft [6. 107 ff.;
7. 134 ff.] mit Dienerinnen (Hom. Od. 10,348 ff.) in einem von Wald umgebenen Schloß; sie verzaubert den
durch → Eurylochos angeführten Teil von → Odysseus'
Gefährten durch Gifttrunk und Schlag mit einem Stab
in Schweine, denen jedoch der menschliche Verstand
bleibt. Als ihre Künste an Odysseus, der von Hermes
gewarnt und mit dem Zauberkraut → Moly ausgestattet
war, versagen, erkennt sie in ihm ihren von Hermes
angekündigten Überwinder; sie lädt ihn auf ihr Lager
ein, das Odysseus aber erst besteigt, nachdem ihm K.
eidlich versprochen hat, ihm nicht zu schaden. Bevor er
jedoch ihre Speisen anrührt [8], verlangt er die Entzau-
berung der Gefährten. Nach einjährigem Aufenthalt
fordert die Besatzung die Abreise, die K. widerspruchs-
los gewährt (Hom. Od. 10,133–574; Ov. met. 14,243–
309). Zuvor besucht Odysseus auf K.s Geheiß den
→ Hades, um sich von → Teiresias Ratschläge über die
Weiterfahrt zu holen (Hom. Od. 11), über die K. dann
selbst ausführlicher Auskunft gibt, bevor sie Odysseus
mit günstigem Wind entläßt (Hom. Od. 12,1–150). K.
wohnt bereits bei Hesiod (theog. 1011 ff.), wo ihre und
Odysseus' Söhne über die Tyrsener herrschen, wieder
im Westen (Italien, → Circeii, Verg. Aen. 7,10 ff.
[2. 428 ff.]; Ov. met. 14,348). Nach Nostoi fr. dub. 16
Bernabé bzw. Telegonie F fr. 2 EpGF heiratet → Telemachos K.; ihr und Odysseus' Sohn → Telegonos, der
unwissentlich seinen Vater getötet hat, dagegen → Penelope (vgl. Apollod. epit. 7,36 f.) [9]. Nach Lykophron
(808 ff.) sieht der sterbende Odysseus den Tod K.s durch
Telemachos sowie dessen Tod durch seine und K.s
Tochter Kassiphone voraus. K. verwandelt ihren Verehrer → Kalchos in ein Schwein (Parthenios 12 MythGr),
aus Eifersucht die von → Glaukos [1] begehrte → Skylla
in ein Meerungeheuer (Ov. met. 13,904 ff.; 14,1 ff.) sowie den sich verschmähenden → Picus in einen Specht
(Ov. met. 14,313 ff. [2. 436 ff.]).

Der K.-Gestalt der ›Odyssee‹ (und schon der ›Argonautika‹) liegt eine Zauberin bzw. Hexe des Volksglau-
bens zugrunde [10. 4 ff.; 11. 49 ff.; 12. 31 ff.; 13], mit
Parallelen in anderen Kulturkreisen (Vorderer Orient:
Ištar, Nergal/Ereškigal [12. 61 ff.]) und Bezügen zu
→ Persephone [12. 127 ff.; 2. 428]. Reflex ihrer urspr.
elementarischen Natur ist die auffällige Betonung ihrer
Sprachfähigkeit (Hom. Od. 10,136 [14. 80 f.]). Zum
Unterschied zw. K. (Märchenhaftes, Sage) und → Kalypso (Episches, Homers Erfindung) vgl. [1. 115 ff.;
15. 77 ff.]; zu Weiterleben und Motivgesch. [16]; K. in
der Kunst [17; 18].

1 U. v. Wilamowitz-Moellendorff, Homer. Unt., 1884
2 C. Segal, Circean Temptations, in: TAPhA 99, 1968,
419–442 **3** K. Meuli, Odyssee und Argonautika, 1921, Ndr.
1974 **4** G. Beck, Beobachtungen zur K.-Episode in der

Odyssee, in: Philologus 109, 1965, 1–29 **5** U. v.
Wilamowitz-Moellendorff, Hell. Dichtung 2, 1924,
²1962 **6** M. Treu, Von Homer zur Lyrik, 1955, ²1968
7 W. Elliger, Die Darstellung der Landschaft in der griech.
Dichtung, 1975 **8** A. Dyck, The Witch's Bed But Not Her
Breakfast, in: RhM 124, 1981, 196–198 **9** B. Mader,
s. v. K., LFE 2,1425 f. **10** L. Radermacher, Die
Erzählungen der Odyssee, SAWW, 1915, 178.1 **11** D. L.
Page, Folktales in Homer's Odyssey, 1973 **12** G. Crane,
Calypso, 1988 **13** A. Heubeck, A. Hoekstra, A Comm. on
Homer's Odyssey 2, 1989, 50 ff. **14** F. Dirlmeier, Die
»schreckliche« Kalypso, 1967, in: Ders., Ausgewählte
Schriften zu Dichtung und Philos. der Griechen, 1970,
79–84 **15** K. Reinhardt, Die Abenteuer der Odyssee,
1942/1948, in: Ders., Trad. und Geist, 1960, 47–124
16 E. Kaiser, Odyssee-Szenen als Topoi 2. Der Zauber K.s
und Kalypsos, in: MH 21, 1964, 197–213 **17** F. Canciani,
s. v. K., LIMC 6.1, 48–59 **18** M. le Glay, s. v. Circe, LIMC
6.1, 59 f.   P. D.

Kirphis

Kirphis (Κίρφις). Bergkamm im Süden von Arachova
in Boiotia, von der Ebene von Kirrha im Westen bis
zum Schiste im Osten (Strab. 9,3,3; FdD 3, 4, 280 c 24),
wo sich der höchste Gipfel erhebt (Xerovouni, 1503 m:
vgl. Pind. hyporchemata d 5,4; b 3,11), der mit dem
Berg Parnassos die Grenze zw. West- und Ostlokris bildet (Strab. 9,3,1). Es ist unsicher, ob diese Hinweise auf die
Existenz eines bewohnten gleichnamigen Zentrums beweisen, das in der Nähe des h. Dorfes Desphina auf den
Abhängen des Hügels an den südl. Rändern des K. anzusetzen wäre, wo sich Spuren einer ant. Siedlung finden. Vgl. Steph. Byz. s. v. Σκίρφαι.

F. Bölte, s. v. K., RE 11, 507 f. · F. Schober, Phokis, 1924,
32 · N. D. Papachatzis, Παυσανίου Ελλάδος Περιήγησις 5,
1981, 284.   G. D. R./Ü: J. W. M.

Kirschbaum

Kirschbaum (κέρασος, lat. *cerasus* mit ungeklärter
Etym., da der Name der Stadt → Kerasos anders als bei
Isid. orig. 17,7,16 von dem K. abgeleitet ist; die Kir-
schen heißen κεράσια, lat. *cerasia*). Den Wild-K. gab es
in Europa mindestens seit der mittleren Steinzeit
[1. 112]. Die veredelte Süßkirsche führte 74 v. Chr.
→ Licinius Lucullus vom Schwarzen Meer nach It. ein
(Plin. nat. 15,102 ff.). Sie verbreitete sich schnell bis
nach Britannien. Plinius kennt bereits mehrere, h. kaum
mehr bestimmbare Sorten (Plin. nat. 15,102 ff., vgl.
16,123 und 125; 17,234). Athen. 2,51a-b behauptet mit
einem Zitat des → Diphilos [6] von Siphnos (um 300
v. Chr.) über ihre diätetischen Qualitäten, sie sei schon
lange vorher in Griechenland bekanntgewesen. Bei
Theophr. h. plant. 3,13,1–3 scheint die Vogelkirsche
(Prunus avium subspecies silvestris) gemeint zu sein. Seit
Varro (rust. 1,39,2) wird sie wegen ihrer adstringieren-
den Wirkung u. a. von Galen (de alimentorum facultatibus 2,12) erwähnt. Columella empfiehlt für It. die
Pfropfung schon E. Dezember (11,2,96) oder Mitte Januar (11,2,11), Pall. agric. 11,12,4–8 beschreibt ausführlich ihre Ansprüche an den Boden und ihre Kultur.

1 K. und F. Bertsch, Gesch. unserer Kulturpflanzen, 1949.

V. Hehn, Kulturpflanzen und Haustiere (ed. O. Schrader),
⁸1911, Neudr. 1963, 404–410 · F. Olck, s. v. K., RE 11,
509–515.   C. HÜ.

Kissen

Kissen (ἡ τύλη, τὸ κνέφαλλον, lat. *cervical, pulvinus*). K.
dienten zum weichen Sitzen oder Liegen auf Stühlen,
Klinen (Petron. 32), in Sänften (Iuv. 6,353) oder für das
Lagern auf der Erde. Auch für die Bequemlichkeit im
Circus wurden Sitzkissen angeboten (Mart. 14,160). Als
Material für K. dienten u. a. Leinen, Wolle oder Leder,
die oftmals prachtvoll verziert waren. Als Füllung dienten Stroh, Heu, Schilf, Seegras oder Binsen (Ov. met.
8,655) sowie Wollflocken. Beliebt waren dafür Vogel-
federn aller Art – von daher konnten K. im Röm. auch
pluma heißen –, unter denen die der weißen german.
→ Gans sehr geschätzt waren (Plin. nat. 10,53 f.), daneben verwandte man Federn von Rebhühnern und
auch Hasenhaare.

Auf den griech. und röm. Denkmälern sind K. recht-
eckig, sackartig oder länglich geformt und in unterschiedlichsten Alltags- wie Heroenszenen als Ruhepol-
ster oder Rückenstütze dargestellt. Ein röm. Grabrelief
zeigt einen K.-Laden (Florenz, UF Inv. 313, [1]), unter
den spätant. »kopt.« Textilien finden sich vereinzelt Frg.
von K.-Bezügen [2].

1 G. Zimmer, Röm. Berufsdarstellungen, 1982, 124, Nr. 38
2 D. Renner, Die kopt. Stoffe im
Martin-von-Wagner-Museum der Universität Würzburg,
1974, 34–38, Nr. 16–18.

H. Möbius, Kissen oder Schlauch. Zur Problematik des
Bostoner Throns, in: AA 1964, 294–300 · M. Napoli, La
Tomba del Tuffatore, 1970, 117–118 · K. Schauenburg,
K. oder Ei? Zu einem unterital. Vasenornament, in:
AA 1994, 393–401.   R. H.

Kisseus

Kisseus (Κισσεύς, von griech. κισσός, »Efeu«, die heilige Pflanze des → Dionysos; lat. *Cisseus*). Name mehrerer myth. Könige, die mit Thrakien und Makedonien
(Dionysos' angeblicher Heimat) verbunden sind; die
Konstruktion dieser Gestalten ist offensichtlich. Thrak.
Könige sind der Vater der → Hekabe (Eur. Hec. 3 mit
schol.), der Gastfreund des Anchises (Verg. Aen.
5,536 f.), den Serv. z. St. mit dem vorigen identifiziert,
der Vater der troischen Athenapriesterin → Theano
(Strab. 7,330 fr. 24). Eigene Gestalt, freilich nach geläu-
figem Erzählschema, hat der treulose maked. König, der
in Euripides' verlorenem ›Archelaos‹ den myth. Archelaos, den eponymen Ahnen von Euripides' Gastge-
ber, als Kampfhelfer bei sich aufnimmt, ihn dann verraten will, aber von Archelaos getötet wird (Hyg. fab.
219). Verg. Aen. 10,320 legt den Namen in einer gelehrten Konstruktion einem Rutuler bei, der als Sohn des
Sehers → Melampus, des Begründers des griech. Dio-
nysoskults (Hdt. 2,48 f.), ebenso Verbindungen zu Dionysos hat.

→ Archelaos [1], Efeu   F. G.

Kissos (Κισσός, »Efeu«). Dionysos K. wird in Acharnai verehrt, weil dort der Efeu entstanden sein soll (Paus. 1,31,6). K. nimmt in den *Dionysiaká* im Zug des Dionysos teil; Nonnos (Dion. 10,401 ff.) erzählt, daß er sich auf ein Wettrennen mit dem Dionysos-Liebling Ampelos einläßt und verliert. Als der tote Ampelos sich in die Rebe verwandelt, wird K. der Efeu, der um den Weinberg wächst (ebd. 12,97 ff. und 188 ff.)

> H. BAUMANN, Griech. Pflanzenwelt in Mythos, Kunst und Lit., 1982, 85 • A. KOSSATZ-DEISSMANN, s. v. K., LIMC 6.1, 61.   EL. STO.

Kithairon (Κιθαιρών, lat. *Cithaeron*). Auch h. noch bewaldeter Gebirgszug (1407 m, Hagios Elias) im Norden des → Isthmos von Korinthos, der Boiotia im Norden gegen die Megaris im SW, gegen Attika im SO abgrenzt; an den K. schließen sich östl. das Pastra-Gebirge (1025 m), die Skurta-Hochebene (zw. 540 und 570 m) und der Parnes an. Über verschiedene Pässe führten wichtige, durch Festungen und Wachtürme gesicherte Verbindungswege von und nach Boiotia (Hdt. 9,38 f.; Thuk. 3,24; Xen. hell. 5,4,37; 47; 6,4,5;), so die Route über den Paß (585 m) »Eichenköpfe« (Δρυὸς Κεφαλαί) oder »Drei Köpfe« (Τρεῖς Κεφαλαί) im Norden von Eleutherai. Zahlreiche Kulte (Dionysos, Zeus und Hera, Nymphen, Pan) und Mythen (Pentheus, Aktaion, Antiope, Oidipus, Niobe, Alkathoos, Herakles, Teiresias) waren mit dem K. verbunden.

> PHILIPPSON/KIRSTEN I, 522 ff.   E. O.

Kithara, Kitharodia s. Musikinstrumente

Kition (Κίτιον). Wichtige Hafenstadt an der Südküste von → Kypros, h. Larnaka. Befestigte myk. Stadt mit Tempel und Nekropolen [1], im 11. Jh. v. Chr. zerstört. Auf einer Stele aus K. beansprucht Sargon II. 709 v. Chr. die assyr. Oberhoheit. Eine im 9. Jh. v. Chr. von Tyros ausgehende → Kolonisation begründete zunehmenden phoinik. Einfluß, der nach erfolgloser Teilnahme von K. am → Ionischen Aufstand in der Machtergreifung einer phoinik. Dyn. seinen Höhepunkt fand. Die Könige des 5. und 4. Jh. v. Chr. sind aus Mz. und Inschr. bekannt. K. ist Haupt-FO phoinik. Inschr. auf Kypros (CIS 1,1, 35 ff. Nr. 10–87). Der Name lautet phoinik. zuerst *Qart-hadašt*, »Neustadt«, dann *Ktj*, einheimisch *ket-ti*, griech. *Kítion*, lat. *Citium*. In der 2. H. des 5. Jh. v. Chr. dehnte sich die Herrschaft von K. auf das benachbarte → Idalion aus und Mitte des 4. Jh. zeitweilig auf Tamassos. Die stark befestigte Stadt wurde von → Kimon [2] 449 v. Chr. vergeblich belagert, 312 von Ptolemaios I. erobert, der letzte phoinik. König Pumiathon hingerichtet. Unter den Ptolemaiern war K. Garnison, in der Spätant. Bistum. Aus K. stammen → Zenon, der Begründer der Stoa, und die Ärzte → Apollonios [16], Apollodoros und Artemidoros.

Auf dem »Bamboula«-Hügel sind Reste von Heiligtümern archa. bis spätklass. Zeit erh. [2; 3]. Am Fuß des Hügels liegen die Anlagen des einst bed. Hafens (Strab.

14,6,3). Ferner: Großer Tempel, vielleicht der Astarte, vom E. 9. Jh. v. Chr. auf myk. Vorgängerbauten mit benachbarten Metallwerkstätten, zerstört durch Ptolemaios I.; weitere Heiligtümer im Stadtgebiet. Theater, Gymnasion, Stadion und Hippodrom sind inschr. belegt. Ausgedehnte Nekropole mit monumentalen Kammergräbern und Sarkophagen.

> 1 V. KARAGEORGHIS, Excavations at K. 1, 1974
> 2 E. GJERSTADT, K., in: The Swedish Cyprus Expedition 3, 1937, 1–75 3 J. F. SALLES u. a., K. – Bamboula 4, Les niveaus hellénistiques, 1993.
>
> Y. CALVET, K., in: M. YON (Hrsg.), Kinyras (Traveaux de la maison de l'Orient 22), 1993, 107–138 • E. GJERSTADT u. a., s. v. K. in: The Swedish Cyprus Expedition 3, 1937; 4,2, 1948, 543 • V. KARAGEORGHIS, K., 1976 • MASSON, 272–274, Nr. 256–259 • K. NICOLAOU, The Historical Topography of Kition, (Stud. in Mediterranean Archaeology 43), 1976 • E. OBERHUMMER, s. v. K., RE 11, 535–545.   R. SE.

Kizzuwatna. Von ca. 1480 bis ins 13. Jh. v. Chr. (vereinzelt auch später) bezeugtes Land in SO-Kleinasien. K. umfaßte im 15. Jh. vor allem das ebene Kilikien (Kilikia Pedias, h. Çukurova; → Kilikes, Kilikia) mit den Städten Adanija (Adana) und Tarsa (→ Tarsos) sowie → Kataonien mit den Städten Kummanna (Comana Cappadociae) und La(hu)wazantija.

Dieses Gebiet war in der 2. H. des 16. Jh. v. Chr. Teil des hethit. Staates (→ Hattusa). Um 1500 machte sich K. selbständig. Nur wenig jünger ist eine Bulle aus Tarsos mit dem Abdruck des Siegels eines »Großkönigs« Išputahsu, der als König von K. und Vertragspartner des hethit. Großkönigs Telibinu bezeugt ist. Das Vertragsverhältnis wurde in der Folgezeit mit den Königen Eheja, Paddatissu und Pillija erneuert, bis K. im Zuge der Expansion von → Mittani in der 2. H. des 15. Jh. von letzterem abhängig wurde. Wohl nur eine Generation später konnte der hethit. Großkönig Tudhalija I. (ca. 1420–1400) den König Sunassura von K. zum Abfall von Mittani und zum Abschluß eines Vertrages bewegen, der im Sinne eines *foedus aequum* formell von der Gleichrangigkeit der Partner ausging, aber inhaltlich ein Abhängigkeitsverhältnis beschrieb. Bald darauf wurde anscheinend das Königtum von K. aufgehoben und K. in den hethit. Staat integriert. Seit Tudhalija II. (ca 1375–1355) wurde K. von hethit. Prinzen verwaltet, die den Titel »Priester« führten. Aus einem kizzuwatnäischen Priestergeschlecht stammt Puduheba, Gemahlin Hattusili II. (»III.«) (ca. 1255–1240) und eine der bedeutendsten hethit. Großköniginnen.

Das von → luwisch- und → hurritisch-sprachigen Bevölkerungsteilen bewohnte K. bildete seit dem 18. Jh. eine wichtige kulturelle Drehscheibe zw. Nord-Syrien und Kleinasien und hat hurrit. sowie durch Hurriter vermittelte babylon. und nord-syr. Trad. (u. a. epische Lit., Eingeweideschau, Kulte, Riten) an die Hethiter weitergegeben. Im 15. Jh. entstanden hier zahlreiche Rituale und Beschwörungen hurrit. und luw.

Verfasser(innen); auch die hethit. Trainingsanleitungen für Streitwagenpferde (15. Jh.) dürften in K. entstanden sein (→ Reitkunst).

→ Kleinasien, Hethitische Nachfolgestaaten; Literatur; Magie; Mythologie

R. H. BEAL, The History of K., in: Orientalia 55, 1986, 424–445.   GE. W.

Klarios s. Apollon; Klaros [1]

Klaros
[1] (Κλᾶρος). Ion. Heiligtum des → Apollon Klarios (aus protogeom. Zeit, 10. Jh. v. Chr.) mit Orakelstätte (Blütezeit 2. Jh. n. Chr.) auf dem Territorium von → Kolophon, in der Küstenebene von Ahmetbeyli. Lit. und inschr. gut bezeugt (vgl. Hom. h. ad Apollinem 1,40; Hom. h. ad Dianam 5; Thuk. 3,33; Strab. 14,1,27; Paus. 7,3; Iambl. de myst. 3,11; Aristeid. 3,317 JEBB; Tac. ann. 2,54,2f.: Germanicus 18 n. Chr. in K.). Arch. Überreste: Rundaltar (2. H. 7. Jh. v. Chr.), Propylaia; archa., von frühhell. (4. Jh. v. Chr.) dor. Apollon-Tempel (von Kaiser Hadrianus restauriert) überbaut. Tempel der Artemis Klaria; Exedra (aus röm. Zeit). Penteterische Spiele sind durch Inschr. nachgewiesen.

J. DE LA GENIÈRE, Claros, in: REA 100, 1998, 235–256 •
H. W. PARKE, The Oracles of Apollo in Asia Minor, 1985 •
J. und L. ROBERT, Claros I. Décrets hellénistiques, 1989 •
L. ROBERT, s. v. Claros, PE, 226.   J. D. G. u. E. O.

[2] s. Kleros

Klarotai (κλαρῶται). Unfreie Landbewohner in Kreta, die gegen Entrichtung von Abgaben die *klároi* (→ *kléros*) der Vollbürger bearbeiteten (Athen. 6,263e-f; Poll. 3,83).   K.-W. WEL.

Klassische Zeit s. Periodisierung; Klassizismus

Klassizismus
I. LITERATURGESCHICHTE
II. RECHTSGESCHICHTE

I. LITERATURGESCHICHTE
A. ALLGEMEIN B. GRIECHISCHER KLASSIZISMUS
C. RÖMISCHER KLASSIZISMUS

A. ALLGEMEIN
Mit K., zu Beginn des 19. Jh. analog und antithetisch zu »Romantizismus« gebildet, wird anfänglich dasselbe bezeichnet wie mit dem späteren, erstmals 1887 [1. 154] belegten Neologismus »Klassik«: ›höchste Vollendung‹, im Engl. und Frz. noch erkennbar an der verbliebenen Ambivalenz des K.-Begriffs, bes. an der Entgegensetzung von »classicism/neo-classicism« bzw. »classicisme/néoclassicisme« [2. 3, 5 f.]. In dem von WILAMOWITZ [3. 272] bevorzugten typologischen Sinn meint K. hingegen als Epochenbegriff die bewußte künstlerische und lit. Anlehnung an einen leitbildhaften → Kanon,

was dem ant. K.-Verständnis recht nahekommt: Nur ein *classicus adsiduusque scriptor* (›vorbildlicher und anerkannter Schriftsteller‹) aus der *cohors antiquior* (›älteren Schar‹) der Redner und Dichter kann nach Fronto (bei Gell. 19,8,15) die Korrektheit des sprachlichen Ausdrucks garantieren. Damit avanciert die Epoche des anerkannt Mustergültigen korrelativ über die Nachahmung zur »Klassik«. Der Rückwendung zu klassischen Mustern (lat. *classici* = griech. ἐγκριθέντες/*enkrithéntes* oder πραττόμενοι/*prattómenoi*) geht in der Regel eine von den Klassizisten verworfene Zwischenzeit mit zumeist barocken Zügen voraus, so daß sich ein Epochendreischritt ergibt (schon von Dion. Hal. De antiquis rhetoribus 1 für die griech. Lit. reklamiert), gut zu ersehen an dem K. der it. Renaissance mit dem unmittelbar vorausgehenden, von den Humanisten des Quattrocento kritisierten, z. T. ignorierten lat. MA und der dagegen zum klass. Maßstab erhobenen Antike.

B. GRIECHISCHER KLASSIZISMUS
In Augusteischer Zeit markieren → Caecilius [III 5] von Kale Akte (mit Vorliebe für → Lysias) und → Dionysios [18] von Halikarnassos (u. a. → Demosthenes [2] und → Thukydides zu Leitbildern erklärend) mit einer radikalen Lit.-Kritik, die den Hell. und seine Programme ablehnt und die Vorzüge der griech. Lit. des 5. und 4. Jh. v. Chr. preist, eine ›klassizistische Wende‹ [4. 171]. Auf die von ihnen als klass. deklarierte griech. Periode etwa von 480 (Sieg über die Perser bei Salamis) bis 323 v. Chr. (Tod Alexanders d. Gr.) ist bes. das Phänomen des → Attizismus bezogen, der nach Dion. Hal. rhet. 3,1 in Rom konzipiert wurde (ἀρχὴ τῆς τοσαύτης μεταβολῆς ἐγένετο ἡ πάντων κρατοῦσα Ῥώμη, ›Ausgangspunkt für diese große Wende war das allesbeherrschende Rom‹). Cicero signalisiert mit seinen Schriften *Brutus* und *Orator*, in denen die att.-asianische Kontroverse um einen schlichten oder überladenen Redestil zum Ausdruck kommt, Mitte der 40er Jahre des 1. Jh. v. Chr. ein aktuelles Interesse seiner Zeit an klassizistischen Themen. Träger der attizistischen Bewegung sind neben M. → Iunius [I 10] Brutus T. → Pomponius Atticus und C. Iulius → Caesar.

Die geforderte *mímēsis* (lat. *imitatio*) zielt auf ein Gleichziehen mit den Vorbildern, nach Möglichkeit auch auf ein Übertreffen derselben. Der *Auctor Perì Hýpsus* (Περὶ Ὕψους, (Ps.-)→ Longinos) setzt sich im 1.(?) Jh. n. Chr. mit den Idealen der augusteischen Klassizisten (bes. Caecilius [III 5] von Kale Akte) unter größerer Betonung der poetischen *phýsis* (»Natur/Anlage«) auseinander. → Plutarchos verhält sich als Klassizist eher rezeptiv [6. 96]. *Kanónes* (Κανόνες, → Kanon) von Klassikern entstammen alexandrinischer Tradition [6. 84]. Dramatiker, Epiker, Historiographen, Lyriker, Philosophen und Redner werden in Gruppen geordnet, was sehr früh schon auf röm. Seite durch → Volcacius Sedigitus (2. Jh. v. Chr.) nachgeahmt wird, der analog zur Zehnzahl der att. Redner eine Liste der besten Palliatendichter (→ Palliata) entwirft (De poetis fr. 1 MOREL).

Doch schon innerhalb der zur griech. »Klassik« erhobenen Zeitspanne werden bestimmte Autoren kanonisiert, so die drei Tragiker → Aischylos [1], → Euripides [1] und → Sophokles bereits 405 v. Chr. durch den Komödiendichter → Aristophanes [3] (Ran. 72: οἱ μὲν γὰρ οὐκέτ' εἰσίν, οἱ δ' ὄντες κακοί, ›denn die einen [d. h. die drei] gibt es nicht mehr, die anderen, die leben, sind schlecht‹), von der Lit.-Kritik des 4. Jh. bestätigt (vgl. Herakleides [16] Pontikos fr. 179 WEHRLI). → Aristoteles [6] gibt im ersten Buch seiner ›Poetik‹ für die Entwicklung der Trag. als Endpunkt Sophokles an und sieht in dem sophokleischen ›Oidipus Tyrannos‹ ein Muster der Gattung. Der alexandrinischen Philol. ist die Tragikerdreiheit so geläufig, daß die gelehrten Drameneinführungen (→ Hypothesis) des → Aristophanes [4] von Byzanz stets nur von παρ' οὐδετέρῳ (›bei keinem der beiden anderen‹) o. ä. sprechen. Die Trias der Komiker ist hingegen erst klassizistisch bezeugt (Hor. sat. 1,4,1: *Eupolis atque Cratinus Aristophanesque poetae*).

Im Zentrum der klass. griech. Lit. des 5. Jh. v. Chr. steht das Drama, während das → Epos eine eher untergeordnete Rolle spielt. Die homer. Gedichte bilden freilich eine Ausnahme: Ihre paradigmatische Wirkung erstreckt sich über die gesamte griech.-röm. Ant. und erreicht einen markanten Höhepunkt in Vergils *Aeneis*; u. a. deshalb wird heute die griech. Klassik lit. als eine ›von Homer bis zu den Philosophen des 4. Jh. v. Chr.‹ [5. 192] reichende, sich in den verschiedenen Gattungen allmählich vervollkommnende Epoche angesehen.

C. RÖMISCHER KLASSIZISMUS

In der röm. Lit. läßt sich das Phänomen des K. wegen seiner Komplexität nur schwer fassen. Schon im 3. und 2. Jh. v. Chr. findet seitens der frühen Dichter → Livius Andronicus, → Naevius und → Ennius eine imitierende Auseinandersetzung mit griech. Vorbildern statt, die bei → Plautus in Ansätzen sogar die Gestalt einer *aemulatio* (einer innovativen, auf Selbständigkeit bedachten Konkurrenz) annimmt. Die röm. Klassik des 1. Jh. v. Chr. wäre ohne griech. Exempla kaum denkbar. Den jungen Dichtern rät Horaz, sie Tag und Nacht bei der Hand zu haben: *vos exemplaria Graeca / nocturna versate manu, versate diurna* (Hor. ars 268 f.). Mit Ausnahme des Prosaikers Cato verwirft Horaz alle Literaten der röm. Vorklassik. Zu Vorbildern werden hingegen die von den griech. Klassizisten abgelehnten Dichter des Hell. genommen. Typisch für den röm. Zugriff auf griech. Werke ist ein diachroner, alles Verfügbare nutzender → Eklektizismus, der eben in der rigorosen Vereinnahmung des Besten klassizistische Züge aufweist: → Vergil bezieht sich gleichermaßen auf Homer und Apollonios Rhodios, Hesiod und Theokrit; → Horatius [7] geriert sich als ein röm. Archilochos (Hor. epist. 1,19,23 ff.), nicht ohne die Vorzüge pindarischer (vgl. neben carm. 4,2 auch 4,4 und 4,14) und kallimacheischer Poesie (vgl. carm. 4,15,1 ff.) zu verkennen; → Cicero orientiert sich als Vermittler griech. Philos. an akademischem, peripatetischem und stoischem Gedankengut verschiedener Zeiten (unter leichter Bevorzugung Platons), als Red

ner ebenso an Demosthenes wie an der zeitgenössischen rhodischen Schule des Apollonios → Molon). Die großen Autoren der Augusteischen → Literatur gelten bald, da man ihre Werke und ihren Stil in der Kaiserzeit nachzuahmen beginnt, selbst als Klassiker. Cicero und Vergil beherrschen die Rhetorenschule, verdrängen die archa. röm. Muster, darunter Ennius, und werden den Griechen gleichgestellt. Noch → Augustinus bezeugt die Parallelität von Homer und Vergil im Unterricht (Aug. conf. 1,13 f.).

Der im 1. Jh. n. Chr. aufkommende → Archaismus, von dem der Attizisten Quintilian (inst. 2,5,21 und 8,3,60) einer strengen Kritik unterzogen, bezieht auch die Sprache des Ennius und des → Sallustius in den K. ein. Im Gegensatz zum griech. unterscheidet der röm. K. zw. lit. und polit. Vorbildlichkeit: ›von der frühen Kaiserzeit bis auf den heutigen Tag‹ werden die ›spezifisch röm. Wertvorstellungen ... in der Frühzeit der röm. Republik‹ [7. 59] gesucht.

→ Archaismus; Attizismus; Literatur; KLASSIZISMUS

1 TH. GELZER, Klassik und K., in: Gymnasium 82, 1975, 147–173 2 Ders., Klassizismus, Attizismus und Asianismus, in: Ders. (Hrsg.), Le Classicisme à Rome (Entretiens 25), 1979, 1–55 3 U. V. WILAMOWITZ-MOELLENDORFF, Asianismus und Attizismus, in: KS III, 1969, 223–273 4 R. KASSEL, Die Abgrenzung des Hell. in der griech. Literaturgesch., in: Ders., KS, 1991, 154–73 5 M. FUHRMANN, Dichtungstheorie der Ant., ²1992 6 H. FLASHAR, Die klassizistische Theorie der Mimesis, in: TH. GELZER (Hrsg.), Le Classicisme à Rome (Entretiens 25), 1979, 79–111 7 DIHLE, ²1991.

K. BAUCH, Klassik-Klassizität-K., 1939/40, 429–440 · A. DIHLE, Der Beginn des Attizismus, in: A&A 23, 1977, 162–177 · Ders., Der griech. K., in: Heidelberger Jbb. 34, 1990, 147–156 · M. GREENHALGH, Was ist K.?, 1990 · W. VOSSKAMP (Hrsg.), Klassik im Vergleich, 1993 · TH. HIDBER, Das klassizistische Manifest des Dionys von Halikarnaß, 1996.   P. RI.

II. RECHTSGESCHICHTE

1790 bezeichnete Gustav HUGO [1] die in die → *Digesta* aufgenommenen ant. jurist. Schriftsteller als »klass. Juristen«. Seitdem hat sich – auch international – eingebürgert, die röm. Rechtswiss. von Antistius [II 3] Labeo (um die Zeitenwende) bis Modestinus (gest. ca. 235 n. Chr.) als jurist. Klassiker zu bezeichnen. Denkt man bei diesem Begriff an den Hochstand einer Kultur, erscheint diese Periodisierung nicht ohne Willkür, da die wichtigsten Errungenschaften des röm. Rechtes früher liegen, in der Zeit der »Alten« (*veteres*) in 2. Jh. v. Chr., sowie im 1. Jh. v. Chr., in dem Q. → Mucius Scaevola, C. → Aquilius [I 12] Gallus und der Cicero-Freund Servius → Sulpicius Rufus gelebt, geschrieben und mit ihren Vorschlägen die Edikte der Praetoren wesentlich beeinflußt haben (→ *ius*). Für uns quellenmäßig greifbar ist die höchste Qualität der röm. Rechtslit. freilich in den Schriften des 2. und beginnenden 3. Jh. n. Chr., etwa bei → Iuventius [II 2] Celsus, Salvius → Iulianus [1] und → Papinianus. Mit ihrer intellektuellen Leistung galten sie vor allem der Pandektenwiss. des 19. Jh. als Vorbilder jurist.-lit. Kultur schlechthin, und bis heute bezieht die Zugehörigkeit der Wiss. vom röm. Recht zu den rechtswiss. Fakultäten in den meisten europ. Ländern ihre Legitimation in erster Linie aus der hohen Qualität der »klass.« röm. Rechtslit. Daß sie durch das Medium der *Digesta* überhaupt zu einem beträchtlichen Teil (ca. 5 %) erh. geblieben ist, beruht bereits auf einem K. der Spätant., zunächst in den oström. Rechtsschulen (vor allem in Berytos), dann im 6. Jh. bei Iustinian und seinem Gesetzgebungsminister → Tribonianus.

→ PANDEKTISTIK; TEXTSTUFENFORSCHUNG

1 G. HUGO, Lehrbuch und Chrestomathie des classischen Pandektenrechts zu exegetischen Vorlesungen, in: Beyträge zur civilistischen Bücherkunde I, 1790, 209 **2** F. WIEACKER, Über das Klass. in der röm. Jurisprudenz, in: Ders., Vom röm. Recht, ²1961, 161–186 **3** K.-H. SCHINDLER, Justinians Haltung zur Klassik, 1966. G.S.

Klaudiupolis (Κλαυδιούπολις).

[1] Alte Siedlung in der Landschaft Salon (Abant Gölü, Becken von Bolu und umliegende Almengebiete), h. Bolu (Strab. 12,4,7); Vorort der freien → Mariandynoi, 281/0 v. Chr. von → Zipoites gewonnen, ca. 275/4–179 galatisch (Residenzburg der nordwestl. Tolistobogier-Tetrarchie südl. von Bolu bei dem bereits ant. Thermalbad von Karacasu). Von Prusias II. als Polis Bithynion neu gegr., nun Teil der bithynischen Mesogaia, dann der Prov. → Bithynia et Pontus. Unter Kaiser Claudius (41–54 n. Chr.) zu K., als Vaterstadt des Antinoos [2] ca. 130 zu Bithynion Hadriana (Einführung der Festspiele Hadrianeia Antinoeia) umbenannt. In tetrarchischer Zeit (3./4. Jh. n. Chr.) Militärgarnison, nach 388 (anders [1]) Metropolis der Prov. Honorias. Als Bischofssitz seit tetrarchischer Zeit belegt.

1 K. BELKE, Paphlagonien und Honorias, 1996, 66, 235–237, 270.

F. BECKER-BERTAU, K. (IK 31), 1986 • K. STROBEL, Galatien und seine Grenzregionen, in: E. SCHWERTHEIM (Hrsg.), Forsch. in Galatien (Asia Minor Stud. 12), 1994, 29–65 • Ders., Die Galater 1, 1996 • BEDRI YALMAN, Bolu Hisartepe, in: IX. Türk Tarih Kongresi 1, 1986, 435–450, Abb. 191–205. K. ST.

[2] (auch Κλαυδιόπολις). Stadt in Isauria (Ptol. 5,6,22; Amm. 14,8,2; Hierokles, Synekdemos 709,10), 53 km nordwestl. von Seleukeia am Kalykadnos, h. Mut. K. ist (gegen Ptol. 5,7,6) mit der *Colonia Iulia Augusta Felix Ninica* zu identifizieren und bildete mit dieser seit der Stadterhebung unter Claudius eine Doppelkommune [2. 426ff.]; als Bistum seit dem Konzil von Nikaia (325 n. Chr.) belegt [1]. Wenige Siedlungsreste, eine Nekropole im SO [1].

1 HILD/HELLENKEMPER 1, 307f. **2** S. MITCHELL, Iconium and Ninica, in: Historia 28, 1979, 409–438. K. T.

Klazomenai (Κλαζομεναί).

Ion. Stadt in Lydia am Südufer des Golfs von Smyrna beim h. Urla, von → Kolophon gegr., von → Alyattes bekriegt (Hdt. 1,16); aus Furcht vor den Persern auf die vorgelagerte Insel verlegt, von Alexander d. Gr. durch einen Damm mit dem Festland verbunden (Paus. 7,3,8f.). K. besaß ein Schatzhaus in Delphoi, war Mitglied des → Attisch-Delischen Seebundes, fiel 412 v. Chr. ab, wurde aber wiedergewonnen (Thuk. 8,14; 22f.; 31). Im J. 386 wurde K. durch den Königsfrieden persisch. Heimat des → Anaxagoras [2] und des → Skopelianos sowie des Rhetors → Zopyros. Arch.: Bemalte (»klazomenische«) Tonsarkophage, Keramik des 6./5. Jh. v. Chr.

L. BÜRCHNER, s. v. K., RE 11, 554f. • PFUHL, 165ff. • R. M. COOK, A List of Clazomenian Pottery, in: ABSA 47, 1952, 123ff. • H. ENGELMANN, R. MERKELBACH, Die Inschr. von Erythrai und K. (IK 2), 1973 • R. v. BEEK, J. BEELEN, Excavations on Karantina Island in Klazomenai, in: Anatolica 17, 1991, 31–57 • E. ISIK, Elektronstatere aus K. (Saarbrücker Stud. zur Arch. und Alten Gesch. 5), 1992. K. Z. u. HE. EN.

Kleainete (Κλεαινέτη).

Tochter des → Numenios, Schwester der Agathokleia [3], 166/5 v. Chr. Priesterin der Arsinoë [II 4] Philopator.

CHR. HABICHT, Athen in hell. Zeit, 1994, 109. W. A.

Kleainetos (Κλεαίνετος).

Tragiker (TrGF I 84), belegte an den Lenäen 363 v. Chr. den 3. Platz; von → Alexis als nicht anspruchsvoll (Fr. 268 PCG), von → Philodemos (84 T 3 TrGF I) als schlechterer Dichter als Euripides verspottet. Als Titel ist ›Hypsipyle‹ bezeugt. B. Z.

Kleandridas (Κλεανδρίδας).

Spartiat; er soll um 470 v. Chr. gegen Tegea (Polyain. 2,10,3) gekämpft haben und 446 als Berater des Königs → Pleistoanax auf dem Feldzug nach Attika von Perikles bestochen worden sein. Zum Tode verurteilt, floh K. (Diod. 13,106,10; Plut. Perikles 22f.) und wurde Bürger von Thurioi, wo er nach 443 als Feldherr fungierte (Polyain. 2,10). Die Ausschmückung der Bestechungsaffäre erfolgte wohl erst, nachdem sein Sohn → Gylippos der Unterschlagung überführt worden war [1. 145].

1 K. L. NOETHLICHS, Bestechung, in: Historia 36, 1987, 129–170. K.-W. WEL.

Kleandros (Κλέανδρος).

[1] K. aus Gela, Sohn des Pantares. K. begründete ca. 505 v. Chr. die Tyrannis in → Gela und fiel nach siebenjähriger Regierung einem Mordanschlag zum Opfer. K. schuf die Voraussetzungen für den Aufstieg Gelas unter seinem Bruder und Nachfolger Hippokrates [4] (Hdt. 7,154; Aristot. pol. 1316a 37f.).

D. ASHERI, in: CAH 4², 1988, 758 • H. BERVE, Die Tyrannis bei den Griechen, 1967, 137. K. MEI.

[2] Spartanischer Befehlshaber (*harmostēs*) in Byzantion. Nachdem die griech. Söldnerführer den »Zug der Zehntausend« nach Kalpe am Schwarzen Meer geführt hatten, wurden sie von K. in Byzantion im Oktober 400 v. Chr. argwöhnisch empfangen. Als die Soldaten K. aber den Oberbefehl antrugen, schloß er mit → Xenophon Gastfreundschaft. In Byzantion verhandelte Xenophon mit K. über den Abmarsch der Söldner in Richtung Thrakien und verhinderte nach Unruhen unter den Soldaten durch energisches Eingreifen eine Plünderung der Stadt (Xen. an. 6,6–7,1).   W. S.

[3] Sohn des Polemokrates, Bruder des → Kleitos [7], Offizier im Heer → Alexandros' [4]. 332 v. Chr. führte dieser ihm 4000 griech. Söldner zu (Arr. An. 2,20,5; Curt. 4,3,11). Bei Gaugamela kommandierte er die »alten (urspr.) Söldner« (Arr. an. 3,12,2). 330 blieb K. als stellvertretender Kommandeur bei → Parmenion, dem Vater seiner Schwägerin, in Ekbatana zurück. E. 330, nach der Hinrichtung von → Philotas, ermordete er Parmenion auf Alexandros' Befehl und übernahm sein Kommando. Nach Alexandros' Rückkehr aus Indien wurden K. und drei seiner Offiziere an den Hof beordert und – angeblich wegen Mißhandlung der Untertanen – hingerichtet.

BERVE 2, Nr. 422 · HECKEL, 340.   E. B.

Kleanthes (Κλεάνθης).

[1] Einer der frühesten, bei Plin. nat. 35,15 f. überl. Maler aus Korinth; sein Name steht für den Beginn der Gattung (*prima pictura*). K. galt als Erfinder der Linienkunst, er gestaltete seine Werke mit Hilfe von Umriß- und Binnenzeichnung. Stilistische Vergleiche mit Vasenbildern des frühen 7. Jh. v. Chr. datieren sein Wirken in die gleiche Zeit. Ebenfalls nur lit. bekannt (Strab. 8,343; Athen. 8,346 BC) sind seine Tafelbilder in einem Heiligtum nahe Olympias: der Fall Troias, die Geburt der Athena, sowie Poseidon, dem Zeus einen Thunfisch reichend.

N. J. KOCH, De Picturae Initiis, 1996, 23–25 · I. SCHEIBLER, Griech. Malerei der Ant., 1994, 55 f. · Dies., Rezension zu KOCH, in: Gymnasium 105, 1998, 308 f.   N. H.

[2] K. von Assos. Stoischer Philosoph und zweites Schuloberhaupt. Biographische Angaben stammen von Diogenes Laertios (7,168–176) und Philodemos' Gesch. des Stoizismus (coll. 18–29). K. ist geb. 331/0 v. Chr. in Assos, kam 281/0 nach Athen; zuvor war er Boxer. Seine Armut zwang ihn zu handwerklicher Arbeit, um seine Studien bei → Zenon von Kition zu finanzieren; er war bekannt für seine Genügsamkeit und harte Arbeit. K. stand in dem Ruf, ein langsamer Denker zu sein, doch wurde er nach Zenons Tod 262/1 zum Schuloberhaupt gewählt – er hielt diese Position 32 Jahre bis zu seinem Tod 230/29 v. Chr (Diog. Laert. 7,176). Als Leiter der Schule verteidigte er seine Vorstellungen von der rechten stoischen Lehre gegen seinen Mitstudenten → Ariston [7] von Chios und den Akademiker → Ar-

kesilaos [5] aus Pitane. Wie schon Ariston, entfernte sich auch K.' eigener Student → Chrysippos [2] von Soloi von seiner Schule und begann eine eigenständige Lehrtätigkeit; er kehrte jedoch später zurück und wurde Leiter der stoischen Schule.

K. schrieb über eine Vielzahl von Themen. Diog. Laert. 7,174 f. listet 50 Titel auf, die alle Bereiche der Philos. – mit einer Neigung zur Ethik – umfassen. K. verfaßte auch philos. Dichtung (z. B. die ›Hymnen an Zeus‹; SVF I 527, 537), und ›Heraklit-Interpretationen‹ (Τῶν Ἡρακλείτου ἐξηγήσεις, 4 B.). Im Bereich der Physik trat er für das Konzept der letztendlichen Verbrennung der Erde (ἐκπύρωσις, *ekpýrōsis*; SVF I 497) und die Bedeutung des → Feuers ein, weiterhin entwickelte er Beweise für die Existenz der Götter. K. antwortete auf das »Meisterargument« des → Diodoros [4] Kronos (SVF I 489), indem er die Forderung widerlegte, alles Vergangene und Wahre sei notwendig. Er betonte die kosmologischen Grundlagen der Ethik, indem er Zenons Formel des »der Natur gemäßen Lebens« nur auf die kosmische Natur zurückführte (Diog. Laert. 7,89), und er widerstand Aristons Versuch, die Rolle des allgemeingültigen Prinzips aus der ethischen Theorie zu entfernen (Sen. epist. 94–95).

FR.: SVF I, 103–139.
LIT.: T. DORANDI (Hrsg.), Filodemo, Storia dei filosofi: La stoà da Zenone a Panezio, 1994 · C. GUÉRARD, Cléanthe d'Assos, in: GOULET 2, 1994, 406–415.   B. I./Ü: J. DE.

[3] Arzt, der vom jüngeren Cato (→ Porcius Cato) 46 v. Chr. freigelassen wurde (Plut. Cato Minor 70,1,4) und vergeblich versuchte, die Bauchwunde zu nähen, die sich sein Gönner in suizidaler Absicht zugefügt hatte.   V. N./Ü: L. v. R.-B.

Klearchos (Κλέαρχος).

[1] Bronzebildner aus Rhegion. Aufgrund seiner Statue des Zeus Hypatos in Sparta, nach der Beschreibung ein → Sphyrelaton, wurde K. von Pausanias fälschlich als der Erfinder von Bronzestatuen bezeichnet. Nach der Überl. sei er Schüler von → Dipoinos und Skyllis oder von → Daidalos sowie Lehrer von → Pythagoras gewesen und war somit in der 2. H. des 6. Jh. v. Chr. tätig.

OVERBECK Nr. 332 f., 491 · P. ROMANELLI, in: EAA 4, 365 f. · J. PAPADOPOULOS, Xoana e sphyrelata, 1980, 82 · FUCHS/FLOREN 428.   R. N.

[2] Spartiat, Sohn des Ramphias. 411 v. Chr. vom *naúarchos* (Flottenkommandant) Astyochos mit 40 Trieren von Milet zum Hellespont gesandt, verlor K. das Gros seiner Flotte im Sturm und kam auf dem Landweg an sein Ziel (Thuk. 8,39,2; 80). Im Frühj. 410 erhielt er nach der spartan. Niederlage bei Kyzikos durch Initiative des Agis [2] II. den Auftrag, die von Athen abgefallenen Byzantier zu schützen, deren → *próxenos* er war (Xen. hell. 1,1,36). Die Polis fiel durch Verrat, als K. von Pharnabazos Subsidien holen wollte (Xen. hell. 1,3,15–22). Als 403 in Byzantion Unruhen und thrakische Angriffe drohten, wurde K. dort erneut Harmost (→ *harmostái*), aber wegen seines Gewaltregiments von spartan. Truppen vertrieben. Zum Tode verurteilt, floh er zu → Kyros [3] d. J., dem er als Söldnerführer gegen Thraker und 401 offenbar mit spartan. Zustimmung als Führer der griech. Söldner auf seinem Zug gegen Artaxerxes [2] diente (Diod. 14,12,2–9; Xen. an. 1,1,9; Polyain. 2,2,6–10; Plut. Artaxerxes 6). Trotz seines Erfolges als Führer des rechten Flügels bei Kunaxa konnte K. Niederlage und Tod des Kyros nicht verhindern (Plut. Artaxerxes 8). Nach der Schlacht anerkannter Führer der griech. Söldner, wurde K. von Tissaphernes in eine Falle gelockt und auf Befehl des Artaxerxes getötet (Xen. an. 1,2,9–2,6,1). K. war ein versierter Truppenführer (Xen. an. 2,6,2–15), erlag aber den Versuchungen der Macht, als Sparta nach dem Sieg im → Peloponnesischen Krieg 404 polit. Verantwortung im griech. Raum zuwuchs.

K.-W. WEL.

[3] K. aus → Herakleia [7] am Pontos, hörte in Athen Platon und war Schüler des → Isokrates. Er erhielt wegen mil. Verdienste im Heer des Timotheos athen. Bürgerrecht. Trotz Verbannung aus seiner Heimatstadt wurde er 364 v. Chr. als Söldnerführer im Dienst des pers. Dynasten Mithradates vom oligarch. Rat Herakleias als Schiedsmann gerufen, um in außenpolit. schwieriger Lage innere Unruhen zw. grundbesitzenden Adligen und breiteren Volksschichten zu befrieden. K. übernahm jedoch mit seinen Söldnern die Macht in der Stadt, vertrieb und tötete die Oligarchen und ließ sich außerordentliche Vollmachten übertragen. Die Institutionen blieben formal bestehen.

Nach einem mißlungenen Versuch, Astakos [1] zu erobern, ließ K. die Bürgerschaft von Herakleia entwaffnen. Als erster Herrscher errichtete K. eine öffentliche Bibliothek. Nach 12jähriger Herrschaft wurde er 353/52 bei einer Palastrevolte ermordet. K.' Sohn → Timotheos setzte die Dynastie fort.

K. TRAMPEDACH, Platon, die Akademie und die zeitgenöss. Politik, 1994, 79–87. W. S.

[4] Sohn von → Amastris [3] und → Dionysios [5], folgte diesem 306/5 v. Chr. unter Vormundschaft der Mutter als König von → Herakleia [7]. Als sie 302 → Lysimachos heiratete, übernahm K. die Herrschaft und übte sie (später mit seinem Bruder Oxathres) nach ihrer Scheidung und Rückkehr weiter aus. 292 wurde K. mit Lysimachos bei dessen Feldzug gegen die → Getai gefangengenommen. Bald entlassen, kehrte er zurück, unterstützte Lysimachos bei weiteren Feldzügen, geriet jedoch mit der Mutter in Zwist. Nach ihrem Tod (284) empfingen die Söhne Lysimachos als Freund, er ließ sie aber als Muttermörder hinrichten und annektierte Herakleia.

S. M. BURSTEIN, Outpost of Hellenism, 1976, 47–65. E. B.

[5] Dichter der Mittleren oder Neuen Komödie. Auf der inschr. Liste der Lenäensieger ist K. an der 1. Stelle nach Dionysios [31] und der 6. vor Menandros ver-

zeichnet, d. h. seine Wirkungszeit fällt in die 2. H. des 4. Jh. v. Chr. Spuren von K.' lit. Tätigkeit finden sich einzig bei Athenaios, der drei Stücktitel (Κιθαρῳδός/›Der Kitharode‹, Κορίνθιοι/›Die Korinther‹, Πάνδροσος/›Pandrosos‹) und fünf kurze Zitate von insgesamt 17 Versen überliefert, darunter eines mit dem bemerkenswerten Gedanken, daß niemand trinken würde, wenn das Kopfweh vor dem Weingenuß käme [1. fr. 3].

1 PCG IV, 1983, 79–81. T. HI.

[6] Peripatetiker. Als Schüler des Aristoteles [6] muß er vor 340 v. Chr. geb. sein. Wenn der Titel seines Dialogs ›Arkesilaos‹ sich auf den gleichnamigen akad. Schulleiter bezieht, war er noch im 2. Viertel des 3. Jh. aktiv, doch könnte auch eine andere Person gemeint sein.

Die meisten Schriften behandeln die bekannten Gebiete der peripatetischen Popularphilos.: Ethik, darunter *Erōtiká* (fr. 21–35) und ein großes Werk ›Über Lebensformen‹ (fr. 37–62); Naturgesch. (fr. 96–110) sowie eine Abh. über Sprichwörter und Rätsel (fr. 63–95). Andere verraten ein starkes Interesse am Platonismus: ein ›Lob Platons‹ (fr. 2), eine Erklärung der mathematischen Partien in Platons ›Staat‹ (fr. 3–4) und ein Dialog ›Über den Schlaf‹, in welchem Aristoteles als Gesprächspartner auftritt und von einem hypnotischen Experiment erzählt, das die Unabhängigkeit der Seele vom Körper beweisen sollte (fr. 5–8). Die naturgesch. Ausführungen sind ins Paradoxographische, die ethischen ins Anekdotenhafte abgewandelt. Verbrechen sowie lasterhafte Lebensweisen werden mit Genugtuung geschildert, um dann mit kleinbürgerlicher Strenge verurteilt zu werden (z. B. fr. 48); von prinzipiellen Überlegungen findet sich keine Spur. Plutarchs Urteil gilt noch heute: ›K. hat viel peripatetisches Gedankengut verfälscht‹. (K., fr. 97).

→ Aristotelismus

WEHRLI, Schule 3 · Ders., in GGPh 3, 1983, 547–51. H. G.

[7] Höherer Beamter in der 2. H. des 4. Jh. n. Chr., thesprotischer Herkunft (Eun. vit. soph. 7,5,2) und in Konstantinopel vom Grammatiker Nikokles erzogen (Lib. epist. 1265 f.). Obwohl K. nicht Christ war (Lib. epist. 1179), bekleidete er unter Constantius [2] II., Valens und Theodosius I. hohe Ämter (vor 361 nicht genau zu bestimmen: vgl. Lib. epist. 52, 90). Als *vicarius Asiae* 363–366 (Cod. Theod. 1,28,2) unterstützte er Valens gegen den Usurpator Prokopios (Eun. vit. soph. 7,5,2 f.). 366–367 war er *proconsul Asiae* (Eun. vit. soph. 7,5,5). Er half dem paganen Philosophen → Maximus und bewirkte die Absetzung des *praef. praet. Orientis* Saturninius Secundus Salutius (Eun. vit. soph. 7,5,9). Zweimal war er *praefectus urbis Constantinopolitanae* (372–373 und 382–384, vgl. Cod. Theod. 6,4,20; 15,2,3). K. ließ in Konstantinopel einen Aquädukt errichten (Hier. chron. 247b HELM). 384 war er zusammen mit Richomer Consul. PLRE 1,211 f. (Clearchus 1). W. P.

[8] Wohl 386 n.Chr. *comes Orientis*, vielleicht identisch mit dem Stadtpraefekten von Konstantinopel, der 400 (oder 401 [2. 222])–402 nachweisbar ist, und mit dem für die Regierungszeit des Arcadius bezeugten Praetorianerpraefekten von Illyrien (Cod. Iust. 12,57,9).

1 PLRE 1,213 2 AL. CAMERON, J. LONG, Barbarians and Politics at the Court of Arcadius, 1993.   H.L.

Klearidas (Κλεαρίδας). Spartiat, Sohn des Kleonymos; von → Brasidas 423 v.Chr. als Befehlshaber in Amphipolis eingesetzt, bewährte K. sich nach dem Tod des Brasidas 422 und übergab nach dem Frieden des → Nikias die ihm anvertraute Polis nicht den Athenern, um die Bewohner nicht Vergeltungsmaßnahmen auszuliefern (Thuk. 5,21; 34). Unbeeindruckt von Weisungen der Führungsgremien Spartas förderte er erhebliche neue Spannungen zwischen Sparta und Athen.
→ Peloponnesischer Krieg   K.-W. WEL.

Klee (λωτός/*lōtós*, τρίφυλλον/*tríphyllon*, lat. *lotus, trifolium*). Diese teils wildwachsende, teils bereits angebaute wichtige Futterpflanze (auch als Nahrung für zahme Gänse bei Colum. 8,14,2) aus der Familie der Leguminosae wird schon bei Hom. Il. 2,776; 14,348; 21,351 und Hom. Od. 4,603 gen. Die Erwähnungen dieses *lōtós* bei Theophr. h. plant. 7,8,3 und 7,13,5 (bzw. *lotus* Verg. georg. 2,84; Colum. 2,2,20, als Anzeiger für guten Getreideboden) sowie Dioskurides 4,110 WELLMANN = 4,109 BERENDES sind nicht genau genug für eine Zuordnung der h. bekannten Arten. Die zuerst von Aristoph. Equ. 606 als Pferdefutter gen. Luzerne (πόα Μηδική, lat. *medica*, Medicago sativa L.), die nach Plin. nat. 18,144 während der Perserkriege aus Medien eingeführt worden war, wird seit Varro rust. 1,43 als ertrag- und nährstoffreich gelobt (u. a. von Verg. georg. 1,215; Colum. 2,10,24 und Pall. agric. 5,1). Den ähnlichen baumartigen Schneckenklee (κύτισος, lat. *cytisus* und *cytisum*, Medicago arborea L.) beschreiben Aristot. hist. an. 3,21,522b 27f. und Theophr. h. plant. 4,16,5; Theophr. c. plant. 5,15,4; Varro rust. 2,1,17 und 2,2,19; Verg. ecl. 1,78 und georg. 2,431; Plin. nat. 13,130–134; Dioskurides 4,112 WELLMANN = 4,111 BERENDES sowie Colum. 2,10,24 und 5,12 (über Nutzen und Aussaat) genau. Die grünen oder getrockneten Blätter galten als sehr gutes Futter. Die zerstoßene Wurzel des Berg-K. (*montanum trifolium*) sollte nach Colum. 6,17,2f. = Pall. agric. (= de veterinaria medicina) 14,18,2 auf die Wunde gelegt ebenso gegen Schlangenbiß helfen wie ihr mit Wein vermischter Saft oder Samen. Der häufig erwähnte → Bockshornklee (τῆλις, βούκερως, αἰγόκερως, lat. *faenum Graecum, silicia* bzw. *siliqua*, Trigonella foenum graecum; z.B. Colum. 2,7,1; Pall. agric. 10,8) diente als Nahrung für Schafe, aber auch zum menschlichen Genuß und zum Würzen des Weins (z.B. Colum. 12,20,2 und 12,28,1).

F. ORTH, s. v. K., RE 11,585–591 • V. HEHN, Kulturpflanzen und Haustiere (ed. O. SCHRADER), [8]1911, Neudr. 1963, 412–415.   C.HÜ.

Kleiber. Dieser bunte Singvogel (σίττη/*síttē* ὄρνις ποιός, οἱ δὲ δρυοκολάπτης: Hesych. s. v.) aus der Verwandtschaft der Meisen mit spechtähnlichem Verhalten kommt in Griechenland als der heller gefärbte Felsen-K., Sitta syriaca, vor, welcher gerne Mandelkerne aufhackt. Bei Aristot. hist. an. 8(9),17,616b 21–25 ist die *síttē* streitsüchtig, aber fürsorglich zu ihren vielen Jungen. Aufgrund ihrer Geschicklichkeit gilt sie als heilkundig. Ihr wird wegen der angeblichen Zerstörung der Eier des Adlers Feindschaft mit diesem zugeschrieben (Aristot. hist. an. 8(9),1,609b 11–14). Nach einem Scholion zu Aristoph. Av. 705 ist sie ein gutes Omen für Liebhaber [1. 260f.].

1 D'ARCY W. THOMPSON, A Glossary of Greek Birds, 1936, Ndr. 1966.   C.HÜ.

Kleidemos (Κλείδημος; auch Kleitodemos, Κλειτόδημος). Aus Athen, nach Pausanias (10,15,5 = FGrH 323 T 1) ältester Atthidograph (→ *Atthís*). K. verfaßte um 350 v.Chr. eine *Atthís* in mind. 4 B., die auch als *Protogonía* (›Gesch. des erstgeborenen Volkes‹) zitiert wird und sich nach Plutarch (mor. 345E) durch dramat. Anschaulichkeit auszeichnete. Sie reichte von der myth. Weltschöpfung bis zum → Peloponnesischen Krieg; spätestes Ereignis 415 v.Chr. (F 10). K., selbst *exēgētḗs* (»Ausleger«) des Sakralrechts, schrieb auch ein *Exēgētikón* (F 14).

ED.: FGrH 323 mit Komm.
LIT.: O. LENDLE, Einführung in die griech. Geschichtsschreibung, 1992, 146 • K. MEISTER, Die griech. Geschichtsschreibung, 1990, 76.   K. MEI.

Kleiderordnung s. Kleidung; Ornat

Kleiduchos (κλειδοῦχος, »Schlüsselhalter/-in«) bezeichnete die Person, welche über die Hausschlüssel (Eur. Tro. 492), oder den Priester bzw. die Priesterin, welche über die Tempelschlüssel verfügte (Aischyl. Suppl. 291); in einigen Kulten hatte dies neben der prakt. auch eine symbol. Bed. (zu karischen Hekatekulten [1; 2]). Manchmal war K. auch Epiklese einer Gottheit, vor allem von → Hekate in ihrer soteriologischen Rolle im spätant. Mystizismus (etwa Prokl. In Platonis rem publicam Bd. 2, 212,7 KROLL; Orph. h. 1,7; mehr bei [2]).

K. war auch die Bezeichnung, die die Pythagoreer der Vier- und der Zehnzahl sowie der Tetraktys gaben (dem Symbol, das in der dreieckigen Anordnung der Zahlen von 1–10 bestand), die das Geheimnis der Zahlen und damit den Kosmos aufschloß (Ps.-Iambl. Theologia Arithmetica 28,13; 81,14; mehr bei [2]).

1 TH. KRAUS, Hekate, 1960, 48–50 2 S. I. JOHNSTON, Hekate Soteira, 1990, 39–48.   S. I. J.

Kleidung A. ALLGEMEIN
B. KULTURSPEZIFISCHE KLEIDUNG

A. ALLGEMEIN
1. ROHSTOFFE
2. GESELLSCHAFTLICH-KULTURELLE BEDEUTUNG
3. AUFBEWAHRUNG UND PFLEGE
4. ARCHÄOLOGISCHE FUNDE

1. ROHSTOFFE

Von den ältesten Rohstoffen für K. sind neben Wolle und Häuten von Schafen und Ziegen in den frühen Denkmälern der minoischen und myk. Zeit auch Felle und Leder bezeugt. → Leinen oder Flachs zur Herstellung von Gewändern kam durch die Vermittlung der Phönizier hinzu; die Eroberungskriege Alexandros' [4] d.Gr. machten die → Seide in Griechenland bekannt. Bei den Römern waren die Materialien für K. dieselben wie bei den Griechen; hinzu kam im 2. Jh. v. Chr. noch → Baumwolle; Seide gelangte erst zur Zeit des → Augustus nach It. Daneben fanden die Felle und Haare von Bibern, Kamelen oder Hasen Verwendung. K. wurde traditionell im Haus hergestellt; Mythos und Kunst schildern häusliche Webarbeiten von Frauen, von denen → Penelope und → Arachne zu den bekanntesten gehören (→ Textilkunst, → Weben, Webkunst); vereinzelt feiern Gedichte die Fertigkeiten der Weberinnen (z. B. Anth. Pal. 6,136). Manche fertigen Gewänder waren berühmt und wurden teuer gehandelt (z. B. Athen. 12,541a). Im kaiserzeitlichen Ägypten nahm die Heimarbeit für die K. der röm. Legionen Manufakturcharakter an.

2. GESELLSCHAFTLICH-KULTURELLE BEDEUTUNG

K. zählte wie → Schmuck und Haushaltsgerät zur Aussteuer einer Braut, war ferner ein → Geschenk-Artikel (z. B. Paus. 8,24,8) und gelangte als Totengabe mit ins Grab der Verstorbenen (z. B. Hdt. 5,92, [1]). Saubere und standesgemäße K. (vgl. z. B. App. civ. 4,186, Dion. Hal. ant. 47,10,3), dazu ihre sorgfältige Drapierung gehörten zum äußeren Erscheinungsbild der Griechen und Römer und ließ ihnen solche Völker und Personen als auffällig erscheinen, die andere Trachteigentümlichkeiten aufwiesen. So fielen die Makrones, Melanchlainoi (Hdt. 4,107), Orthokorybantioi, Pterophoroi, Satarchae (Mela 2,10), Skythen, Thynoi und auch mythische oder histor. Einzelpersonen wie Abrote oder Melissa (Athen. 13,589f), Pythermos (Hdt. 1,152) und → Alkibiades [3] bes. auf. In einigen Mythen hat die K. große Bed.; so stickt z. B. → Philomele ihr Schicksal auf ein Gewand, bei → Themisto führt die falsche K.-Farbe zu einem tragischen Mißverständnis, vgl. die Wundergeschichte bei Prop. 4,11,53–54. Konnte man bei den Griechen im Rahmen seines Vermögens nach eigenem Geschmack bunte oder einfarbige K. – meist weiß – wählen, unterlagen die Römer in der Öffentlichkeit einem strengen Reglement; die → Toga war nur dem röm. Bürger zu tragen erlaubt. Breite und Farbe der Bordüren (z. B. Purpur) gaben Auskunft über den Stand seines Trägers (→ Clavus; → Tunica; Toga); entsprechendes galt auch für das Schuhwerk (→ Calceus; → Schuhe). Hierhin gehört auch die Rolle der K. in Kulten – so das Neueinkleiden eines → Kultbildes (z. B. das des Apollon von Amyklai, der Athena Polias in Athen, Hera von Olympia) oder in den Kultspielen, z. B. bei den Ludi Capitolini.

3. AUFBEWAHRUNG UND PFLEGE

Die K. wurde in Truhenbehältern (→ Möbel) aufbewahrt, wie schon bei Homer (Hom. Il. 16,220; 24,328 u.ö.) und dann bei späteren Schriftstellern überl. ist (z. B. Theokr. 15,33); aus der griech. Kunst sind viele Darstellungen von Frauen bekannt, die K.-Stücke in Truhen hineinlegen oder ihnen entnehmen [2]. Um der K. einen angenehmen Geruch zu erhalten, legte man z. B. Äpfel dazu (Aristoph. Vesp. 1057, vgl. Athen. 3,84a). Gegen Motten und andere Insekten (z. B. Aristoph. Lys. 730), schützte man die K. z. B. mit Malobathron (Plin. nat. 23,93). Gewaschen wurde die K. zu Hause im Bottich, im Meer oder einem Fluß (Hom. Od. 6,85–94). An Reinigungsmitteln kannte man z. B. Seifenkraut, Pottasche (Kaliumcarbonat K_2CO_3), oder man kochte die Wäsche mit dem Sud aus Holzasche; die Römer verwendeten ferner gegorenen Urin, wodurch reinigendes Ammoniak entstand.

4. ARCHÄOLOGISCHE FUNDE

Aufgrund der Vergänglichkeit des Materials haben sich – außer im Niltal – nur gelegentlich Teile von K. oder Tuche erh. [1]; sie zeigen eine reiche Verzierung mit rein ornamentalen oder figürlichen Darstellungen, die auch z. B. an den Gewändern auf Vasenbildern, Wandfresken oder an Terrakotten überl. ist (→ Textilkunst).

B. KULTURSPEZIFISCHE KLEIDUNG
1. MINOISCHES KRETA 2. PHÖNIZIEN
3. GRIECHENLAND 4. ROM

1. MINOISCHES KRETA

Aus dem min. Kreta sind es v. a. Szenen aus dem kult. Leben, die Auskunft über die K. geben; danach trugen die Frauen eine eng anliegende Jacke, die die Brust freiließ, mit hochstehendem Kragen, dazu einen weiten glockenförmigen Rock, der bis zum Boden reichte und von einem → Gürtel gehalten wurde. In der mittelmin. Zeit verliert die Jacke den hochstehenden Kragen, und über den Unterleib hängt vorne und hinten ein bogenförmiger Schurz; neu ist jetzt der Volantrock aus gleichmäßig langen, wohl verschiedenfarbigen Rechtecken, die aneinandergenäht sind und mitunter spitz zulaufen. Die Jacke wird mit Schnüren unter der Brust zusammengebunden und weist in der Spätzeit kurze Ärmel auf. Die Gürtung ist unterschiedlich, z. T. wulstartig, oder besteht aus einer engen, breiten Binde. Ein einteiliges Gewand mit Ärmeln, das ungegürtet blieb, konnte von Männern und Frauen getragen werden. Der Kopf der Frauen blieb unbedeckt; Priesterinnen trugen eine flache oder hohe, spitz endende Bedeckung. Männern

Kleidung, griechisch

offener Peplos

Grundform des offenen Peplos (1:2)

geschlossener Peplos

Grundformen des geschl. Peplos (1:2)

Ependytes

Chiton

Grundform des Chiton (1:2)

Chlamys

diente als K. ein Schurz, der in verschiedenen Varianten (langes Rechteck, schräg und bogenförmig) angelegt wurde. Ein Kennzeichen des Schurzes ist ferner die sog. Schamtasche. Vielfach wurde der Schurz mittels Trageriemen über den Schultern gehalten. Für die Männer ist auch eine kurze Hose [1] belegt. Hinzu kommt ein mantelartiges Gewand, das um den Körper gewickelt wurde und mitunter die Arme verdeckte. Als Kopfbedeckung dient in kult. Szenen eine Federkrone, sonst eine flache Kappe. Im allg. mangelt es an Fußbekleidungen, doch sind Schuhe bzw. (Schaft-)Stiefel bei Kriegern anzutreffen.

2. PHÖNIZIEN

Die phöniz. K. – aus Leinen, Flachs oder Wolle hergestellt und vielfach buntfarben – unterlag im Verlauf der Gesch. fremden Einflüssen. Die Frühzeit wurde insbes. von ägypt. Trachteigenarten bestimmt. Hierunter fallen die Schurztrachten bei den Männern und die bis zu den Knöcheln reichenden oder halblangen Kleider bei den Frauen. Bekannt sind auch Mäntel, die mit einem → Gürtel gehalten werden. Man bevorzugte eine Ornamentierung mit geom. Mustern, zu denen im 1. Jt. v. Chr. figürliche Motive traten. Während der pers. Zeit verschwanden die ägypt. Elemente; jetzt wurden tunica-artige, mit Ärmeln versehene, eng am Körper anliegende Gewänder Mode. Nach der griech. Eroberung Phöniziens wurde die phöniz. K. schnell hellenisiert, davon unbeeinflußt scheint jedoch zumindest die männliche Bevölkerung Karthagos geblieben zu sein (vgl. Plaut. Poen. 975 f., 1008).

3. GRIECHENLAND

Auf dem griech. Festland wurde zunächst die min. K. übernommen, wobei offenbar Frauen-K. auf den Schurz verzichtete. Hinzu trat bei den Männern ein einteiliges Gewand, das entweder bis zum Boden oder nur bis über den Unterleib reichte. Schon früh in den lit. Quellen erwähnt (Hom. Il. 2,42, 262, 416 u.ö.), erscheint der → Chiton, der entweder nur bis zum Unterleib oder bis zu den Knöcheln reichte, als Hauptgewand der Männer; er wurde von den Frauen in der 1. H. des 6. Jh. v. Chr. in der langen Form übernommen. Der Chiton bestand aus zwei an den Längsseiten zusammengenähten Stoffbahnen, so daß eine Stoffröhre entstand, in die man hineinschlüpfte. Die Frauen trugen oft über dem Chiton den → Peplos, ein auf den Schultern befestigtes langes Gewand mit Überfall, das man sich so umlegte, daß eine Seite durch die Gürtung geschlossen werden mußte. Als Mantel diente der Pharos, den vornehmlich Fürsten trugen, und die → Chlaina, später das Himation (→ Pallium). Ein Schultertuch, das → Epiblema, erscheint hauptsächlich auf den Denkmälern des 7. und 6. Jh. v. Chr. als zusätzliches K.-Stück. In der hoch- und spätarcha. Zeit trugen die Frauen ein Schrägmäntelchen (griech. Name wohl *diploḯdion*), das man unter der linken Achsel durchführte und an der rechten Schulter sowie am rechten Oberarm mit Knöpfen schloß, so daß es in strahlenförmigen Faltenbündeln auf den Körper herunterfiel. In spätarcha. Zeit verzichteten

die Frauen auf den Peplos und kleideten sich mit dem langen Chiton; die Männer bevorzugten jetzt den kurzen Chiton.

In der Zeit der Perserkriege kam der Peplos bei den Frauen wieder in Mode, der Chiton wurde zum Untergewand, um mit dem beginnenden 4. Jh. v. Chr. erneut zum bevorzugten Gewand der Frauen zu werden. Ebenfalls im 5. Jh. v. Chr. kam der Ependytes – ein bis zu den Knien reichendes Gewand – auf, den Männer und Frauen im Alltag und bei festlichen Gelegenheiten gerne trugen; ein weiteres Gewand für festliche Anlässe war die Xystis (→ Festtracht). Neben diesen Gewändern sind aus der Lit. (in der Kunst schwer faßbare) weitere Gewänder bekannt, wie die koischen (→ *coae vestes*), amorginischen oder tarentinischen Gewänder, milesische Mäntel u. a. Diese alle zeichnen sich durch die Feinheit ihrer Stoffe, durch ihre Farbigkeit und Transparenz aus und gelten als bes. Luxusgewänder. An Kopfbedeckungen der Männer sind der breitkrempige → Petasos, ein Reisehut für Wanderer, und der kappenartige → Pilos der Handwerker, Hirten und einfachen Leute überl. Die Frauen bedeckten den Kopf mit dem Kopftuch, → Kredemnon, oder dem hochgezogenen Himation; in spätklass.-frühhell. Zeit kam die Tholia, ein konischer Hut mit Krempe, in Mode.

4. ROM

In der Frühzeit trugen alle röm. Bürger und Bürgerinnen sowie die in der *formula togatorum* eingetragenen röm. Bundesgenossen als Obergewand die wollene → Toga, die mittelital.-etr. Ursprungs war und dem griech. Himation entsprach. Spätestens seit augusteischer Zeit wurde für die verheiratete Frau als standesgemäße K. die → Stola eingeführt. Als Untergewand diente die → Tunica, die aus Vorder- und Rückenteil zusammengenäht und mit kurzen Ärmeln versehen war (vgl. → Cethegus). Frauen trugen außer Hause auch zwei Tunicae übereinander (→ Dalmatica). Nur vereinzelt werden Untergewänder erwähnt, so z. B. die Subucula (Varro ling. 5,131; 9,46) oder das Indusium (Plaut. Epid. 231, vgl. Varro, ling. 5,131); beide K.-Stücke wurden gerne von Frauen getragen (→ Subligaculum); noch zu erwähnen ist das Campestre, ein Schurz, den u. a. röm. Jünglinge bei den Leibesübungen auf dem Marsfeld trugen, ferner der Cinctus, den man im Sommer anstelle der Tunica unter der Toga trug. An Mänteln legte man über der Tunica die → Paenula und über der Toga die → Lacerna an. Weitere Mäntel waren für die Männer das → Pallium, bei den Frauen die Palla; daneben ist noch die Alicula (ein Schultermantel der Spätant.) anzuführen.

Aus den Prov. des röm. Reiches übernahm man einige K.-Stücke, so z. B. den Cucullus, einen Mantel mit Kapuze; den Birrus, einen der Lacerna entsprechenden Mantel, jedoch mit Kapuze; die Braccae, eine bis zu den Knien oder Knöcheln reichende Hose der Gallier und Daker, die vorwiegend als Militär-K. verwendet wurde und den Caracallus, einen wohl gallischen Mantel, dem der röm. Kaiser M. Aurelius Antoninus (211–217

Kleidung, römisch

Tunica (Frau)　　　　　Tunica (Mann)　　　　　　Palla

Toga　　　　　　　　　　　　　　　　　　　Toga (Rückseite)

Lacerna　　　　　Pallium　　　　　Laena　　　　　Cucullus

n. Chr.) aufgrund der Vorliebe für diesen Mantel seinen Spitznamen → Caracalla verdankte. Weitere K.-Stücke des Militärs waren z. B. das → Paludamentum, der Offiziersmantel, und das → Sagum, der Soldatenmantel. Lassen sich diese K.-Stücke auf den Denkmälern der röm. Zeit bestimmen, so ist bei anderen eine nähere Bestimmung schwierig (z. B. → Abolla) oder unmöglich (z. B. Trechedipnum, Iuv. 3,67).

→ Anaxyrides; Badehose; Barbaron hyphasmata; Dienst- und Ehrentracht; Fasciae; Fimbriae; Kausia; Kekryphalos; Kemos; Kosymbe; Laena; Manicae; Mantele; Mastruca; Mitra; Nadel; Nimbus; Paragauda; Periskelis; Perizoma; Pilleus; Polos; Recta; Sabanum; Sakkos; Sandalen; Soccus; Strophium; Taenia; Tarantinon; Tiara; Trabea; Trauerkleidung; Tribon; Tunica; Windel; Zeira; KLEIDUNG

1 H. BLOESCH, B. MÜHLETALER, in: AK 10, 1967, 130–132
2 E. BRÜMMER, Griech. Truhenbehälter, in: JDAI 100, 1985, 94–98.

A. ALFÖLDI, Insignien und Tracht der röm. Kaiser, in: MDAI(R) 50, 1935, 3–171 • M. BIEBER, Charakter und Unterschiede der griech. und röm. Kleidung, in: AA 1973, 425–447 • F. BLAKOLMER, Ikonographische Beobachtungen zu Textilkunst und Wandmalerei in der brz. Ägäis, in: JÖAI 63, 1994, Beibl. 1–28 • A. BÖHME, Tracht- und Bestattungssitten in den german. Prov. und der Belgica, in: ANRW II 12.3, 423–455 • L. BONFANTE, Roman Costumes. A Glossary and Some Etruscan Derivations, in: ANRW I 4, 584–614 • Dies., Etruscan Dress, 1975 • L. CASSON, Greek and Roman Clothing, in: Glotta 61, 1983, 193–207 • ST. DROUGOU, in: FS M. Andronikos, 1987, 303–316 • D. GERZIGER, Eine Decke aus dem Grab der »Sieben Brüder«, in: AK 18, 1975, 51–55 • H. R. GÖTTE, Stud. zu röm. Togadarstellungen, 1990 (Rez.: H. WREDE, in: Gnomon 67, 1995, 541–550) • D. HARDEN, The Phoenicians, 1962, 144 f. • F. KOLB, K.-Stücke in der Historia Augusta, in: Bonner Historia-Augusta-Kolloquium 1972/74, 1976, 153–171 • L. KONTORLI-PAPADOPOULOU, Costumes, in: Aegean Frescoes of Religious Characters (Stud. in Mediterranean Archaeology 117), 1996, 86–93 • G. LOSFELD, Essai sur le Costume Grec, 1991 • A.-M. MAES, L'habillement masculin à Carthage à l'epoque des guerres punique (Studia Phoenicia 10), 1989, 15–24 • Sp. MARINATOS, K. (ArchHom A), 1967 • Ders., Kreta, Thera und das myk. Hellas, 1976, Taf. 36. • M.C. MILLER, The Ependytes in Classical Athens, in: Hesperia 58, 1989, 313–338 • A. PEKRIDOU-GORECKI, Mode im ant. Griechenland. Textile Fertigung und K., 1989 (Rez.: CHR. SCHNURR, in: Gnomon 64, 1992, 53–56) • D. RÖSSLER, Gab es Modetendenzen in der griech. Tracht am E. des 5. und im 4. Jh. v. u. Z.?, in: E. CH. WELSKOPF (Hrsg.), Hellen. Poleis 3, 1974, 1539–1569 • U. SCHARF, Straßen-K. der röm. Frau, 1994 • S. SCHATEN, Drei Textilfrg. mit geom. Flechtbandornamenten in Sternform, in: Bull. de la Soc. d'Arch. copte 34, 1995, 71–75 • B.-J. SCHOLZ, Unt. zur Tracht der röm. Matrona, 1992 • A. STAUFFER, Textilien aus Ägypten aus der Slg. Bouvier. Spätant., koptische und frühislamische Gewebe. Ausstell. Fribourg 1991/2, 1991 • I. VOKOTOPOULOU, Führer durch das Arch. Mus. Theben, 1995, 88, 175.   R. H.

Kleinasien   I. NAME   II. GEOGRAPHIE
III. GESCHICHTE   IV. RELIGION
V. SPRACHEN   VI. ALPHABETSCHRIFTEN

I. NAME

Als Einheit wird die Halbinsel K. westl. vom → Tauros erstmals von Strabon (2,5,24; 12,1,3; vgl. Plin. nat. 5,27 f.; Ptol. 5,2) *Asia* im engeren Sinn gen., im Gegensatz zum Erdteil Asia. *Asia minor* begegnet in dieser Bed. erstmals bei Oros. 1,2,26 (Anf. 5. Jh. n. Chr.).

II. GEOGRAPHIE

Der westlichste Teil des asiat. Kontinents zw. 36° und 42° nördl. Br, zw. 26° und 44° östl. L, zw. Ägäis und Euphrates (ca. 1200 km), zw. dem Schwarzen Meer und dem Mittelmeer (ca. 600 km); K. ist im eurasiat. Faltengürtel Teil des mediterranen Gebirgsbogens, der in zwei nach Osten konvergierende Randschwellen (Nordanatol. Randgebirge an der Schwarzmeerküste; Tauros-Gebirge an der Mittelmeerküste) gegliedert ist und mit diesen die inneranatol. Masse (Kırşehir-Massiv), auch anatol. Hochland (900/1000 m H) gen., einschließt. Das Nordanatol. Randgebirge (»Pontisches Gebirge«, Köroğlu Dağları, İsfendiyar Dağları, Karadeniz Dağları: Hypios und Olympos, Olgassys mit Karambis, Paryadres mit Teches) steigt von der Sakarya/Sangarios-Mündung, nordwärts ausschwingend, bis zur Mündung des Kızıl Irmak/Halys an und erreicht im Ilgaz Dağları/Olgassys eine H von 2565 m; es steigt weiter, südwärts ausschwingend, bis zur Çoruh/Lykos- (Akampsis- bzw. Harpasos-)Mündung sowie zur Rioni/Phasis-Mündung und erreicht im Kaçkar Dağı (Rize Dağları) eine H von 3937 m. Wenige Durchbruchtäler verbinden den schmalen Küstenbereich nördl. der Gebirgsschwelle mit dem Binnenland (Sakarya, Kızıl Irmak, Yeşil Irmak/Iris).

Das Tauros-Gebirge erhebt sich südlich der nach Westen abdachenden Südwestanatol. Masse (»Lydisch-Karische Masse«), über die zahlreiche in Richtung West-Ost streichende Flußtäler die Verbindung von Binnenland und Küstenebenen herstellen (Gediz Nehri/Hermos, Büyük Menderes/Maiandros), in nordöstl. Richtung mit dem Ak Dağ (Bey dağları) zu einer H von 3085 m, zw. Karaman/Laranda und Silifke/Seleukeia senkt es sich in den Toros Dağları etwas, um bis zum Durchbruchtal des Çakıt Çayı in mehreren Gebirgsketten in den Bolkar Dağları wieder aufzusteigen (Medetsiz 3585 m) und mit dem Kaldıdağ im Ala Dağları 3734 m H zu erreichen. Auch hier führen wenige Durchbruchtäler von der nur im Osten (Kilikia Pedias) geweiteten Küstenebene ins Binnenland (Gülek Boğazı/Kilikiai Pylai, Seyhan Nehri/Saros). Landeinwärts ziehen nun die Ketten des Ost-Tauros in Richtung auf das iran. Bergland zu, wo die beiden Randgebirge dann zu einer reich gegliederten Gebirgslandschaft zusammenwachsen. Hier steigen die höchsten Gebirgszüge im SO bis zu 4168 m (Antitauros mit dem Cilo Dağları) und im NO bis zu 5165 m (zentraler Ost-Tauros mit dem Büyük Ağrı Dağı/Ararat) an.

Die Tektonik der anatol. Halbinsel weist ein tiefes Verwerfungssystem auf: Der Druck, den die arab. Scholle von Süden auf die anatol. Scholle ausübt, verursacht das westl. Ausscheren des anatol. Blocks entlang der nordanatol. Lateralverschiebungsachse – diese Paphlagonische Naht, eine sehr bewegte Erdbebenzone, verläuft etwa entlang der Linie Erzincan/Aziris – Kelkit Çayı/Lykos – Gök Irmak/Amnias – Gerede/Krateia – Bolu/Bithynion – Düzce/Dusai – Izmit/Nikomedeia. In Westanatolien verteilt sich dieser Druck südwestl. auf die Lydisch-Karische Masse, ein ebenfalls für seine Erdbebenanfälligkeit bekanntes Gebiet. Zwei bis in die erdjüngsten Zeiten hinein aktive Vulkanachsen durchziehen Anatolien in SW/NO-Richtung: Die eine verläuft in Westanatolien vom Karaca Dağ zum Erciyas Dağı (Argaios, mit 3916 m der höchste Berg in K.; Strab. 12,2,7 berichtet von solfatarischen Aktivitäten im Gebiet dieses Berges); die andere verläuft in Ostanatolien vom Nemrut Dağı am Van Gölü (3050 m; Thospitis limne) zu den beiden Ararat-Bergen.

Umschlossen vom Regenschatten der luvseits überaus fruchtbaren Randgebirge, ist das anatol. Hochland eine in der Hauptsache abflußlose Großlandschaft mit einzelnen Beckenseen in steppenartiger Umgebung wie Tuz Gölü (Tatta limne) und Van Gölü; das Gebirgsland im Osten der südwestanatol. Masse ist von Karstphänomenen gekennzeichnet, mit verschiedenen Seen wie dem Acı Göl (See von Anaua) und den Seen von Buldur (Askania Limne), Beyşehir (Karalis Limne) sowie Eğridir (Limnai: zusammen mit dem Hoyran Gölü?). Das Klima in den Küstenebenen bestimmen die Etesien mit feuchten Wintern und trockenen Sommern; nur an der Schwarzmeerküste regnet es auch in der heißen Jahreszeit – je weiter östl., um so mehr. Im anatol. Hochland herrscht kontinentales Klima mit starken Temperaturschwankungen, Frühsommerregen und dürren Sommern. In den Gebirgsgegenden fällt der häufigere Niederschlag oft als Schnee.

KARTEN: TAVO, Teil A und B.

ZUR PHYS. GEOGR.: O. EROL, Die naturräumliche Gliederung der Türkei, 1986 · W.-D. HÜTTEROTH, Türkei, 1982 · S. MITCHELL, Anatolia, 2 Bde., 1993.

TOPONOMASTIK: D.J. GEORGACAS, The Names of the Asia Minor Peninsula, 1971 · J. TISCHLER, Kleinasiat. Hydronomie, 1977 · P. WITTEK, Von der byz. zur türk. Toponymie, in: Byzantion 10, 1935, 11–64 · L. ZGUSTA, Kleinasiat. ON, 1984.

HISTOR. GEOGR.: MAGIE · W.M. RAMSAY, Historical Geography of Asia Minor, 1890.   E.O.

III. GESCHICHTE

A. NEOLITHIKUM BIS BRONZEZEIT
B. HETHITERREICH C. HETHITISCHE NACHFOLGESTAATEN D. FRÜHE EISENZEIT
E. PERSERZEIT UND ARCHAISCHES IONIEN
F. ZEIT ALEXANDERS D.GR. G. HELLENISTISCHE ZEIT H. UNTER RÖMISCHER HERRSCHAFT
J. SPÄTANTIKE UND BYZANTINISCHE ENTWICKLUNG

A. NEOLITHIKUM BIS BRONZEZEIT
1. NEOLITHIKUM 2. CHALKOLITHIKUM
3. FRÜHE BRONZEZEIT 4. MITTLERE BRONZEZEIT

1. NEOLITHIKUM (CA. 9000–6000 V. CHR.)

Die frühesten Nachweise für die Seßhaftwerdung epipaläolithischer Wildbeutergruppen finden sich in der SO-anatol. Siedlung von Hallan Çemi Tepesi (E. 10. Jt. v. Chr., alle Zeitangaben nach kalibrierten C14-Daten). In der Folgezeit (ab ca. 8500 v. Chr.) entwickelten sich am Piedmont des Taurus Kulturgruppen des akeramischen Neolithikums mit starken Beziehungen zum syro-levantinischen Raum (Pre-Pottery Neolithic B). Kennzeichnend sind große Siedlungen mit Monumentalgebäuden, frühem Kupfergebrauch und kollektiven Schädelbestattungen (Çayönü Tepesi, Göbekli Tepe, Nevalı Çori). Die Ökonomie dieser Siedlungen beruhte erstmals auf einer produzierenden Wirtschaftsweise mit Ackerbau und Viehzucht. Auch in der zentralanatol. Steppe erscheinen akeramische Groß-Siedlungen (Aşıklı Höyük). Ab ca. 7500 v. Chr. tritt die erste Keramik auf. Zu den bemerkenswertesten Siedlungen dieser Zeit gehört Çatal Höyük mit Funden zahlreicher → Wandmalereien, Reliefs, Frauenstatuetten und beigabenreicher Hausbestattungen (s. u. IV. Religion). Für eine Bezeichnung dieses Ortes als Stadt fehlen aber die sozioökonomischen Grundlagen. Weitgespannte Austauschsysteme existierten bereits seit dem Akeramikum; v. a. → Obsidiane sowohl aus den zentral- als auch den ostanatol. Vorkommen gelangten bis in den südl. Iran, die südl. Levante und nach Zypern.

2. CHALKOLITHIKUM (CA. 6000–3200 V. CHR.)

Während die neolith. Siedlungen offenbar die offene Steppenlandschaft Zentralanatoliens bevorzugten, wurde ab ca. 6500 v. Chr. auch das bergige Seengebiet SW-Anatoliens (Kuruçay, Hacılar), Thrakien (Hoca Çeşme), das Marmaragebiet (Fikirtepe-Kultur), das nördl. Bergland Zentralanatoliens (Orman Fidanlığı, Büyük Güllücek) und schließlich auch die Schwarzmeer- (İkiztepe) und die Ägäis-Küste (Kumtepe) von seßhaften Gruppen erschlossen. Diese Siedlungen sind deutlich kleiner als die gleichzeitigen Tell-Siedlungen der Konya-Ebene (Çatal Höyük-West, Can Hasan). Die Ausbreitung der produzierenden Wirtschaftsweise in diese neuen Gebiete beruhte verm. auf der Entwicklung neuartiger Subsistenztechniken. Bes. in den nw Regionen K. machen sich starke Gemeinsamkeiten mit der balkan. Kulturentwicklung bemerkbar (Karanovo-Kultur, Vinča-Kultur).

Die Kulturentwicklung in Kilikien und SO-Anatolien steht im Gegensatz hierzu unter stark syro-mesopotam. Einfluß der Halaf- (Tilkitepe, Mersin), Obeid- (Değirmentepe, Mersin) und Uruk-Kulturen (Arslantepe, Hassek Höyük). Ab der späten Obeid-Phase (ab ca. 4500 v. Chr.) und bes. während der späten Urukzeit (ab ca. 3500 v. Chr.) nimmt die Siedlungsentwicklung dieses Gebietes deutlich urbane Züge an (Befestigungen, Tempel, Päläste, Hinweise auf administrative Tätigkeiten). Gleichzeitig erscheinen die ersten komplex gegossenen Metallartefakte aus Arsenbronze (Arslantepe VI A). Aus dem nw Anatolien sind Funde vergleichbarer Zeitstellung bekannt (Ilıpınar).

3. Frühe Bronzezeit

In SO-Anatolien und Kilikien (Tarsos) setzen sich die im Spätchalkolithikum faßbaren Tendenzen zur Urbanisierung in der Früh-Brz. (ca. 3200–2000 v. Chr.) fort. Die Region stand weiterhin unter stark syro-mesopotam. Einfluß. Neben Monumentalgebäuden (Norşuntepe, Hassek Höyük) und Befestigungsanlagen (Lidar Höyük, Tepecik) lassen sich erstmals über reich ausgestattete Gräber Eliten fassen (Arslantepe). In West- und Zentralanatolien wird ebenfalls eine zunehmende Komplexität der Ges. faßbar, wenn auch auf einem etwas niedrigeren Niveau. Befestigungsanlagen (Troia, Limantepe, Alişar), Monumentalarchitektur (Troia II) und reiche Grabfunde (Alaca Höyük, Horoztepe) treten etwas später auf als in SO-Anatolien. Für die frühe Früh-Brz. sind planmäßig angelegte dörfliche Siedlungen belegt (Demircihöyük). Eine Reihe technischer Innovationen weist auf eine Intensivierung der Produktion hin (Einführung der Töpferscheibe, Metallguß in zweischaligen Formen). Exotische Materialien wie Zinn und → Lapis Lazuli belegen Fernhandelsverbindungen bis nach Zentralasien. Neben den Befestigungsanlagen weisen zahlreiche Funde von Metallwaffen (Lanzenspitzen, Schwerter, Streitäxte) auf eine gesteigerte Bed. des kriegerischen Elementes hin.

In Ostanatolien breitete sich die kaukas. Karaz-Kultur (auch bekannt als Kura-Araxes-, bzw. Khirbet Kerak-Kultur) aus, die sich um die Mitte des 3. Jt. v. Chr. bis nach Palästina erstreckte.

4. Mittlere Bronzezeit

Die Mittlere Brz. (ca. 2000–1600 v. Chr.) ist auch als »Karum-Zeit« (Chronologie nach kārum kaneš IV–I; aus den Schichten II–I stammen Texte, die in die Zeit von ca. 1900–1700 v. Chr. datieren) bekannt, nach dem Begriff für die altassyr. Handelsniederlassungen (kārum) in Zentralanatolien, insbesondere repräsentiert durch das kārum kaneš (Kültepe), weitere Niederlassungen befanden sich u. a. in Boğazköy (kārum Hattuš) und Alişar. Die zahlreichen in Kaneš gefundenen Tontafeln sind der erste Nachweis von Schriftlichkeit auf anatol. Boden. Die Anwesenheit von Assyrern läßt sich nur anhand der Texte feststellen; ihre materiellen Hinterlassenschaften unterscheiden sich nicht von jenen der einheim. Ana-

tolier. Aus den Texten läßt sich ein System voneinander unabhängiger Kleinstaaten rekonstruieren, die von Fürsten regiert wurden. Die auf die Karum-Zeit folgende Periode (ca. 1700–1680 v. Chr.) ist arch. weitgehend unbekannt. Die Zuordnung der alt-heth. Periode (ab ca. 1680 v. Chr.; → Hattusa II.) zur Mittleren- oder Spät-Brz. wird noch kontrovers diskutiert.

In Westanatolien erreichen die alten frühbrz. Siedlungen urbane Ausmaße (Troia VI, Beycesultan, Limantepe), doch fehlen auch weiterhin jegliche Nachweise für Schriftlichkeit. An der Ägäisküste etablierten sich zunächst minoische, in der Spät-Brz. dann myk. Niederlassungen (→ Ägäische Koine).

Sowohl im westl. als auch im zentralen Anatolien läßt sich eine Entwicklung des arch. Materials ohne Kulturbrüche vom E. der Früh-Brz. zur Mittel-Brz. und schließlich in die Spät-Brz. hinein erkennen.
→ Alişar; Hattusa I.; Malatya; Mesopotamien; Troia

K. Alimov u. a., Prähistor. Zinnbergbau in Mittelasien; in Eurasia Antiqua 4, 1998, 137–199 · N. Brisch, K. Bartl, Die altassyr. Handelskolonien in Anatolien, in: K. Bartl, R. Bernbeck, M. Heinz (Hrsg.), Zwischen Euphrat und Indus, 1995, 134–147 · J. G. Dercksen, The Old Assyrian Copper Trade in Anatolia, 1996 · S. Harmankaya, O. Tanindi, M. Özbaşaran, Türkiye Arkeolojik Yerleşmeleri, 2. Neolitik, 1997 · Dies., Türkiye Arkeolojik Yerleşmeleri, 3. Kalkolitik, 1998 · H. Klengel, Gesch. des Hethit. Reiches (HdbOr I/34), 1999, 17–32 · M. Korfmann, A. Baykal-Seeher, S. Kiliç, Anatolien in der Frühen und Mittleren Brz. (TAVO Beih. B 73), 1994 · Dies., H. Kühne, Kleinasien. Frühbrz., Ostteil. Westteil (TAVO B II 13), 1993 · B. Kull, W. Röllig, Kleinasien. Mittelbrz. (TAVO B II 14), 1991 · M. Özdoğan, The Beginning of Neolithic Economies in Southeastern Europe: An Anatolian Perspective, in: Journ. of European Archaeology 5/2, 1997, 133 · W. Orthmann, K. R. Veenhof, s. v. Kaneš A. philolog., B. arch., RLA 5, 369–383 · J. Yakar, The Later Prehistory of Anatolia: The Late Chalcolithic and Early Bronze Age, 1985 · Ders., Prehistoric Anatolia. The Neolithic Transformation and the Early Chalcolithic, 1991. H. GE. u. U.-D. S.

B. Hethiterreich
Siehe → Hattusa II.

C. Hethitische Nachfolgestaaten
1. Historischer Überblick   2. Kunst

1. Historischer Überblick
a) Einleitung   b) Das Grosskönigtum Karkamis und die daraus hervorgegangenen Staaten   c) Das Grosskönigtum Tarḫuntassa und die daraus hervorgegangenen Staaten d) Die Situation in Westkleinasien

a) Einleitung
Das durch innerdynast. Machtkämpfe herbeigeführte, kurz nach 1200 v. Chr. eingetretene E. des hethit. Großreiches (→ Hattusa II.) bedeutete einen Zusammenbruch der Staatlichkeit nur für den hethit. Kernstaat

innerhalb und unmittelbar am Halysbogen (zum arch.
Befund [1]), nicht jedoch für die ihn umgebenden, zugleich → luwisch-sprachigen Reichsteile. Wie die jüngste Forsch. gezeigt hat, ging vielmehr hier – in SO-
Kleinasien und Nord-Syrien, ebenso im Süden und
wahrscheinl. auch im Westen Kleinasiens, im Bereich
der arzawischen Vasallenstaaten – die polit. Führung unmittelbar auf die Sekundogenituren Karkamis (→ Kar-

kemiš) und → Tarḫuntassa sowie auf den Vasallenstaat
→ Mirā über, die noch in der Endphase des hethit.
Großreiches mehr oder weniger offiziell den Status von
Großkönigtümern erlangt hatten.

Diese luw. Großkönigtümer sowie die sich im 12./
11. Jh. v. Chr. hieraus verselbständigenden und z. T. bis
ins 8./7. Jh. fortbestehenden luw. Einzelstaaten, deren
immer noch sehr lückenhafte Gesch. durch eigene

Die Dynastielinien von Karkamis und Malida

GK	Großkönig	*Initesub*	König nur durch assyrische/urartäische Quellen bezeugt
K	König	⋮	Deszendenz nicht gesichert, aber wahrscheinlich
LH	Landesherr	⋮ (?)	(vermutliche) lückenhafte Dynastielinie
		*	Titel nicht belegt, aber wahrscheinlich

Karkamis

- 1200   Kuzitesub (GK)
- 1100   *Initesub* (* GK)
- 1000   x-pazidi (GK)   Suḫi I. (* LH)
-        Uratarḫunza (GK)   Astuwadammazza (LH)
-                       Suḫi II. (LH)
-        Tudḫalija (GK) ∞ Tochter   Katuwa (LH)
- 900
-        *Sangara* (ca. 870–848)
- 850   ⋮ ?
-        Astiruwa (K)
- 800   Jariri (Prinzregent)
-        Kamani (K, LH)
-                Sastura (»Vorrangiger Diener«,
- 750   Neffe/Schwiegersohn Kamanis)
-        *Pisiri* (738–717, = »Sasturas Sohn« (?), LH)
- 700
- 650

Malida

- PUGNUS-mili I. (* LH)
- Arnuwanti I. (LH)   Runtija (LH, K)
- PUGNUS-mili II. (* LH)
- Arnuwanti II. (LH)
- *Allumari* (* LH)
- Tara (LH)
- Wasu(?) - Runtija (* LH)
- Ḫalpasulubi (* LH, K)
- Suwarimi (* LH)
- Mariti (* LH, K)
- *Lalli* (um 844)
- Saḫwi (um 782)
- *Ḫilaruada*   Sati (?) - Runtija (LH)
- *Sulumal* (ca. 745–732)
- *Gunzinanu*
- *Tarḫunazi* (–712)
- [*Mutallu* (K v. Kummaḫa, 712–708)]
- *Mugallu* (K von Malida und Tabal, ca. 675–651)
- [...]*ussi* (um 640)

inschr. Überl., ferner durch neuassyr. bzw. (seltener) urartäische und at. Quellen greifbar wird (für den Westen Kleinasiens ergeben sich dagegen vorerst nur wenige Anhaltspunkte), sind unter dem Begriff »hethit. Nachfolgestaaten« (in der Sekundärlit. auch »Spät-/ Neuhethit. Staaten« gen.) zusammengefaßt. »Nachfolge« meint dabei, daß diese Staaten sich histor.-polit., ges., kulturell und nicht zuletzt in der Genealogie der Großkönige direkt an das hethit. Großreich und seine Dyn. anschließen. Insofern galten sie (insbes. Karkamis) auch ihren syr. und mesopot. Nachbarn weiterhin als »(Land) Ḫatti« bzw. als »Hethiter«, doch haben sie selbst diese Benennungen nie für sich in Anspruch genommen.

Einen nicht zu unterschätzenden Traditionsbruch stellt die Aufgabe der → Keilschrift zugunsten der luw. → Hieroglyphenschrift dar, für die im täglichen Gebrauch vergängliche bzw. auch anderweitig verwendbare Schriftträger (Holztafeln, Bleistreifen) benutzt wurden, so daß die hieroglyphische Überl. – abgesehen von wenigen Briefen und Verwaltungsurkunden auf Bleistreifen aus Assur bzw. Kululu – fast ausschließlich auf (h. ca. 220, z. T. recht umfangreichen) Fels-, Stelen- und Orthostateninschr. beruht.

b) Das Grosskönigtum Karkamis und die daraus hervorgegangenen Staaten
α) Karkamis

Der Übergang von der Sekundogenitur zum unabhängigen Großkönigtum Karkamis (luw. *Karkamissa*-) erfolgte unter Kuzitesub (Urururenkel Suppiluliumas I. und Vetter 3. Grades des letzten hethit. Großkönigs Suppiluliuma II.). Dieser ist einerseits durch noch großreichszeitliche Siegelabdrücke aus Lidar Höyük (bei Samsat) und Emar/Meskene als »König des Landes Karkamis« ausgewiesen, andererseits in drei Inschr. (GÜRÜN und KÖTÜKALE, İSPEKÇÜR; 12. Jh.) seiner Enkel Runtija und Arnuwanti I., »Landesherren« von Malida (nicht »Malizi«; VITELLUS/MAₓ-LIₓ-*zi* ist Ethnikon *Malida/izza(/i)*-!), als »Großkönig von Karkamis« und damit implizit als Oberherr benannt [2]. Der Hoheitsbereich des Großkönigtums war demnach in der 1. H. des 12. Jh. über das der Sekundogenitur unterstellte nordsyr. Gebiet hinaus bis zum Tohma Su nördl. der Ebenen von Malatya und Elbistan, die im wesentlichen das Land Malida bildeten, ausgedehnt; zugleich ergibt sich, daß Kuzitesub am Anf. zweier Dyn.-Linien stand, die als Großkönige von Karkamis bzw. als Könige von Malida (mit dem bevorzugten Titel »Landesherr«) regierten.

Während sich die Dyn.-Linie der Sekundogenitur Malida (unter Berücksichtigung ferner der Inschr. DARENDE, IZGIN, MALATYA 1, 4 und 3) über insgesamt zehn Generationen verfolgen läßt und insofern gewiß noch ins 10. Jh. v. Chr. hineinreichte, wird die Dyn.-Linie der Großkönige – abgesehen von Initesub, durch → Tiglatpilesar I. von Assyrien um 1100 bezeugt – erst mit Einsetzen der inschr. Überl. in Karkamis selbst (Anf. 10. Jh.) wieder greifbar. Dabei zeigt sich, daß gleichzei-

tig am Ort Karkamis eine weitere Dyn.-Linie von »Landesherren« (die sog. »Dyn. Suḫis I.«) regierte, die ihrerseits direkt oder indirekt auf Kuzitesub zurückgehen dürfte [3]. Sie übernahm nach innerdynast. Auseinandersetzungen unter Katuwa (E. 10. Jh.) die alleinige Macht in Karkamis, nicht jedoch den Großkönigstitel, wie denn auch die nachfolgenden Herrscher (derselben Dyn.-Linie?; s. zu diesen [4]) bis zur Eroberung von Karkamis durch die Assyrer (717) nur den Titel »König« und/oder »Landesherr« führten.

Obgleich sich Karkamis (mit über 60 Inschr. vom Hauptort selbst, ferner KELEKLI, KÖRKÜN, TILSEVET, TÜNP, CEKKE; s. Überblick [5. 434–445]) auch noch im 10.–8. Jh. als der bedeutendste luw. Staat Nordsyriens darstellt, der Anf. 8. Jh. diplomatische Beziehungen bis nach Äg., Urartu und NW-Kleinasien unterhielt ([6]; s. auch → Jariri), dürfte sich der ausgedehnte Hoheitsbereich des Großkönigtums wohl schon im 12./11. Jh. in mehrere unabhängige Einzelstaaten aufgelöst haben. Ihre Überl. setzt allerdings – abgesehen von Malida – zumeist erst im 10./9. Jh. ein.

β) Malida

Malida (assyr. Me/ilid; mit gleichnamiger Hauptstadt, h. Malatya/Arslantepe) scheint bereits z.Z. Allumaris, der um 1100 von Tiglatpilesar I. als eigenständiger Herrscher neben Initesub von Karkamis genannt wird, nicht mehr der Oberhoheit von Karkamis unterstanden zu haben. Im 9. und 8. Jh., für die außer der Inschr. ŞIRZI (Verf. Sati(?)-Runtija) keine königlichen Inschr. mehr bezeugt sind, konnte es sich gegen den assyr. (Salmanassar III., 858–824) bzw. urartäischen (1. H. 8. Jh.) Expansionsdruck behaupten und auch nach vorübergehender Annexion (712–705) durch → Sargon II., der die Stadt Malida 712–708 Mutallu von Kummaḫa (s.u.) unterstellt hatte, seine Unabhängigkeit wiedergewinnen. Ca. 675–651 war Malida unter Mugallu mit Tabal (s.u. c) vereint, erlag jedoch nach ca. 640 dem Ansturm der → Kimmerioi (vgl. dazu [7]).

γ) Kummaḫa

Der zw. Malatya-Gebirge und Euphrat gelegene Staat Kummaḫa (assyr. Kummuḫ, urartäisch Qumaḫa; mit gleichnamiger Hauptstadt, wohl = Samosata/ Samsat, heute im Atatürk-Stausee versunken), der im Namen und in seiner Ausdehnung der späteren → Kommagene entspricht, wird als »Land« schon von Tukulti-Ninurta I. (1233–1197) erwähnt. Anhand assyr.-urartäischer Quellen und einheimischer Inschriften (v. a. BOYBEYPINARI, MALPINAR; E. 9./Anf. 8. Jh.) wird hier (allerdings erst ab 866) eine Dyn.-Linie greifbar, die – z. T. noch lückenhaft – bis zur assyr. Annexion (708) reicht und in der auffälligerweise vor allem Namen früherer hethit. Großkönige vertreten sind: *Ḫatusili (= assyr. Qatazili, ca. 866–857) –? Kundašpi (um 853) – ... – Supiluliuma (= Ušpilulume, ca. 805–773) – Ḫatusili – ? Kuštašpi(li) (ca. 755–732) –? *Mu(wa)talli (= Mutallu, ca. 712–708).

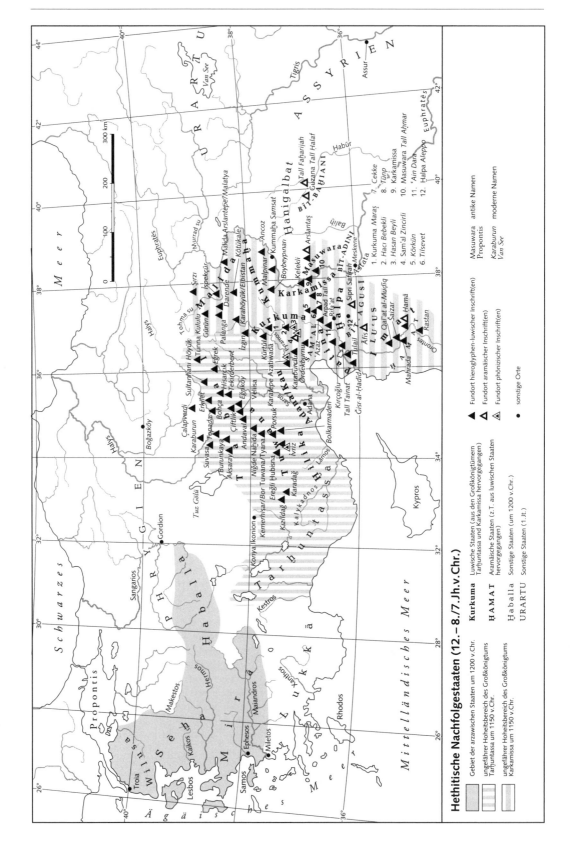

Hethitische Nachfolgestaaten (12.–8./7.Jh.v.Chr.)

Kurkuma — Luwische Staaten (aus den Großkönigtümern Tarḫuntassa und Karkamissa hervorgegangen)

ḪAMAT — Aramäische Staaten (z.T. aus luwischen Staaten hervorgegangen)

Ḫaballa — Sonstige Staaten (um 1200 v.Chr.)

URARTU — Sonstige Staaten (1.Jt.)

Gebiet der arzawischen Staaten um 1200 v.Chr.

ungefährer Hoheitsbereich des Großkönigtums Tarḫuntassa um 1150 v.Chr.

ungefährer Hoheitsbereich des Großkönigtums Karkamissa um 1150 v.Chr.

▲ Fundort hieroglyphen-luwischer Inschrift(en)

△ Fundort aramäischer Inschrift(en)

⬟ Fundort phönizischer Inschrift(en)

• sonstige Orte

Masuwara — antike Namen
Propontis

Karaburun — moderne Namen
Van See

7. Cekke
8. Tünp
9. Karkamissa
10. Masuwara Tall Aḥmar
11. ʿAin Dāra
12. Ḫalpa Aleppo

1. Kurkuma Maraş
2. Hacı Bebekli
3. Hasan Beyli
4. Samʾal Zincirli
5. Körkün
6. Tilsevet

δ) KURKUMA

Westl. Nachbar von Kummaḫa (Grenze etwa entlang der Straße Pazarcık-Gölbaşı) war der Staat Kurkuma (assyr. Gurgum; mit gleichnamiger Hauptstadt, h. Maraş). Sein v. a. in der Maraş-Ebene am oberen Pyramos liegendes Territorium war im Norden durch Gebirgszüge von der Elbistan-Ebene getrennt; im Süden grenzte es an Samʾal. Die eigene Überl. des 10.–8. Jh. (15 Inschr. aus Maraş; ferner KÜRTÜL, KARABURÇLU, HACI BEBEKLİ) umfaßt neben königlichen Inschr. auch mehrere Grabstelen. Aus den genealogischen Angaben der Inschr. MARAŞ 8 (Anf. 10. Jh.), 4 (Mitte 9. Jh.) und 1 (E. 9. Jh.) läßt sich eine zw. ca. 1000 und 805 anzusetzende, 9 Generationen umfassende Dyn.-Linie gewinnen, deren Angehörige ab Mitte des 9. Jh. z. T. auch in assyr. Quellen erscheinen: Astuwarammazza (sic!) – Muwatalli I. – Larama I. – Muwa/izza (sic!) – Ḫalparuntija I. – Muwatalli II. (= assyr. Mutallu, um 858) – Ḫalparuntija II. (= Qalparunda, um 853) – Larama II. (= Palalam) – Ḫalparuntija III. (= Qalparunda, um 805). Aus dem 8. Jh. gibt es hingegen bisher keine königlichen Inschr. und auch assyr. Quellen nennen nur Tarḫulara und Mutallu als letzte Könige von Kurkuma, das 711 assyr. Prov. wurde und – ebenso wie die Hauptstadt – fortan Marq/ḫasi (fortgesetzt in arab. Marʿaš) hieß [8].

ε) SAMʾAL

Zwischen Kurkuma und dem Golf von İskenderun konnte sich im Zuge der Ausbreitung der Aramäer in Nordsyrien (s. u.) ab ca. 920 v. Chr. unter aram. Führung der kleine Staat Samʾal etablieren. Seine inschr. Überl. in phöniz. und aram. Sprache (zusammengefaßt in [9]) aus der gleichnamigen Hauptstadt (h. Zincirli) ist mit den Königen Kulamuwa (*Klmw* als luw. PN so, nicht »Kilamuwa« zu lesen [10. 236⁸⁰⁶]; ca. 840/835–815/10), Panamuwa I. (luw. PN; bis ca. 745) und Barrākib (733/2–ca. 720) verbunden. Zum samʾal. Gebiet gehört ferner die Stele von Ördekburnu (wohl 9. Jh.), die neben Resten luw. Hieroglyphenzeichen eine sprachlich noch nicht sicher identifizierte Inschr. in phöniz.-aram. Alphabetschrift enthält (s. zuletzt [9. 6]). Während der Name Samʾal erst in den jüngeren (standard-aram.) Inschr. Barrākibs üblich ist, verwendet die phöniz. Inschr. Kulamuwas, ebenso die Inschr. Panamuwas I. sowie die älteste Inschr. Barrākibs (beide in einem fr21h-aram. Lokaldialekt verfaßt) noch den älteren, wohl einheimischen Namen *Jʾdj*, der vielleicht auf einer luw. Ethnikonbildung Pl.N.A.n. *Ị̄adiịa (zum Landesnamen *Ịāda-), »das Jādäische (Land)« beruht (vgl. dazu [11. 458 mit Anm. 121]).

Im 9. und 8. Jh. war die Selbständigkeit von Samʾal mehrfach durch die benachbarten luw. Staaten, insbes. Adana (s. dazu unten c) und wohl auch Kurkuma, bedroht, so daß es sich seit Kulamuwa unter den Schutz Assyriens stellte und fortan eine konsequent proassyr. Haltung einnahm. Nach innerdynast. Auseinandersetzungen ab ca. 743 unter Panamuwa II. und Barrākib ganz von Assyrien abhängig, wurde Samʾal z. Z. Salmanassars V. (726–722) assyr. Prov.

ζ) PAT(T)INA

In der Ebene von ʿAmūq/Antiocheia, auf dem Gebiet des früheren hethit. Vasallenstaates Alalḫa (→ Alalaḫ), der ebenso wie das im Süden benachbarte → Ugarit kurz nach 1200 unter dem Ansturm der Seevölker zusammengebrochen war (→ Seevölkerwanderung), lag das Zentrum des luw. Staates Pat(t)ina (so bzw. – nach aram. ʿmq – Unqi die assyr. Benennung; luw. Name nicht bezeugt), der sich von ʿAzaz bis zur Mittelmeerküste im Bereich des unteren Orontes erstreckte. Zw. ca. 870 und 738 ist er v. a. durch assyr. Quellen greifbar, während die eigene, sehr schlecht erhaltene Überl. des 9./8. Jh. – 3 frg. Inschr. aus der Hauptstadt (h. Tall Tainat; assyr. Kinali/ua, Kunalua), ferner ʿAZAZ, ʿAIN DARA, KIRÇOĞLU, ĞISR AL-ḤĀDĪD, TULAIL – wenig ergiebig ist.

Zur Zeit Assurnaṣirpals II. und Salmanassars III. sind als Könige *Labarna I. (= assyr. Lubarna/Liburna, um 870), *Suppiluliuma (= Sapalulme, bis 858), Ḫalparuntija (= Qalparunda, ca. 857–853, s. TALL TAINAT 1) und *Labarna II. (= Lubarni) bezeugt, gefolgt um 830 von Surri (Usurpator) und Sasi (durch die Assyrer eingesetzt). Aus dem 8. Jh. ist nur Tutammu bekannt, der als letzter König 738 wegen Vertragsbruchs von Tiglatpilesar III. abgesetzt wurde. Das in eine assyr. Prov. umgewandelte Land Pat(t)ina/Unqi hieß seitdem Kullani – eine weitere Variante des assyr. Namens der Hauptstadt (im AT Kalne/o).

η) MASUWARA, ḪALPA UND IMAT

Anders als in SO-Kleinasien stellten in Nordsyrien luw. Sprachträger nur eine kleine, v. a. die polit. Führungsschicht bildende Minderheit dar; ein Umstand, der wohl entscheidend dazu beigetragen hat, daß hier bis auf Pat(t)ina und den Kernstaat Karkamis selbst die luw. Staaten relativ früh an die seit dem 13./12. Jh. beidseitig des Euphrats nach Norden vordringenden → Aramäer (zu deren Staatenbildung vgl. [12]) verlorengingen. So war der an die Sekundogenitur Karkamis angrenzende hethit. Vasallenstaat Astata schon bald nach 1180 in aram. Hand gefallen [13. 651].

Auf dem im 14./13. Jh. zu Karkamis gehörenden osteuphratischen Territorium konnte sich bis E. des 10. Jh. der luw. Staat Masuwara (< *Masuwada = akkad. Masuwadi, 2. Jt., s. [10. 178⁵⁷⁸]; mit gleichnamiger Hauptstadt, assyr. Til Barsib bzw. Manṣuate [14. 68–76], h. Tall Aḥmar) halten, dessen eigene Überl. (9 Inschr.) eine vier Generationen umfassende Dyn.-Linie (ca. 970–900) greifen läßt. Sie verlor in der 2. H. des 10. Jh. ihre Macht vorübergehend an eine andere (wohl verwandte) Dyn.-Linie [15]; an die Stelle von Masuwara trat der Aramäerstaat Bīt-Adini (bezeugt ab 899), der allerdings schon 856 assyr. Prov. wurde.

Der Stadtstaat Ḫalpa (→ Aleppo), im 14.–13. Jh. Sitz einer hethit. Sekundogenitur und noch im 1. Jt. bedeutendes Kultzentrum des → Wettergottes, ging Anf. des 9. Jh. im aram. Staat Bīt-Agūsi auf, der seit der Zeit Adadniraris III. (810–773) nach seiner Hauptstadt (h. Tall Rifaʿat) Arpad hieß. Über das luw. Ḫalpa zw. 1200 und 900 ist fast nichts bekannt; seine inschr. Überl. beschränkt sich auf eine Wettergottstele und zwei Steinschalen (um 900), die unter unklaren Umständen nach Babylon verschleppt wurden.

Am längsten behaupten konnte sich Imat (mit gleichnamiger Hauptstadt; hebr., aram. Ḥamat; assyr. Amat/Ḥam(m)at; h. Ḥamā; zu luw. /i/ vgl. [16. 15–16]), das südl. von Pat(t)ina und Ḥalpa das Territorium der früheren hethit. Vasallenstaaten Nuḥassa/Nuḫašše (aram. Luʿuš, assyr. Luḫuti) und Amurra (→ Amurru [2]) umfaßte. Im AT (2 Sam 8,9–10; 1 Chr 18,9–10) erscheint es z.Z. Davids unter seinem König »Toʿi« (PN wohl hurrit. Herkunft; vgl. den PN Ta-aḫ-e aus Emar [17. 47]) als Verbündeter Israels (→ Juda und Israel) gegen den aram. Staat Zobah → Damaskos (ca. 980). Die eigene Überl. aus der 2. H. des 9. Jh. ist v.a. (12 Inschr. aus Ḥamā; ferner Qalʿat al-Muḍīq, Rastan) mit den letzten beiden Königen Urḥilina (PN hurrit. Herkunft; = assyr. Irḫuleni, ca. 853–845) und Uratami (bis ca. 820) sowie deren umfangreicher Bautätigkeit verbunden. Den bereits kurz danach erfolgten Übergang der Herrschaft an eine aram. Dyn. markiert die aram Inschr. Zakkurs, des »Königs von Ḥamat und Luʿuš«, aus Āfis.

c) Das Grosskönigtum Tarḫuntassa und die daraus hervorgegangenen Staaten

α) Tarḫuntassa im 12. Jh.

Die zw. Kestros und Lamos gelegene, nach Norden hin das Gebiet der großen pisidischen Seen und die südl. Konya-Ebene miteinschließende Sekundogenitur Tarḫuntassa, deren gleichnamige Hauptstadt im Bereich der oberen Kalykadnos zu suchen ist, war nach der Absetzung des hethit. Großkönigs Mursili III.-Urḫitesub (ca. 1272–1265) als Abfindung für dessen von der legitimen Nachfolge verdrängten Bruder Kurunta eingerichtet worden. Ihr Fortbestehen als nachgroßreichszeitliches Großkönigtum dokumentieren die h. sicher ins frühe 12. Jh. zu datierenden (insgesamt 7) Felsinschr. auf dem Kızıldağ und Karadağ, deren Verf. Ḥartapu sich durch die Beibehaltung der hethit. Großkönigskartusche mit geflügelter Sonnenscheibe (→ Flügelsonne) offensichtlich in die Nachfolge der Dyn. von Ḥattusa stellt und aufgrund der Nennung eines Großkönigs Mursili in der Filiationsangabe wohl tatsächlich als Sohn des gestürzten Mursili III.-Urḫitesub (gest. nach 1245) anzusehen ist (s. [18; 19. 63–65, 103–107] und → Ḥattusa II., Übersicht der hethit. Könige).

Nach dem FO der ebenfalls von Ḥartapu stammenden Inschr. Burunkaya dehnte sich das Territorium nunmehr bis an den Halysbogen aus; doch dürfte sich der Hoheitsbereich des Großkönigtums noch wesentlich weiter nach Osten (mit Einschluß Ostkilikiens?) bis an den Hoheitsbereich des Großkönigtums Karkamis erstreckt haben, wie der FO der Steleninschr. Karahöyük-Elbistan (1. H. des 12. Jh.) zeigt. Diese Inschr., die u. a. von einem Großkönig berichtet, der in die Elbistan-Ebene kam (sein Name kann schriftbedingt hurrit. Ir-Tesub bzw. luw. Jarra-Tarḫunza gelesen werden),

steht in keiner Beziehung zu den benachbarten Inschr. von Malida aus dem 12./11. Jh. (Gürün, İspekçür, Darende, Kötükale, Izgin); dafür ist sie paläographisch eng mit dem Kızıldağ-Karadağ-Burunkaya-Komplex verbunden, so daß der genannte Großkönig sicherlich zu Recht in die Nachfolge Ḥartapus gestellt worden ist [20].

Wie lange das Großkönigtum in dieser Ausdehnung eine polit. Einheit bildete, bleibt vorerst unklar, zumal bis Mitte des 8. Jh. keine weitere inschr. Überl. aus diesem Raum vorliegt. Als die Assyrer z.Z. Salmanassars III. (858–824) erstmals bis in das Gebiet zw. Tauros und Halys vorstießen, unterschieden sie jedenfalls hier bereits drei Staaten: 1. Tabal (luw. Name unbekannt); 2. Qawe/Qu(w)e (< luw. Kau-*/Kaṷa-*, bezeugt im Ethnikon Kaṷa/izza(/i)-, »kawisch« [10. 340^1203a]) = luw. Adana bzw. – in der Inschr. Karatepe (s.u.) – Ethnikon Pl.N. A.n. Adanaṷiịa »das Adanawische (Land)« und 3. Ḥila/i/ukku = luw. wohl Ḥilika (Name schon hethit. bezeugt, s. [21. 432–433]; → Kilikes, Kilikia).

β) Tabal

Der bedeutendste Staat war Tabal, das – im 9. Jh. Tuwana (s.u.) wohl noch mit einschließend – sich vom Tatta-See/Tuz Gölü bis Malida erstreckte und im Norden und Süden durch den Halys bzw. die Tauroskette begrenzt wurde. Salmanassar III. traf hier 837 auf den König Tuatti sowie auf weitere 24 Könige, die sicherlich als dessen Unterkönige anzusehen sind. Ein entsprechendes Bild der Aufgliederung in Unterherrschaften vermittelt denn auch die um 750 einsetzende inschr. Überl. Tabals (insgesamt 44 Inschr., bis ca. 700 v. Chr.).

So benennen mehrere Vasallen Tuwati (Kululu 1, Çiftlik) bzw. dessen Sohn Wasusarma (Sultanhan, Kayseri, Suvasa) als ihren Oberherrn, der wohl in Tunna (h. Kululu) residierte und etwa das Gebiet der heutigen türk. Prov. Kayseri und Nevşehir (= Tabal im engeren Sinne, von den Assyrern seit Sargon II. Bīt-Burutaš gen.) kontrollierte. Wasusarma selbst (= assyr. Wassurme, ca. 738–730) weist sich und seinen Vater in der stark archaisierenden Inschr. Topada (30 km nö von Burunkaya) – unter Verwendung der Großkönigskartusche wie einst Ḥartapu – als Großkönig aus. Dies spricht ebenso für eine ungebrochene Kontinuität der Dyn. von Tarḫuntassa wie das (zweifellos ins 8. Jh. gehörende) Bild des thronenden Ḥartapu vom Kızıldağ, das wahrscheinlich von Wasusarma nach einem siegreichen Feldzug in die Konya-Ebene als Reverenz an den Urahn den ca. 450 J. älteren Inschr. hinzugefügt wurde [18. 271–272].

Indes war Wasusarma auch der letzte Großkönig von Tabal. Nach seiner Absetzung durch Tiglatpilesar III., der an seiner Stelle den »Sohn eines Niemand« installierte, geriet Tabal/Bīt-Burutaš ganz unter assyr. Einfluß und war 713–705 assyr. Prov., danach wohl wieder unabhängig, schließlich ca. 675–655 mit Malida vereint (s.o. b. β): Malida).

γ) Tuwana

Einen aus Tabal hervorgegangenen eigenständigen Staat bildete schon z.Z. Wasusarmas Tuwana (mit gleichnamiger Hauptstadt; h. Kemerhisar bei Bor), das in seiner Ausdehnung zw. Ereğli und dem Nordausgang der Kilikischen Tore etwa der späteren Tyanitis (h. Prov. Niğde) entsprach. Sein König Warballawa (= assyr. Urballa von Tuḫana, ca. 743/738–710/709), in Topada als Verbündeter Wasusarmas erwähnt, war selbst Oberherr von Vasallen, wie z.B. die Inschr. Bolkarmaden zeigt. Ein Brief des assyr. Statthalters von Que an Sargon II. von 710/709 nennt allein ihn namentlich von »all den Königen von Tabal« (im weiteren Sinne), die durch eine unerwartet proassyr. Politik Mitās von Muski (→ Midas von Phrygien) unter Druck geraten waren [22. Nr. 1].

Überraschenderweise werden die → Phryger (zu ihren Kontakten mit Tuwana s. [23; 24. 625–626]) in den Inschr. nicht erwähnt, doch erscheint das luw. Ethnikon *Muskazza-* bereits Anf. des 8. Jh. als Sprachbezeichnung »Phrygisch« (neben *Musazza-,* wohl »Lydisch«) in Karkamis [6. 383 f.], das im übrigen unter Pisiri (738–717) mit Mitā gegen Assyrien verbündet war. Andererseits bezeugt die 1986 gefundene hieroglyphenluw.-phöniz. Bilingue von İvriz (vgl. vorläufig [25]), die ebenso wie die Inschr. İvriz (Felsrelief) und Bor (Stele) von Warballawa selbst stammt, erstmals phöniz. Sprache in rein luw. Umgebung nördl. des Tauros.

δ) Adana

Der seit der 2. H. des 9. Jh. (Salmanassar III.; Kulamuwa-Inschr., s.o. b. ε): Sam'al) greifbare Staat Adana (phöniz. '*dn,* aber gewöhnlich mit dem Ethnikon *Dnnjm [Danunijjūm],* »Danunäer«, < luw. Ethnikon *Adanaṷann(i)-* umschrieben) umfaßte im wesentlichen die kilikische Ebene (*Kilikía Pediás*), die vor 1200 den südl. Teil des hethit. Landes → Kizzuwatna bildete; die gleichnamige Hauptstadt (unter dem modernen Ort Adana liegend) ist namentlich seit dem 15. Jh. bekannt (hethit. *Adaniịa-* < luw. Ethnikon *Adani-*). Die bisher einzige Inschr. Adanas stellt die hieroglyphenluw.-phöniz. Bilingue Karatepe (Anf. 7. Jh.; [26; 27]) dar, deren Verf. Azatiwadā (auch – mit Rhotazismus – Azatiwarā bzw. unkontrahiert Azatiwad/raja [10. 148]; phöniz. '*ztwd*) überzeugend mit Sanduarri, dem 676 von Asarhaddon hingerichteten König von Kundu und Sissu (wohl im NO der kilikischen Ebene zu lokalisieren) identifiziert worden ist [28. 153–157].

Azatiwadā war Unterkönig des Awariku (phöniz. '*wrk*), der – 738–732 von Tiglatpilesar III. als König Urikki von Que (Adana) bezeugt – noch 710/709 lebte und ein (durch Mitā von Muski vereiteltes) Bündnis mit Urartu anstrebte, obwohl Adana zu dieser Zeit bereits einem assyr. Statthalter unterstand [22. Nr. 1]. Nach dem Tode Awarikus und gewiß auch erst nach dem Tode Sargons II. (705), als Adana wieder unabhängig war, übernahm Azatiwadā für die Dyn. seines Oberherrn, das »Haus des Muksa« (phöniz. *Mpš*), die Regentschaft, richtete das Land wieder auf und erbaute u.a. am Pyramos zur Sicherung der kilikischen Ebene die be-

festigte Stadt Azatiwadā/Azatiwadaja (h. → Karatepe), worauf die sich duplizierenden bilinguen Inschr. vom unteren und oberen Stadttor Bezug nehmen (Der luw. und der phöniz. Text stellen – ungeachtet ihrer fast wörtl. Übereinstimmung – voneinander unabhängige, idiomatisch eigenständige Versionen dar!).

Der von Azatiwadā benannte Dyn.-Gründer Muksa/ *Mpš* hat mit der im hethit. Madduwatta-Text (E. 15. Jh.!) gen. Person Muksu nichts zu tun. Hingegen ist seine Identifizierung mit der Gestalt des → Mopsos, die nach der griech. Trad. im 12. Jh. in Pamphylien und Kilikien (mithin ein größeres südkleinasiat. Gebiet im Bereich des Großkönigtums Tarḫuntassa) regierte und die gewiß einen anatol. Herrscher widerspiegelt, kaum zu bezweifeln [29; 30]. So erscheinen ein Großkönig Muksa von Tarḫuntassa (nach Ḫartapu und Ir-Tesub/Jarra-Tarḫunza) sowie etwa eine von ihm eingerichtete Sekundogenitur Adana (vergleichbar der Sekundogenitur Malida im 12. Jh.) h. immerhin möglich.

ε) Ḫilika

Ḫilika, bezeugt seit Salmanassar III., der 858 Piḫirisi von Ḫiluku (Ethnikon *Ḫilukaja*) als Teilnehmer an einer von Sam'al geführten antiassyr. Koalition benennt, war Nachbar von Tabal (im weiteren Sinne) sowie von Adana. Es lag zweifellos im Gebiet des Tauros-Gebirges und der Bolkar Dağları, doch ist sein Territorium, insbes. nach Westen und NW hin, nicht genau zu begrenzen und insofern mit der späteren *Kilikía Trácheía* vielleicht nur teilweise gleichzusetzen. Eine eigene inschr. Überl. gibt es bisher nicht.

Im Unterschied zu Tabal und Adana befand sich Ḫilika zumeist außerhalb der Reichweite assyr. Feldzüge, auch ist es entgegen der Behauptung Sargons II., der es 713 mit Tabal/Bīt-Burutaš zu einer Prov. vereinigt haben will, wahrscheinlich immer unabhängig geblieben. Zur Zeit Assurbanipals (668–631) lehnte es sich unter seinem König Sandasarme angesichts der Bedrohung durch die Kimmerier (→ Kimmerioi) wohl freiwillig an Assyrien an. Als einziger luw. Staat überlebte Ḫilika schließlich den Zusammenbruch des assyr. Reiches und bildete den Kern des ab dem frühen 6. Jh. greifbaren, wesentlich größeren Staates Kilikien (= Kilikes, Kilikia; zur Fortsetzung des Namens Ḫilika als griech. *Kilikía* s. [21]), dessen Könige griech. *Syénnesis* hießen (z.B. Hdt. 1,74; 5,118; 7,98); der von den Griechen als PN mißverstandene Titel beruht auf hieroglyphenluw. *suṷannassa(/i)- »zum Hund gehörig«, dessen Grundwort *suṷann(i)-* schon im 8. Jh. als Titel/Hofamt in Karkamis bezeugt ist [31. 120²⁴²].

Dieses Königreich dürfte nunmehr auch das Territorium von Adana/Que umfaßt haben, das unter Asarhaddon und Assurbanipal wieder assyr. Prov. gewesen war, zumal die Zugehörigkeit von Ḫume – so der babylon. Name für Adana/Que – zum neubabylon. Reich → Nebukadnezars eher fraglich ist. Damit war zugleich die Voraussetzung für die Ausdehnung des Namens *Kilikía* auf die *Pediás* gegeben. Der westl. Teil Kilikiens, *Kilikía Trácheía,* bewahrte seinen luw. Charakter bis in die röm. Kaiserzeit [32].

d) Die Situation in Westkleinasien

In Westkleinasien, d. h. im Bereich der Landschaften Troas, Mysien, Lydien und Karien, gibt es bisher keine direkte Bezeugung hethit. Nachfolgestaaten, was freilich auch vor dem Hintergrund zu sehen ist, daß das 2. und frühe 1. Jt. hier größtenteils arch. noch sehr wenig erforscht sind (vgl. [33. 77–78]). Im 13. Jh. v. Chr. wurde das Gebiet von den arzawischen (→ Arzawa) Vasallenstaaten → Wilusa, → Sēḫa, → Mirā und Ḫaballa eingenommen (zu deren Lokalisierung s. [11. 448–455]). Sie bildeten − ähnlich den der Sekundogenitur Karkamis unterstellten nordsyr. Vasallenstaaten − einen Verband polit. eng miteinander kooperierender Staaten innerhalb des hethit. Großreiches, wobei Mirā (Kernland des vormals souveränen Arzawa mit der Hauptstadt Abasa/→ Ephesos) die führende Stellung einnahm und schließlich gegen 1200 sogar den Status eines Großkönigtums erlangte [34].

Beim Zusammenbruch des hethit. Großreiches stand somit in Westkleinasien ebenfalls ein Großkönigtum bereit, um die Nachfolge anzutreten. Auch wenn über das weitere Schicksal dieses Großkönigtums vorerst nichts bekannt ist, so hat doch das 1995 in → Troia gefundene, hieroglyphenluw. beschriftete Bronzesiegel eines Schreibers (d. h. eines Vertreters staatlicher Administration), das in die 2. H. des 12. Jh. datiert ist und somit eindeutig in die Zeit nach dem E. des hethit. Großreiches gehört [35], deutlich werden lassen, daß auch im Bereich der arzawischen Staaten mit einer staatlichen Kontinuität gerechnet werden muß; zugleich wird man h. nicht mehr ausschließen dürfen, daß die Griechen bei ihrer Besiedlung des aiol. und ion. Küstengebietes im 11./10. Jh. auf eine polit. und ges. wirksame luw. Umgebung trafen.

Für das Fortbestehen luw. Staatlichkeit − sei es nur in Form kleinerer Königtümer − sogar bis ins 8. Jh. spricht das Bild von Staat und Ges. der Troer, das → Homeros in der ›Ilias‹ zeichnet. Es trägt hinsichtlich einzelner Institutionen sowie der durch sie bedingten Konflikte − z. B. staatstragende Rolle der königlichen Sippe des Priamos, *Trṓōn agorḗ*, »Versammlung der Troer«; *dēmogérōn*, »Landesherr« (!) (Hom. Il. 3,149; 11,372); *gerúsios hórkos*, »Eid der Herren« (!) (Hom. Il. 22,119); Aufbau und zeremonieller Fluch des Troer-Achaier-Vertrags (Hom. Il. 3,94; 3,276–301) − spezifisch anatol. Züge (s. dazu [11. 459–466]). Da Homer von den Verhältnissen des 2. Jt., die zu seiner Zeit obsolet sind, nur sehr vage Vorstellungen hat, dürfte das von ihm gezeichnete Bild kaum auf alter Überl., sondern eher auf unmittelbarer Anschauung beruhen. Dies bedeutet notwendig, daß Homer, dessen Lebens- und Wirkungskreis in der Grenzregion der einstigen Staaten Sēḫa und Mirā lag, noch in direktem Kontakt zu einer luw. Umgebung stand.

1 K. Bittel, Die arch. Situation in Kleinasien um 1200 v. Chr. und während der nachfolgenden vier Jh., in: S. Deger-Jalkotzy (Hrsg.), Griechenland, die Ägäis und die Levante während der »Dark Ages« vom 12. bis zum 9. Jh., 1983, 26–47 **2** J. D. Hawkins, Kuzi-Tešub and the »Great Kings« of Karkamiš, in: AS 38, 1988, 99–108 **3** Ders., »Great Kings« and »Country-Lords« at Malatya and Karkamiš, in: Th. van den Hout, J. de Roos (Hrsg.), FS Ph. Houwink ten Cate, 1995, 73–85 **4** Ders., Rulers of Karkamiš, in: IX. Türk Tarih Kongresi'nden ayrıbasım, 1986, 259–271 **5** Ders., s. v. Karkamiš, RLA 5, 428–446 **6** F. Starke, Sprachen und Schriften in Karkamis, in: B. Pongratz-Leisten et al. (Hrsg.), FS W. Röllig, 1997, 381–395 **7** J. D. Hawkins, s. v. Melid, A., Mugallu, RLA 8, 35–41 und 406 **8** Ders., s. v. Maraş, Marqasi, RLA 7, 352–363 und 431–432. **9** J. Tropper, Die Inschr. von Zincirli, 1993 **10** F. Starke, Unt. zur Stammbildung des keilschr.-luw. Nomens (Studien zu den Boğazköy-Texten 31), 1990 **11** Ders., Troia im Kontext des histor.-polit. und sprachl. Umfeldes Kleinasiens im 2. Jt., in: Studia Troica 7, 1997, 447–487 **12** P.-E. Dion, Les Araméens à l'âge du fer, 1997 **13** H. Klengel, Die Keilschrifttexte von Meskene und die Gesch. von Aštata/Emar, in: OLZ 83, 1988, 645–653 **14** St. Dalley, Neo-Assyrian Tablets from Til Barsib, in: Abr-Nahrain 34, 1996–97, 66–99 **15** J. D. Hawkins, The »Autobiography« of Ariyahinas's Son, in: AS 30, 1980, 139–156 **16** Ders., A. Morpurgo Davies, G. Neumann, Hittite Hieroglyphs and Luwian, in: Nachrichten. Akademie der Wiss. zu Göttingen 6/1973, 1974 **17** R. Zadok, On the Onomastic Material from Emar, in: WO 20/21, 1989/90, 45–61 **18** J. D. Hawkins, The Inscriptions of the Kızıldağ and the Karadağ, in: H. Otten et al. (Hrsg.), FS S. Alp, 1992, 259–275 **19** Ders., The Hieroglyphic Inscription of the Sacred Pool Complex at Hattusa, 1995 **20** Ders., The Historical Significance of the Karahöyük Stele, in: M. J. Mellink et al. (Hrsg.), FS N. Özgüç, 1993, 273–279 **21** G. Neumann, Zum Namen Kilikien, in: Stud. Mediterranea 1, 1979, 429–437 **22** S. Parpola, The Correspondence of Sargon II, Part I, 1987 **23** M. Mellink, Midas in Tyana, in: Florilegium Anatolicum, FS E. Laroche, 1979, 249–257 **24** Dies., The Native Kingdoms of Anatolia, in: CAH III/2, 1991, 619–665 **25** B. Dinçol, New Archaeological and Epigraphical Finds from İvriz, in: Tel Aviv 21, 1994, 117–128 **26** J. D. Hawkins, A. Morpurgo Davies, On the Problems of Karatepe, in: AS 28, 1978, 103–119 **27** F. Bron, Recherches sur les inscriptions phéniciennes de Karatepe, 1979 **28** J. D. Hawkins, Some Historical Problems of the Hieroglyphic Luwian Inscriptions, in: AS 29, 1979, 153–167 **29** J. Vanschoonwinkel, Mopsos: légendes et réalité, in: Hethitica 10, 1990, 185–211 **30** J. D. Hawkins, s. v. Muksas, RLA 8, 413 **31** F. Starke, Ausbildung und Training von Streitwagenpferden, 1995 **32** Ph. Houwink ten Cate, The Luwian Population Groups of Lycia and Cilicia Aspera During the Hellenistic Period, 1965 **33** E. Akurgal, Das Dunkle Zeitalter Kleinasiens, in: S. Deger-Jalkotzy (Hrsg.), Griechenland, die Ägäis und die Levante während der »Dark Ages« vom 12. bis zum 9. Jh., 1983, 67–78 **34** J. D. Hawkins, Tarkasnawa King of Mira, »Tarkondemos«, Karabel, and Boğazköy Sealings, in: AS 48, 1998 (im Druck) **35** Ders., D. F. Easton, A Hieroglyphic Seal from Troia, in: Stud. Troica 6, 1996, 111–118.

Geschichte: J. D. Hawkins, The Neo-Hittite States in Syria and Anatolia, in: CAH III/1, 1982, 372–441 · A. M. Jasink, Gli stati neo-ittiti (Stud. Mediterranea 10), 1995. Hieroglyphenluwische Inschr.: Corpus of Hieroglyphic Luwian Inscriptions, Vol. I: J. D. Hawkins, Inscriptions of the Iron Age (2 Teile), erscheint 1999; Vol. II: H. Çambel, Karatepe-Aslantaş, 1999.

KARTEN-LIT.: J. D. HAWKINS, The Political Geography of North Syria and South-East Anatolia in the Neo-Assyrian Period, in: M. LIVERANI (Hrsg.), Neo-Assyrian Geography, 1995, 87–101 · F. PRAYON, Kleinasien vom 12. bis 6. Jh. v. Chr. (TAVO B IV 8), 1991 · Ders., A.-M. WITTKE, Kleinasien vom 12. bis 6. Jh. v. Chr., Siedlungen, Heiligtümer, Funde (TAVO Beih. B 82), 1994.   F. S.

2. KUNST

Definition und geographischer Raum: Eine klare Abgrenzung der Kunst (nach 1200 v. Chr.) der luw. Kleinstaaten SO–Anatoliens von den semit. (bes. aram.) durchsetzten Gebieten südl. des Taurus und Nord-Syriens ist kaum möglich: so bezeichnet die arch. Forsch. seit AKURGAL die Gattung der Großplastik als »späthethit.«, Werke der Kleinkunst dagegen traditionell als »nordsyrisch«. Vereinzelt wird der Terminus »späthethit.« auch zur Stilbeschreibung von Plastik (7. Jh. v. Chr.) in Zentral- und Westanatolien verwendet (AKURGAL).

Architektur: Charakteristische Bauform für Paläste und Tempel ist das → Bīt Ḫilāni, die wohl aus dem Wohnhaus abgeleitete Staffelung zweier Breiträume; davon besitzt der vordere einen monumentalen Eingang mit Mittelsäule, die Tür zum hinteren Raum ist asymmetrisch versetzt. Derartige Bīt Ḫilāni-Bauten gruppierten sich locker um monumentale Platzanlagen als polit. und rel. Kern späthethit. Siedlungen (Tall Ḥalaf, Zincirli).

Großplastik: Dominierende Kunstgattung ist die Reliefplastik in Form von → Orthostatenreliefs als Wandschmuck in Tempeln und Palästen, von Toren und »Prozessionswegen«. Hinzu kommen Stelen und Felsreliefs, seltener sind monumentale Freiplastiken. In der Bildthematik (Tierprozessionen, Götter- und Herrscherbilder) und im Stil lassen sich zum einen starke regionale Unterschiede, zum anderen lokale hethit. und aram. (AKURGAL) sowie externe Einflüsse aufzeigen, unter denen die der assyr. Kunst herausragen (8. Jh. v. Chr.). Bedeutendstes Zentrum ist → Karkemiš (nach ORTHMANN mit 5 Stilstufen), ferner Zincirli, Karatepe, Malatya, Maraş, Tall Ḥalaf. Das Verbreitungsgebiet umfaßt SO-Anatolien und Nord-Syrien.

Kleinkunst und Kunsthandwerk: Neben figürlich dekorierten Steinsiegeln (sog. »Layer-Player-Group«) sind Elfenbeinarbeiten (Teilgruppe der sog. »Nimrud-Ivories«) sowie Br.-Ständer und -Kessel mit Treibarbeit in Relief bzw. mit freiplastisch gearbeiteten und am Gefäßrand angenieteten Stierkopf- und Menschenkopfattaschen (sog. »Assurattaschen«) herausragend. Die kunstgesch. Abgrenzung gegenüber motivisch verwandten Arbeiten aus Phönizien, Assyrien oder Urartu ist weniger durch die FO (vorwiegend in Assyrien, Griechenland, Etrurien) als aufgrund stilistischer Analysen gegeben.

Keramik: Entsprechend dem multikulturellen Charakter des Gebietes ist auch die Keramikproduktion vielfältig und umfaßt mehrere Gruppen regionaler Malstile: u. a. im Gebiet südl. des Halys und in Tabal die sog. »Alişar-IV-Ware« mit Verbindung zu Phrygien, die sog. »Cilician Painted Ware« in Kilikien und die sog. »Al-Mina Ware« in Nord-Syrien, jeweils mit sich überschneidenden Verbreitungsgebieten.

Bedeutung und Wirkung: Während die Großplastik primär lokale Bed. besaß und nur begrenzt nach außen wirkte (bes. → Phrygien), waren die bis nach Griechenland und Etrurien verhandelten Werke der Kleinkunst und des Kunsthandwerks prägend für die dortige Kunstentwicklung im späten 8. und 7. Jh. v. Chr. (sog. »orientalisierende Phase« der archa. Epoche). Bes. intensiv war die Wirkung auf die ostgriech.-ion. und die lyd. Kunst, wobei hierfür weniger die Kenntnis und Kopie importierter Bildwerke verantwortlich gewesen sein dürften als vielmehr die spezifische Struktur der westanatolischen Siedlungen (Ephesos, Milet) mit ihren jeweils hohen Anteilen an luw. Bevölkerungselementen (→ Luwisch).

→ Ephesos; Haus; Miletos

E. AKURGAL, Späthethit. Bildkunst, 1949 · Ders., Die Kunst Anatoliens von Homer bis Alexander, 1961 · Ders., Zur Entstehung der ostgriech. Klein- und Großplastik, in: MDAI(Ist) 42, 1992, 68–77 · V. FRITZ, Die syr. Bauform des Hilani und die Frage seiner Verbreitung, in: MDAI(Dam) 1, 1983, 43–58 · H. GENGE, Nordsyr.- südanatol. Reliefs, 1979 · B. HROUDA, Vorderasien I, HdArch, 1971 · W. ORTHMANN, Unt. zur späthethit. Kunst, 1971 · F. PRAYON, Kleinasien vom 12. bis 6. Jh. v. Chr., Siedlungen, Heiligtümer, Funde, TAVO B IV 9, 1991 · Ders., A.-M. WITTKE, Kleinasien vom 12. bis 6. Jh. v. Chr., TAVO Beih. B 82, 1994 · A. RATHJE, Oriental Imports in Etruria in the Eighth and Seventh Centuries B. C., in: D. und F. R. RIDGWAY (Hrsg.), Italy Before the Romans, 1979, 145–183 · I. WINTER, North Syria in the Early First Millenium B. C., with Special Reference to Ivory Carving, 1975.   F. PR.

D. FRÜHE EISENZEIT

In das luw. Umfeld West-K. dringen vor oder um 1200 v. Chr. erneut balkanische Völkerschaften ein (→ Troia VII, »Buckelkeramik«), namentlich die Phryger (→ Phrygia), die in der Ilias als Bundesgenossen und mit dem troischen Herrscherhaus verknüpft gen. werden (u. a. Hom. Il. 2,862; 3,184f.; 16,719). Wie neuere Auswertungen der Befunde u. a. in → Gordion und → Ḫattusa/Boǧazköy zeigen, muß entgegen früherer Forsch.-Meinung (BITTEL, AKURGAL) im gesamten zentralanatol. Bereich mit einer gewissen Siedlungskontinuität gerechnet werden, so daß von autochthoner und eingewanderter Mischbevölkerung ausgegangen werden kann. Die seit dem 8. Jh. faßbare Reichsbildung der Phryger ist in ihren sicher älteren Anfängen und in ihrem Verhältnis zum Großkönigtum → Mirā im westphryg. Bereich um → Midas-Stadt noch zu klären. Kerngebiet war die Sangarios-Region mit der Hauptstadt Gordion und kultureller sowie polit. Ausstrahlung in den ostphryg. Bereich im inneren Halysbogen (Boǧazköy, Alişar), nach Süden in die Konya-Ebene und evtl. bis nach Nordlykien (Tumuli von Bayındır mit phryg. Funden); die Blütezeit des phryg. Reichs war im 8. und 7. Jh., bes. unter dem in griech. und lat., aber wohl auch in assyr. Quellen bezeugten König → Midas. Die überl. Koalitionen des Mita von Muški mit einigen der Hethit. Nachfolgestaaten (s.o.) und → Urartu berühren seine Identifizierung mit Midas von Phrygien sowie die Gleichsetzung der Muški mit den Phrygern, die aber, bes. vor dem 8. Jh., in der Forsch. umstritten ist. Arch. faßbare Kontakte in diesem Raum, bes. in Tabal, zeigen u. a. die phryg. Inschrift aus → Tyana (mit dem Namen *Midas*) und nördl. davon die Grabfunde von Kaynarca.

Die arch. bezeugte Zerstörung Gordions – lit. verbunden mit den → Kimmeriern und den Daten 696/5 oder 676 v. Chr. – scheint nicht das polit. E. des Phrygerreiches zu markieren. Für das 7. und 6. Jh. ist arch. die größte kulturelle Ausbreitung zu erschließen (Inschr., → Kybele-Monumente, Keramik, Fibeln) – ob unter der Regentschaft eines Herrschers oder mehrerer lokaler Fürsten, ist noch ebenso ungeklärt wie das Verhältnis zum Reich der Lyder (→ Lydia), die ab dem 7.?/6. Jh. die polit. Vorherrschaft in Anatolien bis zum Halys (Vertrag zw. Lydern und Medern (→ Medai) 585 v. Chr.) übernahmen.

Die Lyder scheinen ihrerseits die Erben des vormaligen Arzawa-Reiches gewesen zu sein. In der »Ilias« wird ein Teil des Gebietes (um den Tmolos) den Maiones zugeschrieben. Das Lyderreich mit seiner Hauptstadt → Sardeis hatte eine arch. und lit. (u. a. Hdt., Strab.) faßbare Ausstrahlung nach Norden (→ Daskyleion), Osten (→ Phrygien) und Süden (→ Karien) sowie an die griech. besiedelte kleinasiatische Westküste (und einige vorgelagerte Inseln).

Polit. Bed. erlangten die Lyder im 7. Jh. unter König → Gyges [1] (Guggu in assyr. Quellen als Verbündeter der Assyrer gegen die Kimmerier, Koalition gegen Assyrien mit Ägypten) und seinen Nachfolgern (→ Ardys, → Sadyattes, → Alyattes), die mit der Niederlage des → Kroisos 547/6 v. Chr. abbrach, durch die das Lyderreich unter achäm. Herrschaft geriet (→ Achaimenidai [2]).

M. Akkaya, Kaynarca Tümülüsü Frig Çağı Bronz Eserleri, in: Eski Eserler ve Müzeler Bülteni 11, 1987, 31–36 • E. Akurgal, Phryg. Kunst, 1955 • R. D. Barnett, Phrygia and the Peoples of Anatolia in the Iron Age, in: CAH³ II, 30, 1967 • K. Bittel, Die arch. Situation in K. um 1200 v. Chr. und während der nachfolgenden vier Jh., in: S. Deger-Jalkotzy (Hrsg.), Griechenland, die Ägäis und die Levante während der »Dark Ages« vom 12. bis zum 9. Jh. v. Chr., 1983, 25–65 • C. Brixhe, M. Lejeune, Corpus des inscriptions paléo-phrygiennnes, 1984 • K. Dörtlük, Kat. Mus. Ankara, 1988, 31 ff.; 187 ff. • C. H. E. Haspels, The Highlands of Phrygia, 1971 • S. Karwiese, Die Münzprägung von Ephesos I. Die Anf.: Die ältesten Prägungen und der Beginn der Münzprägung überhaupt, 1995 • A. K. G. Kristensen, Who Were the Cimmerians, and Where Did They Come from? Sargon II, the Cimmerians, and Rusa I, 1988 • G. B. Lanfranchi, I Cimmeri: Emergenza delle élites militari iraniche nel

Vicino Oriente (VIII–VII sec. a. C.), 1990 • M. J. Mellink, s. v. Midas-Stadt, RLA 8, 153–156 • Dies., Mita, Mushki and the Phrygians, in:, GS Bossert, 1965, 317–325 • Dies., The Native Kingdoms of Anatolia, in: CAH² 3,2, 1991, 619–643 • O. W. Muscarella, The Iron Age Background to the Formation of the Phrygian State, in: BASO 299/300, 1995, 91–101 • F. Prayon, K. vom 12. bis 6. Jh. v. Chr. Siedlungen, Heiligtümer, Funde (TAVO B IV 9; 9.1: Die Zeit von ca. 1200 bis 700 v. Chr.; 9.2: Die Zeit von ca. 700 bis 500 v. Chr.), 1991 • Ders., A.-M. Wittke, K. vom 12. bis 6. Jh. v. Chr. Kartierung und Erläuterung arch. Befunde und Denkmäler (TAVO Beih. B 82), 1994 • G. K. Sams, The Early Phrygian Pottery, The Gordion Excavations, 1950–1973: Final Reports IV, 1994 • J. Seeher, Die Ausgrabungen in Boğazköy-Hattuša 1997, in: AA 1998, 215–241 • V. Sevin, The Early Iron Age in the Elazığ Region and the Problem of the Mushkians, in: AS 41, 1991, 87–97 • C. Talamo, La Lidia arcaica, 1979 • M. M. Voigt, Excavations at Gordion 1988/89. The Yassıhöyük Stratigraphic Sequence, in: A. Çilingiroğlu, D. French (Hrsg.), Anatolian Iron Ages 3, 1994, 265–293 • A.-M. Wittke, F. Prayon, W. Röllig, I. v. Bredow, Östl. Mittelmeerraum und Mesopotamien um 700 v. Chr. (TAVO B IV 8), 1993 • R. S. Young, Three Great Early Tumuli. The Gordion Excavations Final Reports I, 1981 (hrsg. von E. L. Kohler). A. W.

E. Perserzeit und archaisches Ionien
1. Vorbemerkungen 2. Achaimenidische Kleinasien-Politik 3. Perser in Kleinasien 4. Kulturkontakte

1. Vorbemerkungen
Seit dem Sieg → Kyros' II. über → Kroisos von Lydien (546 v. Chr.) war K., abgesehen von der Phase der polit. Unabhängigkeit der westkleinasiat. Griechenstädte während des → Ionischen Aufstandes und der Jahrzehnte zwischen 479 und 386, integraler Bestandteil des → Achaimeniden-Reiches (mit Karte). Dank der vergleichsweise ergiebigen Überl. (lit. Zeugnisse: Hdt., Xen. an.; Xen. hell.; Diod.; Alexanderhistoriker u. a.; Inschr.: etwa Gadatas-Brief; Droaphernes-Inschr.; Xanthos-Trilingue; dazu »Satrapenmünzen« und der arch. Befund aus Daskyleion, Sardeis, Lykien, Karien u. a. m.) sind wir in bes. Weise informiert über a) die polit. und kulturellen regionalen Besonderheiten des perserzeitl. K.; b) das Verhältnis zw. Zentralgewalt und Partikulargewalt(en); c) die Rolle des iran. Bevölkerungselements; d) einheimisch-griech.-iran. Kulturkontakte. Allerdings steht, da man lange Zeit vor allem das K. der archa. und hell.-röm. Zeit in den Blick nahm, manche Unters. noch aus (etwa die arch. Aufdeckung pers. Güter); manches Problem ist noch ungelöst, und es ist weiterhin mit überraschenden Neufunden zu rechnen [1. 15–27].

2. Achaimenidische Kleinasien-Politik
Ziel der pers. Politik war die Gewährleistung von Ruhe und Ordnung sowie von Heeresfolge und Abgabenentrichtung im strategisch wichtigen K. Zu diesem Zweck verband man dezentrale Administration

und die Gewährung lokaler Autonomie mit strenger satrapaler bzw. königl. Aufsicht (in diesem Sinne kennzeichnend etwa Hdt. 6,42f. und ToD II 113 zur Beilegung von Grenzstreitigkeiten und zur Gewährleistung der Regelungen). Die Abgabenhöhe, an vor-achäm. Mustern orientiert, aber zugleich durch eindeutige katastrale Bestimmung von Territorien und deren Produktivität durchschaubar, vergleichbar und perpetuierbar gemacht (Ps.-Aristot. oec. 2,1,4), wurde dabei ebenso garantiert wie die Beachtung steuerlicher Privilegien (etwa der großen traditionsreichen Heiligtümer, vgl. ML 12); auch die Umwandlung von Naturalabgaben in transportable Edelmetalle ist in K. bezeugt [6].

Nach den Erfahrungen des Ion. Aufstandes (500–494) respektierten die Perser in der Regel die innere Autonomie der griech. Poleis der Westküste (Hdt. 6,43; Diod. 10,25,4); allerdings übten sie durch Funktionäre (z. B. Kyme: Hdt. 7,194) oder Garnisonen an strategisch wichtigen Plätzen [11] auch Kontrolle aus. Während Polisstrukturen (in Abhängigkeit zumeist vom Satrapen von → Sardeis) die Küstenzonen K.s bestimmten, wurden viele Regionen der autochthonen ländlichen Gebiete (chōra) [10. 137–157] durch z. T. bereits von den Persern vorgefundene kleinere oder größere Dynasten (von ihren Residenzen aus) kontrolliert (vgl. Hdt. 7,72 ff.). Unter ihnen, die stellvertretend für den Großkönig über Territorien der unterschiedlichsten Art herrschten und oft in Konkurrenz zueinander standen, waren die → Syennesis-Dynastie im strategisch wichtigen Kilikien (im 4. Jh. abgelöst durch Satrapen; → Kilikes, Kilikia) und die Hekatomniden (→ Hekatomnos) in Karien (Satrapen seit den 390er Jahren; → Kares, Karia) zweifellos die wichtigsten. Andere unterstanden den pers. Satrapen in → Daskyleion [2] (Hellespont. Phrygien), Sardeis (Sparda/Lydien) und Karien (so etwa → Lykia, dessen Dynasten [Theop. FGrH 115 F 103] bis zur Mitte des 4. Jh. Sardeis, später den Hekatomniden gehorchten). → Pisidia und → Lykaonia erscheinen in den Quellen als bes. widerständig (Xen. an. 3,2,23; Polyain. 7,27,1).

Satrapensitze in Inneranatolien befanden sich in → Kelainai (Großphrygien) und in → Kappadokia (Satrapie im 4. Jh. geteilt), während → Paphlagonia wohl bis zum Ausgang der Perserzeit (334 v. Chr.) von (zeitweilig aufbegehrenden) Dynasten kontrolliert wurde. Die wichtigen satrapalen Residenzen und administrativen Zentren ahmten in ihren Strukturen die großkönigl. Vorbilder nach. Dezentralisierte Verwaltung (unterhalb der Satrapenebene vielfach in den bewährten Händen lokaler »Aristokraten«, »Stammesführer«, einheimischer Dynasten oder Stadtkommandanten), lokale Autonomie und Aufsicht durch die Zentrale (durch iran. und nichtiran. Funktionäre und Offiziere) ergeben ein Muster pers. Kontrolle über K. – einer Kontrolle, die allerdings durch Rivalitäten zwischen (z. T. in ererbten Positionen tätigen) Amtsträgern (vgl. Xen. hell. 4,1,6–8; Xen. Ag. 2,26f.; 3,3) sowie durch Ambitionen wichtiger Entscheidungsträger (etwa des káranos → Ky-

ros' [3] d.J.) oder regionale Instabilitäten (z. B. in Mysien: Hell. Oxyrh. 21,1; Xen. an. 3,2,23) zeitweilig gefährdet sein konnte. Spannungen zw. Königen und Satrapen und – in ihrer Bed. allerdings oft überschätzte – satrapale Rebellionen (Satrapenaufstände) boten auswärtigen Mächten die Möglichkeit der Einmischung (vgl. Hell. Oxyrh. 21,1: Agesilaos; Diod. 15,2; 92 u.a.: Ägypten).

3. PERSER IN KLEINASIEN

Die pers. Diaspora läßt sich sowohl an den Satrapen-»Höfen« (vgl. Hdt. 3,128; 6,4) als auch auf dem Lande beobachten, wo vom Großkönig – z. T. auf Kosten griech. Poleis (vgl. Hdt. 6,20) – vergebene befestigte, bewachte und von Sklaven bzw. Abhängigen bewirtschaftete Güter von »Freunden und Wohltätern«, Funktionären und Offizieren (vgl. Xen. an. 7,8,7–24) nicht nur ihr eigenes und der Territorien Wohlergehen, sondern auch die Kontrolle und Verteidigung des Landes gewährleisteten (Stellung von Kavallerieabteilungen: u. a. Xen. an. 4,4,3–22). In bes. Weise wird die pers. Diaspora (mit ihren iran. wie einheimischen Kulten) allerdings erst in hell.-röm. Zeit sichtbar [9; 12]. In pers. Diensten standen in K. neben Einheimischen auch nichtiran. Fremde (wie etwa Addā und Elnap der Steleninschr. aus der Nähe von Daskyleion), von den Einkünften von Gemeinden und Gütern lebten auch griech. Perserfreunde wie → Themistokles (Thuk. 1,138,5) oder die Nachkommen des → Damaratos von Sparta und des Gongylos von Eretria (Xen. hell. 3,1,6; Xen. an. 7,8,8–19), die z. T. untereinander Heiratsverbindungen eingingen (vgl. Syll.³ 381).

4. KULTURKONTAKTE

In satrapalen Werkstätten, aber auch als private Auftragsarbeiten fertigten Kunsthandwerker Werke iran. Façon (vgl. etwa die Szenen von → Jagd und Banketten auf den »graeco-pers.« Stelen); allerdings ist die ethnische Zugehörigkeit von Handwerkern und Abnehmern oft nicht ohne weiteres bestimmbar [7. 232]. Wie die Bullen aus Daskyleion belegen, wurden an den Satrapenhöfen auch die Bildmotive der achäm. Hofkunst nachgeahmt (königl. Held, Audienzszenen etc.). In bes. Weise erkennt man neben einheimischem und griech. auch pers. Einfluß in den Themen und Motiven der Repräsentationskunst der lyk. Dynastensitze, aber etwa auch in den gerühmten Herrschertugenden des lyk. Dynasten Arbinas (SEG XXVIII 1245; vgl. Hdt. 1,136). Daneben ist in K. allerdings auch ein Prozeß der »Provinzialisierung« des pers. Kultus und der pers. Kultur zu erkennen [5. 21]. Die Verbindung von einheimischer, pers. und griech. Trad. wird auch in der kleinasiat. (Verwaltungs-)Sprachpraxis [8] deutlich, wie sie etwa in der → Trilingue von Xanthos aufscheint [2].

1 P. BRIANT, Bull. d'histoire achéménide I, in: Topoi Suppl. 1, 1997, 5–127 2 Ders., Cités et satrapes dans l'empire achéménide: Xanthos et Pixôdaros, in: CRAI 1998 (im Druck) 3 Ders., Droaphernès et la statue de Sardes, in: AchHist 11, 1998, 205–226 4 BRIANT 5 P. BRIANT, Pouvoir central et polycentrisme culturel dans l'Empire achéménide,

in: AchHist I, 1987, 1–31 **6** Ders., Prélèvements tributaires et échanges en Asie Mineure achéménide et hellénistique, in: Les échanges dans l'Antiquité. Le rôle de l'État, 1994, 69–81 **7** S. HORNBLOWER, Asia Minor, in: CAH² VI, 1994, 209–233 **8** A. LEMAIRE, H. LOZACHMEUR, Remarques sur le plurilinguisme en Asie Mineure à l'époque perse, in: F. BRIQUEL-CHATONNET (Hrsg.), Mosaïque de langues, mosaïque culturelle. Le bilinguisme dans le Proche-Orient ancien, 1996, 91–123 **9** L. ROBERT, Documents d'Asie Mineure, 1987 **10** CH. SCHULER, Ländliche Siedlungen und Gemeinden im hell. und röm. K. (Vestigia 50), 1998 **11** C.J. TUPLIN, Xenophon and the Garrisons of the Achaemenid Empire, in: AMI 20, 1987, 167–245 **12** M. WEISKOPF, s.v. Asia Minor I–II, EncIr II, 1987, 757–764. J.W.

F. ZEIT ALEXANDERS D.GR.

Hauptquellen für K. in der Zeit Alexanders d.Gr. sind die verlorenen Berichte der → »Alexanderhistoriker«, deren Trad. bei → Diodoros [18] (B. 17), → Curtius [II 8] Rufus, → Plutarchos (zu Alexandros [4], Eumenes [1], Demetrios [2]), → Arrianos [2] und Iustinus zusammengeflossen sind; dazu kommen noch die unter Alexander geprägten Mz. und einige bildliche Zeugnisse (Mosaiken, Reliefs).

Alexander führte im Frühjahr 334 v.Chr. sein Heer über den → Hellespontos nach K., schlug im Mai 334 das pers. Heer unter fünf kleinasiat. Satrapen und dem Hyparchen Memnon am Granikos in → Bithynia, zog über Sardeis, Miletos und Halikarnassos durch → Lykia und → Pisidia nach → Phrygia, anschließend nach Kilikia (→ Kilikes), wo er über das pers. Heer unter dem Großkönig → Dareios [3] III. bei Issos siegte (333), um südwärts nach Syria weiterzuziehen.

Wie ungesichert Alexanders Herrschaft in K. war, zeigt die Liste der von Satrapen geführten Prov. in K.: Klein-Phrygia gehörte seit 334 zum Alexanderreich (→ Alexandros [4], Karte), → Paphlagonia war nur angegliedert und abgabenfrei; → Lydia seit 334; Karia (→ Kares) seit 334, und zwar unter der bereits unter Dareios III. als Satrapin fungierenden Ada; Groß-Phrygia seit 334, → Lykaonia angegliedert seit 333/2, Lykia, → Pamphylia und Pisidia seit 331; → Kappadokia seit 334, aber nur Kappadokia am Tauros und unter dem Perser Sabiktas, während die Herrschaft des Ariarathes autonom blieb; Kilikia seit Ende 333. Außerhalb der Reichssphäre verblieben → Pontos, Kappadokia und → Armenia.

Die Griechen in den Städten und den *koiná* (→ *koinón*) von West-K. erhofften sich mit Grund von Alexander eine positive Änderung der Verhältnisse, hatte Alexander doch den Feldzug als Hegemon des → Korinthischen Bundes für »die Freiheit der Griechen« angetreten. Mit seinen Städtegründungen indes wurde Alexander in K. nicht wirksam (etwa zugunsten der Stärkung griech. Kultur); die Städte, die er gründen ließ – und es handelte sich erwiesenermaßen nicht um »mehr als 70« (Plut. mor. 328 E), sondern um etwa 17 – lagen nicht in K. Höchstens auf eine Initiative des Königs mag → Alexandreia [2] Troas zurückgehen – und

diese eine dürfte keine nennenswerte handels-, kultur- oder militärpolit. Wirkung entfaltet haben. Alexander hat durch die Belassung der → Ada in der Leitung der Satrapie Karia und die Einsetzung des Persers Sabiktas als Satrap in Kappadokia am Tauros sowie durch die Belassung der Verhältnisse im Norden und im Osten von K. im großen und ganzen keine tiefgreifenden Änderungen gegenüber der Achaimenidenherrschaft (→ Achaimenidai) bewirkt.

BERVE 1, 253ff. · J. SEIBERT, Alexander der Große (Erträge der Forsch. 10), 1972 · W.W. TARN, Alexander der Große, 1968, 500ff. E.O.

G. HELLENISTISCHE ZEIT

Nach dem Tode Alexanders d.Gr. im J. 323 v.Chr. entwickelte sich im Verlauf der → Diadochenkriege (→ Diadochen, mit Karten) seit 306/5 immer deutlicher, was uns ab 281 als die → hellenistische Staatenwelt (mit Karten) geläufig ist. Die Herrschaft über K. teilten sich nach der endgültigen Aufgabe der Reichseinheit 301 v.Chr. Lysimachos (K. bis zum Tauros) und Seleukos (→ Kataonia); nach dem Tode des Lysimachos 281 verfügte Seleukos über ganz K. mit Ausnahme der von einheimischen Dynasten gehaltenen Gebiete in Bithynia, Pontos, Kappadokia (östl. des Halys), Armenia sowie bestimmten Küstenstrichen in Nord-, West- und Südanatolien. 278/7 setzten kelt. Söldner (→ Kelten, mit Karten), von dem Bithynerkönig Nikomedes I. gegen Antiochos [2] I. unter Vertrag genommen, nach K. über, waren aber seit ihrer Ansiedlung in Zentralanatolien in Nord-Phrygien, West-Kappadokien und um Gordion als Instrument verschiedener Mächte (etwa der Seleukiden seit ihrem Sieg über die Kelten ca. 268 in der »Elephantenschlacht«) und auch in eigenem Auftrag handelnd ein ständiger Unruheherd in K.

Unter → Philetairos (urspr. im Dienst des Lysimachos, seit 282 des Seleukos und nach dessen Tod 280 als selbständiger Festungskommandant von → Pergamon mit der Sicherung eines Staatsschatzes von 9000 Talenten betraut) bildete sich mit Hilfe geschickter Diplomatie im Verhältnis zum Seleukidenhaus eine eigenständige Dyn. heraus, die seit 241 den Königstitel beanspruchte und bes. im Kontakt mit Rom beachtlichen Einfluß über K. gewann. Der erste Kontakt mit Rom ergab sich, als der röm. Senat 211 einen Vetrag mit den Aitoloi gegen den Makedonenkönig Philippos V. schloß und andere namentlich gen. mögliche Interessenten zum Vertragsbeitritt einlud – darunter war auch → Attalos [4] I., der dieser Einladung Folge leistete. Von dieser Zeit datiert die selten getrübte Freundschaft der Römer mit dem Attalidenhaus. Die Römer nahmen die Gelegenheit, in K. Fuß zu fassen, sogleich wahr – derartige Ambitionen des Senats hatten sich bereits 205 bei der Einbeziehung von Ilion in den Friedensvertrag bei Abschluß des ersten Maked. Krieges, 204 bei der Einholung des Kultsteins der → Magna Mater aus → Pessinus abgezeichnet. Spannungen, durch die das Eingreifen der Römer in K. von mancher Seite als wünschenswert erscheinen mochte, gab es in K. genug: Einerseits waren da die zahlreichen, immer selbstbewußter auftretenden Duodezfürstentümer – seit Mitte 3. Jh. löste sich auch noch → Baktria (mit Karten) unter einer eigenen Dyn. aus dem seleukidischen Reichsverband –, andererseits unterhielt das maked. Königshaus traditionelle Beziehungen zu Karia; auch ging das vielfach in sich selbst zerstrittene Seleukidenhaus immer wieder seinen Interessen in K. nach.

Besonders folgenreich war der Friedensvertrag von Apameia zu Ende des → »Syrischen Kriegs« (192–188 v. Chr.), in dem die Römer → Antiochos [5] III. aus K. hinter den Tauros zurückdrängten. Dieser Vertrag hob das pergamenische Königshaus in den Rang einer nur scheinbaren, weil vollständig von Rom abhängigen Großmacht: ihm fielen die bisher seleukidischen Besitzungen in West-K. unter Ausschluß von Süd-Karia und Lykia zu; weitere Gebietsgewinne brachten erfolgreiche Kriege gegen die Galatai (189/8), den bithyn. König Prusias I. (nach 188 bis 183) und den pont. König Pharnakes I. (der »Pontische Krieg« 183–179). Die freundschaftlichen Beziehungen zw. Pergamon und Rom mündeten schließlich in das zweite Testament, mit dem ein hell. Herrscher – nach Ptolemaios VIII. diesmal Attalos [6] III. – sein Reich den Römern vermachte; dieser Erbfall trat 133 ein. Ob die Erbansprüche Eumenes' III. (bekannt als → Aristonikos [4], wohl ein unehelicher Sohn Attalos' II.), mit denen dieser das Testament anfocht, berechtigt waren oder nicht – die Römer richteten nach ihrem Sieg über den Thronprätendenten auf dem Boden des Attalidenreichs 129 die Prov. → Asia [2] ein (sie umfaßte → Mysia, → Troas, → Aiolis [2], Lydia, Ionia, die Inseln, wohl auch Caria und einen nördl. Teil von Phrygia).

Die Einrichtung der zweiten röm. Prov. in K. war die Folge des gleichsam weltumfassenden Notstands, den das Seeräuberunwesen (→ Seeraub) hervorgerufen hatte. Die allmählich über das ganze Mittelmeer hinweg nahezu staatlich organisierte Piraterie setzte nicht nur dem Handelsverkehr, sondern auch den Anrainerstaaten, bes. natürlich Rom mit seinen expansiven Interessen, zu. Eines ihrer Zentren lag im Bergland der Kilikia Tracheia; deshalb versuchte der Proconsul → Antonius [I 7] 102/1, vom Senat mit der Prov. → Cilicia betraut, dieses Problem an der Wurzel zu fassen und die Piraten in ihren Bergnestern zu treffen. An die förmliche Einrichtung einer Prov. war zu diesem Zeitpunkt noch nicht zu denken; dazu kam es erst im Anschluß an den 1. Mithradatischen Krieg. Als Cn. Cornelius Dolabella i.J. 80 v. Chr. Proconsul in der Prov. Cilicia war, dürfte diese die Bereiche Pamphylia, → Milyas, Teile von Pisidia und der Kilikia Tracheia umfaßt haben.

Der Pontische Krieg (182–179) hatte mit dem pontischen Königreich das Heranwachsen eines neuen Machtfaktors im anatolischen Norden erkennen lassen: Mit der Verlegung der Residenz vom binnenländischen Amaseia an die Schwarzmeerküste nach Sinope (Mitte 2. Jh. v. Chr.) hatte sich das pontische Königreich osten-

tativ den Griechen am Schwarzen Meer und an der Ägäis geöffnet, mußte aber sogleich mit der steten Präsenz Roms rechnen, das bereits den Frieden bei Abschluß des Pontischen Kriegs vermittelt hatte. Gegen Rom richteten sich daher hauptsächlich die Rüstungen, die → Mithradates VI. (120–63) wohl schon mit seinem Ausgreifen über das Schwarze Meer auf das Bosporanische Königreich ins Auge gefaßt hatte (114/3 oder 111/0). In K. selbst zog Mithradates nacheinander → Kolchis, Klein-Armenia, Paphlagonia, → Galatia und Kappadokia in seine expansiven Pläne ein, unterstützt durch seinen Schwiegersohn, den großarmen. König Tigranes I.

Schon seine kappadokischen Ambitionen brachten Mithradates 96 v. Chr. mit Rom in Konflikt; seine Bemühungen, den bithyn. Thron mit einem eigenen Kandidaten zu besetzen, führten schließlich in Verbindung mit den Interessen bestimmter Kreise im röm. Senat im Frühjahr 88 zum Ausbruch des ersten Mithradatischen Krieges, in dessen Verlauf 88/7 v. Chr. der pont. König halb West-K. in seine Gewalt brachte. »Vesper von → Ephesos« hat man die Ermordung von 80000 Römern und Italikern in der röm. Prov. Asia gen.; dieses auf Befehl des Königs durchgeführte Pogrom erweist den ungeheuren Haß, der sich in breiten Bevölkerungsschichten West-K. gegen die röm. Herrschaft aufgestaut hatte. Trotz aktiver Behinderung durch seinen popularen Gegner Flavius [I 6] Fimbria gelang es Cornelius [I 90] Sulla, der in Rom zum hostis publicus erklärt worden war, die Heere des pont. Königs in Griechenland und in K. mehrfach zu schlagen, so daß mit dem Frieden von Dardanos im Herbst 85 v. Chr. das pont. Königreich auf seinen Bestand vor Beginn des Krieges zurückgestutzt wurde und ihm in Paphlagonia verschiedene Gebiete zusätzlich verloren gingen.

Wie dieser erste Krieg mit Rom wurde auch ein zweiter Konflikt von röm. Seite provoziert – der zweite Mithradatische Krieg wurde durch den persönlichen Geltungsdrang des Propraetors L. Licinius Murena verursacht; nur dem diplomatischen Geschick des Dictators Sulla war es zu verdanken, daß die schwere Niederlage, die Murena auf dem Schlachtfeld hinnehmen mußte, sich nicht zu einer Katastrophe für die seit Einrichtung der Prov. Asia vom Senat so sorgsam aufgebaute, durch die »Vesper von Ephesos« schwer angeschlagene röm. Einflußsphäre in K. ausweitete. Mithradates war aber wie seine röm. Gegner der Ansicht, daß in diesem röm.-pont. Konflikt noch nicht das letzte Wort gesprochen war; mit umfassenden mil. und diplomatischen Rüstungen bereitete er sich auf den nächsten Krieg mit Rom vor. Das Testament, das der Bithynerkönig Nikomedes IV., wohl gedrängt durch röm. Geldgeber, zugunsten Roms aufgesetzt hatte, trat mit seinem Tod 74 in Kraft, und der Senat beabsichtigte, dieses Erbe sogleich anzutreten und das bithyn. Königreich als Prov. einzuziehen. Mithradates führte nun im Gegenzug einen von Rom als illegitim deklarierten Sohn des Nikomedes gewaltsam auf den bithyn. Thron. Dieser dritte Mithra-

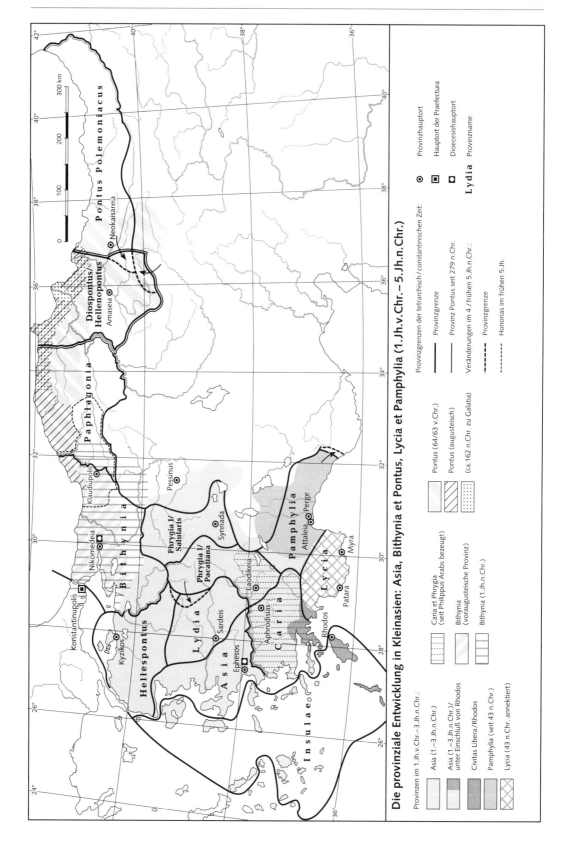

Die provinziale Entwicklung in Kleinasien: Asia, Bithynia et Pontus, Lycia et Pamphylia (1.Jh.v.Chr.– 5.Jh.n.Chr.)

Provinzen im 1.Jh.v.Chr.–3.Jh.n.Chr.:

Asia (1.–3.Jh.n.Chr.)

Asia (1.–3.Jh.n.Chr.)/
unter Einschluß von Rhodos

Civitas libera/Rhodos

Pamphylia (seit 43 n.Chr.)

Lycia (43 n.Chr. annektiert)

Caria et Phrygia
(seit Philippus Arabs bezeugt)

Bithynia
(voraugusteische Provinz)

Bithynia (1.Jh.n.Chr.)

Pontus (64/63 v.Chr.)

Pontus (augusteisch)

(ca.162 n.Chr. zu Galatia)

Provinzgrenzen der tetrarchisch/constantinischen Zeit:

Provinzgrenze

Provinz Pontus seit 279 n.Chr.

Veränderungen im 4./frühen 5.Jh.n.Chr.:

Provinzgrenze

Honorias im frühen 5.Jh.

⊙ Provinzhauptort

◼ Hauptort der Praefectura

◻ Dioecesishauptort

Lydia Provinzname

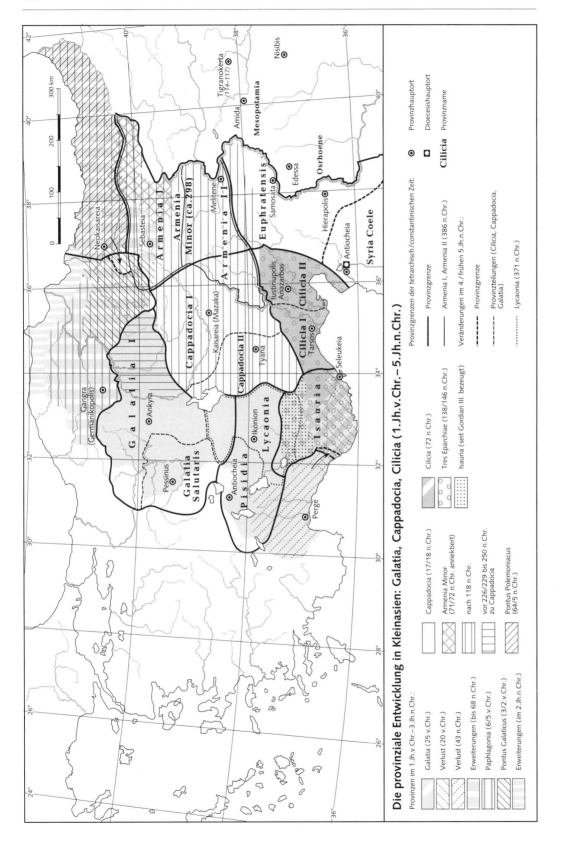

Die provinziale Entwicklung in Kleinasien: Galatia, Cappadocia, Cilicia (1.Jh.v.Chr.–5.Jh.n.Chr.)

Provinzen im 1.Jh.v.Chr.–3.Jh.n.Chr.:

Galatia (25 v.Chr.)

Verlust (20 v.Chr.)

Verlust (43 n.Chr.)

Erweiterungen (bis 68 n.Chr.)

Paphlagonia (6/5.v.Chr.)

Pontus Galaticus (3/2.v.Chr.)

Erweiterungen (im 2.Jh.n.Chr.)

Cappadocia (17/18 n.Chr.)

Armenia Minor
(71/72 n.Chr. annektiert)

nach 118 n.Chr.

vor 226/229 bis 250 n.Chr.
zu Cappadocia

Pontus Polemoniacus
(64/5 n.Chr.)

Cilicia (72 n.Chr.)

Tres Eparchiae
(138/146 n.Chr. bezeugt)

Isauria (seit Gordian III. bezeugt)

Provinzgrenzen der tetrarchisch/constantinischen Zeit:

⊙   Provinzhauptort

▫   Dioecesishauptort

Provinzgrenze

Veränderungen im 4./frühen 5.Jh.n.Chr.:

Provinzgrenze

Provinzteilungen (Cilicia, Cappadocia,
Galatia)

Lycaonia (371 n.Chr.)

Cilicia   Provinzname

Die provinziale Entwicklung in Kleinasien

I. Einrichtung der Provinzen

Datum:	Provinz:	Hauptstadt:
129 v.Chr.	Asia	Ephesos
80/70 v.Chr.?	Cilicia	Tarsos
74 v.Chr.	Bithynia	Nikomedeia
64/63 v.Chr.	Pontus et Bithynia	Nikomedeia
25 v.Chr.	Galatia	Ankyra
17 n.Chr.	Cappadocia	Kaisareia (Mazaka)
55–65/6 und	Anschluß an Galatia	
ab 79/81 n.Chr.		
117 n.Chr.	eigene Provinz Cappadocia	
18 (73) n.Chr.	Commagene	Samosata
43 n.Chr.	Pamphylia	Patara od. Attaleia
70 n.Chr.	Lycia et Pamphylia	Patara od. Attaleia

II. 117 n.Chr.

Provinz:	Hauptstadt:
Pontus et Bithynia	Nikomedeia
Asia	Ephesos
Lycia et Pamphylia	Attaleia
Galatia	Ankyra
Cappadocia	Kaisareia (Mazaka)
Cilicia	Tarsos
Syria	Antiocheia
Armenia	Tigranokerta (114–117 n.Chr.)

III. 3./4.Jh.n.Chr. (284–337 n.Chr.)

Praefectura Praetorio Orientis	Konstantinupolis
Dioecesis Oriens	Antiocheia
Isauria	Seleukeia
Cilicia	Tarsos
Euphratensis	Hierapolis
Osrhoene	Edessa
Mesopotamia	Nisibis
(alle weiteren Provinzen der Dioecesis liegen außerhalb des Kartenausschnitts)	
Dioecesis Pontica	Nikomedeia
Bithynia	Nikomedeia
Paphlagonia	Gangra (Germanikopolis)
Helenopontus/ Diospontus	Amaseia
Pontus Polemoniacus	Neokaisareia
Galatia	Ankyra
Cappadocia	Kaisareia (Mazaka)
Armenia I	Sebasteia
Dioecesis Asiana	Ephesos
Hellespontus	Kyzikos
Asia	Ephesos
Lydia	Sardeis
Caria	Aphrodisias
Insulae	Rhodos
Phrygia I	Laodikeia
Phrygia II	Synnada
Lycia	Patara
Pamphylia	Perge
Pisidia	Ikonion

IV. 4.–6.Jh.n.Chr. (337–527 n.Chr.)

Praefectura Praetorio Orientis	Konstantinupolis
Dioecesis Oriens	Antiocheia
Isauria	Seleukeia
Cilicia I	Tarsos
Cilicia II	Iustinupolis Anazarbos
Euphratensis	Hierapolis
Osrhoene	Edessa
Mesopotamia	Amida
(alle weiteren Provinzen der Dioecesis liegen außerhalb des Kartenausschnitts)	
Dioecesis Pontica	Nikomedeia
Bithynia	Nikomedeia
Honorias	Klaudiupolis
Paphlagonia	Gangra (Germanikopolis)
Helenopontus	Amaseia
Pontus Polemoniacus	Neokaisareia
Galatia I	Ankyra
Galatia Salutaris	Pessinus
Cappadocia I	Kaisareia (Mazaka)
Cappadocia II	Tyana
Armenia I	Sebasteia
Armenia II	Melitene
Dioecesis Asiana	Ephesos
Hellespontus	Kyzikos
Asia	Ephesos
Lydia	Sardeis
Caria	Aphrodisias
Insulae	Rhodos
Phrygia Pacatiana	Laodikeia
Phrygia Salutaris	Synnada
Lycia	Myra
Pamphylia	Perge
Pisidia	Antiocheia
Lycaonia	Ikonion

datische Krieg (74–64) endete nach massiver Einbeziehung des Armenierkönigs Tigranes mit einer totalen Niederlage des pont. Königs im Kampf gegen zwei der fähigsten röm. Generäle, Lucullus und Pompeius.

→ Hellenistische Staatenwelt (mit Karte)

L. BALLESTEROS PASTOR, Mithrídates Eupátor, 1996 • E. V. HANSEN, The Attalids of Pergamon, ²1971 • B. F. HARRIS, Bithynia: Roman Sovereignty and the Survival of Hellenism, in: ANRW II 7.2, 857–901 • E. MEYER, Die Grenzen der hell. Staaten in K., 1925 • T. B. MITFORD, Roman Rough Cilicia, in: ANRW II 7.2, 1230–1261 • W. ORTH, Königlicher Machtanspruch und städtische Freiheit, 1977 • KWdH • M. SCHOTTKY, Media Atropatene und Groß-Armenien in hell. Zeit, 1989 • R. D. SULLIVAN, The Dynasty of Cappadocia, in: ANRW II 7.2, 1125–1168 • WILL.

H. UNTER RÖMISCHER HERRSCHAFT

Die Ostordnung des Pompeius erfaßte in den J. 64/3 v. Chr. auch K.: Zu den röm. Prov. Asia und Cilicia, erweitert um die Kilikia Pedias im Osten, kam mit Teilen der kleinasiat. Gebiete des pont. Königsreiches die Prov. → Bithynia et Pontus hinzu. Caesar und Antonius brachten vielfältige verwaltungstechnische Veränderungen für K., beide veräußerten auch Reichsgebiet zugunsten bestimmter Dynasten, u. a. an Kleopatra [II 12] VII. Auch Augustus regelte im Sommer 20 v. Chr. die Verhältnisse in K. neu, a) durch Maßnahmen innerhalb der Prov.: Herrscherkult, Steuersystem, Koloniegründungen, Urbanisierung, → Hellenisierung, karitative Maßnahmen; b) durch Maßnahmen außerhalb der Prov.: Einrichtung der Prov. → Galatia 25/4 v. Chr.; Vasallenfürstentümer: Archelaos in Kappadokia, Tarkondimotos bzw. seine Dyn. im Amanos, Mithradates III. von Kommagene, Tigranes II. und seine Nachfolger in Groß-Armenia, Polemon und Pythodoris in Pontos.

Die Gesch. von K. gestaltete sich in der Folge als Verwaltungsgesch. des röm. Reichs, in deren Rahmen der kaiserliche Hof auf innere (Straßennetz, → *Cursus publicus*) und äußere (Parther bzw. seit 227 Sāsāniden, Armenia) Probleme und Veränderungen reagierte. Die Grenzen der Prov. waren hier häufiger Veränderungen unterworfen als im übrigen Reich; neue Prov. wurden aus dem alten Bestand oder aus neu gewonnenen Gebieten gebildet (→ Cappadocia 17 n. Chr., → Armenia 104). Eine immer bedeutendere Rolle innerhalb der Reichsverwaltung übernahmen die Städte im Wandel zu Verwaltungszentren mit einer neuen, am Kaiserhof orientierten herrschenden Ges. mit stets wachsendem Wohlstand; diese Entwicklung ging deutlich auf Kosten der Bevölkerung auf dem Land. Hier hielten sich Bevölkerungs- und Siedlungsstruktur, Basiselemente von der ältesten bis in die h. Zeit. Hier hielten sich auch im Gegensatz zur städtischen Schnelllebigkeit angestammte Kulturelemente, bes. im Bereich der Sprache und der Religion. Das Christentum faßte in K. spätestens im 3. Jh. n. Chr. Wurzeln und nahm wesentliche Elemente dieser Vielfalt in sich auf.

MAGIE • C. MAREK, Stadt, Ära und Territorium in Pontus-Bithynia und Nord-Galatia, 1993 • S. MITCHELL, Anatolia, 2 Bde., 1995.   E. O.

KARTEN-LIT.: I. PILL-RADEMACHER u. a., Vorderer Orient. Römer und Parther (14–138 n. Chr.), TAVO B V 8, 1988 • E. KETTENHOFEN, Östl. Mittelmeerraum und Mesopotamien. Die Neuordnung des Orients in diokletianisch-konstantinischer Zeit (284–337 n. Chr.), TAVO B VI 1, 1984 • Ders., Östl. Mittelmeerraum und Mesopotamien. Spätröm. Zeit (337–527 n. Chr.), TAVO B VI 4, 1984.

J. SPÄTANTIKE UND BYZANTINISCHE ENTWICKLUNG

Das Grundproblem der nachant. Gesch. von K., wie nämlich ein christl.-griech. Gebiet in ein mehrheitlich islam.-türk. umgewandelt wurde (ausführlich nur [1]), wird z. Z. von der Forsch. verschieden behandelt; einig ist man sich in der Annahme einer spätant. Kultur- und Wirtschaftsblüte [2]; das Land war damals gräzisiert, bis auf die syr. und armen. Grenzgebiete. Kontrovers diskutiert wird die Rolle, die die sāsānidischen und arab. Kriegszüge für die weitere Entwicklung bedeuteten: Für VRYONIS [1] ist K. nach der byz. Rückeroberung ein blühendes Land; dagegen konnte BRANDES [3] nachweisen, daß v. a. die sāsānidischen Einfälle, die schon im 3. Jh. n. Chr. → Kappadokia getroffen hatten [3. 46], nach dem Tod des Kaisers → Iustinianus [1] für die Region verheerende Folgen hatten: 615 brach die byz. Verteidigung ganz zusammen [3. 50], → Kalchedon wurde von den Persern besetzt, 620 wurde das spätant. → Ankyra zerstört, so daß es dort nicht einmal mehr eine Bibel gab. Die Erfolge des → Herakleios [7] gaben K. nur eine kurze Atempause; 637 fand der erste Arabereinfall statt [3. 53]. Danach erfolgten fast jährlich Razzien vom SO bis nach Konstantinopel, teilweise unter der Führung des Kalifen selbst (653/4), wobei auch die Inseln (Rhodos, Kos) in Mitleidenschaft gezogen wurden. Auch Ankyra, Ephesos, Halikarnassos und Smyrna wurden, wenn auch nicht dauerhaft, von → Muawiya erobert. In der Folge gerieten nur die südl. Gebiete längere Zeit unter arab. Herrschaft (→ Kilikes, → Kappadokia), zw. beiden Reichen entstand eine verwüstete Grenzzone (*ṯuġūr*, »Schneidezähne«, oder *ʿawāṣim*, »Verteidigungspunkte«, gen. [4]), die die Byzantiner erst durch die große Rückeroberung seit der Wende zum 10. Jh. wiedergewinnen konnten; noch 838 wurde das wichtige Amorion erobert.

Die wirtschaftlichen Folgen waren katastrophal, die spätant. Stadtkultur verschwand oder wurde zumindest deutlich reduziert [3. 81 ff.; 5; 6], insges. setzte ein Konzentrationsprozeß ein. Byzanz gelang zwar, ermöglicht durch die in K. zuerst belegte Themenverfassung [7] (→ Thema), die Rückeroberung verlorener und der Aufbau der zerstörten Gebiete, allerdings auf wesentlich niedrigerem Niveau. In den südl. Gebieten erfolgte massenhafte Ansiedlung von Syrern und Armeniern [8], was die rel. Spannungen erhöhte. Somit dürfte die relativ leichte Eroberung von K. nach 1071 (Schlacht von

Manzikert) durch die Türken, die sich dauerhaft zuerst im Landesinnern und im Osten niederließen, im spätant. Kulturbruch ihre Erklärung finden. Die jahrhundertelangen Kämpfe mit den Arabern sind aber im Mund des Volkes noch h. durch das Epos des Digenis AKRITAS lebendig, wenn auch in mythisierter Form. → Byzantion (mit Karte)

1 S. VRYONIS JR., The Decline of Medieval Hellenism in Asia Minor and the Process of Islamization from the Eleventh through the Fifteenth Century, 1971 2 ODB, s. v. Asia Minor 3 W. BRANDES, Die Städte Kleinasiens im 7. und 8. Jh., 1989 4 ODB, s. v. ʿAwāṣim and Thughūr 5 M. F. HENDY, Stud. in the Byzantine Monetary Economy c. 300–1450, 1985 6 C. FOSS, Archaeology and the »Twenty Cities« of Byzantine Asia, in: AJA 81, 1977, 469–486 7 R. J. LILIE, Die byz. Reaktion auf die Ausbreitung der Araber, 1976 8 G. DAGRON, Minorités ethniques et religieuses dans l'Orient byzantin à la fin du Xᵉ et au XIᵉ siècle: L'immigration syrienne, in: Travaux et mémoirs 6, 1976, 177–216.   J. N.

IV. RELIGION

A. PRÄHISTORISCHE ZEIT BIS FRÜHE BRONZEZEIT
B. HETHITISCHE ZEIT (CA. 1600–1200 V. CHR.)
C. NACHHETHITISCHE ZEIT
D. BEZIEHUNGEN ZU GRIECHENLAND
E. GRIECHISCH-RÖMISCHE EPOCHE

A. PRÄHISTORISCHE ZEIT BIS FRÜHE BRONZEZEIT

Die ältesten Zeugnisse rel. Lebens stammen aus den präkeramischen Megalithbauten von Nevalı Çori, Çayönü und dem Göbekli Tepe aus dem 10. Jt. v. Chr. in der Gegend um Urfa (Edessa [2]). Die Befunde sprechen dafür, daß im Zentrum des Kultes die Ahnenverehrung stand. Die arch. Funde aus der neolithischen Siedlung Çatal Höyük (6. Jt. v. Chr.) in der Konya-Ebene weisen auf ein vielschichtiges Totenritual, einen Ahnenkult sowie auf eine Göttergesellschaft hin, die mindestens aus einem Wettergott in Form eines Stiers als Vertreter der Virilität sowie aus einer Erd- und Muttergöttin – die für agrarische Kulturen in den Regenfeldbaugebieten des Mittelmeerraums und des Nahen Ostens übliche Konstellation – und einer mit Leoparden verbundenen Göttin bestand.

Die Stadt- und Palastanlagen der frühen Brz. (2300–1900 v. Chr.), wie etwa die Ruinen Höyük bei Alaça, Alişar Höyük und Horoztepe in Zentralanatolien zeigen bereits rel. Phänomene, die teilweise in der späteren hethit. Überlieferung erscheinen.

B. HETHITISCHE ZEIT (CA. 1600–1200 V. CHR.)

Über die rel. Vorstellungen der Hethiter bzw. der Bevölkerung Kleinasiens und Nordsyriens während der 2. H. des 2. Jt. v. Chr. berichten Tausende von Keilschrifttafeln rel. Inhalts aus → Ḫattusa und verschiedenen lokalen Archiven. Die in religionsgesch. Hinsicht hohe Bedeutung des hethit. Schrifttums liegt in der enormen Anzahl der Ritualanweisungen nebst integrierten Mythen. Dem histor. Werdegang des hethit. Staates entsprechend bilden die Kulte und Gottheiten

der hattisch sprechenden Vorbevölkerung während des althethit. Reichs (1600–1450 v. Chr.) die älteste Schicht des Pantheons von Ḫattusa. In dieser frühen Phase fanden die Überlieferungen sowohl Südanatoliens (→ Kizzuwatna) als auch – mit der Ausdehnung der hethit. Machtsphäre seit Ḫattusili I. (um 1560 v. Chr.) – NW-Syriens Eingang in das hethit. Staatspantheon. An dessen Spitze stand die Sonnengöttin der Stadt Arinna, die sowohl solare als auch chthonische Züge trug. Ihr Parhedros war der gelegentlich stiergestaltige oder auf Stieren stehende Wettergott, hethit.-luw. Tarḫun. Eine Reihe von Vegetationsgottheiten, von denen Telipinu (»starker Bursche«) einen eigenen Mythos besitzt, galten als deren Kinder. Darüber hinaus gab es Gottheiten der Sexualität, des Krieges, der Seuchen, eine große Anzahl von Gottheiten der Natur (Quell-, Fluß- und Berggottheiten) sowie Schutzgottheiten der Wildtiere und der Jagd. Zu den bedeutendsten Texten gehört das *purulliya*-Neujahrsfestritual, welches den Mythos von der Schlange Illujanka und dem Wettergott sowie die Aitiologie des sakralen Königtums enthält.

Im MR (ca. 1450–1345 v. Chr.) erfuhr die Staats-Rel. durch die Aufnahme → hurritischer Götter, Kulte und Mythen eine wesentliche Erweiterung. Die wichtigsten Gottheiten waren nun der hurrit. Wettergott Teš(š)up, seine Schwester Šawuška und seine Gemahlin Ḫebat. Der Umfang des Staatspantheons entsprach nun annähernd dem hethit. Begriff der »Tausend Gottheiten des Hatti-Landes«.

Während der Großreichszeit (1345–1150 v. Chr.) versuchte die Priesterschaft, durch Synkretismen ein System in die nahezu unübersehbar gewordene Göttergesellschaft zu bringen. Eine Darstellung des Pantheons findet sich in der Felsenkammer Yazılıkaya, nahe der Metropole Ḫattuša. Im Zuge einer umfassenden Restauration von Staat, Wirtschaft und Kultus, bes. unter dem Großkönig Tudḫalija IV. (ca. 1200 v. Chr.), wurde eine verbindliche Kultordnung, d. h. ein hethit. Festkalender, für das gesamte Reich geschaffen. Die in ihrer ursprünglicheren Form sicherlich noch einfachen und nur an wenige Regeln gebundenen Rituale wurden spätestens nach ihrer Übernahme durch den hethit. Staat unter der Obhut der Priesterschaft gesammelt, erweitert und nach einem einheitlichen Konzept gestaltet. Mit der wachsenden Bürokratisierung des Staates wurden im Laufe der Zeit auch die Rituale immer komplexer und gelehrter, so daß sie schließlich nur noch unter der Leitung einer kompetenten, sachverständigen und funktional differenzierten Priesterschaft durchgeführt werden konnten. Nunmehr unterlag jeder öffentliche Auftritt des Königs strengsten rituellen Regeln.

Ein gelegentlich proklamiertes idg. Erbe in der hethit. rel. Überlieferung ist kaum nachzuweisen. Lediglich der idg. Himmelsgott *dịeu-, der luw. als Sonnengott Tijaz erscheint, wurde im Ahnenkult der hethit. Königsdynastie (in der Namensform siu(n)–) verehrt. Als idg. Vorstellung mag auch die Göttinnengruppe Papaya-Istustaya gelten, welche das Schicksal des Königs spinnt.

C. Nachhethitische Zeit

Nach dem Zusammenbruch des hethit. Großreichs (ca. 1200 v. Chr.) lebten manche der Kulte in den luw. Nachfolgestaaten weiter. In Phrygien wechseln zwar die Namen der Gottheiten, doch haben viele der alten Kulte in phryg. Gewand überdauert, wie an der Kontinuität von Kultplätzen nachzuweisen ist. In den phryg. Kult der → Kybele von → Pessinus gelangte der hethit.-hurrit. Mythos von dem Steinwesen Ullikummi, das in der pessinuntischen Legende als der steingeborene → Agdistis weiterlebt. Auch die Beziehung der Kybele-Rhea, der kleinasiat. → Artemis und der → Aphrodite Urania zu Leoparden geht auf altanatolische Trad. zurück. Der auf dem Stier oder auf zwei Stieren stehende kleinasiatisch-syr. Wettergott gelangte als → Iuppiter Dolichenus von der Kommagene über die röm. Legionen bis nach England und Mitteleuropa.

D. Beziehungen zu Griechenland

Mit der myk. Handelstätigkeit, die sich im 14. Jh. v. Chr. bis an die Mündung des Halys erstreckte, fanden hethit. rel. Vorstellungen ihren Weg nach Griechenland, wie z. B. die Geschichte vom Goldenen Vlies, das als Garant und Heilssymbol des Königtums in dem althethit. Mythos vom Gotte Telipinu beschrieben ist (→ Iason). Auch der Sukzessionsmythos aus der ›Theogonie‹ des → Hesiodos geht auf den hethit.-hurrit. Sukzessionmythos vom Gerstengott → Kumarbi zurück. Der Mythos von Illujanka und dem Wettergott findet sich in neuem Gewand in der Typhon-Erzählung (→ Typhoeus, Typhon) bei Apollod. (1,6,3,7 ff.). Die Verehrung des Stieres sowie die Beziehung von Göttin und Biene, die in hethit. Überlieferung zwischen der Göttin Ḫannaḫanna und der »Sonnengöttin der Erde« besteht und die sich auch in Kreta, Rhodos, Thera und im Kult der kleinasiatischen Artemis findet, scheint auf einem anatolischen Substrat zu beruhen.

V. Haas, Gesch. der hethit. Rel., 1994 · M. Popko, Religions of Asia Minor, 1995.   V. H.

E. Griechisch-römische Epoche

Die Rel. des nachbrz. K. führen an manchen Orten, bes. in den luwischen Nachfolgestaaten, brz. Trad. weiter (s. o.). Diese ungriech. Trad. sind bei der Hellenisierung K.s in verschiedener Form übernommen und transformiert worden; Kennzeichen der Rel. dieser Epoche ist die ganz verschiedenartige Verschränkung und Überlagerung der indigen-lokalen mit der griech. Trad. Die syrisch-anatolische Kubaba (3. Jt.) und spätere phryg. Bergmutter (*matar kubeleja*) ebenso wie die mit ihr verwandte lyd. Kuvav werden als → Kybele und Kybebe hellenisiert; der Kult der phryg. Göttin breitet sich seit archa. Zeit sowohl über ihr Heiligtum in Kyzikos wie über die ion. Küstenorte nach dem griech. Westen aus, wobei die kult. Belege die Göttin meist als durch eine lokale Epiklese spezifizierte Meter (öfters *Métēr oreía*, »Bergmutter«) anreden; von Pergamon aus erreicht sie als → Magna Mater im J. 205/04 v. Chr. auch Rom. Dabei wird auch die phryg. Ikonographie der frontal stehenden oder der in einem → Naiskos (teils zwischen zwei Löwen) sitzenden Göttin übernommen, teilweise auch spezifische Kultformen wie die Selbstkastration der Priester.

Andere indigene Gottheiten werden mit griech. Gottheiten identifiziert; das gilt ganz bes. für die indigene Göttin des lyk. Xanthos (»Mutter dieses Bezirkes«), die mit → Leto identifiziert wurde, was → Apollon und → Artemis nach sich zog. Gelegentlich wird auch in epichorischen Inschr. nur der griech. Name faßbar, wie bei den lyd. Göttern → Bakis (Dionysos Bakchos) oder Artimus. Somit muß unklar bleiben, ob es sich um eine Übernahme aus dem griech. Pantheon oder eine → Interpretatio Graeca handelt.

Die Hauptzeugen der Rel. des nachbrz. K. sind die Inschr.; sie sind meist erst kaiserzeitlich als Folge der vollen Hellenisierung der indigenen Siedlungen. Grundtendenz dieser Inschr. ist die vollständige Interpretatio Graeca, wobei die indigene Eigenheit allein durch die Epiklese erhalten ist; lediglich im Fall des Gottes → Men (»Mond«) ist eine völlig ungriech. Gottheit faßbar. Doch zeigt sich das indigene Erbe auch in der Dominanz der Götter Zeus (wohl als Nachfahre kleinasiat. Sturm- und Wettergötter), Apollon, Leto und Artemis. Spezifische Ritual-Trad. sind demgegenüber bes. in den sog. »Beichtinschr.« Ostlydiens oder im Ordal des Zeus von Tyana (Philostr. Ap. 1,6) faßbar.

Daneben erhalten sich indigene Trad. oft in der Lage und Anlage des Heiligtums, bes. aber in den lokalen Ikonographien, wie sie auf Weihreliefs und bes. auf Mz. faßbar sind; das gilt für die großen Kultzentren – den karischen Bezirk des Zeus Labrandeus von Mylasa (→ Labrys), Hekate von Lagina oder das Letoon von Xanthos – ebenso wie für zahllose kleine Lokalheiligtümer. Zahlreiche männliche Gottheiten tragen die Doppelaxt als Attribut, wohl im Gefolge des anatol. Wettergottes; auffallender sind die lyk. Zwölfgötterreliefs oder die Ikonographie der → Artemis von Ephesos, die sich bei zahlreichen anatol. und syr. Göttinnen und Göttern findet.

Demgegenüber ist weder in den griech. Kolonien in West-K. (die teilweise schon in die Brz. zurückreichen) noch in denjenigen am Südufer des Pontos indigener Einfluß faßbar, sieht man von Gottheiten wie Kybele oder wenigen lokalen Trad. ab. Im Hell. prägen sie maßgeblich die Kulte der seleukidischen und pergamenischen Herrscher, seit augusteischer Zeit denjenigen der röm. Kaiser (Ephesos besitzt einen Tempel für Roma und Caesar, seit 27 v. Chr. einen Tempel für Augustus usw.). Daneben steigen in der Kaiserzeit alte Heiligtümer wie die Orakel des Apollon in → Klaros und → Didyma oder das Heiligtum des Asklepios von → Aigai zu überlokalem Ruhm auf; im frühen 2. Jh. n. Chr. gründet Alexandros [27] von Abonuteichos den neuen Orakelkult des → Glykon [3], der ebenfalls überlokale Bed. erhält.

Christianisierung: Insbes. die großen Küstenstädte (Smyrna, Ephesos, Milet oder Antiocheia), doch auch kleinere Städte besaßen seit der frühen Kaiserzeit ansehnliche jüd. Gemeinden, deren Synagogen (wie diejenige von Sardis) von ihrer Größe und ihrem Reichtum zeugen. An sie schlossen sich früh, z. T. durch die Missionstätigkeit des Paulus, christl. Gemeinden an (wichtige Briefe des Paulus an die Epheser, an die Galater). Im frühen 2. Jh. war das Christentum an manchen Orten dominant geworden, wie der Bericht des Provinzstatthalters Plinius d. J. für Bithynien zeigt (Plin. epist. 10,96); an die unter ihm auf Anweisung Kaiser Traians einsetzenden Verfolgungen schlossen sich später solche unter Kaiser Marc Aurel (161–180 n. Chr.) in der Provinz Asia an (Melito von Sardis bei Eus. HE 4,26,5 f.; Martyrium des Polykarp von Smyrna). Ähnlich christianisiert war schon im 2. Jh. Kappadokien, von wo dann im 4. Jh. die Kirchenlehrer → Basileios [1], → Gregorios [3] von Nazianz und → Gregorios [2] von Nyssa stammen. Entsprechend spielt K. als Heimat weiterer wichtiger Kirchenschriftsteller (→ Meliton von Sardes, 2. Jh. n. Chr., → Eusebios [7] von Kaisareia), Ausgangspunkt von → Häresien wie dem → Montanismus und Ort früher Konzile (Treffen der kleinasiat. Bischöfe gegen den Montanismus; erstes ökumen. Konzil von Nikaia 325) eine bedeutende Rolle.

R. GUSMANI, Le religioni dell'Asia Minore nel primo millenio a. C., in: P. TACCHI VENTURI (Hrsg.), Storia delle religioni 2, 1971, 295–341 · L. ROBERT, Études anatoliennes, 1937 · J. KEIL, Die Kulte Lydiens, in: W. H. BUCKLE u. a. (Hrsg.), Anatolian Studies Presented to Sir W. M. Ramsay, 1928, 239–266 · A. LAUMONIER, Les cultes indigènes en Carie, 1958 · R. FLEISCHER, Artemis von Ephesos und verwandte Kultstatuen aus Anatolien und Syrien, 1973 · S. R. F. PRICE, Rituals and Power. The Roman Imperial Cult in Asia Minor, 1984.   F. G.

V. SPRACHEN
A. ANATOLISCHE INDOGERMANISCHE SPRACHEN
B. NICHTINDOGERMANISCHE SPRACHEN
C. WEITERE INDOGERMANISCHE SPRACHEN

A. ANATOLISCHE INDOGERMANISCHE SPRACHEN
An Vielfalt der Sprachen steht das alte K. einzigartig da. Vom 16. bis zum 4. Jh. v. Chr. herrschte die anatolische (früher auch: hethit.-luw.) Sprachfamilie vor, die innerhalb der gesamten → indogermanischen Sprachen deren am frühesten überl. Zweig bildet. Zu ihr gehören im 2. Jt. das → Hethitische (etwa innerhalb des Halysbogens), das → Palaische nördl. oder nordöstl. davon und das → Luwische mit seinen Dial., die im ganzen Süden von Nordsyrien über SO-K. bis Lydien und verm. sogar bis in die Troas gesprochen wurden. Das Hethit. ist ca. 1580–1200 v. Chr. auf Tontafeln in babylon. → Keilschrift v. a. aus der Hauptstadt → Ḫattusa (Boğazköy, Boğazkale) überl., das Palaische und das Keilschrift-Luw. durch in hethit. Texte eingestreute Sprüche und Glossen. Das Hieroglyphen-Luw. ist in der sog. hethit. Hieroglyphenschrift (→ Hieroglyphenschriften, Kleinasien) aufgezeichnet, offensichtlich einer Erfindung von Luwiern. Die Hethiter der Großreichszeit sowie die Luwier der Nachfolgestaaten in SO-K. und Nordsyrien (12.–7. Jh. v. Chr.) gebrauchten diese Sprache und Schrift u. a. für repräsentative Steininschr. und Siegel. Zu den luw. Sprachen gehören im 1. Jt. auch mehrere Nachbarsprachen des Griech., so das erst in den letzten beiden Jahrzehnten des 20. Jh. entzifferte → Karisch. Es ist in einer eigenen Alphabetschrift aufgezeichnet und v. a. in Steininschr. aus Karien (4.–3. Jh. v. Chr.) und Äg. (7.–4. Jh.) bewahrt. Besser bekannt ist das → Lykische, insbes. durch zahlreiche Grabinschr. aus dem 5. und 4. Jh. v. Chr. in einem eigenen Alphabet. Ihm nahe steht das Milyische, auch Lykisch B gen., von dem nur zwei Texte bekannt sind. Ebenfalls ein eigenes Alphabet besaß das → Sidetische in Pamphylien mit wenigen Texten aus dem 3. Jh. v. Chr. Luwisch ist auch das → Pisidische mit Grabinschr. aus Nordpisidien (wohl 2.–3. Jh. n. Chr.), die nur (flektierte) PN enthalten. Luwische PN sind aus Isaurien sogar bis ins 5. Jh. n. Chr. bezeugt, luw. ON wie z. B. *Ikkuwanija* (→ Ikonion, modern Konya) bis heute.

Ein selbständiges Glied der anatol. Sprachfamilie (→ Anatolische Sprachen) ist das → Lydische, das wir v. a. ebenfalls durch Steininschr. aus dem Lydien des 5.–4. Jh. v. Chr. kennen. Die Schrift ist der griech. verwandt. Im 2. Jt. dürften die Lyder noch nördl. oder nordöstl. vom späteren Lydien gewohnt haben.

B. NICHTINDOGERMANISCHE SPRACHEN
An → semitischen Sprachen sind Altassyrisch und Babylonisch (→ Akkadisch) sowie → Phönizisch und → Aramäisch nachgewiesen. In altassyr. Sprache und Keilschrift schrieben die aus Assyrien stammenden Kaufleute der kappadokischen Handelsniederlassungen, deren Zentrum → Kaneš beim h. Kayseri war. Das Babylonische ist als internat. Verkehrssprache reichlich vertreten. Im 9. und 8. Jh. erscheint das Phönizische in Sam'al und dem östl. Kilikien. Darüber hinaus findet sich das (gleichfalls alphabetschriftliche) → Aramäisch ebenfalls in Sam'al und später als Verkehrssprache des Achaimenidenreiches auf perserzeitlichen Inschr. verschiedener Landschaften K.s.

Ganz anderer Herkunft sind die ältesten bekannten Sprachen K.s; sie sind nicht-idg. und gehören möglicherweise → kaukasischen Sprachfamilien an. Es handelt sich um das → (Proto-)Hattische, das vor den Hethitern in Zentral-K. gesprochen worden war und uns durch Sprüche in hethit. Texten bewahrt ist, und das in ähnlicher Weise, aber reicher überl. → Hurritische, das in Ost-K. und Obermesopot. verbreitet war. In Nordsyrien existierte im 16. bis 14. Jh. das → Mittani-Reich, in dem eine dünne indo-iran. Oberschicht über eine hurrit. Bevölkerung herrschte. Im Bereich des Van-Sees bestand vom 9. bis 6. Jh. der Staat → Urartu mit einer dem Hurritischen verwandten Sprache. Später siedelten in dessen Gebiet die → Armenier (→ Armenisch). Die Urartäer schrieben in assyr. Keilschrift und einer Hieroglyphenschrift. Im Laufe der Hethiterzeit wurde das Palaische von dem uns nur aus Namen bekannten nicht-idg. Kaskäischen verdrängt.

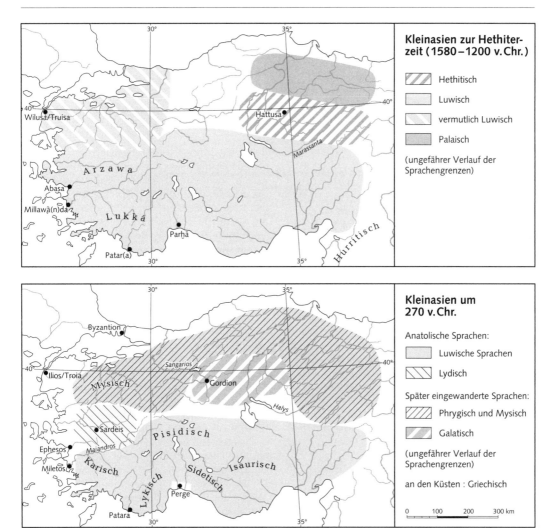

C. WEITERE INDOGERMANISCHE SPRACHEN

Nach dem Zusammenbruch des Hethiterreichs um 1200 ging in den sog. Dunklen Jh. die Nordhälfte K.s den anatol. Sprachen verloren. Ab dem 8. Jh. v. Chr. werden in NW- und Zentralanatolien die → Phryger (samt den ihnen verwandten Mysern) für uns durch Inschr. greifbar (→ Phrygisch). Sie sprachen eine nicht-anatol. idg. Sprache und waren, wie Herodot richtig überliefert, aus der Gegend von Makedonien eingewandert. Die altphryg. Steininschr. in einem dem griech. eng verwandten Alphabet reichen vom 8. bis zum 3. Jh. v. Chr., die neuphryg. in griech. Schrift vom 1. bis zum 3. Jh. n. Chr.

Eine weitere idg. Sprache (abgesehen vom → Griechischen und → Lateinischen) kam um 275 v. Chr. ins Land, als sich die Galater im nördl. Phrygien ansiedelten (→ Kelten, mit Karte). Sie sprachen Kelt. (→ Keltische Sprachen) und hinterließen keine direkten Schriftzeugnisse. Die Sprachen West-K.s dürften als

Umgangssprachen im Hell., diejenigen Zentral-K.s zu röm. bzw. frühbyz. Zeit ausgestorben sein.

H. C. MELCHERT, Anatolian, in: F. BADER (Hrsg.), Langues indo-européennes, 1994, 121–136 · N. OETTINGER, Die Gliederung des anatol. Sprachgebietes, in: ZVS 92, 1978, 74–92 · P. FREI, CH. MAREK, Die kar.-griech. Bilingue von Kaunos, in: Kadmos 36, 1997, 1–89 · C. BRIXHE, Le Phrygien, in: F. BADER (Hrsg.), Langues indo-européennes, 1994, 165–178 · J. KLINGER, Unt. zur Rekonstruktion der hattischen Kultschicht, 1996 · E. NEU, Das hurrit. Epos der Freilassung 1, 1996 · G. WILHELM, The Hurrians, 1989 · G. NEUMANN, Kleinasien, in: J. UNTERMANN (Hrsg.), Die Sprachen im röm. Reich der Kaiserzeit, 1980, 167–185.   N. O.

VI. ALPHABETSCHRIFTEN

Von mehreren Sprachen K.s, die in Alphabetschriften (A.) geschrieben wurden, sind uns Texte erh. Über die Herkunft dieser A. läßt sich bei der sidetischen und

Kleinasien, Alphabetschriften

Umschrift	griechisch	phrygisch	lydisch	lykisch	sidetisch	karisch
b	B	B	8	B		Γ
d	△	△	ʎ	△	8	C
e	E	ʁ	ꟼ	↑	⟨	□
i	I	I	I	E	Ч	⊟
k	K	K	ꓵ	ꓭ		▽
l	∧	ꓓ	ꓺ	∧	K ꓩ	△
n	N	Ⲛ	И	N	Ⱬ	Ψ
r	P	P		P	∧	F
s	Σ	⟨	Ⴕ	I	S	M
u	Y	ⱴ	Y	M		E

der karischen Schrift noch nichts Abschließendes sagen, denn die erstere ist zu spärlich bezeugt, und bei der letzteren ist die Entzifferung noch nicht ganz abgeschlossen. Alle übrigen stammen wahrscheinlich vom griech. Alphabet ab. Das phryg. Alphabet steht diesem am nächsten, das sidetische und v. a. das karische am fernsten. Die Tabelle bietet eine Auswahl von Buchstaben der fünf wichtigsten A., nämlich der phryg. (nach [1]), lyd. (nach [2]), lyk. (nach [3]), sidet. (nach [4]) und kar. (nach [5]); zum Vergleich ist die griech. A. danebengestellt, die – ebenso wie die lat. – auch in K. in zahlreichen Inschr. vertreten ist.

→ Karisch; Lydisch; Lykisch; Phrygisch; Sidetisch

1 C. BRIXHE, M. LEJEUNE, Corpus des Inscriptions Paléo-Phrygiennes 1: Texte, 1984, 280 2 R. GUSMANI, La Scrittura Lidia, in: ASNP III/VIII 3, 1978, 833–847 3 O. MØRKHOLM, G. NEUMANN, Die lyk. Münzlegenden, Nachr. der Akad. der Wiss. Göttingen, Phil.-hist. Klasse, I, 1, 1978 4 G. NEUMANN, Die sidetische Schrift, in: ASNP III/VIII 3, 1978, 869–886 5 I.-J. ADIEGO-LAJARA, Studia Carica. Investigaciones Sobre La Escritura Y Lengua Carias, 1993.   N. O.

Kleingeldmangel.
In frühen Perioden der griech. Geldgesch. herrschte trotz der geringen Anzahl umlaufender Kleinmz. kein K., da der tägliche Kleinhandel wohl großteils noch nicht mit Münzgeld abgewickelt wurde. K. tritt ein, wenn in entwickelten Geldwirtschaften die Prägung von oder die Versorgung mit Kleinmz. stockt. Dies konnte in ant. Wirtschaften eher geschehen als in der Gegenwart, da die → Münzprägung weniger den Bedürfnissen der Wirtschaft als denen des Staates (Münzgewinn, Soldzahlungen) diente und die Kleinmz.-Prägung nur wenig Gewinn abwarf. Für uns nachweisbar ist K. nur anhand der verschiedenen erkennbaren Notmaßnahmen: Halbierungen, Imitationen (Beischläge), → Gegenstempel, Überprägungen. Sie sind immer wieder anzutreffen, Massenphänomene

wurden sie in der röm. Kaiserzeit mehrmals. Unzureichende Prägung von Kleinmz. unterhalb des → As führte im 1. Jh. v. und n. Chr. zum Mangel speziell an kleinsten Nominalen.

Italien, ausgehende Republik: Der K. nahm nach dem E. der Aes-Prägungen im frühen 1. Jh. v. Chr. immer mehr zu, so daß in It. gegen Ende der republikanischen Zeit stark abgegriffene alte Asse halbiert und geviertelt wurden. Auch in Gallien kam es in augusteisch-tiberischer Zeit zu Halbierungen und Viertelungen von republikanischen Assen und solchen von Lugdunum, Vienna und Nemausus. K. trat hier offenbar auf, nachdem die gallischen Kleinmz. der Aduatucer und Remer weitgehend aus dem Umlauf verschwunden waren. Die meisten Stücke dürften bereits in augusteischer Zeit geteilt worden sein; sie liefen bis E. des 1. Jh. n. Chr. um [5. 11–12, 17–21; 6. 25–33].

Gallischer Bereich um ca. 50–64 n. Chr.: Das Ende der Münzstätte → Lugdunum unter Caligula und die längere Prägepause bei Bronzemz. unter Nero von 54–64 führte im gallischen Raum offensichtlich zum K. und löste die Herstellung lokaler Imitationen aus. Ob das Verschwinden der gallischen und der halbierten Mz. etwas mit diesen Nachprägungen zu tun hat, ist strittig, sollten diese doch sicher Asse und keine kleineren Nominale sein. Nachgeprägt wurden v. a. die Asse des Claudius mit Minerva und Libertas [6. 39f.; 8; RIC I² 114–115]. Sie reichen von vollgewichtigen bis zu sehr leichten und von technisch hochstehenden bis zu stark barbarisierten Stücken. Die Claudius-Stücke liefen noch unter Nero lange um, wobei sie oft sehr abgegriffen und untergewichtig wurden. Gegenstempel wie C(aesar) A(ugustus) PR(obavit) oder P(opulo) R(omano), PRO(batum) und BON(um) zumeist auf Sesterzen dienten der Umlaufverlängerung. Gegenstempel wie DVP(ondius) und AS reduzierten den Nennwert abgegriffener Stücke. Inwieweit die Gegenstempel der iulisch-claudischen Zeit wirtschaftliche (Mängel in der Geldversorgung) oder polit.-mil. Ursachen (Donativzahlungen) hatten, ist z. T. strittig [2. 47–49; 9. 11. 43–50].

Gallischer Bereich ab 272/274 n. Chr.: Massenhafte Nachprägung der durch die Inflation des 3. Jh. zu Kleinmz. abgesunkenen → Antoniniane. 85–90% sind Nachprägungen von Mz. des Tetricus I. und Tetricus II. (→ Esuvius). Die verwendeten Rv.-Typen sind die häufigsten der regulären Prägung; am einfachsten zu kopierende Typen wurden bevorzugt [15. 61]. Ursache der Notprägungen war die Schließung der Münzstätten in Köln und Trier im Jahr 274 nach dem Ende des Gallischen Sonderreichs [3. 117; 7. 10; 17. 77]. Die polit. und wirtschaftl. Unsicherheit in diesem Reichsteil machte Geldtransporte über eine größere Entfernung, d. h. die Belieferung durch die Münzstätten in Lugdunum und It., zunächst unmöglich. Die Nachprägungen (nach den Funden vereinzelte schon zur Regierungszeit des Tetricus) setzten in Massen ab 274 ein. Sie waren z. T. stark barbarisiert und machen einen erheblichen Teil der

Schatzfunde dieser Zeit aus. Im Lauf der Entwicklung wurden sie immer kleiner – daher die Bez. Minimi – und stilistisch immer schlechter, da z. T. offenbar bereits kopierte Mz. wieder nachgeahmt wurden [3. 115ff.; 13. 59]. Im Engl. werden sie auch »Barbarous Radiates« gen. Ca. 274–283 bestimmten diese Minimi den Geldumlauf im nördl. Gallien, in Britannien und Germanien. Ein Teil der Schatzfunde besteht fast ausschließlich aus Minimi.

In engl. Funden ließen sich dank Stempelkopplungen Minimi aus der Produktion gallischer Werkstätten nachweisen [7. 10; 13. 71]. Eine Reihe britischer Minimi-Funde enthielt auch Rohmaterial zur Münzprägung, war also der Bestand einer Werkstatt [14. 25; 16]. Die Tätigkeit der gallischen und britischen Notmünzstätten endete um 283 [3; 13. 55]. Die Konsekrationsmünzen des Claudius II. mit Altar auf dem Rv. wurden in Süddeutschland bereits Anf. der 270er J., im gallischen Raum erst mit dem stärkeren Zustrom von Mz. der in Rom anerkannten Kaiser E. der 270er Jahre in größerem Umfang nachgeprägt [15. 56].

Nordostgallien/Rheinland um ca. 330–359: Imitationen der constantinischen Mz. mit Rv. Gloria Exercitus sowie der Urbs Roma- und Constantinopolisstücke [4; 15. 102–106]. Ein größerer Teil dürfte bereits zur Behebung inflationärer Tendenzen E. der 330er Jahre hergestellt worden sein, wie Siedlungs- und Schatzfunde nahelegen [10. 86; 15. 196]. In der Zeit zwischen dem Tod des Magnentius 353 und dem Beginn der valentinianischen Dyn. 364 kam es in Nordgallien erneut zu einer »Lücke« in der Geldversorgung [1; 4. 296; 15. 106] und zum K. Imitationen der 330er J., solche der FEL TEMP REPARATIO-Stücke der J. 346–360 und sogar Minimi des 3. Jh. liefen um [4. 96f., 281f.].

→ Geld; Münzprägung

1 M. R.-ALFÖLDI, Die Mz. aus einer Brunnenverfüllung in Köln, in: Kölner Jb. für Vor- u. Frühgesch. 5, 1960–61, 80ff. 2 F. BERGER, Kalkriese 1, 1996 3 G. C. BOON, Counterfeit Coins in Roman Britain, in: Coins and the Archaeologist, Brit. Arch. Rep. 4, 1974, 115–121 4 J. P. CALLU, J. P. GARNIER, Minimi constantiniens trouvés à Reims, in: Quaderni Ticinesi 6, 1977, 281ff. 5 H. CHANTRAINE, Die ant. Fundmz. der Ausgrabungen von Neuss (Novaesium 3), 1968 6 Ders., Die ant. Fundmz. von Neuss (Novaesium 8), 1982 7 J.-B. GIARD, La monnaie locale en Gaule à la fin du IIIᵉ siècle, in: Journal des Savants 1969, 5ff. 8 Ders., La pénurie de petite monnaie en Gaule au début du Haut-Empire, in: Journal des Savants 1975, 81ff. 9 E. ERCOLANI COCCHI, Orientamenti per una ricerca sul significato delle contromarche in epoca Giulio-Claudia, in: Riv. Italiana di Numismatica 83, 1981, 239–250 10 C. KING, The Value of Hoards and Site Finds, in: Stud. zu Fundmz. der Ant. 1, 1976, 79–89 11 P. KOS, A. SEMROV, Roman Imperial Coins and Countermarks of the 1ˢᵗ Century (Situla 33), 1995 12 J. LAFAURIE, Trésor monétaire trouvé à Epernay (Marne), in: Bull. de la Société Française de Numismatique 1957, 157f. 13 J. LALLEMAND, M. THIRION, Le trésor de Saint Mard I, 1970 14 H. B. MATTINGLY, M. J. DOLBY, A Hoard of Barbarous Radiates and Associated Material from Sprotbrough, in: NC 1982, 21ff. 15 H.-J. SCHULZKI, Die Fundmz. der röm. Straßenstation Flerzheim, 1989 16 R. J. ZEEPVAT u. a., A Roman Coin Manufacturing Hoard from Magiovinium, in: Britannia 25, 1991, 1–19 17 R. ZIEGLER, Der Schatzfund von Brauweiler, 1983. DI. K.

Kleinias (Κλεινίας).

[1] Einer der Freunde → Solons, die frühzeitig von der → *seisáchtheia* erfuhren und sich so unrechtmäßig bereichern konnten (Plut. Solon 15,6–9; vgl. [Aristot.] Ath. pol. 6,2). Die Gesch. wurde wohl im späten 5. Jh. v. Chr. erfunden, um die Nachfahren dieser Männer (z. B. Alkibiades [3]) zu diffamieren.

DAVIES, 600 III · RHODES, 128f. · TRAILL, PAA 575270.

[2] Geb. um 510 v. Chr., Sohn des Alkibiades [1], stellte für den Kampf gegen Xerxes ein eigenes Schiff mit 200 Mann und zeichnete sich in der Schlacht bei → Artemision [1] aus (Hdt. 8,17; Plut. Alkibiades 1). K. ist auf einer Schale des Ambrosios-Malers dargestellt [1. 173, Nr. 5].

1 BEAZLEY, ARV² 2 DAVIES, 600 V · TRAILL, PAA 575370.

[3] Geb. ca. 480 v. Chr., Sohn des Alkibiades [2], Vater des Alkibiades [3], war wohl der Autor des sog. Kleinias-Dekrets, das 448 den Modus der Tributzahlungen im → Attisch-Delischen Seebund regelte. K. fiel 446 bei Koroneia (Isokr. or. 16,28; Plat. Alk. 1,112c; Plut. Alkibiades 1; ML 46).

DAVIES, 600 V · D. M. LEWIS, in: CAH V ²1992, 127ff. · TRAILL, PAA 575375.

[4] Geb. um 447 v. Chr. Wuchs nach dem Tode seines Vaters K. [3] mit seinem Bruder Alkibiades [3] im Hause des Perikles auf (Plat. Alk. 1,118e; Plat. Prot. 320a).

DAVIES, 600 VII · TRAILL, PAA 575390.

[5] Sohn des → Axiochos, gehörte zum Kreis des → Sokrates. K. tritt als Protagonist in sokrat. Dialogen auf (Plat. Euthyd. 271b; 275a-b; Xen. symp. 4,12f.; 23).

DAVIES, 600 VI · TRAILL, PAA 575385. E.S.-H.

[6] Pythagoreer aus Tarent, Zeitgenosse → Platons. Als Platon alle erreichbaren Bücher Demokrits verbrennen wollte, sollen Amyklas und K. ihn unter Hinweis auf deren schon weite Verbreitung davon abgebracht haben (Aristox. fr. 131 WEHRLI = Diog. Laert. 9,40). Andere Anekdoten führen K. als Verkörperung pythagoreischer Tugenden vor (Freundestreue: K. hilft einem ihm unbekannten Pythagoreer aus finanzieller Not: Diod. 10,4,1; Iambl. v. P. 239; Besänftigung des Zornes durch Musik: Chamaileon fr. 4 WEHRLI = Athen. 624a, vgl. Aristox. fr. 30 WEHRLI = Iambl. v. P. 197 etc.; Ablehnung des Liebesgenusses: Plut. symp. 654b). Fragmente neupythagoreischer Pseudepigrapha bei [1].

→ Pythagoreische Schule

1 H. THESLEFF, The Pythagorean Texts of the Hellenistic Period, 1965, 108. C. RI.

Kleinis (Κλεῖνις) ist ein reicher Babylonier, sehr geliebt von → Apollon und → Artemis. Bei den Hyperboreern erfährt er, daß Apollon durch ein Eselsopfer verehrt wird und möchte diesen Brauch nach Babylon übertragen. Er stößt aber auf den Unwillen des Apollon, der das Eselsopfer nur im Land der Hyperboreer schätzt. K. verzichtet dann darauf, doch seine Söhne setzen das Opfer fort, woraufhin Apollon die Esel zur Raserei treibt. Sie fressen K. und seine Söhne auf, die jedoch in verschiedene Vögel verwandelt werden (Antoninus Liberalis 20).

→ Eselskult; Hyperboreioi   FR. P.

Kleinmeister-Schalen. Att. sf. Schalengattung, Blütezeit um die Mitte und im 3. Viertel des 6. Jh. v. Chr. (→ Gefäße, Abb. D 1). Die zierliche Bemalung, nach der die K. benannt sind, unterstreicht die eleganten Schalenformen. Die dünnwandigen Trinkschalen, deren gegliedertes Becken auf einem schlanken Stiel ruht, sind keramische Meisterwerke, die häufig von ihrem Töpfer signiert wurden, so daß wir die Namen von über 30 Töpfern kennen. Unter ihnen ragen Tleson, Hermogenes und Xenokles hervor, die sich auf Schalen spezialisiert haben; aber auch in anderen Töpfereien wurden K. hergestellt, wie z. B. die Signaturen des Amasis und Taleides beweisen. Eine der berühmtesten K. ist von den beiden Töpfern Archikles und Glaukytes signiert. An der Entwicklung der K. aus den → Siana-Schalen und des Miniaturstils für die Bemalung hatten → Ergotimos und → Klitias einen entscheidenden Anteil. Bei den verschiedenen, klar artikulierten Typen der K. haben die Figurenbilder, die Ornamente und die Inschr. ihre angestammten Plätze, die aber nicht immer in Anspruch genommen wurden. Die vorwiegend tongrundigen »Randschalen« tragen auf dem abgesetzten Mündungsrand häufig ein kleines Bild in der Mitte (höchstens drei Figuren). Ihre Henkelzone ist der feste Platz für dekorative Inschr. – ein Trinkspruch oder die Töpfersignatur –, die nicht selten von Palmetten am Henkelansatz gerahmt werden. Die »Bandschalen« sind überwiegend schwarz gefirnißt bis auf ein tongrundiges Band in der Henkelzone, das eine friesartige Figurendekoration begünstigt. Varianten dieser beiden Haupttypen sind v. a. die »Kassel-« und die »Droop-Schalen«, die überwiegend ornamental dekoriert wurden.

→ Amasis-Maler; Taleides-Maler

J. D. BEAZLEY, Little-master Cups, in: JHS 52, 1932, 167–204 · K. VIERNEISEL, B. KAESER (Hrsg.), Kunst der Schale – Kultur des Trinkens, 1990.   H. M.

Kleinomachos (Κλεινόμαχος) aus Thurioi, Schüler des → Eukleides [2] aus Megara, → Megariker. Nach Diog. Laert. 2,112 war K. der erste, der ›über Aussagen und Prädikate und derartige Dinge‹ (περὶ ἀξιωμάτων καὶ κατηγορημάτων καὶ τῶν τοιούτων) schrieb. Hinter dieser Notiz müssen sich Verdienste um die Weiterentwicklung der Dialektik verbergen, die größer sind, als uns heute noch faßbar ist. Jedenfalls ließen manche ant. Philos.-Historiker die Megariker von K. an den Namen → »Dialektiker« tragen (Diog. Laert. 1,19). → Speusippos machte K. zur Titelfigur eines seiner Dialoge (Diog. Laert. 4,4).

→ Megariker

SSR II I.   K. D.

Kleintierzucht
I. ALTER ORIENT II. KLASSISCHE ANTIKE

I. ALTER ORIENT
Bedeutend ist vor allem die Geflügelzucht: Die Haltung von Haushühnern (Gallus gallus f. domestica) erfolgte evtl. schon vor etwa 8000 Jahren in China, sicher aber in der Harappa-Kultur im Industal (3. Jt. v. Chr.; Knochenfunde, Statuetten, Vasenmalereien, Siegeldarstellungen). Im 1. Jt. v. Chr. breitete sie sich über Kleinasien in den Mittelmeerraum aus.

→ Domestikation der Graugans (Anser anser) läßt sich im 3. Jt. v. Chr. in Ägypten feststellen; evtl. gab es frühe Gänsehaltung in Mesopot. Im klass.-hell. Griechenland war Hausganshaltung dann allg. verbreitet. Eine frühe Domestikation von Stockente (Anas platyrhynchos) und Felsentaube (Columba livia) wird für den syr.-nordirak. und palästin. Raum postuliert; im sö Mittelmeergebiet wurden beide seit der Ant. in Kult und Alltag verwendet.

In Mesopot. wurden Ende des 3. Jt. wilde Gazellen und Hirsche, die man gejagt hatte, bis zu ihrer Schlachtung in einer Art Tiergehege gehalten.
→ Fischerei

N. BENECKE, Der Mensch und seine Haustiere, 1994 · I. A. MASON, Evolution of Domesticated Animals, 1984.
CO. B.

II. KLASSISCHE ANTIKE
A. DIE ENTWICKLUNG DER KLEINTIERZUCHT
B. DIE VILLATICA PASTIO C. DIE WICHTIGSTEN TIERARTEN D. DIE ZUCHTMETHODEN
E. WIRTSCHAFTLICHE ASPEKTE F. DIE MAST

A. DIE ENTWICKLUNG DER KLEINTIERZUCHT
Während in Griechenland im Zuge der Übernahme neolithischer Wirtschaftsformen die Haltung zunächst von Kleinvieh, dann auch von Großvieh aufkam, ist die Haltung von Kleintieren erst einige Jt. später bezeugt.

Die K. entwickelte sich erst relativ spät in der Umgebung größerer Siedlungen zu einem eigenständigen Zweig der → Landwirtschaft. Hesiodos' *Erga* und Xenophons *Oikonomikós* zeigen kein besonderes Interesse an der K.; bei Cato erscheint die Geflügelmast eher beiläufig (Cato agr. 89f.: Hühner, Gänse, Tauben). Erst Varro widmet in *De re rustica* der intensiven Hoftierhaltung (*villatica pastio*; auch im Plur.) längere Ausführungen; dabei ist für die Definition der *villatica pastio* der Ort der Tierhaltung entscheidend: *altera est villatica pastio, altera agrestis* (›die eine Tierhaltung ist direkt mit der *villa* verbunden, die andere wird entfernt von der *villa* auf den Weiden und Feldern betrieben‹). Gleichzeitig wird betont, daß dieser Zweig der Landwirtschaft bislang von keinem früheren Autor gesondert (*separatim*) behandelt wurde (Varro rust. 3,1,8; vgl. 3,2,13; 3,3,1).

B. DIE VILLATICA PASTIO

Die Hofwirtschaft wird bei Varro in drei Bereiche geteilt: Geflügelhaltung, Haltung von Wild und Fischzucht (*ornithones, leporaria*, → *piscinae*; Varro rust. 3,3,1). Zum Geflügel gehörten Vögel wie Tauben und Wasservögel (Gänse und Enten), zu den Wildtieren neben Wild (Hasen) auch *extra villam* Bienen, Schnecken und Siebenschläfer (Varro rust. 3,3,3). Nach Auffassung Varros hat sich die K. in der späten röm. Republik stark differenziert, was auf die Entwicklung einer besonderen Nachfrage nach aufwendigen Gerichten zurückgeführt wird (*luxuria*, Varro rust. 3,3,6); in früherer Zeit wurden hingegen nur Hasen und Hühner sowie Tauben gehalten (Varro rust. 3,3,2; 3,3,6). Columella beschreibt ebenfalls ausführlich die *villatica pastio*; dabei stehen Geflügelhaltung und Geflügelmast sowie die → Bienenzucht im Vordergrund (Colum. 8,1–15; 9,2–16), daneben werden aber auch Fischzucht und Wildgehege berücksichtigt (Colum. 8,16f.; 9,1). Auch bei Columella ist eine Zweiteilung der K. gegeben: *vel in villa vel circa villam* (›sie wird entweder in direkter Nähe der *villa* oder aber in der Umgebung der *villa* betrieben‹; Colum. 8,1,3). Die *villatica pastio* im engeren Sinn bezog sich auf Kleintiere (*quae intra saepta villae pascuntur*, ›die innerhalb einer Umzäunung bei der *villa* gehalten wurden‹; Colum. 8,2,1); diesen Bereich umschreibt Palladius mit dem Begriff *cors* (»Hof«; Pall. agric. 1,22).

C. DIE WICHTIGSTEN TIERARTEN

Die röm. Agrarschriftsteller nennen unter den Tieren, die für die *villatica pastio* von Bed. waren, an erster Stelle das → Huhn, das wohl über Vorderasien nach Südeuropa gelangte. Homer und Hesiod nennen es noch nicht, doch muß es im archa. Griechenland durchaus verbreitet gewesen sein: Es gibt bildliche Darstellungen von → Hahnenkämpfen, und der Hahn war, wie Vasenbilder zeigen, ein beliebtes Geschenk für umworbene Knaben. In Italien (Paestum) ist das Huhn für das 6. Jh. v. Chr. arch. nachweisbar. Die griech. Hühnerrassen, die vor allem für die Hahnenkämpfe gezüchtet wurden, waren bei den Römern nicht bes. geschätzt. In der Landwirtschaft wurde die *villatica gallina*, bes. die rötlich dunkle Sorte, bevorzugt (Varro rust. 3,9; Colum. 8,2–7; Pall. agric. 1,27).

Von der Hausgans (→ Gans), die von der Graugans abstammt, kannte man zwei Arten: Die eine war weiß, sehr fruchtbar und domestiziert, die andere graugescheckt und der Wildgans näher, die immer wieder eingekreuzt wurde (Colum. 8,14,3). Gänsezucht galt als einfach und billig; sie lieferte auch Federn, die man zweimal im Jahr rupfen konnte. Voraussetzung der Gänsehaltung war ein genügend großes Gewässer und reichlich Graswuchs (Varro rust. 3,10; Colum. 8,13f.; Plin. nat. 10,51–55; Pall. agric. 1,30).

Die Haustaube (→ Taube) geht auf die Felsentaube zurück. Varro unterschied ein weniger domestiziertes, graues *genus saxatile*, das in Türmen oder in Schlägen auf Dächern der *villae* lebte, von der meist weißen Haustaube, die auf dem Hof oder im Taubenhaus gehalten wurde, und erwähnt Kreuzungen aus beiden. Trotz ihres außerordentlichen Orientierungssinns scheint die mangelnde Ortsliebe mancher Tauben ein Problem gewesen zu sein. Deshalb finden sich Ratschläge, wie man sie an ihren Taubenschlag binden kann (Varro rust. 3,7; Colum. 8,8; Plin. nat. 10,104–110; Pall. agric. 1,24).

Die Haltung der → Ente war aufwendiger als die der Gans. Es bleibt zweifelhaft, ob sie in der Ant. schon zum echten Haustier geworden ist. Als Kulturfolgerin bot die Stockente, von der die Hausente abstammt, weniger Anreiz zur → Domestikation. Enten, deren Flugvermögen sich nicht verringert hatte, hielt man als Wildgeflügel in abgeschlossenen Gehegen – anders als Hühner und Gänse, die man auf die Weide ließ. Noch in der Prinzipatszeit begann man die Entenzucht oft mit dem Sammeln von Wildenteneiern, die von Hühnern ausgebrütet wurden (Varro rust. 3,11; Colum. 8,15; Plin. nat. 10,56; Geop. 14,23,4).

Diese Tiere blieben im wesentlichen das »klassische« Geflügel für die Ernährung. Ihr Fleisch wurde höher geschätzt und später teurer bezahlt als das von → Schaf, → Ziege und → Rind. Die übrige K. bediente fast nur besondere Ansprüche und Tafelmoden. Die → Pfauen, in Indien wild lebend, hatten die Griechen von den Persern als Ziervögel übernommen. Zur Zucht hielt man sie gern auf Inseln in einer Art freier Gefangenschaft. Auch in Italien waren sie zunächst Ziervögel; erst Q. Hortensius führte vor 67 v. Chr. den Pfau als Gericht in Rom ein (Varro rust. 3,6,6). Pfauenzucht galt zur Zeit Varros als sehr rentabel, und noch bei Columella hatte sie wirtschaftliche Bed. (Varro rust. 3,6; Colum. 8,11). Der → Fasan wurde im klass. und hell. Griechenland (Alexandreia: Athen. 654c) gehalten und erst sehr viel später in Italien erwähnt (Colum. 8,8,10; Plin. nat. 10,132; als Spezialität: Mart. 13,45). Er erscheint neben anderem Geflügel in der Beschreibung des Landgutes von Faustinus bei Baiae (Mart. 3,58,16) und in der Agrarliteratur bei Palladius (Pall. agric. 1,29; vgl. Edictum Diocletiani 4,17ff.; Geop. 14,19). Die → Wachtel hatte wohl nur eine geringe Bed. für die K., da man annahm, sie nähre sich von schädlichen Pflanzen (Varro rust. 3,5,2; Plin. nat. 10,69).

→ Hasen, die man zusammen mit Kaninchen im *leporarium* (→ Tiergarten) hielt, gehörten zur Wildtierhaltung (Plin. nat. 8,220). Varro nennt drei *genera*: *Italicum* (den europäischen Hasen), den Alpenhasen mit weißem Winterfell (ein rares Tier; Plin. nat. 8,217) sowie die Wildkaninchen (*coniculi*, zuerst in NW-Afrika, Spanien und Südfrankreich). Ein Kaninchen war viel billiger als ein Hase (Edictum Diocletiani 4,32). Schon vor Varro hatte man begonnen, Kaninchen in Käfigen zu mästen (Varro rust. 3,12; Colum. 9,1,8f.; Plin. nat. 8,217–220). → Schnecken wurden in röm. Zeit im *cochlearium* gehalten, das rings von Wasser umschlossen sein mußte; man fütterte sie mit eingedicktem Most, Grieß,

Lorbeerblättern und Kleie. Es gab drei Arten: die kleinen weißen Schnecken aus Reate, große aus dem Illyricum und mittelgroße aus Afrika (Varro rust. 3,14; Plin. nat. 9,173 f.). Auch für Siebenschläfer wurden eigene Gehege angelegt; man gab ihnen Eicheln, Nüsse und Kastanien und mästete sie in dunklen, engen Käfigen aus Ton (Varro rust. 3,15).

D. Die Zuchtmethoden

Wilde Kleintiere wurden oft gehalten, ohne daß eine Vermehrung beabsichtigt oder eine Kontrolle der Fortpflanzung durch den Menschen gegeben war. Einige Vogelarten vermehrten sich nicht in Käfigen und wurden daher nur zur Mast gefangen (Turteltauben; Drosseln; Colum. 8,9,1; 8,10,1). Bei der wirklichen Zucht orientierte man sich an Normen zum Erscheinungsbild (Größe, Gestalt, Farbe etwa beim Huhn; vgl. Varro rust. 3,9,4–6; Colum. 8,2,7–11; Gänse: Colum. 8,14,3); waren diese Kriterien erfüllt, so sollte durch eine gezielte Auswahl der Tiere, die im Herbst behalten oder verkauft wurden, der Bestand möglichst verbessert werden; vor allem wurden Tiere, die alt waren, zu wenig Eier legten oder aber Eier fraßen, entfernt (Colum. 8,5,24). Hinzu kam die Meliorationszucht: Die einheimische Rasse konnte durch Kreuzung mit Hähnen anderer Rassen gezielt verändert werden (Colum. 8,2,13). Dem Haushuhn schrieb man beim Ausbrüten und Aufziehen anderen Geflügels domestizierende Wirkung zu (Colum. 8,15,7). Insgesamt erreichte die K., wie überhaupt die Tierzucht, in der Prinzipatszeit fachlich wie ökonomisch einen hohen Standard.

Die Agronomen schrieben geschützte und saubere Hühner- und Gänsehöfe mit gepflegten Nestanlagen, Auslauf, Asche- und Sandbad bzw. Teich vor (Varro rust. 3,9,6; Colum. 8,3; 8,14 f.); das Entengehege (*nessotrophium*) wurde mit einem großen Netz überspannt, um Greifvögel fernzuhalten und ein Entfliegen der Enten zu verhinden (Varro rust. 3,11,3; Colum. 8,15,2). Bei der Gestaltung dieser Gehege (Bepflanzung oder Anlage eines Teiches) wurde auf die natürlichen Verhaltensweisen der Tiere Rücksicht genommen (Colum. 8,15,3–6). Außerdem finden sich genaue Mengenangaben für alters- und saisongemäßes Kraft- oder bloß Erhaltungsfutter (Colum. 8,4). Es existierte bereits – auch artüberschreitend – eine Aufgabenteilung zwischen Lege-, Brut- und Ziehhennen: Damit Gans, Pfau und Fasan jährlich mehrere Gelege statt einem erbrachten, brüteten Hühner deren Eier aus; Glucken übernahmen die Aufzucht. Ziel war die Steigerung der Produktion und Verlängerung der Reproduktionsphase, eine schnellere Aufzucht und eine beschleunigte Mast (Colum. 8,5,4 ff.; 8,11,9 ff.; 8,14,4 ff.; Plin. nat. 10,155).

E. Wirtschaftliche Aspekte

Bei Varro und Columella ging es vor allem um Tierhaltung in großem Maßstab; so wird empfohlen, 200 Hühner zu halten, die von einem Hühnerwärter (*gallinarius*) betreut werden sollten (Varro rust. 3,9,6; Colum. 8,2,7). Vogelhäuser konnten bis zu 5000 Drosseln, Taubenhäuser ebenfalls bis zu 5000 Vögel aufnehmen (Varro rust. 3,5,8; 3,7,2). Die *villatica pastio* erbrachte hohe Erträge und wurde gerade deswegen von den Agrarschriftstellern empfohlen. Varro führt einige Beispiele an: So soll eine *villa* des M. Seius ihrem Besitzer ein Jahreseinkommen in Höhe von 50000 HS gesichert und M. Aufidius Lurco mit der Pfauenzucht Einnahmen von 60000 HS erzielt haben (Varro rust. 3,2,14; 3,6,1). Für 5000 Drosseln, die für ein Festessen in Rom gekauft wurden, sollen 60000 HS bezahlt worden sein (Varro rust. 3,2,15; 3,5,8). Auch Columella weist wiederholt auf die Möglichkeit hin, durch Verkauf von Geflügel den Ertrag einer *villa* zu erhöhen (Colum. 8,1,2; 8,2,4; 8,4,6; 8,8,1; 8,8,9; 8,10,6; 8,11,9; 8,13,3).

F. Die Mast

Die Mast war, wie auch die in röm. Schriften verwendete griech. Terminologie zeigt (Colum. 8,1,3 f.), schon bei den Griechen bekannt; so wird die Hühnermast auf Delos mehrmals rühmend erwähnt (Varro rust. 3,9,2; Colum. 8,2,4; Plin. nat. 10,139). Nach mod. Vorstellungen war die Mast mit erheblichen Grausamkeiten gegenüber den Tieren verbunden: Sie wurden an einem warmen und dunklen Platz einzeln in ganz enge Kisten oder Körbe eingesperrt, so daß sie sich nicht bewegen konnten (Hühner: Colum. 8,7; Gänse: Colum. 8,14,11; Siebenschläfer: Varro rust. 3,15); durch Stopfen sollte die Leber der Gans groß und zart werden (Pall. agric. 1,30,4). Columella empfiehlt für die Mast von jungen Tauben, ihnen die Beine zu brechen (Colum. 8,8,11), und Plutarch berichtet, daß dem Kranich zur Mästung die Augenlider zugenäht wurden (Plut. mor. 997a). Hähne wurden durch Absengung der Sporen (Varro rust. 3,9,3; Colum. 8,2,3) oder durch Sengen am Steiß (Aristot. hist. an. 631b 26 f.; Plin. nat. 10,50) kastriert.

→ Kastration von Tieren; Landwirtschaft

1 J. André, Essen und Trinken im alten Rom, ²1998 2 N. Benecke, Arch. Stud. zur Entwicklung der Haustierhaltung, 1994 3 Ders., Der Mensch und seine Haustiere, 1994 4 F. Capponi, Ornithologia latina, 1979 5 A. Dalby, Essen und Trinken im alten Griechenland, 1998 6 Ch. Guiraud, Varron. Économie rurale, Livre III, 1997 (Text, Übers., Komm.) 7 V. Hehn, O. Schrader, Kulturpflanzen und Haustiere in ihrem Übergang aus Asien nach Griechenland und Italien sowie in das übrige Europa, 1911 8 Keller 9 G. Koch-Harnack, Knabenliebe und Tiergeschenke, 1983, 97 ff. 10 H. Leitner, Zoologische Terminologie beim älteren Plinius, 1972 11 J. Peters, Röm. Tierhaltung und Tierzucht, 1998 12 W. Rinkewitz, Pastio Villatica. Untersuchungen zur intensiven Hoftierhaltung in der röm. Landwirtschaft, 1984 13 Toynbee, Tierwelt 14 White, Farming, 322–327. E. C.

Kleio (griech. Κλείω; lat. *Clio*; zur Etym. von κλέος, »Ruhm« vgl. Diod. 4,19; Plut. symp. 9,14; Cornutus 14). Eine der Musen (→ Musai; Hes. theog. 77); als Quellnymphe (Plut. de Pyth. or. 17,402c-d) oder → Okeanide (Verg. georg. 4,341) ist K. auch eine Gottheit des Wassers, das vielfach mit dichterischer Inspiration in Verbindung gebracht wird [1]. Seit Pindar (z. B. Pind. N. 3, 1–2; Pind. Ep. 3,3; 12,1–29; Pind. O. 2,1–2;

vgl. Hor. carm. 1,12,2) und Bakchyl. (3,1–3; 12,1–3; 13,9,229) ist K. die Schutzherrin der Werke, die erzählenswerte Taten der Zivilgeschichte von Menschen und Städten schildern (in Abgrenzung zur »kriegerischen« → Kalliope). Sie tritt bei Kallimachos als Erzählerin auf (Kall. Aitia 1,4; 1,6; 2,43 Pf.). K. gilt u. a. als Mutter des thrak. Königs → Rhesos (schol. [Eur.] Rhes. 346), des → Hymenaios [1] (ebd.) und des → Hyakinthos (Apollod. 1,3,3).

1 M. T. Camilloni, Le Muse, 1997.

Lit.: s. → Musen.   C. W.

Kleisonymos (Κλεισώνυμος, »rühmlich genannt«; auch Kleitonymos: Apollod. 3,176). Sohn des → Amphidamas [2] aus Opus in Lokrien. Er wird vom jungen → Patroklos in einem Streit während eines → Astragal-Spiels versehentlich erschlagen, worauf Patroklos bei Peleus in Sicherheit gebracht wird (Hom. Il. 23,84–90; schol. Hom. Il. 12,1).   R. A. Mi.

Kleisthenes (Κλεισθένης).

[1] Tyrann von Sikyon (ca. 600–570 v. Chr.), Sohn des Aristonymos, aus der Familie des Orthagoras, deren Tyrannis etwa 100 Jahre währte (ca. 665–565 v. Chr.; Aristot. pol. 1315b 11 ff.; vgl. Nikolaos von Damaskos FGrH 90 F 61). Im Krieg mit Argos verfolgte K. eine antiargivische innenpolit. Ideologie. Er verbot den Vortrag der homer. Epen, da diese Argos bevorzugten. Der argivische Heros → Adrastos [1] wurde, gegen den Rat Delphis, durch den thebanischen Heros → Melanippos ersetzt (Hdt. 5,67). Den drei in Sikyon wie in Argos vorhandenen dor. Phylen wurden nach legendärer Überl. abwertende Namen gegeben, die Angehörigen seiner Phyle aber habe K. *Archélaoi* gen. (Hdt. 5,68). Als Heerführer im Ersten → Heiligen Krieg gewann er Prestige und die Mittel (schol. Pind. N. 9,2; Paus. 10,37,6), mit denen er eine Säulenhalle in Sikyon (Paus. 2,9,6) und Bauten in Delphi, darunter das erste Schatzhaus der Sikyonier, finanzierte. Nach einer Brautschau, zu der aristokratische Freier aus It. bis Ionien kamen, gab er seine Tochter → Agariste [1], die spätere Mutter des Atheners Kleisthenes [2], dem Alkmeoniden (→ Alkmaionidai) Megakles zur Frau (Hdt. 6,126–130).

H. Berve, Die Tyrannis bei den Griechen, 1967, 27 ff., 532 ff. • A. Griffith, Sikyon, 1982 • L. de Libero, Die archa. Tyrannis, 1996, 188 ff.   B. P.

[2] Athen. Politiker des späten 6. Jh. v. Chr., Sohn des Alkmeoniden Megakles und der Agariste, Tochter des Kleisthenes [1]. Obwohl die → Alkmaionidai nach der endgültigen Machtergreifung des → Peisistratos ins Exil gingen, kehrte K. nach Athen zurück und amtierte 525/4 als Archon (ML 6, fr. c). Nachdem Delphi auf Betreiben der Alkmaionidai Druck auf Sparta ausgeübt hatte und mit dessen Hilfe 511/10 Hippias [1], der Sohn des Peisistratos, aus Athen vertrieben worden war, kam es zwischen K. und → Isagoras [1] zum Streit um den Vorrang in Athen. Als Isagoras die Oberhand gewann und zum Archon für das J. 508/7 bestellt wurde, schlug K. ein Reformprogramm vor, um Isagoras an Popularität zu überbieten. Dieser wandte sich an König Kleomenes [3] I. von Sparta, der unter Berufung auf den über der Alkmaionidenfamilie lastenden Fluch (→ Kylon [1]) den K. und dessen Anhang aus Athen vertrieb. Doch taten sich die Athener gegen Isagoras zusammen und ermöglichten so K. die Rückkehr und die Umsetzung seiner Reformpläne.

Den Kern der Reformen des K. bildete die Reorganisation der Bürgerschaft (wofür es in anderen Poleis bereits Vorbilder gab), und zwar auf lokaler Ebene (→ Attika mit Karte zur Phylenordnung): Es sollte zehn neue »Stämme« (*phylaí*; → *phylḗ*) geben, die jeweils aus drei Teilen (→ *trittýes*) bestanden, wobei wiederum jeweils ein Teil in einer der drei Regionen (Stadt, Küste oder Inland, *ásty*, *paralía*, *mesógeios*) liegen oder dort wenigstens verankert sein sollte (unterschiedlich [3] und [4]). Jede *trittýs* umfaßte eine oder mehrere der 139 Demen (*dḗmoi*; → *dḗmos* [2]), d. h. der lokalen Gemeinden (Hdt. 5,66–73; [Aristot.] Ath. pol. 20 f.; [5]). Die Demen waren natürlich entstandene Einheiten, zumindest einige der *trittýes* aber waren dies nicht; deshalb liegt die Vermutung nahe, K. habe mit dem neuen System hinter einer Fassade von »Unparteilichkeit« (*isótēs*) und unter dem Vorwand, »das Volk zu mischen«, versucht, seiner eigenen Familie Vorteile und anderen führenden Familien Nachteile zu schaffen [1]. Die neue Organisation wurde zur Grundlage des öffentl. Lebens: Jeder Athener mußte einem Demos angehören und damit auch den größeren Einheiten, zu denen sein Demos gehörte. Jede Einheit hatte eigene Versammlungen und Amtsträger; in der Polis als Gesamtheit wiederum waren Heer, Rat und viele Magistraturen nach diesen Einheiten gegliedert. Diese Organisation forderte und förderte ein hohes Maß an Beteiligung des Durchschnittsbürgers und bildete die Basis für die Errichtung der klass. Demokratie. K. wird auch die Einführung des → Ostrakismos zugeschrieben ([Aristot.] Ath. pol, 22,1; 3; vgl. Androtion FGrH 324 F 6). Nach den Quellen sollte dieser als Mittel gegen potentielle Tyrannen dienen, tatsächlich aber wohl Zwistigkeiten beheben, wie sie zwischen K. und Isagoras entstanden waren.

Versuche Spartas, die neue Ordnung zu beseitigen, blieben erfolglos (→ Kleomenes [3] I.). Von K. ist weiter nichts bekannt; vermutlich starb er kurz darauf. Im 5. Jh. galt K. als der Begründer der → *dēmokratía*.

1 D. M. Lewis, Cleisthenes and Attica, in: Historia 12, 1963, 22–40 2 M. Ostwald, in: CAH ²IV, 1988, 303–346 3 P. Siewert, Die Trittyen Attikas und die Heeresreform des K., 1982 4 G. R. Stanton, The Trittyes of K., in: Chiron 24, 1994, 161–207 5 J. S. Traill, The Political Organization of Attica, 1975 6 J. Martin, Von K. zu Ephialtes, in: Chiron 4, 1974, 5–42 7 Chr. Meier, K., in: Ders., Die Entstehung des Politischen bei den Griechen, 1980.

Davies, 375 f. • LGPN II, s. v. Κλεισθένης (1) • PA 8526.

P. J. R.

Kleitarchos (Κλείταρχος).

[1] Tyrann von Eretria. Als Verbannter hatte er wohl schon 349/8 v.Chr. erfolglos versucht, sich u.a. mit Hilfe Philipps II. gegen ein athenisches Heer unter Phokion Eretrias zu bemächtigen (Aischin. Ctes. 86–88 mit schol. [1. 318, Anm. 2]). Philipps Intervention in Euboia 343 und 342 [1. 502f., 545–549] brachte K. an die Macht (Demosth. or. 8,36; 9,57f.; 18,71; 19,87). Phokion vertrieb ihn 341 wieder (Philochoros FGrH 328 F 160; Diod. 16,74,1).

→ Tyrannis

1 N.G.L. Hammond, G.T. Griffith, History of Macedonia, 1979.

H. Berve, Die Tyrannis bei den Griechen, 1967, 301f., 675.

J.CO.

[2] Sohn des → Dinon, → Alexanderhistoriker. Genaue Lebenszeit unsicher, doch hat er nach Plinius (nat. 3,57f.) in Babylon 324/3 v.Chr. bei → Alexandros [4] d.Gr., den er wohl erst dort kennenlernte, eine röm. Gesandtschaft gesehen. Später wohnte K. vielleicht in → Alexandreia [1] (FGrH 137 T 12). Wenn K. das Material in Babylon sammelte, wird er die Alexandergeschichte bald nach Alexandros' Tod veröffentlicht haben. Es bleiben nur wenige Fragmente (Übersicht: [2. 215f.]), doch scheint die »Vulgata«, die bei → Curtius [II 8] Rufus, → Diodoros [18] Siculus, → Iustinus [5] und zum Teil → Plutarchos den Grundstock der Alexandergeschichte bildet, auf K. zu fußen. K. wird die ersten Alexanderhistoriker benutzt haben, doch bestand sein Material hauptsächlich aus Erinnerungen von Teilnehmern an den Feldzügen, darunter schwadronierenden Offizieren und Soldaten. Er beschrieb die märchenhafte Begegnung von Alexandros mit der Amazonenkönigin und breitete sich über Massaker, Gelage und die Wunder von Indien aus. Ob er den Schilderungen der Hofintrigen Curtius' Quelle war, wissen wir nicht. Das rhet. ausgeschmückte Werk blieb lange die meistgelesene Alexandergeschichte. Text: FGrH 137.

1 F. Jacoby, s.v. K. (2), RE 11, 622–654 2 L. Pearson, The Lost Histories of Alexander the Great, 1960, 212ff. E.B.

[3] Griech. Grammatiker und Lexikograph aus Aigina, 1. oder 2./1. Jh.v.Chr., von Epaphroditos [3] (Etym. m. 221,33 s.v. γάργαρος), Pamphilos (Athen. 2,69d, vgl. 11,475d) und vielleicht von Didymos [1] erwähnt (wenn schol. Hom. Il. 23,81a Κλέαρχος zu Κλείταρχος zu korrigieren ist). Sein glossographisches Werk (mindestens 7 B.) wird von Athenaios unter dem Titel ›Glossen‹ zitiert (Γλῶσσαι, an anderer Stelle Περὶ Γλωττῶν πραγματεία) und behandelte die lexikalischen Besonderheiten verschiedener, auch nichtgriech. Dialekte und Soziolekte wie der Seemannssprache.

→ Epaphroditos [3]; Pamphilos; Didymos [1]

Ed.: M. Schmidt, Clitarchi reliquiae, 1842.
Lit.: W. Kroll, s.v. K. (4), RE 11, 654–655 · K. Latte, Glossographika, in: Philologus 80, 1925, 169–171 (= Ders., KS, 1968, 631–633) · A. Ludwich, Aristarchs homer. Textkritik, 1884–85, Bd. 1, 44; 51; 483. F.M./Ü: T.H.

Kleite (Κλείτη, »die Berühmte«). Tochter des → Merops, frisch vermählte Frau des Dolionenkönigs Kyzikos, der von seinem Gastfreund → Iason [1] in einem fatalen nächtlichen Gefecht getötet wird, worauf sich K. aus Kummer erhängt (Apoll. Rhod. 1,974ff., 1063ff.; Parthenios 28 MythGr 2). Aus den Tränen der K. (Orph. Arg. 594ff.; schol. Apoll. Rhod. 1,1065f. [1]) bzw. der um sie weinenden Nymphen des Hains (Apoll. Rhod. 1,1067ff. [2]) entsteht die Quelle K.

1 H. Fränkel, Noten zu den Argonautika des Apollonios, 1968, 130f. 2 S. Jackson, Apollonius of Rhodes: The Cleite and Byblis Suicides, in: SIFC 15, 1997, 48–54. A.A.

Kleitias s. Klitias

Kleitomachos (Κλειτόμαχος).

[1] Akad. Philosoph, geb. wohl 187/6 v.Chr. in Karthago, gest. 110/109. Urspr. Name Hasdrubal (Philod. Academicorum index 25.1–2). Vermutlich 163/2 nach Athen gelangt (falsch die Angabe bei Diog. Laert. 4,67), trat er 159/8 in die Akad. nach einer Art Elementarunterricht bei → Karneades [1] sowie Studien im Peripatos und in der Stoa ein. Seine Beteiligung an der Philosophengesandtschaft nach Rom 155 wird bisweilen bezweifelt. 140/139 Gründung einer eigenen Schule im Palladion, von 129/8 an wahrscheinlich wieder in der Akad., zunächst offenbar im Hintergrund, von 127/6 an bis zu seinem Tod auch offiziell als Scholarch (Rekonstruktion der Ereignisse [1. 900f.]). Von den ungemein zahlreichen Schriften (Diog. Laert. 4,67: über 400) sind nur noch fünf kenntlich: Die skeptische Grundposition zeigt sich in ›Über die Zurückhaltung‹ (Περὶ ἐποχῆς), erkenntnistheoretische Probleme behandelte er auch in einer dem Satiriker Lucilius gewidmeten Schrift, eine Trostschrift richtete er nach der Zerstörung Karthagos an die Bürger seiner Heimatstadt (Näheres bei [1. 902f.]). Eine eigene Lehre des K. ist nicht greifbar; er radikalisierte erneut den skeptischen Standpunkt, indem er sich vehement gegen die Wahrscheinlichkeitslehre seines Lehrers Karneades wandte.

1 W. Görler, K., GGPh² 4.2, 899–904. K.-H.S.

[2] aus Theben. Hervorragender Kampfsportler am Ende des 3. Jh.v.Chr. Nach Paus. 6,15,3 siegte K. bei den → Isthmia an einem einzigen Tage im Ringkampf, Faustkampf und → Pankration (vgl. auch Anth. Pal. 9,588; die Ehrenstatue stiftete sein Vater Hermokrates) [1. Nr. 67]. Außerdem siegte K. dreimal im Pankration in Delphi und war in Olympia je einmal im Pankration (Ol. 141 = 216 v.Chr.) und Faustkampf (Ol. 142 = 212 v.Chr.) erfolgreich [2. Nr. 584, 589; 3. Nr. 589]; von letztem Auftritt ist die Psychologie des Zuschauerverhaltens bemerkenswert treffend beschrieben (Pol. 27,9,7–13) [4. 51f.; 5. 127f.].

1 J. Ebert, Epigramme auf Sieger an gymnischen und hippischen Agonen, 1972 2 L. Moretti, Olympionikai, 1957 3 Ders., Nuovo supplemento al catalogo degli olympionikai, in: Miscellanea greca e romana 12, 1987,

67–91 **4** I. WEILER, Zum Verhalten der Zuschauer bei Wettkämpfen in der Alten Welt, in: E. KORNEXL (Hrsg.), Spektrum der Sportwiss., 1987, 43–59 **5** W. DECKER, Sport in der griech. Ant., 1995. W. D.

Kleiton. Ein bei Xen. mem. 3,10,6–8 gen. Bildhauer von Athletenstatuen. Er ist sonst nicht bezeugt und könnte fiktiv sein. DI. WI.

Kleitophon (Κλειτοφῶν). Athener, Schüler des → Sokrates (Plat. rep. 1,328b; 340a-b). Nach ihm ist Platons Dialog *K.* benannt. K. beantragte im J. 411 v. Chr., bei der geplanten Verfassungsänderung die kleisthenische Verfassung zu berücksichtigen. 404 trat er zusammen mit → Theramenes und anderen für die *pátrios politeía* ein ([Aristot.] Ath. pol. 29,3; 34,3).

PA 8546 · M. CHAMBERS, Aristoteles. Staat der Athener, 1990, 277 · RHODES 375–377. W. S.

Kleitor (Κλείτωρ, arkad. Κλήτωρ). Nordarkad. Stadt in kleiner, bergumschlossener Ebene beim h. Karnesi mit gleichnamigem Fluß, ca. 3 km westl. von Kato-Klitoria, 11 km von den Ladon-Quellen (→ Ladon [2]) entfernt, wenige Reste (IG V 2, 367). Wichtiges Durchgangsgebiet zw. den östl. Plateaus und den Gebirgslandschaften im Westen. K. besaß keine Akropolis, die städtische Ansiedlung lag auf einem flachen Gelände mit nur zwei kleinen Erhebungen. Sie gehörte zu den bedeutendsten Städten in Arkadia, in deren Gesch. K. mehrfach eine wichtige Rolle spielte. Im 3. Jh. n. Chr. prägte K. noch Mz. Die Spiele Koriasia am Heiligtum der Athena (Artemis?) Koria nördl. der Stadt (Paus. 8,21,4) werden in Siegerinschr. oft gen.; vgl. auch Pind. N. 86, schol. Pind. O. 7,153 (Κώρεια). Belegstellen: Strab. 8,8,2; Paus. 8,21,1–4; Ptol. 3,16,19. Inschr.: IG V 2, 367–410. Mz.: HN, 446 f.

JOST, 38–41 · L. LACROIX, Helios, les Azanes et les origines de Cleitor en Arcadie, in: BAB 54, 1968, 318–327 · E. MEYER, Peloponnesische Wanderungen, 1939, 109 f. · Ders., s. v. K., RE Suppl. 9, 383 f. · Ders., s. v. K., RE Suppl. 12, 513 · G. PAPANDREOU, Ερευναι εν Καλαβρύτοις, in: Praktika 1920, 96–114 · K. TAUSEND, Ein ant. Weg über den Chelmos, in: Österr. Jahreshefte 63, 1994, Beibl., 41–52 · F. E. WINTER, Arcadian Notes, in: Échos du monde classique 8, 1989, 189–200. Y. L.

Kleitos (Κλειτός, Κλεῖτος, Κλῖτος, »der Berühmte«).
[1] Neffe des berühmten Sehers → Melampus, Sohn des Mantios, Vater des Koiranos. Er wird wegen seiner Schönheit von Eos entrückt (Hom. Od. 15,249 f.; Pherekydes FGrH 3 F 115a).
[2] Großneffe von K. [1], Sohn des Polyidos und der Eurydameia. Er und sein Bruder Euchenor ziehen mit den Epigonen (→ Epigonoi [2]) gegen Theben und schließen sich danach Agamemnon an (Pherekydes ebd.).
[3] Troer, Sohn des Peisenor, Gefährte des → Polydamas. Er wird von Teukros getötet (Hom. Il. 15,445 ff.).

[4] Geliebter der → Pallene, der Tochter des Königs → Sithon. Er besiegt in einem Wettkampf mit ihrer Hilfe seinen Rivalen Dryas, heiratet sie und wird Nachfolger ihres Vaters (Konon FGrH 26 F 10; Parthenios 6).
[5] König der thrak. → Sithones. Er verheiratet seine Tochter Chrysonoe an → Proteus, der ihm später im Krieg gegen die Bisalten beisteht (Konon FGrH 26 F 32; Tabula Iliaca IG XIV 1284). RA. MI.
[6] K. »der Schwarze«. Sohn des Dropidas und Bruder der Amme → Alexandros' [4]. Am → Granikos rettete K. 334 v. Chr. dem König das Leben. Bei → Gaugamela kommandierte er die »königliche Schwadron«. 330 führte er Alexander in → Parthia maked. Truppen aus Ekbatana zu. Nach der Hinrichtung von → Philotas wurde K. Kommandeur der Hälfte der → Hetairoi. 328 zum Satrapen der wichtigen Grenzprovinz → Baktria-Sogdiana bestimmt, beleidigte K. bei einem Gelage den König, der ihn dann im Rausch erschlug. Als Alexandros vorgab, sich aus Reue töten zu lassen, tröstete ihn das Heer, indem es den Toten des Hochverrats verurteilte (Curt. 8,1,19–2,12).

BERVE 2, Nr. 427 · HECKEL 34–37.

[7] K. »der Weiße« kämpfte bei → Alexandros' [4] Indienfeldzug als Taxiarch, dann als Hipparch. In Opis 324 v. Chr. mit den Truppen unter → Krateros [1] entlassen, wurde K. nach Alexandros' Tod Flottenkommandeur am Hellespont, wo er 323/2 bei Amorgos eine athen. Flotte vernichtete und sich dann Poseidon nannte. Im Abkommen von → Triparadeisos erhielt er 320 die Satrapie Lydia, floh aber bald vor → Antigonos [1] zu → Polyperchon nach Makedonien. In dessen Dienst lieferte er → Phokion den Athenern zur Hinrichtung aus, besiegte → Nikanor in einer Seeschlacht; in einer zweiten wurde aber seine Flotte vernichtet. Er selbst entkam zu Lande, wurde von → Lysimachos gefangengenommen und hingerichtet (Diod. 18,72).

BERVE 2, Nr. 428 · HECKEL 185–187.

[8] Illyrerfürst, Sohn des Bardylis, wurde mit → Glaukias [2] 335 v. Chr. von Alexandros [4] besiegt. K. flüchtete zu Glaukias und verschwand damit aus der Gesch. (Arr. an. 1,5 f.).

BERVE 2, Nr. 426. E. B.

[9] (Κλεῖτος). Tragiker des 2. Jh. v. Chr. (129 T 1 TrGF I), Sohn des Kallisthenes; Grabinschr. auf der Insel Teos gefunden (CIG II 3105). B. Z.

Klematios

[1] K. aus Alexandreia war um 352/3 n. Chr. *consularis Palaestinae* (Lib. epist. 693). Im Winter 353/4 wurde er in Antiocheia [1] Opfer einer Intrige und ohne Prozeß hingerichtet (Amm. 14,1,3). PLRE 1,213 (Clematius 1).
[2] K. hatte in Antiocheia [1] zur Zeit des Caesars Gallus (→ Constantius [5]) eine hohe Stellung, wohl als *agens in rebus* (Lib. epist. 405, 435); 357–358 n. Chr. *consularis Palaestinae* (Lib. epist. 317). Er stand in engem Kontakt

zu → Libanios (vgl. epist. 312, 315, 317). PLRE 1,213 f.
(Clematius 2).

[3] K. aus Palaestina war enger Freund des Libanios (Lib.
epist. 1283, 1458) und ist nur aus dessen Briefen bekannt. Als Nichtchrist wurde K. von Iulianus [11] zum
Oberpriester Palaestinas ernannt (Lib. epist. 1307), nach
dessen Tod (363) wegen seines Vorgehens gegen die
Christen angeklagt (ebd. 1504), aber nicht verurteilt
(ebd. 1526). In den Hss. erscheint »Lem(m)atios« (vgl.
z. B. den Apparat von FÖRSTER zu epist. 1504, Z. 21).
»Klematios« ist eine Emendation von WOLF und SEECK.

W. P.

Klemens von Alexandreia
s. Clemens [3] von Alexandreia

Kleobis und Biton (Κλέοβις, lat. Cleobis; Βίτων). Die
Gesch. des argiv. Brüderpaars, die von Solon dem Kroisos als Beispiel größten Glücks erzählt wird (Hdt. 1,31),
setzt Cicero (Tusc. 1,113) als wohlbekannt voraus. Die
Mutter von K. und B., eine Herapriesterin namens Kydippe (Anth. Pal. 3,18), mußte zu einer Kulthandlung in
den Heratempel von Argos fahren. Als ihre Zugtiere
nicht rechtzeitig gebracht wurden, ließen sich K. und B.
vor den Wagen spannen und zogen ihn die 45 Stadien
zum Tempel. Dort erflehte die Mutter für die *pietas*
(»Gottesfürchtigkeit«) ihrer Söhne von den Göttern das
Beste, was den Menschen zuteil werden könne, worauf
K. und B. starben. Zu ihrem Gedenken stifteten die
Argiver Statuen für Delphi. Diese glaubt man in den
archa. Kuroi (→ Statuen; → Plastik) aus Delphi wieder-
zuerkennen, die nach neuer Lesung auch die → Dioskuroi darstellen könnten [1]. Sinn der Erzählung ist es,
den Tod als freudig zu akzeptierende Erlösung aus den
Unsicherheiten des Lebens vorzustellen.

1 P. E. ARIAS, s. v. B. et K., LIMC 1.1, 119 f., Nr. 10.

B. SCH.

Kleoboia (Κλεόβοια).
[1] Eine Jungfrau, die die Mysterien der → Demeter
von Paros nach Thasos gebracht haben soll. Sie war auf
dem berühmten Gemälde des → Polygnotos in Delphi
mit einer *cista mystica* – in der Ikonographie ein Symbol
der Geheimhaltung – dargestellt (Paus. 10,28,3).
[2] Gattin des Phobios, des Königs von Milet. Sie verliebt sich in Antheus, der als Geisel an ihrem Hofe weilt,
doch da er sie zurückweist, sinnt sie auf Rache. Sie
scheucht ein zahmes Rebhuhn in einen tiefen Brunnen
und bittet ihn, es ihr zurückzuholen. Dabei tötet sie
zuerst ihn und nimmt sich kurz darauf aus Verzweiflung
das Leben (Parthenios 14). RA. MI.

Kleobule (Κλεοβούλη). Geb. ca. 408 v. Chr., gest. nach
363, Tochter des Gylon, Gattin des älteren Demosthenes aus Paiania, Mutter des berühmten Redners → Demosthenes [2] und einer Tochter (Demosth. or. 27 hypoth. § 1; Demosth. or. 28,1–3; Aischin. Ctes. 171 f.;
Plut. Demosthenes 4,2; Plut. mor. 844A); ihre Heirat
mit Demosthenes kann auf 386/5 oder kurz zuvor, dessen Tod wohl auf 376/5 v. Chr. datiert werden. K., die
363 noch lebte (Demosth. or. 28,20), warf Aphobos und
den übrigen Vormündern ihrer Kinder Mißwirtschaft
und Bereicherung vor.

DAVIES 3597 VII · PA 8556. J. E.

Kleobuline (Κλεοβουλίνη). (Wahrscheinlich fiktive)
Tochter des → Kleobulos [1] von Lindos, der Rätsel in
einem elegischen Distichon (fr. 1–2 WEST) oder einem
einzigen Hexameter (fr. 3 W.) schon seit dem späten
5. Jh. v. Chr. zugeschrieben wurden (Dissoi logoi 3,10 =
fr. 2 W.). E. BO./Ü: T. H.

Kleobulos (Κλεόβουλος).
[1] Tyrann von Lindos (Rhodos), Blütezeit 7.–6. Jh.
v. Chr., wird zu den → Sieben Weisen gezählt [1]. Er
verfaßte ›Lieder und Rätsel‹ in etwa 3000 Versen‹ (Diog.
Laert. 1,89). Abgesehen von 20 Sprüchen (I⁶ p. 63, 1–12
DK) und einem kurzen Brief an Solon (epist. p. 207
HERCHER) sind unter seinem Namen ein Fr. eines Sko-
lions in moralisierendem Ton (SH 526) und ein Grabepigramm in Hexametern auf König → Midas (Anth.
Pal. 7,153 = GVI 1171a) erh., das von Platon (Phaedr.
264d) zitiert und von Simonides (PMG 581) ironisch aufs
Korn genommen wird. Ein kurzes Rätselgedicht in He-
xametern (Anth. Pal. 14,101) wird K., aber auch seiner
Tochter → Kleobuline, einer berühmten Dichterin von
Rätseln, zugewiesen.

1 H. BERVE, Die Tyrannis bei den Griechen, 1967, 119.

M. G. A./Ü: T. H.

[2] Athener, Sohn des Glaukos aus Acharnai, Onkel des
Rhetors → Aischines [2]; als *stratēgós* im → Korinthischen Krieg Sieger in einer Seeschlacht 396/5 oder
388/7 v. Chr. über den spartan. Nauarchen Chilon
(Aischin. leg. 78). K. galt auch als angesehener Wahrsager (SEG 16,193).

PA 8558 · DAVIES 14625 II, S. 544 · DEVELIN 1645 · LGPN
2, s. v. Kleobulos (3). J. E.

[3] Spartiat, Ephor (→ *éphoroi*) 421/0 v. Chr. K. lehnte
den → Nikias-Frieden ab und versuchte mit → Xenares
und anderen »Freunden«, durch Intrigen ein antiathen.
Bündnis mit Argivern, Korinthern und Boiotern zu erreichen, scheiterte aber am Widerstand der vier Sektio-
nen des boiot. Rates (Thuk. 5,36–39). K.-W. WEL.

[4] Sohn des Ptolemaios (PP VI 14945) aus Alexandreia,
188/7 v. Chr. mit Verwandten als Gesandter Ptolemaios' V. in Delphi, dort als → *próxenos*.

E. OLSHAUSEN, Prosopographie der hell. Königsgesandten
1, 1974, 54, Nr. 32. W. A.

Kleochares (Κλεοχάρης). Griech. Rhetor aus Myr-
lea/Bithynien (Strab. 12,4,9 = 566). Nach Diog. Laert.
4,41 Geliebter des Arkesilaos, Demochares und Pytho-
kles; er lebte also im 3. Jh. v. Chr., wohl vornehmlich
in Athen. Außer Reden verfaßte er literaturkritische
Schriften; drei Zeugnisse sind überl.: In einem Ver-

gleich zwischen Isokrates und Demosthenes gebrauchte er das berühmte Bild vom Körper des Athleten für den Stil des ersteren, des Soldaten für den des letzteren (Phot. 121b 9–16). Große Verehrung für Demosthenes spricht auch aus dem bei Herodian (SPENGEL 3,97) zit. Polyptoton mit dem Namen des Demosthenes; ein weiteres Polyptoton, wohl aus einer Rede, ist bei Rutilius Lupus (1,10) in lat. Übers. erh.

M.J. LOSSAU, Unt. zur ant. Demosthenes-Exegese, 1964, 52–65.   M.W.

Kleodamos (Κλεόδαμος). K. aus Byzanz, von → Gallienus mit der Verstärkung der Befestigungen der Städte an der Donaumündung gegen die → Heruli 267 n. Chr. beauftragt (SHA Gall. 13,6). Noch im gleichen J. (nicht erst unter Claudius II.) vertrieb K. diese aus Athen, das sie erobert hatten (Zon. 12,26, p. 151 DINDORF III). PIR² C 1144.   K.G.-A.

Kleomachos (Κλεόμαχος). Kinaidograph, geb. in Magnesia, Datierung unsicher. Nach Strab. 14,1,41 war er ein Faustkämpfer, der, nachdem er sich in einen *kínaidos* und eine Prostituierte, für deren Unterhalt dieser sorgte, verliebt hatte, in der obszönen Sprache der *kínaidoi* zu schreiben begann. Heph. Enchiridion 11,2 (= CONSBRUCH 392,10–15) berichtet, der ion. akatalektische Dimeter *a maiore* sei *Kleomacheion* genannt worden und diese Versform habe Molosser und Choriamben enthalten. Hephaistion zitiert (wie Trichas z.St. CONSBRUCH 395,10) ein Beispiel, doch ist weder das eine noch das andere sicher von K. Der Diktäische Hymnos an die Kureten (CollAlex 160f.; 4. oder 3. Jh. v. Chr.) ist in Kleomacheen mit einem iambo-äolischen Refrain verfaßt.

SH 341–342 · M.L. WEST, Greek Metre, 1982, 143–144.
                                                                    E.R./Ü: L.S.

Kleombrotos (Κλεόμβροτος).
[1] Agiade (→ Agiadai), Bruder des bei den Thermopylen 480 v. Chr. gefallenen Leonidas I. und Vormund für dessen Sohn Pleistarchos. K. leitete als Kommandeur des peloponnes. Heeres vor der Schlacht bei Salamis die Befestigung des Isthmos von Korinth, starb aber Ende des J. oder im Winter 480/79 (Hdt. 5,41; 7,205,1; 8,71; 9,10; Paus. 3,3,9).
[2] **K. I.** Agiade, nach Verbannung seines Vaters Pausanias 394 v. Chr. unter Vormundschaft des Aristodemos; spartan. König 380–371 v. Chr. (Diod. 15,23,2). K. operierte 378 erfolglos gegen Theben, wo die spartan. Besatzung zum Abzug gezwungen worden war (Xen. hell. 5,4,14ff.), scheiterte 376 bereits am Kithairon-Paß (Xen. hell. 5,4,59), zwang aber 372 die Thebaner zum Rückzug aus Phokis (Xen. hell. 6,1,1). 371 erneut in Phokis, erhielt er die Weisung, nach Boiotien einzurükken. K. fiel dann 371 bei Leuktra (Xen. hell. 6,4,2–15; Diod. 15,54,6–55,5) [1. 82, 87–89, 90, 113f.].

[3] **K. II.** Spartiat aus einer Seitenlinie der → Agiadai. K. wurde nach dem Sturz seines Schwiegervaters Leonidas II. 242 v. Chr. König, mußte aber nach dessen Rückkehr 241 in die Verbannung gehen (Plut. Agis 11,7–9; 16,4–18,4; Paus. 3,6,7f.).
[4] Reicher und weitgereister spartan. Freund des → Plutarchos, in dessen Werk »Über den Verfall der Orakel« er als Dialogpartner erscheint (mor. 409E ff.). K. vertritt skurrile Thesen über Ölverbrauch des ewigen Lichtes und Lebensdauer der Dämonen [2. 178–180].

1 R.J. BUCK, Boiotia and the Boiotian League, 432–371 B.C., 1994 2 P. CARTLEDGE, A. SPAWFORTH, Hellenistic and Roman Sparta, 1989.   K.-W.WEL.

[5] s. Sokratiker

Kleomedes. Astronomischer Schulschriftsteller zeitlich zw. → Poseidonios und → Ptolemaios (den er nicht zit.), schrieb ein Lehrbuch in zwei B., die 2,7,229 als σχολαί (ʾVorlesungen‹, ʾÜbungen‹) bezeichnet werden. Der hsl. überl. Titel Κυκλικῆς θεωρίας μετεώρων α'/β' (*Kyklikḗs theōrías meteōrōn a'/b'*: B. 1/2 einer Theorie über Kreisbewegungen der überirdischen Dinge) vereinigt wohl zwei verschiedene Versionen; TODD entschied sich für Μετέωρα (*Metéōra*). K. bietet keine eigene Forsch., sondern kompiliert Gedankengut meist stoischer Philosophen (*sympátheia*; *ekpýrōsis*, ʾWeltenbrand‹; Erde ein verschwindend kleines *kéntron*, »Zentrum«, inmitten des riesigen, kugelförmigen Kosmos): → Krates von Mallos, → Aratos [4] und bes. (wenn wohl auch nur indirekt benutzt) → Poseidonios (Übereinstimmungen mit → Geminos [1], → Plutarch, Achilleus und Plin. nat.). Er zit. ferner Homer, Herakleitos und → Hipparchos [6] (genaue Opposition von Aldebaran und Antares, → Sternbilder). Gegen → Epikuros nimmt er polemisch Stellung (2,1). Wichtig ist K. bes. als Quelle, aber auch wegen der Definitionen. Der Schlußsatz (τὰ πολλὰ δὲ τῶν εἰρημένων ἐκ τῶν Ποσειδωνίου ἔκληπται, ʾder Großteil des Gesagten ist den Schriften des Poseidonios entnommen‹) wurde früher als Scholion verdächtigt, wird aber h. wieder für echt gehalten.

B. 1 behandelt die Kosmologie, die Zonen der Erde, Tages- und Jahreszeiten, Planetenbewegungen (bes. die Anomalie der Sonne) sowie die Br der → Ekliptik, B. 2 den Dm von Sonne, Mond und Fixsternen (den Erdumfang bemißt K. nach dem *Arenarius* des → Archimedes [1] auf 1 : 10 000 der Sonnenbahn), ferner die Mondtheorie (Abstand Mond–Erde 5 000 000 Stadien), Mondphasen, → Finsternisse (die konische Gestalt des Erdschattens), Breiten- und Längenbewegungen der → Planeten.

Der »Sonnenhymnos« (2,154–156) hat Basil. *Homiliae in Hexaëmeron* beeinflußt. Die große Nachwirkung zeigt sich in vielen ma. Hss.; auch die Humanisten haben K. früh beachtet: Ed. princeps Brixen 1497, dann Venedig 1498, lat. Komm. von BALFOUR (1605).

Ed.: B. R. Todd, 1990 (Bibl. XXII-XXV).
Lit.: A. Rehm, s. v. K. (3), RE 11, 679–694 ·
W. Schumacher, Unt. zur Datier. des Astronomen K.,
1975 · R. B. Todd, The Title of Cleomedes' Treatise, in:
Philologus 129, 1985, 250–261 · H. Weinhold, Die
Astronomie in der ant. Schule, München 1912.   W. H.

Kleomenes (Κλεομένης).
[1] Athener, der 404 v. Chr. in der Volksversammlung
die spartan. Friedensbedingungen ablehnte (Plut. Lysandros 14).
[2] Spartiat, Mitglied eines spartan. Schiedsgerichts, das
Ende des 7. Jh. v. Chr. den Athenern die Insel → Salamis
zugesprochen haben soll (Plut. Solon 10).
[3] **K. I.** Spartan. König, Agiade (→ Agiadai), Sohn des
Anaxandridas [2] von dessen zweiter Frau, bedeutendster Repräsentant der spartan. Führungsschicht um 500
v. Chr. mit hoher persönl. Autorität. K. setzte seinen
Anspruch auf die Königswürde (wohl um 520) gegen
seinen Stiefbruder → Dorieus [1] durch (Hdt. 5,42).
Nicht gesichert ist, ob er bereits 519 mil. bei Plataiai
operierte (Hdt. 6,108; Thuk. 3,68), etwa um 516 ein
Hilfegesuch des Samiers Maiandrios ablehnte (Hdt.
3,148) und etwa 514 enge Kontakte mit skyth. Gesandten hatte (Hdt. 6,84). Bedeutend war 510 seine Intervention in Athen, die zum Sturz der → Peisistratiden
führte (Hdt. 5,64 f.). Hingegen scheiterte K.' Plan,
508/7 seinen athen. Gastfreund → Isagoras [1] mit einem kleinen, von Sparta bewilligten Aufgebot im
Kampf gegen den Reformer → Kleisthenes [2] zu unterstützen (Hdt. 5,70–72). Auch K.' dritter Zug nach
Attika 507/6 war wohl ein Unternehmen der Polis
Sparta, da sein Mitkönig → Damaratos und spartan.
Bundesgenossen sein Heer begleiteten. Der Widerstand
des Damaratos, der Korinther und anderer Bundesgenossen verhinderte jedoch die Konstituierung eines
spartahörigen Regimes in Athen. Der Zwist führte zur
gesetzlichen Einschränkung des Handlungsspielraums
der spartan. Könige, die nun nicht mehr gemeinsam ein
Heer führen durften (Hdt. 5,74 f.). Gleichwohl konnte
K. seine Position ausbauen und 499 durch Beeinflussung der Ephoren ein Hilfegesuch des Aristagoras von
Milet durchkreuzen (Hdt. 5,49; → Ionischer Aufstand).
Wohl um 494 besiegte K. bei Sepeia die Argiver, verzichtete aber auf die Fortsetzung des Kampfes und wurde deswegen angeklagt (Hdt. 6,82), obgleich die mil.
Möglichkeiten für eine Belagerung von Argos schwerlich ausreichten. Unklar bleibt, ob die Klage vom Ephorat oder von Anhängern des Damaratos ausging. K.
wurde freigesprochen und blieb die einflußreichste Persönlichkeit in Sparta. Um angesichts der drohenden
Persergefahr die Hegemonie Spartas in Hellas zu erhalten und Athen vor einer Kollaboration der Aigineten
mit Persien zu schützen, verlangte K. von Aigina Geiseln und erreichte dies gegen Damaratos, den er durch
Bestechung des delphischen Orakels absetzen und durch
→ Leotychidas ersetzen ließ (Hdt. 6,48–50; 65 f.; 73).
Als seine Intrigen bekannt wurden, verließ K. Sparta
und suchte führende Arkader gegen seine Polis aufzu-

wiegeln. Angeblich aus Furcht vor seinen Machenschaften rief man ihn zurück und setzte ihn wieder in
sein Königsamt ein. Kurz darauf soll er im Wahnsinn
Selbstmord verübt haben (Hdt. 6,74 f.), eine Behauptung, die vielleicht eine Ermordung vertuschen sollte.
In den Aktivitäten des K. zeigen sich die breiten Hand-
lungsmöglichkeiten eines spartan. Königs dieser Zeit,
aber auch die Gefahren, die dem *kósmos* Sparta durch
Machtkämpfe zwischen den beiden Königen drohten.
Gestärkt wurde jedenfalls das Ephorat als Institution.
Die Initiative zur Ausschaltung K.' ging von Angehörigen des Königs aus.

P. Carlier, La vie politique à Sparte sous le règne de
Cléomène Iᵉʳ, in: Ktema 2, 1977, 65–84 · St. C. Klein,
Cleomenes, 1973 · M. Meier, K. I. und Damaratos, in:
Historische Anthropologie (im Druck) · L. Thommen,
Lakedaimonion Politeia, 1996, 67 ff., 87 ff., 99 ff.

[4] Spartiat, Sohn des »Regenten« → Pausanias. K. leitete als Vormund des späteren Königs Pausanias 427
v. Chr. den Einfall nach Attika (Thuk. 3,26; 5,16).
[5] **K. II.** Agiade (→ Agiadai), Sohn des Kleombrotos
[2] I., (Paus. 1,13,4; 3,6,2; Plut. Agis 3), als Nachfolger
seines Bruders Agesipolis [2] II. 370–309/8 v. Chr.
(Diod. 20,29,1) spartan. König.
[6] **K. III.** Sohn des Leonidas II., spartan. König 235–222
bzw. 219 v. Chr.; K. beseitigte 227 durch Staatsstreich
zeitweise das Ephorat (→ éphoroi) sowie faktisch auch
das Doppelkönigtum (Plut. Kleomenes 6–11) und galt
daher bei seinen Feinden in Sparta und in der Führungsschicht des Achaiischen Bundes als Tyrann (Pol. 2,47,3;
Plut. Aratos 38). K.' Ziel war, die spartan. Hegemonie in
der Peloponnes zurückzugewinnen und eine Basis für
eine neue Machtpolitik im Stil hell. Monarchen zu
schaffen. K. suchte die Reformen des Agis [4] IV. fort-
zuführen, indem er eine Neuverteilung des Bodens vor-
nahm und die Zahl der Spartiaten durch Verleihung des
Vollbürgerrechts an ausgewählte → *períoikoi* (und wohl
auch an *hypomeíones*, »verarmte Bürger«) auf 4000 erhöhte, denen er neue *klároi* (→ *klêros*) zuwies. Nach bedeutenden Erfolgen im Kampf gegen den von → Aratos
[2] von Sikyon geführten Achaiischen Bund unterlag K.
223 bei Sellasia dem Makedonenkönig Antigonos [3],
gegen den er auch → Heloten mobilisierte, ohne die
Institution der Helotie zu beseitigen (Pol. 2,65; Plut.
Kleomenes 23) [1. 64]. K. floh an den Hof des Ptolemaios, wo er jedoch nicht die erhoffte Unterstützung
erhielt und 219 nach einem aussichtslosen Versuch, sich
aus der Internierung zu befreien, Selbstmord beging
bzw. sich von Getreuen töten ließ (Pol. 5,34,11–39,6;
Plut. Kleomenes 33–37).

1 J. Ducat, Les Hilotes, 1990.

P. Cartledge, A. Spawforth, Hellenistic and Roman
Sparta, 1992, 49 ff. · E. S. Gruen, Aratus and the Achaean
Alliance with Macedon, in: Historia 21, 1972, 609–625 ·
B. Shimron, Late Sparta, 1972, 37 ff.   K.-W. Wel.

[7] K. aus Naukratis, wurde von → Alexandros [4] in Ägypten mit der Verwaltung des Grenzbezirkes östl. des Nildeltas, dem Bau → Alexandreias und der Aufsicht über das Finanzwesen von ganz Äg. beauftragt. Noch vor 323 v. Chr. erfolgte eine Verwaltungsreform, in der K. die für die zivile Verwaltung zuständigen Nomarchen (→ *nomárchēs*) durch → Satrapen ersetzte. Er regulierte den Getreide-Export während der großen Hungersnot in Griechenland, was die äg. Lage und Kasse stabilisierte, aber das Andenken K.' bei den Griechen nachhaltig negativ beeinflußte. Zweifel an seiner Treue zu Alexandros, der ihn noch 323 mit dem Bau zweier Tempel für Hephaistion [1] beauftragte, sind nicht begründet. Als nach dem Tod Alexandros' → Ptolemaios zum neuen Satrapen Ägyptens bestimmt wurde, ordnete sich K. ihm als Hyparch (→ *hyparchía*) problemlos unter. Der Grund seiner (wohl baldigen) Hinrichtung durch Ptolemaios ist unbekannt.

Berve, Nr. 431 · Hölbl, 282 A. 12.   W. A.

[8] Angesehener Syrakusaner, von → Verres 72 v. Chr. mit dem Oberbefehl einer Flotte gegen die Seeräuber betraut. Verres bestrafte ihn (anders als die K. unterstellten Schiffskapitäne) trotz seiner Mißerfolge nicht (Cic. Verr. 2,5,82–94; 133–135 u.ö). K.' Frau Nike war angeblich eine Geliebte des Verres.   K. MEI.

[9] Griech. Bildhauername, mehrfach überl. Die Zuweisung der erh. und in Quellen gen. Werke an Mitglieder einer Künstlerfamilie ist umstritten. K., Sohn des Apollodoros aus Athen, schuf nach einer nicht original erh. Signatur die Statue der Venus Medici (Florenz, UF), Kopie des frühen 1. Jh. v. Chr. nach einer Variante der Knidischen Aphrodite. K., Sohn des Kleomenes, signierte die Statue des sog. Germanicus (Paris, LV), bei der ein klass. Hermes-Typus (Ludovisi) mit einem frühaugusteischen Porträt verbunden ist; er kann Sohn des älteren K. sein. Die Verteilung der weiteren Werke ist unsicher: Das Frg. einer kolossalen Apollon-Statue in Piacenza mit Signatur des K. aus Athen sowie ein Altar mit Iphigeneia-Mythos (Florenz, UF) mit Signatur eines K. werden in die 2. H. des 1. Jh. v. Chr. datiert. In der Slg. des Asinius Pollio in Rom befanden sich Musenstatuen eines K., der vielleicht mit dem Athener K. einer Signatur in Thespiai identisch ist.

Overbeck Nr. 2226 · Loewy Nr. 344; 380; 513 · G. Lippold, Kopien und Umbildungen griech. Statuen, 1923, 180 · A. Plassart, Inscriptions de Thespies, in: BCH 50, 1926, 456 · W. Fuchs, Die Vorbilder der neuattischen Reliefs, 1959, 134 (Altar) · G. Mansuelli, EAA 4, 369–371 · A. Stewart, Attika, 1979, 85–86; 168 · H. Froning, Marmor-Schmuckreliefs mit griech. Mythen im 1. Jh. v. Chr., 1981, 132–140 (Altar) · W. Neumer-Pfau, Stud. zur Ikonographie und gesellschaftlichen Funktion hell. Aphrodite-Statuen, 1982, 183–191 (Aphrodite) · C. Maderna, Iuppiter, Diomedes und Merkur als Vorbilder für röm. Bildnisstatuen, 1988, 223–225 (Germanicus) · B. S. Ridgway, Hellenistic Sculpture, 1, 1990, 354 · P. Moreno, Scultura ellenistica, 1994, 733 · F. Rebecchi, Sculture di tradizione colta nella Cisalpina repubblicana, in: Optima via, 1998, 189–206.   R. N.

Kleon (Κλέων).

[1] Einflußreichster Politiker in Athen nach 430 v. Chr., war als Betreiber einer Gerberei der erste bedeutende Demagoge aus dem zur polit. Führung aufsteigenden Kreis von Gewerbetreibenden. Die Quellen zeichnen das Bild eines Mannes, der seine Loyalität zum Volk (*dḗmos*) höher stellte als die zu seinen Freunden, die beim Volk vorherrschenden Stimmungen geschickt ausnutzte und sich durch in Aussicht gestellte materielle Gewinne Anhängerschaft beim Volk verschaffte. K. trat am Anf. des Peloponnes. Krieges gegen → Perikles auf (Plut. Perikles 33,8; 35,5), sprach sich 427 nach der Niederwerfung des Abfalls von → Mytilene für die Tötung bzw. Versklavung aller Bewohner aus (Thuk. 3,36–40; Diod. 12,55,8 f.) und agierte anschließend als schärfster Gegner der Friedenspolitik des → Nikias. So vereitelte K. 425 nach der Besetzung von Pylos die Waffenstillstandsverhandlungen und konnte sich als Sieger von Sphakteria feiern lassen (Thuk. 4,21 f.; 27–39). Sein Versuch, die Reiter (*hippeis*) finanziell stärker zu belasten, führte 426 zu einer Anklage wegen Bestechung (*probolḗ*); K. wurde zur Zahlung von 5 Talenten gezwungen. Er erwirkte eine bedeutende Erhöhung der Tribute der Bundesgenossen (von 460 auf 1460 Talente) und erhöhte die Diäten der Geschworenen von zwei auf drei Obolen. 423 beantragte K., das von Athen abgefallene Skione zu zerstören und dessen Bürger hinzurichten (Thuk. 4,122,6). Als *stratēgós* nahm er 422 Torone ein (Thuk. 5,2 f.), fiel aber im selben Jahr bei Amphipolis im Kampf gegen → Brasidas. Der Tod der beiden Generale ermöglichte den Frieden des Nikias (Thuk. 5,6–10; 5,16,1; Diod. 12,74). In den Komödien, bes. den ›Rittern‹ des Aristophanes, ist K. als Schmeichler und Verführer des Volkes karikiert. Einseitig ist auch die Darstellung des Thukydides, der K. für seine Verbannung verantwortlich gemacht haben könnte.
→ Peloponnesischer Krieg

F. Bourriot, La famille et le milieu social de Cléon, in: Historia 31, 1982, 404–435 · E. M. Carawan, The Five Talents Cleon Coughed up, in: CQ 40, 1990, 137–147 · W. R. Connor, The New Politicians of Fifth-Century Athens, 1971 (Rez.: J. K. Davies, in: Gnomon 47, 1975, 374–378) · B. Smarczyk, Unt. zur Rel.-Politik und polit. Propaganda Athens im Delisch-Att. Seebund, 1990.   W. S.

[2] Bronzebildner aus Sikyon, Schüler des Antiphanes. Laut Pausanias schuf K. in Olympia eine Aphroditestatue sowie zwei der frühesten *Zánes*, bronzene Zeusstatuen aus Strafgeldern der Athleten. Davon ist eine der Basen von 388 v. Chr. mit seiner Signatur erh. Nach Ausweis weiterer sechs erh. Basen fertigte K. in Delphi und Olympia Siegerstatuen, die bis in die Mitte des 4. Jh. v. Chr. datiert werden können. Plinius nennt K. als Polykletschüler der 3. Generation. Bekannt ist vom Werk des K. nur das Standmotiv seiner Statuen. Plinius schreibt ihm Philosophenstatuen zu.

Overbeck Nr. 985; 1007–1013 · J. Marcadé, Recueil des signatures de sculpteurs grecs, 1, 1953, 60 f. · D. Arnold, Die Polykletnachfolge, 1969, 204–206.   R. N.

[3] Von ca. 262–249 v. Chr. durch etwa 50 Papyri [1] als königlicher Architekt für die Arsinoitis und angrenzende Gebiete belegt. K. war für alle staatlichen Bauten, v. a. aber für die Kanal- und Bewässerungsarbeiten nach der Absenkung des Moiris-Sees zuständig. K. stand zuerst hoch in königlicher Gunst, schied dann aber nach einem königlichen Besuch in der Arsinoitis in Ungnade aus dem Amt.

1 J. P. Mahaffy, J. G. Smyly (Hrsg.), The Flinders Petrie Papyri, 1905.

N. Lewis, The Greeks in Ptolemaic Egypt, 1986, 37 ff. · B. Mertens, A Letter to the Architecton Kleon: PPetrie II 4,1+4,9, in: ZPE 59, 1985, 61–66. W. A.

[4] Aus Kilikien, wurde zusammen mit seinem Bruder → Komanos [3] versklavt und nach Sizilien verkauft. Dort sammelte K. 136 v. Chr. eine Sklavenbande und nahm Akragas ein. Danach schloß er sich dem → Eunus an und fiel 132 vor Enna im 1. Sizil. Sklavenkrieg gegen die Römer (Diod. 34,2,17; 20 f.; 43; Liv. epit. 56). K. Mei.

[5] Myser, der zuerst 41 v. Chr. Antonius [I 9] gegen die Parther unter Q. → Labienus [I 2], dann (vor 31 v. Chr.) den jungen Caesar (→ Augustus) gegen Antonius unterstützte. K. verdiente sich so zuerst den Tempelstaat des Zeus von → Abrettene, dann den noch reicheren der Mâ von → Komana Pontika. Sein Heimatdorf Gordiu Kome benannte K. aus Dankbarkeit gegenüber dem jungen Caesar in → Iuliupolis um (Strab. 12,8,8 f.). Die Identität des K. mit Medeios (Cass. Dio 51,2,3) ist denkbar (zuletzt [1. 53 Anm. 372]).

1 C. Marek, Stadt, Ära und Territorium in Pontus-Bithynia und Nord-Galatia, 1993. · L. Boffo, I re ellenistici e i centri religiosi dell' Asia Minore, 1985, 47 f. E. O.

[6] K. von Kurion (Kypros). Verf. von *Argonautiká* (vgl. aber [4]) in mehreren B., wahrscheinlich in Versen, die in drei Scholien zum 1. B. des → Apollonios [2] Rhodios zitiert werden. Möglicherweise identisch mit dem elegischen Dichter, dessen zwei Verse das Etym. m. 389,25–28 zitiert. Auch könnte sich evtl. ein Vergleich (*sýnkrisis*) zw. den *Argonautiká* des Apollonios und einem themengleichen Werk samt literaturkritischen (zur Ökonomie der Erzählung) und mythographischen Erwägungen in einem Pap. des 2. Jh. v. Chr. (PMichigan inv. 1316ᵛ = SH 339 A; *ed. princeps* und Komm. [2]) auf K. beziehen.

1 SH 339; 339 A 2 J. S. Rusten, Dionysius Scytobrachion, 1982, 53–64 3 W. Weinberger, s. v. K. (9), RE 11, 719 4 U. v. Wilamowitz-Moellendorff, Hell. Dichtung, 1924, 189, 231. S. FO./Ü: T. H.

[7] Durch zwei Signaturen bekannter Steinschneider (→ Steinschneidekunst) der Kaiserzeit (Schüler des → Solon?): Sardonyx-Frg. mit Amazonenkopf (Wiesbaden) und Gemme mit Apollon (Material und Aufbewahrungsort unbekannt).

Zazoff, AG, 320, Anm. 91, Taf. 93.8,9. S. Mi.

Kleonai (Κλεωναί).

[1] Stadt im Bergland südwestl. von → Korinthos am Schnittpunkt der Straßen von Korinthos südwärts auf die Peloponnesos. Stadtmauer und geringe Gebäudereste auf einem Hügel 4 km nordwestl. von Hagios Vasilios. Im Süden außerhalb von K. befindet sich ein kleiner dor. Tempel wohl des Herakles (Diod. 4,33,3). K. ist schon bei Hom. Il. 2,570 gen. Ein Teil der Bevölkerung soll bei der dor. Wanderung nach → Klazomenai ausgewandert sein (Paus. 7,3,9). Zu K. gehörte → Nemea und damit die Leitung der Nemeischen Spiele (Pind. N. 10,79; Plut. Aratos 28,3). Anf. 5. Jh. v. Chr. war K. auf seiten von Argos und daher auch nicht an den Perserkriegen beteiligt. Nach der Zerstörung von Mykenai bald nach 479 erhielt K. einen Teil des Gebiets und der Bevölkerung dieser Stadt (Strab. 8,6,19; Paus. 7,25,6), war aber bald darauf von Argos abhängig. Aratos [2] brachte K. zum Anschluß an den Achaiischen Bund (Plut. Aratos 28). Im 3. Jh. n. Chr. prägte K. wieder eigene Mz., war daher selbständig. Belegstellen: Pind. O. 10,37 mit schol.; Plin. nat. 4,12,20; 36,14; Paus. 2,15,1; Ptol. 3,16,20. Inschr.: IG IV 489–491. Mz.: HN 418, 440 f.

C. Blegen, Zygouries, 1928 · P. N. Doukellis, L. G. Mendoni (Hrsg.), Structures rurales et sociétés antiques, 1994, 351–358 · G. Roux, Pausanias en Corinthie, 1958, 171 f. · M. Sakellariou, N. Pharaklas, Κορινθία καὶ Κλεωναία (Ancient Greek Cities 3), 1971. Y. L.

[2] Ostphokische Ortschaft, 4 km nördl. von → Hyampolis, Schauplatz des phokischen Befreiungskampfes unter Daïphantos gegen die thessal. Infanterie und Kavallerie einige Zeit vor den Perserkriegen (Ende 6. Jh. v. Chr.), an den man sich als die »phokaiische Verzweiflung« (Φωκικὴ ἀπόνοια) erinnerte (vgl. Plut. mulierum virtutes 244b-d; Pol. 16,32,1–4; Hdt. 8,27f.; Paus. 10,1,6 f.)

F. Bölte s. v. K. (3), RE 11, 728 · P. Ellinger, La légende nationale phocidienne, 1993 · F. Schober, Phokis, 1924, 33. G. D. R./Ü: J. W. M.

Kleoneides (Κλεονείδης). Verm. der Verf. einer Εἰσαγωγὴ ἁρμονική/*Eisagōgē harmonikē* (›Einführung in die Harmonik‹) in aristoxenischer Trad. (→ Aristoxenos [1]), vielleicht 2. Jh. n. Chr. Der Stoff der Harmonik – Ton, Intervall, Tongeschlecht, System, Tonart (τόνος/*tónos*), Metabole, Melopoiia – ist in Untergliederungen, Definitionen und Beispielen übersichtlich dargestellt, die Tonnamen (3 f.) in umständlichen Listen. Intervalle (5) sind nach fünf, Tonsysteme (8) nach sieben Kategorien differenziert, dazu kommen vollständige Listen der Quart-, Quint- und Oktavgattungen, letztere mit den Tonartnamen ›der Alten‹. K. erwähnt außer den gängigen Tonsystemen auch solche mit Skalenlücken oder mehr als einer *mésē* (einem »Zentralton«) (10 f.). Unter *tónos* führt er die 13 Transpositionsskalen des Aristoxenos auf (12), jedoch ohne Bezug auf die gleichnamigen Oktavgattungen. Die Schlußkapitel enthalten wertvolle Angaben zu Metabole (13) und Melopoiia (14). Eine wichtige Ergänzung der Aristoxenos-Texte.

MSG, 167–207 • M. FUHRMANN, Das systematische Lehrbuch, 1960, 34–40.   D. N.

Kleonymos (Κλεώνυμος).

[1] Athen. Politiker, brachte im J. 426/5 v.Chr. zwei wichtige Anträge ein: der eine betraf → Methone in Thrakien, der andere die Eintreibung der Tribute aus dem → Attisch-Delischen Seebund (IG I³ 61,32–56; 68). Vermutl. war K. in diesem J. Mitglied des Rates. Im J. 415 gehörte er zu den eifrigsten Befürwortern einer Untersuchung der rel. Skandale (→ Hermokopiden-frevel; And. 1,27). Aristophanes verspottet ihn als Schlemmer, Lügner und Feigling (Equ. 1293; 1372; Nub. 353; 674; Vesp. 20; 592; 822).

LGPN II, s.v. Κλεώνυμος (2) • PA 8680.   P.J.R.

[2] Spartiat; erreichte durch Vermittlung seines Lieb-habers Archidamos, Sohn des Agesilaos [2], einen Frei-spruch für seinen Vater Sphodrias nach dessen mißlun-genem Überfall auf den Peiraieus 378 v.Chr.; fiel bei Leuktra 371 (Xen. hell. 5,4,25–32).

[3] Agiade (→ Agiadai), Sohn des Kleomenes [5] II. In der Thronfolge übergangen, unterstützte er 303 v.Chr. als Söldnerführer mit Billigung der spartan. Führung Tarent gegen die Lukaner, die er zum Frieden zwang, unterwarf Metapont und eroberte Korkyra, mußte aber nach Mißerfolgen in It. nach Hellas zurückkehren (Diod. 20,104f.; Liv. 10,2,1–14). K. kämpfte ca. 293 auf seiten der Boioter gegen Demetrios [2] Poliorketes und zog sich nach Anfangserfolgen zurück (Plut. Demetrios 39), eroberte ca. 279 Troizen (Polyain. 2,29), nahm an Operationen gegen Messene und Zarax teil (Paus. 4,28,3; 3,24,1f.). Nach Verfehlungen seiner Frau Chi-lonis verließ K. Sparta und schloß sich → Pyrrhos an (Plut. Pyrrhos 26,14–27,10). K. war ein tüchtiger Trup-penführer, galt aber als despotisch [1. 30, 32–34, 44].

1 P.CARTLEDGE, A. SPAWFORTH, Hellenistic Sparta, 1989.
K.-W. WEL.

[4] Tyrann von Phleius. Mit den Tyrannen von Argos und Hermione legte er 229/8 v.Chr. auf Betreiben des Aratos [2] (Plut. Aratos 34f.) die Herrschaft nieder, um seine Stadt dem Achaiischen Bund anzuschließen (Pol. 2,44,6).
→ Tyrannis

H. BERVE, Die Tyrannis bei den Griechen, 1967, 400, 712.
J.CO.

Kleopatra (Κλεοπάτρα, lat. Cleopatra).
I. MYTHOLOGIE
II. HISTORISCHE PERSONEN

I. MYTHOLOGIE

[I 1] Tochter des → Boreas und der → Oreithyia, erste Gattin des → Phineus. Wegen → Idaia [3], die Phineus als zweite Frau heiratet, wird K. verstoßen; ihre Söhne werden geblendet (Apollod. 3,200; Hyg. fab. 18).

[I 2] Tochter des → Idas und der → Marpessa, Gattin des → Meleagros. Nach dem Raub durch Apollon wird sie wegen der Klage ihrer Mutter auch »Alkyone« genannt (Hom. Il. 9,556ff.) [1; 2]. In der Meleagros-Episode, in der sie ihn überredet, seinen Zorn beiseite zu lassen und wieder in den Kampf einzutreten, erfüllt sie dieselbe Funktion wie Patroklos in der Achilles-Geschichte. Nach dem Tod des Meleagros begeht sie Selbstmord (Apollod. 1,8,3; Hyg. fab. 174,7).

[I 3] Tochter des dem Troia-Gebiet namengebenden Königs → Tros und der → Kallirhoe [3]. Ihre Brüder sind → Ilos [1], Assarakos und → Ganymedes [1] (Apol-lod. 3,140).

[I 4] K. und Periboia sind die ersten durch das Los er-wählten menschlichen Opfer, die die Lokrer wegen der Frevel des → Aias [2] zur Versöhnung Athenas jedes Jahr nach Troia senden müssen. Dort leben sie als Dienerin-nen in einem Tempel (Apollod. epit. 6,20).

1 M.M. WILLOCK, The Ilias of Homer, 1978, 282
2 J. GRIFFIN, Homer. Iliad 9, 1995, 138.   FR. P.

II. HISTORISCHE PERSONEN
Die letzte Königin von Ägypten s. K. [II 12]

[II 1] Gattin des → Perdikkas und seit 413 v.Chr. dessen Nachfolgers Archelaos' [1], der K.s Sohn aus der ersten Ehe angeblich ermordete (Plat. Gorg. 471c). Ihm gebar sie einen Sohn, Orestes, der 399 minderjährig sein Nachfolger wurde, und wahrscheinlich zwei Töchter (Aristot. pol. 5,1311b).

[II 2] Nichte des Attalos [1], von → Philippos II. aus Liebe geheiratet (so Satyros bei Athen. 13,557d, FGH III 161; vgl. Plut. Alexandros 9). Bei dem Hochzeitsmahl kam es zu einem Streit zwischen Attalos und den Kron-prinzen Alexandros [4], der eine Umwälzung am Hof Philippos' II. zur Folge hatte: Der König verstieß → Olympias, die zu ihrem Bruder Alexandros [6] floh, verbannte den Prinzen und wandte sich anscheinend mehr seinem Neffen Amyntas [4] zu. Auf Anraten von Demaratos [4] zurückgerufen, fühlte Alexandros sich jetzt bedroht, was zur → Pixodaros-Affäre und zur Ver-bannung seiner Freunde führte. Nach Philippos' Er-mordung 336 v.Chr. kehrte Olympias zurück, tötete K.s neugeborene Tochter und zwang K. zum Selbst-mord. Alexandros, der das offiziell bedauerte (Plut. Alexandros 10,7), rottete ihre Familie aus (Iust. 11,5,1).

BERVE 2, Nr. 434.

[II 3] Tochter von → Philippos II. und → Olympias; jüngere Schwester von Alexandros [4], mit dem sie bis zu seinem Tod in Verbindung blieb. Nach Olympias' Flucht zu Alexandros [6] blieb K. bei dem Vater, der sie 336 v.Chr. mit diesem Alexandros [6] verheiratete, um Olympias' Einfluß auf diesen zu untergraben. K. gebar ihm eine Tochter und einen Sohn, Neoptolemos, für den sie während des italischen Feldzugs Alexandros' [6] die Regierung führte. Nach dessen Tod (331/30) wurde K. von Olympias vertrieben und lebte als Witwe mit ihren Kindern in Pella. Nach dem Tod des Bruders Alexandros [4] (323) bot K. angeblich → Leonnatos ihre Hand an (Plut. Eumenes 3,5), der aber 322 bei Lamia (→ Lamischer Krieg) fiel. K. ging dann nach Sardeis und hoffte, → Perdikkas heiraten zu können. Dieser zog aber eine Verbindung mit → Antipatros [1] durch dessen Tochter → Nikaia vor. Als sich Antipatros mit → Antigonos [1], der Perdikkas bei ihm anschwärzte, gegen ihn verbündete, warb Perdikkas doch um K. (Arr. Fr. FGrH 156 F 9, 26). Nach seiner Ermordung (320) unterstützte K. Eumenes [1], versöhnte sich aber bald mit Antipatros (Arr. a.O. F 10,8,40). K. lebte weiter in Sardeis, von mehreren der → Diadochen umworben, doch von Antigonos interniert. Als sie 308 versuchte, zu → Ptolemaios zu fliehen, wurde sie nach Sardeis zurückgebracht und ermordet. Um – wohl gerechtfertigtem – Verdacht zu entgehen, bestrafte Antigonos die Täterinnen und gewährte K. eine königliche Bestattung (Diod. 20,37).

BERVE 2, Nr. 433 · J. SEIBERT, Histor. Beiträge zu den dynast. Verbindungen in hell. Zeit, 1967, S 11–24.   E.B.

[II 4] K. I. Geb. ca. 204 v. Chr., Tochter Antiochos' [5] III. und der Laodike [II 6], Gattin Ptolemaios' V. Die Verlobung war im Sommer 196 beschlossen (Pol. 18,51,10) und wurde beim Frieden von 195 besiegelt; die Heirat fand im Winter 194/193 in → Raphia statt (Liv. 35,13,4; App. Syr. 5,18; Zon. 9,18). Über eine Mitgift ist nichts bekannt, territoriale Zugeständnisse des Antiochos [5] sind nicht zu erwarten, auch wenn die ptolem. Propaganda später aus dieser Hochzeit einen Anspruch auf → Koile Syria ableitete (Pol. 28,20,6–10; Ios. ant. Iud. 12,154f.). In Alexandreia wurde K. als hē Sýra (»die Syrerin«, App. Syr. 5,18) bezeichnet, eher ablehnend als liebevoll. Nach 186 wurden ihre Kinder, Ptolemaios (VI.), K. [II 5] II. und Ptolemaios (VIII.), geb. Die Priestersynode von Memphis übertrug 185/184 auf K. die Ehren, die schon 196 für Ptolemaios V. beschlossen worden waren [1. 198ff.]; Ptolemaios und K. wurden als theoí epiphaneís (→ epiphanḗs) verehrt. Nach dem Tod Ptolemaios' V. (kurz nach dem Mai 180) regierte K. als Vormund ihres Sohnes Ptolemaios' VI. Vorbereitungen zu einem syr. Krieg wurden eingestellt. Als erste Königin hatte sie Münzrecht und wird in Urkunden vor ihrem Sohn genannt. 178/177 wurde in → Ptolemais eine Priesterschaft der K. und ihres Sohnes eingerichtet. K. starb zw. dem 8. 4. und 17. 5. 176; 165/164 wurde in Ptolemais eine Priesterin Kleopátras tēs mētrós theás epiphanús bestellt (seit Herbst 139 als Priesterin »Kleopatras, der Mutter«, Kleopátras tēs mētrós). PP VI 14515.
→ Ägypten H.; Ptolemaier

1 K. SETHE (Ed.), Hieroglyphische Urkunden der griech.-röm. Zeit, Bd. 2, 1904.

PP VI 14515 · M. HOLLEAUX, Études d'épigraphie et d'histoire grecque, 3, 1968, 339ff. · W. OTTO, Zur Gesch. der Zeit des 6. Ptolemäers, in: SBAW 11, 1934, 1ff. · G. RICHTER/R. SMITH, The Portraits of the Greeks, 1984, 234 · F. WALBANK, A Historical Commentary on Polybius,

Bd. 2, 1967, 623; Bd. 3, 1979, 17; 356 · J. WHITEHORNE, Cleopatras, 1994, 80ff.

[II 5] K. II. Kurz nach 190 v. Chr. als Tochter Ptolemaios' V. und K.s [II 4] I. geb., wurde sie nach dem Tod ihrer Mutter bereits als basílissa (»Königin«) tituliert (IPhilae 11) und heiratete vor dem 15. 4. 175 ihren Bruder Ptolemaios VI.; beide wurden als theoí philomḗtores (→ philomḗtōr) verehrt. K. war Mutter des Ptolemaios Eupator (geb. 15. 10. 165?), der K. [II 14] Thea, der K. [II 6] III. und eines weiteren Ptolemaios (nach [1] war Ptolemaios IX. Soter II. ihr ca. 142 geb. Sohn, s. aber [2]). Seit Sept. 170 war auch Ptolemaios VIII. offiziell an der Herrschaft beteiligt. Die Samtherrschaft brach erst zw. Okt. und Dez. 164 (die Revolte des → Dionysios [6] Petosarapis war überstanden); 164/163 herrschte Ptolemaios VIII. allein, jedoch seit dem Aug. 163 werden K. und Ptolemaios VI. wieder als theoí epiphaneís (→ epiphanḗs) verehrt und in den Datierungen zusammen genannt ([3. 160]: »offizielle Gemeinschaftsregierung«). Ptolemaios VI. starb im Juli 145, und vor dem 13. 8. 145 regierte Ptolemaios VIII., neben der K. immer noch in den Datierungen genannt wird; beide werden als theoí euergétai (→ euergétēs) verehrt. 144 wurde der Sohn Ptolemaios Memphites geb.; K. ist jetzt theá euergétis, scheint aber in den Augen ihres Bruders eine Gefahr dargestellt zu haben: Er heiratete zw. Mai 141 und Jan. 140 K. [II 6] III. Nach anfänglichen Problemen wurden die Verhältnisse Anf. 139 in der Titulatur klar: K. ist adelphḗ (»Schwester«), K. III. gynḗ (»Ehefrau«).

Anf. Nov. 132 (PLond. 10384) begann der Bürgerkrieg zwischen K. und Ptolemaios VIII.; der Anlaß ist unklar. Ptolemaios VIII. wurde E. 131 nach Zypern (→ Kypros) vertrieben, und K. proklamierte sich als theá philomḗtōr sōteíra (»Retterin«) und begann mit der für eine Frau ungewöhnlichen Zählung ihrer Regierungsjahre ab »Jahr 1«. Ptolemaios VIII. kam im Frühj. 130 zurück; K. floh bereits 129 zu ihrem Schwiegersohn Demetrios [8] II. nach Syrien. 124 wurde aus unbekanntem Grund die Samtherrschaft wieder installiert, aber Äg. war erst ab 118/117 wieder unter Kontrolle. Nach dem Tod Ptolemaios' VIII. am 28. 6. 116 setzte K. vielleicht die Herrschaftsbeteiligung Ptolemaios' IX. durch. Die Samtherrschaft mit Ptolemaios IX. und K. [II 6] III. wird am 29(?). 10. 116 erwähnt (PRyl. 3, 20). (Sie soll von 116–107 mit Ptolemaios IX. auf dem Thron gewesen sein [1]; s. aber [4. 19]).

1 S. CAUVILLE, D. DEVAUCHELLE, in: Revue d'Égyptologie 35, 1984, 31ff. 2 L. MOOREN, The Wives and Children of Ptolemy VIII Euergetes II, in: Proc. XVIII Congr. of Papyrology, Bd. 2, 1988, 435–444 3 HÖLBL, 128ff.; 157ff. 4 E. VAN'T DACK u.a., The Judaean-Syrian-Egyptian Conflict of 103–101 B.C., 1989 5 W. OTTO, H. BENGTSON, Zur Gesch. des Niedergangs des Ptolemäerreiches, in: SBAW 17, 1938 6 J. WHITEHORNE, Cleopatras, 1994 7 E. BRUNELLE, Die Bildnisse der Ptolemäerinnen, 1976, 63ff.; 75ff.

[II 6] K. III. Geb. ca. 160 v. Chr. als Tochter Ptolemaios' VI. und K.s [II 5] II. (zu den Ereignissen bis 116 s.

K. [II 5]), wurde K. noch vor dem 15. 12. 146 Priesterin in Ptolemais; zw. Mai 141 und Jan. 140 heiratete Ptolemaios VIII. sie, da er in ihr eine dynast. Alternative zu K. II. sah. K. war Mutter von Ptolemaios IX. (geb. 140/139), Ptolemaios X., K. [II 15] Tryphaina, K. [II 7] IV. und K. [II 8] V. Selene (geb. 140/135). Seit 138/137 war sie *theá euergétis* anstelle ihrer Mutter, in der Bürgerkriegssituation von 131 wurde sie durch einen Priester (!) erhöht, der den Titel *hierós pólos Ísidos megálēs mētrós theōn* (»heiliger Priester der großen Isis, der Göttermutter«) führte, was sie den äg. Untertanen empfehlen sollte. K. blieb wohl bis 127 in Zypern.

Nach dem Tod Ptolemaios' VIII. durfte K. angeblich aussuchen, mit welchem Sohn sie herrschen wollte; gegen ihren Willen zwangen die Alexandriner sie noch 116 dazu, mit Ptolemaios IX. Soter II. und nicht mit Ptolemaios X. Alexandros zu regieren. Von 116 an wurde K. in allen Titulaturen vor ihren Söhnen genannt. Die rel. Überhöhung wurde fortgeführt: 116 gab es einen neuen Kult mit *stephanēphóros*, *phōsphóros* und einer Priesterin: K. wurde an → Isis angeglichen und erhob den Anspruch einer dem Pharao gleichen Sieghaftigkeit: Sie ist *theá philomḗtōr sōteíra Nikēphóros* (»Siegbringerin«) *Dikaiosýnē* (»Gerechtigkeit«). Es gab viele innere Auseinandersetzungen: Bereits 112 wurde Ptolemaios IX. kurzfristig aus dem eponymen Priesteramt verdrängt (OGIS 739), im Okt. 110 (durch einen neuen Kult gerechtfertigt) und März 108 (SEG 9,5) wurde Ptolemaios IX. kurze Zeit durch Ptolemaios X. verdrängt. Von Okt. 107 an regierte K. endgültig mit Ptolemaios X., während Ptolemaios IX. nach Zypern geflohen war. K. verdrängte 105/104 Ptolemaios X. als Priesterin des Alexanderkultes [1]; die anderen eponymen Priesterschaften hatte sie mit eigenen Anhängern besetzt; wieder wurde sie mit → *Maat*, Gerechtigkeit und Ordnung, gleichgesetzt.

Im Frühsommer 103 versuchte Ptolemaios IX., einen jüd.-seleukid. Konflikt in Palästina für seine Zwecke auszunutzen und auf dem Landweg nach Äg. zurückzukehren. K. kam ihm mit einer Invasion Palaestinas zuvor, die zwar keinen Landgewinn brachte, aber Ptolemaios IX. von Äg. fernhielt. K. wurde zw. dem 14. und 26. 10. 101 von Ptolemaios X. umgebracht.

1 B. KRAMER, R. HÜBNER (Hrsg.), Kölner Papyri, 1976, Bd. 2, 81.

E. BRUNELLE, Die Bildnisse der Ptolemäerinnen, 1976, 66f., 75ff. • E. VAN'T DACK u.a., The Judaean-Syrian-Egyptian Conflict of 103–101 B.C., 1989 • HÖLBL, 172ff., 260ff. • W. OTTO, H. BENGTSON, Zur Gesch. des Niedergangs des Ptolemäerreiches, in: SBAW 17, 1938 • J. WHITEHORNE, Cleopatras, 1994 • Ders., A Reassessment of Cleopatra III's Syrian Campaign, in: Chronique d'Égypte 70, 1995, 197–205.

[II 7] K. IV. Geb. ca. 140/135 v. Chr. als Tochter Ptolemaios' VIII. und K.s [II 6] III., Gattin Ptolemaios' IX., Mutter K.s [II 9] Berenikes III. K. ging wohl mit Ptolemaios IX. nach Zypern, wo sie im Sommer 116 blieb, als ihr Gatte nach Alexandreia zurückkehrte. K. wurde auf Befehl ihrer Mutter vor dem März 115 von ihrem Gatten verstoßen, sammelte ein Heer auf Zypern und zog nach Syrien. Dort bot sie ihr Heer Antiochos [11] IX. an, mit dem sie von 115–112 verheiratet war. Nach einer Niederlage wurde sie 112 auf Befehl ihrer Schwester K. [II 15] Tryphaina von Antiochos [10] VIII. getötet. PP VI 14519.

PP VI 14519 • T.B. MITFORD, Helenos, in: JHS 79, 1959, 115ff. • W. OTTO, H. BENGTSON, Zur Gesch. des Niedergangs des Ptolemäerreiches, in: SBAW 17, 1938, 146ff.

[II 8] K. V. Selene. K. wurde ca. 140/135 v. Chr. als Selene geboren, war eine Tochter Ptolemaios' VIII. und K.s [II 6] III. Sie wurde vor dem April 115 von ihrer Mutter mit ihrem Bruder Ptolemaios IX. verheiratet, nachdem dieser K. [II 7] IV. hatte verstoßen müssen. Nach der Hochzeit nahm sie den Namen K. an; es gab wenigstens zwei Kinder. K. erhielt die königlichen Ehren und war in den Kult der *theoí philomḗtores sōtḗres* (→ *philomḗtōr*, → *sotḗr*) eingeschlossen, wurde aber nur in der kurzen Phase der Vertreibung Ptolemaios' IX. nach Kyrene (spätestens April 108) an der Herrschaft beteiligt, um nach der Rückkehr wieder wie zuvor hinter K. III. zurückzustehen. Als Ptolemaios IX. im Herbst 107 von K. III. zur Flucht nach Zypern gezwungen wurde, blieb K. in Alexandreia.

Weil K. III. die Unterstützung Antiochos' [10] VIII. gegen Ptolemaios IX. suchte, verheiratete sie K. im J. 103 mit dem Seleukiden. Als dieser 96 starb, wurde K. Gattin Antiochos' [11] IX., für den sie eine Legitimation gegen Seleukos VI. darstellte; aus demselben Grund wurde sie von 95–92 (oder 83) Gattin ihres Stiefsohnes, Antiochos' [12] X., und wurde Mutter Antiochos' [14] XIII. und eines weiteren Sohnes. Nach dem Tod Antiochos' X. lebte sie in Kilikien und der syr. Ptolemais und formulierte nach dem Regierungsantritt Ptolemaios XII. Ansprüche auf den äg. Thron für ihre (seleukid.) Söhne; 69 wurde sie vom armen. König → Tigranes gefangengenommen und getötet. PP VI 14520.

PP VI 14520 • W. OTTO, H. BENGTSON, Zur Gesch. des Niedergangs des Ptolemäerreiches, in: SBAW 17, 1938, 174ff. • J. WHITEHORN, Cleopatras, 1994, 164ff.

[II 9] K. Berenike III. Geb. ca. 120 v. Chr., Tochter Ptolemaios' IX. und K.s [II 7] IV., Gattin Ptolemaios' X. (Anf. Okt. 101–Sommer 88), als welche sie den Namen K. angenommen haben wird; beide wurden als *theoí philomḗtores sōtḗres* verehrt. Es gab eine Tochter (FGrH 260 F 2,8). Nach Vertreibung ihres Gatten war K. 88–81 Mitregentin ihres Vaters, der sie wegen ihrer Popularität bei den Alexandrinern heiratete. Nach dessen Tod (ca. Dez. 81) war sie sechs Monate lang als *theá* → *philopátōr* Alleinherrscherin, heiratete dann im J. 80, auf Druck der Alexandriner und von Sulla lanciert, ihren (Stief?)Sohn Ptolemaios XI., der sie nach wenigen Tagen ermordete (Juni 80).

A. BERNAND, Une inscription de Cléopâtre Bérénice III, in: ZPE 89, 1991, 145f. • E. BLOEDOW, Beiträge zur Gesch. Ptolemaios' XII., Diss. Würzburg 1963, 11ff. • E. VAN'T DACK u. a., The Judaean-Syrian-Egyptian Conflict of 103–101 B. C., 1989, 152ff. • J. WHITEHORNE, Cleopatras, 1994, 174ff.

[II 10] K. VI. Tryphaina. Ca. 95 v. Chr. als Tochter Ptolemaios' IX. geb., seit 80/79 Gattin ihres Bruders Ptolemaios' XII.; beide wurden verehrt als *theoí philo-pátores philádelphoi* (→ *philádelphos*). Mutter der Berenike [7] (K. [II 11] als Tochter ist wohl unhistor.). Zw. Aug. 69 und Febr. 68 verschwindet sie (wegen anderer Heirat ihres Bruders?) aus den Datierungen. Nach der Vertreibung Ptolemaios XII. im J. 58 regierte sie kurze Zeit mit Berenike zusammen oder wurde zu deren Legitimierung als Herrscherin genannt (BGU VIII 1762). Die »Samtherrschaft« endete vor dem Juli 57 (BGU VIII 1757; vgl. POxy. 3777), und K. unterstützte jetzt entweder die Rückkehr Ptolemaios' XII. oder wurde von diesem zur Legitimierung genannt (in Edfu im Dez. 57 – lange vor der Rückkehr des Königs, dann v. a. Medinet Habu Graff. 43 vom 4. 1. 55). Sie muß vor Ptolemaios XII. gestorben sein.

E. BRUNELLE, Die Bildnisse der Ptolemäerinnen, 1976, 67f. • L. M. RICKETTS, A Dual Queenship in the Reign of Berenice IV, in: Bulletin of the American Society of Papyrology 27, 1990, 49–60 • J. WHITEHORNE, The Supposed Co-Regency of Cleopatra Tryphaena and Berenice IV (58–55 B. C.), in: B. KRAMER u. a. (Hrsg.), Akten des 21. Internationalen Papyrologenkongresses Berlin 1995 (APF Beiheft 3), 1997, 109ff.

[II 11] K. Tryphaina war nach FGrH 260 F 2,14 eine Tochter Ptolemaios' XII. und K.s [II 10] VI., die 58 v. Chr. nach Vertreibung des Vaters mit ihrer Schwester Berenike [7] regiert haben und 57 gestorben sein soll. Es handelt sich wohl um eine Verwechslung mit K. [II 10], so daß diese K. unhistorisch ist.

W. HUSS, Die Herkunft der Kleopatra Philopator, in: Aegyptus 70, 1990, 191–203 • J. WHITEHORNE, in: APF, Beiheft 3, 1997, 109ff.

[II 12] K. VII., die letzte Ptolemaierkönigin, wurde im Dez. 70/Jan. 69 v. Chr. als Tochter Ptolemaios' XII. und einer Frau, die vielleicht mit den Hohen Priestern von Memphis verwandt war, geb. Aus Gründen dynast. Kontinuität wurde sie bereits 52 von ihrem Vater zur Mitregentin ernannt; nach seinem Tod regierte sie allein als *theá* → *philopátor* [1. 13]; seit spätestens dem 27. 10. 50 [2. 73] ist die Samtherrschaft mit ihrem Bruder Ptolemaios XIII. belegt, die also nicht testamentarisch vorgesehen war. Im Sommer 49 wird Ptolemaios XIII. alleine genannt. K. wurde aus Alexandreia verdrängt und zog sich in die Thebais zurück; schon jetzt wurde kurzfristig ihr zweiter Bruder, Ptolemaios XIV., als Mit-König genannt [3. 57], während Rom Ptolemaios XIII. als alleinigen König anerkannte. K. wurde Anf. 48 aus Äg. vertrieben und sammelte arab. Truppen.

→ Caesar forderte 48 in Alexandreia beide Parteien auf, ihre Truppen zu entlassen, was die schwächere K. sofort tat: Caesar wollte die nicht durchsetzbare Rückkehr zur Samtherrschaft. In den folgenden Kämpfen fiel Ptolemaios XIII., und Caesar machte im Frühj. 47 K. zur einzigen Königin; am 23. 6. 47 kam der (angeblich) gemeinsame Sohn Ptolemaios XV. Kaisar (»Kaisarion«/»Caesarion« gen.) zur Welt. Erst von 46–44 wurde Ptolemaios XIV. in den Titulaturen neben ihr genannt (er war 48 von Caesar mit Arsinoë [II 6] IV. als König Zyperns eingesetzt worden). Beide regierten als *theoí philopátores philádelphoi* (→ *philopátōr*; → *philádelphos*), und K. betonte die Nähe zu → Isis – allerdings standen nun röm. Legionen im Land. Mitte 46 traf K. in Rom ein, um ein Bündnis auszuhandeln: Die Könige werden zu *reges socii et amici* (»verbündeten Königen und Freunden«). Erst kurz nach der Ermordung Caesars kehrte das Paar nach Äg. zurück, wo Ptolemaios XIV. bald ermordet wurde. Seit Mitte 44 war Ptolemaios XV. Kaisar Mitregent, aber K. wird in allen Titulaturen vor dem Sohn genannt; seit Mitte 43 kontrollierte K. auch Zypern und versuchte, mit einer Flotte den Caesarianern zu helfen.

41 wurde K. wegen ihrer Haltung im röm. Bürgerkrieg nach Tarsos vorgeladen, wo die berühmte Verbindung mit M. → Antonius [I 9] entstand. Antonius brauchte Äg. gegen die Parther und machte K. große territoriale Zugeständnisse: Sie erhielt spätestens im J. 38 Teile Kilikiens, 37/36 das Fürstentum Chalkis, dann Phoinikien, Teile Iudaeas und Arabiens, ferner Land auf Kreta und Kyrene. Von röm. Seite war das eine Fortführung der Klientelstaatspolitik, eine gegenseitige Durchdringung von röm. Verwaltung und ptolem. Herrschaft, während K. die nominelle Herrschaft und sichere Einnahmen sah. Wegen ihres Machtzuwachses begann K. 37/36 eine neue Ära. Als Antonius den Sieg über Armenien feierte, wurde ein oriental. Großreich (ohne tatsächliche Konsequenzen) ausgerufen. K. wurde zur »Königin der Könige« und »neuen Isis«, während Ptolemaios XV. und K.s Kinder von Antonius (die Zwillinge Alexandros [19] Helios und K. [II 13] Selene, geb. 39, und Ptolemaios Philadelphos, geb. E. 36) andere Titel erhielten. K. bezahlte einen großen Teil des Heeres, mit dem Antonius gegen Octavian (→ Augustus) zog; nach der Schlacht von Actium (2. 9. 31; → Aktion) floh sie nach Alexandreia, begann Tempelvermögen einzuziehen und versuchte in Verhandlungen, die Herrschaft für ihre Kinder zu retten, also die Kontinuität des Ptolemaierreiches zu wahren. Mit ihrem Selbstmord am 12. 8. 30 endete die Ptolemaier-Dyn. und das letzte der großen Diadochen-Reiche, das nun röm. Prov. Äg. wurde. Die Notwendigkeit zur Konzentration auf die Außenpolitik hatte K. genötigt, die innere Verwaltung des Reiches zu vernachlässigen: Ab 44 gab es eine Reihe von schlechten Ernten und Seuchen – die Selbständigkeit der Beamten nahm zu, ohne daß wirkungsvolle Gegenmaßnahmen bekannt wären.

Das Bild der K. in der lat. Lit. wird durch Dichter geprägt, die mehr oder weniger eng mit → Octavianus, dem Sieger von Actium, verbunden waren (z.B. Hor. carm. 1,37; Verg. Aen. 8, 675ff.; Prop. 3,11): Es geht ihnen nicht darum, K.s Versuch, eine auch nur halbwegs eigenständige Politik zu treiben, Gerechtigkeit widerfahren zu lassen, sondern die augusteische Seite darzustellen. K. wird so zu einem Symbol für den Osten, die Verweichlichung, das Unrömische – galt ein Krieg als gegen sie gerichtet, so brauchte man in Rom die Auseinandersetzung mit Antonius nicht als Bürgerkrieg darzustellen. – Zum lit. Nachleben der K.-Figur s. [4] und [5].

1 R. MOND, O.H. MYERS (Hrsg.), The Bucheum, Bd. 2, 1934 **2** M.-TH. LENGER, Corpus des ordonnances des Ptolémées, ²1980 **3** L.M. RICKETTS, A Dual Queenship in the Reign of Berenice IV, in: Bulletin of the American Society of Papyrology 27, 1990, 49–60 **4** L. HUGHES-HALLETT, Cleopatra, 1990 **5** M. HAMER, Signs of Cleopatra, 1993.

E. BRUNELLE, Die Bildnisse der Ptolemäerinnen, 1976, 98ff. · M. CLAUSS, Kleopatra, 1995 · L. CRISCUOLO, La successione a Tolemeo Aulete ed i pretesi matrimoni die Cleopatra VII con i fratelli, in: Dies., G. GERACI (Hrsg.), Egitto e storia antica, 1989, 325ff. · H. HEINEN, Rom und Äg. 51–47 v.Chr., 1966 · HÖLBL, 205ff.; 264ff. · TH. SCHRAPEL, Das Reich der Kleopatra, 1996 · H. VOLKMANN, Kleopatra, 1953. W.A.

[II 13] K. Selene. Tochter von M. → Antonius [I 9] und → K. [II 12] VII., um 40 v.Chr. mit ihrem Zwillingsbruder Alexandros [19] Helios geb. (Plut. Antonius 36,5). 34 erhielt K. von Antonius Kyrene (Cass. Dio 49,41,3). Nach dem Sieg Octavians über Antonius wurde sie wie ihr Bruder unter scharfe Bewachung gestellt und 29 v.Chr. im Triumphzug Octavians mitgeführt (Cass. Dio 51,21,8), dann aber im Hause der → Octavia mit anderen Kindern des Antonius erzogen (Plut. Antonius 87,1f.; Suet. Aug. 17,5). 20 vermählte Augustus K. mit → Iuba [2] II. von Mauretanien (Plut. Antonius 87,2; Cass. Dio 51,15,6; Anth. Pal. 9,235), mit dem sie einen Sohn, Ptolemaios, hatte (Suet. Cal. 26,1; Cass. Dio 59,25,1). Eine Tochter namens Drusilla (Tac. hist. 5,9,3) hat es wohl nicht gegeben [1. 225–227]. Auf Mz. erscheint K. häufig als Isis und wird als Basilissa bezeichnet [2. 199–201]. K.s Todesdatum ist unbekannt [1. 227f.].

1 G.H. MACURDY, Hellenistic Queens, 1932
2 J. WHITEHORNE, Cleopatras, 1994. H.S.

[II 14] K. Thea. K. wurde von ihrem in die seleukid. Thronstreitigkeiten eingreifenden Vater Ptolemaios VI. 150 v.Chr. mit Alexandros [13] Balas und 146 mit Demetrios [8] II. verheiratet. Nach Demetrios' Gefangennahme durch die Parther vermählte K. sich 138 mit dessen Bruder Antiochos [9] VII. und regierte nach dessen Tod im Partherkrieg 129 allein und ab 125 zusammen mit ihrem und Demetrios' Sohn Antiochos [10] VIII. Dieser zwang sie 121 zum Selbstmord (1 Makk 10,51–

58; Ios. ant. Iud. 13,80–82; 109–115; 221f.; App. Syr. 68,360–69,363) [1].

1 A. HOUGHTON, The Double Portrait Coins of Alexander Balas and Cleopatra Thea, in: SNR 67, 1988, 85–95.

[II 15] K. Tryphaina, Tochter des Ptolemaios VIII. und der K. [II 6] III. Sie war seit 124 v.Chr. mit Antiochos [10] VIII. verheiratet. Sie brachte im J. 112 ihre Schwester K. [II 7] IV., Gattin Antiochos' [11] IX., um und wurde von diesem 111 ermordet (Iust. 39,2,3; 3,5ff.).

E. BEVAN, The House of Seleucus, 1902 · G.H. MACURDY, Hellenistic Queens, 1932 · WILL 2, 365; 374ff. A.ME.

[II 16] Tochter Mithradates' VI. von Pontos, seit ca. 95 v.Chr. Gattin Tigranes' VI. von Armenien. K. versuchte im 3. Mithradat. Krieg ohne großen Erfolg, ihren Gatten zur Hilfeleistung gegen → Licinius Lucullus zu veranlassen. Nach der Rückkehr zu ihrem Vater wurde sie 64 von einem Aufstand in Phanagoreia bedroht, aber durch von Mithradates gesandte Schiffe befreit (Iust. 38,3,2; Memnon FGrH 434,29,6; App. Mithr. 104; 108).

J. SEIBERT, Histor. Beiträge zu den dynast. Verbindungen in der hell. Zeit, 1967. M.SCH.

[II 17] Aus Jerusalem stammende Gattin → Herodes [1] d.Gr., Mutter des Tetrarchen → Philippos und des → Herodes [5] (Ios. bell. Iud. 1,562; ant. Iud. 17,21). K.BR.

Kleophantos (Κλεόφαντος).

[1] Sohn des → Themistokles und der Archippe (Plut. Themistokles 32; Plat. Men. 93d-e), wurde in Lampsakos mit Ehrenrechten ausgezeichnet (ATL III,111–3). DAVIES 6669,VI. HA.BE.

[2] Griech. Arzt, wirkte um 270–250 v.Chr., Bruder des → Erasistratos, Schüler des → Chrysippos [3] aus Knidos und Begründer einer Ärzteschule (Gal., 17A 603 K.). Er verfaßte eine Schrift über die ärztliche Verordnung von Wein, die das Vorbild für eine ähnliche Schrift des → Asklepiades [6] von Bithynien (Celsus, De medicina 3,14) abgab und auch von Plinius in den B. 20–27 seiner *Historia naturalis* intensiv genutzt wurde. K.' Abh. über Frauenkrankheiten umfaßte mindestens 11 B. (Soran. 2,17,53), auch wenn seine Erl. zur Dystokie (schwierigen Geburten) nach dem Urteil des Soranos unvollständig waren. Wie sein Lehrer und sein Bruder glaubte K., ein unnatürlich schneller Puls signalisiere Fieber (Erasistratos, fr. 193 GAROFALO).

[3] Griech. Arzt, wirkte im 1. Jh. v.Chr. oder frühen 1. Jh. n.Chr. → Andromachos [4] d.Ä. zit. ihn mit seinen Rezepturen gegen Wassersucht (Gal. 13,262 = 985 K.) und mit einer Salbenzubereitung für den Analbereich (13,310 K.). Neben Antipatros, der um 30 v.Chr. wirkte, zit. man K. als Quelle für eine abweichende Beschreibung des berühmten Antidots des → Mithradates Eupator. Unbewiesen ist, ob K. mit dem gleichnamigen wohlhabenden und angesehenen röm. Arzt des A. Cluentius Habitus aus dem Jahre 74 v. Chr. (Cic. Cluent. 47) identisch ist, der einen Giftanschlag gegen letzteren aufzudecken half.   V.N./Ü: L.v.R.-B.

Kleophon (Κλεοφῶν).

[1] Athenischer Demagoge in der Zeit nach 411 v. Chr., Leiermacher, offenbar nicht sehr vermögend (Lys. 19,48). K. führte 410 die → *diobelía*, eine Unterhaltszahlung an bedürftige Bürger, ein ([Aristot.] Ath. pol. 28,3). Nach Diodor (13,53,2) erwirkte er 410/409, nach [Aristot.] Ath. pol. 34,1 im J. 406/5 die Ablehnung von Friedensverhandlungen mit Sparta, doch könnten dies Dubletten seiner Maßnahmen 405/4 sein, als er im blockierten Athen jeden zum Frieden Ratenden mit einer Kapitalklage bedrohte (Lys. 13,8; Aischin. leg. 76; Tim. 150; Xen. hell. 2,2,15). In Tragödie und Komödie ist er häufiger gen., bei Aristophanes (Ran. 1532) als Kriegstreiber. Unter dem Vorwand der mil. Pflichtverletzung wurde er 404 angeklagt und in unrechtmäßigem Verfahren zum Tode verurteilt (Lys. 13,12; 30,9–14).
→ Peloponnesischer Krieg

RHODES, 354f., 424f.   W.S.

[2] K. aus Athen, 4. Jh. v. Chr.; Suda κ 1730 nennt 10 Tragödientitel (77 T 1 TrGF I), von denen 6 auch unter den Werken des → Iophon [2] (22 T 1) erscheinen. Durch kein Testimonium ist sicher bezeugt, daß K. Trag. verfaßte. Aristoteles (poet. 22,1458a 18; rhet. 3,7,1408a 10) spricht nur allg. von K.s Dichtung bzw. seinem Stil.   B.Z.

Kleophon-Maler. Att.-rf. Vasenmaler (ca. 435–415 v. Chr.). Er ist ein jüngeres Mitglied der Polygnot-Gruppe (→ Polygnotos [2]) und nach einer → Lieblingsinschrift auf einem Stamnos in St. Petersburg benannt. Er bemalte vorwiegend größere → Gefäße wie Lutrophoren, Stamnoi, Peliken, Hydrien und Kratere, aber auch einige kleinere Gefäße. Er war ein talentierter Zeichner, seine besten Arbeiten erinnern an den klass. Ernst des → Parthenonfrieses, dessen direkter Einfluß in einer Prozession zu Ehren Apollons auf einem Volutenkrater in Ferrara erkennbar ist [1]. Seine körperbetonten Figuren haben große Köpfe und charakteristische Augen mit schweren Lidern. Häufige Themen des K.-M. sind schwärmende Zecher, Musikdarbietungen, Opferszenen und Frauengruppen, auf den Rs. oft von Einheitstypen der Mantelmänner begleitet. Einige Szenen, speziell Abschied nehmende Krieger gegenüber einer Frau mit niedergeschlagenen Augen, wiederholen sich. Themen des Mythos sind selten: z.B. Apollon und Marsyas, die Rückführung des Hephaistos und vier Amazonomachien. Sein Schüler, der → Dinos-Maler, setzte seinen Stil in ›süßerer Weise‹ fort (BEAZLEY).

1 J. BOARDMAN, Rf. Vasen aus Athen. Die klass. Zeit, 1989, Abb. 171. • BEAZLEY, ARV², 1143–1151, 1684, 1703, 1707 • G. GUALANDI, Le ceramiche del Pittore di Kleophon rinvenute a Spina, in: ArtAntMod 19, 1962, 227–260;

ArtAntMod 20, 1962, 341–383 • M. HALM-TISSERANT, Le Peintre de Cléophon, 1984 • S. MATHESON, Polygnotos, 1995, 135–147, 406–430.   M.P.

Kleopompos (Κλεόπομπος). Sohn des Kleinias, Athener, führte als *stratēgós* im J. 431/0 v. Chr. eine Flotte von 30 Trieren gegen das opuntische Lokris und eroberte Thronion (Thuk. 2,26; Diod. 12,44,1). Im Jahr darauf befehligte er zusammen mit → Hagnon [1] das zweite Expeditionskorps zur Rückgewinnung Poteidaias (Thuk. 2,58,1 f.).
→ Peloponnesischer Krieg

DEVELIN 1676 • C.W. FORNARA, The Athenian Board of Generals from 501 to 404, 1971, 54f.   HA.BE.

Kleora (Κλεόρα). Spartanerin, Gattin des Agesilaos [2] II., Mutter des Archidamos [2] III. (Xen. hell. 3,4,29; 5,4,25; Plut. Agesilaos 19).   K.-W.WEL.

Kleostratos von Tenedos, Astronom, wohl E. 6. Jh. v. Chr., machte nach Theophr. de signis 4 vom Idagebirge aus seine Beobachtungen. Sein Werk, von dem zwei Hexameter überl. sind, heißt in der *Vita Arati* (Commentariorum in Aratum reliquiae 324,10 MAASS) Φαινόμενα (*Phainómena*) – doch fehlt die Angabe in dem abweichenden Katalog des Achilleus (ibid. 79,2–6) –, bei Athen. 7,278b Ἀστρολογία (*Astrología*; überl. *Gastrologia*). K. soll nach Plin. nat. 2,31 zuerst die Tierkreiszeichen Widder und Schütze und nach Hyg. astr. 2,13 Z. 499 VIRÉ die extrazodiakalen *Haedi* (»Böcklein«) benannt haben. Ferner äußerte er sich zum Frühuntergang des Skorpions und schuf die erste Version einer Oktaeteris (→ Kalender A. 3.). Die Mehrzahl der Fr. überl. der Grammatiker → Parmeniskos.

FR.: DIELS/KRANZ I, 41 f. (dazu: Theophr. de signis 4). LIT.: F. BOLL, Sphaera, 1903, 192 f. • Ders., Ant. Beobachtungen farbiger Sterne, 1916, 70f. • J.K. FOTHERINGHAM, Cleostratus, in: JHS 39, 1919, 164–184 und 45, 1925, 78–83 • W. KROLL, s.v. K., RE suppl. 4,912f.   W.H.

Klepsydra (Κλεψύδρα).

[1] Quelle, aus welcher der nach Arsinoë, der Mutter des Asklepios, benannte Brunnen auf der Agora in Messene gespeist wurde (Paus. 4,31,6; 33,1), entspricht evtl. der Dorfquelle in Mavromati oder einer Quelle unterhalb des Ithome-Gipfels (→ Ithome [1]).

E. MEYER, s.v. Messene, RE Suppl. 15, 142ff. • D. MUSTI, M. TORELLI, Pausania. Guida della Grecia 4, 1991, 252ff.   E.O.

[2] Seit neolith. Zeit wichtigste Quelle der Akropolis von Athen an deren NW-Hang unterhalb des Nordflügels der Propyläen, mehrfach veränderte Quellfassung. Belege: Paus. 1,28,4; Aristoph. Lys. 913 mit schol.; Plut. Antonius 34,1; Hesych. s.v. K.; Phot. s.v. K.; Suda s.v. K.

W. JUDEICH, Die Top. von Athen, ²1931, 191 ff. · TRAVLOS, Athen 323 ff., Abb. 425–434 · R. E. WYCHERLEY, The Stones of Athens, 1978, 177. H. LO.

[3] s. Uhr

Kleros (κλῆρος; dor. κλᾶρος, »Los«, »Landlos«, »Grundstück«, »Landanteil«; etym. wohl abzuleiten von κλάειν, »brechen, teilen«). Verlosung von anbaufähigem Boden bei der Landnahme in der griech. Frühzeit ist nicht nachweisbar [1]. *K.* bezeichnet bereits bei Homer (Il. 15,498; Od. 14,64) sowie Hesiod (erg. 37; 341) übertragbares, nicht durch Los zugefallenes Privateigentum. Die von Aristoteles (fr. 611 ROSE) erwähnte Funktion des *k.* in der archaischen thessal. Aufgebotsordnung wird dort nicht mit einer Verlosung von Grundstücken, sondern mit einer »staatlichen« Konsolidierung in Verbindung gebracht. Auf Kreta war der *k.* kein Kollektivbesitz, sondern Privateigentum [2. 80].

In Sparta war ein *k.* Voraussetzung für das Vollbürgerrecht, konnte aber gegebenenfalls auch zur Versorgung mehrerer Spartiaten (Väter und Söhne bzw. Brüder) dienen. Reine Fiktion ist eine »vorlykurgische« Zuweisung von gleichen Landlosen an alle Spartaner (Plat. leg. 684d-e; Isokr. or. 12,179) und die dem angeblichen Gesetzgeber → Lykurgos zugeschriebene Einteilung Lakoniens in 9000 Spartiaten- und 30000 Perioikenkleroi (Pol. 6,45,3; Plut. Lykurgos 8; Agis 5). Unklar bleibt die als *archaía moíra* (»altes Landlos«) bezeichnete und als unverkäuflich geltende Bodenkategorie in Sparta (Aristot. fr. 611 ROSE; Plut. mor. 238E) [3].

In planmäßig angelegten »Kolonien« (→ *apoikía*; → *klērúchoi*) bestimmter Mutterstädte wurden aber offenbar Bodenanteile durch Auslosung vergeben. Bezeugt ist dies für die Neugründung Korkyra Melaina ca. 385 v. Chr. (Syll.³ 141) sowie für athen. Kleruchien im 5. und 4. Jh. v. Chr.

Hiervon typolog. zu differenzieren sind Landzuweisungen in hell. Reichen an hohe Würdenträger, Günstlinge und Verwandte der Herrscher. Es handelte sich um große Güterkomplexe, in denen ein bestimmter Teil auch als *k.* bezeichnet werden konnte [4; 5. 41–47]. Des weiteren erhielten hell. Militärsiedlungen v. a. im → Seleukiden- und im Lagidenreich (→ Lagos) einen *k.* zur Existenzsicherung [6. 21 f., 34 f.; 7. 284–289].

1 D. HENNIG, Grundbesitz bei Homer und Hesiod, in: Chiron 10, 1980, 35–52 2 ST. LINK, Das griech. Kreta, 1994 3 J. F. LAZENBY, The *archaía moíra*, in: CQ 89, 1995, 87–91 4 W. H. BUCKLER, D. M. ROBINSON, Sardis VII 1, 1932 5 F. PAPAZOGLOU, Laoi et Paroikoi, 1997 6 B. BAR-KOCHVA, The Seleucid Army, 1976 7 M. ROSTOVTZEFF, Hellenistic World, 1.

ST. LINK, Landverteilung und sozialer Frieden, 1991 · M. MEIER, Aristokraten und Damoden, 1998, 58 ff. K.-W. WEL.

Klerotai s. Kleros

Kleruchoi (κληροῦχοι, Inhaber eines → *kléros*, »Landloses«).

I. ATHEN   A. 5. JAHRHUNDERT V. CHR.
B. 4. JAHRHUNDERT V. CHR.

A. 5. JAHRHUNDERT V. CHR.

Abgesehen von der metaphor. Bedeutung bei Sophokles (Soph. Ai. 508: »Schicksalslos habend«) lit. zuerst belegt bei Herodot (5,77,2) zur Bezeichnung von 400 Athenern, die nach dem athen. Sieg über die Chalkidier 506/5 v. Chr. Äcker in Chalkis [1] erhielten. Die Zahl ist wohl übertrieben, läßt sich aber nicht aus Ailianos (var. 6,1) korrigieren, wonach 2000 Athener auf Ländereien der chalkid. → *hippobótai* angesiedelt wurden. Diese *k.* mußten sich 490 vor den Persern nach Oropos zurückziehen (Hdt. 6,100). Ob sie nach der Schlacht bei Marathon nach Chalkis zurückkehrten, ist ungewiß. Unklar bleibt auch, ob sie offiziell als *k.* bezeichnet wurden. Die Ergänzung dieses Begriffs in einem fragmentarisch erh. athen. Volksbeschluß um 500 v. Chr. über die Ansiedlung von Athenern auf der Insel Salamis (IG I³ 1), die nicht in die kleisthen. Demenordnung (→ Kleisthenes [2]) einbezogen war, ist nicht sicher. Offenbar im frühen 5. Jh. sandte Athen nach der von → Miltiades d. J. eroberten Insel Lemnos und wohl auch nach Imbros Kolonisten (Hdt. 6,136,2), die im Verband der kleisthen. Phylen und dementsprechend Bürger Athens blieben (IG I³ 1164; 1165), aber nach Gründung des → Attisch-Delischen Seebundes → *phóroi* (»Tribut«) zu zahlen hatten (IG I³ 261 I, Z. 3) und im Fall eines Aufgebotes als »Lemnier« bezeichnet wurden (Thuk. 3,5,1; 4,28,4). Eine ähnliche Stellung (mit Ausnahme der Tributpflicht) hatten Athener, die auf Skyros nach Eroberung der Insel durch Kimon [2] 475 angesiedelt wurden (Plut. Kimon 8). Ob jene Kolonisten auf Lemnos, Imbros und Skyros offiziell als *k.* galten, bleibt offen. Belegt ist die Bezeichnung *k.* für die nach der Niederwerfung der Erhebung von Mytilene 427 nach Lesbos entsandten Athener, die dort *kléroi* erhielten und vermutlich nach einigen J. nach Athen zurückkehrten (IG I³ 66; Thuk. 3,50,2).

Im späten 5. Jh. wurde zwischen → *apoikía* und *klēruchía* differenziert (IG I³ 237), doch sind die Kriterien hierfür nicht bekannt. Während die Siedler der athen. *apoikía* Brea dauerhaft in dieser Außensiedlung leben sollten (IG I³ 46), bleibt unklar, ob *k.* damals generell nur zeitweise als »Garnison« im Besitz ihrer *kléroi* blieben. Die Bezeichnung athen. Kolonisten perikleischer Zeit auf der Chersonesos, auf Naxos, Thasos und Euboia sowie in Thrakien und Thurioi als *k.* in späten Quellen (Plut. Perikles 11,5; Paus. 1,27,5) ist für die zeitgenöss. Terminologie nicht aussagekräftig. Gewisse Übereinstimmungen der Stellung der *k.* sind für Euboia (Chalkis [1] und Eretria [1]) nach 446 und Mytilene erkennbar [vgl. 1]. Diese erhielten jeweils auf Ländereien der lokalen Oberschichten ihre *kléroi*, während die genannten *póleis* als Gemeinwesen bestehen blieben bzw. restituiert wurden.

Sowohl Apoikien als auch Kleruchien dienten im 5. Jh. zur Sicherung des athen. Machtbereichs und boten ihren Siedlern Chancen des sozialen Aufstiegs. Vielleicht wurde erst relativ spät die in IG I³ 237 angedeutete Differenzierung vorgenommen. Inwiefern hierzu eventuell die kriegsbedingte Ansiedlung von Athenern in Mytilene, Poteidaia, Aigina, Skione und Melos während des → Peloponnes. Krieges beitrug, ist aber nicht auszumachen. Nach der Kapitulation 404 verlor Athen alle Außenbesitzungen bis auf Salamis.

B. 4. JAHRHUNDERT V. CHR.

Im → Königsfrieden 387/6 wurden den Athenern Lemnos, Imbros und Skyros wieder zugesprochen (Xen. hell. 5,1,31). Allen freien Bewohnern dieser Inseln wurde der Status von k. gewährt (IG II² 30). Die bedeutendste neue Kleruchie des 4. Jh. wurde in Samos gegründet, nachdem → Timotheos die Insel 365 erobert hatte (Demosth. or. 15,9; Isokr. or. 15,111; Diod. 18,18,9). In der Folgezeit wurden dort weitere k. angesiedelt, die bis zum → Lamischen Krieg 323/2 im Besitz der Insel blieben (Diod. 18,8,7). Zudem schickte Athen nach Poteidaia 362/1 auf Bitten der Bewohner k. (IG II² 114), die jedoch bereits 356 durch → Philippos II. vertrieben wurden. Auf der Chersonesos wurden k. nach der Eroberung von Sestos durch Chares [1] angesiedelt (Diod. 16,34,3 f.). Die dortigen athen. Positionen wurden 343/2 durch weitere k. verstärkt, gingen aber nach der Schlacht bei → Chaironeia 338 verloren. Im 4. Jh. bildeten die k. generell Sondergemeinden in der athen. Polisgemeinschaft mit eigener → bulḗ und → ekklēsía, erhielten aber ihre wichtigsten Funktionsträger zumeist aus Athen.

Von diesen v. a. für die Sicherung der Kornversorgung strategisch wichtigen Kleruchien ist die Spätform einer athen. Außengemeinde auf Delos zu unterscheiden. Die Insel wurde 167/6 durch den röm. Senat den Athenern zugesprochen und von diesen nach Ausweisung der Einheimischen besiedelt (Pol. 30,20,7; 32,7,2 f.; Syll.³ 657) [2. 247ff.].
→ Apoikia

1 E. ERXLEBEN, Die Kleruchien auf Euböa und Lesbos, in: Klio 57, 1975, 83–100 2 HABICHT.

H. BEISTER, Κληροῦχος, in: E. CH. WELSKOPF (Hrsg.), Soziale Typenbegriffe im alten Griechenland, 3, 1981, 405–419 · J. CARGILL, Athenian Settlements of the Fourth Century B. C., 1995 · TH. J. FIGUEIRA, Athens and Aigina in the Age of Imperial Colonization, 1991 · N. SALOMON, Le cleruchie di Atene, 1997 · M. C. TAYLOR, Salamis and the Salaminioi, 1997.   K.-W. WEL.

II. PTOLEMÄISCHES ÄGYPTEN

Die Institution der ptolem. k. hat Vorläufer im Ägyptischen, aber auch im Griech. Sie wurde seit Ptolemaios I. in Äg., aber auch in → Koile Syria (Corpus Papyrorum Judaicorum I 1; [1. 21 f.]) als Mittel benutzt, einen Teil der Armee zu finanzieren. K. waren v. a. Griechen, Makedonen, Thraker und Semiten, weshalb man annimmt, daß es sich um Soldaten aus der Armee handelte, die Ptolemaios I. in frühen Jahren kontrollierte. K. wären damit eine weitgehend geschlossene Gruppe, in die nur selten Neuankömmlinge gelangten (vgl. jedoch [2]). Die Ptolemaier versuchten so, eine an das Land gebundene Armee zu schaffen und finanziell zu versorgen. K. bildeten ein Rekrutierungsreservoir, fungierten aber auch als Garnison und sorgten für die Bebauung brachliegenden Landes; es mag auch daran gedacht gewesen sein, sie als Mittel zur → Hellenisierung von Ges. und Landwirtschaft zu verwenden.

K. erhielten Unterkunft in den Häusern von Zivilisten zugewiesen, sei es bei Griechen, sei es bei Ägyptern, dazu ein »Landlos« unterschiedlicher Größe: Einfache klḗroi maßen 10–30 Aruren bebaubaren Landes, bei Kavalleristen oder Offizieren aber bis zu 100 Aruren und mehr; es wurde nach Rang und Truppengattung differenziert. Manchmal war allerdings eine Bezeichnung wie hekatontáruros (»Inhaber von 100 Aruren«) nur titular und mit einem kleineren Landlos verbunden. Die Landzuweisung war mit der Zuweisung in eine Einheit verbunden: Soldaten derselben Einheit siedelten in derselben Gegend. K. waren unterschiedlich im Land verteilt: In Oberäg. waren sie eher selten, im Fajum, wo klḗroi durch Melioration gewonnen worden waren, waren sie am dichtesten.

Die Soldaten mußten ihren Unterhalt aus dem klḗros bestreiten, der von ihnen oft verpachtet wurde, so daß sie in die Metropolen ziehen konnten. Die auf das Land zu zahlenden Steuern waren reduziert. Im Kriegsfall konnte der klḗros eingezogen werden, weil der Staat für die Zeit der Mobilisierung die Bezahlung der k. übernahm; manchmal durften ihn aber auch die Familien weiter bewirtschaften.

Prinzipiell war der klḗros Eigentum des Königs, also unvererblich und unveräußerlich. Dieser Zustand blieb bis wenigstens 239/238 v. Chr. bestehen; allerdings war es schon damals möglich, eine Hypothek auf das Land zu legen. 218/217 war die Konfiskation des klḗros zeitlich begrenzt, und es wurde erwartet, daß der Sohn des Toten klḗros und Verpflichtungen übernahm ([3. 336]; Vater und Sohn als sýnklēroi, PCairo Zen. 59001, 24). 202 v. Chr. heißt es, ein klḗros sei auf ewig gegeben. Es folgte die Vererbung an den Sohn, dann die Veräußerung eines klḗros, die aber nicht als Verkauf, sondern als parachṓrēsis (»Überlassung«) zu gestalten war [4. 311ff.]. In Folge dieser Änderungen verlegte sich die Bed. der k. vom Mil. ganz zum Landwirtschaftlichen, wurde ihr Recht am Land stärker betont: Im 1. Jh. v. Chr. gingen klḗroi sogar ab intestato (ohne Testament) an die nächsten Verwandten und konnten zw. ihnen aufgeteilt werden; gab es keine männlichen Nachkommen, konnten Frauen erben (vgl. [1. 71]).

Nach der Schlacht von → Raphia (217 v. Chr.) erhielten auch Ägypter ein Landlos, aber nur zu 5–7 Aruren (→ máchimoi); die griech. k. wurden zu → kátoikoi der Reiterei mit kleinerem klḗros katoikikós, was den Rangunterschied zu den máchimoi betonte, aber höhere Ausgaben bei kleineren Einnahmen bedeutete. Kátoikoi erhielten meist unproduktives Land *en aphései* (»in Überlassung«). Für sie wurde ein separates Landregister unter einem hochrangigen Beamten geführt. Land konnte nur von einem *kátoikos* zum anderen übertragen werden; vererbt wurde es nur zusammen mit dem Status. Trotz ihrer Privilegierung gibt es spätestens im 1. Jh. v. Chr. kein Anzeichen mehr, daß die *kátoikoi* noch etwas mit dem Militär zu tun hatten; auch hier trat der Grundbesitz in den Vordergrund. Recht früh gab es relativ viele Ägypter unter ihnen [5]. Aus den *kátoikoi hippeís* entstanden die 6475 *kátoikoi tōn en tōi Arsinoítei Hellēnōn* [6] (belegt von Nero bis Philippus Arabs); auch nach der vollständigen Privatisierung des Landes waren *kátoikoi* immer noch steuerlich privilegierte Landbesitzer.

1 M.-TH. LENGER, Corpus des ordonnances des Ptolémées, ²1980 2 J. P. MAHAFFY (Hrsg.), The Flinders Petrie Papyri, 1905, Bd. 3, 104, 21 3 MITTHEIS/WILCKEN 4 N. LEWIS, Symposion 1985 [1989] 5 J. OATES, in: Journal of Juristic Papyrology 25, 1995, 160f. 6 D. CANDUCCI, in: Aegyptus 70, 1990, 226ff.

R. BAGNALL, in: Bulletin of the American Society of Papyrology 21, 1984, 7ff. · J. BINGEN, in: Studia Hellenistica 27, 1983, 1ff. · D. CRAWFORD, Kerkeosiris, 1971, 55ff. · E. VAN'T DACK, Ptolemaica Selecta, 1988, 1ff. · J. LESQUIER, Les institutions militaires de l'Égypte sous les Lagides, 1911 · C. PRÉAUX, Économie royale des Lagides, 1939, 387ff.; 463ff. · F. UEBEL, Die Kleruchen Ägyptens unter den ersten sechs Ptolemäern, 1968.   W. A.

Klesonymos s. Kleisonymos

Kleter (κλητήρ). Vom Wort her eine Person, die mit der Ladung zu einem Prozeß (*klēsis*, → *prósklesis*) zu tun hat.

1. Im Attisch-Delischen Seebund luden staatlich bestellte *klētéres* zu Prozessen, die im Zusammenhang mit den Tributen geführt wurden (IG I³ 21,42 und 68,48/49: 426/5 v. Chr.; 71,39: 425/4 v. Chr.).

2. In Privatprozessen war die Ladung Sache des Klägers. In Athen wurden hierzu in der Regel zwei *klētéres* zugezogen (detaillierte Regelung in Plat. leg. 846c entworfen), deren Namen auf der Klageschrift vermerkt wurden. Erschien der Geladene zum gesetzten Termin nicht vor dem Jurisdiktionsmagistrat, wurde ein Versäumnisurteil gegen ihn gefällt, wenn die *klētéres* die Ladung bezeugten. Gegen den *k.*, der die Ladung falsch bezeugte, gab es die *pseudoklēteías graphé*. Auch in ptolem. Ägypten sind *klētéres* belegt.

A. R. W. HARRISON, The Law of Athens 2, 1971, 85f. · CH. KOCH, Volksbeschlüsse in Seebundangelegenheiten, 1991, 366 · G. STUMPF, Zwei Gerichtsurteile aus Athen ..., in: Tyche 2, 1987, 211–215 · E. BERNEKER, Zur Gesch. der Prozeßeinleitung im ptolem. Recht, 1930, 97ff.   G. T.

Kletorologion (κλητορολόγιον). Titel eines der bekanntesten Werke aus der Gattung der *Taktiká*, der Listen byz. Ämter und Titel als Handbücher zur korrekten Einhaltung des Hofzeremoniells v. a. aus dem 9. und 10.

Jh. (z. B. der vom *atriklínēs* zu bewerkstelligenden Sitzordnung der Würdenträger bei einschlägigen höfischen Festivitäten). Sie sind eine wichtige Quelle nicht nur für Sitten und Konventionen am byz. Kaiserhof, sondern auch für die byz. Verwaltung, den Beamtenapparat und das Ämterwesen der entsprechenden Zeit. Von sprachhistor. Seite ist das zähe Überleben lat. Titel und Ämterbezeichnungen wie etwa μάγιστρος, νοβελίσσιμος, πατρίκιος, κουροπαλάτης bemerkenswert.

Der Verfasser des 899 n. Chr. veröffentlichten K., Philotheos, war selbst Würdenträger und verfügte somit über Wissen aus erster Hand; sein Werk ist in zwei Mss. erh. geblieben und wurde gemeinsam mit dem *Liber de cerimoniis aulae byzantinae* des → Konstantinos VII. Porphyrogennetos überl., das sogar wörtliche Zitate lat. Akklamationen, Festlieder usw. beibringt und somit ein gewisses Licht auf Kenntnis und Aussprache des längst nicht mehr lebendigen Lat. zu seiner Zeit wirft.

Ein früheres verwandtes Werk ist das *Uspenski-Taktikon* (Mitte 9. Jh.), aus späterer Zeit gibt es das ebenfalls nach dem Finder benannte *Beneševič-Taktikon* (Mitte 10. Jh.) und das *Escorial-Taktikon* (letztes Viertel des 10. Jh.). Der letzte Vertreter der Gattung der *Taktika*, ein Pendant zum K. aus spätbyz. Zeit aus der Umgebung des Iohannes Kantakuzenos (mit Parallelen zur Beschreibung einer byz. Kaiserkrönung aus dessen Geschichtswerk) ist *Perí tōn offikíōn tú palatíu Kōnstantinupóleos kaí tōn offikíōn tēs megálēs ekklēsías* des Ps.-Kodinos aus der Mitte des 14. Jh.

N. OIKONOMIDÈS (ed.), Les listes de préséance byzantines des IXᵉ et Xᵉ siècles, 1972 (Ed. aller gen. Taktika außer Ps.-Kodinos) · J. BURY, The Imperial Administrative System of the 9th Century, 1911 · J. VERPEAUX, Traité des offices, 1966 (Ps.-Kodinos).   V. BI.

Kleuas (Κλεύας). Maked. Offizier des → Perseus; als Besatzungskommandant von → Phanote (Epeiros) i. J. 169 v. Chr. ebenso erfolgreich gegen Ap. → Claudius [I 4] Centho wie anschließend bei → Antigoneia [4], wo K. gemeinsam mit dem epeirotischen Strategen Philostratos die Römer nach Illyrien zurückdrängte (Liv. 43,21,5; 23,1–5).   L.-M. G.

Klientel, Klienten s. Cliens

Klima, Klimaschwankungen I. ALLGEMEIN II. ANTIKER BEGRIFF; METHODEN

I. ALLGEMEIN

K. ist die Summe der über längere Zeiträume in einer gegebenen Region auftretenden Wettererscheinungen. Es bestimmt mit Bodenbeschaffenheit, Wasserressourcen und anderen naturgegebenen Bedingungen die Möglichkeit menschlicher Existenz. Naturgegebene Unregelmäßigkeiten führen zu Unterschieden in der Energieeinstrahlung auf die Erdoberfläche, der Zirkulation der Luftmassen und damit der Feuchtigkeitsverteilung. Veränderungen treffen bes. solche Gebiete am

Rande ausreichender natürlicher Wasserversorgung. Hierbei reagieren auf Sammel- und Jagdwirtschaft beruhende Gemeinschaften anders als Wanderhirten und diese wieder anders als Bauernvölker, da letztere aufgrund ihrer Vorratswirtschaft kürzere K.-Einbrüche leichter ertragen; tiefgehende Veränderungen der Wassersituation können auch Bauernvölker zur Abwanderung zwingen.

Der Entwicklung und Ausbreitung des Ackerbaus folgten in rascher Folge Eingriffe des Menschen in die natürlich ausgebildeten Systeme der Umwelt. Überweidung (Beseitigung der Vegetationsdecke) und Bewässerung (Veränderung der Wasserverhältnisse) etc. veränderten das Regionalklima und die Wasserressourcen und hinterließen durch Versteppung, Erosion und Versalzung anthropogene → Wüsten – ein bis in die Gegenwart fortdauernder Prozeß.   B.B.

II. Antiker Begriff; Methoden

Als *klíma* (κλίμα, lat. *clima*, »Neigung«) wurde in der Ant. seit → Hipparchos [6] – evtl. in Nachfolge des → Eudoxos [1] und des → Aratos [4] – jeder Parallelkreis zum Äquator auf der Erdoberfläche bezeichnet, der dadurch charakterisiert ist, daß die Sonnenstrahlen an jedem seiner Punkte den gleichen Neigungswinkel gegen den Horizont aufweisen, also auf gleicher geogr. Breite liegen. Diese *klímata* wurden dann der Einteilung der Erde in → Zonen zugrunde gelegt; daraus hat sich wiederum der h. K.-Begriff entwickelt.

Seit ca. 3000 v. Chr. hat sich das K. – großräumig und über längere Zeiträume betrachtet – kaum gewandelt. Regional veränderten kurzzeitige K.-Schwankungen die Lebensbedingungen jedoch immer wieder, zumal in Gegenden, die – was Wasserhaushalt oder Lufttemperatur anbelangt – ohnehin an der Grenze agrarischer Nutzbarkeit lagen. Bei der Erforschung der K.-Entwicklung finden h. neben der Auswertung lit. Quellen und arch. Befunde u. a. Methoden der Gletscherforsch., dendrochronologische, pollenanalytische und sedimentologische Verfahren Anwendung. Freilich ist man noch nicht in der Lage, für jeden Ort die klimatischen Bedingungen einer jeden Zeit zu rekonstruieren und die Veränderungen in jedem Fall schlüssig zu erklären. Außerdem ist es nur bedingt möglich zu ermitteln, ob eine Anomalie tatsächlich auf K.-Schwankung hindeutet oder als gewissermaßen reguläre Abweichung vom Normalzustand zu gelten hat. Dies läßt sich bes. im Mittelmeerraum schwer entscheiden, da hier das K. durch erhebliche jahrweise Schwankungen des Witterungsverlaufs (Temperatur, Niederschläge) gekennzeichnet ist. Ein weiteres Problem bereitet der Versuch, die Wechselwirkungen von K. und histor. Vorgängen korrekt zu erfassen. Wenngleich es unbestreitbar ist, daß sich K.-Schwankungen auf das Leben der Menschen auswirken, ist es doch schwierig, im Einzelfall eine Kausalbeziehung zw. K. (oder auch nur Witterung) und histor. Vorgängen nachzuweisen und gegen Faktoren abzugrenzen, die z.B. in der gesellschaftlichen oder wirtschaftlichen Entwicklung liegen.

K.-Schwankungen dürften – jedenfalls in Ant. und MA – vorwiegend natürliche Vorgänge zugrundeliegen, wenngleich auch anthropogene Ursachen regional eine Rolle gespielt haben (z. B. Beeinflussung des Wasserhaushalts durch Rodung). Zu bedenken ist schließlich, daß K.-Veränderung und landschaftliche Umgestaltung zeitlich so weit auseinanderliegen können, daß Ursache und Wirkung weder von den Betroffenen noch vom h. Betrachter unmittelbar zueinander in Beziehung gesetzt werden können. So ist in der Spätant. in weiten Teilen Nordafrikas ein zumindest teilweise durch Wassermangel verursachter Niedergang der Landwirtschaft nachweisbar, ohne daß eine gleichzeitige K.-Veränderung festgestellt werden kann. Diese dürfte bereits Jt. früher erfolgt sein; Nordafrika zehrte während seiner Blüte in karthag.-röm. Zeit von Grundwasservorräten, die zuvor in einer Zeit größerer Niederschläge angelegt worden waren und sich erst in der Spätant. aufgrund der intensiven Bewirtschaftung allmählich erschöpften.   V.S.
→ Meteorologie; Zone

K. W. Butzer, Environmental Change in the Near East and Human Impact on the Land, in: J. M. Sasson (Hrsg.), Civilizations of the Ancient Near East 1, 1995, 123–151 · L. Hempel, s. v. K., Klimakunde, in: H. Sonnabend (Hrsg.), Mensch und Landschaft in der Ant. (im Druck) · J.-C. Miskovky u. a. (Hrsg.), Géologie de la préhistoire: méthodes, techniques, applications, 1987 · H.J. Nissen, Grundriß einer Gesch. der Frühzeit des Vorderen Orients, 1995 · E. Olshausen, Einführung in die Histor. Geogr. der alten Welt, 1991, 202–204 Anm. 246, 248 (Lit.) · W. Storkebaum (Hrsg.), Wiss. Länderkunden, Bde. 1 ff., 1967 ff. (mit diversen Neuauflagen).   V.S. u. B.B.

Klimata s. Chersonesos [3]

Klimax (Κλῖμαξ).
[1] Mit Stufen versehener breiter Paßweg, der aus dem Inachos-Tal von der Argolis bei Melangeia (evtl. h. Pikerni) in die Hochebene von Mantineia führte (Paus. 8,6,4; vgl. 2,25,3), h. Portes.   E. O.
[2] s. Pamphylia

Kline (κλίνη, Bett). Die K. diente zum Schlafen, seit dem 7./6. Jh. in Griechenland (in Rom später) auch zum Speisen. Die K. war das wichtigste Objekt kostbarer Inneneinrichtung; sie gehörte ins Privathaus sowie in alle Räume, in denen gegessen wurde (→ Gastmahl, → Prytaneion, kult. Bankette). Bei den öffentlichen Räumen, in denen K. für Bankette dienten, muß man allerdings unterscheiden zw. speziell für Mahlzeiten bestimmten Sälen, in denen das Mobiliar an Ort und Stelle verbleiben konnte, und Räumlichkeiten mit nur zeitweiliger Nutzung für Mahlzeiten, bei denen die K. wie alle übrigen Ausstattungsgegenstände nur anläßlich des Banketts aus Abstellräumen hervorgeholt wurden, wie die Inventarlisten griech. Heiligtümer zeigen. Die K. diente auch als Totenbett; Sarkophage konnten die Form der K. annehmen.

Poll. 10,32–35 gibt als Bezeichnungen für »Liegemöbel« an: κλίνη (klínē) nebst diversen Weiterbildungen, ferner σκίμπους (skímpus), σκιμπόδιον (skimpódion), ἀσκάντης (askántēs), κράββατος (krábbatos), χαμεύνη (chameúnē); dazu kommen λέχος, léchos (Hom. Il. 1,609), δέμνιον (démnion), meist Pl. (Hom. Il. 24,644), λέκτρον, léktron (Hom. Od. 8,292), κλιντήρ, klintḗr (Hom. Od. 18,190). Die Römer kennen lectus, grabatus, scimpodium, scheiden aber schärfer nach der Verwendung zw. lectus cubicularis (zum Schlafen) und lectus triclinaris (zum Essen).

Als Material finden sich neben Holz (öfter furniert oder mit Elfenbein) fast alle Metalle; aus diesen sind oft nur Füße und Rahmen oder Schmuckteile gefertigt. Nach der Form werden K. mit eckigen, gedrechselten Füßen, Füßen in Tierform unterschieden, K. mit erhöhtem Auflager (ἀνάκλιντρον, anáklintron) an einer oder beiden Schmalseiten (ἀμφικέφαλος, amphiképhalos). Die K. bestehen in der Regel aus einem rechteckigen, auf Füßen ruhenden Rahmen mit Gurten und Auflager; man liegt auf Matratzen, Decken und Kissen.

Abbildungen auf Vasen vermitteln eine Vorstellung von Form, Dekoration und Gebrauch dieses Möbelstücks [1. Taf. 14–20].

→ Triclinium

1 H. KYRIELEIS, Throne und Klinen, 1969.

J. M. DENTZER, Le motif du banquet couché dans le Proche Orient et le Monde Grec du VIIe au IVe siècles avant J.-C., 1982 • G. RODENWALDT, s. v. k., RE 11, 846–861 • G. M. A. RICHTER, The Furniture of the Greeks, Etruscans and Romans, 1966.   P.S.-P. u. W. H. GR./Ü: S. U.

Klio s. Kleio

Klippschliefer (Procavia capensis) ist der einzige Familienvertreter aus der Säugetierordnung Hyracoidea, welcher in Palästina und Vorderasien noch h. vorkommt. Diese hasengroßen Pflanzenfresser sind wahrscheinlich mit den nach den mosaischen Speisevorschriften (Lv 11,5; Dt 14,7) unreinen Kaninchen (→ Hase) der Luther-Bibel, χοιρόγρυλλος, lat. choerogryllus, chyrogryllius bzw. mlat. cirogryllus, identisch. Bei Thomas von Cantimpré 4,24 [1. 124] wird unter stillschweigender Benutzung von Hesychios (Comm. in Lv 3,11, PG 93,906) behauptet, daß dieses kleine und schwache Tier sich trotzdem gegenüber den übrigen Tieren räuberisch und todbringend verhalte.

1 H. BOESE (ed.), Thomas Cantimpratensis, Liber de natura rerum, 1973.   C. HÜ.

Klismos (κλισμός, lat. cathedra). Der K. ist ein hoher Stuhl ohne Armlehnen mit breiter, ausladender Rückenlehne, seit Homer (z. B. Il. 8,436; Od. 4,136) als Sitz der Vornehmen, Götter und Heroen belegt. In der griech. und röm. Kunst findet dies Bestätigung, aber ebenso ist er in Hausgemach-, Schulszenen und weiteren Alltagsdarstellungen oft genug zu sehen. Mitunter legen die Sitzenden aus Bequemlichkeit und zur Entspannung einen Arm auf die Rückenlehne, häufig wird das entspannte Sitzen durch Fußschemel und Sitzkissen unterstützt.

→ Diphros; Möbel

G. M. A. RICHTER, The Furniture of Greeks, Etruscans and Romans, 1966.   R.H.

Klitias (Κλιτίας). Att. sf. Vasenmaler der Hocharchaik, um 570–560 v. Chr. Meister der »François-Vase«, die zweimal seine Signatur trägt und außerdem die des Töpfers → Ergotimos. Beide Meister signierten auch einen Ständer und zwei oder drei »Gordion-Schalen«, die aber wenig oder keine figürliche Bemalung tragen. Außerdem wurden K. mehrere Frg. mit Szenen aus dem Mythos zugewiesen.

Die nach dem Ausgräber benannte »François-Vase«, ein monumentaler Volutenkrater (Florenz, AM), ist mit ihren lebendigen Mythenbildern eines der bedeutendsten Meisterwerke der griech. Vasenmalerei. Der ganze Gefäßkörper ist in Frieszonen eingeteilt wie im Tierfriesstil, an den aber nur noch der unterste Fries mit seinen Tierkämpfen erinnert. In allen übrigen Friesen werden Mythen erzählt, wobei die meisten Figuren, z. T. auch Gegenstände, inschr. benannt sind. Trotz des zierlichen und präzisen Zeichenstils ist die Erzählweise kraftvoll und unbefangen, gelegentlich auch humorvoll. Im Hauptfries ist der Festzug der Götter zur Hochzeit von Peleus und Thetis dargestellt. Das Schicksal ihres Sohnes Achill ist das Thema von zwei weiteren Friesen (Troilosabenteuer und Leichenspiele für Patroklos) und zwei Henkelbildern (jeweils Aias mit der Leiche des Achill). Zu den Abenteuern des Peleus zählt die kalydonische Eberjagd und vielleicht auch die Kentauromachie, während sich die Rückführung des Hephaistos mit Thetis in Verbindung bringen läßt. Nicht zu diesem Sagenkreis gehören der Reigen der Athenerkinder nach Theseus' Bezwingung des Minotauros, die beiden fliehenden Gorgonen und die Herrinnen der Tiere auf den Henkeln sowie schließlich der burleske Kampf zwischen Pygmäen und Kranichen auf dem Gefäßfuß. Die durchdachten kompositorischen und inhaltlichen Beziehungen zwischen den Themen haben immer wieder die Frage nach einem einheitlichen Programm aufgeworfen, die sehr unterschiedlich beantwortet worden ist. Auch der Einfluß von bildlichen (→ Sophilos) oder lit. Vorlagen (Homer, Stesichoros) sowie von zeitgenössischen Interessen wird verschieden beurteilt. Der von K. eingeführte Miniaturstil lebt vor allem auf → Kleinmeisterschalen weiter.

BEAZLEY, ABV, 66–79 • BEAZLEY, Addenda², 21 f. • E. SIMON, Die griech. Vasen, ²1981, Taf. 51–57 • C. ISLER-KERÉNYI, Der François-Krater zw. Athen und Chiusi, in: J. OAKLEY u. a. (Hrsg.), Athenian Potters and Painters, 1997, 523–539.   H. M.

Klonas (Κλονᾶς). Dichter und Musiker, der sowohl von Tegea als auch von Theben in Anspruch genommen wird; vielleicht frühes 7. Jh. v. Chr., da er zw.

→ Terpandros und → Archilochos eingeordnet wurde (Ps.-Plut. De musica 1133a). Herakleides Pontikos (fr. 157 WEHRLI = Ps.-Plut. ebd. 1131f–1132c, vgl. Poll. 4,79) schreibt ihm elegische und hexametrische Gedichte sowie die Einführung von *nómoi* für den vom *aulós* begleiteten Gesang (αὐλῳδία/*aulōdía*) und von Prozessionsliedern (προσόδια/*prosódia*) zu.

> M. L. WEST, Ancient Greek Music, 1992, 333–334.
>
> E. BO./Ü: T. H.

Klonios (Κλονίος).

[1] Befehligt mit vier anderen Führern das boiotische Kontingent vor Troia (Hom. Il. 2,495); stirbt im Schiffskampf von der Hand des → Agenor [5] (ebd. 15,340).
[2] Aeneas (Aineias) [1] hat in seinem Gefolge zwei *Clonii*, die im Kampf gegen Turnus bzw. Messapus fallen (Verg. Aen. 9,574; 10,749). Ein Aeneas-Gefährte mit Namen *Clonius* soll die *gens Cloelia* begründet haben (Paul. Fest. 48,16 L.).   RE.N.

Klope (κλοπή).

Diebstahl, Unterschlagung und Hehlerei. Raub, Unterschlagung von Tempeleigentum (→ *hierosylía*) einerseits und Taschendiebstahl durch gemeinschädliche Leute (→ *balantiotómoi*, → *kakúrgoi*) andererseits wurde in Athen von *k.* unterschieden. *K.* an Privatvermögen konnte ausschließlich vom Bestohlenen durch → *díkē* verfolgt werden, eine → *graphḗ* wegen *k.* an staatlichem Vermögen ist unwahrscheinlich, da es andere Verfahren gab (→ *eúthynai*, → *eisangelía*). Der nächtliche Dieb durfte straflos getötet oder privat verhaftet und den Elfmännern zur Hinrichtung vorgeführt werden (→ *apagōgḗ*). Seit Solon wurde »schwerer« Diebstahl von »leichtem« unterschieden. Der erste betraf Sachen im Wert von über 50 Drachmen oder über 10, wenn die *k.* an öffentlichen Orten begangen wurde. Auf ihn stand der Tod. Sonst wurde *k.* mit einer an den Bestohlenen zu zahlenden Geldbuße geahndet: nach Demosthenes (or. 24,105, 113–115) das Doppelte des Wertes der gestohlenen Sache, wenn diese noch vorhanden war, andernfalls das Zehnfache. In Athen konnte das Gericht nach einem Schuldspruch über den Dieb noch eine entehrende Zusatzstrafe (→ *prostimān*) verhängen, das Einschließen in einen Holzblock.

Außerhalb Athens ist die Geldbuße des doppelten Werts aus Delphi (StV III 558 II A 14), Stymphalos (IG V 2,357 = IPArk 17,116 und 121) und Andania (Syll.³ 736,76) bekannt, die Wertgrenze von 50 Drachmen tritt auch in Stymphalos auf, ebenso das Recht, den nächtlichen Dieb zu töten. Zu vermuten ist, daß die Diebstahlsklage im griech. Recht vordringlich auf Herausgabe der Sache ging, mit einer Buße von 100 % des Wertes [2. 180f.]. Über Diebstahl im Recht der Papyri s. [3. 151f.].

> 1 D. COHEN, Theft in Athenian Law, 1983 2 IPArk 3 H.-A. RUPPRECHT, Einführung in die Papyruskunde, 1994.   G.T.

Klotho s. Moira

Klugheit (φρόνησις/*phrónēsis*, lat. *prudentia*).

A. DEFINITION   B. ANTIKER BEGRIFF
C. REZEPTION

A. DEFINITION

»Klug« ist seit LUTHERS NT-Übers. die fest etablierte dt. Übers. des griech. Wortes φρόνιμος (*phrónimos*). Insofern bezieht sich K. zumindest auf eine der Bed. der griech. *phrónēsis*, welche schon im klass. Latein mit *prudentia* wiedergegeben wird.

B. ANTIKER BEGRIFF

Das Griech. verfügt über zwei Ausdrücke, um jene Form des Handelns zu bezeichnen, die die Richtigkeit menschlichen Tuns und Wissens gewährleistet: *sophía* und *phrónēsis*. Die beiden Ausdrücke sind bei Platon auswechselbar. Erst Aristoteles unterscheidet eth. Nic. B. 6 die K. (*phrónēsis*) von der → Weisheit (*sophía*). Beide sind dianoetische (intellektuelle) Tugenden. Während aber die Weisheit die ›Wiss. von den Prinzipien‹, d. h. »von den erhabensten Seienden« ist (7,1141 a17–20), ist die K. ›eine mit wahrer Norm verbundene praktische Fähigkeit im Hinblick auf das, was für den Menschen gut oder schlecht ist‹ (5,1140 b5; 20). Nach den ps.-aristotelischen *Magna Moralia* (1,34,1197 a13–16) bezieht sich die K. auf das, was »für einen Menschen förderlich« ist (*symphéron*), d. h. auf die »menschlichen Güter« (*anthrópina agathá*; eth. Nic. 1141 b20). Weisheit und K. bestimmen auf verschiedene Weise die Richtigkeit des Handelns: Während die Weisheit die Handlungsnormen aus ewigen und notwendigen Prinzipien ableitet, berät die K. über die geeignetsten Mittel, das Gute in die Tat umzusetzen; dabei berücksichtigt sie die Kontingenz der Welt, in der der Mensch zu handeln hat, die Besonderheit der jeweiligen Umstände und die evtl. Gefährlichkeit der Folgen von auch aus einem guten Willen entspringenden Handlungen (daher ist K. eine Pflicht der Vorsicht, die im lat. *prudens* noch deutlicher zur Sprache kommt: Cic. rep. 6,1 und Cic. nat. deor. 2,22,52 leitet *prudens* von *providens*, »vorausschauend«, ab). Die K. ist keine Wiss., sondern eine angeborene, nicht dem Vergessen ausgesetzte Fähigkeit des Beratschlagens oder Abwägens (*búleusis*, lat. *deliberatio*), die dem opinativen (*doxastikón*) eher als dem wiss. Teil der rationalen Seele zuzuordnen ist (Aristot. eth. Nic. 1140 b26; 29; 1141 b9).

Die K. unterscheidet sich für Aristoteles von der → Kunst (*téchnē*) und der Geschicklichkeit (*deinótēs*) dadurch, daß sie nicht zu der Durchführung beliebiger Zwecke dienen kann, sondern nur im Dienste des Guten steht. Ohne K. ist keine gute Handlung durchführbar, aber ›es ist unmöglich, klug zu sein, ohne gut zu sein‹ (eth. Nic. 6,13). Diese schwache, wahrscheinlichkeitsorientierte Begründung des »machbaren Guten« (*praktikón agathón*; ebd. 1,7,1097 a23) durch eine intellektuelle Fähigkeit, die zwar nicht die höchste, aber andererseits stets mit der ethischen Tugend verknüpft ist (was im MA zur These der *connexio virtutum* führen wird), ist charakteristisch für die aristotelische → Ethik, die sich dadurch scharf von den rein intellektualistischen Voraussetzungen der platonischen und stoischen Ethik abgrenzt. Dieser Gegensatz spiegelt sich in der Terminologie wider: Bei Platon und später in der Stoa bezeichnen sowohl *phrónēsis* als auch *sophía* die Tugend des Intellekts, die nicht innerlich differenziert wird und als eine der vier Kardinaltugenden gilt. Zwar versucht Cicero, *sapientia* von *prudentia* zu unterscheiden – letztere sei die »Wiss. von dem, was anzustreben und zu vermeiden ist,« und erstere die »Wiss. von den göttlichen und menschlichen Dingen« (off. 1,43, 153) –, aber diese Unterscheidung, die wenig kohärent ist (da die menschlichen Dinge auch das Gute und Böse umfassen), wird kaum beachtet (vgl. Cic. off. 1,14–16; 19). Augustinus klagt darüber, daß zu seiner Zeit *sophós/sapiens* und *phrónimos/prudens* nicht mehr unterschieden werden, so daß die Schlange in Gn 3,1 als *sapientissimus* bezeichnet wird, während im griech. Text *phronimṓtatos* steht (Aug. locutiones in Heptateuchum 1,8).

C. Rezeption

In der hell. Zeit weitgehend unbekannt (abgesehen von einer möglichen Anspielung bei Epikur, Brief an Menoikeus 132), wird die aristotelische Lehre von der K. (*prudentia*) erst ab der Aristoteles-Renaissance des 13. Jh. rezipiert: Sie wird zu einem wesentlichen Bestandteil der Sittenlehre von Thomas von Aquin (Summa theologica IIa-IIae, q. 47–56). Über Balthazar Gracian (Oraculo manual y Arte de prudencia 1647) und die dt. Übers. dieses Werks durch Chr. Thomasius (1687) wird der Terminus K. von Kant übernommen, der allerdings im Unterschied zu Aristoteles die K. wieder in die Nähe der Kunstfertigkeit und der Geschicklichkeit rückt und ihr jede moralische Relevanz abspricht.

T. Ando, Aristotle's Theory of Practical Cognition, 1958, ²1965 • P. Aubenque, La prudence chez Aristote, 1963, ²1997 • H. G. Gadamer, Wahrheit und Methode, 1960, ⁶1990, 317–329 • R. Elm, K. und Erfahrung bei Aristoteles, 1996.   P. AU.

Klymene (Κλυμένη, Clymene).
[1] → Okeanide, Gattin des → Iapetos, der mit ihr → Atlas [2], → Prometheus und Epimetheus zeugt (Hes. theog. 351; 507 ff.; Hyg. fab. praef. 11,31). Bei Euripides (Phaethon 1 ff.; 45 ff. Diggle; vgl. auch Ov. met. 1,750 ff.; Hyg. fab. 152a; 154; 156) ist sie Mutter des → Phaethon.
[2] → Nereide (Hom. Il. 18,47; Hyg. fab. praef. 8), die nach Pausanias (2,18,1) mit → Diktys [1] in Athen einen Altar als Retterin des Perseus hatte. Nach Vergil (georg. 4,345) zählt sie zu den Begleiterinnen der Kyrene.
[3] Nymphe, Gattin des Parthenopaios (Hyg. fab. 71).
[4] Tochter des → Minyas und der Euryale, von Kephalos oder Phylakos Mutter des Iphiklos (Hyg. fab. 14; Paus. 10,29,6); weiter wird sie auch als Mutter der → Alkimede und der → Atalante (Apollod. 3,105) genannt.
[5] Tochter des Katreus, Gattin des → Nauplios, Mutter des → Oiax und des → Palamedes (Apollod. 2,23).

[6] Dienerin der → Helene [1] in Troia (Hom. Il. 3,144), nach Stesichoros (fr. 197 PMG) eine gefangene Troianerin.

A. Kossatz-Deissmann, s. v. K. (1)–(4), LIMC 6.1, 68–70 • K. Latte, s. v. K. (1)–(4), (8), RE 11, 878–880.   R. HA.

Klymenos (Κλύμενος, »der Berühmte«).
[1] Beiname des → Hades-Pluton im argiv. → Hermion(e). Der dortige Demetertempel soll von K. und seiner Schwester Chthonia gestiftet worden sein: Als → Demeter in die Argolis kommt, wird sie von Phoroneus, dem Vater der beiden, ignoriert, was Chthonia nicht billigt. Als Strafe wird der Vater mitsamt dem Haus verbrannt, sie jedoch nach Hermione gebracht, um Demeter ein Heiligtum zu errichten. So wurden K. (Ov. fast. 6,757) und Chthonia mit den beiden Göttern identifiziert, Persephone als Gattin des K. betrachtet (Paus. 2,35,4–11; Athen. 14,624e).   R.A. MI.

[2] Sohn des Helios und Gatte der Okeanide Merope, aus deren Verbindung → Phaethon hervorgeht (Hyg. fab. 154; Geschlecht der Eltern entgegen der Trad. vertauscht: → Klymene [1]).
[3] Kreter aus Kydonia vom Geschlecht des idäischen Herakles, Sohn des Kardys. Er soll 50 J. nach der deukalionischen Flut in Olympia Spiele eingerichtet und den → Kureten und Herakles einen Altar gestiftet haben (Paus. 5,8,1). Auch der Aschenaltar der Hera (Paus. 5,14,8) sowie der Athenatempel in → Phrixa (Paus. 6,21,6) sollen auf ihn zurückgehen.
[4] König von Orchomenos, Sohn des Presbon oder des Orchomenos (Steph. Byz. s. v. Ἀσπληδών), Gatte der → Budeia, Vater des → Erginos. K. wird an einem Poseidonfest in → Onchestos von den Thebanern ermordet, worauf sein Sohn ihn rächt (Paus. 9,37,1–4; Apollod. 2,67). Bei Pind. (O. 4,19) sind Vater und Sohn Argonauten (→ Argonautai).
[5] Aitoler, Sohn des → Oineus und der → Althaia [1] (Apollod. 1, 64; Antoninus Liberalis 2).
[6] Arkader, Sohn des Teleos (Parthenios 13) oder des Schoineus (Hyg. fab. 206). K. hat von Epikaste mehrere Kinder, darunter → Harpalyke [2], die er schändet.

                                       R.A. MI.

Klyster (*klystḗr/klystḗrion*, lat. *clyster/clysterium*; auch *klýsma/klysmós* und *énklysma*, abgeleitet von *klýzein/engklýzein*, lat. *inicere*: gießen, spülen, und *enetḗr/énema*, von: *eniénai*: injizieren). Klistiergerät: Pharmazeutische Form und Verabreichungsinstrument zur parenteralen (in diesem Fall oft in Verbindung mit dem Adverb *kátō* oder dem Verb *hypoklýzein*) oder (in gynäkologischen Traktaten) vaginalen Einspritzung therapeutischer Lösungen.

Das Instrument bestand aus einem flexiblen, zusammenpreßbaren Behälter (Tierhaut oder -blase) mit zwei entgegengesetzten Öffnungen, von denen die eine zum Einfüllen bestimmt war, die andere zur Befestigung eines sich verjüngenden Ansatzstücks von variabler Länge aus natürlichem (Horn oder Knochen) oder künstlichem (Metall) Material, das eine Öffnung an der Spitze besaß, dazu evtl. weitere seitliche Öffnungen, deren Zahl und Größe je nach Menge und Viskosität der einzuspritzenden Flüssigkeit variieren konnte. Die Lösung bestand aus einer Basis jeglicher Art, zuweilen einer Mischung zur Herstellung einer Emulsion, und einer medizinischen Substanz, die zunächst in der Lösung gekocht oder eingeweicht wurde. Die Mischung wurde in den Behälter gefüllt, der an einem Ende das Ansatzstück trug und am anderen verschlossen war; sie wurde je nach gewünschter Wirkung bei verschiedenen Temperaturen durch progressives und kontinuierliches Zusammendrücken des Behälters vom Arzt oder (in der Gynäkologie) von der Patientin selbst eingebracht. Ein Instrument gleicher Art, jedoch in kleinerer Ausführung, wurde für Einspritzungen in die Ohren oder andere anatomische Öffnungen benutzt. Therapeutisches Ziel des K. (in all seinen Formen) war nicht nur die Ausräumung des (evtl. pathogenen) Inhalts der behandelten Organe, sondern auch (im Hinblick auf eine therapeutische Wirkung v.a. in der Gynäkologie) die Einbringung von Heilstoffen oder – auf parenteralem Wege – von Nährstoffen (die Erfindung dieses K. wird Lykos von Neapel zugeschrieben).

Die Herkunft des K. schrieb man den Ägyptern zu, die das Verhalten des → Ibis nachahmten: Dieser führte angeblich mit seinem langen Schnabel Wasser in seinen Darm ein. In der babylon. Medizin scheint die Einspritzung eine der wichtigsten Formen der Verabreichung von Medikamenten gewesen zu sein [2. 78–82]. Das K. wurde während der ganzen Ant. in der Gynäkologie benutzt und kam insbes. in der hippokratischen Medizin zum Einsatz; vielleicht war es Gegenstand einer bes. Abh. des Mantias. Später scheint es weniger häufig benutzt worden zu sein, hielt sich aber in der westl. Medizin noch sehr lange und gab Anlaß zu einer unter Galens Namen verbreiteten apokryphen Schrift [1].

→ Galenos; Lykos von Neapolis; Mantias

1 L. ELAUT, Le traité galénique des clystères et de la colique, in: Janus 51, 1964, 136–151 2 D. GOLTZ, Stud. zur altoriental. und griech. Heilkunde, 1974.

E. KIND, s. v. K., RE 21, 881–890.   A. TO./Ü: T. H.

Klytaimestra (Κλυταιμήστρα, jüngere Namensform Klytaimnestra/Κλυταιμνήστρα; lat. Clytaem(n)estra). Tochter des → Tyndareos und der → Leda, Schwester der → Helene [1] und der → Dioskuroi, Gattin des → Agamemnon, der ihren ersten Gatten → Tantalos, den Sohn des → Thyestes, tötete. Mit Agamemnon hat sie mehrere Kinder: → Chrysothemis [2], → Laodike [I 2] oder → Elektra [4], → Iphianassa [2] oder → Iphigeneia und → Orestes. Von Aphrodite mit einem Fluch der Untreue belegt (Hes. fr. 176; Stesich. fr. 223 PMG), läßt sie sich während des Griechenfeldzugs gegen Troia nach längerem Widerstand (Hom. Od. 3,266ff.) von Aigisthos verführen, der mit ihr → Erigone [2] zeugt.

Als Agamemnon aus Troia zurückkehrt, werden er und die von ihm als Kriegsgefangene mitgebrachte → Kassandra von den beiden ermordet, wobei es verschiedene Versionen über K.s Rolle und die verwendeten Waffen (Schwert, Beil, Netz, Schleier) gibt (Hom. Od. 11,409ff.; Aischyl. Ag. 1262; 1382; Aischyl. Choeph. 997f., Soph. El. 99, Eur. El. 154ff., Sen. Ag. 867ff.). Sie lebt mit Aigisthos in Mykene (oder Argos oder Amyklai) und wird von Orestes, der als Kind außer Landes gebracht wurde und nun zurückkehrt, um seinen Vater zu rächen, ermordet (Hes. fr. 23a; Stesich. fr. 217; 219 PMG, Pind. P. 11,37f.). Das Motiv des Muttermordes wird vor allem von den Trag. ausgestaltet (Aischyl. Choeph.; Soph. El.; Eur. El.; Sen. Ag.; Hyg. fab. 117, 119). Während Aischylos sie als weitsichtig planende, überlegte Täterin zeigt, werden bei Sophokles sowohl ihre harte Haltung Elektra gegenüber und ihre Freude über den vermeintlichen Tod des Orestes als auch ihre existentielle Verunsicherung nach dem Gattenmord hervorgehoben. Euripides dagegen läßt sie dem Geschehenen ambivalent gegenüberstehen und die Ermordung des Agamemnon mit dessen Mord an ihrem ersten Gatten und der Opferung der Iphigeneia begründen. Außerhalb von Mykene wurden Gräber der K. und des Aigisthos gezeigt (Paus. 2,16,7). Zu späteren Darstellungen in Kunst und Lit. s. [1].

1 HUNGER, Mythologie, 15f., 20.

R. AÉLION, Euripide, héritier d'Eschyle, 1983, 2, 265–323 · E. BETHE, s. v. K., RE 11, 890–893 · S. MACEWEN, Views of Clytemnestra, Ancient and Modern, 1990 · Y. MORIZOT, s. v. K., LIMC 6.1, 72–73.
ABB.: Dies., s. v. K., LIMC 6.2, 35–38.   R. HA.

Klytia, Klytie (Κλυτία, Κλυτίη, lat. Clytia).
[1] Tochter des Okeanos und der Tethys (Hes. theog. 352).
[2] Tochter des → Pandareos aus Kreta, nach Pausanias (10,30,1f.) in der knid. → Lesche in Delphi dargestellt.
[3] Geliebte des Helios (eventuell identisch mit [1]), die dieser wegen → Leukothoe verläßt. Die eifersüchtige K. verrät Leukothoe ihrem Vater, der sie lebendig begraben läßt. K. selbst stirbt aus Kummer und wird in eine Blume namens Heliotrop verwandelt (Ov. met. 4,206–270).

H. v. GEISAU, s. v. K., RE 11, 893f.   K. WA.

Klyti(a)dai (Κλυτιάδαι, Κλυτίδαι). Familie, die zusammen mit den Iamidai (→ Iamos) die Seher in Olympia stellte; über → Klytios [2], den Enkel des Amphiaraos, der seinerseits Urenkel des Melampus ist, leiteten sich die K. auf zwei der zentralen Seher des griech. Mythos zurück (Paus. 6,17,6). Vorkaiserzeitl. sind allein Theogonos und sein Sohn Eperastos durch eine Statue in Olympia bekannt (Paus. l.c.).   F. G.

Klytios (Κλυτίος, Κλύτιος).
[1] Gigant, der von Hekate mit Fackeln oder von Hephaistos mit glühenden Eisenmassen getötet wird (Apollod. 1,37).

[2] Sohn des Alkmaion und der → Arsinoë [I 3]; Enkel des Amphiaraos (Apollod. 3,87; Paus. 6,17,6). Das Wahrsager-Geschlecht der → Klyti(a)dai in Elis führt sich auf K. zurück (Cic. div. 1,91).

[3] Argonaut, Sohn des Eurytos von Oichalia (Apoll. Rhod. 1,86; 2,1043). Bei der Eroberung von Oichalia kommt K. durch Herakles um (Diod. 4,37).

[4] Sohn des Laomedon, Bruder des Priamos, Ehemann der Laothoe, Vater des Kaletor (Hom. Il. 15,419; Apollod. 3,146; Apul., De deo Socratis 18).   AL.FR.

Klytos (Κλύτος) von Milet, Schüler des Aristoteles [6] und Autor von *Perí Milḗtu* in mind. 2 B., nur von Athenaios (12,540c; 14,655c) zitiert. Vielleicht von Aristoteles in der *Milēsíōn politeía* benützt. FGrH 490 mit Komm.   K.MEI.

Knakion (Κνακιών). Nur in der »Großen Rhetra« (Plut. Lykurgos 6,4, Pelopidas 17,6; → Sparta) gen. ON bei Sparta, später mit dem Fluß Oinus, h. Kelephina, gleichgesetzt (Plut. l.c.; Lykophr. 550); nicht identifizierbar.   Y.L.

Knemis (Κνημίς). Berg in der → Lokris; zusammen mit dem Khlomon Hauptgipfel (938 m) der Hügelkette, die mit ihren Ausläufern das Mosaik der Täler und Pässe gestaltet, durch die das schmale Band der ostlokrischen Küste mit dem Hinterland in Verbindung steht; im Süden dringt die K. bis zum unteren Kephisos-Tal und zur Kopais-Ebene vor. Die K. stellt die natürliche Grenze zw. der Lokris Hypoknemidia und der Lokris Epiknemidia dar. Ihre Bildung ist der vorwiegenden vertikalen tektonischen Bewegung zuzurechnen, die bei der Orogenese im Jungtertiär die Bildung aller Berge der Region verursacht hat (Ghiona, Parnassos, Kallidromos). Belege: Strab. 9,2,42; 3,17; 4,1; Paus. 10,8,2; Plin. nat. 4,27; Ptol. 3,14,9; Eust. ad Dionysii Periegesin 422; Etym. m. 360,33.

W. KASE u. a., The Great Isthmus Corridor Route 1, 1991 · W. A. OLDFATHER, s. v. K., RE 11, 909 · PHILIPPSON/KIRSTEN 1, 339 ff. · PRITCHETT 4, 147 ff.   G.D.R./Ü: J.W.M.

Knemos (Κνῆμος). Spartan. Nauarch (Flottenkommandant) 430/29 v. Chr., verwüstete 430 Zakynthos, operierte 429 in Akarnania und wurde bei Oiniadai geschlagen (Thuk. 2,66; 80–82; Diod. 12,47,4 f.). K.' Flottenverbände erlitten 429 schwere Niederlagen bei Stratos und Naupaktos gegen die Athener unter Phormion. Im Spätherbst 429 unterblieb ein von K. und seinem »Berater« → Brasidas geplanter Überfall auf den Peiraieus; statt dessen wurde Salamis verwüstet (Thuk. 2,83–94; Diod. 12,49).   K.-W. WEL.

Knidos (Κνίδος, lat. *Cnidus*). Stadt der kar. bzw. dor. Chersonesos (h. Halbinsel Reşadiye). Dor. Gründung (Hom. h. 1,43; Hdt. 1,174); Mitglied der dor. Pentapolis. K. lag urspr. wohl in der Mitte der Halbinsel beim h. Datça. Histor. Daten: Um 580 v. Chr. an der sizil.

Kolonisation (Thuk. 3,88) und am Hellenion in Naukratis (Hdt. 2,178) beteiligt; 546/5 pers. (Hdt. 1,174). Um 550 ion. Schatzhaus, 460 → Lesche in Delphoi. 477 im → Attisch-Delischen Seebund, 412 Abfall zu Sparta, erneute Perserherrschaft (Unterbrechung Anf. 4. Jh.). 394 bei K. Seesieg des → Konon über die spartanische Flotte; unter Maussollos um 370 Verlegung der Stadt an die Westspitze der Halbinsel. Im 3. Jh. meist ptolem., 190 unter rhodischem Einfluß, 167 frei, auch in der röm. Prov. → Asia [2] (Plin. nat. 5,104). 263–467 n. Chr. immer wieder Heimsuchung durch starke Erdbeben; in frühbyz. Zeit Suffraganbistum von Stauropolis (→ Aphrodisias [1]), sechs Kirchen. Mitte 7. Jh. wurde K. durch die arab. Flotte zerstört.

Hauptgottheit von K. war → Aphrodite (auf Mz. seit 6. Jh. v. Chr.); in ihrem Heiligtum befand sich → Praxiteles' Aphroditestatue (um 360 v. Chr.; Plin. nat. 36,20 f.). Sitzbild der Demeter von K. (um 330 v. Chr.). Arch.: Mehrere Tempel, Stoai, Buleuteria, Theater in Oberstadt und Hafennähe, hell.-röm. Wohnquartiere auf terrassierten Hängen; solche befinden sich auch auf der K. unmittelbar vorgelagerten Insel. Im NW Kriegs-, im SO Handelshafen (Strab. 14,2,15).

Aus K. stammten → Agatharchides (Historiker und Geograph), → Aischylos [3] (Rhetor), → Ktesias (Arzt und Historiker), → Eudoxos [1] (Mathematiker), → Sostratos (Architekt). Etwa gleichzeitig mit → Hippokrates [6] auf Kos wurde an einem Asklepieion in K. eine bestimmte Richtung wiss. Heilkunde entwickelt (die sog. »knidische Ärzteschule«; → Chrysippos [3]).

W. BLÜMEL, Die Inschr. von K., 1 (IK 41,1), 1992 · H. A. CAHN, K. Die Mz. des 6. und 5. Jh. v. Chr., 1969 · B. ASHMOLE, Demeter of Cnidus, in: JHS 71, 1951, 13–28 · G. E. BEAN, J. M. COOK, The Cnidia, in: ABSA 47, 1952, 171–212 · G. E. BEAN, Kleinasien 3, 1974, 142–161 · N. DEMAND, Did K. really move?, in: Classical Antiquity 8, 1989, 224–237 · J. ILBERG, Die Ärzteschule von K. (Berliner Verhandlungen der Sächsischen Akad. der Wiss. 76,3), 1925 · I. C. LOVE, A Brief Summary of Excavations at K. 1967–1973 (Kongreß Ankara/Izmir 1973), 1978, 1111–1133 · V. RUGGIERI, Tracce bizantine nella peninsula di Cnido, in: Orientalia Christiana Periodica 52, 1986, 179–201.   H.KA.

Knochen s. Elfenbein

Knöterich. Die vielen dicken Wurzeln galten für Theophr. h. plant. 1,6,11 als charakteristisch für die sog. Steinhuhn-Pflanze (περδίκιον/*perdíkion*). Ihr Name sei davon abgeleitet, daß Steinhühner sich angeblich in ihnen herumwälzen und sie ausgraben. Gemeint ist damit Polygonum maritimum. Κραταιγόνος/*krataigónos* heißt bei Theophr. h. plant. 9,18,5 (Stelle nicht bei HORT!) das κραταιόγονον/*krataiógonon* des Dioskurides (3,124 WELLMANN = 3,129 BERENDES). Es wurde als Polygonum Persicaria bestimmt. Sein Name leitet sich davon her, daß sein scharfer hirseähnlicher Samen mit Wasser getrunken männliche Nachkommenschaft versprechen soll (vgl. auch Plin. nat. 27,62 und 26,99: *crataegonon*).   C.HÜ.

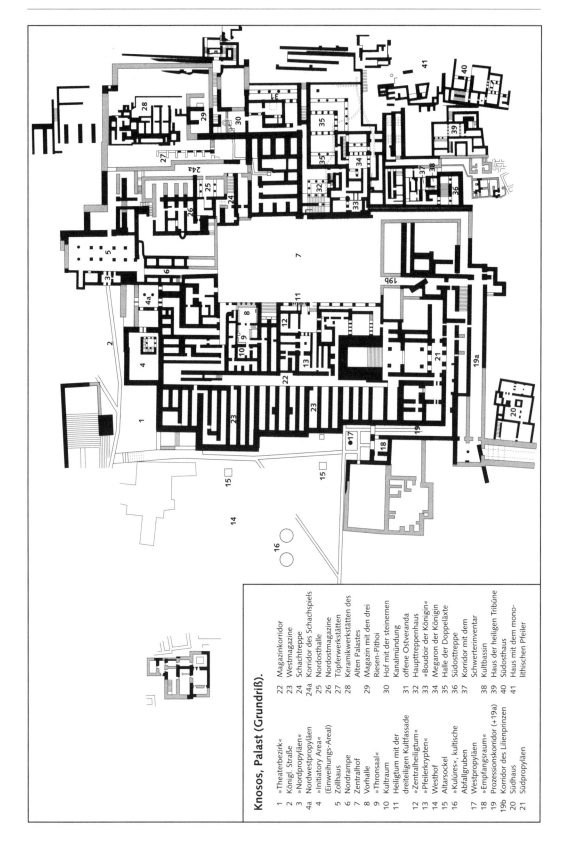

Knosos, Palast (Grundriß).

1 »Theaterbezirk«
2 »Königl. Straße
3 »Nordpropyläen«
4a Nordwestpropyläen
4 »Initiatory Area«
    (Einweihungs-Areal)
5 Zollhaus
6 Nordrampe
7 Zentralhof
8 Vorhalle
9 »Thronsaal«
10 Kultraum
11 Heiligtum mit der
    dreiteiligen Kultfassade
12 »Zentralheiligtum«
13 »Pfeilerkrypten«
14 Westhof
15 Altarsockel
16 »Kultures«, kultische
    Abfallgruben
17 Westpropyläen
18 »Empfangsraum«
19 Prozessionskorridor (+19a)
19b Korridor des Lilienprinzen
20 Südhaus
21 Südpropyläen

22 Magazinkorridor
23 Westmagazine
24 Schachttreppe
24a Korridor des Schachspiels
25 Nordosthalle
26 Nordostmagazine
27 Töpferwerkstätten
28 Keramikwerkstätten des
    Alten Palastes
29 Magazin mit den drei
    Riesen-Pithoi
30 Hof mit der steinernen
    Kanalmündung
31 offene Ostveranda
32 Haupttreppenhaus
33 »Boudoir der Königin«
34 Megaron der Königin
35 Halle der Doppeläxte
36 Südosttreppe
37 Korridor mit dem
    Schwerterinventar
38 Kultbassin
39 Haus der heiligen Tribüne
40 Südosthaus
41 Haus mit dem mono-
    lithischen Pfeiler

Knopos (Κνῶπος). Fluß in Boiotia; mündete nach Nik. Ther. 889 in den Kopais-See; schol. Nik. Ther. 889 erwähnt auch eine ansonsten unbekannte, am Fluß → Ismenos (=K.?) gelegene Polis K.; aus einer Knopia gen. Gegend bei Theben (Strab. 9,2,10: ἐκ τῆς Κνωπίας Θηβαϊκῆς) soll das Heiligtum des → Amphiaraos nach Oropos verpflanzt worden sein.

C. BURSIAN, Geogr. von Griechenland 1, 1862, 200 · T. K. HUBBARD, Remaking Myth and Rewriting History: Cult Tradition in Pindar's Ninth Nemean, in: HSPh 94, 1992, 102–107 · SCHACHTER, Bd. 1, 19 · P. W. WALLACE, Strabo's Description of Boiotia, 1979, 47. P. F.

Knosos (Κνωσός; Schreibung Κνωσσός ist spätere Praxis; lat. üblicherweise *Gnosos* oder *Gnosus*). Stadt in Mittel-Kreta, etwa 5 km südöstl. von Herakleion am Westufer des Flusses → Kairatos; Besiedlung schon in neolithischer Zeit. K. war ein Zentrum des »min.« Kreta mit imposanter Palastanlage (von A. EVANS ausgegraben und phantasievoll restauriert) und weitdimensionierter, offener Siedlung. Als Hafen von K. fungierte → Amnisos. Um 2000 v. Chr. erbaut, wurde der Palast wohl durch Erdbeben mehrfach zerstört und jeweils neu errichtet. Daß die Zerstörung von ca. 1450 v. Chr. durch den Vulkanausbruch von Santorin und einen von diesem ausgelösten Tsunami verursacht wurde [1], ist angesichts einer wohl vorzuziehenden früheren Datier. des Ausbruchs (nach Mitte 17. Jh. v. Chr.) eher unwahrscheinlich [2].

Nach einer zwischenzeitlichen Präsenz festländischer Griechen (myk. geprägt, um 1375 v. Chr.) erfolgte eine weitere und nun definitive Zerstörung des Palastes. Die Siedlungskontinuität blieb in K. jedoch gewahrt durch die Zuwanderung dor. Bevölkerung (→ Dorische Wanderung). K. wird häufig in den homer. Epen erwähnt (Hom. Il. 2,646; 18,591; Od. 19,178 f.: μεγάλη πόλις). Mitte 5. Jh. v. Chr. schloß K. unter Vermittlung von Argos einen Vertrag mit → Tylissos (StV 2, 147 f.). In hell. Zeit gehörte K. zusammen mit → Gortyn zu den dominierenden polit. Kräften auf Kreta (hegemoniale Stellung im kret. *koinón*) und war demzufolge intensiv und wiederholt in die zahlreichen innerkret. Auseinandersetzungen dieser Zeit involviert. V. a. die Inschr. [3] dokumentieren die äußerst labilen, durch Bündnisse wie das von 220 v. Chr. zw. K. und Gortyn [3. Nr. 75] nur vorübergehend gefestigten zwischenstaatlichen Konstellationen, wobei sich Gortyn im 2. Jh. v. Chr. allmählich als erste Kraft vor K. zu etablieren wußte. Nach der röm. Eroberung von Kreta (67 v. Chr.) verlor K. auch dadurch an Bed., daß der Konkurrent Gortyn administrativer Mittelpunkt der neuen Prov. → *Creta et Cyrenae* wurde. Um so mehr scheint man die Erinnerung an die große Vergangenheit gepflegt zu haben (Diod. 33,10). 36 v. Chr. sorgte der nachmalige Augustus für die Ansiedlung von Veteranen aus Capua (Cass. Dio 49,14,5; Strab. 10,4,9) in der nun offiziell als *Colonia Iulia Nobilis Cnosus* bezeichneten Stadt. K. war Bischofssitz und blieb bis in byz. Zeit besiedelt.

Wegen der Prominenz des min. Palastes (s. Abb.) hat die griech.-röm. Stadt K. in der Forsch. und in der Öffentlichkeit relativ wenig Beachtung gefunden. Dabei hatte K. in griech.-röm. Zeit eine große Ausdehnung in einem Areal westl. vom Kairatos und nördl. des Palastes (vgl. Strab. 10,4,7). An einzelnen Bauten konnten nachgewiesen werden: Tempel, Basilika, Theater, Wohnhäuser und Nekropolen.

→ Kreta; Minoische Kultur und Archäologie; Palast

1 S. MARINATOS, The Volcanic Destruction of Minoan Crete, in: Antiquity 13, 1939, 425–439 2 H. LOHMANN, Die Santorin-Katastrophe – ein arch. Mythos?, in: E. OLSHAUSEN, H. SONNABEND (Hrsg.), Naturkatastrophen in der ant. Welt. Stuttgarter Kolloquium zur Histor. Geogr. des Alt. 6. 1996 (Geographica Historica 10), 1998, 337–358 3 A. CHANIOTIS, Die Verträge zw. kret. Poleis in der hell. Zeit, 1996.

A. EVANS, The Palace of Minos at Knossos, 4 Bde., 1921–1936 · M. S. F. HOOD, Archeological Survey at the Knossos Area, 1958 · M. S. F. HOOD, J. BOARDMAN, A Hellenistic Fortification Tower on the Kefala Ridge at Knossos, in: ABSA 52, 1957, 224–230 · H. BUHMANN, s. v. K., in: LAUFFER, Griechenland, 332–334 · J. W. MYERS u. a., Aerial Atlas of Ancient Crete, 1992, 124–147 · L. H. SACKETT, Knossos, 1992 · I. F. SANDERS, Roman Crete, 1982, 152 f. · H. VAN EFFENTERRE, La Crète et le monde Grec de Platon à Polybe, 1948. H. SO.

Knoten spielen in der griech. und röm. Rel. eine Rolle wie auch in manchen anderen rel. Kulturen. Während die Bed. des ikonographisch faßbaren minoischen »Kult-K.« unklar ist [1], ist der K. insbes. in Magie und Heilritual der histor. Zeit als symbolisches Mittel geläufig, um etwas festzumachen. So werden dem Hercules-K., der in der Verknotung der Schlangen auf dem Caduceus, dem Stab des → Hermes, abgebildet ist, in der Wundheilung, doch auch einfach in der Alltagstracht bes. Kräfte zugeschrieben (Plin. nat. 28,63; Macr. Sat. 1,19,16). In der Liebesmagie soll der K. die Dauer der Liebe sichern (Tib. 1,8,5; vgl. Verg. ecl. 8,78); im magischen Ritual wird das Täfelchen mit dem Zauberspruch (→ *defixio*) mit dem Bild des Opfers verknotet (365 K., PGM IV 330). Umgekehrt ist das Lösen von K. symbolischer Ausdruck der Aufhebung von Bindungen und Hindernissen. Entsprechend müssen bei der Geburt alle K. gelöst werden, ebenso beim Eintritt in den Inkubationsraum, um einen Heiltraum zu erhalten, und in bestimmten Mysterienkulten [3]; hier wird das Öffnen von K. auch zum Bild der zum Kontakt mit dem Göttlichen aus ihrem Alltag gelösten Person.

1 NILSSON, MMR, 162–164 2 NILSSON, GGR 1, 114 3 M. ELIADE, Le dieu lieur et le symbolisme du noeud, in: RHR 134, 1948, 5–36. F. G.

Knurrhahn. Sieben der wahrscheinlich 15 identifizierten Vertreter der Familie der Cottidae haben größere Bed.: 1) Der nach dem Fang knurrende Panzerfisch (*Peristedium cataphractum* C.) ist laut Ailianos (nat. 13,26), der ihn τέττιξ ἐνάλιος/*téttix enálios* (»Meerzikade«) nennt, dunkler als der κάραβος/*kárabos*, die Languste. Die Einwohner von Seriphos sollen ihn als dem Perseus geweiht verschont haben. 2) Der Flughahn (Dactylopterus volitans L.) soll als ἱέραξ ὁ θαλάττιος/ *hiérax ho thaláttios*, lat. *accipiter* (»Meerhabicht«) flach über das Wasser gleiten (Ail. nat. 9,52; Opp. hal. 1,428–437, [1. 287]). 3) Der Graue K. (Trigla gurnardus L.) wird als farbenprächtiger κάνθαρος θαλάττιος/*kántharos thaláttios* (»Meerkäfer«) nach Opp. hal. 3,339–370 mit einem guten Köder gefangen. 4) Der eigentliche K., κόκκυξ/*kókkyx* (»Kuckuck«), Trigla hirundo L., soll seinen Namen von seinem Ruf haben (Aristot. hist. an. 4,9,535b 19f.). 5) Den Kleinen Drachenkopf (Scorpaema porcus L.), σκόρπαινα/*skórpaina*, will Athenaios (7,320f.) oft verzehrt haben. Nach Plin. nat. 9,162 laicht die *scorpaena* zweimal im Jahr. 6) Die rotbraune (Ov. Halieuticorum 116) Meersau (Scorpaena scrofa L.), σκορπίος/*skorpíos*, wird oft mit dem ebenso gen. 7) Seeskorpion (Cottus scorpius L.) identifiziert. Er lebt an Felsen (Opp. hal. 2,458f.) und hat giftige Stacheln. Caelius [II 10] Apicius empfiehlt seine Brühe (10,3,10).

1 D'Arcy W. Thompson, A Glossary of Greek Fishes, 1947
2 H. Gossen, s. v. K., RE Suppl. 8,250f.   C.Hü.

Kobuleti-Pičvnari.
Ort an der Kolchisküste, ca. 20 km nördl. des h. Batumi. Umfangreiche Nekropole aus dem 6.–2. Jh. v. Chr. mit att.-sf. und rf. Keramik; die synchrone griech. Siedlung (Matium? Plin. nat. 6,12) ist bisher nicht nachgewiesen.

D. Braund, Georgia in Antiquity, 1995, 109–117.   A.P.-L.

Koch.
Der griech. Begriff μάγειρος (*mágeiros*) bezeichnet drei verschiedene Funktionen: die des Opferpriesters, der dem Opfertier die Kehle durchschneidet, die des Metzgers, der es zerteilt, und die des K., der ein Gericht zubereitet. In homer. und archa. Zeit kann die kulinarische Funktion nicht von den anderen unterschieden werden. In klass. Zeit bezeichnet der Begriff *mágeiros* einen Spezialisten der Kochkunst, einen K., und man findet *mágeiroi*, die im Rahmen von Staats-, d. h. öffentlichen Opfern kochen, z. B. im Rahmen der Posideia-Feier (→ Poseidon) auf Delos (*mágeiroi* werden in den Rechnungen der *hieropoioí* (→ Opfer) erwähnt), in Elis anläßlich der Olympischen Wettkämpfe und bei den Mahlzeiten (→ Eßkultur) im → Prytaneion mehrerer Städte. Außerdem fungieren sie als K. im Rahmen zahlreicher privater Opferfeiern, die von Vereinen oder Privatleuten regelmäßig veranstaltet werden. In den großen Heiligtümern, wie etwa von Delos und Delphi, wird den Pilgern K.-Personal zur Verfügung gestellt; diese K. heißen in Delos ἐλεοδύται (*eleodýtai*, Athen. 4,172f–173b), in Delphi καρυκκοποιοί (*karykkopoioí*, »Saucenmacher«, Athen. 4,173d). In die örtlichen Heiligtümer können die Gläubigen einen *mágeiros* zum Zubereiten des Fleisches mitbringen.

Vom 4. Jh. v. Chr. an findet man auch K., die für die Mahlzeiten in Privathäusern zuständig sind. Es gibt zwei Typen von solchen Privat-K.: Die meisten werden auf dem Markt für eine einzige Gelegenheit angemietet; hierbei handelt es sich um den Typ des K. in der griech.-röm. Komödie. In Athen kommen sie aus allen Gegenden der Welt. Einige von ihnen sind berühmt: ›Agis von Rhodos war der einzige, der es verstand, den Fisch kurz zu braten, Nereus von Chios bereitete einen gedünsteten Seeaal, den man den Göttern hätte vorsetzen können, Chariades von Athen war Spezialist für das weiße *thríon* (mit Ei, Milch, Speck, Käse usw. gefüllte Feigenblätter), Lamprias hatte die schwarze Sauce erfunden, Aphthonetos Würstchen, Euthynos ein Linsengericht‹ (Euphron bei Athen. 4,379d-e; weitere bei Athen. 9,403e). Der zweite Typ ist der K., der als Hausangestellter in den → *oíkos* eingegliedert ist, also ein Sklave.

Auch andere Begriffe zur Bezeichnung des K. treten auf: Die einzige Funktion eines ὀψοποιός (*opsopoiós*) besteht in der guten Zubereitung der Speisen; der Begriff δειπνοποιός (*deipnopoiós*) hat dieselbe enge Bed. Clemens [3] von Alexandreia erwähnt in seiner Kritik am Luxus die Existenz von Spezialisten für Gebäck, Konfitüren und Getränke in manchen Häusern (Clem. Al. Paidagogos 2,1,2,2; 2,1,4,1; 2,2 passim).

In Rom ist der K. (*coquus*, dt. Lw. aus Vulgärlatein *coco*) anfangs mit der Zubereitung der Nahrung in ihrer Gesamtheit (Fleisch, Getreide, Brotbereitung) betraut; vom 2. Jh. v. Chr. an beginnt seine Tätigkeit in begüterten Kreisen jedoch als Kunst betrachtet zu werden und wird mehr und mehr zur Sache von Spezialisten. Innerhalb des Personals gibt es eine Hierarchie: An der Spitze steht der *archimagirus*, der Chef-K., assistiert durch einen zweiten K. (*vicarius supra cocos*) und die Küchenjungen (*coci*). Der K. des Trimalchio kann aus einem Schwein alles zaubern: ›aus einer Gebärmutter einen Fisch, aus dem Speck eine Ringeltaube, aus dem Schinken eine Turteltaube, aus einer Keule eine Henne‹ (Petron. 70,1–2).

E. M. Rankin, The Role of the Mageiroi in the Life of the Ancient Greeks, 1907 • K. Latte, s. v. mageiros, RE 27, 393–395 • J. André, L'alimentation et la cuisine à Rome, 1961, (dt.: Essen und Trinken im alten Rom, 1998) • H. Dohm, Mageiros. Die Rolle des K. in der griech.-röm. Komödie (Zetemata 32), 1964 • G. Berthiaume, Les rôles du mageiros, 1982.   P.S.-P./Ü: S.U.

Kochbücher
I. Alter Orient und Ägypten
II. Griechenland und Rom

I. Alter Orient und Ägypten
Obwohl es zahlreiche inschr. und bildliche Zeugnisse für eine hochentwickelte → Eßkultur an den Höfen altoriental. Herrscher gibt, sind Kochrezepte bisher nur aus Mesopot. bekannt: 34 aus dem 18. Jh. v. Chr. (gesammelt auf 3 Tontafeln), eins aus dem 6./5. Jh. Es handelt sich dabei um praktische Handlungsanleitungen im Stil von medizinischen Rezepturen.

Der Zweck, für den die Rezepte schriftl. festgehalten wurden, ist unklar. Sie betreffen überwiegend in Brühe gekochtes Geflügel und anderes Fleisch, daneben zwei Rezepte für Geflügelpasteten (»pie«). Die Rezepte enthalten keine Mengenangaben, gelegentlich bei Zugabe von Gewürzen wird ein Ausdruck »nach Gefühl« verwendet. Als Geschmacksverstärker kennt die mesopot. Küche eine dem lat. *liquamen* gleichende Fischsauce. Die Zugabe von Schafsfett in den Sud – es dient der Erhöhung der Kochtemperatur und befördert so die Aromatisierung des Fleisches – hat ihre Parallele in der späteren nahöstl. Küche. Aus Äg. ist die Zubereitung von Speisen v. a. durch Wandmalereien und -reliefs sowie plastische Darstellungen (Dienerfiguren) bezeugt.

1 J. BOTTÉRO, Textes culinaires Mésopotamiennes, 1995 2 Ders., s. v. Küche, RLA 6, 277–98 3 W. J. DARBY u. a. (Hrsg.), Food: The Gift of Osiris, 1977 4 H. A. HOFFNER, Alimenta Hethaeorum, 1974 5 F. JUNGE, s. v. Küche, LÄ 3, 830–33 6 S. SUBAIDA, R. TAPPER, Culinary Cultures of the Middle East, 1994. J. RE.

II. GRIECHENLAND UND ROM

Der Begriff »Kochbuch« ist für die griech.-röm. Welt zunächst unpassend. Besser sollte man mit E. DE-GANI [1] von → »Gastronomischer Dichtung« sprechen; denn Gastronomie und Kulinarisches treten bereits seit archa. Zeit als Motiv der griech. Poesie auf. Semonides von Amorgos (Mitte 7. Jh. v. Chr.) schildert die Prahlerei eines Kochs (fr. 24 WEST); Hipponax (E. 6. Jh.) läßt einen Vielfraß auftreten (fr. 126,2 DEGANI). → Ananios ist der eigentliche Erfinder der gastronomischen Poesie, gefolgt von → Epicharmos. Die Eßlust ist ein witziger Topos der gesamten Alten Komödie, und in dieselbe Zeit fallen auch die ersten Beschreibungen eines Schlaraffenlandes (Pherekrates 137 K.-A.). Diese Tendenz verstärkt sich in der Mittleren Komödie noch, vgl. die Beschreibungen im *Prōtesílaos* des → Anaxandrides (fr. 41 K.-A.) sowie in der *Augē* des → Eubulos [2] (fr. 14 K.-A.).

Wirkliche K. entstanden in der 2. H. des 5. Jh. v. Chr. Die meisten von ihnen sind jedoch vollständig verloren; aus einigen haben wir spärliche Fr. Das Werk des Mithaikos von Syrakus (Athen. 12,516c; 7,282a; Poll. 6,70; Plat. Gorg. 518b) etwa soll aus einer einfachen Rezeptsammlung bestanden haben. Glaukos von Lokroi (Athen. 7,324a; 9,369b) bot ebenfalls Rezepte sowie eine Reflexion über die Kochkunst, die nichts für Sklaven sei (Athen. 14,661e). Hegesippos von Tarent (Athen. 12,516c-d; 14,643f) hinterließ eine Liste der Zutaten für die Zubereitung eines bestimmten Gerichts (*kándaulos*). → Epainetos [2] und Artemidoros [4] aus Tarsos (1. Jh. v. Chr.) waren ebenfalls Autoren allgemeiner K. Andere Werke waren spezialisiert, wie das des Dorion (1. Jh. v. Chr.) über Fische, die des Chrysippos von Tyana (Mitte 1. Jh. n. Chr.), des Harpokration von Mendes (1. Jh. n. Chr.) und des → Iatrokles [3] über Gebäck. Schließlich trifft man auch in den Diätvorschriften medizin. Werke auf Bemerkungen über die Küche. Bücher über die Kochkunst wurden oft für die Rezitation oder die Lektüre bei Banketten geschrieben.

Von den Autoren, die ein *Deípnon* (»Gastmahl«) verfaßten, sind bisweilen nur noch die Namen bekannt; eine Ausnahme bildet → Archestratos [2] von Gela (2. H. des 4. Jh. v. Chr.), aus dem Athenaios 62 Fr. zitiert. Sein Gedicht *Hēdypátheia* (etwa: »genußvolles Leben«) steckt voller Ratschläge; Athenaios nennt ihn den Hesiod oder Theognis der Schlemmer (Athen. 7,310a). Ein anderer bedeutender Autor des ausgehenden 4. Jh., → Matron von Pitane, verfaßte eine Parodie, das *Deípnon Attikón*, das die Form einer wahren Schlacht annimmt, wobei die Nahrung den Feind darstellt, den man angreifen und erobern muß.

Die röm. Epoche brachte eigene kulinarische Abh. hervor, darunter die des Apicius (→ Caelius [II 10]), eines Zeitgenossen des Kaisers Tiberius. Das unter seinem Namen überlieferte Werk *De re coquinaria* (›Über das Kochen‹) wurde im 4. Jh. n. Chr. verfaßt.

Die ant. Darstellungen der Kochkunst sind weit mehr als nur Rezeptbücher; sie vermitteln ein System von Nahrungsdarstellungen, in dem die Grenzen zw. den Bereichen Rel., Medizin, Ernährung und Gesellschaft, Poesie, Humor und Unterweisung fließend sind.

1 E. DEGANI, On Greek Gastronomic Poetry, in: Alma Mater Studiorum 1990, Bd. 1, 51–61, 1991, Bd. 2, 164–175.

J. ANDRÉ, L'alimentation et la cuisine à Rome, 1961 (dt.: Essen und Trinken im alten Rom, 1998) · F. BILABEL, s. v. K., RE 11, 932–943 · A. DALBY, Siren Feasts. A History of Food and Gastronomy in Greece, 1996 (dt.: Essen und Trinken im alten Griechenland, 1998) · J. WILKINS u. a. (Hrsg.), Food in Antiquity, 1995 · J. MARTIN, s. v. Deipnonliteratur, RAC 3, 658–666. P. S.-P./Ü: S. U.

Kochkunst, Kochrezepte s. Kochbücher; Koch

Kodex s. Codex

Kodifikation s. Rechtskodifikation

Kodrantes (κοδράντης, aus dem lat. → *quadrans* entstanden). Der K., eine kleine Münze, entspricht im NT bei Mt 5,26 einem → Lepton, bei Mk 12,42 jedoch zwei Lepta, und ist wohl die jüd. Kleinkupfermünze der iulisch-claudischen Zeit. Von späteren Metrologen wurde der K. als Gewicht von ¼ Unze mit dem → Didrachmon gleichgesetzt, das einem hebr. Shekel (→ Siqlu) entspricht. Neben dem NT begegnet der K. in der Didache und im Talmud.

SCHRÖTTER, s. v. Quadrans, 540. GE. S.

Kodros (Κόδρος). Sohn des → Melanthos, ein myth. König Athens. In der att. Königsliste stellt er v. a. die Verbindung zu den pylischen Kolonisten Ioniens her. Nach der im 5. Jh. v. Chr. geläufigen Trad. ist sein Vater, ein Neleide, als Flüchtling nach Athen gekommen und vom letzten Nachkommen des → Theseus zum König gemacht worden; K. folgt ihm nach. Seine einzige bedeutsame Tat ist sein freiwilliger Opfertod, um die Stadt zu retten: Als die Dorer Athen angreifen und ein Orakel ihnen den Sieg verspricht, wenn sie K. lebend ergreifen, sucht K., als Holzfäller verkleidet, Streit mit den Belagerern und wird unerkannt erschlagen; als sie den Sachverhalt erfahren, ziehen sie ab (Pherekydes, FGrH 3 F 154; Hellanikos, FGrH 4 F 125; Lykurg. Leokrates 84–86; vgl. Plat. symp. 208d).

Die Nachfolge wird verschieden erzählt. Nach der Version des 5. Jh. v. Chr. wird K.' Sohn Medon Nachfolger und begründet die Dyn. der Medontiden (Hellanikos, FGrH 4,125). Nach einer anderen Trad. streitet sich ein anderer Sohn, Neleus, mit Medon, verläßt mit seinen Brüdern (prominent Androklos: Pherekydes, FGrH 3 F 155) Athen und gründet mit den nach Athen geflohenen Pyliern die ion. Städte; diese Trad., nach der die pylischen Siedler Ioniens über Athen einwanderten und die damit Athens Hegemonie über Ionien ausdrückt, wird schon durch den Anspruch der Peisistratiden, wie K. Pylier und Neleiden zu sein, vorausgesetzt (Hdt. 5,65). Eine dritte Trad. läßt K. kinderlos umkommen: mit ihm endet die Monarchie, seine polit. Nachfolger sind die → Archonten (Aristot. Ath. pol. 3,3; Iust. 2,7,1 f.; Paus. 4,5,10).

Kult hat K. im Neleion zusammen mit Neleus und Basile (IG I³ 84; der Ort ist unbekannt). Sein Grab wurde wenigstens in der Kaiserzeit am Fuß der Akropolis gezeigt (IG II² 4258).
→ Kolonisation II.

KEARNS, 178. F.G.

Kodros-Maler. Att. rf. Vasenmaler, um 440–420 v. Chr. tätig. Schalenmaler, der die Werkstatt von Hieron und → Makron in dritter Generation weiterführte. Ob er sein eigener Töpfer war, steht nicht fest, sicherlich jedoch ornamentierte er selbst. Neben ihn setzte sich zuweilen der → Phiale-Maler. Sein wichtigster Schüler war → Aison [2], mit dem die Werkstatt endete. Als einer der ersten griff der K.-M. um 425 auf ältere Stilmittel zurück (Paris, LV G 458) und führte so den Archaismus in den »Reichen Stil«. Ein konservativer Hauch liegt auch über der Wahl seiner Themen: »Staatstreu« wirken Bilder aus der mythischen Vergangenheit Athens, etwa mit König Kodros, seinem Namengeber (Bologna, Mus. Civ. PU 273), »gesellschaftstreu« die vielen Ephebenbilder (London, BM E 83). Dionysisches, zu Beginn nur außerhalb der Werkstatt möglich (→ Eretria-Maler), setzt sich erst spät durch, etwa im Bild von Dionysos und Ariadne (Würzburg, M.v. Wagner-Mus. L 491). Typisch sind ebenfalls extrem feine Relieflinien und häufige Beischriften.

BEAZLEY, ARV², 1268–1272 · BEAZLEY, Paralipomena, 471–472 · BEAZLEY, Addenda², 356–357 · A. LEZZI-HAFTER, Der Eretria-Maler, 1988, 86–88, 125–127, 193 · CHR. SOURVINOU-INWOOD, The Cup Bologna PU 273: A Reading, in: Metis 5, 1990, 137–153. A.L.-H.

Köln s. Colonia Agrippinensis

König s. Basileus; Großkönig; Herrscher; Rex

Königsfrieden. Bezeichnung für den faktisch vom pers. Großkönig Artaxerxes [2] II. den Griechen diktierten (Isokr. or. 4,175f.) »Allgemeinen Frieden« (→ koinḗ eirḗnē) 387/6 v. Chr.; auch »Frieden des → Antalkidas« genannt. Die pers. Forderungen, die im Herbst 387 den Griechen in Sardeis übermittelt wurden (StV II 242), enthielten den Anspruch auf alle Poleis in Westkleinasien, Klazomenai und Kypros. Lemnos, Imbros und Skyros sollten »wie früher« zu Athen gehören, alle anderen griech. Staaten autonom sein. Friedensverweigerern drohten Sanktionen. Im Frühjahr 386 wurde in Sparta der Vertrag von den Griechen beschworen.

M. JEHNE, Koine Eirene, 1994 · R. URBAN, Der Königsfrieden von 387/86 v. Chr., 1991. K.-W. WEL.

Königskerze oder Wollkraut (φλόμος/phlómos, lat. verbascum), eine nach der guten Beschreibung des Dioskurides 4,103 WELLMANN = 4,102 BERENDES (vgl. Plin. nat. 25,120f.; Isid. orig. 17,9,94) in zwei Arten vorkommende Scrophulariacee, eine mit weißen und eine mit schwarzen Blättern (Verbascum sinuatum L.). Von der weißen unterscheidet Dioskurides eine männliche Form (V. thapsus L., die Gemeine K.) von einer weiblichen (V. plicatum Sibthorp, die Gefaltete K.). Ihre Wurzeln sollen u. a. adstringierend bei Durchfall wirken. Nach Plin. nat. 26,23 hilft sie, mit Wasser getrunken, gegen geschwollene Rachenmandeln. Die schwarze K. erwähnt Theophr. h. plant. 9,12,3 nur in einem Vergleich mit einer Mohnart. Drei weitere Arten bei Dioskurides gehören nach BERENDES einer Labiaten-Gattung an.

M. SCHUSTER, s. v. Verbascum, RE 8 A, 970–973. C.HÜ.

Königsliste(n). Ägypt. und mesopot. K., die die Abfolge von Herrschern mit Anzahl der Regierungsjahre verzeichnen, verdanken ihr Entstehen praktischen Bedürfnissen der Verwaltung und des Rechtswesens. Sekundär sind ihnen aus legitimatorischen Gründen mythische Elemente und spekulative Vorstellungen über die Ursprünge der jeweiligen Herrscherreihen vorangestellt worden. Sie sind insofern als Ausdruck von Geschichtsbewußtsein und histor. Ideologie zu sehen.

Abfolgen von Königen mit der Anzahl der Regierungsjahre wurden in Mesopot. nachweislich seit dem frühen 2. Jt. v. Chr. in sog. chronographischen Texten festgehalten. Altbabylon. → Schreiber erfaßten in der Sumer. K. (SKL; s. TUAT I, 328–337) die Vertreter des in wechselnden Städten beheimateten Königtums, seit es ›vom Himmel herabgekommen war‹. Sie stellten den Städten und Königen »nach der Flut« aus anderer lit. Trad. die Städte und Könige »vor der Flut« voran. Da die Trad.-Gesch. der SKL unbekannt bleibt, ist ihr Wert als histor. Quelle eingeschränkt. Sie nennt nicht alle durch eigene Inschr. bezeugten Könige. Gleichzeitig regierende Dyn. führt sie nacheinander auf.

In akkad. Trad. stehen verschiedene K. mit den Regierungsjahren und Namen der Könige vom 21. bis zum 17. (Ur III- und altbabylon. Zeit) bzw. bis zum 6. Jh.

v. Chr. Ein Text für das königliche Totenritual (17. Jh. v. Chr.) nennt die Herrscher der → Ḫammurapi-Dyn. und deren nomadische eponyme Heroen [4. 36 f.]. Eine K. aus Uruk nennt die babylon. Könige und ihre Regierungsjahre vom 7. Jh. v. Chr. bis zu den Seleukiden. Herrscher der hell. Zeit von Alexander d.Gr. bis Demetrios II. registriert eine K. aus Babylon. In griech. Überl. verzeichnet der ptolem. Kanon die Namen babylon. Könige von → Nabonassaros bis → Nabonid.

Die assyr. K. (AKL), unter Šamši-Adad I. (1813–1781 v. Chr.) zur Legitimation seiner Herrschaft und wohl als Gegenstück zur SKL entwickelt, wurde als Dokument der Königsideologie bis ins 7. Jh. weitergeführt. Die sog. »Synchronistischen K.« führen die Namen assyr. und babylon. Könige in parallelen Kolumnen auf.

Die äg. K. (→ Geschichtsschreibung I.E) enthalten von Beginn der 1. Dyn. (2995 v. Chr.) an verläßliche Angaben über die Regierungsdauer der Könige. Sie sind daher die wichtigste Basis für die äg. Chronologie. Eine dieser K. – der Turiner Königspapyrus – gliedert die Abfolge äg. Herrscher in die auch h. für die Einteilung der äg. Gesch. maßgebenden Dyn. Auf einer derartigen Liste beruht auch das Geschichtswerk des → Manethon.

Aus dem nordsyr. → Ugarit sind bisher zwei listenartige Zusammenstellungen von Herrschernamen bekannt, von denen die eine [2. 1.161] sicher, die andere (TUAT 1, 496 f.), die die Herrscher von Ugarit vom 19./18. Jh. bis ca. 1200 v. Chr. verzeichnet, vermutlich mit einem Totenritual zu verbinden ist.

→ Ären; Fasti; Geschichtsschreibung

1 J. v. BECKERATH, s. v. K., LÄ 3, 534 f. 2 M. DIETRICH, O. LORETZ, Die keilalphabetischen Texte aus Ugarit, 1976 3 D. O. EDZARD, A. K. GRAYSON, s. v. K. und Chroniken, RLA 6, 77–135 4 C. WILCKE, Zum Gesch.-Bewußtsein im alten Mesopot., in: H. MÜLLER-KARPE (Hrsg.), Arch. und Gesch.-Bewußtsein, 1982.   H. FR.

Königsstraße. Ab dem 9. Jh. v. Chr. sind im neuassyr. Reich K. als klar definierte, nur in Städten teilweise gepflasterte Verbindungen zwischen Königsresidenz und Provinzgouverneuren belegt. Sie wurden durch Straßenstationen gesichert, die im königl. Auftrag Reisende aufnahmen, mit Maultiergespannen versorgten und für den Transport von Post verantwortlich waren (für Palästina vgl. auch Nm 20,17; 21,22; Dt 2,27). Im babylon. Chaldäerreich wurden neue K. angelegt.

Die ähnlich strukturierten achäm. K., von den Griechen als vermeintlich perfektes Kommunikationssystem bewundert, bildeten ein weites, strikt überwachtes, oft auch vom Militär benutztes, für Reisewagen geeignetes Fernstraßennetz. Es wird auf bis zu 13 000 km Länge geschätzt. Vor allem aufgrund von Hdt. 5,52 ist die bekannteste K. diejenige von → Sardeis nach → Susa, angeblich von 450 Parasangen Länge und mit 111 Stationen versehen. Durch elam. Rationentexte ist die Strecke Persepolis-Susa mit ca. 600 km und 22 Stationen, von denen einige auch arch. nachgewiesen sind, am besten dokumentiert. Die Terminologie des achäm. Straßen-

bzw. Postsystems (ἀγγαρεῖον, angareíon) präsentiert sich nicht einheitlich. Iran. Bezeichnungen fehlen weitgehend. Belegt sind u. a. auf Griech. Stationen (σταθμοί; βασίλειοι) mit Herbergen (καταλύσεις), Straßenwächter (ὁδοφύλακεις), berittene (ἄγγαροι, elam. pirradaziš) und andere Kuriere (ὁδοποιοί), Eilboten, Führer sowie die elam. Begriffe für Hilfspersonal, Straßenpolizei und Straßenvermessung. Teile der K. überlebten wohl als parth. K., beschrieben von → Isidoros [2] aus Charax. Noch unter den Sāsāniden ist der »Weg des Großkönigs« mit Poststationen belegt.

→ Straßen- und Brückenbau; Verkehr

BRIANT, 338–369 • D. F. GRAF, The Persian Royal Road System, in: AchHist 8, 1994, 634–650 • K. KESSLER, Royal Roads and Other Questions of the Neo-Assyrian Communication System, in: S. PARPOLA (Hrsg.), Assyria 1995, Proc. of the 10th Anniversary Symposium of the Neo-Assyrian Text Corpus Project, Helsinki, 1997, 129–136 • H. KOCH, Die achäm. Poststraße von Persepolis nach Susa, in: AMI 19, 1986, 133–147.   K. KE.

Königsweg. Als K. (hebr. *dæræk hammælæk*, akkad. *girru šarri*, arab. *darb/ṭarīq as-sulṭāni*) bezeichnet man die alte Handelsstraße in Jordanien, die in der altorientalischen und röm. Ant. Damaskos mit dem Golf von Aqaba verband und darum mit der westl. *via maris* die wichtigste Verkehrsverbindung auf der Nord-Süd-Achse in Syrien-Palästina bildete. Der Name K. stammt aus dem AT (Nm 20,17; 21,22). Als Verkehrs- und Handelsstraße diente der K. auch den östl. Nachbarvölkern, sowohl mil. Interessen als auch dem Handel mit Produkten aus Südarabien. 106 n. Chr. wurde der K. von Kaiser Traian erneuert.

→ Handel

H. BORGER (Hrsg.), Der K. 9000 Jahre Kunst und Kultur in Jordanien und Palästina, 1987.   TH. PO.

Königtum s. Gottkönigtum; Großkönig; Herrscher; Herrschaft; Monarchie

Könnensbewußtsein. Von dem Althistoriker CH. MEIER [1. 435–439] geprägter mod. Begriff, mit dem das technisch-qualitative wie zugleich auch das damit interferierende polit. Selbstverständnis des Handwerkerstands in klass. griech. Zeit in demokratisch-pluralistischem Kontext präzisiert ist; K. umfaßt in diesem Sinne einen wichtigen Aspekt bzw. Teilbereich des griech. Begriffs → *téchnē* (vgl. auch → Demiurgos [2] und [3], → Handwerk, → Künstler, → Kunst, → Technik, → *technítai*, → Technologie). Neben anderen Handwerkszweigen begegnet bes. im → Bauwesen des 5. Jh. v. Chr. ein offenbar zunehmend demonstrativ aufgefaßter Zug zur Bewältigung von Arbeitserschwernissen wie z. B. der → Kurvatur oder der → Inklination bei der Errichtung eines Säulenbaus (→ Optical Refinements) – elaborierte Werkprozesse, die mit einiger Wahrscheinlichkeit auch Gegenstand öffentlicher Debatte waren; diese Prozesse verliehen der technischen Kompetenz nicht nur der individuell am Bauprozeß beteiligten Handwerker oder Bauhütten, sondern auch der Auftraggeber, ja letztlich des gesamten Gemeinwesens beredt Ausdruck (und waren damit keineswegs allein technisch motiviert). Umgekehrt leiteten Handwerker und Bauhütten aus dieser laufend angestrebten Steigerung des »Stands der Kunst« nicht nur ein offensiv-selbstbewußtes Verständnis ihrer eigenen Tätigkeit ab, sondern zugleich die Begründung ihrer gewichtigen gesellschaftlich-polit. Rolle als *technítai* bzw. → Theten, zumindest in der att. Demokratie im Zeitalter des Perikles (5. Jh. v. Chr.).

1 CH. MEIER, Die Entstehung des Politischen bei den Griechen, 1980.

A. BURFORD, Craftsmen in Greek and Roman Society, 1972 (dt.: Künstler und Handwerker in Griechenland und Rom, 1985), 237–248 · CH. HÖCKER, Planung und Konzeption der klass. Ringhallentempel von Agrigent, 1993, 154–165 u. Anm. 795–802 · CH. HÖCKER, L. SCHNEIDER, Pericle e la costruzione dell'Acropoli, in: S. SETTIS (Hrsg.), I Greci II/2, 1997, 1239–1274 · H. SCHNEIDER, Das griech. Technikverständnis, 1989, 52–60; 132–135.   C. HÖ.

Körperpflege und Hygiene   A. ALLGEMEINES
B. KOPF   C. KÖRPER   D. UNTERKÖRPER

A. ALLGEMEINES

Zum körperlichen Wohlbefinden gehörte in der Ant. saubere und regelmäßig gewechselte → Kleidung, ferner das Waschen bzw. Baden und das anschließende Salben des Körpers mit einfachem oder mit parfümiertem Olivenöl und sonstigen wohlriechenden Duftölen (→ Kosmetik), wobei letzteres auch aus gesundheitlichen Gründen angewandt wurde. Dem griech. und röm. Reinlichkeitsempfinden mußten Völker oder Personen, die schmutzig und ungepflegt waren, unangenehm auffallen (Hor. sat. 1,2,27; 1,4,92), ebenso solche, die ungewöhnliche oder fremdartige Waschmethoden anwandten, wie z. B. die Keltiberer, die sich den Körper und die Zähne angeblich mit Urin reinigten (Diod. 5,33,5; Catull. 37,20 und 39,17–21).

B. KOPF

Haarwäsche mit anschließender Salbung (vgl. Hom. Od. 15,331 f.; Archil. Fr. 26 D) wurde oft und gerne gepflegt; einige Vasenbilder zeigen kniende Frauen, die sich die Haare mit Wasser aus einer Hydria übergießen lassen (z. B. Pelike, Athen, NM 1472 [1. Taf. 38,1]). Die Pflege der Zähne galt für deren Erhalt wie für den guten Atem als angebracht. Ein Mensch mit schwarzen oder ungepflegten Zähnen galt als »widerlich« (vgl. Theophr. char. 19); morgendliches Zähneputzen pflegten die Römer, und zur Reinigung der Zähne nahmen sie u. a. pulverisierten Bimsstein (Plin. nat. 36,156). Mittelchen zur Zahnpflege (*dentifricia*) gab es in unterschiedlicher Zusammensetzung (Plin. nat. 28,178–194); der Arzt Pythicus aus dem 1. Jh. n. Chr. verfaßte ein B. über die Herstellung dieser Pulver. Für den besseren Atem lutschte man Pastillen (Hor. sat. 1,2,27; 1,4,92, Plin. nat.

33,93, vgl. Mart. 1,87), nach Plin. nat. 28,190 vertrieb auch Butter üblen Mundgeruch. Zahnstocher (*dentiscalpium*) gab es aus Mastixholz. Die Ohren wusch man entweder aus oder nutzte bes. Ohrlöffel. Zahnstocher und Ohrlöffel (*auriscalpium*, Mart. 14,23) aus kostbaren Materialien haben sich v. a. aus der Kaiserzeit erhalten [2].

C. KÖRPER

Wenn man nicht gerade in die öffentlichen Badeanstalten (→ Thermen, → Bäder) ging, bot sich – nach Ausweis der att. und unterital. Vasenbilder – das Brunnenhaus zur Körperreinigung an oder das hüfthohe Luterion (→ Labrum); mitunter stieg man auch in ein großes Gefäß, um sich zu waschen. Daneben nutzte man die hauseigene Badevorrichtung. Bereits bei Homer (Od. 3,468 u. ö.: *asáminthos*) werden Badewannen erwähnt. Man konnte im Sitzen baden oder ließ sich mit Wasser übergießen (vgl. Hom. h. Demeter 50); mit einem Schwamm säuberte man sich den Körper (erstmalige Erwähnung des Badeschwammes Hom. Il. 18,414) oder tupfte damit das Wasser ab. Das Wasser war mit reinigendem Natron, Soda o. a. angereichert. Darstellungen des in der Wanne sitzenden erwachsenen Menschen sind nicht allzu häufig (z. B. [3. Taf. 1,1; 3,8; 4,10 und 11]). Zum Erhalt einer weichen und geschmeidigen Körperhaut diente v. a. Olivenöl (vgl. Hes. erg. 515–519). Der verfeinerte Geschmack der röm. Kaiserzeit führte zu unglaublichen Mitteln, von denen das Baden in Eselsmilch (Plin. nat. 28,183) das bekannteste ist (weiteres z. B. bei Plin. nat. 28,183–188). Gegen Hautfalten, -flecken oder Schwielen gab es Bimsstein oder feuchten Brotteig (Iuv. 6,461), der über Nacht auf dem Gesicht blieb und am Morgen mit Eselsmilch abgewaschen wurde. Sogar Mittel gegen Sommersprossen wurden angeboten.

D. UNTERKÖRPER

Nach Verrichtung der Notdurft benutzte man einen Schwamm (Aristoph. Ran. 480–490, vgl. Aristoph. Ach. 846; bei Mart. 12,48 ist dieser an einem Stab befestigt und in der Latrine aufgehängt, vgl. Sen. epist. 70,20) oder einen Lappen; Stein oder Knoblauch (z. B. Schale, Boston, MFA, Inv. 08.31b, [4. Taf. 11,2]; Aristoph. Plut. 816 f.) waren auch möglich. Beine und Füße wusch man über dem *podaniptḗr*, lat. *pelvis* (Plat. symp. 17a; Plut. Phokion 20; Hdt. 2,172 f.), über dem man auch die Haare und Hände reinigen konnte (Athen. 9,409e). In vornehmen Häusern besorgten das Reinigen der Füße (vgl. Hom. Od. 19,343 ff.) wie auch die Pflege der Fußnägel die Sklaven bei Beginn eines Symposions (Petron. 31,2 f.); ansonsten konnte man Finger- wie Fußnägel beim → Barbier schneiden und reinigen lassen bzw. in den Thermen vom örtlichen Hauspersonal.
→ Kamm; Kosmetik; Nadel; Perirrhanterion; Rasiermesser; Schwamm; Seife; Thermen

1 K. SCHEFOLD, Unt. zu den Kertscher Vasen, 1934
2 M. MARTIN, in: A. KAUFMANN-HEINIMANN, H. A. CAHN, Der spätröm. Silberschatz von Kaiseraugst, 1984, 122–132
3 R. GINOUVÈS, Balaneutikè. Recherches sur le bain dans

l'Antiquité grecque, 1962 **4** E. VERMEULE, Some Erotica in Boston, in: AK 12, 1969.

S. LASER, Medizin und K. (ArchHom 3,2=S), 1983, 135–188 · M. MARTIN, Röm. und frühma. Zahnstocher, in: Germania 54, 1976, 456–460 · E. RIHA u. a., Röm. Toilettgerät und medizinische Instrumente aus Augst und Kaiseraugst (Forsch. in Augst 6), 1986 · R. NEUDECKER, Die Pracht der Latrine, 1994 · M. VALLERIN, Pelvis estamillés de Bassit, in: Syria 71, 1994, 171 ff. · G. WÖHRLE, K. und körperliche Sauberkeit als Merkmale sozialer Differenziertheit in den homer. Epen, in: Gymnasium 103, 1996, 151–165. R. H.

Körperschaft s. Vereine

Körpersprache s. Gebärden

Kohl (ῥάφανος, κράμβη, καυλός; lat. *brassica, crambe, caulis*, davon it. *cavolo*, frz. *chou*, dt. K.) ist eine h. in zahlreichen Kulturformen gezüchtete europ. Gemüsepflanze (Brassica oleracea L.) aus der Familie der Cruciferae, die als siebenblättrige *krámbē* zuerst Hipponax 40 DIEHL (zit. bei Athen. 9,370b) erwähnt. Theophr. h. plant. 7,4,4 (von Plin. nat. 19,80 auf den Rettich *raphanís*, lat. *raphanus* bezogen) unterscheidet beim *ráphanos* wie Cato agr. 157,1–3 und Athen. 9,369e-f drei K.-Sorten. Colum. 10,127–139 erwähnt K.-Anbau bes. bei 14 Städten Italiens. Plin. nat. 19,139–143 beschreibt Anbau und Pflege von sieben h. unidentifizierbaren Sorten. Urspr. war K. ein allg. Nahrungsmittel, bei dem man sogar Schwüre leistete (vgl. Athen. 9,369e–370f), später galt er als typisch für einfaches Essen. In der Medizin spielte er, u. a. auf unterschiedliche Weise zubereitet als Speise (Dioskurides 2,120 WELLMANN = 2,146 BERENDES, vgl. Gal. de alimentorum facultatibus 2,44) sowie aufgelegt auf Geschwüre und Wunden (Cato agr. 157,3–5), eine bedeutende Rolle.
→ Gemüse; Kohlrübe

F. ORTH, s. v. K., RE 11,1034–8. C. HÜ.

Kohlenbecken, Kohlenpfannen s. Heizung

Kohlrübe. Mit βουνιάς, νᾶπυ, lat. *napus* ist wohl die Steckrübe (Brassica napus L. var. napobrassica) gemeint. Nach Athen. 9,369b kannte sie Theophrast nicht, jedoch → Nikandros fr. 70 SCHN. In Griechenland soll sie nach Plin. nat. 19,75 (fünf Lokalarten von griech. Ärzten unterschieden) und 20,21 (zwei Arten: *búnion* und *búnias*) nur als Heilmittel verwendet worden sein; Athen. 1,4d kennt K. aus Theben. Diod. 3,24,1 bezeichnet sie als ähnlich der Nahrungspflanze des Volkes der Hylophagen am Roten Meer. Plin. nat. 18,131 f. und 314, Colum. 2,10,22–24 und Pall. agric. 8,2,1–3 beschreiben die Aussaat im Juli/August auf lockerem und gut gedüngtem Boden und den angeblichen Übergang der *rapa* (Rübe) in den *napus* und umgekehrt (auch bei Isid. orig. 17,10,8).
→ Kohl C. HÜ.

Koila (Κοῖλα). Die wegen der Stürme gefürchtete SO-Küste von → Euboia (Hdt. 8,13 f.; Dion Chrys. 7,2; 7; Eur. Tro. 84; 90; Ptol. 3,15,25). Bei Strab. 10,1,2; Val. Max. 1,8,10; Liv. 31,47,1; Oros. 6,15,11 ist K. der südl. Teil der Meerenge von Euboia bis zum Euripos.

F. GEYER, Top. und Gesch. der Insel Euboia 1, 1903, 7 ff.
H. KAL.

Koilaletai (Κοιλαλῆται, lat. *Coelaletae*). Ethnonym, mit dem zwei verschiedene thrak. Stämme bezeichnet wurden: die »Großen K.« unterhalb des → Haimos (Plin. nat. 4,41) und die »Kleinen K.« unterhalb der → Rhodope; sie kämpften 21 n. Chr. zusammen mit den Odrysai und Dii gegen die Römer (Tac. ann. 3,38 f.); dort lag die thrak. Strategie Koiletike (Ptol. 3,11,9). K. sind mehrmals als Soldaten auf Inschr. des 1. Jh. n. Chr. anzutreffen (vgl. CIL XVI 33 von 86 n. Chr.).

CHR. DANOV, Die Thraker auf dem Ostbalkan . . . , in: ANRW II 7.1, 1979, 21–185, bes. 115 ff. · M. Taceva, Istorija an ba 2, 1987, 168 ff. I. v. B.

Koile (Κοίλη, auch Κοιλή). Att. Asty-Demos der Phyle Hippothontis, von 307/6 bis 201/0 v. Chr. der Demetrias, mit drei *buleutaí*, im urspr. dicht besiedelten, aber schon im 4. Jh. v. Chr. verlassenen [5] »Felsathen« südwestl. der Pnyx zw. Nymphenhügel und Museion, nahe dem Melitischen Tor [2. 168 f.] an der K. *hodós* [2. 180], dort auch Gräber des → Kimon [1] (Hdt. 6,103) und des Historikers Thukydides (Marcellinus, Vita Thucydidis 17,55; Paus. 1,23,9). K. bewahrt eines der best erh. Wohnviertel des klass. Athen [1; 3; 4].
→ Athenai

1 E. CURTIUS, J. A. KAUPERT, Atlas von Athen, 1887, 17 f., Bl. 3 **2** W. JUDEICH, Die Top. von Athen, ²1931 **3** H. LAUTER, H. LAUTER-BUFE, Wohnhäuser und Stadtviertel des klass. Athen, in: MDAI(A) 86, 1971, 109–124 **4** H. LAUTER, Zum Straßenbild in Alt-Athen, in: Ant. Welt 13,4, 1982, 44–52 **5** TRAVLOS, Athen, 159, 392.

TRAILL, Attica, 12, 21, 51, 68, 110 Nr. 68 Tab. 8, 12 · WHITEHEAD, Index s. v. K. H. LO.

Koile Syria (Κοίλη Συρία). Der bei ant. Autoren geogr. oft vage verwendete Begriff *K. S.* (das »hohle« Syrien; aram. *kōl* »ganz«?) dürfte urspr. das gesamte westeuphratische → Syrien gemeint haben; andere sehen nach Strabon 16,15,4 enger das Gebiet der Biqaʿ zwischen Libanon und Antilibanon. Zuerst bei Ps.-Skyl. erwähnt (GGM I 15–96, bes. S. 78 c. 104), umfaßt *K. S.* häufiger auch nur Süd-Syrien, gelegentlich unter Einschluß von Teilen oder ganz Phönikiens. Zumeist ausgeschlossen ist das Ostjordanland.

K. S. und Phönikien bilden eine pers. Satrapie (2 Makk 3,5; 4,4 u. ö.). Als *K. S.* werden auch die ptolem. Gebiete bis zum Eleutheros bezeichnet. Nach der Neuordnung Syriens durch Pompeius ohne verwaltungstechn. Bedeutung, findet sich der Begriff noch öfter. Bei Iosephos (ant. Iud. 13,13,2 u. ö.) ist er auf die → Dekapolis ausgedehnt, deren Städte diese Traditionsbezeichnung in Inschr. und Mz. noch vom 1.–3. Jh. n. Chr.) kennen. Unter Septimius Severus (um 200 n. Chr.) wurde neben der *Syría Phoiníke* eine große nordsyr. Provinz *K. S.* inklusive der → Kommagene eingerichtet.

→ Damaskos

G. Beer, s. v. K. S., RE 11, 1050–1051 • E. Bickerman, La K. S., in: RBi 54, 1947, 256–268. K. KE.

Koilon s. Theater

Koine (aus ἡ κοινὴ διάλεκτος, »die gemeinsame Sprache«). Eingebürgerter Begriff der griech. Sprachgesch.; man bezeichnet damit zumeist undifferenziert ein relativ einheitliches nachklass. → Griechisch auf att. Basis, aber mit zahlreichen ion. Einflüssen durchsetzt, das die altgriech. Dial. (→ Griechische Dialekte) verdrängt habe und der Vorfahr des Neugriech. sei; als Quellen gelten eine Reihe nicht mehr att., aber noch nicht attizistischer Prosaschriftsteller in Hell. und Kaiserzeit (etwa Polybios, das NT oder Epiktetos), daneben aber auch Papyri und Inschriften.

Jedoch müssen verschiedene Aspekte gesondert betrachtet werden. Erstens die geschriebene Sprache: Mit dem polit. Aufstieg Athens im 5. Jh. v. Chr. etablierte sich das → Attische recht spät und unter ion. Einfluß als Literatursprache, konnte aber sein neu gewonnenes Prestige auch in Zeiten polit. Niedergangs erhalten und wurde unter Philippos II., dem Vater Alexanders d. Gr., zur Sprache der maked. Hofkanzlei; durch die Eroberungen Alexanders erreichte es Amtssprachenstatus im ganzen östl. Mittelmeerraum, was in sprachlicher Hinsicht zur Entstehung der K. führte (mit dem Großatt. als Zwischenstufe). Es handelt sich hierbei um einen neuen sprachlichen Standard auf att. Basis mit Konzessionen an das Ion.; att. Spezifika wie etwa die sog. att. Dekl. (ναός statt att. νεώς) oder die extensive Kontraktion (ἐδέετο für att. ἐδεῖτο) wurden aufgegeben, es entstanden Ausgleichsformen wie πράσσω (mit att. Vokalismus und ion. Konsonantismus); auch progressive Formen wie etwa δεικνύω, der Aor. εἶπα oder der pass. Aor. ἀπεκρίθην statt ἀπεκρινάμην (vgl. neugriech. αποκρίθηκα) galten als akzeptabel.

Dieser sprachliche Standard liegt Texten aus der Zeit des Hell. (→ Hellenisierung) und später zugrunde, womit freilich nicht gesagt ist, daß alle Texte aus dieser Zeit sprachlich homogen seien; mit stilistischen Unterschieden, unterschiedlichem Grad der Sprachbeherrschung usw. ist immer zu rechnen. Diese geschriebene K. ist es, die sich bis zum Einsetzen des → Attizismus (der auch dafür verantwortlich ist, daß nur wenige lit. Quellen überl., also zugänglich geblieben sind) in den von Alexander eroberten nichtgriechischsprachigen Gebieten durchsetzt, und die, wenn auch nicht allerorts gleichzeitig oder gleich schnell, in griechischsprachigen Gebieten die lokalen Dial. als Schreibdial. verdrängt, was aber für das Überleben der alten Dial. als *gesprochene* Mundart noch nichts besagt.

Hiermit ist man beim zweiten Problem angelangt: K. als gesprochene Sprache. Gemeinhin wird davon ausgegangen, die geschriebene K. sei mit der »geläufigen Umgangssprache« weitgehend identisch. Mit einer relativ einheitlich gesprochenen K. ist am ehesten die »koloniale Ausgleichssprache« zu bezeichnen, die für die neu eroberten, nicht griechischsprachigen Regionen vorausgesetzt werden kann: In Kolonisationssituationen pflegen großräumige *gesprochene* Koinai zu entstehen. Daß diese aber nicht ohne weiteres mit der geschriebenen identifiziert werden können, die gesprochene Sprache vielmehr in diesem Fall dem Neugriech. noch um einiges ähnlicher war, als es die geschriebene K. aus lit. und epigraphischen Quellen vermuten läßt, zeigen z. B. Schreibfehler oder sonstige Normverstöße auf »vulgären« Papyri; allerdings ist hier nur indirekte Rekonstruktion möglich.

Anders freilich stellt sich die Situation der gesprochenen Sprache in den griechischsprachigen Gebieten selbst dar; auch wenn sich in den epigraphischen Quellen die Koineisierung der Dial. gut verfolgen läßt und sehr wohl damit zu rechnen ist, daß der neue schriftliche überregionale Standard auch für die gesprochene Sprache nicht folgenlos blieb im Sinne einer dialektalen Nivellierung, so schließt dies eine lokale Bewahrung dialektalen Sprachguts in der gesprochenen Sprache dennoch nicht aus. Je nachdem, ob das Griech. sich auf Kosten nicht verwandter Idiome – wie etwa der indigenen Sprachen Ägyptens oder Kleinasiens – oder in Auseinandersetzung mit anderen griech. Dial. (wo viel eher Interferenzen und damit auch Bewahrung dialektaler Eigenheiten möglich sind) ausbreitete, ergeben sprachhistor. unterschiedliche Konsequenzen – eine vollständig einheitliche gesprochene Sprache ist für den eigentlichen griech. Sprachraum nicht notwendig vorauszusetzen. Es kann vielmehr gezeigt werden, daß schon während der Koineisierung die Ausdifferenzierung neuer Dial. ihren Anfang nahm. Auch wenn praktisch alle neugriech. Dial. gewisse Entwicklungen, die sich bereits in der K. andeuten, vollzogen haben (Aufgabe des Inf. fast überall außer an der Peripherie des Sprachgebiets, Verschwinden des Duals und des Optativs, Einführung eines analytischen Futurs usw.) und auch wenn keiner der h. neugriech. Dial. als direkter Fortsetzer eines altgriech. angesehen werden kann (am ehesten noch das → Tsakonische), sind doch nicht unerhebliche Reste des alten dor. Substrats in den h. griech. Dial. Unteritaliens, des → ionischen im Pontischen und des kypr. im Zypriotischen erh., und zwar nicht nur im Wortschatz, sondern auch in der Laut- und Formenlehre.

Schließlich das Verhältnis zum Neugriech.: Wenn auch richtig ist, daß die Schrift-K. in vielen Zügen auf das Neugriech. vorausweist (dies die wesentliche Entdeckung von Chatzidakis), darf daraus jedoch nicht geschlossen werden, das Neugriech. und seine Dial. könnten nichts mehr zur Kenntnis des Griech. vor der K. beitragen.

R. Browning, Medieval and Modern Greek, ²1983 ·
G. Chatzidakis, Einl. in die neugriech. Gramm., 1892
(Ndr. 1977) · P. Costas, An Outline of the History of the
Greek Language with Particular Emphasis on the Koine and
Subsequent Stages, 1936 · A. Debrunner, A. Scherer,
Gesch. der griech. Sprache. 2: Grundfragen und Grundzüge
des nachklass. Griech., 1969 · J. Niehoff-Panagiotidis,
Koine und Diglossie, 1994 · H. Petersmann, Zur
Entstehung der hell. K., in: Philologus 139, 1995, 3–14 ·
A. Thumb, Die griech. Sprache im Zeitalter des Hell., 1901.

V. Bi.

Koine Eirene (κοινὴ εἰρήνη). »Allgemeiner Friedensschluß«, multilaterales Friedenskonzept des 4. Jh.
v. Chr. Kennzeichnend sind die Forderung nach der
Autonomie (→ *autonomía*) der Polis sowie die Verbindlichkeit für *alle*, d. h. nicht nur für kriegführende griech.
Staaten [1. XVI]. In zeitgenöss. Quellen ist der Terminus selten bezeugt, zuerst bei Andokides (3,17; 34, im J.
392/1), der für eine κ.ε. πᾶσι τοῖς Ἕλλησι (»k.e. für alle
Griechen«) eintritt. Eine solche wurde 386 nach Verhandlungen des → Antalkidas mit dem Perserkönig
→ Artaxerxes [2] und nach Bekanntgabe des königl.
Edikts (→ »Königsfrieden«) von den Parteien des → Ko-
rinthischen Krieges in Sparta beschworen (Xen. hell.
5,1,25; 30; 35; Plut. Artaxerxes 22,1 f. [2. 70f.]). Der
Vertrag erklärte die Autonomie der griech. Staaten (mit
Ausnahme der athen. Kleruchien Lemnos, Imbros und
Skyros) zum grundlegenden Prinzip. Als Garantiemacht
wurde der Großkönig eingesetzt, dem dafür die Herrschaft über die kleinasiat. Griechen, Klazomenai und
Zypern (→ Kypros) bestätigt wurde (Xen. hell. 5,1,31;
Diod. 14,110,2 f.). Weitere Ausführungs- oder Zusatz-
bestimmungen blieben aus [3. 39–42]. Die von Sparta in
der Folgezeit ausgeübte ›Aufsicht über den Frieden‹
(*prostasía tēs eirḗnēs*) war demnach Folge seines konkreten
Eintretens für die Autonomie [4. 116–118].

Die Autonomieforderung wurde zuerst in der k.e.
von 375 durch eine Territorial- und Garnisonsklausel
präzisiert (Diod. 15,38,2; Isokr. or. 8,16), dann im Vertrag von 371 (in Sparta) um eine Demobilisierungsklau-
sel (Xen. hell. 6,3,18) und in der k.e. desselben Jahres (in
Athen) um eine automatische Beistandspflicht (6,5,2)
erweitert. Die *prostasía* ging kurzzeitig auf Athen über
[5. 47–49], doch ohne Beteiligung Thebens, das in den
J. 367–365 eine k.e. in eigener Regie (und mit Hilfe des
Großkönigs) anstrebte (Xen. hell. 7,1,33–40; Plut. Pelopidas 30; [6. 151–160]). Unklar sind die Einzelbestim-
mungen der k.e. von 362 (ohne Sparta), die zusammen
mit einer Symmachie entstanden sein soll (Diod.
15,89,1 f.; Plut. Agesilaos 35; vgl. Tod 2,145; s. aber
[7. 511]).

Ein allg. Frieden kam erst wieder auf dem Kongreß
von Korinth im J. 337 v. Chr. zustande (→ Korintischer
Bund). Zur Kontrolle der Autonomie (Demosth. or.
17,8), die erstmals die kleinasiat. Griechen einbezog,
wurde ein → *synhédrion* geschaffen (gleiches Stimmrecht der Teilnehmer); ihre Verfassungen wurden unter
den Schutz des Friedens gestellt (Tod 2,177). Vorsitz,

Hegemonie und Schirmherrschaft gingen auf Philippos
II. (Iust. 9,5,1–3), nach 336 auf Alexandros [4] (Diod.
17,4,1–9) über, wodurch die k.e. das Stigma eines maked. Herrschaftsinstruments erhielt. Eine stabilitätsför-
dernde Wirkung blieb der Friedensarchitektur k.e. trotz
ihrer strukturellen Weiterentwicklung versagt. Die Autonomieforderung stellte ein überambitioniertes Programm dar, das seinerseits neue Konflikte hervorrief
[3. 269–273].

1 T. T. B. Ryder, K. E., 1965 **2** G. L. Cawkwell, The
King's Peace, in: CQ 31, 1981, 69–83 **3** M. Jehne, K. E.,
1994 **4** R. Urban, Der Königsfrieden, 1991 **5** R. Seager,
The King's Peace and the Balance of Power in Greece, in:
Athenaeum 52, 1974, 36–63 **6** J. Buckler, The Theban
Hegemony, 1980 **7** N. G. L. Hammond, A History of
Greece to 322 B. C., ²1967.

HA. BE.

Koinon (κοινόν).
I. Allgemein II. Griechisch-hellenistisch

I. Allgemein
K. kann in der griech. Welt jede Art von »Gemeinschaft« bezeichnen. Als polit. Begriff wird *k.* einerseits
für kleine Einheiten (etwa die Untergliederung einer
Polis oder eine von der Polis abhängige Gemeinde) verwendet (z. B. Mykenai, das auch eine → *kṓmē* von Argos
genannt wird, SEG 3,312; in Rhodos können Demen
oder Teile von Demen *koiná* heißen, z. B. IK RhodPer
[IK, Inschr. der rhod. Peraia] 201; IG XII 3,1270), andererseits für großflächige polit. Einheiten sowohl in
nicht-urbanisierten Regionen als auch in urbanisierten
Gebieten mit Poleis (z. B. das ozolische Lokris, IG IX
1,267; Boiotia, SEG 27,60). In Thessalien umfaßte ein *k.*
die gesamte Region (vgl. SEG 36,483), daneben aber gab
es lokale *koiná*, z. B. das von Demetrias [1] abhängige
magnesische *k.*

Im modernen wiss. Sprachgebrauch bezieht sich das
Wort *k.* in der Regel auf die Organisationen der grö-
ßeren Art, die sich, wie der achaiische und aitolische
Bund in hell. Zeit als *k.* bezeichneten (z. B. Syll.³ 519; IG
IX² 1, 6).

V. Ehrenberg, Der Staat der Griechen, ²1965, 323 ff. ·
J. A. O. Larsen, Representative Government in Greek and
Roman History, 1955 · Ders., Greek Federal States, 1968 ·
P. J. Rhodes, Epigraphical Evidence, in: M. H. Hansen
(Hrsg.), Sources for the Ancient Greek City-State, 1995,
91–112 · H. Beck, Polis und Koinon, 1997.

P. J. R.

II. Griechisch-Hellenistisch
Seit dem frühen 3. Jh. v. Chr. brachten v. a. die *koiná*
der → Aitoloi und der → Achaioi weite Gebiete Griechenlands unter ihre Kontrolle. Entscheidend für den
Erfolg beider *k.* war die Integration ehemaliger Gegner
als gleichberechtigte Mitglieder – womit der ethnische
Ursprung trotz weiterer Bezeichnung etwa als *k. tōn
Aitolōn* überwunden wurde – sowie wechselnde Koalitionen mit hell. Königen, später mit Rom. Dessen Expansion schränkte den Spielraum der *k.* zunehmend ein,

bis es mit der Neuordnung des → Mummius 146 v. Chr. zum Verlust der Eigenständigkeit kam (Paus. 7,16,9 überliefert wohl fälschlich die Auflösung aller *k.*). Bereits seit 167 entstanden mit Duldung oder auf Betreiben Roms zahlreiche kleinere *k.*, v. a. mit kult. Funktionen und ohne polit. Eigenständigkeit. Sie markieren den Übergang von eigenständigen Bundesstaaten zu den Provinziallandtagen der Kaiserzeit und überdauerten häufig die augusteische Neuordnung Griechenlands (27 v. Chr.).

Den hohen Grad der Integration nicht nur im achaiischen *k.* zeigt dessen Charakterisierung als einzige große Polis durch Polybios (2,37,11). Das Bürgerrecht eines *k.*, das neben das der Herkunftspolis tritt, beinhaltet zivilrechtliche Gleichstellung (→ *énktēsis*, → *epigamía*) und potentiell das Bürgerrecht in jeder Mitgliedspolis ([5. XVIIIf.]; anders [8]; → *sympoliteía*). Die Institutionen der *k.* gleichen im Prinzip jenen der Polis: regelmäßig (mehrmals im J.) tagende Volksversammlung (→ *ekklēsía*; *dámos*; *sýllogos*; *koinón*), Rat (→ *bulḗ*; → *synhédrion*) und jährlich gewählte Beamte. Staatl. Tätigkeit wurde von *k.* und Mitgliedspoleis vielfach gemeinsam wahrgenommen, wobei Beschlüsse des *k.* die Mitglieder banden. Die Mz.-Prägung lag beim *k.*, wurde aber teilweise an die Bündner delegiert; Beiträge der Poleis flossen in die Bundeskasse. Truppenkontingente der Mitglieder wurden von Bundesbeamten kommandiert; das *k.* der → Boiotoi regelte die militärische Ausbildung in den Mitgliedspoleis durch Bundesgesetz [7]. Rechtsprechung des Bundes ist für die *k.* der Achaioi, der → Akarnanes und der Kretes nachgewiesen. Bürgerrechtsverleihungen der Mitglieder führten auch zum Bundesbürgerrecht, Bürgerrechts- oder Privilegienverleihungen des *k.* (→ *proxenía*) galten auch in den Mitgliedspoleis. Auswärtige Beziehungen konnten Bündner nur mit Zustimmung der Bundesbehörden pflegen ([1]; vgl. Pol. 2,48,6f.). In sakralen Angelegenheiten verfuhren einzelne *k.* unterschiedlich.

Eine Sonderstellung nimmt unter den *k.* des 3. Jh. das von den Antigoniden gegr. *k.* der → Nesiotai ein, das sich ca. 286–261 unter ptolem. Hegemonie befand. Bei im einzelnen unklarer Kompetenzverteilung stand hier der vom König eingesetzte Nesiarch als höchster Beamter neben dem ptolem. Nauarchos. Wichtig war der gemeinsame Herrscherkult mit Zentrum auf Delos (ähnlich die *k.* von → Kypros und evtl. von → Lykia).

Unter nicht abschließend geklärtem Einfluß Roms – die Verfassung des *k.* der Achaioi sei »den Achaiern von den Römern gegeben« (ἀποδοθεῖσα τοῖς Ἀχαιοῖς ὑπὸ Ῥωμαίων, Syll.³ 684; 139 v. Chr.) – ist seit dem 2. Jh. v. Chr. in zahlreichen *k.* eine Stärkung des Rates (nun meist *synhédrion* gen.) gegenüber der *ekklēsía*, teilweise auch die Abschaffung letzterer zu beobachten. Auch die geringere Größe vieler neu entstehender Bünde dürfte die Entstehung oligarch. Bundesverfassungen begünstigt haben. – Von den Bundesstaaten zu trennen sind die landsmannschaftlichen Zusammenschlüsse ptolem. Söldner zumal auf Kypros, die inschr. als *koiná tōn Lykíōn* o.ä. begegnen.

1 J. BOUSQUET, La stèle du Kyténiens au Létôon de Xanthos, in: REG 101, 1988, 12–53 2 BUSOLT/SWOBODA, 1310–1575 3 P. FUNKE, Unt. zur Gesch. und Struktur des Aitol. Bundes, Ms. 1985 4 E. KORNEMANN, s. v. Κοινόν, RE Suppl. 4, 914–941 5 J. A. O. LARSEN, Greek Federal States, 1968 6 D. G. MARTIN, Greek Leagues in the Later Second and First Centuries B. C., 1975 7 P. ROESCH, Une loi fédérale béotienne sur la préparation militaire, in: Acta of the Fifth International Congress of Greek and Latin Epigraphy, Cambridge 1967, 1971, 81–88 8 H. SWOBODA, Zwei Kap. aus dem griech. Bundesrecht, SAWW 199.2, 1924 9 J. TOULOUMAKOS, Der Einfluß Roms auf die Staatsform der griech. Stadtstaaten des Festlandes und der Inseln im ersten und zweiten Jh. v. Chr., 1967. R. A. B.

Koinonia (κοινωνία) bezeichnet in griech. Sprache allg. jegliche menschliche Gemeinschaft, wie Staat, Verein, Handelsgesellschaft oder Gemeinschaft von Erben oder Miteigentümern. Zu den Vereinen ist ein Gesetz Solons in Dig. 47,22,4, Gaius 4 ad legem XII tab. (= Solon fr. 76a RUSCHENBUSCH) überliefert, Ges. und Gemeinschaft sind in den att. Quellen nur gelegentlich erwähnt. Auch in den Papyri drückt *k.* sowohl die röm. *societas* als auch die *communio* aus.

A. R. W. HARRISON, The Law of Athens I, 1968, 240–242 • A. BISCARDI, Diritto greco antico, 1982, 157, 210 • H.-A. RUPPRECHT, Einführung in die Papyruskunde, 1994, 129f. G. T.

Koinos (Κοῖνος).

[1] Sohn des Polemokrates, Bruder des → Kleandros [3], wohl aus → Elimeia, dessen → Pezetairoi-Taxis er führte; von → Philippos II. mit Land beschenkt. 335/4 v. Chr. heiratete K. eine Tochter → Parmenions. K. nahm an allen Schlachten Alexandros' [4] von Europa bis zum → Hydaspes teil und wurde bei → Gaugamela schwer verwundet. Im Ostiran trat K. auch selbständig auf, u. a. in der Entscheidungsschlacht gegen → Spitamenes. Beim Verhör seines Schwagers → Philotas war K. einer der heftigsten Ankläger (vgl. Kleandros [3]). Am → Hyphasis machte sich K. zum Wortführer des Heeres, welches den Weitermarsch verweigerte. Wenig später (325) starb er, angeblich eines natürlichen Todes, und wurde prächtig bestattet.

BERVE Nr. 439 (unkritisch) • HECKEL, 58–64.

[2] Stieß 324 v. Chr. bei → Pasargadai zu Alexandros [4] und wurde etwas später Satrap von → Susiana, wo er Alexandros überlebte (Iust. 13,4,14).

BERVE Nr. 440. E. B.

Koios (Κοῖος, lat. Coeus). Der zweite der sechs → Titanes, Sohn von → Uranos und → Gaia (Hes. theog. 134; Apollod. 1,1,3). Er zeugt mit der Titanin → Phoibe zwei Töchter, → Leto (Hom. h. Apollon 62) und → Asteria [2] (Apollod. 1,2,2; 1,4,1; Hes. theog. 404ff.). Er nimmt an der Titanomachie teil (Hes. theog. 628ff.). K. hat vielleicht seinen Namen der Insel Kos (Tac. ann.

12,61) und einem Fluß K. in Messenien (Paus. 4,33,5) gegeben.

K. MAROT, Kronos und die Titanen, in: SMSR 8, 1932 · M. MAYER, s. v. K., ROSCHER 2.1, 1265–1266.   EL. STO.

Koiranos (Κοίρανος).
[1] Gehört zum Stammbaum des → Melampus (Hes. cat. 136,3), seine genaue Stellung darin ist unsicher; Vater des Sehers → Poly(e)idos (Pherekydes FGrH 3 F 112; Paus. 1,43,5).
[2] Wagenlenker des → Meriones, rettet → Idomeneus [1], dem er gerade einen Wagen bringt, dadurch das Leben, daß er an dessen Stelle von → Hektors Speer getroffen wird (Hom. Il. 17,611–614). Das Motiv des »Ersatztodes« ist für das homer. Epos typisch [1].
[3] Lykier, wird von → Odysseus an Stelle von → Sarpedon getötet (Hom. Il. 5,677).
[4] Aus Milet oder Paros; bei einem Schiffbruch zwischen Paros und Naxos retten Delphine K. als einzigen (zum Motiv: → Delphin [1]) aus Dankbarkeit dafür, daß er einst gefangene Artgenossen aufgekauft und freigelassen hatte. Später finden sich bei seinem Begräbnis erneut Delphine ein (Archil. fr. 192 W; Demeas FGrH 502; Plut. mor. 984f).

1 B. FENIK, Typical Battle Scenes in the Iliad, 1968, 187.   R.E.N.

Kokalos (Κώκαλος; lat. Cocalus). Mythischer König, der nach der Vernichtung der → Kyklopen die Herrschaft über Sizilien übernimmt (Iust. 4,2,2). Er nimmt → Daidalos [1], der vor dem kret. König → Minos flieht, in die Stadt → Kamikos (bei Paus. 7,4,6 Inykos) auf, ebenso den verfolgenden Minos; diesen läßt er aber dann im Bad mit heißem Wasser umbringen (schol. Hom. Il. 2,145; Apollod. epit. 1,14f.), das seine Töchter durch die Zimmerdecke hinabschütten (schol. Pind. N. 4,95); bei Diodor (4,77–79) tötet K. den Minos selbst. K. gibt den Kretern den Leichnam zurück und erklärt ihnen, daß ihr König ins heiße Wasser gefallen sei (Diod. l.c.).   AL. FR.

Kokkygion (Κοκκύγιον ὄρος). »Kuckucksberg«, anderer Name des Berges Thornax westl. von → Hermion(e) in der argolischen Akte mit Heiligtümern des Zeus und Apollon, h. Hagios Elias. Belegstellen: Paus. 2,36,1 f.; schol. Theokr. 15,64.

A. FOLEY, The Argolid 800–600 B.C., 1988, 184.   Y.L.

Kokondrios (Κοκόνδριος). Griech. Rhetor nicht bestimmbarer Zeit (wahrscheinlich byz.); erh. ist eine schmale Abh. über die Tropen (trópoi). Diese werden zu Beginn systematisch in drei Arten (génē) eingeteilt, nämlich trópoi mit Bezug auf das einzelne Wort (z.B. Onomatopoiie), auf den ganzen Satz (z.B. Allegorie), auf beides (z.B. Hyperbaton). In der Durchführung hält sich K. nicht strikt an dieses System und geht auch auf andere Arten von Tropen ein. Als Beispiele werden ausschließlich Dichter zit., neben Homer auch Alkaios, Tragiker, Theokrit.
→ Stil, Stilfiguren; Tropus

ED.: WALZ 8, 782–798 · SPENGEL 3, 230–243.   M.W.

Kokytos (Κωκυτός; lat. Cocytus).
[1] »Klagefluß« (vgl. κωκύειν, »wehklagen«). Seit Homer einer der Unterweltsflüsse, gemäß Paus. 1,17,5 nach dem thesprotischen K. so benannt [1. 76]. Er speist sich aus der → Styx und fließt zusammen mit dem Pyriphlegethon in den → Acheron [2] (Hom. Od. 10,513f.); bei Vergil nimmt dagegen der K. den Acheron auf (Verg. Aen. 6,296f.). Nach Plat. Phaid. fließt der K. im Kreis herum und ergießt sich in den → Tartaros (113b-c); er nimmt die Seelen der Mörder auf (114a; vgl. Orph. fr. 222,5). Die orphische Trad. ordnet dem K. Erde bzw. Kälte und den Westen zu (Orph. fr. 123 und 125). In der röm. Dichtung wird K. meist als schwarz und langsam fließend beschrieben (vgl. Verg. georg. 4,478f.; Verg. Aen. 6,132; Hor. carm. 2,14,17f.).
→ Epeiros; Phlegethon

1 C. SOURVINOU-INWOOD, »Reading« Greek Death. To the End of the Classical Period, 1995.   K. SCHL.

[2] Fluß in Thesprotia/Epeiros, mündet beim Nekyomanteion in den → Acheron [1]. Nach Paus. 1,17,5 war der K. Vorbild für den Unterweltfluß K. [1] bei Homer.

N. G. L. HAMMOND, Epirus, 1967 · PHILIPPSON/KIRSTEN 2, 104–106.   D.S.

Kolaios (Κωλαῖος). Nur von Hdt. 4,152 im Zusammenhang mit der Gründungsgesch. von Kyrene (7. Jh. v. Chr.) gen. Händler aus Samos, dessen Schiff auf dem Weg nach Äg. vom Ostwind bis über die Säulen des Herakles (Straße von Gibraltar) abgetrieben wurde und so das den Griechen zuvor unbekannte → Tartessos erreichte.
→ Forschungsreisen   K. BRO.

Kolakretai (κωλακρέται). Etym. bedeutet k. (von κωλᾶς und ἀγρεῖν) vielleicht »Schenkel-Sammler« (für Opferzwecke?). In Athen bildeten k. ein Kollegium von zehn Finanzbeamten. K. existierten bereits z.Z. → Solons ([Aristot.] Ath. pol. 7,3) und sind im 5. Jh. v. Chr. als Beamte bezeugt, die Zahlungen aus dem zentralen Staatsschatz leisteten. Weil dabei die Gefahr der Korruption offenbar besonders groß schien, dienten sie nicht ein Jahr, sondern nur für die Dauer einer Prytanie (IG I³ 73,224; dazu auch [3]; → Prytanen). Im J. 411 oder kurz zuvor wurden die k. abgeschafft und ihre Aufgaben einer erweiterten Kommission von → hellēnotamíai übertragen (IG I³ 375; dazu auch [1]). Im 4. Jh. machte die Einrichtung besonderer Fachkassen die k. unnötig.

1 B. D. MERITT, Athenian Financial Documents of the Fifth Century, 1932, 98–103 2 P. J. RHODES, The Athenian Boule, 1972, 98–102 3 A. WILHELM, Att. Urkunden, in: SAWW 217.5, 1939, 52–72 = Akademieschriften zur griech. Inschr.-Kunde, 1974, I, 572–592.   P.J.R.

Kolchis (Κολχίς, lat. *Colchis*).
I. Historischer Überblick seit der Frühzeit
II. Byzantinische Zeit

I. Historischer Überblick seit der Frühzeit
Gebiet von der Ostküste des Schwarzen Meers
(→ Pontos Euxeinos) bis zum westl. Transkaukasien,
begrenzt vom Großen Kaukasos im Norden und der
Meskheti im Süden. Günstige Klima- und Bodenbedin-
gungen (fruchtbare Flußtäler, Wälder und reiche Bo-
denschätze) ließen in K. schon im 3. Jt. v. Chr. Hochkulturen entstehen. In urartäischen Dokumenten ist
Kulcha mit der Hauptstadt *Ildamuša* erwähnt (Blütezeit
im 8. Jh. v. Chr.). E. 8. Jh. wurde Kulcha wohl von den
→ Kimmerioi zerstört. Bald danach kam es zu einer
neuen westkartvelischen Stammesvereinigung und
Staatsgründung nördl. der Čorochi-Mündung im h.
Westgeorgien (Hdt. 4,37; Strab. 11,2,15–17; Xen. an.
5,6,37). Nach Plin. nat. 33,52 gab es hier einen König
Saulakes; das Reich war in mil.-administrative Einheiten (»Skeptuchien«) eingeteilt. Wegen der dichten
Besiedlung und polit. Konsolidation in K. konnten die
Griechen nur wenige, unbedeutende Kolonien gründen (→ Phasis, → Dioskurias, → Gyenos). Im griech.
Mythenkreis über die → Argonautai ist die K. das gold-
reiche Land des Königs → Aietes (des Sohnes des Helios) und der → Medeia. Als solches blieb es im ant.
Bewußtsein. Unter den → Achaimenidai lag K. teilweise in der 13. und 14. Satrapie (Hdt. 3,97; 7,79). Reger Handel in hell. Zeit (Metallgegenstände, Leinen,
Hanf, Wachs), bes. mit den südpont. Kolonien. Um 200
v. Chr. wurde K. dem Pont. Reich einverleibt (Strab.
12,3,1; 28) und teilte dessen weiteres Schicksal (→ Pontos).
→ Lazai

O. Lordkipanije, Das alte K. und seine Beziehungen zur
griech. Welt, 1985 • S. Saprykin, Pontijskoe carstvo, 1996,
160–166.   I. v. B.

II. Byzantinische Zeit
Nach dem Untergang des alten Reiches K. bildeten
sich neue ethnopolit. Gruppen, unter denen die → La-
zoi (Westgeorgien), die sich als Nachkommen der Kol-
cher verstanden, seit dem 4. Jh. n. Chr. allmählich an
Einfluß gewannen und ihr Territorium (*Lazikḗ*,
Λαζική) erweiterten. Zentrum der byz. Herrschaft wur-
de unter → Iustinianus I. die zuvor unbed. Küstenstadt
Petra Iustiniana.
→ Georgien, Georgier; Iberia [1]

H. Brakmann, O. Lordkipanidse, s. v. Iberia II (Georgien),
RAC 17, 70 ff.   K. SA.

Kolchoi. Handelsstadt an der SO-Küste Indiens, gegenüber von → Taprobane (Ptol. 7,1,10; 7,1,95: *Kol-
chikós kólpos*). Peripl. m. r. 58 f. wußte, daß die Küste von
→ Komarei bis K. für die Perlenfischerei wichtig war.
K. ist wohl das h. Korkai.   K. K.

Kolias (Κωλιὰς ἄκρα). Kap an der Westküste von Attika
[1] im Demos Halimus, h. Hagios Kosmas, mit FH-
Siedlung [3; 4]. Hier trieben nach der Seeschlacht von
Salamis 480 v. Chr. Wrackteile der pers. Flotte an (Hdt.
8,96). Ein Heiligtum der Demeter Thesmophoros bezeugen Plutarch (Solon 8,4), Pausanias (1,31,1) und Hesychios (s. v. K.) [2. 100]. Den Kult der Aphrodite Kolias
lokalisiert Strab. 9,1,21 fälschlich in → Anaphlystos.

1 J. Day, Cape Colias, Phalerum and the Phaleric Wall, in:
AJA 36, 1932, 1–11 2 G. Karo, Arch. Funde, in: AA 1930,
88–167 3 G. E. Mylonas, Aghios Kosmas, 1959
4 Travlos, Attika, 6–14, Abb. 8–18.   H. LO.

Kolias s. Geburt II.

Kollation, Kollationsvermerk s. Abschrift

Kollektivum s. Wortbildung

Kollema s. Rolle

Kolluthos (Κόλλουθος). Ägypt. Grieche aus Lykopolis,
lebte in der Regierungszeit von Anastasios I. (491–518
n. Chr.). Biographie: Suda s. v. Κόλουθος, 3,1951, hiernach Cod. Ambrosianus gr. 661; zur Namensform vgl.
[1, XI-XII]. Epiker, Verf. eines Gedichts über die Jagd
auf den kalydonischen Eber (*Kalydōniaká* in 6 B.), von
hexametrischen Enkomien (Lobliedern) und eines Epos
Persiká, das vielleicht von den Persersiegen des Anastasios des J. 505 handelte (vgl. [4]).
Überliefert ist ein Kleinepos in 392 Versen, der
›Raub der Helena‹ (Ἀρπαγὴ Ἑλένης, von Kardinal Bes-
sarion in einer südit. Hs. entdeckt, von der Suda merkwürdigerweise nicht erwähnt [1. XIII-XIV]. Es erzählt
Ereignisse, die dem Troianischen Krieg vorangehen: die
Hochzeit von Peleus und Thetis, das Urteil des Paris,
dessen Fahrt nach Sparta, wo er Helena verführt, die
Klage der Hermione über die Mutter, von der sie verlassen wurde, die Rückfahrt nach Troia. In dem Epyllion sind verschiedene poetische Themen versammelt,
von traditionell ep. über die bukolische Landschaft und
die hinreißende Macht der Liebe bis zur realistischen
Beschreibung der verzweifelten kleinen Hermione. K.'
Sprache imitiert v. a. Homer, ist kunstvoll, gelehrt und
reich an Glossen und Neubildungen; sein Hexameter
beachtet die strengen metrischen Regeln seines Haupt-
vorbildes → Nonnos. K. ist wie die anderen Epiker der
»Schule« des Nonnos (→ Tryphiodoros; → Musaios) ein
vollendeter Künstler: Der Tradition hell. Dichtung folgend, wendet er die stilistischen Regeln der *imitatio*, der
variatio und der *oppositio in imitando* an.
→ Epos; Nonnos

Ed.: 1 E. Livrea, 1968 2 P. Orsini, 1972
3 O. Schönberger, 1993.
Lit.: 4 A. Cameron, The Empress and the Poet, in: YClS
37, 1982, 236–237, Anm. 82 5 G. Giangrande, Rez. zu [1],
in: JHS 81, 1969, 149–154 6 G. Giangrande, C.'
Description of A Waterspout: An Example of Late Epic

Literary Technique, in: AJPh 96, 1975, 35–41 (Ndr.: Scripta
Minora Alexandrina, 1985, 295–301) **7** M. MINNITI
COLONNA, Sul testo e la lingua di C., in: Vichiana, 8, 1979,
70–93 **8** J. C. MONTES CALA, Notas críticas a C., in: Habis
18–19, 1987–1988, 109–115 **9** M. L. NARDELLI, L'esametro
di C., in: Jb. der österreich. Byzantinistik 32/3,1982,
323–333 **10** V. J. MATTHEWS, Aphrodite's Hair: C. and
Hairstyles in the Epic Trad., in: Eranos, 94, 1996, 37–39.
                                                    S. FO./Ü: T. H.

Kollybos (κόλλυβος). Griech. für Korn von Getreide
oder Hülsenfrucht, dann Gewichtsstufe zw. Gersten-
korn und Tetartemorion (Theophr. Lapides 46). Daraus
Bezeichnung für eine bes. kleine Mz., in Athen belegt
ab den 420er J. v. Chr. (Aristoph. Pax 1198; Eupolis 233;
Kall. fr. 85). Auch 2– und 3–fache K. werden gen. (Poll.
9,63.72). Als att. K. gelten die winzigen AE-Mz. der 2.
H. des 5. Jh. v. Chr. Vom Begriff als kleinster Mz. nahm
K. (lat. *collybus*) weitere Bed. an [5]: Wechselgeld; Auf-
geld, das sich der Wechsler abzieht (Poll. 3,84; 7,170;
Cic. Verr. 2,3,181; Cic. Att. 12,6,1; Suet. Aug. 4) und
Agio einer Münze gegen eine andere (OGIS 484; 515).
Daher κολλυβίζειν/*kollybízein*: »Geld wechseln«, κολ-
λυβιστής/*kollybistḗs*, lat. *collybista*: »Geldwechsler« (Poll.
7,33; Mt 21,12; Jo 2,15).

1 K. REGLING, s. v. K., RE 11, 1099f. **2** E. S. G. ROBINSON,
Later Fifth Century Coinage of Athens, in: ANSMusN 9,
1960, 1–15 **3** SCHRÖTTER, 314 **4** I. N. SVORONOS, Oi
Kollyboi, in: Journ. International d'Archéologie
Numismatique 14, 1912, 123–160 **5** M. N. TOD, ΚΟΛΛΥΒΟΣ,
in: NC 1945, 108 ff.   DI. K.

Kollyrion (κολλύριον, lat. *collyrium* und βάλανος/*bála-
nos*: Caelius Aurelianus, De morbis acutis 2,83; De morbis chronicis 2,39). Pharmazeutische Form zur Verabreichung pulverisierter und per Bindemittel zu einer
homogenen Paste verarbeiteter medizinischer Stoffe bei
lokaler Applikation, wie aus der Etym. hervorgeht
(*kollýra*: kleines rundes Brot ohne Hefe [2. 145], Brotteig [1. 556]). Die beiden Hauptanwendungstypen bestimmen Form und Funktion: Zur Einbringung in anatomische oder pathologische Öffnungen wurde ein
kleiner Kegel geformt und eine medizinische Substanz
appliziert, die lokale oder allg. Wirkung entfalten sollte.
Bei Anwendung im Augenbereich stellte man Röllchen
her, von denen ein Stück genommen und wie Salbe
direkt auf Lid oder Auge appliziert wurde; diese Stäb-
chen waren durch Siegel gekennzeichnet, die den Namen des Arztes, der Zubereitung oder ihrer Indikation
usw. trugen. Absicht der Kennzeichnung war wahrscheinlich, das Medikament und seine Anwendung zu
identifizieren [2].
    Der erste Typ des *k.* kommt im *Corpus Hippocraticum*
(De morbis mulierum 1,51) nur einmal vor, wurde aber
später auf mehreren Gebieten angewandt. Gynäkologie:
Einbringung in die Scheide als Vaginalzäpfchen (im
Unterschied zum Pessar, mit dem es oft verwechselt
wird: Bei diesem wird die medizinische Substanz auf
einen wieder entfernbaren Tampon aus Stoff oder

Wollfäden aufgebracht) zur Behandlung von Gebär-
mutterschmerzen oder als menstruationsförderndes
Mittel und Abortivum. Behandlung von Fisteln (Cels.
de medicina 5,28,12): Einbringung in die Fistel, die
zweifellos zuvor aufgestochen wurde; analgetisch in
parenteraler Applikation, zusammen mit Substanzen
wie Bilsenkraut oder Schierling. Behandlung von
Krankheiten des Verdauungs- und Harnapparats: durch
Einbringung in die spezifischen Wege, in der Human-
wie der Veterinärmedizin. Das ophthalmologische *k.*
war die Applikationsform *par excellence* bei Augen- und
Lidbeschwerden.
    Der Begriff *k.* bezeichnete auch eine Bodenart von
der Insel → Samos (Dioscurides, De materia medica
5,153; Plin. nat. 35,191). Frühchristl. Autoren verwendeten ihn, um die Offenbarung als Medikament gegen
die Blindheit, die das »Heidentum« in ihren Augen darstellte, und gegen den Unglauben überhaupt auszuwei-
sen (z. B. Aug. conf. 7,8,12).

1 P. CHANTRAINE **2** R. JACKSON, Eye Medicine in the
Roman Empire, in: ANRW II 37.3, 2228–2251.

E. KIND, s. v. K., in: RE 21, 1100–1106.   A. TO./Ü: T. H.

Kollytos (Κολλυτός, auch Κολυττός). Att. Asty-Demos
der Phyle Aigeis im Zentrum Athens südl. des → Areios
pagos bzw. westl. und südl. der Akropolis, dessen urban
verdichtete Bebauung offenbar nahtlos in Melite über-
ging (Eratosth. bei Strab. 1,4,7; [1. 169; 2. 16; 3. 55;
4. 276; 6. 27 f.]); stellte drei (vier) *buleutaí.* Die Hauptstraße, der »enge« (στενωπός) K., diente als Markt (Phot.
375B; [1. 180]). Zum Demendekret IG II² 1195 Z. 6ff. s.
[6. 128, 140, 187, 382]. Für K. sind ländliche (!) → Dionysia mit Theateraufführungen bezeugt (Aischin. Tim.
157; Demosth. or. 18,180; 262 [6. 152, 213, 216, 220,
222]). In K. lag vermutlich auch das Heiligtum von
Kodros, Neleus und Basile (IG I³ 84 [5]). Einen eponymen Heros K. erwähnt Steph. Byz. s. v. Διόμεια.
→ Athenai

1 W. JUDEICH, Die Top. von Athen, ²1931 **2** D. M. LEWIS,
The Deme of Kolonos, in: ABSA 50, 1955, 12–17
3 H. LOHMANN, Atene, 1993 **4** W. K. PRITCHETT, The Attic
Stelai, in: Hesperia 22, 1953, 225–299 **5** TRAVLOS, Athen
332–334, Abb. 435 f. **6** WHITEHEAD, Index s. v. K.

TRAILL, Attica 40, 59, 68, 110 Nr. 69, Tab. 1 · J. S. TRAILL,
Demos and Trittys, 1986, 186.   H. LO.

Kol(o)boi (Κολοβοί, Nebenform Κόλβοι). Äthiopi-
scher Stamm am Südende des Roten Meeres, nach der
bei ihnen durchgeführten Beschneidung benannt
(Strab. 6,773; Ptol. 4,7,28).   W. W. M.

Kolometrie. Die Einteilung lyrischer Verse in metrische Kola (→ Metrik) zu Zwecken der wiss. Analyse
oder des Textlayouts. Bis etwa 200 v. Chr. wurden lyrische Verse wie Prosa, d. h. ohne Rücksicht auf metrische Einheiten geschrieben (z. B. in den Berliner Papyri

der *Pérsai* des Timotheos und der Skolia PMG 917; ebenso trag. Anapäste in PHibeh 24(a), 25, 179 i 4 ff.). Die Einführung der K. wird mit → Aristophanes [4] von Byzanz in Verbindung gebracht (Dion. Hal. comp. 156; 221). Sie erscheint schon in einem Stesichoros-Pap. des späten 3. Jh. v. Chr. (PMGF 222b) und ist danach in allen Hss. üblich, mit Ausnahme derjenigen, die eine musikalische Notation aufweisen.

Dion. Hal. ebd. weist darauf hin, daß neben Aristophanes auch weitere Metriker Texte kolometrisch auslegten. Subskriptionen in den Hss. zweier Aristophanes-Komödien (*Nubes*, *Pax*) geben an, daß deren K. den Analysen des → Heliodoros [6] folge; man nimmt daher an, daß dies auch für die übrigen erh. Komödien gilt [3]. Eugenios [2] von Augustopolis verfaßte z.Z. des Anastasios (491–518 n.Chr.) K. von 15 verschiedenen Stükken des Aischylos, Sophokles und Euripides (Suda s.v. Εὐγένιος, ε 3394 ADLER).

Papyri des Pindaros und der Dramatiker weisen im allg. dieselbe K. auf wie die ma. Überl., die also auf ant. Gelehrsamkeit zurückgeht [2]. Abweichungen innerhalb der ma. Überl. sind meist zufällig. Erst → Demetrios [43] Triklinios versuchte auf der Grundlage des metrischen Wissens, das er sich durch die Hephaistion-Lektüre erworben hatte, neue Analysen [1].

Gedruckte Ausgaben übernahmen noch im 19. Jh. die K. ihrer hs. Quellen, bis A. BOECKH zu neuen Einsichten in die Struktur der griech. lyrischen Verse gelangte. Heute erkennt man, daß die ant. K., auch wenn sie oft zufriedenstellend sind, zuweilen der Revision bedürfen; moderne Hrsg. ordnen die Texte daher entsprechend ihrer eigenen metrischen Analyse an.

Im Lat. ist ant. K. im wesentlichen nur für die Cantica (→ Canticum) des → Plautus relevant.

1 R. AUBRETON, Démétrius Triclinius et les recensions médiévales de Sophocle, 1949, 189–208 2 W. S. BARRETT, Euripides: Hippolytos, 1964, 84–90 3 N. DUNBAR, Aristophanes: Birds, 1995, 44–45 4 J. IRIGOIN, Histoire du texte de Pindare, 1952, 44–47 5 Ders., Les scholies métriques de Pindare (Bibliothèque de l'École des Hautes Études 310, 1958), 17–34 6 R. PFEIFFER, History of Classical Scholarship I, 1968, 185–189.

M.L.W./Ü: T.H.

Kolon (κῶλον, lat. *membrum*).

[1] Eine metrische Phrase, → Metrik (griech.)

[2] In der rhet. Theorie, die auf → Thrasymachos (85 A 1 DK) zurückgeht, eine syntaktische Einheit, etwa ein Haupt- oder ein Nebensatz oder eine Wortgruppe in einem Satz, die gewöhnlich als Glied einer Periode angesehen wird. Aristoteles (rhet. 3,9,1409b 17) ist offenbar der Ansicht, daß zwei Kola eine natürliche Periode bilden (doch erkannte er auch die *períodos monókōlos* an); andere halten das Trikolon für ideal (Rhet. Her. 4,26); wieder andere betrachten vier Kola als optimal (Cic. orat. 221; Quint. inst. 9,4,125), während man mehr als vier mißbilligte (Demetrios, De elocutione 16; Alexandros, De figuris 28,19 SPENGEL). Jedes K. kann eine

rhythmische Klausel aufweisen (Quint. inst. 9,4,123: *membrum autem est sensus numeris conclusus*).

Von späthell. Zeit an begegnen wir auch dem Begriff Komma (κόμμα, lat. *incisum, caesum, particula, articulus*), entweder als Glied des K. (Quint. inst. 9,4,22; 122) oder, wenn es hinreichend syntaktisches Gewicht besitzt, als ein kurzes, abgeschlossenes K. von zwei oder drei Wörtern (Longinos, Ars rhetorica 309,20 SPENGEL; 4–6 Silben nach Anon. de figuris 113,17 Sp.). Cicero bietet mehrere Beispiele (orat. 213, 222–225), wie etwa (Crassus zitierend): *missos faciant patronos; ipsi prodeant; cur clandestinis consiliis nos oppugnant?* (zwei *kómmata*, darauf folgend ein K.).

A. DUMESNIL, Begriff der drei Kunstformen der Rede: Komma, K., Periode, nach der Lehre der Alten, in: Zum zweihundertjährigen Jubiläum des königl. Friedrichs-Gymnasiums, Frankfurt a.O., 1894, 32–121 · T. N. HABINEK, The Colometry of Latin Prose, 1985, 21–41 · LAUSBERG, 460–467 · J. MARTIN, Ant. Rhet. (HdbA II 3), 1974, 317–320 · R. VOLKMANN, Die Rhet. der Griechen und Römer, ²1885, 505–509.

[3] Mod. Gelehrte wandten im Anschluß an E. FRAENKEL [2; 3; 4] den Begriff K. auf einzelne betonte Toneinheiten an, die sich in griech. und lat. Sätzen anhand von Kriterien wie der Position von Enklitika oder Vokativen entdecken ließen. So bezeichnet z.B. die Stellung von *mihi* in Cic. Att. 1,10,1 *Roma puer a sorore tua missus epistulam mihi abs te adlatam dedit* den Beginn eines neuen K. mit *epistulam*, da solche unbetonten Wörter in Übereinstimmung mit einem alten idg. Prinzip [6] meist die zweite Position in einer Wortgruppe einnehmen. Gelegentlich werden solche Ergebnisse durch die Interpunktion in alten Hss. gestützt [5] (→ Lesezeichen). Diese Beobachtungen von WACKERNAGEL und FRAENKEL wurden von ADAMS [1] vertieft.

1 J. N. ADAMS, Wackernagel's Law and the Placement of the Copula *esse* in Classical Latin, 1994 2 E. FRAENKEL, Kolon und Satz, in: Nachr. der Göttinger Ges. 1932, 197–213; 1933, 319–354 (= Ders., Kleine Beiträge I, 73–130; Nachträge ebd. 131–139) 3 Ders., Noch einmal Kolon und Satz, SBAW 1965(2) 4 Ders., Leseproben aus Reden Ciceros und Catos, 1968 5 T. N. HABINEK, The Colometry of Latin Prose, 1985, 21–41 6 J. WACKERNAGEL, KS I, 1–104.

M.L.W./Ü: T.H.

Kolonai (Κολωναί).

[1] Att. Mesogaia-Demos der Phyle Leontis, stellte zwei *buleutaí*, am Pentelikon [1. 372¹⁷] nahe Hekale [2. 64f.] oder bei Michaleza [3. 131]. Das Demotikon lautet Κολωνεύς und Κολωνῆθεν.

→ Kolonos

1 P.J. BICKNELL, Akamantid Eitea, in: Historia 27, 1978, 369–374 2 W. E. THOMPSON, Notes on Attic Demes, in: Hesperia 39, 1970, 64–67 3 J. S. TRAILL, Demos and Trittys, 1986, 61f., 131.

TRAILL, Attica 6, 47, 62, 69, 110 Nr. 70, 125, Tab. 4.

[2] Att. Asty(?)-Demos der Phyle Antiochis, ab 307/6 der Antigonis, ab 224/3 v. Chr. der Ptolemaïs. Lage ungewiß. Nach [1. 64f.; 2. 54, 92] am Penteli nahe dem Kloster Mendeli, indes kaum in Varnava (so [3]). Stellte zwei *buleutaí*. Das Demotikon lautet Κολωνεύς bzw. Κολωνῆθεν.

→ Kolonos

    1 W. E. THOMPSON, Notes on Attic Demes, in: Hesperia 39, 1970, 64–67 **2** TRAILL, Attica, 14, 26f., 30, 54, 62, 69, 111 Nr. 71, 125, Tab. 10, 11, 13 **3** J. S. TRAILL, Demos and Trittys, 1986, 139 mit Anm. 42.   H. LO.

[3] (Κολωναί, lat. *Colonae*). Stadt in der Troas, deren Lage (Strab. 13,1,18) bei Beşik Tepe, 6 km südl. von → Alexandreia [2] Troas, gesichert ist ([2. 216ff.]; zur Stadtbefestigung bei Xen. hell. 3,1,13, vgl. [2. 217]). Keramikfunde deuten auf eine Besiedlung E. des 7. Jh. v. Chr. [2. 217]. In der Frühzeit soll sie zu Tenedos gehört haben (Strab. 13,1,47). K. gehörte wohl dem → Attisch-Delischen Seebund an, obwohl der Name in ATL A 9 von 425/4 v. Chr. ergänzt ist. 400 v. Chr. nahm → Mania die Stadt ein (Xen. hell. 3,1,13), bevor sie nach der Landung des → Derkylidas ins spartanische Lager übertrat (Xen. hell. 3,1,16). 310 v. Chr. ging K. im *synoikismós* mit Alexandreia Troas auf (Strab. 13,1,46).

    1 L. BÜRCHNER, s. v. K. (2), RE 11, 1110 **2** J. M. COOK, The Troad, 1973 **3** W. LEAF, Strabo on the Troad, 1923, 213–225.   E. SCH.

Koloneia. Festung, Stadt und Bischofssitz in der Prov. Pontos im NO → Kleinasiens, unter → Iustinianus I. ausgebaut und 778 und 940 n. Chr. gegen die Araber verteidigt, seit 1071 türk. (h. Şebinkarahisar). Das Gebiet von K. war durch Alaunabbau (→ Alaun) wirtschaftlich wichtig und im 7.–9. Jh. das Zentrum der → Paulikianer.

    A. BRYER, D. WINFIELD, The Byzantine Monuments and Topography of the Pontos, 1985, 145–151.   AL. B.

Kolonides (αἱ Κολωνίδες). Stadt (oder »Dorf«, κώμη, Plut. Philopoimen 18,3) an der Westküste des Messenischen Golfs beim h. Kaphirio [1] oder eher Vunaria (Siedlungsspuren) [2]. Prägte in severischer Zeit Mz. Belege: Paus. 4,34,8; 12; Ptol. 3,16,7 (Κολώη). Inschr.: IG V 1,1402–1404; SEG 11,996f. Mz.: HN 432f.

    1 R. HOPE SIMPSON, The Seven Cities Offered by Agamemnon to Achilles, in: ABSA 61, 1966, 125 **2** E. MEYER, s. v. Messenien, RE Suppl. 15, 197.   Y. L.

Kolonisation   I. ALLGEMEIN
II. IONISCHE WANDERUNG
III. PHÖNIZISCHE KOLONISATION
IV. »GROSSE« GRIECHISCHE KOLONISATION
V. ETRUSKISCHE KOLONISATION
VI. ALEXANDER DER GROSSE UND HELLENISMUS
VII. RÖMISCHE KOLONISATION

    I. ALLGEMEIN
    A. DEFINITION   B. VERLAUF

    A. DEFINITION

Im Begriff K. werden mehrere Wellen von Siedlungsbewegungen im Mittelmeerraum in der Zeit vom 11. Jh. v. Chr. bis in die röm. Kaiserzeit zusammengefaßt, die das siedlungsgeogr. Bild der Mittelmeerwelt erheblich verändern und den Verlauf der ant. Gesch. entscheidend und dauerhaft bestimmen. Allgemein nicht als K. bezeichnet werden die im 3./2. Jt. erfolgte Einwanderung indo-europäischer Stämme in Kleinasien, Griechenland und Italien sowie die Verbreitung minoischer und myk. Siedlungen im östl. und in Teilen des westl. Mittelmeers (→ Ägäische Koine B. 3 und B. 4). Trotz der z. T. schwachen lit. und arch. Quellengrundlage und erheblicher Unterschiede im Verlauf sowie in den Ursachen und Zwecken der jeweiligen Siedlungswellen und Koloniegründungen, lassen sich gemeinsame Merkmale der K. erkennen: Die K. geht von einzelnen Gemeinden aus, das Ziel ist vor dem Aufbruch wenigstens in Umrissen bekannt, die Zahl der Siedler ist relativ gering (meist wohl zw. 100 und 200), die neu gegründeten Siedlungen sind wirtschaftlich und polit. von der Herkunftsgemeinde der Siedler weitgehend oder völlig unabhängig. Die ant. K. ist deshalb inhaltlich strikt vom neuzeitlichen »Kolonialismus« abzugrenzen, da die ant. Kolonien nicht von konkurrierenden imperialen Mächten mit erheblichen mil. Mitteln und v. a. nicht mit dem Ziel eingerichtet werden, Herrschaft über großflächige Territorien auszuüben, um sich ihre Rohstoffe und Produkte anzueignen.

    B. VERLAUF

Die erste Welle geht seit dem 11. Jh. v. Chr. von Griechenland aus und führt zur Besiedlung ägäischer Inseln und der Küste Kleinasiens zwischen Smyrna und Milet durch Ioner (s. u. II.); nördl. des ionischen Gebiets siedeln etwa gleichzeitig oder etwas früher die aus Thessalien kommenden Aioler (→ Aioleis [1] D.: Wanderung; → Aioleis [2]), südl. Milets die Dorer (→ Dorische Wanderung mit Karte). Nach Aussage der Quellen etwa gleichzeitig setzt, ausgehend von den Stadtstaaten Phöniziens, eine zweite Welle ein, die phöniz. Kaufleute wohl auf den Spuren der myk. Handelsfahrer über Zypern, Kreta und Sardinien weit in den Westen trägt und seit dem 8. Jh. im westl. Nordafrika, südl. Spanien und auf den Inseln auch zu dauerhaften Siedlungen führt (s. u. III.); seit dem 6. Jh. baut → Karthago, die wohl bedeutendste phöniz. Siedlung, im südwestl. Mittelmeerbecken seine Präsenz durch zahlreiche Handelsplätze und Siedlungen aus (punische K.).

Die umfangreichste und in ihrer historischen Wirkung bedeutendste Welle ist die sog. »große griech. K.«,
die von zahlreichen griech. Gemeinden (außer Athen)
ausgeht und in der Blütezeit zw. ca. 750 bis 580 v. Chr.
wohl zur Verdoppelung der griech. Stadtstaaten im Mittelmeer führt. Schwerpunkte sind das südl. Italien
(→ Magna Graecia), Sizilien, die nördl. Ägäis und das
Schwarzmeergebiet (s.u. IV.). Seit dem 6. Jh. verflech-
ten sich die K.-Bewegungen im westl. Mittelmeer und
es kommt zunehmend zu Konflikten mit den Karthagern in Sizilien und Spanien und/oder den Etruskern in
Nord- und Mittel-It., wohin diese sich seit dem 9. Jh.
und verstärkt ab dem 7. Jh. ausgedehnt haben (s.u. V.).
Die etr. K. endet im Süden mit der Seeschlacht gegen
sizil. Griechen bei → Kyme [2] (474 v. Chr.) und im
Norden mit dem Eindringen der Kelten. Deren Wan-
derzüge im 4. und 3. Jh. nach It., Südosteuropa und
Anatolien sind histor. belegt, aber arch. schwer faßbar
und kaum als K.-Unternehmen zu werten (→ Keltische
Archäologie).

Im 5. Jh. vollzieht sich ein Wandel im Bild der K.:
Hatten bisher regelmäßig Handelsinteressen, wirtschaftliche Not oder polit. Probleme zur Gründung von
Kolonien geführt, so dient die Ansiedlung von Kolonisten nun primär dazu, Herrschaft in ausgedehnten
Räumen zu sichern (nicht zu gewinnen!). Dies wird
bereits im Seereich Athens sichtbar (→ Attisch-Deli-
scher Seebund; → Kleruchoi [1]); völlig deutlich wird
der Zweck der mil. Sicherung und der Förderung der
Reichsverwaltung in den zahlreichen Kolonien Alexandros' [4] d. Gr. und der hell. Könige (s.u. VI.). Die
röm. K. ist von Beginn an (seit dem 4. Jh. v. Chr.) auf
diese Ziele gerichtet und übernimmt erst seit dem E. des
2. Jh. v. Chr. zusätzlich die Aufgabe der Versorgung ar-
mer Bevölkerungsschichten und von Veteranen (→ coloniae). Während jedoch die Kolonien in den hell. Reichen wenig zur Hellenisierung der Unterworfenen
beitragen, fördern die röm. Kolonien v. a. in den Provinzen wirksam die Romanisation der Reichsbevölke-
rung (→ Romanisierung; Romanisation).   W. ED.

KARTEN-LIT.: B. D'AGOSTINO, Relations between
Campania, Southern Etruria, and the Aegean in the Eighth
Century B.C., in: J.-P. DESCOEUDRES (Hrsg.), Greek
Colonists and Native Population, 1990, 73–85 · F.M.
ANDRASCHKO, K. SCHMIDT, Orientalen und Griechen in
Ägypten. Ausgrabungen auf Elephantine, in: FS H. G.
Niemeyer, 1998, 46–67 · P. BARCELÓ, Die Phokäer im
Westen, in: FS H. G. Niemeyer, 1998, 605–614 · J.-P.
DESCOEUDRES (Hrsg.), Greek Colonists and Native
Population, 1990 · H. MATTHÄUS, Zypern und das
Mittelmeergebiet – Kontakthorizonte des späten 2. und
frühen 1. Jt. v. Chr., in: FS H. G. Niemeyer, 1998, 73–91 ·
H. G. NIEMEYER, The Phoenicians in the Mediterranean: A
Non-Greek Model for Expansion and Settlement in
Antiquity, in: J.-P. DESCOEUDRES (Hrsg.), Greek Colonists
and Native Population, 1990, 469–489 · H. G. NIEMEYER
(Hrsg.), Phönizier im Westen (Madrider Beiträge 8), 1982 ·
G. R. TSETSKHLADZE, F. DE ANGELIS (Hrsg.), The
Archaeology of Greek Colonisation. Essays Dedicated to Sir
John Boardman, 1994.

II. IONISCHE WANDERUNG
A. ALLGEMEIN B. HISTORIZITÄT
C. CHRONOLOGIE D. HERKUNFT DER
IONIER AUS ATTIKA UND ATHEN
E. HERKUNFT AUS ANDEREN GRIECH. REGIONEN

A. ALLGEMEIN
Der mod. Begriff »Ionische Wanderung« (I. W.) bezeichnet die nach ant. Tradition von Athen ausgehende
und von den Söhnen des → Kodros organisierte und
geleitete Auswanderung festländischer Griechen nach
Kleinasien (zusammenfassend Hdt. 1,145–147; Strab.
14,1,3; Paus. 7,2,1–4); er wurde aufgrund der großen
Zahl und der Herkunft der Teilnehmer aus zahlreichen
Regionen Griechenlands geprägt (Pylier: Mimnermos
fr. 9 WEST; Athener mit Herkunft aus Pylos oder Messenien wie im Fall der Kodriden: Hellanikos FGrH 4 F
125; Paus. 7,2,3; Ionier aus Achaia: Hdt. 1,145 f.; 7,94–
95,1; Strab. 8,7,1; Paus. 7,1,1–6; Teilnehmer aus anderen griech. Regionen: Hdt. 1,146; umfassende Auswertung ion. Lokaltraditionen, Institutionen, Monats-,
Personen- und Ortsnamen, Kulte und Feste bei
[16. Teil 1]). In den Quellen wird das Unternehmen als
(Ionikḗ) → apoikía bezeichnet und auch im Stil einer Koloniegründung beschrieben. Als Ursache der I. W. gilt
der Streit um die Königswürde in Athen unter den Söhnen des Kodros, den Medon gegenüber Neleus und
weiteren Brüdern gewann (Hellanikos FGrH 4 F 125;
Paus. 7,2,1; Ail. var. 8,5). Die Zeit der I. W. scheinen die
Quellen in der 4. Generation nach dem Fall Troias bzw.
zwei Generationen nach der Rückkehr der → Herakleidai anzusetzen (relativ-chronolog. Analyse bei
[16. 307–324; 14. 326–330]). Auf der Basis hell. Chro-
nologien wurde für diese relative Abfolge ein absolutes
Datum im 11. Jh. v. Chr. errechnet ([16], danach
[20. 392–395]).

Der histor. Gehalt der vielfach fragmentarisch, oft
widersprüchlichen und keinesfalls homogenen Aussagen der Quellen zur I. W. (zusammengestellt bei [16])
wird in der mod. Forsch. sehr unterschiedlich beurteilt.
Im Zentrum der Debatte stehen Historizität, Chronologie und die Beteiligung Athens bzw. anderer griech.
Regionen.

B. HISTORIZITÄT
Die Besiedlung der ägäischen Küstenregion Kleinasiens durch einwandernde Griechen aus dem Mutterland wird heute allg. als histor. Faktum akzeptiert. Die
Erkenntnisse der mod. Dialektforschung zur Verbreitung und Entwicklung der ion. Dialektgruppe lassen
keine andere Erklärung zu (vgl. [19. 96–103; 124–133];
→ Ionisch).

C. CHRONOLOGIE
Der heutige Stand der arch. Forsch. für Kykladen,
Westkleinasien und die vorgelagerten Inseln [17. 329–
344; 20. 166–170] unterstützt weiterhin die Datier. der
griech. Landnahme in Ionien in submyk. und protogeom. Zeit [5. 785–790; 17; 18], d.h. in das
11. Jh. v. Chr., kommt also den ant. Berechnungen er-

staunlich nahe. Ebenfalls im 11. Jh. (E. von SH III C Spät und Submyk.) läßt sich in den meisten Landschaften der Peloponnes ein weitgehender Siedlungsrückgang beobachten (s.u. E.). Die myk. Funde in Westkleinasien [15; 9; 6; 12; 11] wurden dagegen in ihrer Bed. für die I. W. überschätzt (etwa von [3; 16; 20]. Myk. Gefäße, Vasenscherben und einzelne andere Objekte im nachmaligen Ionien bezeugen zwar Kontakte mit der myk. Welt, aber nicht notwendig die Präsenz myk. Siedler. Selbst in Ephesos können myk. Funde des früheren 14. Jh. v. Chr. aus einem (stark gestörten) Grab und die Zeugnisse myk. Kultübung beim Artemision [1. 27f.] den myk.-griech. Charakter der spätbrz. Siedlung nicht nachweisen, da sie auch von Einzelpersonen oder Gruppen myk. Kulturprägung, etwa Bewohnern einer Handelskolonie oder eines Stützpunkts für den Seehandel inmitten eines sonst rein anatolischen Milieus stammen können. Ähnliches gilt für das (h. verschwundene) »Kuppelgrab« von Kolophon. Neben den arch. Quellen haben neuere hethitische Textfunde es unwahrscheinlich gemacht, in Westkleinasien → Achijawa oder einen anderen griech. Siedlungsraum z.Z. des hethit. Großreiches zu lokalisieren (vgl. [7. 217–221; 2. Karte 3]).

Anders war die Situation in SW-Anatolien, wo Milet, Iasos [5] und Müsgebi als rein myk. Siedlungen des 14. und 13. Jh. gelten müssen. In → Miletos (wohl auch Iasos) hatten sich zuvor schon minoische Kolonisten angesiedelt (zuletzt [12]). Die Identität von Milet mit der Stadt Millawanda, die nach hethit. Texten (zumindest zeitweise) unter dem Einfluß von Achijawa stand [8], ist nun auch aus arch. Sicht sehr wahrscheinlich [12]. Kontakte dieser Region mit dem myk. Festland spiegeln sich wohl in den Ethnika *mi-ra-ti-ja*, *ki-ni-di-ja*, *a-*64-ja* (= wahrscheinlich *a-si-wi-ja*) der → Linear B-Texte von Pylos, die sich auf Frauen aus Milet, Knidos und **Ασϝία* (*Aswía*) = Ἀσία (*Asía*) beziehen, deren niedriger Status die Herkunft über Sklavenhandel nahelegt. In Samos enden myk. Funde mit dem 13. Jh. In Chios wurde die bedeutende Siedlung des 12. Jh. von Emporio in SH III im C Spät zerstört.

Insgesamt eignen sich die westkleinasiat. Zeugnisse für Kontakte mit dem myk. Griechenland ebensowenig für den Nachweis einer Hellenisierung Westkleinasiens in myk. Zeit wie die myk. Siedlungen SW-Anatoliens. Sie zeigen aber, daß die Kolonisation Ioniens in einem den Griechen bereits bekannten Gebiet erfolgte.

D. HERKUNFT DER IONIER AUS ATTIKA UND ATHEN

Die Herkunft der Ionier aus Attika und Athen wird in der mod. Forsch. meist als histor. akzeptiert (Überblick bei [14. 336]). Als wichtigste Argumente gelten gemeinsame Phylennamen bei Athenern und Ioniern, der gemeinsame Brauch des Apaturienfestes (→ *apatúria*) und die fast übereinstimmende Aussage der lit. Quellen (Hdt. 5,97,2; 7,94–95,1; 9,106,3 u.ö.; Thuk. 1,2,6; 1,12,4). Doch werden diese Zeugnisse aus unterschiedlichen Gründen auch als Ergebnis von Erfindungen oder doch Manipulationen älterer Überl. im Interesse

der att. Politik gesehen ([3; 16; 14; 20,367–404]; dagegen zuletzt wieder vehement [18]). Für eine frühe Verbindung von Festland und Ioniern spricht auch, daß sich bei Homer (Hom. Il. 13,685) und Solon (fr. 4 D) im Ethnikon *Iáones* und im Landesnamen *Iaonía* die ältere, auf **Ιάϝονες* (**Iáwones*) zurückgehende Form des Ioniernamens zeigt. Sie ist in den Linear B-Texten von Knossos durch *i-ja-wo-ne* belegt und (in KN B 164,4) als Ethnikon /*Iawones*/ interpretierbar. Zudem leiten sich die vorderasiat. Bezeichnungen für die Griechen als Gesamtheit von **Ιάϝονες* ab (hebr. *jawan*, äg. *jwn(n)*, pers. *yauna*), müssen also noch vor dem Schwund des Digamma (ϝ) gebildet oder aus einem nicht-ion. Dialekt entlehnt worden sein. Die Herleitung von *Íones* aus **Iáwones* ist dagegen nicht zwingend, da auch eine mit dem eponymen Heros *Íon* assoziierte Neubildung vorliegen kann [4].

E. HERKUNFT AUS ANDEREN GRIECH. REGIONEN

Der oben erwähnte Siedlungsrückgang in der Peloponnes am E. der myk. Periode zeigt sich in Achaia und Messenien bes. radikal (vgl. [20. Karte 3]). In Athen dagegen läßt der arch. Befund auf Siedlungszuwachs ab der ausgehenden myk. und submyk. Periode schließen [13; 20. 115–117 und Fig. 3; 21. 60–75], so daß die ant. Berichte über die Herkunft der Ionier aus Messenien und Achaia an Glaubwürdigkeit gewinnen. V. a. für Messenien verstärkten die Entdeckung des nach den Linear B-Texten eindeutig als *puro/Pylos/* identifizierten Palastes von Ano Englianos (→ Pylos), seine Zerstörung am E. des 13. Jh. und der folgende rapide Siedlungsrückgang die Anerkennung eines gewissen histor. Gehalts der ant. Trad. über die zumindest teilweise Herkunft der Ionier aus Pylos. Dabei wird der in den meisten Quellen überlieferte Weg über Athen – Aufnahme pylischer Flüchtlinge, Übernahme des Königtums in Athen durch das pylische Königshaus der Neleiden mit → Kodros als glänzendstem Vertreter, Auswanderung der Pylier nach Kleinasien unter dem Kodros-Sohn → Neleus (Stammbaum bei Hellanikos FGrH 4 F 125) –, aber auch die bei Mimnermos (fr. 9 WEST) erwähnte direkte Wanderung von Pylos nach Ionien in Betracht gezogen (vgl. [18. 311]). Für Boiotien und Thessalien reicht dagegen der derzeitige Stand der arch. Forsch. nicht aus, um eine Herkunft der Ionier aus Mittelgriechenland zu stützen (so [16]; vorsichtige Zustimmung bei [18. 301]).

→ Ionisch; Iones

1 A. BAMMER, U. MUSS, Das Artemision von Ephesos, 1996 2 T. BRYCE, The Kingdom of the Hittites, 1998 3 F. CASSOLA, La Ionia nel mondo miceneo, 1957 4 J. CHADWICK, The Ionian Name, in: K. H. KINZL (Hrsg.), Greece and the Mediterranean in Ancient History and Prehistory. Studies ... Fritz Schachermeyr, 1977 5 J. N. COOK, Greek Settlements in the Eastern Aegean and Asia Minor, in: CAH II³ 2, 1975, 773–804 6 E. B. FRENCH, Turkey and the East Aegean, in: C. ZERNER (Hrsg.), Wace and Blegen, 1993, 155–158 7 O. R. GURNEY, Hittite Geography, in: H. OTTEN u. a. (Hrsg.), Hittite and Other

Anatolian and Near Eastern Studies in Honour of Sedat Alp, 1992, 213–221 **8** S. Heinhold-Krahmer, s. v. Milawa(n)da, in: RLA 8, 188f. **9** Ch. Mee, Aegean Trade and Settlement in Anatolia in the Second Millenium B. C., in: AS 28, 1978, 121–156 **10** W. Müller-Wiener (Hrsg.), Milet 1899–1980, 1986 **11** W.-D. Niemeier, The Mycenaeans in Western Anatolia and the Problem of the Origins of the Sea Peoples, in: S. Gitin u. a. (Hrsg.), Mediterranean Peoples in Transition: Thirteenth to Early Tenth Centuries B. C., 1998, 17–65 **12** B. Niemeier, W.-D. Niemeier, Milet 1994–1995, in: AA 1997, 189–248 **13** M. Pantelidou, Αἱ προϊστορικαί Ἀθῆναι, 1975 **14** F. Prinz, Gründungsmythen und Sagenchronologie, 1979, 314–376 **15** L. Re, Presenze micenee in Anatolia, in: M. Marazzi u. a. (Hrsg.), Traffici micenei nel Mediterraneo, 1986, 343–358 **16** M. Sakellariou, La migration grecque en Ionie, 1958 **17** F. Schachermeyr, Die Ägäische Frühzeit 4, 1980 **18** Ders., Die griech. Rückerinnerung im Lichte neuer Forschungen, 1983, 296–320 **19** R. Schmitt, Einführung in die griech. Dialekte, 1977, 96–103; 124–133 **20** J. Vanschoonwinkel, L'Égée et la Méditerranée orientale à la fin du deuxième millénaire, 1991 **21** K.-W. Welwei, Athen, 1992. S. D.-J.

III. Phönizische Kolonisation

Die phöniz. Expansion in den Westen am Ende des 2. Jt. v. Chr. gründet in den traditionellen Handelsbeziehungen der spätbrz. *Koine* der Levante, Zyperns und Anatoliens mit der Ägäis und dem zentralen und westl. Mittelmeerraum. Nach dem Ausgang der Krise des 12. Jh. (→ »Seevölkerwanderung«), die sich für die phöniz. Stadtstaaten der Levanteküste – hier lit. oder arch. kaum überl. – in Dauer und Intensität unterschiedlich ausgewirkt hatte, die jedoch offenbar meist glimpflich verlaufen war, zielte die phöniz. Expansion auf die reichen Silber-, Kupfer- bzw. Zinnerzvorkommen Zyperns (→ Kypros), Etruriens (→ Etrusci, Etruria), → Sardiniens und der Iberischen Halbinsel (→ Pyrenäenhalbinsel). Sie diente der Versorgung der hochspezialisierten phöniz. Künstler und Handwerker sowie dem profitablen Zwischenhandel (u. a. mit Assyrien, auch Tributleistungen). Rasch und sukzessive eroberten sich die Phönizier die Märkte des 2. Jt. im zentralen und westl. Mittelmeerraum zurück. Wirtschaftlich erstarkt, sollten → Byblos, → Sidon und → Tyros als die bedeutendsten phöniz. Metropolen alsbald wieder das polit. Geschehen im Phönizien der frühen Eisenzeit bestimmen.

Schon früh müssen die phöniz. Handelsverbindungen, etwa mit Ägypten, intensiv und stabil gewesen sein, wie der Ber. des Wen-Amun (ca. 1075 v. Chr.) glauben macht: 50 Schiffe der sidonischen und 20 der byblischen Handelsflotte standen im Warenaustausch mit Ägypten. Nicht von der Hand zu weisen, doch hinsichtlich der v. a. im Westen noch fehlenden arch. Befunde mit Bedacht zu nutzen, sind jene schriftlichen Nachr., die uns die griech. und röm. Geschichtsschreibung über den Gründungszeitpunkt der frühesten phöniz. Städte bzw. Niederlassungen vermitteln: Gründung von Tyros 1198/1185 v. Chr. (Ios. ant. Iud. 8,62 bzw. Iust. 18,3,5),

von → Kition Anf. 12. Jh. (Verg. Aen. 1,619–626), von → Utica 1101 (Aristot. mir. 134; Plin. nat. 16,216), von → Gades 1104/3 (Vell. 1,2,1–3) und von → Lixus (Plin. nat. 19, 63). Myth. Heldentaten, wie die Gründung von → Salamis/Kypros durch Teukros, das Dahinscheiden des Herakles und die Rückkehr der Herakliden (→ Herakleidai), der Fall der athenischen Monarchie oder der Untergang von Troia (1184 v. Chr.) galten offenbar als sichere chronologische Eckpunkte der phöniz. Expansion im Mittelmeerraum, denen zufolge sie am Beginn des 12. Jh. ihren Anfang nahm.

Treibende Kraft hinter der phöniz. Expansion waren relativ kleine, ebenso mächtige und selbständige wie vom → Handel (II. Phönizien) existentiell abhängige phöniz. Stadtstaaten. Diese Expansion, deren polit.-wirtschaftl.-organisatorische Struktur und Hintergründe sich in den darauffolgenden rund 500 Jahren kaum verändert haben, schlug sich in zwei teils aufeinanderfolgenden, teils sich überlagernden arch. Phänomenen nieder. Gut belegt ist von Anf. an die Allgegenwart phöniz. »merchant venturers« und Handwerker bzw. ihrer Produkte – zum überwiegenden Teil Luxus- und Prestigeimporte, aber auch (zunächst nur im östl. Mittelmeerraum) die ebenso schlichte wie offenbar attraktive Keramik – in den reich ausgestatteten Adelsgräbern Zyperns (Palaiopaphos-Skales, Salamis) und der Ägäis (Rhodos, Kos, Samos, Kreta, Euboia, Athen, Korinth). Nach und nach entstanden phöniz. Handelskontore und Werkstätten (*enoikismoi*) in den kypr. und griech. Siedlungen, die sich sowohl die Rohstoffquellen und den lokalen Markt zunutze machten, als auch in engem und dauerhaftem Kontakt mit der Levante standen.

Für die weitere Expansion während des 10.–9. Jh. nach Westen, in den zentralen Mittelmeerraum, nach It., Sardinien, die Atlantikküste Marokkos und schließlich auf die Iberische Halbinsel, sind die arch. Quellen noch sporadisch und bestätigen offenbar das Bild eines eher unregelmäßig, aber nicht notwendigerweise selten praktizierten phöniz. Fernhandels, dessen Wurzeln bis in die Brz. zurückreichen. Hier ist v. a. die biblische Überl. der von den Königen → Hiram I. (Tyros) und Salomo (Jerusalem) alle drei Jahre unternommenen Tarschisch-Fahrten zu nennen, die verm. dem sagenhaften Reich → Tartessos in Südspanien, dem Hinterland der tyrischen Kolonie Gadir galten (1 Kg 10,22: 969–930 v. Chr.; Ez 27,12: 586 v. Chr.), eine Identifizierung, die plausibel, aber umstritten ist.

In einer zweiten Phase (8.– Mitte 7. Jh. v. Chr.) entstanden in diesen Ländern zahlreiche feste und nun auch arch. meist bis in das 6. Jh. nachweisbare phöniz. Niederlassungen (*Emporia*), Faktoreien und Heiligtümer, vorwiegend an der Peripherie, mit Werkstätten und Zugang zum Meer, teils in unmittelbarer Nähe zu den Wirtschaftsgebieten. In der Regel war das Hinterland nicht polit.-administrativ untergeordnetes oder gar unterworfenes Territorium; ökonomisch und technologisch waren die phöniz. Partner teils überlegen, teils angewiesen auf die Kooperation mit der indigenen Aristokratie. Rasch vollzog sich die Entwicklung vom Handelsposten zur Stadt mit Hafen, Stadtmauer, Heiligtum, Nekropolen und Tophet wie z. B. auf Zypern, Mozia (Motya), Sizilien und Sardinien. Gleichzeitig aber gibt es auch Sonderfälle wie z. B. → Pithekussai auf Ischia, die früheste euböische Siedlung im Westen (vor 750 v. Chr.), die in enger Beziehung zur tyrischen Kolonie Karthago stand (750–675 v. Chr.) und wo Phönizier als Metoiken lebten. Die phöniz. Siedlungen an der südspanischen Küste wurden seit der 1. H. des 8. Jh. gegründet und erlebten ihren größten Bevölkerungszuwachs zw. 720 und 700 v. Chr., manche wurden teils sehr früh wieder aufgegeben, die meisten erlebten in der Mitte des 6. Jh. wirtschaftl. Rückgang und polit. Neuorganisation. Die Silbergewinnung im Río Tinto-Gebiet ging zurück, und mit den Phokaiern als neuen Handelspartnern im tartessischen Gebiet gewann die griech. Kultur an Einfluß.

→ Karthago wurde der Überl. nach 814/3 v. Chr. (Timaios, FGrH 566 F 60) vorwiegend aus innenpolit. Gründen von Tyros aus als »Neue Stadt« (Qarthadascht), als Kolonie gegründet und erhielt damit einen bes. Status (apoikía), der sie von allen anderen phöniz. Siedlungen im Mittelmeerraum unterschied. Der arch. Befund läßt sich nur bis in die 1. H. des 8. Jh. zurückverfolgen. In der 600jährigen Gesch. bis zu ihrer Zerstörung 146 v. Chr. entwickelte sich Karthago im westl. Mittelmeerraum zur führenden und gefürchteten Handels- und Seemacht, die sich nicht zuletzt in vielen Kriegen gegen Griechenland und Rom durchzusetzen wußte.

→ Phönizien; Phönizische Archäologie

M. E. Aubet, The Phoenicians and the West, 1994 · G. Bunnens, L'expansion phénicienne en Méditerranée, 1979 · W. Culican, The First Merchant Venturers, 1966 · Ders., Phoenicia and Phoenician Colonization, in: CAH² 3,2, 1991, 485–546 · E. Lipinski, G. Bunnens, s. v. Expansion phénicienne, DCPP, 166f. · A. Ennabli (Hrsg.), Pour sauver Carthage. Exploration et conservation de la cité punique, romaine et byzantine, 1992 · E. Gjerstad, The Phoenician Colonization and Expansion in Cyprus, in: RDAC 1979, 230–254 · W. Huss, Die Karthager, 1994 · O. Negbi, Early Phoenician Presence in the Mediterranean Islands: A Reappraisal, in: AJA 96, 1992, 599–615 · H. G. Niemeyer, Das frühe Karthago und die phöniz. Expansion im Mittelmeerraum (Veröffentlichungen der J. Jungius-Ges. der Wiss. Hamburg 60), 1989 · Ders., Die Phönizier und die Mittelmeerwelt im Zeitalter Homers, in: JRGZ 31, 1984, 3–94 · W. Röllig, Die Phönizier des Mutterlandes z. Z. der K., in: Phönizier im Westen (Madrider Beiträge 8), 1982, 15–30.   CH. B.

IV. »Große« griechische Kolonisation
A. Allgemein B. Verlauf
C. Ursachen und Ziele

A. Allgemein

Die K.-Bewegung setzt in der 2. H. des 8. Jh. v. Chr. ein. Die ersten Kolonien sind → Naxos (bei Taormina; 734 v. Chr.) und etwa gleichzeitig → Kyme [2]. Die K.

dauert in unterschiedlicher Intensität etwa bis 500 v. Chr. an, wobei zu den urspr. Gründungen bald auch eigene oder unter Beteiligung der alten Mutterstadt eingerichtete Tochterstädte der Kolonien treten.

Die Quellen zur K. setzen erst mit Herodot und Thukydides ein, bringen dann aber wertvolle Informationen für den Westen des Mittelmeers (Hdt. 1,163–167: Phokaier; Thuk. 6,3–5: K. Siziliens; danach auch die hier verwendeten Datier.) und weitere Regionen (Hdt. 2,154 und 178f.: Griechen in Äg.; 2,33; 4,17f., 51–54, 78f.: Griechen am Schwarzen Meer). Wichtige Informationen finden sich auch verstreut im geograph. Werk Strabons. Bedeutend sind die arch. Funde, die sich zwar häufig nicht mit den Datier. der lit. Überl. decken, aber wichtige Aufschlüsse über Lebensformen, Baugestalt und Handelsbeziehungen bieten (ausführliche Nutzung bei [1]).

B. Verlauf

Ausgangspunkte der K. sind etwa 20 griech. Gemeinden des griech. Festlandes, der ägäischen Inseln und der Westküste Kleinasiens als »Auswanderungshäfen«, in denen sich wohl auch Kolonisten aus anderen Gemeinden und aus dem Landesinneren sammeln. Eine bes. Rolle spielen anfangs die euböischen Orte Chalkis [1] und Eretria [1] sowie Korinth und Megara, später (ab ca. 650) auch Milet und Phokaia. Bevorzugte Zielgebiete sind (in der Reihenfolge der Besiedlung): Sizilien (→ Naxos 734, → Syrakusai 733, → Megara (Hyblaia) 728, Zankle/→ Messana ca. 730–720), Süditalien (Kyme [2], → Sybaris, → Kroton, → Rhegion, alle E. des 8. Jh.), die nordägäische, von Chalkis [1] besiedelte Chalkidike (→ Methone E. 8. Jh., → Mende und → Torone vor 650), die Seewege in den Westen (→ Korkyra/Korfu E. 8. Jh.) und in das Schwarzmeergebiet (→ Propontis: Astakos [1] ca. 710, Parion 709, sowie Selymbria, → Kalchedon und → Byzantion, Byzanz in der 1. H. des 7. Jh.). Kurz darauf beginnt in der 2. H. des 7. Jh. die Besiedlung des Schwarzen Meeres an dessen Südküste, Südwestküste (bis an die Donau) und auf der Krim durch Milet (erste Siedlungen: → Sinope, Istros [3], → Olbia, → Pantikapaion/Kertsch), begleitet von weiteren Kolonien in der Propontis. Die einzige in Nordafrika gegründete Siedlungskolonie ist das von Thera/Santorin 632 gegründete → Kyrene, das wiederum ca. 550 → Barke und noch vor 515 Euhesperides gründete. Die westlichste Siedlung ist das um 600 vom kleinasiat. Phokaia aus gegründete → Massalia/Marseille, das nach der Kontrolle der Straße von Gibraltar durch die Karthager wohl die Verbindung zu den britischen Zinnvorkommen über die Rhone und Loire herstellen sollte und seinerseits Handelsplätze gründete: in Nordspanien (→ Emporiae/Ampurias), vielleicht in Südfrankreich (Monoikos/Monaco, Nikaia/Nizza, Antipolis/Antibes u. a.) und sicher auf Korsika (Alalia/→ Aleria) gegenüber der erzreichen etr. Küste, von wo sie 540 von den Karthagern vertrieben wurden und nach Elea (→ Velia) zogen. Am Ende der »Großen« K. waren einschließlich der Tochtergründungen der Kolonien

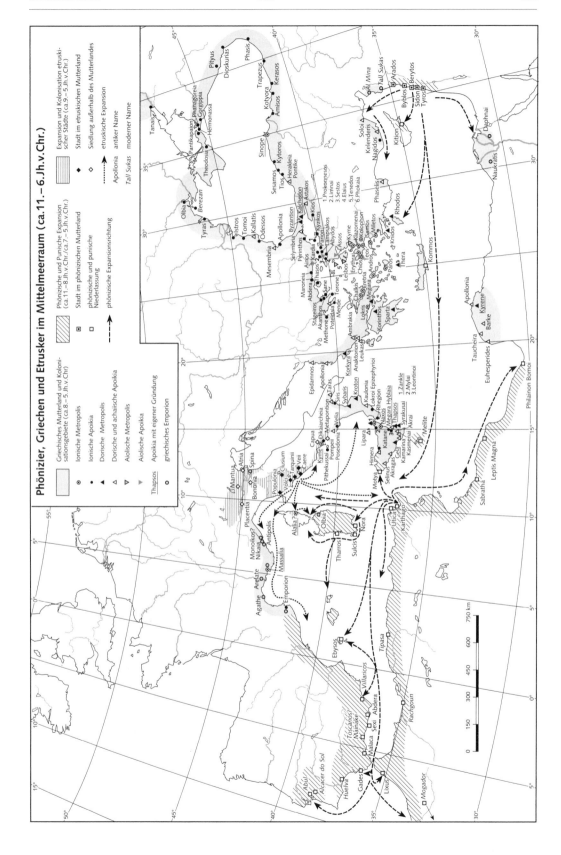

Phönizier, Griechen und Etrusker im Mittelmeerraum (ca. 11.–6. Jh. v. Chr.)

Kolonisation: Chronologische Synopse

	Griechische Expansion							Phönizische Expansion		Etruskische Expansion
					»Große griechische Kolonisation«					
Zeit	**Aiolische/Ionische/Dorische Wanderung** (Thessalien) / (Achaia, Attika) / (Peloponneos)	**Ionische Apoikiai** (Euboia, Miletos,...)			**Dorische Apoikiai** (Korinthos, Megara,...)	**Achaische Apoikiai** (Achaia)	**Aiolische Apoikiai** (Lesbos, Kyme,...)	**Phönizische Stadtstaaten** (Byblos, Sidon, Tyros)	**Punier** (Karthago / Süd-Spanische Niederlassungen)	**Villanova-Kultur / Stadtstaaten** (Caere, Tarquinii,...)

Aiolische/Ionische/Dorische Wanderung:

(Thessalien):
- Lesbos, Tenedos, Kleinasiat. Küste: (Kyme?) [ca. 1100]

(Achaia, Attika):
- Kykladen: (Keos, Delos, Paros, Naxos, Amorgos)
- Kleinasiat. Küste: (Miletos,... kar Gebiet; Ephesos,... lyd. Gebiet); [ca. 1000]
- Chios, Samos [ca. 900]

(Peloponneos):
- Kreta, Dor. Inseln der südlichen Ägäis
- Kleinasiat. Küste [ca. 1000]

Ionische Apoikiai:
- präkol. euboi. Handelskontakte, («Lefkandi») → Tyros, Al Mina, Amathus, Magna Graecia/Latium, Sizilien/Sardinien [ca. 1000]
- Magna Graecia, Akarnanien/Epeiros?, Sizilien, Chalkidike, Propontis [ca. 800]
- Nördl. Ägäis, Propontis, Chalkidike, Pontos Euxeinos, Sizilien [ca. 700]
- Pontos Euxeinos, Propontis, Westl. Mittelmeer, Thrakische Ägäis, Magna Graecia, Iberische Halbinsel [ca. 600]
- Pontos Euxeinos [ca. 500]

Dorische Apoikiai:
- Akarnanien/Epeiros, Sizilien, Magna Graecia, Propontis [ca. 800]
- Propontis, Sizilien, Magna Graecia, Akarnanien/Epeiros/Illyricum, Kyrenaika, Chalkidike [ca. 700]
- Sizilien, Akarnanien/Epeiros/Illyricum, Lipara, Kyrenaika, Pontos Euxeinos [ca. 600]

Achaische Apoikiai:
- Magna Graecia
- Magna Graecia

Aiolische Apoikiai:
- westl. und südl. Troas = alte und neue Aiolis (Assos)
- Thrak. Chersonesos (Sestos, Madytos, Alopekonnesos)
- Nördl. Ägäis (Ainos)

Phönizische Stadtstaaten:
- präkol. Handelsexpeditionen auf myk. und kypr.(?) Routen. Lit. bezeugte Gründungen des 12.Jh.: Kition, Gades, Utica, Lixus Handelskontore → Ägypten, Zypern, Kreta, Ägäis
- Iberische Halbinsel («Tarschisch-Fahrten» ?Tartessos, Tyros), Italien, Sardinien Atlantikküste.
- Kition («Apoikia« v.Tyros), »Emporia«: Kreta, Euboia, Ägäis, Sizilien, N.-Afrika (Utica), Sardinien? (Nora)
- dauerhafte »Emporia« und »joint ventures«: Ägypten, Zypern, Iber.Halbinsel (u.a. Gadir »Apoikia« von Tyros), Sizilien, Mozia, Sardinien, südiber. Halbinsel
- Qarthadascht (Karthago), gegr. 814 v.Chr. »Apoikia« von Tyros)
- ab dem 7.Jh. übernimmt Karthago den Schutz der phöniz. Emporien im Westen

Punier:
- ca.560 »Punische Expansion«: Ibiza, Sardinien, West-Sizilien, Iber. Halbinsel, Nord-Afrika
- Iber.Halbinsel, Libysches Hinterland, Eroberung Siziliens West-Sizilien (Korsika) Sardinien
- 241 v., 238 v., 206 v., 146 v.

Villanova-Kultur / Stadtstaaten (Etruskische Expansion):
- Po-Ebene (Bologna,...)
- Süd-Campanien (Pontecagnano,...)
- Po-Ebene: (Mantua, Bologna, Atria, Spina,...) [424 v.]
- Campania: (Nola, Capua, Pompeii) [400 v.]

Zeitskala (links): 1200 v.Chr., 1100, 1000, 900, 800, 700, 600, 500, 400, 300, 200, 100

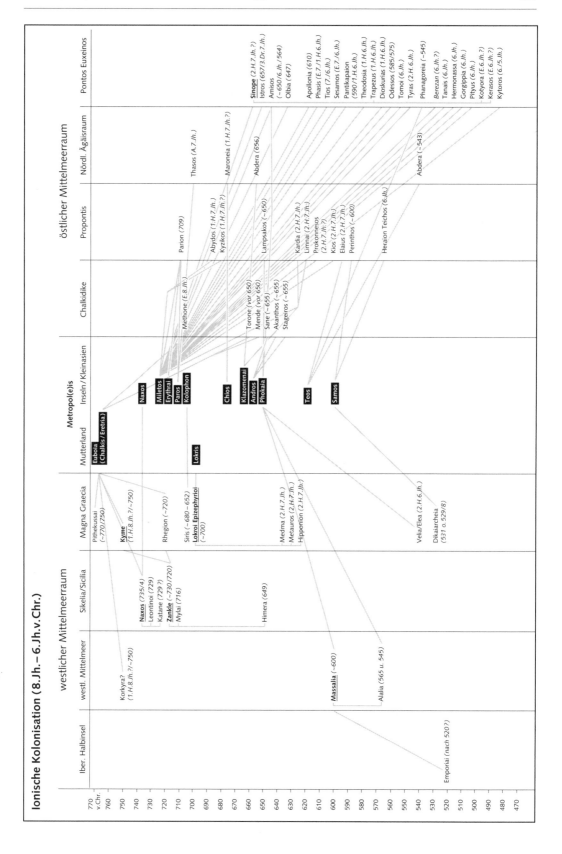

Ionische Kolonisation (8.Jh. – 6.Jh.v.Chr.)

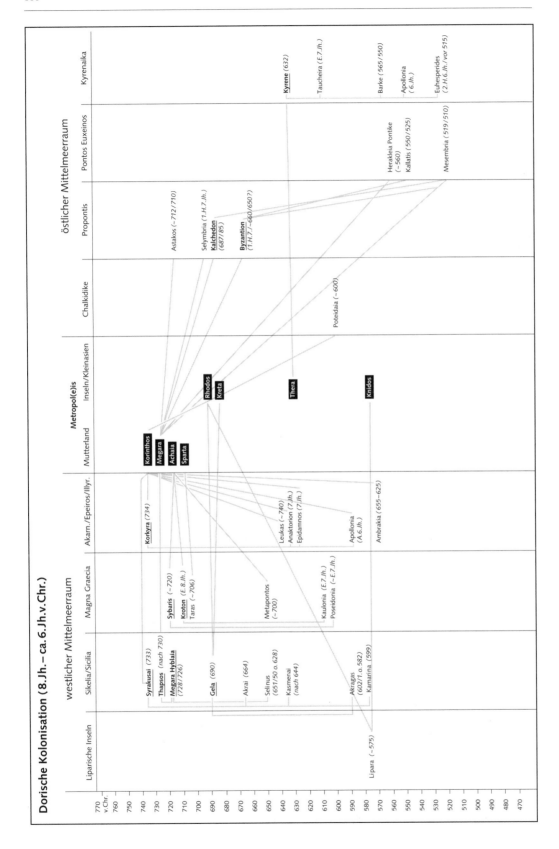

Dorische Kolonisation (8.Jh.–ca.6.Jh.v.Chr.)

westlicher Mittelmeerraum

Metropol(e)is

östlicher Mittelmeerraum

Liparische Inseln | Sikelia/Sicilia | Magna Graecia | Akarn./Epeiros/Illyr. | Mutterland | Inseln/Kleinasien | Chalkidike | Propontis | Pontos Euxeinos | Kyrenaika

Lipara (~575)

Syrakusai (733)
Thapsos (nach 730)
Megara Hyblaia (728/726)
Gela (690)
Akrai (664)
Selinus (651/50 o. 628)
Kasmenai (nach 644)
Akragas (602/1 o. 582)
Kamarina (599)

Sybaris (~720)
Kroton (E. 8. Jh.)
Taras (~706)
Metapontos (~700)
Kaulonia (E. 7. Jh.)
Poseidonia (~E. 7. Jh.)

Korkyra (734)
Leukas (~740)
Anaktorion (7. Jh.)
Epidamnos (7. Jh.)
Apollonia (A. 6. Jh.)
Ambrakia (655–625)

Korinthos
Megara
Achaia
Sparta

Rhodos
Kreta
Thera
Knidos

Astakos (~712/710)
Selymbria (1. H. 7. Jh.)
Kalchedon (687/85)
Byzantion (1. H. 7./~660/650?)

Poteidaia (~600)

Herakleia Pontike (~560)
Kallatis (550/525)
Mesembria (519/510)

Kyrene (632)
Taucheira (E. 7. Jh.)
Barke (565/550)
Apollonia (~6. Jh.)
Euhesperides (2. H. 6. Jh./ vor 515)

770 v.Chr. 760 750 740 730 720 710 700 690 680 670 660 650 640 630 620 610 600 590 580 570 560 550 540 530 520 510 500 490 480 470

etwa 150–200 neue Siedlungen rund um das Mittelmeer und am Schwarzen Meer entstanden.

C. URSACHEN UND ZIELE

Die griech. K. der archaischen Zeit verläuft parallel zur Entstehung der → Polis in Griechenland, kann sie aber zumindest in den Anfängen der K. im 8. Jh. noch nicht voraussetzen. Es ist deshalb fraglich, wieweit die frühen K.-Unternehmen von der Herkunftsgemeinde durch Siedlungsbeschluß, Stellung von Schiffen und Wahl des Oikisten (des Leiters des K.-Unternehmens) organisiert worden sein können, um wirtschaftliche Probleme (Landnot, Überbevölkerung) zu mindern. Der bei Herodot beschriebene (4,150–167) Gründungsvorgang Kyrenes (erst um 630 und hervorgerufen durch eine extreme Dürre) kann deshalb keinesfalls als Modellfall dienen. Es liegt näher, die Träger der frühen K. in aristokratischen Personen und Gruppen zu sehen, die in der polit. Umbruchs- und Krisensituation – Landnot durch wachsende Bevölkerung und Konzentration des Landes in den Händen weniger Aristokraten; Autoritätsminderung der Aristokratie durch Aufstieg neuer Schichten und Zwang zur Einordnung in die entstehende Polisordnung – die Heimat freiwillig oder unter Zwang und mit unterschiedlichen Absichten verlassen haben [2. 137]. Die Gründung Tarents durch Sparta zeigt die enge Verbindung zwischen Adelskrise und K. [3. 121–141]. Die Rückwirkung der Lösung von Problemen in den Kolonien (Verwaltung, Rechtsordnung, Stadtplanung) scheint deshalb die Polisbildung im Mutterland eher gefördert als kopiert zu haben [4].

Daraus ergibt sich eine Fülle von Ursachen und Zielen der K., die nicht in ein Schema passen. Auffällig ist jedoch das Nebeneinander von Interessen am Handel (einer bevorzugten Tätigkeit des Adels) und der Landsuche (einer notwenigen Voraussetzung der Autarkie einer Siedlung), das die gesamte Zeit der K. durchzieht. Die früheste K. geht von Chalkis [1] und Eretria [1] aus, die engste Verbindungen zur Levante haben und dort Handelskontore unterhalten (Al Mina, Tell Sukas), und auch mit ihrer ersten und zugleich nördlichsten Gründung in Italien (→ Pithekussai auf Ischia um 770) primär den Anschluß an die Erzvorkommen der Etrusker suchen. Die bald folgenden Koloniegründungen in Korkyra (durch Eretria), Naxos, Zankle/→ Messana und Rhegion (durch Chalkis) liegen deshalb nicht zufällig an wesentlichen Etappen des Seewegs vom korinth. Golf nach Pithekussai – einem Weg, dem Korinth mit der Eroberung Korkyras, der Gründung von Syrakusai und seinen späteren Gründungen an der Adria (→ Leukas, → Ambrakia, → Anaktorion) ebenso folgte wie Megara und besonders die Gemeinden Achaias, die Kroton und Sybaris im Golf von Tarent gründeten. Sybaris dürfte nicht zufällig an der kürzesten Landverbindung zwischen dem Golf von Tarent und dem Tyrrhenischen Meer liegen – was die gefährliche Durchquerung der Straße von Messina vermied und ihm sprichwörtlichen Reichtum verschaffte – und mit der Gründung von Poseidonia/Paestum den Anschluß an Mittelitalien gesucht haben.

Megara richtete mit seinen Gründungen in der Propontis früh sein Augenmerk auf den Seeweg in das Schwarze Meer und schuf sich mit Kalchedon und Byzantion starke Kontrollposten für den Handel, der sicher schon vor der Besiedlung durch Milet eingesetzt hatte. Die Lage der Kolonien Milets an der Südküste des Schwarzen Meeres läßt vermuten, daß es Anschluß an die Erzvorkommen Anatoliens suchte; die Siedlungen an der Mündung der großen, aus dem Innern Rußlands kommenden Ströme öffneten ihm die Wege nach Norden. Das etwa gleichzeitige Engagement Milets in Ägypten mit einem (später von → Amasis [2] privilegierten) Handelskontor (→ empórion) in → Naukratis schuf für Milet eine Handelszone, die von der Ostsee bis nach Nubien reichte. Es ist deshalb nicht verwunderlich, wenn die griech. K., die mit dem Handelsinteresse der Euboier begann, mit dem expliziten Interesse am Metallhandel der Phokaier in Massalia und Aleria endet.
→ Apoikia; Ktistes; Metropolis; Oikistes

1 J. BOARDMAN, Kolonien und Handel der Griechen, 1981 2 U. WALTER, An der Polis teilhaben, 1993 3 M. MEIER, Aristokraten und Damoden, 1998 4 I. MALKIN, Religion and Colonization in Ancient Greece, 1987.

J. BÉRARD, La colonisation grecque de l'Italie méridionale et de la Sicile, ²1957 · Ders., L'expansion et la colonisation grecques jusqu' aux guerres médiques, 1960 (reiche Quellenangaben) · C. ROEBUCK, Ionian Trade and Colonization, 1959 · H. SCHAEFER, Eigenart und Wesenszüge der griech. Kolonisation, in: Heidelberger Jb. 4, 1960, 77–93 · N. ERHARDT, Milet und seine Kolonien, 1983 · J.-P. DESCOEUDRES (Hrsg.), Greek Colonists and Native Population, 1990 · G. R. TSETSKHLADZE (Hrsg.), The Greek Colonisation of the Black Sea Area, 1998. Weitere Lit. s. zu den einzelnen Orten.   W. ED.

V. ETRUSKISCHE KOLONISATION

Die vom etr. Kernraum zwischen Arno und Tiber ausgehende Expansionsbewegung setzt schon im 9. und 8. Jh. v. Chr. in der Phase der → Villanova-Kultur ein und folgt einer Nord- und Südachse [8]. Nach Norden erreicht sie schon im 9. Jh. v. Chr. Bologna (Felsina) [9] über Siedlungen wie Fermo und Verucchio [4]. Nach Süden nimmt die Expansion zunächst den Seeweg mit Gründungen in Pontecagnano und Sala Consilina [5]. Die seit dem 7. Jh. v. Chr. weit umfasseneren K. führen zu Zwölfstädtebünden nördlich des Apennin (Diod. 14,113,2; Liv. 5,33,8; Plin. nat. 3,19,25 – Mantua, Bologna, Adria, Spina etc.) wie auch in Campanien (Nola, Capua, Pompeii etc.) [2; 3]. → Marzabotto ist wie Spina ein Beispiel für Koloniegründungen des späten 6. und 5. Jh. v. Chr., die ein städtebauliches Konzept voraussetzen, das griech. und großgriech. Vorstellungen verpflichtet ist (→ Hippodamos von Milet) [7]. Die der tyrrhenischen Küste folgende Ausdehnung in das Gebiet der Ligurer (Genua) und nach Südfrankreich fand ihre Grenzen im Machtbestreben → Massalias (Marseille), das um 600 von Phokaiern gegründet wurde [1]. Die hinter der Expansion stehenden Personen oder Mutter-

städte sind im Gegensatz zur griech. K. weitgehend unbekannt; nur durch Analyse der von den Siedlern genutzten Alphabete und Objekte ist eine Aussage über ihre Herkunft möglich [3]. Neben den mehr agrarisch ausgerichteten Siedlungen wie Marzabotto [7] konnten auch Handelsstützpunkte innerhalb einer einheimischen Bevölkerung eingerichtet werden (Genua) [1].
→ Etrusci, Etruria

1 L. AIGNER-FORESTI, Zeugnisse etr. Kultur im Nordwesten Italiens und in Südfrankreich. Zur Gesch. der Ausbreitung etr. Einflüsse und der etr.-griech. Auseinandersetzung, 1988 2 P. KRACHT, Stud. zu den griech.-etr. Handelsbeziehungen vom 7. bis 4. Jh. v. Chr., 1991 3 M. CRISTOFANI, Etruschi e altri genti nell'Italia preromana. Mobilità in età arcaica, 1996 4 M. FORTE (Hrsg.), Il dono delle Eliadi. Ambre e oreficerie dei principi etruschi di Verucchio. Ausstellung Bologna, 1995 5 P. GASTALDI, G. MAETZKE (Hrsg.), La presenza etrusca nella Campania meridionale. Atti delle giornate di studio Salerno-Pontecagnano, 16–18 novembre 1990, 1994 6 R. DE MARINIS (Hrsg.), Gli Etruschi a nord del Po I-II, 1986 7 F.-H. MASSA PAIRAULT (Hrsg.), Marzabotto. Recherches sur l'Insula V, 3, 1997 8 M. PALLOTTINO, Etruskologie. Gesch. und Kultur der Etrusker, 1988 9 D. RIDGWAY, The Villanovan Cemeteries of Bologna and Pontecagnano, in: Journ. of Roman Archaeology 7, 1994, 303–316.   GE. BI.

VI. ALEXANDER DER GROSSE UND HELLENISMUS

Die von Alexandros [4] d. Gr. während seines Feldzugs gegründeten, angeblich 70 (Plut. mor. 328E) Städte dienten – mit Ausnahme des 331 gegründeten → Alexandreia [1] – anfangs der Versorgung der Veteranen des Alexanderheeres und der Sicherung der Herrschaft im Reich. Wie weit sich damit schon die Absicht verband, griech. Kultur und Lebensart zu verbreiten, ist umstritten, doch zogen diese Gründungen bald weitere griech. Siedler an und wurden zu nach griech. Muster gebauten und organisierten Zentren griech. Kultur im Mittleren Osten (Iran, Afghanistan, Pakistan und Indien; → Aï Chanum). Alexanders Nachfolger in den hell. Reichen (→ Hellenistische Staatenwelt mit Karten) folgten diesem Beispiel, verbanden aber mit der Gründung von Städten – häufig durch Neugründung bereits vorhandener Siedlungen oder durch Zusammensiedlung mehrerer Orte – auch das Ziel der repräsentativen Gestaltung ihrer Herrschaft (Benennung nach dem Herrscher oder Mitgliedern der Herrscherfamilie: Ptolemais, Seleukeia, Antiocheia, Laodikeia, Attaleia, Kassandreia usw.) und der Förderung des Herrscherkults (→ Ktistes).

In Äg. wurde neben Alexandreia lediglich noch → Ptolemais in Oberäg. von Ptolemaios I. gegründet und nach griech. Muster (Rat, Volksversammlung) gestaltet. Der Rest Äg.s blieb »Landgebiet« (chóra), auf dem verstreut aktive Soldaten angesiedelt wurden, die ihre Höfe meist an Einheimische verpachteten (→ Kleruchoi [2]).

Entsprechend der Ausdehnung und ethnischen Heterogenität des → Seleukidenreiches entstanden in allen Teilen des Reiches Militärsiedlungen mit geschlossenen Abteilungen des Heeres und Städte mit gemischt maked.-griech. Bevölkerung, die ihre Verwaltung zwar selbst organisierten, aber steuerpflichtig waren und zugleich als Stützpunkte der Reichsverwaltung dienten. Zentren der Siedlungstätigkeit befanden sich in Nord-Syrien (→ Antiocheia [1], Apameia [3], Laodikeia, Seleukeia in Pierien), in Kleinasien (Antiocheia [5] und [6], Apameia [2], Laodikeia/Lykos), in Babylonien mit der neuen Hauptstadt → Seleukeia am Tigris und in → Baktria/Zentralasien. Die Siedlungen blieben in engem Kontakt mit der griech. Welt und erhielten zuweilen Zuzug aus griech. Städten (→ Euthydemos [2]), betrieben aber keine ausgeprägte Politik der → Hellenisierung in ihrem Umland.

V. TSCHERIKOWER, Die hell. Städtegründungen von Alexander d. Gr. bis auf die Römerzeit, 1927 · G. M. COHEN, The Seleucid Colonies, 1978 · S. SHERWIN-WHITE, A. KUHRT, From Samarkhand to Sardis, 1993 · R. BILLOWS, Kings and Colonists, 1995.

VII. RÖMISCHE KOLONISATION
s. Coloniae (mit Karten)   W. ED.

Kolonos (Κολωνός, »Hügel«).

[1] K. agoraíos (ἀγοραῖος, »bei der Agora«). Hügel (68 m) im Westen der Agora von Athen im Demos Kerameis mit Synhedrion [1. 112], Arsenal [1. 188 f.], Tempel der Athena und des Hephaistos (sog. Theseion) [1. 91; 5. 261–273, Abb. 335–350] und anderen Kulten [5. 79] sowie das südl. anschließende Gebiet (Aristoph. Av. 997 f.).

[2] K. híppios (»Reiter-K.«), durch Sophokles (Oid. K. 54 ff., 670 ff., 886 ff.) berühmter Hügel im NW Athens (Thuk. 8,67) unweit der platon. → Akademeia am h. Leophoros Ioanninon mit Heiligtum des Poseidon Hippios (Soph. Oid. K. 16, 37 f., 54 f.), der Athena Hippia (Paus. 1,30,4) [6] und weiteren Kulten [3]. Dieses Kultzentrum der athen. Reiterei wurde 265 v. Chr. von → Antigonos [2] Gonatas zerstört (Paus. 1,30,4) [2].

[3] Att. Asty-Demos der Phyle Aigeis, stellte zwei buleutaí, nach [4] am K. [2]. Demotikon ἐκ Κολωνοῦ [6. 73³⁰]. → Sophokles stammte aus K., der einen Kult des eponymen Heros K. bezeugt (Soph. Oid. K. 54 f., 888 f.) [6. 208, 211].
→ Athenai; Kolonai

1 J. M. CAMP, Die Agora von Athen, 1989 2 CHR. HABICHT, Athen, 1995, 151 3 E. HONIGMANN, s. v. K. (2), RE 11, 1113 f. 4 D. M. LEWIS, The Deme of K., in: ABSA 50, 1955, 12–17 5 TRAVLOS, Athen, 79 6 WHITEHEAD, Index s. v. K.
TRAILL, Attica, 40, 68, 111 Nr. 72, Tab. 2.   H. LO.

Kolophon (Κολοφῶν).

[1] Ion. Stadt (Strab. 14,1,3–5; Paus. 7,3,1–4) in Lydia, ca. 13 km nördl. vom Hafen → Notion. Ruinen (Akro-

polis, Theater, Thermen) beim h. Değirmendere. Zeitweilig in Fehde mit den lyd. Königen, genoß K. im
7./6. Jh. v. Chr. großen Wohlstand (Aristot. pol. 4,1290
b 15) und war wegen »Üppigkeit« verrufen (Athen.
12,524b; 526a mit Xenophan. fr. 3); über einen Streit
mit Smyrna vgl. Mimn. fr. 12 und Hdt. 1,150. Nach
dem Sturz des → Kroisos unter pers. Herrschaft, büßte
K. offenbar seinen Wohlstand ein und zahlte als Mitglied des → Attisch-Delischen Seebundes nur einen
mäßigen Beitrag. 430 nach Parteikämpfen zunächst
wieder pers. (Thuk. 3,34), schloß sich K. 409 wiederum
Athen an (Xen. hell. 1,2,4), um nach 404 erneut unter
pers. Oberhoheit zu geraten. 302 unter → Antigonos
[1], wurde K. von → Prepelaos für Lysimachos erobert
(Diod. 20,107,5), der wenig später die Kolophonier
nach Ephesos umsiedelte (Paus. 1,9,7). Ob die Kolophonier, die sich 218 → Attalos [4] I. unterwarfen (Pol.
5,77,5), die urspr. Stätte wieder bewohnten oder in
→ Notion siedelten, seit 188 mit dem Vertrag zw. Rom
und → Antiochos [5] III. von der Tributpflicht befreit
(Pol. 21,46,4; Liv. 38,39,8), ist nicht zu entscheiden.
Von den Pinien der K. umgebenden Höhen wurde *resina Colophonia* oder *Colophonium* (Plin. nat. 14,123;
26,104; Dioskurides, De materia medica 1,92) gewon-
nen. Aus K. stammen die Dichter → Xenophanes,
→ Antimachos [3], → Nikandros [4] und → Theopompos sowie der Iambograph → Phoinix.
Inschr.: SGDI 5611 ff. Mz. vom 6. Jh. v. Chr. bis Gallienus: HN 569 ff.
Ca. 13 km südl. von K., direkt östl. von Notion, lag
das Orakelheiligtum des Apollon von → Klaros.

L. BÜCHNER, s.v. K. (2), RE 11, 1114–1119 • V. SCHULTZE,
Altchristl. Städte und Landschaften 2,2, 1926, 74 ff. • L. B.
HOLLAND, Colophon, in: Hesperia 13, 1944, 91–171 •
L. ROBERT, Les fouilles de Claros, 1954. K.Z.u.HE.EN.

[2] In Keilschrift-Texten (→ Schrift) ein Abschlußver-
merk des Schreibers, der folgendes enthalten kann:
Stichzeile (erste Zeile der folgenden Tafel) und Num-
mer der Tafel (beides nur bei Serien); Titel des Werks;
Anzahl der Zeilen; Schreib- und Prüfungsvermerk (z.B.
›gemäß seinem Original geschrieben und kollationiert‹);
Angaben zur Vorlage (Herkunft, Art); Name des
Schreibers und/oder des Eigentümers; Zweck des
Schreibens (z.B. ›für sein Lesen‹, aber auch ›für langes
Leben‹); Anrufungen der Götter, verbunden mit Wün-
schen für das Wohlergehen von Schreiber und Tafel;
Flüche gegen Diebe oder Beschädiger der Tafel; Datum.
Im K. sind rätselartige und spielerische Schreibungen
sehr beliebt.

H. HUNGER, Babylon. und assyr. K., 1968. H.HU.

[3] s. Subskription

Kolossai (Κολοσσαί). Stadt in SW-Phrygia 4 km nordnordwestl. von Honaz, bedeutend schon im 5. Jh.
v. Chr. (Xen. an. 1,2,6; vgl. Plin. nat. 5,145), 15 km
ostsüdöstl. von Laodikeia, an der Straße durch das Ly-

kos-Tal zw. Sardeis und Kelainai. Mz. sind seit späthell.
Zeit nachgewiesen. Die Stadt war berühmt für ihre
Wollindustrie (Strab. 12,8,16). Der Brief des Paulus an
die Kolosser bezeugt eine frühe Christengemeinde. Sitz
eines mehr oder weniger unorthodoxen Kultes des Erz-
engels Michael, der an einem altbekannten Erdspalt
(Hdt. 7,30) eine Heilquelle habe entstehen lassen; seine
berühmte Kirche wurde 1192/3 während byz. Bürgerkriege zerstört. K. war Suffraganbistum von Laodikeia
in Phrygia Pakatiane, wurde aber in byz. Zeit durch die
höher gelegene Siedlung Chonai ersetzt.

BELKE/MERSICH, 122, 309–311 • D. MÜLLER,
Topographischer Bildkomm. zu den Historien Herodots,
1997, 163–165. T.D.-B.

Kolosseum A. TERMINOLOGIE UND GESCHICHTE
B. ARCHITEKTUR C. FUNKTION

A. TERMINOLOGIE UND GESCHICHTE
Urspr. wurde das K. nach der kaiserlichen Dynastie,
die es erbaut hatte, *amphitheatrum Flavium* (Flavisches
Amphitheater) gen. *Colisaeus* erscheint zum ersten Mal
im 8. Jh. n. Chr. in einem Epigramm (Beda Venerabilis,
PL 94,453); dies wurde von der benachbarten Kolossalstatue des Nero (→ Colossus Neronis) abgeleitet. Das K.
wurde auf Initiative des Vespasian (Suet. Vesp. 11,1) im
Tal zw. Esquilin, Palatin und Caelius erbaut, dem Ort,
an welchem sich vorher der zur berühmten → *Domus
Aurea* gehörende See (*stagnum*) befunden hatte. Titus
weihte das K. 80 n. Chr. ein (CIL VI 2059, *Acta fratrum
Arvalium*; Suet. Tit. 7,3; Aur. Vict. Caes. 10,5). Ergänzende Baumaßnahmen fanden noch unter Domitian
statt. Während des 2. Jh. n. Chr. wurden kleinere Re-
paraturen ausgeführt (SHA Anton. Pius 8,2), eine größere Wiederaufbaumaßnahme wurde 217 n. Chr. nach
einem durch Blitzschlag entstandenen Brand nötig
(Chron. min. 1,147 MOMMSEN = Chronograph von
354, p. 277; Cass. Dio 78; 25,2–3; SHA Heliog. 17,8;
SHA Alex. 24,3). Zusätzlich zur Einweihung 80 n. Chr.
feierten Mz. mit Darstellungen des K. die Wiedereröff-
nung im Jahr 222 sowie eine Restaurierung unter Gordianus [3] III. (SHA Max. Balb. 1,3–4). Weitere Restau-
rationen sind für die Jahre 250 oder 252 (Isid. chronica 2,
p. 463; Hier. chron. p. 218; Amm. 4,10,14), 320 (Cod.
Theod. 16,10), nach 442 (CIL VI 32089), 470 (CIL VI
32091–2) und um 508 (CIL VI 32094) verzeichnet.

B. ARCHITEKTUR
Das K. ist auf ebenem Gelände errichtet und war mit
seiner Fläche von 3357 m² das größte jemals erbaute
→ Amphitheater. Die Längsachse maß 188 m, die
Querachse 156 m; die Höhe betrug 48,3 m. Ca. 50000
Zuschauer fanden auf fünf Rängen Platz. Die 13 m tiefen Fundamente konnten bequem in den Grund des
früheren Sees eingegraben werden; sie waren aus Gußzement und trugen sowohl die Grundmauern unter der
Arena als auch das Pfeilernetzwerk aus Travertin, welches die → Cavea stützte. Das Skelett aus Travertin-

pfeilern war ausgefüllt mit Mauern aus Tuffblöcken bzw. *opus testaceum* (→ Mauerwerk), je nach Standort. Die Fassade war in vier Stockwerke unterteilt, wovon die ersten drei aus jeweils 80 Bögen gebildet wurden, die von Halbsäulen in – von unten nach oben – dor., ion. und korinth. Ordnung flankiert waren. Das oberste Stockwerk bestand aus einer durch Pilaster in 80 Felder unterteilten Attika, in denen alternierend Fenster und Schilde angebracht waren. An der Attika befanden sich nebeneinander drei Konsolen mit Löchern für die Holzstangen des Sonnensegels (*velarium*), das zum Schutze der Zuschauer angebracht war. 76 der 80 Eingangsbögen im Erdgeschoß waren numeriert, damit die Zuschauer ihre Sitzplätze schnell finden konnten; die vier Bögen an den jeweiligen Achsenenden waren durch Verzierungen bes. hervorgehoben und dienten teils den Magistraten, teils den Darstellern als Eingang. Ein spezieller unterirdischer Korridor führte zur kaiserlichen Loge an der Südseite.

Die → Cavea war in Ränge unterteilt, in denen die Zuschauer gemäß ihrem Status und Geschlecht Platz nahmen, was u. a. den Inschr. an den herausgehobenen Marmorsitzen zu entnehmen ist. Die Senatoren hatten ihre Plätze oberhalb des Podiums, das die Arena umgab; dort standen auf Marmorstufen ihre → *subsellia*. Die folgenden drei Ränge, der *maenianum primum* (mit acht Reihen), der *maenianum secundum imum* und der *maenianum secundum summum*, waren den Rittern, weiter oben der Plebs vorbehalten. Während die Sitze dieser Ränge aus marmorverkleideten Ziegeln bestanden, waren die Sitze des letzten Ranges, des *maenianum summum in ligneis*, aus Holz; in dieser die Cavea umgebenden Porticus gab es elf Reihen mit Plätzen für die Frauen. Die Sitzplätze konnten durch ein ausgeklügeltes System von überwölbten Korridoren, Treppenhäusern und Rampen erreicht werden, die sich jeweils durch reich verzierte Portale (*vomitoria*) in eine von drei *praecinctiones* (→ Theater) des Auditoriums öffneten. Unter der Arena befand sich ein Labyrinth von Kammern und Korridoren, in denen sich die Requisiten, Käfige und Ställe für die Tiere sowie Waffen für die Gladiatoren und vieles mehr befanden. Aufzüge aus Holz brachten die Tiere und Requisiten durch Falltüren, die in den Boden der Arena eingelassen waren, im jeweils angebrachten Moment auf die Bühne.

C. FUNKTION

Die Eröffnung des K. wurde durch ein über einhundert Tage andauerndes Fest gefeiert; dabei wurden Gladiatorenkämpfe (→ *munera*), Kämpfe mit wilden Tieren (*venationes*) und Seeschlachten (*naumachiae*) gezeigt. Die beiden erstgenannten Typen von Schaukämpfen wurden auch in der Folgezeit immer im K. aufgeführt, Seeschlachten sind allerdings für die Zeit nach Titus nicht mehr dokumentiert. Dies deutet darauf hin, daß die unterirdischen Anlagen, die das Füllen der Arena mit Wasser sehr erschwert hätten, erst unter Domitian hinzugefügt wurden. Im Zuge der Christianisierung wurden die *munera* und *venationes* am Kaiserhof zunehmend un-

beliebter, doch obwohl Honorius im frühen 5. Jh. Gladiatorenkämpfe verbot, wurden *munera* dennoch zumindest bis 434 n. Chr. im K. gezeigt. *Venationes* sind sogar für noch spätere Zeit dokumentiert; die letzte Tierhetze fand im K. 523 n. Chr. statt (Cassiod. var. 5,42).

→ Amphitheatrum (mit Grundriß und Schnitt/Aufriß des K.); ROM

Anfiteatro Flavio: Immagine, Testimonianze, Spettacoli, 1988 · P. COLAGROSSI, L'Anfiteatro Flavio nei suoi vent'secoli di storia, 1913 · G. COZZO, Il Colosseo, 1971 · J.-C. GOLVIN, L'Amphithéatre Romain I/II, 1988 · J.-C. GOLVIN, C. LANDES, Amphithéatres et Gladiateurs, 1990 · R. REA, s. v. Amphitheatrum, in: LTUR I, 1993, 30–35.
                                         I. N./Ü: R. S.-H.

Kolossos (κολοσσός, *colossus*).

Als K. galten Statuen von bemerkenswerter Größe, in der griech. Lit. zunächst in ihrer Funktion als unbewegliche Stellvertreter. Seit dem K. von Rhodos (293 v. Chr.) wurde K. ein Fachterminus für Statuen mit Maßen von 100 Fuß (29 m) bis hinab zu 10 Fuß. In der Forsch. wird ab doppelter Lebensgröße von K. gesprochen. Marmor-K. treten zuerst in der 1. H. des 6. Jh. v. Chr. auf (Kuroi in Samos, Delos, Naxos), in Abhängigkeit von ägypt. Großplastik. Im 5. Jh. v. Chr. entstanden K. meist als → Kultbilder. Die K. des → Pheidias (Zeus in Olympia, Athena Promachos) wurden vorbildhaft auch im Format. Akrolithische Kultbilder in zwei- bis dreifacher Lebensgröße sind im Hell. und ab dem 2. Jh. v. Chr. in Rom üblich. Wenige K. erreichten 30 m wie der Helios des → Chares [4] in Rhodos und der K. des Nero in Rom von → Zenodoros. Als Porträtstatuen sind K. zuerst für Attalos I. überl. Beim röm. Herrscherporträt ist mehrfache Lebensgröße vor den Statuen des Constantinus I. selten.

Die größten K. waren in Br. und erforderten komplizierte Maßnahmen zur Stabilität, weshalb das technische Wagnis stets bewundert wurde, während ihr ästhetischer Wert als gering galt (Plin. nat. 34,39–47).

J. DUCAT, Fonctions de la statue dans la Grèce archaïque. Kouros et kolossos, in: BCH 100, 1976, 239–251 · P. KARAKATSANIS, Stud. zu archa. Kolossalwerken, 1986 · D. KREIKENBOM, Griech. und röm. Kolossalporträts aus dem späten 1. Jh. n. Chr., 1992 · M. BERGMANN, Der Koloß Neros, die Domus Aurea und der Mentalitätswandel im Rom der frühen Kaiserzeit, in: Trierer Winckelmannsprogramme 13, 1993, 1–37 · M. W. DICKIE, What Is a kolossos and How Were kolossoi Made in the Hellenistic Period?, in: GRBS 37, 1996, 237–257 · H. KYRIELEIS, Der große Kuros von Samos, 1996.   R. N.

Kolotes (Κωλώτης).

[1] Bildhauer aus Herakleia in Elis. K. war Schüler und Mitarbeiter des → Pheidias, so beim Zeus von Olympia. Er arbeitete vornehmlich in Gold und Elfenbein. In Goldelfenbein schuf K. in Kyllene einen Asklepios, in Elis laut Plinius (Plin. nat. 35,54) eine Athena, die nach Pausanias (Paus. 6,26,3) jedoch Pheidias zugeschrieben wurde; da der Schild dieser Athena von → Panainos be-

malt worden sein soll, lag wohl eine Gemeinschaftsarbeit vor. Die ant. Überl. zu K. war korrupt; K. wurde auch ein mit Götter- und Sportszenen dekorierter Tisch für die Siegerkränze im Heraion von Olympia zugeschrieben, der laut Pausanias (unter Berufung auf eine kunsthistor. Quelle) K., einem Schüler des → Pasiteles aus Paros, zuzuschreiben sei. Nach Plinius habe K. auch brn. Philosophenporträts angefertigt. Alle vorgeschlagenen Identifizierungen auf dieser Basis sind spekulativ.

OVERBECK, Nr. 844–850 · M. T. AMORELLI, EAA 4, 380–381 Nr. 1–2 · P. MINGAZZINI, Il tavolo crisoelefantino di Kolotes ad Olimpia, in: MDAI(A) 77, 1962, 293–305 · B. RIDGWAY, Fifth Century Styles in Greek Sculpture, 1981, 169, 183 · A. LINFERT, Quellenprobleme zu Alkamenes und Kolotes, in: Rivista di archeologia 12, 1988, 33–41. R.N.

[2] Von Diogenes Laertios unter die »angesehenen« Schüler (10,25: ἐλλόγιμοι) des → Epikuros gerechnet; stammte aus Lampsakos und wurde vermutlich dort Schüler Epikurs (zw. 310–306 v. Chr.); wahrscheinlich um 320 v. Chr. geboren. K. wurde vielleicht Leiter einer epikureischen Schule in Lampsakos. Er ist Empfänger von Briefen Epikurs, von denen einige Reste erh. sind ([62]–[66]. (119) ²ARRIGHETTI = frg. 140–142 USENER). Epikur berichtet in einem Brief ([65] ²ARR = fr. 141U), K. sei ihm während einer Vorlesung zu Füßen gefallen; er habe diese Proskynese als unphilos. (ἀφυσιολόγητον) getadelt, die Verehrung aber erwidert. Ein Schüler des K., Menedemos, soll zu den Kynikern übergelaufen sein (Diog. Laert. 6,95) [1]. Mehr ist über K.' Leben nicht bekannt.

Reste seiner Schriften erweisen K. als einen zur Polemik neigenden Autor. In seiner Schrift ›Nach der Lehre der anderen Philosophen kann man nicht leben‹ (Περὶ τοῦ ὅτι κατὰ τὰ τῶν ἄλλων φιλοσόφων δόγματα οὐδὲ ζῆν ἔστιν) kritisiert er u. a. Demokrit, Parmenides, Empedokles, Sokrates [2], Melissos, Platon, Stilpon, die Kyrenaiker und bes. Arkesilaos [3; 4]. Diese Auseinandersetzung mit anderen Philosophen hat noch Plutarch gelesen und in seinem ›Gegen K.‹ (Πρὸς Κωλώτην) einer Antwort für würdig befunden. Kritisch interpretiert K. auch platonische Dialoge (›Gegen Platons Lysis‹ (Πρὸς Πλάτωνος Λύσιν); ›Gegen Platons Euthydemos‹ (Πρὸς Πλάτωνος Εὐθύδημον) [5; 6]), von denen Reste auf den → Herculanensischen Papyri gefunden worden sind. Wir erfahren von einer Schrift ›Über Gesetze und Meinung‹ (Περὶ νόμων καὶ δόξης) [7]. In einer weiteren Schrift hat K. Kritik am Schlußmythos der platonischen ›Politeia‹ geübt. Diese Kritik haben Cicero und später Macrobius (In Somnium Scipionis I 1, 9–2,4) und Proklos (In Plat. rep. II p. 105,23–106,14; 109,8–12; 111,6–9; 113,9–113; 116,19–21; 121,19–25 KROLL) zu Reaktionen herausgefordert.

1 SSR 2, 588–589; 4, 581–583 2 E. ACOSTA MÉNDEZ, A. ANGELI (Hrsg.), Filodemo. Testimonianze su Socrate, 1992, 53–91 3 A. M. IOPPOLO, Opinione e scienza. Il dibattito tra Stoici e Accademici nel III e II secolo a. C., 1986, 183–185

4 P. A. VANDER WAERDT, Colotes and the Epicurean Refutation of Skepticism, in: GRBS 30, 1989, 225–267 5 W. CRÖNERT, K. und Menedemos, 1906 (Ndr. 1965), 1–16, 162–172, 167–170, 170–171 6 A. CONCOLINO MANCINI, Sulle opere polemiche di Colote, in: CE 6, 1976, 61–67 7 E. KONDO, Per l'interpretazione del pensiero filodemeo sulla adulazione nel PHerc. 1457, in: CE 4, 1974, 43–56, bes. 54 f.

ED.: H. USENER, Epicurea, ¹1887. Ndr. 1963, 1966 · M. POHLENZ (ed.), Plutarch, Adversus Colotem; Non posse suaviter vivi secundum Epicurum (Plutarchi moralia 6/2, 1952; ²1959, 124–172, 173–215). LIT.: H. VON ARNIM, s. v. K., RE 11, 1120–1122 · R. WESTMAN, Plutarch gegen K. Seine Schrift ›Adversus Colotem‹ als philosophiegesch. Quelle, 1955 · M. GIGANTE, Scetticismo e Epicureismo, 66–70, 93–98 · T. DORANDI, Colotes de Lampsaque, in: GOULET 2, 1994, 448 (Nr. 180) · M. ERLER, Epikur. Die Schule Epikurs. Lukrez, in: GGPh² 4, 1994, 235–240. M. ER.

Kolumne s. Rolle; PALÄOGRAPHIE

Kolybrassos (Κολυβρασσός). Polis in Kilikia Tracheia (Ptol. 5,5,8: Κολοβρασσός; Hierokles, Synekdemos 682,11: Ὀλυβρασός), nach inschr. Evidenz h. Ayasofya, 19 km nordnordöstl. von Korakesion [1. 30 f.]. Städtische Siedlung mit Buleuterion (?), Tempeln, Kirchen und mil. Anlagen [2. 9 f. (mit Planskizze)].

1 K. TOMASCHITZ, Unpublizierte Inschr. Westkilikiens aus dem Nachlaß T. B. Mitfords, 1998 2 G. E. BEAN, T. B. MITFORD, Journeys in Rough Cilicia 1962 and 1963, 1965. K.T.

Komaitho (Κομαιθώ).
[1] Tochter des → Pterelaos, des myth. Königs von Taphos. Sie hilft → Amphitryon, in den sie verliebt ist, als er gegen die Teleboier aus Taphos kämpft. Sie wird aber von ihm getötet, nachdem er die Insel erobert hat (Apollod. 2,60).
[2] Priesterin der → Artemis Triklaria beim Heiligtum von Laphria bei Patrai. Sie und ihr Liebhaber → Melanippos haben eine sexuelle Begegnung im Tempel, die den Zorn der Göttin erweckt. Um diesen zu mildern, sollen jährlich ein Junge und eine Jungfrau als Opfer aus dem Ausland dargebracht werden. Erst nach der Ankunft von → Eurypylos [5] wird dieses Menschenopfer wieder abgeschafft (Paus. 7,19). FR. P.

Komana
[1] (Κόμανα). Stadt in → Kataonia (Strab. 12,2,3), hethit. *Kummanni*; Tempelstaat der Göttin Ma-Enyo (Artemis Tauropolios; → Enyo; röm. → Bellona). Bischofssitz schon in severischer Zeit (2./3. Jh. n. Chr.); h. Şar.

W. RUGE, s. v. K., RE 11, 1127 f. · HILD/RESTLE, 208 f. K. ST.

[2] **K. Pontika** (Κόμανα Ποντικά). Pont. Tempelstaat der Ma-Enyo mit über 6000 → Hierodulen (Tempelprostitution; → Prostitution) und bes. für die Armenier

wichtiger Handelsmesse (Strab. 12,3,32; 34; 36); lokalisiert am Oberlauf des → Iris [3] bei Kılıklı (ehemals Gömenek), dort Siedlungshügel, ein Felsklotz mit zwei Felsgräbern, von einem Stauwehr überbaute Reste einer römerzeitlichen Brücke (vgl. dazu die von Cass. Dio 36,10,3 erwähnte Brücke). Der Oberpriester von K. P. war nur dem pont. König nachrangig. Seit 34/5 n. Chr. *politeía*, Hierokaisareia zubenannt, der Prov. Galatia.

W. H. WADDINGTON, E. BABELON, TH. REINACH, Recueil général des monnaies grecques d'Asie Mineure 1,1, ²1925, 106–111 • D. R. WILSON, The Historical Geography of Bithynia, Paphlagonia, and Pontus in the Greek and Roman Periods, D. B. Thesis, Oxford 1960 (maschr.), 228–233 • E. OLSHAUSEN, Der König und die Priester (Geographica Historica 4), 1987, 187–212.　　　　　　　E. O.

Komanos (Κομανός).

[1] K. aus Naukratis. Griech. Grammatiker aus dem 2. Jh. v. Chr., verfaßte ein exegetisches Werk über Homer (ein *Hypómnēma*?; polemisch dagegen Aristarchos [4] von Samothrake ›Gegen K.‹/Πρὸς Κομανόν, schol. Hom. Il. 1,97–99; 2,798a; 24,110b). Die Gleichsetzung mit dem homonymen alexandrinischen Politiker → K. [2] ist problematisch, auch wenn der Grammatiker in schol. Hes. erg. 97 »Hauptmundschenk des Königs« genannt wird. Die etwa 20 Fr. lassen eine respektable philol. Persönlichkeit erkennen; die Mehrzahl handelt von der Bedeutung homer. Wörter oder Ausdrücke, ein Fr. behandelt die Episode von der Hoffnung (Elpis) im Faß (*píthos*) bei Hesiod (schol. Hes. ebd., von einem *hypómnēma*?). Gramm. Terminologie erörtert fr. 19. Die Zuweisung des gramm. Fr. PYale 1,25 an K. ist wenig wahrscheinlich.

A. R. DYCK, The Fragments of Comanus of Naucratis, in: SGLG 7, 1988, 217–262 (ed.) • A. GUDEMAN, s. v. K. (2), RE 11, 1128–29 • F. SOLMSEN, Comanus »of the First Friends«, in: CPh 40, 1945, 115f. • PFEIFFER, KPI, 261–262 mit Anm. 27 • A. WOUTERS, P. Yale 1. 25, in: The Grammatical Papyri from Graeco-Roman Egypt, 1979, 47–60.　　　　　　　　　　　　　　F. M./Ü: T. H.

[2] Sohn eines Ptolemaios, aus Alexandreia, Angehöriger einer wichtigen und reichen Familie. K. war 188/187 v. Chr. mit seinen Brüdern u. a. auf einer Gesandtschaftsreise in Griechenland und wurde zum → *próxenos* von Delphi gemacht. 187 fungierte er mit dem → Hoftitel *tōn prṓtōn phílōn* als *epistrátēgos* (?) mit außerordentlichen Vollmachten, um die Revolte des → Anchwennefer niederzuschlagen, was ihm im August 186 gelang (K. residierte dazu in Akoris/Hermupolites, wo er auch ein *dōreá* (»Gut«) besaß, PRyl II 207 a 4). Etwa gleichzeitig ist er mit anderen zusammen als eponymer Offizier im Gau Perithebas belegt (SB I 599 (?)). K. spielte 169 mit Kineas [3] eine wichtige Rolle im → *synhédrion* Ptolemaios' VI., als die Macht der Regenten Eulaios [2] und → Lenaios beendet wurde (Pol. 28,19). K. folgte Ptolemaios VIII. nach Kyrene und wurde von diesem 162/161 mit seinem Bruder Ptolemaios

als Gesandter nach Rom geschickt, wo er erfolgreich die Zypern betreffenden Interessen Ptolemaios' VIII. vertrat (Pol. 31,28–31,1). K. ist nicht identisch mit PP VI 16865, aber vielleicht beziehen sich SEG 9, 383 f. (Ptolemais, 158 v. Chr.) auf ihn.

H. HAUBEN, The Barges of the Komanos Family, in: AncSoc 19, 1988, 207–211 • L. MOOREN, La hiérarchie du cour ptolémaique, 1977, 74 ff. • E. OLSHAUSEN, Prosopographie der hell. Königsgesandten 1, 1974, 54 ff. Nr. 33; 83 f. Nr. 59 • J. D. THOMAS, The Epistrategos in Ptolemaic and Roman Egypt 1, 1975, 112 f.　　　W. A.

[3] Kilikier, erst Räuber, dann Sklave. Bruder des Kleon [3] und mit ihm Anführer im 1. sizil. Sklavenkrieg (136–130 v. Chr.) unter → Eunus. K., der aus dem röm. besetzten Tauromenion entkommen wollte, wurde von P. Rupilius gefangengenommen (nach Val. Max. 9,12,8 ext. 1 nach dem Fall von Enna [1. 61]) und tötete sich 132 in Enna. Diod. 34,2,20 f.

1 K. R. BRADLEY, Slavery and Rebellion in the Roman World, 1989, 49, 59, 61　2 G. MANGANARO, Ancora sulle Rivolte ‹servili› in Sicilia, in: Chiron 13, 1983, 405–409.　　　　　　　　　　　　　　　　　　ME. STR.

Komarches (κωμάρχης).

Sprechende Bezeichnung eines Beamten der ptolem. und röm. Zeit in Ägypten, der für alle Belange der Dorfverwaltung (→ *kṓmē*) zuständig war, den Toparchen und Nomarchen unterstand (der K. war auch in → Metropoleis tätig, war dort aber eher für Stadtteile zuständig). In ptolem. Zeit wurde er vom Büro des → *dioikētḗs* eingesetzt, und es handelte sich um ein angestrebtes Amt. Der *k.* stammte aus dem von ihm verwalteten Dorf. Schwer ist die Abgrenzung zum → *komogrammateús*, der zuerst unter dem *k.* stand, seit dem E. des 2. Jh. v. Chr. jedoch sein Vorgesetzter war. Der *k.* war ab dann nur noch für *gē basilikḗ* (»Königsland«) und die *basilikoi geōrgoí* (»Königsbauern«) zuständig. In röm. Zeit wurde der *k.* in eine → Liturgie umgewandelt und jährlich wechselnd besetzt. Das Amt verschwindet im 2. Jh. n. Chr. und taucht erst wieder ab 247/248 auf, ersetzt wieder den *komogrammateús* und ist bis mindestens 368 wieder für alle Dorfbelange zuständig: Steuern, Landwirtschaft, Kanzlei- und Rechnungswesen, dazu Polizeigewalt. Wegen der Umwandlung in eine Liturgie amtierten jetzt zwei *k.* nebeneinander; es handelte sich fast immer um Ägypter, die von ihren Vorgängern nominiert wurden. Bed. der Dorfältesten, die in der röm. Zeit auch staatliche Aufgaben in der Finanzverwaltung übernahmen.

E. VAN'T DACK, Recherches sur les institutions du village en Égypte ptolémaique, in: Studia Hellenistica 7, 1951, 5 f. • N. LEWIS, in: Chronique d'Égypte 72, 1997, 346 f. • H. MISSLER, Der Komarch, Diss. Marburg 1970 • POxy. 3064 (mit Komm.) • J. D. THOMAS, The Introduction of Dekaprotoi and Comarchs into Egypt in the 3rd Century A. D., in: ZPE 19, 1975, 111–119.　　　W. A.

Komarei (peripl. m. r. 58 f.; Komaria, Ptol. 7,1,9). Süd-indische Hafenstadt mit gleichnamigem Kap. Vgl. h. Kanya Kumari an der Süd-Spitze der indischen Halb-insel. K.K.

Komasten-Gruppe. Wichtige Gruppe att. Vasen des frühsf. Stils, die nach ihrem Lieblingsthema, den ausge-lassen tanzenden Zechern, benannt ist; Blütezeit: 585–570/560 v. Chr. Vorbilder der Komasten sind die ko-rinth. »Dickbauchtänzer« im kurzen ausgestopften Tri-kot mit übertriebenem Gesäß. Unter weiteren Anleihen aus der korinth. Keramik ist v. a. die Form der »Koma-sten-Schale« hervorzuheben, eine bauchige Schale mit schmalem abgesetztem Rand auf konischem Fuß, die die Entwicklungsreihe der att. Trinkschalen eröffnet. Die beiden führenden Maler der K. sind von BEAZLEY »KX-« und »KY-Maler« benannt worden. Der ältere und begabtere KX-Maler ist u. a. berühmt wegen seiner klei-nen mythischen Szenen, die er in die Tierfriese einge-fügt hat. Der KY-Maler hat v. a. Schalen mit Koma-stenszenen und einige Kolonnettenkratere bemalt. Die K. steht mit den Tierfriesen in der Trad. des → Gorgo-Malers.

→ Komos; Korinthische Keramik; Kylix

BEAZLEY, ABV, 23–37, 680f. · BEAZLEY, Paralipomena, 14–17 · BEAZLEY, Addenda², 7–9 · J.D. BEAZLEY, The Development of Attic Black-Figure, ²1986, 18 f. · H.A.G. BRIJDER, Siana Cups I and Komast Cups, 1983 · M. STEINHART, Zu einem Kolonnettenkrater des KY-Malers, in: AA 1992, 486–512. H.M.

Kombabos (Κομβάβος) heißt in dem von Lukianos (De Dea Syria 17–27) erzählten aitiologischen Mythos der Erbauer des Tempels der Atargatis in Hierapolis, der die Selbstkastration und die Frauenkleider der Kastraten (*gálloi*) einführt; die Motivik vergleicht der Verf. selbst mit der Gesch. von Phaidra und Hippolytos. Zwar erin-nert der Name K. an Kybebe (→ Kybele), die mit dem hethit. Kubaba verwandte Namensform der Großen Mutter (Hdt. 5,102) und an *kybébos*, eine Bezeichnung für den *gállos* (Semonides fr. 36 WEST); dennoch ist hier wie in anderen singulären Einzelheiten unklar, wieviel davon Erfindung des (Ps.?-)Lukian ist.

E. LAROCHER, Koubaba, déesse anatolienne, et le problème des origines de Cybèle, in: Eléments orientaux dans la rel. grecque, 1960, 113–128. F.G.

Kombe (Κόμβη; lat. *Combe*). Tochter des phleiasischen Flußgotts Asopos und der Metope, seit Hekataios (FGrH I F 129) als Eponymin der gleichnamigen Stadt auf Eu-boia auch Chalkis genannt (vgl. Diod. 4,72; Zenob. 6,50). Nach einer ausschließlich bei Nonnos referierten Gesch. ist K. Mutter der sieben euboiischen Korybanten (→ Kureten; Nonn. Dion. 13,135 ff.). Sie flieht mit ih-nen vor ihrem Gemahl Sokos nach Kreta, nach Phry-gien, schließlich nach Athen zu → Kekrops, der Sokos tötet und so den Flüchtlingen die Rückkehr nach Eu-boia ermöglicht (hingegen wird K. bei Ov. met. 7,383

auf der Flucht vor ihren Söhnen im aitol. Pleuron in einen Vogel verwandelt, wahrscheinlich in eine *chalkís*, einen habichtartigen Vogel). C.W.

Kome (κώμη, Pl. κῶμαι).
A. GRIECHENLAND IM 5. UND 4. JH. V. CHR.
B. PTOLEMAIERREICH C. SELEUKIDENREICH

A. GRIECHENLAND IM 5. UND 4. JH. V. CHR.
In der Bedeutung »Dorf« bezeichnet *k.* in der griech. Welt eine kleine Gemeinde. Thukydides betrachtete das Leben in verstreuten, nicht befestigten *kômai* als die äl-tere und primitivere Art des Zusammenlebens in einer polit. Einheit (Thuk. 1,5,1; zu Sparta: 1,10,1; zu den Aitolern: 3,94,4). Im Modell der Polisformierung bei Aristoteles schließen sich zuerst Familien zu einer *k.* und dann die *kômai* zu einer → *pólis* zusammen (Aristot. pol. 1,1252b 15–28; vgl. 3,1280b 40–1281a 1); verstreut in *k.* zu leben, ist charakteristisch für ein *éthnos* (»Stamm-staat«; Aristot. pol. 2,1261a 27–29). Hesiod nennt seine Heimatgemeinde Askra in Boiotien eine *k.* (Hes. erg. 639 f.). Herodot erwähnt *k.* hauptsächlich in der »bar-barischen« Welt, kennt aber auch *k.* in Griechenland nahe den Thermopylen (Hdt. 7,176,5; 200,2) und im Norden von Euboia (Hdt. 8,23,2). Thukydides spricht von *k.* am nördl. Rand Griechenlands (Thuk. 2,80,8; 3,94,4; 97,1; 101,2; 4,124,4), doch sieht er auch Sparta aus *k.* zusammengesetzt (Thuk. 1,10,1) und gebraucht *k.* zur Bezeichnung von Solygeia bei Korinthos und Tri-podiskos in der Megaris (Thuk. 4,43,1; 4,70,1). Den po-lit. Status von *k.* wie Solygea und Tripodiskos kennen wir nicht. Nach Aristoteles würden die Peloponnesier umliegende (→ Perioiken-)Gemeinden *k.* nennen, die Athener dagegen *dêmoi*, Demen (Aristot. poet. 1448a 36–37). Tatsächlich entsprechen die athen. *dêmoi* keines-wegs den Perioikensiedlungen, die in der Regel auch nicht als *k.* bezeichnet werden.
Durch das Verfahren des → *synoikismós* konnte eine Gemeinschaft von *k.* polit., manchmal auch physisch, vereinigt und zu einer einzigen Polis geformt werden; durch einen *dioikismós* konnte eine solche Polis auch wieder in ihre Bestandteile, die *k.*, zerlegt werden. So wurde vielleicht → Mantineia um 470 v. Chr. vereinigt (Strab. 8,3,2; schreibt von *dêmoi*), 385 aufgelöst (Xen. hell. 5,2,7; Diod. 15,12,2) und 370 wieder vereinigt (Xen. hell. 6,5,3).

M. H. HANSEN, K., in: Ders., K. RAAFLAUB (Hrsg.), Studies in the Ancient Greek Polis, 1995, 45–81 · E. LÉVY, Apparition en Grèce de l'idée de village, in: Ktema 11, 1986, 117–127. P.J.R.

B. PTOLEMAIERREICH
Siedlungsform und administrative Einheit im pto-lem. Ägypten, das in *nomoí* (→ *nomós*), *tópoi* und *kômai* eingeteilt war. Abgesehen von den vier *póleis* waren alle Ansiedlungen, auch die → *metropóleis* der *nomoí*, recht-lich *k.*, auf deren festgelegten Territorien noch kleinere Siedlungen existieren konnten. Ihre Verwaltung wurde

eingesetzt, manchmal für mehrere *k.* gemeinsam, manchmal agierte sie nur auf Dorfebene (→ Kataster). Die *k.* wurde durch »Älteste« repräsentiert. Die Zahl der häufig am Rand des Fruchtlandes gebauten *k.* soll in ptolem. Zeit auf 30000 gestiegen sein (Diod. 1,31,6f.). Die Siedlungsformen waren unterschiedlich: Stadtartige Siedlungen standen neben kleinen Dörfern, auch unter den *k.* gab es Siedlungshierarchien und Abhängigkeiten. Die Bewohner waren frei, nur durch die Pacht von Königsland zeitweise gebunden; daneben gab es Handwerk und Gewerbe. In spätptolem. Zeit entstand eine Art »Klientelverhältnis« [1. 233] zw. *kṓmētai* und Angehörigen der Oberschicht (*hypó sképēn* u.ä.), während gleichzeitig die *k.* als ganze staatliche Aufgaben übernehmen mußte. – Lebten Griechen in den *k.*, so gab es meist Gymnasien und Gymnasiarchen, dazu andere Formen griech. Kultur, z.B. Theater, Bücher.

→ Ägypten E.; Nomos

1 H. Braunert, Die Binnenwanderung, 1964
2 D. Crawford, Kerkeosiris, 1971 3 E. van't Dack, Recherches sur les institutions du village en Égypte ptolémaïque, in: Studia Hellenistica 7, 1951, 5ff.
4 F. Dunand, in: Egitto e società antica, 1985, 211ff.
5 J. Lozach, G. Hug, L'habitat rurale en Égypte, 1930
6 D. W. Rathbone, Villages, Land and Population in Greco-Roman Egypt, in: PCPhS 36, 1990, 103–142
7 A. Tomsin, Études sur les πρεσβύτεροι κώμης des villages de la χώρα égyptienne, 1952.   W.A.

C. Seleukidenreich

Im vorhell. wie im hell. Osten war die kleine ländliche Siedlung, *k.*, sehr häufig. Ihre Einwohnerschaft war zumeist alteingesessen. Das umliegende agrar. Land gehörte administrativ zur *k.* Eine *k.* konnte direkt unter königl. Regie stehen, sich aber auch im Besitz eines der Großen des Reiches, eines Heiligtums, einer griech. Polis oder einer oriental. Stadt befinden und war als Produktions- und Abgabeneinheit gegenüber dem Besitzer bzw. Herrn leistungspflichtig. Daher waren Bürger der *k.* unabhängig von ihrem tatsächlichen Aufenthaltsort rechtlich an ihre *k.* gebunden.

In der administrativen Einteilung des → Seleukidenreiches dann war die *k.* die unterste und kleinste Einheit; mit → *gerusía* und *komárchēs* (»Dorfvorsteher«) verwaltete sie sich selbst. Jede Siedlung, sofern sie nicht als → *pólis* anerkannt war, hatte nur den Rang einer *k.*: Zahlreiche oriental. Siedlungen, auch wenn sie von Größe, Anlage und wirtschaftl. Mittelpunktfunktion her Städte sein mochten, waren also nur *kṓmai.* Eine *k.* konnte vom König zur Polis erhoben werden; dieser Vorgang stand hinter etlichen der »Stadtgründungen« Antiochos' [6] IV. – Ähnlich, aber doch fiskal., gesellschaftl. und in der inneren Organisation von der *k.* geschieden war die Soldatensiedlung (*katoikía* im modernen Wortgebrauch; → *kátoikos*).

E. Bikerman, Institutions des Séleucides, 1938 · P. Briant, Villages et communautés villageoises d'Asie achéménide et hellénistique (1975), in: Ders., Rois, tributs et paysans, 1982, 137–160 · G. M. Cohen, The Seleucid Colonies, 1977.
A. ME.

Kometas
[1] Epigrammdichter, wahrscheinlich mit dem gleichnamigen *grammatikós* Mitte des 9. Jh. in Konstantinopel gleichzusetzen. Vier Gedichte sind erh.: In den Gedichten Anth. Pal. 15,36–38 (das letzte in sieben Zwölfsilblern) rühmt K. sich, Homers Verse durch Interpunktion und Befreiung von ›nutzloser Fäulnis‹ wiederhergestellt zu haben, doch wird er deswegen von dem Scholiasten J (vgl. → Konstantinos [2] von Rhodos) in einer Marginalnotiz zu den 57 Hexametern verspottet (in Trimetern), in denen K. die Wiederauferstehung des Lazaros preist (Anth. Pal. 15,40).

F. M. Pontani, Lo scoliaste e Cometa, in: Studi in onore di A. Colonna, 1982, 247–53 · Al. Cameron, The Greek Anthology from Meleager to Planudes, 1993, 306, 308–11.
M. G. A./Ü: T. H.

[2] K. Chartularios. Sonst unbekannter Epigrammdichter aus dem »Kyklos« des Agathias. Zwei Gedichte sind von ihm erh.: ein erotisches (Anth. Pal. 5,265: über die eigene Situation als verlassener Liebhaber) und ein epideiktisch-bukolisches (ebd. 9,586). Er ist wahrscheinlich mit K. Scholastikos gleichzusetzen, dem Verf. von vier Distichen über einen meisterlichen Arzt (9,597).

Av. und A. Cameron, The Cycle of Agathias, in: JHS 86, 1966, 8.
M. G. A./Ü: T. H.

Kometen s. Metereologie

Kometes (Κομήτης).
[1] Liebhaber der → Aigiale(ia), der Gattin des Troiakämpfers → Diomedes [1]. Nach Diomedes' Rückkehr versucht K., diesen zu töten; nachdem sich Diomedes durch die Zuflucht an einen Altar der Athene retten kann, verläßt er seine Heimat Argos (schol. Hom. Il. 5, 412). Die Struktur dieses Mythos scheint Mimnermos als Dublette zum Schicksal des → Agamemnon entwickelt zu haben (fr. 17 G.-P.; vgl. auch Apollod. epit. 6,9).
[2] Nach Paus. 8,45,6 Sohn des aitol. Königs → Thestios, Bruder des Prothoos und der → Althaia [1]. Im Zusammenhang mit dem Streit bei der Kalydonischen Eberjagd finden K. und sein Bruder durch ihren Neffen → Meleagros den Tod. Prothoos und K. waren zusammen mit anderen Teilnehmern der Eberjagd in einem Giebelfeld des Athena-Tempels in Tegea dargestellt.
E. V.

Komisene. Grenzlandschaft Mediens gegenüber der Parthyene östl. der Kaspischen Pforten (h. Gebiet von Dāmghān). Obgleich sie vor dem Ostfeldzug (*anábasis*) → Antiochos' [5] III. bereits eine Zeitlang den Seleukiden verlorengegangen war, fiel sie erst im 2. Jh. v. Chr. (mit ihrem Zentralort → Hekatompylos) endgültig an die Parther (vgl. Strab. 11,9,1). In (spät)sāsānid. Zeit trennte die Provinz (*šahr*) Kōmiš, die im übrigen wohl nie christl. Diözese war [1], die Provinzen von Gurgān und Ray.

1 R. GYSELEN, La géographie administrative de l'empire sassanide, 1989, bes. 84 **2** S. SHERWIN-WHITE, A. KUHRT, From Samarkhand to Sardis, 1993, bes. 89. J. W.

Komma s. Lesezeichen

Kommagene (Κομμαγηνή). Gebiet zw. dem Westufer des → Euphrat [2] und den SO-Hängen des → Tauros in der SO-Türkei, ungefähr identisch mit der türk. Prov. Adıyaman. Im Norden trennt es der Tauros von der Prov. Malatya, im Westen und Süden besteht ein fließender Übergang zu den Prov. von Maraş und Gaziantep bis zum Gebiet von Jerablus (→ Karkemiš) an der Grenze zu Syrien. Die Landschaft ist in den letzten 15 Jahren durch die Aufstauung des Euphrates im Atatürk-Stausee nördl. des Karababa-Berges nachhaltig verändert worden. Internationale Rettungsgrabungen haben erstmals einen Eindruck von der Siedlungsgesch. vermittelt.

Diese begann im akeramischen Neolithikum und setzte sich unter bes. Einwirkung der südmesopot. 'Ubaid- und Uruk-Kulturen im Chalkolithikum fort. Die Frühe Brz. (3. Jt. v. Chr.) wurde von lokalen und regionalen Kulturmerkmalen geprägt (Keramik: sog. Khirbet Kerak-Ware, Bemalte Karababa-Ware, Syrische Waren). Seit dem Beginn des 2. Jt. v. Chr. lag das Gebiet im Blickfeld und Aktionsradius der altoriental. Großmächte der Hethiter, Ägypter, Assyrer und Babylonier sowie iran. Herrscherdynastien. Eine nahezu durchlaufende Siedlungssequenz vom Neolithikum bis zur seldschukischen Zeit weist das Siedlungsgebiet von Samsat (Samosata) auf (Ausgrabung: N. ÖZGÜÇ).

In neuassyr. Zeit ist K. unter der Bezeichnung *Kummuḫu* in assyr., urartäischen und neubabylon., nicht jedoch in hethit. und luw. Quellen bezeugt. Es grenzte an die späthethit. Kleinfürstentümer von Malatya/Melid im Norden, Maraş/Gurgum und Zincirli/Sam'al im Westen und Karkemiš im Süden (→ Kleinasien, Hethitische Nachfolgestaaten). Die älteste Erwähnung des Landes Kummuḫu findet sich bei dem assyr. König Tukulti-Ninurta I. (13. Jh. v. Chr.) − wahrscheinlich aber in Verwechslung mit Katmuḫi (Ṭur 'Abdīn) −, danach erst wieder im 9. Jh. in den Annalen des assyr. Königs Assurnaṣirpal II. Kummuḫu war in der Folgezeit treuer Vasall der Assyrer. Um 750 v. Chr. unterwarf es sich dem urartäischen König Sardur II., der seine Macht wegen einer Schwächeperiode des Assyrerreichs bis in die Nähe von → Karkemiš ausdehnen konnte. Eine von Urartu angeführte Koalition späthethit. Kleinfürstentümer gegen Assyrien, an der sich Kummuḫu beteiligte, wurde von Tiglatpilesar III. im J. 743 geschlagen; Kummuḫu unterwarf sich 738 wieder den Assyrern. Unter Sargon II. erhielt es seine Favoritenstellung zurück, und nach einer Revolte in Malatya/Melid wurde Kummuḫu sogar die Stadt Melid zugesprochen. Als letzter unabhängiger späthethit. Kleinstaat wurde Kummuḫu 708 v. Chr. assyr. Prov., nachdem es erneut mit Urartu konspiriert hatte. Nach dem Zusammenbruch des assyr.

Reiches fiel Kummuḫu zw. 607 und 605 an das neubabylon. Reich unter König Nebukadnezar II., danach scheint es unter medische Kontrolle gelangt zu sein. Die gleichnamige Hauptstadt des Landes Kummuḫu wird mit Samsat identifiziert, was aber auch durch jüngste Ausgrabungen nicht gesichert ist.

Zw. dem auseinanderstrebenden Seleukidenreich, den vorrückenden Parthern und den sich über Kleinasien ausbreitenden Römern konnte sich in K. − wie auch in den benachbarten Räumen Armenia, Kappadokia und Kilikia − ein Königtum etablieren, das Mitte des 2. Jh. v. Chr. unter einem lokalen Herrscher Ptolemaios seine Selbständigkeit erlangte und diese 18 bzw. 72 n. Chr. endgültig unter Antiochos [18] an die Römer verlor. Sohn des Ptolemaios war Samos, auf den die (Neu-)Gründung der Stadt → Samosata (Samsat) zurückgeführt wird. Die Dyn. ließ sich einerseits von den Orontiden (→ Orontes) herleiten, die urspr. in Armenia herrschten und dynastisch mit dem achämenidischen Königshaus verbunden waren; andererseits bestand über die Gattin des kommagen. Königs Mithradates I. Kallinikos (ca. 100−70 v. Chr.), Laodike Thea Philadelphos, Tochter des Seleukiden-Herrschers Antiochos [10] VIII. Grypos, eine direkte Verbindung zum seleukidischen Königshaus.

Deren Sohn, Antiochos [16] I. Theos (ca. 70−36 v. Chr.), bedeutendster Herrscher von K., errichtete für sich (und seinen Vater?) bei → Arsameia [2] (Eskikâhta) am Nymphaios (h. Kâhta çayı) in 2150 m Höhe (Nemrut dağı) ein 50 m hohes, teilweise terrassiertes Grabmonument (Tumulus). Kolossalstatuen von Antiochos und kommagen. Göttern waren auf der Ost- und Westterrasse installiert. Im Stil hell.-pers., sind sie der Trad. der späthethit. Grabdenkmäler verpflichtet. Die unter beiden Herrschern durchgeführten Kultreformen führten zu einer synkretistischen hell.-iran. Religion.
→ Kleinasien

D. H. FRENCH, Commagene, in: Asia Minor Stud. 3, 1991, 11−19 · J. D. HAWKINS, s. v. Kummuḫ, RLA 6, 338−340 · K. NASHEF, Die Orts- und Gewässernamen der mittelbabylon. und mittelassyr. Zeit (Répertoire géographique des Textes Cunéiformes 5), 1982, 171 f. · M. J. MELLINK, The Tumulus of Nemrud Dağ and Its Place in the Anatolian Tradition, in: Asia Minor Stud. 3, 1991, 7−10 · D. H. SANDERS, Nemrud Daği. The Hierothesion of Antiochos I. of Commagene, Bd. 1: Text, Bd. 2: Illustrations, 1996 · R. D. SULLIVAN, The Dynasty of Commagene, in: ANRW II 8, 732−798 · F. K. DOERNER, K., 1981 · H. WALDMANN, Der kommagenische Mazdaismus, 1991 · J. WAGNER, Dynastie und Herrscherkult in K., in: MDAI(Ist) 33, 1983, 177−224 · F. K. DOERNER, T. GOELL, Arsameia am Nymphaios, 1963. H. KÜ.

Kommentar

I. GRIECHISCH s. Hypomnema

II. LATEINISCH

→ *Commentarii* (*c.*, auch *commentarium*) waren urspr. eine nicht lit. Zusammenstellung von Aufzeichnungen, die die Angelegenheiten eines Haushalts, eines Magistrats oder einer Priesterschaft betrafen. Unter Gelehrten konnte *c.* folgendes bezeichnen: 1. entsprechend dem griech. Begriff → *hypómnēma* eine Art »Notizbuch« (z. B. Cic. de orat. 1,5; Brut. 164; vgl. Gellius 16,8,3, der L. → Aelius' [II 20] *Commentarius de proloquiis* folgendermaßen charakterisiert: ›Aelius scheint dieses Buch eher zu eigener Ermahnung denn fremder Belehrung geschrieben zu haben‹); 2. eine Abh. (z. B. die *c.*, in denen L. → Ateius [5] Philologus seine äußerst vielschichtige Gelehrsamkeit entfaltet: Suet. gramm. 10,5); 3. einen »K.«, d. h. eine Slg. von Erläuterungen zu einem lit. Text. Von letzterem leitet sich der h. noch in der Wiss. gebräuchliche K. ab. Der früheste K. in diesem Sinn ist vielleicht L. Aelius' Interpretation des Salierliedes (spätes 2./frühes 1. Jh. v. Chr.: Varro ling. 7,2, mit GRF fr. 1–3; → *Carmen saliare*). Andere frühe Beispiele sind der K. des L. → Crassicius zu C. → Helvius [I 3] Cinnas *Zmyrna* (Suet. gramm. 18.2) und des C. Iulius → Hyginus zu Cinnas *Propempticon* für Asinius Pollio (GRF fr. 1–2) und (vielleicht) zur Dichtung Vergils (GRF fr. 3–11). Sie alle wurden in der 2. H. des 1. Jh. v. Chr., bald nach den komm. Werken, geschrieben.

Viele andere ähnliche Schriften folgten, aber die meisten davon sind entweder verloren oder nur in sehr verkürzter Form erh. (z. B. Pomponius → Porphyrios K. zu Horaz und Aelius → Donatus' [3] K. zu Terenz). Der früheste noch vollständig erh. K. zu einem lat. Text, der des Grammatikers → Servius zur Dichtung Vergils, stammt aus dem frühen 5. Jh. Die Trad., zu Vergil K. zu schreiben, war zu Servius' Zeiten weit verbreitet [4; 5] und ermöglichte es ihm, beim Abfassen seines K. aus einer großen Fülle an Wissen und Ansichten auszuwählen. Servius griff dabei wenigstens teilweise auf den (alle Themen ansprechenden) *variorum*-K. zurück, den Aelius Donatus in der Mitte des 4. Jh. zusammengestellt hatte; Servius' Werk bietet deshalb einen Querschnitt durch vier Jh. Vergil-Gelehrsamkeit.

Die Einl. von Servius' K. bietet einen kurzen Überblick über Themen, die für den K. kanonisch geworden sind: über das Leben des Dichters, den Titel, Charakter (*qualitas*) seines Gedichts, seine »Intention« und die Anzahl und Reihenfolge der Bücher. Der Hauptteil versucht, zeilen-, oft wortweise den Text zu erhellen, indem der von Vergil intendierte Sinn ermittelt wird. Wie man es bei dem Werk eines *grammaticus* (→ Grammatiker III. Rom) erwartet, befassen sich zwei von drei Anm. mit linguistischen Fragen: Servius ist nicht nur daran interessiert, Textstellen zu erklären, deren Sinn im Dunkeln liegen könnte (einschließlich einer erstaunlichen Anzahl von Stellen, deren Wortstellung er für problematisch hält), sondern auch daran – gewöhnlich implizit –, Vergils Sprachgebrauch an den Maßstäben der gramm. Regeln, die zu Vergils Zeit galten, zu messen. Abweichungen von diesen Regeln werden erl. und (meistens) als »Archaismen« oder »Figuren« entschuldigt. Im verbleibenden Teil spricht Servius alle möglichen Gegenstände von Interesse an: die Textkonstituie-

rung, bes. an Stellen, für die er verschiedene Lesarten kennt [8]; Entlehnungen und Nachahmungen von Homer, Ennius und anderen griech. und lat. Dichtern; Vergils rhet. Gewandtheit; philos. und rel. Lehren, die in den Text verwoben sind; Punkte von antiquarischem oder histor. Interesse (hierbei zeigen sich manchmal bemerkenswerte Mängel in Servius' Gesch.-Kenntnissen: [9]). Nach demselben Muster sind viele andere K. zur lat. Lit., die in verkürzter Form überl. sind, verfaßt (z. B. K. des Pomponius Porphyrio zu Horaz; Aelius → Donatus [3] zu Terenz).

→ Commentarii; Literaturkritik; Philologie, römische; Servius; KOMMENTAR

1 J. ASSMANN, B. GLADIGOW (Hrsg.), Text und K., 1995 2 F. BÖMER, Der Commentarius, in: Hermes 81, 1953, 210–250 3 S. F. BONNER, Education in Ancient Rome, 1977, 227ff. 4 H. GEORGII, Die ant. Aeneiskritik, 1891 5 G. FUNAIOLI, Esegesi virgiliana antica, 1930 6 M. J. IRVINE, The Making of Textual Culture, 1994, 118ff. 7 E. RAWSON, Roman Culture and Society, 1991, 324ff. 8 J. E. G. ZETZEL, Latin Textual Criticism in Antiquity, 1981, 81ff. 9 Ders., Servius and Triumviral History in the Eclogues, in: CPh 79, 1984, 139–142. R. A. K./Ü: U. R.

Kommos

[1] (Κόμμος). Hafenort an der Südküste → Kretas, nahe Matala und → Phaistos gelegen. In min. Zeit diente das um 2000 v. Chr. gegründete K. wohl bis zu seiner Zerstörung um 1200 v. Chr. als Hafen der Palastanlage von Phaistos. Nach ca. 200jähriger Verödung erfolgte um 1000 v. Chr. eine vermutlich auf phöniz. Impuls zurückgehende Neuansiedlung, die bis zum 4. Jh. v. Chr. zunehmend gräzisiert wurde. Arch. Ausgrabungen (seit 1976 durch die Univ. Toronto) haben auf der nördl. Hügelspitze ein min. Häuserviertel, in der Ebene erhebliche Reste einer phöniz.-griech. Siedlung sowie das Areal eines Heiligtums mit Tempel und Altären nachgewiesen.

PH. P. BETANCOURT, Kommos II: The Final Neolithic Through Middle Minoan III Pottery, 1990 ' LAUFFER, Griechenland, 335, s. v. Kommos (Lit.) ' J. W. und M. C. SHAW (Hrsg.), Kommos I 1: The Kommos Region, Ecology, and Minoan Industries, 1995 ' J. W. SHAW, Phoenicians in Southern Crete, in: AJA 93, 1989, 165–183 ' Ders., Der phöniz. Schrein auf Kreta (ca. 800 v. Chr.), in: FS H. G. Niemeyer, 1998, 93–104 mit Taf. 4 ' L. V. WATROUS, Kommos III: The Late Bronze Age Pottery, 1992. C. HÖ.

[2] (ὁ κομμός). Abgeleitet von *kóptein* (κόπτειν), »sich klagend die Brust schlagen«, bedeutet *k.* zunächst jede Art von ekstatischer Klage. In der ›Poetik‹ (12,1452b 18) führt Aristoteles als bes., nicht in jeder Trag. vorkommende Bauformen Bühnenlieder (→ Monodien) und *kommoí* an, die er als vom Chor und Schauspielern gemeinsam vorgetragene Klagelieder (→ Threnos) definiert (1452b 24f.). Da jedoch bei weitem nicht alle Wechselgesänge im Drama klagenden Inhalt aufweisen, muß man annehmen, daß Aristoteles *per synecdochen* eine bes. auffallende Form als Begriff für alle Chor-Schau-spieler-Lieder anwendete. Um terminologische Klar-heit zu erreichen, empfiehlt es sich deshalb, als allg. Oberbegriff → Amoibaion und *k.* nur für Wechsel-gesänge im klagenden Ton zu verwenden (z. B. Aischyl. Pers. 908 ff., Sept. 966 ff., Choeph. 306 ff.).

R. KANNICHT, Untersuchungen zur Form und Funktion der Amoibaia in der att. Trag., Diss. 1957 · H. POPP, Das Amoibaion, in: W. JENS (Hrsg.), Die Bauformen der griech. Trag., 1971, 221–275 · B. ZIMMERMANN, Untersuchungen zur Form und dramatischen Technik der Aristophanischen Komödien I, ²1985, 150–152. B.Z.

Kommunikation A. VORBEMERKUNG
B. VERBREITUNG DES GRIECHISCHEN UND DES LATEINISCHEN IM ALTERTUM
C. VON DER MÜNDLICHKEIT ZUR SCHRIFTLICHKEIT
D. INSCHRIFTEN UND MONUMENTE ALS ERZIEHUNGS- UND PROPAGANDAMITTEL
E. RHETORIK

A. VORBEMERKUNG
Die K.-Forsch. ›behandelt die Probleme der zwi-schenmenschlichen Mitteilung und die damit zusam-menhängenden Erscheinungen‹ [1], enthält also ein sehr reichhaltiges Programm, das in der Vielfalt seiner Aspekte hier nicht berücksichtigt werden kann. Der Artikel konzentriert sich auf den herausragenden Aspekt der sprachlichen K., kann deren reiche Erscheinungs-formen allerdings nur selektiv behandeln. Nicht be-rücksichtigt bleiben z. B. ant. Zeichentheorie und phi-los. K.-Theorie (→ Sprachphilosophie).

B. VERBREITUNG DES GRIECHISCHEN UND DES LATEINISCHEN IM ALTERTUM
Die K.-Fähigkeit einer Sprache hängt entscheidend von ihrer (geopolit. bedingten) Verbreitung ab. Die im röm. Imperium der Kaiserzeit am weitesten verbreiteten Sprachen, das Griech. und das Lat., denen beiden eine hohe kulturelle Bed. zukam, gingen bei ihrem Sieges-zug urspr. von sehr verschiedenen Bedingungen aus. Das Griech. bestand in histor. Zeit anfangs aus mehreren lokalen Dial., die aber untereinander verständlich wa-ren. Die von den einzelnen griech. Stadtstaaten ausge-henden, vom 8. bis zum 5. Jh. v. Chr. andauernden und sich auf alle Küstenbereiche des Mittelmeers, der Pro-pontis und des Schwarzen Meers erstreckenden Kolo-nisationswellen (Gründung neuer Stadtstaaten; → Ko-lonisation), trugen zu ihrer weiten Verbreitung bei. Der ion. Dial. faßte, ausgehend von Chalkis, Eretria, Pho-kaia und Milet, am Schwarzen Meer, an der Propontis, in Kampanien, im nördlichen Sizilien und in Südgallien Fuß; das Dor. breitete sich in Nordafrika (Kyrenaika), im südlichen Sizilien und in Kalabrien aus, das Äolische in Lukanien und Kampanien. Von diesen weit verstreu-ten Stadtstaaten aus teilte sich das Griech. mehr oder minder weit auch dem jeweiligen Hinterland mit. Im Laufe des 5. Jh. v. Chr. wurde der att.-ion. Dial. vor-

herrschend. Er wurde im 4. Jh. im maked. Reich die Verwaltungssprache, und dieses Gemeingriechisch (→ Koine) wurde nach den Eroberungszügen Alex-anders d. Gr. die Sprache der von ihm und nach seinem Tode gegr. Griechenstädte in Kleinasien, Syrien, Me-sopotamien und Äg. sowie die Verwaltungssprache der → Diadochen-Reiche [2; 3]. Zumindest die Eliten der unterworfenen Völker mußten die griech. Sprache er-lernen und sich kulturell annähern. So wurde die griech. Koine zu einer Art Lingua franca in den östl. Teilen des röm. Kaiserreichs und in den westl. griech. Kolonien. Der von den Römern anerkannte kulturelle Vorsprung der Griechen bewirkte, daß die röm. Oberschicht sich vom Ausgang der Republik bis etwa 250 n. Chr. um Zweisprachigkeit bemühte und den griech. Stadtstaaten in den unterworfenen Gebieten meist eine weitgehende Selbstverwaltung beließ.

Das Lat. hingegen war zunächst nur die Sprache der anfangs sehr kleinen und unbedeutenden, etwa um 600 (das varronische Gründungsdatum 753 v. Chr. wird heute nicht mehr anerkannt [4. 28, 51–54]) gegr. Stadt Rom, ohne dialektale Verwandtschaft – vom Falisk. vielleicht abgesehen – mit den anderen ital. Sprachen. Im Zuge der schnellen Ausdehnung der röm. Macht breitete sich auch die lat. Sprache überall dorthin aus, wo die Römer Fuß gefaßt hatten, zumal durch Trup-penstationierung, Ansiedlung röm. Kolonien in den un-terworfenen Gebieten und die Einführung des Lat. als Amtssprache. Erst der Übergang des Lat. in die roman. Sprachen machte seiner Vorherrschaft ein Ende [5]. Als Sprache der Kirche und der Intellektuellen sollte es im europ. MA wieder aufleben.

Die Dominanz des Griech. und des Lat. in dem aus vielen Völkern bestehenden röm. Reich der Kaiserzeit erleichterte, in Verbindung mit der mehr als 300 J. an-dauernden Zweisprachigkeit der röm. Oberschicht, nicht nur die Verwaltung der riesigen unterworfenen Gebiete, sondern auch die Verständigung der fremden Völker untereinander, ganz abgesehen von ihrem Ein-fluß auf die wirtschaftlichen Verhältnisse.

Zur Ausbreitung der beiden Sprachen trug die Qua-lität der Fortbewegungsmittel erheblich bei. Für die Griechen war urspr. das Schiff Hauptverkehrsmittel. Erst das organisatorische Genie der Römer sorgte für ein Netz gut gebauter Straßen (→ *viae publicae*) nicht nur in der nächsten Umgebung, d. h. in It., sondern in allen eroberten Gebieten, in der Kaiserzeit auch in den von der griech. Sprache beherrschten Reichsteilen. Mit Meilensteinen versehen, erstreckten sich die röm. Stra-ßen von Britannien bis Syrien, von Spanien bis Ger-manien und zum Balkan. Von zentralen Verwaltungs-stellen für den Straßenbau (*curatores viarum*) hören wir erst vom letzten Jh. der Republik an [6]. Die Straßen dienten nicht nur den Truppenbewegungen, sondern auch dem → Handel und, zumal in der Kaiserzeit, der schnellen und gut organisierten Nachrichtenverbrei-tung. Der Botendienst (*cursus velox*) diente nur der Übermittlung mil. und administrativer Meldungen, nicht aber dem privaten Briefverkehr; später wurde ein Warentransportdienst (*cursus clabularis*) eingerichtet (→ *cursus publicus*). Für den Personenverkehr brauchte man kaiserliche Erlaubnisscheine (→ *diploma*). Hadrian dehnte die Einrichtung staatlicher Postlinien auf alle Provinzen aus (→ Post). In der späten Kaiserzeit machten zunehmend auch Privatleute Gebrauch von der staatlichen Personenbeförderung. Die Geschwindigkeit des *cursus publicus* entsprach bei einigermaßen günstigen Witterungs- und Wegverhältnissen (z.B. bei vorwiegend ebenem Gelände) etwa 75 km pro Tag; weitere Detailinformationen und Quellen bei [7; 8; 9]. Vom 4. Jh. an war aber ein einwandfreier Zustand der Straßen selbst dann nicht mehr gewährleistet, wenn der Kaiser persönlich auf ihnen reiste [10. 88].

C. VON DER MÜNDLICHKEIT ZUR SCHRIFTLICHKEIT

1. RECHT UND RHAPSODIE 2. SCHREIBER
3. INSCHRIFTEN
4. SCHRIFTLICHE FIXIERUNG VON GESETZEN

In Rom und den griech. Stadtstaaten war die urspr. Form der K. rein mündlich, begünstigt durch die Tatsache, daß alle diese Städte in der Frühzeit einen sehr beschränkten Raum einnahmen. Jeder Bürger konnte sich leicht von der Peripherie ins Stadtinnere begeben, wo sich die Agora bzw. das Forum befand. Das griech. → Alphabet (oder vielmehr die zunächst örtlich verschieden ausfallenden griech. Adaptationsversuche des phöniz. Alphabets) dürfte in der 1. H. des 8. Jh. entstanden sein. Das lat. Alphabet ist in Buchstabenformen und -reihenfolge etwa Ende des 7. Jh. von den Etruskern übernommen worden; diese gebrauchten ihrerseits mit leichten Abänderungen das griech. Alphabet. Sowohl im griech. wie lat. Kulturbereich begann die Schrift jedoch erst Jh. später eine wesentliche Rolle in der inner- wie außerstaatlichen K. zu spielen.

Eine wichtige Form innerstaatlicher K. war die Rechtsprechung, an der auch, was Griechenland betrifft, die Übergangsformen von der Mündlichkeit zur Schriftlichkeit bes. gut zu studieren sind. Inschr. aus dem juristischen Bereich gehören neben der griech. archa. Dichtung zu den ersten schriftlichen Manifestationen.

1. RECHT UND RHAPSODIE

Die lit. Überl. nennt → Zaleukos aus der griech. Kolonie Lokroi in Südit. (1. H. des 7. Jh. v. Chr.) als den ersten, der schriftlich Gesetze niedergelegt habe (Ephoros, FGrH 70 F 138–139 = Strab. 6,1,8). Ihn erwähnt auch Aristoteles neben dem etwas späteren → Charondas aus Katane, dessen Gesetze auch in Rhegion und den anderen chalkidischen Kolonien Unterit. und Siziliens eingeführt wurden, ja selbst in Kleinasien Verbreitung fanden (Strab. 12,2,9 bezüglich der Stadt Mazaka in Kappadokien). Anderseits leitet Ephoros (FGrH 70 F 139) die Herkunft der Gesetzgebung des Zaleukos aus Kreta, Sparta und Athen her und nennt

Kreta als (FGrH 70 F 149 = Strab. 10,4,19; vgl. Aristot. pol. 2,10–12, 1271b–1274b) Aufenthaltsort des spartan. Gesetzgebers → Lykurgos, wo er von dem rechtskundigen Dichter und Musiker (beide Berufe sind in der Frühzeit nicht voneinander zu trennen) → Thaletas (oder Thales) in die von Rhadamanthys und Minos überlieferte Rechtsprechung eingeführt worden sei. Wenn man auch gegenüber vielen mythischen oder tendenziösen Einzelheiten skeptisch sein darf, so enthalten die Aussagen über die Abhängigkeit der Gesetzgebung des Zaleukos und des Lykurgos von kret. Quellen doch einen histor. Kern [11. 139–155] (vgl. Hdt. 1,65; Aristot. pol. 2,12,6, 1274a). Dies wird durch die arch. Funde bestätigt. L. H. JEFFERY [12. 43, 76, 188–189, 209 Nr. 7; 11. 141] zufolge besitzt Kreta eine viel größere Anzahl von Resten juristischer Inschr. als jede andere griech. Region. Einige dieser Inschr. stammen aus dem 7. Jh. v. Chr.; alle gehen auf mündliche Überl. zurück.

Eine Persönlichkeit wie Thaletas verkörpert als Dichter, Musiker und Rechtskundiger (μελοποιὸς ἀνὴρ καὶ νομοθετικός: Ephoros bei Strab. 10,4,19) eine charakteristische Form des Weisen. Der dem archa. Denken zufolge göttl. inspirierte → Rhapsode bekundete durch seine Fähigkeit, histor. weit Zurückliegendes zu memorieren, indem er den frühen Ereignissen und Weisheiten metr. und melodische und daher einprägsame Form verlieh, seine herausragende Stellung und seelenleitende Funktion. Der psychagogische Aspekt von Vers, Sentenz und später rhet. geformter Rede wurde bis zum Ende der Ant. unterstrichen [13. 1–13, 16–20] (vgl. Plut. Lykurgos 4,2–3).

Die Texte suggerieren eine mündl. Trad. der Gesetzgebung, die in rhapsodischer Form von Generation zu Generation überliefert wurde (wie sie auch aus dem skandinavischen Bereich bekannt ist [11. 144]): Strabon (12,2,9) berichtet von der kappadokischen Stadt Mazaka, die die Gesetze des Charondas übernommen hatte, daß dort das Amt eines Gesetzessängers (νομῳδός, *nomoidós*) bestand; dieser hatte auch die Gesetze zu erklären. Stobaios, der das Proömium des Charondas zu seiner Gesetzgebung exzerpiert (Anthologium 4,2,24 HENSE, Bd. 2, p. 154 Z. 22 – p. 155 Z. 2), berichtet von der darin enthaltenen Bestimmung, daß alle Bürger dieses Proömium auswendig zu lernen hatten, ferner bei öffentl. Festen jeder Teilnehmer nach Absingen der Päane dazu aufgerufen werden konnte, es zu rezitieren (doch wohl auch in musikalischer Form), damit sich die darin enthaltenen Empfehlungen fest einprägten. Auch Ailianos (var. 2,39) erwähnt, daß die freigeborenen kret. Kinder die Gesetze, mit Melodien versehen, auswendig zu lernen hatten, damit die Musik ihre seelenleitende Wirkung entfalten könne ([11. 144f.; 13. 10–13; 14. 436–441]; vgl. Mart. Cap. de nuptiis 9,926, Ps.-Aristot. problemata 19,28,919b–920a). Für den röm. Bereich berichtet Cicero (leg. 2,59,5), daß die ersten schriftlich niedergelegten röm. Gesetze (Mitte 5. Jh. v. Chr.), die → *Tabulae Duodecim*, noch in seiner Kindheit von den Jungen auswendiggelernt werden mußten *ut carmen necessarium* (etwa: »wie eine Formel, die man kennen muß« [Übers. K. ZIEGLER], wobei die Übers. von *carmen* durch »Formel« den urspr. sakralen, magisch-beschwörenden Aspekt nicht vollständig wiedergibt).

2. SCHREIBER

Die Existenz dieser mündlichen, rhapsodischen Traditionen wird im juristischen und administrativen Bereich weiterhin durch Amtsbezeichnungen wie *hieromnémones* (»die die sakralen Riten im Gedächtnis haben«) und *mnémones* (»die sich erinnern«) wahrscheinlich gemacht, die später auf den Schreiber und den Archivar angewandt wurden (Aristot. pol. 6,8, 1321b 39). Einige Inschr., in denen diese Amtsbezeichnungen bezeugt sind, machen zugleich den schwierigen Übergang von der Mündlichkeit zur Schriftlichkeit deutlich (zum Folgenden vgl. [15]). Eine kret., auf etwa 500 v. Chr. datierte Inschr. [16] verpflichtet – gegen Speisung und Auflagenfreiheit – Spensithios und seine Söhne dazu, ›für die Stadt in phönizischer (oder roter) Schrift alles aufzuschreiben, was die öffentl. Angelegenheiten, heilige oder menschliche, betrifft, und sie zu memorieren (*mnamoneúein*)‹. Dieser Schreiber ist den höchsten städtischen Beamten (*kósmoi*) gleichgestellt, er hat sogar seinen Posten auf Lebenszeit inne und kann ihn auf seine Söhne übertragen. Eine solche Begünstigung erklärt sich daraus, daß trotz des schon längeren Vorhandenseins von Inschr. (auf Kreta schon seit dem 7. Jh.) die Fähigkeit zu lesen und zu schreiben noch äußerst selten war, zumindest in der wohl kleinen, jedenfalls unbekannten Stadt, aus der diese Inschr. stammt.

Eine mit diesem raren Wissen ausgestattete Person (die aber nicht mehr die ethisch-rel. Aura des Rhapsoden besaß), hatte eine außerordentliche Machtstellung. Dies zeigt auch das Beispiel des Maiandrios, des Sekretärs des Tyrannen → Polykrates von Samos: Nach dem Sturz seines Herrn stellte er exorbitante Forderungen an die Bürger von Samos, die ihn aber ins Verderben stürzten (Hdt. 3,123; 142–148). Um etwa die gleiche Zeit war der → Schreiber auch bei den Etruskern sehr angesehen: Als der Römer C. Mucius Cordus Scaevola in das feindliche Lager eindrang, um den Etruskerkönig Porsenna zu töten, erschlug er statt dessen seinen Schreiber, der auf erhöhtem Feldherrensitz neben dem König saß und fast ebenso reich gekleidet war wie dieser (Liv. 2,12,7).

Auch andere kret. Inschr. (aus → Gortyn) halten an der antiquierten, noch aus der Epoche der Mündlichkeit stammenden Berufsbezeichnung *mnámōn* für die Schreiber oder Sekretäre verschiedener Beamter fest [15. 84] (Inschrift von Gortyn, col. 9,32 und 11,52–53 [23]), wie sie auch noch bei Aristoteles Geltung haben (s.o.). Zwei Inschr. aus dem ion. Erythrai [17. 1 Nr. 1 und 17] enthalten Bestimmungen, die den durch die Kenntnis der Urkunden ermöglichten Machtmißbrauch der Sekretäre durch enge zeitliche Beschränkung ihrer Amtszeit verhindern sollen. Diese Inschr. bezeugen zugleich, daß in der kleinen Stadt Erythrai

spätestens im 4. Jh. v. Chr. eine gewisse Anzahl von Schriftkundigen für diese Ämter zur Verfügung stand [15. 89–91].

3. INSCHRIFTEN

Immer noch sehr umstritten ist die Frage, ob und seit wann die überwiegend an zentralen Stellen aufgestellten Inschr. der Mehrzahl der Bürger zugänglich waren, d. h. in welchem Maße die Bevölkerung jeweils des Lesens und Schreibens kundig war. Man kann wohl davon ausgehen, daß in den ersten vier Jh. der röm. Kaiserzeit mit der verhältnismäßig weiten Verbreitung von bequemen Beschreibstoffen (→ Papyrus; → *cera*) ein kultureller Höchststand erreicht worden war; ob dieser auch zu einer über das mühsame Entziffern einiger Wörter und das Schreiben des eigenen Namens hinausgehenden Alphabetisierung der unteren Schichten führte, ist zu bezweifeln. Bezüglich der Gesetze (aber auch der Ehreninschr.) wurde im griech. wie im röm. Bereich lange daran festgehalten, daß ein Gesetz erst dann als erlassen galt, wenn es öffentl. verlesen worden war. Erst danach ging man daran, es auf einer steinernen Stele einzumeißeln, auf Metalltafeln einzugravieren oder auf geweißten Holztafeln mit schwarzer oder roter Farbe niederzuschreiben und öffentl. auszustellen. Wie einer Inschr. aus Teos (470–460 v. Chr.; vgl. [18]) zu entnehmen ist, mußten unter gewissen Umständen schon veröffentlichte Gesetzes-Inschr. erneut öffentlich verlesen werden: ein Beweis für die Tatsache, daß ein gewisser Prozentsatz der Bürger nicht lesen konnte. Mit der Zeit wurden Doppelausfertigungen (anfangs meist aus Holz) in Archiven aufbewahrt, unter denen sich die kaiserlichen Archive durch straffe Organisation auszeichneten.

4. SCHRIFTLICHE FIXIERUNG VON GESETZEN

Die schriftliche Fixierung der Gesetze hatte, ungeachtet der Tatsache, daß sie wohl von der breiten Masse nicht gelesen werden konnten, den Vorteil, die Rechtsprechung willkürlichen Änderungen durch einflußreiche Einzelpersonen oder Faktionen weitgehend zu entziehen. Die Stadtgemeinden gingen, hauptsächlich wohl vom 5. Jh. an, oft aber auch schon wesentlich früher, dazu über, das urspr. mündlich und – bei den Griechen – in rhapsodischer Form tradierte sakrale und Gewohnheitsrecht Schriftkundigen zur schriftlichen Niederlegung zu übergeben. Die Funktionsbezeichnungen *hieromnémōn*, *mnámōn*, *poinikastás*, *grapheús* oder *grammateús* in Inschr. oder lit. Texten betonten bald das Gedächtnis, bald die Schriftkundigkeit, bald die archivarische Tätigkeit der betreffenden Beamten, die Funktionen sind jedoch stets dieselben. Die Schriftlichkeit machte die weite Verbreitung der Gesetze (beispielsweise des Charondas) erst möglich, ebenso die Orientierung der röm. Zwölftafelgesetze an der Gesetzgebung des → Solon (Liv. 3,31,8; 32,1–6; Gell. 20,1,4; Cic. leg. 2,23,59; 25,64).

Die schriftliche Fixierung und Veröffentlichung der röm. Zwölftafel- und anderer Gesetze war das Ergebnis eines jahrzehntelangen Kampfes zw. Patriziern und Volkstribunen; sie ist als eine Errungenschaft der Plebs anzusehen (Liv. 3,31,7–37,4). Über Schreiber oder Sekretäre ist aus der röm. Frühzeit kaum etwas bekannt. Ein vereinzeltes Zeugnis betrifft den Schreiber Cn. → Flavius [I 2], dessen Wahl zum kurulischen Ädil im J. 304 nicht akzeptiert wurde, da ein Schreiber eine solche Funktion nicht ausüben könne. Daraufhin soll er diese Tätigkeit aufgegeben haben und als Ädil bestätigt worden sein (Gell. 7,9,2–5; Liv. 9,46,1–12). Sein als Schreiber gewonnenes Wissen befähigte Cn. Flavius dazu, ein Buch über Prozeßverfahren zu veröffentlichen, die bis dahin nur der Nobilität zugänglich waren. Er ließ auch auf dem Forum auf geweißten Holztafeln den → Kalender veröffentlichen, in welchem die Tage verzeichnet waren, an denen gerichtliche Verfahren stattfinden konnten.

Erwähnenswert ist auch die Tatsache, daß in dem Senatsbeschluß vom J. 186 v. Chr. über die Bacchanalien das erste Gesetz vorliegt, das nicht nur in Rom, sondern in ganz It. öffentlich ausgestellt werden mußte (→ *senatus consultum de Bacchanalibus*).

D. Inschriften und Monumente als Erziehungs- und Propagandamittel

Inschr. spielten bis zum Ende der Ant. neben ihrer juristischen noch eine sehr wichtige Rolle in Erziehung und Propaganda [14. 441–444]. Die beliebten Ehreninschr., die auf Kosten und Beschluß der Städte ausgeführt wurden, meist in Verbindung mit der Errichtung einer Statue, einer Büste oder eines Ehrenschildes, dienten auch erzieherischen Zwecken: Sie sollten für die Mitbürger ein Ansporn dazu sein, sich ähnliche Verdienste zu erwerben. Auch moralische Maximen wie die Sprüche der → Sieben Weisen wurden inschr. »veröffentlicht«. Zunächst wurden sie im Tempelgebiet des delphischen Apollon ausgestellt, und zwar in zweifacher Form: einmal in einer kurzen Serie von 5 Maximen, sodann, spätestens zu Beginn des 3. Jh. v. Chr., in einer Serie von 140 Maximen. Dort wurde die lange Serie von → Klearchos [5] von Soloi, einem Schüler des Aristoteles, abgeschrieben, der sie in einer am Oxus in Baktrien (heute Afghanistan) gelegenen griech. Stadt in eine steinerne Stele einmeißeln und an zentraler Stelle aufstellen ließ [19]. Die lange Serie wurde auch in Miletupolis in Mysien um 300 v. Chr. in Stein gemeißelt aufgestellt, während die kurze Serie bereits im 4. Jh. im Gymnasion von Thera Platz gefunden hatte. Dies sind nur vereinzelt auf uns gekommene Beispiele einer weit verbreiteten Praxis, Inschr. als Mittel der kollektiven Seelenleitung zu benutzen. Solche Inschr. konnten auch auf private Initiative zurückgehen, so (nach Ps.-Plat. Hipparch. 228d–229b) die mit kurzen Moralsprüchen versehenen, an den Wegen aufgestellten Hermen des → Hipparchos [1] (6. Jh. v. Chr.), und vor allem die monumentale philos. Inschr. des Epikureers → Diogenes [18] im kleinasiatischen Oinoanda (2. Jh. n. Chr.) [14. 441–444].

Kaiserliche Propaganda bediente sich mit Vorliebe der Inschr., aber auch anderer steinerner Monumente:

Bauwerke (→ Ara Pacis Augustae), Triumphbögen und Bildsäulen (z. B. die Säulen Traians und Marc Aurels in Rom). Von den Propagandainschr. sei als einzige der Tatenbericht des Augustus (*Res gestae Divi Augusti*) erwähnt, der urspr. auf zwei ehernen Pfeilern vor dem Mausoleum des Augustus in Rom eingraviert war (h. verloren). Eine gut erh., in Stein gehauene Abschrift mit griech. Übers. wurde in Ankyra (Ankara) gefunden, Reste zweier weiterer Kopien in Apollonia in Pisidien (nur griech. Übers.) und in Antiocheia (Pisidien, nur lat. Text). Man kann wohl davon ausgehen, daß Kopien der *Res gestae* urspr. in allen größeren Städten des röm. Imperiums anzutreffen waren. Auch die Büsten oder Standbilder der jeweiligen Kaiser, gegebenenfalls auch ihrer Frauen und Kinder, fanden weite Verbreitung, von den zahlreichen Münzbildern und -legenden ganz zu schweigen. Ob die Botschaften der letzteren der breiten Masse immer verständlich waren, ist zweifelhaft [20. 254–257]. Alle diese Manifestationen erfüllten damals die Funktion der heutigen Massenmedien.

E. Rhetorik

Im 5. Jh. v. Chr. entstand in Griechenland ein neues K.-Mittel, dessen langanhaltende Bed. für die Mittelmeerkulturen nicht hoch genug veranschlagt werden kann: die → Rhetorik, eine Zusammenstellung von Vorschriften, die Beweisführung, Disposition und Stil einer Rede betrafen, aber auch auf die Erregung von Affekten beim Zuhörer zielte. Auch die dazugehörige Gestikulation (→ Gestus) und die Veränderungen des Tonfalls wurden genau einstudiert, notfalls in Prozessen die weinenden, unmündigen Kinder des Angeklagten auf die Rednerbühne gebracht usw., so daß eine Rede nicht nur ein akustisch-ästhetisches Erlebnis war, sondern sich einem regelrechten Schauspiel annähern konnte. Diese rationalen und irrationalen Elemente konnten zu einer Relativierung oder Entstellung des wahren Sachverhalts führen: die objektiv schwächere Sache konnte durch Anwendung der rhet. Mittel zur stärkeren gemacht werden. Die Techniken der Rede wurden daher für öffentl. Prozesse und Reden der Politiker vor den Volksversammlungen sowohl im griech. wie im röm. Bereich unentbehrlich. Diese Kunst (τέχνη, *téchnē*) wurde im 5. Jh. v. Chr. in Griechenland von den Sophisten gelehrt, Wanderlehrern, die sich nicht mit privatem Unterricht begnügten, sondern öffentl. Schaureden über die verschiedensten Gegenstände hielten, vor Volksversammlungen und vor der zu den zahlreichen griech. rel. Festen zusammenströmenden Menge sprachen. Sie hatten großen Erfolg und wurden reich entlohnt. Der Publikumserfolg der Rhet. sollte in der gesamten Ant. nie nachlassen. Spätestens vom 2. Jh. v. Chr. an florierten private Schulen für Rhet. in vielen griech. Städten. Diese bildeten neben den ebenfalls privaten Gramm.-Schulen eine nunmehr von der Oberschicht als unabdingbar angesehene Ergänzung zu dem überwiegend elementaren Unterricht im hell. → Gymnasion.

In Rom fand die Rhet. nur zögernd Eingang und gehörte erst von der Mitte des 2. Jh. an in zunehmendem Maße zu den Lernfächern der Oberschicht. Der Unterricht wurde auch im lat. Bereich zunächst von griech. Lehrern (z. T. Kriegsgefangenen [21]) und auf griech. gehalten und stützte sich auf griech. Lehrbücher. Als zu Anfang des 1. Jh. v. Chr. die ersten Versuche gemacht wurden, die Rhet. in lat. Sprache zu lehren, wurde ihnen durch Zensorenedikt ein Ende bereitet (92 v. Chr.; vgl. Gell. 15,11), da die Oberschicht fürchtete, daß der in lat. Sprache gehaltene Unterricht die Rhet. breiteren Schichten zugänglich machen würde, die dadurch verstärkten Einfluß auf das öffentl. Leben gewinnen könnten. Dies konnte jedoch nicht verhindern, daß bald danach, nämlich mit und nach Cicero (106–43 v. Chr.), der lat. Rhet.-Unterricht gebräuchlich wurde. Ciceros Reden wurden Unterrichtsstoff, seine Lehrbücher *De inventione*, *Partitiones oratoriae* und *Topica* gaben griech. Lehrstoff in lat. Terminologie wieder. Auch die anonyme *Rhetorica ad Herennium*, um etwa 50 v. Chr. verfaßt, legt Zeugnis ab von dem unaufhaltsamen Durchbruch der lat. Redekunst. Trotzdem kamen gegen Ende der Republik griech. Rhetoren in großer Zahl nach Rom, und die Angehörigen der Oberschicht pflegten ihre Söhne nach Griechenland und in die griech. Städte Kleinasiens zu schicken, damit sie dort den letzten rhet. Schliff erhielten. Eine gute Ausbildung in Rhet. konnte nun des öfteren die durch aristokrat. Geburt und Reichtum verliehenen Vorteile ersetzen und gab in der Kaiserzeit auch den Berufsrhetoren die Möglichkeit, in die höchsten Staatsämter aufzusteigen. Sogar die seit Platon der Rhet. abgeneigten Philosophen mußten bald einsehen, daß auch der philos. Unterricht mit der dazugehörigen Seelenleitung nicht ohne Rhet. auskam [22. 44–52; 13. 184–189; 14. 452]. Die Rhet. bildete zusammen mit der Gramm. und gelegentlich auch der Philos. die wenigen Unterrichtsgegenstände, die nach dem Niedergang des hell. Gymnasions in der Kaiserzeit von durch die Städte angestellten Lehrern, kaiserlicher Regelung folgend, gelehrt wurden [22. 215–261].

→ Brief; Gebärden; Gebet; Intertextualität; Kryptographie; Literaturbetrieb; Nachrichtenwesen; Rezitationen; Schauspiele; Wettbewerbe, künstlerische

1 R. SCHNELLE, s. v. K.-Forsch., HWdPh Bd. 4, 897f.
2 K. STRUNK, Vom Mykenischen bis zum klass. Griech., in: H.-G. NESSELRATH (Hrsg.), Einl. in die griech. Philol., 1997, 135–155 3 R. BROWNING, Von der Koine bis zu den Anfängen des modernen Griech., in: H.-G. NESSELRATH (Hrsg.), Einl. in die griech. Philol., 1997, 156–168
4 K. CHRIST, Röm. Gesch., 1980 5 J. KRAMER, Gesch. der lat. Sprachen, in: F. GRAF (Hrsg.), Einl. in die lat. Philol., 1997, 115–162 6 L. M. HARTMANN, s. v. Cura, RE 4, 1767 7 G. REINCKE, s. v. Nachrichtenwesen, RE 16, 1496–1541 8 W. KUBITSCHEK, s. v. Itinerarien, RE 9, 2308–2363 9 R. CHEVALLIER, Voyages et déplacements dans l'Empire Romain, 1988 10 H. HALFMANN, Itinera principum. Gesch. und Typologie der Kaiserreisen im Röm. Reich, 1986 11 G. CAMASSA, Aux origines de la codification écrite des lois en Grèce, in: M. DETIENNE (Hrsg.), Les savoirs de l'écriture en Grèce ancienne, 1988, 130–155 12 L. H. JEFFERY, Archaic Greece. The City-States c. 700–500 B. C., 1976 13 I. HADOT, Seneca und die griech.-röm. Trad. der Seelenleitung (Quellen und Studien zur Gesch. der Philos. 13), 1969 14 Dies., The Spiritual Guide, in: A. H. ARMSTRONG (Hrsg.), Classical Mediterranean Spirituality, 1986, 436–559 (dt.: Die Figur des Seelenleiters in der Ant., in: Landesinstitut für Erziehung und Unterricht Stuttgart (Hrsg.), Bildung – Erziehung – Schule. Ant. Menschenführung zw. Theorie und Praxis, Materialien Latein, L 52, 49–76) 15 F. RUZÉ, Aux débuts de l'écriture politique: Le pouvoir de l'écrit dans la cité, in: M. DETIENNE (Hrsg.), Les savoirs de l'écriture en Grèce ancienne, 1988, 82–94 16 L. H. JEFFERY, A. MORPURGO-DAVIES, Ποινικαστάς and Ποινικαζεν: BM 1969.4–2.1, A New Archaic Inscription from Crete, in: Kadmos 9, 1970, 118–154 17 IEry 18 P. HERRMANN, Teos und Abdera im 5. Jh. v. Chr., in: Chiron 11, 1981, 1–30 19 L. ROBERT, De Delphes à l'Oxus: Inscriptions grecques nouvelles de la Bactriane, in: Comptes rendus de l'Académie des inscriptions et belles lettres, 1968, 416–457 20 H. KLOFT, Rel. und Geld. Funktionale und kommunikative Aspekte des Münzgeldes, in: G. BINDER, K. EHLICH (Hrsg.), Religiöse K. – Formen und Praxis vor der Neuzeit. Stätten und Formen der K. im Alt. VI (Bochumer Alt.wiss. Colloquium Bd. 26), 1997, 243–257 21 J. CHRISTES, Sklaven und Freigelassene als Grammatiker und Philologen im ant. Rom (Forschungen zur ant. Sklaverei Bd. 10), 1979 22 I. HADOT, Arts libéraux et philosophie dans la pensée antique (Études Augustiniennes), 1984 23 R. F. E. WILLETTS, The Law Code of Gortyn, 1967.

G. ACHARD, La communication à Rome, 1991 (Petite Bibliothèque Payot 211, 1994) • C. COULET, Communiquer en Grèce ancienne, 1996 • Stätten und Formen der K. im Alt. I–VI, Bochumer Alt.wiss. Colloquium Bd. 13, 16, 17, 23, 24, 26, 1993–1997.   I. H.

Komödie I. GRIECHISCH II. LATEINISCH

I. GRIECHISCH
A. ANFÄNGE B. FRÜHFORMEN AUSSERHALB ATHENS C. DIE ATTISCHE ALTE KOMÖDIE D. TYPISCHE MERKMALE DER ALTEN KOMÖDIE E. DIE WEITERENTWICKLUNG DER KOMÖDIE SEIT DEM ENDE DES 5. JH. V. CHR. F. DAS ENDE DER ALTEN KOMÖDIE UND DIE MITTLERE KOMÖDIE G. MERKMALE DER MITTLEREN KOMÖDIE UND DES ÜBERGANGS ZUR NEUEN KOMÖDIE H. DIE NEUE KOMÖDIE I. MERKMALE DER NEUEN KOMÖDIE J. WEITERES NACHLEBEN DER GRIECHISCHEN KOMÖDIE

A. ANFÄNGE
Die plausibelste Etym. von K. ist »Komos-Lied«; *Kốmoi* (Umzüge von Menschengruppen bzw. Chören) sind seit dem frühen 7. Jh. v. Chr. auf Vasen dargestellt; darauf erscheinen u. a. Tänzer in (zum Teil an Bauch und Gesäß ausgestopften) Trikots und Tierkostümen (vgl. die späteren Tierchöre der att. Alten K.). Manche Vasenbilder zeigen auch die Phallos-Prozessionen, die

laut Aristoteles (poet. 4,1449a 10f.) am Beginn der K. standen.

B. Frühformen ausserhalb Athens

Für die Entwicklung volkstümlicher komischer Dramen war der westgriech. Raum, die Magna Graecia in Sizilien und Unterit., ein wichtiger Nährboden. Laut Aristoteles (poet. 3,1448a 30–34) machten Dorer den Athenern – mit zweifelhaften linguistischen Argumenten (»K.« von κώμη/»Dorf«, »Drama« von δρᾶν/»handeln«) – die Erfindung der Trag. und K. streitig: Die Einwohner des peloponnesischen Megara erhoben Anspruch auf eine eigenständige – und im Vergleich zur att. ältere – Form der K. (aus diesem Megara soll auch → Susarion stammen, den hell. Quellen an den Anfang der att. K. setzen, s.u.), die Einwohner des sizil. Megara Hyblaia verwiesen auf ihren Landsmann → Epicharmos, der älter gewesen sei als die frühesten att. K.-Dichter → Chionides und → Magnes. Der hell. Gelehrte Sosibios Lakon (FGrH 595 F 7) und der Historiker Semos von Delos (FGrH 396 F 24) bezeugen überdies ein volkstümliches Possenspiel, das bei den Dorern (unter recht verschiedenen Namen: δικηλισταί, φαλλοφόροι, αὐτοκάβδαλοι, φλύακες, ἐθελονταί, ἰθύφαλλοι) weitverbreitet war. Zu lit. Höhe gelangte diese Posse wohl zuerst bei Epicharmos (der seine Stücke allerdings nicht kōmōidíai/κωμῳδίαι, sondern drámata/δράματα nannte). Konkurrenten und Nachfolger des Epicharmos waren → Deinolochos und → Phormis. Ob das sizil. komische Drama wie das att. über Chöre verfügte und ob es über das Ende des 5. Jh. hinaus existierte oder dann durch Stücke att. Manier oder Herkunft ersetzt wurde, ist umstritten [8. 159–161]. Im 4. Jh. weisen die → Phlyakenvasen jedenfalls auf den Fortbestand komischer Schauspiele im westgriech. Raum hin, die um 300 durch → Rhinthon noch einmal eine Literarisierung erfuhren.

C. Die attische Alte Komödie

Die Entstehungsgesch. der att. K. läßt sich nicht sicher über den Anfang des 5. Jh. v. Chr. zurückverfolgen (vgl. Aristot. poet. 5,1449a 38–b 5). Zwar wird in späteren Zeugnissen als Erfinder der att. K. ein → Susarion aus dem Demos Tripodiskos von Megara (vgl. PCG VII p. 661–665) angegeben, der laut dem *Marmor Parium* (FGrH 239 A 39) zwischen 580 und 560 v.Chr. tätig gewesen sein soll (Susarion test. 1 K.-A.); die ihm verschiedentlich zugeschriebenen insgesamt fünf Verse sind allerdings nicht dor., sondern attisch. Auch die übrigen Zeugnisse für eine megarische K. sind umstritten, da ihnen offenbar verächtliche Bemerkungen att. K.-Dichter (Eupolis fr. 261 K.-A.; Aristoph. Vesp. 57; Ekphantides fr. 3 K.-A.) über grobe »megarische Späße« zugrundeliegen. Aristoteles nimmt zwar in poet. 3,1448a 31 die Ansprüche der Megarer auf die Erfindung der K. zur Kenntnis (vgl. oben), weiß aber von Susarion nichts. Die wohl überzeugendste Theorie [2. 1221] postuliert, die att. K. sei aus einer Verbindung der volkstümlichen dor. Posse mit den vom Phallos geprägten *kōmoi* entstanden; andere Theorien wollen mit nur einem Ursprungselement auskommen (Kulttänze,

hymnische Götteranrufungen, Prozessionen in Tierverkleidung u.a.), haben aber dann Schwierigkeiten, bestimmte Elemente der Alten K. zu erklären. Aristoteles (poet. 3,1448a 33) nennt als die beiden ältesten athenischen K.-Dichter → Chionides (der 486 v.Chr. den ersten offiziellen K.-Wettbewerb an den großen Dionysien gewonnen haben soll) und → Magnes (dessen frühester Sieg für das Jahr 472 belegt ist). Von beiden ist kaum noch etwas erhalten; so bleiben auch die Jahre zwischen 486 und etwa 455 ziemlich dunkel, bis eben → Kratinos (490/480 – nach 423) auf den Plan tritt, der früheste der bedeutendsten drei Vertreter der Alten K. Wenigstens drei seiner Stücke (test. 6 K.-A.) wurden am Lenäenfest aufgeführt, an dem es seit etwa 440 v. Chr. ebenfalls einen staatlich organisierten dramatischen Agon gab (→ *skēnikoí agónes*/→ Wettbewerbe, künstlerische). Kratinos ist der erste, in dessen Fragmenten ein Hauptcharakteristikum der Alten K. deutlich erkennbar wird: die scharfe polit. Invektive, deren Zielscheibe sehr oft der damals führende athenische Politiker → Perikles war. Schon die K. des Kratinos kennt aber auch Mythenparodien. Kratinos ist der bedeutendste Dichter der ersten Phase der voll entwickelten Alten K. (etwa von 455 bis 430 v.Chr.); ihre zweite beginnt bald nach 430 mit den neu hinzukommenden Dichtern → Eupolis, → Aristophanes [3] und → Phrynichos und geht allmählich in die Vorform der Mittleren K. über (vgl. unten), als – etwa seit dem Ende des zweitletzten Jahrzehnts des 5. Jh. v. Chr. – bedeutsame Veränderungen faßbar werden. Weitere bedeutende Dichter der Alten K. sind → Telekleides, → Krates und → Pherekrates (vgl. unten), → Hermippos, → Ameipsias und → Platon (45 Dichternamen sind aus dieser Zeit noch bekannt).

D. Typische Merkmale der Alten Komödie

Sie wurzelt in der polit.-kulturell-rel. Wirklichkeit Athens; offenbar gab es wenigstens zweimal polit. Bemühungen, ihr kaum Grenzen kennendes ὀνομαστὶ κωμῳδεῖν (*onomastí kōmōideín*, das »beim Namen nennende Verspotten«) einzuschränken (durch Morychides 440/39–437/36, durch Syrakosios um 415). Reale Repräsentanten des zeitgenössischen Athen werden direkt auf die Bühne gebracht (Generäle, Politiker, aber auch »Intellektuelle« wie Euripides und Sokrates). Die Behandlung sehr realer Themen und die Darstellung sehr realer Persönlichkeiten können sich dabei paradoxerweise mit irreal-phantastisch-märchenhaften, aber auch absurden Handlungselementen mischen: mit grotesken Geiselnahmen (Aristoph. ›Acharner‹, ›Thesmophoriazusen‹), abenteuerlichen Himmelsflügen (Aristoph. ›Frieden‹), der Gründung absurd-utopischer Gemeinwesen (Aristoph. ›Vögel‹), wundersamen Unterwelts-Abstiegen (Aristoph. ›Frösche‹) oder umgekehrt der Wiederkehr von Toten (Eupolis, ›Demen‹), mit Schlaraffenland-Darstellungen u.ä. Die Durchbrechung und Transzendierung der Alltagsrealität zeigt sich auch an den vielfältigen Wesen, die die Chöre der Alten K. verkörpern (→ Chor): Tierchöre verschiedenster Art, aber auch ausgefallene Personifikationen (Chor der att. Gemeinden in den ›Demen‹ des Eupolis, der att. Bündnerstädte in den ›Poleis‹, der ägäischen Inseln in den ›Nesoi‹). Auch allegorische Einzelfiguren treten auf (z. B. Komodia und Trunkenheit in der ›Pytine‹ des Kratinos, Krieg und Frieden im ›Frieden‹ des Aristophanes). Dieser vielfältigen Transzendierung der Realität entspricht die Durchbrechung der Bühnenillusion; ein Metatheater ist durch die Chor-Parabase (s.u.) in der Stück-Mitte geradezu programmiert. Die Helden dieser K. sind kaum als in sich stimmige Individuen konzipiert, sondern passen sich geschmeidig den verschiedensten Situationen an; sie erhalten ihren Individualnamen oft erst spät im Stück (Dikaiopolis z.B. in Aristoph. Ach. erst in V. 406). Die Alte K. bedient sich mannigfacher optischer Mittel (Kostümierung, Requisiten); ihre Schauspieler-Masken zeigen größere Vielfalt als die Trag. (bis zur Neuen K. Ausbildung zahlreicher Typen).

Analog ist die Vielfalt der sprachlichen Mittel: Eine Fülle verschiedenster Sprachebenen wird mit ganz verschiedenartigen Metren (von einfachen Sprechversen bis zu komplizierten lyrischen Formen) kombiniert. Gleichwohl präsentiert sich diese Vielfalt in einer Reihe fester Bauformen: Der Agon (zwischen der Hauptfigur und dem Chor bzw. eventuellen Einzelgegnern) läuft oft in sog. → epirrhematischer Form ab (d. h. einer bestimmten Abfolge von Sprechvers- und gesungenen oder rezitierten Partien [7]); die → Parabase besteht (als Unterbrechung der Handlung) in einer Abfolge von gesprochenen und gesungenen Chor-Partien in bestimmten Versmaßen, wobei der Chor aus seiner Rolle im Drama heraustritt und sich z. T. als direktes Sprachrohr des Dichters (z. B. Aristoph. Ach. 628–664), z. T. aber auch in eigener Sache (z. B. ebd. 665–718) an die Zuschauer wendet und dabei bestimmte Mißstände in der Stadt kritisieren kann; nach der Parabase geht die Handlung oft mit einer Reihe von kürzeren parallelen Szenen (z. T. mit recht handgreiflichen Aktionen: Prügel u. ä.) weiter, welche die Folgen der kühnen Handlung der Hauptfigur vorführen und von lyrischen Intermezzi des Chores gegliedert sind; am Ende steht der Triumph der Hauptfigur, der oft hedonistisch eingefärbt ist. Anders als in der Trag. gibt es gelegentlich mehr als drei redende Charaktere auf der Bühne (vgl. z.B. Aristoph. Ach. 40ff.); der Chor ist vor allem in der ersten Hälfte des Stücks eng in den Ablauf eingebunden, mit und nach der Parabase wird er dann jedoch zu einem weniger aktiven und mehr kommentierenden Sympathisanten des Helden. Daß in dieser K. neben der Politik die Sexualität (und damit einhergehend in der Sprache die Koprologie) eine große Rolle spielt, zeigt sich u. a. beim Standardkostüm der Schauspieler: Die männlichen Figuren sind in der Regel mit einem enganliegenden Trikot (mit ausgestopften Bauch- und Hinternpartien), mit einem kurzen → Chiton und vor allem mit einem überdimensionierten (meist erigierten) ledernen Phallos ausgestattet. Charakteristisch sind schließlich die vielfältigen Bezüge auf die Tragödie (vor allem Euripides-Parodie); diese spielt aber nicht nur als Potential für

→ Parodie eine wichtige Rolle, sie wird auch zum Vorbild, als die K. sich seit dem Ende des 5. Jh. (vgl. oben) allmählich zu einer geschlosseneren dramatischen Form entwickelt.

E. DIE WEITERENTWICKLUNG DER KOMÖDIE SEIT DEM ENDE DES 5. JH. V. CHR.

Bereits zur Zeit der Alten K. gab es neben den hochpolitisierten Stücken des Kratinos, Eupolis, Aristophanes und weiterer Dichter auch einen unpolitischeren Stücktypus; er tritt seit der Mitte des 5. Jh. in Erscheinung und wird von Aristoteles (poet. 4,1449b 6–9) zuerst mit dem Dichter → Krates (etwas nach Kratinos, etwa 425) in Verbindung gebracht, der weitgehend auf Spott gegen reale Personen verzichtet und sich auf die Schaffung geschlossen-fiktiver Handlungen (μῦθοι, mýthoi) konzentriert habe. Nach Krates führte → Pherekrates (tätig 440/430 – etwa 410) diese K.-Form weiter; wahrscheinlich lief sie aber nicht streng getrennt neben der anderen her, sondern stand mit ihr in ständigem Austausch: Auch manche Kratinos-Stücke (vgl. die ›Odysses‹) hatten mit dem zeitgenössischen Athen wenig zu tun; andere mit politisch-allegorischen Zügen (vgl. Kratinos' ›Dionysalexandros‹) könnten eine Mischform dargestellt haben. Die erh. Stücke des Aristophanes tendieren seit den ›Vögeln‹ zu einer geschlosseneren Handlung; Chorpartien treten zurück; nach den ›Vögeln‹ ist keine vollständige Parabase mehr feststellbar. In seinen zwei aus der Zeit nach 400 erh. Stücken (›Ekklesiazusen‹ und ›Plutos‹) ist die Rolle des Chores weiter geschrumpft; im ›Plutos‹ ist nur noch sein Einzug (→ Parodos) ausgestaltet, an allen anderen Stellen, wo der Chor aufzutreten hatte, weist der Text mit dem Hinweis χοροῦ (chorú, »Platz für den Chor«) darauf hin, daß hier nur noch Zwischenaktnummern ohne engeren Bezug zur Handlung des Stücks stattfanden. Dies wird fortan zur Regel: In den Stücken Menanders ist der Chor ebenfalls nur noch in solchen chorú-Hinweisen (d. h. als Akttrenner) vorhanden.

F. DAS ENDE DER ALTEN KOMÖDIE UND DIE MITTLERE KOMÖDIE

Die 405 v. Chr. aufgeführten ›Frösche‹ des Aristophanes sind das letzte Stück, das sich formal und inhaltlich als Alte K. bezeichnen läßt. Obwohl viele der vor 400 tätigen Dichter (nicht zuletzt Aristophanes selbst) auch nach 400 weiter K. produzierten, bilden die Jahre um 400 eine zäsurartige Phase deutlichen Wandels, für den verschiedene Gründe erwogen worden sind, sowohl lit.-gattungsgesch. (Einfluß der Trag., s.o.) als auch ges.-polit. (Entpolitisierung vieler Lebensbereiche nach der katastrophalen Niederlage Athens im Peloponnesischen Krieg 404; Verschwinden großer, die Verspottung lohnender polit. Figuren; schwindende Überzeugung der K.-Dichter, polit. wirken zu können); mit beidem ist zu rechnen. Leider ist gerade diese Zeit großer Veränderung in der K. und ihr Wandel von der »Alten« zur »Mittleren« (der Begriff dürfte auf die alexandrinischen Philologen zurückgehen, die dank ihrer riesigen Bibliothek die K.-Entwicklung gut überblicken konnten

[9. 172–187]) nur schwer zu fassen, weil zw. dem ›Plutos‹ des Aristophanes und dem Auftreten des → Menandros nur spärliche Reste einer K.-Produktion erh. sind, die quantitativ der vorangehenden Epoche in nichts nachstand (vgl. Athen. 8,336d und die z.B. zu → Alexis und → Antiphanes überlieferten Stückzahlen). Trotz des lückenhaften Quellenmaterials lassen sich umrißartig noch zwei Phasen erkennen [9. 334–338], eine Zeit der »eigentlichen« Mittleren K. (etwa 380–350) und eine anschließende Übergangsphase zur Neuen K. (etwa 350–320).

G. Merkmale der Mittleren Komödie und des Übergangs zur Neuen Komödie

Zw. 400 und etwa 370/60 v. Chr. zeigt sich eine merkliche Vorliebe für mythische Stoffe; die Dichter schrieben dabei oft ganze Trag. zu K. um (vgl. die zwei letzten, nicht erh. Stücke des Aristophanes). Anders als in der Alten K. ist für diese Stücke nicht mehr das Phantastisch-Märchenhafte charakteristisch; vielmehr werden Helden, Könige und sogar Götter nunmehr zu Figuren athenischen Alltagslebens – mit allen zugehörigen Schwächen – herabstilisiert [9. 204–241]. Nach der Mitte des 4. Jh. verschwindet die Mythen-K. fast ganz (vielleicht weil das sich aus dem Kontrast von Mythos und banaler Alltagswelt speisende komische Potential erschöpft schien); übrig bleibt der att.-bürgerliche Alltag, der in der Neuen K. dann die Regel ist (vgl. unten). Zusammen mit der Phantastik im Stoff verschwindet auch die frühere sprachliche und metrische Vielfalt: Eine Zeitlang wird in der Mittleren K. die Parodie der exuberanten Sprache des → Dithyrambos und die Verwendung von langen anapästischen Rezitativen gepflegt, aber bis zur Mitte des 4. Jh. gehen auch diese Elemente sehr zurück [9. 241–280]; in der Neuen K. gibt es in der → Metrik fast nur noch den iambischen Trimeter und (zur Aufhöhung bestimmter Partien) den trochäischen Tetrameter, in der Diktion eine leicht gehobene Version der att. Alltagssprache.

Illusionsbrüche und metatheatralische Einfälle wie in der Alten K. finden ebenfalls nicht mehr statt (Ausnahme: gelegentliche Apostrophen monologisierender Figuren ans Publikum). Die zuvor sehr präsente Sexualität verschwindet sowohl in der Sprache (die nach Aristophanes viel »anständiger« wird) als auch im Kostüm: Zu einem nicht mehr genau bestimmbaren Zeitpunkt wird das alte K.-Trikot mit seinem Phallos durch normale Bürgertracht ersetzt. Zwar löst in vielen Stücken der Neuen K. eine sexuelle Begegnung (mit anschließender ungeplanter Schwangerschaft) die komische Handlung erst aus; doch wird dies allenfalls in der einleitenden Exposition berichtet. → Homosexualität, in der Alten K. offen und häufig behandelt, hat in der späteren K. erst recht keinen Platz mehr. Die nacharistophanische K. hat aber nicht nur frühere Merkmale verloren, sondern auch einige neu entwickelt, vor allem bestimmte Typenrollen ausgebildet. Etwa seit der Mitte des 4. Jh. (in Einzelfällen schon vorher) beginnen in den Fr. bestimmte Rollenmuster sichtbar zu werden: der Sohn aus

gutem Hause, den eine Liebschaft in Schwierigkeiten bringt; sein mehr oder minder strenger Vater, der ihn vor Eskapaden bewahren möchte; gelegentlich dessen (mitunter resolute) Ehefrau; als Kontrast oder Spiegel eine weitere Familie ähnlicher Art. Neben diesem »bürgerlichen« Personal gibt es das weniger bürgerliche, auf dem meist das komische Potential des Stückes ruht: der schlaue Sklave, die schöne Hetäre, der prahlende Soldat (seit der 2. H. des 4. Jh. als Söldner immer öfter in der griech. Welt anzutreffen) als lautstarker Konkurrent des Bürgersohnes um die Gunst der schönen Hetäre, der eingebildet-geschwätzig-neugierige Koch (für die regelmäßig in diesen Stücken stattfindenden Festschmäuse gemietet), der geldgierig-skrupellose Kuppler oder »Hurenwirt« (oft der eigentliche Bösewicht dieser K.), nicht zuletzt der Parasit (ein herumlungernder Hungerleider oder Adlatus eines prahlenden Soldaten). Die Herausbildung dieser Typenrollen ist bis zur Zeit Menanders weitgehend abgeschlossen und spiegelt sich in der Entwicklung einer Fülle unterschiedlicher Bühnen-→ Masken (vgl. Poll. 4,143 ff.: neun für alte Männer, elf für junge Männer, sieben für Sklaven, drei für alte Frauen, 14 für junge Frauen – insgesamt 44; viele Nachbildungen sind in Terrakotta erhalten [14]). Dieses Typenpersonal agiert in nunmehr geschlossen-fiktiven (allerdings quasi-realen) Handlungsmustern, die in den ersten Jahrzehnten des 4. Jh. wohl vor allem bei der extensiven Parodierung von Trag. ausgebildet wurden und schließlich auch ohne mythisches Korsett angewendet werden konnten [10]; dabei bildete sich auch das für die Neue K. dann typische Fünf-Akt-Schema heraus.

H. Die Neue Komödie

Mit dem Auftreten Menanders (seit 321) ist die Neue K. auf der att. Bühne voll entwickelt. Die Produktivität ihrer Dichter ist kaum geringer als die der vorangehenden K.-Phase: Ihre Hauptvertreter Menander (→ Menandros), → Diphilos und → Philemon haben je etwa 100 Stücke geschrieben. Neben diesen Dichtern sind → Apollodoros [5] von Karystos (ein Nacheiferer Menanders) und → Poseidippos bed. Vertreter der »Nea«. Die eigentlich bedeutende Zeit dieser K. scheint um die Mitte des 3. Jh. v. Chr. zu Ende zu gehen, als die großen Dichter Menander, Philemon etc. zu Klassikern werden, die man fortan wiederaufführt (vgl. Philemon test. 16 K.-A.), doch setzt sich die Produktion neuer Komödien noch lange fort: Aus dem 3. Jh. v. Chr. sind über 50 Dichternamen bekannt, aus dem 2. noch über 30, aus dem 1. noch immerhin 10, und aus dem 1. bis 3. Jh. n. Chr. lassen sich ebenfalls wenigstens sechs Autoren namhaft machen, die K. im Stil der »Nea« schrieben. Der K.-Agon an den athenischen Dionysien ist noch bis etwa 120 v. Chr. nachweisbar [3. 397]: Aus dem 1. Jh. v. Chr. sind noch (nicht immer regelmäßige) Agone an anderen Orten belegt (PCG II p. 1; 570; IV p. 77; 349; V p. 17). Im 1. Jh. n. Chr. gewinnt Kaiser Claudius an einem solchen Agon in Neapel mit einem Stück seines Bruders Germanicus (Suet. Claud. 11,3). Agone des

2. Jh. n. Chr. sind noch in Korinth (PCG II p. 483) und im böotischen Thespiai (PCG II p. 212; 311; 483) belegt. Aus der Kaiserzeit sind K.-Dichter bekannt, die ihre Werke nicht mehr aufgeführt, sondern durch Deklamation oder durch das Buch verbreiteten – so vielleicht Germanicus [2] (Suet. Caligula 3,2); ähnlich noch Apollinaris von Laodikeia (4. Jh. n. Chr., vgl. Soz. 5,18,2) und Synesios, Dion 18 p. 278, 10 TERZ.

I. MERKMALE DER NEUEN KOMÖDIE

Im Gegensatz noch zur Mittleren K. taucht Politik in den Alltagshandlungen der »Nea« fast gar nicht mehr auf [11. 284 f.]; dargestellt werden Probleme innerhalb der bürgerlichen Familie sowie deren Konflikte mit Randexistenzen der bürgerlichen Gesellschaft (Kuppler, Hetären, Soldaten). Auf Myth. und Irreales wird zugunsten einer dem Zuschauer vertrauten Realität verzichtet. Die komische Handlung lebt vor allem von der Interaktion der Typenrollen, die die Dichter der vorangehenden Jahrzehnte ausgebildet hatten (vgl. oben). Bei Menander findet wieder eine gewisse Individualisierung dieser Typen statt; ob dies auch bei seinen Rivalen so war, läßt sich bei dem bruchstückhaften Erhaltungszustand von deren Werk kaum noch sagen. Gerade Menanders Stücke zeigen ein großes Interesse an der Innenwelt des Menschen (Tragödienerbe); sie machen gern das Zusammenspiel von Mensch und Tyche zum Thema, propagieren »Humanität« und streben nach der Erzeugung von Rührung. Wieder muß weitgehend offen bleiben, ob dies auch Charakteristika der K. von Menanders Konkurrenten gewesen sind.

J. WEITERES NACHLEBEN DER GRIECHISCHEN KOMÖDIE

Das Nachleben der Alten K. ist im wesentlichen mit dem des Aristophanes identisch. Zitate aus der Mittleren K. finden sich noch in Buntschriftstellern (vor allem Athenaios) und Lexikographen der Kaiser- und byz. Zeit (→ Pollux, → Antiatticista, → Photios, → Suda); im übrigen aber schwand die Kunde von dieser K.-Epoche so gründlich, daß meist nicht einmal mehr die Namen von Dichtern bekannt sind und byz. Autoren herumraten, wer zu der ihnen als »Mittlere« überlieferten K.-Zeit gehören könnte [9. 34–56]. Die Neue K. dagegen wird sehr bald von der röm. Lit. aufgegriffen (für jede erh. oder noch erkennbare röm. K. ist ein griech. Vorbild entweder belegt oder zumindest außerordentlich wahrscheinlich); über die erh. Stücke des Plautus und Terenz wird die griech. »Nea« zur Mutter der gesamten europ. K.-Lit.

ED.: PCG (1983 ff.). Lit.: 1 E. CSAPO, W. J. SLATER (Hrsg.), The Context of Ancient Drama, 1995 2 A. KOERTE, s. v. K. (griech.), RE 11, 1207–1275 3 M. LANDFESTER, Gesch. der griech. K., in: G. A. SEECK (Hrsg.), Das griech. Drama, 1979, 354–400 4 B. ZIMMERMANN, Die griech. K., 1998 5 A. SEEBERG, From Padded Dancers to Comedy, in: A. GRIFFITHS (ed.), Stage directions. Essays ... in Honour of E. W. Handley, 1995, 1–12 6 R. M. ROSEN, Old Comedy and the Iambographic Tradition, 1988 7 TH. GELZER, Der epirrhematische Agon bei Aristophanes, 1960 8 C. W.

DEARDEN, Epicharmus, Phlyax, and Sicilian Comedy, in: J.-P. DESCOEUDRES (Hrsg.), Eumousia. Ceramic and Iconographic Studies in Honour of A. Cambitoglou, 1990, 155–161 9 H.-G. NESSELRATH, Die att. Mittlere K., 1990 10 Ders., Parody and Later Greek Comedy, in: HSPh 95, 1993, 181–195 11 Ders., The Polis of Athens in Middle Comedy, in: G. W. DOBROV (Hrsg.), The City as Comedy, 1997, 271–288 12 W. G. ARNOTT, Alexis: The Fragments, 1996 13 R. L. HUNTER, The New Comedy of Greek and Rome, 1985 14 L. B. BREA, Menandro e il teatro greco nelle terracotte liparesi, 1981. H.-G. NE.

II. LATEINISCH

A. VIELFALT DER GATTUNGEN   B. URSPRÜNGE
C. PALLIATA   D. WEITERE GATTUNGEN
E. SPÄTE FORMEN

A. VIELFALT DER GATTUNGEN

Zur K. der Römer gehören im weiteren Sinn nicht nur die lit. Ausgestaltungen wie → Palliata, → Togata und Trabeata, sondern auch die mündlichen Formen wie → Fescennini versus, → Atellana und → Mimus, von denen die letzten beiden im 1. Jh. v. Chr. auch verschriftlicht wurden. Das Wort comoedia ist aus dem griech. κωμῳδία übernommen und bezeichnet in beiden Sprachen nur die lit. K.

B. URSPRÜNGE

Viel diskutiert ist Livius' Darstellung der Entstehung der ludi scaenici in Rom (7,2) [2; 19]: 1. Anläßlich einer Seuche treten 364 v. Chr. etr. Kulttänzer auf, die von der Flöte begleitet werden. 2. Junge Römer beginnen in der Folgezeit, sie nachzuahmen, wobei sie »ungefügige« Spottverse einander zusingen (inconditis inter se iocularia fundentes versibus). Offenbar ist an die Fescenninen oder Vergleichbares gedacht. 3. Hieraus entstehen musikalische saturae (impletae modis saturae), die auch den Tanz (motus) kennen. 4. Schließlich ist es → Livius Andronicus, der aufgrund seiner Anlehnung an die griech. K. eine fortlaufende Handlung (argumentum) einführt; so entstehen »Stücke« (fabulae). Dieser Schritt darf als ganz entscheidend angesehen werden, da somit die in der Regel mehr oder weniger kurzen röm. Improvisationen und Sketche durch griech. Plots zu veritablen Bühnenhandlungen »verlängert« werden. Die – wohl aus Varro schöpfende [2] – Herleitung bei Livius zeigt, daß man Tanz und Musik auf die Etrusker, Spottverse auf heimische Traditionen und regelrechte Handlungen auf die griech. K. zurückführte. Wenn auch im einzelnen manches – v. a. die Form der satura – umstritten ist und der Einfluß weiterer »mündlicher« Genera wie des Mimus berücksichtigt werden muß, ist doch festzustellen, daß bes. die plautinische, aber auch die terenzische K., die drei von Livius gen. Elemente – wenn auch in stark unterschiedlicher Ponderierung – deutlich erkennen läßt. Es wird kein Zufall sein, daß mehrere Termini des röm. Theaters aus dem Etr. stammen: histrio (Schauspieler), ludius (Tänzer), persona (Maske), subulo (Flötenbläser) [6; 19. 125 f.].

C. PALLIATA

Neben der Trag. war die K. die populärste Form der Lit. im frühen Rom. Die Ursache wird darin zu sehen sein, daß sie von Anf. an einer vielfältigen Trad. von heimischen komischen Gattungen gegenübersteht und versucht, sie in geeigneter Weise einzuschmelzen [3]. Soweit sie lit. Wurzeln hat, entstammen diese der griech. K. Da sie deren Milieu beibehält, heißt sie nach dem kurzen Mantel der Griechen (*pallium*) → Palliata. Es ist v. a. die griech. Neue K. (»Nea«), die den röm. Dichtern Vorbilder bereitstellte. Ein Einfluß der Alten und Mittleren K. ist bisher nicht sicher nachgewiesen. Das ist insofern natürlich, als z. Z. der Palliata nur noch die Neue K. mit ganzen Stücken lebendig war. Formale Ähnlichkeiten mit der Alten K. erklären sich dadurch, daß auch diese unter dem Einfluß »mündlicher« Possen stand. Die Stücke der Neuen K. konnten die röm. Soldaten während ihrer Feldzüge im griech.-sprachigen Unterit. und Sizilien auf der Bühne sehen, so daß sie wahrscheinlich auch in der Heimat nach solchen unterhaltsamen Spektakeln – nun aber in ihrer eigenen Sprache – verlangten.

Der erste Dichter war → Livius Andronicus, der im Auftrag der Aedilen 240 v. Chr. je eine Trag. und K. in Rom zur Aufführung brachte. Aus dem griech. Sprachraum in Unteritalien stammend, war er in der Lage, den Römern die griech. K. nahezubringen. Weitere Dichter sind neben → Plautus und → Terentius (Terenz), deren 20 bzw. 6 Stücke die einzigen vollständig erh. Werke der archa. röm. Lit. sind, → Naevius, → Ennius [1], → Caecilius [III 6] und schließlich → Turpilius, mit dem die Palliata gegen 100 v. Chr. endet. Ihre Bed. verliert sie bereits mit dem Tod des Terenz 159 v. Chr. Der Grund für das Erlöschen des beliebten Genus mag v. a. darin liegen, daß die immer gleichen Intrigen und Personen-Konstellationen mit nur geringer Variationsbreite allmählich erschöpft waren. Die bei Turpilius erkennbare Anlehnung an → Menandros brachte nicht neue Impulse, sondern im Gegenteil das Ende.

1. EIGENART   2. DRAMATURGIE   3. CANTICA

1. EIGENART

Während die griech. Neue K. das reife Stadium einer längeren lit. Entwicklung darstellt, das an die Auffassungsgabe der Zuschauer erhebliche Anforderungen stellt, indem sie Lebensdeutung vermittelt, ist es das große Paradoxon der röm. K., daß sie kein Abbild der Ges. ihrer Zeit vermittelt; sie ist ein Regulativ und führt eine Phantasie- und Traumwelt vor, die das Publikum nicht deshalb in ihren Bann schlägt, weil es in ihr seine eigene Welt wiedererkennt, sondern eine Gegenwelt, die es von der harten Wirklichkeit befreit [13. 42]. Da Livius und seine Nachfolger die Neue K. bevorzugen, ergibt sich die seltsame Konstellation, daß eine lit. Spätform in das Anfangsstadium einer fremden Lit. transponiert wird. Dementsprechend unterscheidet sich die Palliata von der griech. K. durch eine weitgehende Distanz zu

den zeitgenössischen polit. und gesellschaftlichen Verhältnissen. Die Handlungen sind durchweg in einem irrealen Raum angesiedelt, der der Form nach als griech. gekennzeichnet, aber deutlich mit röm. Lokalitäten und Sitten durchsetzt ist. Die Beibehaltung des griech. Milieus ist ein Schutzmantel für die Darstellung gewagter Inhalte, die in der röm. Wirklichkeit undenkbar sind.

Oberstes Prinzip ist der Spott, der mit der Autorität des *pater familias* getrieben wird: Die Sklaven triumphieren – zumeist im Interesse ihrer jungen Herren (*adulescentes*) – in der Regel über die »Greise« (*senes*), wobei sich zuweilen die *adulescentes* beteiligen, so wenn diese am Ende von Plautus' *Mercator* über die Alten zu Gericht sitzen. Auch können, wie in Plautus' *Casina*, Frauen die Intrige erfolgreich gegen die Männer führen. Nicht minder auffällig ist die Konstellation, wenn Sklaven (Plautus, *Persa* und *Stichus*) oder gar Hetären (Plautus, *Truculentus*) den Sieg über Freie davontragen. Ein beliebtes Objekt für den Spott ist ferner der in Rom hochangesehene Soldat. Die frivole Handschrift der röm. Komiker ist auch in dem letzten von Terenz gedichteten Stück, den *Adelphoe* von 160 v. Chr., zu beobachten, an deren Ende die jungen Leute und ihre Sklaven mit dem bis dahin unangefochtenen Vater Micio Katz und Maus spielen. Wenn man treffend sagt, hier gehe die K. in Satire über [7. 38], zeigt sich, daß die »mündlichen« Formen der Frühzeit noch bei dem späten, als »griech.« geltenden Terenz anzutreffen sind.

So führt die Palliata ein irreales Geschehen vor, das den Zuschauer, zumal den sozial niedrig gestellten, in eine Traumwelt entrückt, die aber von den Spitzen der Ges. zumindest geduldet, partiell wohl auch genossen wird. Die nur bei bestimmten Gelegenheiten wie Götterfesten, Tempelweihungen, Triumph- und Leichenspielen aufgeführte Palliata, die sich mit der bei denselben Anlässen gespielten Trag., der die Römer laut Horaz bes. zuneigten (Hor. epist. 2,1,165 f.), in Konkurrenz befand [4. 115], ist den Bräuchen der → Saturnalia oder des ma. Karnevals vergleichbar: Während ihrer Darbietung können in einem fest umgrenzten Zeitraum mögliche Konflikte zugleich kanalisiert und gedämpft werden [17]. Es ist jedoch festzustellen, daß die Palliata im Blick auf die Sklaven nie revolutionär ist und die Konflikte v. a. innerhalb der bürgerlichen Schicht angesiedelt sind.

2. DRAMATURGIE

Gegenüber der Neuen K. ist die Dramaturgie der plautinischen K. von äußerster Disziplinlosigkeit, die der terenzischen noch immer von bemerkenswerter Nachlässigkeit. Das Zielen auf die möglichst effektvoll ausgestaltete Einzelszene geht zu Lasten der Ökonomie des Ganzen. Überhaupt fragen die röm. Zuschauer weniger nach der Folgerichtigkeit der vorgeführten Handlungen und der Bed. übergreifender Zusammenhänge. Für ein Publikum, das hauptsächlich von Witz und Komik gepackt wird, ist stets die augenblickliche Wirkung entscheidend. So kommt es, daß z. B. Sklaven Triumph-Arien anstimmen oder die Erlistung größerer

Geldsummen konstatieren, ohne daß die dazu führenden Voraussetzungen immer deutlich werden. Der Primat des komischen Geschehens läßt Charakterzeichnung und Handlungsführung nach den Gesetzen der Wahrscheinlichkeit nicht zu. Selbst Terenz ist in dieser Hinsicht noch immer großzügig, obschon er sich um eine stimmigere Dramaturgie bemüht. Auf einer höheren Ebene verfolgt er letztlich dieselben Ziele wie Plautus.

3. CANTICA

Ein schwieriges Problem stellt die Herkunft der (bes. bei Plautus zahlreichen) → Cantica dar. Sie sind vollständig Eigentum der röm. Komiker; ›was jene genialen Dichter aus den zahmen griech. Vorlagen gemacht haben, ist in der Form etwas schlechthin Neues ... daß man es treffend gar nicht anders bezeichnen darf als ein Singspiel, opera buffa‹ [21. 169f.]. Entgegen der Annahme, die röm. Trag. übernehme die Cantica aus der hell. Trag. und gebe diese Kunstform an die K. weiter [9. 321–373], ist es wahrscheinlich, daß ihre Entstehung und Ausgestaltung von der ital. und südital. (griech.-sprachigen) »mündlichen« Trad. beeinflußt wird (vgl. [5. 205]). Jedenfalls führen keine Verbindungslinien zur lit. griech. K.

D. WEITERE GATTUNGEN

Keine andere lit. Form der röm. K. erreichte die Beliebtheit der Palliata. Wenn auch die Togata, die K. in röm. Milieu, wohl schon von Naevius geschaffen wurde, gewann sie doch erst in Terenzens Zeit, als auch eine nationalröm. → Geschichtsschreibung entstand, an Boden, ohne jedoch die Bed. der Palliata zu erlangen. Offenbar war es nicht möglich, die gewagten Inhalte der in griech. Ambiente spielenden plautinischen und terenzischen Stücke direkt als röm. Wirklichkeit auszugeben. Zudem fand man das Milieu der mittelständischen Schuster, Barbiere oder Walker offenbar wenig interessant. Dasselbe dürfte aber auch auf die von C. → Melissus in der augusteischen Zeit geschaffene Trabeata zutreffen, die K. im gehobenen Milieu der Ritter, welche nach deren Mantel (trabea) benannt ist; ihr scheint keinerlei Erfolg beschieden gewesen zu sein. Es bestätigt sich, daß in Rom die K. nur in der die Lebenswirklichkeit verfremdenden Form der Palliata Erfolg hatte – und das in eminentem Maß.

»Tragikomödie«: Eine Sonderform wird vielfach in Plautus' Amphitruo gesehen, den der Prologsprecher eine tragicomoedia nennt (V. 59). Man nimmt verschiedene Einflüsse an (wie den der Hilarotragoidia; → Tragödie), doch handelt es sich bei dem (Kunst-)Wort wohl um einen Witz, der darauf anspielt, daß der Autor in ungewöhnlicher Weise als Vorlage eine Trag. benutzt [16. 23f.].

E. SPÄTE FORMEN

Schon bald nach dem Tod des Terenz wurden seine und Plautus' Stücke wiederaufgeführt. Die Theaterdirektoren versahen sie zuweilen mit neuen Prologen oder Schlüssen und griffen auch sonst in den Text ein. Für Terenz sind in den Didaskalien Wiederaufführungs-jahre bezeugt. Noch Cicero sind die Palliaten von der Bühne her vertraut, doch laufen, zumal seit der augusteischen Zeit, die beliebten Formen des → Mimus und des Pantomimus der Palliata den Rang ab. Mit dem von Hor. sat. 2,8,19 erwähnten Fundanius ist ein K.-Dichter wenigstens dem Namen nach bekannt. So wie die Trag. in der Kaiserzeit zu einem Rezitationsdrama mutiert, ist das bei der K. der Fall, wie etwa der jüngere Plinius bezeugt (epist. 6,21 über → Vergilius Romanus). Es versteht sich, daß die Kirchenväter dem Genus nicht günstig gesonnen sind, doch ist es noch Augustinus und Hieronymus bekannt [12]. In diese Zeit gehört auch das auf Plautus (insbes. Aulularia) und Terenz zurückgehende, zur Rezitation bestimmte Prosastück → Querolus sive Aulularia. Die röm. K. hatte damit endgültig ausgespielt.

→ KOMÖDIE

1 W. G. ARNOTT, Menander, Plautus, Terence, 1975
2 TH. BAIER, Werk und Wirkung Varros im Spiegel seiner Zeitgenossen, 1997, 82–97 3 L. BENZ, Die röm.-ital. Stegreifspieltrad. zur Zeit der Palliata, in: Dies., E. STÄRK, G. VOGT-SPIRA (Hrsg.), Plautus und die Trad. des Stegreifspiels, 1995, 139–154 4 J. BLÄNSDORF, Voraussetzungen und Entstehung der röm. K., in: [14], 91–134 5 Ders., Plautus, in: [14], 135–222 6 G. BREYER, Etr. Sprachgut im Lat., 1993 7 T. A. DOREY, A Note on the Adelphi of Terence, in: G&R 9, 1962, 37–39 8 G. E. DUCKWORTH, The Nature of Roman Comedy, 1952 9 E. FRAENKEL, Plautinisches im Plautus, 1922 10 K. GAISER, Zur Eigenart der röm. K., in: ANRW I 2, 1972, 1027–1113 11 R. L. HUNTER, The New Comedy of Greece and Rome, 1985 12 H. JÜRGENS, Pompa diaboli. Die lat. Kirchenväter und das ant. Theater, 1972 13 E. LEFÈVRE, Römische K., in: M. FUHRMANN (Hrsg.), Die röm. Lit., 1974, 33–62 14 Ders. (Hrsg.), Das röm. Drama, 1978 15 Ders., Versuch einer Typologie des röm. Dramas, in: Ebd., 1–90 16 Ders., Maccus vortit barbare. Vom tragischen Amphitryon zum tragikomischen Amphitruo, AAWM 5, 1982 17 Ders., Saturnalien und Palliata, in: Poetica 20, 1988, 32–46 18 F. H. SANDBACH, The Comic Theatre of Greece and Rome, 1977 19 P. L. SCHMIDT, Postquam ludus in artem paulatim verterat. Varro und die Frühgesch. des röm. Theaters, in: G. VOGT-SPIRA (Hrsg.), Stud. zur vorlit. Periode im frühen Rom, 1989, 77–134 20 L. R. TAYLOR, The Opportunities for Dramatic Performances in the Time of Plautus and Terence, in: TAPhA 68, 1937, 284–304 21 U. v. WILAMOWITZ-MOELLENDORFF, Menander, Schiedsgericht, 1925 22 J. WRIGHT, Dancing in Chains: the Stylistic Unity of the Comoedia Palliata, 1974.

ED. (AUSSER PLAUTUS UND TERENZ): CRF · E. H. WARMINGTON, Remains of Old Latin, 1935–1940.   E. L.

Komogrammateus (κωμογραμματεύς). Verwaltungsbeamter im ptolem. Ägypten, aber der Sache nach wohl schon älter. Äg. war in nomoí, tópoi und kômai eingeteilt, und dem entspricht die Reihenfolge basilikós grammateús, topogrammateús und k. (wobei nicht sicher ist, ob der topogrammateús zu den Vorgesetzten des k. zählte; manchmal wurden die beiden Ämter in Personalunion verwaltet). Der k. war für einen Bezirk zuständig, der meist eines, manchmal aber auch mehrere Dörfer (kṓmai; → kṓmē) umfaßte. In frühptolem. Zeit war der k. dem → komárchēs nachgeordnet; er war zuständig für Kassen-, Rechnungs- und Steuerwesen. Demotisch- wie Griechischkenntnisse waren für ihn nützlich, während Schriftlichkeit wenigstens in röm. Zeit nicht immer gegeben war (PPetaus. 121); fast immer waren (hellenisierte) Ägypter die Amtsinhaber. Im späten 2. Jh. v. Chr. wurde der k. zum Vorgesetzten des komárchēs: Er behielt seine alten Zuständigkeiten, aber das Kataster mit allem, was daran hing, kam hinzu (Übersicht über Landnutzung und -ertrag), ebenso Polizeigewalt und (untere) richterliche Tätigkeit (wichtigste Quelle: Archiv des Menches). Der k. wurde vom → dioikētḗs ernannt; Menches mußte bei Amtsantritt eine einmalige Zahlung leisten und war verpflichtet, für die Dauer der Amtsführung ein Stück Staatsland zu hohem Pachtzins zu übernehmen (wir wissen nicht, ob das allgemein üblich war). Einmal im Jahr erschien Menches in Alexandreia beim dioikētḗs, einmal im J. sammelten sich die kōmogrammateís in der Hauptstadt des nomós. Ämterkumulation gab es, wurde aber nicht immer gerne gesehen (PTebt. I 24).

In röm. Zeit wurde der k. zu einem liturgischen Beamten, der mindestens drei, später fünf J. amtierte (vgl. [1; 2]). Er führte Steuerbücher, damit auch das »Standesamt«, Kataster etc. Wenigstens in der 2. H. des 2. Jh. n. Chr. durfte ein k. nicht mehr in seinem Heimatdorf amtieren. Das Amt wurde im Arsinoites ca. 219 vom amphodokomogrammateús abgelöst; 247/248 trat überall der komárchēs an seine Stelle. In der 2. H. des 4. Jh. gab es den k. wieder [3. 346f.].
→ Kome; Komistes

1 H. C. YOUTIE, PU.G. 12; τοπογραμματεῖς καὶ κωμογραμματεῖς, in: ZPE 24, 1977, 138f. 2 R. HÜBNER, in: ZPE 30, 1978, 199 3 N. LEWIS, in: Chronique d'Égypte 72, 1997.

PP I/8, 781–870 · Z. BORKOWSKI, D. HAGEDORN, in: FS C. Préaux, 1975, 775f. · L. CRISCUOLO, Ricerche sul Komogrammateus nell' Egitto tolemaico, in: Aegyptus 48, 1978, 3ff. · H. MELAERTS, Studia Varia Bruxellensia II, 1990, 134f. · A. VERHOOGT, Menches, Komogrammateus of Kerkeosiris, 1998 · S. P. VLEEMING, in: Atti XVII. Congr. Int. Pap. Neapel 1984, 3, 1053ff. W. A.

Komomisthotes (κωμομισθώτης). Ptolem. Beamter, zuerst 259/8 v. Chr. in Palästina belegt (PLond. VII 1948), der für die Verpachtung von Staatsland an Bauern innerhalb eines dörflichen Verwaltungsbezirks verantwortlich war (vgl. noch PTebt. 183).

D. CRAWFORD, Kerkeosiris, 1971, 103 A. 4 · ROSTOVTZEFF, Hellenistic World 1, 344f.; 3, 1401f. W. A.

Komos (κῶμος, Vb. κωμάζειν) ist die Bezeichnung für den ritualisierten ausgelassenen griech. Umzug zur Musik von Kithara oder bes. Flöte (Athen. 14,9,618c). Die frühesten Verwendungen des Worts stellen noch keine Verbindung zu Dionysos her, sondern bezeichnen Ri-

ten mit musikalischer Begleitung, wohl auch mit Tanz und Gesang (Hom. h. Merc. 481 schenkt Hermes die Leier dem Apollon für kṓmoi; Ps.-Hes. Aspis 281 kōmázusi »schwärmen« junge Männer im Hochzeitszug zur Flöte; Pind. P. 5,22 nennt die Aufführung seines Lieds einen k. der Männer), und bis in die röm. Kaiserzeit bleibt der k. als ausgelassen-ekstatischer Umzug mit den entsprechenden Musikinstrumenten nicht auf den Kult des → Dionysos beschränkt (Hochzeits-k. Philostr. imag. 1,2). Doch spätestens seit dem 6. Jh. v. Chr. ist Dionysos nach Ausweis der Vasenbilder engstens mit dem k. verbunden (vgl. auch Plat. leg. 1,637a) und fester Teil der städtischen → Dionysia; symptomatisch ist die ant. – falsche – Ableitung der → Komödie als eines dionysischen Rituals vom k. (Protest bei Aristot. poet. 3,1448a 37) und die Verwendung des Wortes k. als Namen eines Satyrn.

H. LAMER, s. v. K., RE 11, 1286–1304 · A. PICKARD-CAMBRIDGE, The Dramatic Festivals of Athens, 1968, 102f. F. G.

Kompositum s. Wortbildung

Konche (κόγχη; lat. concha; »Muschel, Schälchen«); t.t. für ein hauptsächlich bei Medizinern zur Mengenangabe von Salben verwandtes Kleinstmaß. Dabei ist die »große K.« (μεγάλη κόγχη/megálē k.) gleichbedeutend mit einem → Oxybaphon und entspricht ca. 0,06 l, die »kleine K.« (ἐλάττων κόγχη, eláttōn k.) gleichbedeutend mit ½ → Kyathos [1] und entspricht ca. 0,02 l [1. 636]. → Hohlmaße

1 F. HULTSCH, Griechische und römische Metrologie, ²1882. H.-J. S.

Kondylon (Κόνδυλον). Festung im südl. Olympos an einer über → Gonnos laufenden Umgehung des Tempetales, wohl mit Gonnokondylos gleichzusetzen und beim h. Tsurba-Mandria lokalisiert. Als Philippos V. 196 v. Chr. Perrhaibia freigab, behielt er K. mit dem ON Olympias noch bis 185 (Liv. 39,25,16). Im 3. Maked. Krieg lag 169 v. Chr. eine Besatzung des Perseus in K.

B. HELLY, Gonnoi, 1973, Index · F. STÄHLIN, Das hellenische Thessalien, 1924, 8f. HE. KR.

Konjektur s. Textverbesserung

Konistra. Von Pollux (3,154 und 9,43), Athenaios (12,518d) und weiteren späten Schriftquellen verwendeter Begriff für den ungedeckten, oft mit Sand bestreuten Hof des griech. → Gymnasion; vgl. auch → Palaistra. C. HÖ.

Konjugation s. Flexion

Konon (Κόνων).
[1] Athener, 413 v. Chr. Befehlshaber in Naupaktos, von 411/10 an mehrfach stratēgós. K. wurde 406 von der peloponnes. Flotte im Hafen von Mytilene einge-

schlossen, wobei er 30 Schiffe verlor (Xen. hell. 1,6,14–23; Diod. 13,77–79). Durch Athens Sieg bei den → Arginusai wurde er befreit. Da er an der Schlacht nicht teilgenommen hatte, wurde er nicht wie die anderen Feldherrn abgesetzt und zum Tode verurteilt (Xen. hell. 1,6,38–7,1). Der Vernichtung der att. Flotte bei Aigospotamoi 405 entkam er und floh nach Kypros zu König → Euagoras [1] (Xen. hell. 2,1,28f.; Diod. 13,106,6). Von dort aus trat K., da Sparta seit 400 wegen der griech. Städte in Kleinasien mit Persien im Krieg lag, mit dem Satrapen Pharnabazos und dem Großkönig in Verbindung. Dieser befahl den Bau einer Flotte; K. wurde im Frühjahr 397 deren Admiral (*naúarchos*). Nach umfangreichen Vorbereitungen operierte K. seit Frühj. 396 von Kaunos aus im SO der Ägäis und gewann Rhodos (Androtion FGrH 324 F 46; Diod. 14,39,1–4; 79,5–8; Hell. Oxyrh. 12, 3; vgl. 18 CHAMBERS). Im August 394 vernichtete die pers. Flotte unter K. in der Schlacht bei Knidos die spartan. Seeherrschaft (Xen. hell. 4,3,11f.; Diod. 14,83,5–7). In Kleinasien und auf den Inseln wurden die spartan. Harmosten und Besatzungen vertrieben (Xen. hell. 4,8,1f.; Diod. 14,84,3f.). Im Frühj. 393 griffen Pharnabazos und K. mit der Flotte Lakonien an, besetzten Kythera und unterstützten die gegen Sparta gerichtete Allianz bei Korinth. Pharnabazos kehrte nach Asien zurück; K. fuhr mit der pers. Flotte in den Piräus ein und unterstützte die athen. Bemühungen zur Erneuerung einer Machtstellung in der Ägäis, indem er den Wiederaufbau der Langen Mauern forcierte (Xen. hell. 4,8,1–9; Diod. 14,84,4f.; 82,2f.; IG II 2 1656–1664; ToD 107 A; SEG 41,102). Daraufhin trat Sparta 392 mit dem pers. Satrapen Tiribazos in Friedensverhandlungen ein und bot den Verzicht auf die Griechenstädte in Kleinasien an. Die Athener schickten ihrerseits Gesandte nach Sardeis, denen sich K. anschloß; die Friedensverhandlungen scheiterten. K. wurde von Tiribazos gefangengesetzt (Xen. hell. 4,8,12–16; Diod. 14,85,4), entkam jedoch zu Euagoras nach Kypros, wo er bald darauf starb (Lys. 19,39–41).

Als Begründer der erneuten Machtstellung Athens, als Sieger von Knidos und Befreier der Griechen vom spartan. Joch wurden K. Bronzestatuen in Athen, Samos und Ephesos aufgestellt. K. ist der Vater des bedeutenden *stratēgós* → Timotheos.

> P. FUNKE, Homónoia und Arché, 1980 · D. A. MARCH, K. and the Great King's Fleet, 396–394, in: Historia 46, 1997, 257–269 · B. S. STRAUSS, Athens after the Peloponnesian War, 1986.

[2] Athener, Enkel des K. [1], Sohn des Timotheos, leistete in der 2. H. des 4. Jh. v. Chr. mehrfach Trierarchien und war 334/3 und 333/2 *stratēgós* für den Piräus (IG II² 2970,5; SEG 22,148). 319 begab er sich nach der Besetzung des Piräus durch die Makedonen mit Phokion und Klearchos als Gesandter zu Nikanor (Diod. 18,64,5). DAVIES, 511f. W.S.

[3] **K. von Samos.** Astronom und Mathematiker in Alexandreia unter → Ptolemaios III. Euergetes, Freund des → Archimedes [1], der ihm postum die an den gemeinsamen Freund und Schüler des K. → Dositheos [3] gerichtete Schrift De Quadratura parabolae (›Die Quadratur der Parabel‹) widmete und bedauerte, daß K. zu jung gestorben sei, um die Beweise zu seinen Spiralsätzen geliefert zu haben (de lineis spiralibus, praef. p. 3,13 HEIBERG). Seine Sätze über die archimedische Spirale, die → Pappos erwähnt, gelten daher nicht als authentisch. → Apollonios [13] von Perge nennt ihn als Vorgänger in der Theorie der Kegelschnitte, wobei er allerdings im Anschluß an die Kritik eines (sonst unbekannten) Nikoteles von Kyrene die erforderliche Sorgfalt in der Beweisführung vermißt.

Als Astronom sammelte K. Sonnenfinsternisse in Ägypten (Sen. nat. 7,3,3, vgl. Catull. 66,3) und schrieb sieben B. *De astrologia* (Prob. Verg. ecl. 3,40), aus denen vielleicht das von Ptol. Phaseis 67,7 H. erwähnte → Parapegma stammt (vgl. Catull. 66,2; Plin. nat. 18,312). Seine Beobachtungen der Sternaufgänge soll er in It. und Sizilien gemacht haben, doch gilt seine Autorschaft des Werkes *De Italia*, das Serv. auct. Aen. 7,738 erwähnt, als nicht gesichert.

Berühmt wurde K. durch seine »Entdeckung« des Sternbildes *Coma Berenices* (Πλόκαμος Βερενίκης, »Lokke der Berenike«) zw. Löwe, Jungfrau und Bootes: → Berenike [3] II., die Gattin des Ptolemaios III., hatte vor dem Auszug ihres Gemahls gegen Syrien 246 v. Chr. für eine glückliche Heimkehr ihr Haupthaar im Tempel der Venus Arsinoe Zephyritis (Hyg. astr. 2,24 Z. 1002 VIRÉ) geweiht. Das Haar verschwand, und K. fand es am Himmel wieder. Dies dichtete → Kallimachos zu einem Katasterismos (→ Sternsagen) und beschloß damit seine *Aítia*. → Catullus machte daraus ein selbständiges Gedicht (carm. 66) – das Vorbild für alle späteren panegyrischen Sternbilder.

> A. REHM, s. v. K., RE 11,1338–1340 · GUNDEL, 107f.
> W. H.

[4] Griech. Mythograph, wahrscheinlich 1. Jh. v. / 1. Jh. n. Chr. Von Photios (Bibl. cod. 186) ist ein längeres Resümee seiner ›Erzählungen‹ erh. (*Dihēgéseis*; gewidmet Archelaos [7] Patris, König von Kappadokien 36 v. Chr. – 17 n. Chr.). Sie umfaßten 50 mythographische Erzählungen (rhet. Bearbeitungen von Gründungsgesch., Aitiologien, Liebesgesch. und verschiedenen mythischen Ereignissen) und waren laut Photios in einem gefälligen und anmutigen att. Stil verfaßt, der für gewöhnliche Leser zuweilen kompliziert gewesen sein soll. Die Zuweisung des mythographischen Fragments POxy 3648 (2. Jh. n. Chr.) an das Original der *Dihēgéseis* des K. kann sich auf gute Argumente stützen. K. verfaßte auch eine *Herakleía* und ein Werk über Italien.

> ED.: FGrH 26 · R. HENRY, Photius, Bibliothèque 3, 1962, 8–39 (mit Übers. und Anm.).
> LIT.: A. HENRICHS, Three Approaches to Greek Mythography, in: J. N. BREMMER (Hrsg.), Interpretations of Greek Mythology, 1987, 242–277 · E. MARTINI, s. v. K. (9), RE 11, 1335–1338. F. M./Ü: T. H.

Konope (Κωνώπη). Ort in Aitolia beim h. Angelokastro am Südrand der Acheloos-Ebene, Neugründung zw. 287 und 281 v. Chr. als Polis Arsinoeia zu Ehren der Arsinoë [II 3], Frau des Lysimachos. Verkehrsgünstige Lage an einer Furt des Acheloos (Strab. 10,2,22); Mitglied im Aitolischen Koinon (→ Aitoloi, Karte). Inschr.: IG IX 1,131–133; SEG 17,269–272; 25,625; 34,468 f.; 40,457 [1].

> 1 G. KLAFFENBACH, in: SPrAW 1936, 360–364.

> C. ANTONETTI, Les Étoliens, 1990 · D. STRAUCH, Röm. Politik und Griech. Trad., 1996, 264 f.   D. S.

Konopion (τὸ κωνώπιον, lat. *conopium, conopeum*). Urspr. war das K. ein Schlafnetz zum Schutz gegen Mücken, Fliegen usw. (Anth. Pal. 9,764; Prop. 3,11,45), wozu nach Hdt. 2,95 die Ägypter sogar ihre Fischernetze nahmen; dann in vielfältiger Verwendung benutzter Begriff für → Sänfte und Ruhebett (über das ma. *canapeum* zu »Kanapee«). Man nannte auch eine → Wiege *conopeum*.

> Lit.: s. → Ruhebett.   R. H.

Konsolationsliteratur A. ALLGEMEINES B. INHALT C. HAUPTWERKE D. WIRKUNG

A. ALLGEMEINES

→ Trauer und Trost sind Grundphänomene menschlicher Existenz. Wird jemand von Unglück (Tod naher Verwandter oder Freunde; Verbannung; Verlust von Gesundheit, Besitz oder Freiheit) getroffen, so versuchen Angehörige und Freunde durch Zuspruch und Ermahnung seine Trauer zu mäßigen oder seine Stimmung zu verbessern. Trostszenen und Trostmotive finden sich daher schon in der älteren griech. Dichtung (z. B. Hom. Il. 5,381–402; Archil. fr. 13 W.; Eur. Alc. 416–419). Als K. bezeichnet man aber speziell die philos. geprägten Schriften, deren Verf. versuchen, entweder individuell die Trauer über ein Unglück auszureden oder generelle Anweisungen zu ihrer Überwindung zu geben. Ihr Ausgangspunkt liegt im Glauben der Sophisten (→ Sophistik) an die psychagogische Kraft dialektischer Rede. Die Ausprägung im Ton aggressiver Zurechtweisung geht wohl auf den Stil der kynischen → Diatribe zurück, den andere Philosophen für ihre seelentherapeutischen Schriften übernahmen.

B. INHALT

Aus dem breiten Spektrum der K. (zur Themenvielfalt Cic. Tusc. 3,81) sind nur die Schriften zur Verbannung (vgl. → Exilliteratur) und v. a. die aus Anlaß von Todesfällen (*consolatio mortis*) gut bezeugt. Die Verbannung behandeln in der frühen Kaiserzeit → Seneca d. J. (dial. 12: *ad Helviam*), → Musonius Rufus (dissertationes 9) und → Plutarchos (*Perí phygḗs*: mor. 599a–607f), offenbar alle in Anlehnung an hell. Vorgänger. Zentraler Gedanke ist, daß eine »Veränderung des Aufenthaltsortes« kein Übel ist und daß auch die mit der Verbannung oft verbundenen Nachteile (Armut; Rufminderung) für den klug Abwägenden unwesentlich sind.

Bes. reichhaltig und wirkungsmächtig war das Repertoire der *consolatio mortis*, zu dem alle bedeutenden Philosophen-Schulen Gedanken beigesteuert haben: der → Peripatos das Konzept der maßvollen Trauer (Metriopathie), die Akademie (→ *Akadḗmeia*) den Gedanken, daß der Tod die Seele vom irdischen Elend befreit und in ein besseres Leben führt, die → Epikureische Schule die Methode der Ablenkung (*avocatio*) und Hinlenkung (*revocatio*) auf erfreuliche Aspekte und Tätigkeiten (vgl. Cic. Tusc. 3,33), die → Stoa v. a. das Ideal der Freiheit von → Affekten (*apátheia*) und die Abwertung der *fortuita*, des Zufallsgegebenen, als für das Glück irrelevant, die → Kyrenaiker (gefolgt von anderen Schulen) die Empfehlung der *praemeditatio malorum*, des gedanklichen Antizipierens von Übeln, als Vorbeugung gegen überraschende Schicksalsschläge. Abgesehen von dem unter den Ps.−Platonica erhaltenen Dialog *Axiochos* kombinieren alle erh. Werke − unabhängig vom Standort ihrer Verf. − Argumente unterschiedlicher Herkunft. Einen guten Einblick gibt die Plutarch zugeschriebene *Consolatio ad Apollonium* (Plut. mor. 101e−122a; authentisch nach [1. 39−42]). Manche Schriften bringen getrennt einerseits Argumente dafür, daß den Hinterbliebenen kein unüberwindlicher Schmerz und Schaden entsteht, andererseits solche, die nahelegen, daß der Betrauerte durch den Tod kein Unheil erleidet oder sogar in eine bessere Existenz übergeht. Die Argumentation wird durch Beispielreihen unterstützt, bes. durch *exempla* anderer, die vergleichbares Unglück vorbildlich ertragen haben (z. B. Sen. dial. 6,12,6−15,3).

C. HAUPTWERKE

Von der hell. K. hat die Schrift des Akademikers → Krantor ›Über Trauer‹ (*Perí pénthus*), die trotz ihres generellen Titels auf einen konkreten Trauerfall bezogen war, großen Einfluß auf Spätere ausgeübt. → Panaitios empfahl seinem röm. Freund Q. Aelius [I 16] Tubero, sie auswendig zu lernen (Cic. ac. 2,135); der Kompilator der *Consolatio ad Apollonium* benutzte sie ausgiebig, ebenso Cicero, als er nach → Tullias Tod eine *Consolatio* an sich selbst richtete (fr. 4a VITELLI), die ihrerseits Seneca (dial. 6), → Hieronymus (epist. 60) und → Ambrosius (exc. Sat. 1) beeinflußte. Das reichste Material bietet Seneca mit seinen Schriften an Marcia und an Polybius (dial. 6; 11) sowie drei Briefen (epist. 63; 93; 99). Plutarchs kleine Trostschrift an seine Frau (mor. 608a−612b) steht trotz ihres persönlichen Tons ebenfalls in der philos. Trad. Von den monographischen Werken gegen die Todesfurcht ist keines als Ganzes erhalten; einen Eindruck davon vermitteln aber Abschnitte umfassenderer Schriften (Lucr. 3,830−1094; Cic. Tusc. 1).

D. WIRKUNG

Argumentationsstil und Topoi der K. hatten eine breite Wirkung auf verwandte lit. Formen. Das zeigt sich in privaten Trostbriefen der ciceronianischen Korrespondenz (fam. 4,5, Sulpicius Rufus an Cicero; 5,16; nicht ad Brut. 1,9), ebenso in manchen poetischen Epicedia (→ Consolatio ad Liviam 343–470; Stat. silv. 2,1,208–237) und gelegentlich in Grabepigrammen (z. B. EpGr 650; CLE 1567). Trostargumente enthalten auch die Hdb. für die griech. Leichenrede aus der hohen Kaiserzeit (Ps.-Dion. Hal. rhet. 6,5; Menandros Rhetor p. 413 f.; 418–421 SPENGEL).

Während die röm. → *Laudatio funebris* (Leichenrede) bis weit in die Kaiserzeit keinen Trostteil enthielt [2. 82–86], finden sich in den Grabreden des Ambrosius (exc. Sat. 1; obit. Valent. 40–53) typische Gedanken der paganen K., die aber wie in den Grabreden und Trostbriefen der kappadokischen Kirchenväter (Greg. Naz. or. 7,18–21; epist. 223; Basil. epist. 5 f.; 300–302; Greg. Nyss. or. in Meletium, Opera 9, p. 454–457) mit christl. Gedankengut verschmolzen werden [2. 87 f.; 3; 4]. Ähnliches begegnet in Hier. epist. 60 und Ambr. epist. 8 FALLER, während in anderen christl. Schriften (z. B. Paul. Nol. epist. 13; Hier. epist. 39) die Motive der ant. K. nur noch mit Mühe erkennbar sind. Die Rezeption im MA und in der frühen Neuzeit ist beträchtlich.

→ KONSOLATIONSLITERATUR

1 J. HANI (Hrsg.), Plutarque: Consolation à Apollonios, 1972 2 W. KIERDORF, Laudatio Funebris, 1980 3 Y.-M. DUVAL, Formes profanes et formes bibliques dans les oraisons funèbres de St. Ambroise, in: Entretiens 23, 1977, 235–291 4 J. F. MITCHELL, Consolatory Letters in Basil and Gregory Nazianzen, in: Hermes 96, 1968, 299–318.

C. BURESCH, Consolationum a Graecis Romanisque scriptarum historia critica, in: Leipziger Stud. 9, 1887, 1–170 • CH. FAVEZ, La consolation latine chrétienne, 1937 • C. C. GROLLIOS, Seneca's Ad Marciam. Trad. and Originality, 1956 • H.-Th. JOHANN, Trauer und Trost, 1968 • R. KASSEL, Unt. zur griech. und röm. K., 1958 • K. KUMANIECKI, Die verlorene *Consolatio* des Cicero, in: Acta Classica Universitatis Scientiarum Debreceniensis 4, 1968, 27–47 • P. VON MOOS, Consolatio, 1971/2 (zur ma. Rezeption). W. K.

Konsole. Mod., aus dem frz. abgeleiteter t. t. für einen aus der Wand oder einem Pfeiler waagerecht hervorkragenden Tragstein, der als Lager für einen Bogen, für Figuren oder die Blöcke eines → Geison diente. Im Kontext der in der hell. Architektur zunehmend häufigen Geschoßbauweise und der Erweiterung des baulichen Formenspektrums kann die K. zur Dachzone eines Gebäudes überleiten, aber auch als strukturierendes Element der Mehrgeschossigkeit innerhalb eines Fassadensystems dienen. Das im 2. Jh. v. Chr. im östl. Mittelmeerraum aufkommende K.-Geison verbindet die an sich konstruktiv geschiedenen Elemente von waagerechter K. und darauf aufliegenden Blöcken zu einem einzigen Bauglied. In der augusteischen Architektur Roms (Concordiatempel) erreicht das K.-Geison mit weit ausladenden, Licht- und Schatteneffekte produzierenden, überreich mit Ornament überzogenen Formen seinen Höhepunkt als Dekorationsmittel. K. finden sich darüber hinaus als funktional motiviertes Bauelement

zuhauf in der kaiserzeitl.-röm. Architektur und vielfach in gemalter, bisweilen dreidimensional applizierter Form (Stuck) in der röm. Wandmalerei.

H. v. HESBERG, K.-Geisa des Hell. und der frühen Kaiserzeit, 24. Ergh. MDAI(R), 1980 • H. LAUTER, Die Architektur des Hell., 1986, 253–259 • W. v. SYDOW, Die hell. Gebälke in Sizilien, in: MDAI(R) 91, 1984, 239–358. C. HÖ.

Konsonant s. Lautlehre

Konstantinopolis (*Constantinopolis*).
I. LAGE II. TOPOGRAPHIE III. GESCHICHTE

I. LAGE
Residenzstadt, 324 n. Chr. von → Constantinus [1] d. Gr. an der Stelle von → Byzantion gegr. Im Norden vom Goldenen Horn, im Osten vom → Bosporos [1] und im Süden vom → Hellespontos begrenzt, war K. nur von einer Landseite her angreifbar. Durch seine Lage beherrschte K. Handel und Verkehr zw. Europa und Asien, zw. der Ägäis und dem Schwarzen Meer (→ Pontos Euxeinos; Herodian. 3,1,5; Pol. 4,38–45).

II. TOPOGRAPHIE
Die Stadtplanung folgte nicht dem üblichen kaiserzeitlichen Schema, sondern schuf durch fächerartig angelegte Haupt- mit einigen Querstraßen größere Flächen zur freien Bebauung [1]. Die wichtigsten Verkehrsadern waren die beiden Uferstraßen an der Propontis bzw. dem Goldenen Horn und die Mese, die sich, vom Osten vom Augusteion herführend, in der Stadtmitte gabelte. Seit der Erweiterung des Stadtrings unter Theodosius II. (402–450 n. Chr.) – jetzt erst ist ein Vergleich mit der Siebenhügelstadt Rom angebracht – war K. in 14 *regiones* mit 322 *vici* aufgeteilt. Eine Beschreibung der Top. und eine Liste der wichtigsten Gebäude in theodosianischer Zeit überl. die *Notitia urbis Constantinopolitanae* [2].

Die Innenstadt war durch große Plätze gegliedert: Das Augusteion (s. Lageplan Nr. 5) [2. 232] war ein frei zugänglicher Bereich an der Mese, in dem die staatliche und kirchliche Macht residierte: Kaiserpalast (Nr. 5b) und Senatsgebäude (Nr. 5c) im SO (Zos. 3,11,3; Prok. aed. 1,10,5–9; Ioh. Mal. 321,8–12), die Basilika (Nr. 5d) im NW (Prok. aed. 1,11,12), die Zeuxipposthermen (Nr. 5e) im SW (Ioh. Mal. 321,12 f.) und die → Hagia Sophia (Nr. 5a) mit Patriarchensitz im NO. Hier waren zahlreiche Statuen der kaiserlichen Familie aufgestellt [3. 158 ff.]. Ab etwa 500 n. Chr. ist hier auch Handelstätigkeit nachgewiesen. Seit dem 7. Jh. verlor das Augusteion immer mehr den Charakter einer → *agorá* und wurde zum Vorhof der Hagia Sophia [4. 44 ff.]. Das Konstantin-Forum (Nr. 8) [2. 234, 236] – dies war die eigentliche *agorá*, als Mittelpunkt des städtischen Lebens und Marktplatz schon von Constantinus d. Gr. konzipiert – erhob sich auf dem zweiten Stadthügel und stellte einen kreisförmigen, von zweistöckigen Arkaden mit

N

0 1 2 km

40°
Konstantinopolis
40°
T ü r k e i
35°
30°

Blachernai
(XIV)

Charsios-Tor

Chorakloster
(6.Jh.)

Phanarion

K e r a s
(Goldenes Horn)

Aestioszisterne
(421)

Pempton-Tor

Asparzisterne
(459)

Sykai Iustinianai
(Galata-Pera)
(XIII)

Lykos

Romanos-Tor

Deuteron

Neorion-Hafen
(spätantik)

Apostelkirche
(335–550)

Marcians-Säule
(452)

Zeugma
(X)

Goten-Säule
(332)

»Elebichu«

Valens-Aquädukt
(368–378)

Capitolium
(VII)

Medrion
(V)

Rhesion-Tor

Constantiniana
(XI)

Perama
(VI)

Strategion
(IV)

Mokioszisterne
(5./6.Jh.)

Mese

Mese

Akropolis
(II)

11

Exakionion

Arcadius-Forum (435)
(Forum Arcadi)

Xerolophos
(XII)

Philadelphion
(Forum Bovis)

d

10

e

c

5

Pege- oder
Selymbria-Tor

Arcadius-Säule
(402)

Philadelphion
(VIII)

(III)

b

a

6

b

1

Mese

Bus
(IX)

c

Palatium
Magnum
(I)

Xylokerkos-
Tor

12

Eleutherios-Hafen (4.Jh.),
Theodosios-Hafen (5.Jh.)

Kontoskalion-
Hafen (8.Jh.)

Sophien-Hafen
(362 n.Chr.)

P r o p o n t i s

Johannesbasilika und
Studioskloster (463 n.Chr.)

Goldenes
Tor

Kirche des hl. Diomedes
(463 n.Chr.)

0 10 20 30 40 50 60 70 m

Byzantion-Konstantinopolis: Archäologischer Lageplan der erhaltenen und rekonstruierten Denkmäler (bis 8.Jh.n.Chr.)

Bereich der vorchristlichen Akropolis (Byzantion)

1. Mauer unter Septimius Severus (vermuteter Verlauf, 2.Jh.)

2. Konstantinische Mauer (vermuteter Verlauf)

3. Konstantinische Seemauer (älteste Teile beim Palastbezirk: nach 196 n.Chr.)

4. Theodosianische Mauer (Haupt-, Vormauer, Graben; vollendet um 413 n.Chr.)

5. Tetrastoon (severisch, 2.Jh.; später Augusteion)

  a. Hagia Sophia

  b. Kaiserpaläste

  c. Senat

  d. Verwaltungsbasiliken

  e. Zeuxipposthermen

6. Hippodrom (203 n.Chr., vergrößert nach 324 n.Chr.)

  a. Obelisk aus Karnak (15.Jh.) auf reliefiertem Marmorsockel (um 390 n.Chr.)

  b. Schlangensäule aus Delphi (479 v.Chr.)

  c. gemauerter Obelisk (um 400 n.Chr.?)

7. Palast des Lausos (5./6.Jh.)

8. Konstantin-Forum (frühes 4.Jh.) (Forum Constantini)

  a. Reste der Konstantin-Säule (328 n.Chr.)

  b. Nymphaion (nicht dargestellt)

  c. Tribunal (nicht dargestellt)

  d. Konstantinkapelle (nicht dargestellt)

9. Theodosius-Forum (372–393 n.Chr.) (Forum Tauri)

  a. Reste des Ehrenbogens

10. Hagia Eirene (nach 740 n.Chr., mit Teilen vom iustinian. Atrium und Narthex, nach 532 n.Chr.)

11. Reste der Chalkopraten-Kirche (5.Jh.)

12. Zentralbau der Sergios- und Bakchos-Kirche (527–536 n.Chr.)

13. Kirche der heiligen Maria zur Pege (555/56 n.Chr.)

Zeugma Konstantinische regio (I-XIV)

Elebichu Stadt-Viertel

=== Hauptstraßen

erhalten bzw. z.T. erhalten

rekonstruiert

Reiterstatuen eingefaßten und gepflasterten Platz mit zwei Torbauten dar (Zos. 2,30,4). In seiner Mitte erhob sich die Konstantin-Säule (Nr. 8a) [3. 173 ff.], im NW befand sich der Senat, im Süden ein Nymphaion (Nr. 8b), im Osten das Tribunal (Nr. 8c). Die Gewölbesubstruktion im Sockel der Konstantin-Säule wurde im 9. Jh. n. Chr. evtl. in eine Kapelle des Hl. Constantinus umgewandelt (Nr. 8d; vgl. [5]). In allen Beschreibungen von Festzügen werden das Konstantin-Forum und v. a. die Säule und Kapelle des Constantinus als Station erwähnt. Auch war es der Ort, an dem sich die Einwohner von K. spontan versammelten (z. B. bezeugt für das große Erdbeben vom J. 533: Chr. pasch. 629,10–15).

Das Theodosius-Forum (Nr. 9) [2. 235] im Süden des dritten Stadthügels an der Mese (auch Taurus-Forum gen.) diente in frühbyz. Zeit als Empfangsort. Erst seit dem 8. Jh. sind auch kommerzielle Funktionen belegt. Das Arcadius-Forum (auch Xerolophos) gegenüber dem Lykostal an der Mese liegt ebenfalls auf einer Anhöhe. Ob es nach dem Erdbeben von 740 neu aufgebaut wurde, ist unbekannt. Der Hippodrom (Nr. 6), der bereits von Septimius Severus (193–211 n. Chr.) gestiftet worden war (Ioh. Mal. 292,12), wurde von Constantinus nach dem Vorbild des röm. Circus Maximus (→ Circus C.; Zos. 2,31,1; Ioh. Mal. 321 f.; Chr. pasch. 528) für 30000 Zuschauer ausgebaut. Außer zu Wettkämpfen diente der Hippodrom polit. Zusammenkünften und der Propaganda der »blauen« und »grünen« Parteien (→ *factiones*). K. stand zu Beginn unter einem *proconsul*, ab 359 unter einem *praefectus urbi* (*éparchos*), dessen Sitz sich ganz in der Nähe des Konstantin-Forums befand. Der Mangel an Bauland wurde durch eine spezielle Gesetzgebung, die Bauformen, Höhe und Hausabstand u. a. verbindlich vorgab, geregelt. Zur Einsparung von Grundstücken und zu billiger Unterbringung der armen Bevölkerung gab es fünf- bis sechsstöckige Wohnhäuser. Wenn die Einwohner von K. auch theoretisch keinen Einfluß auf die Politik des Reiches ausüben konnten, so war der Druck der beiden Hauptparteien, der »Blauen« und der »Grünen«, auf Stadt- und sogar Reichsverwaltung manchmal nicht unerheblich. Mit der Vereinigung dieser sonst im Streit liegenden Parteien kam es 532 zum → Nika-Aufstand.

Die Versorgung der riesigen Hauptstadt mit genügend Trinkwasser aus dem Hügelland nordwestl. von K., oft über große Entfernungen, stellte eine enorme Leistung dar (→ Wasserversorgung, → Wasserleitungen). → Constantius [2] II. ließ eine Fernleitung anlegen und mehrere große Zisternen ausbauen. Kaiser Valens errichtete 363–373 einen Aquädukt, von dem große Teile h. noch erh. sind; bald danach ließ Theodosius I. (379–395 n. Chr.) ebenfalls einen Aquädukt von Norden her anlegen. Dennoch mußte der Wasserverbrauch immer wieder durch Erlasse eingeschränkt werden. Dazu kamen riesige offene Zisternen und überdeckte Wasserbehälter unter öffentlichen und privaten Bauten, die außer zur Wasserversorgung durch ihre statischen

Eigenschaften auch zur Sicherung der Gebäude bei Erdbeben beitrugen (z. B. Yerebatan Sarayı). Um die Versorgung der Einwohner von K. mit Waren zu gewährleisten, war der Aus- und Neubau von Häfen sowohl im Goldenen Horn als auch an der Propontis-Küste (Getreidehäfen) erforderlich (→ Lebensmittelversorgung, → Landwirtschaft). Das Handwerk war hauptsächlich im Manganenviertel und nördl. der Mese konzentriert. Eine bes. Bed. für die Staatswirtschaft erlangte die Produktion von → Seide, nachdem 551 n. Chr. lebende Seidenraupen heimlich aus China nach K. gebracht worden waren. Außer den großen Kirchen der Stadt entstanden gegen 380 auch außerhalb der Stadtmauern Klöster und mehrere Kirchen. Im 5. Jh. nahm dann die Zahl der innerhalb der Stadtmauern liegenden Klöster, v. a. im nicht so dicht bebauten SW und im Lykos-Tal, erheblich zu.

Schon Constantinus d. Gr. konzipierte K. auch als einen kulturellen Mittelpunkt. Immer waren ästhetische Kriterien als Träger kaiserlicher Ideologie für Stadtplanung und -ausstattung von größter Bed. Dazu gehörten das Aufstellen unzähliger Denkmäler und Statuen auf den öffentlichen Plätzen, Anlage von Säulenstraßen, Bau und Ausstattung der öffentlichen Gebäude und Kirchen mit Mosaiken, Wandmalereien, Skulpturen u. a., teilweise durch weltweiten Kunstraub. In der Basilika neben der 357 gegründeten Bibliothek wurde eine Universität geschaffen, die 425 in das Capitol verlegt wurde. Sie wurde zum wichtigsten Bildungszentrum sowohl der Stadt als auch des gesamten Reiches. Hier wurden nicht nur Rechtswiss., Gramm., Rhet. und Philos. gelehrt, sondern auch das klass.-ant. Erbe tradiert.

→ Byzantion (mit Karte); KONSTANTINOPEL

1 A. BERGER, Die Altstadt von Byzanz in der vorjustinianischen Zeit, in: Poikila Byzantina, Varia 3, 1987, 7–30 2 O. SEECK, Notitia urbis Constantinopolitanae, in: Ders. (Hrsg.), Notitia Dignitatum, 1876 (Ndr. 1962, 1983), 227–243 3 F. A. BAUER, Stadt, Platz und Denkmal in der Spätant., 1996, 143–268 4 R. GUILLAND, Ét. de top. de Constantinople byzantine 2, 1969 5 C. MANGO, Constantine's Porphyry Column and the Chapel of St. Constantine, in: C. MANGO, Stud. on Constantinople 4, 1993, 103–110.   I. v. B.

W. MÜLLER-WIENER, Bildlex. zur Top. Istanbuls, 1977 · G. OSTROGORSKY, Gesch. des byz. Staates, 1975. KARTEN-LIT.: R. JANIN, Constantinople Byzantine, 1964 · W. KLEISS, Top.-arch. Plan von Istanbul, 1965 · C. MANGO, Le développement urbain de Constantinople (IVᵉ–VIIᵉ siècles), 1985 · W. MÜLLER-WIENER, Bildlex. zur Top. Istanbuls, 1977.

III. GESCHICHTE

Constantinus beabsichtigte nach seinem Sieg von 324 n. Chr., → Byzanz zunächst als Monument auszubauen, gestaltete es dann jedoch als Hauptstadt, um seine Stellung durch eine repräsentative Neugründung zu untermauern. Das »heidnisch« geprägte Rom war dazu ungeeignet, behielt jedoch Rang und Privilegien.

Ältere Kunstwerke und Bauteile wurden, wie in der Spätant. üblich, aus allen Reichsteilen in die überdimensioniert konzipierte Stadt integriert. K. wurde mit Capitolium, Münze, Praetorium, Hippodrom, Fora (Hauptplatz: Augusteion, Forum Constantini mit noch erh. Säule), Hauptverkehrsachse (*miliareum aureum*, μίλιον) und Palast ausgestattet. Die Umbenennung der Stadt in K. erfolgte wahrscheinlich bereits 324, die Einweihung am 11. Mai 330. Das stadtröm. Vorbild beeinflußte K. eher indirekt über Tetrarchenresidenzen wie → Thessalonike und → Nikomedeia. Die Neugründung ging zwar mit dem Ende der Christenverfolgungen einher und hatte von Anf. an christl. Charakter, war aber dennoch nicht als Versinnbildlichung der neuen Religionspolitik konzipiert. Die bedeutendsten Kirchenbauten der Stadt waren zwar konstantinische Gründungen, wurden jedoch erst später vollendet: Hagia Eirene (s. Lageplan Nr. 10), → Hagia Sophia (Nr. 5a), die später zum spirituellen Zentrum der orthodoxen Welt wurde, und die 1462 wegen Baufälligkeit abgerissene Apostelkirche, die Grabstätte der Kaiser.

Das Areal wuchs seit 412 durch den Bau einer neuen, noch h. erh. Landmauer mit 96 Türmen (Nr. 4), von ca. 6 km² unter Constantinus auf etwa 12 km². Die Bevölkerung von Stadt und Umland, die im 6. Jh. mehr als eine halbe Million betrug, ging bis zur Mitte des 8. Jh. zurück, stieg dann wieder und erreichte im 11. Jh. mit über einer halben Million den Höhepunkt. Um 1300 hatte K. um die 100000, vor der türk. Eroberung (1453) nicht mehr als 40000 Einwohner.

Seit seiner Gründung kontinuierlich Regierungssitz des ungeteilten, dann des Oström. Reiches und seit → Theodosius I. ständige Residenz, blieb K., trotz periodisch wiederkehrender Stadtbrände, Seuchen und Erdbeben, im MA Großstadt modernen Ausmaßes und Reichshauptstadt, die das Reich polit., wirtschaftlich, rel. und kulturell prägte. Weder wiederholte Angriffe noch Belagerungen (durch Perser, Avaren, Araber, Bulgaren, Rus') konnte die Mauern überwinden – bis 1204, als K. durch die Ritter des vierten »Kreuzzugs« unter Führung Venedigs erobert wurde. Die Zerstörung und gründliche Plünderung erfaßte auch zahlreiche Monumente und bedeutete das Ende von K.s Blüte und Reichtum. Größere polit. Bed. war der Stadt nach der Regierung Michaels VIII. (bis 1282) nicht mehr beschieden. Sultan Mehmed II. eroberte nach langer Belagerung K. am 29.5.1453.

→ Byzantion (mit Karte); KONSTANTINOPEL

H.-G. BECK, Konstantinopel. Zur Sozialgesch. einer früh-ma. Stadt, in: ByzZ 58, 1965, 11–45 · B. BLECKMANN, Konstantin der Große, 1996, 109–119 · G. DAGRON, Naissance d'une capitale, 1974 · A. DEMANDT, Die Spätantike, 1989, 75 f. · R. JANIN, Constantinople Byzantine, ²1964 · C. MANGO, Le développement urbain de Constantinople, 1985 · C. MANGO, G. DAGRON (Hrsg.), Constantinople and Its Hinterland, 1995 · W. MÜLLER-WIENER, Bildlex. zur Top. Istanbuls, 1977 ·

Ders., Die Häfen von Byzantion–Konstantinupolis–Istanbul, 1994 · M. RESTLE, s. v. Konstantinopel, Reallex. zur byz. Kunst 4, 1990, 366–737.   G. MA.

Konstantin(os)   (s. auch Constantinus).

[1] K. VII. Porphyrogennetos (byz. Kaiser 905–959 n. Chr.; Alleinherscher 945–959). Sohn des byz. Kaisers → Leon VI. (886–912) und der Zoe Karbonopsina; zu K. als Politiker → Constantinus [9]. Seine lit. Tätigkeit war auf die Erhaltung und Kodifizierung des Wissens auf verschiedenen Gebieten für praktische Zwecke ausgerichtet. So sind die *Excerpta* [1], eine von ihm angeregte histor. und moralische Enzyklopädie, ein riesiges, in 53 B. thematisch gegliedertes Sammelwerk, das aus Partien mehrerer Historiker aus ant. und namentlich frühbyz. Zeit besteht (für einige davon ist es die einzige Quelle); erh. ist das Material aus vier Gebieten: *Excerpta de legibus, de insidiis, de sententiis, de virtutibus et vitiis.* In der *Vita Basilii* [2], dem fünften Buch einer unter seinen Auspizien verfaßten Chronographie, die unter dem Titel → Theophanes Continuatus bekannt ist, bietet er ein »biographisches Enkomion« seines Großvaters → Basileios [5] I. (867–886) und zugleich ein Stück ideologisch-polit. Propaganda für die durch diesen Kaiser begründete → Makedonische Dynastie.

Bei der Entstehung der Werke soll K. v. a. als *spiritus rector* fungiert haben; er soll Material für seine anon. Mitarbeiter zusammengestellt, Form und Inhalt des Unternehmens konzipiert sowie jeweils das Prooimion und kurze Partien in einfacherer Sprache verfaßt haben:

1) Das an seinen Sohn Romanos gerichtete Werk *De administrando imperio* [3] stellt ein Lehrbuch über außenpolit. Verhältnisse und diplomatische Praxis dar, ein Dossier über die Kontakte des Reiches mit verschiedenen Nachbarvölkern.

2) Die aus geogr. Lexika schöpfende Kompilation *De thematibus* [4] behandelt Entstehung und Gesch. der byz. Provinzen (*themata*) in Ost und West.

3) Eine aufgrund des kaiserlichen Archivmaterials kompilierte Enzyklopädie von hohem histor. Wert über Hofzeremoniell und Rangämterstruktur stellt schließlich die Schrift *De ceremoniis aulae byzantinae* [5] dar (vgl. auch → Kletorologion).

4) Drei Traktate [6] informieren über die Vorbereitungen des Kaisers zu kriegerischen Expeditionen in den Osten. Unter dem Namen des Kaisers werden ferner sieben Briefe [7], liturgische Dichtungen [8] sowie zwei Reden an die Soldaten [9; 10] und eine Homilie [11; 12] überliefert.

1 C. DE BOOR, U. PH. BOISSEVAIN, T. BÜTTNER-WOBST, A. G. ROOS (ed.), Excerpta historica iussu imperatoris Constantini confecta I–IV, 1903–1910 2 I. BEKKER (ed.), Theophanes Continuatus ..., 1838, 211–353 3 G. MORAVCSIK, R. J. U. JENKINS (ed.), De administrando imperio, ²1967 4 A. PERTUSI (ed.), Constantino Porfirogenito, De thematibus, 1952 5 I. I. REISKE (ed.), Constantini Porphyrogeniti imperatoris De ceremoniis aulae byzantinae libri duo, 2 Bde., 1829 f. 6 J. F. HALDON

(ed.), Constantine Porphyrogenitus, Three Treatises on Imperial Military Expeditions, 1990 **7** J. Darrouzès, Épistoliers byzantins du Xe siècle, 1960, 317–332 **8** PG 107, 300–308 **9** R. Vari, in: ByzZ 17, 1908, 78–84 **10** H. Ahrweiler, in: Traveaux et Mémoirs 2, 1967, 397–399 **11** PG 113, 424–453 **12** E. von Dobschütz, Christusbilder, 1899, 39******–85**.

ODB 1, 502 ff. • LMA 5, 1991, 1377 f. • P. Lemerle, Le premier humanisme byzantin, 1971, 309–346 • A. Toynbee, Constantine Porphyrogenitus and His World, 1973 • Hunger, Literatur 1, 360–367 • A. Markopoulos (Hrsg.), Κωνσταντίνος Ζ´ ὁ Πορφυρογέννητος καὶ ἡ ἐποχή του, 1989 • I. Ševčenko, Re-reading Constantine Porphyrogenitus, in: J. Shepard, S. Franklin (Hrsg.), Byzantine Diplomacy, 1992, 167–195 • Th. Pratsch, C. Sode, P. Speck, S. Takács, Poikila Byzantina. Varia 5, 1994.   I. V.

[2] K. von Rhodos. Byz. Dichter aus Lindos (ca. 870/80 bis nach 931), kaiserlicher Würdenträger in Konstantinopel unter Leo VI. dem Weisen, danach Sekretär von K. [1] Porphyrogennetos. Von seiner unvollendeten Beschreibung der Apostelkirche (V. 19–254 preisen die sieben Wunder von Konstantinopel) sind 981 monotone Zwölfsilbler erh. [1]. Unter den Jugendwerken sind, abgesehen von den Spottgedichten auf Leon Choirosphaktes und den Eunuchen Theodoros von Paphlagonien [2], drei Epigramme zu nennen: Anth. Pal. 15,15 (nicht einwandfreie Hexameter, verfaßt zw. 908 und 912) und 15,16–17 (in iambischen Trimetern): die ersten beiden über ein Kruzifix, das K. in Lindos aufstellen ließ, das dritte über ein Gemälde der Jungfrau Maria. Ihm könnte auch das anon. Gedicht Anth. Pal. 15,11 (= IG XII 1, 783) gehören: fünf Distichen, die heute noch auf der Akropolis von Lindos zu lesen sind und einer Aufforstung der Stadt mit Olivenbäumen durch Aglochartos (Ende 3. Jh. n. Chr.?) gedenken. K. war an der Kompilation des 15. B. der *Anthologia Palatina* beteiligt: Seine Gleichsetzung mit dem Schreiber (J), der die Redaktion der gesamten Sammlung koordinierte (ca. 940), ist denkbar.

1 E. Legrand, Description des œuvres d'art et de l'Église des saints Apôtres à Constantinople par Constantine le Rhodien, in: REG 9, 1896, 32–65 **2** R. Matranga, Anecdota Graeca Bd. 2, 1850, 624–625, 625–632.

Al. Cameron, The Greek Anthology from Meleager to Planudes, 1993, 300–328, 401 f.   M. G. A./Ü: T. H.

[3] K. von Sizilien. Byz. Dichter, Philosoph und Grammatiker, wahrscheinlich nicht mit dem K. gleichzusetzen, der Invektiven gegen seinen Lehrer Leon den Philosophen [1] schrieb, sondern mit dem Redaktor der *Sylloge Crameriana* aus dem Zeitraum zw. der Anthologie des Kephalas (ca. 900) und der *Anthologia Palatina* (ca. 940). Von ihm sind ein tetrastichisches Epigramm (Anth. Pal. 15,13: Der Stuhl des K. weist Ungebildete von sich, vgl. die Replik des → Theophanes in 15,14), und zwei anakreontische Gedichte erh., die ihn in die Reihe der besten späten Dichter dieser Gattung stellen [2].

1 M. D. Spadaro, Sulle composizioni di Costantino il Filosofo del Vaticano 915, in: Siculorum Gymnasium 24, 1971, 198–202 **2** Th. Bergk (ed.), Poetae Lyrici Graeci 3⁴, 348–354.

A. Cameron, The Greek Anthology from Meleager to Planudes, 1993, 245–252, passim.   M. G. A./Ü: T. H.

Kontagion (lat. *contagio*, »Ansteckung«). Krankheitsübertragung von einer Person auf eine andere auf direktem oder indirektem Wege. Mit K. verbindet sich die Vorstellung der Befleckung; im Judentum z. B. gilt, daß Menschen, die an bestimmten Krankheiten (wie Lepra) leiden, oder etwa menstruierende Frauen gemieden werden müssen (→ Kathartik). Die angeführten Gründe lassen sich entweder in hygienischem oder rel. Sinne verstehen. Ähnliche Empfehlungen sind auch aus dem alten Babylonien und Griechenland bekannt. Die Beobachtung, daß Menschen, die engen Kontakt zu Kranken haben, am meisten zu leiden haben, wird erstmalig von Thukydides (2,51) in seiner Schilderung der athenischen Pest artikuliert. V. a. im Lat. verwenden nichtärztliche Autoren den Begriff *contagio* oder *contagium* regelmäßig, wenn es um die Verbreitung einer Krankheit, von Panik oder sogar einer theologischen Irrlehre geht, auch wenn die Vorstellung des Berührtwerdens (sei es von der Krankheit oder vom Kranken) häufiger durch die unbestimmtere Assoziation der Nähe ersetzt wird. Abgesehen von den Quellen der → Methodiker (Plut. symp. 5,7; Caelius Aurelianus, De morbis chronicis 4,13; Theodorus Priscianus, Logica 59) sprechen ärztliche Autoren lieber von individueller Disposition, Miasmen und schlechter Luft. Im Zusammenhang mit der interindividuellen Krankheitsübertragung betonen griech.-sprachige Autoren eher das gemeinsame Element als den Übertragungsvorgang, der nur selten erforscht oder erklärt wird. Vielleicht mochte man nicht an eine mechanistische Krankheitserklärung glauben, oder man schreckte vor den Schwierigkeiten zurück, die damit verbunden gewesen wären, auf Kranke dieselben Quarantäne- oder gar Tötungsmaßnahmen anzuwenden, die Veterinärärzte praktizierten.

K. H. Leven, Miasma und Metadosis – ant. Vorstellungen von Ansteckung, in: Medizin, Ges. und Gesch. 11, 1993, 44–73 • K. F. H. Marx, Origines contagii, 1824 • V. Nutton, Did the Greeks Have a Word for It? Contagion and Contagion Theory in Classical Antiquity, in: L. I. Conrad (Hrsg.), Concepts of Contagion and Infection, 1999.   V. N./Ü: L. v. R.-B.

Kontakion (κοντάκιον, κονδάκιον; von κοντός, »Pergamentrolle«). Späterer Name für die Gattung byz. Hymnen, die seit dem 6. Jh. n. Chr. nachweisbar ist. Das K. besteht aus 18 bis 24 metrisch gleichen Strophen (sog. *oíkoi*, οἶκοι), denen das metrisch differierende Prooimion (*kukúlion*, κουκούλιον) vorangestellt ist. Die einzelnen Strophen sind durch Akrostichis (→ Akrostichon) verbunden und haben einen gemeinsamen Refrain (das *ephýmnion* bzw. *akroteleútion*, ἐφύμνιον,

ἀκροτελεύτιον). Kontakia sind verwandt mit den syr. → *madraša* (→ Ephraem Syrus), haben Predigtcharakter und sind metrisch gegliedert. Häufig gehen sie auf bekannte Prosapredigten zurück, einige schließen sich an bereits bestehende Melodien an. Der bedeutendste Verfasser von K. ist der Diakon syr. Herkunft → Romanos Melodos, das berühmteste und mit 24 Strophen längste K. der (bis h. gesungene) *Akathistos Hymnos*. Im 8. Jh. n. Chr. wird das K. durch den → Kanon verdrängt.
→ Hymnos

CHR. HANNICK, Zur Metrik des K., in: W. HÖRANDNER u. a. (Hrsg.), Byzantios. FS H. Hunger zum 70. Geburtstag, 1984, 107–119 • W. L. PETERSEN, The Dependence of Romanos the Melodist upon the Syriac Ephrem; Its Importance for the Origin of the K., in: Vigiliae Christianae 39, 1985, 171 ff.   K. SA.

Konthyle (Κονθύλη). Att. Mesogeia-Demos der Phyle Pandionis, ab 224/3 v. Chr. der Ptolemaïs; ein → *buleutḗs*; die Lage ist ungewiß (Mazareïka? [2; 3. 43]). Nach [1. 601 ff.] bildete K. mit Erchia und Kytherros den Kultverband von Trikomoi. Quellen: Aristoph. Vesp. 233; Phot. s. v. Κοθύλη.

1 P. J. BICKNELL, Clisthène et Kytherros, in: REG 89, 1976, 599–603 2 M. PETROPOLAKOU, E. PENTAZOS, Ancient Greek Cities 21. Attiki, 1973, 157 Nr. 25 3 TRAILL, Attica 43, 62, 69, 111 Nr. 73, Tab. 3, 13.   H. LO.

Kontorniaten. Mod. t. t. für überwiegend in der Münzstätte Rom, aber möglicherweise auch in privaten Werkstätten geprägte oder gegossene ant. Medaillone mit hochgehämmertem Rand (it. *contorno*) und zusätzlicher gravierter Rille, meist aus Messing, seltener aus Br., Dm durchschnittlich 40 mm. Die Beizeichen, häufig ein Palmzweig und das Monogramm PE [2. Teil 2, 242–306], sind überwiegend nachträglich eingeritzt und manchmal in Niello-Technik mit Silber eingelegt. Die Entstehungszeit der K. datiert in das 4. und 5. Jh. n. Chr. [2. Teil 2, 7 ff.; 4].

Auf den Av. der K. begegnen die Bildnisse etwa von Alexander d. Gr., Horaz, Sallust, von den röm. Kaisern bes. Nero, Traian und Caracalla bzw. Divus Augustus, auf den Rv. myth. Darstellungen z. B. aus der Alexandertrad. sowie Wettkampf- und Circusszenen [2. Teil 1]. Von den Beizeichen steht die Palme sicherlich als Siegeszeichen, die Interpretation des Monogrammes PE ist noch immer umstritten, vielleicht steht es als ein dem Besitzer glückbringendes Zeichen für *P(raemiis) FEL(iciter receptis)* [1. 30 ff.; 2. Teil 2, 309 ff.; 4].

Noch nicht eindeutig geklärt ist, welchem Zweck die K. dienten. A. Alföldi [1; 2] sah in ihnen in erster Linie ein Propagandamittel der stadtröm. paganen Aristokratie. Fest steht, daß sie in der Ikonographie von der nichtchristl. Vergangenheit beeinflußt sind und u. a. bei den Spielen aus Anlaß von Amtsantritten der führenden Magistrate verteilt wurden [4]. Vorläufer der K. sind Mz. mit aufgehämmertem Rand (→ Sesterze, → Dupondien, → Asse), die wohl als Brettsteine verwendet wurden [3; 4].

1 A. ALFÖLDI, Die K. Ein verkanntes Propagandamittel der stadtröm. heidnischen Aristokratie in ihrem Kampfe gegen das christl. Kaisertum, 1942/3 2 A. ALFÖLDI, E. ALFÖLDI, Die Kontorniat-Medaillons, Teil 1, 1976, Teil 2, 1990 3 GÖBL, Bd. 1, 31 4 M. R.-ALFÖLDI, Ant. Numismatik, Teil 1, 1978, 214 f.   GE. S.

Kontraktion s. Lautlehre

Kontrazeption. In den gynäkologischen Schriften des *Corpus Hippocraticum* (→ Hippokrates, mit Werk- und Abkürzungsverzeichnis) geht es in der Hauptsache um die Gebärfähigkeit der Frau. Die einzige Ausnahme von dieser Regel stellt eine Rezeptur mit angeblich empfängnisverhütender Wirkung dar, von deren Grundsubstanz μίσυ/*mísy* (vielleicht Kupfererz) behauptet wird, daß sie, in Wasser gelöst und oral eingenommen, die Empfängnis ein Jahr lang verhindern könne ([Hippokr.] Mul. 1,76; 8,170 L. und Hippokr. Nat. Mul. 98; 7,414 L.). [1]. Doch auch wenn dies – im mod. Sinne des Wortes – das einzige »Kontrazeptivum« im hippokratischen Schriftencorpus ist, wäre es unangebracht, damit das Thema K. im Alt. für erschöpft zu halten. Da man in der Empfängnis einen schrittweisen Prozeß zu erkennen glaubte, in dessen Verlauf der Samen sich in der Gebärmutter »setzt« (vgl. Aristot. gen. an. 737a 21) und langsam »gekocht« wird (vgl. [Hippokr.] Genit./Nat. Puer. 12,7,486 L.), war in der Ant. die Grenze zwischen K. und Schwangerschaftsabbruch fließend. Arzneimittel, die auch als → Abortiva eingesetzt werden konnten, wurden für gewöhnlich als Mehrzweck-Austreibungsmittel angepriesen, so daß die ›Herbeiführung einer späten Periodenblutung‹ eine euphemistische Bezeichnung für einen Schwangerschaftsabbruch in der frühen Schwangerschaft darstellte, zumal ja sogar der Infantizid bisweilen als eine ausgesprochen späte Abtreibung angesehen wurde (→ *abortio*, → *abortiva*, → Abtreibung).

Der medizinische Schriftsteller → Soranos, dessen ›Gynäkologie‹ unter Traian und Hadrian entstand, stellt eine Ausnahme dar: Er favorisiert die Empfängnisverhütung (verstanden als jede Form der Intervention, die die Vereinigung des männlichen Samens mit dem weiblichen verhindert) gegenüber dem Schwangerschaftsabbruch (definiert als Zerstörung des Samens), weil sie die sicherere Methode der Geburtenkontrolle darstelle (1,20,60). Die von ihm verordneten Arzneimittel sollten eine kühlende und obstruierende Wirkung haben, um den männlichen Samen am Eindringen in die Gebärmutter zu hindern, oder aber eine erwärmende oder reizauslösende Wirkung, um den Samen auszustoßen. Diese empfängnisverhütenden Arzneimittel wurden vaginal oder mittels getränkter Schwämme als Pessare verabreicht. Zu den angewandten Substanzen gehörten Granatapfelhaut, Ingwer, Olivenöl, Essig und verschiedene Harze, die das Säure-Basen-Gleichgewicht in der Scheide beeinflußt und so das Milieu für die Spermien verschlechtert haben könnten.

Abgesehen von Arzneimitteln standen jedoch auch andere Praktiken der Empfängnisverhütung zur Verfügung, darunter empfängnisverhütende Stellungen beim Geschlechtsverkehr, der Coitus interruptus (möglicherweise das ›Landen im grünen Gras‹ des Archilochos, P. COLON 7511 = SLG 4782), Versuche zur Samenverhaltung und Verfahren zur Austreibung des Samens aus der Gebärmutter im unmittelbaren Anschluß an den Geschlechtsverkehr, wie etwa Auf- und Abspringen, Duschen oder provoziertes Niesen (Soran. 1,20,61). In [Hippokr.] Genit. 5 (7,476 L.) wird behauptet, daß eine Frau, die nicht schwanger werden möchte, den Samen beider Partner ausstoßen kann, wann immer sie es wünscht. Auch Amulette und Beschwörungspraktiken wurden eingesetzt; eine solche Beschwörungsformel, die auf einem Pap. aus dem 4. Jh. erh. ist, spricht u. a. davon, einen Frosch in Menstrualblut eingeweichte Wickensamen schlucken zu lassen, wobei jeder hinuntergeschluckte Samen ein Jahr Empfängnisfreiheit sicherstelle (PGM 36, 320–332). Die Schwierigkeit bei der Bewertung sämtlicher ant. Kontrazeptiva besteht jedoch darin, daß in der ant. Medizin Polypragmasie die Regel war. Da die Menschen zu den unterschiedlichsten Heilmitteln und wohl auch zu Beschwörungspraktiken und Amuletten gleichzeitig griffen, dürfte es im Falle einer erfolgreichen Schwangerschaftsverhütung äußerst schwer gewesen sein, Gewißheit zu erlangen, welche Einzelmaßnahme den gewünschten Erfolg gehabt hatte und als solche weiterzuempfehlen war [2].

Für den Einsatz kontrazeptiver Maßnahmen gab es unterschiedliche Gründe. Es wurde die Meinung vertreten, daß Prostituierte das Wissensreservoir in puncto K. bildeten und Ärzte später von ihnen lernten [3]. Eine weitere mögliche Informationsquelle dürften die → Hebammen gewesen sein, doch ist es unsicher, ob sie im Alt. einen größeren Kundenkreis hatten. Gewiß dürften Frauen, deren ökonomischer Wert von kontrazeptiven Maßnahmen abhing, eher ein Interesse an Empfängnisverhütung gehabt haben. Doch werden auch Frauen, die nicht Prostituierte waren, kontrazeptives Wissen benötigt haben, wenn sie außerehelichen Geschlechtsverkehr oder innerhalb der Ehe empfängnisfreie Intervalle zwischen den Schwangerschaftszeiten wollten. Soranos verurteilt Frauen, deren Interesse an Empfängnisverhütung lediglich dem Wunsch entspringt, ihre Schönheit zu erhalten oder eine ehebrecherische Beziehung zu verheimlichen, doch räumt er ein, daß K. hier und da angezeigt ist, wenn die Gebärmutter für eine Schwangerschaft zu klein und die Gesundheit der Frau im Falle einer Schwangerschaft in Gefahr ist (Soran. 1,20,60). Wieweit man sich im Alt. überhaupt für Empfängnisverhütung interessierte, läßt sich nicht mit Sicherheit sagen; angesichts der hohen Kindersterblichkeit wird man sich wohl vielmehr oft darum bemüht haben, die Empfängnischancen zu erhöhen. Die Kindstötung wurde als Methode der Geburtenkontrolle (→ Familienplanung) z. T. der Empfängnisverhütung und dem Schwangerschaftsabbruch

vorgezogen: Die Eltern hatten so die Möglichkeit, das Geschlecht und den Gesundheitszustand ihres Kindes festzustellen, bevor sie entschieden, ob sie es aufziehen wollten oder nicht.

→ Familienplanung; Frau; Geburt; Gynäkologie; Kindesaussetzung

1 J. RIDDLE, Contraception and Abortion from the Ancient World to the Renaissance, 1992, 74–76 2 K. M. HOPKINS, Contraception in the Roman Empire, in: Comparative Studies in Society and History 8, 1965, 124–151 3 B. W. FRIER, Natural Fertility and Family Limitation in Roman Marriage, in: CPh 89, 1994, 318–333.

L. A. DEAN-JONES, Women's Bodies in Classical Greek Science, 1994 · M. T. FONTANELLE, Avortement et contraception dans la médecine gréco-romaine, 1977 · H. KING, Hippocrates' Women, 1998.   H. K./Ü: L. v. R.-B.

Kontrolle (politisch) s. Censores; Collega; Dokimasia; Ephoroi; Euthynai

Kontrollzeichen. Als zusätzliche Kontrollmöglichkeit auf den Münzstempeln neben Münzbild und -legende angebrachte kleinere Zeichen (Bilder, Monogramme, Zahlzeichen, Buchstaben, Namenskürzel) zur Identifizierung bestimmter Emissionen, Prägeperioden oder Offizinen. K. tauchten im 4. Jh. v. Chr. (Nebenmünzbilder), dann vermehrt im Hell. (Monogramme) und auch in der röm. Republik auf. Aus Monogrammen und Kürzeln entwickelten sich z. T. mehr oder weniger ausgeschriebene Beamtennamen (Hell.; röm. Republik). Bei einer Reihe von röm. Emissionen zw. 110 und 67 v. Chr. war das Kontrollsystem bes. ausgeprägt, z. T. wurden sogar die einzelnen Münzstempel durch Symbole, Buchstaben oder Zahlzeichen unterschieden (z. B. Calpurnius [I 20] Piso Frugi, 67 v. Chr.). Differenziert war das Kontrollsystem auch bei den röm. Mz. der Spätant., wo ab dem späten 3. Jh. die Angaben von Münzstätte und Offizin, oft ergänzt durch weitere Symbole, in ständig variierter Art erschienen.

1 T. V. BUTTREY, The Denarii of P. Crepusius and Roman Republican Mint Organization, in: ANSMusN 21, 1976, 67–108 2 M. H. CRAWFORD, N. Fabi Pictor, in: NC 1965, 149–154 3 Ders., Control-Marks and the Organization of the Roman Republican Mint, in: PBSR 34, 1966, 18–23 4 C. A. HERSH, Sequence Marks on Denarii of Publius Crepusius, in: NC 1952, 52–66 5 Ders., A Study of the Coinage of the Moneyer C. Calpurnius Piso L. f. Frugi, in: NC 1976, 7–63 6 H. ZEHNACKER, Moneta. Recherches sur l'organisation et l'art des émissions monétaires de la Republique romaine, Bd. 1, 1973, 91–195.   DI. K.

Kontur s. Malerei; Vasenmaler

Koon (Κόων). Troer, ältester Sohn des → Antenor [1]. Beim Versuch, seinen Bruder → Iphidamas an Agamemnon zu rächen, verwundet er diesen am Arm, wird aber selbst von ihm getötet; Agamemnon muß infolge der Verletzung aus dem Kampf ausscheiden (Hom. Il. 11,248ff.; 19,53). Die Szene war auf der → Kypseloslade dargestellt (Paus. 5,19,4).

P. WATHELET, Dictionnaire des Troyens de l'Iliade, 1988, Nr. 196.   MA. ST.

Kopai (Κῶπαι). Schon im Schiffskatalog (Hom. Il. 2,502) gen. boiot. Ort auf einem Hügel am NO-Ufer des nach ihm ben. Sees (Strab. 9,2,18; Paus. 9,24,1), h. Kastron (ehemals Topolia). Seit protogeom. Zeit besiedelt, ant. Überreste weitgehend überbaut. Das Gebiet von K. umfaßte die NO-Bucht des Kopais-Sees mit der bislang nicht identifizierten spätmyk., h. Gla (Palaiokastro) gen. Festung und das anschließende Umland, es grenzte im Süden an Akraiphia (IG VII 2792; SEG 30,440). Mitglied des boiot. Bundes (Karte: → Boiotia, Boiotoi), stellte K. ab 446 (?) v. Chr. mit Akraiphia und (nach 424) Chaironeia im Wechsel einen → Boiotarchen (Hell. Oxyrh. 19,3,394–396). Polisorganisation mit einem Archonten an der Spitze [2. 283; 3], im 4. Jh. zeitweilig eigene Mz.-Prägung [1. 344].

1 HN 2 R. SHERK, The Eponymous Officials of Greek Cities I, in: ZPE 83, 1990, 249–288 3 FOSSEY, 277–281, 288–290.

J. M. FOSSEY, The Cities of the Kopaïs in the Roman Period, in: ANRW II 7.1, 560–562 · Ders., Mycenean Fortifications of the North East Kopaïs, in: OpAth 13.10, 1980, 155–162 · N. D. PAPACHATZIS, Παυσανίου Ελλάδος Περιήγησις 5, ²1981, 160–163.   M. FE.

Kopais (Κωπαΐς). Nordboiot. Becken, ehemals mit oberirdisch abflußlosem See, in den die Flüsse → Kephis(s)os [1] (daher auch Κηφισίς, Hom. Il. 5,709; Paus. 9,24,1) und Melas sowie die von den umliegenden Bergen herabkommenden Bäche und Revmata münden, benannt nach dem Ort → Kopai am NO-Ufer; Einzelabschnitte mit verschiedenen Namen nach den Hauptorten am Ufer sind belegt [2. 16]. Die Fläche der K.-Ebene betrug ca. 350 km², die im Jahresverlauf stark schwankende Ausdehnung des Sees maximal ca. 250 km². 1883–1892 trockengelegt, entwässerte der See früher durch zahlreiche Katavothren (unterirdische Wasserabflüsse) [4. 27–32] am Ostrand in den Paralimni-See, den → Hylike-See (Strab. 9,2,20) und den Golf von Euboia; v. a. die im NO in der Bucht von Kopai liegenden Katavothren galten als wichtig, sie nahmen angeblich den Kephissos auf, dessen Wasser in → Larymna wieder austrat (Strab. 9,2,18).

Die sehr fruchtbare K.-Ebene war seit frühester Zeit dicht besiedelt [1. 264–373; 3. 16–80]. Bereits vor Mitte des 2. Jt. v. Chr. erfolgten durch die Minyer von → Orchomenos wasserbauliche Maßnahmen zum Schutz vor Hochwasser (Dämme, Kanalisierung) und zur Landgewinnung (Polder) [2; 3]; Siedlungen wurden auch in der Ebene angelegt, der Kanal war schiffbar. Das effektive System wurde verschiedentlich durch Katastrophen (z. B. Überflutungen [3. 106–116, 119–134; 4. 19–25], Verstopfung der Katavothren, Erdbeben, Strab. 9,2,16) gestört, jedoch wieder instandgesetzt, bis es gegen E. des 1. Jt. endgültig zusammenbrach und die Versumpfung des Sees einsetzte. Neue Entwässerungsanstrengungen

erfolgten unter Alexander d. Gr. (Strab. 9,2,18 [5. 76f.]; Steph. Byz. s. v. Ἀθῆναι) und in der röm. Kaiserzeit [3. 135–144]; in hell. und röm. Zeit starker Bevölkerungsrückgang. Begehrt waren die Aale des K.-Sees (Paus. 9,24,2) und das Schilfrohr (Theophr. h. plant. 4,10f.; Theophr. c. plant. 5,12,3; Plin. nat. 16,168–172).

1 FOSSEY 2 J. KNAUSS u. a., Die Wasserbauten der Minyer in der K., 1984 3 Ders., Die Melioration des K.-Beckens durch die Minyer im 2. Jt. v. Chr., 1987 4 A. SCHACHTER (Hrsg.), Essays in the Topography, History and Culture of Boiotia, 1990 5 P. W. WALLACE, Strabo's Description of Boiotia, 1979.

H. KALCYK, B. HEINRICH, The Munich K.-Project, in: J. M. FOSSEY (Hrsg.), Boeotia antiqua 1, 1989, 55–71 · S. LAUFFER, K. Unt. zur histor. Landeskunde Mittelgriechenlands 1, 1986 · Ders., s. v. Große Katavothre, in: LAUFFER, Griechenland, 337f. · Ders., s. v. K., in: LAUFFER, Griechenland, 240.   M. FE.

Kophen (Κωφήν: Arr.; Κώφης/*Kóphes*: Diod., Dion. Per., Strab.; *Cophes*: Plin. nat.). Westl. Nebenfluß des → Indos [1], altindisch *Kubhā*, h. Kabul.

K. KARTTUNEN, India and the Hellenistic World, 1997, 112.   K. K.

Kopienwesen A. ORIGINAL UND KOPIE B. TECHNIK C. GRIECHENLAND D. ROM

A. ORIGINAL UND KOPIE

Als Kopien gelten in der arch. Lit. alle formal getreuen – nicht immer maßstabsgleichen, vollständigen und im Material übereinstimmenden – Nachbildungen klass. und hell. Skulpturen. Kopien im weitesten Sinne sind ein Grundphänomen ant. Kunstschaffens, das auf langsamem Stilwandel, der Vertrautheit mit der Ikonographie und der Hochschätzung vergangener Kunstepochen beruhte: Innovationen wurden als stufenweise Verbesserung anerkannter Werke beurteilt; »Plagiat« und »Fälschung« sind keine Begriffe des ant. Kunstschaffens. Das Verständnis des K. muß v. a. von den jeweiligen kulturellen Anforderungen ausgehen, welche die Nähe zum Original und die technische Ausführung bestimmten. Die in der Forsch. lange geübte Benutzung römerzeitlicher Kopien zur Rekonstruktion griech. Originale ist durch Dissens gekennzeichnet und trifft heute auf Skepsis. Das K. ist als wesentlicher Bestandteil einer eigenwertigen Kunstperiode (1. Jh. v. Chr. – 3. Jh. n. Chr.) zu betrachten, in der es neben Porträts und Reliefs die Hauptmasse bildnerischen Schaffens lieferte. Das K. umfaßte ein weites Spektrum von der getreuen Kopie über die Umbildung zur Nachschöpfung mit Archaismus, Klassizismus und Eklektizismus. Es kennzeichnet den motivischen und formalen Synkretismus einer auf die Vergangenheit bezogenen Kultur.

B. TECHNIK

Die technische Möglichkeit exakten Kopierens war in der ant. Bildhauerei durch Abguß und Greifzirkel gegeben. Den Gipsabguß von Statuen soll → Lysistratos (4. Jh. v. Chr.) erfunden haben. Aus hell. Zeit sind Gipsformen zur seriellen Produktion in der → Toreutik und Kleinkunst erhalten (Begram, Memphis, Athen). Gipsabgüsse großplastischer Werke sind aus Baiae (1. Jh. n. Chr.) bekannt; sie wurden mittels Gips- oder elastischer Bitumenformen hergestellt. Beim Kopieren wurden mit dem Greifzirkel wenige periphere Meßpunkte vom Abguß auf den Stein übertragen; das Volumen wurde selten eingemessen. Das Repertoire an Abgüssen für Kopien war durch hohe Kosten eingeschränkt; außerdem wurden wegen der Gefahr der Beschädigung von Marmororiginalen fast ausschließlich Bronzewerke abgeformt. Die Umsetzung in Marmor war daher Veränderungen unterworfen: Vorstehende Teile wurden mit Stützen versehen, Gliedmaßen erhielten wegen geringerer Belastbarkeit des Steins größeres Volumen; freie Gewandpartien und bewegtes Haar konnten nicht mit abgeformt werden. Die Wiedergabe von Augenlid und Wimpern aus Bronzeblech konnte in Marmor nur frei übersetzt, in wenigen Fällen durch Einsätze aus anderem Material imitiert werden.

C. GRIECHENLAND

Bereits in der archa. Plastik gab es Wiederholungen; sie unterlagen den Normen zeitgenössischer Darstellungsschemata (Kuroi) oder verbreiteten vertraute Bilder von Gottheiten. Sie werden nicht zum K. gerechnet; die zeitliche Distanz zum Original ist bei ihnen irrelevant. Die frühesten Kopien, die um Jahrhunderte zurückgreifen, sind im 2. Jh. v. Chr. in Kleinasien und Delos nachgewiesen. In Pergamon dienten ikonographisch vereinfachte oder stilistisch erneuerte Nachbildungen klass. Werke von der Akropolis in Athen (Athena Parthenos) der Bezugnahme auf den Aufstellungs- und Bedeutungskontext der Originale. Zugleich fanden sich in Wohnhäusern kleinformatige Kopien aus Terrakotta und die ersten exakten Kopien in Marmor (Diadumenos aus Delos, ca. 100 v. Chr.).

D. ROM

Die Übernahme griech. Kultur durch die röm. Oberschicht in der späten Republik beinhaltete anfangs den Zugriff auf Originalwerke. Im 1. Jh. v. Chr. erwuchs daraus ein normativer Ausstattungsbedarf im häuslichen und öffentlichen Bereich, der bereits überwiegend mit Kopien befriedigt wurde (Cicero-Briefe; → Herculaneum, Villa dei Papiri). Wahl der Vorbilder und Erscheinungsform der Kopien waren von Angebot und Kontext der Ausstattung bestimmt. Standards einer als passend erachteten Ausstattung (decor) ermöglichten es, mit wenigen sich wiederholenden Typen vielfältige inhaltliche Bezüge herzustellen. In dionysischen Ensembles wurden Kopien auch mehrfach, manchmal spiegelbildlich, verwendet oder zu Brunnenfiguren verändert; griech. Porträts wurden zu Hermengalerien, Götterstatuen zu Büsten reduziert und Athletenstatuen in Nischen gestellt. Die engste Bezugnahme auf eine griech. Bildwelt zeigen röm. Porträtstatuen mit Körpern nach griech. Statuen. Kopien mit Angabe der Meister waren selten; die Opera nobilia des → Pasiteles waren kein Katalog für Kopien, sondern Bildungsliteratur.

Selbst bei anspruchsvollen archaistischen, klassizistischen und eklektischen Nachbildungen griech. Plastik standen Ausstattungsbedürfnisse im Vordergrund (lychnúchoi: Lampen- und Tablettständer als »stumme Diener«). Als reine Kunstobjekte galten kleinformatige Bronzekopien (Korinthische Bronzen), die gerne für Originale ausgegeben wurden.

Der große Bedarf an Werken zur statuarischen Ausstattung zog griech. Bildhauer, die im 1. Jh. v. Chr. in Delos, Rhodos und Athen gearbeitet hatten, nach Rom und Neapel, wo es in der frühen Kaiserzeit bereits Warenlager, Kopienhandel und Restaurierungswerkstätten gab. Doch auch auf dem Höhepunkt des K. im 2. Jh. n. Chr. firmierten zumeist Kopisten aus Athen, Ephesos, Aphrodisias. Kopien in Br. waren selten, doch zahlreicher, als der erh. Bestand vermuten ließe. Insgesamt stand der ehemals hohen Zahl von griech. Br.-Originalen eine noch größere Menge von Marmorkopien gegenüber, in der wenige Vorbilder hundertfach wiederholt wurden.

Eine Stilgeschichte des K. muß Wandlungen in der Benutzung der Originale durch Kopisten und dem Zeitgeschmack in der Detailformung nachgehen. Eingriffe der Kopisten geschahen selten bei Komposition und Schema, doch immer an der Modellierung der Oberfläche, an Gewandfalten und Haaren. Frühe Kopien zeigen eine feine Wiedergabe des Karnats und größere Treue bei der Wiederholung von Einzelheiten. Ab hadrianischer Zeit (frühes 2. Jh. n. Chr.) wurden Detailformen des Körpers reduziert, Gewänder gegenüber den Originalen reichhaltiger, Rückseiten vernachlässigt. Statuenstützen, bei Marmorkopien nach Bronzeoriginalen unabdingbar, wandelten sich von einfachen Baumstümpfen zu eigenwertigen Gebilden mit gehäuftem Beiwerk. Im frühen 3. Jh. n. Chr. führte ein allg. Wandel in der Rezeption von Bildern zum raschen Ende des K.

→ Fälschung

G. LIPPOLD, Kopien und Umbildungen griech. Statuen, 1923 · F. MUTHMANN, Statuenstützen und dekoratives Beiwerk an griech. und röm. Bildwerken, 1951 · A. RUMPF, in: Archäologie 2, 1956, 81–132 · G. LIPPOLD, EAA 2, 804–810 · H. LAUTER, Zur Chronologie röm. Kopien nach Originalen des 5. Jhs., 1966 · P. ZANKER, Klassizistische Statuen, 1974 · M. BIEBER, Ancient Copies, 1977 · B. S. RIDGWAY, Roman Copies of Greek Sculpture. The Problem of the Originals, 1984 · J.-P. NIEMEIER, Kopien und Nachahmungen im Hellenismus, 1985 · C. HEES-V. LANDWEHR, Die ant. Gipsabgüsse aus Baiae, 1985 · K. PRECIADO (Hrsg.), Retaining the Original. Multiple Originals, Copies and Reproductions (Studies in the History of Art 20), 1989 · P. ZANKER, Nachahmung als kulturelles Schicksal, in: CH. LENZ (Hrsg.), Probleme der Kopien von der Ant. bis zum 19. Jahrhundert, 1992, 9–24 · E. BARTMAN, Ancient Sculptural Copies in Miniature, 1992 · C. GASPARRI, L'officina dei calchi di Baia, in: MDAI(R) 102, 1995, 173–187 · E. K. GAZDA, Roman Sculpture and the Ethos of Emulation. Reconsidering Repetition, in: HSPh 97, 1995, 120–156 · D. WILLERS, Das Ende der ant. Idealstatue, in: MH 53, 1996, 170–186.   R. N.

Kopreus (Κοπρεύς).

[1] Sohn des → Pelops, überbringt → Herakles die Aufträge des → Eurystheus, der den persönlichen Kontakt fürchtet. Deshalb nennt Homer in Umkehrung der im Heldenepos sonst absteigenden genealogischen Linie K. den ›schlechteren Vater des besseren Sohnes‹ (Hom. Il. 15,639–641). In Eur. Heraclid. fordert K. in Eurystheus' Namen vom att. König → Demophon [2] die Herausgabe der Asyl suchenden → Herakleidai. Nach Apollod. 2,5,1 hatte Eurystheus K. von einer Blutschuld gereinigt. Der Name ist urspr. nicht mit *kópros*, »Kot«, »Mist«, sondern mit dessen erweiterter Bed. »Düngehof«, »Viehstall« zu verbinden [1]; sekundär hat sich wohl eine pejorative Bed. entwickelt [2].

[2] Boioter, erhält von → Poseidon das göttl. Pferd → Areion und schenkt es → Herakles (Thebais fr. 8 BERNABÉ).

> 1 R. JANKO, The Iliad. A Commentary. Bd. 4: Books 13–16, 1992, 298 **2** B. MADER, s. v. K., LfE **3** M. SCHMIDT, s. v. K., LIMC 6.1, 99–100.   RE.N.

Kopros (Κόπρος). Att. Paralia-Demos der Phyle Hippothontis, mit zwei *buleutaí*. Wohl identisch mit der gleichnamigen (Fluß?–)Insel (νῆσος τῆς Ἀττικῆς, schol. Aristoph. Equ. 899; Hesych. s. v. K.), aber nicht mit Gaiduronisi (Patroklu Charax) [1]. [2. 52; 3. 178; 4] vermuten K. östl. von Eleusis.

> 1 E. HONIGMANN, s. v. K., RE 11, 1365f. **2** TRAILL, Attica 21 mit Anm. 26bis, 52, 69, 111 Nr. 74, Tab. 8 **3** TRAVLOS, Attika **4** E. VANDERPOOL, New Evidence for the Location of the Attic Deme K., in: Hesperia 22, 1953, 175f.   H.LO.

Koptisch. Späteste Sprachform des → Ägyptischen, von ca. 300 n. Chr. bis in das MA für die christl. Lit. in Äg. verwendet, mit dem griech. Alphabet und einigen aus dem → Demotischen übernommenen Zusatzbuchstaben geschrieben. Zwei Hauptdialekte (Sahidisch, später Bohairisch) hatten in ganz Äg. Geltung, dazu existierten vier weitere Dialekte, von denen drei (Achmimisch, Subachmimisch oder Lykopolitanisch, Oxyrhynchitisch oder »Mittelägyptisch«) nur bis ins 5. Jh. überliefert sind, nur einer (Fajumisch) noch für längere Zeit. Die kopt. Lit. ist stark an die Rel. gebunden (Bibel, Apokryphen, Kirchenväter, Kirchengesch.), die Werke sind weitgehend aus dem Griech. übersetzt. Auch Rechtsurkunden und Briefe sind in Formular und Stil stark von griech. Vorlagen geprägt, die Sprache selbst ist mit vielen griech. Lw. durchsetzt. Aus dem 4./5. Jh. sind weiterhin einige gnostische und manichäische Werke erhalten. Vorchristl. einheimische Elemente finden sich noch in magischen Texten, sonst nur selten (Kambyses-Roman).

> W. E. CRUM, A Coptic Dictionary, 1939 · M. KRAUSE, Äg. in spätant.-christl. Zeit, 1998 · H. J. POLOTSKY, Grundlagen des kopt. Satzbaus, 2 Bde., 1987, 1990.   J.OS.

Koptische Kursive s. Schriftstile (Kursive)

Koptische Unziale s. Unziale

Koptos. Hauptort des 5. oberäg. Gaues (neben Ombos und Qūs), äg. *gbtw*, daraus griech. κοπτός, kopt. *kebt* und arab. *qift*. Wichtiger Ausgangspunkt für Expeditionen ins Wadi Hamāmat und zum Roten Meer. In K. befanden sich Tempelbauten für → Min (Hauptgott), → Isis (auch als »Witwe von Koptos« bezeichnet) und → Horus; auch ein Kult des Geb ist belegt. Kolossale Steinstatuen des Min stammen bereits aus der frühen 1. Dyn. Schutzdekrete des späten AR befreiten Tempel und Kapellen von Abgaben. Erhalten sind vorwiegend ptolem. und röm. Bauten; Reste einer Orakelkapelle aus der Zeit Kleopatras VII. Der besterhaltene Tempel in al-Qalū'a ist Isis geweiht. In ptolem. Zeit kam es im Zusammenhang mit dem Fernhandel über Häfen am Roten Meer (Myos Hormos, Berenike) zum Aufschwung. In röm. Zeit war K. Militärstützpunkt und wurde nach einem Aufstand von Diocletian zerstört (292 n. Chr.); dennoch war der Ort bis in die arab. Zeit ein wichtiger Handelsort.

> 1 H. G. FISCHER, Inscriptions from the Coptite Nome, 1964 **2** H. KEES, s. v. K., RE 11, 1367–1369 **3** L. PANTALACCI, C. TRAUNECKER, Le Temple d'El-Qalûa 1, 1990 **4** C. Traunecker, Coptos, 1992.   JO.QU.

Korakesion (Κορακήσιον). Stadt in Kilikia Tracheia (Plin. nat. 5,93; Ptol. 5,5,3; Stadiasmus maris magni 207; Hierokles, Synekdemos 682,8), in byz. Zeit Καλὸν ὄρος/*Kalón óros* (auch *Candeloro* u. ä.), h. Alânya. Von Skyl. 101 als *pólis* erwähnt, widerstand K. 197 v. Chr. Antiochos III. (Liv. 33,20,4f.) und diente dem seleukidischen Rebellen Diodotos Tryphon als Basis gegen Antiochos VII. (Strab. 14,5,2). Bei K. wurden nach Plut. Pompeius 28,1 die kilikischen Piraten von Pompeius in einer Seeschlacht besiegt (anders App. Mithr. 96,442). K. war Bistum der Pamphylia I.

> S. LLOYD, D. RICE-STORM, Alânya (Ala'iyya), 1958.   K.T.

Koralios (Κωράλιος, Κουράλιος). Fluß im NO von → Koroneia, an dessen Ufern sich das boiot. Zentralheiligtum der Athena Itonia befand (Alk. 3 D.; Alk. 4). Kall. h. 5,64 nennt ihn *Kurálios*; Strab. (9,2,29; 33; 9,5,14; 17) verwechselt den K. und den gleichnamigen Fluß beim Heiligtum der Athena Itonia in der Achaia Phthiotis mit dem Kuarios, einem Nebenfluß des Peneios in der Thessaliotis.

> P. W. WALLACE, Strabo's Description of Boiotia, 1979, 116.   P.F.

Koralis (Κόραλις λίμνη, fälschlich gemeinhin Κάραλις [1. 3]). Einer der bedeutendsten Seen Zentralanatoliens zw. Lykaonia und Pisidia, h. Beyşehir Gölü. Als K. wird er nur bei Strab. 12,6,1 gen.; im byz. MA heißt er meist *Pusgúse* (Πουσγούση λίμνη). Der Ausfluß des Sees durchzieht die südöstl. gelegene, wesentlich kleinere und h. weitgehend trockengelegte *Trogítis límnē* (h. Suğ-

la Gölü) und bewässert als Çarşamba Suyu die Ebene
südl. von → Ikonion [2].

Zu trennen ist die bei Liv. 38,15,1 gen. *Cabalitis palus*
(so richtig statt des überl. *Caralitis palus*; h. Söğüt Gölü)
im lyk.-kar. Grenzgebiet [1. 74].

1 J. TISCHLER, Kleinasiat. Hydronymie, 1977 2 BELKE, 44,
117, 218, 237. K. BE.

Koralle (κοράλ(λ)ιον, κουράλ(λ)ιον im Hell., lat. *curalium, corallium*).

A. ALLGEMEIN B. KELTISCHE KULTUR

A. ALLGEMEIN

Daß es sich um die Kalkskelette von winzigen Blu-
mentieren und nicht um Pflanzen handelt, weiß man
erst seit dem 19. Jh. Theophrast (de lapidibus 38), Plinius
(nat. 32,21–24, vgl. Isid. orig. 16,8,1) und Dioskurides
(5,121 WELLMANN = 5,138 BERENDES) loben v. a. die
rote K., die bei Neapel, Trapani sowie den Inseln von
Huyères und den aiolischen Inseln gefunden wurde.
Die dunklere K. wird als *lace* von Plin. nat. 32,21 für den
Persischen Golf und das Rote Meer erwähnt. Ov. met.
4,744–752 erklärt die Härtung der K. in der Luft mit der
versteinernden Wirkung des Medusenhauptes. Medizinisch wurde sie vielfach verwendet (Dioskurides l.c.
über ihre adstringierende und kühlende Wirkung; Plin.
nat. 32,24 und Cels. 5,6ff.). Die daraus gefertigten
Schmuckstücke und Amulette (vgl. Plin. nat. 37,164:
die *Gorgonia* = K. soll gegen Blitze und Wirbelwinde
helfen) sind selten erh. geblieben. C. HÜ.

B. KELTISCHE KULTUR

Die K. (*corallium rubrum*) war in der kelt. Kultur der
Späthallstatt- und Frühlatènezeit (6./5. Jh. v. Chr.) ein
kostbares → Schmuck-Material; wegen ihrer auffallend
roten Farbe und Form kam ihr eine apotropäische Bed.
zu. Aus K. wurden Perlen, Anhänger und Einlagen bes.
in Fibeln, Metallgefäßen und Prunkwaffen (→ Helme,
→ Schwerter) hergestellt. Sie wurden von den Mittel-
meerküsten importiert und im kelt. Bereich verarbeitet;
in einigen Siedlungen fanden sich Roh-K. Im 4./3. Jh.
v. Chr. wird die K. allmählich vom → Email (Blutemail)
abgelöst.

→ Hallstatt-Kultur; Keltische Archäologie; Latène-
Kultur

A. WIGG, K. und Email als Einlage bei Metallarbeiten, in:
R. CORDIE-HACKENBERG u. a., Hundert Meisterwerke kelt.
Kunst, 1992, 207f. V. P.

Koralloi (Κόραλλοι). Stamm im Gebiet der → Getai,

lit. bezeugt nur für das letzte Jh. der röm. Republik und
das 1. Jh. der Kaiserzeit (Ov. Pont. 4,2,37; 8,83; Strab.
7,5,12). Wo Appianos (Mithr. 293) die K. getrennt von
Iazyges und Thrakes nennt, scheint es sich eher um Sar-
matai oder Skythai gehandelt zu haben.

M. FLUSS, s. v. K., RE 11, 1377. I. v. B.

Koran (*qurʾān*).

A. DEFINITION B. ENTSTEHUNG C. AUFBAU UND
FORM – SPRACHE UND STIL D. INHALT
E. KOMMENTARE UND ÜBERSETZUNGEN
F. DER KORAN IM RAHMEN DER ANTIKEN
GEISTES- UND GATTUNGSGESCHICHTE

A. DEFINITION

Hl. Schrift der Muslime, Wort Gottes, empfangen
durch den Propheten → Mohammed ca. 610–632
n. Chr.

B. ENTSTEHUNG

Die göttl. Offenbarungen wurden schon zu Lebzeiten des Propheten von den Gläubigen mündlich und
schriftlich gesammelt, aber erst vom 3. → Kalifen
→ Othman (ʿUtmān; 644–56) zu ihrer endgültigen, unveränderlichen, kanonischen Rezension zusammengestellt.

C. AUFBAU UND FORM – SPRACHE UND STIL

Die 114 Suren (Lw. aus talmudisch *šūrah* »Reihe,
Zeile«) sind ungefähr abnehmender Länge nach geordnet, mit Ausnahme der ersten, »Eröffnenden« (*al-fātiḥa*),
einem kurzen Gebet. Jede Sure besteht aus einzelnen
Versen. Eine Chronologie der Offenbarungen aufgrund
inhaltlicher und stilistischer Kriterien ist nur bedingt zu
erstellen; selbst die Zugehörigkeit zur mekkanischen
bzw. zur medinensischen Periode (d. h. vor oder nach
der → Hedschra) ist nicht eindeutig zu klären.

Das Arab. des K. ist eine formelle Hochsprache in
Reimen. Der nicht eindeutige reine Konsonantentext,
der verschiedene Lesarten zuließ, wurde in der 2. H. des
8. Jh. vollständig mit zusätzlichen Vokal- und Rezita-
tionszeichen versehen.

D. INHALT

Der K. enthält Richtlinien und Vorschriften für alle
Bereiche des Lebens und ist somit Hauptquelle des islamischen Rechts, Glaubensgrundlage und Handlungs-
norm. Anfänglich standen die Güte und Allmacht des
einen Gottes (Allah), das Jüngste Gericht und Paradies-
vorstellungen im Vordergrund. Später nimmt die Auseinandersetzung mit spezifischen jüd. und bes. christl.
Themen zu, darunter Prophetenlegenden (u. a. Abraham, Moses, Salomon, Jesus). Eine himmlische Ur-
schrift wird als Original der Hl. Bücher auch der Juden
und Christen (»Schriftbesitzer«) angesehen. In der medinensischen Periode verschlechtert sich das Verhältnis
zu den Schriftbesitzern, Abrogationen revidieren z. T.
frühere Aussagen über diese.

E. KOMMENTARE UND ÜBERSETZUNGEN

Aus der Deutungsbedürftigkeit mancher Offenba-
rungen erwuchs alsbald die K.-Exegese als eigene Lit.-
Gattung. Dagegen verhinderten anfänglich die explizite
Nennung des Arab. im K. selbst und das Dogma der lit.
Unnachahmlichkeit des K. Übers. trotz zunehmendem
Bedarf durch die rasche Expansion des → Islam. Die
erste lat. K.-Übers. entstand 1143 auf Veranlassung von
Petrus Venerabilis (Cluny). H. SCHÖ.

F. Der Koran im Rahmen der antiken Geistes- und Gattungsgeschichte

Wie das Wort *qurʾān* syr. Herkunft ist (< *qeryānā*, »Perikopenlesung«), so verweist der K. auch inhaltlich und formal auf die Ursprünge des Islam in der Spätant. Dabei ist der Umfang der Übernahme etwa der christl. und jüd. Hymnendichtung umstritten, grundsätzlich jedoch nicht von der Hand zu weisen, da auch inhaltlich die Rezeption und Weiterbildung christl. und jüd. Traditionsgüter nicht nur seit langem bekannt ist, sondern der Islam selbst sich als Erbe und gleichzeitig genuiner Repräsentant der von → Abraham [1] inaugurierten monotheistischen Urreligion sah. Auch der Sprachcharakter des K. weist in diese Richtung: Auf altarab. Basis (die Reimprosa *saǧʿ* verwendeten auch die »heidnischen« Wahrsager, *kuhhān*) ist das spez. rel. Vokabular von zahlreichen Entlehnungen aus dem Hebr. (*ʿillīyūn* < *ʿælyōn* »oberster Himmel«) und Syr. (*ṣalāt* < *ṣʾlūtā*, »Gebet«, *masǧid* < *masgʿdā*, »Gebetsplatz«), in zweiter Linie auch aus dem Äthiopischen und Altarab. (*raḥmān*, »Gott der Barmherzige«; urspr. Name eines altsüdarab. Gottes) geprägt. Außer diesen Lw. sind zahlreiche Begriffe und Geschichten zu Mohammed offenbar über mündliche Quellen gelangt. Bes. auffällig ist der christologische Doketismus (→ *dokētaí*) des K. und die Präsenz zahlreicher haggadischer Geschichten (→ Haggada; so in der einzig erzählenden Sure 12 »Yūsuf«). Für die späteren, medinensischen Suren hingegen standen wohl Erörterungen der jüd. → Halakha Pate. Als Gesamtheit stellt der K. jedoch eine neuartige, durchaus originale Einheit dar, den gelungenen Versuch, auf jüd.-christl. Basis und in steter Auseinandersetzung mit ihr, arab. rel. Identität in der Spätant. neu zu formulieren.

H. Bobzin, Der K. im Zeitalter der Reformation. Stud. zur Frühgesch. der Arabistik und Islamkunde in Europa, 1995 · J. Dammen McAuliffe (Hrsg.), The Encyclopaedia of the Qurʾān, 1999 · J. W. Hirschberg, Jüd. und christl. Lehren im vor- und frühislamischen Arabien, 1939 · J. Horovitz, Koranische Unt., 1926 · T. Nagel, Der K.: Einführung – Texte – Erläuterungen, 1998 · A. Neuwirth, K., in: H. Gätje (Hrsg.), Grundriß der arab. Philol. II (Literaturwiss.), 1987, 96–135 · Th. Nöldeke, F. Schwally, G. Bergsträsser, O. Pretzl, Gesch. des Qorāns, ²1938 (Neudr. 1961) · R. Paret, Der K. Übersetzung, 1963–1966 · W. M. Watt, Bell's Introduction to the Qurʾān: Completely Revised and Enlarged, 1970 · A. T. Welch et al., s. v. Ḳurʾān, EI 5, 400a–432b. J. N.

Korasion (Κοράσιον).

Hafen in der Kilikia Tracheia, der es gemeinsam mit dem durch den *korasiodrómos* (Botendienst) verbundenen → Korykos [2] in der Spätant. zu großer Blüte brachte, ohne Polis oder Bistum zu werden; h. Susanoğlu.

Hild/Hellenkemper, 311 f. F. H.

Korax (Κόραξ).

[1] Gebirge im Osten von Aitolia, h. Giona im Nomos Phokis, 2484 m H. Strab. 7 fr. 6; 9,3,1; 10,2,4; Liv. 36,30,4; 37,4,7.

Philippson/Kirsten, Bd. 1, 650. D. S.

[2] s. Poliorketik

[3] **K.** und **Teisias** (T.), Syrakusaner, gelten in der ant. Rhet.-Trad. als Erfinder und Begründer der Rhet., d. h. der lehr- und lernbaren, auf Erfahrung gegründeten und praxisorientierten *téchnē rhētorikē*, auch als erste, die diese Kunst, → *téchnē*, (gegen Bezahlung) lehrten (Quint. inst. 2,17,7). Welche Rolle K. und T. dabei im einzelnen spielten, läßt sich angesichts der kaum miteinander zu vereinbarenden Überl. nicht entscheiden [2. 53]. Als Schüler des T. werden → Lysias, der Sohn des Syrakusaners Kephalos (Radermacher (=R.) B 2,3), und → Isokrates (R. B 2,4,5) gen., als Schüler des K. zunächst T. (Sopatros, Komm. zu Hermogenes Walz 5,6,14; R. B 2,9), dann → Gorgias [2] von Leontinoi [2. 1, 55, 221]. Cicero (de orat. 3,81) läßt die Schüler des K. insgesamt als »zänkische und lästige Schreihälse« abqualifizieren.

Klar zu sein scheint, daß die Rhet. in den Jahren nach dem Sturz der Tyrannis und der Wiederherstellung der Demokratie in Syrakus (466/5 v. Chr.) dort geschaffen wurde. Cicero (Brut. 2,46) erklärt unter Berufung auf Aristoteles, daß K. und T. eine *ars* (»Kunst«) und *praecepta* (»Regeln«) (vgl. Cic. de orat. 1,91) wegen der Zivilprozesse verfaßten, die jetzt nach langer Zeit in Syrakus wieder angestrengt wurden; die *ars* muß sich demnach auf die Gerichtsrede (*génos dikanikón*) bezogen haben, was auch in einige Prolegomena (Einführungen) und Komm. zur Rhet. (z. B. Sopatros, Hermogenes-Komm. Walz 5,6,14; s. [1. 59])) eingegangen ist. Theophrast (R. A 5,17) und einige Autoren von Prolegomena und Komm. (bes. Anon. Walz 4,11,14ff., Ioannes Doxopatres, Walz 4,12,14ff. = H. Rabe, Prolegomenon Sylloge (P. S.) 4, p. 25,17ff. R.; Walz 2, p. 119,16ff. = P. S. 9 p. 126,5ff. R.; Troilos, Walz 6,48,26ff. = P. S. 5 p. 52,3ff. R.; Anon. Walz 7,6), die sich verm. auf einen Ber. des aus Sizilien stammenden Historikers Timaios stützen, wissen nur von K. als Begründer der Rhet. und Schöpfer einer *téchnē*. K. war nach diesem Ber. einflußreicher Vasall → Gelons [1] und → Hierons [2] gewesen und versuchte in der Demokratie das Volk durch die Macht seiner Rede ebenso zu beeinflussen wie zuvor seine Herren; zu diesem Zweck stellte er bestimmte Regeln auf und wurde so zum Erfinder einer *téchnē* der Volks- oder Beratungsrede, des *génos dēmēgorikón*, später *symbuleutikón* [2. 54].

Von Platon wird K. nie erwähnt. Im *Phaidros*, wo sich Platon mit der sophistischen Rhet. auseinandersetzt, erscheint T. zusammen mit Gorgias von Leontinoi, dem Schüler des Empedokles, als Vertreter der Theorie, in der → Rhetorik sei die Wahrscheinlichkeit (*eikós*) wichtiger als die Wahrheit, und v. a. als fähig, kleine Dinge groß und große klein erscheinen zu lassen; das sei auch

Gegenstand seines Lehrbuchs (→ Rhetoriklehrbücher) gewesen (273a 6–c 5). Ebensowenig wie von Platon wird K. von Isokrates genannt [1. 60].

Aristoteles (rhet. 1402a 17–26) behauptet, die ganze *téchnē* des K. bestehe aus dem Wahrscheinlichen (*eikós*). In Sophistici elenchi 183b 25–34 macht er die Fortschritte der rhet. *téchnē* an folgender Abfolge fest: ›nach den ersten‹ Teisias, dann Thrasymachos, danach Theodoros; diese ›ersten‹ bleiben jedoch ungenannt. Gemeint sein könnte damit neben K. auch Empedokles, den Aristoteles nach Diogenes Laertios (8,57) und S. Emp. (adversus mathematicos 7,6) in seinem *Sophistēs* als Erfinder der Rhet. gen. haben soll (vgl. Quint. inst. 3,1,8). Nach Cicero (inv. 2,6f.) soll Aristoteles in seiner *Synagōgē technōn*, einer Zusammenfassung aller früheren rhet. *téchnai* (R. A 5,8, [2. 53]), den T. selbst als *princeps* (»Ersten«) und *inventor* (»Erfinder«) der Rhet. bezeichnet haben.

Die Definition der Rhet. als πειθοῦς δημιουργός (*vis persuadendi*), als »Meisterin der Überredung/Überzeugung« [3. 27–32], bekannt v. a. als die des Gorgias von Leontinoi (Plat. Gorg. 453a 2), wurde nach Quint. inst. 2,15,4 auch von Isokrates, angeblich Schüler des T. und Gorgias (R. B 2,4,55), verwendet, obwohl der darunter etwas anderes verstanden habe, nämlich die *vis (dýnamis)*, die »Kraft, Möglichkeit«, zu überreden. Nach einigen Prolegomena sollen T., K. und deren Schüler die Rhet. auf die gen. Weise definiert haben, nach anderen nur K., nach wieder anderen allein T. (R. B 2,13).

In den Prolegomena wird K. die Erfindung der symbuleutischen Rede (→ *genera causarum*), bes. auch von deren Gliederung, *dispositio*, zugeschrieben; daß er sich auch mit der gerichtlichen Beredsamkeit beschäftigt habe, wird dort nirgends erwähnt (R. A 5,16, B 2,23, 24, [1. 60f.; 54–57]). Anzahl und Bezeichnungen der Redeteile in den Prolegomena stimmen allerdings nicht überein. MARTIN folgerte aus dem komplexen Befund, das Hauptstück der von K. gefundenen Gliederung sei das *symbuleúein*, das Beraten, das dieser schon bei den Königen praktiziert habe; es werde jetzt umrahmt vom Prooimion und der Zusammenfassung (*anakephaleúōsis*), die wichtig geworden seien, um die Affekte des Volkes zu erregen und zu dämpfen [2. 57f.].

1 G. A. KENNEDY, The Art of Persuasion in Greece, 1963 2 J. MARTIN, Ant. Rhet., 1974 3 O. A. BAUMHAUER, Die sophistische Rhet., 1986.

A. GERCKE, Die alte τέχνη ῥητορική und ihre Gegner, in: Hermes 32, 1897, 341–381 · L. RADERMACHER, Stud. zur Gesch. der griech. Rhet., in: RhM 52, 1897, 412–424 · K. BARWICK, Die Gliederung der rhet. TEXNH und die horazische Epistula ad Pisones, in: Hermes 57, 1922, 1–62 · D. A. G. HINKS, Tisias and Corax and the Invention of Rhetoric, in: CQ 34, 1940, 61 ff. · ST. WILCOX, The Scope of Early Rhetorical Instruction, in: HSPh 53, 1942, 121–156, hier 137 · Ders., Corax and the Prolegomena, in: AJPh 64, 1943, 1–23 · G. A. KENNEDY, The Earliest Rhetorical Handbooks, in: AJPh 80, 1959, 169–178.   O. B.

Korbträger s. Kanephoroi

Kordax (κόρδαξ). Der typische Komödientanz (κωμικὴ ὄρχησις; das Wort *k.* seit Aristoph. Nub. 540). Meist mit Trunkenheit verbunden, war der K. ein ausgelassener, burlesker, unanständiger Tanz; doch ist er nirgends genauer beschrieben, daher auf Vasenbildern nicht eindeutig zu identifizieren. Dem *k.* konnte man auch außerhalb des Theaters begegnen, als hyporchematischem Tanz (Athen. 14,630e) und als instrumental begleitetem Einzeltanz beim Gelage (Lukian. Icaromenippus 27).

K. LATTE, De saltationibus Graecorum, 1913 · P. SCHNABEL, K., 1911.   F. Z.

Kore

[1] s. Persephone

[2] **Kore, Korai** s. Statuen; Plastik

Kore Kosmu. Durch → Stobaios sind einige längere Abschnitte aus dem hermetischen Buch mit dem Titel »Kore Kosmu« erhalten (Exzerpte 23–26 bei [1]; → hermetische Schriften). Es handelt sich bei diesem Namen wahrscheinlich um eine bewußt rätselhafte Umschreibung der Göttin → Isis, sei es als »Pupille des Weltenauges« [7] oder als »Weltenjungfrau« (vgl. den Namen → Poimandres). Der Autor versucht, die Isis-Osiris-Religion in die hermet. Trad. einzufügen, indem er die beiden äg. Götter als Schüler von → Hermes Trismegistos darstellt. Isis gibt nun ihr hermet. Wissen an ihren Sohn Horos weiter. Im 23. Exzerpt erzählt sie ihm einen Seelenmythos, mit dem kosmogonische Aussagen verbunden werden. In deutlichem Anschluß an Platons *Timaios* wird beschrieben, wie Gott die Seelensubstanz herstellt und die Einzelseelen schafft, die den Himmel bevölkern und die Tiere schaffen sollen. Weil sie aber gegen Gottes Gebot die ihnen zugewiesenen Räume verlassen, werden sie zur Strafe in menschliche Körper eingeschlossen. Die Planeten geben dem neuen Wesen Mensch gute und schlechte Gaben. In einer langen Rede bestimmt Gott die Gesetze der Inkarnation: die Seele kann in die himmlische Region zurückkehren oder muß in Tierleiber absteigen. Nach der Schaffung der menschlichen Körper durch Hermes kritisiert → Momos das Werk: In ihrer Neugierde werden die Menschen Schlimmes bewirken. Tatsächlich verüben die Seelen nach der ersten Inkarnation aus Protest gegen ihre Strafe schlimme Gewalttaten; die vier Elemente bitten Gott um Abhilfe, die von Isis und Osiris erreicht wird. In hymnischer Form werden ihre kulturellen und rel. Segnungen aufgezählt, die sie aber ihrem Lehrer Hermes verdanken.

Die folgenden Exzerpte behandeln in loser Folge Probleme, die sich aus der beschriebenen Psychogenese ergeben: die Hierarchie der Seelen und die entsprechenden 60 Himmelsräume unterhalb des Mondes (mehrmals geht es um die Seelen der Könige, denen Vergöttlichung bevorsteht), das Verhältnis der Seelen

zum Körper (Krankheiten können auch die Seele beeinflussen) und die Modalitäten der Inkarnation, wobei
die Heimat der Seele das spätere Dasein determiniert.
Die Beschaffenheit des Körpers wird aus der je individuellen Mischung der vier Elemente erklärt, wobei stoische und platonische Topoi, teilweise in simplifizierter
Form, übernommen werden. Interessant ist die Theorie
von der Erde als großem Menschen, wobei Ägypten die
Stelle des Herzens einnimmt: Deshalb seien die Ägypter
verständiger als die übrigen Menschen.
→ Hermetische Schriften

TEXT UND ÜBERS.: **1** A.D. NOCK, A.J. FESTUGIÈRE,
Corpus Hermeticum IV, 1954, Ndr. 1983
2 J. HOLZHAUSEN, Das Corpus Hermeticum Deutsch 2,
1997, 400–480 **3** M.M. MILLER, K.K. – die
Weltenjungfrau, in: M. FRENSCH (Hrsg.), Lust an
Erkenntnis, 1991, 79–102.
LIT.: **4** H.D. BETZ, Schöpfung und Erlösung im hermet.
Fragment »K. K.«, in: Zeitschrift für Theologie und Kirche
63, 1966, 160–187 (= Ders., Gesammelte Aufsätze I, 1990,
22–51) **5** W. BOUSSET, s. v. K. K., RE 11, 1386–1391 **6** P.A.
CAROZZI, Gnose et sotériologie dans la Korè Kosmou
hermétique, in: J. RIES et al. (Hrsg.), Gnosticisme & monde
hellénistique, 1982, 61–78 **7** H. JACKSON, Isis, Pupil of the
Eye of the World, in: Chronique d'Égypte 61, 1986, 116–135
8 J.P. MAHÉ, La création dans les Hermetica, in: Recherches
augustiniennes 21, 1986, 3–53. .   J. HO.

Korinna (Κόριννα). Lyrische griech. Dichterin des
5. Jh. v. Chr. (?), wahrscheinlich aus Tanagra in Boiotien
(Paus. 9,22,3). Die Suda gibt verschiedene Geburtsorte
an und macht sie zur Schülerin der Myrtis und zur Zeit-
genossin des → Pindaros, den sie angeblich besiegte.
Auch durch einige andere, ziemlich unwahrscheinliche
biographische Anekdoten ist sie mit Pindar verbunden.
Obwohl die Suda von fünf B. spricht und K. von manchen dem Kanon der neun lyrischen Dichter zugerechnet wurde, wurde ihr Werk nicht von den Alexandrinern herausgegeben. Auch wird bis zum 1. Jh. v. Chr.
keinerlei erh. Bezug auf sie genommen (FGE 341). Unsere Kenntnis ihrer Dichtung basiert hauptsächlich auf
den beiden Papyrusfrg. PMG 654 und 655. Die Orthographie beider Stücke entspricht derjenigen der boiot.
Inschr. von 320–250 v. Chr., die eine bis h. nicht bei-
gelegte Debatte über ihre Datier. entfacht haben. Die
erste Datier. ins 3. Jh. v. Chr. durch LOBEL hat viele Anhänger gefunden [1]. Die Fr. enthalten ion. und gly-
koneische Metren und sind in schlichtem, paratakti-
schem Stil verfaßt; die Sprache entspricht allg. der
griech. lyrischen Kunstsprache, mit einigen dialektalen
Einsprengseln. Thema der Fr. sind lokale Legenden:
PMG 654 enthält zwei Gedichte, eines über einen Ge-
sangswettbewerb zw. → Kithairon und → Helikon, das
andere eine Rede des Sehers Akraiphen an den Flußgott
Asopos, worin er das Verschwinden von dessen neun
Töchtern erklärt. PMG 655 erzählt aus einem → Par-
theneion [2. 102–103] (in der ersten Person und evtl. in
Chorform) von der Freude, die der Sprecher der Stadt
mit schönen Gesch. (καλὰ Ϝεροῖα, 2) über Kephisos und

Orion bereitet. Dieses Fr. scheint zu einem Buch ›Erzählungen‹ (Ϝεροία > εἴρω, ἐρέω? vgl. PMG 656) zu gehören. Andere belegte Titel sind ›Boiotos‹, ›Sieben gegen Theben‹, ›Euonymiai‹, ›Iolaos‹, ›Heimreise‹ (Κατά-
πλους) und möglicherweise ›Orestes‹ (690 PMG).
→ Literaturschaffende Frauen

1 E. LOBEL, Corinna, in: Hermes 65, 1930, 356–365
2 E. STEHLE, Performance and Gender in Ancient Greece,
1997.
ED.: PMG · D.A. CAMPBELL, Greek Lyric 4, 1992, 18–69.
LIT.: D.E. GERBER, Greek Lyric Poetry since 1920, in:
Lustrum 36, 1994, 152–162 · D.L. PAGE, Corinna, 1953
(Ndr. 1963).   E. R./Ü: L.S.

Korinthische Vasenmalerei A. ALLGEMEIN
B. FORSCHUNG C. GEFÄSSFORMEN UND
DARSTELLUNGEN D. STILISTISCHE ENTWICKLUNG

A. ALLGEMEIN
In → Korinth wurde seit spätgeom. Zeit bemalte
Keramik hergestellt, die überregionale Bed. besaß. Die
K. V. erlebte ihre Blütezeit im 7. und der 1. H. des 6. Jh.
v. Chr., in denen sie durch Handel und griech. Städtegründungen in alle Gebiete der ant. Welt exportiert
wurde. Die technische Voraussetzung dieses Erfolges
war die Entwicklung des geregelten dreistufigen Brenn-
vorgangs durch korinth. Töpfer.

B. FORSCHUNG
Nach dem grundlegenden Werk von H. PAYNE un-
terscheidet man die → protokorinthische Vasenmalerei,
den »Übergangsstil«, Frühkorinth. (FK), Mittelkorinth.
(MK) sowie Spätkorinth. I und II (SK I, II) [1. 363–395].
Die chronologische Fixierung der K. V. ist z. T. pro-
blematisch [1. 429–434]. Als Grundlage dienen v. a.
Fundkomplexe aus den griech. Städten in Sizilien und
Unteritalien, für die Gründungsdaten überl. wurden,
Funde aus anderen Orten kommen hinzu [1. 675–678].
Nach den neuesten Forsch. von NEEFT ergibt sich folgende Chronologie: FK: 620/615–595; MK: 595–570;
SK I: 570–550; SK II: nach 550; allerdings tritt TIVERIOS
aufgrund der Funde von Sindos für ein E. des MK um
550 ein. Die Zuweisung der K. V. an Maler und Werk-
stattgruppen hat zu unterschiedlichen Ergebnissen ge-
führt, doch liegt mit AMYX nun die Grundlage für jede
Beschäftigung mit der K. V. vor.

C. GEFÄSSFORMEN UND DARSTELLUNGEN
Der Ton der korinth. Vasen ist weich, gelblich und
mitunter grünlich. Fehlbrand ist häufig, der Glanzton
meist mattschwarz gebrannt. Reichlich verwendet werden die in Korinth erstmals eingesetzten Zusatzfarben
Rot und Weiß. Häufig ist die Umrißzeichnung, meist
für menschl. Figuren, oft in Verbindung mit der sf.
Technik [1. 541–543]. Die bemalten Gefäße sind im
allg. kleinformatig und nur selten höher als 30 cm
[1. 435]. Bes. häufig sind Salbölgefäße (→ Alabastron,
→ Aryballos [2]), die → Pyxis, der → Krater, die → Oinochoe und Schalen. Korinth. Besonderheiten bilden
die Pyxiden mit plastischen Frauenköpfchen [1. 451–

Gefäßformen der korinthischen Keramik

A Amphoren 1 Halsamphora 2 Bauchamphora

B Kannen, Hydrien
1 Oinochoe mit Kleeblattmündung
2 Oinochoe mit Kleeblattmündung
3 Oinochoe, konische Form
4 Hydria
5 Flasche

C Kratere 1 Kolonettenkrater (FK) 2 Kolonettenkrater (SK)

D Trinkgefäße, Teller 1 Kylix 2 Kylix 3 Teller 4 Lekanis

E Öl- und Salbgefäße, Pyxiden
1 Alabastron
2 Ringaryballos
3 Aryballos
4 Aryballos
5 Amphoriskos
6 Exaleiptron
7 Pyxis, konkave Form
8 Pyxis, konvexe Form
9 Pyxis, konvexe Form ohne Henkel
10 Frauenkopf-Pyxis

F Figurengefäße
1 Sirene
2 Bein
3 Komast
4 Hase
5 Widder

→ Gefäße, Gefäßformen/-typen mit Abb.; Lakonische Vasenmalerei mit Abb.

M. HAA.

453], der Ringaryballos [1. 446] und das flaschenförmige Gefäß mit Bildern eines Frauenfestes [1. 510f.; 653–657]. Wie in der → Ostgriechischen Vasenmalerei werden auch in der K. V. zahlreiche plastische Gefäße in Gestalt von Tieren, Pflanzen und Körperteilen bemalt [1. 512–533; 2]. Inschr. sind seltener als im att. Sf., v. a. kennt man kaum Signaturen (→ Chares [5], → Timonidas). Als geom. Beischriften finden sich v. a. myth. Namensbeischriften [1. 556–593]; die geritzten Inschr. sind meist Weiheformeln, selten Namensangaben [1. 593–600]. Die typische und häufigste Verzierung in der K. V. bildet der schon im Protokorinthischen verwendete Tierfries, der bis in das SK gebräuchlich bleibt. Von den Heroen ist Herakles häufig, ferner der troianische Sagenkreis (v. a. Achill, Aias, Aineias, Hektor); Götter bleiben selten, am häufigsten sind Artemis, Athena, Hermes oder die Dioskuren [1. 617–625]. An Bildern aus der *vita humana* lassen sich v. a. Kampf, Reiter und Gelage nennen [1. 646f.]. In ihrer Deutung umstritten sind die seit dem FK häufigen »Dickbauchtänzer« [1. 651f.]. Auffällig selten bleiben Sportbilder [1. 647–651].

D. STILISTISCHE ENTWICKLUNG

Die stilistische Entwicklung der K. V. ist insbes. bei der Trennung des MK vom FK nicht immer leicht zu fassen, zumal sich − anders als im att. Sf. − die Gefäßproportionen kaum verändern. Im FK werden v. a. Salbölgefäße bemalt, aber auch der Kolonettenkrater entwickelt (→ Eurytios-Krater), der in der Ant. »korinth. Krater« hieß [1. 378]. Typisch ist das Ineinandergreifen von erzählenden Bildern und Tierfriesen, in denen als »Raubtier« der Löwe (nach assyr. Vorbild) bevorzugt wird; als Ornament wird die geritzte Rosette verwendet. Im MK sind die Tiere gelängter als im FK. Häufigstes »Raubtier« ist nun der Panther; die Füllornamente werden variiert und bilden ein dichtes, tapetenartiges Muster. Neue Vasenformen sind die kleinen Amphoriskoi oder die konvexe Pyxis. Neben weniger sorgfältigen (→ Dodwell-Maler) entstehen sehr qualitätvolle Werke (→ Kavalkade-Maler; → Timonidas). Im SK I erscheinen die meist nachlässigen Tierfriese nur noch auf Pyxiden und Salbölgefäßen, als Füllornamente sind Punktmuster beliebt. Noch immer begegnen v. a. bei größeren Gefäßen aber Meisterwerke wie der Amphiaraos-Krater, der → Astarita-Krater oder die Bilder des → Tydeus-Malers. Auffallend ist die verstärkte Nachahmung des att. Sf. in Bildthemen (Zunahme der Mythen), Gefäßformen (Übernahme der att. → Lekythos und Oinochoe) wie optischer Wirkung (rötl. Überzug der sonst gelbl. Vasenoberfläche, was dem Att. entspricht). Im SK II werden nur noch ornamental und in Silhouettentechnik bemalte Gefäße hergestellt. Danach sind außer der wenig qualitätvollen rf. K. V. besonders die in Umrißzeichnung verzierten Vasen der »Sam WIDE-Gruppe« bemerkenswert, die kult. Zwecken dienten [1. 395].

Die K. V. stellt eine der bedeutendsten Vasengattungen archa. Zeit dar, die seit dem 7. Jh. v. Chr. andere Kunstlandschaften stark beeinflußt hat: so v. a. die att. Vasen des 7. und frühen 6. Jh. v. Chr. (→ Schwarzfigurige Vasenmalerei I.), die boiot. oder auch die etr. Vasenmalerei (Schwarzfigurige Vasenmalerei II.). → Geometrische Vasenmalerei; Rotfigurige Vasenmalerei

1 AMYX, CVP **2** W. R. BIERS, Mass Production, Standardized Parts, and the Corinthian »Plastic Vase«, in: Hesperia 63, 1994, 509–516.

AMYX, Addenda · H. PAYNE, Necrocorinthia, 1931, 35–209 · M. TIVERIOS, Archa. Keramik aus Sindos, in: Makedonia 1986, 70–85.   M. ST.

Korinthischer Bund. Moderne Bezeichnung für den Zusammenschluß griech. Staaten 338/7 v. Chr. durch → Philippos II. von Makedonien nach der Schlacht von → Chaironeia (338 v. Chr.) bei einem Treffen in Korinth. Der Bund umschloß offenbar alle griech. Staaten mit Ausnahme von Sparta und war mit einem Vertrag zur Herstellung eines »Allgemeinen Friedens« (→ *koiné eirḗnē*) verbunden. Der Eid der Mitglieder und die Liste der Bündner sind teilweise inschr. überliefert (IG II² 236 = TOD 177; weitere Informationen bei Demosth. or. 17). Zu den üblichen Bindungen an den Vertrag und die Vertragsparteien trat eine Treuepflicht gegenüber dem Königreich Philipps und seinen Nachkommen. Maßnahmen gegen Vertragsbrecher mußten von der Mitgliederversammlung (*synhédrion*) beschlossen und unter der Führung des *hēgemón* (»Führers«; sicher Philipps selbst) durchgeführt werden. Die Zahlen bei den Namen der in der Liste aufgeführten Mitglieder geben verm. den proportionalen Anteil am mil. Aufgebot des Bundes und an der Besetzung des *synhédrion* wieder. Durch die Verbindung eines Allgemeinen Friedens mit einem Hegemonialbündnis und proportionaler Beteiligung – wie sie etwa in → Boiotia zu finden ist – schuf Philipp ein Verfahren zur effizienten Durchsetzung des Allgemeinen Friedens und gab zugleich seiner Herrschaft über die Griechen eine für diese akzeptable Form.

Die Entscheidung des K. B., in einen Krieg gegen Persien einzutreten und Philippos den Oberbefehl zu übertragen, erfolgte vermutlich im Anschluß daran. Nach Philipps Tod (336) betrachtete man wohl Alexandros [4] als Nachfolger *ex officio* in der Position des *hēgemón* und betraute ihn mit der Führung des Kriegs gegen die Perser. Das *synhédrion* des K. B. verurteilte Theben nach seiner Revolte gegen Alexander im J. 335 (Arr. an. 1,9,9). Die Inselstaaten in der Ägäis wurden dem K. B. angeschlossen (z. B. Chios: Syll.³ 283 = TOD 192), die kleinasiat. Griechenstädte dagegen wohl nicht, obgleich sie zu Verbündeten Alexanders wurden. Nach dem Aufstand der Griechen von 331/30 (→ Agis [3]) übertrug Antipatros [1] die Regelung der Verhältnisse dem *synhédrion*, das sie an Alexander weitergab (Diod. 17,73,5f.). Wahrscheinlich wurde damals Sparta dem K. B. angeschlossen. In Abwesenheit Alexanders erfüllte stellvertretend eine »Generalaufsichtskommission« (*hoi epí tēi koinēi phylakēi tetagménōi*) dessen Aufgabe als *hē-gemōn* (Demosth. or. 17,15). Der K.B. scheint nach Alexanders Tod zerbrochen zu sein, der Hellenenbund von 302 v.Chr. verstand sich als seine Erneuerung (IG IV² 1,68; → Antigonos [1]).

1 J.A.O. LARSEN, Representative Government in Greek and Roman History, 1955, Kap. 3   2 T.T.B. RYDER, Koine Eirene, 1965, Kap. 7 und App. 10.   P.J.R.

Korinthischer Golf

Korinthischer Golf (Korinthischer Meerbusen, Κο-ρινθιακὸς κόλπος). Nach Strab. 8,2,3 rechnete man den K.G., dessen Ostteil h. K.G., dessen Westteil h. »Golf von Patra« (Πατραϊκὸς κόλπος) heißt, von der Mündung des Acheloos oder des Euenos an der mittelgriech. Küste und von Araxos (h. das gleichnamige Kap Ἄκρα Ἄραξος) an der peloponnes. Küste aus mit einer Breite von 10 km und einer maximalen Tiefe von 133 m. Die beiden Küstenlinien nähern sich bei Antirrhion und Rhion auf ca. 2 km (ant. Angaben: 5 Stadien/925 m, Strab. l.c.; höchstens 7 Stadien/1295 m, Thuk. 2,86,4, ebenso Agathemeros 24; weniger als *milia passuum*/1480 m, Plin. nat. 4,6; 10 Stadien/1850 m, Ps.-Skylax 35) mit einer Schwellentiefe von 68 m. Sie treten im östl. Teil des K.G., den man auch »Krisaischen« (Κρισαῖος κόλπος, vgl. Thuk. l.c.) oder »Delph. Golf« (Δελφικὸς κόλπος, vgl. Ps.-Skylax, l.c.) nannte, mit einer maximalen Tiefe von etwas mehr als 850 m wieder auseinander, um schließlich nach einer Strecke von insgesamt 127 km an der Westküste von Boiotia und der Megaris in zwei tiefe Buchten am → Isthmos auszulaufen, deren nordöstl. wohl als »Alkyonische See« (Ἀλκυονὶς θάλαττα) bekannt war. Für die Umrundung des K.G. vom Acheloos bzw. vom Euenos bis Araxos gibt Strab. l.c. 2330 Stadien (431,05 km) bzw. 2230 (412,55 km), vom Isthmos bis Araxos 1030 Stadien (190,55 km) an. Die Nordküste des K.G. ist eine Senkungsküste mit nur wenigen Schwemmlandebenen und zahlreichen Buchten; sie eignete sich daher kaum für eine Uferstraße – vielmehr liefen vielfach Verkehrswege vom Binnenland südwärts ans Ufer heran, um ihre Fortsetzung mit Hilfe der Seefahrt zu finden. Einfach gestaltet ist dagegen die Südküste mit zahlreichen Küstenebenen und nordwärts vorspringenden Deltabildungen; hier verlief schon früh in OW-Richtung eine ufernahe Küstenstraße.

Was in der Ant. mehrfach vergeblich versucht wurde (Periandros, Demetrios [2] Poliorketes, Caesar, Caligula, Nero, Herodes [16] Atticus), ist seit 1893 verwirklicht: die Verbindung des K.G. durch einen Kanal über das Südende des Isthmos von Korinth mit dem Saronischen Golf; immerhin hat man diese Verbindung schon seit dem 6. Jh. v.Chr. mit Hilfe einer Gleitbahn für den Schiffstransport (Diolkos) bewerkstelligt.

PHILIPPSON/KIRSTEN 3, 65–70.   E.O.

Korinthischer Krieg

Korinthischer Krieg. Nach dem mil. Operationsgebiet um → Korinthos benannter Krieg, ausgelöst durch einen Grenzkonflikt zwischen Lokrern und Phokern 395 v.Chr. und beendet durch den → Königsfrieden 386. Sparta rückte als Verbündeter der Lokrer in das mit den Phokern verbündete Boiotien ein, das mit Athen eine Symmachie einging. Nach der spartan. Niederlage vor → Haliartos 395 (Tod des → Lysandros) traten Korinth und Argos der athen.-thebanischen Symmachie bei (StV II² 225). Ein Vorstoß der Alliierten gegen Lakonien 394 endete mit der Niederlage am Nemea-Bach. Der aus dem Krieg gegen die Perser zurückgerufene spartan. König → Agesilaos [2] errang bei → Koroneia einen Sieg. Nach Vernichtung der spartan. Seeherrschaft durch die persische Flotte unter dem Athener → Konon [1] unterstützte Persien offen die Allianz bei Korinth. Die Auseinandersetzung dort entwickelte sich zu einem Kleinkrieg, bei dem weder die Einnahme des Hafens → Lechaion durch Sparta noch die Vernichtung einer spartan. → *móra* durch die Athener → Iphikrates und → Kallias [5] zu einem entscheidenden Sieg führten. Nach Vertreibung prospartan. Aristokraten ging Korinth mit Argos eine → Sympoliteia ein. Von Sparta initiierte Friedensverhandlungen 393/2 und 391 scheiterten.

Im wiederaufgenommenen Krieg errang Sparta durch Agesilaos zu Lande und durch die Feldherrn → Thibron und Teleutias in der Ägäis 390 wichtige Erfolge. Athen sandte 389 → Chabrias nach Korinth und → Thrasybulos in die nördl. Ägäis, der eine athen. Vorherrschaft zu erneuern versuchte. Nach dessen Tod 388 führten → Agyrrhios und Iphikrates den Krieg zur See fort, die Spartaner → Gorgopas und Teleutias unternahmen von Aigina aus Kaperzüge gegen den Peiraieus und die att. Küste. 388 erreichte → Antalkidas eine Verständigung mit dem Perserkönig und zwang durch die am Hellespont erreichten mil. Erfolge Athen dazu, Gesandte zu → Tiribazos zu schicken. Nach dem 387 verkündeten und 386 beschworenen Königsfrieden wurden die Städte in Kleinasien, Klazomenai und Kypros den Persern zugesprochen, alle anderen griech. Städte sollten autonom sein. Athen erhielt Lemnos, Imbros und Skyros. Der boiotische Bund und die Sympoliteia von Korinth und Argos wurden auf Druck Spartas aufgelöst.

P. FUNKE, Homónoia und Arché, 1980 • E. MEYER, Gesch. des Alt. 5, ⁴1958, 224–269 • B.S. STRAUSS, Athens after the Peloponnesian War, 1986.   W.S.

Korinthischer Standard

Korinthischer Standard s. Münzfüße

Korinthisches Erz

Korinthisches Erz. *Corinthium aes*, nach Plin. nat. 34,6–8 eine Legierung aus → Kupfer, → Gold und → Silber mit künstlicher Patinierung, die ihm Goldglanz verlieh. Versuche, K.E. mit dem sog. »Schwarzen Gold« und »Niello« zu identifizieren, sind nicht überzeugend, da nur eine mindere Sorte von K.E. dunkel war. Der Begriff K.E. war immer mit legendärer Erfindung, alten Meisternamen und zweifelhafter Authentizität verbunden. Juristische Quellen (Dig. 32,100,3) unterscheiden jedoch K.E. von einfacher Bronze und beziehen sich auf kostbares Tafelgerät, das in der frühen Kaiserzeit noch hergestellt wurde (Paus. 2,3,3). *Corinthiarii*, die nur im kaiserlichen Haushalt erscheinen, waren wohl eher Kustoden als Hersteller von K.E.

Als K.E. galten auch griech. Statuetten und Reliefgefäße, die mit alten Meisternamen versehen oder gefälscht wurden. Sie dienten in der Lit. von Cicero bis in die mittlere Kaiserzeit als Sinnbild für maßlosen Luxus und unsinnige Kunstleidenschaft. Verres sei daran zugrunde gegangen, Augustus wird damit verspottet, Trimalchio karikiert.

E. POTTIER, DS 1,2, 1507–1508 · A. MAU, s.v. Corinthium aes, RE 4, 1233–1234 · H. JUCKER, Vom Verhältnis der Römer zur bildenden Kunst der Griechen, 1950 · I. CALABI LIMENTANI, s.v. Corinthiarius, EAA 2, 838 · D.M. JACOBSON, M.P. WEITZMAN, What Was Corinthian Bronze?, in: AJA 96, 1992, 237–247 · A.R. GIUMLIA-MAIR, P.T. CRADDOCK, Corinthium aes (Antike Welt 24, Sonderheft), 1993 · D.M. JACOBSON, M.P. WEITZMAN, Black Bronze and the Corinthian Alloy, in: CQ 45, 1995, 580–583.   R.N.

Korinthos (Κόρινθος, *Corinthus*, h. Korinth).
I. LAGE II. GESCHICHTE III. BAUBESTAND

I. LAGE

Die Stadt liegt auf der zweiten und dritten Terrasse über der Küstenebene (40–95 m ü.M.) ca. 2 km von der Küste entfernt, urspr. vermutlich an einem Delta, dessen Entstehung auf die Zeit zurückgeht, als vor ca. 250000 J. der Golf von Patra und der Golf von Korinth noch einen See bildeten [1]. Die Stadtmauer, die den imposanten isolierten Kalkklotz des Festungsgipfels Akrokorinthos (575 m) einschloß, besaß einen äußeren Gesamtumfang von etwa 12 km (ohne die innere Burgmauer), wozu aber noch die beiden Schenkelmauern zu dem ebenfalls befestigten Hafen → Lechaion von 2 bzw. 2,5 km hinzuzurechnen sind. Der Flächeninhalt beträgt knapp 600 ha, bei weitem die größte Stadtfläche in Griechenland; dazu ist noch der ummauerte Raum zw. Stadt und Hafen Lechaion mit etwa dem halben Flächenraum hinzuzunehmen. Das Gebiet umfaßte das umliegende Land nach Westen, Süden und bes. SO, dazu den → Isthmos und das Megara im 6. Jh. v. Chr. abgenommene Gebiet südl. des → Geraneia-Gebirges einschließlich der Halbinsel Peiraion (h. Perachora), zumeist jungtertiäres neogenes Schollenland, im SO Kalk. K. verfügte über zwei Häfen, Lechaion am → Korinthischen Golf und → Kenchreai am Saronischen Golf. Die hervorragende Verkehrslage und beherrschende strategische Position am Einfallstor aller Straßen vom Norden auf die Peloponnesos und am Schnittpunkt des OW-Seeverkehrs über den Isthmos im Verein mit dem großartigen Festungsberg sicherten K. in der Ant. stets große Bedeutung.

II. GESCHICHTE
A. FRÜHGESCHICHTE UND ARCHAISCHE ZEIT
B. KLASSISCHE UND HELLENISTISCHE ZEIT
C. DIE RÖMISCHE KOLONIE D. SPÄTANTIKE UND BYZANTINISCHE ZEIT

A. FRÜHGESCHICHTE UND ARCHAISCHE ZEIT

Obwohl der Name K. vorgriech. ist und in der nächsten Umgebung mehrere prähistor., v.a. neolith. Siedlungen (mit stärkerer Siedlungslücke in MH und SH) bekannt sind [2] und nun auch auf dem Boden der Stadt prähistor. Funde gemacht worden sind [3], scheint die Gründung der histor. Stadt erst in die Zeit nach der → Dorischen Wanderung zu gehören und von Argos ausgegangen zu sein. Nach bescheidenen Anfängen setzte um 725 v.Chr. ein beachtlicher wirtschaftl. und polit. Aufschwung ein, arch. durch die protokorinth. und korinth. Keramik und ihre Verbreitung, geschichtlich durch die große Zahl bedeutender Kolonien (Poteidaia, Leukas, Korkyra, Anaktorion, Ambrakia, Apollonia, Epidamnos, Syrakus) belegt [4]. Die frühe Stärke von K. als Seemacht betont Thuk. 1,13. Als griech. Stadt erscheint K. schon bei Hom. Il. 2,570 (ferner ebd. 13,664). Die polit. Herrschaft lag in der Frühzeit bei dem heraklidischen Adelsgeschlecht der → Bakchiadai, die durch → Kypselos [2] gestürzt wurden. Die Tyrannis des Kypselos und seines Sohnes → Periandros (etwa 620/610–550/540 v.Chr.) [5; 6] bedeutete eine neue Glanzzeit mit Erweiterung und Festigung des Kolonialreichs. Auf den Sturz der Tyrannis wohl mit spartanischer Hilfe folgte eine gemäßigte Oligarchie. K. schloß sich dem → Peloponnesischen Bund an, in dem es als einzige bedeutende Flottenmacht eine große Rolle spielte und auch seine Selbständigkeit wahrte, insbes. durch gute Beziehungen zu anderen Städten, v.a. zu Athen. Wegen seiner zentralen Lage wurde K. 481 v.Chr. Versammlungsort der zur Abwehr der Persergefahr verbündeten Griechen, weshalb man diesen Bund den → »Korinthischen Bund« nennt. An den → Perserkriegen war K. bei Artemision, Salamis, Mykale und Plataiai mit großen Kontingenten beteiligt.

B. KLASSISCHE UND HELLENISTISCHE ZEIT

Die wachsende Macht der Athener und ihr Übergreifen nach Westen stellte für K. eine schwere Existenzbedrohung dar und führte im »Hellenischen Krieg« (458–446) zu den ersten Kämpfen mit Athen. Dieselben Gründe führten zu der korinth. Klage in Sparta, die den → Peloponnesischen Krieg auslöste, in dem auch K. schwere Niederlagen und Verluste erlitt. Unmittelbar nach dem Krieg schlug die Stimmung völlig um. K. verweigerte Sparta mehrfach die Bundeshilfe und schloß sich 395 v.Chr. mit Athen, Boiotien und Argos zu einem Bündnis gegen Sparta zusammen, das zu dem sog. → Korinthischen Krieg (395–386) führte. Nach einer blutigen demokrat. Revolution im J. 392 verlor K. seine Selbständigkeit und ging im → *synoikismós* mit → Argos auf. Im → Königsfrieden 387/6 mußte diese Vereinigung rückgängig gemacht werden, und nach einem aristokratischen Umsturz schloß sich K. nun wieder Sparta an. Die heftigen Kämpfe um K. im Zusammenhang mit den thebanischen Feldzügen unter Epameinondas in die Peloponnesos (370–362) veranlaßten K. zum Austritt aus dem Peloponnes. Bund und zum Friedensschluß mit Theben, was großen wirtschaftlichen Aufschwung zur Folge hatte.

In Anlehnung an den Bund von 480 v.Chr. bestimmte Philippos II. K. wieder zum Sitz des von ihm gegründeten »Bundes der Griechen«, der nach dem → Lamischen Krieg (323/2) aufgelöst wurde. K. stand seitdem unter maked. Besatzung und schloß sich in den → Diadochenkriegen nacheinander Polyperchon, Ptolemaios I., Kassandros und Demetrios [2] Poliorketes an. Für dessen Sohn Antigonos [2] Gonatas war K. die sicherste Stütze seiner Herrschaft über die Peloponnesos, kurz unterbrochen durch den Abfall seines Neffen Alexandros [9]. 243 v.Chr. gelang Aratos [1] durch sorgfältig vorbereiteten Überfall die Besetzung von Burg und Stadt, die sich sofort dem Achaiischen Bund anschloß (Plut. Aratos 18–24; Pol. 2,43,4–6). Die Eroberungen Kleomenes' III., zu denen auch K. gehörte, nötigten Aratos, K. als Preis des Bündnisses wieder an Antigonos [3] Doson abzutreten (223/2 v.Chr.). Nach dem 2. Maked. Krieg schloß sich K., jetzt wieder frei, dem Achaiischen Bund (→ Achaioi, mit Karte) an. K. war Hauptzentrum des letzten Widerstandes gegen Rom und hatte das mit der furchtbarsten Katastrophe seiner Gesch. zu büßen, der völligen Zerstörung durch die Römer unter L. → Mummius im Jahre 146 v.Chr. Die Bevölkerung wurde ermordet oder in die Sklaverei verkauft [7], das Gebiet teilweise an Sikyon vergeben, zur Hauptsache aber röm. *ager publicus*. Die Stadt wurde jedoch vermutlich nicht aufgegeben [8].

C. DIE RÖMISCHE KOLONIE

Durch Caesar wurde K. 44 v.Chr. als röm. Bürgerkolonie *Colonia Laus Iulia Corinthus* neu gegr. [9] und mit Freigelassenen und Veteranen besiedelt. Sie entwickelte sich schnell wieder zu einer der glanzvollsten Städte Griechenlands und wurde Sitz des Statthalters der Prov. Achaia [10; 11]. Eine jüd. und eine frühe Christengemeinde ist durch den Aufenthalt des Apostels Paulus 50/1 n.Chr. bezeugt [10. 107–118]. Die ersten sicher bezeugten Bischöfe sind ins 2. Jh. zu datieren. Die röm. Kaiser förderten K. v.a. durch Bauten, Hadrianus z.B. durch eine Wasserleitung aus dem Tal von Stymphalos [12]. 267 n.Chr. wurde K. durch die Heruler schwer verwüstet. Y.L.

D. SPÄTANTIKE UND BYZANTINISCHE ZEIT

Dank seiner paulinischen Trad. und seiner Funktion als Metropolis der Prov. Achaia war K. kirchliches und administratives Zentrum von Festlandgriechenland seit dem beginnenden 4. Jh. n.Chr. Die Bischöfe sind daher auf fast allen wichtigen Konzilien bezeugt (aber nicht 325 in Nikaia). Zerstörungen durch Erdbeben 365 und 375 sowie durch Alarich (→ Alaricus [2]) 395 folgten großangelegte Wiederaufbaumaßnahmen [13]. Erdbeben (521/2, bes. 550/1) und Seuchen (542) schwächten

die Siedlung so sehr, daß sie spätestens infolge der Avaro-Slaven-Invasion im ausgehenden 6. Jh. weitgehend aufgegeben worden zu sein scheint (Rückzugssiedlung auf der Burg im 7. Jh.). Doch wurde K. bald wieder (wohl schon unter → Constans [2]) mil. Stützpunkt der Byzantiner und Hauptort des → Themas Hellas, seit dem beginnenden 9. Jh. des Themas Peloponnesos. In dieser Zeit setzte erneut eine rege Siedlungtätigkeit ein [14], die sich jedoch nicht mehr am ant. Straßennetz orientierte, mit florierendem Gewerbe (Keramik, Glas, Seidenweberei). 1147 wurden die Seidenweber durch Roger II. nach Sizilien verschleppt. Im 13. und 14. Jh. kam K. unter wechselnde fränkische Herren, bis schließlich 1458 die Türken die byz. Herrschaft in K. beendeten. Zu den zahlreichen und bedeutenden arch. Resten aus byz. Zeit s. [14 mit Plan]. E.W.

III. BAUBESTAND

Wegen der Zerstörung von 146 v.Chr. sind die Gebäudereste von K. gering. Es sind außer verschiedenen Stücken der Stadtmauer v.a. die berühmten Säulen des Apollon-Tempels (Lageplan Nr. 17) auf dem Hügel nördl. über dem Markt aus dem letzten Drittel des 6. Jh. v.Chr., ferner an der Nordseite der Agora (Nr. 21) das unterirdische Brunnenhaus einer hl. Quelle (Nr. 20; dabei ein Orakelheiligtum), alles von röm. Anlagen überbaut, sowie manche stehengebliebenen und wieder verbauten Mauern, v.a. der großen Markthallen und Brunnenhäuser.

Mittelpunkt der Stadt ist die Agora (Nr. 21): Ein freier Platz (ca. 65 × 165 m) ist im Norden und Süden von großen Säulenhallen mit Läden, Werkstätten und öffentl. Gebäuden eingerahmt, die im Süden eine großartige Anlage auf zwei Terrassen bilden (angelegt z.Z. Philippos' II., ca. 340/335 v.Chr.). Im Norden, Osten und Süden liegen dahinter große Basiliken, während die Westseite von einer Reihe von Tempeln und anderen Gebäuden abgeschlossen wird [16]. Eine breite, gerade Prunkstraße (Nr. 12) führt vom Hafen → Lechaion her durch einen monumentalen Torbau [17] auf die Nordseite der Agora. An dieser Straße liegen außer einer großen → Basilika (E. 1. Jh. v.Chr.) und einem anderen Marktgebäude ein Heiligtum des Apollon (Nr. 1) und die zuletzt durch → Herodes [16] Atticus prunkvoll ausgebaute Peirene-Quelle (Nr. 2; Bewirtschaftung schon im 7. Jh. v.Chr.). Weitere Tempel liegen hinter einer weiteren Reihe von Säulenhallen hinter der Westseite der Agora, hier auch das stark zerstörte, aus dem Felsen geschlagene Brunnenhaus Glauke (Nr. 28). Nordwestl. davon ein Odeion (Nr. 30; 1. Jh. n.Chr.) und ein großes Theater (Nr. 31) (errichtet im 5. Jh. v.Chr., vollständiger Wiederaufbau z.Z. der Gründung der röm. Kolonie, Überholung durch Hadrianus), nördl. davon an der Stadtmauer der hl. Bezirk des Asklepios mit Funden seit dem 7. Jh. v.Chr., dabei das große Brunnenhaus Lerna. Am Aufgang zur Burg ist ein Teil des Töpferviertels ausgegraben und Reste des Heiligtums der Demeter und Kore (Paus. 2,4,7) [18].

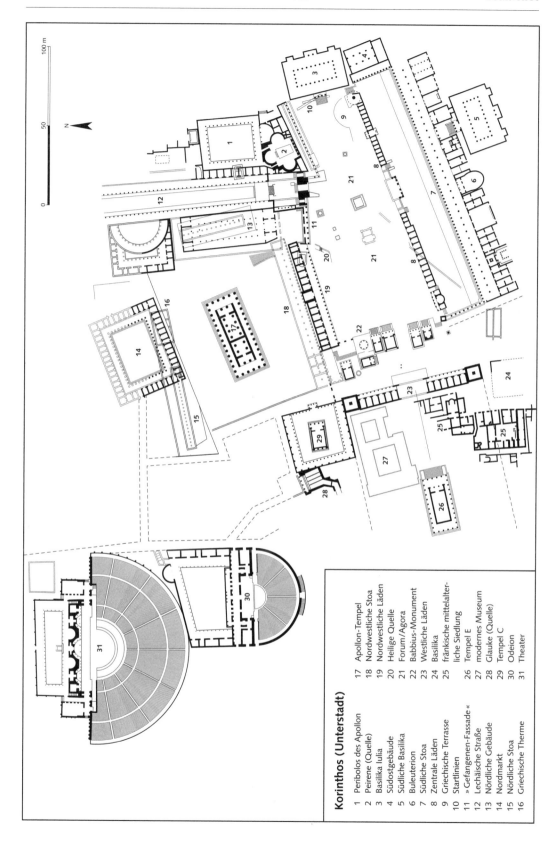

Korinthos (Unterstadt)

1 Peribolos des Apollon
2 Peirene (Quelle)
3 Basilika Iulia
4 Südostgebäude
5 Südliche Basilika
6 Buleuterion
7 Südliche Stoa
8 Zentrale Läden
9 Griechische Terrasse
10 Startlinien
11 »Gefangenen-Fassade«
12 Lechäische Straße
13 Nördliche Gebäude
14 Nordmarkt
15 Nördliche Stoa
16 Griechische Therme
17 Apollon-Tempel
18 Nordwestliche Stoa
19 Nordwestliche Läden
20 Heilige Quelle
21 Forum/Agora
22 Babbius-Monument
23 Westliche Läden
24 Basilika
25 fränkische mittelalter-
   liche Siedlung
26 Tempel E
27 modernes Museum
28 Glauke (Quelle)
29 Tempel C
30 Odeion
31 Theater

Auf der Burg (Akrokorinthos) ist v. a. das Brunnenhaus der »oberen Peirene« bekannt, ferner der Tempel
der Aphrodite, der über 1000 → Hierodulen besessen
haben soll. Vor allem nördl. des Hügels mit dem Apollontempel sind u. a. weitere Säulenhallen, Marktgebäude, Thermen, Wohnviertel (auch byz.), einschließlich
größerer Villen, mehrere Kirchen ausgegraben. Belege:
Strab. 8,6,20–23; Paus. 2,1,1–5,4. Inschr.: IG IV, 210–
413; CIL III 534–545; 6098–6100; 7268–7277; 13692–
13696; 14405a [19]. Mz.: HN², 398–405.   Y.L.

1 D.J.W. Piper u. a., Quaternary History of the Gulfs of
Patras and Corinth, in: Zschr. für Geomorphologie 34,
1990, 451–458 2 C.Blegen, Korakou, a Prehistoric
Settlement near Corinth, 1921 3 L.Kosmopoulos, The
Prehistoric Inhabitation of Corinth 1, 1948 4 C.Morgan,
Corinth, the Corinthian Gulf and Western Greece during
the Eighth Century B.C., in: ABSA 83, 1988, 313–338
5 S.I.Oost, Cypselus the Bacchiad, in: CPh 57, 1972, 10–30
6 V.Parker, Zur griech. und vorderasiat. Chronologie des
6. Jh.v.Chr. unter bes. Berücksichtigung der
Kypselidenchronologie, in: Historia 42, 1993, 385–417
7 H.Volkmann, Die Massenversklavungen der Einwohner
eroberter Städte in der hell.-röm. Zeit, 1961, 30f., 88
8 J.Wiseman, Corinth and Rome I: 228 B.C.-A.D. 267,
in: ANRW II 7.1, 1979, 438–548 9 C.K.Williams, The
Refounding of Corinth, in: S.Macready, F.H.Thompson
(Hrsg.), Roman Architecture in the Greek World, 1987,
26–37 10 D.Engels, Roman Corinth, 1990 11 A.J.S.
Spawforth, Roman Corinth, in: A.D.Rizakis (Hrsg.),
Roman Onomastics in the Greek East (Meletemata 21),
1996, 167–182 12 Y.A.Lolos, The Hadrianic Aqueduct of
Corinth, in: Hesperia 66, 1997, 271–314 13 T.E.Gregory,
in: Hesperia 48, 1979, 264–280 14 D.M.Metcalf, in:
Hesperia 41, 1973, 180–251 15 D.I.Pallas, s. v. K., RBK 4,
759–807 16 C.K.Williams, A Reevaluation of Temple E
and the West End of the Forum of Corinth, in: S.Walker,
A.Cameron (Hrsg.), The Greek Renaissance in the Roman
Empire, BICS Suppl. 55, 1989, 156–162 17 C.M.Edwards,
The Arch over the Lechaion Road at Corinth and Its
Sculpture, in: Hesperia, 63, 1994, 263–308 18 N.Bookidis,
R.Stroud, Demeter and Persephone in Ancient Corinth,
1987 19 B.D.Meritt, A.B.West, J.H.Kent, Corinth
VIII, 1–3 (Greek and Latin Inscriptions), 1931–1966.

W.Elliger, O.Volk, s. v. K., LThK³ 6, 378f. · T.E.
Gregory, s. v. Corinth, ODB 1, 531–533 · R.Janin, s.v.
Corinthe, DHGE 13, 876–880 · J.Koder, s.v. K., LMA 5,
1444f. (Lit.) · Ders., s. v. Morea, LMA 6, 834–836 ·
E.Meyer, s.v. K., RE Suppl. 12, 514–516 · D.I.Pallas,
s. v. K., RBK 4, 746–811 (Lit. bis 1990) · H.S.Robinson,
s. v. Corinth, PE, 240–243 · J.B.Salmon, Wealthy
Corinth, 1984 · R.Scheer, s.v. K., in: Lauffer,
Griechenland, 338–343 · E.Will, Korinthiaka, 1955 ·
C.K.Williams, s.v. Corinto, EAA², 301–303 · Hesperia
(regelmäßige Ber. der amerikan. Ausgrabungen) ·
Corinthian Results of Excavation, 1929ff. (fortlaufende
Publikation).   Y.L. u. E.W.

Koriskos (Κορίσκος) aus Skepsis, um 400 v.Chr. Mehrfach neben → Erastos erwähnter Sokratiker (Strab.
13,1,54); Begleiter Platons zu Hermias nach Assos;
Adressat des sechsten Platonischen Briefes. Vater des
Neleus, dem Theophrast das aristotelische Schriften-

corpus vermachte. Stobaios überliefert ein Apophtheg-
ma des greisen K. über den Tod (Stob. 3,7,53 = T 9
Lasserre).

F.Lasserre, De Léodamas de Thasos à Philippe d'Oponte.
Témoignages et fragments, 1987.   K.-H.S.

Korkyra
[1] (Κόρκυρα, lat. Corcyra; die Insel Korfu).
A. Name   B. Geographie
C. Geschichte   D. Archäologie

A. Name
Die nördlichste der Ion. Inseln, auf Mz. und einhei-
mischen Inschr. immer K. gen., daneben lit. und inschr.
(IG II-III² 96; SEG 25, 354) auch Κέρκυρα, lat. Corcyra, h.
amtlich Kérkyra. Der seit dem 10. Jh. gebräuchliche
Name Korfu entstand aus dem griech. Wort Koryphē
(»Gipfel«) nach der die ma. und mod. Stadt überragen-
den Festung.

B. Geographie
Die Insel ist 62 km lang, zw. 3,5 und 28 km breit und
ca. 585 km² groß. Sichelartig gekrümmt, nähert sich K.
im Norden und Süden auf 2 bis 8 km dem epeirotischen
Festland. An der von Buchten gegliederten Ostseite liegen seit der Ant. die wichtigsten Siedlungen, während
die an vielen Stellen steil abfallende Westseite dem offenen Meer ausgesetzt ist. Höchster Berg ist mit 906 m
der Pantokrator im NO. Dank der (in Griechenland
größten) Regenmenge erfreut sich K. einer üppigen
Vegetation und ganzjähriger Flüsse. K. besaß auf dem
(heute albanischen) Festland (Thuk. 3,85) [8. 284] eine
→ Peraia.

C. Geschichte
Besiedelt seit dem Paläolithikum; doch ist die Früh-
gesch. K.s kaum bekannt: Die Siedlungen (z.B. Aphio-
na, Kephali, Ermones) lagen im Westen und Norden der
Insel, in der frühen Brz. gab es eine Zuwanderung vom
Festland (Illyria) [2], Kontakte zur myk. Welt Griechenlands sind hingegen nicht erkennbar. In den homer.
Epen wird K. nicht namentlich gen., doch spätestens seit
dem 5. Jh.v.Chr. (Thuk. 1,25,4) wird K. von ihren
Bewohnern mit Scheria, der Heimat der → Phaiakes,
gleichgesetzt. Die ersten griech. Siedler stammten aus
→ Eretria [1] und vertrieben um 750 die hier wohnenden Libyrner (Plut. mor. 293ab; Strab. 6,2,4). Wohl um
734 wurde unter dem Bakchiaden (→ Bakchiadai)
Chersikrates die korinth. Kolonie im Osten der Insel
angelegt [13. 62–70; 11. 163 Nr. 3]. Allein oder zusammen mit Korinth gründete K. weitere Kolonien in NW-
Griechenland: → Leukas, → Anaktorion, → Apollonia
[1] und Epidamnos (→ Dyrrhachion) [13. 209–217]. K.
besaß im 7. und 6. Jh. die stärkste griech. Flotte (664
Sieg über Korinth in der ersten bekannten Seeschlacht
Griechenlands), beherrschte das Ion. Meer und den
Adria-Handel [7]. An den Kämpfen der Perserkriege
nahm K. nicht teil.

Der Streit um das gemeinsam mit Korinth gegr. Epidamnos [3. 60–62] war einer der Anstöße zum → Peloponnesischen Krieg, vor dessen Beginn K. mit Athen ein Bündnis schloß [13. 282–293]. In diesem Krieg endeten Konflikte um den außenpolitischen Kurs in blutigen Parteikämpfen zw. Oligarchen und Demokraten, aus denen erstere als Sieger hervorgingen [3. 88–94, 368f.]. Dem durch erfolgreiche Unternehmungen des Timotheos veranlaßten Beitritt in den 2. → Attischen Seebund im J. 375 v. Chr. (StV 262f.) [18] folgten weiterhin heftige innere Kämpfe [3. 94–96], die zum zeitweiligen Austritt aus dem Bündnis mit Athen führten. Bis zur Eroberung durch → Kleonymos 303 konnte K. seine Unabhängigkeit behaupten, von da an unterstand K. verschiedenen Herren (→ Agathokles [2], → Pyrrhos, → Demetrios [2] Poliorketes). 228 v. Chr. ergab sich die illyr. Garnison unter Demetrios von Pharos den Römern; K. kam unter den Schutz Roms (Pol. 2,9–12) und ist seitdem – als erste Stadt in Griechenland – dem röm. Herrschaftsbereich zuzurechnen. Die Lage zw. It. und Griechenland begünstigte die Entwicklung der Insel, auf die viele röm. Kaiser Station machten (v. a. in → Kassiope). Bei der Teilung des Reiches 395 n. Chr. wurde K. dem Osten zugeschlagen. Erster bekannter Bischof war in der 1. H. des 5. Jh. n. Chr. Iovianos, Erbauer einer fünfschiffigen Basilika in der ant. Stadt [19. 7–10]. K. war Plünderungen der Ostgoten (551) und – bei griech. Bevölkerungskontinuität – Invasionen der Slaven (7. Jh.) ausgesetzt [14].

D. ARCHÄOLOGIE

Im Gegensatz zur histor. Bed. sind die sichtbaren Reste h. gering, doch zeigen die Funde der neueren Ausgrabungen Reichtum und wirtschaftliche Bed. von K. Die ant. Stadt mit Namen K. – einzige *pólis* auf der Insel – befand sich 3 km südl. der ma. und mod. Stadt auf der Halbinsel Analipsi (oder Kanoni ([4; 15. 118–130]; Pläne: [6. 337; 16. 185]). Unmittelbar an der ant. Stadt lagen zwei (h. verlandete) Häfen, deren zugehörige Schiffshäuser (*neōria*) nun freigelegt sind: im NO der »Alkinoos-Hafen« (Handelshafen; Plan: [5. 59]), im Westen in der Lagune Chalikiopulos der »Hyllaische Hafen« (Kriegshafen) [6]. Direkt südl. des »Alkinoos-Hafens« schließt sich die gepflasterte Agora an, in deren Mitte die aus ant. Spolien gebaute Basilika steht. Südl. der Agora (h. Phigareto) befand sich das Handwerker- und Handelsviertel [10; 16]. Von den vielen Tempeln im Stadtgebiet (z. B. Hera Akraia, Apollon Korkyraios, Dionysos) ist am wichtigsten der Artemistempel mit dem berühmten Gorgogiebel aus dem frühen 6. Jh. v. Chr. westl. der Agora (Pläne: [11. 14; 15. 128f.]). Die Stadtmauern verliefen im Norden an der engsten Stelle zw. der Bucht von Garitsa und dem Hyllaischen Hafen, im Süden offenbar direkt unterhalb der Akropolis auf der Anhöhe Analipsis [5. 59]. Die im Westen und Norden (Bucht von Garitsa) der ant. Stadt gelegenen Gräberfelder sind bedeutend wegen ihrer (spät)geom. und archa. Funde (»Menekrates-Grab«). Als arch. Reste auf der Insel sind nur zu nennen die Hafenstadt Kassiope

und ein dor. Tempel bei Roda im Norden. Mz.: [1; 12]. Inschr.: [8; 17].

1 BMC, Gr (Thess.-Aetolia) 115–167, Gr (Corinth) 112 2 G. ARBANITOU-METALLINOU, Οικισμός της εποχής του Χαλκού στους Ερμονες Κέρκυρας, in: AD 44–46 A, 1989–1991 (1996), 209–222 3 H.-J. GEHRKE, Stasis, 1985 4 H. KALETSCH, s. v. Palaiopolis, in: LAUFFER, Griechenland, 502 f. 5 P. G. KALLIGAS, Κέρκυρα, ἀποικισμός και ἔπος, in: ASAA 60, 1982, 57–68 6 A. KANTA-KITSOU, Ausgrabungen auf Kerkyra, in: AD 47 B 1, 1992 (1997), 337–340 (neugriech.) 7 F. KIECHLE, K. und der Handelsweg durch das Adriatische Meer im 5. Jh. v. Chr., in: Historia 28, 1979, 173–191 8 P. MELA, K. PREKA, D. STRAUCH, Die Grabstelen vom Grundstück Andrioti auf K., in: AA 1998, 281–303 9 PHILIPPSON/KIRSTEN 2, 202–290, 422–455 10 K. PREKA-ALEXANDRI, A Ceramic Workshop in Figareto, in: BCH Suppl. 23, 1992, 41–52 11 G. RODENWALDT u. a., K., 2 Bde., 1939/1940 12 RPC, 274 13 J. B. SALMON, Wealthy Corinth, 1986 14 SOUSTAL, Nikopolis, 178–181 15 R. SPEICH, Korfu und die Ion. Inseln, 1982 16 A. SPETSIÉRI-CHORÉMI, Un dépôt de sanctuaire archaïque à Corfou, in: BCH 115, 1991, 183–211 17 D. STRAUCH, Aus der Arbeit am Inschr.-Corpus der Ion. Inseln, in: Chiron 27, 1997, 209–254 18 C. TUPLIN, Timotheos and Corcyra, in: Athenaeum 62, 1984, 537–568 19 D. D. TRIANTAPHYLLO-PULLOS, s. v. Kerkyra und die Ion. Inseln, RBK 4, 1–63.

H. KALETSCH, s. v. Kerkyra, in: LAUFFER, Griechenland, 323–328.   D. S.

[2] K. Melaina (Κόρκυρα μέλαινα, lat. *Corcyra nigra*, »die Schwarze K.«). Insel vor der dalmatischen Küste, h. Korčula (Kroatien). »Schwarz« gen. wahrscheinlich wegen der Bewaldung im Unterschied zur gleichnamigen Insel im Süden. Um 600 v. Chr. Koloniegründung durch Bürger aus → Knidos (Skyl. 23; Skymn. 427f.; Strab. 7,5,5, Plin. nat. 3,152), eine weitere Kolonie von → Issa aus angelegt im 4./3. Jh. v. Chr. (SEG 43, 348; StV 451). In der Kaiserzeit von → Salona verwaltet [1].

1 G. ALFÖLDY, Bevölkerung und Ges. der röm. Prov. Dalmatien, 1965, 107.

L. BRACCESI, Grecità Adriatica, ²1979 · J. J. WILKES, Dalmatia, 1969 · Ders., The Illyrians, 1992.   D. S.

Kormoran. Den zu den Ruderfüßern (Steganopodes) gehörenden gänsegroßen Fischfresser Phalacrocorax carbo (L.) mit dunklem Gefieder erwähnt Aristot. hist. an. 7(8),593b 18–22 als sog. »Raben« (κόραξ) und als Baumbrüter. Den damals auf den Balearen heimischen *phalacrocorax* (»kahlköpfiger Rabe«) bei Plin. nat. 10,133 deutete man früher als K. [1. 196f.], h. eher als den in Europa ausgestorbenen Waldrapp oder Schopfibis (Comatibis eremita). Als Synonym findet sich bei Plin. nat. 11,130 *corvus aquaticus*. Das mittelminoische Fresko von Hagia Triada auf Kreta zeigt einen teilweise zerstörten K. (nicht einen Fasan!), den eine (Wild-)Katze beschleicht [2. Bd. 1, 166 Fig. 17].

1 LEITNER 2 KELLER.   C. HÜ.

Koroibos (Κόροιβος; lat. Coroebus).

[1] Gründerheros von Tripodiskos in der Megaris. Die Sage wird bei Kall. fr. 26–31 in Verbindung mit einem argiv. Aition nach den Lokalhistorikern Agias und Derkylos (FGrH 305 F 8 bis) erzählt [1]: → Linos, der Sohn des Apollon und der → Psamathe, wird von Hunden zerrissen, Psamathe von ihrem Vater → Krotopos getötet. Zur Strafe schickt Apollon einen kindermordenden Dämon, die *Poinḗ* oder → *Ker*, nach Argos. Als der tapfere K. das Ungeheuer tötet, sendet der Gott eine weitere Seuche, worauf K. sich zur Buße nach Delphi begibt. Er erhält dort einen Dreifuß mit dem Auftrag, an der Stelle, wo dieser zu Boden falle, einen Tempel und eine Siedlung zu stiften, was zur Gründung von Tripodiskos (»Kleiner Dreifuß«) führt. Das Grab des K. in Megara mit einer Darstellung seines Sieges über die Ker beschreibt Paus. 1,43,7f. (vgl. das angebliche Grabepigramm Anth. Pal. 7,154 = FGE 1456ff.). Von Kallimachos beeinflußt sind Ov. Ib. 575f. und Stat. Theb. 1,557–668. Zum kult. Hintergrund der Sage vgl. [2].

[2] Phryger, Sohn des Mygdon (Eur. Rhes. 539), Freier der → Kassandra und nutzloser Verbündeter des Priamos, bei Troias Fall von Neoptolemos, Diomedes (Ilias Parva fr. 16 EpGF = 15 PEG; Q. Smyrn. 13,168ff.) oder Peneleos (Verg. Aen. 2,424f., vgl. 341ff.) getötet. Laut Paus. 10,27,1 auf dem Gemälde des Polygnotos in der → Lesche der Knidier in Delphi dargestellt [3]. Sprichwörtlicher Dummkopf (Kall. fr. 587; Zenob. 4,58; Serv. Aen. 2,341; Eust. 1669,46).

[3] Athener, Erfinder der Töpferei nach Plin. nat. 7,198.

1 G. MASSIMILLA, Callimaco: Aitia, libri primo e secondo, 1996, 299–302 2 K. HANELL, Megarische Studien, 1934, 85–87 3 E. D. SERBETI, s. v. K. (1), LIMC 6.1, 103. A. A.

[4] Nach Plutarch (Perikles 13,4) derjenige → Architekt, der den Bau des → Telesterion in → Eleusis begann (das nach seinem Tode von → Metagenes und Xenokles vollendet wurde); K. ist als in eleusinische Bauprojekte involvierter Architekt auch inschr. erwähnt in IG I³ 32 (vermutlich um 450 v. Chr.). Demgegenüber nennen Vitruv (7 praef. 16f.) und Strabon (9,1,12) → Iktinos als Architekten des Telesterion; der Widerspruch ist trotz zahlreicher spitzfindiger Quelleninterpretationen bis h. ungelöst.

H. SVENSON-EVERS, Die griech. Architekten archa. und klass. Zeit, 1996, 237–251. C. HÖ.

Korone (Κορώνη). Stadt an der Westküste des Messenischen Golfs, h. Petalidi, ca. 30 km südwestl. von Kalamata, am Fuß des Berges Mathia (h. Lykodimo) mit zahlreichen ant. Resten, darunter Teile der Stadtmauer. Nachdem Messenia durch die Boioter unter Epameinondas von der spartanischen Herrschaft befreit worden war, erfolgte angeblich eine boiot. Neugründung (ob es ein älteres K. gab, ist nicht zweifelsfrei zu entscheiden [1]); nach 184 v. Chr. Mitglied im Achaiischen Bund (Liv. 39,49,1; Plut. Philopoimen 18,3; Mz.). Im 2. Jh. n. Chr. gehörte K. vorübergehend zu Sparta. Der Ort ist noch bei Hierokles, Synekdemos 647,15 erwähnt, im MA Bischofssitz. Der Name K. war aber inzwischen auf die Stadt an der Stelle der alten Stadt Asine übergegangen.

Der von Paus. 4,34,7 beschriebene Tempel des Apollon Korynthos 80 Stadien südl. von K. ist an der Küste bei Longa ausgegraben [2] mit vier zeitlich aufeinanderfolgenden Tempeln und Nebengebäuden von archa. bis in röm. Zeit. Belege: Paus. 4,34,4–6; Strab. 8,4,5f.; 9,2,29; Ptol. 3,16,8; Steph. Byz. s. v. Κορώνεια. Inschr.: IG IV 619; 1605; V 1,1392–1401; SEG 11,993–995; 14,336; 15,224; 16,291. Mz.: HN, 418, 433.

1 F. KIECHLE, Pylos und der pylische Raum in der ant. Tradition, in: Historia 9, 1960, 51f. 2 F. VERSAKIS, Τὸ ἱερὸν τοῦ Κορύνθου Ἀπόλλωνος, in: AD 2, 1916, 65–118.

N. KALTSAS, s. v. Messenia, EAA², 638 • G. S. KORRES, s. v. Koroni, PE, 463 • E. MEYER, s. v. Messenien, RE Suppl. 15, 195f. Y. L.

Koroneia (Κορώνεια, lat. *Coronea*). Boiot. Stadt ca. 2 km östl. vom h. Agios Georgios, ca. 4 km nördl. des h. K. (ehemals Kutumala) auf einem Hügelvorsprung (244 m) am SO-Rand einer sehr fruchtbaren, nach Norden bis an das Südufer des ehem. → Kopais-Sees reichenden Ebene, die südl. von K. zu einem Tal verengt tief in die Nordseite des → Helikon [1] eingreift und den Zugang zu einem wichtigen Paßübergang zum boiot. Thisbai öffnet. Im NO-Teil der Ebene an der Kirche Metamorphosis beim h. → Alalkomenai [1] (ehemals Marmura) [1; 2. 330f.; 11. Bd. 2, 85–89] oder unmittelbar nördl. des ant. Stadtberges [8. 285, 345; 13] befand sich das zu K. gehörige boiot. Zentralheiligtum der Athena Itonia (→ Iton) [12. Bd. 1, 117–127, Bd. 3, 5f.], wo auch das jährliche Bundesfest der Pamboiotia abgehalten wurde (Strab. 9,2,29; Paus. 9,34,1). Von der ant. Stadt K. haben sich nur noch sehr geringe Spuren erh.: Reste einer polygonalen Umfassungsmauer [9. 128–131] und einiger mit Spolien versetzter röm. Gebäude; am Osthang des Stadtberges wird das Theater vermutet [2. 325–327; 15. 114].

Streufunde bezeugen eine Besiedlung des Platzes seit neolith. Zeit. Das im homer. Schiffskatalog (Hom. Il. 2,503) und von Hekat. FGrH 1 F 117 erwähnte K. gehörte von Beginn an zum boiot. Stammesverband (Hdt. 5,79,2); eigenständige Mz.-Prägung ca. 2. H. 6. Jh. v. Chr. bis 480, 456–446, ca. 386–374 und nach 335 (HN 345). Ab ca. 446 v. Chr. bildete K. gemeinsam mit den beiden Nachbarstädten → Lebadeia und → Haliartos einen der 11 Bezirke des neukonstituierten boiot. Bundesstaates (→ Boiotia, mit Karte) und stellte im Wechsel mit ihnen einen → Boiotarchen (vgl. Hell. Oxyrh. 19,3,392–394). Nach der Auflösung des Bundes 386 zunächst wieder eigenständig, stand K. (möglicherweise in Form des wiederhergestellten Bundesbezirkes) von ca. 374 bis zur Zerstörung Thebens 335 unter thebanischer bzw. zw. 352 und 346 (Diod. 16,35,3; 58,1; Demosth. or. 5,21; 6,13; 19,112; 141; 148; 325; 334) unter phokischer Kontrolle; danach war K. Mitglied des erneuerten Boiot. Bundes bis zu dessen Auflösung 146 v. Chr.

Aufgrund der strategisch günstigen Lage am Kreuzungspunkt der Hauptstraße am Südufer des Kopais-Sees mit der nach Süden führenden Paßstraße über den Helikon war K. in klass. Zeit Ort von zwei Entscheidungsschlachten: 447 v. Chr. beendete die Niederlage des Tolmides die athen. Vorherrschaft in Mittelgriechenland (Thuk. 1,113,2; Diod. 12,6,1f.), 394 besiegte der spartan. König Agesilaos die Boiotoi und ihre Bundesgenossen (Xen. hell. 4,3,16–21; Xen. Ag. 2,9–19; Diod. 14,84,1f.; Plut. Agesilaos 18f., 605e–606b; Paus. 3,9,13) [1; 11. Bd. 2, 85–95]. In hell. Zeit war K. immer ein Zentrum des boiot. Widerstands gegen die Römer (Pol. 20,7,3; 27,1,8f.; 5,1–3; Liv. 33,29,6–12; 36,20,2–4; 42,46,7–10; 63,3; 67,12), wurde aber 170 v. Chr. aufgrund eines röm. Senatsbeschlusses vor der endgültigen Zerstörung bewahrt (Liv. 43,4,11; SEG 19, 374). Nach einer Zeit des Niedergangs kam es im 2. Jh. n. Chr. zu neuem Aufschwung, von dem zahlreiche, von röm. Kaisern geförderte Meliorationsmaßnahmen zeugen (SEG 32, 460–471; 35, 405) [3; 6]. Im J. 531 n. Chr. wurde K. durch ein Erdbeben zerstört (Prok. BG 4,25,17), ist aber noch später als Bischofssitz bezeugt [5]. Inschr.: IG VII 2858–3053; SEG 43, 205; [2. 326–329; 4; 7. 482–485; 10. 253–273].

1 J. BUCKLER, The Battle of K. and its Historiographical Legacy, in: J. M. FOSSEY (Hrsg.), Boeotia antiqua 6, 1996, 59–72 2 FOSSEY 3 J. M. FOSSEY, The Cities of the Kopais in the Roman Period, in: ANRW II 7.1, 1979, 566–571 4 Ders., The City Archive at K., in: Ders. (Hrsg.), Stud. in Boiotian Inscriptions, 1991, 5–26 5 R. JANIN, s. v. Coroneia, DHGE 13, 914 6 J. KNAUSS, Die Melioration des Kopaisbeckens durch die Minyer im 2. Jt. v. Chr., 1988, 139–144 7 D. KNOEPFLER, Sept années de recherches sur l'épigraphie de la Béotie, in: Chiron 22, 1992, 411–503 8 R. SCHEER, s. v. K., in: LAUFFER, Griechenland 9 F. G. MAIER, Griech. Mauerbauinschr. 1, 1959 10 OLIVER 11 PRITCHETT 12 SCHACHTER 13 T. G. SPYROPULOS, Ἀνασκαφή παρά την Κορόνειαν Βοιωτίας, in: Praktika 1975, 392–414 14 Ders., Ἰτώνιον, in: AAA 6, 1973, 385–392 15 P. W. WALLACE, Strabo's Description of Boiotia, 1979, 114–117.

PHILIPPSON/KIRSTEN 1,2, 449f. • N. D. PAPACHATZIS, Παυσανίου Ελλάδος Περιήγησις 5, ²1981, 211–220 • M. H. HANSEN, An Inventory of Boiotian Poleis in the Archaic and Classical Periods, in: Ders., Introduction to an Inventory of Poleis, 1996, 90f.   P. F.

Koronis

[1] (Κορωνίς, Akk. auch Κόρωνιν, lat. Coronis). Tochter des Lapithen → Phlegyas, Geliebte des → Apollon, von diesem Mutter des → Asklepios. Durch seinen Boten, den Raben, erfährt Apollon, daß die von ihm schwangere K. mit → Ischys geschlafen hat und diesen heiraten will (Hes. Aeolidae fr. 60; Pind. P. 3,5–20). Nach Pindar (P. 3,27–29) braucht Apollon in seiner Allwissenheit keinen Boten. Er tötet Ischys und läßt K. und weitere Frauen durch → Artemis umbringen. Den Asklepios rettet er aus den Flammen, in denen der Leichnam der K. verbrannt wird, und übergibt das Kind

dem Kentauren → Chiron zur Erziehung (Pind. P. 3,25–46; Apollod. 3,10,3; Pherekydes FGrH 3 F 3); nach Pausanias (2,26,3–6) wird Asklepios in Epidauros geboren und von Hermes gerettet. Kultisch verehrt wurde K. in Titane in Sikyonia (Paus. 2,11,7) und in Epidauros, wo sie nach einem inschr. erh. Paian des → Isyllos Aigla hieß (IG IV 950). Durch die Verbreitung des Asklepioskultes in Messenien wurde die lokale Heroine → Arsinoë [I 1] zur Mutter des Gottes gemacht, das delphische Orakel bestätigte jedoch die Mutterschaft der K. (Paus. 2,26,6f. vgl. 4,3,2 und Hes. fr. 50). Nach Ovid (met. 2,542–547; 599–632) bereut Apollo seine Tat und versucht vergeblich, K. wieder zum Leben zu erwecken. Der urspr. weiße Vogel, der ihm die Unglücksbotschaft gebracht hat, wird in einen schwarzen Raben verwandelt (vgl. Kall. fr. 260, 56–61).

C. LACKEIT, s. v. K., RE 11, 1431–1434 • J. LARSON, Greek Heroine Cults, 1995, 61–64 • E. SIMON, s. v. K., LIMC 6.1, 103f. • M. L. WEST, The Hesiodic Catalogue of Women, 1985, 69–72.   K. WA.

[2] s. Lesezeichen

Koronos (Κορωνός). Herrscher der → Lapithai, Sohn des → Kaineus; K.' Sohn Leonteus führt vor Troia zusammen mit Polypoites das Kontingent der Lapithen an. Homer nennt im Schiffskatalog K.' Namen, um den wenig bekannten Leonteus hervorzuheben; vermutlich stand K. im frühen Mythos in Verbindung mit der → Argonauten-Sage, wo ihn auch Apoll. Rhod. aufführt (1,57f.). Eine Gesch., die möglicherweise histor. Ereignisse reflektiert, berichtet Apollod. 2,154: hiernach hat sich K. mit den Dorern in der Hestiaiotis auseinandergesetzt und zusammen mit → Aigimios [1] durch Herakles sein Ende gefunden.

K. SEELIGER, s. v. K., ROSCHER 2, 1390–1391.   E. V.

Koronta (Κόροντα, Κορόνται). Stadt in → Akarnania beim h. Chrysovitsa mit bereits myk. Funden, nur bei Thuk. 2,102,1 gen., Mitglied im Akarnanischen Koinon, Ziel der peloponnesischen Theorodoken (SEG 36, 331 Z. 49–51). Inschr.: IG IX 1², 2, 427–433; 603f.; AD 25 B 2, 1970, 297; 26 B 2, 1971, 321; 40 B, 1985, 140; SEG 29, 473.

PRITCHETT, Bd. 8, 102f. • D. STRAUCH, Röm. Politik und Griech. Trad., 1996, 274.   D. S.

Koropissos (Κοροπισσός). Stadt in → Isauria, evtl. die Station Coriopio der Tab. Peut. 10,3, wohl das h. Dağpazarı (ehemals Kestel), 64 km nordwestl. von Seleukeia am Kalykadnos. Kaiserzeitliche *pólis* mit (späterer) Stadtmauer; Bistum [1; 2].

1 HILD/HELLENKEMPER 1, 313f. 2 M. GOUGH, s. v. Dağ Pazarı, PE, 256.   K. T.

Korpiloi (Κορπῖλοι). Thrak. Stamm östl. des Unterlaufes des → Hebros (Strab. 7a,1,48). Die thrak. Strategie Korpilike (Ptol. 3,6,9) erstreckte sich auch über das frühere Gebiet der → Apsinthioi bis nach → Ainos [1] (Strab. 7a,1,58). 188 v. Chr. beteiligten sich K. mit Kainoi und Maduateni am Widerstand gegen die Truppen des Cn. Manlius Vulso (Liv. 38,40,7).

CHR. DANOV, Die Thraker auf dem Ostbalkan. ..., in: ANRW II 7.1, 1979, 21–185, bes. 84 f. · M. TAČEVA, Istorija na bălgarskite zemi 2, 1987, 58 ff.   I. v. B.

Korrektur s. Abschrift; Korrekturzeichen

Korrekturzeichen. Ein antiker Text konnte auf mindestens zweierlei Weise korrigiert werden: a) Ein διορθωτής (diorthōtḗs), ein professioneller *corrector*, kollationierte die Abschrift mit der Vorlage. Dieser Eingriff wurde gelegentlich mit dem Monogramm δι = δι(ώρθωται), »korrigiert«, angezeigt [1. 15. Anm. 85,13] (→ Ausgabe). b) Ein Leser (nicht notwendig ein professioneller Korrektor, sondern oft eine Privatperson) kollationierte die Kopie mit einem anderen Exemplar. Zwei oder mehrere Korrektoren konnten an derselben Kopie arbeiten [3]. Eine falsche Korrektur wurde als ἀποδιόρθωμα (apodiórthōma) bezeichnet (PSI 12, 1287,11–14).

Den Eingriff eines ant. Korrektors erkennt man an der abweichenden Schrift, an der unterschiedlichen Tinte und an der (sekundären) Position der Korrektur im Vergleich zum Originaltext. Die Korrektursysteme variierten; die Buchstaben oder Wörter wurden mit einem Schwamm gelöscht [1. Anm. 50, 63] oder wurden zw. runde Klammern gesetzt (περιγράφειν: [1. Anm. 15, 25, 63, 76]; PHerc. 1021, col. 23, 27–29) oder mit einem horizontalen oder schrägen Strich durchgestrichen (διαγράφειν: [1. Anm. 24]), oder durch Punkte [1. Anm. 63] bzw. durch eine kleine Linie ober- oder ober- und unterhalb oder auf beiden Seiten [1. Anm. 34] getilgt. Oft wurden diese Verfahren kombiniert [1. Anm. 6, 67, 72]. Der Korrekturtext wurde zw. den Zeilen hinzugefügt und mit Punkten umrahmt (ἐπιστίζειν: [1. Anm. 16, 29]). Die Stellung zweier Wörter (oder Verse oder auch Strophen) wurde durch darübergeschriebenes β α vertauscht.

Auslassungen wurden oft mit dem Zeichen *ancora* beigefügt: *a. superior* ↑ oder *a. inferior* ↓; das Siglum ἄνω (*supra*) oder κάτω (*infra*) zeigte an, ob die Auslassung am oberen oder unteren Rand wieder ergänzt war [4]. Fehler oder Auslassungen blieben dennoch oft unkorrigiert. In Zweifelsfällen verwendete der Korrektor das Siglum Z oder ζη = ζή(τει) [1. Anm. 34]. Wurde dieses Zeichen von einem professionellen Gelehrten verwendet, konnte er auch die Quelle für seine Korrektur oder eine Variante zum überlieferten Text angeben [1. Anm. 15, 27, 34].

Im lat. und griech. MA veränderte sich das Korrekturverfahren kaum und die verwendeten Zeichen blieben meist dieselben. Die Verbreitung von Pergament förderte jedoch die Methode der Rasur als effiziente Korrekturtechnik [5].
→ Kritische Zeichen; Textverbesserung;
Textverderbnis; PALÄOGRAPHIE; PAPYROLOGIE

1 E. G. TURNER, Greek Manuscripts of the Ancient World, ²1987, 15–16 2 R. BARBIS, in: Akten des 21. internationalen Papyrologenkongresses, 1997, 57 f. 3 K. MCNAMEE, in: Proc. of the 16th International Congr. of Papyrologists, 1981, 79–91 4 Dies., Sigla and Select Marginalia in Greek Literary Papyri, 1992 5 M. MANIACI, Terminologia del libro manoscritto, 1996, 189–192.   T. D./Ü: P. P.

Korruptel s. Textverderbnis

Korsote (Κορσωτή). Xen. an. 1,5,4 erwähnt K. als große, in der Wüste gelegene Stadt südl. der Einmündung des Chaboras (→ Ḫabur) in den Euphrat. Sie sei umgeben von dem Fluß → Maskas, wohl eher ein Kanal. Lokalisierungsansätze bei Bāġūz oder Ḫirbat ad-Dīnīya sind zweifelhaft.

R. D. BARNETT, Xenophon and the Wall of Media, in: JHS 73, 1963, 3–5.   K. KE.

Korybanten s. Kureten; Rheia

Korydallos (Κορυδαλλός). Att. Asty-Demos der Phyle Hippothontis, ab 200 v. Chr. der Attalis, am gleichnamigen Gebirge (Strab. 9,1,14; 23; Diod. 4,59,5; Athen. 9,390ab; Ail. nat. 3,25 [2]); ein (?) *buleutḗs*. Das Demenzentrum vermutet [2] bei Palaeokastro/Palaeochora. Die sog. »Heroa« [1; 2. 10ff.] sind Gehöfte, nicht das von Ammonios (*Perí diapherúsōn léxeōn* 84, s. v. Κόρυδος VALCKENAER) bezeugte Heiligtum der Kore Soteira.

1 E. HONIGMANN, s. v. K., RE 10, 1447 2 A. MILCHHOEFER, Erläuternder Text, in: E. CURTIUS, J. A. KAUPERT, Karten von Attika 2, 1883, 10 ff.

TRAILL, Attica 12, 52, 70, 111 Nr. 75, Tab. 8, 14.   H. LO.

Korykion Antron (Κωρύκιον ἄντρον). Aus zwei Hallen gebildete Grotte (Quartär), benannt nach der Apollon-Tochter Korykia (Paus. 10,6,3), an der Nordseite des → Parnassos (1360 m H) oberhalb von Delphoi (h. Sarandavli). Die nach Strab. 9,3,1 und Paus. 10,32,2 schönste Höhle nutzte die benachbarte Bevölkerung als Zufluchtsort (bei der pers. Invasion 480 v. Chr., Hdt. 8,36,2), v. a. aber bereits seit E. 8. Jh. v. Chr. als Kultstätte. Lit. Überl. (z. B. Paus. 10,32,7) sowie Weihinschr. im Höhleninnern [1. 419, Nr. 2] und Votivgaben zufolge war sie später Pan und den Nymphen geweiht.

1 N. D. PAPACHATZIS, Παυσανίου Ἑλλάδος Περιήγησις 5, 1981, 417–419.

P. AMANDRY, L'Antre Corycien I-II, in: BCH Suppl. 7, 1981; 9, 1984 · C. MORGAN, Athletes and Oracles, 1990, 130 ff., 148 ff. · E. PIESKE, s. v. Κωρύκιον ἄντρον, RE 10, 1448–1450.
                    G. D. R./Ü: H. D.

Korykos

[1] (κώρυκος, lat. *follis pugilatorius*). Ein hängender Sandsack (Füllung auch: Mehl, Feigenkerne), der den Faustkämpfern (→ Faustkampf) und Pankratiasten (→ Pankration) als Trainingsgerät diente (Phil. *Perí gym-*

nastikḗs 57), aber auch zu heilgymnastischen Zwecken benutzt wurde (Gal. De sanitate tuenda 2,8,1–2; 2,10,1; Hippokr. *Perí diaítēs* 2,64; 3,81). Zur bekannten bildlichen Darstellung des Schlagens des K. auf der Ficoronischen Ciste s. [1. Abb. 119].

1 R. PATRUCCO, Lo sport nella Grecia antica, 1972, 263–265.

J. JÜTHNER, s. v. K. (5), RE 11, 1452f. · Ders., s. v. Κωρυκομαχία, RE 11, 1450f. · G. DOBLHOFER, P. MAURITSCH, U. SCHACHINGER, Boxen (Quellendokumentation zur Gymnastik und Agonistik im Alt. 4), 1995, 279, 307.   W. D.

[2] (Κώρυκος). Hafenstadt in der Kilikia Tracheia, die in Rivalität mit dem benachbarten → Elaiussa Anf. 3. Jh. n. Chr. zum Dorf (κώμη) herabsank, dann aber Bistum (Suffragan von Tarsos in der Cilicia I) und nach dem Zeugnis der zahlreichen Inschr. und eindrucksvollen Bauten (über 10 Basiliken) Handels- und Gewerbemetropole von überregionaler Bed. wurde. Als letzter christl. Hafen an der Südküste Kleinasiens wurde K. erst 1448 von den Karamaniden erobert. Mit dem westl. benachbarten → Korasion war sie durch einen eigenen Botendienst (*Korasiodrómos*) verbunden. Westl. von K. befindet sich die »Korykische Höhle« (h. Cennet Cehennem), Behausung des Tryphon mit Zeus-Kult, die später zur christl. Kultstätte wurde; h. Kızkalesi.

HILD/HELLENKEMPER, 314–320.   F. H.

Korynephoroi (κορυνηφόροι, »Keulenträger«).
[1] Leibwache, die dem → Peisistratos zum Schutz vor angeblicher Bedrohung durch seine Gegner vom athenischen Volk gewährt wurde. Er nutzte sie, um die Akropolis zu besetzen (Hdt. 1,59). Solon habe das Streben nach der Tyrannis erkannt und sich als einziger gegen die Leibwache ausgesprochen ([Aristot.] Ath. pol. 14,2; Plut. Solon 30).
[2] Nach später Überl. Leibwache des Tyrannen von Sikyon (Poll. 3,83; Steph. Byz. s. v. Χίος).

H. BERVE, Die Tyrannis bei den Griechen, 1967, 24, 32f., 47f., 69, 81 · L. DE LIBERO, Die archa. Tyrannis, 1996, 58.   B. P.

[3] Nur durch Libanios bezeugte Polizeitruppe in Antiocheia [1], die dem städt. Senat unterstand (Lib. or. 48,9).

J. H. W. G. LIEBESCHUETZ, Antioch, 1972, 122.   W. P.

Kory(n)thos (Κόρυ(ν)θος). Beiname des → Apollon bei Korone in Messene. Er wurde aufgrund einer alten Trad. als Heilgott verehrt (Paus. 4,34,7).   R.A.MI.

Koryphasion (Κορυφάσιον). Felskap am Nordende der Bucht von Navarino in Messenia; hier lag in klass. Zeit die Stadt → Pylos mit einem Heiligtum der Athena Koryphasia (Paus. 4,36,1f.). Der Hafen von Pylos wird nicht mit der Lagune Osman-Aga (Divari) identifiziert,

sondern ist in der Bucht von Navarino zu suchen. Belege: Thuk. 4,3,2; 118,4; 5,18,7; Diod. 15,77,4; Strab. 8,3,7; 21; 23; 27; 4,1f.

E. MEYER, s. v. Messenien, RE Suppl. 15, 201f. · PRITCHETT 1, 1965, 6–29.   Y. L.

Korythale (κορυθάλη, κορυθαλίς, »belaubter Zweig« [1]). Dorische Form der → Eiresione (Hesych. s. v. Κορυθαλία). *k.* ist ein Maizweig vom Ölbaum oder Lorbeer (Plut. Theseus 18), »ein Ernte- oder Fruchtbarkeitsfetisch« [2], der bei Ephebenfesten und Hochzeiten vor die Tür gesteckt wurde (Etym. m. 531,53). Am Fest der Tithenidien (= »Ammenfest«), das man mit »obszönen« Tänzen verkleideter Akteure beging [3], wurde die *k.* der Fruchtbarkeits- und Ammengöttin Artemis Korythalia dargebracht (Hesych. s. v. κορυττοί).

1 P. CHANTRAINE, in: Mél. G. Glotz 1, 1932, 163ff.
2 O. SCHÖNBERGER, Griech. Heischelieder, 1980, 29f., 40
3 NILSSON, Feste, 182ff.   RE.ZI.

Korythos (Κόρυθος).
[1] Epiklese des Apollon, s. Kory(n)thos.
[2] Eponymos des Demos *Korytheís* in Tegea (Paus. 8,45,1).
[3] Sohn des Zeus und der Atlas-Tochter → Elektra [3]. Tyrrhenischer König. Gründer von K. (bzw. Cortona oder Cora: Plin. nat. 3,5,63), einer etr. Stadt (Sil. 4,720), die auch mit Tarquinii identifiziert wurde [1], lat. Corythus. Die ital. Version des Mythos läßt K.' Söhne → Iasion und → Dardanos [1] von dort aus nach Samothrake und Troia aufbrechen (Verg. Aen. 3,167ff.). K. ist auch als Gatte Elektras überl., die durch Zeus Mutter des Dardanos ist (Hyg. astr. 2,21).
[4] Sohn von → Paris und → Oinone oder → Helene [1]. Er kommt als Helfer nach Troia, verliebt sich in Helene und wird daher vom Vater erschlagen (Parthenios 24).
[5] Arkad. König, Pflegevater des → Telephos (Apollod. 3,104).

1 N. M. HORSFALL, Corythos, in: JRS 63, 1973, 68–79.
RE.ZI.

Kos (Κῶς, lat. *Cos*).
I. GEOGRAPHIE UND BESIEDLUNG   II. GESCHICHTE
III. ARCHÄOLOGIE   IV. KULTURELLE
AUSSTRAHLUNG

I. GEOGRAPHIE UND BESIEDLUNG
Insel in der östl. Ägäis, vor der SW-Küste Kleinasiens, die zweitgrößte der dor. Inseln (298 km²). Einer fruchtbaren Ebene im Norden steht ein karges und wenig besiedeltes Bergland im Süden (höchste Erhebung der Oromedon, 850 m; im SW der Latra, 425 m) gegenüber.
In neolith. Zeit (Funde in einer Höhle beim h. Dorf Kephalos) wurde K. von Kleinasien aus besiedelt. Eine zweite Einwanderungsphase läßt sich für die frühe und

mittlere Brz. feststellen (Seraglio in der h. Stadt K.). Um 1600 v. Chr. setzten sich min. Kolonisten auf K. fest, deren Präsenz um 1450 v. Chr. durch festländisch-myk. Zuwanderung beendet wurde. Aus myk. Zeit haben sich auf K. zahlreiche Spuren erhalten (Seraglio, Nekropolen von Langada und Eleona, Befestigungsmauer am Kastro von Palaiopyli). Wohl um 900 v. Chr. erfolgte die Einwanderung der dor. Bevölkerung (→ Dorische Wanderung), die nach Hdt. 7,99,2 (vgl. Paus. 3,23,6) aus Epidauros stammte, was durch arch. Funde (z. B. die Art der Begräbnisse) unterstützt wird.

II. GESCHICHTE
A. KLASSISCHE ZEIT B. HELLENISTISCHE ZEIT
C. RÖMISCHE ZEIT

A. KLASSISCHE ZEIT
Zusammen mit Halikarnassos, Knidos und den rhodischen Städten Lindos, Ialysos und Kamiros bildete K. die dor. Hexapolis (Hdt. 1,144,3), deren zentrales Heiligtum sich in → Knidos befand. Im Zuge der pers. Expansion in Kleinasien regierte zu Anf. 5. Jh. v. Chr. auf K. der Tyrann Skythes mit seinem Sohn Kadmos, der die Tyrannis wieder niederlegte (Hdt. 7,163 f.). K. war unbeteiligt am → Ionischen Aufstand von 494 v. Chr. und stand zeitweilig unter der Herrschaft der kar. Dynastin → Artemisia [1], unter deren Ägide Kontingente aus K. bei Salamis auf seiten der Perser kämpften (Hdt. 7,99,2). Danach war K. Mitglied im → Attisch-Delischen Seebund mit einem – Prosperität signalisierenden – Tribut von fünf Talenten (ATL 1,326 f.; 509; 3,213; 242). Im → Peloponnesischen Krieg verhielt sich K. zunächst neutral. Ein verheerendes Erdbeben im J. 412/1 v. Chr. (Thuk. 8,41,2) nutzte der spartanische Kommandant Astyochos, um die Insel einzunehmen. 411 v. Chr. von → Alkibiades [3] für Athen zurückgewonnen (Thuk. 8,108,2), schloß sich K. nach der Schlacht von Aigospotamoi (405 v. Chr.) Sparta an, auf dessen Seite es bis zum erneuten Frontwechsel zu den Athenern nach der Seeschlacht von Knidos (394 v. Chr.) blieb (Diod. 14,84,3).

B. HELLENISTISCHE ZEIT
366/5 v. Chr. erfolgte im Rahmen eines → synoikismós die Gründung der Stadt K. an der Stelle der modernen Insel-Hauptstadt am Ostende der großen Ebene an der Nordküste (Diod. 15,76,2). Im sog. → Bundesgenossenkrieg [1] (357–355 v. Chr.) fiel sie mit Unterstützung des → Maussollos von Halikarnassos von Athen ab im Bündnis mit Rhodos, Chios und Byzantion (Diod. 16,7,3; 21,1). Danach übernahmen zunächst Maussollos und später pers. Dynasten die Herrschaft über K., bis eine Flotte Alexandros' [4] d. Gr. 333 v. Chr. die Insel befreite (Arr. an. 2,5,7; 3,2,6; Curt. 3,7,4) und eine maked. Garnison installiert wurde. In hell. Zeit stand K. (seit 309 v. Chr.: Diod. 20,27,3) überwiegend unter ptolem. Herrschaft, mit Unterbrechungen durch die zeitweilige Dominanz der Antigoniden (nach dem Seesieg des → Antigonos [2] Gonatas über eine ptolem. Flotte bei K. 261/0 v. Chr.).

C. RÖMISCHE ZEIT
Im Zuge der röm. Expansion im östl. Mittelmeerraum kam K. 197 v. Chr. unter die Herrschaft Roms und erwies sich seitdem als ein loyaler Bündnispartner, ohne daß die wirtschaftlichen und kulturellen Kontakte nach Alexandreia abrissen. Im 1. Mithradatischen Krieg gelang es K. 88 v. Chr., den pont. König durch die Aushändigung reicher, u. a. jüd. (Ios. ant. Iud. 14,112) Tempelschätze und anderer Pretiosen zum Abzug zu bewegen (App. Mithr. 23–27; vgl. Tac. ann. 4,14). 41 v. Chr. verschaffte → Antonius [I 9] dem Koer Nikias eine tyrannisähnliche polit. Führungsposition, die 31 v. Chr. vom nachmaligen Augustus beendet wurde. K. verlor seinen Status als *civitas libera* und wurde Teil der Prov. → Asia [2]. Unter Tiberius beantragten Gesandte aus K. in Rom die Erneuerung des alten Asylrechts für das Asklepios-Heiligtum (Tac. ann. 4,14). Claudius gewährte K. 53 n. Chr. die *immunitas* (Tac. ann. 12,61), die erst → Diocletianus (284–305) wieder aufhob. Um 140 n. Chr. wurde K. zusammen mit anderen Ägäis-Inseln und Städten in Kleinasien von einem großen Erdbeben heimgesucht, das umfangreiche Hilfsmaßnahmen von seiten des Kaisers → Antoninus [1] Pius zur Folge hatte. Aus den hier zur Verfügung gestellten Mitteln wurden in der Stadt K. neue öffentliche Gebäude errichtet; es entstanden prächtig dekorierte Wohnhäuser. Nach einem Erdbeben im J. 469 (Priskos fr. 43) wurde die Stadt erneut aufgebaut, durch das Beben von 584 fast völlig zerstört (Agathias aus Myrina, 2,16,1–6 DINDORF).

III. ARCHÄOLOGIE
Die arch. Funde in der 366 v. Chr. gegr. Stadt K. zeugen von einer im wesentlichen wohl auf dem Handel beruhenden Prosperität. K. war nach dem hippodamischen System (→ Hippodamos) regelmäßig angelegt mit sich rechtwinklig kreuzenden Straßen. Zahlreiche Mosaiken in Wohnhäusern dokumentieren auch privaten Wohlstand. Erh. sind von den öffentlichen Gebäuden aus hell. und röm. Zeit viele Tempel, Säulenhallen, Gymnasien, Thermen, Reste der hell. Stadtmauer, dazu ein Stadion mit exzellent erh. Startvorrichtung. Außerhalb der Stadt K. gibt es ant. Überreste etwa bei Kephalos (Tempel, Theater), Kardamena (Tempel, Theater) und Asfendiu (Heiligtum der Demeter).

Die berühmteste arch. Stätte auf K. ist freilich das Heiligtum des → Asklepios ca. 4 km südwestl. der Stadt. Es wurde um 350 v. Chr. an der Stelle eines Haines des Apollon Kyparissios erbaut (1902 von dem dt. Archäologen R. HERZOG entdeckt; seitdem dt. und it. Ausgrabungen). Durch das medizinisch revolutionäre Wirken des koischen Arztes → Hippokrates [6] hatte K. zu diesem Zeitpunkt bereits den Ruf eines ausgezeichneten Ärztezentrums erworben. Das Asklepieion war über einer eisen- und schwefelhaltigen Quelle auf drei Terrassen errichtet, mit großen Freitreppen und Säulenhallen. In röm. Zeit wurde die Anlage durch Tempel und Thermen erweitert. Zahlreiche Inschr. aus hell. und röm. Zeit dokumentieren die Bed. des Asklepieions als prominenter Kur- und Kultstätte. Neben der praktizierten Krankenhilfe wurde auch wiss. Heilkunde betrieben.

IV. KULTURELLE AUSSTRAHLUNG

Neben der Ärzteschule war in K. ferner eine im 3. Jh. v. Chr. von dem babylon. Priester → Beros(s)os gegr. Astrologenschule beheimatet (Vitr. 9,6,2). Bekannte Koer waren der Dichter Philetas (4./3. Jh. v. Chr.), der auch als Erzieher am ptolem. Königshof in Alexandreia wirkte, der hell. Grammatiker → Nikanor, die Ärzte → Dexippos [3], → Herakleides [25], → Thessalos und C. → Stertinius Xenophon, der Leibarzt des Kaisers Claudius, ferner → Ariston [4] und [5].

R. HERZOG, Koische Forsch. und Funde, 1899 · Ders., K. Ergebnisse der dt. Ausgrabungen und Forsch., 1932 · P. HAIDER, s. v. K., in: LAUFFER, Griechenland, 348–351 · C. und C. MEE, K., 1984 · R.W. PLATON, E. L. HICKS, The Inscriptions of Cos, 1891 · S. M. SHERWIN-WHITE, Ancient Cos, 1978 · G. SUSINI, Nuove scoperte sulla storia di Coo, 1956 · M. G. PICOZZI, s. v. K., PE, 465–467.   H. SO.

Koskinomanteia s. Divination

Kosmas (Κοσμᾶς).
[1] K. und **Damianos.** Ärzteheilige und Heilungspatrone. Das griech. Synaxarion (hrsg. von H. DELEHAYE) überl. drei unterschiedliche Heiligenpaare mit diesen Namen: 1) die in Asia minor geb. und in Pelusion begrabenen Söhne der Theodota, deren Festtag der 1. November ist; 2) die röm., unter der Herrschaft des → Carinus (283–285) gesteinigten Märtyrer, deren Festtag der 1. Juli ist; 3) die arab., unter Kaiser Diocletian (284–305) im kilikischen Aigai mit ihren drei Brüdern getöteten Märtyrer, deren Festtag der 17. Oktober ist. Die Gesch. vom kleinasiatischen Paar ist am besten bezeugt und vermutlich die älteste, doch wurden die Legenden aller drei Brüderpaare, insbes. die Episode einer »Transplantation« des Beines eines Schwarzen auf einen röm. Patienten, ineinander verwoben. Außerdem mußte man sich den 1. November als Festtag mit den beiden anderen Paaren christl. Ärzteheiliger, nämlich mit Pantaleon und Hermolaos sowie mit Kyros und Iohannes von Menuthis, teilen. Die Bed. aller dieser Heilpatrone wird mit Blick auf ihre paganen Vorläufer bzw. Konkurrenten deutlich: Aigai (der Tempel des → Asklepios) und Menuthis (der Tempel des → Sarapis) waren berühmte Kultzentren paganer Heilkunst, und die Kirche der Heiligen K. und D. in Rom stand auf dem *forum pacis*, einem renommierten Treffpunkt röm. Ärzte. Zweifelhaft ist, ob die Ärzteheiligen als christianisierte → Dioskuroi anzusehen sind. In den Legenden wird hervorgehoben, daß sie eine gute medizinische Ausbildung erhalten hatten und sich von paganen Ärzten hauptsächlich dadurch unterschieden, daß sie für ihre ärztlichen Dienste kein Honorar nahmen. Der Kult von K. und D. fand seit dem 5. Jh. weite Verbreitung und ersetzte in der lat. Welt allmählich den Kult der übrigen *anárgyroi* (»kostenlosen Heiler«) als Heilungspatrone.

1 O. DEUBNER, Kosmas und Damian, 1907 2 L. RÉAU, Iconographie des saints médecins Côme et Damien, 1958 3 M. HAIN, K. und D., Kultausbreitung und Volksdevotion, 1967.   V. N./Ü: L. v. R.-B.

[2] K. Indikopleustes (Κοσμᾶς Ἰνδικοπλεύστης). Kaufmann aus Alexandreia, der in der 1. H. des 6. Jh. n. Chr. u. a. Ostafrika, Arabien sowie angeblich auch Indien und Taprobane (Sri Lanka) bereiste und wohl als Mönch eine *Christianikḗ topographía* (Χριστιανικὴ τοπογραφία) in 12 B. schrieb. In Auseinandersetzung mit der verbreiteten, aus seiner Sicht »heidnischen« Auffassung einer kugelgestalteten Erde verficht K. ein biblisches Weltbild, demzufolge die Erde die Form der Stiftshütte des Moses (Ex 26) hat – eine rechteckige Scheibe, über der das Weltgebäude errichtet ist.

Weniger der Darstellungszweck als die zahlreichen Nebenbemerkungen machen das Werk des K. zu einer histor. wertvollen Quelle: Lebendige, freilich von Phot. 36 als ›allzu fabelhaft‹ (μυθικώτερος) abgetane Beschreibungen behandeln u. a. die Flora und Fauna von Indien (Pfeffer, Kokosnuß; Nashorn, Giraffe, Flußpferd) und die mit Taprobane gehandelten Waren; die in der Regel zuverlässigen Beschreibungen der bereisten Länder bewahren u. a. Abschriften ptolem. Inschr. [1; 2]; von kirchenhistor. Bed. sind Angaben über das Datum des Weihnachtsfests, Taufriten und die Ausbreitung des Christentums.

1 OGIS I 54, 199 2 H. BENGTSON, KS, 1974, 327–333.

PG 88, 51–470 · W. WOLSKA-CONUS, La Topographie chrétienne, 1962 (Studien) · Dies., La Topographie chrétienne de Cosmas Indicopleustès, 3 Bde., 1968–1973 (Ed., frz. Übers., Komm.) · HUNGER, Literatur 1, 520–521, 528–530.   K. BRO.

[3] (Κοσμᾶς Μελῳδός; auch K. Hagiopolites, K. Ἁγιοπολίτης, bzw. K. von Jerusalem, K. von Maiuma). Bischof und Hymnendichter, * 2. H. 7. Jh. n. Chr., † 750 in Maiuma bei → Gaza. Nach z. T. differierenden Angaben der Viten kaufte der Vater des → Iohannes [33] von Damaskos, Finanzminister am Hofe der → Kalifen in → Damaskos, den jungen K. aus der Sklaverei los und adoptierte ihn. Vermutlich vor 700, nach anderen Quellen aber erst 736, zogen sich beide Brüder in das Kloster Mar Saba bei Jerusalem zurück. Um das Jahr 743 wurde K. Bischof von Maiuma, wo er dann bis zu seinem Tode geblieben ist. K. gilt als einer der bedeutendsten Hymnendichter der byz. Kirche des 8. Jh. Der Schwerpunkt seines Wirkens liegt auf dem Gebiet der Kanondichtung, die im 8. Jh. ihren Höhepunkt hatte. Daneben sind ihm zugeschriebene Scholien zu Gedichten des → Gregorios [3] von Nazianzos überl., deren Echtheit nicht gesichert ist.
→ Kanon

ED.: PG 98, 455–524 (Kanones) · PG 38, 339–680 (Scholia in S. Greg. Naz.) · W. v. CHRIST, M. PARANIKAS, Anthologia Graeca carminum Christianorum, 1871.
LIT.: A. KAZHDAN, S. GERO, K. of Jerusalem, in: ByzZ 82,

1989, 122–132 · A. KAZHDAN, K. of Jerusalem. 3: The Exegesis of Gregory of Nazianzos, in: Byzantion 61, 1991, 396–412. K. SA.

[4] Sonst unbekannter Verf. eines epideiktischen Distichons, das Pyrrhos, den Sohn des Achilleus, bei der Opferung der Polyxena (Anth. Plan. 114) sprechen läßt. Die Lemmabezeichnung des K. als *mēchanikós* (»Ingenieur«) wurde plausiblerweise zu *monachós* korrigiert (BRUNCK), doch bleibt die Gleichsetzung mit dem Mönch K. [2] Indikopleustes noch zu erweisen.

M. G. A./Ü: T. H.

Kosmetes (κοσμητής, »Ordner«).

[1] In Athen der hauptverantwortliche Beamte für das Training der Epheben nach der Reorganisation der → *ephēbeía* um 335/4 v. Chr. Der *k.* wurde vom Volk gewählt, vermutl. aus den über 40 J. alten Bürgern ([Aristot.] Ath. pol. 42,2). In der Zeit der zweijährigen Ausbildung war ein *k.* wohl beide J. für ein Kontingent von Epheben verantwortlich. Er wird in vielen Ephebenlisten vom 4. Jh. v. Chr. bis zum 3. Jh. n. Chr. genannt; hierhin gehören auch die kaiserzeitlichen Hermenporträts att. *kosmētaí.*

CH. PÉLÉKIDIS, Histoire de l'éphébie attique, 1962 · E. LATTANZI, I ritratti dei cosmeti nel Museo Nazionale di Atene, 1968 · H. WREDE, Consecratio in formam deorum, 1981.

[2] In gleicher Eigenschaft gab es *k.* in anderen griech. Städten (z. B. ILS 8867: Nikaia), vereinzelt im ptolem. Äg. Im röm. Äg. war der *k.* liturg. Jahresbeamter → Alexandreias [1] und der Metropolen, zuständig für die Ausbildung der Epheben und Spenden für Feste, Spiele, Wasserleitungen u. ä. (IGR I 1974; 1097). Aufgrund der finanziellen Belastungen des einzelnen konnte das Amt auf mehrere Träger verteilt werden.

F. OERTEL, Die Liturgie, 1917, 329 ff.

[3] In Athen ein (lebenslänglicher) Beamter, der für den »Schmuck« der Götterbilder (*k.* heißt auch »Schmückender«) zu sorgen hatte (im 3. Jh. n. Chr. belegt: IG II² 3683). In Delos erscheint ein *k.* in gleicher Funktion bereits E. des 4. Jh. v. Chr. (IG XI 2, 144, 37).

J. MARCADÉ, Au Musée de Délos, 1969, 98–101 · PH. BRUNEAU, Recherches sur les cultes de Délos à l'époque hellénistique et à l'époque impériale, 1970. R. H. u. P. J. R.

Kosmetik. In der griech. und röm. Ant. war der Bedarf an Essenzen, Ölen oder Pomaden immens. Man salbte sich, um die Haut zu pflegen, weich und zart zu halten (Athen. 15,686); die Salbung erstreckte sich auf den Kopf und den ganzen Körper, und vielfach war es üblich, sich mehrfach am Tag zu salben, wobei oft für jeden Körperteil eine andere Salbe benutzt wurde (Athen. 12,553d); ungesalbt galt man als schmutzig. Der Überl. nach waren Tierfett und Butter die ersten dazu verwandten Mittel (vgl. Plut. mor. 1109b). Salben und Kosmetika wurden in bes. Gefäßen und Döschen auf-

bewahrt, von denen sich aus griech. und röm. Zeit einige samt Schminkerzeugnissen erh. haben [1]. Die große Bed. der kosmetischen Erzeugnisse führte in der Ant. zu umfangreicher lit. Behandlung (vgl. Ov. medic.); so soll z. B. der Arzt Kriton (um 100 n. Chr.) ein vierbändiges Werk über Kosmetika verfaßt haben. Durch die Entzifferung der → Linear B-Täfelchen wie auch durch Ausgrabungen ist die Produktion von Salben und deren Verwendung in der kret. und myk. Kultur bekannt (z. B. »Haus des Ölhändlers« in Mykene, »Salbenküche« in Kato Zakro). Bei Homer ist v. a. vom Salben des Haares und des Körpers nach dem Baden die Rede, wobei Oliven- und Rosenöl zu den wichtigsten Mitteln zählten; daneben läßt Hom. Od. 18,172; 179; 196 auf die Anwendung von Gesichtsschminke schließen. Seit dem 8. Jh. v. Chr. wurden kostbare Öle, Duftstoffe und Salben aus dem Orient importiert, was im 6. Jh. v. Chr. dazu führte, daß man in Athen und Sparta – wenn auch vergebens – den Verkauf bzw. die Herstellung von Salben zu unterbinden suchte.

Die griech. Frau nutzte Bleiweiß (Psimythion) für eine weiße Gesichtsfarbe, ferner das durch Extraktion aus der Ochsenwurzel gewonnene Anchusa als Rouge für die Wangen; die Augenlider wurden dunkel nachgezogen (Xen. oik. 10,2). Fingernägel und Handflächen konnte man mit Henna rot färben (Dioskurides 1,65). Daneben stand eine Fülle von Salben und Ölen zur Verfügung, die man des Wohlgeruchs und der Pflege wegen auf die Haare und den Körper auftrug; von diesen gehörten Rosenöl, Malobathron, Nardenöl, Amarakinos (eine Mischung aus Öl, Myrrhe und Majoran) zu den beliebtesten.

Im republikanischen Rom führte der mit K. und *unguenta exotica* (exotischen Salben) getriebene Luxus bereits im Jahre 189 v. Chr. zu einem (vergeblichen) Verbot (Plin. nat. 13,24). Die röm. Frau der Kaiserzeit konnte eine große Anzahl diverser Kosmetika nutzen, von denen die bekanntesten waren: Bleiweiß, Kalk, »melische Erde« zum Weißschminken, → *purpurissum* und *rubrica* als Rouge, *stibium* zum Schwärzen von Wimpern und Augenbrauen (vgl. Iuv. 2,93 f.). → *lomentum* (aufgeweichtes Bohnenmehl, s. Mart. 3,42; 14, 60; Iuv. 6,461) war zum Verdecken von Hautfalten beliebt; mit dem Zusatz zerriebener Schnecken machte es dann die Haut zart und weiß (Plin. nat. 30,127). Auch Schönheitspflaster aus feinem, dünnen Leder (*splenia*) kamen bei beiden Geschlechtern zur Anwendung (Mart. 8,33,22; Ov. ars 3,201), wobei bei Männern u. a. Narben verdeckt werden sollten (Plin. nat. 12,129).

→ Körperpflege

1 AA 1984, 54.

D. BALSDON, Die Frau in der röm. Ant., 1979, 288–293 · S. LASER, Medizin und Körperpflege (ArchHom 3.2), 1983, 153–164 · R. JACKSON, Cosmetic Sets from Late Iron Age and Roman Britain, in: Britannia 16, 1985, 165–192 · P. FAURE, Parfums et aromates de l'Antiquité, 1987 · G. DONATO (Hrsg.), The Fragrant Past. Perfumes and Cosmetics in the Ancient World. Ausstellung Atlanta 1989 ·

E. PASZTHORY, Laboratorien in ptolem. Tempelanlagen.
Eine naturwissenschaftliche Analyse, in: Antike Welt 19,
1988, H. 2, 3–20 · Ders., Salben, Schminken und Parfüme
im Alt., 1990.   R. H.

Kosmogonie s. Weltschöpfung

Kosmoi (κόσμοι).

[1] Bezeichnung für höchste Beamte in kretischen Poleis, vor dem 3. Jh. v. Chr. auch im Sg. *ho kósmos* oder im
Pl. *hoi kosmíontes* belegt. *K.* hatten neben repräsentativen
und richterl. Aufgaben polit. und mil. Führungsfunk-
tionen. Die »Behörde« der *k.* konnte bis zu zehn Beamte
umfassen und hatte einen »Ersten« (*startagétas = stratēgós*;
später *prōtókosmos*), fällte polit. Entscheidungen und unterlag der Kontrolle durch das Volk. Nach guter Amtsführung konnten *k.* in den Rat gewählt werden (Aristot. pol. 1272a 7–13). Iteration war möglich, in Dreros
nach zehn, in Gortyn nach drei J. [1. Nr. 90 und 121].

1 K. HALLOF (Hrsg.), Inschr. Gesetzestexte der frühen
griech. Polis. Aus dem Nachlaß von R. Koerner, 1993.

H.-J. GEHRKE, Gewalt und Gesetz, in: Klio 79, 1997, 23–68,
bes. 56–58 · ST. LINK, Das griech. Kreta, 1994, 97–112.
                                                        K.-W. WEL.

[2] Kultbeamte im Delphinion von → Miletos.

TH. WIEGAND, Didyma 2, 1958, 324.   H. VO.

Kosmologie A. WORTBEDEUTUNG   B. URSPRÜNGE
UND ÜBERGÄNGE   C. MESOPOTAMISCHES ERBE
D. GRIECHISCHE KOSMOLOGIE
E. RÖMISCHE KOSMOLOGIE
F. ÜBERGANG ZUM MITTELALTER

A. WORTBEDEUTUNG

Lehre von der Ordnung der Welt, von griech. *kósmos*
(κόσμος) und *lógos* (λόγος). *Kósmos*: die Anordnung, der
geregelte Zusammenhang einzelner Dinge in einem
Ganzen, Ordnung. Urspr. stand der Begriff für mil.,
institutionelle oder herrschaftsbezogene Ordnung (Homer, Hesiod). Herodot und Thukydides verwenden
kósmos für die Verfassung des Staates, Demokrit und
Aristoteles für die Staatsform und die Vorsokratiker für
die Ordnung der Welt. Platon gebraucht *kósmos* häufig
synonym mit Himmel, All und »das Ganze«. *Lógos*:
»Wort, Rede, Aufzählung, Erklärung, Beweisführung«
(→ Logos).

B. URSPRÜNGE UND ÜBERGÄNGE

Die Entwicklung kosmolog. Vorstellungen ist nur im
Zusammenhang des Austausches mythischer und wiss.
Inhalte zwischen dem altoriental. Raum und Griechen-
land nachzuvollziehen. Herodots Beschreibung von
Ägypten und Babylon drückt seine große Bewunderung
für die Leistung ihrer Gelehrten aus. Eine Reise nach
Ägypten oder Kleinasien ist für das gelehrte Griechen-
land eine Vorbedingung für den Erwerb von Wissen.

Nicht einfach ist die Frage zu beantworten, welches
Wissen auf welchem Wege im griech. Raum aufgenommen wurde. Die meisten Transmissionsmodelle
nehmen im 7. und 6. Jh. v. Chr. eine Verbreitung altoriental. (babylon., ägypt.) Mythen und ihre Rationa-
lisierung durch die griech. Gelehrten an, wonach sich
aus den Mythen die vielen Varianten griech. Kosmo-
gonie (Lehre von der Entstehung der Welt) und K. entwickelten. Diese Auffassung ist in zweierlei Hinsicht
hinterfragbar: (a) Zwar ist die griech. Kenntnis oriental.
Mythen durch viele Zitate belegt (z. B. Platons Schöpfungsmythos im ›Timaios‹), daraus folgt jedoch nicht,
daß die Entwicklung der griech. K. durch eine Ratio-
nalisierung der Mythen allein angestoßen wurde. Die
anderen großen Wissensdomänen des vorderasiat. Raumes (→ Astronomie und → Medizin) haben einen mindestens ebenso großen Anteil daran. (b) Es ist aus mehreren Gründen unhaltbar, die Anfangsphase griech. K.
als den Zeitpunkt eines einmaligen Wissenstransfers
darzustellen anstelle eines andauernden, sich in parallelen Kulturen jeweils weiterentwickelnden Kenntnis-
standes und eines regen Informationsflusses. Dieser
Austausch findet kontinuierlich bis in die röm. Zeit hinein statt:

(1) Seit dem 6. Jh. v. Chr. entwickelte sich ausschließlich in Babylon eine leistungsfähige Astronomie.
Nur in Mesopotamien wurden systematisch Beobachtungen aufgezeichnet, die den ersten wiss. Theorien der
Gestirnsbewegungen zugrunde gelegt wurden. Zur Zeit
der ältesten systematischen griech. Theorie des Kosmos
in Platons ›Timaios‹ und der späteren ersten geometrischen Modelle der Gestirnsbewegungen von → Eudoxos [1] und → Kallippos [5] (4. Jh. v. Chr.) wurde keine
dieser mesopot. Beobachtungen zitiert oder gar selbst
durchgeführt. Es gibt nicht die Spur einer Evidenz für
die erforderliche systematische astronomische Daten-
sammlung in klass. Griechenland.

(2) Bereits früh weisen die Pythagoreer und Platon
auf die Bedeutung von Zahlenverhältnissen für die Beschreibung der Planetenbewegung hin. Diese Proportionen verwendete ausschließlich die babylon.
Astronomie, nicht die ägyptische. Spätestens → Hipparchos [6] übernahm die Größen dieser Zahlenver-
hältnisse ohne Änderung von den Babyloniern. Die
Quantifizierung griech. Astronomie profitierte durch
Wissenstransfer und nicht durch eigenständige, systematische Beobachtungen. In der Astronomie des
→ Ptolemaios (2. Jh. n. Chr.) – dem Höhepunkt astronomischer Theorienbildung in der Ant. – ist das
babylon. Erbe offensichtlich. Er benutzt das babylon.
Hexagesimalsystem; die numerischen Parameter von
Sonnen- und Planetentheorien sind mit denen der Babylonier identisch, viele der zitierten Beobachtungen
stammen aus babylon. Quellen. Andererseits finden sich
in Dokumenten der babylon. Astronomie nirgendwo
Ansätze, die arithmetischen Schemata der Astronomie
durch geometrische Modelle darzustellen. Die dauernde Herausforderung für die griech. Wiss. vom Kosmos

besteht darin, ein empirisch sehr genaues theoretisches
Berechnungsschema mit geometrischen Mitteln zu
repräsentieren.

C. Mesopotamisches Erbe
1. Omen 2. Schöpfungsmythen
3. Erfolge der Astronomie in Babylon
4. Medizinische Theorien

1. Omen

Ein beträchtlicher Anteil babylon. Tontafeln behandelt die Umstände, die das Schicksal der staatlichen Gemeinschaft und ihres Königs bestimmen. Aus ihnen lassen sich grundlegende Vorstellungen über kosmolog.
Zusammenhänge ablesen. Spätestens seit dem 2. Jt.
v. Chr. bestand die sog. → Omen-Lit., die auf formal
festgelegte Weise das staatliche Schicksal in Form von
Regeln zu ergründen suchte. Omina hatten immer die
Form »wenn ein so-und-so Geschehen eingetroffen ist,
dann ist das Schicksal des Königs oder des Staates so-
und-so bestimmt«. Die wichtigste Gruppe der Geschen-
nisse, die in babylon. Omina eingingen, sind astronomische Ereignisse wie Finsternisse oder bestimmte
Stellungen der Planeten am Himmel sowie meteorologische Ereignisse. Darin drückte sich ein sehr globales,
kosmisches Verständnis der ursächlichen Zusammenhänge aus; es führt die Themen der griech. Naturphilos.
ein: Astronomie und die Lehre der Elemente. Astronomische Ereignisse waren mehr als spezielle Konstellationen der Gestirne am Himmel, wie auch meteorologische Ereignisse direkten Einfluß auf das Staatswohl
haben: beide waren zugleich Zeichen der Götter. Diese
kosmolog. Bedingungen bestimmten die staatlichen
Geschicke und damit das Schicksal jedes einzelnen. Die
durch Omina verknüpften Zusammenhänge der Ereignisse sind nicht deterministisch zu verstehen: Omina
formulieren Umstände, die bestimmte Entwicklungen
begünstigen, aber nicht erzwingen.

2. Schöpfungsmythen

So wie die Omentexte verbinden die altoriental.
Schöpfungsmythen die Vorstellung einer alldurchdrin-
genden Wirkungsmöglichkeit von Göttern und ihren
Kräften (erkennbar an ihren Indikatoren, den Gestirnstellungen und den Grundformen der Wetterbedingungen) mit den Geschehnissen auf der Erde. Die Zusammenhänge wurden in verschiedenen Varianten my-
thisch wiedergegeben und erklärt: Die wechselnden
Jahreszeiten und der korrespondierende Wuchs und
Verfall der Pflanzen entsprachen im Mythos dem Umstand, daß eine beunruhigte Göttin in die Unterwelt
hinabstieg und dadurch Pflanzen und Tiere in den Win-
terschlaf versetzte, bevor sie durch ihren Aufstieg in die
Oberwelt diese wieder zum Leben erweckte. Die
Schöpfungsmythen variierten wenige Grundthemen:
(a) ein Gott erwirbt oder hat die Macht, (b) er nutzt die
Macht, um aus einem chaotischen Ausgangszustand
durch Trennung von gegensätzlichen Zuständen, häufig
Erde oder Wasser, Ordnung zu schaffen (→ Weltschöpfung).

3. Erfolge der Astronomie in Babylon

Fragen der K. betreffen die Anordnung, Veränderungen und die kausalen Zusammenhänge der Ereignisse im Universum. Zu allererst sind damit die
offensichtlich das Leben bestimmenden Ereignisse
gemeint: die Gestirnstellungen und die Umwelt. Die
Einwirkung der Sonnenbewegung auf das tägliche
Leben ist offensichtlich. Die Trennung von Tag und
Nacht gehört zu jedem Schöpfungsmythos, und mit ihr
die Definition der Zeit.

Spätestens im 6. Jh. v. Chr. entwickelten die babylon. Astronomen mathematische Schemata, mit denen
sie in der Lage waren, das Auftreten astronomischer
Phänomene regelhaft zu beschreiben und mit hoher
Genauigkeit vorherzusagen. Die wichtigsten darunter
sind Horizontphänomene: Der Tag endet mit dem Untergang der Sonne; gleichzeitig beginnt der nachfolgen-
de Tag. Monate als nächstgrößere kalendarische Einheit
beginnen am Abend der ersten Sichtbarkeit des Mondes
nach Neumond (→ Kalender). Das Jahr beginnt im
Frühling an einem Monatsbeginn, der anfangs empirisch bestimmt, ab dem 5. Jh. v. Chr. nach mathematischen Schemata berechnet wurde. Auch die Bewegungen der → Planeten wurden zunächst nach ihren Erscheinungen am Horizont beschrieben als solche Tage,
an denen sie nach zu großer Sonnennähe entweder wieder kurz vor Sonnenaufgang am Osthorizont erscheinen oder im Westen durch eine sich annähernde Sonne
überstrahlt und für einige Tage unsichtbar werden. Die
Berechnung der Monatsanfänge war die größte astronomische Herausforderung, da sie stark von den komplexen Bewegungen des Mondes abhängen. Die Berechnung glückte mit arithmetischen Tabellen, denen
stückweise lineare Zusammenhänge der Zahleneinträge
und grundlegende Periodizitäten der Bewegung der
Himmelskörper zugrunde gelegt wurden. So wie die
Horizontphänomene des Mondes wurden auch die Erscheinungen der Planeten auf ihr scheinbares Verschwinden und Wiedererscheinen in Sonnennähe bezogen.

Empirische Grundlage der erfolgreichen babylon.
Astronomie sind Archive mit langen, systematisch
durchgeführten Beobachtungen der interessierenden
Phänomene und der Bewegung von Sonne, Mond und
Planeten unter den Sternen. Diese Beobachtungsbe-
richte sind seit dem 7. Jh. v. Chr. bekannt und haben
über die polit. und kulturellen Veränderungen hinweg
bis zur Zeit der Eroberung durch die Römer (letzte Tafeln um 60 v. Chr.) ihre schriftliche Ausdrucksform erstaunlich gleichbleibend beibehalten. Spätestens im
6. Jh. v. Chr. entdeckten die babylon. Astronomen, daß
sich die beweglichen Gestirne immer in einer Zone am
Himmel bewegen, nämlich dem Tierkreis. Bezogen auf
die Bahn der Sonne werden seit dieser Zeit die Örter
aller Gestirne angegeben (ekliptikale Koordinaten).
Diese Koordinaten und die Zeitangaben sind die numerischen Grunddaten jeder ant. astronomischen
Theorie. Den Babyloniern gelang es, in diesen Daten

Regularitäten zu entdecken, die durch einfache arithmetische Zusammenhänge beschrieben werden. Die grundlegenden Parameter der babylon. Astronomie bestanden aus Periodizitäten der Himmelserscheinungen und Befunden über grundlegende Verhältnisse zw. ihnen. Die griech. Wertschätzung kosmischer Harmonien findet ihren Ursprung in den Zahlenverhältnissen der babylon. Astronomen.

4. MEDIZINISCHE THEORIEN

Die zweite, für die Betrachtung kosmolog. Zusammenhänge nicht minder bedeutsame wiss. Aktivität betrifft die → Medizin, die mit unterschiedl. Akzentuierung in Babylon und Ägypten entwickelt wurde. Von beiden Kulturen sind umfangreiche Slgg. von Rezepten und Behandlungsmethoden erh., die histor. weit zurückgehende Wurzeln (3. Jt. v. Chr.) haben. Wie die frühen Omen-Texte sind die medizinischen Texte syntaktisch streng strukturiert, haben einen diagnostischen Anfangsteil, einen Mittelteil mit einer Rezeptur zur Herstellung der Medizin, gefolgt von einer Behandlungsvorschrift und gelegentlich abschließenden Bemerkungen zum prognostizierten Erfolg der Behandlungsmethode. Der regelhafte Zusammenhang zw. Diagnose und Therapie verknüpft Indikatoren – nicht Ursachen – der Krankheit mit der therapeutischen Maßnahme. Diese liegen in einem komplexen Geflecht von Abhängigkeiten, teilweise außerhalb des menschlichen Körpers. Krankheit ist eine Folge von Verfehlungen gegen göttliche Gebote. Die kosmolog. Vorstellungen bestimmten die Annahme, daß das menschliche Wohlbefinden von weit entfernten, himmlischen Konstellationen abhängt.

D. GRIECHISCHE KOSMOLOGIE

1. VORSOKRATIKER
2. GEOMETRISIERUNG DER KOSMOLOGIE
3. BEWEGUNG DER HIMMELSKÖRPER

1. VORSOKRATIKER

Als älteste griech. Gelehrte gelten Thales, Anaximander und Anaximenes, die im 6. Jh. v. Chr. in Milet lebten. Sie lebten an der Peripherie des mächtigen pers. Reiches, als dort die Wiss., insbes. die Astronomie, ihren hohen Entwicklungsstand erreicht hatte. Sie (die sog. »Vorsokratiker«) wiesen nach der Darstellung von Aristoteles (metaph. 1,3) die mythischen und rel. Naturdeutungen ihrer Vorfahren zurück. Das Werden und Vergehen in der Welt wurde von der frühen → Naturphilosophie (*physikḗ*) mit der Metapher des Wachstums erklärt; ihre Aufgabe ist es, in der Natur (φύσις/*phýsis*) die Ordnung (*kósmos*) zu erblicken, deren Art zu bestimmen und deren Entstehen zu erklären. Die Idee des Kosmos als Struktur des aus Elementen verknüpften Ganzen verbindet durch das Verb ἁρμόττειν (*harmóttein*, »zusammenfügen«) auf direkte Weise die Ordnung mit den Harmonien, von denen die Pythagoreer sprachen: Sie meinten der Musik entlehnte, auf Zahlen zurückgehende Harmonien. Viele der frühen Ärzte und fast ausnahmslos alle Vorsokratiker stellten die *physis* des Menschen in den allg. Zusammenhang des *kósmos*. Die frühen medizinischen Texte des *Corpus Hippocraticum* spiegeln häufig altoriental. Ansichten über kosmisch verursachte Krankheiten wider. In Schriften wie ›Über die Natur des Menschen‹ und Texten über die meteorologischen Phänomene (›Über Winde, Wasser, Orte‹; → Hippokrates) hängen die medizinischen Erfolge bei der Therapie von den Kenntnissen des Alls (τὸ ὅλον, *to hólon*) ab; die Harmonie zw. menschlichem Körper und Umwelt ist eine Voraussetzung für Gesundheit.

2. GEOMETRISIERUNG DER KOSMOLOGIE

Der Spätdialog ›Timaios‹ des → Platon ist der älteste erh. Text, der systematisch den Aufbau der Welt, die Bewegung der Gestirne, den Aufbau der Materie und ihre Veränderung bis hin zu mineralogischen und zoologischen Tatbeständen behandelt. Verschiedene Elemente der oriental. Naturauffassung werden mit den frühen vorsokratischen Spekulationen synthetisiert. Der Schöpfungsmythos des ›Timaios‹ sowie der Dialog selbst sind nach Platon eine »wahrscheinliche« Darstellung der Welt. Diese wird von einem → *dēmiurgós* [3], einem »Handwerker«, erschaffen. Die hergestellte Ordnung befolgt harmonische Prinzipien, die gleichermaßen die Konstruktion der kleinsten Elemente der Materie wie auch die Bewegungsprinzipien der Himmelskörper bestimmen. Die bes. Bed. des ›Timaios‹ liegt darin, daß Platon mit ihm die K. in eine Richtung steuerte, in der die Mittel der Geometrie für die Konstruktion der Regularitäten und die Erklärung der grundlegenden Eigenschaften der Welt verwendet werden. Platon entwickelte keine astronomische Theorie als Lösung, sondern formulierte ein Forschungsprogramm, das die griech. Wiss. erst nach 500 Jahren zu ihrem vorläufigen Abschluß bringen konnte.

Aristoteles geht von der Ewigkeit des Kosmos wie auch der → Bewegung der Gestirne aus und schließt auf ein unbewegtes Bewegendes (κινὸν ἀκίνητον, Aristot. met. 1212b 31), das den Kosmos von außen in Schwung setzt. Der größte Beitrag von Aristoteles' K. ist die Entwicklung einer Bewegungslehre: Die natürliche Bewegung der Himmelskörper ist kreisförmig und dauert ewig; schwere Körper fallen ohne Einwirkung äußerer Kräfte auf den Mittelpunkt der Erde zu. Mit dieser Grundkonzeption wird die Hypothese einer geozentrischen K. physikalisch untermauert. Von Aristoteles an dominierte die geometrische Methode in der K. Etwas älter als → Eukleides [3], der Verf. der ›Elemente‹, ist → Autolykos [3] von Pitane (vor 310 v. Chr.), der die ältesten, vollständig erh. geometrisch-astronomischen Abh. verfaßte.

Unklar ist, wann die Kugelförmigkeit der Erde entdeckt wurde. Platon war bereits von ihrer Kugelförmigkeit überzeugt, ohne sie zu rechtfertigen. Aristoteles argumentierte (Aristot. cael. 2,14), daß der Schatten der Erde auf der Mondoberfläche stets kreisförmig ist und deshalb die Erde eine Kugel sein müsse. Dies war seitdem kaum mehr umstritten. Die Kugelförmigkeit der Sternensphäre ist auf der Basis der visuellen Eindrücke eines Beobachters auf der Erde ebenfalls nicht offensichtlich. Die Ägypter haben den Himmel als ein flaches Dach veranschaulicht, häufig dargestellt durch eine über das Land lang ausgestreckte Göttin Nut. Babylon. Astronomen haben spätestens seit dem 5. Jh. v. Chr. den Himmel mit seiner täglichen Drehung als eine Kugel verstanden. Dies erklärt sich daraus, daß die Babylonier bereits abstrakte Konzepte wie ein Koordinatensystem auf Kugeln verwendeten. Das Konzept einer Positionsangabe unter den Sternen bei ruhender Erde macht die Annahme einer sich drehenden Sternensphäre nahezu unausweichlich.

Platon verteidigte die zentrale Lage einer runden Erde in der Mitte des Kosmos ähnlich wie → Anaximandros. Die Bewegungslehre des Aristoteles verstärkt die physikalischen Gründe für eine geozentrische Lage der Erde: Würde sie sich um die Sonne bewegen (die im Mittelpunkt einer ruhenden Fixsternsphäre steht), dann müßte sich die Erde täglich einmal um ihre Achse drehen. Eine solche Bewegung jedoch ist mit Aristoteles' Bewegungslehre nicht zu vereinbaren. Frei bewegliche Körper oberhalb der Erdoberfläche wie Wolken oder fallengelassene Steine müßten dann hinter der Bewegung der Erdoberfläche zurückbleiben, was sie offensichtlich nicht tun.

Eukleides konstatierte auf komplizierte Weise die Halbierung des sichtbaren Himmels über dem Horizont zu unterschiedlichen → Jahreszeiten. Daraus folgt geometrisch streng, daß unter der Annahme einer Fixsternsphäre endlicher Größe der Beobachter auf der Erde im Mittelpunkt oder nahe am Mittelpunkt dieser Sphäre sein muß. Wäre der Beobachter deutlich vom Mittelpunkt der Sphäre heraus verschoben, müßte der Horizont einen Himmel freigeben, der die Sternensphäre nicht halbiert. Dieses Argument ist eines der nachhaltigsten für eine geozentrische K.; es wird von verschiedenen Autoren wiederholt und gewinnt auch in der Diskussion um die Kopernikanische Theorie im 16. Jh. große Aufmerksamkeit.

→ Aristarchos [3] von Samos (320–250 v. Chr.) wurde durch eine Kritik von Archimedes [1] in der Schrift ›Sandrechnung‹ sowie durch eine knappe Bemerkung Plutarchs dafür bekannt, eine heliozentrische K. vorgeschlagen zu haben. Da Aristarchos am Anfang der Phase der Geometrisierung des Kosmos stand und physikalische Überlegungen bei ihm keine Rolle gespielt haben, ist nachvollziehbar, daß er sich noch den gebündelten Argumenten zugunsten eines geozentrischen Universums entziehen konnte. Im ersten Buch des ›Almagest‹ setzt sich → Ptolemaios detailliert mit der Möglichkeit eines heliozentrischen Universums auseinander und verwirft es so überzeugend, daß KOPERNIKUS sich in seiner Schrift *De Revolutionibus* dem nur mit rhet. Tricks entziehen konnte. Die Annahme, daß andere ant. Autoren eine heliozentrische K. vertreten haben sollen, hält einer Prüfung der Dokumente nicht stand. Auch Herakleides [16] Pontikos wird fälschlicherweise im Zusammenhang mit Simplikios' Komm. zur aristotelischen ›Physik‹ und → Calcidius' Komm. des platon. ›Timaios‹ als Vertreter des Heliozentrismus bezeichnet.

3. BEWEGUNG DER HIMMELSKÖRPER

→ Eudoxos [1] von Knidos (ca. 428–347 v. Chr.) übernahm es, die Planetenbewegungen auf der Basis von geometrischen Hypothesen zu erklären, bei der sich Sonne, Mond und Planeten auf homozentrischen (mit gleichem Mittelpunkt ineinander geschachtelten) Kreisringen befinden, die ineinander beweglich verschachtelt sind und in deren Mittelpunkt sich die ruhende Erde befindet. Prinzipielle Defizite führten bald dazu, daß ein homozentrisches Planetenmodell nicht mehr ernsthaft verfolgt wurde.

Den nächsten großen Schritt in der Entwicklung geometrischer Modelle für die Gestirnsbewegungen vollzogen der Mathematiker → Apollonios [13] von Perge (265–170 v. Chr.) und der Astronom → Hipparchos [6] von Nikaia (190–120 v. Chr.). Ausgehend von der Unt. der Dauer der Jahreszeiten entwickelten sie ein geometrisches Modell, bei dem auf einem großen Kreis ein zweiter kleinerer Kreis herumgeführt wird, auf dessen Peripherie sich die Sonne bewegt. Hipparchos bemühte sich, ein konstruktiv ähnliches Modell auf die Bewegung der Planeten anzuwenden, scheiterte jedoch. Erst Ptolemaios gelang es im 2. Jh. n. Chr., die komplizierten methodischen Probleme der Planetenmodelle zu lösen. Die Epizykeltheorie der Planetenbewegungen wurde bis zu den Arbeiten von KEPLER zum Standardmodell der mathematischen Astronomie.

In seinem Werk ›Planetenhypothesen‹ unternahm Ptolemaios den Versuch, die räumlichen Größenverhältnisse der Gestirne auf der Basis von mechanischen Überlegungen zu bestimmen. Ptolemaios stellte fest, daß die geometrischen Theorien dem Prinzip eines mit Äther gefüllten Raums gehorchen sollten. Die Gestirne werden als Körper aus Äther beschrieben, die selbst unveränderlich und begrenzt sind, nicht altern und sich gleichförmig und kreisförmig bewegen. Sie führen selbst nur eine einzige, willentliche Bewegung aus. Jeder Körper, gleich ob auf der Erde oder am Himmel, kann eine natürliche Bewegung annehmen. Doch nur auf der Erde können Körper durch gewaltsame Einwirkung aus ihrer natürlichen Bewegung herausgebracht und zu anderen Ortsveränderungen gezwungen werden.

E. RÖMISCHE KOSMOLOGIE

Die röm. K. ist eng mit der Trad. der sieben → *artes liberales* verbunden. Die sich daraus ergebende Popularisierung der griech. kosmolog. Vorstellungen hatte zur Folge, daß kosmolog. Wissen zwar weite Verbreitung fand, die komplizierten mathematisch-geometrischen Grundlagen aber in den Hintergrund traten. Verschiedene Lehrbücher boten einen Überblick über den Aufbau des Kosmos sowie die wichtigsten astronomischen Themen und Begriffe.

→ Plinius der Ältere (23–79 v. Chr.) verfaßte die ausführlichste röm. Darstellung des Aufbaus des Kosmos und seiner inneren Zusammenhänge. Kosmolog. Themen behandelte er (ähnlich später viele ma. Autoren) in seiner ›Naturgesch.‹ (*Naturalis historia*) in einzelnen Kapiteln zu unterschiedlichen Sachgebieten. B. 18 behandelt ein bes. Merkmal seiner Astronomie: die Theorie, daß die retrograden Bewegungen der Planeten durch die Macht der Strahlen der Sonne verursacht werden, aber ohne die mathematisch-geometrischen Methoden und Prinzipien, welche diesem Modell zugrunde liegen, zu erläutern. → Martianus Capella (ca. 410–439 n. Chr.) verfaßte im 8. B. der weitverbreiteten Einführung in die Sieben Freien Künste, ›Hochzeit der Philol. mit Merkur‹, einen allegorischen Überblick über die ant. K. Neben einer allg. Beschreibung der Himmelskreise behandelte er auf oberflächliche Weise die ungefähren Umlaufzeiten der Planeten, interessante Konstellationen sowie die unterschiedliche Länge von Tag und Nacht. Insbes. seine Beschreibung der Bewegung der Venus ist schwer verständlich, provozierte jedoch bereits im frühen MA Deutungsversuche, nach denen die Planeten Merkur und Venus sich auf Bahnen um die Sonne bewegen. Diese Quelle ist für die kopernikanische Wende zu einer heliozentrischen K. von großer Bedeutung.

Der Kommentar des → Macrobius (360 – nach 422 n. Chr.), *Commentarii in somnium Scipionis*, zu einer Auseinandersetzung von Ciceros K. mit dem platonischen ›Timaios‹ war einer der meistgelesenen astronomischen Texte des MA. Bei seiner Darstellung des allg. griech. kosmolog. Modells mit der runden Erde im Zentrum, umgeben von sieben himmlischen Sphären, deren letzte der Träger der insgesamt 10 Himmelskreise ist, betonte er die Notwendigkeit einer Regelmäßigkeit und Kreisförmigkeit der Bewegungen am Himmel sowie die notwendige Verwendung von Zahlen für die Ordnung der Welt.

→ Calcidius (um 400) verfaßte den einflußreichen Komm. zum ›Timaios‹ (*In Timaeum commentarius*), eine freie Übers. des Platon-Komm. des Theon von Smyrna. Diese Beschreibung des Himmels und der Planetenbewegung unterschied sich von der anderer Autoren vor allem darin, daß er die Sonne in der Reihe der Planeten zw. Mond und Merkur plazierte. Ein weiterer Unterschied bestand in seinem vergleichsweise starken Interesse an den geometrischen Hintergründen und Möglichkeiten des »griech.« kosmolog. Modells, ohne das des Ptolemaios zu kennen. Ansonsten behandelte er die für ein Hdb. üblichen Themen wie die Kugelgestalt der Erde und des Universums, die Finsternisse, die Anordnung der Himmelskreise und die Bewegungen der Planeten.

F. Übergang zum Mittelalter

Vom 6. bis zum 12. Jh. sind die Texte griech.-mathematischer Astronomie, insbes. der ›Almagest‹, in Europa unbekannt. Dem Niedergang des astronomischen und kosmolog. Wissens im 6. Jh. folgte im 8. Jh. ein wiedererwachtes Interesse (Beda, 673–735). Einflußreich wurden Texte von Cassiodorus, Isidorus und Beda, aber keiner gibt ein vollständiges Bild kosmolog. Zusammenhänge. Sechs röm. Texte definieren das Wissen des frühen MA: Aratos' [4] ›Phainomena‹ (in der Übers. durch Germanicus, Cicero oder Avienus), Hyginos' ›Astronomia‹ und die erwähnten Texte des Plinius, Macrobius, Martianus Capella und Calcidius. Durch den ›Timaios‹-Komm. des letzteren gewann der Platonismus im MA großen Einfluß, der bis zum 16. Jh. reichte.
→ Astronomie; Astrologie; Kalender; Planeten; Mathematik; Mond; Sonne; Weltschöpfung; Zeitrechnung; Zeittheorien; Kosmologie

D. J. Furley, The Greek Cosmologists, 1987 · B. S. Eastwood, Astronomy in Christian Latin Europe C. 500 – C. 1150, in: Journ. for the History of Astronomy, 28, 1997 · D. Goltz, Studien zur altoriental. und griech. Heilkunde: Therapie – Arzneibereitung – Rezeptstruktur, 1974 · G. E. R. Lloyd, Magic, Reason, and Experience, 1979 · O. Neugebauer, A History of Ancient Mathematical Astronomy, 1975 · J. North, Astronomy and Cosmology, 1994 (Übers.: Viewegs Gesch. der Astronomie und K., 1997) · E. Reiner, Astral Magic in Babylonia, 1995 · A. J. Sachs, H. Hunger, Astronomical Diaries and Related Texts from Babylonia, Bd. 1 ff., 1988 ff.   GE. G.

Kosmopolitismus. Die Theorie vom K. (Etym.: *kósmos*, »Welt«, und *polítēs*, »Bürger«) war bereits in vorhell. Zeit entwickelt: Als erster Theoretiker des Naturrechts und des K. gilt der Sophist → Hippias [5] von Elis (E. 5. Jh. v. Chr.), der die Autorität des positiven Rechts zugunsten der ungeschriebenen Gesetze bestritt. Schon → Demokritos [1] von Abdera erklärte, daß dem Weisen der ganze Erdkreis offenstehe und daß das Universum die Heimat der guten Seele sei (fr. 247 DK). Wenn man Cicero (Tusc. 5,108) glauben will, bezeichnete sich auch Sokrates, ein Zeitgenosse des Demokrit, als »Weltbürger« (*mundi incolam et civem*).

Seine eigentliche Blüte aber erlebte der Begriff im Hell., als die herkömmliche Polis-Ordnung in Frage gestellt wurde. Die theoretische Reflexion wurde nun zur Realität: Philosophen, bes. Kyniker und die Stoiker, reisten viel, verstanden sich als Kosmopoliten und sahen ihre eigene Verbannung nicht mehr als ein Negativum an. → Diogenes [14] von Sinope erklärte, er habe kein Haus und keine Vaterstadt, sondern sei Weltbürger (κοσμοπολίτης, SSR V B 263), denn »die wahre Staatsbürgerschaft ist allein die, die sich im Kosmos realisiert« (Diog. Laert. 6,72). Sein Schüler → Krates von Theben sagte: »Mein Vaterland umfaßt weit mehr als nur eine Mauer und ein Dach; / der ganze Erdkreis ist uns Stadt und Haus / er steht uns offen, damit wir uns darin niederlassen« (Diog. Laert. 6,98). Die gleiche Wertschätzung des K. finden wir auch in einer anderen sokratischen Schule, bei → Aristippos [3] von Kyrene, der von sich sagte: »Ich binde mich nicht an eine Stadt, sondern lebe überall als Fremder« (Xen. mem. 2,1,13), und bei → Theodoros Atheos, der die Welt als sein Vaterland ansah (Diog. Laert. 2,99).

Strittig ist, inwieweit dieser K. der Kyniker und Kyrenaïker vor allem eine negative Geisteshaltung war,
d. h. daß Weltbürger zu sein vor allem bedeutete, keine
Bindung an ein Vaterland zu haben und einem leidenschaftlichen Individualismus ergeben zu sein, oder ob
darin auch schon das positive Gefühl existierte, einer
universellen Menschengemeinschaft anzugehören, wie
es später bei den Stoikern der Fall war. Jedenfalls gab es
eine Denktradition, die Kynismus und Stoa verband,
und die durch zwei Werke vermittelt wurde: die *Politeía*
des Diogenes [14] von Sinope, die die Fundamente der
pólis untergrub, und das gleichnamige Werk des → Zenon von Kition, in dem er forderte, die Menschen sollten aufhören, in gesonderten Städten zu leben und sich
statt dessen als Bürger einer einzigen Stadt und eines
einzigen Volkes begreifen, das nur eine Lebensweise
und nur eine Ges.-Ordnung kenne (Plut. De fortuna
Alexandri 6,329a-b). → Chrysipos [2] erschien das
Universum als eine große Stadt, regiert von den Göttern, bewohnt von den Menschen, einem einzigen Gesetz, dem Naturrecht, unterworfen (SVF III, 333–339).
Später ging → Panaitios (2. Jh. v. Chr.) allerdings wieder
einen Schritt zurück, indem er die Existenz getrennter
Staaten mit dem Bemühen um Schutz und Sicherung
der gemeinsamen Ges. aller Menschen für vereinbar
hielt (Cic. off. 1,149). Der stoische K. blieb auch während der Kaiserzeit präsent. Für Seneca (De vita beata 5),
Epiktetos (Diatribe 2,10,3) oder Marcus Aurelius (4,4;
6,44) war das Universum die Heimat, die Welt wurde als
eine große Stadt angesehen. Dieser K. erhielt jedoch
Konkurrenz durch die neue Auffassung von der Welt
und vom Menschen, die mit dem Christentum aufkam.
In dieser sind alle Menschen gleich in Christus. Paulus
sagt (Kol 3,11): ›Da ist nicht mehr Grieche, Jude, Be-
schnittener, Unbeschnittener, Nichtgrieche, Skythe,
Sklave, Freier, sondern Christus in allem und allen.‹

H. C. BALDRY, Zeno's Ideal State, in: JHS 79, 1959, 3–15 ·
SSR IV, 537–547, Anm. 52 · I. LANA, Tracce di dottrine
cosmopolitiche in Grecia prima del cinismo, in: RFIC 29,
1951, 193–216; 317–338 · G. B. LAVERY, Never Seen in
Public: Seneca and the Limits of Cosmopolitanism, in:
Latomus 56, 1997, 1–13 · J. L. MOLES, Cynic
Cosmopolitanism, in: R. B. BRANHAM, M.-O.
GOULET-CAZÉ (Hrsg.), The Cynics. The Cynic Movement
in Antiquity and its Legacy, 1996, 105–120.

M. G.-C./Ü: B. v. R.

Kosmos
[1] s. Kosmologie; Welt
[2] (Beamter) s. Kosmoi

Koson. Seit der Renaissance bekannte Goldmz. mit der
Legende KOΣΩN, die nur in Siebenbürgen gefunden
werden; sie rufen bis h. verschiedene Interpretationen
hervor. Vermutlich sind sie einem geto-dakischen König K./Cotiso in der zweiten H. des 1. Jh. v. Chr. zuzuschreiben (vgl. Suet. Aug. 63,2; Flor. epit. 2,28). Es
gibt auch Zweifel an der Echtheit der Mz. [2]. PIR² C
1536; 1544.

1 O. ILIESCU, Sur les monnaies d'or à la légende KOΣΩN, in:
Quaderni Ticinesi 19, 1990, 185–214 2 C. PREDA, Ein neuer
Vorschlag zur Chronologie der K.-Münzen, in: U. PETER
(Hrsg.), Stephanos nomismatikos, 1998, 555–561
3 RPC I, 312–313. U. P.

Kossaioi (Κοσσαῖοι). Ein in Stämme gegliedertes Bergvolk im Zagros, etwa im Bereich des h. → Luristan, vgl.
lat. *Cossiaei* (Plin. nat. 6,134); *Cossaei* (Curt. 4,12,10).
Kossaía als Landschaftsname findet sich bei Diod.
17,111,5. Unklar bleibt die Beziehung zu den *Kíssioi*
bzw. der Landschaft *Kissía* (Hdt. 5,49; 5,52; Diod.
11,7,2). Die K. sind wohl identisch mit den Kassiten
(*Kaššu*), deren Clans etwa ab dem 17. Jh. v. Chr. → Mesopotamien infiltrierten. In der Folge etablierte sich ein
bis zum 12. Jh. v. Chr. dauerndes, langlebiges kassiti-
sches Königtum in Babylonien, das trotz rascher Baby-
lonisierung manche kassitischen Strukturen bewahrte.
Kassitische Sprachreste sind noch in assyr. Inschr. des
1. Jt. nachzuweisen. Unter den Achaimeniden waren
die K. weitgehend unabhängig; 324/3 v. Chr. wurden
sie von Alexandros [4] d. Gr. unterworfen (Arr. an.
7,15,1–3; Diod. 17,111,4–6; Plut. Alexandros 72,4), später kossaiische Truppen in Alexanders Heer integriert
(Arr. an. 7,23,1; Diod. 17,110; Strab. 11,13,6). 317
v. Chr. zog Antigonos I. unter Verlusten durch das Gebiet der K. (Diod. 19,19,3), die als wilde Höhlenbewohner geschildert werden.

J. A. BRINKMAN, s. v. Kassiten, RLA 5, 464–73. K. KE.

Kossura (Κόσσουρα, Κόσ(σ)ουρος, lat. *Cossura, Cossy-
ra*). Vulkanische Insel zw. Sizilien und Afrika, h. Pantelleria, bis zu den Pun. Kriegen unter karthagischer
Herrschaft, im Ersten Pun. Krieg vorübergehend, 217
v. Chr. endgültig von den Römern erobert und zur
Prov. Sicilia geschlagen. Die z. T. phoinik. Beschriftung
der Mz. zeigt, daß die Bevölkerung noch lange pun.
war. Überreste von prähistor. bis zu byz. Zeit.

S. TUSA, La Sicilia nella preistoria, 1983, 274ff. · Ders.,
Attività ricognitiva a Pantelleria, in: Kokalos 39/40, II.2,
1993/4, 1547f. GI. F.

Kostobokoi (Κοστοβῶκοι, Paus. 10,34,5; Κοστου-
βῶκοι, Cass. Dio 71,12,1; *Costoboci*, SHA Aur. 22,1; *Co-
stobocae*, Amm. 22,8,42; *Castaboci/Castabocae*, ILS 1327).
Eine Völkerschaft dakischer (thrakischer?) Herkunft,
die am östl. Rand der Karpaten lebte. 170 n. Chr. nahmen die K. an den Markomannenkriegen gegen Rom
teil. Ihr Einbruch führte über Dacia (vgl. CIL III 14214 =
ILS 8501) bis Griechenland, wo sie in → Phokis eine
Niederlage erlitten (Paus. 10,34,5; vgl. ILS 1327). Vernichtend wurden sie im J. 171/2 von den Asdingi geschlagen (Cass. Dio 71,12,1).

A. PREMERSTEIN, s. v. Kostoboken, RE 11, 1504–1507 ·
P. OLIVA, Pannonia and the Onset of the Crisis, 1962,
276–278 · I. I. RUSSU, Les Costoboces, in: Dacia N. S.
3, 1959, 341–352. J. BU.

Kosymbe (κοσ(σ)ύμβη, κόσ(σ)υμβος, auch θύσανος/ *thýsanos*, κρόσσος/*króssos*). Bezeichnung für die am Gewandrand stehengebliebenen Kettfäden, dann Franse, Fransenkleid und Fransenfrisur (Poll. 2,30); vielfach wurde die K. als Schmuck des Gewandes gesondert hergestellt. Bereits bei Homer (Il. 14,181) für den Gürtel der Hera gen., hier als θύσανος/*thýsanos* bezeichnet, in der Kunst oftmals an Kleidern und Tüchern angebracht. In den Mysterienkulten erlangte die K. symbolische Bed., bes. zeigen in der hell.-röm. Kunst die Darstellungen der → Isis die K. an ihrem Mantel.
→ Fimbriae

E. J. Walter, Attic Grave Reliefs that Represent Women in the Dress of Isis, 1988.   R. H.

Kotenna (Κότεννα). Stadt in der östl. Pamphylia. Der Name K. steht evtl. in Zusammenhang mit dem Stamm der Katenneis, der die Bergregion oberhalb von Side und Aspendos bewohnte [1]. In Sympolitie mit dem westl. benachbarten Erymna [2]; Bistum der Pamphylia I (Metropolis Side) [3; 4. 242]. Heute Gökbel (ehemals Menteşbey, Gödene).

1 Zgusta, 240 f., 294   2 M. Zimmermann, Untersuchungen zur histor. Landeskunde Zentrallykiens (Antiquitas 1/42), 1992, 137   3 J. Darrouzès, Notitiae episcopatuum Ecclesiae Constantinopolitanae, 1981   4 G. Fedalto, Hierarchia Ecclesiastica Orientalis I, 1988, 242.

G. E. Bean, s. v. K., PE, 467.   F. H.

Kothokidai (Κοθωκίδαι). Att. Paralia-Demos der Phyle Oineis, von 307/6 bis 200 v. Chr. der Demetrias, mit zwei *buleutaí*. Vermutlich ca. 6 km nordöstl. von Eleusis bei Hagios Ioannis in Goritsa nördl. von Aspropyrgos, dem FO der Grabinschr. IG II² 6481 [1; 2. 49].
→ Aischines [2] stammte aus K.

1 E. Honigmann, s. v. K., RE 11, 1516   2 Traill, Attica 9, 19, 49, 62, 68, 111 Nr. 76, Tab. 6, 12.   H. LO.

Kothon s. Gefäßformen/-typen

Kothurn (ὁ κόθορνος, *cot[h]urnus*). Der griech. K. war ein hoher Schaftstiefel aus weichem Leder, der sich eng an Fuß und Bein anschmiegte (von daher als Synonym für einen anpassungsfähigen Menschen verwandt bei Xen. hell. 2,3,30–31) und mit Bändern umwickelt oder vorne an einem Schlitz am Schaft verschnürt wurde. Der K. wird als Frauenschuh erwähnt (Aristoph. Eccl. 341–346; Lys. 657), aber bes. oft von den eleganten Jünglingen bei Symposion und → Komos getragen. Bevorzugte Fußbekleidung von Hermes, Diomedes, Odysseus, Theseus oder Iolaos als Wanderschuh; von Aristoph. Ran. 45–47 (vgl. Paus. 8,31,4) mit Dionysos verbunden. Seine zweite Bed. hatte der K. als Theaterschuh. Urspr. wohl ohne Sohle, führt Aischylos eine Besohlung ein, die mit der Zeit immer höher wird [1]. Im 2. Jh. v. Chr. erhält der K. hohe Holzsohlen, die in der röm. Kaiserzeit fast zu Stelzen werden, so daß u. a. Lukianos (Nero 9) sie als Holzböcke (*okríbantes*, vgl. Ov.

am. 3,1,45) bespöttelt. Gelegentlich hatte der K. in der ant. Lit. eine »lydische« Konnotation (Ov. am. 3,1,14; Hdt. 1,155,5). Ein anderer Träger des K. ist der *neurobátēs* (νευροβάτης), ein Typ von Seiltänzer, den Carinus im Jahr 284/5 n. Chr. auftreten ließ (SHA Car. 19,2).

1 K. Knoll, H. Protzmann, Die Antiken im Albertinum, 1993, 45 f. Nr. 24.

O. Lau, Schuster und Schusterhandwerk in der griech.-röm. Lit. und Kunst, 1967, 127–130 • N. Himmelmann, Ein Ptolemäer mit Keule und K., in: N. Basgelen (Hrsg.), FS J. Inan, 1989, 391–395. R. H.

Kottabos (κότταβος, Verb: κοτταβίζειν). Griech. Gesellschaftsspiel, wohl sizilischen Ursprungs (schol. Aristoph. Pax 1244; Anakr. fr. 41 D), das von Frauen (Hetären) und Männern während des → Symposions gespielt wurde. K. ist häufig in der ant. Lit. erwähnt (seit Anakr. fr. 41 D = Athen. 10,427d) und insbes. auf Vasenbildern seit dem ausgehenden 6. Jh. v. Chr. festgehalten. Es kam darauf an, eine Metallscheibe, die auf ein leuchterartiges Gestänge aufgelegt war, mit dem Rest des Weines, den man mit einer Schleuderbewegung aus einer Schale herausschnellen ließ, so zu treffen, daß die Scheibe auf einen Klangkörper, der in der Mitte des Gestänges aufgehängt war, laut tönend herabfiel (Athen. 15,665d–668c). Um die Schale in Bewegung zu bringen, zog man den Zeigefinger durch einen der Henkel und führte eine schleuderartige Drehbewegung aus. Das Spiel galt als → Geschicklichkeitsspiel, mehr aber noch als Liebesorakel um die Gunst eines Knaben oder einer Hetäre (z. B. Athen. 15,668a-c; Pind. fr. 128), deren Namen man während des Wurfes rief. Man spielte ferner u. a. um Eier, Kuchen, bei Plato Comicus 46 (= Athen. 15,666de) um Küsse. Bei einer Variante des K.-Spiels versuchte man, eine Figur (so bei Nonn. Dion. 33,64–104) oder flache Gefäße, die in einer Schüssel schwammen, durch Daraufwerfen des Weinrestes zum Sinken zu bringen (K. ἐν λεκάνῃ, *en lekánē*; Nonn. Dion. ebd.; Poll. 6,110; Athen. 15,666d); eventuell dienten die durch ihre bes. Form dazu geeigneten → Fischteller als Zielobjekt.

E. Csapa, M. C. Miller, The »K.-toast« and an Inscribed Red-figured Cup, in: Hesperia 60, 1991, 367–382 • R. Hurschmann, Symposienszenen auf unterital. Vasen, 1985 • N. Kunisch, Griech. Fischteller, 1989, 49–61 • W. Luppe, Das K.-Spiel mit dem Essignäpfchen (Kratinos fr. 124 K./A.), in: Nikephoros 5, 1992, 37–42 • K. Schneider, s. v. K., RE 11, 1528–1541. R. H.

Kottos s. Hekatoncheires

Kotyle
[1] s. Gefäßformen/-typen
[2] (κοτύλη/*kotýlē*; lat. *cotula, cotyla*). Griech.-lat. Bezeichnung eines → Hohlmaßes für Flüssiges im Volumen von ¹⁄₁₄₄ → Metretes oder ¹⁄₁₂ → Chus [1], entsprechend 4 Oxybapha oder 6 Kyathoi, sowie als Trockenmaß im Volumen von ¹⁄₁₉₂ → Medimnos oder ¹⁄₃₂ → Hekteus.

Die Umrechnung liegt nach Hultsch bei ca. 0,27 l
[1. 108, 703, Tab. X], nach Viedebantt bei ca. 0,22 l
[2. 1547 f.] mit größeren regionalen Abweichungen.

1 F. Hultsch, Griech. und röm. Metrologie, ²1882
2 O. Viedebantt, s. v. K. (2), RE 11, 1546–1548.   H.-J. S.

Kotyora (Κοτύωρα). Hafenstadt an der Südküste des
→ Pontos Euxeinos, bei Ordu zu vermuten, wo sich
Reste einer ant. Hafenmole befinden. Hier rasteten »die
Zehntausend« mit → Xenophon 45 Tage lang, bevor sie
nach Westen in See stachen. Unter Pharnakes I. (185–
160/154 v. Chr.) in einem *synoikismós* mit Kerasus zu
Pharnakeia vereinigt, sank K. zu einer Kleinstadt
(πολίχνη, Strab. 12,3,17) herab (Arr. per. p. E. 24; peripl.
m. Eux. 34).   E. O.

Kotyrta (Κοτύρτα). Spartan. Perioikenstadt (→ *períoikoi*) an der Westküste der Parnonhalbinsel (→ Parnon),
vielleicht beim h. Daimonía, wo schon myk. Funde
reichlich bezeugt sind. Belegstellen: Thuk. 4,56,1;
Steph. Byz. s. v. K. Inschr.: IG V 1,961–967; 1013; SEG
2,173–175; 11,899.   Y. L.

Kotys (Κότυς).

I. HELLENISMUS

[I 1] Bedeutender König der → Odrysai 383/2–360/59
v. Chr. (Suda s. v. K.; Charakterisierung bei Athen.
12,531e–532a), Nachfolger des Hebryzelmis [1]. K.'
diplomat. und mil. Geschick führte zu einer Konsolidierung – Niederschlagung von Aufständen des Adamas
(Aristot. pol. 1311b) und des Miltokythes (Demosth. or.
23,115) – und Machterweiterung des Odrysenreiches.
Mit Hilfe seines Schwiegersohnes, des athen. Söldner-
führers → Iphikrates (Demosth. or. 23,129; Athen.
4,131a; Nep. Iphicrates 3,4), und später (Demosth. or.
23,132) mit Unterstützung des Charidemos [2] (Demosth. or. 23,149–150) führte K. einen langen, wech-
selvollen Krieg mit Athen um Besitzungen auf der
Chersonesos und der Propontis (Demosth. or. 23,
passim; vgl. Nep. Timotheus 1,2), und die zunächst guten Beziehungen mit Athen (Verleihung des Bürgerrechtes: Demosth. or. 23,118) kehrten sich ins Gegenteil
(Demosth. or. 23,114). Zum Ende seiner Herrschaft besaß K. fast die gesamte Chersonesos (Demosth. or.
23,158–162) und mischte sich in die maked. Thronstreitigkeiten ein (Diod. 16,2,6). Bürger aus Ainos ermordeten K. (Aristot. pol. 1311b; Demosth. or. 23,119; 163;
Aischin. Tim. 51); sein Sohn → Kersobleptes folgte in
der Herrschaft [1. 218–231; 2].

Wirtschaftl. Maßnahmen des K. werden von Aristoteles (oec. 1351a) und in der Inschr. von Pistiros bezeugt [1. 317]. K. prägte Silber- und Bronze-Mz. [3.
112–125]. Mit dem König wird auch der Name des K.
auf Gefäßen des Rogozener Schatzes verbunden (vgl.
SEG 37,618; 40,580).

1 Z. H. Archibald, The Odrysian Kingdom of Thrace,
1998 2 A. Fol, Die Politik des odrys. Königs K. I., in: E. Ch.
Welskopf (Hrsg.), Hellenische Poleis 2, 1974, 993–1014
3 U. Peter, Die Mz. der thrak. Dynasten (5.–3. Jh. v. Chr.),
1997.

[I 2] Thrak. König, Sohn des Rhaizdos, in Delphi 276/5
(?) v. Chr. als → *próxenos* geehrt (Syll.³ 438). Die Identifizierung mit K., Vater des → Rhaskuporis in IGBulg
1,389 und 5,5138 (Moretti, 122; vgl. SEG 31,652) ist
umstritten [1. 5].

[I 3] Odrys. König, Sohn eines Seuthes (Liv. 42,51,10f.)
[1. 5], mit glänzender Charakteristik (Pol. 27,12; Diod.
30,3). Verbündeter des → Perseus im 3. Röm.-Maked.
Krieg (171–168 v. Chr.; Liv. 42,29,12; 51,10; 57,6; 58,6;
43,18,2; Eutr. 4,6,2). Der Einfall von Autlesbis und Kor-
ragos in die odrys. Marene (Liv. 42,67,3–5) zwang K.
zur Verteidigung seines Reiches. 168 v. Chr. Teilnahme
an der Schlacht bei Pydna gegen Perseus von Makedonien (Liv. 44,42,2). 167 polit. Bündnis mit Rom (Pol.
30,17; Liv. 45,42,5–12; Zon. 9,24). Die gewöhnlich ihm
zugeordnete Inschr. Syll.³ 656 wird teilweise auch mit
K. [I 4] verbunden (vgl. SEG 32,1206) [2. 75–77, 91–93,
98–100; zur Mz.-Prägung: [3. 33 f.], 84].

[I 4] Begründer der odrys.-asteiischen (→ Astai) Dyn.
mit Hauptstadt in Bizye, regierte ca. 100–87 v. Chr. K.
wendete als röm. Verbündeter die Usurpation des maked. Thrones unter der Statthalterschaft des C. Sentius
ab (Diod. 37,5a; Liv. per. 70). K.' Nachfolger war Sadalas I. [vgl. 1. 6].

[I 5] Romtreuer König der Asten (→ Astai) und Odry-
sen, der 57 v. Chr. L. Calpurnius [I 19] Piso bestach, den
König der Bessen (→ Bessi), Rabocentus, zu töten (Cic.
Pis. 84). 48 sandte K. seinen Sohn, Sadalas II., mit thrak.
Reitern Pompeius zur Unterstützung (Caes. civ. 3,4,3;
36,4; Lucan. 5,54; Cass. Dio 41,51,2; 63,1) [2. 121;
4. 189–191]; zur Mz.-Prägung: [3. 40–53, 88–89].

[I 6] Sohn Sadalas' II. und der Polemokrateia (IGR
1,775; Cass. Dio 47,25,1 irrt), Enkel von K. [I 5] (vgl.
[1. 6]). K. wurde nach der Ermordung seines Vaters
in Kyzikos erzogen (App. civ. 4,75,319–320) und um
28 v. Chr. als asteiisch-odrysischer König eingesetzt.
Schwager → Rhoimetalkes' I., der später für K.' Sohn
Rhaskuporis II. die Vormundschaft übernahm (Cass.
Dio 54,20,3; 34,5). K. fand vermutlich während der
Kampfhandlungen des maked. Statthalters M. Primus
um 22 v. Chr. in Thrakien den Tod (Cass. Dio 54,3,2).
PIR² C 1553; SEG 34,701 [2. 123–126; 4. 192–191;
5. 212–213].

[I 7] Vater des Rhaskuporis I., der um 48 v. Chr. die
sapäische Dyn. begründete (IG II/III² 3442) [5. 212 f.].

[I 8] Sapäischer König ca. 42–31 v. Chr.; Sohn Rhas-
kuporis' I., Enkel von K. [I 7]; in Athen geehrt (IG
II/III² 3443); Vorgänger und Bruder Rhoimetalkes' I.
PIR² C 1552 [5. 212–213; 6].

[I 9] Sohn Rhoimetalkes' I., um 12 n. Chr. von Augustus als odrys.-sapäischer König eingesetzt; Ehe mit Antonia [7] Tryphaena (Strab. 12,3,29). Lob des K. bei
Ovid (Ov. Pont. 2,9), Antipatros von Thessalonike
(Anth. Plan. 75) und Tacitus (Tac. ann. 2,64,2). Als
árchōn in Athen baute K. eine Säulenhalle in Epidauros
(Paus. 2,27,6; IG II/III² 1070 = Agora 15,304). Der Neid
seines bei der Reichsteilung benachteiligten Onkels
Rhaskuporis III. führte – trotz Einschreitens des Tibe-

rius – 18/19 n. Chr. zu K.' Ermordung. Den Reichsteil erbten seine Kinder unter der Vormundschaft des Trebellenus Rufus (Tac. ann. 2,64–67; 3,38,3; 4,5,3; Vell. 2,129,1). PIR² C 1554 [1. 6; 2. 133–137; 4. 200–204; 6].

[I 10] Sohn von K. [I 9] und der Antonia [7] Tryphaena, der in Rom aufwuchs. 38 n. Chr. wurde er von Gaius (→ Caligula) in Kleinarmenien und einem Teil von Arabien als König eingesetzt (Tac. ann. 11,9,2; Cass. Dio 59,12,2; Ios. ant. Iud. 19,8,1; Syll.³ 798; IGR IV 147). PIR² C 1555 [1. 6; 4. 207–209; 6].

1 V. Beševliev, PN bei den Thrakern, 1970 2 Chr.M. Danov, Die Thraker auf dem Ostbalkan von der hell. Zeit bis zur Gründung Konstantinopels, in: ANRW II 7.1, 1979, 21–185 3 Y. Youroukova, Coins of the Ancient Thracians, 1976 4 R.D. Sullivan, Thrace in the Eastern Dynastic Network, in: ANRW II 7.1, 1979, 186–211 5 M. Taceva, Corrigenda et addenda, in: Terra antiqua Balcanica 2, 1987, 210–213 6 PIR² VI, Stemma 22. U.P.

II. Kaiserzeit

[II 1] Tiberius Iulius K. I. Bosporan. König, Sohn des Aspurgos, Bruder des → Mithradates VIII., der von Rom abfiel. K. bekämpfte diesen mit C. Iulius [II 16] Aquila und wurde 45 n. Chr. von Claudius [III 1] als König von Bosporus eingesetzt (Tac. ann. 12,15–21; Cass. Dio 60,28,7). Er eroberte das Gebiet der Achaier südl. von → Gorgippia (IOSPE 2,37). Er führte den Kaiserkult im → Regnum Bosporanum ein (IOSPE 2,32).

V. F. Gaidukevič, Das Bosporan. Reich, 1971, 339–343.

[II 2] Tiberius Iulius K. II. Bosporan. König 124–133 n. Chr.; Sohn und Nachfolger des → Sauromates; von → Hadrianus erhielt er → Chersonesos [2], um die Skytheneinfälle (→ Skythai) abzuwehren (IOSPE 2,27).

V. F. Gaidukevič, Das Bosporan. Reich, 1971, 350.

[II 3] Tiberius Iulius K. III. Bosporan. König, 228–233 n. Chr., Sohn des → Rheskuporis III., regierte 228–230 zusammen mit → Sauromates III.
→ Regnum Bosporanum

V. F. Gaidukevič, Das Bosporan. Reich, 1971, 354. I.v.B.

Kotyto (Κοτυτώ; Variante Kotys/Κότυς, Kotto/Κοττώ; lat. Cottyto).
A. Allgemein B. Der korinthisch-sizilische Kult C. Der thrakische Kult

A. Allgemein
Traditionell verstanden als Namensvarianten einer thrako-phryg. Göttin, die mit orgiastischen Riten verehrt wurde und deren Fest, die Kotytia, in der griech. Welt in Korinth und Sizilien gefeiert wurde [1]. Es ist jedoch wahrscheinlich, daß der korinth.-sizil. Kult zum Kalender der ländlichen Feste gehörte und vom putativen thrak. Kult zu unterscheiden ist [2].

B. Der korinthisch-sizilische Kult
Nach Suda (s. v. Κότυς; Θιασώτης Κότυος) war Kotys in Korinth ἔφορος τῶν αἰσχρῶν; der *daímon* K. wird von Hesych. s. v. K. mit derselben Stadt verbunden. Dieser korinth. Kult war geprägt von Obszönität und Transvestitismus (Eupolis fr. 88; vgl. 93 PCG). Berichte über die Timandreus-Töchter, von denen eine, Kot(y)to, von den → Herakleidai verehrt wurde, könnten einen aitiologischen Mythos enthalten (schol. Theokr. 6,40a; vgl. schol. Pind. O. 13,56b). In Sizilien verweist ein Sprichwort *harpagá Kotyt(t)íois* auf ein Fest, die Kotyt(t)ia, bei dem Kuchen und Nüsse an Zweigen befestigt und von den Teilnehmern abgerissen wurden (Plut. Proverb. Alex. 78; vgl. → *eirēsiónē*). Seit kurzem ist bekannt, daß das Fest, Κοτυτίον (*Kotytíon*) genannt, in → Selinus wichtig war (SEG 43,630 A 7). Die Schlußfolgerung wäre, daß ein örtlich bedeutender dor. Kult von Kot(y)to mit der Fruchtbarkeit des Bodens und Reinheit der Gemeinde verbunden war.

C. Der thrakische Kult
Ausschließlich Strabon (10,3,16 unter Berufung auf Aischylos' *Edonoi*, fr. 57 Radt) meint, daß es sich bei den Kotytia, wie bei den Bendidea (→ Bendis), um ein thrak. Fest entsprechend den ekstatischen phryg. Ritualen handelte. Die »thrak.« K. könnte daher auf eine Fehlinterpretation von Aischylos durch Strabon oder eine aischyl. Ps.-Archaiologia des anderen zurückzuführen sein. Die Kommentatoren zu den *Báptai* des Eupolis erwähnen Thrakien allerdings nicht in bezug auf K., ferner gibt es keine arch. thrak. Nachweise für K.; die Identifikation mit Artemis ist spekulativ.
→ Eupolis; Hellotis

1 K. Schwenn, s. v. Kotys (1), RE 11, 1549–1551 2 M.H. Jameson u. a., A Sacred Law from Selinous, 1993, 23–26.
R. Gor.

Krabbe s. Krebs [2]

Krähe. Aus der Familie der Rabenvögel (Corvidae) wurden in der Ant. sieben Arten unterschieden: 1. der Kolkrabe (κόραξ/*kórax*, lat. *corvus*; Corvus corax L.); 2. die Raben- und Nebel-K. (κορώνη/*korṓnē*, lat. *cornix*, *cornicula*; C. corone L. und C. cornix L.) und wahrscheinlich auch die gesellig nistende Saat-K. (C. frugilegus L.); 3. die → Dohle (κολοιός/*koloiós*, βωμολόχος/*bōmolóchos*, lat. *monedula* oder *graculus*; Coloeus monedula); 4. der → Eichelhäher (κίσσα/*kíssa*, κίττα/*kítta*, lat. *pica*; Garrulus glandarius); 5. die sprachlich nicht von Nr. 4 unterschiedene → Elster (Pica pica); 6. die Alpen-K. (κολοιὸς κορακίας/*koloiós korakías*, Pyrrhocorax pyrrhocorax) und 7. die Alpendohle (*pyrrhocorax*, P. graculus). Von diesen sind hier nur die drei wichtigsten zu behandeln:

Raben- und Nebel-K. wurden in der Ant. weder untereinander noch von der Saat-K. unterschieden. Ihre Brutpflege galt als vorbildlich; denn das Männchen füttert das brütende Weibchen (Aristot. hist. an. 6,8,564a 15–18; vgl. Ail. nat. 3,9), und beide Eltern die Jungen noch nach dem Ausfliegen (Aristot. hist. an. 6,6,563b 11–13; Plin. nat. 10,30; Basil. Hexaemeron 8,6,6; Ambr. Hexaemeron 5,18,58). Die blinden Jungen (Aristot. gen. an. 4,6,774b 26–28) verlassen das Ei wegen des schweren Kopfes angeblich mit dem Schwanz voran (Plin. nat. 10,38; Dionysii Ixeuticon 1,10). Im Winter sind sie in der Nähe der Städte zu finden (Aristot. hist. an. 8(9),23,617b 12 f.), nicht aber auf der Akropolis (Ail. nat. 5,8) und in Athen selbst (Plin. nat. 10,30; vgl. Aisop. 213 H.). In Afrika sind sie selten (Aug. epist. 118,9). Eine Nuß knacken sie, indem sie diese aus der Luft auf einen Felsen herabwerfen (Plin. nat. 10,30). Sie halten Freundschaft mit Reihern (Aristot. hist. an. 8(9),1,610a 8; Plin. nat. 10,207) und weidenden Rindern (Ov. am. 3,5,21–24). Mit dem Steinkauz, dem Vogel der Athena/Minerva (→ Eulen), leben sie in Unfrieden (Aristot. hist. an. 8(9),1,609a 8–12; Plin. nat. 10,203; Ov. fast. 2,89 und am. 2,6,35: *armiferae cornix invisa Minervae*; Ail. nat. 3,9) wie auch mit dem Habicht (Ail. nat. 6,45) und dem Wiesel (Aristot. hist. an. 8(9),1,609a 17; Plin. nat. 10,204). Sie erreichen ein angeblich neunmal höheres Alter als der Mensch (Hes. fr. 171 RZACH; Ov. am. 2,6,36: *illa [sc. cornix] quidem saeclis vix moritura novem*) wie → Nestor (schol. Iuv. 10,247; Priap. 57 und 61,11; Plin. nat. 7,153), eignen sich zum Briefboten (Ail. nat. 6,7 mit der Anekdote vom Grab einer zahmen K. des ägypt. Königs) und ahmen nach Abrichtung die menschliche Stimme nach (Varro ling. 6,56). Die Nebel-K. galt als Weissagevogel und Wetterprophet (Plaut. Asin. 260; Plin. nat. 18,363; Isid. orig. 12,7,44 mit Zit. von Verg. georg. 1,388), was Cic. div. 2,78 und nat. deor. 3,14; Prud. contra Symmachum 2,571 und Isidor l.c. zurückweisen. Auch in der Fabel (Aisop. 212; 358 und 415 H.; Hor. epist. 1,3,19) und im Sprichwort (z. B. schol. Cic. Flacc. 46; Mur. 25) spielt sie eine Rolle.

Die Alpen-K. hat einen langen, roten (φοινικόρυγχος/*phoinikórynchos*), abwärts gebogenen Schnabel und wird nur von Aristot. hist. an. 8(9),24, 617b 16 f. als eine der drei Dohlen-Arten erwähnt.

Die in den Alpen vorkommende Alpendohle beschreibt Plin. nat. 10,133 richtig als schwarz mit gelbem Schnabel.

H. GOSSEN, A. STEIER, s. v. K., RE 11, 1556 ff. ·
KELLER Bd. 2, 91–114. C. HÜ.

Kragaleus (Κραγαλεύς). Sohn des → Dryops im Dryoperland; der kluge und gerechte K. wird von → Apollon, → Artemis und → Herakles zum Schiedsrichter in ihrem Streit um die epeirotische Stadt → Ambrakia gewählt. Apollon beansprucht die Stadt für sich, da sein Sohn Herrscher über das Dryoperland ist; Artemis, weil sie die Stadt von einem Tyrannen befreite; und Herakles, weil er die Kelten, die Thesproter und die Epeiroten besiegt hat. K. spricht Herakles die Stadt zu, und wird dafür von Apollon in einen Fels verwandelt (Antoninus Liberalis 4). K. ist auch Eponym der Kragaliden, die eine → Amphiktyonie zum Schutz des delphischen Orakels stellten, die 590 v. Chr. vernichtet wurde (Aischin. leg. 3,107 ff.). AL. FR.

Kragos (Κράγος). Gebirge in Lykia westl. des unteren Xanthos (Strab. 14,3,5, h. Yan Dağ). Nach K. war der durch späthell. Mz. und eine kaiserzeitl. Inschr. (IGR III 488) überlieferte Bezirk benannt, zu dem u. a. Patara, Telmessos, Tlos und Xanthos gehörten.

1 W. RUGE, s. v. K., RE 11, 1567.

H. A. TROXELL, The Coinage of the Lycian League, 1982. U. HA.

Kranaos (Κραναός). Att. Heros; auch Personifikation des rauhen, felsigen Bodens von Attika. K. herrscht zur Zeit der Deukalionischen Flut (→ Deukalion). Seine Frau ist Pedias (= »Ebene«) von Lakedaimon (Marmor Parium, FGrH 239 A 4) [1]. Im Mythos hat er drei Töchter: Kranae, Kranaichme und Atthis (Apollod. 3,186). Im Streit zw. Athene und Poseidon fungiert K. als Schiedsrichter (Apollod. 3,179). Pindar nennt Athen *Kranaaí* (Pind. O. 13,38), Attikas Einwohner nannten sich *Kranaoí* (Hdt. 8,44). Von → Amphiktyon [1] wird K. aus seiner Herrschaft verdrängt. Er stirbt im Demos Lamptrai (Paus. 1,31,3). Vielleicht Statue A aus dem Westgiebel des Parthenon in Athen [2].

1 G. BERGER-DOER, s. v. K., LIMC 6.1, 108 f.
2 L. WEIDAUER, Eumolpos und Athen, in: AA 1985, 195–210. RE. ZI.

Kranich. Γέρανος (*géranos*), lat. *grus* oder *gruis*, ist der gewöhnliche K. (Grus grus); die *grus Balearica* bei Plin. nat. 11,122 ist hingegen der Jungfern-K. (Grus virgo [1. 131 f.]; vgl. auch 10,135 *grues minores* oder *vipiones*). Charakteristisch sind die langen Beine (Lucil. 168). Sein Frühjahrs- und Herbstzug wurde im Mittelmeerraum stark beachtet, da er das Gebiet überfliegt, dort aber nicht brütet (Hom. Il. 2,460; Aristot. hist. an. 8(9),10,614b 18–26; Plut. Lucullus 39,5; Keilformation bei Cic. nat. deor. 2,49; Mart. 9,13,7 und 13,75; Zug von Thrakien über den Bosporus bis nach Ägypten und Äthiopien: Ail. nat. 2,1 und 3,13). Märchenhaft ist der angebliche Kampf mit den → Pygmäen (Hom. Il. 3,3–6; Plin. nat. 10,58; Babr. 26). In der Nacht soll sich der K. mit einem Stein in der Kralle wachhalten (Plin. nat. 10,59 u.ö. bis hin zu Isid. orig. 12,7,15) und Ballast vor Überfliegen des Meeres aufnehmen (Aristoph. Av. 1137; Plin. nat. 10,60). Seine Balztänze (vgl. Plin. nat. 10,59) kannte man von zahmen K. Man schätzte den Vogel in Rom im Gegensatz zu den Griechen, die ihn für ungenießbar hielten (Epicharmos bei Athen. 8,338d), zeitweilig als Delikatesse (Hor. sat. 2,8,87; Gell. 6,16,5; Stat. silv. 4,6,9), bes. gemästet (vgl. Varro rust. 3,2,14). Man fing den K. mit Schlingen und Netzen (Enn. ann. 556; Hor. epod. 2,35) oder mit einem Köder, der in einem mit Mistelsaft verklebten ausgehöhlten Kürbis versteckt wurde (Dionysii Ixeuticon 3,11; [2. 42 f.]). Der Demeter galt er als heilig (Porph. De abstinentia 3,5), denn er weist durch sein Erscheinen im Frühjahr auf die rechte Saatzeit hin (Hes. erg. 448) und folgt dem Pflug (Theokr. 10,31). Abb. auf Mz. [3. Taf.

6,3; 6,6 und 6,7] und ant. Gemmen [3. Taf. 22,2; 22,12; 22,17 und 24,8] zeugen von der Beliebtheit des schönen Vogels.

1 LEITNER 2 A. GARZYA (ed.), Dionysii Ixeuticon libri, 1963 3 F. IMHOOF-BLUMER, O. KELLER, Tier- und Pflanzenbilder auf Mz. und Gemmen des klass. Alt., 1889, Ndr. 1972.

KELLER 2, 184–193 · TOYNBEE, 231–233.   C.HÜ.

Kranioi (Κράνιοι). Stadt im Westen von → Kephallenia, östl. des h. Hauptorts Argostoli, unterstützte im → Peloponnesischen Krieg Athen: Thuk. 2,30; 33; 5,35; 56; Strab. 10,2,13.

P. KALLIGAS, Ἱερὸ Δήμητρας καὶ Κόρης στὴν Κράνη Κεφαλλονιᾶς, in: ArchE, 1978, 136–146 · R. SPEICH, Korfu und die Ion. Inseln, 1982, 263–265.   D.S.

Kraniomanteia s. Divination

Krankenhaus A. DEFINITION B. TEMPELMEDIZIN C. VALETUDINARIEN D. JÜDISCHE KRANKENHÄUSER E. FRÜHES CHRISTENTUM (BIS 300 N. CHR.) F. CHRISTENTUM IM 4. JH. IM OSTEN G. KRANKENHÄUSER IM LATEINISCHEN WESTEN H. KRANKENHÄUSER IM OSTEN NACH 400 I. WIRKUNG

A. DEFINITION

K. im Sinne öffentlicher Einrichtungen zur medizinischen Versorgung ausschließlich Kranker finden sich nicht vor dem 4. Jh. n. Chr., und auch dann noch weist die Vielzahl der verwendeten Bezeichnungen (griech. *xenón, xenodocheíon, ptōcheíon, gerontokomeíon,* lat. *xenon, xenodochium, ptochium, gerontocomium, valetudinarium*; »Fremdenhaus«, »Pilgerhaus«, »Armenhaus«, »Altersheim«, »K.«) auf eine Vielfalt sich z. T. überschneidender Funktionen, Zielgruppen und Dienstleistungen hin. Privathäuser für kranke Angehörige zweier eng umschriebener Gruppen, nämlich der Sklaven-*familia* und der Armee, finden seit etwa 100 v. Chr. Erwähnung. Noch früher mag es jüd. Einrichtungen gegeben haben, die Glaubensbrüdern, insbes. Pilgern auf der Reise nach Jerusalem, Gastlichkeit und Pflege boten. Eine weitere Ausweitung der Definition der K. auf alle Orte, an denen Bedürftige außerhalb ihres Zuhauses und ihres familiären Kreises bleiben und sich pflegen lassen konnten (Asklepieia, vgl. → Asklepios; chirurgische Arztpraxen) läuft Gefahr, die bes. Entwicklungen innerhalb der jüd.-christl. Trad. unterzubewerten [1].

B. TEMPELMEDIZIN

In der Hoffnung, vom Gott geheilt zu werden, suchten Kranke in Ägypten zahlreiche Tempel auf, z. B. in → Memphis oder Krokodilopolis. Zugleich waren solche Tempel mit ihren heilkundigen Priestern Trad.-Speicher medizinischen Wissens [2]. Im klass. Griechenland besaßen → Apollon- und insbes. → Asklepiostempel große Anziehungskraft für Kranke, die zum Teil im Heiligtum übernachteten oder sogar für längere Zeit

dort wohnten. Späteren Autoren (z. B. Plin. nat. 29,2) zufolge soll → Hippokrates [6] die Tempelaufzeichnungen im Asklepeion von → Kos als nicht unbedeutende Quelle medizinischen Wissens ausgeschöpft haben. In röm. Zeit zogen andere Heiligtümer wie das in Nodens (Lydney, England) oder das im Quellgebiet der Seine die heilsuchenden Kranken an. Andernorts wurden bei größeren Festveranstaltungen wie den Olympischen Spielen Vorkehrungen für die medizinische Versorgung der Besucher getroffen.

C. VALETUDINARIEN

Valetudinarien (Kurhäuser) finden sich seit dem 1. Jh. v. Chr. auf den Gütern vermögender Römer, v. a. in den kaiserlichen Palästen in Rom. Sie boten den kranken Mitgliedern der *familia* bessere Nahrung und Fürsorge, auch wenn der Landbesitzer → Celsus [7] (De medicina, prooemium 65) die dort gepflogene behelfsmäßige Behandlung verachtete. Die Valetudinarien verdankten ihr Aufkommen den gestiegenen Preisen auf dem Sklavenmarkt; ihr Verschwinden um 100 n. Chr. dürfte mit dem Rückgang größerer, überwiegend von Sklaven bewirtschafteter Latifundien zusammenhängen, könnte aber ebenso überl.-gesch. erklärt werden, insofern epigraphische Informationen über Sklaven und Freigelassene am kaiserlichen Hof seit dieser Zeit immer spärlicher fließen.

Einrichtungen für kranke Armeeangehörige scheinen zunächst nur *ad hoc* entstanden zu sein, wobei in Zelten behandelt wurde, die man auf dem Schlachtfeld oder in verbündeten Städten aufschlug. Der Funktionswandel der röm. Armee, die unter Augustus fern von jeder verbündeten Stadt operierte und sich später auf ortsfeste Kastelle und Legionärsfestungen (→ castra [I 1]) stützte, führte zur Errichtung spezieller Militär-K. Seit etwa 5 n. Chr. (Aliso/?Haltern) wurden nach einem ausgeklügelten Plan in Legionärslagern rechteckige K. mit kleinen Schlafzellen eingerichtet, die von einem umlaufenden Korridor abgingen und in denen man zur Not 10–20% der Legion unterbringen konnte. Kleinere K. errichtete man in einigen Hilfskastellen wie Condercum (Benwell, England), Quintana (Künzing, Deutschland) sowie in dem vorübergehend bestehenden Belagerungscamp in Hod Hill (Südengland). Angesichts der Tatsache, daß sich viele K. in Festungen befanden, die kilometerweit von der Kampffront entfernt lagen, dürften sie kaum im Rahmen eines Triagesystems zur Versorgung Schwerverwundeter gedient haben (die schon auf dem Transport gestorben wären), sondern vielmehr zur Versorgung erkrankter und verletzter Soldaten. In Militär-K., die unter der Aufsicht eines erfahrenen Verwaltungsbeamten standen, gab es diensthabende Ärzte [3; 4].

D. JÜDISCHE KRANKENHÄUSER

Das jüd. Gebot, sich um notleidende Glaubensbrüder zu kümmern, erstreckte sich auch auf die Beherbergung der nach Jerusalem Pilgernden und auf medizinische Hilfeleistungen. Um 60 n. Chr. errichtete Theodotus, der Sohn des Vettenus, in Jerusalem ein großes Pilgerheim mit zahlreichen Räumen und ausreichender Wasserversorgung [5]. In späteren Zeiten führten die Rabbiner diese Trad., Obdach und Gastlichkeit zu gewähren, auf Abraham zurück [6].

E. Frühes Christentum (bis 300 n. Chr.)

Das Christentum weitete den Geltungsbereich dieser jüd. Gebote auf alle Menschen in Not aus, seien es Kranke, Arme, Einsame oder Notleidende. Diakone wurden beauftragt, Almosen zu verteilen, und um 250 verfügte die Kirche in Rom über eine vollentwickelte Hilfsorganisation (Eus. HE 7,22). Wohlhabende Christen und Gemeindevorsteher hielten im Rahmen ihrer missionarischen Aktivitäten Zimmer in ihren Häusern für Notleidende bereit, worin ihnen die → Manichäer später nachfolgten (Aug. De moribus Manichaeorum 74). Kaiser → Iulianos [11] appellierte 362 (epist. 22) an seine paganen Zeitgenossen, dieses Beispiel öffentlicher Mildtätigkeit gegenüber jedermann nachzuahmen [7; 8].

F. Christentum im 4. Jh. im Osten

Für die karitativen Aktivitäten der Christen gab es zunächst keine eigens dazu errichteten oder speziell diesem Zweck gewidmeten Häuser. Die ältesten bekannten Gebäude dieser Art errichtete der Bischof von Antiocheia Leontinos um 350 in → Antiocheia selbst und im nahegelegenen → Daphne [4]. Einige Jahre darauf ließ Eustathios [6] von Sebaste/Pontos, der von 357 bis 377 Bischof war, ein »Armenhaus« bauen, in dem die ›durch Krankheit Gezeichneten‹ Hilfe finden konnten. Sein Freund → Basileios [1] d.Gr. errichtete außerhalb der Stadtmauern von Kaisareia/Kappadokien ›nahezu eine neue Stadt‹, in der Kranke, Lepröse, Arme und Reisende Obdach und Hilfe finden konnten [7]. Bald folgten weitere K.-Bauten in zahlreichen Orten entlang christl. Pilgerrouten, v.a. in Jerusalem, Konstantinopel und Ephesos, wo ein K. im Jahre 420 über mehr als 75 Betten verfügte. Um 400 besaß → Edessa [2] ein kleines K. nur für Frauen [9]. Solche Einrichtungen waren derart vertraut, daß sie in einem Bischofsbrief als Gleichnis Verwendung finden konnten (Neilos von Ankyra, epist. 110, PG 79,248).

G. Krankenhäuser im lateinischen Westen

Die Gründer der ersten K. in der christl.-lat. Welt waren durch Entwicklungen in der griech. Welt beeinflußt. Fabiola, die um 397 ein K. in Rom gründete (Hier. epist. 77) wie auch Pammachius, der im nahegelegenen Portus etwa ein Jahr darauf ein K. baute (Hier. epist. 66), waren beide Mitglieder eines Zirkels, den → Hieronymus um sich versammelt hatte, und beide hatten sie das Hl. Land bereist. Der östl. Ursprung der Institution K. wurde allg. anerkannt, wie die Verwendung des aus dem Griech. abgeleiteten lat. Wortes *xenodochium* zeigt, das auch in den folgenden Jh. gebräuchlich blieb. Belege für eine Verbreitung von K.-Bauten, etwa in Augustonemetum (Clermond-Ferrand), sind im Westen spärlicher als im Osten, doch war bis zum 7. Jh. eine Kette von Herbergen entlang den Pilgerstraßen entstanden [10]. Auch wenn ein Kloster wie → Cassio-

dorus' *Vivarium* in Süditalien (6. Jh. n. Chr.) über Kureinrichtungen verfügte und die Pläne von St. Gallen (820) einen weitläufigen K.-Komplex vorsehen, bleibt unklar, inwiefern Krankenreviere innerhalb der Klostermauern den Bedürfnissen größerer Bevölkerungskreise außerhalb des Klosters dienten. K.-Pläne zeigen eine schrittweise Entwicklung von einem Raum innerhalb eines Bischofssitzes zu einem getrennten unabhängigen Gebäude [11].

H. Krankenhäuser im Osten nach 400

K. waren im christianisierten Nahen Osten überall anzutreffen. In den Gesetzes-Slgg. der altsyr. Kirche wird immer wieder die Verpflichtung jeder einzelnen Gemeinde betont, ein eigenes K. zu errichten, selbst wenn es sich dabei um nichts anderes als einen kleinen Raum am Rande des Kirchplatzes handelt, der von einem redlichen Mann geführt wird, der nicht unbedingt Arzt zu sein braucht. Eine Stadt wie Edessa, die im Jahre 500 n. Chr. 8000 bis 10000 Einwohner zählte, verfügte über mindestens drei kleine K., deren Kapazität in Krisenzeiten durch zusätzliche Betten ergänzt wurde, die man in öffentlichen Säulengängen aufstellte. In → Nisibis wurde ca. 590 an der berühmten Akademie ein K. errichtet, um den Studenten, wenn sie »zur Behandlung« in die Stadt gingen, vor Raubüberfällen und Ehrverletzungen zu schützen, und die Verantwortung für ihre Pflege den Mitstudenten abzunehmen [12]. Im ägypt. → Antinoupolis führte im Jahre 580 eine Ärztefamilie ein eigenes K. (P Cairo Maspero 67151); doch nicht immer lassen sich Hinweise finden, daß in den entsprechenden Einrichtungen auch medizinische Versorgung gewährleistet war, und zahlreiche kleinere Institutionen, z.B. in den kleineren Pilgerstätten im Hl. Land, boten eher Pflege und Hilfestellung als ärztliche Behandlung an [7; 9]. In größeren Städten konnten K. dagegen zu großen Institutionen anwachsen: Das K. von S. Sabas in Jerusalem verfügte im Jahre 550 über mehr als 200 Betten, dasjenige in S. Sampson in Konstantinopel hatte beinahe die doppelte Bettenzahl. Auch gibt es Anzeichen für eine zunehmende Spezialisierung: In Antiocheia und Konstantinopel schuf man in großen K. Frauen- und Männerstationen, und um 650 gab es im K. von S. Sampson in Konstantinopel eine eigene Abteilung für Augenkrankheiten und wahrscheinlich eine weitere für chirurgische Fälle [7; 13].

I. Wirkung

In der islamischen Welt folgte man dem christl. Modell und baute in Städten wie Bagdad, Damaskos oder Kairo enorm große und komplexe K., die das Zentrum aller gesellschaftlichen Vorkehrungen für die Gesundheitsfürsorge (einschließlich des medizinischen Unterrichts) darstellten [14]. Ähnliche Entwicklungen, wenn auch in kleinerem Maßstab, zeichnen sich in Konstantinopel ab, v.a. in der königlichen Gründungsurkunde des Pantokrator-K. aus dem Jahre 1087; inwiefern man den dort niedergelegten Satzungen in der Praxis folgte, läßt sich nicht sagen [15]. V.a. durch den Hospitaliter-Orden brachten die Kreuzfahrer Kenntnis von den großen K. im Osten mit – ob aus Konstantinopel oder dem Hl. Land, ist unklar. So wurden große K.-Bauten in Paris, Mailand, Siena und Florenz errichtet, die ähnlich denen im Osten organisiert waren [16]. Zugleich lebte die Vielfalt medizinischer Hilfeleistungen, wie sie sich aus den ersten christl. K. ergab, in kleinen K. und Stiften fort.

→ KRANKENHAUS

1 G. HARIG, Zum Problem »K.« in der Ant., in: Klio 53, 1971, 179–195 2 E. A. E. REYMOND, A Medical Book from Crocodilopolis, 1976 3 J. C. WILMANNS, Der Sanitätsdienst im röm. Reich, 1995 4 R. JACKSON, Doctors and Diseases in the Roman Empire, 1988 5 S. W. BARON, A Social and Religious History of the Jews, Bd. 8, 1958 6 J. PREUSS, Biblical and Talmudic Medicine, 1978 7 T. S. MILLER, The Birth of the Hospital in the Byzantine Empire, ²1997 8 E. KISLINGER, Kaiser Julian und die (christl.) Xenodocheia, in: W. HÖRANDER u. a. (Hrsg.), Byzantios, FS Hunger, 1984, 171–184 9 K. MENTZOU-MEIMARI, επαρχιακα ευαγη ιδρυματα μεχριτου τελος της εικονομαχιας, in: Byzantina 11, 1982, 244–308 10 T. STERNBERG, Orientalium more secutus. Räume und Institutionen der Caritas des 5. bis 7. Jh. in Gallien, 1991 11 D. JETTER, Gesch. des Hospitals, Bd. 1, 1966 12 N. ALLAN, Hospice to Hospital in the Near East: An Instance of Continuity and Change in Late Antiquity, in: BHM 1990, 446–462 13 T. S. MILLER, The Sampson Hospital of Constantinople, in: ByzF 15, 1990, 101–135 14 M. W. DOLS, The Origin of the Islamic Hospital: Myth and Reality, in: BHM 1987, 367–390 15 P. GAUTIER, Le typikon du Christ Sauveur Pantocrator, in: REByz 32, 1974 16 T. S. MILLER, The Knights of Saint John and the Hospitals of the Latin West, in: Speculum 53, 1978, 709–733.

P. HORDEN, The Byzantine Welfare State: Image and Reality, in: Bulletin of the Society for the Social History of Medicine, 1985, 7–10 · E. KISLINGER, Der Pantokrator-Xenon, ein trügerisches Ideal, in: Jb. der österreich. Byzantinistik 37, 1987, 173–186 · Ders., Xenon und Nosokomeion – Hospitäler in Byzanz, in: Historia Hospitalium, 1986–1988, 1–10 · U. LINDGREN, Frühformen abendländischer Hospitäler im Lichte einiger Bedingungen ihrer Entstehung, in: Historia Hospitalium, 1977–78, 32–61 · T. MEYER-STEINEG, Krankenanstalten im griech.-röm. Alt., 1912 · V. NUTTON, L. I. CONRAD, The Myth of Jundishapur (in Vorbereitung) · A. PHILIPSBORN, Der Fortschritt in der Entwicklung des byz. K.-Wesens, in: ByzZ 54, 1961, 338–365 · R. DE VAUX, Les hôpitaux de Justinien à Jérusalem d'après les dernières fouilles, in: CRAI 1964, 202–207.   V. N./Ü: L. v. R.-B.

Krankheit A. TERMINOLOGIE
B. MESOPOTAMIEN UND ÄGYPTEN
C. QUELLEN AUS ANTIKE UND SPÄTANTIKE
D. PATHOZÖNOSE UND EPIDEMIOLOGIE
E. DIE KRANKHEITEN NACH DIOSKURIDES

A. TERMINOLOGIE

Nόσος/*nósos* (ion. νοῦσος/*núsos*, »K.«; Etym.: »geschwächt sein«) bezeichnet in einer Metaphorik von Aggression, die lange in Gebrauch blieb [17], die Krankheit als eine Tatsache äußeren (Götter) oder inneren Ursprungs, die ›den Menschen beherrschte und niederschlug‹ (z. B.: *hierá nósos*, »die heilige Krankheit«, Epilepsie). Etwa vom 5. Jh. v. Chr. an erhielt dieser Begriff Konkurrenz von der Ableitung *nósēma* [30], vielleicht eine Prägung der Sophisten, die sich jedenfalls schnell in der medizinischen Welt verbreitete; sie trägt nicht die rel. Konnotationen von *nósos*, und das um so weniger, als sie im Rahmen der damals neu entwickelten Nosologie benutzt wurde. Die lat. Begriffe sind *morbus* und *infirmitas* (entsprechen zumindest teilweise *nósos*) und *aegritudo*. Das byz. Griech. hat die Bed. des aus klass. Zeit stammenden Begriffs *arrōstía* auf ein Synonym von *nósēma* eingeengt.

B. MESOPOTAMIEN UND ÄGYPTEN

Seit den frühen mesopot. Kulturen erscheint Krankheit als Folge eines Angriffs beseelter Wesen (Geister und Gottheiten), es sei denn, daß sie Konsequenz eines als moralisch abweichend angesehenen Verhaltens bzw. einer Verzauberung ist [2]. Die Tätigkeit des → Arztes erstreckt sich hauptsächlich auf die Identifizierung der Ursache [1]. Obwohl ein Urteil unter diesen Bedingungen bes. schwierig ist [29; 34], meinte man, K. wie Dysenterie (Ruhr), Tuberkulose, Hirnhautentzündung, Epilepsie, Gangrän und Knochenentzündung erkennen zu können [18].

Die ägypt. Medizin beruhte ebenfalls auf einem animistischen System, das jedoch um spekulative physiopathologische Prozesse erweitert wurde [3. 60–138; 24. 42–63]. Die Interpretationsschwierigkeiten, die ein solches System aufwirft, werden vom Reichtum mumifizierten Materials aufgewogen, an dem sich mit ziemlicher Genauigkeit mehrere K. identifizieren lassen [24. 64–95]: Parasitosen (bes. die Bilharziose), Malaria, Tuberkulose, Lepra (nicht vor dem 6. Jh. v. Chr.), Tetanus und Infektionen mit Abszessen. Außerdem glaubt man, in den Texten kardiovaskuläre, gastrointestinale und urinale Beschwerden sowie Lähmungen identifizieren zu können. Merkwürdigerweise treten nur wenige Haut-K. in Erscheinung, obwohl man annehmen darf, daß sie häufig waren.

C. QUELLEN AUS ANTIKE UND SPÄTANTIKE

Die griech.-röm. Quellen bestehen v. a. aus Texten, lit. wie technischen. Letztgenannte entstehen von der Mitte des 5. Jh. v. Chr. an mit den nosographischen Abh. aus der Zeit des → Hippokrates [6] (4. Jh. v. Chr.) bis hin zu → Galenos' Schrift *De locis affectis* (2. Jh. n. Chr.), der letzten großen Abh. der Ant., einer Synthese des gesamten Stoffs (und das umso mehr, als Galenos sie gegen E. seiner ärztlichen Laufbahn schrieb). In diesen Werken kommt die Methode der Darstellung *a capite ad calcem* (»vom Kopf bis zur Ferse«) zur Anwendung, nach der die pathologischen Phänomene in topischer Anordnung nach den jeweils betroffenen Organen vom Kopf ausgehend aufgezählt werden.

In dem bezeichneten Zeitraum und auch noch danach werden (lit. oder technische) Spezialschriften zu verschiedenen Bereichen wie etwa der Toxikologie (Nikandros und die beiden Pedanios Dioskurides zugeschriebenen Abh.), Gynäkologie (Soranos), den Nieren und Harnwegen, der Melancholie, Gicht (Rufus), Helminthologie (Wurmerkrankungen) und Ophthalmologie (Alexandros [29] von Tralleis) verfaßt, in der Spätant. allg. und spezielle Abh. aus klass. Zeit ins Lat. übers. wie etwa in den Bearbeitungen des Soranos durch Caelius [II 11] Aurelianus.

Für die ält. Zeit erfuhr das ant. Corpus eine Erneuerung, bei der die Daten, die sich aus der Veränderung der Pathozönose (s. u.) ergeben hatten, sowie die Beiträge der arab. Nosographie (z. B. die Beschreibung der Pocken in der im 11. Jh. vielleicht von Symeon Seth übers. Abh. des Rhāzes/ar-Rāzī) eingearbeitet wurden.

Für die älteste Zeit lassen sich die fehlenden schriftlichen Angaben durch die Daten der Osteopathologie ersetzen [38; 15]. Obwohl durch ihren Beitrag auch die Angaben von Abh. späterer Epochen ergänzt werden können, ist die Aussagekraft dieser Quelle ihrer Natur nach begrenzt.

Bildliche Dokumente gibt es nur wenige: plastische Darstellungen von Mißbildungen, deren Interpretation besonders heikel ist, und Abb. in byz. Mosaiken und Hss., die jedoch auf die wunderbare Heilung von Krankheiten durch Christus beschränkt sind.

Die Identifikation nosologischer Erscheinungen mittels der sog. Technik der retrospektiven Diagnostik ist v. a. wegen der unterschiedlichen begrifflichen Bezugssysteme (physiologisch bzw. pathologisch) in Ant. und Mod. problematisch.

D. PATHOZÖNOSE UND EPIDEMIOLOGIE

Obwohl die Zahl der nosologischen Erscheinungen mit der Zahl der Abh. wächst, ist das Auftreten neuer K. nicht so häufig wie die Erweiterung des Bereichs der bereits beschriebenen [5]. Einige K. kamen jedoch in klass. und frühbyz. Zeit auf, wie die → Lepra (*elephantíasis*), die möglicherweise ab 300 v. Chr. auftrat und jedenfalls zu Beginn unserer Zeitrechnung endemisch wurde, oder die Pest (Yersinia pestis), die seit altersher im Vorderen Orient heimisch [7. 60–71], in Byzanz aber nicht vor Iustinian (6. Jh. n. Chr.) anzutreffen war.

Die Pathozönose (das allgemeine Bild verbreiteter Krankheiten) klass. Zeit [4] scheint von infektiösen und parasitären K. einschließlich → Fieber (bes. Malariafieber), von Typhus (damit ist die »Pest von Athen« im Jahr 430, Thuk. 2,51, wohl zumindest teilweise zu erklären), von überaus zahlreichen Erkrankungen der Atemwege und des Verdauungsapparats (im Fall des letztgen. bes. von Parasitosen), von Rheumatismen, Arthrosen und Ischias, von der vielleicht verbreiteten Poliomyelitis (Kinderlähmung) mit zahlreichen Lähmungserscheinungen, von unzureichend differenzierten und schwer identifizierbaren Nerven-K. und schließlich von zahlreichen Augeninfektionen geprägt gewesen zu sein, d. h. von einem relativ einheitlichen nosologischen Komplex, der sich auf jeden Fall von dem anderer Regionen wie z. B. Ägyptens unterscheidet. Zu diesem Hintergrund kamen noch einige große → Epidemien, die im allg. aber räumlich und zeitlich begrenzt und häufig mit Kriegen und Hungersnöten verbunden waren.

Diese Pathozönose erfuhr bis in das 6. Jh. n. Chr. mindestens drei Veränderungen: die erste in hell. und röm. (republikanischer) Zeit mit den Truppenbewegungen und dem Einschleppen der Lepra nach Griechenland und It. sowie der Pocken nach It. (ohne daß sie sich dort jedoch festsetzen konnten). Außerdem scheint es in Rom zu Beginn der Kaiserzeit einen Anstieg an Zivilisations-K. gegeben zu haben [23], darunter insbes. die Gicht.

Die zweite Veränderung fand nach dem 1. Jh. n. Chr. und der Einigung des Röm. Reiches statt; sie bestand im Auftreten großer Pandemien, die oft mit der Bewegung von Personen oder Truppen verbunden waren: *leichḗn* (Lichen) im Jahr 46, die »Antoninische Pest« im Jahr 167 (Pocken?), Masern (?) i. J. 189 und andere unzureichend identifizierte Ansteckungskrankheiten in den Jahren 232, 238, 252, 302, 312, 359, 376, 408–410. Die dritte Veränderung trat in der Mitte des 6. Jh. mit der Ankunft der Lepra, der Einnistung der Pocken (ab 541) und der Ankunft der Beulenpest in Konstantinopel im Jahr 542, der sog. »Pest des Iustinian« und ihrer schnellen Ausbreitung in ganz Europa (543: It., Provence, Rhonetal) ein [7. 40–49].

Angesichts fehlenden Zahlenmaterials bzw. repräsentativer klinischer Beschreibungen der betroffenen Populationen ist es schwer, das Ausmaß einzelner K. einzuschätzen. Zwar hat man die im *Corpus Hippocraticum* beschriebenen und auf den Votivgaben aus Epidauros erwähnten K. ausgewertet, doch können diese Daten nicht repräsentativ sein: Bei den erstgenannten handelt es sich um konkrete Fälle hippokratischer Ärzte, welche dem einzelnen Kranken größere Aufmerksamkeit schenkten als der Krankheit, bei der zweiten Gruppe um Fälle, in denen die Medizin nichts ausrichten konnte [43] und man auf göttliche Wunder zurückgriff. Die therapeutischen Indikationen der medizinischen Substanzen in den betreffenden Abh. scheinen größere Signifikanz zu besitzen: Nach dem Prinzip des sich in den medizinischen Kulturen vorindustrieller Epochen notwendigerweise einstellenden Gleichgewichts zw. den von der Pathozönose aufgeworfenen therapeutischen Erfordernissen und der medikamentösen Antwort kann man sie mit ihrer jeweiligen Häufigkeit als Indikatoren der relativen Bed. der verschiedenen K. betrachten. Die Daten in den folgenden Tabellen wurden anhand der Angaben in → Pedanios Dioskurides' Schrift Περὶ ὕλης ἰατρικῆς (*Perí hýlēs iatrikḗs, De materia medica*) ermittelt [44].

E. DIE KRANKHEITEN NACH DIOSKURIDES

Trotz der grundlegenden Schwierigkeit einer solchen Art von Unt. ist es möglich, einzelne K.-Erscheinungen in der Ant. durch Analyse der Daten der Osteo-pathologie und durch retrospektive Diagnostik – gegebenenfalls unter Kombination beider Techniken – zu identifizieren. In diesem Rahmen lassen sich in der Ant. folgende nosologische Gegebenheiten feststellen, die nach Gruppen und dann tabellarisch in der Reihenfolge ihrer Häufigkeit präsentiert werden (nicht alle ant. K. wurden hier aufgenommen; vgl. außerdem die zusammenfassende Übersicht am E. des Eintrags):

1. Hautkrankheiten

Ihr häufiges Vorkommen ist vielleicht durch ihre leichte Wahrnehmbarkeit begründet; sie haben sehr verschiedene Ursachen: die Gesichtsrose, wahrscheinlich eine Streptokokkendermitis; λέπρα/*lépra*: nicht die Lepra, sondern eine Hauterkrankung, die einer Dyskrasie der schwarzen Galle zugeschrieben wird, genauso wie der λειχήν/*leichḗn*; der ἀλφός/*alphós*, der sich durch eine Entpigmentierung auszeichnet; der ἕρπης/*hérpēs* oder die Krätze, ψώρα/*psōra*. Andere Hautprobleme sind ästhetischer Natur (z.B. die ἔφηλις/*éphēlis*) oder traumatologisch, gutartig oder schwerwiegend (z.B. Narben).

	Zahl der Fälle	in Prozent
Gesamtzahl	626	100,00
Gesichtsrose	49	7,82
lépra	47	7,66
leichḗn	33	5,27
alphós	33	5,27
hérpēs	30	4,79
psōra	26	4,15
éphēlis	28	4,47

2. Verdauungsapparat

Dieser war ganz bes. betroffen, nicht nur von nicht weiter präzisierten Magen- und Bauchschmerzen, sondern auch von Durchfall, Ruhr, Koliken und Blähungen. Auch die Verdauungsorgane selbst waren betroffen, u.a. von Problemen des Darmausgangs (Vorfälle und Risse, Fisteln und Hämorrhoiden) oder Darmbrüchen, sogar von Parasiten [16; 7. 326–331]. Hinzu kommen verschiedene kleinere Störungen, von der Anorexie über Bradypepsie, Dyspepsie oder Übelkeit bis zur Verdauungsstörung.

	Zahl der Fälle	in Prozent
Gesamtzahl	596	100,00
Magenschmerzen	105	17,61
Diarrhöen	99	16,61
Bauchschmerzen	97	16,27
Dysenterien	74	12,41
Koliken	54	9,06
Blähungen	36	6,04
Vorfälle und Risse des Darmausgangs	36	6,04
hélmis und *askarís*	36	6,04
Fisteln und Hämorrhoiden	23	3,85
Darmbrüche	14	2,34

3. Toxikologie

Vergiftungen mit tierischen Giften stellen zwei Drittel der belegten toxikologischen Erkrankungen dar: Neben unklaren Fällen sind dies v.a. Skorpionstiche sowie Schlangen- und Spinnenbisse. Die Tollwut, die man an einem ihrer Symptome (der Hydrophobie) erkannte und als Vergiftung ansah, war schon relativ häufig. Vergiftungen mit pflanzlichen Giften (ein Drittel) gehen v.a. auf Pilze zurück und schließen die Absorption von Blutegeln ein, die mit dem Wasser aufgenommen wurden (zur Toxikologie allg.: [39]).

	Zahl der Fälle	in Prozent
Gesamtzahl	481	100,00
Vergiftungen (tierisches Gift)	322	67,00
Vergiftungen (pflanzliches Gift)	159	33,00
Vergiftungen (tierisches Gift)	322	100,00
unklar	153	46,90
Skorpion	39	11,90
Tollwut	34	10,42
Schlangenbiß	25	7,66
Spinnenbiß	24	7,36
Vergiftungen (pflanzliches Gift)	159	100,00
allgemein	48	30,01
Pilze	15	10,56
Eisenhut	8	5,63

4. Gynäkologie und Geburtshilfe

Die Bedeutsamkeit dieses Bereichs muß zweifellos größer gewesen sein, als aus den Daten des Dioskurides hervorgeht, und das um so mehr, als die erwähnten Erkrankungen v.a. das Ausbleiben der Menstruation, allg. Probleme der Gebärmutter (insbes. Verhärtung und Verschluß) und Fehlgeburten umfassen und der ant. Aitiologie entsprechend »hysterische Erstickungsanfälle« (→ Hysterie) einschließen, ohne daß ein nennenswertes Vorkommen von Sterilität, Schwierigkeiten bei der Geburt oder Fehlgeburten namhaft gemacht wird.

	Zahl der Fälle	in Prozent
Gesamtzahl	377	100,00
Amenorrhöe	136	36,07
Verhärtung und Verschluß der Gebärmutter	130	34,48
Fehlgeburten	47	12,46
»Hysterische Erstickungsanfälle«	27	7,17
Gynäkologie/ Geburtshilfe	7	1,85

5. Harnapparat, Leber, Milz

Schwierigkeiten beim Harnlassen, nicht weiter spezifizierte ebenso wie δυσουρία/*dysuría* oder στραγγουρία/*stranguría*, müssen häufig gewesen sein; hinzu kamen Erkrankungen der Blase und der Nieren, insbes. Lithiasen. Der männliche Harnapparat wird selten erwähnt, jedoch mit verschiedenen Störungen: ὑδροκήλη/*hydrokḗlē*, Samenabgang und einer einzigen φίμωσις/*phímōsis*. Leber und Milz scheinen stark betroffen gewesen zu sein, ohne daß dies notwendigerweise mit spezifischen Störungen des Harnapparats zusammenhängen muß, zu dem sie angesichts der durch die Malaria hervorgerufenen Schwellung dieser Organe oft in Beziehung gesetzt werden. Wassersucht und Ödeme sind stark vertreten, ebenso die Gicht.

	Zahl der Fälle	in Prozenten
Gesamtzahl	504	100,00
Schwierigkeiten beim Harnlassen	195	38,69
Blasenerkrankungen	50	10,00
Nierenerkrankungen	50	10,00
Wassersucht	49	9,72
Gicht	48	9,52
Ödem	47	9,32
Lithiase	37	7,34
Erkrankungen des männlichen Harnapparats	28	5,55

6. Atemsystem und -wege

Am verbreitetsten sind die unklaren Erkrankungen der πλευρά/*pleurá* und des Brustkorbs; unter den identifizierten Erkrankungen ist Husten stark vertreten, ebenso Atemschwierigkeiten (*orthópnoia*, *ásthma*, *dýspnoia*); Schnupfen kommt in verschiedenen Formen (*katárrhus*, *kóryza* und *bránchos*) vor und ist etwas häufiger als die *phthísis*, die man mit der Tuberkulose gleichsetzt. Der »Husten von Perinthos« (Hippokr. Epid. 6,7,1), der in die Zeit um 400 v. Chr. zu datieren ist und vielleicht von Hippokrates selbst beobachtet wurde, umfaßt zweifellos mehrere nosologische Fälle, darunter den Keuchhusten. Die Angina, die im wesentlichen als Atemnot angesehen wurde, konnte die Diphtherie einschließen.

	Zahl der Fälle	in Prozenten
Gesamtzahl	327	100,00
Husten	79	24,15
Erkrankungen der *pleurá*	41	12,53
Erkrankungen des Thorax	39	11,92
orthópnoia	29	8,86
ásthma	26	7,95
katárrhus, *kóryza* und *bránchos*	18	5,50
phthísis	17	5,19
dýspnoia	10	3,05

7. Sinnesorgane und -wahrnehmung

Auge und Gesichtssinn sowie Ohr und Gehörsinn waren bes. von K. betroffen. Bei Auge und Gesichtssinn werden die Erkrankungen in beinahe der Hälfte der Fälle nicht präzisiert; in den übrigen Fällen handelt es sich um folgende (nach abnehmender Häufigkeit angeordnet): Schleier auf der Pupille (*tá episkotúnta tais kórais*), Sehschwäche (*amblyōpía*), Pterygium (*pterýgion*), Tränensackentzündung (*aigílōps*), Hornhautnarbe (*leúkōma*), weißes Geschwür (*árgemos*) und Lid- und Bindehauterkrankung (*psōrophthalmía*), wozu die Besonderheit der Nachtblindheit (*nyktalōpía*) hinzukommt. Es ist zu betonen, daß die Augenerkrankungen nicht notwendigerweise durch die große Helligkeit hervorgerufen werden, sondern auf Ernährungsmängel und Bakterien zurückgehen können (im letzteren Fall eine ansteckende Krankheit, [7. 378–385]).

Ohren und Gehörsinn sind sehr häufig von Otalgien (Ohrenschmerzen), Vereiterungen, Entzündungen und anderen Verletzungen betroffen; die ziemlich häufig erwähnten Hörprobleme, Ohrensausen und Taubheit sind zweifellos Folgen.

	Zahl der Fälle	in Prozenten
Gesamtzahl	436	100,00
Auge und Gesichtssinn	316	72,47
Ohren und Gehörsinn	120	27,53
Auge und Gesichtssinn	316	100,00
unklar	135	42,72
Schleier auf der Pupille	28	8,86
amblyōpía	24	7,59
árgemos, *psōrophthalmía*, *nyktalōpía*	16	5,06
pterýgion	15	4,74
aigílōps	12	3,79
leúkōma	11	3,48
Ohren und Gehörsinn	120	100,00
Otalgien	44	36,66
Schmerzen; Verschiedenes	32	26,66
Vereiterung	16	13,33
Hörprobleme, Ohrensausen, Taubheit	16	13,33

8. Knochen, Gelenke, Brüche

Mit Ausnahme der Brüche, Luxationen und schweren traumatischen Verletzungen, die mehr als die H. der Erkrankungen des Knochensystems ausmachen, sind die Schmerzen in der Hüfte, die unserem Ischias (der Neuralgie des Ischiasnervs) entsprechen, am bedeutsamsten; im übrigen finden sich hauptsächlich Gelenkschmerzen, deren Herkunft schwer zu präzisieren ist und die insbes. von den Schmerzen der Gicht nur schwer zu unterscheiden sind.

	Zahl der Fälle	in Prozenten
Gesamtzahl	231	100,00
Brüche, Luxationen und schwere traumatische Verletzungen	126	54,54
ischiás	67	29,00
Gelenkschmerzen	32	9,96

9. Fieber, Entzündungen und Infektionen

Die verschiedenen → Fieber-Formen werden nicht eindeutig bestimmt; wenn sie *tritaíos* oder *tetartaíos* (»am dritten bzw. vierten Tag auftretend«) gen. werden [32], kann man sie mit der damals verbreiteten Malaria in Verbindung bringen [14; 7. 230–247]. Die »Pest von Athen« i.J. 430 v.Chr. ist zweifellos mit typhoiden Fieberanfällen zu identifizieren [7. 24–39]. Entzündungen sind zahlreich, sowohl allg. als auch lokal und können alle inneren und äußeren Organe betreffen, im zweiten Fall mit häufigen Phlegmonen und Abszessen jeder Art. Infektionen stellen sich v.a. bei Verletzungen und Wunden ein; wenn sie sich verschlimmern, können sich bis zur Sepsis hin entwickeln.

10. Iatrogene Störungen

Sie werden von den Vergiftungen unterschieden und eindeutig als Folgen von Medikamentenmißbrauch oder als deren Nebenwirkungen dargestellt; sie kommen in jeder Art vor, insgesamt 38 verschiedene Erkrankungen (die bedeutsamsten finden sich in der nachfolgenden Tab.).

	Zahl der Fälle	in Prozenten
Gesamtzahl	120	100,00
Magenstörungen und Bauchschmerzen	35	29,16
Hämaturie, Blasen- und Nierenprobleme	18	15,06
Kopfschmerzen	14	11,66
Benommenheit oder Wahn	11	9,16
Ulzeration	7	5,83
Verschiedenes	7	5,83
Exitus	4	3,33

11. Neuropsychologische Erkrankungen

Nicht oder nur selten als solche erkannt, wurden sie in der Ant. mit humoralphysiologischen Phänomenen (Melancholie) oder organischen Problemen (Hysterie oder Phrenitis) in Zusammenhang gebracht [36; 11; 25; 26; 27; 10. 17–37].

Dem sind K. hinzuzufügen, deren geogr. Ausbreitung begrenzt war, wie die Bohnenallergie, oder andere, die verbreitet waren, aber nicht klar identifiziert wurden, wie verschiedene Formen von Anämie (Thalassämien) [7. 348–355]. Bemerkenswert ist andererseits das Fehlen von als solchen erkannten und erwähnten Epidemien sexuell übertragbarer K. (→ Geschlechtskrankheiten), trotz des wahrscheinlich hohen Alters der Frambösie [7. 104–109], sowie die fehlende Erkenntnis der medizinischen Besonderheit von Erkrankungen in der Kindheit oder im Alter.

12. Übersicht

Übersicht über die medizinischen Themen in Pedanios Dioskurides' Schrift *De materia medica* (*Perí hýlēs iatrikḗs*) mit ihrer jeweiligen Häufigkeit (in absoluten Zahlen und Prozenten):

Haut, Nägel, Schleimhaut	626	11,64
Verdauungsapparat	596	11,08
Toxikologie	481	8,94
Gynäkologie, Geburtshilfe	377	7,01
Harnapparat	348	6,47
Atemwege und -apparat	327	6,08
Auge, Gesichtssinn	316	5,87
Knochen, Gelenke, Frakturen	231	4,29
Wunden und Geschwüre	223	4,14
Körperflüssigkeiten	140	2,60
Entzündungen	138	2,56
Mund, Zahnfleisch, Rachen, Stimme	130	2,42
Ohren, Gehörsinn	120	2,23
Iatrogene Störungen	120	2,23
Nervensystem, Spasmen und Tremor	110	2,04
Blut, Venen	107	1,99
Blähung, Wassersucht	96	1,78
Hepatisches System	92	1,71
Leichte Verletzungen	90	1,67
Ernährung, Verdauung	82	1,52
Milz	76	1,41
Kopf	69	1,28
Fieber	65	1,20
Zähne	54	1,00
Nerven, Muskeln, Lähmung	51	0,94
Gicht	48	0,89
Haare	36	0,66
Tuberkulose	33	0,61
Männliches Geschlechtsorgan	28	0,52
Ausfluß	27	0,50
Ganglionensystem	27	0,50
Externe Parasiten	24	0,44
Schmerzen	21	0,39
Asthenie	20	0,37
Psychologie	13	–
Tetanus	10	–
Gleichgewichtsstörungen	9	–
Lepra	6	–
Übermäßige Nahrungsaufnahme	5	–
Schlaf	4	–
Ansteckende Krankheiten	2	–
Insgesamt	5375	98,98

→ Alexandros [29] von Tralleis; Caelius [II 11] Aurelianus; Pedanios Dioskurides; Empiriker; Erasistratos; Galenos; Hippokrates [6]; Medizin; Methodiker; Rufus von Samaria; Soranos; Medizin; Medizingeschichte

1 H. I. Avalos, Illness and Health Care in the Ancient Near East, 1995 2 Ders., Medicine, in: Oxford Encyclopedia of Archaeology in the Near East, Bd. 3, 1997, 452–459 3 T. Bardinet, Les papyrus médicaux de l'Egypte pharaonique, 1995 4 J.-N. Biraben, Le malattie in Europa: equilibri e rotture della patocenosi, in: Storia del pensiero medico occidentale 1, 1993, 439–484 5 S. Byl, Néologismes et premières attestations de noms de maladies, symptômes et syndromes dans le Corpus Hippocraticum, in: D. Gourevitch (Hrsg.), Maladie et maladies, Mélanges Grmek, 1992, 77–94 6 J.-N. Corvisier, Santé et société en Grèce ancienne, 1985 7 F. E. G. Cox (Hrsg.), Illustrated History of Tropical Diseases, 1996 8 K. Deichgräber, Die griech. Empirikerschule, Ndr. 1965 9 J. Desautels, L'image du monde selon Hippocrate, 1982 10 M. W. Dols, Majnûn: the Madman in Medieval Islamic Society, 1992 11 L. Garcia Ballester, Soul and Body, Disease of the Soul and Disease of the Body in Galen's Medical Thought, in: P. Manuli (Hrsg.), Le opere psicologiche di Galeno, 1988, 117–152 12 I. Garofalo, Erasistrati fragmenta, 1988 13 M. D. Grmek, Il concetto di malattia, in: Ders., Storia del pensiero medico occidentale 1, 1993, 323–347 (dt.: Die Gesch. des medizinischen Denkens) 14 Ders., Bibliographie chronologique des études originales sur la malaria dans la Méditerranée orientale préhistorique et antique, in: Lettre Jean Palerne 24, 1994, 1–7 15 M. D. Grmek, D. Gourevitch, Spicilège d'études paléopathologiques concernant la partie européenne du territoire de l'Empire Romain, in: Lettre Jean Palerne 27, 1996, 2–25 16 D. Grove, A History of Human Helminthology, 1990 17 J. Jouanna, La maladie comme agression dans la collection hippocratique et la tragédie grecque, in: P. Potter u. a. (Hrsg.), La maladie et les maladies dans la collection hippocratique, 1990, 39–60 18 J. V. Kinnier Wilson, Diseases in Babylon: An Examination of Selected Texts, in: Journal of the Royal Medical School 89, 1996, 135–140 19 J. C. Larchet, Théologie de la maladie, 1991 20 C. Licciardi, Les causes des maladies dans les sept livres des Epidémies, in: P. Potter u. a. (Hrsg.), La maladie et les maladies dans la Collection Hippocratique, 1990, 323–337 21 J. López-Férez, La strangurie dans le corpus Hippocraticum, in: P. Potter u. a. (Hrsg.), La maladie et les maladies dans la Collection Hippocratique, 1990, 221–226 22 G. Lorenz, Ant. Krankenbehandlung in histor.-vergleichender Sicht, 1990 23 P. Migliorini, Scienza e terminologia medica nella letteratura latina di età neroniana, 1997 24 J. F. Nunn, Ancient Egyptian Medicine, 1996 25 J. Pigeaud, Folie et dures de la folie chez les médecins de l'Antiquité gréco-romaine, 1987 26 Ders., La psychopathologie de Galien, in: P. Manuli (Hrsg.), Le opere psicologiche di Galeno, 1988, 153–183 27 Ders., La maladie de l'âme, 1989 28 Ders., Il medico e la malattia, in: S. Settis (Hrsg.), I Greci 1, 1996, 771–814 29 M. Powell, Drugs and Pharmaceuticals in Ancient Mesopotamia, in: The Healing Past, 1993, 47–67 30 G. Preiser, Allg. K.-Bezeichnungen im Corpus Hippocraticum, 1976 31 E. Schöner, Das Viererschema in der ant. Humoralpathologie, 1964 32 F. Skoda, Les noms grecs de fièvres, in: Centre de recherches comparatives sur les langues de la Méditerranée ancienne, Documents 10, 1989, 226–238 33 W. D. Smith, Pleuritis in the Hippocratic Corpus, and after, in: P. Potter u. a. (Hrsg.), La maladie et les maladies dans la Collection Hippocratique, 1990, 189–207 34 M. Stol, Diagnosis and Therapy in Babylonian Medicine, in: Jaarbericht van het Voorasiatische-Egyptische Genootschap Ex Oriente Lux 32, 1990–1992, 42–65 35 O. Temkin, Hippocrates in a World of Pagans and Christians, 1991 36 Ders., The Falling Sickness. A History of Epilepsy from the Greeks to the Beginnings of Modern Neurobiology, ²1971 37 J. Théodoridès, Histoire de la rage, 1986 38 P. Thillaud, Paléopathologie humaine, 1995 39 A. Touwaide, Galien et la toxicologie, in: ANRW II 37.2, 1994, 1887–1986 40 A. Touwaide et al., Medicinal Plants for the Treatment of Urogenital Tract Pathologies according to Dioscorides' De Materia Medica, in: American Journal of Nephrology 17, 1997, 241–247 41 J. T Valance, The Lost Theory of Asclepiades of Bithynia, 1990 42 Ders., The Medical System of Asclepiades of Bithynia, in: ANRW II 37.1, 1993, 693–727 43 H. von Staden, Incurability and Hopelessness: the Hippocratic Corpus, in: P. Potter u. a. (Hrsg.), La maladie et les maladies dans la Collection hippocratique, 1990, 61–112 44 M. Wellmann, Pedanii Dioscuridis de materia medica libri quinque, 3 Bde., 1906–1914 (Ndr. 1958).

B. Arensbourg, M. S. Goldstein, A Review of Paleopathology in the Middle East, in: H. Waserman (Hrsg.), Health and Disease in the Holy Land, 1996, 19–36 · P. F. Burke, Malaria in the Greco-Roman World. A Historical and Epidemiological Survey, in: ANRW II 37.3, 1996, 2252–2281 · G. Cootjans, La stomatologie dans le Corpus aristotélicien, 1991 · M. W. Dols, The Black Death in the Middle East, 1977 · A. C. Eftychiades, Eisagōgē eis tēn Byzantinēn therapeutikēn, 1983 · G. B. Ferngren, D. W. Amundsen, Medicine and Christianity in the Roman Empire: Compatibilities and Tensions, in: ANRW II 37.3, 1996, 2957–2980 · D. Gourevitch, Le triangle hippocratique dans le monde gréco-romain, 1984 · Dies., Bibliogr. du vocabulaire de la pathologie en latin ancien, in: Lettre Centre Jean Palerne 23, 1993, 1–23 · Dies., La gynécologie et l'obstétrique, in: ANRW II 37.3, 1996, 2083–2146 · M. D. Grmek, Les maladies à l'aube de la civilisation occidentale, 1983 · R. Jackson, Eye Medicine in the Roman Empire, in: ANRW II 37.3, 1996, 2228–2252 · M. H. Marganne, L'ophtalmologie dans l'Egypte gréco-romaine d'après les papyrus littéraires, 1994 · F. Mawet, Recherches sur les oppositions fonctionnelles dans le vocabulaire homérique de la douleur (autour de pêma-algos), 1979 · P. Potter, G. Maloney, J. Desautels (Hrsg.), La maladie et les maladies dans la collection hippocratique, 1990 · F. Skoda, Médecine ancienne et métaphore. Le vocabulaire de l'anatomie et de la pathologie en grec ancien, 1988 · J. Stannard, Diseases of Western Antiquity, in: Cambridge World History of Human Diseases, 1993, 262–270 · F. Stock, Follia e malattie mentali nella medicina dell'età romana, in: ANRW II 37.3, 1996, 2282–2409 · R. Strömberg, Griech. Wortstud. Unt. zur Benennung von Tieren, Pflanzen, Körperteilen und Krankheiten, 1944. A. TO./Ü: T. H.

Krannon (Κραννών). Stadt der thessal. Tetras Pelasgiotis, durch Inschr.-Funde ca. 22 km südwestl. von → Larisa [2] lokalisiert. Seit neolithischer Zeit besiedelt, führte der Platz in myk. Zeit den ON Ephyra (Strab. 8,3,5). Spätestens ab dem 6. Jh. v. Chr. gehörte K. mit der Familie der Skopadai zu den acht bedeutendsten thessal. Städten. Anf. des 4. Jh. herrschte hier der Tyrann Deinias von Pherai, 352 kam K. unter maked. Herrschaft. Mit dem Sieg des Antipatros bei K. endete 322 der → Lamische Krieg (323/2; Diod. 10,16ff.). Philippos V. verordnete im J. 215 die Einbürgerung von 214 Bürgern aus K. in Larisa (IG IX 2,517).

C. Habicht, Epigraphische Zeugnisse zur Gesch. Thessaliens unter der maked. Herrschaft, in: Ancient Macedonia 1, 1970, 273ff. • K. Liampi, Die Münzprägung von K., in: Πρόγραμμα περιληφές ανακοινώνεων Διεθνές συνέδριο για την αρχαία Θεσσαλία. FS D. Theochari 1987, 1992, 59f. • F. Stählin, Das hellenische Thessalien, 1924, 111f. (Quellen). HE. KR.

Krantor (Κράντωρ) aus Soloi. Akad. Philosoph des frühen 3. Jh. v. Chr. Studien bei → Xenokrates und → Polemon. Er scharte eine beträchtliche Zahl von Schülern um sich (Diog. Laert. 4,24); ob er allerdings für kurze Zeit auch Scholarch der → Akademeia war, ist ungewiß. Sein bevorzugter Schüler war → Arkesilaos [5]. Von seinem immensen und vielfältigen Schrifttum (Diog. Laert. 4,24: 30000 Zeilen) ist nur wenig erhalten. Berühmt und für die Konsolationslit. bestimmend war die Schrift ›Über die Trauer‹ (Περὶ Πένθους), aus der einige Fr. erh. sind – über sie Cic. ac. 1,135: *aureolus ad verbum ediscendus libellus* (»ein goldenes Büchlein zum Auswendiglernen«). K. war – im Zuge der Rückbesinnung auf die Schriften Platons – der Verf. des ersten Komm. zu Platons ›Timaios‹, in dem er sich in den grundlegenden Fragen der Auslegung Speusippos und Xenokrates anschloß, und nur in einzelnen Punkten eine eigenständige Position vertrat (etwa in der Frage der Zusammensetzung der Seele, insofern er die Erkenntnisfunktion betonte). Von ihm stammt die zweistrahlige Anordnung der platonischen Zahlenreihe nach den Potenzen der Zwei und der Drei in der Form eines Lambda. K. gilt noch Horaz als maßgeblich in Fragen der → Ethik (Hor. epist. 1,2,3f.). Wie für Polemon hat auch für ihn das Naturgemäße normative Bedeutung. Seine Güterlehre begegnet in popularphilos. Einkleidung bei S. Emp. adv. math. 11,51–58): Den größten Anteil an der Eudaimonie (→ Glück) weist er der Arete (→ Tugend) zu, ihr folgen Gesundheit, Lust und Reichtum.

Testimonien und Fr.: H. J. Mette, Zwei Akademiker heute: K. von Soloi und Arkesilaos von Pitane, in: Lustrum 26, 1985, 8–40.
Lit.: H. J. Krämer, Die Spätphase der Älteren Akademie, GGPh² 3, 151–174. K.-H. S.

Kranz (στέφανος/*stéphanos*, στεφάνη/*stephánē*, lat. *corolla, corona*). Aus Blumen, Blättern und Zweigen geformt oder in deren Nachbildung (Bronze, Silber, Gold; s. z. B. [1]) gefertigt, ist der K. Bestandteil griech. und röm. Alltags- und Kulturlebens, ein Symbol der Weihung, Auszeichnung und des Schmuckes für Menschen und Götter; der K.-träger hob sich aus den anderen hervor (vgl. Apul. met. 11,24.4), und ihn anzugreifen war verwerflich (vgl. Aristoph. Plut. 21). K. werden seit mythischer Urzeit getragen (Tert. De corona 13).

K. sind im Kult unerläßlich (FGrH 334 F 29); Ausnahmen sind hier selten (Apollod. 3,15,7,4). Den Göttern und Göttinnen waren K. aus bestimmten Materialien zugewiesen, z. B. Lorbeer für Apollon, Zeus, Aphrodite; Ähren für Demeter und Kore; Efeu und Weinlaub für Dionysos usw. Infolgedessen wurde der K. als etwas Heiliges betrachtet; man durfte ihn nicht willkürlich entfernen oder wegwerfen, und es galt als frevelhaft, sich einen K. willkürlich anzueignen (Plin. nat. 21,8, vgl. Tib. 1,2,82) oder zu tragen (Plin. nat. 21,8). In den → Mysterien-Kulten war das K.-Tragen bzw. das Aufsetzen des K. ein Zeichen von Einweihung und Zugehörigkeit zur Gottheit. Beim Opfer war der Opferpriester bekränzt wie auch alle Kultteilnehmer. Die Bekränzung wurde auf Altäre, Götterstatuen, Tempel, auf die Opfertiere und mitunter auch auf das kult. Gerät ausgedehnt.

Da das Fest immer auch kultische Konnotationen hatte, gehörte der K. zu ihm und gewinnt auch im Alltag Bed. Bei der griech. und röm. Hochzeit (→ Hochzeitsbräuche) wurden Braut und Bräutigam bekränzt (z. B. Catull. 61,6; Apul. met. 4,27), es wurde die → Geburt eines Kindes mit einem K. aus Ölzweigen bzw. Wolle an der Tür angezeigt. Man bekränzte sich bei Gelagen; nach Athen. 15,675b-c wurde das Tragen eines Efeu-K. von → Dionysos beim Gelage eingeführt, um den Folgen des Weingenusses vorzubeugen, wozu sich Myrten-, Veilchen- und Rosen-K. bes. eignen sollten (vgl. Petron. 70,8 mit Bekränzung von Beinen und Füßen); ebenso wurde das Trinkgeschirr mit K. geschmückt. Beim nächtlichen Heimgang (→ *kômos*) hängte man den K. an die Tür der Geliebten (Theokr. 2,153; Anth. Pal. 5,92). Als Vorbereitung für den Kampf war eine Bekränzung nicht ungewöhnlich, so z. B. bei den Spartanern (Hdt. 7,209). Auf Kampfdarstellungen wird der K. sowohl von Siegern wie von Gefallenen getragen. Hierhin gehört auch bei den Agonen die Ehrung des Siegers mit einem K. (Ölbaum-K. in Olympia; Sellerie- und Fichten-K. in Nemea und auf dem Isthmos, Lorbeer-K. in Delphi, ferner werden Pappel-, Myrte- und bei den Panathenäen der Ölbaum-K. gen.); man vgl. die Symbolik des K. beim röm. → Triumph. In den hell. Poleis wurde die Hervorhebung bes. Verdienste und Tüchtigkeiten durch die K.-Verleihung zu einer geschätzten Standardauszeichnung.

Im Sepulkralbereich wurden die K.-Ehrungen der Verstorbenen auf den hell. Grabmälern vermerkt und dargestellt, doch hatte der K. darüber hinaus ältere Bed. Dem Verstorbenen wurde ein K. aufgesetzt (z. B. bei Eur. Tro. 1144; Athen. 11,460b; bei Plin. nat. 21,7, ebd. 10,122 erhält ein toter Rabe den K.), die Graburne wurde bekränzt [1. 178f.] oder der K. ins Grab gelegt; entsprechend wurden K. auch an die Grabmäler gehängt oder aufgemalt.

→ Auszeichnung, militärische; Diadema; Dienst- und Ehrentracht; Dona militaria

1 J. Vokotopoulou, Führer durch das Arch. Mus. Thessaloniki, 1996, 154f., 171, 190, 195, 199, 212, 218.

B. ANDREAE, Laura coronatur. Der Lorbeerkranz des
Asklepios und die Attaliden von Pergamon, in: MDAI(R)
100, 1993, 83–106 · M. BLECH, Stud. zum K. bei den
Griechen, 1982 · E. DE JULIIS, Gli ori di Taranto in Età
Ellenistica, 1984, 71–108 · H. R. GOETTE, Corona spicea,
corona civica und Adler, in: AA 1984, 573–589 · H. G.
HORN, Mysteriensymbolik auf dem Kölner Dionysos-
mosaik, BJ, 33. Beih. 1972 · E. KÜNZL, Der röm. Triumph.
Siegesfeiern im ant. Rom, 1988 · R. LULLIES, Abermals:
Zur Bed. des K. von Armento, in: JDAI 97, 1982, 91–117 ·
M. SCHLEIERMACHER, Juppiter mit dem K., in: Kölner Jb. für
Vor- u. Frühgesch. 23, 1990, 249–254.   R. H.

Krasis s. Sandhi

Krataiis (Κραταιίς). Nach Homer (Od. 12,124) ist K.
die Mutter der → Skylla. Hesiod (fr. 150 Rz.; Akusilaos
fr. 5, FHG 1, 100) bezeichnet dagegen → Hekate als
Skyllas Mutter. Die ant. Historiker haben versucht, diese Diskrepanz der Quellen auf zwei Arten zu erklären:
Einerseits wurde eine Genealogie aufgestellt, nach der
Hekate die Mutter der K. und diese die Mutter der Skylla ist (Semos aus Delos, fr. 18a, FHG 4, 495). Andererseits
wurde der Name K. als Epiklese der Hekate erklärt
(Apoll. Rhod. 4,828). Diese Interpretationen lassen annehmen, daß K. demselben Bereich wie Hekate angehört – der Unterwelt.   FR. P.

Krateia (Κράτεια, Κράτια). Stadt in Bithynia, h. Gere-
de, in flavischer Zeit (E. 1. Jh. n. Chr.) neu gegr. als
Flaviopolis. Hauptort der südpaphlagonischen Rand-
zone des Beckens von Gerede, kam ca. 275/4 v. Chr. zu
Galatia, ging 179 an Paphlagonia (Land des Gaizatorix;
Strab. 12,3,41), wurde 6/5 v. Chr. zu Bithynia et
Pontus, unter Diocletianus (Ende 3. Jh. n. Chr.) zu
Paphlagonia, später zu Honorias geschlagen. Als Bistum
seit 342/3 n. Chr. belegt.

K. STROBEL, Galatien und seine Grenzregionen, in:
E. SCHWERTHEIM (Hrsg.), Forsch. in Galatien (Asia Minor
Stud. 12), 1994, 29–65 · K. BELKE, Paphlagonien und
Honorias, 1996, 239 f.   K. ST.

Krater (ὁ κρατήρ von κεράννυμι, *keránnymi*, »mischen«;
Linear B: Akk. *ka-ra-te-ra*). Weitmundiges Gefäß zum
Mischen von Wasser und Wein, beim Gastmahl (Hom.
Od. 1,110) wie bei Opferriten (Hom. Il. 3,269) und rel.
Festen (Hdt. 1,51) verwendet. Gyges, Alyattes und
Kroisos sollen große Prunk-K. aus Edelmetall nach Del-
phi gestiftet haben. Ihr Fassungsvermögen war nach
Amphoren (Hdt. 1,51; 70; vgl. Hom. Il. 23,741; → Am-
phora [2]), ihr Wert nach Gewicht angegeben (Hdt.
1,14; vgl. Plin. nat. 33,15). K.-Untersätze (*hypokratērídia*,
hypóstata) waren gesondert gearbeitet (Hdt. 1,25). Aus
Ton sind aus dem 9. – 7. Jh. v. Chr. vorwiegend große K. bekannt, die als Grabaufsätze zur Aufnahme von
Totenspenden dienten. Um 600 v. Chr. kamen neue,
eindeutig zum Symposion gehörende K.-Formen auf
(→ Gefäßformen, Abb. C 1–4; 9): Der vom älteren Bü-
gelhenkel-K. abzuleitende Kolonetten- oder Stangen-

(henkel)-K./k. *korinthiakós*, der Voluten(henkel)-K./k.
lakōnikós, der henkel- und fußlose Kessel auf hohem
Ständer, wahrscheinlich der ant. k. *argolikós* (t.t. »Dinos«; → Lebes). Am »chalkid.« K. hielt sich im 6. Jh. die
alte Form des Bügelhenkels. Nach ihrer Gesamtform
benannt sind die jüngeren att. Typen Kelch- und Glok-
ken-K. Von den archa. Prunk-K. gibt der 1,65 m hohe,
1200 l fassende Bronze-K. von Vix eine Vorstellung,
Grabbeigabe eines kelt. Fürsten, der Form nach ein Voluten-K. Dieser Typus galt als repräsentativ und wurde
in der Keramik bes. reich bemalt (→ Klitias, → Euphronios [2], → Pronomos-Maler, → Apulische Vasen)
und als Marmorgefäß noch in der Kaiserzeit geschätzt.

I. ANGER, s. v. Mischkrug, RE 15, 2030–2040 · R. LULLIES,
Der Dinos des Berliner Malers, in: AK 14, 1971, 44–55 ·
J. BAKIR, Der Kolonetten-K. in Korinth und Attika zw. 625
und 550 v. Chr., 1974 · J. DE LA GENIÈRE, Des usages du
cratère, in: REA 89, 1987, 271–277 · S. FRANK, Att.
Kelch-K., 1990 · H. E. SCHLEIFFENBAUM, Der griech.
Voluten-K., 1991 · D. GRASSINGER, Röm. Marmorkratere,
1991 · I. MCPHEE, Stemless Bell-Kraters from Ancient
Corinth, in: Hesperia 66, 1997, 99–145 ·
C. ISLER-KERÉNYI, Der François-K. zw. Athen und Chiusi,
in: J. H. OAKLEY et al. (Hrsg.), Athenian Potters and
Painters, 1997, 523–39.   I. S.

Krateros (Κράτερος, Κρατερός).
[1] Sohn des Alexandros aus Orestis, befehligte unter
Alexandros [4] am → Granikos eine → *táxis* der → *pe-
zétairoi* (334 v. Chr.) und bei → Issos (333) und → Gaugamela (331) das ganze Regiment. Gegen die → Uxii
und Ariobarzanes [2] sowie – nach dem Tod des Dareios [3] – im Krieg in → Hyrkania und Areia [1] hielt K.
ein führendes Kommando. Bei dem Staatsstreich gegen
→ Philotas, dessen Bespitzelung er 322 eingeleitet hatte
(Plut. Alexandros 49), spielte er eine wichtige Rolle
(Curt. 6,8,2–17; 11,10–19). In Ostiran → Sogdiana und
– zum Hipparchen (»Reiterhauptmann«) befördert – in
NW-Indien (bes. am → Hydaspes) führte K. bedeutende
Aufträge aus. Auf dem Marsch entlang dem Indos unterstand ihm die eine Hälfte der Landtruppen, → Hephaistion [1], mit dem K. bitter verfeindet war (Plut.
Alexandros 47), die andere. Während Alexander durch
→ Gedrosia marschierte, führte K. die Elefanten und die
Kriegsuntauglichen über eine leichtere Marschroute
und nahm auch drei *táxeis* mit, um unterwegs Aufstände
zu unterdrücken. Bei der Siegesfeier in → Susa heiratete
K. die Prinzessin Amestris, die er nach dem Tod Alexanders wieder vertieß. Von der Stadt Opis wurde K. mit
den entlassenen Veteranen nach Makedonien geschickt,
um → Antipatros [1], mit dem Alexandros abrechnen
wollte, abzulösen. Antipatros verwehrte K. anscheinend
den Zugang, und bei Alexanders Tod (323) stand K. in
Kilikien, war von den Verhandlungen in Babylon
(→ Diadochenkriege) ausgeschlossen und bekam ein
Ehrenamt ohne Substanz.

Der → Lamische Krieg zwang Antipatros, K. zu Hilfe zu rufen (Diod. 18,12,1). K. heiratete dessen Tochter
→ Phila, die ihm K. [2] gebar, und setzte mit ihm zum

Kampf gegen → Perdikkas nach Asien über. Von → Eumenes [1] geschlagen, fiel K. in der Schlacht (321/20). – Seine Teilnahme an einer Löwenjagd Alexanders ließ K. durch eine Bronzegruppe des → Lysippos und Leochares verherrlichen. K. [2] stellte das Werk in Delphoi auf.

BERVE 2, Nr. 446 · HECKEL, 107–33 · P. PERDRIZET, Venatio Alexandri, in: JHS 19, 1899, 273–279.   E. B.

[2] Sohn von K. [1] und → Phila, geb. 321 v. Chr. Halbbruder von → Antigonos [2], der K. um 280 Korinthos und Chalkis anvertraute. K.' Kommando wurde später über Euboia und den Peiraieus, nach dem → Chremonideischen Krieg, in dem er den Isthmos erfolgreich gegen Areus [1] hielt, über Attika mit seinen Garnisonen ausgedehnt. K. starb um 250, und sein Sohn Alexandros [10] wurde sein Nachfolger. Vgl. auch K. [3] und K. [1] (Ende).

CAH² 7,1, Index s. v. K.   E. B.

[3] K. »der Makedone«. Verf. einer ›Sammlung von (athen.) Volksbeschlüssen‹ (Psēphismátōn synagōgḗ) in mind. 9 B., die vermutlich im Zusammenhang mit der systemat. Urkundenforschung des frühen → Peripatos (Aristot. Politeiai; Theophr. Nomoi etc.) stand. K. ordnete die Urkunden chronolog. und kommentierte sie: B. 9 behandelte die J. 411/10 v. Chr. (Fr. bei Plutarchos, Stephanos v. Byzanz sowie Scholien zu Rednern und Komikern). – Umstritten bleibt die Identifizierung mit K. [2], dem Halbbruder des Antigonos [2], der seit ca. 280 als Gouverneur des Antigonos über die Peloponnes in Korinth residierte.

ED.: FGrH 342 mit Komm.
LIT.: O. LENDLE, Einführung in die griech. Gesch.-Schreibung, 1992, 275.   K. MEI.

[4] K. aus Antiocheia, wirkte um 129/117 v. Chr., Leibarzt und Archiater (→ archiatrós) von → Antiochos [9] VII. Sidetes und führendes Mitglied seines Rates (OGIS 256 = IDélos 1547). Neben seinen ärztlichen Pflichten versah er gleichsam das Amt des Kammerjunkers der Königin → Kleopatra [II 14] Thea und beaufsichtigte als tropheús die Erziehung ihres Sohnes, des künftigen → Antiochos [11] IX. Philopator.   V. N./Ü: L. v. R.-B.

Krates (Κράτης).

[1] Athener, Dichter der Alten Komödie, der um 450 v. Chr. mit Aufführungen begann [1. test. 7]; zuvor war er bereits Schauspieler bei → Kratinos [1] gewesen [1. test. 2 und 3]. Die Zahl seiner Stücke wird teils mit sieben [1. test. 1 und 2], teils mit acht [1. test. 4] angegeben; insgesamt sind neun Stücktitel erh. (doch sind Μέτοικοι ›Die Metöken‹ und Πεδῆται ›Die Gefangenen‹, vielleicht falsche Zuschreibungen). Auf der Liste der Dionysiensieger ist K. chronologisch nach Kratinos und Diopeithes verzeichnet [1. test. 9]; laut Aristophanes [1. test. 6] war sein Erfolg beim Publikum wechselhaft. Aristoteles [1. test. 5] hebt K. als den ersten att. Komödiendichter hervor, der von aktuell-polit. Spott

Abstand nahm und geschlossene fiktive Handlungsabläufe schuf; dadurch erscheint K. (wie sein »Nachfolger« → Pherekrates) als beachtlicher Vorläufer der unpolitischeren att. Komödie des 4. Jh.; er galt auch als ausgesprochen witzig [1. test. 2]. Die insgesamt 60 Fr. (davon vier unsicher) lassen nur wenige Rückschlüsse auf den Inhalt der Stücke zu: In den Γείτονες (›Die Nachbarn‹) sollen zum ersten Mal Betrunkene in einer att. Komödie aufgetreten sein; die Θηρία (›Die Tiere‹) griffen das in der Alten Komödie nicht seltene Schlaraffenlandthema (vgl. Athen. 6,267e) auf: Dabei trafen zwei (allegorische?) Figuren aufeinander, von denen die eine ein natürlich-einfaches, die andere ein luxuriös-verweichlichtes Leben in Aussicht stellte (fr. 16; 17), und der Chor der Tiere ermahnte die Menschen, fortan nicht mehr ihr Fleisch zu essen (fr. 19). In fr. 46 (Stück unbekannt) tritt ein dor. redender Arzt auf.

1 PCG IV, 1983, 83–110.

[2] Die Existenz dieses zweiten Komödiendichters mit Namen K. (vgl. K. [1]) wurde bezweifelt, ist aber durch ein inschr. Zeugnis [1. test. *2] wahrscheinlicher geworden. Zwei der vier unter dem Namen dieses K. überlieferten Stücktitel (Θησαυρός, ›Der Schatz‹, Φιλάργυρος, ›Der Geizige‹) deuten eher auf einen Autor der Mittleren oder gar Neuen Komödie hin. Fr. sind nicht erhalten.

1 PCG IV, 1983, 111.   H.-G. NE.

[3] K. aus Athen. Akad. Philosoph des 3. Jh. v. Chr. Wurde nach dem Tod → Polemons, dem er nahestand, 276/5 für einige Jahre Scholarch der → Akademeia. K. trat durch eigene Lehrpositionen nicht hervor, bemühte sich vielmehr (wie sein Lehrer Polemon und Krantor) um die Bewahrung der überlieferten platonischen Lehre (vgl. Cic. ac. 1,9,34). Zu seinen Schülern zählen → Arkesilaos [5] und → Bion [1] von Borysthenes. Im Jahre 287 erwirkte er als Unterhändler Athens die Aufhebung der Belagerung durch Demetrios [2] Poliorketes (Plut. Demetrius 46,3–4).   K.-H. S.

[4] K. aus Theben. Kyn. Philosoph, Schüler des Diogenes [14] von Sinope, lebte wohl von 368/365–288/285 (Diog. Laert. 6,85–93, aus dessen Vita die meisten biograph. Informationen stammen, setzt seine Hauptschaffenszeit in die 113. Ol. = 328–325 v. Chr.). Aus einer der reichsten Familien von Theben stammend, wurde K. zu einem der bekanntesten Kyniker. Es kursieren verschiedene Berichte über seine »Bekehrung« zum Kynismus, infolge derer er auf seinen gesamten Besitz verzichtete und den berühmt gewordenen Satz gesagt haben soll: ›K. hat den K. von Theben freigegeben‹. Von der Natur benachteiligt – er hatte einen Buckel und zog sich das Gespött der Gymnasion-Besucher zu –, heiratete er auf ihren Wunsch → Hipparchia, ein junges Mädchen aus wohlhabender Familie, aus der thrakischen Stadt Maroneia, deren Bruder Metrokles bereits Schüler des K. war. Mit der Heirat übernahm Hipparchia den kynischen Mantel (τρίβων/

tríbōn) und folgte ihrem Mann überall hin. Der Überl. zufolge hatten die beiden öffentlichen Geschlechtsverkehr und führten eine für viele Zeitgenossen anstößige »Hunde-Ehe« (κυνογαμία/*kynogamía*). K. und Hipparchia hatten eine Tochter und einen Sohn namens Pasikles. K. starb in Boiotien und wurde dort begraben.

K. führte das Leben eines Kynikers: Im Sommer trug er einen dicken Mantel, im Winter Lumpen, um die Selbstbeherrschung zu üben (ἵν' ἐγκρατὴς ᾖ, Diog. Laert. 6,87). Als man ihn fragte, welchen Nutzen er aus der Philos. gezogen habe, antwortete er: ›Ein Tagmaß Bohnen und einen sorgenfreien Sinn‹ (Diog. Laert. 6,86). Sein Vaterland sei sein schlechter Ruf und die Armut, die ihm das Schicksal nicht rauben könne; er nannte sich einen Mitbürger des Diogenes, den die Angriffe des Neides nicht erreichen könnten. Er ging in die Privathäuser und warb für die kyn. Lehre, gab Ratschläge und Ermahnungen, so daß man ihn den »Türöffner« nannte (Diog. Laert. 6,86). Er war weniger rigoristisch als Diogenes und stand in dem Ruf eines Menschenfreundes. Man zog ihn bei Familienstreitigkeiten als Schiedsrichter heran und verehrte ihn als »Hausgott« (*lar familiaris*: Apul. Florida 22).

K.' Schüler waren Metrokles, Hipparchia, Zenon von Kition, Kleanthes [2], Bion [2] von Borysthenes und vielleicht auch Theombrotos, Kleomenes und Menippos von Gadara. Sein lit. Werk, das stilistisch das Modell für den kyn. Stil (*kynikós trópos*: eine Mischung aus Spaß und Ernst, die man *spudaiogéloion* nannte; → Kynismus) ausbildete, war außerordentlich umfangreich, bes. auf dem Gebiet der Poesie. Er zeichnete sich durch seine Tragödien in – wenn man Diogenes Laertios glauben darf – hochphilos. Manier aus, sowie durch Elegien (eine Solon-Parodie richtet sich an die pierischen Musen), Homer-Parodien und bes. durch eine hexametrische Dichtung ›Der Bettelsack‹ (*Péra*, utopischer Entwurf einer kyn. Idealstadt), einen ›Hymnos an die Fruchtbarkeit‹, eine *Ephēmerís* (ein Tagebuch), ›Briefe‹ (stilistisch den platonischen ähnlich, aber nicht zu verwechseln mit den pseudepigrapischen »K.«-Briefen) sowie ein ›Lob auf die Linse‹. Diogenes Laertios und Kaiser Iulianus bezeichnen seine Dichtungen als *Paígnia* (»spielerische Dichtungen«). Sein parodisches Talent beeinflußte maßgeblich → Timon von Phleius, den Verf. der *Sílloi*.

→ Kynismus

Ed.: SSR II 523–575 (sect. V H), Komm. IV 561–566 • SH 11, 164–173 (fr. 347–369) • E. Müseler, Die Kynikerbriefe, 1. Die Überlieferung 2. Krit. Ausg. mit dt. Übers. (Stud. zur Gesch. und Kultur des Alt. 6–7), 1994. Übers.: L. Paquet, Les Cyniques Grecs. Fragments et témoignages (Philosophica 4: Éditions de l'Université d' Ottawa), 1975 • Dies., (ebd. 35) 1988, 103–113 (erw. und korr. Ausg.) • Dies., Le livre de poche. Classiques de la philos., 1992 (Vorwort: M.-O. Goulet-Cazé), 166–175. Lit.: U. Criscuolo, Cratete di Tebe e la tradizione cinica, in: Maia 232, 1970, 360–367 • D. R. Dudley, A History of Cynicism from Diogenes to the 6th Century A.D., 1937 (Ndr. 1967), 42–53 • M.-O. Goulet-Cazé, Une liste de disciples de Cratès le Cynique en Diogène Laërce VI 95, in: Hermes 114, 1986, 247–252 • R. Guido, La figura e gli insegnamenti di Cratete di Tebe in Giuliano Imperatore, in: Rudiae 4, 1992, 117–134 • A. A. Long, Timon of Phlius: Pyrrhonist and Satirist, in: PCPhS 204, 1978, 68–91 • V. Pöschl, K., Horaz und Pinturicchio, in: Acta Antiquitatis Academiae Scientiarum Hungaricae 39 (1982–1984), 1987, 267–273. M. G.-C./Ü: B. v. R.

[5] K. aus Mallos (Kilikien). Grammatiker und Philosoph am Attalidenhof in Pergamon, 1. H. des 2. Jh. v. Chr., Zeitgenosse des Aristarchos [4], Lehrer des Panaitios (Strab. 14,5,16); die Suda bezeichnet ihn als »stoischen Philosophen« (κ 2342). 168/7 wurde K. von den Attaliden nach Rom gesandt; ein Sturz zwang ihn dort zu längerem Aufenthalt, während dessen er öffentl. Vorträge mit beträchtlichem Einfluß auf den entstehenden philol.-exegetischen Betrieb in Rom hielt (Suet. gramm. 2,1–4).

In der Ant. war K. unter den Beinamen »der Homeriker« (*Homērikós*) und »der Kritiker« (*Kritikós*: Suda) bekannt; letzteren nahm er wahrscheinlich selbst in polemischer Absicht gegenüber der Beschränktheit der Interessen der alexandrinischen Grammatiker an (S. Emp. adv. math. 1,79). Der erste Beiname bezieht sich auf seine Arbeit als Homerphilologe, die durch die erh. Fr. gut bezeugt ist (meist Homerscholien und Eustathios, Slg.: [7. 39 ff.], zu vervollständigen durch die Indices von Scholl., und F19, 30, 42, 53 und T10 M.; neue Fr. in POxy. 2888 und 3710 und vielleicht Apollonios Sophistes pap. 1217 Pack², vgl. dazu Comanus fr. 21* Dyck). Die Homerscholien überliefern die Titel *Diorthōtiká* oder *Perí diorthōseōs* (›Kritischer Komm.‹; vgl. Suda κ: διόρθωσις) und *Homēriká* (›Homerprobleme‹). Ersteres muß v. a. textkritischen Interessen gewidmet gewesen sein, während die *Homēriká* wahrscheinlich astronomische und geographische Fragen behandelten (mit Rückgriff auf Allegorese); diese beiden Bereiche finden sich in K.' Arbeit trotzdem oft eng miteinander verbunden. K. erörtert und löst mit traditionellen Methoden der hell. Philol. exegetische und textkritische Probleme und zeigt bes. Interesse an Passagen geographischen und astronomischen Inhalts. Charakteristisch ist das implizite Postulat, daß man schon bei Homer wiss. Konzepte erkennen könne, zu denen die griech. Wiss. erst viel später gelangte: darunter insbes. die Vorstellung von der Kugelgestalt des Kosmos mit der Erde in seiner Mitte: den nicht von den Kontinenten bedeckten Teil des Globus nahm das Äußere Meer ein, worunter K. den homer. Okeanos verstand, in dem er die Fahrten des Odysseus lokalisierte. Das gleiche Postulat der Wissenschaftlichkeit wendet er auch gegenüber anderen Dichtern an.

K. beschäftigte sich auch mit Hesiod (schol. Hes. Theog. 126 und 142, erg. 529–531; Vita Dionysii Periegetae 72, 56 Kassel, in: [1]), Alkman (in Suda α 1289), Stesichoros (Ail. nat. 17,37), Pindar (schol. Pind. N. 2,17c), Euripides (Fr. in den schol.: 57 f. W., fr. 49–51 M.) und Aratos [4] (im Corpus der ant. Komm. zu dem

Dichter: Ach. Tat. 1,11 DI MARIA, schol. Aratos Phainomena 1 [p. 44 ff. MARTIN], 62, 254–55). Ob K. ihnen Spezialabh. (Komm.?) gewidmet hat, ist unklar; nur die Fr. zu Aratos lassen sich wegen ihres Inhalts alle auf die Werke zu Homer zurückführen [2].

Von großer Bed. für die mod. Gesch. der ant. Philol. und Textexegese sind die Fr. in Varrs. ling. 8,63 und 68; 9,1 (vgl. dazu [9. 2–48]), in denen K. und Aristarchos [4] die Rolle von → Anomalie bzw. → Analogie in der Wortflexion erörtern: Es geht hier um die Kriterien sprachlicher Korrektheit. Die Bed. diese Auseinandersetzung in der Ant., ob sie wirklich jemals stattfand oder ob es sich nicht vielmehr um einen Argumentationstrick des Varro oder ein Mißverständnis seiner Quellen handelte, ist unklar (dazu vgl. zuletzt [3]). K.' Theorien zur Rolle des Gehörs und des Klanges in der Beurteilung von Gedichten werden von → Philodemos in seinem in den Herculanensischen Papyri teilweise erh. Werk ›Über Gedichte‹ erörtert (Περὶ ποιημάτων: B. 1, 2 und 5). Hier wird die zentrale Position des K. in der hell. Diskussion zur Poetik deutlich. K. diente wahrscheinlich als Quelle für umfangreiche Teile der ersten beiden Bücher der Auseinandersetzung des Philodemos mit seinen Gegnern: eine Gruppe von »Philosophen« (epikureischen?), eine Gruppe von »Kritikern«, Herakleides Pontikos, Andromenides, Herakleodoros, Pausimachos (eine Rekonstruktion der Werkstruktur, die Fr. aus B. 1 und 2 in [14]). Dieses Material findet sich teilweise in B. 5 wieder (PHercul. 228 frg. 1, PHercul. 1425 coll. xxivff.: s. [4]).

K. hatte wahrscheinlich Interesse an att. → Glossographie. Die Zuweisung des Werks Περὶ Ἀττικῆς διαλέκτου (›Über den att. Dialekt‹) an K. ist jedoch umstritten, da ein homonymer Glossograph K. von Athen bekannt ist (FGrHist 362, mit Ed. eines Teils der Fr., und Addenda zum vol. IIIb, 406 ff.; [9. 48 ff.]); vgl. [13] (mit einer aktualisierten Fr.-Liste).

K. wird in den *Prolegomena de comoedia* und in den Aristophanesscholien des Tzetzes zitiert. Möglicherweise handelt es sich jedoch um pseudepigraphische Fr. [5].

Einige nicht zuzuordnende Fr. könnten aus Monographien geogr. und astronomischen Inhalts oder aus paradoxographischen Werken stammen (die Fr. S. 66 und 71 f. W., teilweise neu hrsg. in [8]).

Schüler des K. waren neben → Panaitios: Tauriskos, Alexandros von Milet, Hermeias, Zenodotos aus Mallos sowie Herodikos (vgl. T3, 11–14 und fr. 18 M.); der PBerolinensis 21 163 (ed. [6]) erwähnt vielleicht auch einen Dionysios.
→ Aristarchos [4] von Samothrake; Krates [7] von Athen; Panaitios; Zenodotos aus Mallos

1 R. KASSEL, in: C. SCHÄUBLIN (Hrsg.), Catalepton. FS B. Wyss, 1985 2 P. MAASS, Aratea, 1892, 167 ff. 3 D. BLANK, in: S. EVERSON, Language, 1994, 149 ff. (mit Bibliogr.) 4 C. MANGONI, Filodemo, Il quinto libro della Poetica, 1993 5 W. J. W. KOSTER (ed.), Prolegomena de comoedia, 1975, XXVIIIf. 6 M. MAEHLER, in: R. PINTAUDI (Hrsg.), Miscellanea Papyrologica, 1980, 152, 156 f.

7 C. WACHSMUTH, De Cratete Mallota, 1860 8 H. J. METTE, Sphairopoiia, 1936 (mit Bibliogr. und Ed. eines Teils der Fr.) 9 Ders., Parateresis, 1952 (mit Ed. eines Teils der Fr.) 10 R. PFEIFFER, History of Classical Scholarship from the Beginnings to the End of the Hellenistic Age, 1968 11 E. ASMIS, Crates on Poetic Criticism, in: Phoenix 46, 1992, 138–69 12 J. I. PORTER, Hermeneutic Lines and Circles: Aristarchus and Crates on the Exegesis of Homer, in: R. LAMBERTON, J. J. KEANEY (Hrsg.), Homer's Ancient Readers, 1992, 67–114 13 M. BROGGIATO, Athenaeus, Crates and Attic Glosses: A Problem of Attribution, in: D. C. BRAUND, J. M. WILKINS, Athenaeus and His Philosophers at Supper: Reading Greek Culture in the Roman Empire (erscheint demnächst) 14 R. JANKO, Philodemus, On Poems 1 (erscheint demnächst).

MA. BR./Ü: T. H.

[6] aus Tarsos. Akad. Philosoph des späteren 2. Jh. v. Chr., über dessen Lehre nichts bekannt ist. Er übernahm die Leitung der → Akademeia von Karneades d. J. (Philod. Academicorum index 30,5) und war bis zu seinem Tod 127/6 Scholarch, wenn er nicht bereits 129/8 von → Kleitomachos [1] verdrängt wurde. Diog. Laert. 4,67 übergeht sein Scholarchat ganz.   K.-H. S.

[7] aus Athen. Ein K. ὁ Ἀθηναῖος wird in der Suda ει 184 (s. v. Εἰρεσιώνη = Pausanias Atticista ε 17 ERBSE = F 1 FGrH) und in schol. Soph. Oid. K. 100 (= F 4 FGrH) erwähnt; in der ersten Quelle als Verf. einer Abh. ›Über Opferzeremonien in Athen‹ (Περὶ τῶν Ἀθήνησι θυσιῶν, vgl. auch Suda κ 2706 s. v. κυνήειο = F 2 FGrH). Ohne qualifizierendes Epitheton wird ein K. als Verf. eines Werks ›Über den att. Dialekt‹ (Περὶ τῆς Ἀττικῆς διαλέκτου in mindestens 5 B. (F 6–13 FGrH) genannt, das von Athenaios benutzt wurde. Weder für noch gegen eine Gleichsetzung der beiden Autoren lassen sich schlüssige Beweise anführen. Eine Datier. des athenischen K. ins 1. Jh. v. Chr. gründet sich im wesentlichen auf die Fr. des attizistischen Werks und setzt die Gleichsetzung beider Autoren voraus (manche weisen es → K. [5] aus Mallos zu). Aber es ist auch eine weit frühere Datier. der Schrift über die athenischen Kulte vorgeschlagen worden (4./3. Jh. v. Chr.). Die Frage bleibt somit offen.

ED.: FGrH 362.
LIT.: K. LATTE, Zur Zeitbestimmung des Antiatticista, in: Hermes 50, 1915, 387–88 · F. JACOBY, s. v. K. (12), RE 11, 1633–34 · Ders., FGrH III B, Komm. zu 362, 220–224 · PFEIFFER, KP I, 296 nr. 64 · H. J. METTE, Parateresis. Unt. zur Sprachtheorie des K. von Pergamon, 1952, 48–53.

F. M./Ü: T. H.

Kratesikleia (Κρατησίκλεια). Gattin des Leonidas II., Mutter des → Kleomenes [6] III., dessen Reformpläne sie entschieden unterstützte. Nach der Flucht ihres Sohnes zu Ptolemaios III. ging sie als Geisel nach Äg., wo sie nach dem gescheiterten Putsch des Kleomenes 219 v. Chr. hingerichtet wurde (Plut. Kleomenes 6,2; 7,1; 22,3–10; 38,2–12).   K.-W. WEL.

Kratesipolis (Κρατησίπολις). Gattin des Alexandros [8], verheiratet vor 314 v. Chr. Nach der Ermordung ihres Mannes 314 setzte sie sich in seinem Machtbereich mit den Zentren Korinth und Sikyon durch (Diod. 19,67) und konnte ihre Herrschaft mit Hilfe → Polyperchons halten (Diod. 19,74). 308 übergab K. Ptolemaios I. ihre Städte (Diod. 20,37), wobei sie die Söldner auf Akrokorinth überlistete (Polyain. 8,58), und zog sich nach Pagai zurück, wo Demetrios [2] Poliorketes ihr 307 v. Chr. einen Besuch abstatten wollte (Plut. Demetrios 9). BO.D.

Kratesis (κράτησις) bezeichnet gemeingriech. in privatrechtlichen Beziehungen die tatsächliche, den körperlichen Zugriff erlaubende Gewalt über eine Sache, vergleichbar dem Besitz, jedoch nicht technisch im Sinne der röm. *possessio* verstanden (die Griechen kannten weder die Ersitzung (→ *usucapio*) noch einen speziellen Besitzschutz durch → *interdictum*). *K.* übte z.B. der Gläubiger an der verpfändeten Sache aus, auch wenn diese beim Schuldner verblieben war, ebenso der Pächter am gepachteten Grundstück. Wer die *k.* über eine Sache hatte, durfte darüber aber nicht verfügen, sie z.B. nicht verkaufen und übereignen oder sie seinerseits verpfänden. Verfügungsbefugnis hatte ausschließlich der → *kýrios*.

A. KRÄNZLEIN, Eigentum und Besitz im griech. Recht, 1963 · H.-A. RUPPRECHT, Einführung in die Papyruskunde, 1994, 132f. G.T.

Krateuas (Κρατεύας). *Rhizotómos* (»Wurzelschneider«; [6. test. 7 und 8]) des 2./1. Jh. v. Chr., den man als Pharmakologen des → Mithradates VI. Eupator ansah, zweifellos, weil er einer Pflanze den Namen *mithridátia* (6. test. 2) gegeben haben soll, ohne daß das Phytonym einen Beweis dafür darstellt. Man hat auch angenommen, daß er sich nach Thapsos begeben habe [3. 1644], doch zu Unrecht, da das angeführte Fragment [6. test. 16] auf Sizilien hindeutet [1; 2. 206, 529 und App.]. Das Porträt des Codex Vindob. med. gr. 1, f. 3ᵛ hat man für authentisch gehalten [5. 1139.62–65].

Zur Medizin [6. test. 3] soll er drei Werke verfaßt haben, in denen der Stoff jeweils alphabetisch angeordnet war [6. 139–144]: 1) Ein *rhizotomikón* (test. 23) in drei B. (test. 20), über Pflanzen; 2) ein Werk über durch Bergbau gewonnene Stoffe (*metalliká*; test. 4) und aromatische Substanzen (*arṓmata*) [4. 4]; 3) polychrome Tafeln der untersuchten Pflanzen ohne Text [4. 5], die für den öffentlichen Gebrauch bestimmt waren [4. 21]. All diese Informationen sind vielleicht auf ein einziges Werk zu beziehen (s. schon [3. 1645]), das h. verloren scheint, dessen Auszüge aber die zehn den Namen K. tragenden Fr. des Codex Vindob. sein könnten (Ausg. in [6. 144–146]). Zu Unrecht hat sich in der Lit. die Trad. etabliert, daß die Tafeln das erste illustrierte Herbarium der Ant. darstellten [4. 20].

→ Pedanios Dioskurides scheint von K. – auf direktem oder indirektem Weg – mehr übernommen zu haben, als er zugibt [4. 11–20], wenn er auch der Ansicht ist, daß K. ›zahlreiche nützliche Stoffe und Pflanzen übergangen habe, obwohl er doch zu denen gehöre, die die Materie am besten untersucht zu haben scheinen‹ (test. 7); Galen behauptet, ihn konsultiert zu haben (test. 4 in [5]), und zit. ihn unter den Autoren, die man studieren sollte, um den Stoff der Medizin kennenzulernen (test. 3 und 6).

Illustrationen der alphabetischen Rezension von Dioskurides im Codex Vindob. sollen diejenigen des K. wiedergeben. Dabei wird ein Mittelsmann angenommen [4.20–30], der heute in die Zeit um 200 n. Chr. gesetzt wird, ohne daß es für diese in der Literatur fest verankerte Zuweisung ein anderes Indiz gäbe als die Tatsache, daß sich neben diesen Illustrationen Fr. unter dem Namen des K. befinden.

→ Galenos

1 I. CAZZANIGA, in: Helikon 4, 1964, 287–289
2 A. CRUGNOLA, Scholia in Nicandri Theriaka, 1971
3 E. KIND, s.v. K. 2, in: RE 11, 1644–1646
4 M. WELLMANN, Krateuas, 1897 5 Ders., s.v. Dioskurides 12, in: RE 5, 1131–1142 6 WELLMANN 3, 139–144.
A. TO./Ü: T.H.

Krathis (Κρᾶθις).
[1] Fluß in Achaia auf der Peloponnesos, h. Krathis (ehedem Fluß von Akrata), mit seinen Quellen am Chelmos (Aroania); er führt noch h. dauernd Wasser, seine Mündung liegt auf dem Kap Akrata im westl. Teil einer fruchtbaren Ebene. Sein westl. Quellarm bildet den Wasserfall der Styx. Belegstellen: Hdt. 1,145; Strab. 8,7,4; Paus. 7,25,11f.; 8,15,8f. Y.L.
[2] Arkad. Gebirge, östl. Fortsetzung der *Aroania ore*, auf dem bei Zarouchla der K. [1] entspringt (Paus. 7,25,11; 13). Ein Heiligtum der Artemis Pyronia bezeugt hier Paus. 8,15,9.

PHILIPPSON/KIRSTEN 3, 216–223. E.MEY.u.E.O.

Kratinos (Κρατῖνος).
[1] Sohn des Kallimedes, bed. Dichter der att. Alten → Komödie.
A. ZUR PERSON B. WERK C. NACHLEBEN

A. ZUR PERSON
K.' erstes Auftreten ist für die späteren 450er Jahre v. Chr. bezeugt [1. test. 4ab; vgl. test. 5]; sein Tod fällt wahrscheinlich zw. 423 (terminus post quem: sein letztes Stück, die *Pytínē*/›Die Flasche‹; vgl. [1. test. 3]) und 421 (in Aristoph. Pax 700–703 wird er als tot bezeichnet [1. test. 10]); er wurde angeblich 94 Jahre alt [1. test. 3]. In seinen etwa dreißig Bühnenjahren soll er 21 Stücke geschrieben haben [1. test. 1 und 2a]; erh. sind sogar 29 Stücktitel, von denen manche allerdings Doppeltitel sein können (Ἐμπιπράμενοι ἢ Ἰδαῖοι/›Die Angesengten oder die Leute vom Ida‹, Διονυσαλέξανδρος ἢ Ἰδαῖοι). K.' erster (Dionysien-?)Sieg wird ›nach der 85. Ol.‹ (= 440/39–437/6) angesetzt [1. test. 2a]; insgesamt sind sechs erste Plätze an den Dionysien [1. test. 5], drei an

den Lenäen bezeugt [1. test. 6], eine beachtliche Er-
folgsbilanz. Gegen → Aristophanes [3] zog K. zweimal
(an den Lenäen von 425 und 424) den kürzeren [1. test.
7ab]; dieser spöttelte über K.' geschwundene Dichter-
kraft (Aristoph. Equ. 526–536 = [1. test. 9]), erlitt dann
aber 423 mit den ›Wolken‹ eine schmerzliche Niederlage
gegenüber K.' *Pytínē* [1. test. 7c].

B. WERK

Die Fr. lassen noch folgende Inhalte erkennen: In
den nach → Kimons Tod (vgl. fr. 1) entstandenen *Ar-
chílochoi* (Ἀρχίλοχοι, ›Archilochos und seine Anhänger‹?)
ging es um Dichter (fr. 2). Der durch eine Papyrus-
Hypothesis (test. i) faßbar gewordene *Dionysaléxandros*
(Διονυσαλέξανδρος, ›Dionysos in der Rolle des Alexandros‹, d.h. des Trojaners Paris) von wahrscheinlich
430 v. Chr. führte die Schuld des Perikles (hier als Dionysos dargestellt, der vielleicht den »Zwiebelkopf« des
Perikles als Kennzeichen trug [2]) am → Peloponnesischen Krieg in Form einer Mythenallegorie vor. In den
Drapétides (Δραπέτιδες, ›Ausreißerinnen‹) spielte offenbar Theseus eine Rolle (fr. 53. 61); der Seher Lampon
wurde als Vielfraß verspottet (fr. 62). Die *Thrãttai*
(Θρᾷτται, ›Thrakerinnen‹, um 430) brachten den »zwie-
belköpfigen Zeus« (fr. 73) Perikles selbst auf die Bühne
und verspotteten den jüngeren → Kallias (fr. 81); den
Chor bildeten wohl thrakische Verehrerinnen der Göttin → Bendis (vgl. fr. 85). Die *Malthakoí* (Μαλθακοί) gaben einen Chor von ›Verweichlichten‹ (vgl. fr. 105) dem
Spott preis. In dem Mythenstück Νέμεσις (›Nemesis‹,
mit polit. Nebentönen?) ging es um die Geburt der Helena aus einem Ei, das von der von Zeus geschwängerten
Nemesis gelegt und von Leda als Amme »bebrütet« wurde (fr. 115). Die *Odyssẽs* (Ὀδυσσῆς, ›Odysseus und seine
Gefährten‹) dramatisierten → Odysseus' Kyklopen-
abenteuer und entstanden vielleicht in einer Zeit des
verbotenen oder eingeschränkten polit. Komödienspotts (439–437 v. Chr.?). In den *Panóptai* (Πανόπται,
›Die Alles-Seher‹) scheint die Sophistenthematik der
›Wolken‹ des Aristophanes [3] vorweggenommen (vgl.
fr. 167).

Die *Plútoi* (Πλοῦτοι, ›Die Reichtumsspender‹, Titanen, die den Chor bilden, vgl. fr. 171) waren offenbar
das erste einer Reihe von Stücken der Alten K., die das
Schlaraffen-Leben der Goldenen Zeit verherrlichten
(vgl. fr. 176). Die *Pytínē* (Πυτίνη, »Flasche«), K. letztes
und berühmtestes Stück, verspottete ingeniös des Dichters eigene Trinkfreudigkeit: Seine allegorische Ehefrau, die Komödie, droht ihm einen Prozeß wegen Vernachlässigung an (test. ii; vgl. fr. 193–195), doch bringen
Freunde das entfremdete Paar wieder zusammen (vgl.
fr. 199), und K. beginnt erneut zu dichten (vgl. fr.
208–9). In den etwa gleichzeitig entstandenen *Seríphioi*
(Σερίφιοι, ›Die Leute von Seriphos‹) war ein Teil des
Perseus-Mythos dargestellt. Die *Cheírōnes* (Χείρωνες,
›Chiron und seine Kentauren‹) stellten die bessere alte
Zeit – als deren Vertreter der verstorbene Solon erschien
(fr. 246)? – der schlechteren neuen gegenüber (vgl. fr.
256f.); ähnliche Thematik hatten die *Nómoi* (Νόμοι,

›Gesetze‹) und griffen als deren Exponenten Perikles (fr.
258) und Aspasia (fr. 259) an.

C. NACHLEBEN

Zusammen mit → Aristophanes [3] und → Eupolis
galt K. seit hell. Zeit als bedeutendster Vertreter der Alten Komödie [1. test. 17, 18, 27, 28, 30, vgl. test. 20,
21ab] und sein Auftreten als wichtige Epoche in der
Komödienentwicklung, da er der Gattung eine festere
Form gegeben und sie zu einem Vehikel polit. Spotts
und öffentlichen Tadels gemacht habe [1. test. 19]; damit wäre er der eigentliche Schöpfer der polit. Komödie. Man betont die Schärfe seiner Angriffe [1. test. 17,
vgl. test. 18. 25] und vergleicht seine Dichtungsart mit
der des Aischylos [1. test. 2a]. Die hell. Gelehrten widmeten ihm ebenso viel Aufmerksamkeit wie dem Eupolis und Aristophanes [1. test. 22, 23]; von dem Grammatiker Kallistratos ist noch eine Spezialschrift über die
Thrãttai bezeugt [1. test. 39], ein Komm. des Didymos
[1] Chalkenteros zu erschließen [1. test. 41], eine Schrift
›Über Kratinos‹ (Περὶ Κρατίνου) des Asklepiades [8] von
Myrleia unsicherer [1. test. 40]. In der Kaiserzeit galt K.
als ein Hauptvertreter des guten alten Attisch [1. test. 24,
30, 43]. Gegenüber Aristophanes wurde er jedoch als zu
einseitig-polit. Invektiv-Dichter empfunden, der zwar
gute Ausgangssituationen entworfen, diese dann aber
nicht durchgehalten habe [1. test. 17]. Solche Urteile
trugen wohl dazu bei, daß K.' Werk das Ende der Ant.
nicht überlebte. Inzwischen sind zu mehreren Stücken
(*Dionysaléxandros*, *Kleobulínai*, *Plútoi*; unsicher, ob zu
Seríphioi, *Hõrai*) zum Teil größere Papyrusfrg. aufge-
taucht.

→ Komödie

1 PCG IV 112–337 2 M. REVERMANN, Cratinus'
Διονυσαλέξανδρος and the Head of Pericles, in: JHS 117,
1997, 197–200 3 G. BONA, Per un' interpretazione di
Cratino, in: E. CORSINI (Hrsg.), La polis e il suo teatro 2,
1988, 181–211.

[2] K. der Jüngere. Att. Komödiendichter des 4. Jh.
v. Chr. (auf dessen 2. Hälfte deuten fr. 8 und 10 hin).
Von acht überlieferten Stücktiteln legen vier ein my-
thologisches Sujet nahe (Ὀμφάλη/›Omphale‹; Χείρων/
›Cheiron‹; Γίγαντες/›Die Giganten‹ und Τιτᾶνες/›Die
Titanen‹ bezeichnen vielleicht das gleiche Stück), die
übrigen lassen typische Themen der Neuen Komödie
vermuten: Θηρωμένη (›Die Gejagte‹); Ταραντῖνοι (›Die
Bürger von Tarent‹); Ψευδυποβολιμαῖος (›Der falsch
Untergeschobene‹); Πυθαγορίζουσα (›Die Pythagoras-
Jüngerin‹) deutet auf Philosophenspott hin (vgl. den
Platon-Spott in fr. 10).

1 PCG IV, 1983, 338–345.   H.-G. NE.

[3] Comes sacrarum largitionum (→ *comes* B) und
Rechtsprofessor (*antecessor*) in Konstantinopel zur Zeit
Justinians, Mitglied der Kommission für die Kompila-
tion der → *Digesta* (Constitutio Tanta § 9).

PLRE III, 362 · SCHULZ, 350 · T. HONORÉ, Tribonian,
1978, 148f..   T. G.

Kratippos (Κράτιππος).
[1] aus Athen. Nach Dionysios von Halikarnassos (De Thucydide 16) ungefährer Zeitgenosse und Fortsetzer des → Thukydides. Die Inhaltsangabe seines Geschichtswerkes, das mindestens bis 394 v. Chr. reichte, ist bei Plutarch überliefert (mor. 345c-e). Nach einigen Forschern (z. B. [1; 2; 4; 5; 6]) war K. ein bedeutender Historiker des 4. Jh. v. Chr. und Verf. der → Hellēniká Oxyrhýnchia, nach anderen (z. B. ED. SCHWARZ, ED. MEYER, F. JACOBY) ein »später Schwindelautor, der durch die Maske eines Zeitgenossen seinem Elaborat Ansehen verschaffen wollte« (so JACOBY): Auschlaggebend für diese Abwertung und Herabdatierung sind (angeblich) seltsame Angaben des K. über die Reden und den Tod des Thukydides in FGrH 64 F 1.

ED.: FGrH 64 mit Komm.
LIT.: 1 H. R. BREITENBACH, s. v. Hellenika Oxyrhynchia, RE Suppl. 12, 383–426 (grundlegend) 2 P. PÉDECH, Un historien nommé Cratippe, in: REA 72, 1970, 31–45 3 G. A. LEHMANN, Ein Historiker namens K., in: ZPE 23, 1976, 265–288 4 S. ACCAME, Cratippo, in: Miscellanea Greca e Romana 6, 1978, 185 ff. 5 P. HARDING, The Autorship of the Hellenika Oxyrhynchia, in: The Ancient History Bulletin 1, 1987, 101–104 6 K. MEISTER, Die griech. Geschichtsschreibung, 1990, 65 ff. (Lit.). K. MEI.

[2] aus Pergamon. Anfangs Schüler des Antiochos [20] aus Askalon, trat nach seinem Tod (68 v. Chr.) zum Peripatos über. Zuerst in Mytilene tätig, siedelte er um 46 nach Athen über, wo Ciceros Sohn ab 45 sein Schüler wurde. Cicero schätzte ihn als *Peripateticorum ... princeps* (Cic. Tim. 1), was aber nicht bedeutet, daß er Scholarch war; dieses Amt hatten damals Andronikos [4] und Boethos inne. Von K.' Lehren kennen wir nur eine Bemerkung über die Weissagung (Cic. div. 1,5; 70f.).

P. MORAUX, Der Aristotelismus bei den Griechen I, 1973, 223–56 • H. B. GOTTSCHALK, in: ANRW II 36.2, 1095 ff. H. G.

Kraton (Κράτων). Griech. Rhetor, ungefähr Zeitgenosse des älteren Seneca, bekannt als erbitterter Gegner der zu seiner Zeit dominierenden Stilmode des → Attizismus. Einige Aussprüche, die von freimütigem Witz gegenüber Kaiser Augustus zeugen, überl. Seneca d. Ä. (contr. 10,5,21 f.); demnach und angesichts der ebd. mitgeteilten Gegnerschaft zu dem kaiserlichen Vertrauten Timagenes scheint K. dem engeren Kreis um Augustus angehört zu haben. M. W.

Kratos s. Bia

Kratylos (Κρατύλος). Bekanntester → Herakliteer, wahrscheinlich aus Athen. Aristoteles schreibt K. eine Radikalisierung der Aussage des → Herakleitos zu, man könne nicht zweimal in denselben Fluß steigen (22 B 91 DK); K. habe behauptet, man könne auch nicht einmal ein einziges Mal in denselben Fluß steigen (Aristot. metaph. 1010a 7 ff. = 65 4 DK). Dies wird als Behauptung verstanden, alles sei stets in Bewegung und in jeder Hin-

sicht in Veränderung begriffen, und als Leugnung der Möglichkeit jeglicher Identität. Laut Aristoteles hat die Lehre vom Fluß bei K. zu einer skeptischen erkenntnistheoretischen Haltung geführt. Ständige Veränderung und Bewegung mache es unmöglich, Wissen über die Dinge zu erlangen und gültige Aussagen zu treffen. In Platons ›Kratylos‹ vertritt K. die These, es gebe für jeden Gegenstand einen von Natur aus richtigen Namen, d. h. einen Namen, der das Wesen des Benannten beschreibt. Es ist unklar, inwieweit diese These mit K.' Lehre vom Fluß verträglich ist [1].

K.' wichtigster Beitrag zur griech. Philosophiegesch. liegt in seinem Einfluß auf Platon. Dieser hat die Lehre vom Fluß vermutlich durch K. kennengelernt (vgl. Aristot. metaph. 987a 29 ff.).

1 G. S. KIRK, The Problem of Cratylus, in: AJPh 72, 1951, 225–253.

S. N. MOURAVIEV, s. v. Cratylos (d'Athènes?), GOULET 2, 503–510 • D. J. ALLEN, The Problem of Cratylus, in: AJPh 75, 1954, 271–287. G. BE./Ü: S. P.

Krebs
[1] s. Sternbilder
[2] Krebstiere
A. ALLGEMEIN

K., Klasse der Crustacea im Stamm der Arthropoda, die v. a. im Meer, aber auch in Süßwasser in vielen Arten vorkommen. Die Griechen nannten sie Weichschaler (μαλακόστρακα/ *malakóstraka*, Aristot. hist. an. 1,6,490b 10–12 u. ö.; Speusippos bei Athen. 3,105b; irrtümlich ὀστρακόδερμα/ *ostrakóderma*, Ail. nat. 9,6 nach Aristot. hist. an. 7(8),17,601a 17 f., wo diese Namen aber unterschiedliche Krabbenarten charakterisieren sollen). Die Römer umschrieben die Weichschaligkeit mit *contecta crustis tenuibus* (Plin. nat. 9,83) oder *crustis intecta* (Plin. nat. 9,43) bzw. *crustata* (Plin. nat. 11,165). Eustathius übers. im ›Hexaëmeron‹ des Basileios den Begriff (7,2) mit *mollitestia*. Die Unterscheidung der ant. Arten in der Lit. seit dem 5. Jh. bereitet Schwierigkeiten. Viele gute Informationen bieten Aristoteles und – wegen der kulinarischen Bed. – offenbar griech. Ärzte (5. und 4. Jh.). Angaben betreffen die charakteristische Variation der Beine, wozu manchmal die Scheren gerechnet wurden, den dünnen Panzer, der den weichen, fleischigen Körper umgibt und regelmäßig abgeworfen und ersetzt werden muß, das Fehlen einer Stimme, die oft räuberische Ernährung und den Stoffwechsel, die Fortpflanzung und die Kiemenatmung. Man unterschied verschiedene Krabben- und K.-Arten, ferner Languste, → Hummer, Garnelen und Asseln.

B. KRABBEN

Ordnung Decapoda (Zehnfußkrebse), Abteilung Krabben, Brachyura (Krabben), καρκίνος/ *karkínos*, lat. *cancer* (was Isid. orig. 12,6,51 fälschlich von der Muschel, *concha*, ableitet), seltenere Namen καρκίνιον/ *karkínion*, καρκινίδιον/ *karkinídion*, καρκινοειδές/ *karkinoeidés*, sizil. κάρχας/ *kárchas*.

C. Familie der Vierecks-Krebse

Bes. in tropischen und subtropischen Ländern auf dem Land lebend), nachgewiesen sind: 1) der marmorierte Vierecks-K., Grapsus marmoratus Fabr., auf einer Lapis Lazuli-Gemme [1. Taf. 24,31], 2) der Gonoplax rhomboides auf rotem Jaspis [1. Taf. 24,30], 3) der Schnabel-K., Corystes dentatus, auf einer Vase aus Caere [2. 2, Fig. 145], 4) der Fluß-K. (Astacus astacus), oft auf Mz. (z. B. [1. Taf. 8,6 und 7]), wichtig in Volksmedizin und Landwirtschaft (zur Verscheuchung von Schädlingen), 5) der Muschelwächter, πιν(ν)οτήρης/ *pin(n)otḗrēs*, πιν(ν)οφύλαξ/*pin(n)ophýlax*, Pinnoteres pisum, welcher (bei einer Panzerlänge von 10–18 mm) z. B. im Innern von Steckmuscheln lebt und mit diesen angeblich sterben soll. Es liegt keine eigentliche Symbiose vor. Das Tier war aber ein Hauptbeispiel für Chrysippos' [2] stoischen Naturbegriff (fr. 729a SVF 2,207 = Athen. 3,89c-e), worüber Plutarch (De sollertia animalium 30 = mor. 980a-c) spottet. Bei Soph. fr. 113 N. dient es als Metapher für etwas Winziges (Karneol: [1. Taf. 24,25]).

D. Familie der Bogen-Krebse

Diese leben meist an Steinen und Mauern im Wasser. Man kannte 1) den *cancer marinus*, καρκίνος θαλάσσιος/ *karkínos thalássios*, 2) den Nordsee- oder Taschen-K. (Cancer pagurus L.), καρκίνος Ἡρακλεωτικός/*karkínos Hērakleōtikós*, 3) die Xantho florida, abgebildet auf je einem Pariser und Wiener Karneol [1. 24 und 32].

E. Familie der Dreiecks-Krebse (?)

Mit den Arten γραῦς/*graús* und πάγουρος/*páguros*. Bei Ail. nat. 6,31 wird der Fang mit Hilfe lockender Musik beschrieben und 9,43 ihr Verhalten während der Häutung. Geop. 5,50,1 erwähnt ihre Wirkung gegen Schädlinge. Für alle Vertreter werden Beschreibungen von Batr. 294–300 und von Aristot. hist. an. 4,2,525b 16 ff. geliefert. Naturgetreue Darstellungen finden sich auf Fresken, Tellern, Vasen, Mz. und Gemmen. Nach Gregor von Tours (De cursu stellarum 8) war der berühmte Leuchtturm von Pharos auf vier großen in Stein gehauenen K. errichtet.

F. Familie der Karkinia

Καρκίνια/*karkínia* werden von Aristot. hist. an. 4,4,529b 20–530a 7 und 5,15,548a 14–21 näher betrachtet. Die Arten der Einsiedler-K. können durch die Häuser ihrer Wirtsschnecken νηρείτης/*nēreítēs* bzw. στρόμβος/*strómbos* bestimmt werden [2. 2,489].

G. Familie der After-Krebse

Dazu gehört wohl Eriphia spinifrons, dargestellt auf zwei Gemmen [1. Taf. 24,33]. Vertreter der Panzer-K. sind die Languste, κάραβος/*kárabos, locusta*, und zwar die gemeine Languste (Palinurus vulgaris) und der Bären-K. (Scyllarus arctus), κάραβος ἄρκτος/*kárabos árktos* oder καραβίς/*karabís*. Eine gute Beschreibung des Verhaltens der Languste mit ihrer roten Farbe, dem langen Leib mit schwanzförmigem Hinterende, 5 Paar Afterfüßen und einer vergrößerten rechten Schere liefert Aristot. hist. an. 5,17, 549a 14–b 28. Darstellungen gibt es nicht nur in der Kleinkunst, sondern auch auf Mosaiken aus Pompeii und England [2. 2, Fig. 124 und 147].

H. Familie der eigentlichen Krebse

Hauptvertreter der eigentlichen K. (ἀστακοί war 1) der Hummer (ἀστακός/*astakós*, lat. *cammarus*), Homarus vulgaris. Man fing ihn in den meisten Gegenden des Mittelmeeres (aber nicht des Schwarzen Meeres nach Ail. nat. 4,9) als beliebte Speise, nicht nur der Nobilität. Die Beschreibung bei Aristot. hist. an. 4,2,526a 11–b 18 ist sehr detailliert. Bei Plin. nat. 32,147 ist er ein typisches Meerestier. 2) Der kaum beachtete Fluß- oder Edel-K. heißt ὁ ἐν τοῖς ποταμοῖς ἀστακός/*ho en toís potamoís astakós* und lat. *astacus* und ist dargestellt auf einer Mz. des Ortes Astakos in Bithynien [1. Taf. 8,7]. Bei Plin. nat. 9,97 wird er nur als eine K.-Art erwähnt. 3) Das Fleisch des λέων/*léōn*, lat. *leo* (Neophrops norvegicus; in der nördl. Adria häufig) soll laut Ail. nat. 14,9, mit Rosenöl zur einer Salbe verarbeitet, einen Menschen schön machen.

I. Garnelen

(Die Unterordnung der Garnelen, Natantia; καρίδες/*karídes*, lat. *squillae*). Man unterschied 1) die eßbare Art Palaemon squilla, καρὶς κυφή/*karís kyphḗ*, die auf Mz. [1. Taf. 8,10–14] und Gemmen [1. 24,32; 26,49] auftritt; 2) die von Ail. nat. 1,30 beschriebene Steingarnele, Palaemon serratus; 3) die Sandgarnele, Crangon vulgaris (?), μικρὸν γένος καρίδων/*mikrón génos karídōn* bei Aristot. hist. an. 4,2,525b 2 und καριδάριον/*karidárion* (Anaxandros fr. 24 K.); 4) die Geißelgarnele, Peneus caramote (?) bei Athen. 7,306c (καρίδων γένος/ *karídōn génos*), die mehrfach in der Kleinkunst dargestellt sein soll. Alle Garnelen hießen καρίς/*karís*, κούρις/*kúris* oder κώρις/*kōris*, von Athen. 3,106b von κάρα volkstümlich abgeleitet. Das Fehlen der Scheren und ihre längliche Körperform sind charakteristisch. Sie waren bei den Komikern eine beliebte Speise und dienten den Fischern als Köder und den Tierzüchtern als Entenfutter.

J. Maulfüßer

Die Ordnung der Maulfüßer (Mysis) ist wohl mit den κραγγόνες/*krangónes* bei Aristot. hist. an. 525b 21–31 gemeint. Auch die κολύβδαινα/*kolýbdaina* = θαλάσσιον αἰδοῖον/*thalássion aidoíon* (Squilla Desmarestii), welche Aristot. hist. an. 4,7,532b 23–26 beschreibt, gehört hierher.

K. Asseln

→ Assel

L. Floh-Krebse

(Ordnung Amphipoda; καρκινάδες/*karkinádes*). Von diesen waren mehrere Arten im Meer und Flüssen bekannt. Auch die von Aristot. hist. an. 4,4,530a 27–29 erwähnte parasitischen Arten sind wohl dazu zu rechnen.

M. Unterklasse Rankenfüßer

Cirripedia, βάλανοι/*bálanoi*, lat. *balani*. Davon sind bestimmbar 1) Balanus cylindricus, eine große und dunkle Art in Ägypten (Athen. 3,87f), 2) Balanus tintinnabulum, die Seepocke (?), die im Meer an Klippen und sumpfigen Stellen vorkommt. Das Neapeler Mosaik [2. 2, fig. 124] zeigt am linken Rand mindestens ein Exemplar.

N. Unterklasse Ruderfüsser

(Die Unterklasse Copepoda; φθεῖρες/*ptheíres*). Diese Klein-K. sitzen als Schmarotzer an Kiemen und Flossen von Fischen. Dazu gehören wohl der ψύλλος/*psýllos* und der οἴστρος/*oístros*, aber letzterer wird [3. 1,168] dort eher als Cecrops Latreillii aus der Familie der Fischasseln bestimmt.

1 F. Imhoof-Blumer, O. Keller, Tier- und Pflanzenbilder auf Mz. und Gemmen des klass. Alt., 1889, Ndr. 1972
2 Keller 3 H. Aubert, F. Wimmer (Hrsg.), Aristoteles Thierkunde, 1868 (Übers.).

F. Marx, s. v. Assel, RE 2, 1744 · H. Gossen, s. v. Hummer, RE 8, 2538 ff. · B. Havinga, Krebse und Weichtiere, 1929.
C. Hü.

Kredemnon (κρήδεμνον, lat. *calautica*, auch κάλυμνα/ *kálymna*, καλύπτρη/*kalýptrē*). Allg. die oberste Bedeckung, auch eines Wein- oder Vorratsgefäßes (Hom. Od. 3,392) bzw. eines Mauerringes (Hom. Il. 16,100), dann aber mehr ein Kopftuch der Frauen, das die Schultern bedeckte und mit dem sie das Gesicht verhüllen konnten (Hom. Il. 14,184; 16,470; Hom. Od. 1,334). Im 5. Jh. v. Chr. nur noch poetisch verwendet (z. B. Eur. Phoen. 1490); die üblichen Ausdrücke für Schleier und speziell für Brautschleier waren *kálymna* und *kalýptrē* (vgl. Aischyl. Ag. 1178). Bereits auf den Denkmälern der archa. Zeit ist das K. ein Trachtbestandteil der Frauen [1]. In der klass. Zeit erscheint der Schleier häufig auf att. Hochzeitsdarstellungen und Hausgemachszenen, ferner bei Göttinnen und Heroinen.

1 J. Boardman u. a., Die griech. Kunst, 1984, Abb. 70.

H. Haakh, Der Schleier der Penelope, in: Gymnasium 66, 1959, 374–380 · D. Armstrong, E. A. Ratchford, Iphigenia's Veil. Aeschylus, Agamemnon 228–48, in: BICS 32, 1985, 1–12 · D. L. Cairns, Veiling, αἰδώς, and a Red-Figured Amphora by Phintias, in: JHS 106, 1996, 152–158.
R. H.

Kredit s. Darlehen

Kreide. Dieser färbende, feinerdige Kalkstein wurde in der K.-Zeit u. a. aus Foraminiferen und Kokkolithen im Meer gebildet. Griech.: γύψος, λευκὴ γῆ. Der lat. Name *creta* ist vielleicht von *cerno* »gesiebte (Erde)« abgeleitet [1]. K. wurde in der Ant. für die Herstellung von Farbe und Farbstiften benötigt. Plin. nat. 35,44 kennt sowohl die Silber-K. (*creta argentaria*) als auch die mit → Purpur-Farbe (*purpurissimum*) versetzte K. als Nebenprodukt der Tuchfärberei. Sieben Farben, u. a. Bleiweiß (*cerussa*), verbinden sich nach Plin. nat. 35,49 mit trockener Kreide, aber nicht mit feuchtem Kalk. Die Verwendungsweise von K. differierte nach ihrer Herkunft, z. B. *creta Eretria* (Plin. nat. 35,38) als Material für die Maler → Nikomachos und → Parrhasios, als Mittel gegen Kopfschmerzen sowie zur Erkennung von Eiterherden. Die *creta Selinusia* (Plin. nat. 35,46) diente zum Schminken und Weißen von Wänden und – mit Waid

(*vitrum*) versetzt – als Ersatz für Indigo (*indicum*; Vitr. 7,14,2). Colum. 2,15,4 versteht unter *creta* Tonerde.

1 Walde/Hofmann.

O. Lagercrantz, s. v. K., RE 11, 1701 ff.
C. Hü.

Kreisel (στρόβιλος, ferner βέμβηξ, κῶνος, στρόμβος, στρόφαλος, lat. *rhombus*, *turbo*). Das K.-Spiel war in der Ant. ein beliebtes → Kinderspiel; der hölzerne, aus Buchsbaum gefertigte (daher auch lat. *buxum* genannte), mit Querrillen versehene K. wurde mit den Fingern in eine rotierende Bewegung versetzt und dann mit der Peitsche vorwärts getrieben (Verg. Aen. 7,373–383 in einem epischen Gleichnis; Kall. epigr. 1,9; Tib. 1,5,3; Anth. Pal. 7,89). Originale K. aus Ton, Bronze, Blei und anderen Materialien haben sich als Grabbeigaben und Weihegaben in Heiligtümern (vgl. Anth. Pal. 6,309) erhalten [1].

1 S. Laser, Sport und Spiel, in: ArchHom T, 1987, 98 f.

P. Holler, K., 1989 · K. Schauenburg, Erotenspiele 1, in: Ant. Welt 7, 1976, H. 3, 43–45.
R. H.

Kremna (Κρῆμνα, lat. *Cremna*). Bedeutende pisidische Festung und Stadt hell. Ursprungs (κρημνός = »steil abfallend«). Mz. ab ca. 100 v. Chr. [1]. Um 35/30 v. Chr. wurde K. von Amyntas [9] von Galatia erobert (Strab. 12,6,4). Unter Augustus kam es zur Ansiedlung von Veteranen, seither *Colonia Iulia Augusta Felix Cremnensium* [2]. K. war eine der prosperierendsten »pisidischen« Kolonien, mit reicher Mz.-Prägung bis Aurelianus (270–275) [1]. Unter Probus (276–282) war sie letzter Stützpunkt des isaurischen Brigantenführers Lydios und wurde nach schwerer Belagerung eingenommen (Zos. 1,69 f.; zu den Belagerungswerken [3]). In spätant. und byz. Zeit Suffraganbistum von Perge. Ruinen bei Çamlık (ehemals Girme = K.).

1 Aulock 2, 36–40, 106–145 2 B. Levick, Roman Colonies in Southern Asia Minor, 1967 3 S. Mitchell, The Siege of Cremna, in: D. H. French, C. S. Lightfoot (Hrsg.), The Eastern Frontier of the Roman Empire, 1989, 311–328
4 W. Ruge, s. v. K., RE 11, 1708.
P. W.

Kreon (Κρέων, lat. Creon, Creo).
[1] Regent und König von Theben, Sohn des Menoikeus, Bruder der → Iokaste, verheiratet mit Eurydike. Seine Tochter → Megara ist die erste Frau des Herakles. Sein Sohn Haimon ist mit → Antigone [3] verlobt, der andere, → Menoikeus, opfert sich für Theben (Eur. Phoen. 834 ff.; 1310 ff.; Stat. Theb. 10,628 ff.). Urspr. eine Füllfigur – der Name bedeutet »Herrscher« –, variiert K.s Charakter bei den Dichtern stark. In Soph. Oid. T. ist er Gegenspieler des → Oidipus: Er fungiert als Bote aus Delphi (87 ff., vgl. Sen. Oed. 212 ff.; ebd. 511 ff. berichtet K. zusätzlich die Worte des Laios aus der Unterwelt), verteidigt sich gegen den ungerechtfertigten Vorwurf der Usurpation (Soph. Oid. T. 513 ff., vgl. Sen. Oed. 668 ff.) und übernimmt nach der Selbst-

blendung des Königs die Regierung (Soph. Oid. T.
1422ff.). In Soph. Oid. K. 728ff. versucht K. mit
heuchlerischen Versprechungen und dann mit Gewalt,
die für Thebens Sieg notwendige Rückkehr des verbannt umherwandernden Oidipus zu erzwingen. In
Soph. Ant. ist er der Antagonist der Titelheldin: Sein
Bestattungsverbot für → Polyneikes und die Todesstrafe, mit der er Zuwiderhandelnde bedroht, soll Lan-
desverräter (Soph. Ant. 182ff.) und Gesetzesbrecher
(ebd. 655ff.) abschrecken, verletzt aber göttliches Recht
(ebd. 450ff.). Als argwöhnischer (ebd. 289ff.; 1033ff.),
selbstherrlicher und unnachgiebiger (ebd. 726ff.) Tyrann, taub für die Volksmeinung (ebd. 504ff.; 690ff.;
733) und die Mahnungen des Haimon und Teiresias,
büßt er seine zu spät erkannte (ebd. 1261ff.) Verfehlung
mit dem Verlust des Sohnes und der Gattin. In Eur.
Phoen. sorgt K. für die Verteidigung der Stadt gegen das
Heer der → Sieben gegen Theben (Eur. Phoen. 697ff.),
verliert aber Menoikeus (s.o.) und verbannt den fluch-
beladenen Oidipus (ebd. 1585ff., vgl. Stat. Theb.
11,665ff.). Durch die Königswürde zum grausamen
Tyrannen mutiert, untersagt K. die Bestattung aller Argiver (Stat. Theb. 11,648ff., vgl. Eur. Suppl. 467ff.),
welche Theseus durch einen Kriegszug gegen Theben
und die Tötung K.s (Stat. Theb. 12,752ff.) erzwingt.

[2] König von Korinth, Vater der → Kreusa [3], der von
der verlassenen → Medeia mittels eines vergifteten Klei-
des getöteten Braut → Iasons. Er gewährt Medeia den
verhängnisvollen Aufschub ihrer Verbannung (Eur.
Med. 271ff.; Sen. Med. 179ff.) und verbrennt durch die
Berührung von Kreusas giftverzehrtem Leib (Eur. Med.
1204ff.; Darstellung auf Vasen und Medeia-Sarkopha-
gen).
→ Oidipus; Thebanischer Sagenkreis

G. BERGER-DOER, s.v. Kreousa (2), LIMC 6.1, 120–127 •
V. EHRENBERG, Sophokles und Perikles, 1961 (engl. 1954),
67ff. = H. DILLER (Hrsg.), Sophocles, 1967, 95ff. • M.M.
HIJMANS-VAN ASSENDELFT, Aliquot de Creontis Thebani
persona in litteris Latinis annotationes, in: Acta Classica 3,
1960, 77–85 • F. HUMBORG, s.v. K., RE Suppl. 4,
1048–1060 • R.P. WINNINGTON-INGRAM, Sophocles,
1980, 117ff.   CL.K.

Kreophylos

[1] (Κρεόφυλος). In der ant. Homer-Legende auftretender → Homeride, entweder Freund (Plat. rep. 600b =
[2. Test. 3]) oder Schwiegersohn (schol. Plat. rep. 600b
= [2. Test. 4]) Homers, entweder von Samos (so Kall.
epigr. 6 = [2. Test. 7]; Strab. 14,638 = [2. Test. 8]) oder
von Ios (so Certamen Homeri et Hesiodi p. 44, 28 WIL.
= [2. Test. 2]; Vita Homeri Procli p. 26, 26 WIL. = [2.
Test. 9]) oder von Chios (so Suda = [2. Test. 6]; schol.
Plat. rep. 600b = [2. Test. 3]) stammend. Angeblich
Verf. der → Oichalías hálōsis (bei Kallimachos, Proklos
u.a.). Von den Nachkommen des K. auf Samos
(Rhapsodengilde in Konkurrenz zu den → Homeridai
von Chios? [4]) soll → Lykurgos in Sparta die Homer.
Epen erh. haben.

ED.: 1 U.v. WILAMOWITZ-MOELLENDORFF (ed.),
Vitae Homeri et Hesiodi, 1916 u.ö. 2 PEG.
LIT.: 3 A. RZACH, s.v. K., RE 11, 2150–2252
4 W. BURKERT, Die Leistung eines K. Kreophyleer,
Homeriden und die archa. Heraklesepik, in: MH 29, 1972,
76–77.   J.L.

[2] (Κρεώφυλος). In einem rhodischen Schiedsspruch
[1. Z. 120] erwähnter Historiker, aus dessen ›Annalen
der Ephesier‹ (Ἐφεσίων ὧροι) nur zwei Passagen erh.
sind, eine zur Gründungslegende von Ephesos (Athen.
8,62 p. 361c–e) und eine zum Medeia-Mythos (schol.
Eur. Med. 264). K., dessen in ion. Dial. geschriebenes
Werk zw. dieses Drama des Eur. (431 v.Chr.) und den
Schiedspruch (um 196 v.Chr.) zu datieren ist, gilt als der
älteste über Ephesos schreibende Autor. Quelle: FGrH
417.

1 IPriene, Nr. 37.   K.BRO.

Krepis

[1] (κρηπίς, κρηπίδωμα/krēpídōma). Ant., in Bauinschr.
vielfach dokumentierte Bezeichnung für den gestuften
Sockel, der als Unterbau für Architekturen aller Art,
bes. aber des griech. Säulenbaus diente (Quellen: EBERT
7–9). Die K. lagert auf der → Euthynterie (als der obersten, erstmals exakt nivellierten Fundamentschicht) und
endet im → Stylobat, der Standfläche für die Säulen. Die
Ausformung der zunächst ein- oder zweistufigen K. im
frühen 6. Jh. v.Chr. ist ein wichtiges Resultat der
Etablierung der dor. Ordnung im Steinbau (→ Tempel);
bei den frühen Holzbauten fußten die Säulen überwiegend auf einfachen Steinplatten. Kanonisch wird seit
dem späten 6. Jh. v.Chr. eine K. mit drei kräftig betonten Stufen, im Westen (Sizilien) findet sich oftmals sogar
eine K. mit vier, an den Tempelfronten von Zugangs-
treppen (→ Scala) durchbrochenen Stufen (Agrigent,
sog. Iuno-Lacinia-Tempel). Entsprechend der im 6. und
5. Jh. v.Chr. wachsenden Bed. des Tempels als visuell-
optisch relevante, gleichwohl für die Kultpraxis weitgehend funktionslose Schmuckarchitektur entwickelte
sich die K. immer mehr zu einem dem Statuensockel
ähnlichen Podest, das das daraufstehende Bauwerk markant aus der natürlichen Topographie ausgrenzte und es
in den Rang eines plastisch gestalteten Kunstwerks erhob. Bes. auch die im 4. Jh. v.Chr. neuerbauten → Di-
pteroi von Ephesos und Didyma mit ihren kunstvollen
Profilierungen der einzelnen Stufen, ja des hier ganz auf
Ansicht und ästhetische Rezeption gearbeiteten, nun
fast podiumsartigen Stufenbaus bezeugen diesen Wandel. Eine bedeutende Erschwerung der Herstellung der
K. bildete die → Kurvatur (vgl. auch → optical refinements).

Als K.bezeichnet wird darüber hinaus auch der meist
profilierte Steinsockel von → Tumulusgräbern seit dem
7. Jh. v.Chr. (→ Etrurien, → Lydien).

CH. HÖCKER, Architektur als Metapher, in: Hephaistos 14,
1996, 57–59 • W. MÜLLER-WIENER, Griech. Bauwesen in
der Ant., 1988, 217 s.v. K.   C.HÖ.

[2] Ein derber Lederschuh (lat. *crepida, crepidula*), der von Männern und Frauen getragen wurde, dann aber auch als Theater- (vita Soph. 6, nach Istros) und Festtagsschuh (Theokr. 15,6) überl. ist. Seit etwa 200 v. Chr. ist die K. Bestandteil der röm. Tracht.

W. H. GROSS, s. v. K., KlP 3, 1969, 337.   R. H.

Kres (Κρής). Eponym der Insel → Kreta. In seinen widersprüchlichen Mythen spiegeln sich verschiedene archa. Institutionen und Mythologeme der Insel. K. gilt als Sohn des Zeus und einer idäischen Nymphe, aber auch als Schützer des neugeborenen Zeus (als solcher wird er auch als Kuret oder König der → Kureten angesprochen); sein Sohn ist → Talos. Er ist autochthoner König und Kulturbringer, aber auch Gesetzgeber, wie → Minos, der auch den spartan. Gesetzgeber → Lykurgos beeinflußt hat (Ephoros, FGrH 145; Diod. 5,64,1; Steph. Byz. s. v. Κρήτη).   F. G.

Kresilas. Bronzebildner aus Kydonia. Nach Ausweis erh. Basis-Inschriften war K. um 450–420 v. Chr. in Delphi, Hermione und Athen tätig. Er schuf das in der Ant. berühmteste Porträt des → Perikles, ›würdig des Beinamens Olympier‹ (Plin. nat. 34,74), das deshalb mit einer von Pausanias auf der Akropolis gesehenen Porträtstatue des Perikles gleichgesetzt wird und in Kopien sicher identifiziert ist. Mit einer von Plinius beschriebenen Statue des K., die einen tödlich Verwundeten (*volneratum deficientem*) darstellte, wird meist die von Pausanias auf der Akropolis ohne Künstlerangabe erwähnte Bronzestatue des von Pfeilen getroffenen Diitrephes gleichgesetzt. Ob zu ihr die auf der Akropolis erh. Basis einer Weihung des Sohnes des Diitrephes gehörte, ist umstritten, da sie paläographisch in die Mitte des 5. Jh. datiert wird, während Pausanias in Diitrephes einen Strategen von 414–411 v. Chr. sieht. Wegen der ungewissen Datierung sind Vorschläge zur Identifizierung in Kopien (sog. Protesilaos) fraglich.

Im Rahmen eines Künstlerwettstreites um vier Amazonenstatuen in Ephesos soll K. den dritten Platz nach → Polykleitos und → Pheidias belegt haben. Unter den in Kopien überlieferten Amazonenstatuen (→ Amazones) schwankt die Zuweisung an K. zwischen Typus Sciarra und Typus Kapitol. Die Notiz des Plinius, ein Ctesilaus habe eine verwundete Amazone und einen Doryphoros geschaffen, ist verm. auf K. zu beziehen. Alle weiteren Zuschreibungen (Athena von Velletri, sog. Diomedes) sind spekulativ.

OVERBECK, Nr. 870–876, 946 · G. RICHTER, The Sculpture and Sculptors of the Greeks, 1950, 233–237 · LIPPOLD, 172–174 · A. RAUBITSCHEK, Dedications from the Athenian Akropolis, 1949, 131–133, 510–513 · J. MARCADÉ, Recueil des signatures de sculpteurs grecs, 1, 1953, 62–64 · P. ORLANDINI, EAA 4, 405–408 · B. SCHMALTZ, Zu den Ephesischen Amazonen, in: AA 1995, 335–343 · R. BOL, Amazones Volneratae, 1998, 87–93 und passim.   R. N.

Kresphontes (Κρεσφόντης).
[1] Herakleide (→ Herakleidai), Ehemann der → Merope; bei der Verlosung der Peloponnes fällt K. dank einer List Messenien zu. Nach kurzer Regierungszeit fällt er einem Aufstand zum Opfer. Sein einziger überlebender Sohn, → Aipytos [4], rächt ihn (zum Motiv: → Orestes) und sichert sich den väterlichen Thron (Paus. 4,3,3–8; 8,5,6–7).

[2] Sohn von [1] in Euripides' gleichnamiger Tragödie, in der K. bei der Rache am Mörder seines Vaters von seiner Mutter irrtümlich fast getötet wird.

M. A. HARDER, Euripides' K. and Archelaos, 1985, 1–122 · J. FREY-BRÖNNIMANN, P. MÜLLER, s. v. K., LIMC 6.1, 131–132.   RE. N.

Krestones (Κρηστῶνες, Κρηστωναῖοι, Γραστῶνες). Thrak. Stamm südöstl. der Mygdonia und südl. bis zum Bolbe-See (Aristot. mir. 122). Xerxes zog auf seinem Marsch von → Akanthos [1] nach → Therme durch ihr Land; der Bach Echeidoros, der bei den K. entsprang, konnte sein Heer nicht mit Wasser versorgen (Hdt. 7,124; 127). Damals wurden sie von einem bisaltischen König geführt, was vielleicht auf einen antipers. Militärbund hinweist (Hdt. 8,116). Die K. lebten mit → Bisaltai und → Edones in kleinen Städten (Thuk. 4,109). Wohl nach der Auflösung der pers. Satrapie Thrakia wurden sie vom Makedonenkönig → Alexandros [2] I. unterworfen (Thuk. 2,99). Im 1. Jh. v. Chr. werden → Paiones an ihrer Stelle gen. (Strab. 7a,1,41).

A. FOL, T. SPIRIDONOV, Istoričeska geografija na trakijskite plemena, 1983, 170 f.   I. v. B.

Kreta (Κρήτη, lat. *Creta*).
A. SIEDLUNGSGEOGRAPHIE   B. ARCHAISCHE ZEIT
C. KLASSISCHE UND HELLENISTISCHE ZEIT
D. KRETA UNTER RÖMISCHER HERRSCHAFT
E. SPÄTANTIKE UND BYZANTINISCHE ZEIT

A. SIEDLUNGSGEOGRAPHIE
K. ist die größte der griech. Inseln mit einer West-Ost-Ausdehnung von 250 km und einer Nord-Süd-Ausdehnung von max. 60 km. Die schmalste Stelle der Insel ist der Isthmos von Hierapytna im Osten. Landschaftlich wird die Insel v. a. durch ihre Berge geprägt. Dominant sind die drei großen Gebirgsmassive: im Westen die »Weißen Berge« (→ *Leúka órē*, 2482 m), in der Mitte das → Ida-Gebirge (Piloritis, 2456 m) und im Osten die → Dikte-Kette (höchste Erhebung 2147 m) mit der Lassithi-Hochebene (Berge als für K. charakteristisches geogr. Element: Strab. 10,4,4). Da die Berge im Süden bis an die Küste reichen, sind die flacher abfallende Nord- und Ostküste (v. a. Suda-Bucht bei Chania und der Golf von Mirabello im Osten) bevorzugte Plätze für Siedlungen und Hafenanlagen. Eine Ausnahme von der Regel des küstennahen Wohnens im Norden und Osten bildet die fruchtbare Mesara-Ebene im Süden von Zentralkreta. Auch als Wirtschaftsräume ge-

nutzt, hatten die Berge v. a. kult. Funktion (Ida). Das auch von ant. Autoren (Theophr. h. plant. 9,16,1–3) gerühmte Klima zeichnet sich durch heiße Sommer und regnerische Winter aus, wobei der Westen erheblich niederschlagsreicher ist, ohne dadurch in der Ant. zu einem bevorzugten Siedlungsplatz zu werden. Die top. Situation der Insel ließ keine größeren Siedlungen zu; daraus erklärt sich die große Zahl von ant. Städten, und so galt K. seit Homer (Hom. Od. 19,174) als die sprichwörtliche Insel der 90 (später 100) Städte – tatsächlich gab es in klass. Zeit knapp 60 selbständige Gemeinwesen.

Um 2000 v. Chr. entfaltete sich auf K. die berühmte → »minoische« Kultur, benannt nach dem legendären König → Minos von → Knosos. Architektonische Dokumente dieser frühesten europ. Hochkultur sind – neben vielen anderen Funden – die vier großen Paläste von Knosos, Phaistos, Malia und Zakro mit jeweils umfangreichen Siedlungsterritorien. Die Paläste wurden – wohl eher durch Naturkatastrophen als durch menschliche Einwirkung – mehrfach zerstört und jeweils wieder aufgebaut. Eine finale Katastrophe, die um 1450 v. Chr. im größten Teil von K. zum Ende der Palastzeit führte (in Knosos dauerte diese Periode noch einige Jahrzehnte länger), dürfte jedoch nicht mit einem – wohl früher anzusetzenden – Vulkanausbruch von Santorin und einer anschließenden Flutwelle [1] in Verbindung zu bringen sein [2].

B. ARCHAISCHE ZEIT

Nach kurzem myk. Intermezzo begann im 11. Jh. v. Chr. mit der Einwanderung dor. Bevölkerung ein neues Kapitel der kret. Gesch. Die min. Vergangenheit blieb aber fester Bestandteil der kollektiven Erinnerung der Griechen und rechtfertigte als identitätstiftendes Element ebenso wie die geogr. Lage der Insel die Zuordnung der min. Kultur zur griech. Gesch. Zu den späteren Reminiszenzen gehört die Vorstellung von einer kret. Thalassokratie (Hdt. 1,171; 3,122; Thuk. 1,4,8) und von Minos als einem der großen Gesetzgeber (Cic. rep. 2,12; Tac. ann. 3,26). Die dor. geprägten Verfassungen und Ges.-Ordnungen der kret. Städte wiesen in ihrer starren Hierarchisierung stark archa. Züge auf. In der Regel herrschte über eine unterworfene, mit dem Rechtsstatus von Klaroten bzw. Mnoiten versehene bäuerliche Vorbevölkerung (zur Ethnogenese von K. Hom. Od. 19,172ff.; Diod. 5,64,80) ein kriegerischer Adel, in seiner Organisation und Mentalität in mancher Hinsicht den spartanischen Oligarchen vergleichbar. Von den ant. Staatsphilosophen wurde die kret. Verfassung häufig gelobt (Plat. leg. 631b; 634d; Aristot. pol. 1264a 39ff.; 1271b 18ff.; dagegen Pol. 6,45–47). Siedlungsgeogr. läßt sich mit der dor. Landnahme eine Verlagerung der Städte in das Landesinnere, in gesicherte Höhenlagen, beobachten (Beispiel Lato).

C. KLASSISCHE UND HELLENISTISCHE ZEIT

In klass. Zeit fristet die Insel ein Randdasein. Weder war K. in die Perserkriege (trotz entsprechender Aufforderung, Hdt. 7,145,2; 169–171), noch in den Peloponnesischen Krieg involviert, da keine kret. Stadt Mitglied in einem der großen Bündnissysteme war. Rechtshistor. relevant ist für diese Phase die Aufzeichnung des berühmten Stadtrechts von → Gortyn (um 450 v. Chr.). In hell. Zeit stand K. wieder stärker im Blickfeld. Die auch für die klass. Zeit vorauszusetzenden (und sich etwa in einem Vertrag zw. Knosos und Tylissos Mitte 5. Jh. v. Chr. konkret artikulierenden) innerkret. Auseinandersetzungen fanden ihre Fortsetzung (Pol. 6,46,9), wobei Knosos und Gortyn eine Führungsrolle spielten. Diese Konflikte wurden nun internationalisiert, da die hell. Großmächte, insbes. die Antigoniden und die Ptolemaier, aber auch die Attaliden, die wieder strategisch günstig gelegene Insel in ihre Machtinteressen einzuspannen bestrebt waren. Auf der anderen Seite war auch den kret. Städten daran gelegen, Rückhalt bei diesen Großmächten zu gewinnen. Die daraus entstehenden Spannungen konnten auch durch die Gründung eines kret. → koinón (vermutlich bereits in der 1. H. des 3. Jh. v. Chr.) nicht gemildert werden. Ephemere Zweckbündnisse – wie das von 222 v. Chr. zw. Knosos und Gortyn (Pol. 4,53,4) geschlossene – waren nicht geeignet, die labilen zwischenstaatlichen Verhältnisse zu stabilisieren. Im Lauf des 2. Jh. v. Chr. etablierte sich Gortyn als erste Macht auf K. Gefragt waren in hell. Zeit Kreter als Söldner im Dienste auswärtiger Mächte, wobei insbes. ihre Qualitäten als Bogenschützen und Militärtaktiker geschätzt wurden (Pol. 4,8,11; Plut. Philopoimen 13,6). Gefürchtet waren Kreter als Piraten, wobei die verbreitete Hinwendung zum → Seeraub v. a. als eine Folge der sozialen Probleme zu interpretieren ist. Diese Tätigkeit trug entscheidend zum schlechten Ruf bei, den Kreter in der ant. Welt hatten (Kall. h. 1,8; Pol. 6,46; Tit 1,2).

D. KRETA UNTER RÖMISCHER HERRSCHAFT

67 v. Chr. von den Römern erobert (Liv. per. 100; Plut. Pompeius 29), wurde K. durch Augustus Teil der neuen Doppelprov. → Creta et Cyrenae. Gortyn wurde Prov.-Hauptstadt, an deren Bauten und Infrastruktur sich der wirtschaftliche und kulturelle Aufschwung von K. in der röm. Kaiserzeit am besten ablesen läßt. Gortyn wurde auch zur Hochburg des frühen Christentums. 58 n. Chr. besuchte der Apostel Paulus die Stadt (Apg 27,7) und setzte Titus als ersten Bischof ein (Titus-Basilika aus dem 6. Jh.). Als Folge der Reformen des Diocletianus wurde K. zu E. 3. Jh. n. Chr. wieder als eigenständige Prov. organisiert.

→ Creta et Cyrenae (mit Karte); Minoische Kultur und Archäologie; Minoische Religion

1 S. MARINATOS, The Volcanic Destruction of Minoan Crete, in: Antiquity 13, 1939, 425–439 2 H. LOHMANN, Die Santorin-Katastrophe – ein arch. Mythos? in: E. OLSHAUSEN, H. SONNABEND (Hrsg.), Naturkatastrophen in der ant. Welt. Stuttgarter Kolloquium zur Hist. Geogr. des Alt. 6, 1996 (Geographica Historica 10), 1998, 337–358.

J. BOWMAN, K., 1965 · M. W. B. BOWSKY, Eight Inscriptions from Roman Crete, in: ZPE 108, 1995, 263–280 · P. BRULÉ, La piraterie crétoise hellénistique,

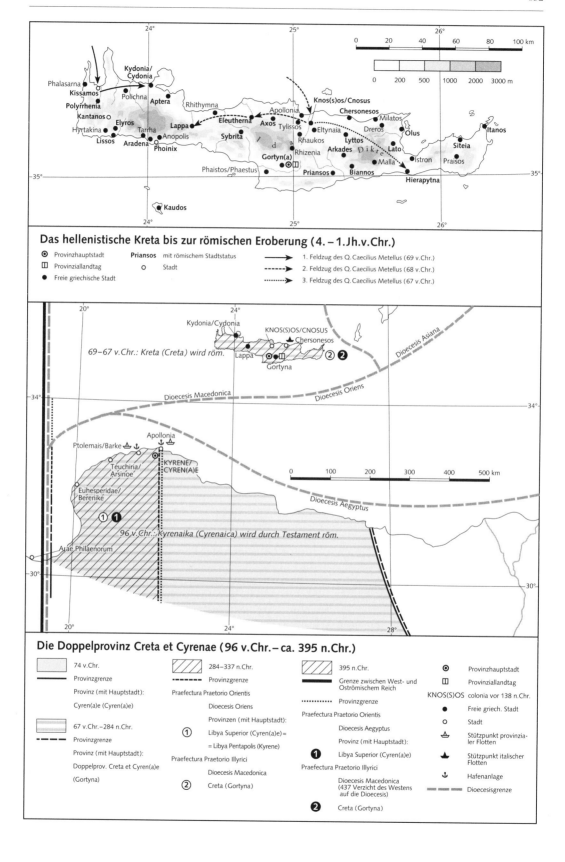

Das hellenistische Kreta bis zur römischen Eroberung (4. – 1. Jh. v. Chr.)

- ◉ Provinzhauptstadt
- ⊞ Provinziallandtag
- ● Freie griechische Stadt

Priansos mit römischem Stadtstatus
- ○ Stadt

→ 1. Feldzug des Q. Caecilius Metellus (69 v. Chr.)
-- → 2. Feldzug des Q. Caecilius Metellus (68 v. Chr.)
···→ 3. Feldzug des Q. Caecilius Metellus (67 v. Chr.)

Die Doppelprovinz Creta et Cyrenae (96 v. Chr. – ca. 395 n. Chr.)

74 v. Chr.
— Provinzgrenze
Provinz (mit Hauptstadt):
Cyren(a)e (Cyren(a)e)

67 v. Chr. – 284 n. Chr.
-- Provinzgrenze
Provinz (mit Hauptstadt):
Doppelprov. Creta et Cyren(a)e
(Gortyna)

284–337 n. Chr.
--- Provinzgrenze
Praefectura Praetorio Orientis
Dioecesis Oriens
Provinzen (mit Hauptstadt):
① Libya Superior (Cyren(a)e) =
= Libya Pentapolis (Kyrene)
Praefectura Praetorio Illyrici
Dioecesis Macedonica
② Creta (Gortyna)

395 n. Chr.
— Grenze zwischen West- und
Oströmischem Reich
··· Provinzgrenze
Praefectura Praetorio Orientis
Dioecesis Aegyptus
Provinz (mit Hauptstadt):
❶ Libya Superior (Cyren(a)e)
Praefectura Praetorio Illyrici
Dioecesis Macedonica
(437 Verzicht des Westens
auf die Dioecesis)
❷ Creta (Gortyna)

- ◉ Provinzhauptstadt
- ⊞ Provinziallandtag
- KNOS(S)OS colonia vor 138 n. Chr.
- ● Freie griech. Stadt
- ○ Stadt
- ⚓ Stützpunkt provinzialer Flotten
- ⚓ Stützpunkt italischer Flotten
- ⚓ Hafenanlage
- ═══ Dioecesisgrenze

1978 • A. CHANIOTIS, Die kret. Berge als Wirtschaftsraum, in: E. OLSHAUSEN, H. SONNABEND (Hrsg.), Gebirgsland als Lebensraum. Stuttgarter Kolloquium zur Hist. Geogr. des Alt. 5, 1993 (Geographica Historica 8), 1996, 255–266 • Ders., Die Verträge zw. kret. Poleis in der hell. Zeit, 1996 • A. EVANS, The Palace of Minos at Knossos, 4 Bde., 1921–1936 • P. FAURE, La Crète aux cent villes, in: Kretika Chronika 13, 1959, 171–217 • Ders., Recherches de toponymie crétoise, 1989 • F. GSCHNITZER, Abhängige Orte im griech. Alt., 1958 • A. GUARDUCCI, Inscriptiones Creticae I-IV, 1935–1950 • A. J. HAFT, The Myth that Crete Became, 1981 • G. L. HUXLEY, The Minoans in Greek Sources, 1968 • E. KIRSTEN, Das dor. K., 1, 1942 • S. KREUTER, Außenbeziehungen kret. Gemeinden zu den hell. Staaten im 3. und 2. Jh. v. Chr., 1992 • S. LINK, Das griech. K., 1994 • J. W. MYERS u. a., Aerial Atlas of Ancient Crete, 1992 • A. PETROPOULOU, Beitr. zur Wirtschafts- und Gesellschaftsgesch. K.s in hell. Zeit, 1985 • I. F. SANDERS, Roman Crete, 1982 • T. A. B. SPRATT, Travels and Researches in Crete, 2 Bde., 1865 • ST. SPYRIDAKIS, Cretica. Studies on Ancient Greece, 1992 • H. VAN EFFENTERRE, La Crète et le monde Grec de Platon à Polybe, 1948 • R. F. WILLETS, Aristocratic Society in Ancient Greece, 1955 • Ders., Cretan Cults and Festivals, 1962 • Ders., Ancient Crete, 1965 • M. ZOHARY, G. ORSHAN, An Outline of the Geobotany of Crete, in: Israel Journal of Botany, Suppl. 14, 1965, 1–49.   H. SO.

KARTEN-LIT.: D. GONDIKAS, Recherches sur la Crete Occidentale, 1988 • I. F. SANDERS, Roman Crete, 1982 • K. BUSCHMANN u. a., Östl. Mittelmeerraum und Mesopot. Von Antoninus Pius bis zum Ende des Parthischen Reiches (138–224 n. Chr.), TAVO B V 9, 1992 • A. H. M. JONES, The Cities of the Eastern Roman Provinces, ²1971, 351–362 • E. KETTENHOFEN, Östl. Mittelmeerraum und Mesopot. Die Neuordnung des Orients in diokletianisch-konstantinischer Zeit (284–337 n. Chr.), TAVO B VI 1, 1984 • Ders., Östl. Mittelmeerraum und Mesopot. Spätröm. Zeit (337–527 n. Chr.), TAVO B VI 4, 1984 • A. LARONDE, La Cyrénaïque romaine, des origines à la fin des Sévères (96 av. J.-C.–235 ap. J.-C.), in: ANRW II 10.1, 1006–1064.

E. SPÄTANTIKE UND BYZANTINISCHE ZEIT

Verwaltungsmäßig wurde die Zusammengehörigkeit der Insel mit → Kyrene (→ Creta et Cyrenae) unter → Constantinus [1] I. d. Gr. aufgehoben, danach gehörte K. zur dioecesis Macedonia. Unbekannt ist, wann und ob im Rahmen der Neuordnung der byz. Verwaltung seit dem 7. Jh. K. als ein → Thema eingerichtet wurde. K. teilte ansonsten das Schicksal der übrigen Ägäisinseln [1], Angriffe der Vandalen (457) und Slaven (623) blieben Episode.

Einen deutlichen Bruch hingegen markiert die handstreichartige Eroberung der Insel durch vertriebene span. Araber unter Abū Ḥafṣ (zw. 824 und 827/8). Die arab. Herrschaft war von Dauer; erst 961 wurde die Insel zurückerobert. Über die Kulturverhältnisse und die arab.-griech. Symbiose unterrichtet CHRISTIDES [2]. Für die byz. Zentrale war somit die Ägäis für Jh. den Einfällen arab. Piraten ausgeliefert [3. 35 ff., 111 ff.]. Im J. 1204 fiel die Insel an die Venezianer, die sie zu einem ihrer wichtigsten Stützpunkte im Levantehandel ausbauten.

1 E. MALAMUT, Les îles de l'Empire Byzantine: VIIIe–XIIe siècles, 2 Bde., 1988 2 V. CHRISTIDES, The Conquest of Crete by the Arabs, 1984 3 H. AHRWEILER, Byzance et la Mer. La marine de guerre, la politique et les institutions maritimes de Byzance aux VIIe–XVe siècles, 1966.   J. N.

Kretheus (Κρηθεύς, als ke-re-te-u schon myk.). Sohn des → Aiolos [1] und der Enarete (Apollod. 1,51), Gründer und Herrscher von → Iolkos; er heiratet nach dem Tod seiner ersten Frau → Sidero sein Pflegekind Tyro, die Tochter seines Bruders → Salmoneus und Mutter von Pelias und → Neleus durch Poseidon, mit der er → Aison [1], Pheres und → Amythaon zeugt (Hom. Od. 11,235 ff.; Hes. fr. 30,29 ff.; Apollod. 1,90 ff.; 96); Val. Fl. 5,476 ff. macht auch → Athamas zum Sohn des K.; Pind. N. 5,26 kennt eine Tochter → Hippolyte [3]. Eine Verbindung des K. zur Peloponnes (Krathis, Fluß bei Aigai [1]) ist abzulehnen.

1 M. L. WEST, The Hesiodic Catalogue of Women, 1985, 141 ff.

P. DRÄGER, Argo pasimelousa, I, 1993, 81 f., 108 ff., 334 f.
     P. D.

Kreusa (Κρέουσα, lat. Creusa).
[1] Tochter der Gaia und des Okeanos, die dem Flußgott Peneios → Hypseus und Stilbe gebiert (Pind. P. 9,14 f.; Diod. 4,69).
[2] Jüngste Tochter des → Erechtheus und der → Praxithea. Apollon zeugt mit ihr → Ion [1], den sie aussetzt und den Hermes nach Delphi bringt. K. heiratet → Xuthos (Hes. fr. nova 10a 20 ff.), der nach Erechtheus' Tod König von Athen wird. Bei einer Befragung des delph. Orakels wegen seiner Kinderlosigkeit findet das Paar Ion wieder. K. gebiert dem Xuthos später → Doros und → Achaios [1] (Eur. Ion; Apollod. 1,50).
[3] Tochter des korinth. Königs → Kreon [2]. Als → Iason [1] sie heiraten will, fällt sie einem Mordanschlag von dessen verlassener Gattin → Medea zum Opfer. Ihr Name wird z. T. auch mit → Glauke [2] überliefert.
[4] Tochter des → Priamos und der → Hekabe (Hyg. fab. 90), Gemahlin des → Aineias [1], dem sie den Askanios gebiert. Bei der Eroberung Troias wird sie entrückt (Verg. Aen. 2,736 ff.; Paus. 10,26,1; etwas anders Lykophr. 1263 ff.).

G. BERGER-DOER, s. v. K. (1)–(3), LIMC 6.1, 117–118; 120–121; 127–128 • TH. KOCK, s. v. K. (2)–(5), RE 11, 1825.
     R. HA.

Kreusis (Κρεῦσις). Boiot. Hafenort an der Küste des → Korinthischen Golfs in der Bucht von Livadostro, zu Thespiai gehörig (Strab. 9,2,25; Liv. 36,21,5; Paus. 9,32,1). In Küstennähe sind Reste einer Festung mit Anbindung an eine Kaianlage erh. Bedeutung kam K. als Hafen in den spartan.-theban. Konflikten vor 371 v. Chr. zu (Xen. hell. 4,5,10; 5,4,16 f.; 6,4,3 f.; Xen. Ag. 2,18). Im 2. und 1. Jh. v. Chr. diente K. für Rom als wichtiger Anlegeplatz (Liv. 36,21,5; 42,56,5).

FOSSEY, 157–163 · G. GAUVIN, J. M. FOSSEY, Livadhostro: un relevé topographique des fortifications de l'ancienne K., in: P. ROESCH, G. ARGOUD (Hrsg.), La Béotie antique, 1985, 77–87.   K. F.

Krexos (Κρέξος). Dithyrambendichter, zusammen mit Timotheos und Philoxenos gen. (Ps.-Plut. De musica 1135c). Er soll die von Archilochos und den Tragikern stammende Art, jambische Maße mit Leierbegleitung teils zu sprechen und teils zu singen (λέγεσθαι/ᾄδεσθαι παρὰ τὴν κροῦσιν), in die Dithyrambenpoesie eingeführt haben (1141b; hierzu auch Philod. De musica 4,5).
F. Z.

Krieg s. Kriegsrecht; Kriegsschuldfrage; Völkerrecht; Befestigungswesen; Heerwesen; Seekrieg

Kriegsbeute I. ALTER ORIENT
II. GRIECHENLAND III. ROM

I. ALTER ORIENT

Im Alten Orient galt das Aufbringen von K. der Versorgung mit wichtigen Rohstoffen (z. B. Metallen – Äg.: Gold aus Nubien, Silber aus Kilikien, Kupfer aus Zypern (MR); Assyrien: Eisen aus Iran, Silber aus Kilikien; → Kilikes, Kilikia) und für die weitere Kriegsführung benötigten Objekten (z. B. Pferde, Streitwagen im Assyrien des 1. Jt. v. Chr.) oder dienten zur Versorgung der königl. Hofhaltung mit Luxusgütern zu Prestigezwecken. K. ist von Tributleistungen zu unterscheiden, die fremden Herrschern unmittelbar nach ihrer Niederlage »einmalig« auferlegt wurden. Beute(B.)-Machen und Einnahme von Tribut standen in komplementärer Beziehung zum Fernhandel (→ Handel) und den auf den Gewinn von Rohstoffen (Gold, Schmuck- und Bausteine) ausgerichteten äg. Expeditionen, bei denen es im Einzelfall Überschneidungen mit B.-Zügen gab, wenn der Zugang zu den Rohstoffquellen (z. B. dem Gold in Nubien) erkämpft werden mußte [2. 60].

K. stand grundsätzlich dem Herrscher zu. Das B.-Machen ist Ausdruck königl. Machtentfaltung; insofern sind Beutelisten konstitutiver Bestandteil äg. (Thutmosis III.) und mesopot. Königs-Inschr. (vgl. die neuassyr. Beutelisten TUAT 1, 380f., Z. 259f.; MDOG 115, 1983, 104–110, Z. 352–407) und Thema bildl. Darstellung (RLA 7, 449, Abb.). Teile der K. wurden in Mesopot., im Hethiterreich und Äg. den Göttern bzw. laut AT Jahwe dargebracht und zur Belohnung an die Armee und die Würdenträger des Staates verteilt. Die neuassyr. Herrscher → Sargon II. und → Assurbanipal rühmen sich der unermeßlichen Mengen an wertvollen Metallen bzw. Tieren (u. a. Kamelen), mit denen das assyr. Kernland »überschwemmt« wurde, so daß man z. B. für ein Maß Getreide soviel Silber gab, wie früher Kupfer [5. 97f.]. Von symbolischer Bed. war die Entführung von Götterbildern: Damit wollte man den besiegten Feind seiner aus göttlichen Quellen gespeisten Kraft und seiner identitätsstiftenden Zeichen berauben

(→ Marduk). Ähnliches gilt für das Wegführen von bedeutungsvollen Monumenten (→ Hammurapi).

Vorderasien war in unterschiedlichem Maß und zu unterschiedlichen Zeiten den B.-Zügen der sich an den Rändern des Kulturlandes aufhaltenden → Nomaden-Stämme ausgesetzt, für die solche Razzien Teil ihrer Überlebensstrategie waren.

1 E. BLEIBERG, Official Gift in Ancient Egypt, 1996
2 E. BLUMENTHAL, R. GUNDLACH, s. v. Expeditionen, Expeditionsberichte, LÄ 2, 55–61 3 W. M. MARTIN, Tribut und Tributleistungen bei den Assyrern, 1936 4 M. DE ODORICO, Numbers and Quantifications in the Assyrian Royal Inscriptions, 1995 5 J. RENGER, Patterns of Non-Institutional Trade, in: Incunabula Graeca 82, 1984, 31–123.   J. RE.

II. GRIECHENLAND

Im Griech. wurden verschiedene Begriffe verwendet, um die K. generell (λάφυρον/láphyron, klass. im Pl., oder λεία/leía) oder speziell die dem toten Feind abgenommene Rüstung (σκῦλον/skýlon) sowie versklavte Gefangene (ἀνδράποδον/andrápodon) zu bezeichnen. In den homer. Epen sind Kriegszüge oft kaum von reinen Beuteunternehmen zu unterscheiden; der Dichter hat damit wohl eine wichtige Seite des archa. Kriegswesens erfaßt. Diese Dimension hat der Krieg auch in späterer Zeit nie verloren: Plünderungen blieben ein selbstverständlicher Teil der Kriegführung, deren zentrales Motiv oft die Gewinnung von K. war (Plat. Phaid. 66c). Die Belege dafür reichen von Homer (Hom. Il. 1,154; 1,366ff.; 2,226ff.; 9,135ff.; 9,328ff.; 11,670ff.; Hom. Od. 9,40ff.; 14,229ff.) über Archilochos (frg. 2 WEST), Herodot (Hdt. 6,132: Miltiades-Zug gegen Paros) und Xenophon (Xen. hell. 5,1,17) bis zu nachklass. Autoren. Die Philos. prangerte demgegenüber die Gier nach K. als verderblich an (Plat. leg. 831e) und hielt Beuteerwerb nur bei Kriegen gegen Barbaren für legitim (Plat. rep. 471ab; Aristot. pol. 1256b 22f.).

Jedes bewegliche Gut – wie Vieh, Geld, Schmuck, Kleidung, Hausrat, Nahrung, Metalle, aber auch Menschen – konnte K. werden; dies gilt auch für Waffen und im Seekrieg außerdem für Schiffe. Auf längeren Kriegszügen wurden die K. und die Gefangenen an mitreisende Händler verkauft; sie konnten aber auch in der Heimatstadt auf den Markt gebracht werden. In archa. und klass. Zeit gehörte die K. bzw. der daraus erzielte Ertrag dem siegreichen Gemeinwesen. Unter Verbündeten war die Beuteverteilung häufig vertraglich festgelegt, während die hell. Könige die Beute für sich beanspruchten. Wie sie intern verteilt wurde, regelte jede Polis oder jeder Herrscher entsprechend den jeweiligen Umständen (Diod. 11,25,1; zum Problem der Beuteverteilung vgl. auch Xen. Kyr. 4,2,42ff.; 4,5,38ff.). Ein Teil der Beute, oft ein Zehntel, wurde zum Dank einer Gottheit geweiht, den anderen Teil erhielt der Feldherr; außerdem konnten besondere mil. Leistungen belohnt, der Sold bezahlt oder die öffentlichen Finanzen aufgebessert werden. Viele Feldzüge, namentlich gegen den Großkönig oder seine Satrapen, aber auch gegen griech. Städte, waren zweifellos sehr einträglich: Athens Wohlstand im 5. Jh. v. Chr. beruhte nicht zuletzt auf einer erfolgreichen Kriegführung. So waren wirtschaftliche Motive gerade für die sizilische Expedition (→ Peloponnesischer Krieg) der Athener ausschlaggebend (Thuk. 6,24,2 f.). Die Eroberung Olynths 348 v. Chr. verschaffte Philipp II. die Mittel, seine Eroberungspolitik fortzusetzen (Diod. 16,53,3). Der Alexanderzug war auch ein Beutezug, bei dem der König, seine Offiziere und seine Soldaten unermeßlichen Reichtum erwarben. Seit dem 4. Jh. v. Chr. waren Heere für ihre Versorgung zunehmend auf K. angewiesen und ernährten sich häufig aus den Gebieten, in denen der Krieg geführt wurde (vgl. prägnant Xen. Kyr. 3,3,16; 5,4,28).

Die panhellenischen Heiligtümer Griechenlands, v. a. Delphi und Olympia, haben viele materielle Zeugnisse von Beuteweihungen erbracht. Die Stiftungen zweier Helme aus der Perserbeute in Olympia, der eine von Miltiades geweiht, der andere von orientalischem Typus, sind bewegende Beispiele.

→ Heeresversorgung; Kriegsfolgen; Kriegsgefangene; Lytron; Sklaverei

1 Y. GARLAN, Guerre et économie en Grèce ancienne, 1989 2 W. NOWAG, Raub und Beute in der archa. Zeit der Griechen, 1983 3 W. K. PRITCHETT, The Greek State at War 5, 1991, 68–541 4 W. GAUER, Weihgeschenke aus den Perserkriegen, 1968 5 H.-V. Herrmann, Olympia, 1972, 181 Taf. 32c, Abb. 81.   LE. BU.

III. ROM

Die K. gehörte zu den wichtigsten Motiven der Kriegführung, der Eroberungen und der Expansionspolitik Roms. Die h. kritisierte Praxis, im Krieg Beute zu machen, galt in der Ant. als normaler Vorgang. In der lat. Sprache bezeichneten drei Begriffe die K. und ihre Verwendung: *praeda*, *spolia* und *manubiae*. Offiziere und Soldaten wußten, daß ein Sieg ihnen Reichtümer einbringen konnte; Gaius hat die in der Ant. allgemein anerkannte Sicht klass. juridisch formuliert (Gai. inst. 2,69). Die K. schloß auch den Körper des Feindes ein, der für die Sklaverei bestimmt war (→ Kriegsgefangene). Plünderungen nach der Schlacht wurden akzeptiert, soweit sie unter Beibehaltung der mil. Ordnung erfolgten (Onasandros 35).

Die K. wurde meist zwischen dem Gemeinwesen, dem Befehlshaber der siegreichen Truppen und den Soldaten aufgeteilt. Das Gemeinwesen erhielt das Land mit allen Gebäuden; es wurde dem → *ager publicus* hinzugefügt (Dig. 49,15,20,1). Polybios beschrieb ausführlich die Beuteverteilung nach der Eroberung einer Stadt: Die aus den Manipeln dafür ausgewählten Soldaten begannen mit der Plünderung; darauf wurde die Beute verkauft und das erlöste Geld von den Tribunen gleichmäßig verteilt, wobei diejenigen, die nicht am Kampf beteiligt waren, etwa Kranke oder Wachposten, nicht vergessen wurden (Pol. 10,16 f.; vgl. außerdem

Liv. 45,34). Der Befehlshaber der Legion konnte sich die weiteren Güter des Feindes aneignen. Er nutzte sie, um sein eigenes Vermögen zu mehren oder die Zahl seiner *clientes* zu erhöhen. Augustus verwendete seine K. für *congiaria* (→ *congiarium*), Bauten und Weihgaben für die Götter (*ex manibiis*: R. Gest. div. Aug. 15,1; 15,3; 21,1 f.). Nach dem Sieg bei Actium weihte Augustus die Beute den Göttern (Tac. ann. 2,53,2). Tacitus erwähnt für die frühe Prinzipatszeit den Grundsatz, daß ›die Kriegsbeute einer eroberten Stadt den Soldaten gehöre, die einer kapitulierenden Stadt hingegen den Befehlshabern‹ (*expugnatae urbis praedam ad militem, deditae ad duces pertinere*; Tac. hist. 3,19,2), denn mit der Kapitulation unterstellte sich eine Stadt der → *fides* Roms.

Die Existenz eines ökonomischen Interesses an der K. kann kaum angezweifelt werden. In der Zeit der Republik unternahmen mehrere Feldherren eigenmächtig Feldzüge oder begannen Kriege in der Erwartung, sich die K. aneignen zu können, so etwa Cn. Manlius Vulso in Kleinasien (Pol. 21,34–47; Liv. 38,12–15; 38,18; 38,45) oder L. Licinius Lucullus in Spanien (App. Ib. 51–55); nach Cato wollten die Senatoren, die 168 v. Chr. eine Kriegserklärung gegen Rhodos forderten, sich im Kriege gegen diese reiche Hafenstadt bereichern (Gell. 6,3,7; 6,3,52). Die Kriegführung Caesars in Gallien war ähnlich motiviert (Suet. Iul. 54,2 f.). Die Säulen des Traianus und des Marcus Aurelius (→ Säulenmonumente) zeigen plündernde Soldaten und sind ebenfalls ein Beleg dafür, daß ein solches Verhalten weithin akzeptiert wurde.

Daneben gab es weitere Aspekte der Überlassung der K.: Es galt als Ehre, Teile der Beute zu erhalten, und nach außen wurde dies sichtbar gemacht, indem die *spolia* am Haus eines Feldherrn angebracht wurden (Gell. 2,11,3; Liv. 10,7,9; Schiffsschnäbel im Haus des Pompeius: Cic. Phil. 2,68). Auch die Stadt selbst konnte K. einbehalten und sie als Ruhmeszeichen auf öffentl. Plätzen aufstellen, wie die als *spolia* geltenden Schiffsschnäbel auf dem Forum (*rostra*; Liv. 8,14,12; Plin. nat. 34,20). Ein Teil der K. wurde den Göttern als Weihgabe dargebracht, insbes. die Waffen und die Rüstung des gegnerischen Feldherrn, die *spolia opima*, die als *prima*, *secunda* oder *tertia* qualifiziert wurden, je nachdem, ob sie für Iuppiter Feretrius, Mars oder Quirinus bestimmt waren (Plut. Romulus 16; Liv. 4,20,5–6; Val. Max. 3,2,3; 3,2,6).

1 E. BADIAN, Roman Imperialism in the Late Republic, 1967 2 J. HARMAND, L'armée e le soldat à Rome de 107 à 50 a.n.è., 1967 3 HARRIS 4 J. RICH, G. SHIPLEY (Hrsg.), War and Society in the Roman World, 1993.   Y. L. B./Ü: C. P.

Kriegsdienstverweigerung. Unter K. ist – unabhängig von der jeweiligen Motivation – jede Ablehnung des Militär- bzw. Kriegsdienstes zu verstehen, also bei Wehrpflichtigen das Fernbleiben von der Musterung und das Nichtantreten des Dienstes, bei aktiven Soldaten Befehlsverweigerung, Desertion, Meuterei oder

Überlaufen zum Feind. Im Gegensatz zur Desertion (die im röm. Heer aus Angst vor Bestrafung für ein Vergehen, wegen der Härte des Dienstes und der Disziplin, aus Feigheit und Demoralisierung, aber auch wegen des besseren materiellen Angebotes des Gegners erfolgte) ist für die K. zumindest in einigen Fällen eine ethisch-moralisch, rel. oder polit. begründete Ablehnung des Krieges bzw. des Dienstes mit der Waffe und seiner möglichen Konsequenzen zu erkennen. Musonius Rufus z. B. wies in der Bürgerkriegssituation des Vierkaiserjahres 69 n. Chr. auf die *bona pacis ac belli discrimina* (›Glücksgüter des Friedens und Nöte des Krieges‹) hin (Tac. hist. 3,81).

K. wurde in Rom nicht toleriert, Befreiung (*vacatio*) vom Waffendienst nur in wenigen Ausnahmefällen gewährt. Die erste – polit.-sozial motivierte – K. soll 495/4 v. Chr. erfolgt sein (Liv. 2,27,10ff.). Gesicherte Zeugnisse existieren allerdings erst für die Zeit nach 275 v. Chr., so für die Kriege gegen Pyrrhos (Val. Max. 6,3,4), Hannibal (Liv. 24,18,7ff.; 2000 Männer beteiligt), gegen Perseus (Liv. 43,14,3f.) sowie in Spanien (Pol. 35,4,1ff.; App. Ib. 49). Der erste bekannte individuelle Fall von K. ist der des C. Vettienus, der sich um 90 v. Chr. die Finger der linken Hand abschnitt, um nicht im → Bundesgenossenkrieg [3] kämpfen zu müssen (Val. Max. 6,3,3). Die Selbstverstümmelung ist neben Flucht und Untertauchen (Suet. Tib. 8; Dig. 49,16,4,11) bei Wehrpflichtigen bis in die Spätant. als gängige Methode der K. bezeugt (Suet. Aug. 24,1; Dig. 49,16,4,12; Amm. 15,12,3; Cod. Theod. 7,13,4; 7,13,5; 7,13,10), während aktive Soldaten auch desertierten oder im Extremfall Selbstmord verübten (Dig. 28,3,6,7; 48,19,38,12). Die K. ging im frühen Prinzipat mit dem Aufkommen einer Berufsarmee wahrscheinlich zurück, jedoch führten Zwangsaushebungen zu Konfliktsituationen.

Christen verweigerten nicht generell den Waffendienst, da auch die Haltung der führenden Bischöfe hierzu widersprüchlich war. Dabei ist strittig, ob die K. eher aus Abneigung gegen (potentielles) Töten oder aus Angst vor Idolatrie (»Götzendienst« wegen der nichtchristl. Bildsymbole; vgl. die *imperatoris imagines*, Veg. mil. 2,7) erfolgte. Das spätant. christl. Imperium behandelte K. und Desertion als Verbrechen, da es auf die Wehrkraft aller Männer angewiesen war.

Zur K. im griech. Bereich s. → *deilías graphḗ*; *lipotaxíu graphḗ*.
→ Desertor

1 M. CLAUSS, s. v. Heerwesen (Heeresreligion), RAC 13, 1073–1113 2 W. GERLINGS, Die Stellung der Alten Kirche zu K. und Krieg, in: Osnabrücker Jahrbuch Frieden und Wissenschaft 4, 1997, 155–166 3 H. HEGERMANN, s. v. Krieg III, TRE 20, 25–55 4 J. HELGELAND, Christians and the Roman Army from Marcus Aurelius to Constantine, in: ANRW II 23.1, 724–834 5 J. H. JUNG, Die Rechtsstellung der röm. Soldaten, in: ANRW II 14, 882–1013 6 TH. KISSEL, K. im röm. Heer, in: Antike Welt 27,4, 1996, 289–296 7 KROMAYER/VEITH 8 J. RÜPKE, Domi militiae, 1990 9 E. SANDER, Das Recht des röm. Soldaten, in: RhM 101, 1958, 152–234 10 L. J. SWIFT, War and the Christian Conscience I: The Early Years, in: ANRW II 23.1, 835–868 11 L. WIERSCHOWSKI, K. im röm. Reich, in: AncSoc 26, 1995, 205–239 12 Ders., Roma naturaliter bellicosa? – K. und Fahnenflucht im Röm. Reich, in: Osnabrücker Jahrbuch Frieden und Wissenschaft 4, 1997, 131–154.
L. WI.

Kriegsfolgen I. GRIECHENLAND II. ROM

I. GRIECHENLAND

Welche Folgen ein Krieg im ant. Griechenland für Individuen, Städte oder Königreiche hatte, hing von seiner Dauer und Dimension ab; eine Sytematisierung oder Verallgemeinerung der K. ist daher nicht unproblematisch. Mehrere Autoren beschreiben das schreckliche Aussehen eines Schlachtfeldes (Xen. hell. 4,4,12; Xen. Ag. 2,14f.; Plut. Pelopidas 18,5; vgl. Thuk. 7,84f.). Während einer Hoplitenschlacht fielen in klass. Zeit durchschnittlich 5% der Sieger und 14% der Verlierer [4]; hinzu kamen die Verwundeten sowie die Gefangenen, die versklavt wurden. Die demographischen Verluste während eines Krieges konnten also beträchtlich sein; so verlor Athen durch die Niederlage auf Sizilien einen großen Teil der Hopliten und Reiter sowie der jungen wehrfähigen Männer (Thuk. 8,1,2; → Peloponnesischer Krieg). Langfristige Kriege führten zudem zu Verschuldung und Verarmung (vgl. schon Hom. Il. 18,288–292; Thuk. 8,1), von denen auch die Bevölkerung betroffen war (Athen: Xen. mem. 2,7; 2,8; Demosth. or. 57,45).

Wirtschaftliche Belastungen brachte auch die häufige Verwüstung der Territorien kriegführender Poleis mit sich; fiel dadurch nur eine einzige Ernte aus, konnte dieser Verlust allerdings relativ rasch wieder ausgeglichen werden. Schweren Schaden fügten die Spartaner während des Peloponnesischen Krieges durch ihre Einfälle in Attika der Wirtschaft Athens zu, insbesondere nach der Befestigung von Dekeleia, als über 20000 Sklaven zum Feind überliefen (Thuk. 2,55; 3,26; 7,27). Die Kriegführung Athens unterschied sich kaum von der Spartas (vgl. etwa Thuk. 2,27; 2,56; 4,56f.; 5,116). Auch die ständigen Kriege des 4. Jh. v. Chr. hatten erhebliche Zerstörungen zur Folge (Xen. hell. 3,2,26; 4,4,19; 4,6,4ff.; 5,2,43; 5,3,3; 5,4,56; 6,2,6; 6,5,15; 6,5,22; 6,5,27; 7,1,28). Manchmal wurden einzelne Landstriche annektiert, nur selten aber hing die Existenz einer Polis vom Ausgang eines Krieges ab. Die Auslöschung eines Gemeinwesens wie im Fall von Messene (7. Jh. v. Chr.), Sybaris (510 v. Chr.), Aigina (431 v. Chr.), Olynth (348 v. Chr.) oder Theben (335 v. Chr.) blieb die Ausnahme.

Nicht selten wurde jedoch Städten im Verlauf eines Krieges ein polit. System – Demokratie oder Oligarchie – oktroyiert. Außerdem kam es vor, daß eine Großmacht eine unterlegene Stadt in ihr Hegemonialsystem eingliederte; oft geriet die polit. Ordnung eines Kriegsverlierers infolge der Niederlage auch ohne direkte Intervention von außen in eine Krise (Athen 411 bzw. 404

v. Chr.). – In der polit. Theorie wurde die Verwüstung des Territoriums einer Polis durch griech. Heere kritisiert und in dieser Hinsicht deutlich zwischen Kriegen gegen Griechen und solchen gegen Barbaren unterschieden (Plat. rep. 470a–471c).

Der Zusammenhalt der hell. Reiche hing wesentlich vom mil. Erfolg des Monarchen ab. Eine Niederlage in der Schlacht und der Tod des Königs konnten bes. in der Diadochenzeit (323–280 v. Chr.) zum Ende eines Reiches führen (Lysimachos 281 v. Chr.). Die Soldaten sowie die Zivilbevölkerung hatten auch in dieser Epoche erhebliche, mit den ständigen Kriegen verbundene Belastungen zu tragen.

→ Bevölkerung; Kriegsbeute; Kriegsgefangene; Lytron

1 Y. GARLAN, Guerre et économie en grèce ancienne, 1989 2 H. J. GEHRKE, Stasis, 1985 3 V. D. HANSON, The Western Way of War, 1989 4 P. KRENTZ, Casualties in Hoplite Battles, in: GRBS 26, 1985, 13–20.   LE. BU.

II. ROM

In der Forsch. ist oft die wichtige Tatsache übersehen worden, daß Kriege in der Ant. auf viele Bereiche des polit., sozialen und wirtschaftl. Lebens unterschiedliche Auswirkungen besaßen. Auf innenpolit. Ebene konnten Kriege für Rom stabilisierend (wie der 2. Pun. Krieg) oder – wie die Kriege des 3. Jh. n. Chr. – destabilisierend wirken. Im Bereich der Außenpolitik dagegen bedeutete der Krieg für Rom die Wiederherstellung einer Ordnung, die vertraglich geregelt war, wobei die Verträge jeweils Rom eine führende Position einräumten. Ein solcher Vertrag enthielt Bestimmungen über die Grenzen eroberter Gebiete, über das Schicksal der Verbündeten, der Überläufer und der → Kriegsgefangenen sowie über die Zahlung einer Kriegsentschädigung und die Freilassung der Geiseln (Pol. 1,62,8–9).

Auf dem wirtschaftl. Sektor sind die K. von scharfen Gegensätzen geprägt: Einerseits sind Zerstörungen zu konstatieren; Anbauflächen waren verwüstet, Gebäude und Villen zerstört und Menschen getötet; so soll der 2. Pun. Krieg ungefähr 100 000 Tote gefordert haben, und Hannibal rühmte sich, 400 Siedlungen zerstört zu haben. Während der Krise des 3. Jh. n. Chr. kam es aufgrund der steigenden mil. Belastungen zu einer starken → Geldentwertung. Andererseits konnte dem Krieg aber auch eine Phase der Prosperität folgen. Im Krieg gegen Pyrrhos entstand eine eigentliche röm. Währung; der → denarius wurde geprägt, um den Krieg gegen Hannibal zu finanzieren. Auch Kaufleute wurden in den Kriegen reich (Pol. 14,7,2 f.); Rom wurde während des 2. Pun. Krieges zum größten Bevölkerungs- und Wirtschaftszentrum des Mittelmeerraumes. Die vom Krieg verschont gebliebenen Regionen (im 2. Pun. Krieg der NW Italiens und im 3. Jh. n. Chr. Afrika) konnten unter diesen Umständen ihre Produkte zu hohen Preisen exportieren. Im 2. Pun. Krieg, aber auch im Bundesgenossenkrieg und im Krieg gegen Spartacus wurden ganze Landstriche Italiens verwüstet (Strab. 6,3,11; Cic. Tull. 14); es war jedoch möglich, die Schä-

den der Landwirtschaft in vielen Fällen rasch zu beheben. Gerade Wein und Olivenbäume sind robuste Pflanzen, die rasch nachwachsen. Der Niedergang des Anbaus korrelierte in manchen Gegenden mit einem Aufschwung der Viehzucht. Erfolgreiche Kriege machten die *res publica* durch Annexion von Land, das *ager publicus* wurde, und die Soldaten durch die Aneignung der Beute reicher.

Aber der Krieg verschärfte auch die sozialen Disparitäten auf der röm. Seite, denn Gewinne und Belastungen durch den Kriegsdienst waren ungleich verteilt. Während der Feldzüge konnten die röm. Soldaten ihr Land nicht mehr bewirtschaften, und sie gerieten immer stärker unter den Druck der Konkurrenz der Güter, auf denen Sklaven arbeiteten. Das Anwachsen dieser Sklavenarbeit wurde dadurch begünstigt, daß immer mehr Kriegsgefangene versklavt wurden. Auf diese Weise wurden die Reichen immer reicher, die Armen immer ärmer. Der Ausbruch der polit. Krise durch die Agrargesetzgebung des Ti. Sempronius Gracchus 133 v. Chr. kann durchaus als Folge der vorangegangenen Kriege und der mit ihnen verbundenen Belastung bäuerlicher Schichten aufgefaßt werden.

Selbst die religiösen Traditionen wurden durch lang dauernde Kriege tangiert; 213 v. Chr. wurde ein Senatsbeschluß gefaßt, der die Verbreitung fremder Kulte in Rom eindämmen sollte und den Besitz von Wahrsagungsbüchern etc. untersagte (Liv. 25,1,6). Die Christenverfolgungen von 249 bis 303/304 n. Chr. sind ebenfalls unter diesen Aspekten zu sehen.

1 G. BRIZZI, Annibale, 1984 2 V. D. HANSON, Le modèle occidental de la guerre, 1990 3 J. LAFAURIE, L'Empire gaulois, in: ANRW II 2, 1975, 853–1012 4 Y. LE BOHEC, Histoire militaire des guerres puniques, 1995 5 B. SCARDIGLI (Hrsg.), I trattati romano-cartaginesi, Fonti e Studi 5, 1991 6 K. STROBEL, Das Imperium Romanum im 3. Jh., 1993 7 A. J. TOYNBEE, Hannibal's Legacy, 1965 8 H. ZEHNACKER, Moneta, 1973.   Y. L. B./Ü: C. P.

Kriegsgefangene I. ALTER ORIENT
II. GRIECHENLAND III. ROM

I. ALTER ORIENT

K. sind sowohl in Äg. (*sqr-ʿnḫ*, »Gebundene zu Erschlagende« [3]) als auch in Mesopot. in der Frühzeit (4./3. Jt.) oft schon auf dem Schlachtfeld erschlagen worden. Das Töten – als ritualisierte Handlung – bzw. das Vorführen der K. und der Beute vor dem Herrscher hatte ideologischen Charakter und war daher Thema bildlicher Darstellung (Südmesopot. 3100 v. Chr.: Erschlagen gefesselter nackter K. in Gegenwart des Herrschers [5. 9]; 24. Jh.: nackte männl. K. – wohl unmittelbar nach ihrer Gefangennahme – im Halsstock [7. 98; 103; 183]; Assyrien: 8./7. Jh.: Pfählen von K. [7. Abb. 214]); Vorführen von K. vor dem Herrscher [7. Abb. 210; 239]; Wegführen von gefangenen Frauen und Kindern [7. 223]; Äg.: Erschlagen eines K. durch Pharao Narmer [8. Abb. 238a]). Inschr. aus Mesopot., die im

Zusammenhang einer Schlacht von toten Feinden sprechen, lassen nicht immer erkennen, ob es sich um im Kampf Gefallene oder danach getötete K. handelt; das AT spricht vom Töten bzw. Am-Leben-Lassen von K. in 2 Sam 8,2; 4; ihre Blendung erwähnt 2 Sam 11,2.

K. galten als Beute (→ Kriegsbeute) des Herrschers (sumer. nam.ra.ak bezeichnet K. wie Beute; der akkad. Begriff für K. ist im 18. Jh. asīrum, »Eingeschlossener«; in assyr. Inschr. werden K. meist unter »Beute« subsumiert). Die Quellen unterscheiden nicht immer strikt zw. kriegsgefangenen Soldaten und Nichtkombatanten. K. wurden als Sklaven (*chattel slaves*) an Palast- und Tempelhaushalte sowie an Angehörige der Oberschicht als Belohnung verteilt (z.B. Hethiterreich 18. Jh. [2. 92]; NR Ägypten [3]; Assyrien 2. H. 2. Jt. [4. 245]). Frauen und Kinder wurden in Mesopot. im 21. Jh. den Tempeln zugewiesen, wo sie vermutlich in den Manufakturen (→ *ergastérion*) arbeiteten. Versklavte K. sind von in Schuldknechtschaft befindlichen Einheimischen zu unterscheiden. K. (wohl vor allem Frauen) waren Gegenstand des Sklavenhandels. Das Rechtsbuch des Ḫammurapi § 32 regelt den Freikauf kriegsgefangener Babylonier. Als nennenswerte Ressource für Arbeitskräfte kamen versklavte K. in den durch landwirtschaftl. Produktion geprägten Ges. des Alten Orients nur in begrenztem Umfang in Frage, da sie – in großer Zahl eingesetzt – schwer zu kontrollieren gewesen wären. Daher wurde ihr individueller Status dem der übrigen abhängigen Bevölkerung angepaßt.

Im äg. NR wurden K. gelegentlich als kasernierte Truppen in Grenzfestungen gelegt [3]. Im Hethiterreich, bei den Assyrern [6. 106] sowie laut AT wurden Kontingente kriegsgefangener mil. Einheiten (u. a. → Streitwagen-Truppen) in die eigenen Armeen eingegliedert. Der im 1. Jt. v. Chr. von den Assyrern und dem neubabylon. Herrscher → Nebukadnezar systematisch betriebene Austausch von – meist der Oberschicht angehörenden – Bevölkerungsgruppen (Deportation; z. B. »Exil« der judäischen Oberschicht) aus eroberten Gebieten diente v. a. der mil. und polit. Sicherung dieser Gegenden. Diese Deportierten galten nicht als Sklaven, sondern als Untertanen. Deportierte Handwerker wurden als Spezialisten beim Bau und der Ausschmückung assyr. Paläste eingesetzt; Arbeitseinsatz von K. ist auch im AT bezeugt (2 Sam 12,31). Angaben über die Anzahl von K. in den Texten aus Mesopot., dem Hethiterreich, dem AT und Äg. erlauben in der Regel nur bedingt quantitative Schlußfolgerungen.

→ Sklaverei

1 Chicago Assyrian Dictionary A/2, 1968, 331 f., s. v. *asīrum* 2 I. J. GELB, Prisoners of War in Early Mesopotamia, in: JNES 32, 1973, 70–98 (mit vgl. Lit.) 3 W. HELCK, s. v. K., LÄ 3, 786–788 4 H. KLENGEL, s. v. K., RLA 6, 243–246 5 H. J. LENZEN, Die Tempel der Schicht Archaisch IV in Uruk, in: ZA 49, 1949, 1–20 6 M. DE ODORICO, Numbers and Quantifications in the Assyrian Royal Inscriptions, 1995 7 PropKg Bd. 14 8 PropKg Bd. 15. J. RE.

II. GRIECHENLAND

K., für die kein einheitlicher griech. Begriff existiert, waren in Griechenland Besitz des Siegers, der nach Gutdünken mit ihnen verfahren konnte. Dies belegen Äußerungen ant. Philosophen (Plat. rep. 468a-b; Aristot. pol. 1255a 6 f.), die allerdings die Versklavung von Griechen durch Griechen kritisierten (Plat. rep. 469b-c; vgl. Aristot. pol. 1255a 21–31), sowie Berichte über das Vorgehen einzelner Poleis im Kriege. Es gab verschiedene Möglichkeiten, K. zu behandeln: Tötung, Versklavung, zeitweilige Einkerkerung und Zwangsarbeit, Vertreibung oder Deportation, Aufnahme ins eigene Heer, Freilassung nach Friedensvertrag, gegen Lösegeld oder im Austausch oder auch bedingungslose Freilassung.

Neben Haß und Rachedurst dürften auch polit. und mil. Opportunität, wirtschaftliches Interesse, der Status der Gefangenen, das Bestreben, den Feind kampfunfähig zu machen, die Hartnäckigkeit des Widerstandes oder vertragliche Regelungen der Kontrahenten vor und während des Kampfes die Entscheidung über die Behandlung der K. beeinflußt haben. Nach DUCREY wurde in ungefähr 25% der bekannten Fälle (ohne Homer und Trag.) nach einer Feldschlacht oder nach einer erfolgreichen Belagerung zumindest ein Teil der K. umgebracht; gerade während des Peloponnesischen Krieges kam es zu einer Vielzahl von Massentötungen (Mytilene: Thuk. 3,50; Plataiai: Thuk. 3,68; Melos: Thuk. 5,116): Nach der Eroberung einer Stadt wurden die Männer häufig hingerichtet, während Frauen und Kinder in die Sklaverei verkauft wurden. Eine längere Gefangenschaft war selten und hatte zur Voraussetzung, daß der Sieger sich davon wirtschaftliche oder polit. Vorteile versprechen konnte. So wurde das geschlagene athenische Heer unter bes. harten Bedingungen in den Steinbrüchen bei Syrakus festgehalten (Thuk. 7,86,1; 7,87; zum Schicksal eines gefangenen Atheners vgl. Demosth. or. 57,18).

Vertreibungen und Deportationen der Bevölkerung eroberter Städte kamen während der gesamten griech. Gesch. vor (vgl. zu Sparta: Xen. hell. 2,3,6; Philipp II.: Diod. 16,34,5; Philipp V.: Pol. 23,10,4–6); Athen siedelte in den Territorien unterworfener Bündner häufig Kleruchen (→ Kleruchoi) an (Thuk. 3,50,2). Nach einem Sieg konnte ein Heer die Soldaten des Gegners in die eigenen Reihen aufnehmen; dies gilt bes. für Söldner, die keine innere Bindung an die kriegführenden Parteien hatten, und ist daher vor allem für die hell. Zeit bezeugt. Eine Freilassung von K. wurde normalerweise in Verhandlungen vereinbart und aufgrund eines Friedensvertrages ausgeführt (Thuk. 5,18,7; 5,35,4). Wenn der Sieger seine Großmut demonstrieren wollte, konnte eine Freilassung sogar bedingungslos erfolgen: Philipp II. etwa ließ nach der Eroberung Poteidaias (356 v. Chr.) die Bürger der Stadt zwar versklaven, gewährte aber den Athenern, die an der Verteidigung beteiligt waren, die Freiheit (Diod. 16,8,5).

→ Kriegsbeute; Lytron; Sklaverei; Söldner

1 P. DUCREY, Le traitement des prisonniers de guerre dans la Grèce antiques des origines à la conquête romaine, 1968.
LE. BU.

III. ROM

A. RÖMER ALS KRIEGSGEFANGENE
B. FREMDE KRIEGSGEFANGENE

A. RÖMER ALS KRIEGSGEFANGENE

Die röm. Juristen definierten Kriegsgefangenschaft/*captivitas* als Verlust der Freiheit (*deminutio capitis maxima*); die *captivitas* verursachte den Verlust aller an die *civitas Romana*, das röm. Bürgerrecht, gebundenen Rechte, so in der Zeit der Republik des aktiven und passiven Wahlrechtes; gleichzeitig waren im zivilen Bereich alle Rechte und Rechtsbeziehungen aufgehoben (Ehe, Besitz, das Recht auf das *peculium castrense*, Testier- und Erbfähigkeit). Die rechtliche Stellung eines K. entsprach damit der eines Toten (Dig. 49,15,18). In allen Rechtsordnungen der Ant. wurde der K. auf den Status des Sklaven herabgedrückt, er wurde in der allg. Meinung zum Objekt der Verachtung: Nichts achtete man in Rom weniger als die K. (Liv. 22,59).

Die röm. Republik fühlte sich K. gegenüber in keiner Weise verpflichtet und war insbesondere nicht bereit, sie freizukaufen: Nach der Katastrophe von Cannae nahm der Senat trotz der kritischen mil. Lage davon Abstand (Liv. 22,59,1). Immerhin sahen aber Friedensverträge die Auslieferung der Gefangenen vor (Pol. 1,62,8–9). Die Politik Roms in dieser Frage war in der Tat sehr geschickt, denn einerseits überließ Rom die K. ihrem Schicksal, damit sie nicht als Druckmittel eingesetzt werden konnten, andererseits war der Verlust des röm. Bürgerrechtes nicht endgültig, wie die Institution des → *postliminium* zeigt. Ein Bürger, der vom Feind gefangengenommen worden war, konnte sich auf das *ius postliminii* berufen (Dig. 49,15,4), wenn es ihm gelang, zu entkommen; er erhielt dann die Freiheit und das röm. Bürgerrecht zurück (Dig. 49,15,5; 49,15,13; 49,15,19). Darunter fiel nicht, wer sich durch einen Eid zur Rückkehr zum Feind verpflichtet hatte. Dies war bei M. Atilius Regulus der Fall, der in Nordafrika gefangengenommen worden war und im Auftrag der Karthager nach Rom reiste, um vom Senat eine Freilassung karthagischer Gefangener zu erreichen (Cic. off. 3,99–108). Zuvor hatte er sich durch einen Eid verpflichtet, nach Karthago zurückzukehren; daher konnte er das *ius postliminii* nicht für sich in Anspruch nehmen (Dig. 49,15,5). Dasselbe galt für einen an den Feind ausgelieferten Mann (*deditus*): Die Juristen Brutus und Scaevola stritten darum, ob er nach einer Flucht das röm. Bürgerrecht wiedererlangen konnte. Die Trad. beantwortete diese Frage negativ (Dig. 49,15,4). Befreite K. wurden oft befragt, um so Informationen über den Gegner zu erhalten.

B. FREMDE KRIEGSGEFANGENE

Obgleich die Kriege Roms nicht primär dem Ziel dienten, Angehörige fremder Völker zu versklaven und die Wirtschaft Italiens mit Arbeitskräften zu versorgen, waren Gefangennahme und Versklavung der Soldaten feindlicher Heere und der Bevölkerung eroberter Städte üblich. Oft wurden die K. sofort auf dem Kriegsschauplatz verkauft (Cic. Att. 5,20,5), bisweilen wurden K. zu *servi publici* gemacht (Pol. 10,17,9). In großer Zahl gelangten versklavte K. nach It., so etwa nach dem 2. Pun. Krieg (Liv. 32,26,6). Im 2. Jh. v. Chr. kam es zu regelrechten Massenversklavungen; Ti. Sempronius Gracchus rühmte sich, daß unter seinem Befehl in Sardinien 80 000 Menschen getötet oder versklavt worden seien (177 v. Chr.; Liv. 41,28,8), und 167 v. Chr. sollen in Epirus 150 000 Menschen versklavt worden sein (Liv. 45,34,5).

→ Kriegsbeute; Sklaverei

1 M. HERNÁNDEZ-TEJERO, Aproximación histórica al origen del »ius postliminii«, in: Gerión 7, 1989, 53–63
2 J. KOLENDO, Les romains prisonniers de guerre des barbares au Ier et au IIe siècles, in: Index 15, 1987, 227–234
3 H. VOLKMANN, G. HORSMANN, Die Massenversklavungen der Einwohner eroberter Städte in der hell.-röm. Zeit, [2]1990.   Y. L. B./Ü: C. P.

Kriegskunst s. Militärtechnik

Kriegsrecht. Die Anfänge des ant. K. sind wie diejenigen des → Völkerrechts insgesamt kaum auf bestimmte Ereignisse oder Verträge zu fixieren. Schon vor der griech. und röm. Zeit gab es jedoch Vorstellungen und Gewohnheiten, die man im nachhinein als Teil eines K. verstehen kann. So galt es wohl schon im alten Mesopotamien wie auch im homer. Griechenland als legitim, im Kriege Beute zu machen, und bes. wichtiger Teil der Beute war von jeher die Versklavung von → Kriegsgefangenen und unterworfenen Völkern (s. auch → Kriegsbeute). Im AT (Dt 20) begegnet das Gebot, eine Stadt, die sich freiwillig unterwirft, nicht mit Krieg zu überziehen. Daraus entwickelt sich die Notwendigkeit, einem Gegner zunächst den Frieden anzubieten. Hierin liegt wohl eine wichtige Vorstufe für das Erfordernis der Kriegserklärung.

Zu den frühen Zeugnissen eines K. bei den Griechen gehören die Erzählungen der Ilias über den Waffenstillstand (→ *ekecheiría*) zur Bestattung der Toten. Grenzen der Kriegsführung ergaben sich ferner aus der → *amphiktyonía*: Die Städte der Kultgenossenschaft durften andere Mitglieder nicht zerstören und belagern. Um so grausamer und zerstörerischer war aber der Krieg bei den Griechen im übrigen: Nur das bekannteste Beispiel ist das Schicksal der Melier 416 v. Chr.: Trotz der Neutralität der Stadt im → Peloponnesischen Krieg wurden die Männer von den Athenern getötet und die übrige Bevölkerung in die Sklaverei verkauft (vgl. Thuk. 5,85–113). Die Kriegserklärung vor Beginn der Kampfhandlungen war in Griechenland häufig, galt aber nicht als rechtliche Voraussetzung eines legitimen Krieges. In der Regel wurden die Kämpfe durch Verträge beendet. Dies galt auch für die Kapitulation.

In ausgeprägtere Rechtsformen haben die Römer den Krieg gebunden. Dies galt aber nur für dessen Beginn und Ende: Die Kriegserklärung (*indictio belli*) erfolgte regelmäßig erst nach förmlicher Mitteilung einer Genugtuungsforderung durch einen röm. Priester (→ *fetiales*), Ablauf einer 30-Tage-Frist und Beschluß des Senates. Hiermit war die Vorstellung verbunden, daß Krieg einer bes. Legitimation bedarf. Daraus entwickelte sich die Idee des gerechten Krieges (*bellum iustum*). Während des Krieges gab es Verträge über Waffenstillstand (*indutiae*), u. a. zur Vorbereitung eines Friedensvertrages. Auch der Abschluß des Krieges hatte selbst bei Unterwerfung der Besiegten durch Kapitulation oder bedingungslose Übergabe (→ *deditio*) die Gestalt eines Vertrages.

Eine privatrechtliche Seite des röm. K. bestand im Recht der Kriegsgefangenen, bei ihrer Rückkehr nach Rom in vollem Umfang wieder ihre frühere Rechtsstellung einzunehmen (→ *postliminium*).

→ Fides; Kriegsschuldfrage; Kriegsfolgen; Kriegsgefangene

1 K. H. ZIEGLER, Völkerrechtsgesch., 1994, 20–73   2 F. SINI, Bellum nefandum, 1991, 187–232.   G. S.

Kriegsschiffe s. Flottenwesen

Kriegsschuldfrage. Hinweise auf öffentl. Empörung über Friedensstörer bei Homer (Hom. Od. 24,424–437) und die Entstehung des röm. Ritus der → *fetiales* zur Eröffnung eines *bellum iustum* (→ Völkerrecht) zeigen, daß Kriege auch in archa. Zeit nicht als Normalzustand betrachtet und daß K. diskutiert wurden [1. 127]. Größere polit. Bedeutung gewannen K. im Zuge von Expansionsbestrebungen. Die auslösenden Aktionen und Ursachen, die zu Kämpfen zwischen Griechen und »Barbaren« führten, bilden ein Leitmotiv im Werk des → Herodotos. Richtungsweisend für alle späteren Diskussionen um K. wurde die Differenzierung zwischen Ursache und Anlässen des → Peloponnesischen Krieges durch → Thukydides. Er sieht den eigentlichen Grund (1,23,5 f.: *alēthestátē próphasis*) im Machtzuwachs Athens und der hierdurch bedingten Furcht der Spartaner und versucht mit seiner These, Großmächte würden zwangsläufig in Konflikte geraten, simplifizierende gegenseitige Schuldzuweisungen zu widerlegen.

Auch → Polybios will im 2. Jh. v. Chr. im Rahmen seiner Darstellung des Aufstiegs Roms zur Weltmacht eine umfassende Analyse der Entstehung der Pun. und Maked. Kriege bieten (→ Punische Kriege). Dabei sucht er den röm. Standpunkt, Roms Kriege seien stets als Abwehr äußerer Bedrohung zu verstehen, zu überwinden und »unvoreingenommen« zu zeigen, wie Rom als Vormacht Italiens auf die Herausforderung durch die karthag. Großmacht reagierte, indem es Sicherheitsbarrieren errichtete und konsequent zu behaupten vermochte, bis es nach dem Hannibalkrieg (218–201 v. Chr.) entschlossen in die Konflikte der griech.-hell. Welt eingriff, um potentiell gefährliche Machtbildungen zu zerschlagen. Eine ausführliche Stellungnahme des Polybios (36,9) zur röm. Politik gegenüber Karthago 149 v. Chr. gibt Aufschluß über zeitgenöss. griech. K.-Diskussionen.

Leitfaden späterer Beurteilung röm. Expansion und Kriegführung ist eine Weltherrschaftsideologie, in der Rom die Aufgabe einer Ordnungsmacht auf ewig zugesprochen wird (Cic. off. 2,2,7: *patrocinium orbis terrae*; vgl. Cic. rep. 3, speziell 3,22,33 ff.; Verg. Aen. 6,851). Kritische Stimmen setzen dieser Ideologie den Vorwurf der Kriegslust und Räuberei entgegen (Sall. hist. 6, Brief des Mithradates VI.; Tac. Agr. 30–32, Rede des Calgacus; Aug. civ. 4,3–4).

→ Punische Kriege; Völkerrecht; KRIEG

1 A. GRAEBER, Friedensvorstellung, in: ZRG 109, 1992, 116–162.

S. ALBERT, Bellum iustum, 1980 · G. E. M. DE STE. CROIX, The Origins of the Peloponnesian War, 1972 · C. HEUCKE, Mit dem Unrecht leben, in: U. FELLMETH, H. SONNABEND (Hrsg.), Alte Gesch. FS E. Olshausen, 1998, 85–97 · B. D. HOYOS, Unplanned Wars, 1998 · D. KAGAN, The Outbreak of the Peloponnesian War, 1969 · E. A. MEYER, The Outbreak of the Peloponnesian War after Twenty-five Years, in: CH. D. HAMILTON, P. KRENTZ (Hrsg.), Polis and Polemos. FS D. Kagan, 1997, 23–54 · J. RÜPKE, Domi Militiae, 1990 · CH. SCHUBERT, K. BRODERSEN (Hrsg.), Rom und der hell. Osten. FS H. H. Schmitt, 1995 · D. VOLLMER, Symploke, 1990 · V. M. WARRIOR, The Initiation of the Second Macedonian War, 1997.

K.-W. WEL.

Krimisos (Κριμισός). Fluß in Westsizilien (*Crinis(s)us*), Verg. Aen. 5,38; *Crinisos*, Vibius Sequester 1,44), an dem → Timoleon 340/339 v. Chr. die Karthager besiegte (Plut. Timoleon 25 mit Diod. 19,2,8), und zwar einer der Flüsse bei Segesta (Fiume Freddo, Belice destro, Belice sinistro); dies wird nahegelegt durch die Sage, der Flußgott K. habe mit der Troerin Egesta den → Aigestos gezeugt (Verg. Aen. 5,36 ff.). Auf Mz. von Segesta erscheint K. als Hund; auch eine menschliche Darstellung ist bekannt (Ail. var. 2,33), vgl. [1].

1 G. MANGANARO, s. v. Criniso (sic), EV 1, 933 f.

GI. MA. u. K. Z./Ü: H. D.

Krinagoras (Κριναγόρας) von Mytilene. Geb. um 70 v. Chr., gest. wahrscheinlich nicht vor 11 n. Chr. (Anth. Pal. 7,633, vgl. 9,283). K. war in seiner Heimatstadt ein einflußreicher Mann. Seine Teilnahme an verschiedenen Gesandtschaften seiner Stadt ist inschr. bezeugt: im Jahr 48 oder 47 sowie im Jahr 45 nach Rom (IG XII 35a; 35b), im Jahr 26/25 nach Tarragona in Spanien (zu Augustus, IG XII 35c). Auch in Rom war K. hochangesehen; er gehörte dem Kreis der Octavia, der Schwester des Augustus, an. K. zählt zu den bed. Epigrammdichtern des »Kranzes« des Philippos (Anth. Pal. 4,2,8). Erh. sind 51 Gedichte von guter Qualität, im allg. ohne übertriebene stilistische Spitzfindigkeiten, die aber eine wertvolle histor. Quelle darstellen: Es handelt sich meist um Gelegenheitsgedichte (nicht selten als Beigaben zu

Geschenken), die persönliche Erfahrungen und zeitgenössische Ereignisse stets mit Bezügen auf die berühmten Persönlichkeiten der Zeit reflektieren. Seine schmeichlerische Absicht nimmt zuweilen groteske Züge an: Anth. Pal. 9,224 ist einer Ziege gewidmet, die eine Aufnahme unter die Gestirne verdiene, weil sie Caesar Augustus ihre Milch gegeben hatte, ebd. 9,562 einem Papagei, der in einen Busch entflohen ist und nun allen Vögeln beibringe, wie der Kaiser zu begrüßen sei). Eine Elegie zu Ehren des K. schrieb Parthenios von Nikaia (ein Vers ist erh., SH 624).

GA II 1, 198–231; 2, 210–60.   M.G.A./Ü: T.H.

Krinas (Crinas) aus Marseille (→ Massalia), Arzt, der zu Neros Lebzeiten nach Rom kam (Plin. nat. 29,9). Er erwarb sich hohes Ansehen, als er die Astronomie mit der Medizin verband, indem er die Diätpläne für seine Patienten nach dem Lauf der Sterne ausrichtete. Als er starb, hinterließ er 10 Millionen Sesterzen, nachdem er einmal bereits die gleiche Summe aufgewandt hatte, um die Befestigungswälle und andere Anlagen in seiner Geburtsstadt wieder instandsetzen zu lassen.

V.N./Ü: L.v.R.-B.

Krinis (Κρῖνις). Stoischer Logiker, Verf. einer ›Kunst der Dialektik‹ (Διαλεκτικὴ τέχνη; vgl. Diog. Laert. 7,62; 68; 71; 76). Eine Anspielung in Epikt. Dissertationes 3,2,15 datiert seine Schaffenszeit in die Zeit nach → Archedemos [2] von Tarsos (spätes 2. Jh. v. Chr.) und seinen Tod vor das Ende der philos. Laufbahn des Epiktetos (frühes 2. Jh. n. Chr.).   B.I./Ü: J.DE.

Krioa (Κριώα). Att. Asty(?)-Demos der Phyle Antiochis. Mit einem, ab 307/6 v. Chr. zwei *buleutaí*. Lage ungewiß, wegen genealogischer Beziehungen des eponymen Heros Krios (schol. Aristoph. Av. 645) zu Pallas wird eine Nähe zu Pallene vermutet [1; 2. 373²]. Die Grabinschr. IG II² 6108 der Frau eines Κριωεύς stammt aus Kypseli.

1 E. HONIGMANN, s.v. K., RE 11, 1866 2 P.J. BICKNELL, Akamantid Eitea, in: Historia 27, 1978, 369–374.

TRAILL, Attica 23, 54 mit Anm. 27, 59, 69, 111 Nr. 77, Tab. 10 • J.S. TRAILL, Demos and Trittys, 1986, 139.   H.LO.

Kriobolion

[1] (κριοβόλιον, lat. *criobolium*; IG XIV 269 Nr. 1018,4 und 10, 4. Jh. n. Chr.). Widderopfer, das vornehmlich im Attis-Kybele-Kult [1; 2] – nicht im März [3] –, nach Ausweis der lat. Inschr. (2.–3. Jh.) [4; 5] in Kombination mit dem → *taurobolium* (Stieropfer) ausgeführt wurde.

1 PH. BORGEAUD, Taurobolion, in: F. GRAF (Hrsg.), Ansichten griech. Rituale, 1998, 183–185 2 W. BURKERT, Ant. Mysterien, ³1994, 93 3 NILSSON, GGR 2, 651 4 M.J. VERMASEREN, Corpus Cultus Cybelae Attidisque (CCCA), 1996, 193, s.v. criobolium 5 E. LOMMATZSCH, s.v. criobolium, ThlL 4, 1206.

[2] Wettkampf der Epheben in Pergamon (OGIS II 514 mit Anm. 36, 37, Nr. 764, 27, 135 v. Chr.)., bei dem ein Widder gefangen und geopfert wurde.   W.-A.M.

Krios (Κριός, Κρῖος oder Κρεῖος, »Widder«).
[1] Der dritte der sechs Titanen, Sohn von → Uranos und → Gaia (Hes. theog. 134). Mit der Göttin Eurybie zeugt er → Astraios, → Pallas und → Perses (Hes. theog. 375) [1. 390]. Nach Pausanias (7,27,11) wurde ein Fluß in Achaia nach K. benannt.

[2] Seher, der zur Zeit der dor. Einwanderung in Sparta lebt. In seinem Haus wird der Widder-Gott Karneios (→ Karneia) verehrt. Seine Tochter trifft beim Wasserholen die dor. Späher und führt sie zu ihrem Vater, der ihnen verrät, wie sie sich der Stadt bemächtigen können (Paus. 3,13, 3–5).

[3] König von → Euboia [1]. Sein Sohn soll zweimal → Delphoi beraubt haben und wird von → Apollon getötet (Paus. 10,6,6).

[4] Pädagoge des → Phrixos. Er verrät ihm die Anschläge seiner Stiefmutter Ino (vgl. [2]). Nachdem K. mit diesem nach → Kolchis geflohen ist, wird er geopfert und seine vergoldete Haut in einem Heiligtum aufgehängt. Dies stellt eine andere Lesart der Sage vom Goldenen Vlies dar (Diod. 4,47,5; → Argonautai). Hinter diesen Darstellungen erkennt man einen alten theriomorphen peloponnes. Gott, der sich nach der Abschaffung der tiergestaltigen Gottheiten in andere Götter oder Menschen verwandelt hat.

1 P. GRIMAL, Dictionnaire de mythologie grecque et romaine, 1951, 390, Stammbaum 32 2 Ders., s.v. Athamas, ebd., 56f.

H. LAMER, s.v. K. (1)–(8), RE 11, 1866–1869 • K. SCHERLING, s.v. Kr(e)ios, RE 11, 1705–1707.   EL.STO.

[5] s. Sternbilder

Krisa (Κρίσα). Stadt in West-Phokis (Κρίσα: Hom. Il. 2,520; Hekat. FGrH 1 F 115a; Pind. I. 2,18; Soph. El. 180; Strab. 9,3,3; Paus. 10,37,5; Plin. nat. 4,7; Frontin. strat. 3,7,6; schol. Pind. P. 1 hypoth.; Ptol. 3,14,4; Hesych. s.v. K.; Κρίσσα/η: Hom. h. Apollon 282; Eust. in Hom. Il. 526; Κίρσα: Alk. fr. 121 D.), Toponym der im SO von Kirphis und Parnassos begrenzten (Κρισαῖον πεδίον: Hdt. 8,32; h. Ebene von Itea) Schwemmlandebene an der Bucht des korinth. Golfs. K. liegt auf dem Felssporn (vgl. Pind. P. 5,37: Κρισαῖος λόφος; Hom. h. Apollon 282ff.) südl. vom h. Chryso, wo nahe der Kapelle Hagios Georghios eine Siedlung aus vor- und frühgesch. Zeit lag (E. myk. Zeit mit einem Kyklopenmauerring befestigt, evtl. die »göttliche K.« bei Hom. Il. 2,520). Ca. 1,5 km südl. von K. lag an der Küste westl. der Mündung des Pleistos der Hafen von Kirrha, dem man die sichtbaren Reste am Südrand der Magula von Xeropigadi (h. wieder Kirrha) zurechnet; sie bestätigen die Besiedlung dieses Orts seit Anf. der Brz., Blütezeit im MH, Niedergang in myk. Zeit (zugunsten von K.). Auf die Fruchtbarkeit der Ebene, die Nähe zum Meer und die Lage am Schnittpunkt regionaler Land- und See-Verbindungen sind der Wohlstand der vor- und frühgesch. Siedlungen und die strategische Bed. zurückzuführen.

In der ant. Überl. wurden K. und Kirrha gleichgesetzt (vgl. Paus. 10,37,5; Etym. m. s. v. K.). Die E. des ersten Hl. Kriegs zerstörte Stadt (→ Delphoi, → Heilige Kriege) wurde bald K. (Strab. 9,3,3; Frontin. strat. 3,7,6; Pind. P. 1 hypoth.), woher die Bezeichnung dieses Konfliktes als »Krisäischer Krieg« (Κρισαῖος/Κρισαικὸς πόλεμος, vgl. Strab. 9,3,3) stammt, bald Kirrha gen. (Diod. 9,16; Aischin. 3,107–113; Paus. 10,37,4; Plut. Solon 11; Polyain. 3,5; Marmor Parium FGrH 239 F 37) – daher auch die Bezeichnung der Gegend als »Ebene und See von Kirrha« (τὸ Κιρραῖον πεδίον καὶ λιμήν, Aischin. l.c., vgl. Ps.-Skyl. 37). Durch den Mangel an späteren arch. Zeugnissen wird die Zerstörung von K. nahegelegt. Kirrha fungierte als »Ankerplatz« (ἐπίνειον) von Delphoi (Paus. 10,37,4); arch. Befunde aus klass., hell., röm. und byz. Zeit (jetzt Chryson gen.) und lit. Belege (Paus. l.c.; Ptol. 3,14,4 für die Kaiserzeit) dokumentieren Siedlungskontinuität trotz Zerstörungen von 339 (Aischin. 3,123) und 281 v. Chr. (Iust. 24,1,4f.). Die feindselige Haltung von K./Kirrha gegenüber Delphoi trug zu ihrem Ruf als gottloser Stadt bei (Aischin. 3,107; Kallisthenes FGrH 124 F 1). Am E. des ersten Hl. Krieges wurde die Ebene zur Apollon geweihten »Heiligen Zone« erklärt (Aischin. 3,107f.; Demosth. or. 45,149–155; Polyain. 3,5; Strab. 9,3,4; Paus. 10,37,4; CID I, 10).

G. DAVERIO ROCCHI, La »hiera chora« di Apollo, la piana di Cirra e i confini di Delfi, in: M.-M. MACTOUX (Hrsg.), Mél. P. Lévêque 1, 1988, 117–125 • L. DOR u. a., K., 1960 • E. W. KASE, A Study of the Role of K. in the Mycenaean Era, in: AJA, 75, 1971, 205 f. • F. SCHOBER, Phokis, 1924, 32–34 • TIB 1, 195.   G. D. R./Ü: H. D.

Kritias (Κριτίας) aus Athen, geb. um 460 v. Chr., entstammte einer alten att. Adelsfamilie, mütterlicherseits war er Onkel von → Platon. Wie → Alkibiades [3] gehörte er dem Kreis um → Sokrates an. Polit. zählte er zu den antidemokratischen Kräften: 415 wurde er der Teilnahme am → Hermokopidenfrevel bezichtigt, 411 war er Mitglied im oligarchischen Rat der 400 (→ Tetrakosioi). Nach der demokratischen Restauration hielt er sich bis 404 in Thessalien auf, nach der athenischen Niederlage 404 war er einer der führenden Köpfe des Terrorregimes der 30 Tyrannen (→ Triakonta). 403 fiel er im Kampf gegen die Demokraten unter Thrasybulos bei Munichia (Piräus).

Wie → Ion [2] von Chios betätigte sich K. in einer Vielzahl lit. Gattungen: Ein hexametrisches Gedicht ist → Anakreon [1] gewidmet (88 B 1 DK), in einer Elegie beschreibt er Erfindungen verschiedener Länder (B 2), eine andere ist an Alkibiades gerichtet, wobei er wegen des Namens des Adressaten den Pentameter durch einen iambischen Trimeter ersetzt (B 4). Aus seinen ›Staatsverfassungen‹ in elegischen Distichen sind Fr. über die spartanische Verfassung erhalten (B 6f.). Nicht eindeutig geklärt ist, ob K. auch Trag. verfaßte, da zwei Titel (›Peirithoos‹, ›Sisyphos‹) in der Überl. teils K., teils Euripides [1] zugeschrieben werden. In der Forsch. hat sich weitgehend WILAMOWITZ' These [1] durchgesetzt, der für K. eine Tetralogie ›Tennes‹, ›Rhadamanthys‹, ›Peirithoos‹ mit dem Satyrspiel ›Sisyphos‹ rekonstruiert hat [2]. Der ›Peirithoos‹ (TrGF 43 F 1–12) hat Herakles' Unterweltsgang und die Befreiung des Theseus zum Inhalt; aus dem ›Sisyphos‹ ist ein längeres Fr. (F 19) erh., in dem eine Erklärung des Ursprungs der Gesetze und eine rationalistische Theorie der Religionsentstehung gegeben wird.

In Prosa hat K. weitere Staatsverfassungen (88 B 30–38 DK: Athen, Thessalien, Sparta), Aphorismen (B 39), Gespräche (B 40f.), eine Schrift ›Über die Natur der Liebe oder die Tugenden‹ (B 42) und Proömien zu polit. Reden (B 43) verfaßt.

1 U. V. WILAMOWITZ-MOELLENDORFF, Analecta Euripidea, 1875, 166 2 A. LESKY, Die trag. Dichtung der Hellenen, ³1972, 525.

M. CENTANNI, Atene assoluta: Crizia dalla tragedia alla storia, 1997 • A. DIHLE, Das Satyrspiel ›Sisyphos‹, in: Hermes 105, 1977, 28–42 • DIELS/KRANZ 2, 371–399 • TrGF I 43 • B. GAULY u. a. (Hrsg.), Musa tragica 1991, 108–125 • GUTHRIE 3, 298 ff.   B. Z.

Kritios (Κρίτιος; in Schriftquellen: Κριτίας). Bronzebildner in Athen. K. wird immer zusammen mit Nesiotes gen. Seine Blütezeit 448–444 v. Chr. ist bei Plinius zu spät angesetzt. K. war Zeitgenosse des → Hegias [1]. Sein Stil galt in der Ant. als altertümlich und trocken. Er wurde als Meister des sog. → Strengen Stils (1. Drittel 5. Jh. v. Chr.) berühmt durch die Statuen des → Harmodios [1] und → Aristogeiton, die sog. Tyrannenmörder-Gruppe, die 477/6 v. Chr. als Ersatz für eine 480 von den Persern geraubte Gruppe des → Antenor [2] auf der Athener Agora aufgestellt wurde. Da sie sogleich in verschiedenen Medien wiedergegeben wurde, konnte sie in röm. Marmorkopien (Neapel, NM) identifiziert werden. Umstritten ist, ob und wie sich K. am Werk des Antenor orientierte. Erh. Frg. der originalen Basis mit Teilen der Inschr. werden meist auf die Gruppe des K. bezogen. Auf der Akropolis sind vier Statuenbasen mit Signatur von K. und Nesiotes erhalten. Von diesen entstand die Statue eines Waffenläufers Epicharinos, die Pausanias noch sah, nach 480 v. Chr.; die Weihung des Hegelochos stellte eine Athena Promachos dar, eine weitere einen Reiter. Der sog. K.-Knabe, eine um 480 v. Chr. datierte Marmorstatue von der Akropolis, wurde K. mit fraglicher stilistischer Begründung zugeschrieben. Pausanias und Plinius führen zu K. eine Bildhauerschule bis in die fünfte Generation an.

OVERBECK, Nr. 443; 452; 453; 457–463; 469 • LIPPOLD, 106–108 • A. RAUBITSCHEK, Dedications from the Athenian Akropolis, 1949, 120–123; 160–161 a; 513–517 • W. FUCHS, in: EAA 4, 410–415 • B. RIDGWAY, The Severe Style in Greek Sculpture, 1970, 70–83; 90–91 •

S. Brunnsaker, The Tyrant-Slayers of Kritios and Nesiotes, 1971 · J. Kleine, Unt. zur Chronologie der att. Kunst von Peisistratos bis Themistokles, in: MDAI(Ist) Beih. 8, 1973, 67–78 · B. Fehr, Die Tyrannentöter, 1984 · W. H. Schuchhardt, C. Landwehr, Statuenkopien der Tyrannenmörder-Gruppe, in: JDAI 101, 1986, 85–126 · Stewart, 135–136; 251–252.   R. N.

Kritische Zeichen (griech. σημεῖα/*sēmeía*, lat. *notae*). Eine der wichtigsten technischen und methodologischen Erfindungen der alexandrinischen → Philologie waren die in der philol.-exegetischen Arbeit benutzten k. Z. Ihre Entwicklung und Anwendung ist nur sporadisch und lückenhaft belegt. Eine Ausnahme bildet jedoch die Editions- und Exegesetechnik der alexandrinischen Grammatiker im Hinblick auf Homer, über die wir sowohl durch eine kleine Zahl anon. gramm. Exzerpte und Homerscholien (vgl. [4; 6]) als auch durch Papyrus-Fr. von Homertexten und -komm. (vgl. [5; 8]) hinreichend unterrichtet sind; auch zu Platon verfügen wir über einige Informationen.

Frühester Erfinder von k. Z. war → Zenodotos von Ephesos (1. H. 3. Jh. v. Chr.), der den → *obelós*, einen kurzen horizontalen Strich (–), einführte, mit dem er jene Homerverse markierte, die er athetierte (d. h. als unecht gestrichen) wissen wollte. Dabei handelte es sich nicht einfach um ein technisches Arbeitsinstrument; vielmehr lag seine Bed. darin, daß der Philologe sein eigenes kritisches Urteil ohne drastischen Eingriff in den Text, der Gegenstand seiner → Ausgabe (*ékdosis*) war, zum Ausdruck brachte und somit dem Urteil anderer freien Raum ließ. Einige Jahrzehnte später verfolgte → Aristophanes [4] von Byzanz diesen Weg weiter und vervollkommnete die philol. Technik auch durch eine vergrößerte Zahl der benutzten k. Z.: Er führte den → *asterískos* (✳) sowie *sígma* (C) und *antísigma* (Ↄ) ein (mit den beiden letztgenannten bezeichnete er zwei aufeinanderfolgende Verse gleichen Inhalts).

Das System der k. Z. wurde schließlich von → Aristarchos [4] von Samothrake perfektioniert, der ihre Zahl noch einmal vergrößerte und ihre Anwendung präzisierte und strukturierte; die k. Z. stellten die Verbindung zw. der Ausgabe des Homertextes, in dem sie neben dem jeweiligen Vers notiert waren, und dem Komm. (*hypómnēma*) sicher, der sie interpretierte. Abgesehen vom traditionellen *obelós* (für Athetierungsvorschläge) waren für Aristarchos → *diplé* (> zur Anzeige verschiedener Erklärungen und gelehrter Anm.) und *diplé periestigménē* (⋗, d. h. »punktiert«: zur Anzeige von Meinungsunterschieden gegenüber → Zenodotos) charakteristisch; mit dem *asterískos* markierte er wiederholte Verse (*asterískos* allein an Stellen, wo er sie für passend hielt, *asterískos* mit *obelós* an Stellen, wo er sie für unpassend hielt und somit ihre Streichung empfahl); er benutzte auch *antísigma* (Verse in verkehrter Reihenfolge), *antísigma periestigménon* (d. h. »punktiert«, zur Anzeige zweier Verse gleichen Inhalts), *stigmḗ* (d. h. »Punkt«, anscheinend zur Anzeige eines schwächeren Authentizitätszweifels als ihn der *obelós* bezeichnete) und vielleicht

auch das *keraúnion* (»Zeichen von der Gestalt eines Blitzes«, das etwa so aussah: T).

In augusteischer Zeit widmete der Grammatiker → Aristonikos [5] eines seiner Werke der Erklärung der k. Z. des Aristarchos in Bezug auf den Homertext; sein Material ging (zusammen mit dem des Didymos [1] von Alexandreia) über den → Viermännerkommentar in die Homerscholien ein. Insbes. der berühmte ›Cod. Venetus‹ A der ›Ilias‹ überliefert auf dem Rand neben den Versen zusammen mit den Scholien, die sie erklären, eine große Zahl dieser k. Z. (über 2000). Darüber hinaus erscheinen k. Z. sporadisch in Papyrusfr. homer. Texte.

Für andere lit. Gattungen besitzen wir kein ebenso informatives Material, doch ist sicher, daß die k. Z. in der philol. Praxis benutzt wurden. So wurde etwa der *asterískos* von Aristophanes [4] von Byzanz in seiner Alkaios-Ausgabe zur Anzeige eines Wechsels des Versmaßes benutzt, von Aristarchos dagegen zur Anzeige des Übergangs zu einem neuen Gedicht (Hephaistion 74,5–13). Die Papyrusfr. bieten Beispiele für die Anwendung von k. Z. auf Texte der lyrischen und dramatischen (trag. wie kom.) Dichtung als auch auf Prosatexte [5; 8. 112–118].

Eine Stelle bei Diog. Laert. (3,66) und der Papyrus PSI 1488 (aus dem 2. Jh. n. Chr., also unabhängig davon) bezeugen ein analoges System von k. Z. für den Platontext. Es unterscheidet sich von demjenigen für den Homertext, doch sind viele k. Z. identisch und werden oft ebenso verwendet. Neben dem *obelós* zur Markierung von Athetesen (Streichungen) steht der *obelós periestigménos* (÷) für arbiträre Athetesen; ferner finden sich hier, mit jeweils spezifischer Bed., *diplé*, *diplé periestigménē*, *antísigma*, *antísigma periestigménon*, *asterískos* und *keraúnion* sowie, zur Kennzeichnung eines bei Platon üblichen Stilgebrauchs, der griech. Buchstabe χ, in Gestalt des *chi periestigménon* (.χ.) zur Kennzeichnung ausgewählter Wendungen und eleganter Ausdrücke (auch in lyrischen und dramatischen Texten zur Markierung bes. Stellen).

Zu weiteren, sporadisch und in bes. Fällen gebrauchten k. Z. vgl. [4; 5].

→ Asteriskos; Diple; Korrekturzeichen; Obelos; Philologie; Scholien

1 H. Alline, Histoire du texte de Platon, 1915, 86 ff. 2 A. Carlini, Studi sulla tradizione antica e medievale del Fedone, 1972, 18–23 3 M. Gigante, Un papiro attribuibile a Antigono di Caristo?, in: PSI 1488, in: Div. Autoren, Papiri Filosofici. Miscellanea di studi, 1998, 111–114 4 A. Gudeman, s. v. K. Z., RE 11, 1916–1927 5 K. McNamee, Sigla and Select Marginalia in Greek Literary Papyri, 1992 6 F. Montanari, Studi di filologia omerica antica, Bd. I, 1979, 43–75 7 Pfeiffer, KP I, passim (index s. v. σημεῖα) 8 E. G. Turner, Greek Papyri. An Introduction, ²1980, 100–124 9 Ders., Greek Manuscripts of the Ancient World (2. Aufl., hrsg. von P. J. Parsons), 1987, passim (index s. v. Critical signs).
     F. M./Ü: T. H.

Kritobulos s. Sokratiker

Kritodemos. (Κριτόδημος). Astrologe hell. Zeit, von Plinius d. Ä. zusammen mit → Berossos, von Firmicus Maternus mit den ältesten Vertretern griech. Astrologie gen., hauptsächlich benutzt von → Vettius Valens (die von Valens in Zusammenhang mit K. erwähnten Horoskope jedoch reichen in spätere Zeit, z. T. bis ins 2. Jh. n. Chr.), dann auch von Hephaistion (2,10,41–46), Rhetorios und Theophilos von Edessa. Sein Werk Ὅρασις (Hórasis/›Zision‹), dessen Anf. Valens 3,9,3 = 9,1,5 überl. und das einen mystisch-poetischen Stil verrät, behandelt Stufenjahre (klimaktḗres), Lebensdauer, gewaltsames Lebensende (biaiothanasía) und Planetenbezirke (hória: nur hierauf bezieht sich die »Zusammenfassung« CCAG VIII 3,102). Der von Heph. 2,10,41 erwähnte Titel Πίναξ/Pínax (›Tafel‹) bezeichnet wohl eher eine Tafel als ein ganzes Werk. Eine Fr.-Slg. ist ein Desiderat.

QUELLEN: P. SCHNABEL, Berossos und die babylon.-hell. Lit., 1923, 118–120 (Verzeichnis der Fr.) · Fr. 13: CCAG VIII 1,257–261 (ein etwas abweichender Text: W. HÜBNER, Grade und Gradbezirke, 1995, 215–258) · Fr. 17: CCAG VIII 4,199–202.
LIT.: F. BOLL, s. v. K., RE 11, 1928–1930 · O. NEUGEBAUER, H. B. VAN HOESEN, Greek Horoscopes, 1959, 185 f. W. H.

Kritolaos (Κριτόλαος).
[1] von Phaselis, peripatetisches Schuloberhaupt 1. H. 3. Jh. v. Chr. [1; 2] und der bedeutendste peripatetische Philosoph der Zeit zw. → Straton und → Andronikos [4] (Testimonien in [3]). Er begleitete → Karneades und → Diogenes [15] von Babylon bei der Philosophengesandtschaft nach Rom 156/5 v. Chr. K. verteidigte gegen die Stoiker die aristotelische Lehre von der Ewigkeit der Welt und vom fünften Element (von dem er annahm, daß die Seele auch hieraus geschaffen sei; → Elementenlehre). Er schloß in das höchste Gut auch körperliche und äußerliche Güter ein. Die stoische Unterscheidung zw. der Vorsicht als zulässigem »gutem Gefühl« (εὐπάθεια) und der Angst als unzulässiger Leidenschaft kritisierte K. als rein sprachlich. Dennoch spiegelt K.' Bestimmung des ethischen Ziels als ›die der Natur gemäße Vollendung des Lebens in Wohlstand‹ (τελειότης κατὰ φύσιν εὐροοῦντος βίου, fr. 20 WEHRLI) den Stoiker → Zenon wider. In der Ablehnung der Ansicht, daß Rhet. eine Kunst sei [3. 70], folgte er Platon und behauptete, daß → Demosthenes [2] von Aristoteles' Regeln profitiert habe.

1 H. V. ARNIM, s. v. K. (3), RE 9, 1930–1932 2 R. GOULET, s. v. Critolaos de Phaselis, in: GOULET 2, 521–522 3 WEHRLI, Schule, Bd. 10, ²1969, 40–74.
F. OLIVIER, De Critolao Peripatetico, 1895 · F. WEHRLI, K. von Phaselis, in: GGPh², 1983, 588–591. R. S./Ü: J. DE.

[2] Achaier, stratēgós 147/6 v. Chr. mit außerordentlichen Vollmachten, trieb gemeinsam mit → Diaios den Achaiischen Bund mit antiröm. Demagogie in die Katastrophe des Achaiischen Krieges und fiel in der Schlacht bei → Skarpheia gegen Q. → Caecilius [I 27] Metellus (Pol. 38,10–13; Diod. 32,26; Paus. 7,14 f.).

J. DEININGER, Der polit. Widerstand gegen Rom in Griechenland, 1971, 224–234. L.-M. G.

Kriton (Κρίτων).
[1] Wohlhabender gleichaltriger Freund des → Sokrates, wie dieser aus dem Demos Alopeke (Plat. apol. 33d; Plat. Krit. 44b; Xen. mem. 2,9,2; 2,9,4); Gesprächspartner des Sokrates in Platons ›Kriton‹ und ›Euthydemos‹ und bei Xen. mem. 2,9,1–3. In Platons ›Kriton‹ rät K. Sokrates erfolglos zur Flucht aus dem Gefängnis. Der Epikureer → Idomeneus behauptete, in Wirklichkeit habe nicht Kriton, sondern Aischines [1] aus Sphettos dies getan (Diog. Laert. 2,60; 3,36). Diogenes Laërtios (2,121) führt die Titel von 17 Dialogen an, die K. verfaßt habe. → Sokratiker.

SSR VI B 40–51 · DAVIES 336. K. D.

[2] Att. Komödiendichter, der am Dionysien-Agon von 183 und 167 v. Chr. jeweils den zweiten Platz errang [1. test. 1. 2]. Erh. sind vier Stücktitel (Αἰτωλός/›Der Aitoler‹, Ἐφέσιοι/›Die Epheser‹, Μεσσηνία/›Die Messenierin‹, Φιλοπράγμων/›Der Geschäftige‹) und drei Fr.: In Fr. 1 scheint ein Soldat zu sprechen, in Fr. 3 ein Parasit beschrieben zu werden (oder selbst zu sprechen?).

1 PCG IV, 1983, 346–348. H.-G. NE.

[3] Bildhauer aus Athen. Mit Nikolaos schuf er im mittleren 2. Jh. n. Chr. mehrere Kanephoren (→ Kanephoroi) als architektonische Stützfiguren, die nahe Rom gefunden wurden. Repliken sind aus Athen bekannt.

LOEWY, Nr. 346 · G. LIPPOLD, Kopien und Umbildungen griech. Statuen, 1923, 58 · A. SCHMIDT-COLINET, Ant. Stützfiguren, 1977, 26–29 · E. SCHMIDT, Zu einigen Karyatiden in Athen, Rom und London, in: AA 1977, 257–274 · A. STEWART, Attika, 1979, 168 · R. BOL, in: Forsch. zur Villa Albani. Katalog der ant. Bildwerke, 2, 1990, Nr. 178–180. R. N.

[4] Bildhauer aus Athen. K. ist verm. Kopist der von ihm signierten Statue eines stiertötenden Mithras in Ostia, zu der eine Replik aus Rom bekannt ist. Die Datierung ist umstritten, eine Gleichsetzung mit K. [3] daher fraglich.

L. GUERRINI, in: EAA 4, 415–416, Nr. 3. R. N.

Kriu Metopon (Κριοῦ μέτωπον, »Stirn des Widders«). Bezeichnung der beiden südlichsten Spitzen der Taurischen → Chersonesos [2]: Kap Capyc und Kap Ai Todor (Plin. nat. 4,86; Ps.-Skymn. 953; Ptol. 3,6;2) gegenüber dem Kap Karambis in Paphlagonia. Von hier aus hat der Sage nach der goldene Widder → Phrixos zu den Kolchoi getragen (Ps.-Plut. De fluviis 14,4).

V. D. BLAVATSKIJ, Očerki noennogo dela v antičnih gosudarstvah severnogo Pričernomor'ja, 1954, 133 f. I. v. B.

Krixos (lat. Crixus). Mit → Spartacus einer der Führer des großen Sklavenaufstandes 73 v. Chr. Nachdem K. sich Anf. 72 vom Hauptheer getrennt hatte, wurden seine Truppen in Apulien vom Consul L. Gellius [4] und dem Propraetor Q. Arrius [I 4] geschlagen, er selbst fand den Tod (Sall. hist. 3,96 M.; Liv. per. 95 f.; App. civ. 1,540–543 u.a).   K.-L. E.

Krobylos (Κρωβύλος). Komödiendichter des 4. Jh. v. Chr., von dem 11 Fr. erh. sind; zwei davon lassen sich der Komödie Ἀπαγχόμενος (›Der sich Erhängende‹), zwei der Ἀπολείπουσα (oder -λιποῦσα, ›Die Frau, die (den Mann) verläßt‹) und drei dem Ψευδυποβολιμαῖος (›Der falsch Untergeschobene‹) zuordnen.

    1 PCG IV, 1983, 350–355.   B. BÄ.

Krobyzoi (Κρόβυζοι). Großer getischer Teilstamm (→ Getai), der zw. dem unteren Athrys (h. Jantra) und dem unteren Oiskos (h. Iskar) sowie dem → Pontos Euxeinos lebte (Hekat. FGrH 1 F 170; Arr. an. 1,1; 1,3; Ptol. 3,10,4). Durch ihr Land (Κροβυζική) flossen Athrys, Noes und Artanes (der h. Vit?, Hdt. 4,49). Nach dem Zerfall des Odrysenreiches (→ Odrysai) scheint er sich weiter nach Süden bis zu den Nordhängen des → Haimos ausgebreitet zu haben (Strab. 7,5,12). Von Isanthes, einem sagenhaft reichen König der K., berichtet Phylarchos (FGrH 81 F 20). Mit den Getai gemeinsam verehrten die K. → Zalmoxis (Hellanikos FGrH 4 F 73). In Skythia Minor (der h. Dobrudža) lebten sie zusammen mit Skythai und Griechen (sog. μιγάδες Ἕλληνες/ »Mischgriechen«, Ps.-Skymn. 754 ff.), deren Kultur sie stark beeinflußte.

    A. Fol, T. Spiridonov, Istoričeska geografija na trakijskite plemena, 1983, 36 f., 113–115 · D. M. Pippidi, D. Berciu, Din istoria Dobrogei 1, 1965, 90 ff. · A. Avram, Unt. zur Gesch. des Territoriums von Kallatis in griech. Zeit, in: Dacia 35, 1991, 103–137.   I. v. B.

Kröte s. Frosch

Kroiseios (Κροίσειος στατήρ). Münze des lydischen Königs → Kroisos (Mitte 6. Jh. v. Chr.) aus reinem Gold (99%) mit einander zugewandten Löwen- und Stierprotomen auf dem Av. und zwei vertieften Quadraten (→ Quadratum Incusum) auf dem Rv., ausgebracht als schwerer und leichter → Stater mit 10,71 g bzw. 8,055 g mit Unterteilung in Drittel-, Sechstel- und Zwölftelstater. Neben den Goldmz. wurden in reinem Silber Statere zu 10,70 g und Hemistatere zu 5,35 g geprägt. Bei einem Gold/Silber-Wertverhältnis von 1/13,33 entsprechen 20 silberne Hemistatere einem leichten Goldstater [1].

    1 P. Naster, The Weight-System of the Coinage of Croesus, in: Actes du 8ᵉ Congr. Intern. de Numismatique, New York-Washington 1973, 1976, 125–133.

    H. Chantraine s. v. K., KlP 3, 352 · Schrötter, s. v. K., 327 f.   GE. S.

Kroisos (Κροῖσος, lat. Croesus).
A. Historische Persönlichkeit
B. Kroisos in der griechischen und lateinischen Überlieferung

A. Historische Persönlichkeit

Lyd. König (ca. 560–547 v. Chr.), letzter der Mermnaden-Dynastie (→ Mermnadai). Wichtigste Quelle bleibt → Herodotos' Lyder-Logos (Hdt. 1,6–94), auch wenn er wenig Altanatolisches bewahrt hat. K.' Mutter war Karerin (→ Karia), die seines Bruders Pantaleon Ionierin (Hdt. 1,92). Von einer Königin ist nie die Rede.

Als Prinz war K. Söldnerführer und Statthalter in → Adramyttion (FGrH 90 F 65), später vielleicht Mitregent an der Seite seines Vaters → Alyattes, schließlich dessen Nachfolger (vgl. Hdt. 1,92). Obwohl designiert, war der Weg zum Thron mörderisch (vgl. Plut. mor. 401e). Zum Dank hat K. seiner Schutzgottheit Artemis/ Magna Mater später eine goldene Statue nach Delphoi gestiftet, so ist wohl Herodot (1,51) zu deuten. Artemis wurde von Lydern, Karern und Griechen gleichermaßen verehrt.

Mit den Inselioniern schloß K. einen Freundschaftsvertrag (Hdt. 1,27). Die griech. Städte des kleinasiat. Festlandes machte er dagegen als erster steuerpflichtig (Hdt. 1,6; 27); vor ihm gab es nur Razzien und Tributeintreibung. Zwei Festlandsstädte bekamen dabei Sonderstatus: Ephesos und Miletos. Die Milesier blieben Freunde und Bundesgenossen (Hdt. 1,22; 141). Ephesos, über das K.' Neffe → Pindaros gebot, wurde von K. zwar einmal belagert, konnte aber seine Freiheit behaupten, nachdem es sich unter den Schutz der Artemis gestellt hatte (Polyain. 6,50). Wie am Heiligtum in Troia oder Didyma trat K. auch hier als Neugründer oder Stifter in Erscheinung: Das Artemision behielt seinen altanatol. Charakter; ein Filialheiligtum existierte in → Sardeis.

Seinen sprichwörtlichen Reichtum erzielte K. aus Bergwerken im Gebiet von Pergamon (Aristot. mir. 834a). Gold für die Mz.-Prägung ließ er sich dagegen wohl durch die Milesier aus dem Schwarzmeergebiet beschaffen (vgl. Aristeas FGrH 35 F 4).

K. war ein großer Eroberer. Herodot (1,28) bietet einen Katalog aller Untertanen. Die Grenze seines Reiches zu Medien (→ Media) war der Halys (Hdt. 1,103), allerdings nur in seinem Oberlauf bei Mazaka/Pteria? (h. Kayseri). K.' Kriegspraxis war altererbt: Akribisch erprobte Orakel wurden befragt (→ Delphoi), die eigentliche Kriegführung dem Kronprinzen übertragen, die offene Feldschlacht gesucht, über eroberte Städte der Fluch gesprochen (Strab. 13,1,42), die Bewohner deportiert (Hdt. 1,76).

Vergeblich versuchte Sandanis, ein Lyder mit luw. Namen, K. vom Kriege gegen → Kyros [2] abzubringen (Hdt. 1,71). K. schloß Bündnisse mit Ägypten, Babylon und Sparta (Hdt. 1,69; 77). Als Kriegsziel wird Kappadokia angegeben. Damit ist medisch Katpatuka, griech. Kilikia gemeint. In zwei Schlachten war K. unterlegen

(Hdt. 1,73–85). Ob K. getötet oder begnadigt wurde, läßt sich nicht mehr zweifelsfrei klären. K.' Regierungsdaten – 14 J. (2×7) und 14 Tage (Hdt. 1, 86) – dürften magischen Ursprungs sein.

C. H. GREENWALT, JR., Croesus of Sardis, in: J. M. SASSON (Hrsg.), Civilizations of the Ancient Near East II, 1995, 1173–1183 • D. G. HOGARTH, Lydia, in: CAH III ²1960, 501–524.   PE. HÖ.

B. KROISOS IN DER GRIECHISCHEN UND LATEINISCHEN ÜBERLIEFERUNG

Bereits Anf. des 5. Jh. v. Chr., 50 J. vor Herodotos' berühmtem K.-Logos (s. A.), setzen bildliche und lit. Zeugnisse ein, die ein reges Interesse der Griechen an der Figur des K. dokumentieren. K. erscheint dort – aufgrund seiner großzügigen Weihgaben v. a. in Delphi – als Vorbild des frommen Herrschers (Pind. P. 1, 94; Bakchyl. 3, 23–62), der auf seinen »tragischen« Sturz durch → Kyros [2] mit dem »heroischen« [1. 8] Akt der Selbstverbrennung reagiert (Amphora des Myson, 490 v. Chr.: K. auf dem Scheiterhaufen [2]; Bakchyl. l. c.: Lösung des Theodizeeproblems dadurch, daß Apollon den brennenden Scheiterhaufen durch Regen löscht und K. zu den Hyperboreern entrückt). Indizien lassen eine K.-Tragödie für die 1. H. des 5. Jh. vermuten (s. [1. 10]; [3]: Trilogie, in der K. für die Verfehlung des → Gyges büßt (?); dagegen [4. 329]).

Erstmals bei Herodot wird der Grund für K.' tragisches Schicksal zusätzlich in dessen ethischem Fehlverhalten bzw. -einschätzung gesehen (bes. Hdt. 1, 29–33; 34,1; 86–91): Dieselbe »Verblendung« und »Überheblichkeit« (hýbris), mit der K. sich im Gespräch mit Solon (1, 27–31; 32,1) aufgrund seines Reichtums für den glücklichsten Menschen hält und die ihn hindert, Solons Warnung vor dem »Neid der Götter« (phthónos tōn theōn) und der Unbeständigkeit des menschlichen Schicksals zu begreifen, führt ihn auch zur Fehldeutung der delphischen Orakel und damit zum verhängnisvollen Angriffskrieg gegen Kyros. Erst auf dem Scheiterhaufen (Hdt. 1, 86–91) erkennt er die »Wahrheit« von Solons Lebensauffassung; er wird aufgrund seiner Erzählung des Gesprächs mit Solon von Kyros begnadigt und nun selbst zum weisen Ratgeber des Kyros (s. auch Hdt. 1, 207) [4; 5. 11 ff.].

In der Folgezeit erfreute sich das Exempel des K. bei griech. und lat. Autoren großer Beliebtheit (s. Plut. Solon 27,1; Zusammenstellung der Stellen [6; 8. 455]). Neben der Verwendung des Stoffes in Fürstenspiegel und Herrscherpanegyrik (Xen. Kyr. 7,2,9–29; Lib. or. 18,74: Iulianos [11] Apostata) lassen sich v. a. zwei Hauptrichtungen der Interpretation ausmachen: Die Mahnung an die Wechselhaftigkeit des menschlichen Glücks (z. B. Diod. 9, 2–4; Plut. Solon, 27: sōphrosýnē des Solon) und die kynische (bzw. stoische) Gegenüberstellung von Reichtum und Glück (z. B. Lukian. Charon 9–13). In der Neuzeit wurde der Stoff u. a. in der Oper von R. KEISER »Der hochmütige, gestürzte und wieder erhabene Croesus« ([7]; aufgeführt: Hamburg

1710 und 1730) aufgenommen – mit ausdrücklich didaktischer Zielsetzung über die »Unbeständigkeit weltlicher Ehre und Reichthums« (ebd.). Bis h. tradiert hat sich auch der schon in der Ant. sprichwörtliche Reichtum des K. (Belege s. [8. 465 f.]).

→ Herodotos; Hybris; Kyros; Solon

1 W. BURKERT, Das Ende des K. Vorstufen einer herodoteischen Geschichtserzählung, in: Ch. Schäublin (Hrsg.), Catalepton. FS B. Wyss, 1985, 4–15 2 E. SIMON, Die griech. Vasen, 1976, 107 f. mit Abb. 133 3 B. SNELL, Gyges und Kroisos als Tragödienfiguren, in: ZPE 12, 1973, 197–205 4 D. ASHERI, Erodoto, Le storie, Bd. 1, 1988, XLVff.; CVIIff.; 281 ff.; 320 f. 5 P. OLIVA, Solon – Legende und Wirklichkeit (Konstanzer Althistorische Vorträge und Forsch. 20), 1988, 11–17; 84 f. 6 Ders., Die Gesch. von K. und Solon, in: Das Altertum 21, 1975, 175–181 7 U. SCHREIBER, Die Kunst der Oper, Bd. 1, 1988, 160 f. 8 F. H. WEISSBACH, s. v. K., RE Suppl. 5, 1931, 455–472.

I. FRINGS, Der Weise und der König: Solon und Kroisos bei Herodot und Lukian (Xenia Toruniensia 2), 1996.
CHR. SCH.

Krokeai (Κροκέαι). Ort in Südlakonia (h. Κροκεές, Krokeés), berühmt durch den ca. 3 km südöstl. gebrochenen, in der röm. Kaiserzeit hochgeschätzten grünen Porphyr (lapis Lacedaemonius). Belege: Paus. 3,21,4; Strab. 8,5,7; Plin. nat. 36,55; Steph. Byz. s. v. K.

R. BALADIÉ, Le Péloponnèse de Strabon, 1980, 203–207 • M. und R. HIGGINS, A Geological Companion to Greece and the Aegean, 1996, 54 f. • C. LE ROY, Lakonika, in: BCH 85, 1961, 206–215 • G. A. PIKOULAS, CIL III, 493 (Κροκεές Λακωνίας), in: Horos 6, 1988, 75 ff. • B. POULSEN, A Relief from Croceae, in: T. FISCHER-HANSEN u. a. (Hrsg.), Recent Danish Research in Classical Archaeology, 1991, 235 ff. • H. WATERHOUSE, R. HOPE SIMPSON, Prehistoric Laconia. Part I, in: ABSA 55, 1960, 103–107.   Y. L.

Krokodil. 1) Nil-K.; Crocodilus niloticus Cuv.; zuerst von Hdt. 2,68 beschrieben (κροκόδειλος, ägypt. auch chámpsas); crocodilus, Isid. orig. 12,6,19; äg. msḥ. Seine Länge beträgt etwa 8 m (über 11 m laut Ail. nat. 17,6), es hat eine recht kurze Zunge (Aristot. part. an. 2,17,660b 27–29; Plut. Is. 75). Die Anhebung des Schädels zusammen mit dem unbeweglichen Oberkiefer bei scheinbarer Ruhelage des Unterkiefers erweckte den Eindruck, als sei nur der Oberkiefer beweglich (Plin. nat. 8,89; 11,159; vgl. Hdt. 2,68; Aristot. hist. an. 1,11,492b 23 f.). Als Lungenatmer (Aristot. hist. an. 1,1,487a 22) legen K. Eier (Plin. nat. 8,89), die sie angeblich abwechselnd bebrüten (Plin. nat. 10,170, aber richtig Cic. nat. deor. 2,129), und halten sich nachts im Wasser auf (Cic. nat. deor. 2,124). Mit dem Schnepfenvogel »Krokodilswächter« (τρόχιλος/tróchilos, Pluvianus aegyptius) leben sie in enger Gemeinschaft (Hdt. 2,28; Ail. nat. 3,11; 12,15; Apul. apol. 8), mit → Delphinen [1] aber in Feindschaft, da ihnen diese aus Konkurrenzgründen angeblich mit ihrer scharfen Rückenflosse den Bauch aufschlitzen (Plin. nat. 8,91; Solin. 32,26). K. erreichen ein

Alter von 60 Jahren (Ail. nat. 10,21) und vermehren sich schnell, weil sie selten getötet werden (Diod. 1,35; vgl. Amm. 22,15,15–20), falls ihre Eier nicht vom → Ichneumon zerbrochen werden (Diod. ebd.).

K. wurden mit einem Fleischköder an der Angel (Hdt. 2,70; Diod. 1,35), mit dem Netz (Diod. 1,35) oder der Harpune gefangen (Ail. nat. 10,24; Strab. 17,814). 58 v. Chr. wurden in Rom erstmals 5 K. zur Schau gestellt (Plin. nat. 8,96), Augustus ließ 36 K. im Circus Flaminius erlegen (Cass. Dio 55,10). Elagabalus [2] besaß ein K. als Haustier (SHA Heliog. 17,28,3). Symmachus berichtet in seinen Briefen über die erfolglose Haltung von K. für seine Spiele (Symm. epist. 9,141; 151; 6,43) [1. 212f.]. Nach Hdt. 2,69; 90; Strab. 17,811; Diod. 1,89 war das K. manchen Ägyptern heilig, besonders in → Arsinoe [III 2] [2. 292f.], nicht aber den Bewohnern von → Elephantine und Apollonopolis (Hdt. 2,69; Ail. nat. 10,21). Zahlreiche mumifizierte und beigesetzte heilige K. (Cic. Tusc. 5,18; Cic. nat. deor. 1,82; 101; 3,47; Iuv. 15,2; Tert. adversus Marcionem 2,14) sind heute noch in Museen erhalten.

Organotherapeutisch wurden u. a. das Fett als Einreibung gegen Fieber und die wohlriechenden Eingeweide gegen allerlei Flecken im Gesicht empfohlen (Plin. nat. 28,107–111; vgl. 121 und Scribonius Largus 14). Bei den röm. Salbenhändlern hingen ausgestopfte K. (GLM p. 52 R. ad pigmentarios). In der Fabel tritt das K. ebenfalls auf (Aisop. 37 HAUSRATH; Phaedr. 1,25; vgl. Ail. var. 1,4). Angebliche Krokodilstränen nach Verzehren eines Menschen erwähnt zuerst Asterios [2] (bei Phot. p. 503), im Lat. erstmals Ps.-Hugo von St. Viktor, De bestiis 2,8 [4. 60]. In der röm. Kunst begegnet das K. häufig, z. B. auf einem pompeianischen Wandgemälde im Kampf mit Pygmäen [1. Abb. 113]; weitere Nachweise bei [1. 213; 3. 161f., 354, 375–377, 384]. Auf Münzen und Gemmen ist es auch nicht selten [5. Taf. 6,29–31; 14,1; 15,4; 22,46–48].

2) Das in NW- und West-Afrika vorkommende Panzer-K. (C. cataphractus Cuv.) wird vielleicht von Plin. nat. 5,9 erwähnt.

3) Das Sumpf-K. (C. palustris Cuv.) in Indien kennen Hdt. 4,44; Ail. nat. 12,41; Plin. nat. 6,75 und ohne Namensnennung Strab. 15,690 und 695f.; Paus. 4,34,3 und Curt. 8,9,9 (30).

4) Der Gavial (Gavialis gangeticus Gm.) im Ganges mit seiner langen Schnauze wurde nach Ail. nat. 12,41 in Indien für heilig gehalten.

5) Ob das Leisten-K. (C. porosus Gray) bei Ktesias (Phot. bibliotheke 45a 20ff.; Ail. nat. 5,3) gemeint ist, kann nicht entschieden werden.
→ Eidechse

1 TOYNBEE, Tierwelt 2 RÄRG 3 REINACH, RP 4 Hugo de Sancto Victore, Opera omnia, Bd. 3 (PL 178), 1879 5 F. IMHOOF-BLUMER, O. KELLER, Tier- und Pflanzenbilder auf Mz. und Gemmen des klass. Alt., 1889, Ndr. 1972.

H. GOSSEN, A. STEIER, s. v. K., RE 11, 1947–56 · KELLER, Bd. 2, 260–270.   C. HÜ.

Krokon (Κρόκων). Myth. König, der im Grenzgebiet von Eleusis und Athen herrscht (Paus. 1,38,2). Er ist verheiratet mit Saisara, einer Tochter des → Keleos. Nach dem eleusin. Mythos ist er der Sohn des → Triptolemos. Triptolemos galt in der Regel aber als Sohn des Keleos und der Metaneira (vgl. Apollod. 3,102). Der Heros Eponymos ist also in die hl. eleusin. Familie aufgenommen worden. Der Name K. wird abgeleitet von der kult. Handlung des κροκοῦν/krokún, dem Anlegen von Wollfäden an die rechte Hand und den linken Fuß der Mysten. Das Geschlecht der Krokoniden errichtete im 4. Jh. der → Hestia ein Heiligtum und prozessierte gegen die Koironiden, die sich auf Koiron, einen unehelichen Sohn des Triptolemos, zurückführten.

RE. ZI.

Krokos (Κρόκος). Stratēgós (autokrátōr; → Lochos) von Zypern in der Zeit des ägypt. Bürgerkrieges 131–124/3 v. Chr.

R. BAGNALL, The Administration of the Ptolemaic Possessions outside Egypt, 1976, 259 · L. MOOREN, The Aulic Titulature in Ptolemaic Egypt, 1975, 191 f. Nr. 0354.
W. A.

Krokus. Die Gattung Crocus (das Wort κρόκος/krókos ist vorgriech. mit semit. Entsprechungen) erreicht in Anatolien mit 32 Spezies ihre höchste Artenvielfalt. Außerordentliche Farbenpracht der Massenvorkommen in Gebirgen (zuerst im Götterlager auf dem Ida, Hom. Il. 14,348 ff.]); der Gebrauch der Griffel als Gewürz, Medizin, Farbe und Parfüm sowie die Beliebtheit als Kultur- und Gartenpflanze sicherten dem K. in Mythos und Alltagsleben der gesamten griech.-röm. Ant. allg. Bekanntheit (Belege bei [2]; zur Salbenherstellung ergänze Theophr. De odoribus 27 und 34). Neben der Nutzung von Wildarten wurde der sich durch bes. große Griffel auszeichnende, im Herbst violett blühende Safran, Crocus sativus L., kultiviert, der wohl aus dem südägäischen Crocus cartwrightianus durch Selektion entstanden ist [1. 55–57]. Der Safran ist bei Theophrast h. plant. 6,6,10 genau beschrieben (s. dazu [3. 192–194]; Abbildungen: [1. Abb. 29 a; 4. 153]. Plinius (nat. 21,137–139) lobt den crocus als Heilmittel sehr. Der »dornige« K. bei Theophr. h. plant. 7,7,4 ist die Färberdistel (Saflor, Carthamus tinctorius L.).

1 B. MATHEW, The Crocus – A Revision of the Genus Crocus (Iridaceae), 1982 2 F. ORTH, s. v. Safran, RE 1A, 1728–1731 3 S. AMIGUES, Théophraste. Recherches sur les plantes, 3, 1993 4 H. BAUMANN, Die griech. Pflanzenwelt, 1982 5 Ders., Greek Wild Flowers and Plant Lore in Ancient Greece, translated and augmented by W. T. and E. R. STEARN, 1993.
B. HE.

Krommyon (Κρομμυών oder Κρεμμυών). Befestigter Hafenplatz ganz im Osten des Korinthischen Staatsgebietes am Saron. Golf südl. des → Geraneia-Gebirges, 120 Stadien (ca. 21 km) von → Korinthos entfernt

(Thuk. 4,45,1), wohl beim h. Hagios Theodori. Hier erschlug nach der Sage Theseus die krommyonische Sau. In klass. Zeit war K. befestigt. Belege: Skyl. 55; Strab. 8,6,22; Paus. 2,1,3; Xen. hell. 4,4,13; 5,19; Steph. Byz. s. v. K.; Hierokles, Synekdemos 645,14. Inschr.: IG IV 195 f. Y. L.

Kromna (Κρῶμνα) Milesische → *apoikía* östl. von Sesamos (später → Amastris [4]) an der paphlagonischen Schwarzmeerküste, h. Tekkeönü. K. beanspruchte, Geburtsort Homers zu sein (Ὅμηρος Κρομνεύς [1]). Ca. 300 v. Chr. ging K. im *synoikismós* mit Amastris auf; diese Stadt übernahm den Anspruch und prägte in der Kaiserzeit (sog. ps.-autonome) Mz. mit dem Portrait Homers und der Legende Ὅμηρος Ἀμαστριαν(ός) [2].

1 L. ROBERT, Études anatoliennes, 1937, 262–265 2 Ders., À travers l'Asie Mineure, 1980, 415–417. C. MA.

Kromnos (Κρῶμνος, Κρῶμνα, Κρῶμναι, Κρῶμοι). Ortschaft in der arkad. Landschaft Kromnitis an der Straße von Megalopolis nach Messene, 11 km südl. von Megalopolis, evtl. auf einem Hügel ca. 2 km nordöstl. vom h. Paradisia (Παραδείσια). Bei der Gründung von Megalopolis eingemeindet. Belege: Paus. 8,3,4; 27,4; 34,5 f.; Xen. hell. 7,4,20–28; Kallisthenes, FGrH 124 F 13; Steph. Byz., s. v. Κρῶμνα.

J. ROY u. a., Two Sites in the Megalopolis Basin, in: J. M. SANDERS (Hrsg.), ΦΙΛΟΛΑΚΩΝ, 1992, 190–194. Y. L.

Kronia s. Kronos

Kronion (Κρόνιον). Der kiefernbestandene Hügel (123 m) oberhalb der Altis in → Olympia mit einem nur lit. bezeugten Kronos-Kult (Priesterschaft der Βασίλαι/ *Basílai*): Xen. hell. 7,4,14; Pind. O. 1,111; 5,17; 6,64; 9,3; Paus. 5,21,2; 6,19,1; 20,1 f.; Dion. Hal. ant. 1,34,3. E. MEY. u. E. O.

Kronios (Κρόνιος).
[1] Platoniker (Syrianos, In Aristot. metaph. 109,11) der pythagoreisierenden Richtung, meist als Pythagoreer bezeichnet, (vielleicht älterer) Zeitgenosse und Freund (Porph. De anthro nympharum 21) des → Numenios, also Mitte des 2. Jh. n. Chr. In der Regel wird K. nur mit diesem, aber häufig vor ihm genannt und teilt durchweg dessen Auffassungen. In Plotins Schule wurde K. gelesen (Porph. vita Pythagorica 14); er verfaßte Hypomnemata (ebd., verm. keine Komm. zu ganzen Schriften) und eine Schrift ›Über die Wiedergeburt‹ (Περὶ παλιγγενεσίας, Nemesios, De natura hominis 2,114). Die meisten Testimonia betreffen die Seelenlehre: wie Numenios und → Harpokration [1] macht K. nicht die Seele selbst, sondern die Materie für das Übel verantwortlich (Stob. 1,375,14 ff. W.); auch er hält jede Einkörperung (Metempsychose) der Seele für ein Übel (ebd. 380,16 ff.), und bestreitet diejenige in Tiere (Nemesios, De natura hominis 2,114).

K. hat zumindest einzelne Stellen oder Fragestellungen aus Platons ›Staat‹ und ›Timaios‹ behandelt, aus ersterem die »Hochzeitszahl« (Prokl. in Plat. rep. 2,23,6 ff. K.) und den Mythos des Er (ebd. 2,109,7 ff.). Daß sich dieser in einem dem Zoroastres zugeschriebenen Werk fand, erklärte K. damit, daß → Er der Lehrer des → Zoroastres war; wir sehen K.' Interesse an nichtgriech. Traditionen. Auf den ›Timaios‹ geht die Frage zurück, in welchem Sinn der Kosmos geworden ist (ebd. 2,22,20 ff.). Weiteres Interesse gilt der → Allegorie: K. versucht zu zeigen, daß Homers Höhle der Nymphen nur allegorisch zu verstehen sei (Porph. De antro nympharum 2–3).

TESTIMONIEN: E. A. LEEMANS, Numenius van Apamea, 1937, 153–157.
LIT.: J. DILLON, The Middle Platonists, 1977, 379–380. M. FR.

[2] Sohn des *epistratēgós* Kallimachos [8], (älterer?) Bruder eines Kallimachos, *syngenḗs* entweder 56 oder 50 v. Chr., dann *syngenḗs* und *epistratēgós*. Er folgte wohl seinem Vater direkt nach, amtierte also nach dem März 39.

PP I/VIII 194 b · L. M. RICKETTS, The Epistrategos Kallimachos and a Koptite Inscription, in: AncSoc 13/4, 1982/3, 161–165; bes. 164 mit Anm. ** · J. D. THOMAS, The Epistrategos in Ptolemaic and Roman Egypt 1, 1975, 109 Nr. XIII. W. A.

Kronos (Κρόνος).
A. KURZBESCHREIBUNG B. MYTHOS
C. KRONIA D. WEITERE KULTE UND FESTE
E. »MENSCHENOPFER«

A. KURZBESCHREIBUNG
K. fungiert im theogonischen Mythos Griechenlands als Führer der → Titanen, einer vorolympischen Göttergeneration, die von → Zeus und seinen Geschwistern im Kampf besiegt und gestürzt werden. Er war ein nur in rituellen Lizenzperioden verehrter Gott. Die Referenzmythen karnevalesker Feste verbanden mit K.' Herrschaft einerseits die Vorstellung einer vorolympischen, von Vatertötung und Kindesmord gekennzeichneten Welt, andererseits die Idee einer paradiesischen Urzeit. Er wurde u. a. mit dem westsemit. El, mit dem röm. Saturnus und wie dieser mit einem → Planeten identifiziert [16. 2010 f.]. Die volksetym. Allegorese der → Orphik verstand unter K. den Zeitgott → Chronos.
B. MYTHOS
Davon abgesehen, daß K. der Vorläufer des → Zeus war, besaß er keinen festen Platz im genealogischen System des Mythos. So galt er als Sohn des Helios und der Gaia (PDerveni, col. X, 2 ff. [23. Anhang p. 6]), des Okeanos und der Tethys (OF, fr. 16) oder des Uranos und der Hestia (Euhemeros, FGrH 63 F 3). Doch in der ältesten und einflußreichsten, dem hethitischen → Kumarbi-Mythos nachgebildeten Version Hesiods (theog. 137 ff.; vgl. Apollod. 1,1–2) ist K. ein Sohn des Uranos

und der Gaia. Er trennt die beiden Ureltern »Himmel« und »Erde« voneinander, indem er auf den Rat der Erdmutter seinen Vater mit einer gezähnten Sichel entmannt; sodann befreit er seine Geschwister aus dem Leib der Erde, in den Uranos die Neugeborenen zurückgestoßen hat, und übernimmt die Königsherrschaft. Mit seiner Schwester → Rhea zeugt er die Olymp. Götter, verschlingt aber aus Angst vor einem männl. Nachfolger seine Kinder gleich nach deren Geburt. Nur ihren jüngsten Sohn Zeus kann die Mutter durch eine List retten: Sie gibt ihrem Brudergatten anstelle des Neugeborenen einen in Windeln gewickelten Stein zum Verschlucken und bringt das Kind selbst nach Kreta, wo es heimlich aufwächst. Als Zeus das Erwachsenenalter erreicht, zwingt er K. dazu, seine Geschwister, die inzwischen im Leib ihres Erzeugers ebenfalls zur Adoleszenz herangereift sind, samt dem Stein wieder auszuspeien. Dann überwindet er mit ihrer Hilfe K. und die Titanen in einem zehnjährigen Krieg. Die besiegten Gegner werden in den Tartaros verbannt, wo schon die *Ilias* sie ansiedelt (8,478ff.; 14,200ff., 274; 15,225). Nun konstituiert sich mit dem Königtum des Zeus die Urform der patriarchalischen Familie, gleichzeitig entsteht der dreigeteilte Bauplan der Welt sowie der Zyklus der drei Jahreszeiten als Basis des bäuerlichen Wirtschaftsjahres. Demgegenüber repräsentiert das Königtum des K. eine anarchische Vorzeit, in der es weder eine hierarchische Familienstruktur noch Ackerbau gab. Daher synchronisierte ein anderer Mythos die Herrschaft des K. mit dem goldenen Geschlecht der Urzeit, das keiner landwirtschaftlichen Arbeit bedurfte, weil die Erdmutter alle Nahrung freiwillig schenkte, und sich auch noch nicht in ehelichen Gemeinschaften fortpflanzte (Hes. erg. 109ff.). Es wurde als eine vegetarische Zeit reinen Sammlertums verstanden (Dikaiarchos, fr. 48 und 49 WEHRLI; → Zeitalter).

Die alte → Komödie [9] zitierte das entlastete Leben unter K. als utopische Wunschphantasie (bei Athen. 6,267f ff.). Polit. Propaganda verklärte die Tyrannis des → Peisistratos zu einer Wiederkehr der K.-Zeit (Aristot. Ath. pol. 16,7), was auf die Ideologie apokalyptischer Umsturzbewegungen und die Herrschaftspanegyrik der augusteischen Zeit vorausweist [8]. Hingegen legitimierte sich real ausgeübte polit. Macht stets über Zeus und die von ihm begründete Weltordnung. Zeus garantierte die Normen des Alltags, der Zwischenkönig K. hingegen stand für deren Suspendierung in den Ausnahmezeiten bestimmter Feste. Die utopische Phantasie verewigte diese Wunschzeiten, indem sie K. aus der Unterwelt wieder freikommen ließ: Sie projizierte ihn auf eine ferne Insel der Glückseligen, die auf normalen Verkehrswegen nicht erreichbar war, und machte ihn zum König der dorthin entrückten Heroen (Hes. erg. 173a-e; Pind. O. 2,68ff.). Dies entwickelte sich zu der Randvolk-Utopie fort, K. schlafe auf einer Insel jenseits Britanniens (Plut. De facie 26; de def. or. 18).

C. KRONIA

Wegen der Sichel, mit der K. Uranos entmannt, hat man in ihm früher einen Erntegott gesehen und die Kronia entsprechend als Erntefest gedeutet [6; 7; 14]. Die meisten Forscher dieses Jahrhunderts lehnten dieses Paradigma zunehmend ab [5; 10; 18; 20; 21] und gaben einer formaleren Erklärung den Vorzug: Sie sehen die Kronia in einen Zyklus von Festen eingeordnet, die in der Fuge zwischen zwei Kalenderjahren die Neuerrichtung der sozialen Ordnung durch deren rituelle Auflösung und Umkehrung vorbereiteten [5; 10; 18]. Mit der Leugnung ackerbaulicher Bezüge begibt sich die Forsch. jedoch in einen problematischen Widerspruch zum ant. Selbstverständnis. Nach Aussage der lit. Quellen bewirteten die Familienväter an den Kronia ihre Erntehelfer, um ihnen für die geleistete Arbeit zu danken, und zwar sowohl auf dem Land als auch in den Städten. In Athen galt das Fest als Stiftung des Urkönigs → Kekrops, ebenso ein Altar für K. und Rhea (Philochoros, FGrH 328 F 97; Accius bei Macr. Sat. 1,7,37). Der zugehörige Tempel stand neben einem Heiligtum der Ge Olympia im Temenos des Zeus Olympios. Dort warf man jährlich Brote aus Weizenmehl und Honig in einen Erdspalt, durch den angeblich einst das Wasser der Deukalionischen Flut (→ Deukalion) abgeflossen war (Paus. 1,18,7), vermutlich das Aition eines unterirdischen Getreidesilos. Zur Zeit der Speicherung paßt die Lage des Festes im Neujahrsmonat Hekatombaion (Demosth. or. 24,26): Zwar war das Absicheln der Gerste in Attika schon um die Sommersonnenwende abgeschlossen, die Erntesaison als solche endete aber erst im Folgemonat mit dem Dreschen des Getreides. Die Sichel des K. wurde in der Ant. als »Zeichen der Ernte« (Macr. Sat. 1,7,24; vgl. Varro fr. 243 CARDAUNS) gedeutet. In einem aitiologischen Mythos hieß die Insel → Korkyra einst Drepane entweder nach der Sichel des K. oder nach jener Sichel, mit der → Demeter die Titanen Getreide schneiden lehrte (Apoll. Rhod. 4,982ff.; Timaios, FGrH 566 F 79).

Das erweist K. und die Titanen als myth. Präfigurationen der Erntearbeiter: Wie der Zwischenkönig K. mit Hilfe einer Sichel zur Macht gelangte, so verdienten sich die Sklaven durch ihre Erntetätigkeit den Anspruch auf eine vorübergehende Statuserhöhung. Umgekehrt wurde der während der Ernte von seinen Arbeitskräften bes. abhängige und erpreßbare Gutsherr von ihnen – wie der Himmelsgott von K. – gewissermaßen depotenziert und erlangte seinen alten Status nur dadurch zurück, daß er sich im Tausch gegen das abgelieferte Getreide mit einem Festessen revanchierte, wobei er in der Rolle eines dienenden Gastgebers auftrat. Ähnliche soziale Antagonismen wurden auch in Nordeuropa vor der Einführung des Mähdreschers von vergleichbaren Erntebräuchen ausbalanciert [19].

Diese Praxis bildet die Basis des griech. Paradies-Mythos: Die Nahrungsfülle und Unbeschwertheit, die das goldene Geschlecht genoß, war die imaginäre Spiegelung des in zwangsfreier Atmosphäre konsumierten

Erntesegens. In Alexandreia weihte man dem K. besondere Kuchen, die jedem, der wollte, im Tempel des Gottes serviert wurden (Athen. 3,110b). Die Wiederaufrichtung der Hierarchie am Ende der Kronia fand ihren archetyp. Ausdruck im Sturz ihres göttl. Repräsentanten durch Zeus. In Opposition zum Erntegott, der am Ende des bäuerlichen Wirtschaftsjahrs die Fülle der paradiesischen Urzeit wiederkehren ließ, kooperierte der Regengott → Zeus mit dem Bauern bei der Saat; er eröffnete die mühevolle Pflugsaison im Herbst, wenn das bäuerliche Wirtschaftsjahr von neuem begann. Auch dieser saisonale Übergang wurde mit dem Herrschaftswechsel zwischen K. und Zeus assoziiert, im Festkalender von Magnesia hieß der Saatmonat Kronion (Syll.³ 589). In der Regel aber fiel der ion. Monat dieses Namens, der ein K.-Fest impliziert, mit dem att. Erntemonat Skirophorion zusammen [1].

Den adoleszenten Söhnen der Bauern mußte die Teilnahme an den Kronia eine wesentliche soziale Erfahrung vermitteln: Solange sie noch unmündig waren, entsprach ihr sozialer Status demjenigen der Knechte, andererseits waren sie als künftige Erben aufgefordert, sich mit den Interessen ihres Vaters zu identifizieren. So wiederholten sie lebensgeschichtlich im Durchgang durch eine »verkehrte Welt« das paradigmatische Hineinwachsen des Zeus in die Vaterrolle. Erhellend ist in diesem Zusammenhang eine Episode des Theseus-Mythos (Plut. Theseus 12). Die dominante Rolle der → Medeia in diesem Mythos deutet überdies an, daß sich während der rituellen Anarchie des Festes nicht nur die Rangverhältnisse zwischen Herr und Knecht, sondern auch zwischen Mann und Frau umzukehren schienen. Da die Frauen auf den Feldern nicht mitarbeiteten, waren sie an dem Erntemahl, das der Hausherr nur seinen Knechten servierte, selbst unbeteiligt. Aber sie feierten offenbar separat. In einem anekdotischen Text des Machon tritt eine Hetäre während der athen. Kronia aus einem Tempel der Aphrodite (Athen. 13,581a). Nun waren das einzige bekannte Aphroditefest dieses Monats die ebenfalls am Ende der Erntesaison gefeierten Adonia, ein exklusives Frauenfest, das jedoch in Gestalt des beweinten Epheben → Adonis ein zeitgleiches Statuswechselfest männlicher Initianden (bzw. deren symbolischen Tod) suggeriert. Kronia und Adonia entsprachen einander in der Inszenierung einer verkehrten Welt. Da Männer und Frauen getrennt feierten, löste sich die Organisationsform der Familie insgesamt auf. Wurden im Rahmen der Kronia Epheben initiiert, so erlernten Mädchen an den Adonia im Rahmen einer rituellen Saatgutprüfung das Geheimnis der sexuellen Fortpflanzung. Der aitiologische Mythos vernetzte denn auch die Hauptgottheiten beider Feste auf bezeichnende Weise: → Aphrodite, die göttl. Identifikationsfigur der in die Sexualität eingeweihten Mädchen, entstand aus dem abgeschnittenen Phallos des Uranos (Hes. theog. 188 ff.). Nach Nonn. Dion. 12,45 ff. zeugte K. sie mit dem amputierten »Pflug« seines Vaters. Daher konnte Aphrodite auch als Tochter des K. bezeichnet werden (Epimeni-

des, FGrH 457 F 7). Nach Philon von Byblos erhielt Astarte (Aphrodite) von K. (= El) die Mitherrschaft über die Städte Phöniziens (bei Eus. Pr. Ev. 1,10,31 = FGrH 790 F 2).

D. WEITERE KULTE UND FESTE

Als Erntegott war K. auch in panhellenische Initiationsfeste einbezogen, die in die »tote Zeit« der Hundstage fielen. In → Olympia stand ein Tempel des K., der Kultlegende nach bereits vom goldenen Geschlecht erbaut (Paus. 5,7,6). Ein hier lokalisierter Ringkampf zw. K. und Zeus nahm die Olympischen Spiele myth. vorweg (Paus. 8,2,2). In → Delphoi deutete man einen Omphalos als jenen Stein, den K. ausgespuckt hatte (Hes. theog. 498 ff.; Paus. 10,24,6). Der Gott galt in einer Version des delphischen Mythos als urspr. Inhaber des Orakels (schol. Lykophr. 200). Unter einer solchen Perspektive wiederholte sich an den Pythischen Spielen, welche die Inbesitznahme des Orakelheiligtums durch den Ephebengott → Apollon rituell »erinnerten«, auch der Sturz des K. durch Zeus. Auf Kreta kehrte die vorolympische Ära am Fest des Zeusgeburtstags imaginär zurück: Rituelle Tänze inszenierten die Kindheit und Jugend des → Zeus. Sie stellten seine Verfolgung durch K. und sein Erwachsenwerden im Kreis der tanzenden Kureten dar (Kall. h. 1,52 ff.; Diod. 5,65,4) – ein myth. Aition der Pyrrhiche, eines von Jugendlichen ausgeführten Waffentanzes (Strab. 10,3,11; Lukian. De saltatione 8). Als Anspielung auf ein beim Frühaufgang des Sirius gefeiertes thessal. Zeusfest, das mit dem K.-Mythos kombiniert war und bei der Cheironhöhle auf dem Peliongipfel stattfand (Herakleides, Reisebilder 2,8, p. 88 PFISTER), läßt sich der Mythos deuten, K. habe sich in ein Pferd verwandelt und in dieser Gestalt den Kentauren → Cheiron mit der Okeanide Philyra gezeugt (Titanomachia F 9 DAVIES; Pherekydes von Athen, FGrH 3 F 50; Hyg. fab. 138). Daß man sich bei dem Pelionfest in die imaginäre Zeit des K. zurückversetzte, lehrt ein weiterer myth. Reflex, nämlich die am gleichen Ort lokalisierte Hochzeit des Peleus und der Thetis, in der Menschen und Götter wieder wie im Goldenen → Zeitalter vereinigt waren (Cypria F 3 DAVIES; Hes. fr. 209–211; Pind. P. 3,87 ff.; Apollod. 3,13,5).

Unklar ist, warum K. auch im Frühling verehrt wurde. In Athen empfing er ein Kuchenopfer im Monat Elaphebolion (LSCG 52,23). In Elis opferte man K. um die Zeit des Frühlingsäquinoktiums auf einem nach ihm benannten Berg (Paus. 6,20,1; Dion. Hal. ant. 1,34,3). Befanden sich vielleicht unter den dortigen *thesauroí* (Paus. ebd.) auch Getreidemagazine? Jedenfalls lassen sich die anderen Höhenkulte des K. mit der Annahme sakraler Silos am leichtesten erklären. Auf Sizilien, in Libyen und Unteritalien waren Berge allenthalben dem K. geweiht: Der Gott sollte dort einst Festungen errichtet haben (Diod. 3,61,3). Daraus hat man geschlossen, K. sei ein vorgriech. Berggott gewesen [15]. Doch der Mythos dürfte eher eine Aitiologie der städt. Akropoleis, d. h. der kult. Stadtzentren, bieten, in denen die

Getreidevorräte belagerungssicher verwahrt waren. Gehortete Nahrungsfülle evozierte das urzeitliche Paradies und ließ die sakralen Burgberge als dessen topographische Residuen erscheinen. Die »Burg des K.«, von der Pind. O. 2,70f. spricht, ist eine solche auf die Inseln der Seligen projizierte Akropolis. Zweifellos dem gleichen Umstand verdankt auch die thebanische Akropolis, auf der ein Tempel der Speichergöttin Demeter Thesmophoros stand (Paus. 9,16,5; vgl. 9,12,3), den Namen »Insel der Seligen« (Armenidas, FGrH 378 F 5). In Theben gab es ein Dienstbotenfest Kronia (Plut. Non posse 16), zu dem musische Wettkämpfe gehörten (Ps.-Plut. Vita Homeri 1,4).

E. »Menschenopfer«

Mit der Konzeption des vatermordenden und kinderverschlingenden Urzeitgottes verband sich in der Ant. die Idee von Menschenopfern, deren Adressat K. gewesen sei. Während die Griechen solche Opferpraxis nur in die überwundene myth. Vorzeit ihrer eigenen Kultur datierten (Istros, FGrH 334 F 48), schrieben sie sie den zeitgenössischen »Barbaren« pauschal zu (Soph. fr. 126 RADT). Das zielte in erster Linie auf das Brauchtum der → Phoiniker. Das Opfern von Söhnen galt in der Ant. gemeinhin als phöniz. Praxis (Porph. De abstinentia 2,56); man unterstellte sie insbes. den Karthagern (Plat. Min. 315b-c; Porph. ebd. 2,27). Varro konstatiert hierbei eine symbol. Äquivalenz zwischen dem Getreide, das dem K. geopfert wurde, und dem menschlichen »Samen« (Antiquitates rerum divinarum fr. 244 CARDAUNS). Das deutet auf einen erntefestlichen Kontext hin. Griech. Quellen behaupten, die zum Opfer bestimmten Kinder vornehmer Familien seien auf die ausgestreckten Arme einer K.-Statue gelegt, von dort in eine eherne »Gerstenpfanne« hinuntergerollt und mit erstarrtem Grinsen bei lebendigem Leib verbrannt worden (Kleitarchos, FGrH 137 F 9). Die lit. Trad. zu diesem Brauch, die auf die Zeit der sizil.-karthag. Kriege des 5. Jh. v. Chr. zurückgeht (Theophr. fr. 586 FORTENBAUGH = schol. Pind. P. 2,2; Diod. 13,86,3; Plut. De sera numinis vindicta 6), setzte sich anläßlich späterer Kriege toposhaft fort, so bei der Belagerung von → Tyros, der Mutterstadt Karthagos, durch Alexander d.Gr. (Curt. 4,3,23), bei der Belagerung Karthagos durch Agathokles [2] (Diod. 20,14) und im Kontext der → Punischen Kriege Roms (Porph. De abstinentia 2,57). So liegt der Verdacht nahe, es handle sich hier um mechanisch reproduzierte Feindpropaganda [13]. Noch in der Kaiserzeit, als punische Inschr. bezeugten, daß anstelle von Kindern in Wahrheit Tiere geopfert wurden, wiederholt Tertullian tatsachenblind den Menschenopfervorwurf (Tert. apol. 9). Kaum weniger glaubhaft wirkt eine isolierte Nachricht über ein »Menschenopfer« auf Rhodos [3]. Alle Nachrichten über im K.-Kult dargebrachte Menschenopfer haben vermutlich ein und denselben Hintergrund: Während der Erntefeste pflegten die mediterranen Gesellschaften ihre hierarchische Struktur aufzulösen und sich durch eine symbol. Tötung jener Gruppenmitglieder, die ihre Altersklasse wechselten, periodisch zu reorganisieren.

1 H. BISCHOFF, s. v. Kalender, RE 20, 1568–1602, hier 1592 2 F. BÖMER, Unters. über die Rel. der Sklaven in Griechenland und Rom, 3. Teil, 1961, 415ff. 3 P. BONNECHERE, Le sacrifice humain en Grèce ancienne, 1994, 292 4 S. SH. BROWN, Late Carthaginian Child Sacrifice and Sacrificial Monuments in Their Mediterranean Context, 1986 5 W. BURKERT, Kronia-Feste und ihr altoriental. Hintergrund, in: S. DÖPP (Hrsg.), Karnevaleske Phänomene in ant. und nachant. Kulturen, 1993, 11–30 6 L. DEUBNER, Att. Feste, 1932, Ndr. 1966, 152–155 7 FARNELL, Cults, Bd. 1, 23–34 8 B. GATZ, Weltalter, Zeit und sinnverwandte Vorstellungen, 1967 9 G. M. GAYO, La edad de oro en Hesiodo y en la comedia antigua, in: Helmantica 28, 1977, 377–387 10 GRAF 11 M. MAYER, K., in: ML2, 1890/94, 1452–1573 12 A. MOMMSEN, Feste der Stadt Athen im Alt., 1998, 32–45 13 S. MOSCATI, Il sacrificio punico dei fanciulli: Realtà o invenzione?, 1987 14 NILSSON, GGR, Bd. 1, 510–516 15 M. POHLENZ, K. und die Titanen, in: Neue Jbb. für das klass. Alt. 37, 1916, 549–594 16 Ders., s. v. K., RE 11.2, 1982–2018 17 E. D. SERBETI, s. v. K., LIMC 6.1, 142–147 18 H. S. VERSNEL, K. and the Cronia, in: Ders., Transition and Reversal in Myth and History, 1993, 89–135 19 I. WEBER-KELLERMANN, Erntebrauch in der ländlichen Arbeitswelt des 19. Jh., 1965 20 M. L. WEST (ed.), Hesiod Theogony, with Prolegomena and Commentary, 1966, 205ff. 21 U. v. WILAMOWITZ-MOELLENDORFF, K. und die Titanen, in: Ders., KS V, 2, 1937, 157–183 22 A. WYPUSTEK, The Problem of Human Sacrifices in Roman North Africa, in: Eos 81, 1993, 263–280 23 Der orphische Papyrus von Derveni, in: ZPE 47, 1982, Anhang 1–12. G. B.

Kropidai (Κρωπίδαι). Att. Mesogeia-Demos der Phyle Leontis, ein *buleutés*. Auch als Κρωπιάς bzw. Κρῶπες (Steph. Byz. s. v. Κρωπιά) belegt, Demotikon Κρωπίδης. Kropia bezeichnete wohl die Gegend [2. 2019]. Das auch inschr. bezeugte Κλωπίδαι (Aristoph. Equ. 79) [2] gehörte evtl. zu Aphidna [3. 90f., 116 Nr. 19; 4. 55, 62]. Durch K., von [3. 47; 4. 131] westl. von Ano Liosia lokalisiert, zog 431 v. Chr. → Archidamos [1] nach Acharnai (Thuk. 2,19). Mit Eupyridai und Pelekes bildete K. eine »Drei-Dörfer-Einheit« (τρικωμία, Steph. Byz. s. v. Εὐπυρίδαι) [5. 185⁴⁶].

1 C. W. J. ELIOT, The Coastal Demes of Attica, 1962, 150 Anm. 31 2 E. HONIGMANN, s. v. Kropia, RE 11, 2019 3 TRAILL, Attica 47, 62, 69, 111 Nr. 78, Tab. 4 4 J. S. TRAILL, Demos and Trittys, 1986 5 WHITEHEAD. H. LO.

Kroton (Κρότων, lat. *Croto[n]*). Um 733 v. Chr. unter → Myskelos aus Rhypes von achaiischen Kolonisten auf ein delphisches Orakel hin gegr. Stadt an der Ostküste von → Bruttium/Südit. (Antiochos, FGrH 555 F 10). Im 6. Jh. v. Chr. expandierte K. auf Kosten der Nachbarkolonien: Wichtige Stationen sind die Einnahme und Zerstörung von Siris Mitte 6. Jh., die Niederlage gegen Lokris 548 an der Sagra und die Zerstörung von Sybaris 510 v. Chr. (Hdt. 5,44; 6,21). K. herrschte über ein großes Gebiet zw. den Flüssen Neaithos im Norden und Tacina (Thagines) im Süden und bis zur kroton. Kolonie Terina am Tyrrhenischen Meer; zur *chōra* von K. gehörte Krimissa bei h. Punta Alice, eine Gründung des

Philoktetes (Lykophr. Alexandra 913; Strab. 6,1,3). E. des 6. Jh. wirkte in K. → Pythagoras, der hier eine Schule gründete (Liv. 1,18,2; Iust. 20,4,2 ff.). Weitere Personen, die aus K. stammen: → Alkmaion [4], → Kylon [2]. E. 5. Jh. regte K. die Gründung eines Italioten-Bundes mit Sitz in → Herakleia [10] zum Schutz vor den ital. Völkern an. K. wurde von Dionysios I. erobert, dann von den → Bruttii belagert, schließlich von → Agathokles [2] 295 v. Chr. zerstört. Im Pyrrhos-Krieg (→ Pyrrhos) wurde K. erstmals 277 v. Chr. von den Römern besetzt; gegen Ende des 2. → Punischen Kriegs wurde K. verlassen. 194 v. Chr. entstand hier eine röm. Kolonie.

K. lag in einer von Hügeln umschlossenen Ebene an der Mündung des Aisaros, der als Hafen diente; anfängliche Siedlung *katá kõmas* (»in Dörfern«). Ein ausgedehnter Mauerring stammt aus dem 5. Jh. v. Chr. Die Stadt gliederte sich in drei Siedlungskerne. Das Straßennetz ist wohl auf E. 7. bzw. Anf. 6. Jh. v. Chr. zu datieren. Auf den Hügeln um das Stadtzentrum herum liegt ein Gürtel von Nekropolen: in Vela, auf dem Hügel S. Giorgio, in S. Francesco, auf dem Hügel von Viscovatello und in Carrara. Votivgegenstände bezeugen ein evtl. Hera geweihtes Heiligtum außerhalb der Mauern bei Vigna Nuova. Kultorte außerhalb der Stadt wurden im h. Capo Colonna, in S. Anna di Cutro und Giammiglione di Scandale festgestellt. Die röm. Kolonie zog sich auf dem Hügel von Castello im h. histor. Zentrum zusammen; Nekropolen aus der Kaiserzeit bedecken große Gebiete der östl. Stadtteile aus griech. Zeit.

Crotone. Atti del XXIII Convegno di Studi sulla Magna Grecia Taranto 1983, 1986, 4 · BTCGI 5, 472–521 · M. SASSI, Tra Religione e scienza, in: S. SETTIS (Hrsg.), La Calabria antica, 1988, 565–587 · M. GIANGIULIO, Ricerche su Crotone arcaica, 1989 · M. OSANNA, *Chorai* coloniali da Taranto a Locri, 1992, 167–200 · A. MUGGIA, L'area di rispetto nelle colonie magno-greche e siceliote, 1997, bes. 64–69.   A. MU./Ü: J. W. M.

Krotopos (Κρότωπος). König von Argos (vgl. → Koroibos [1]), Sohn des Agenor, Vater des Sthenelas und der Psamathe (Paus. 2,16,1). K.' Grab lag in Argos, wo später ein Dionysos-Tempel errichtet wurde (Paus. 2,37,7). Nach Tötung des Python sucht Apollon zur Entsühnung K. auf (Stat. Theb. 1,570). Psamathe schenkt dem Gott den Sohn → Linos. K. verurteilt sie zum Tode, als er von ihrem Verhältnis mit Apollon erfährt. Dieser bestraft Argos daraufhin mit einer Seuche (Konon, FGrH 26 F 1 19).   RE. ZI.

Krusis (Κρουσίς). Diese bei Hdt. 7,123,2, Thuk. 2,79,4, Strab. 7, fr. 21 und Steph. Byz. s. v. K. gen. Landschaft lag nördl. der → Bottike an der NW-Küste der Chalkidischen Halbinsel zw. Kap Megalo Karaburnu und Nea Kallikrateia. Ihre Küstenstädte Aineia, Smila, Skapsa, Gigonos und Haisa sind schon bei Hekataios und in Herodots Beschreibung des Xerxeszuges gen. und z. T. seit 452/1 v. Chr., z. T. erst seit 434/3 (zusammen mit den binnenländischen Orten Kithas und Tinde) als Mitglieder des → Attisch-Delischen Seebundes bezeugt. Die meisten von ihnen fielen im J. 432 ab, wurden aber teilweise sehr bald wiedergewonnen. Im 4. Jh. v. Chr. sind nur noch Aineia, Skapsa und vielleicht Tinde, seit hell. Zeit nur Aineia als existent gen.

F. PAPAZOGLOU, Les villes de Macedoine à l'époque romaine, 1988, 415–421 · M. ZAHRNT, Olynth und die Chalkidier, 1971, 195–198.   M. Z.

Krya (Κρύα; Καρύα, Ptol. 5,3,2; *Crya fugitivorum*, Plin. nat. 5,103; h. Taşyaka). Befestigter Ort der rhodischen Peraia an der SW-Küste Kleinasiens in Lykia am Golf von Telmessos 2,4 km WNW von Fethiye. Quellen: Mela 1,16; Steph. Byz. s. v. K.

G. E. BEAN, s. v. Taşyaka, PE, 886 · Ders., Kleinasien 4, 1980, 31, 34 · Ders., P. M. FRASER, The Rhodian Peraea, 1954, 55 f. · GGM 1, 494 f. Nr. 258 f. · P. ROOS, Topographical and Other Notes on South-Eastern Caria, in: OpAth 9, 1969, 59–93 · TAM 1, 151.   H. LO.

Krypteia (κρυπτεία). Es gibt zwei unterschiedliche Versionen über die in → Sparta als *k.* bezeichnete Institution: Nach Platon war die *k.* ein mil. Training unter härtesten Bedingungen auf freiem Felde, wobei nur eine geringfügige Ausrüstung gestellt wurde. Ziel war es, den Mut der Spartaner und ihre Fähigkeit zum Ertragen von Schmerzen zu vergrößern (Plat. leg. 633b-c; vgl. P Lond. 187). Plutarch hingegen berichtet, daß junge Spartaner, die nur mit Schwert und wenigen Nahrungsmitteln versehen waren, die Aufgabe hatten, sich am Tage zu verbergen und nachts → Heloten zu ermorden. Gerade wegen der Brutalität der *k.* ist ihm daran gelegen, ihre Einführung erst auf die Zeit nach dem großen Helotenaufstand vor Mitte des 5. Jh. v. Chr. zu datieren und sie damit Lykurgos abzusprechen (Plut. Lykurgos 28 = Aristot. fr. 538 R).

Diese beiden Versionen sind keineswegs unvereinbar: Möglicherweise erhielt ein ursprünglich mil. Härtetest später weitergehende Funktionen, die durch die jährliche Kriegserklärung der Ephoren an die Heloten legitimiert waren. Überzeugend ist die These, daß die κρυπτοί (*kryptoi*) in klass. Zeit ausgewählte junge Spartaner kurz vor Erlangung des vollen Bürgerrechtes waren und die *k.* dementsprechend als Initiationsritus aufzufassen ist, bei dem die → *agōgḗ* durch die Tötung eines Feindes abgeschlossen wurde. 222 v. Chr. scheint die *k.* als eine Einheit in Sellasia gekämpft zu haben (Plut. Kleomenes 28).

→ Initiation

1 W. DEN BOER, Laconian Studies, 1954 2 P. CARTLEDGE, Agesilaus and the Crisis of Sparta, 1987 3 J. DUCAT, Crypties, in: Cahiers Glotz VIII, 1997, 9–38 4 Ders., Les Hilotes, 1990 5 M. I. FINLEY, Sparta, in: K. CHRIST (Hrsg.), Sparta, 1986, 327–350 6 S. HODKINSON, s. v. Krypteia, OCD, ³1996, 808 7 H. JEANMAIRE, La cryptie Lacédémonienne, in: REG 26, 1913, 121–150 8 N. KENNELL, The Gymnasium of Virtue: Education and Culture in Ancient Sparta, 1995 9 P. VIDAL-NAQUET, Le chasseur noir, 1981.   P. C./Ü: A. H.

Kryptographie
A. Sicherung unverschlüsselter Botschaften
B. Verschlüsselungen durch Buchstaben und Zahlzeichen
C. Sonstige Methoden

A. Sicherung unverschlüsselter Botschaften

Bereits in der Ant. existierten zahlreiche Verfahren, um Nachrichten zur Geheimhaltung zu verschlüsseln. Die jeweilige Geheimschrift sollte nur Eingeweihten zugänglich sein. Die ausführlichste heute noch erhaltene Darstellung von Methoden, geheime Botschaften zu übermitteln, bietet der griech. Kriegswissenschaftler → Aineias [2] Taktikos aus der 1. Hälfte des 4. Jh. v. Chr. (Ain. Takt. 31,1–35). Darin nehmen Hinweise auf Arten der geheimen Überbringung unverschlüsselter Botschaften den größeren Teil ein. Dann schildert Aineias diverse Verfahren der Verschleierung, die ebenfalls den Text nicht verändern, sondern lediglich verbirgt, wie z. B. das Tätowieren der Kopfhaut des Boten mit anschließendem Nachwachsenlassen der Haare, das Beschreiben einer Holztafel vor dem Wachsüberzug oder die Verwendung spezieller, unsichtbarer Tinte, durch die der Text erst nach einer besonderen Nachbehandlung lesbar ist. Dieser Kategorie von Verschlüsselungsarten läßt sich auch die bei Isidor (Isid. orig. 1,25) überlieferte Spiegelschrift zurechnen.

B. Verschlüsselungen durch Buchstaben und Zahlzeichen

Für die Chiffrierung von Nachrichten nennt Aineias nur zwei Methoden: 1. Die Markierung von Buchstaben in einem zu übersendenden Buch oder Schriftstück: Die geheime Botschaft liest der Adressat entsprechend den der Reihe nach gekennzeichneten Buchstaben (Ain. Takt. 31,2–4). 2. Die Verwendung einer Anzahl von Punkten anstelle von Vokalen: Dabei entspricht die Punktzahl ihrer Stellung im Alphabet; d. h. ein Punkt für α, zwei Punkte für ε usw. Aineias gibt folgendes Beispiel: Διονύσιος καλός = Δ:: :.: Ν ::: Σ:: :.: Σ Κ.Λ:.:Σ (Ain. Takt. 31,31).

Eine andere ant. Chiffriermethode bildet das seit Caesar und Augustus überlieferte Verfahren, Buchstaben durch andere Buchstaben oder Zeichen zu ersetzen. So soll Caesar mit seinen Vertrauten eine Geheimschrift verwendet haben, in der ein Buchstabe durch den jeweils dritten nachfolgenden ersetzt wird, d. h. statt eines A wird ein D geschrieben usw. (Suet. Iul. 56,6; Gell. 17,9,1–5). Dazu verweist Gellius auch auf einen Kommentar des Grammatikers Probus (Gell. 17,9,5: de occulta litterarum significatione in epistularum C. Caesaris scriptura). Einfacher chiffrierte Augustus, der ein B für ein A, ein C für ein B usw. setzte, aber zweimal A für X (Suet. Aug. 88).

Neben diesen Ersetzungsverfahren sind auch kompliziertere bekannt. Offenbar auf oriental. Tradition ist die griech. Zahlen-K. zurückzuführen, die auf dem Ersetzen der 24 Buchstaben des griech. Alphabets durch ihren allg. bekannten Zahlenwert basierte. Wenn die Summe der Zahlzeichen eines Wortes oder eines στίχος (stíchos, etwa »Normzeile«) dieselbe war, sprach man von Isopsephie (etwa »Gleichheit der Zähleinheiten«) [1. 307–319]. Diese K. verwendete man z. B. für Eigennamen in Unterschriften oder für kürzere Wörter: ἀμήν = α' + μ' + η' + ν' [1 + 40 + 8 + 50] = 99 = koppa [90] theta [9]. Ferner konnte die Zahlen-K. die alphabetische Reihenfolge der Buchstaben umkehren, z. B. innerhalb von 3 Gruppen zu je 9 Buchstaben (α-θ etc.) mit der Einfügung der 3 Zusatzzeichen Stigma, Koppa und Sampi anstelle von δ, ι, ρ.

C. Sonstige Methoden

Für die Verwendung eines Codeverfahrens, das ganze Elementgruppen des Klartextes einem Code entsprechend ersetzt, sind aus der Ant. bestenfalls Ansätze überliefert, wie z. B. die von Cicero in gewissen Briefen verwendeten Decknamen (Cic. Att. 2,20,5).

Eine Art des Versetzungs- oder Verwürfelungsverfahrens, das die Reihenfolge der Textelemente verändert, liegt in der von kaiserzeitlichen Autoren den Spartanern zugeschriebenen → Skytale vor.

Weitere Methoden der K., die bes. aus dem MA tradiert sind, aber z. T. bereits früher existierten, sind die Unterdrückung von Vok. oder das Ersetzen von Vok. durch den im Alphabet nachfolgenden Kons.; die Verwendung fremder Alphabete wie z. B. des griech. anstelle des lat.; die Erfindung spezieller kryptographischer Alphabete. Bei magischen Texten wird das normale Alphabet häufig auch durch ein Phantasiealphabet aus astrologischen und alchemistischen Zeichen zusammen mit Normalbuchstaben ersetzt. In der mystischen K. haben einzelne Buchstaben je nach Kontext eine bestimmte symbolische Bedeutung, wie Y bei den Pythagoreern für ὑγίεια (hygíeia, Gesundheit) steht oder der Buchstabe T (τ, tau) in christl. Texten das Kreuz symbolisiert [2. 1765].
→ Nachrichtenwesen

1 V. Gardthausen, Griech. Paläographie II 2, 1913, 298–319 2 M. Guarducci, Dal gioco letterale alla crittografia mistica, in: ANRW II 16.2, 1736–1773.   A. K.

Kryptoportiken s. Crypta, Cryptoporticus

Ktesias (Κτησίας) von Knidos
A. Leben B. Werke

A. Leben

Historiker dem lit. Genre, Romanschriftsteller modernen Kriterien nach. K. stammte aus alter Ärztefamilie, lebte einige J. (405–398/7 v. Chr.) als Leibarzt am Hofe Artaxerxes' [2] II. und knüpfte in dessen Auftrag Kontakte zu → Euagoras [1], dem Athener → Konon [1] sowie zu Sparta.

B. Werke

K. verfaßte eine Períodos (Erdbeschreibung) sowie Indiká mit einer Reihe von sachgemäßen Berichten.

Berühmt wurde K. aber durch seine großen, 23 B. umfassenden *Persiká* in ion. Sprache. Das Werk nach dem *Helleniká*-Typ ist zwar nicht erh., aber doch in so großen Fr. bei Diodor, Nikolaos von Damaskos und Photios auf uns gekommen (FGrH 688), daß eine sichere Rekonstruktion möglich und eine lit. und histor. Einordnung nicht unmöglich ist.

Die *Persiká* umfaßten die Gesch. des Orients von dem sagenhaften König → Ninos, dem Gründer des assyr. Reiches, bis zum 8. Regierungs-J. Artaxerxes' [2] II. (398/7). Das Werk teilte sich in *Assyriaká* – d. h. in drei B. assyr. (mit auffallend wenig babylon. Nachrichten) und drei B. medische Gesch. – sowie die eigentlichen *Persiká*. Das Prinzip, die oriental. Geschichte nach herrschenden Völkern (Assyrer, Meder, Perser) zu gliedern, übernahm K. von → Herodotos [1]. Das Werk schloß mit einer Königsliste »von Ninos und Semiramis bis Artaxerxes II.« (FGrH 688 F 33).

K. betont, daß er – anders als sein Vorgänger Herodotos, der ein Lügner sei – die Dinge mit eigenen Augen gesehen oder von den Persern selbst gehört habe. Dieser Methodensatz – unter explizitem Bezug auf die herodoteische *autopsía* – führt aber wider Erwarten nicht zu hohem histor. Wahrheitsgehalt. Die Gesch. Assyriens von Ninos bis Sardanapal (1240 J.; nach Hdt. 520 J.; den Troian. Krieg datieren beide auf ca. 1270–1240 v. Chr.) bot zwar schriftstellerische Glanzpunkte (→ Assurbanipal), ist aber frei erfunden oder (wohl eher) histor. ganz anspruchslosen Quellen entnommen. Auch sachlich stößt man auf viele Fehler: So wird z. B. – gegen Herodotos – Ninive an den Euphrat versetzt. Hier zeigt sich exemplarisch sein purer Widerspruchsgeist und seine kapriziöse Sucht, alles verfremdet darzustellen. Ähnlich verfuhr K. mit der medischen Gesch. Nicht etwa das Studium amtlicher Listen führte ihn zur Verdoppelung der medischen Herrschaftsdauer auf 300 J., sondern der bestimmende Wunsch, Herodotos ins Unrecht zu setzen. Selbst die histor. Wert seiner Nachrichten über die Zeit von → Kyros [1] bis → Xerxes ist gering. Nirgendwo bietet K. Besseres als Herodotos. Kyros wird kaum anders dargestellt als eine seiner assyrischen Kreaturen. Nicht einmal echt iranische Sagen werden geboten. Die pers. Reichspolitik interessierte K. kaum. Gute Quellen hat K. auch hier nicht herangezogen. Für die Zustände am Hof (Haremsintrigen) ist K. dagegen erstklassig.

Im 4. Jh. v. Chr. galt K. als der Autor für die oriental. Gesch. schlechthin. Isokrates, Platon und Aristoteles lasen ihn, → Theopompos wollte mit ihm konkurrieren, → Ephoros, Herakleides von Kyme und → Dinon haben ihn benutzt oder fortgesetzt.

J. Bonquet, Ctesias' Assyrian King-List, in: AncSoc 21, 1990, 5–16 · F. Jacoby, s. v. Ktesias, RE 11, 2032–2073 · F. W. König, Die Persika des Ktesias, 1972 · A. Momigliano, Ktesias, 1931 (= Ders., Ausgewählte Schriften 1, 1998, 77–109) · N. Wilson, Photius: The Bibliotheca, 1994. PE.HÖ.

Ktesibios

[1] A. Leben und Werk B. Erfindungen

A. Leben und Werk

K., ein aus Alexandreia stammender (Vitr. 9,8,2; Philon von Byzanz, Belopoiika 67) und dort wirkender griech. Mechaniker und Erfinder der 1. H. des 3. Jh. v. Chr., war der Begründer der → Pneumatik.

In einem Epigramm (Athen. 497d) berichtet K.' Zeitgenosse Hedylos von einem hydro-akustischen Doppel-Füllhorn, mit dem K. ein Standbild der »göttl. Arsinoë« ausgestattet habe. Arsinoë [II 3] II., seit 277 v. Chr. Gemahlin Ptolemaios' II. Philadelphos, wurde im Jahre 274 zur Göttin erhoben; Mz. zeigen bereits um 270 die erwähnte Statue. K. lebte und wirkte demnach unter Ptolemaios I. und II. am → Museion in Alexandreia. Im J. 159 v. Chr. wurde in Rom eine öffentl. Wasseruhr mit dem von K. erfundenen Reglerprinzip aufgestellt (Plin. nat. 7,215); die Zuweisung der Erfindung der Hydraulis (→ Musikinstrumente) an einen äg. Friseur K. des 2. Jh. durch Aristokles (Athen. 174b-e) beruht sicherlich auf einem Mißverständnis.

K.' Schrift (*hypomnémata méchaniká* bzw. *commentarii*) lag wohl noch Vitruvius vor (Vitr. 1,1,7; 10,7,5). Auf diesen Text geht vielleicht die Erzählung zurück, wie K. als Sohn eines Barbiers in Alexandreia die seinen meisten Erfindungen als Prinzip zugrundeliegende Körperlichkeit und Arbeitsfähigkeit der Luft entdeckte, als er im Salon seines Vaters einen an einer Schnur hängenden höhenverstellbaren Spiegel konstruierte; dieser war durch eine über Rollen laufende Schnur mit einer Bleikugel als Gegengewicht verbunden, die in einer engen Röhre auf- und abglitt und beim Ansaugen bzw. Ausstoßen von Luft einen pfeifenden Ton erzeugte (Vitr. 9,8,2–7).

Über K.' darauf beruhende Erfindung und effektvolle experimentelle Vorführung des »Luftspanners« (ἀερότονον) weiß Philon von Byzanz (Belopoiika 77 f.) noch als Augenzeuge zu berichten, während er für die Beschreibung des erst nach seinem Weggang von K. erfundenen und experimentell erprobten »Erzspanners« (χαλκότονον) auf Berichte von Augenzeugen zurückgreifen kann (ebd. 56; 67). In enger Anlehnung an K.' Werk beschreibt Vitruvius die Konstruktion von Wasseruhren (Vitr. 9,8,4–7), der Hydraulis (Vitr. 10,8) und der *Ctesibii machina* (Vitr. 10,7,1–3; vgl. Philon von Byzanz, Pneumatika 1).

B. Erfindungen

Die *machina* des K. ist eine von ihrem Konstrukteur fälschlich als Luftpumpe aufgefaßte springbrunnenartige Wasserspritze mit einem durch Rückschlagventile verschließbaren Windkessel, der für einen kontinuierlichen Strahl sorgt. Zwei in getrennten Wasserbehältern stehende Zylinder mit Kolben, die über je einen Hebel mittels Stangen bedient werden, fungieren aufgrund von Klappenventilen abwechselnd als Saug- und Druckpumpe und pumpen Luft (sowie Wasser), die das Wasser durch eine senkrecht nach oben führende Röhre hinausdrückt, in den Windkessel (so die Erklärung von K. gemäß Philon und Vitruvius). Bei einer späteren, verbesserten und vergrößerten Form für den Großeinsatz zur Feuerbekämpfung stehen beide Zylinder in einem gemeinsamen großen Wasserbehälter; die Kolben werden über ein Gestänge mit einem wippenartigen Doppelhebel gleichzeitig in entgegengesetzter Richtung bedient; die an der Steigröhre angebrachte Austrittsdüse für den Wasserstrahl ist in alle Richtungen drehbar; die im Windkessel komprimierte Luft dient ausdrücklich dem pneumatischen Druckausgleich. In dieser Form blieb die Feuerspritze bis zum Aufkommen von Dampf- und Motorspritzen im 20. Jh. in Gebrauch.

Die Wasser-Winter- oder Nachtuhr (ὡρολόγιον/ hōrológion) des K. ging auf das Prinzip der älteren, in der Gerichtspraxis zur Bemessung der Redezeit verwendeten Klepsydra (→ Uhr) zurück. Bei dieser handelt es sich um ein Wasser-Aus- oder -Einlaufgefäß ohne Zeitanzeige, wie es auch für → Automaten benutzt wurde, bei denen Schwimmer, die durch den Wandel des Wasserstandes bewegt werden, über Zahnstangen und andere Übertragungsmechanismen Bewegungen vermitteln. Damit verbunden war eine Unterteilung des lichten Tages in 12 (Temporär-)Stunden auf einer Sonnenuhr, die K. analog auf die Nacht (von Sonnenuntergang bis -aufgang) übertrug. Für den dazu über die gesamte Nacht erforderlichen gleichförmigen Einlauf des Wassers in das Auffanggefäß führte er den Zustrom aus dem öffentlichen Wassernetz in ein Überlaufgefäß, aus dem das Wasser dann aufgrund des gleichbleibenden Wasserdrucks gleichförmig durch eine Öffnung am Boden austropfen konnte. Eine exaktere Regulierung erfolgte durch einen genau in die kegelförmig auslaufende Öffnung der Wasserzufuhr passenden kegelförmigen Schwimmer, der ein Gleichgewicht zwischen Wasserstand im Regulierbecken und Wasserzufuhr gewährleistete. Der Wasserstand im Auffangbecken als der eigentlichen Klepsydra wird dann von einem Schwimmer angezeigt, der in eine mit einer Figur als Zeiger versehene Stange ausläuft. Der Zeiger weist dabei auf eine drehbare Trommel mit Stundenlinien, die entsprechend den unterschiedlich langen Temporärstunden nach Monaten unterteilt sind.

Als Alternative variiert K. statt der Stundenskala den Zulauf entsprechend der Stunden- bzw. Tageslänge; hierzu bringt er am Regulierbecken statt der einen Öffnung am Boden eine runde Scheibe mit exzentrischer Öffnung an, durch deren Drehung (im Idealfall um den 365. Teil pro Tag) die Höhe der Ausflußöffnung und damit die Stärke des die Ausflußgeschwindigkeit bedingenden Wasserdrucks variiert werden kann. Eine spätere Weiterbildung stellen die horologia anaphorica (Vitr. 9,8,8; »Aufgangsuhr« – eine Art selbstbewegtes → Astrolabium) dar, bei denen die Schwimmerbewegung durch eine mit einem Gegengewicht versehene Schnur über eine Welle ein Netz (rete) der Stundenlinien vor einer tageweise zu verstellenden (Bronze-)Scheibe mit eingravierten Himmelskreisen (und Sternbildern) dreht.

Die unter Dionysios [25] d. Ä. in Syrakus entwickelten und unter den ersten beiden Ptolemäern in Alexandreia in aufwendigen Experimenten durch Normung der Größen verbesserten Torsions-Katapulte waren aufgrund der in zwei Spannrahmen aufgedrehten Haarstränge sehr witterungsanfällig; deshalb suchte K. nach Abhilfe und erfand zwei Varianten, von denen die erste, der »Luftspanner«, auf seinen pneumatischen Erkenntnissen beruht. Bei diesem → Katapult erfolgt die Spannung der beiden Bogenarme durch den Druck der (komprimierten) Luft, der beim Spannvorgang in brn. Zylindern durch je einen mit einem Bogenarm über eine Kolbenstange verbundenen Kolben erzeugt wird. Beim »Erzspanner« erfolgt die Spannung der Bogenarme dagegen durch jeweils mehrere übereinander gelagerte brn. Blattfedern. Beide Formen konnten sich allerdings aus technischen Gründen nicht durchsetzen, während die Torsions-Katapulte sogar in den genormten Größen weit über die Ant. hinaus in Gebrauch blieben.

→ Heron; Mechanik; Philon von Byblos

1 A. G. Drachmann, Ktesibios, Philon and Heron, 1948 2 Ders., The Mechanical Technology of Greek and Roman Antiquity, 1963 3 B. Gille, Les mécaniciens grecs, 1980 4 F. Krafft, Heron von Alexandria, in: K. Fassmann (Hrsg.), Die Großen der Weltgesch. 2, 1972, 333–377 5 E. W. Marsden, Greek and Roman Artillery, 2 Bde., 1969–71 6 A. Schürmann, Griech. Mechanik und ant. Ges., 1991. F. KR.

[2] s. Phaidon aus Elis

Ktesidemos. Griech. Maler zweiter Kategorie (nach Plin. nat. 35,140), wirkte um und nach 350 v. Chr. und war Lehrer des → Antiphilos [4]. Überl. sind ein Schlachtengemälde, die Einnahme von Oichalia, und ein Porträt der Laodameia, über den Stil ist nichts bekannt.

G. Lippold, s. v. K., RE 11, 2077. N. H.

Ktesikles (Κτησικλῆς).
[1] Verf. von Chroniká in mind. 3 B. in hell. Zeit, lediglich von Athenaios zitiert (6, 272c: Volkszählung in Athen unter Demetrios [4] von Phaleron 317/6 v. Chr.; 10, 445c-d: Tod Eumenes' [2] I. im J. 241). Wilamowitz [1] und Jacoby (Komm. zu FGrH 245) treten für die Gleichsetzung mit dem bei Diogenes Laertios (2,56) zit. Stesikleides von Athen ein, Verf. einer Anagraphḗ tōn archóntōn kai Olympioníkōn (»Auflistung der Beamten und der Olympiasieger«).

1 U. von Wilamowitz-Moellendorff, Antigonos von Karystos (Philolog. Unters. 4), 1881, 335.

Ed.: FGrH 245 mit Komm. K. MEI.

[2] Bildhauer. K. war als Schöpfer einer Marmorstatue im Heraion von Samos bekannt, die nach einem Komödien-Motiv des späten 4. Jh. v. Chr. einen Jüngling in erotische Verirrungen gestürzt habe.

Overbeck, Nr. 1372 · EAA 4, 418 Nr. 1. R. N.

[3] Hell. Maler der 1. H. des 3. Jh. v. Chr., aus Kleinasien? Anekdotenhaft rühmt Plin. nat. 35,140 sein Porträtgemälde der Seleukidenkönigin → Stratonike, in dem K. sie aus Rache, mangelnder Anerkennung wegen, in für sie ehrenrühriger Situation darstellte. Dennoch ließ sie es am Hafen von Ephesos ausgestellt stehen. Mehr ist über diesen wohl begabten Personenmaler nicht bekannt.

G. Cressedi, s. v. K. (2), EAA 4, 418 · G. Lippold, s. v. K. (4), RE 11, 2077.   N. H.

Ktesiphon (Κτησιφῶν).

[1] Athener, Sohn des Leosthenes aus Anaphlystos, Anhänger des → Demosthenes [2], für den er erfolgreich, aber formal der Amtsprüfung (→ Euthynai) vorausgreifend, 337/6 eine Ehrung durch einen Kranz beantragte. → Aischines [2] ging dagegen mit einer Klage vor, die 330 im »Kranzprozeß« eindeutig abgewiesen wurde (Aischin. Ctes.; Demosth. or. 18; Plut. mor. 840C und 846A). K. war auch einer der Gesandten zu Königin Kleopatra nach Epeiros (Aischin. Ctes. 242).

PA 8894 · Develin 1731 · LGPN 2, s. v. Ktesiphon (5).
                                                                    J. E.

[2] Griech. Name der Hauptstadt des Arsakiden- und Sāsānidenreiches (→ Arsakes; → Sāsāniden) vom 2. Jh. v. Chr. – 7. Jh. n. Chr. (parth./pahlevi: *tyspwn*, arab.: *Ṭaysabūn*). Angesprochen als östl. Pendant zu Rom; Teil der ca. 30 km² großen Städteagglomeration al-Madāʾin (u. a. mit → Seleukeia, Vēh Ardašīr) am nordbabylon. Tigris.

221 v. Chr. erstmals als Orts-/Flurname auf der linken Tigris-Seite erwähnt (Pol. 5,45), ist K. spätestens im 1. Jh. n. Chr. eine große Stadt (Strab. 16,1,16; Plin. nat. 6,30,122; 6,31,131). Sie wurde mehrmals erfolgreich (116: Traian; 165: Verus; 198: Severus und 283: Carus) aber auch vergeblich (262: Odainath von Palmyra; 363: Iulian; 628: Heraklius) von röm. Truppen angegriffen. Nach der Eroberung durch Ardair (226) wurde K. sāsānid. Krönungs- und Hauptstadt [4] sowie Sitz des nestorianischen Katholikos (u. a. Synode 410) und eines jüd. Exilarchen.

637 wurde K. von muslimischen Truppen erobert; der Niedergang setzte nach der Gründung Bagdads (762) ein, wo das Material der von al-Manṣūr teilzerstörten alten Königsresidenz wiederverwendet wurde [4]. Erh. ist nur der Tāq-e Kisrā aus dem 6. Jh., der größte Bogen der Ant. Grabungen fanden bislang kaum statt.

1 J. M. Fiey, Topography of al-Madaʾin, in: Sumer 23, 1967, 3–38 2 A. Oppenheimer, Babylonia Judaica in the Talmudic Period (TAVO Beih. B47), 1983, 179–235 3 R. McC. Adams, Land behind Baghdad, 1965, 61–83 4 J. Kröger, s. v. Ctesiphon, EncIr 6, 1994, 446–8.   S. HA.

Ktesippos

[1] s. Sokratiker

[2] Sohn des athen. *stratēgós* → Chabrias aus Aixione, für den Demosthenes [2] im J. 354 v. Chr. den Antrag des Leptines auf Kassierung der *atéleia* (→ Liturgie) bekämpfte (Demosth. or. 20,75; 82). K. ist belegt als Trierarch (IG II² 1623,72 f.: 334/3 v. Chr.; in IG II² 1604,87 [377/6] vielleicht der Großvater) und → Choregos (IG II² 3040; 320er J. nach [1. 24]). Das eigenwillige Verhalten des K. ist Ziel des Komödienspotts (Diphilos F 37 PCG V; Timokles F 5 PCG VII; Men. fr. 303 Körte; Ail. nat. 3,42). Nach dem Tod des Vaters 357 versuchte sich → Phokion vergeblich an K.' Erziehung (Plut. Phokion 7). Davies 561 (zu PA 8885 und 15086).

1 D. M. Lewis, Notes on Attic Inscriptions II, in: ABSA 50, 1955, 1–36.   BO. D.

Ktimenai (Κτιμεναί).

Hauptort der → Dolopes in der Nähe des Xynias-Sees, wahrscheinlich beim h. Kydonia und nicht beim h. K. (ehemals Anodranitsa). 198 v. Chr. von den mit Rom verbündeten Aitoloi erobert (Liv. 32,13,10); danach war Angeia Hauptort der Dolopes.

B. Helly, Incursions chez les Dolopes, in: I. Blum (Hrsg.), Topographie antique et géographie historique en pays grec, 1992, 48 ff. · F. Stählin, Das hellenische Thessalien, 1924, 148 f.   HE. KR.

Ktimene (Κτιμένη).

[1] → Odysseus' jüngste (oder jüngere [1]) Schwester. Sie wird gemeinsam mit → Eumaios aufgezogen und nach Same verheiratet (Hom. Od. 15,363 ff.: einzige Stelle, die die Geschwister des Odysseus erwähnt).

[2] Tochter des Lokrers Phegeus aus Oinoë; K. soll von → Hesiodos verführt worden sein und → Stesichoros geboren haben, worauf ihre Brüder Amphiphanes und → Ganyktor [2] Hesiodos aus Rache töteten (Vita Hesiodi p. 50 Wilam.).

1 A. Hoekstra, A Commentary on Homer's Odyssey, Bd. 2, 1989, 255.   RE. N.

Ktisis-Epos (κτίσις/*ktísis*: »Gründung«).

Als Variante der griech. Freude an der Bestimmung eines »ersten (Er)finders bzw. Entdeckers« (πρῶτος εὑρετής, → *prôtos heuretḗs*) ist die Erzählung über den Ursprung von Städten oder Kolonien in der archa. griech. Kultur ein sehr weit verbreitetes aitiologisches Motiv: Stadtgründer waren entweder mythische Figuren oder wurden nach ihrem Tod heroifiziert (meistens ein Heros, dem von einem Orakel bedeutet wurde, aus der Heimat fortzugehen, oder eine Heroine, die von einem Gott entführt und dazu gezwungen wurde, sich in einer wilden Gegend niederzulassen); in beiden Fällen wurden ihnen kult. Ehrungen und Feste gewidmet (→ Heroenkult), die periodisch wiederkehrende Gelegenheiten für den öffentlichen Vortrag der Gründungsmythen darstellten. Das Motiv ist seit Hom. Il. 2,661–69 (Besiedlung von Rhodos durch Tlepolemos) gut belegt und wird danach zu einem wiederkehrenden »histor.«-narrativen Element der elegischen und lyrischen Dichtung (→ Historisches Epos) bzw., v. a. im 5. Jh. v. Chr., zu einem histor.-enkomiastischen Element des Lobpreises von

Städten oder Gründungskönigen innerhalb der Chordichtung. Beispiele: Pind. P. 1,59–63 (Aitna); 5,55–61, 72–81, 89–95 (Kyrene); Pind. O. 7,27–33 (Rhodos); Bakchyl. 11,64–72 (Tiryns). Dieses Motiv (Preis des Hieron [1]) liegt auch der Trag. über die Gründung von Aitna (476/75) zugrunde, die Aischylos [1] während seines Besuchs in Syrakus verfaßte (Aischyl. fr. 6–11 R.; vgl. schon Solons Huldigungsgeste gegenüber Philokypros: frg. 11 GENTILI-PRATO).

In klass. Zeit (5./4. Jh. v. Chr.) wurden K.-E. nur vereinzelt verfaßt. So schrieb z. B. → Ion von Chios über die Gründung von Chios (fr. 7–9 G.-P., ob in Prosa oder elegischen Distichen, ist unbekannt). Die Ktisis-Geschichtsschreibung in Prosa wurde im 5.–4. Jh. v. Chr. z. B. von Hellanikos, Xenomedes von Keos und Charon von Lampsakos gepflegt.

Erneutes Interesse am K.-E. regte sich in hell. Zeit, als die zahlreichen Stadtgründungen Alexanders und der Diadochen dieser Sicht der Lokalgesch. neue Aktualität verliehen. → Kallimachos verfaßte eine Prosa-Abh. über ›Gründungen und Namensänderungen von Inseln und Städten‹, dazu einen Überblick über die Ursprünge griech. Städte im 1. B. der *Aítia* (fr. 50,1–83 MASSIMILLA). → Apollonios [2] von Rhodos integrierte zahlreiche Verweise auf Gründungssagen in seine *Argonautiká* (1,735 ff.; 1,1321 ff.; 2,746 ff.; 4,1470 ff.) und behandelte anscheinend auch, vielleicht in verschiedenen kurzen Gedichten, ausführlicher die Gründungen von Alexandreia, Kaunos, Knidos, Naukratis und Rhodos (CollAlex 4–12; der Charakter des Gedichts über Kanobos ist unklar). Auch der *Lýrkos* des → Nikainetos behandelte die Gründung von Kaunos, und → Demosthenes [3] von Bithynien werden *Ktíseis* zugeschrieben.

Zw. dem 4. und 5. Jh. n. Chr. erlebt die Gründungssagendichtung eine erneute Blüte: In diesen Zeitraum fallen die verschiedenen *Pátria* (Πάτρια, d. h. Werke über die Gründung von Städten) des → Claudianus [3], des → Christodoros von Koptos, des → Hermias und → Horapollon (vgl. auch P Argentoratensis 481 = 24 HEITSCH); zahlreiche ktistische Elemente finden sich in den *Dionysiaká* des → Nonnos.

C. DOUGHERTY, The Poetics of Colonization, 1993 · D. GIGLI-PICCARDI, La »Cosmogonia di Strasburgo«, 1990 · H. GRUBER, Der Lobpreis von Städten und Ländern in der griech. Dichtung der alexandrinischen Zeit, Diss. 1939 · K. HARTIGAN, The Poets and the Cities, 1979 · E. HEITSCH (ed.), Die griech. Dichterfr. der Kaiserzeit, 24 · S. JACKSON, Apollonius of Rhodes, in: Quaderni Urbinati 78, 1995, 57–66 · N. KREVANS, On the Margins of Epic: the Ktisis-Poems of Apollonius, in: Hellenistica Groningana IV (im Erscheinen) · P. B. SCHMID, Studien zu griech. Ktisissagen, Diss. 1944 (1947). M. FA./Ü: T. H.

Ktistes (κτίστης). Mit K. (von griech. κτίζειν/*ktízein*, »bewohnbar machen, besiedeln« bzw. »gründen, einrichten«) werden (neben → *archēgétēs* und *oikistḗs*; lat. *conditor*) im griech. Sprachraum der vorchristl. Zeit Gründer von Städten bezeichnet. In Inschr. der hell.

Zeit meint K. als Ehrentitel vielfach auch Gründer/Stifter von Spielen oder anderen öffentlichen Einrichtungen (vgl. z. B. CIG 2851). Christl. Autoren verwenden K. im Sinne von »Schöpfer(gott)« (der Erde, Flora, Fauna etc.).

K. im Sinne von Stadtgründer konnte ein Gott (vor allem Apollon), einer der Heroen (häufig → Herakles) oder heroisierten Menschen und auch ein realer Mensch sein (Katalog bei [5. 360–386]). Während einige Städte traditionell als von Göttern oder Heroen gegr. galten und diesen Ursprung auch im Namen führten (Hermupolis, Heliopolis, Herakleia: Menander Rhetor 1,353 RUSSEL/WILSON; → Eponymos), konstruierte man, bes. in der röm. Kaiserzeit, nachträglich einen myth. Ursprung, obgleich der menschl. K. bekannt war (z. B. Paus. 3,21,7: → Gyth(e)ion). In der Trad. der Gründerkulte für Alexandros [4] d. Gr. und die nachfolgenden hell. Könige, die zahlreiche Städte neu oder als »zweite Gründer« wieder gründeten ([1. 156; 5. 202–312]; → Euergetes), erhielten auch röm. Kaiser (bes. häufig → Hadrianus) den Titel K. und kult. Ehrungen (vgl. Menander Rhetor 1,377 R/W).
→ Apoikia; Diomedes [1]

1 CH. HABICHT, Gottmenschentum und griech. Städte, ²1970 2 I. MALKIN, Rel. and Colonization in Ancient Greece, 1987 3 Ders., What's in a Name? The Eponymous Founders of Greek Colonies, in: Athenaeum 73, 1985, 114–130 4 C. F. LEHMANN, Pausanias, Heros K. von Byzanz, in: Klio 17, 1921 5 W. LESCHHORN, Gründer der Stadt. Stud. zu einem polit.-rel. Phänomen der griech. Gesch., 1984 6 T. S. SCHEER, Myth. Vorväter: zur Bed. griech. Heroenmythen im Selbstverständnis kleinasiat. Städte, 1993. C. F. u. W. ED.

Kuckuck (κόκκυξ/*kókkyx*, seit Hes. erg. 486; Suda s. v. κοῦκκος/*kúkkos*, lat. *cucul(l)us* zuerst bei Plaut. Trin. 245, dann bei Plin. nat. 18,249; 28,156 und 30,85; *coccyx*: Plin. nat. 10,25), der bekannte Brutschmarotzer und in Griechenland früh erscheinende (Dionysios, Ixeutika 1,13, [1. 11]) Zugvogel. Der namengebende Ruf (Verbum: κοκκύζειν/*kokkýzein*, Hes. l. c.) war ebenso auffallend wie die Ablage des Eis (selten sind es zwei) in die Nester verschiedener Kleinvögel (bei Aristot. hist. an. 6,7,564a 2 der ὑπολαΐς/*hypolaís*, wahrscheinlich einer Grasmücke). Aristoteles (hist. an. 6,7,563b 14–564a 6) tritt der Meinung, der → Habicht (*hiérax*) verwandle sich im Sommer in einen K., mit überzeugenden Argumenten entgegen, u. a. der Tatsache, daß ersterer ja ein Greifvogel (mit krummen Klauen) sei. Von der geringen Eizahl schließt Aristoteles auf die kalte Natur des K. (gen. an. 3,1,750a 11–17) und die daher rührende Feigheit, die durch seine Flucht vor den ihn verfolgenden Vögeln zum Ausdruck komme. Die Plazierung des Eis in die fremden Nester von φάψ/*pháps* (Taube), ὑπολαΐς/*hypolaís*, κόρυδος/*kórydos* (Haubenlerche) und χλωρίς/*chlōrís* (Grünling) wird als Schlauheit aufgrund seiner Feigheit gedeutet (Aristot. hist. an. 8(9),29,618a 8–31). Dort werden auch verschiedene Angaben über die Beseitigung der Jungen des Wirtsvogels diskutiert. Ail. nat. 3,30 ergänzt die Beobachtung, daß der K. nur in die Nester legt, deren Eier den eigenen ähneln. Plin. nat. 10,25–27 fügt zu den von Aristoteles übernommenen Angaben nur hinzu, daß das Fleisch des K. bes. gut schmecke. Auf dem Schild der → Hera war ein K. abgebildet, weil Zeus sich zuerst in dessen Gestalt seiner späteren Gemahlin auf dem »Kuckucksberg« (óros Kokkýgion, Paus. 2,36,1) genannten Berg Thornax genähert hatte (Paus. 2,17,4).

1 A. Garzya (ed.), Dionysii Ixeuticon libri, 1963.

D'Arcy W. Thompson, A Glossary of Greek Birds, 1936, Ndr. 1966, 151–153 • Leitner, 93 • Keller, 2,63–67.

C.HÜ.

Kümmel   I. Alter Orient
II. Griechenland und Rom

I. Alter Orient

K. war als Gewürzpflanze in Mesopot., Äg., Äthiopien und Kleinasien verbreitet und wird in myk. Linear B-Texten als *ku-mi-no* erwähnt [6. 131, 136, 227]. Das Wort ist ein bis ins 3. Jt. zurückzuverfolgendes Kulturwort (sumer. *kamun*; akkad. *kamūnum*, hethit. *kappani*- [mit m > p-Wechsel], ugarit. *kmn*, hebr. *kammōn*, türk. *çemen*, engl./franz. *cumin*). Äg. K. (Cuminum cyminum; äg. *tpnn*, kopt. *tapen*) scheint möglicherweise eine andere Spezies des K. gewesen zu sein [5]. K. wurde in Äg. auch medizinisch (u. a. bei Magen-Darm-Beschwerden und zum Abführen von Würmern) angewandt, desgleichen in Mesopotamien [1. 132].

1 Chicago Assyrian Dictionary K, 1971, s. v. *kamūnu*, 131 f. 2 V. Hehn, O. Schrader, Kulturpflanzen und Haustiere, ⁸1911 3 H. A. Hoffner, Alimenta Hethaeorum, 1974, 103 f. 4 E. Masson, Recherches sur les plus anciens emprunts sémitiques en grec, 1967, 51 f. 5 W. J. Darby et al., Food: The Gift of Osiris 1977, 799 f. 6 M. Ventris, J. Chadwick, Documents in Mycenean Greek, ²1973.

J.RE.

II. Griechenland und Rom

Die Griechen importierten den Kreuz-K. (κύμινον/ *kýminon*, lat. *cuminum*), Cuminum cyminum L. (Familie der Umbelliferae-Apiaceae), zuerst aus Ägypten, Äthiopien und Kleinasien. Aristophanes (Vesp. 1357) und Theophrast (h. plant. 7,3,3; 9,8,8) kennen ihn anscheinend genau, noch besser aber Dioskurides (3,59–61 Wellmann = 3,61–62 Berendes). Medizinische Verwendung verschiedener K.-Arten ähnlich denen im Orient erwähnt Plin. nat. 20,159–162. Dioskurides (3,57 Wellmann = 3,59 Berendes) kennt auch den nur in Norditalien wachsenden echten K. καρώ/*karṓ*, Carum carvi L.
→ Gewürze

G. E. Thüry, J. Walter, Condimenta. Gewürzpflanzen in Koch- und Backrezepten aus der röm. Ant., 1997, 89–91.

C.HÜ.

Künstler   I. Antikes und modernes Verständnis
II. Bedeutung der literarischen Tradition
III. Kopienkritik und Meisterforschung
IV. Literarische Darstellungen und antike Realität   V. Ansehen in der Gesellschaft

I. Antikes und modernes Verständnis

Entsprechend dem Begriff »Kunst« existierte in der Ant. auch kein Begriff des »Künstlers«. Erst die veränderten Vorstellungen vom Künstler in der nachant. Kunsttheorie und künstlerischen Praxis haben die mod. Interpretation der materiellen und nicht-materiellen ant. Hinterlassenschaft – seien es Gebäude oder auch kunsthandwerkliche Erzeugnisse – in bezug auf ihre »Hersteller« geprägt; insofern sind Überlegungen zum ant. Künstler immer verflochten mit jeweils zeitgebundenen nachant. Vorstellungen.

II. Bedeutung der literarischen Tradition

Innerhalb dieses Rahmens spielten die ant. Schriften, die lange vor der Entdeckung und dem Bekanntwerden der materiellen Relikte zur Verfügung standen, die allergrößte Rolle. Diese Texte dokumentierten einerseits verlorengegangene Bildwerke, andererseits dienten sie als Schlüssel zum Verständnis vorhandener Werke. Auf diese Weise spielten ant. Texte eine bedeutsame Rolle in der künstlerischen Praxis der it. Renaissance. Die Beschäftigung mit den Leistungen einzelner K. oder lokaler Werkstätten wie etwa in Vasaris Biographien [1] konsolidierten die Autorität ant. Autoren wie etwa Plinius (nat. 33–37), deren Berichte diese Bedeutsamkeit noch verstärkten.

Im Antikenstudium des 17. und 18. Jh. beruhte das Verständnis der ant. Künstler weitgehend auf dem Studium von Textquellen [2], und sogar Winckelmanns bewußt nicht-biographisch organisierte ›Geschichte der Kunst des Altertums‹ fußte auf lit. Trad. [3]. Das Entstehen einer systematischen arch. Forsch. erzwang die Auseinandersetzung mit der wachsenden Menge dinglicher Funde aller Gattungen; vieles davon erwies sich jedoch als unwichtig oder als unvereinbar mit der textlichen Überl. Ein zentraler Punkt mit weitreichenden Konsequenzen war die Erkenntnis, daß viele der erh. klass. Skulpturen, die berühmten Meistern zugeschrieben wurden, keine Originale, sondern ant. Kopien waren [4]. Die vorherrschende Antwort auf diese Komplikation, die aus dem Anwachsen arch. Aktivitäten resultierte, war die Bestärkung der Position ant. Texte und lit. Nachrichten als »Quellen« [5].

III. Kopienkritik und Meisterforschung

Im späteren 19. Jh. wurden schließlich immer weiter verfeinerte Techniken der Textanalyse auf die Berichte über Künstler angewandt, und die nun dezidierte Betonung solcher Kennerschaft ermutigte Versuche, verlorene Werke von Künstlern, die in den Texten als herausragend bezeichnet wurden, wiederzufinden: Kopienkritik, eine im wesentlichen textliche Annäherungsmethode an Skulptur, wurde der Quellenkritik ebenbürtig [6]. Morellis Methode, die es erlaubte, auf-

grund rein visueller Kriterien Künstler-Hände zu scheiden, wurde von BEAZLEY übernommen und dominiert
bis h. die Erforschung der Vasenmalerei. In jüngster Zeit
beginnt sich dieser Forschungsansatz dahingehend zu
verschieben, daß »Meister« auch innerhalb von Gattungen, die von der lit. Trad. vernachlässigt wurden, zu
identifizieren versucht werden [7; 8].

Par. zur »Meisterforschung« entstanden – zunächst in
der Kunstgesch. – Methoden, in denen weiter gefaßte
Stilfragen gegenüber der Identifizierung einzelner
Künstler Vorrang hatten. WÖLFFLINS Konzept einer
»Kunstgesch. ohne Namen« [9. 15 f.] fand seine äußerste
Anwendung in CARPENTERS Versuch, griech. Plastik als
anon. Produkte eines unpersönlichen Handwerks darzustellen (›as an anonymous product of an impersonal
craft‹ [10. v]). Fragen nach der Natur künstlerischen
Schaffens, h. angesiedelt zw. einer Benjaminianischen
»Aura« und dem Postmodernismus [11], haben ein intellektuelles Klima geschaffen, das aufnahmebereit ist für
die Zeugnisse der ant. Technik von Produktion und
Reproduktion: Lang gehegte Vorstellungen von Kreativität und Originalität werden in Frage gestellt [12],
obwohl die traditionelle Meisterforschung nach wie vor
betrieben wird [13].

IV. LITERARISCHE DARSTELLUNGEN UND
ANTIKE REALITÄT

Die ant. Zeugnisse über die Produzenten gegen-
ständlicher Kunst sind frg. und widersprüchlich. Die lit.
Quellen umfassen diverse myth., philos. und quasi-do-
kumentarische Texte, die insgesamt einerseits die sozialen Kontexte der Produktion reflektieren und formen,
andererseits aber auch deutlich von der materiellen und
damit von der tatsächlich dokumentierten Hinterlassenschaft abweichen [14; 15; 16]. Versuche, die Unverein-
barkeit dieser Überl.-Stränge zu durchbrechen, stoßen
oft wegen des Nichtvorhandenseins gemeinsamer kon-
zeptioneller und praktischer Rahmenbedingungen auf
Schwierigkeiten, da jede kulturelle Situation neue Fragen mit sich bringt [17]. Die Ägäische Bronzezeit wurde
lange auf der Basis von Homer interpretiert, aber diese
ep. Sichtweise künstlerischer Aktivität ist weder kom-
patibel mit dem komplexen sozialen Beziehungsgeflecht noch mit dem hochentwickelten myk. Produk-
tionssystem des 3. und 2. Jt. v. Chr., wie es die Linear
B-Dokumente bezeugen [18]. Kombinationen von
kultureller Rückschau und Verbindungen zum Vorderen Orient scheinen im 8. und 7. Jh. v. Chr. für die Entstehung der göttlichen und übernatürlich begabten,
legendären Handwerkerfiguren wie Hephaistos, Tel-
chines und Daidalos verantwortlich zu sein. Diese Götter und Heroen behaupteten sich in klass. Zeit als die
Begründer und Förderer der visuellen Künste; ihre vor-
züglichen, doch oft unheimlichen Kunstwerke wirken
in K.-Legenden bis in die Moderne nach [19; 20].

Seit der griech. Archaik bieten Fundstücke aus ausgegrabenen Werkstätten, Abb. von Töpfern und Bildhauern bei der Arbeit [21; 22. 107–112], Inschr. mit
Namen von Töpfern [22. 112–116] und Bildhauern

[23], Inschr. mit Listen von Kunsthandwerkern, verwendeten Materialien, auszuführenden Arbeiten und
Gewerken sowie Zahlungen [14] ein Bild der künstlerischen und handwerklichen Praxis, das erheblich von
der Darstellung bei → Plinius d. Ä. und anderen Autoren abweicht. Die Bücher 33 bis 37 der *Naturalis historia*
des Plinius, lange Zeit als maßgeblich betrachtet, formulieren einen histor. und systematischen Rahmen, in
dem große und weniger große Meister – in regionalen
oder lokalen Schulen innerhalb eines funktionierenden
Netzes von Schülern, Lehrern sowie Rivalen – durch
ihre individuellen Leistungen zur Entwicklung der verschiedenen Kunstgattungen beitragen. Es wurde angenommen, daß Plinius' zahlreiche Zit. spezifischer Quellen darauf hindeuten, daß seine Informationen – direkt
oder indirekt – von praktizierenden Künstlern stammen
und deshalb im wesentlichen verläßlich sind [24. 73–
81]. Während Plinius aufgrund der Reichhaltigkeit und
Systematik seiner Darstellung unzweifelhaft die beherrschende Figur in der lit. Trad. ist, enthalten die *testimonia*
zu Künstlern beträchtliches Material, zusammengetragen aus histor., rhet., poetischen, technischen und peri-
egetischen Schriften sowie aus der → Ekphrasis. Traditionell werden die einzelnen Hinweise aus ihrem Zusammenhang genommen und die Informationen
aufgrund ihrer Genauigkeit bewertet; bei solch positi-
vistischer Herangehensweise bleiben jedoch selbst
Plinius' Angaben wenig aufschlußreich.

Aufgrund zahlreicher epigraphischer und monumentaler Zeugnisse ist bekannt, daß im archa. Athen
Skulpturen von kleineren und wenig spezialisierten
Werkstätten produziert wurden, die auch in weit geringerem Maße mit den polit. Aktivitäten der Zeit in Zusammenhang gebracht werden können, als lange angenommen wurde [25]. Und so hat sich auch die gefeierte
»rhodische Bildhauerschule« späterer Zeit als ein reines
historiographisches Wunschbild entpuppt [26; 27]. Die
Lösung liegt nicht darin, die Quellen als »ungenau« zu
verurteilen, sondern sie als Texte zu verstehen. Sogar
augenscheinlich geradlinige biographische und technische Informationen über Künstler und ihre Werke sind
geprägt durch ihren Kontext: Plinius' moralisierende
Analyse der menschlichen Tätigkeiten [28] genauso wie
die wiederkehrenden historiographischen Muster in
ant. Berichten über die Entwicklung der *téchnai*, die
»Künste der Zivilisation« [29; 30]; die Beziehung zwischen K. und Politikern (die es der Kunst überhaupt erst
ermöglichte, histor. sichtbar zu werden [31. 343 f.]);
und schließlich der bisweilen stark marginalisierende
und formelhaft-rhet. Charakter der Traktate über K.
[32].

V. ANSEHEN IN DER GESELLSCHAFT

In klass. griech. Zeit (5./4. Jh. v. Chr.) bilden sich die
grundlegenden Themen heraus, die bis h. kontrovers
diskutiert werden: das Wesen der künstlerischen Aktivität und die Position des K. in der Ges. Obwohl die
bildenden Künste ihren Platz unter den *téchnai* haben,
gibt es für sie keine Muse [33. 288], denn die Art ihrer

Tätigkeit gehört unmittelbar in den Bereich der physischen Arbeit, der verachteten *bánausoi* (vgl. z. B. Xen. oik. 4,2–3). Platons feindselige Einstellung zu den Künsten, speziell den darstellenden Künsten, hatte großen Einfluß auf die nachfolgenden Sichtweisen, wenn auch seine Sicht weit davon entfernt ist, monolithisch zu sein [34]. Das Fehlen einer klaren Grenze zw. den Kategorien einer geschätzten »Kunst« und eines ihr gegenüber minderwertigen »Kunst-Handwerks« in der Ant. hat zu vereinfachenden und auch anachronistischen Auffassungen geführt [35. 77–104]. Der Wohlstand und die gesellschaftliche Anerkennung, die einige Handwerker erwarben [22. 120–133], widerspricht der vereinfachten Annahme, die Verachtung der Kunsthandwerker und K. sei universell gewesen [36]. Vorplatonische Vorstellungen müssen von späteren, negativen unterschieden werden; es gibt eindeutige Zeugnisse einer positiven Sichtweise der Kunst, belegt etwa durch Hephaistos' göttliche Förderung und durch die Anerkennung des sozialen Werts der Kunst [16].

Der Bereich der *téchnē* umfaßt nicht nur die banausische, sondern ebenso die geistige Arbeit [34. 294–295; 37]. Positive und negative Bewertung der K. und ihrer Tätigkeit entwickelten sich fortlaufend innerhalb spezifischer Textgruppen. Der »ikonoklastische« Topos des niederen K. reduzierte etwa zugleich die Götterbilder zu einer schlichten Sache, zu einem Ding [38. 101 f.]; Lukians Vergleich der erschreckend reizlosen *Hermoglyphikḗ téchnē*, der Bildhauerei, mit der herrlichen *Paideía* (Somnium 6–16) mag als allegorische Figur im Rahmen der mit der bildenden Kunst rivalisierenden Rhet. gedient haben [39]. Die Erhöhung des K. durch die Theorie der *phantasía*, der erleuchteten Schöpfergabe, ist nur einer von vielen Aspekten des philos. Idealismus [24. 52–55; 40]. Die Ambivalenz der ant. Einstellung selbst zu den meistgeachteten künstlerischen Tätigkeiten wird bes. deutlich durch Plutarchs Bemerkung (Plut. Perikles 2), kein »gut veranlagter« Jugendlicher wünsche es, Bildhauer oder Dichter zu werden.

Verschiedene Äußerungen zeigen, daß auch in einer Sklavenhalterges. die Einstellung zu manueller Arbeit nicht einheitlich negativ war; die Überl. ermöglicht eine Vielzahl von mod. sozialen und polit. Interpretationen [41; 42; 43; 44]. Unmittelbare Dokumente über künstlerische Produktion sind in zu geringer Zahl vorhanden, um Kohärenz zu bewirken, und der spezifische Charakter dokumentarischer Berichte läßt gerade Kernpunkte der Arbeit im verborgenen. Die erh. Aufzeichnungen der öffentlichen Bauvorhaben erhellen Details der Verträge, Organisation, Baupraxis und Bezahlung, aber sie werfen nur wenig Licht auf den Widerspruch zw. der allg. Verachtung der K. und Kunsthandwerker und des gesellschaftlichen Erfolges, den viele offenbar errangen [45; 46; 47; 48]. Das gleiche gilt auch für Arbeiten im Privatbereich: Briefe aus dem Archiv des Zenon bezüglich der Dekoration eines reich ausgestatteten Hauses im ptolem. Äg. des 3. Jh. v. Chr. schildern komplizierte Verhandlungen mit verschiedenen kunsthand-

werklichen Spezialisten; es können hieraus aber keinerlei allg.-gültigen Schlußfolgerungen gezogen werden [49]. In noch geringerem Ausmaß sind die Traktate überl., die von Künstlern wie auch von Architekten geschrieben und in überl. ant. Quellen zit. sind [24. 73–81]. In welchem Ausmaß diese Texte spezielle Anliegen überstiegen und zu einem weiter gefaßten intellektuellen Zusammenhang beigetragen haben, ist nicht klar. Externes Vergleichsmaterial wie etwa ant. Traktate zu mechanischen Gegenständen scheint auf eine enge Begrenzung des Themenumfangs hinzudeuten [50; 51]; doch Vitruvs Aussage, daß Architektur ein breites Wissen erfordere (1,1; 6, praef.), wird durch den beileibe nicht nur Bauten im engeren Sinne betreffenden Inhalt seines eigenen Werkes erheblich bekräftigt [52].

Die Frage nach Stellung und Ansehen der K. im ant. Rom wird durch das nahezu vollkommene Schweigen der Schriftquellen zu diesem Thema sowie durch das Selbstverständnis kompliziert, demzufolge ›Römer keine Kunst machen‹ (Verg. Aen. 6.847–853) und, im Gegensatz zu den Griechen, auch wenig Interesse daran haben (Cic. Verr. 2,4,132). Z. Z. der späten Republik war die bildende Kunst als Teil der *luxuria* (»Luxus«, »Zügellosigkeit«), die im Zuge der Beutekunst in Rom Einzug gehalten hatte, negativ konnotiert und wurde vielfach als Beginn des moralischen Niedergangs angesehen (z. B. Liv. 25,40,1–3). Kunstwerke wurden jedoch weiterhin in allen Medien und in großem Umfang produziert und konsumiert; dabei wurde vieles nach griech. Vorbildern hergestellt, oft von Künstlern mit griech. Namen. Es scheint sicher, daß Skulpturen dieser Art als röm. galten und die Bildhauer mehr waren als bloße »Kopisten« griech. Werke [53]. Technische Unt., die den seriellen Herstellungsprozeß auch von Bronzestatuen bezeugen, stellen die traditionelle Auffassung von »Originalität« in Frage und erhellen ant. Praktiken, die nicht in den lit. Quellen beschrieben sind [12]. Die schriftliche Überl. zu Malern und ihren Werken nimmt ebenfalls nur geringen Bezug auf die erhebliche Menge gerade röm. Malerei [54]. Die schriftlichen Zeugnisse, die über röm. Künstler und ihre Werke in großer Vielzahl erh. sind, bieten insgesamt kein einheitliches Bild.

→ Architekt; Architektur; Bauwesen; Bild/Bildbegriff; Kopienwesen; Kunstinteresse; Kunsttheorie; Plastik; Reproduktionstechniken; Vitruvius; KÜNSTLER

1 G. VASARI, Le vite de' più eccellenti architetti, pittori et scultori italiani, 1550, ²1568 2 FRANCISCUS JUNIUS, De pictura veterum, 1637; Catalogus architectorum, mechanicorum, sed praecipue pictorum …, 1694, in: K. ALDRICH, P. FEHL, R. FEHL (Hrsg.), The Literature of Classical Art, 1991 3 J. J. WINCKELMANN, Gesch. der Kunst des Alt., 1764 4 A. D. POTTS, Greek Sculpture and Roman Copies I, in: JWI 43, 1980, 152–173 5 OVERBECK 6 A. FURTWÄNGLER, Meisterwerke der griech. Plastik, 1893 7 D. C. KURTZ, Beazley and the Connoisseurship of Greek Vases, in: Greek Vases in the J. Paul Getty Museum 2, 1985, 237–250 8 H. HOFFMANN, In the Wake of Beazley, in: Hephaistos 1, 1979, 61–70 9 H. WÖLFFLIN, In eigener Sache (1920), in: Ders., Gedanken zur Kunstgesch., ⁴1957, 15–18

10 R. Carpenter, Greek Sculpture, 1960 **11** R. Krauss, Retaining the Original? The State of the Question, in: K. Preciado (Hrsg.), Retaining the Original. Multiple Originals, Copies, and Reproductions, 1989, 7–11 **12** C. C. Mattusch, Classical Bronzes. The Art and Craft of Greek and Roman Statuary, 1996 **13** O. Palagia, J. J. Pollitt (Hrsg.), Personal Styles in Greek Sculpture, 1996 **14** A. Burford, Craftsmen in Greek and Roman Society, 1972 (Künstler und Handwerker in Griechenland und Rom, 1985) **15** F. Coarelli (Hrsg.), Artisti e artigiani in Grecia, 1980 **16** H. Philipp, Handwerker und bildende K. in der griech. Ges. von homer. Zeit bis zum E. des 5. Jh. v. Chr., in: H. Beck, P. C. Bol, M. Bückling (Hrsg.), Polyklet. Der Bildhauer der griech. Klassik, 1990, 79–110 **17** P. Bruneau, Situation méthodologique de l'histoire de l'art antique, in: AC 44, 1975, 425–487 **18** R. Laffineur, P. P. Betancourt (Hrsg.), TEXNH. Craftsmen, Craftswomen, and Craftsmanship in the Aegean Bronze Age, 1997 **19** F. Frontisi-Ducroux, Dédale. Mythologie de l'artisan en Grèce ancienne, 1975 **20** E. Kris, O. Kurz, Die Legende vom K., 1934 **21** J. Marcadé, Recueil des signatures de graveurs grecs, 1953–1957 **22** I. Scheibler, Griech. Töpferkunst, 1995 **23** G. Zimmer, Ant. Werkstattbilder, 1982 **24** J. J. Pollitt, The Ancient View of Greek Art, 1974 **25** D. Viviers, Les ateliers de sculpteurs en Attique: des styles pour une Cité, in: A. Verbanck-Piérand, D. Viviers (Hrsg.), Culture et cité. L'avènement d'Athènes à l'époque archaique, 1995, 211–223 **26** G. S. Merker, The Hellenistic Sculpture of Rhodes, 1973 **27** J. Isager, The Lack of Evidence for a Rhodian School, in: MDAI(R) 102, 1995, 115–131 **28** Ders., Pliny on Art and Society, 1991 **29** A. Kleingünther, Protos Heuretes (Philologus Suppl. 26.1), 1933 **30** F. Preisshofen, Kunsttheorie und Kunstbetrachtung, in: Le classicisme à Rome aux Iers siècles av. et ap. J.-C., Entretiens 25, 1979, 263–282 **31** A. A. Donohue, Winckelmann's History of Art and Polyclitus, in: W. G. Moon (Hrsg.), Polykleitos, the Doryphoros, and Tradition, 1995, 327–353 **32** T. Pekáry, Die griech. Plastik in den röm. Rhetorschulen, in: Boreas 12, 1989, 95–104 **33** B. Schweitzer, Mimesis und Phantasia, in: Philologus 89, 1934, 286–300 **34** P. Vidal-Naquet, Étude d'une ambiguité: les artisans dans la cité platonicienne, in: Ders., Le chasseur noir, 1981, 289–316 **35** M. Vickers, D. Gill, Artful Crafts. Ancient Greek Silverware and Pottery, 1994 **36** L. Neesen, Demiurgoi und artifices, 1989 **37** F. Frontisi-Ducroux, Die technische Intelligenz des griech. Handwerkers, in: Hephaistos 11/12, 1992/3, 93–105 **38** A. A. Donohue, Xoana and the Origins of Greek Sculpture, 1988 **39** D. L. Gera, Lucian's Choice: *Somnium* 6–16, in: D. Innes, H. Hine, C. Pelling (Hrsg.), Ethics and Rhetoric, 1995, 237–250 **40** G. Watson, The Concept of 'Phantasia' from the Late Hellenistic Period to Early Neoplatonism, in: ANRW II 36.7, 4765–4810 **41** R. Mondolfo, The Greek Attitude to Manual Labor, in: Past and Present 6, 1954, 1–5 **42** C. Mossé, Le travail en Grèce et à Rome, 1966 **43** J.-P. Vernant, Le travail et la pensée technique, in: Ders., Mythe et pensée chez les Grecs, 1971, Bd. 2, 5–64 **44** P. Garnsey (Hrsg.), Non-Slave Labour in the Greco-Roman World, 1980 **45** R. H. Randall Jr., The Erechtheum Workmen, in: AJA 57, 1953, 199–210 **46** A. Burford, The Greek Temple Builders at Epidaurus, 1969 **47** N. Himmelmann, Zur Entlohnung künstlerischer Tätigkeit in klass. Bauinschr., in: JDAI 94, 1979, 127–142 **48** B. Wesenberg, Kunst und Lohn am Erechtheion, in: AA 1985, 55–65 **49** E. Vanderborght, La maison de Diotimos à Philadelphie, in: Chronique d'Égypte 17, 1942, 117–126 **50** M. Fuhrmann, Das systematische Lehrbuch, 1960 **51** J. W. Humphrey, J. P. Olesen, A. N. Sherwood, Greek and Roman Technology: A Sourcebook, 1998 **52** P. H. Schrijvers, Vitruve et la vie intellectuelle de son temps, in: H. Geertman, J. J. de Jong (Hrsg.), Munus non ingratum. Proceedings of the International Symposium on Vitruvius' De Architectura and the Hellenistic and Republican Architecture, 1989, 13–21 **53** B. S. Ridgway, Roman Copies of Greek Sculpture: The Problem of the Originals, 1984 **54** H. Eristov, Peinture romaine et textes antiques: informations et ambiguités, in: RA 1987, 109–123 **55** J. M. C. Toynbee, Some Notes on Artists in the Roman World, 1951 **56** M.-T. Olszewski, Fabriquer des images (ποιεῖν ἀγάλματα): A propos du métier du *pictor*, remarques et réflexions, in: E. M. Moormann (Hrsg.), Functional and Spatial Analysis of Wall Painting, 1993, 184–186.

A. A. D./Ü: R. S.-H.

Künstlersignatur s. Künstler

Kürbis (Κολοκύνθη/-τη/*kolokýnt(h)ē*, lat. *cucurbita*) bezeichnete in der Ant. den bereits im alten Äg. auf Bildern nachgewiesenen Flaschen-K. (Lagenaria vulgaris Ser.), nicht den Garten-K. (Cucurbita pepo L.), der erst im 16. Jh. aus Amerika eingeführt wurde. Viele Belege finden sich bei Athen. 2,58f–60b, v. a. aus den Komikern seit Epicharmos. Die Bezeichnung als *sikýa Indikḗ* (»indischer K.«) deutet auf die angebliche Einführung aus Indien. Die Schalen wurden zu Flaschen (vgl. Pall. agric. 4,10,33; Colum. 11,3,49: *Alexandrinae cucurbitae*) und Körben verarbeitet, das Fruchtfleisch und die Samen gegessen (Kochrezepte bei Caelius Apicius 3,67–74). Man unterschied im Anbau auf lockerem, feuchtem und gut gedüngtem Boden (Pall. agric. 4,9,16) verschiedene Sorten (nähere Angaben bei Plin. nat. 19,61 und 69–74, weitere Erwähnungen u. a. bei Colum. 11,3,48–50). Seneca verspottet die Apotheose des Kaisers → Claudius [III 1] (54 n. Chr.) als »Verkürbissung« (*Apocolocyntosis*). Das Sprichwort *cucurbitae caput habere* (»einen K.-Kopf haben«) bei Apul. met. 1,15 zielt auf einen Dummkopf.

→ Gurke

V. Hehn, Kulturpflanzen und Haustiere (ed. O. Schrader), [8]1911, Neudr. 1963, 323–326.　　　C. Hü.

Küstenverlaufsänderungen. Der Verlauf der Küstenlinien und die Beschaffenheit der Küstenlandschaften werden durch das Zusammenspiel von eustatischen Meeresspiegelschwankungen, tektonisch bedingten Hebungs- und Senkungserscheinungen, Sedimentablagerungen der Flüsse, Materialanschwemmung von See her, von Vulkanismus und dem damit zusammenhängenden Bradyseismos (z. B. in Puteoli), von Meeresströmungen, Wind, Brandung und Gezeiten ständig verändert. Dies zu berücksichtigen, kann bei der Einschätzung bestimmter histor. Vorgänge wichtig sein. So war z. B. der h. mehrere km breite Küstensaum bei den → Thermopylai, entstanden durch Sedimente verschiedener Flüsse, ein gut zu verteidigender enger Küstenpaß, als hier im J. 480 v. Chr. Spartaner und Perser gegeneinander kämpften. Für die Verlegung der Hauptresidenz der maked. Könige von → Aigai [1] nach → Pella im 4. Jh. v. Chr. mag u. a. der Umstand ausschlaggebend gewesen sein, daß Pella an der Ägäis lag; die Deltabildungen von → Axios und → Haliakmon führten erst in den folgenden Jh. zur Trennung der Stadt vom Meer.

Aufgrund des eustatischen Meeresspiegelanstiegs (seit der Ant. um 1–2 m; h. ca. 1,5 mm im J.), bedingt durch das Abschmelzen der Eismassen in der derzeitigen erdgesch. Warmzeit, wäre zu erwarten, daß alle niedrig gelegenen ant. Bauten sich h. unter Wasser befinden – so wie es z. B. bei → Kenchreai, der östl. Hafenstadt von Korinthos, tasächlich der Fall ist. Doch wird dieser Prozeß im Mündungsgebiet sedimentreicher Flüsse durch einen gegenläufigen Vorgang überlagert, der die Küstenlinie durch ausgeschwemmte Sedimente ins Meer vorschiebt. Dies kann für die Anwohner ein wünschenswerter Vorgang sein, da so – wie etwa im Nildelta – agrarisch nutzbares Land gewonnen wird; er kann aber auch negative Folgen haben, wo er Standort- und Lebensbedingungen negativ beeinflußt, etwa wenn Hafenanlagen verlanden, wie es z. B. in → Ostia, → Utica, → Myus, → Priene, → Miletos und → Ephesos der Fall war, oder wenn das Schwemmland durch ebenfalls vom Meeresspiegelanstieg verursachten Grundwasseranstieg versumpft, wie es z. B. im Delta des → Padus (Po) bei → Spina und → Ravenna geschehen ist. Grundsätzlich handelt es sich dabei um natürliche Vorgänge, die freilich auch durch anthropogene Faktoren beeinflußt sein können: So verstärkt Abholzung die Erosion und damit die Sedimentführung von Flüssen.

A. RABAN, Archaeology of Coastal Changes, 1988 · E. ZANGGER, s. v. Delta, Schwemmland, Strandverschiebung, in: H. SONNABEND (Hrsg.), Mensch und Landschaft im Ant. (im Druck) · H. SONNABEND, s. v. Küste, in: Ders., Ebd. · E. OLSHAUSEN, Einführung in die Histor. Geogr. der alten Welt, 1991, 202 Anm. 245 (Lit.) · W. STORKEBAUM (Hrsg.), Wiss. Länderkunden, Bde. 1 ff., 1967 ff. (mit diversen Neuauflagen). V.S.

Kufa (al-Kūfa). Wie Basra in der Frühzeit der islam. Eroberungen (639 n. Chr.) gegr. Garnisonsstadt südl. vom späteren Bagdad, am rechten Euphratufer gelegen, nahe der Lachmidenhauptstadt al-Hira. K. wurde bald zur neuen Hauptstadt des Irak und verdrängte das sāsānidische → Ktesiphon, das von da an langsam verfiel. Während des Kalifats (→ Kalif) von → Ali stieg K. kurzfristig zur Gesamthauptstadt auf und blieb nach dessen Ermordung (661 n. Chr.) schiitisches Agitationszentrum (→ Schiiten), verlor allerdings nach der Gründung Bagdads an Bedeutung.

H. DJAIT, Al-Kūfa. Naissance d'une ville islamique, 1986 · EI, s. v. al-Kūfa · M. Morony, Iraq after the Muslim Conquest, 1984. I.T.-N.

Kuh-e Chwadja (*Kūh-ī Xvāgah, Kūh-i Ḥvāǧah*). Basaltberg auf einer Insel im Hāmūn-See in → Drangiana/Iran, an dessen SO-Abhang sich eine Ruinenstätte mit eindrucksvollen Höfen, Toren, Türmen und Räumen aus frühestens parth., wohl eher sāsānid. und postsāsānid. Zeit befindet (Ġāga Šahr). Zahlreiche Räume waren reich mit Stuckornamenten und vor allem farbenfrohen Fresken verziert, die griech.-röm., iran. und indische Stilelemente aufweisen und rel. und weltliche Themen darstellen. Der K. Ch. wird mit dem im Jüngeren Avesta (Yt 19.66) erwähnten Berg Usaδā identifiziert, dieser wiederum mit dem im *Opus Imperfectum in Mattheum* erwähnten *mons Victorialis*. Der K. Ch. war bis weit in die islam. Zeit hinein das älteste und wichtigste Ziel zoroastrischer Pilgerfahrt, weil von ihm das Kommen des Welterlösers (*Saošyant*) erwartet wurde (→ Zoroastres).

M. BOYCE, F. GRENET, A History of Zoroastrianism 3, 1991, 149–151 · A. HINTZE, Der Zamyād-Yašt, 1994, 40–45, 309 · T. S. KAWAMI, Kuh-e Khwaja, Iran and Its Wall Paintings. The Record of Ernst Herzfeld, in: The Metropolitan Mus. Journ. 22, 1987, 13–52. J.W.

Kult, Kultus
I. ALLGEMEIN II. ALTER ORIENT
III. GRIECHISCHE UND RÖMISCHE RELIGION
IV. BIBLISCH

I. ALLGEMEIN
Kult(us) umfaßt die Gesamtheit der rituellen Trad. im Kontext der rel. Praxis. Der Terminus leitet sich über die christl. Verwendung vom bereits ciceronischen *cultus deorum* (»Verehrung der Götter«) her und entspricht griech. *thrēskeía*; wie dieser (und lat. *caerimonia*, »Riten«) kann er in der paganen Sprache für »Rel.« überhaupt stehen und damit auf die absolute Prädominanz der rituellen Akte gegenüber den Glaubensinhalten in der paganen griech. und röm. Rel. verweisen. Dabei steht hier wie in den rel. Kulturen des Alten Mittelmeers (einschließlich des Alten Israel) überhaupt das blutige → Opfer von Nutztieren im Zentrum, begleitet von (den auch unabhängigen Akten von) → Gebet und Libatio (→ Trankopfer); eine spezifische Entwicklung der griech. Welt scheint demgegenüber der → Mysterien-Kult zu sein. F.G.

II. ALTER ORIENT
K. in den altoriental. Kulturen manifestiert sich in arch. und schriftl. Zeugnissen. Vor allem aus dem Bereich der Keilschriftkulturen Mesopot.s, Kleinasiens (→ Ḫattusa) und Syriens liegen zahlreiche → Ritual-Texte vor, die es ermöglichen, einzelne K.-Rituale und deren Struktur (»Syntax«) im Detail nachzuvollziehen. Zusammen mit Mythen und Epen geben sie zusätzliche Hinweise auf die Struktur von K.-Ritualen. Außerdem lassen sich ca. 100000 bisher veröffentlichten keilschriftl. Verwaltungsurkunden aus dem 3. bis zum 1. Jt. v. Chr., babylon. → Hemerologien, aber auch

den Inschr. äg. Pharaonen detaillierte Angaben über Opfermaterie, K.-Gegenstände, am K.-Ritual beteiligte Personengruppen (u. a. → Herrscher, → Priester) und für Ritualhandlungen günstige Tage entnehmen. Festzyklen und -kalender lassen sich mit großer Präzision rekonstruieren. Arch. Zeugnisse (teilweise erh. → Tempel und Tempelgrundrisse, bildl. Darstellungen auf Rollsiegeln, Flachreliefs und andere Bildträger wie Wandmalereien sowie K.-Gegenstände, von denen überwiegend solche aus Keramik – z. B. Räucherständer oder Libationsgefäße – in größerer Zahl erhalten sind) vervollständigen unser Bild altorient. K.-Geschehens.

Grundsätzlich reflektiert der altorient. K. alle Facetten des täglichen Lebens. Die vorhandenen Quellen beleuchten aber überwiegend den offiziellen K. Nach altorient. Vorstellung ist der Herrscher für die korrekte Durchführung des K. verantwortlich [1. 839]. Seine Rolle im K. beruht auf seiner herausgehobenen Position in der Struktur der Ges. Wichtige Elemente des öffentlichen K.-Geschehens sind v. a. die zahlreichen Feste (→ Fest, Festkultur) und feierlichen → Prozessionen (→ Akītu-Fest), in denen der Herrscher die zentrale Rolle spielt. Im Zusammenwirken von Gottheit und Herrscher wird die kosmische Ordnung manifest gemacht und von neuem gestaltet. Dabei werden im K.-Geschehen alle Segmente der Gesellschaft in der Verehrung der Gottheit(en) miteinander verbunden. K. wirkt insofern identitätsstiftend für die Gemeinschaft. Mythen, die im K.-Ritual als *hieroi logoi* eines K. rezitiert wurden (→ Enūma eliš), erinnern daran, daß die K.-Ordnungen von den Göttern eingesetzt worden sind [1. 839].

Nach altorient. Vorstellungen ist das Hauptanliegen des täglichen K. die Versorgung der Götter mit Nahrung, Kleidung und Wohnung [6. 183–98; → Atraḫasis]. Im Zentrum des K.-Rituals stehen daher → Opfer und das Darbringen von K.-Paraphernalien (u. a. Göttergewänder, Gerätschaften). Die Opfer dienen aber auch – zusammen mit Kultliedern (→ Lied) und → Gebeten – dazu, die Hinwendung der Götter zu den Menschen zu erreichen.

→ Altar; Amulett; Bestattung; Divination; Gebärden; Hieros Gamos; Jahwe; Kathartik; Kleinasien, Religion; Kultbild; Magie; Mesopotamien, Religion; Syrien, Religion; Ziqqurrat

1 W. Barta u. a., s. v. K., LÄ 3, 839–59 2 G. van Driel, The Cult of Assur, 1969 3 V. Haas, Gesch. der hethit. Rel., 1994 4 B. Landsberger, Der kult. Kalender der Babylonier und Assyrer, 1915 5 S. M. Maul, Zukunftsbewältigung: eine Unt. altorient. Denkens…, 1994 6 A. L. Oppenheim, Ancient Mesopotamia, ²1977 7 W. Sallaberger, Der kult. Kalender der Ur III-Zeit, 1993 8 TUAT Bd. 2, 1988, 163–452.   J. RE.

III. Griechische und römische Religion
A. Quellen und antike Reflexion   B. Zeit
C. Ort   D. Kultempfänger   E. Handlung
F. Teilnehmer

A. Quellen und antike Reflexion

Hauptquelle für den griech. und röm. K. sind die lit. Texte, die seit Homer kult. Handlungen (Opfer, Gebete, Eide usw.) als Teil der fiktionalen Erzählung behandeln; daneben stehen seit den Linear B-Texten (als Hauptzeugen für den K. im brz. Griechenland) die Inschr., schließlich die ikonographischen und arch. Befunde. Lit. und epigraphischen Texten ist gemeinsam, daß sie tendenziell das Außergewöhnliche berichten, den alltäglichen K. als vertraut aussparen, während die ikonograph. und arch. Befunde beim Fehlen einschlägiger Texte oft schwer zu interpretieren sind. Indigene Reflexion über Einzelheiten des K. scheint praktisch mit der K.-Ausübung anzufangen, insofern als einzelne Kulte und Riten durch aitiologische Mythen begründet werden können. Solche Mythen nehmen etwa bei Lokalhistorikern oder ant. Geographen (→ Strabon) und Reiseschriftstellern (→ Pausanias) eine wichtige Rolle ein, und sie stehen auch am Beginn der eigentlichen griech. Kultschriftstellerei [1], in deren Trad. auch die Römer M. Terentius → Varro (*Antiquitates rerum divinarum*, gewidmet dem Pontifex Maximus C. Iulius Caesar) und, weniger direkt, → Verrius Flaccus (*De significatu verborum*, erhalten in der teilweise doppelten Epitomisierung durch Festus und Paulus Diaconus) stehen. Dabei tendiert bes. die spätere Reflexion zu Schematisierung und Theoriebildung, welche von der mod. Forsch. oft zu unkritisch übernommen wurden (→ Chthonische Götter). Die christl. Polemik gegen den paganen K. schließlich fokussiert insbes. auf die anstößigen und ungewöhnlichen Riten und lehnt das Tieropfer als solches radikal ab.

Auf der anderen Seite stehen die seit spätarcha. Zeit belegten Sakralgesetze (*leges sacrae*), welche aus polit.-administrativen Gründen einzelne Kulte, ganze Kultkomplexe oder lokale Festkalender kodifizieren (LSCG und Suppl., LSAM, [2]); solche Gesetze sind, wenn auch weit seltener, auch aus ital. Städten erhalten, nicht aber aus Rom, wo die Aufzeichnungen der Priester, die sog. *libri pontificales*, diese Rolle übernahmen [3]. Die neuzeitl. Forsch. konzentrierte sich seit der Renaissance weitgehend auf antiquarische Einzelheiten (Meursius: [23, 39f.]; [4; 5]). Feste Parameter des K. sind die besondere Zeit, der besondere Ort, der (übermenschliche) Rezipient, die besondere Handlung und die besondere Gestimmtheit der Ausübenden, die sich insbes. im Begriff der Reinheit (→ Kathartik) ausprägt.

B. Zeit

Ant. K. war zum einen an die Festtage gebunden – an die der einzelnen Städte, die gewöhnlich mit einem Opfer und oft mit einer → Prozession (*pompḗ*) verbunden waren, doch auch an die der über- und untergeordneten Gruppierungen, vom panhellenischen Fest bis zu demjenigen einzelner *gentes*, – zum andern an außergewöhnliche Ereignisse, die den einzelnen oder die Gruppe sich an die Götter wenden ließen. Dies geschah etwa zur Abwehr einer durch Divination angekündigten oder einer bereits gegenwärtigen Katastrophe (Seuchen, Hungersnöte, Belagerungen und dergleichen), zum Dank für erhaltene Hilfe oder, seit dem Hell., zur Feier einzelner überhöhter Lebender (→ Kaiserkult). Die kalendarischen Feste wurden seit spätarcha. Zeit in Festkalendern festgehalten, deren primäre Funktion allerdings nicht die kalendarische war, sondern die Festlegung der staatlichen Ausgaben (→ Nikomachos), während der durch M. Fulvius Nobilior im frühen 2. Jh. v. Chr. öffentlich aufgezeichnete und seither kodifizierte röm. Festkalender eher repräsentative Funktion hatte [6].

C. ORT

Der Ort des K. ist gewöhnlich sakralisiert, damit aus dem übrigen Raum herausgenommen und meist durch entsprechende Grenzziehungen markiert. Im Haus-K. genügen oftmals eine Mauernische oder ein einfacher kleiner Altar zur Raummarkierung. Innerhalb der Städte ebenso wie außerhalb in der freien Natur werden besondere Räume ausgegrenzt und durch Umfassungsmauern (→ Temenos) und Grenzsteine gekennzeichnet; fester Bestandteil ist ferner der → Altar, oftmals auch im Tempel, außerdem – insbes. außerhalb der Städte – ein besonderer Baumbestand (→ Hain) oder eine Quelle; besondere Orte – Berggipfel, Grotten – können zu Orten von K. werden. (Durch noch stärkere Sakralisierungen, vor allem durch Blitzschlag, werden auch Orte ausgegrenzt, die so weit von menschlichem Zugriff entfernt sind, daß auch K. nicht möglich ist [→ Abaton]).

D. KULTEMPFÄNGER

Jeder K. richtet sich an ein übermenschliches Gegenüber – Götter, Dämonen, Heroen, verstorbene Ahnen, deren Besonderheit auch durch den K. determiniert wird. Hymnos und Gebet berichten Mythos und Wirkmächtigkeit dieses Gegenübers. Spezifische Formen oder Einzelheiten des Opfers korrelieren mit spezifischen Rezipienten, indem etwa Gabenopfer Vorleistung, Weihgeschenke dagegen Dank für erhaltene Wohltaten sind, apotropäische Riten unheilbringenden Wesenheiten gelten, bestimmte Libationsflüssigkeiten mit bestimmten Wesenheiten (Wasser, Milch und Öl etwa mit Verstorbenen) verbunden, Art, Farbe und Geschlecht eines Opfertiers durch den Rezipienten bedingt sind: Tiere außerhalb der gewöhnlichen Trias von Rindern, Schafen und Schweinen – wie Ziegen, Hunde, Esel, Vögel – sind bes. Wesenheiten vorbehalten; weibliche Tiere sind häufig für Göttinnen, schwarze Tiere für Unterirdische üblich. In diesem Sinn trägt der K. entscheidend zur Konstruktion des übermenschlichen Rezipienten bei; wenn Lebende (bes. Herrscher) K. erhalten, wird damit ihre Differenzierung und Distanzierung von den übrigen Sterblichen konstruiert.

E. HANDLUNG

Die zentrale rituelle Handlung der griech.-röm. Ant. seit der Brz. ist das blutige Tieropfer (→ Opfer, [7; 8]). Nach ant. Auffassung diente die Verbrennung von Knochen und Fleischteilen der Speisung der Götter, Ausbleiben des Opfers stellte die Existenz der Götter in Frage (Aristoph. Av.); der Umstand, daß die Götter dabei den wertlosen Teil erhielten, die Menschen das nahrhafte Fleisch, hatte schon in Hesiods ›Theogonie‹ zum aitiologischen Mythos vom Opferbetrug des → Prometheus geführt. Während diese Speisung (oder in Rom das gemeinsame Mahl der Götter und Menschen) gewöhnlich nicht wirklich ausagiert wurde (immerhin konnte man die Opferteile auf Hände oder Knie der Götterbilder legen [9. 40 f.]), wurden einzelne Opfer als wirkliche Bewirtungen der Götter ausgespielt, die in ihren Statuen präsent waren (*theodaisia*, lat. → *lectisternium*). Bei anderen ant. Opfertypen [10] wurde das Tier oder eine andere Gabe vollständig verbrannt (Holokaust), gelegentlich auch durch Versenken völlig vernichtet.

Neben dem Tieropfer steht das unblutige Opfer – nach ant., aber unzutreffender Auffassung seit der Kultur- und Opfertheorie des → Theophrastos die ältere Opferform [11] –, bei der Baum- oder Ackerfrüchte dargebracht wurden, oftmals als Primitialopfer etwa zu Beginn der Ernte, um vor der menschlichen Nutzung der Gottheit einen ersten Teil darzubringen. Zur Begleitung des Opfers, aber auch als unabhängige Ritualakte dienten Libationen und Gebete. Die Libation, das rituelle Ausgießen bestimmter Flüssigkeiten (allen voran Wein – ohne Wein ist das Opfer unmöglich –, daneben Wasser, Milch, Honig, Öl), markiert im Opferablauf verschiedene Phasen, kann aber auch allein, etwa zur Markierung heiliger Steine, im Grabkult oder in der Magie stattfinden; die Semantik der verschiedenen Flüssigkeiten strukturiert den Opferablauf oder trägt zur Konstruktion des Rezipienten bei [12].

Das → Gebet seinerseits, das wie jeder Ritus seine feste formale Struktur besitzt, wird beim Tieropfer vor dem Vollzug des Opfers vom Priester oder Opferherrn gesprochen, kann aber auch unabhängig von jedem Opfer an die Gottheit gerichtet werden; entscheidend ist, daß das ant. Gebet gewöhnlich laut gesprochen wird [13; 14]. Nicht immer leicht vom Gebet ist die Verfluchung und der Eid – als Selbstverfluchung – abzugrenzen [15; 16]; poetisch ausgestaltet schließlich ist der → Hymnos das funktionelle Äquivalent zum Gebet.

F. TEILNEHMER

Entscheidend bei jedem Opfer – dessen Einzelformen lokal und nach Anlaß sehr verschieden sein können – ist, daß sich bei dieser Veranstaltung des ant. K. immer die agierende Gruppe in ihrer Selbstauffassung und ihrer hierarchischen Struktur darstellt; zu den Zeichen für die Außergewöhnlichkeit der → Mysterien-Riten gehört gerade auch die Aufhebung der gewöhnlichen sozialen Hierarchie. K. ist in diesem Sinne fast immer Gruppenangelegenheit, nicht die Sache eines isolierten Individuums (auch wenn dieses ausnahmsweise im Gebet, im Fluch – seit Hom. Il. 1,33 ff. – und im magischen Ritual einzeln agieren kann). Dabei ist die Anwesenheit eines rel. Spezialisten, des → Priesters, zur korrekten Durchführung des K. nicht zwingend nötig. Insbes. im Privatkult oder bei Kulten an abgelegenen Orten kann in Griechenland und Rom auf seine Präsenz verzichtet werden, während im staatlichen K. der griech. Poleis nicht anders als in Rom die Anwesenheit der Priester das staatliche Engagement am Kult ausdrückt.

Wie der Ort des K. durch besondere Sakralität abgegrenzt ist, so sind die Teilnehmer am K. durch bes. rituelle Reinheit hervorgehoben. Rituelle vorbereitende Waschungen sind für jeden Teilnehmer notwendig (deswegen stehen am Eingang ant. Heiligtümer Waschbecken, leitet Verrius *delubrum* »Heiligtum« von *luere*/»waschen« ab). Der Kontakt mit Geburt, Tod und Sexualität führt zum temporären Ausschluß oder zur bes. rituellen Reinigung vor der Teilnahme am K. (→ Kathartik). Bestimmte Menschengruppen (Frauen oder Männer, Sklaven, Fremde) können überhaupt ausgeschlossen werden. Zeichen der Sakralisation ist gewöhnlich der Kranz, dessen Form kultspezifisch ist [17]. Oftmals ist auch eine besondere Tracht notwendig; Barfüßigkeit, weiße Gewänder (oder negativ das Verbot farbiger Gewänder), bei Frauen offene Haare sind weit verbreitet als Zeichen der vom Alltag abgehobenen kult. Situation. Ein Extrem ist die in einigen Kulten auf initiatorischem Hintergrund bekannte kult. → Nacktheit als Durchgangsstadium zwischen zwei Lebensphasen [18]. Ein anderes Extrem ist die spezielle Tracht der Priester, etwa des eleusinischen Hierophanten, des röm. *flamen Dialis* (→ *flamines*), welche ihre Träger als Vermittler zwischen Mensch und Gottheit auf Lebenszeit aus der Gruppe der übrigen Bürger heraushebt [19] (während etwa die Tracht der Käufer von Priestertümern in hell. kleinasiat. Städten, Purpurgewand und Goldkranz, lediglich der Statuserhöhung als Kaufargument dient [20]).

Teilnahme am K. kann nicht nur Gruppenidentität ausdrücken, sondern auch neue Gruppen schaffen. Die Polis und ihre Untergruppen (*phratría, gens*) ebenso wie polisübergreifende Verbindungen (Amphiktyonien; der panhellenische K. in Olympia und Delphi; alle Latiner) drücken ihre Zusammengehörigkeit im K. aus. Dasselbe gilt für Ortsfremde wie die verschiedenen nicht-griech. Gruppen in Athen (seit klass. Zeit, → Bendis) oder in Delos sowie die Landsmannschaften in den Städten des hell. Ostens, die alle im K. ihrer lokalen Gottheit ihre Identität ausdrückten; ebenso konnten ortsübergreifende Kulte, wie die Mysterienkulte von Eleusis (Plat. epist. 7) und Samothrake oder die Kulte von Dionysos, Isis oder Mithras spezifische Gruppenidentität schaffen. Solche Gruppen bildeten oft lokale Kultvereine, deren Funktion insbes. in der hell. und kaiserzeitlichen Welt weit über die gemeinsame K.-Ausübung hinausgehen konnte und von der Schaffung neuer Bindungen für Ortsfremde (Apul. met. 11) und sozialer Fürsorge bis

zum gemeinsamen Philosophieren (wie Platons Akademie als *thíasos* der Musen) reichte, so daß der gemeinsame K. als kulturspezifischer Fokus neuer sozialer Organisationsformen verstanden werden kann [21; 22]; auch die frühchristl. Gemeinden können als im gemeinsamen, wie im Fall der Mysterien nicht-öffentlichen K. verbundene Gruppen verstanden werden (Plin. epist. 10,96,7). Umgekehrt ist die Verweigerung der Teilnahme am K., bes. am gemeinsamen Opfer, Zeichen für den Bruch der Solidarität und für Außenseitertum. Dies betrifft etwa die vegetarischen Pythagoristen des 4. Jh. v. Chr. oder die frühen Christen.

1 A. TRESP, Die Fragmente der griech. Kultschriftsteller, 1914 2 J. v. PROTT, L. ZIEHEN, Leges Graecorum sacrae e titulis collectae, 2 Bde. 1896/1906 (Ndr. 1988) 3 G. ROHDE, Die Kultsatzungen der röm. Pontifices, 1936 4 P. STENGEL, Opferbräuche der Griechen, 1910 5 Ders., Die griech. Kultusaltertümer, ³1920 6 J. RÜPKE, Kalender und Öffentlichkeit. Die Gesch. der Repräsentation und rel. Qualifikation von Zeit in Rom, 1995 7 F. T. VAN STRATEN, Hiera kala. Images of Animal Sacrifice in Archaic and Classical Greece, 1995 8 O. REVERDIN, B. GRANGE (Hrsg.), Le sacrifice dans l'antiquité, 1981 9 GRAF 10 W. BURKERT, Opfertypen und ant. Gesellschaftsstruktur, in: G. STEPHENSON (Hrsg.), Der Religionswandel unserer Zeit im Spiegel der Religionswiss., 1976, 168–187 11 W. PÖTSCHER, Theophrastos. Περὶ Εὐσεβείας, 1964 12 F. GRAF, Milch, Honig und Wein. Zum Verständnis der Libation im griech. Ritual, in: Perennitas. Studi Angelo Brelich, 1980, 209–221 13 H. S. VERSNEL, Religious Mentality in Ancient Prayer, in: Ders. (Hrsg.), Faith, Hope and Worship, 1981, 1–64 14 S. PULLEYN, Prayer in Greek Rel., 1997 15 L. WATSON, Arae. The Curse Poetry of Antiquity, 1991 16 R. HIRZEL, Der Eid, 1902 17 M. BLECH, Stud. zum Kranz bei den Griechen, 1982 18 M. J. HECKENBACH, De nuditate sacra, 1911 19 M. BEARD, J. NORTH (Hrsg.), Pagan Priests. Rel. and Power in the Ancient World, 1990 20 M. SEGRE, Osservazioni epigrafiche sulla vendita di sacerdozio, Rendiconti dell'Istituto, in: Lombardo 69, 1936, 811–830; 70, 1937, 83–105 21 P. BOYANCÉ, Le culte des Muses chez les philosophes grecs. Études d'histoire et de psychologie religieuse, 1936 22 F. POLAND, Gesch. des griech. Vereinswesens, 1909 23 L. MÜLLER, Gesch. der Philol. in den Niederlanden, 1869.   F. G.

IV. BIBLISCH

A. ALTES TESTAMENT/FRÜHJUDENTUM
B. NEUES TESTAMENT/FRÜHCHRISTENTUM

A. ALTES TESTAMENT/FRÜHJUDENTUM

K. (als geregelte Form des Immediatverkehrs mit dem Göttlichen, die sowohl der Verehrung der Gottheit als dadurch auch der Förderung und Heiligung menschlichen Lebens dient) entwickelt sich im at.-jüd.-christl. Trad.-Bereich in der dem spezifischen Gottes- und Menschenbild der Trad.-Träger entsprechenden Aneignung ant. Kulthandelns überhaupt. Urspr. vom K. seiner altorientalischen Nachbarn kaum unterscheidbar, prägt der K. Israels (bes. in der nach dem Exil [587–539

v. Chr.] dominierenden Theologie) folgende Grundzüge aus:

a) Monolatrischer Akzent: Die (bildlose) Verehrung JHWHs (→ Jahwe) setzt sich mit wachsendem Ausschließlichkeitsanspruch durch. b) Zentrierende Tendenz: Der K. findet seinen Mittelpunkt im Opfer von Nutztieren (spät-at.-frühjüd. bes. als Sühneopfer); dieses wird in der Reform des Joschija (um 622 v. Chr.) mit vereinheitlichtem Ritual an den Jerusalemer Tempel gebunden (2 Kg 22 f.; vgl. Dt). Mit der Reorganisation des Tempelkults in persischer Zeit wird der Opfer-K. den (zadokidischen) Priestern, an ihrer Spitze der Hohepriester, reserviert, während die »Leviten« zugeordnete Dienste versehen; jüd. Tempel sind auch in Äg. bezeugt: 6./5. Jh. v. Chr. zu Elephantine, 2. Jh. v. Chr. – 1. Jh. n. Chr. zu Leontopolis. c) Kommemorative Dimension: Der K. vergegenwärtigt im Jahreskreis die Heilstaten JHWHs an seinem Bundesvolk (bes. Passah als Erinnerung des Exodus-Geschehens). d) Ethische Komponente: Die K.-Kritik der Propheten (Amos, Jesaja u. a.), → Psalmen und Weisheit dringt auf eine der urspr. K.-Intention entsprechende sozial-sittliche Haltung. Die jüd. Aufstandsbewegungen gegen die seleukidische (seit 167 v. Chr.) und röm. Herrschaft (66–70; 132–135 n. Chr.) sehen sich gerade auch durch Verletzung kultischer Integrität motiviert und gehen mit K.-Restitution einher (z. B. 164 v. Chr. Wiedereinweihung des Tempels).

Auseinandersetzungen um den legitimen K. tragen zur Bildung der jüd. Parteiungen bei: Die der Tempelaristokratie verbundenen → Sadduzäer sehen sich allein der biblischen Kult-Tora verpflichtet; die Pharisäer/→ Pharisaíoi schreiben die Ritendeutung einflußreich fort und dehnen namentlich die priesterlichen Reinheitsgesetze auf die alltägliche Lebenswelt aus; die → Qumran-Gemeinschaft zieht sich, da sie dem hasmonäischen Priestergeschlecht wie der rituellen Praxis die Legitimität abspricht, vom Tempel zurück und bildet – ohne grundsätzliche Absage an den Opfer-K. – eine auf Wortdienst, Waschungen und Mahlpraxis konzentrierte K.-Form aus. Mit der Zerstörung Jerusalems und seines Tempels durch Titus 70 n. Chr. erlischt der Tempel-K. Die weitere Entwicklung des K. wird durch die pharisäisch-rabbinische Betonung des Wortgottesdienstes geprägt.

B. Neues Testament/Frühchristentum

Das Verhältnis der Jesus-Bewegung und des Frühchristentums zum jüd. K. ist durch Affinität und Distanz gekennzeichnet: → Jesus und die palästinische Gemeinde setzen die jüd. K.-Praxis voraus, wobei in prophetischer Trad. der Primat der Gottes- und Nächstenliebe betont wird (Mk 12,28–34 u. ö.). Jesus verankert das von ihm selbst angesagte und proleptisch vollzogene Heil der Gottesherrschaft (basileía tú theú) jedoch in der nicht-rituell vermittelten Nähe zum himmlischen Vater. Indem er damit – wie vor ihm Iohannes der Täufer – das Gottesverhältnis ganz an die göttliche Initiative bindet, distanziert er sich vom Tempel-K., gegen dessen

Heilsoptimismus er in der Tempelreinigung (Mk 11,15–19; Jo 2,13–17) den eschatologischen Anspruch Gottes zur Geltung bringt. Bereits dem hell. Judenchristentum wird der jüd. Tempel-K. als Heilsweg obsolet (z. B. Apg 7,47–50). Entschiedener fällt die Abgrenzung gegenüber dem paganen K. aus (z. B. 1 Kor 10,19–22; Min. Fel. 32,1–3). Die Denkfigur einer »Anbetung in Geist und Wahrheit« (vgl. Jo 4,20–24) läßt die Orientierung an sakralen Orten und realkultischen Vollzügen insgesamt zurücktreten. Gleichwohl bleibt der K., namentlich in seiner at. Bezeugung, in der frühchristl. Lit. präsent (paradigmatisch in Hebr und im Barnabasbrief) und inspiriert vielfältig (K.- und Opfer-Metaphorik, -Typologie und -Allegorie, K.-analoge Endzeitmotivik) bes. Soteriologie, Ekklesiologie und Ethik (z. B. Röm 12,1: logikḗ latreía, »sinngemäßer K.«; 1 Petr 2,5–10). So bleiben kultische Grunderfahrungen und Deutungsmuster im Frühchristentum ideell lebendig.

Zentriert um die (zum Initiationsritus ausgestaltete) Taufe und die Eucharistie, entwickelt sich aus frühesten Anfängen im peripheren jüd. Ritual allmählich (auch unter Einfluß der → Mysterien-Kulte namentlich auf die Formen der Initiation und der Mahlpraxis sowie auf die sakramentalen Deutungsprämissen) ein eigener christl. K., als dessen sinnstiftende Norm das Bekenntnis zu Heilstod, Auferstehung und pneumatischer Gegenwart des → Kyrios Jesus Christus wirkt. Vor dem derart gewandelten Verstehenshorizont gewinnen (bes. in der altkirchlichen Schwellenphase) Terminologie (Opfer, Priester, Altar usw.) und Realsymbolik (sakrale Zeiten, Vollzüge, Orte usw.) des überkommenen K.-Wesens, theologisch reflektiert und ethisch appliziert, neue Geltung (z. B. 1. Clemensbrief 43 f.; Didache 14; Iust. Mart. dial. 117; Hippolytos, Traditio apostolica 4). Die pagane Umwelt kann die christl. Gemeinde als K.-Verein verstehen; doch weckt deren Nicht-Teilnahme am öffentl. K. und die Eigenart der christl. Gottesdienste den Verdacht von Pietätlosigkeit und zwielichtigen Geheimriten (Eselskult, Ausschweifungen, Thyestes-Mähler usw.).

→ Kultbild; Opfer; Ritual/Ritus; Tempel

R. Albertz, Religionsgesch. Israels in at. Zeit, 2 Bde., ²1996/97 · K. Backhaus, Kult und Kreuz. Zur frühchristl. Dynamik ihrer theologischen Beziehung, in: Theologie und Glaube 86, 1996, 512–533 · R. J. Daly, Christian Sacrifice. The Judaeo-Christian Background before Origen, 1978 · B. Ego, A. Lange, P. Pilhofer (Hrsg.), Gemeinde ohne Tempel. Zur Substituierung und Transformation des Jerusalemer Tempels und seines Kultes im AT, ant. Judentum und frühen Christentum, 1999 · H.-J. Klauck, Herrenmahl und hell. Kult, ²1986 · A. Schenker, Th. Kwasman, K. Backhaus, s. v. Kult, LThK³ 6, 505–509. KN.B.

Kultbild I. ALTER ORIENT II. PHÖNIZIEN
III. GRIECHENLAND UND ROM IV. CHRISTLICH

I. ALTER ORIENT
A. ALLGEMEINES B. ÄGYPTEN
C. MESOPOTAMIEN D. PALÄSTINA
E. SYRIEN, ANATOLIEN

A. ALLGEMEINES
Götterbilder, die als K. fungierten, waren im Vorderen Orient in zentralen Tempeln, peripheren Heiligtümern, Privathäusern und u.U. an Freilicht-Heiligtümern und -Kultnischen anzutreffen. Material, Aussehen und Größe variierten je nach Verwendungskontext und Herkunft.

B. ÄGYPTEN
Schon in der Frühzeit existierten K. von Göttern. Die anthropomorphen (anthr.), theriomorphen oder mischgestaltigen K. wurden von Handwerkern aus Stein oder Metall oder als Kompositbilder aus Holz mit Silber-, Gold- und/oder Elektronüberzug mit Halbedelstein- oder Elfenbeineinlagen in der Werkstatt (»Goldhaus«) als tote Gebilde geschaffen und danach durch das Ritual der »Mundöffnung« belebt. Das K. war als Leib der Gottheit Zentrum des Alltags- und Festkults. Abkehr vom K. zeigte sich in der Rel. des → Amenophis [4] IV., da → Aton nicht als Statue dargestellt wurde.

C. MESOPOTAMIEN
Spätestens seit dem E. des 3. Jt. wurden Götter u. a. in Gestalt von anthr. K. verehrt. Die z. T. lebensgroßen Kompositstatuen der Tempel bestanden aus einem Holzkern mit Silber-, Gold- und/oder Elektronüberzug, in den Augen, Haare etc. aus Halbedelsteinen, Stein oder Fritte eingelegt waren (vgl. z. B. [4. 67A]). In der Werkstatt erarbeiteten die Handwerker unter Inspiration ihrer Patronatsgötter die Statue, deren Herstellung als irdische Geburt der Gottheit angesehen werden konnte. Im Anschluß an das »Mundwaschungs-« und »Mundöffnungsritual« hatte die Gottheit in ihrem K. am irdischen Leben teil. Außerhalb der Tempel waren die Götter in Steinstatuen, Göttersymbolen oder -standarten gegenwärtig. Im privaten Kult wurden Hausgötter in Gestalt von Tonfigurinen im Haus aufgestellt.

D. PALÄSTINA
Bereits in der Frühzeit (21.–16. Jh. v. Chr.) ist mit K. aus Ton oder Stein zu rechnen. Das Metallstatuar der Mittel-Brz. (1. H. 2. Jt.) ist von nackten Göttinnen bestimmt, die in der Spät-Brz. (15.–13. Jh.) durch thronende oder schlagende Götter verdrängt wurden. Im Israel und Juda des 1. Jt. v. Chr. wurden Götter weiterhin u. a. in Gestalt von anthr. K. verehrt. Belegt sind z. T. mit Gold/Silber plattierte Bronzestatuetten mit Einlagen sowie bemalte Großterrakotten. Größere Kompositfiguren aus Gaza stellt ein neuassyr. Relief des → Tiglatpilesar III. (744–27) dar [4. 65]. Im Bereich der privaten Frömmigkeit sind Kleinterrakotten üblich. In Datier., Ursachen, Entwicklung und Umfang umstritten ist die Abkehr der judäischen → Jahwe-Gemeinde vom Bilderkult, die im AT in Bilderkritik, -polemik und -verbot greifbar ist. Sie läßt sich von der Formulierung eines anti-ikonischen Programms bis zu dessen später Durchsetzung verfolgen.

E. SYRIEN, ANATOLIEN
Bereits seit dem akeramischen Neolithikum (ca. 8. Jt.) finden sich Belege für anthr. K. aus Stein (Nevalı Çori). In den syr. Zentren des 3. und 2. Jt. v. Chr. (→ Ebla, Emar etc.) sind Metall- und (in Texten) Kompositstatuen belegt. K. aus Edelmetall werden in den Annalen des Ḫattusili I. erwähnt. Aus der Großreichszeit (→ Ḫattusa II) sind kleine Bronzen mit Einlagen, z. T. eingezapften Armen und Beinen, und Kegelmütze mit Hörnern erh.; Bildbeschreibungen aus der Zeit Tudḫalijas IV. ergänzen Materialangaben von Kompositfiguren und ikonographische Details. Die späthethit. Kunst trug in den einzelnen hethit. Nachfolgestaaten (→ Kleinasien, Hethitische Nachfolgestaaten) unterschiedl. Gepräge und brachte u. a. große Stein- wie kleine Metallstatuen hervor.
→ Bildhauertechnik; Hörnerkrone; Goldelfenbeintechnik; Jahwe; Juda und Israel

ÄGYPTEN: 1 J. ASSMANN, D. WILDUNG, s. v. Gott, Götterbild, LÄ 2, 671–674, 764 f. 2 W. BARTA, W. HELCK, s. v. Kult, Kultstatue, LÄ 3, 839–848, 859–863. MESOPOTAMIEN: 3 A. BERLEJUNG, Die Theologie der Bilder, 1998 4 A. H. LAYARD, Monuments of Nineveh 1, 1849 5 J. RENGER, U. SEIDL, s. v. K., RLA 6, 307–314. PALÄSTINA: 6 C. UEHLINGER, s. v. Götterbild, Neues Bibel-Lex. 1, 1991, 871–892 7 Ders., Anthropomorphic Cult Statuary in Iron Age Palestine and the Search for Yahweh's Cult Images, in: K. VAN DER TOORN (Hrsg.), The Image and the Book, 1997, 97–155. SYRIEN, ANATOLIEN: 8 V. HAAS, Gesch. der hethit. Rel., 1994. A. BER.

II. PHÖNIZIEN
Bedeutende alte K. der phöniz.-pun. Welt waren gänzlich oder wesentlich anikonisch (z. B. das K. der → Astarte/→ Aphrodite von → Paphos), ganz in der Trad. der → Baitylia, der für die semit. Kulturen typischen, numinose Kraft besitzenden bildlosen Steinmale. Erhalten sind u. a. Reste bzw. Spuren der K.-Trias im phöniz. Tempel von → Kommos (Kreta) und eines K. in Sarepta (Sarafand, Libanon). Der Brauch ist jedoch nicht einheitlich. K. nach griech. (und äg.) Vorbildern (z. B. → Herakles, → Melqart) sind auf Mz. und Reliefs bezeugt oder als Weihbilder (Ton- und Bronzestatuetten) nachgebildet worden.
→ Phönizische Archäologie

S. RIBICHINI, Poenus advena. I dei fenici e l'interpretazione classica, 1985 · P. WARREN, Of Baetyls, in: OpAth 18, 1990, 193–206. H. G. N.

III. Griechenland und Rom
A. Religionswissenschaftlich
B. Archäologisch

A. Religionswissenschaftlich
1. Einleitung 2. Griechenland 3. Rom

1. Einleitung

Anders als (öffentlich oder privat) in Heiligtümer gestiftete Votivstatuen (→ *anáthēma*) waren K. Bestandteil des → Kults. In diesem Zusammenhang waren sie Gegenstand unterschiedlicher ritueller Handlungen, die im offiziellen Kultus nur von bes. autorisierten Personen (Beamten oder Priestern) vorgenommen werden durften. Wohl von polemischen Schriften christl. Autoren gegen den sog. »Götzendienst« beeinflußt (vgl. u. a. Tert. De idolatria; Arnob.; Aug. civ.), durch welche der Aspekt des »Bilderkultes« in den ant. polytheistischen Rel. bes. betont wurde, hat die ältere, von der christl. Kultur des 19. Jh. geprägte Religionswiss. die Existenz von K. ebenfalls als ein hervorragendes Merkmal der ant. Rel. angesehen (u. a. [1; 13]).

2. Griechenland

Je nach Beschaffenheit der K. und des Mythos der durch sie repräsentierten Götter gestaltete sich der ihnen geltende Kult unterschiedlich: Während Bekleidung, Speisung und Waschung für viele K. bezeugt ist, waren nur kleine und transportable K. zum Mitführen in → Prozessionen geeignet [4; 7; 8; 16]. Die Sakralität des K. war zumeist durch sein hohes Alter gewährleistet, durch Legenden, denen zufolge es etwa »vom Himmel gefallen war« (vgl. z. B. Paus. 1,26,7; 9,12,4) oder durch die Aufstellung und/oder das Schmücken im Heiligtum [5]. Durch Vorschriften geregelt (oder auch nicht) war im allg. die Art und Weise, wie Priester, Beamte und Tempelbesucher mit dem K. kommunizieren durften; je nach Kultart und Gottheit konnte etwa das Berühren und Küssen von K. durch Tempelbesucher erlaubt und üblich sein (Herakles in Agrigent: Cic. Verr. 2,4,94), ebenso aber ein Berührungsverbot (Diana/Artemis von Segesta: Cic. Verr. 2,4,77) oder gar die Beschränkung auf einen bestimmten Personenkreis, der das K. sehen durfte (Priesterinnen: Eileithyia in Hermione, Paus. 2,35,11; Ceres/Demeter in Catina: Cic. Verr. 2,4,99).

Über die Entstehung von Ikonographien kanonischer Geltung für griech. K. ist wenig bekannt, zumal die ältesten Holz-K. nicht erh. sind. Doch haben Unt. gezeigt, daß eine vorgegebene Beziehung zwischen Mythos, Ritus und K. erhalten bleiben konnte, auch wenn ein Kult in andere Regionen und Kulturen exportiert und dort rezipiert wurde (taurische Artemis: [9]; Artemis von Ephesos: [6]). Umfangreichste Slg. von griech. K.-Beschreibungen ist die Schrift des Pausanias.

3. Rom

In der älteren, sich v. a. auf Varro (bei Aug. civ. 4,31) berufenden Forsch. wurde die Ansicht vertreten, die Römer hätten »urspr.« keine K. besessen, da sie keine der griech. vergleichbare Myth. kannten und damit auch keine anthropomorph gestalteten Götter [14. 50ff.; 18. 32f.]. Doch wurden spätestens mit dem Bau des → Capitolium im 6. Jh. v. Chr. und der Schaffung eines K. der capitolinischen Trias (Iuppiter, Iuno, Minerva) durch einen (angeblich) etr. Künstler (Plin. nat. 35,127: Volca) die Mehrzahl der später entstehenden öffentlichen Kultstätten Roms mit K. ausgestattet. Die an den K. vorgenommenen kult. Handlungen (Bekleidung, Speisung: → *lectisternium*, Waschung), bes. des *Graecus ritus*, glichen den griech. Vorbildern. Prominentestes Beispiel eines nicht-anthropomorphen röm. K. ist der schwarze (Meteor-)Stein des 205/04 v. Chr. aus Pessinunt importierten → Mater Magna-Kultes (vgl. Liv. 29,10,7; Amm. 22,9,5). Als *sacra publica* (»öffentliche Kultgegenstände«) mußten die röm. K. von Beamten und *pontifices* (später durch die Kaiser) eigens geweiht werden (→ *consecratio*; → Weihung).

Welche Rolle die Römer bei der Einführung des Gebrauchs von K. bei indigenen Völkern in West- und Nordwesteuropa spielten, ist schwer zu ermitteln, da mögliche (ältere) Holz-K. nicht erh. sind. Vielfach dürfte die → »Romanisierung« einheimischer Institutionen und Kulte zur Ausprägung eigener neuer Formen mit nunmehr röm. Mitteln geführt haben (für Spanien vgl. [15]). Ebenso ist unklar, in welchem Maß die von Rom gegr. Kolonien zur Diffusion röm. K.-Typen beitrugen (zur capitolinischen Trias: [12]). Eine Zäsur in der Verwendung von K. in den europ. Rel. brachte die Christianisierung (s. u. IV.). V. a. aufgrund der durch das Judentum tradierten bildlosen (anikonischen) Gottesvorstellung wurden zunächst alle Formen von K. kategorisch abgelehnt. Doch wurden im Anschluß an die → Heiligenverehrung spätestens im Früh-MA ant. Praktiken vergleichbare Handlungen (bes. rituelle Bäder) an Heiligenstatuen vollzogen [2; 17].

1 F. Back, De Graecorum caerimoniis in quibus homines deorum vice fungebantur, Diss. Berlin 1883 2 E. Bevan, Holy Images. An Inquiry into Idolatry and Image Worship in Ancient Paganism and Christianity, 1940 3 Burkert 4 H. U. Cain, Hell. K. Rel. Präsenz und museale Präsentation der Götter im Heiligtum und beim Fest, in: M. Wörrle, P. Zanker (Hrsg.), Stadtbild und Bürgerbild im Hell., 1995, 115–130 5 H. Cancik, H. Mohr, s. v. Religionsästhetik, HrwG 1, 121–156 6 R. Fleischer, Artemis von Ephesos und verwandte Kultstatuen aus Anatolien und Syrien, 1973 7 B. Gladigow, Epiphanie, Statuette, K. Griech. Gottesvorstellungen im Wechsel von Kontext und Medium, in: Visible Rel. 7, 1990, 98–111 8 Ders., Präsenz der Bilder, Präsenz der Götter. K. und Bilder der Götter in der griech. Rel., in: Visible Rel. 4/5, 1985/86, 114–127 9 F. Graf, Das Götterbild aus dem Taurerland, in: Ant. Welt 10/4, 1979, 33–41 10 F. Hampl, K. und Mythos. Eine ikonographisch-myth. Unt., in: F. Krinzinger u. a., (Hrsg.), Forsch. und Funde, FS B. Neutsch, 1980, 173–185 11 K. Koonce, ΑΓΑΛΜΑ and ΕΙΚΩΝ, in: AJPh 109, 1988, 108–110 12 B. H. Krause, Trias Capitolina: ein Beitr. zur Rekonstruktion der hauptstädtischen K. und deren statuentypologischer Ausstrahlung im röm. Weltreich, Diss. 1989

13 E. KUHNERT, De cura statuarum (Berliner Stud. für klass. Philol. 1,2), 1884 (Ndr. 1975) 14 LATTE 15 A. NÜNNERICH-ASMUS, Architektur und Kult – Beispiele ländlicher und urbaner Romanisierung, in: H. CANCIK, J. RÜPKE (Hrsg.), Reichsrel. und Provinzialrel., 1997, 169–184 16 I. B. ROMANO, Early Greek Cult Images and Cult Practices, in: R. HÄGG, N. MARINATOS, G. C. NORDQUIST (Hrsg.), Early Greek Cult Practice, 1988, 127–133 17 P. SAINTYVES, De l'immersion des idoles antiques aux baignades des statues saintes dans le christianisme, in: RHR 108, 1933, 144–192 18 G. WISSOWA, Rel. und Kultus der Römer, ²1912. C. F.

B. ARCHÄOLOGISCH
1. ALLGEMEINES
2. HISTORISCHE ENTWICKLUNG

1. ALLGEMEINES

K. bezeichnet in der Klass. Arch. die Darstellung einer Gottheit in oder vor dem ihr geweihten Tempel. Ein spezifischer ant. Terminus fehlt. Das K. ist eine wissenschaftliche Klassifizierung und als Sonderform des Götterbildes nach arch. Kriterien zu erforschen. Es ist rundplastisch und – meist völlig, seltener teilweise – anthropomorph. Umgesetzt in Malerei oder Relief wird es nur im Hauskult (→ *lararium*), bei regionalen Kulten der ant. Peripherie (Thrakischer Reiter) oder bei Kultgemeinden der Kaiserzeit (Mithrasreliefs). Ant. Kult erfordert die Präsenz der Gottheit im K., das im Tempel behaust ist. Inhaber des Tempels können mehrere Gottheiten (Kultpartner) sein, die in K.-Gruppen verbunden sind. Weitere Gottheiten können sich später dazugesellen (Synhedroi), im Hell. oft ein → *basileús*, in der Kaiserzeit ein Angehöriger des Kaiserhauses. Weitere Götterbilder im Tempel unterscheiden sich häufig formal, immer in der Aufstellungsweise vom K. und gelten als Votive.

Das K. galt nicht als identisch mit der Gottheit, sondern als deren Vergegenwärtigung. Es garantierte in betonter Weise die Zugänglichkeit der Gottheit und vermittelte künstlerisch deren Wirkungskraft. Dazu dienten überwältigende Formen (→ Kolossos), erläuternde Mythendarstellungen an Basis und Beiwerk, Kostbarkeit des Materials (Gold, Elfenbein, Edelholz) und effektvolle Unterscheidung von Körper, Haar, Gewand. Oft erforderten rituelle Waschung und Bekleidung, → Lectisternium und Theoxenie ein kleines Format, während die festliche → Epiphanie großer K. durch Beleuchtung, Proportionen und distanzschaffende Raumelemente (Schranken, Basen, Vorhänge) unterstützt wurde. Strahlende Augen aus Edelstein, Haare aus reflektierenden Edelmetallen und ephemere Schmückung verlebendigten die Gottheit. Die im K. erlebte Gegenwart der Götter bezeugen Nachrichten über Anhörung, Gespräch, Kopfnicken, Beischlaf und Liebesbezeugungen. Entführung des K. war gleichbedeutend mit Vernichtung der Gemeinde, seine Mitnahme bei Vertreibung tröstlich. Die sichere Bindung der Gottheit an den Ort fand Ausdruck in der Hochschätzung altertümlicher Formen und Ikonographie (→ Xoanon), während Modernisierung eines K. nur selten erfolgte. Das K. schuf und bewahrte das Erscheinungsbild der lokalen Gottheit, weshalb es in Votiven verbreitet, in Münzbildern und Urkundenstelen erinnert oder bei Kultverbreitung kopiert wurde.

2. HISTORISCHE ENTWICKLUNG
a) GRIECHENLAND

Nur wenige originale K. sind in Frg. erh., noch weniger im urspr. Kontext. Als Quelle zur Erforschung dienen Beschreibungen in Schriftquellen und lokale Münzbilder. Eine kleine Zahl von K. läßt sich in kaiserzeitlichen Kopien identifizieren (Apollon Philesios, s. → Kanachos [1]; Athena Parthenos). Im späten 8. Jh. v. Chr. entstanden die ersten K., zugleich das älteste im Original erh. → Sphyrelaton (Apollon, Dreros). Alle lit. überl. K. der Archaik waren kleinformatig, als Xoanon mit oder ohne Verkleidung in Gold, Bronze oder Elfenbein gebildet, nicht immer völlig menschengestaltig und stets mit echten Gewändern bekleidet (Hera von Samos, Artemis von Ephesos, Athena Chalkioikos in Sparta).

Große Formate und Bronze sind selten (Apollon Philesios, Apollon Amyklaios), Marmorstatuen nicht nachgewiesen. Am E. des 6. Jh. v. Chr. entstanden verm. in Großgriechenland die ersten Akrolithe (→ Akrolithon), die mit den Goldelfenbeinstatuen (→ Goldelfenbeintechnik) im 5. Jh. eine für K. eigene monumentale Gestaltungsweise darstellen und die Erscheinung der Hauptgötter über Jahrhunderte hin festlegen. Die Formate sind groß bis kolossal, die Erscheinung bunt und teuer. An Goldelfenbeinstatuen formt sich das Bild der Gottheiten mit weißer Haut und goldschimmerndem Haar (Elfenbein-Athena, Rom, VM); Essenzen ließen die Gottheit wohlriechen. Göttl. Eigenschaften wie Güte, Anmut, Hoheit wurden künstlerisch zum Ausdruck gebracht und rel. empfunden. Als Höhepunkt wurden stets die kolossalen Goldelfenbeinstatuen der Athena Parthenos und des Zeus in Olympia von → Pheidias betrachtet, in denen das ganze Wesen der Göttlichkeit zum Ausdruck gebracht sei; die Inszenierung der Zeus-Statue war in Olympia in einem Werkstattbau erprobt worden. An der Veränderung des Götterbildes in der Spätklassik hat das K. nur beschränkten Anteil. Hieratische Posen bleiben bestehen, Genre-Motive tauchen im K. nicht auf; ensprechend konträr werden Darstellungen der Aphrodite beurteilt, die durch Porträtierung von Künstlermodellen (→ Praxiteles) entstehen.

Im Hell. werden Kolossalität und Materialvielfalt an Akrolithen und Marmorbildern mit Accessoires aus anderen Materialien fortgeführt (Priene, Klaros, Aigeira). Formal sind klassizistische und archaistische Elemente beliebt. Die Ikonographie von Zeus, Asklepios, Athena bleibt an der Klassik orientiert, selbst in peripheren Kulturen (Solunt, Aï Chanum), sie wird kanonisch und gräzisiert zum K. fremder Gottheiten (Serapis; Kybele). Eine Reihe von teilweise erh. K.-Gruppen erscheint stehend und thronend in der Art von Familienbildern (Messene, Lykosura).

b) ROM

Von K. im frühen Rom und in den ital. Landschaften ist nicht mehr bekannt als die Erinnerung an Xoana und Terrakotta-K. in etr. Manier (Iuppiter in Rom, 6. Jh. v. Chr.). Ab dem späten 3. Jh. v. Chr. sind in Rom im Zuge allg. Hellenisierung die frühesten K. in griech. Darstellungsform anzutreffen. Da sie immer von Feldherrn oder Magistraten gestiftet wurden, stammen die ersten aus → Kriegsbeute. Im 2. Jh. v. Chr. wurden sie von griech. Künstlern in Rom geschaffen (Künstlerfamilie der Timarchiden); von den meist kolossalen Akrolithen sind wenige Frg. erh. (*Fortuna huiusce diei*, *Fides*). Der Bedarf war aufgrund der mil. Tempelstiftungen groß, die Ikonographie bei den zahlreichen Personifizierungen (Honos, Virtus, Spes, Clementia) selten spezifisch ausgeprägt. Auch im übrigen It. sind Akrolithe und Marmorkolosse üblich (Diana in Nemi, Feronia in Terracina). In der Kaiserzeit wird das stadtröm. K. des Iuppiter verbindlich für das Imperium. Andere K. sind nur von Münzbildern her bekannt und scheinen von griech. Typen abgeleitet zu sein. Dabei überwiegen aus kult. Gründen Sitzbilder. Der röm. Häufung von Epitheta entspricht eine größere Fülle an Attributen. Die meisten neugeschaffenen K. gelten den *Divi Augusti* und *Divae Augustae* und bilden in überlebensgroßen Marmorwerken Zeusstatuen bzw. Fortuna- oder Venusstatuen nach. K. spielten in christl. und paganer Apologetik eine wichtige Rolle. Ab dem 4. Jh. n. Chr. wurden K. als Kunstwerke säkularisiert, aus den aufgelösten Tempeln in öffentliche Bauten versetzt (Konstantinopel) oder durch Zerstörung »hingerichtet«.

→ KULTBILD

V. MÜLLER, s. v. K., RE Suppl. 5, 472–511 · H. P. LAUBSCHER, Hell. Tempelkultbilder, maschr. Diss. Heidelberg 1960 · I. B. ROMANO, Early Greek Cult Images, 1980 · H. FUNKE, s. v. Götterbild, RAC 11, 659–828 · W. SCHÜRMANN, Unt. zu Typologie und Bed. der stadtröm. Minerva-K., 1985 · B. GLADIGOW, Präsenz der Bilder, Präsenz der Götter, in: VisRel 4–5, 1985 f., 114–127 · H. G. MARTIN, Röm. Tempelkultbilder, 1987 · C. VERMEULE, The Cult Images of Imperial Rome, 1987 · B. ALROTH, Greek Gods and Figurines, 1989 · B. H. KRAUSE, Trias Capitolina, maschr. Diss. Trier 1989 · B. GLADIGOW, Zur Ikonographie und Pragmatik röm. K., in: Iconologia sacra, 1994, 9–24 · H. U. CAIN, Hell. Kultbilder, in: Stadtbild und Bürgerbild im Hell., 1995, 115–130 · E. I. FAULSTICH, Hell. Kultstatuen und ihre Vorbilder, 1997 · E. HÄGER-WEIGEL, Griech. Akrolith-Statuen des 5. und 4. Jh. v. Chr., 1997 · A. A. DONOHUE, The Greek Images of the Gods. Considerations on Terminology and Methodology, in: Hephaistos 15, 1997, 31–45.   R. N.

IV. CHRISTLICH

Das Christentum übernimmt vom Judentum vorerst die strikte Ablehnung von Bildern und deren kult. Verehrung (Ex 20,4 f.). Da Jesus Christus aber als »Ebenbild Gottes« (2 Kor 4,4; Kol 1,15) verstanden wird, ist eine theologische Reflexion der Abbildung seiner Mensch-

heit unvermeidlich. So entwickelt → Iohannes [33] von Damaskos (Contra imaginum calumniatores orationes tres, v. a. 1,14–16) nach mancherlei Vorstufen um 730 eine eigentliche Theologie des Bildes (Ikone), die die Ostkirche nach langen Streitigkeiten (Ikonoklasmus, → Syrische Dynastie) auf dem 7. ökumen. Konzil in Nikaia 787 übernimmt (von Kaiserin Theodora 843 definitiv bekräftigt): Weil sich in Jesus Christus göttliche und menschliche Natur durchdringen (sog. *perichórēsis*), findet in seiner Abbildung auch die eigentlich unsichtbare Gottheit Ausdruck. Es ist zu unterscheiden zwischen der dem Bild erwiesenen Ehrbezeugung (*proskýnēsis katá timḗn*/ *timētikḗ proskýnēsis*) und der Gott entgegengebrachten Anbetung (*proskýnēsis katá latreían*/ *alēthinḗ latreía*). Hatte das Christentum urspr. in äußerst undifferenzierter Weise der paganen Welt »Götzenverehrung« vorgeworfen, so klärte es selbst nun seinen kult. Umgang mit Bild und Gott durch eine differenzierte Terminologie. Als Vorstufe christl. Umgangs mit K. kann die Verehrung der Reliquien von Märtyrern und anderen Heiligen, insbes. auch der angeblich von Kaiser Constantins I. Mutter → Helena [2] gefundenen Kreuzreliquie, betrachtet werden (terminologische Differenzierung bereits im Martyrium des → Polykarpos von Smyrna [†156] 17,3: den Gottessohn anbeten – die Märtyrer lieben).

B. KOTTER (Hrsg.), Die Schriften des Johannes von Damaskos, Bd. 3 (Patristische Texte und Studien 17), 1975 · H. G. THÜMMEL, Bilderlehre und Bilderstreit, 1991.   M. HE.

Kultfassade. Als K. wird das für Phrygien typ. Denkmal der → Kybele bezeichnet. Es handelt sich um eine in den Fels gemeißelte Fassade, in der sich eine Nische für die Statue der Göttin befindet. Die Denkmäler sind nach Sonnenaufgang ausgerichtet. Die älteren K. gehen auf das 8. Jh. v. Chr. zurück, als Phrygien ein mächtiger Staat war. Im 6. Jh., als Phrygien schon unter lyd. Macht stand, wurde eine weitere Gruppe der K. gebaut. Zur älteren Gruppe zählt die Fassade des »Midas-Monuments« – das am besten erh. Denkmal –, das sich bei der ant. Midas-Stadt in der Nähe des h. Dorfes Yazılı Kaya befindet.

C. H. E. HASPELS, The Highlands of Phrygia. Sites and Monuments, 1–2, 1971 · M. J. MELLINK, s. v. Midas-Stadt, RLA 8, 1993–1997, 153–156.   FR. P.

Kulturentstehungstheorien I. ALTER ORIENT UND ÄGYPTEN II. GRIECHENLAND UND ROM

I. ALTER ORIENT UND ÄGYPTEN

Die recht wenigen altoriental. Zeugnisse, die als K. aufgefaßt werden können, bieten wichtige Hinweise zur Selbstsicht einer Kultur, sind aber noch nicht unter diesem Aspekt behandelt worden. Aitiologien v. a. zu Festen und Kultorten finden sich in der äg. [7], seltener der mesopot. [4. 551 f., 559 f.] und der hethit. Trad.

[4. 571], im AT besonders häufig in Gn (z.B. Gn 28: Bethel).

Götter können die ihnen unterstellten Kulturbereiche begründet haben: In Äg. wird dem Gott → Thot die Erfindung von Schreiben und Rechnen zugeschrieben [6. 503 f.]. In Babylonien lehrt der Weisheitsgott Enki/Ea die Kultivierung der Dattelpalme [8. 6, Z. 23–88] und weist Menschen mit körperlichen Defekten ihren Platz in der Ges. zu ›Enki und Ninmah‹, TUAT 3, 386 f.); in ›Enki und die Weltordnung‹ (ebd. 402 ff.) setzt er Gottheiten als Zuständige für Ackerbau und Viehzucht, Handwerk usw. ein. Inanna (→ Ištar) raubt für ihre Stadt Uruk dem Gotte Enki die *me*, die »übernatürliche« Macht, von etwa 100 Kulturgütern wie Herrschaft und Priestertum, Friede und Krieg, Wissen und Kult, Streit und Recht, Handwerk [2].

Die Entstehung von kulturellen Konstanten kann in eine Urzeit verlegt werden. Das »Goldene Zeitalter« in Äg. [11] ist durch die Idee der zyklischen Erneuerung bis in die (ant.) Gegenwart präsent. Aus dem AT ist vor allem die »Völkertafel« Gn 10, die die Menschen als Nachkommen Noahs erfaßt, zu nennen; Gn 4, 17–26 bewertet Kulturerrungenschaften negativ [9. 57 f.]; vgl. auch → Noah als Begründer des Weinbaus (Gn 11, 20). In Babylonien werden die Einführung des Ackerbaus (TUAT 3, 360 ff.; [3. 151 f.]) und die Ankunft des Königtums [3. 76, 139; 5. 145 ff.] in eine Urzeit verlegt.

Selten genug sind die legendenhaften Helden Sumers Kulturbringer: Enmerkar erfindet die → Keilschrift, um ins ferne Aratta eine Botschaft zu senden [5. 311 f., Z. 498–507]; sein Nachfolger Lugalbanda soll beim Sieg über Aratta dessen Edelmetall und die Schmiede nach Uruk holen [TUAT 3, 538 f., Z. 408–412].

Der göttl. verehrte äg. Weise Imhotep (→ Imuthes [2]), der unter König Djoser lebte, soll das Bauen in Stein eingeführt haben [12. 11, 29, 32, 89, 152]. Das (divinatorische und magische) Wissen von Ea/Enki brachten mythische fischgestaltige Weise (*apkallu*) in die Welt [10]. Vergleichbar gilt → Henoch als Schriftgelehrter, dem das Wissen um Astronomie usw. offenbart wurde [1. 516–523]. Er ist insofern auch den prägenden Gestalten des kanonischen AT vergleichbar, zuerst dem Gesetzgeber Moses.

1 K. BERGER, s. v. Henoch, RAC 14, 473–546
2 G. FARBER-FLÜGGE, Der Mythos »Inanna und Enki«, 1973
3 J.-J. GLASSNER, Chroniques mésopotamiennes, 1993
4 W. HEIMPEL, G. BECKMAN, s. v. Mythologie A, RLA 8, 537–572 5 TH. JACOBSEN, The Harps, that Once …, 1987
6 D. KURTH, s. v. Thot, LÄ 6, 497–523 7 J. SPIEGEL, s. v. Ätiologie, LÄ 1, 80–83 8 K. VOLK, Inanna und Šukaletuda, 1995 9 C. WESTERMANN, Genesis 1–11, 1972
10 C. WILCKE, Göttl. und menschliche Weisheit im Alten Orient, in: A. ASSMANN (Hrsg.), Weisheit, 1991, 259–270
11 D. WILDUNG, s. v. Goldenes Zeitalter, LÄ 2, 734
12 Ders., Imhotep und Amenhotep, 1977.
WA. SA. u. HE. FE.

II. GRIECHENLAND UND ROM
A. GRUNDSÄTZLICHES B. GRIECHISCHE AUTOREN
C. RÖMISCHE AUTOREN

A. GRUNDSÄTZLICHES

Ant. K. (oder Ansätze zu solchen) entspringen nicht immer einem genuinen Interesse an philos. Anthropologie, sondern sind häufig einer spezielleren Fragestellung (etwa aus dem Bereich der polit. Theorie oder einer Fachwiss.) untergeordnet; vielen ant. poetischen Texten eigen ist das Bemühen um eine Standort- und Sinnbestimmung der menschlichen Existenz [12. 68]. K. begegnen, durchaus unabhängig von der lit. Gattung, in der Form rationaler oder myth. Diskurse; als Informationsquellen dienen ihnen nicht nur Mythos und Lit., sondern auch die Kulturen von Nachbarvölkern, bes. → »Barbaren« (Thuk. 1, 5 f.; Vitr. 2, 1, 4) [1. 198 f.]. Zu myth. Erfindern/Stiftern einzelner Kulturtechniken s. [16]; → Protos Heuretes.

B. GRIECHISCHE AUTOREN
1. FRÜHE STUFEN 2. 5. UND 4. JAHRHUNDERT
3. HELLENISTISCHE ZEIT

1. FRÜHE STUFEN

Ein Grundschema zahlreicher K. ist schon bei Homer faßbar: Bei den → Kyklopen (Hom. Od. 9, 106–115; 125–129; 275–277) ist technische, soziale und moralische Unterentwicklung eine Konsequenz fehlender existentieller Nöte [15. 217]; das in späteren K. häufig begegnende Moment des Mangels als treibender Kraft der Kulturentstehung ist hier implizit bereits enthalten.

In Hesiods Lehre von den fünf Menschengeschlechtern (Hes. erg. 106–201; → Zeitalter) ist die K. dem Bestreben untergeordnet, moralische Deszendenz als bestimmendes Prinzip der Menschheitsgesch. kenntlich zu machen. Errungenschaften wie Werkzeuggebrauch und Landwirtschaft werden nicht als Leistungen gewürdigt, sondern nur zur Veranschaulichung negativer Entwicklungen herangezogen. Auch der Mythos von → Prometheus dient Hesiod nicht als Aitiologie für zivilisatorischen Fortschritt, sondern für das Übel, dem die Menschheit seit Opferbetrug und Feuerdiebstahl des Titanen ausgesetzt ist (Hes. theog. 507–616; erg. 45–105).

Das früheste erh. Beispiel einer expliziten rationalistischen K. stammt von Xenophanes: Kulturentstehung ist ein histor. Prozeß des Suchens und Findens (21 B 18 DIELS/KRANZ), in dessen Verlauf materielle und kognitive Errungenschaften das Los der Menschen verbessern. Ob Xenophanes eine göttliche Mitwirkung daran grundsätzlich ausschloß [18. 4; 7. 41; 3. 3 f.], ist umstritten [5. 82; 17].

2. 5. UND 4. JAHRHUNDERT

Vergleichbare rationalistische K. sind für das 5. Jh. vielfach bezeugt. So sah Anaxagoras die Überlegenheit der Menschen über die Tiere dadurch garantiert, daß erstere mit Händen (59 A 102 DK) und kognitiven Fähigkeiten (59 B 21b DK) ausgestattet sind; so erklärte Demokritos [1] die Entwicklung technischer Fertigkeiten als Nachahmungen entsprechend spezialisierter Tierarten (68 B 154 DK). Diese Vorstellung vom Menschen als einem Mängelwesen, das seine unzureichende physische Ausstattung durch Lernfähigkeit und technisches Geschick kompensiert, kommt auch in der hippokratischen Schrift *De vetere medicina* zum Ausdruck: Die primitive Nahrung der Urmenschen verursachte Krankheiten, was zur Entwicklung von Getreideanbau, Kochkunst und medizinischer Ernährungswiss. motivierte [6] (vgl. die Parodie auf solche aus medizinischer Perspektive formulierten K. bei dem Komiker Athenion fr. 1 PCG IV = Athen. 660e–661c).

Eine Mängelwesen-Theorie kann auch für den Sophisten Protagoras angenommen werden: Diesem wird in dem nach ihm benannten platonischen Dialog eine authentischen Überlegungen des Protagoras vermutlich nahekommende [10], den Mythos von Prometheus und Epimetheus funktionalisierende Rede in den Mund gelegt, derzufolge es neben den handwerklich-technischen Fähigkeiten vor allem soziale Basiskompetenzen sind, die dem Menschen einen Ausgleich seiner unzureichenden Anpassung ermöglichen (Plat. Prot. 320c–323a). Überhaupt darf (bes. im Kontext der *nómosphýsis*-Debatte) mit einem gewissen Interesse der Sophisten an K. gerechnet werden; so soll Hippias [5] von Elis Lehrvorträge über die Frühgesch. der Menschheit gehalten haben (Plat. Hipp. mai. 285d) [1. 204–209].

Nicht autonome menschliche Leistungen, sondern positive Wirkungen göttlichen Eingreifens kennzeichnen die K. des (pseudo-)aischyleischen *Prometheus Desmotes*: Der Titelheld charakterisiert sich als selbstlosen Wohltäter der Menschen, denen er gegen den Willen eines tyrannischen Zeus zum Aufstieg aus ihrer tierhaften, unbewußten Existenz verholfen hat (Aischyl. Prom. 88–127; 436–525); der Akzent liegt hier auf den vorbehaltlos positiv bewerteten technischen und geistigen Errungenschaften. Ob man hierin eine in myth. Form gekleidete, letztlich rationalistische K. erkennen darf, muß angesichts der über Authentizität des Stückes und Rekonstruktion der Trilogie bestehenden Unsicherheit offen bleiben. Sophokles und Euripides verbinden mit ihren Würdigungen des kulturellen Aufstiegs der Menschen, die sich die Erde untertan machen, Warnungen vor der Ambivalenz der so gewonnenen Freiheit (Soph. Ant. 332–375) bzw. vor Undankbarkeit und Hybris gegenüber den Göttern, denen dieser Aufstieg zu verdanken sei (Eur. Suppl. 195–218).

Die Idee eines »Goldenen → Zeitalters«, die im 5. Jh. v. Chr. kaum eine Rolle spielt (Ausnahme: die *Katharmoí* des Empedokles: 31 B 128; 130 DK), beginnt im 4. Jh., auf die philos. Anthropologie einzuwirken: So ist eine der K., die Platon als Ausgangspunkte für die Entwicklung polit. Theorien dienen, von einschlägigen Topoi durchsetzt (Plat. polit. 271a–274d; anders die realistischere Schilderung einer patriarchalischen Urgesellschaft Plat. leg. 677a–680e). Auch im Peripatos ist dieser

Einfluß erkennbar: Theophrast setzt eine rationalisierte Goldene Zeit zw. einem tierhaften Urzustand und dem Beginn moralischer Deszendenz an (fr. 584A FORTENBAUGH); Dikaiarchos (fr. 49 WEHRLI [19]) stellt den Urzustand selbst als eine Art Goldenes Zeitalter dar [4. 156f.], was allerdings nicht widerspruchsfrei gelingt [5. 74–76].

3. HELLENISTISCHE ZEIT

In der Folgezeit bleibt die Vorstellung bestimmend, das Mängelwesen Mensch sei aus einem zunächst primitiven Dasein mit der Zeit zum Kulturwesen aufgestiegen. In der Schule des Epikuros existierte die auf den Gründer selbst (Epik. Epistula ad Herodotum 75f.) zurückgehende Unterscheidung zweier Stufen der Kulturentstehung: Zunächst seien die Menschen durch die Natur zu bestimmten Verhaltensweisen genötigt worden, dann sei das so gewonnene Erfahrungswissen durch rationale Überlegung ausgearbeitet und vermehrt worden [11. 18–22]. Ein Fragment des Tragikers Moschion zeichnet die ersten Menschen als tierähnliche, kannibalische Höhlenbewohner, läßt die Gründe für ihren kulturellen Aufstieg jedoch unbestimmt (Moschion fr. 6 TrGF). Für Polybios, dessen Interesse dem Ursprung sozialer Normen gilt, ist die durch physische Schwäche des einzelnen bedingte Notwendigkeit der Gruppenbildung das entscheidende Moment (Pol. 6,5). Die K. des Poseidonios muß aus Sen. epist. 90 rekonstruiert werden; ihr zufolge haben die Menschen unter der Anleitung von Philosophen nach primitiven Anfängen einen kulturellen und sittlichen Aufstieg erfahren [14. 89–99; 4. 157f.; 8. 75–83; 13. 190–192]. Die von Diodor entwickelte rationalistische K. ist Gedanken des 5. Jh. verpflichtet (wieviel auf Demokrit [s.o. 2.] zurückgeht, ist umstritten [2]): Angespornt von Mangel bilden die Menschen Gemeinschaften, entwickeln technische Fertigkeiten und erheben sich aus ihrem Sammlerdasein; ihre natürliche Ausstattung mit Händen, Sprachfähigkeit und Intelligenz spielt dabei eine entscheidende Rolle (Diod. 1,8).

C. RÖMISCHE AUTOREN

Die ausführlichste erh. K. der Ant. stammt von Lukrez (Lucr. 5,925–1457), der zunächst den primitiven Urzustand der Menschheit, dann, im Rückgriff auf das epikureische Zwei-Phasen-Konzept (s. B.3), ihren Aufstieg schildert [11]. Auch → Cicero stützt sich auf hell. Theorien: Seine in verschiedenen Kontexten formulierten K. (Cic. inv. 1,2f.; Cic. Sest. 91; rep. 3,1–4; Cic. Tusc. 1,62; zu den anthropologischen Voraussetzungen s. Cic. leg. 1,26f.; Cic. off. 1,4,11–14; 2,4,15) lassen den Einfluß seines Lehrers Poseidonios erkennen, dessen K. dem jeweiligen Gegenstand behutsam angepaßt wird [13].

Bei den Dichtern der augusteischen Zeit stehen verschiedene Elemente von K. nebeneinander. In Verg. georg. 1,118–146 wird dem Rationalismus des Lukrez der Glaube an die *providentia* (Vorsehung) Iuppiters entgegengesetzt: Die Herrschaft des Saturnus ist als ein von Mühsal freies Goldenes Zeitalter gezeichnet; erst Iuppiter habe die Notwendigkeit der harten Arbeit in die Welt gebracht und damit die Entwicklung von Kulturtechniken angestoßen. In Verg. Aen. 8,314–327 schildert Euander die Saturnherrschaft als eine Phase, in der die zuvor als Jäger und Sammler vereinzelt lebenden Menschen Gemeinschaften bilden und Gesetze erhalten; hier rücken die Parallelen zwischen Saturnus, Euander und Aeneas (und indirekt Augustus) ins Zentrum. Horaz betrachtet die Erfindung der Sprache als Vorbedingung für die Entstehung von Zivilisation und Gesetzen (Hor. sat. 1,3,99–106). Ovid greift (z. T. in Auseinandersetzung mit Dichtern seiner Epoche) vielfach Elemente von K. und entsprechenden Mythen auf (ausführlich [8. 185–246]); in seiner Schilderung der vier Zeitalter (Ov. met. 1,89–150) kombiniert er das Deszendenzschema Hesiods u. a. mit dem aus Vergils *Georgica* bekannten Motiv der Entwicklung erster Kulturtechniken unter der Herrschaft Iuppiters.

Rationalistische K. mit uneingeschränkt positiver Bewertung menschlicher Zivilisation bieten – ihren didaktischen Intentionen gemäß – Vitruv (bei dem der Hausbau als bedeutendste Errungenschaft gleich nach Feuer und Sprache erscheint: Vitr. 2,1,1–3; 6f.) und Manilius (der Lernfähigkeit und Erfindungsgabe der Menschen preist: Manil. 1,66–112). Seneca d. J. hingegen betont in seiner Auseinandersetzung mit Poseidonios (Sen. epist. 90) die Ambivalenz der Kulturtechniken, die zu Habgier verleiten und deren Entdeckung den Beginn moralischen Niedergangs markiert [8. 75–86]. Iuvenal verwendet eine satirisch überzeichnete Schilderung der saturnischen Urzeit als Kontrastfolie zu den von ihm diagnostizierten Defekten der zeitgenössischen Gesellschaft (Iuv. 6,1–20). Zur Aufnahme und Fortentwicklung ant. K. in christl. Lit.: [16. 1267f.; 18. 47f.].

→ Protos Heuretes; Schöpfungsmythen; Zeitalter

1 S. BLUNDELL, The Origins of Civilization in Greek and Roman Thought, 1986 2 TH. COLE, Democritus and the Sources of Greek Anthropology, 1967, ²1990 3 L. EDELSTEIN, The Idea of Progress in Classical Antiquity, 1967 4 B. GATZ, Weltalter, goldene Zeit und sinnverwandte Vorstellungen, 1967 5 W. K. C. GUTHRIE, In the Beginning, 1957 6 H. HERTER, Die kulturhist. Theorie der Hippokratischen Schrift von der alten Medizin, in: Maia 15, 1963, 464–483 7 A. KLEINGÜNTHER, ΠΡΩΤΟΣ ΕΥΡΕΤΗΣ, 1933 8 K. KUBUSCH, Aurea Saecula: Mythos und Gesch., 1986 9 A. O. LOVEJOY, G. BOAS, Primitivism and Related Ideas in Antiquity, 1935 10 B. MANUWALD, Platon oder Protagoras?, in: ΛΗΝΑΙΚΑ, FS C. W. Müller, 1996, 103–131 11 Ders., Der Aufbau der lukrezischen Kulturentstehungslehre, 1980 12 R. MÜLLER, Ant. Theorien über Entwicklung und Ursprung der Kultur, in: Das Altertum 14, 1968, 67–79 13 Ders., Theorie der Kulturentstehung und Anthropologie bei Cicero, in: Acta Classica Universitatis Scientiarum Debreceniensis 31, 1995, 189–201 14 G. PFLIGERSDORFFER, Studien zu Poseidonios, 1959 15 E. PÖHLMANN, Lukrez als Quelle griech. Kulturentstehungslehre, in: WJA 17, 1991, 217–228 16 K. THRAEDE, s.v. Erfinder II, RAC 5, 1191–1278

17 A. TULIN, Xenophanes fr. 18 D.-K. and the Origins of the Idea of Progress, in: Hermes 121, 1993, 129–138 18 W. UXKULL-GYLLENBAND, Griech. Kultur-Entstehungslehren, 1924 19 WEHRLI, Schule Bd. 1.   H.H.

Kultvereine s. Vereine

Kumanen, Komanen. Untergegangenes Turkvolk aus der kiptschakischen Gruppe. Eigenbezeichnung *Kun*, slav. *Polovcy*, daher Polowzer; im MA »Falben« genannt. Die K., seit dem späten 9. Jh. im Wolgabecken bezeugt, drangen Mitte des 11. Jh. n. Chr. in das Gebiet der h. Ukraine ein, verwüsteten 1071/72 Ungarn, vernichteten 1091 die → Petschenegen, waren zwischen 1060 und 1210 eine stete Gefahr für Rußland und wurden 1239/40 von den Mongolen besiegt. Für die Byzantiner dienten sie als Mittelsmänner im Handel zw. dem Schwarzen Meer und den Russen. Unter der Herrschaft der »Goldenen Horde« wurden sie zu einem Grundelement der mod. Turkvölker in den pontischrussischen Steppengebieten. Ein Teil der K. zog nach Ungarn ab, wo sie als *Kúnok* bis 1350 bei ihrer angestammten Rel. blieben.

Das Kumanische gehört zu den Vorläufern der mod. kiptschakischen Turksprachen. Es ist im *Codex Cumanicus* überl. (ca. 1294–1340; Bibliotheca Marciana, Venedig), einer wohl von genuesischen Kaufleuten und dt. Franziskanern zusammengetragenen heterogenen Slg. von u. a. lat.-pers.-kuman. und dt.-kuman. Glossaren sowie kuman. Fassungen einzelner Teile der lat. Liturgie.

G. HAZAI, s. v. Ḳumān, EI 5, 373a-b · G. KUUN (Hrsg.), Codex Cumanicus, 1981.   CL. SCH.

Kumarbi. Hurrit. Gott, dessen Name sich der Deutung entzieht; sein Kultort ist die Stadt Urkeš im oberen Ḫābūr-Gebiet (Tell Mōzān). Eine Verbindung K.s, des »Vaters der Götter«, mit → Kronos ergibt sich in erster Linie aus den engen Parallelen eines in Hethit. überlieferten hurrit. Sukzessions-Mythos zur ›Theogonie‹ des Hesiod: Danach gingen dem Königtum bzw. der Herrschaft des Wettergottes Teššub über den Kosmos drei Weltzeitalter voran, die von den drei Götterkönigen Alalu, Anu (dem Himmelsgott) und K. repräsentiert wurden.

Wie Kronos, so entmannt und entmachtet auch K. seinen Vorgänger Anu. In einer Hymne wird K. als »Vater und Mutter« des Teššub von Ḥalab (→ Aleppo) bezeichnet, da er dem Sukzessionsmythos zufolge durch Verschlingen der Genitalien des Anu mit den Göttern Teššub, Šuwaliyatt- und dem Tigris (Aranzaḫ) geschwängert wurde und diese gebar. Einem Beschwörungsritual zufolge verbannt Teššub mit der Übernahme des Königtums im Himmel K. mitsamt dessen Götterkreis – den »früheren Göttern« – in die Unterwelt und setzt ihnen als Opfertiere nicht Schafe und Rinder, sondern lediglich Vögel fest. Wie Kronos, so ist auch K. ein

Saat- und Erntegott, was sich darin zeigt, daß er in Op-
ferlisten mit ḫalki- (»Gerste«) austauschbar ist.
→ Hesiodos; Mythos; Zeitalter

H. A. Hoffner, Hittite Myths, 1990, 38–61 (Übers.) ·
V. Haas, Gesch. der hethit. Rel., 1994, 82–90, 96–98,
113–115.   V. H.

Kunaxa (Κούναξα). Allein von Plut. Artaxerxes 8,2 erwähnter Ort am linken Ufer des Euphrats, in dessen
Nähe im Herbst 401 v. Chr. → Kyros [3] d. J. im Kampf
gegen seinen Bruder → Artaxerxes [2] II. Schlacht und
Leben verlor. Nach Plut. a. O. 500, nach Xen. an. 2,2,6
360 Stadien von Babylon entfernt, ist der Ort bis heute
nicht sicher zu lokalisieren (Tell Kuneise?).

H. Gasche, Autour des Dix Mille: Vestiges archéologiques
dans les environs du »Mur de Médie«, in: P. Briant (Hrsg.),
Dans les pas des Dix-Mille, 1995, 201–216, bes. 201 ·
O. Lendle, Komm. zu Xen. An. (B. 1–7), 1995, s. v. K.
                                                      J. W.

Kunst (τέχνη, *téchnē*, lat. *ars*).
I. Griechisch II. Römisch

I. Griechisch

Kein heute verfügbarer Einzelbegriff vermag die ant.
Konzeption von K. wiederzugeben, die sich von Betä-
tigungen handwerklicher Art bis hin zu den Wiss. erstreckte; die von uns als »Künste« bezeichneten Tätigkeiten sind darin eingeschlossen, ihnen wird jedoch keine bes. Bed. zugemessen. Etym. leitet sich *téchnē* von
dem nicht bezeugten *τέκτ-σνα (*tékt-sna*) ab, der Geschicklichkeit des τέκτων (*téktōn*, »Zimmermann«) [1].
Schon bei Homer bezieht sich K. auf die Geschicklichkeit von Handwerkern ganz allg. Deren spezielle Tätig-
keitsfelder werden hier als Teil einer unveränderlichen
Ges.-Ordnung gesehen. Im Gegensatz dazu betrachtet
eine der überzeugendsten Vorstellungen, die im 5. Jh.
v. Chr. an Bed. gewannen, Kultur als das Ergebnis einer
durch Entdeckung und fortschreitende Vervollkomm-
nung der Künste bewirkten Entwicklung aus einem früheren Zustand der Unzivilisiertheit [2]. Die Künste
wurden zum Inbegriff all dessen, was den Menschen als
solchen auszeichnet (Soph. Ant. 332–367). Die ihm angeborenen natürlichen Begabungen werden erwor-
benen künstlerischen Fähigkeiten gegenübergestellt, und
die Hervorbringungen der Natur bilden den Gegensatz
zu Artefakten.

Diese beiden Gegensatzpaare in ihrer ausgeprägten
Form wurden von späteren Philosophen in Frage gestellt. Aristoteles bemerkte, wie Sokrates vor ihm, daß
die Fähigkeit, sich Künste anzueignen, ein distinktives
Merkmal der menschlichen Natur sei (Aristot. part. an.
687a 7ff.; vgl. Xen. mem. 1,4). Aristoteles und Platon
betonten nachdrücklich, K. und Natur ähnelten einander in ihrer Zielgerichtetheit. Doch während Platon die
Natur mit der K. verglich, indem er sie als das Produkt
eines göttlichen Handwerkers (→ *dēmiurgós* [3]) behandelte (Plat. Tim. 29a), kehrte Aristoteles zudem die

Richtung des Vergleichs um: die K. ahme die Natur
nach und vervollkommne sie (Aristot. phys. 199a 8–20).

Für das 5. Jh. v. Chr. sind auch die ersten systematischen Reflexionen über das Wesen einzelner Künste
bezeugt, wobei Sophisten wie Protagoras eine führende
Rolle übernahmen [3]. Es bildete sich die allg. Auffassung heraus, K. sei das Wissen in einem bestimmten
Fachgebiet, das den Künstler befähige, bei einer speziellen Aufgabe ein nützliches Ergebnis zu erzielen. K. steht
dabei in Opposition zum Zufall (*téchnē* gegen *týchē*), weil
sie verspricht, den Menschen von der Notwendigkeit,
sich auf das Schicksal zu verlassen, zu befreien. Um das
zu erreichen, muß eine K. dem Künstler alle zweckmäßigen Mittel so zur Verfügung stellen, daß er das zur
Verwirklichung des Zieles am besten geeignete auswäh-
len kann. Diese Konzeption lieferte die Kriterien, an
denen die Ansprüche praktischen Handelns im Vergleich zu einer K. gemessen werden konnten. Zu diesem Zweck wurden sie nicht nur von den Sophisten
benutzt (Plat. Soph. 232d), sondern auch von Sokrates
und Platon, die es (wie diese) darauf anlegten, Tugend
als eine Art von K. zu verstehen.

Der Nachdruck, der auf das kognitive Element der
künstlerischen Fertigkeit gelegt wurde, war von größter
Bedeutung. Früh wurde zugegeben, daß Wissen allein
nicht ausreiche, um den Erfolg zu sichern; eine natürliche Begabung, sich die erforderlichen Kenntnisse anzueignen, und Übung bei ihrer Anwendung seien ebenfalls notwendig (Protagoras 80 B 10 DK; Isokr. or.
15,187–92). Da K. jedoch in erster Linie Wissen umfaßte, wurde die Lehrbarkeit zum wesentlichen Merkmal
einer K. Als weitere Konsequenz ergab sich, daß die
Künste, waren sie einmal in ein System von Regeln
gebracht, in Hdb. aufgenommen werden konnten, die
ihrerseits als *Téchnai* oder *Artes* bezeichnet wurden. Darüber hinaus war es jetzt möglich zu behaupten, daß gewisse typische Merkmale der Künste nicht unentbehrlich waren, z. B. daß die Unterscheidung zw. Fachmann
(*technítēs*) und Laien (*idiótēs*) nicht zum Wesen der K.
gehöre. Nun war der Weg frei, weitere Gebiete in die
Betrachtung miteinzubeziehen: die Fähigkeit zum polit.
Leben, die allg. verbreitet sein mußte, um das Zusam-
menleben in einer Ges. zu ermöglichen; das Verständnis
der menschlichen Ernährung, von dem die Medizin gewissermaßen nur eine Verfeinerung ist; und vielleicht
sogar die griech. Sprachen als Künste anzusehen, weil sie
(wie die speziellen Künste) Gesamtheiten von Wissen
darstellten, die von der menschlichen Intelligenz entdeckt und fortentwickelt und später durch Lehren weitergegeben wurden (Hippokr. De vetere medicina 3–4;
Plat. Prot. 322a; 327c). Anderseits erklärte die Betonung des kognitiven Elements auch, weshalb theoretische Disziplinen, die von den allg. bekannten Künsten
und den praktischen Vorteilen, die hervorzubringen ihr
Ziel ist, weit entfernt waren, noch zu den Künsten gerechnet werden konnten (Plat. Charm. 175a). Allerdings
dings definierte Aristoteles »K.« als die auf das Erzeugen
eines Produkts zielende Fähigkeit des Verstandes, »Ein-

sicht« (ἐπιστήμη, *epistémē*) dagegen als die Fähigkeit, ewige Wahrheiten zu betrachten (Aristot. eth. Nic. 1139a 16–b 24). Aber obwohl diese Definitionen eine Tendenz im Gebrauch der Terminologie reflektiert und beeinflußt haben mögen, hielt man weder im griech. Sprachgebrauch (Aristoteles eingeschlossen) noch in den Theorien späterer Philosophen wie der Stoiker an dieser engeren Bedeutung fest.

1 J. KUBE, Τέχνη und ἀρετή: Sophistisches und platonisches Tugendwissen, 1969, 9–14, 30–34 2 T. COLE, Democritus and the Sources of Greek Anthropology, 1967 3 F. HEINIMANN, Eine vorplatonische Theorie der τέχνη, in: MH 18, 1961, 105–130.

W. A. KRENKEL, Technik in der Ant. (Veröffentlichungen der Jungius-Ges. 78), 1994 · U. KULTERMANN, Kleine Gesch. der Kunsttheorie, 1987 (darin Kap. 1: Vorgesch. und Alt., S. 15–38) · J. MORAVESIK, P. TEMKO (Hrsg.), Plato on Beauty, Wisdom and the Arts, 1982 · J. J. POLLITT, The Ancient View of Greek Art. Criticism, History and Terminology, 1974 · M. ISNARDI PARENTE, Techne. Momenti del pensiero greco da Platone ad Epicuro, 1966.
JA. AL./Ü: E.D.

II. Römisch

A. Begriff   B. Physik   C. Ethik
D. Rhetorik und Ästhetik
E. Ars als literarisches Programm

A. Begriff

Wie griech. *téchnē* bezeichnet auch *ars* jede körperlich-handwerkliche oder geistige Fertigkeit, Wiss. und Fachdisziplin, auch die zugrundeliegende Theorie und die theoretische Kenntnis. Wesentlich bleibt neben der in Philos., Lit. [9. 23 ff.] und → Ekphrasis [6] allgegenwärtigen Opposition von K. und → Natur das Postulat von der Lehr- und Lernbarkeit der K., die in einem (gleichfalls *ars* genannten) Lehrgebäude oder -buch vermittelt werden kann (→ Fachliteratur): daher Ovids Bemühen, Liebe als »K.« zu etablieren und damit als Thema eines → Lehrgedichts zu legitimieren (Ov. ars 1,1–30). Zum Bildungskanon verfestigen sich die Disziplinen der »schönen Künste« (→ *artes liberales*).

B. Physik

Das Bild der K. dient im stoischen Gottesbeweis zur Verdeutlichung des planvollen und zweckmäßigen Wirkens des → *lógos*. Laut Cicero (nat. deor. 2,57; 87) definierte Zenon die Natur als künstlerisch gestaltendes Feuer; sein Hauptmerkmal ist das Hervorbringen und Schaffen. Darin weitaus vollkommener als die Hände des Menschen, wird die Natur zum Lehrmeister aller Einzel-K. Wie bei Standbildern und Gemälden, so erlaubt auch die bewundernde Betrachtung der Welt als vollkommenstem Kunstwerk den Rückschluß auf die Existenz eines schaffenden Gottes als größtem Künstler (→ *dēmiurgós* [3]). Dabei ist die Natur der K. zwar vergleichbar, aber darin überlegen, daß ihre Vernunft nicht von außen her eine andersartige Substanz ordnet, sondern von innen aus eigener Kraft wie ein Same wächst [2. 479 ff.; 8. 59 f., 253 ff., 271 ff.].

C. Ethik

Die K. werden den naturgemäßen Dingen zugerechnet, die der Mensch – anders als die äußeren Güter – aus sich heraus (*en héxei*) hat [4. 206 ff.]. Häufig dient die K. zur Charakterisierung der → Tugend, speziell der *phrónēsis* (→ Klugheit): Vergleichbar sind der Fachmann und der Weise im Hinblick auf ihre Sicherheit bei der richtigen Wahl der Dinge, dem systematisch-planvollen Vorgehen und stetigen Praxisbezug. Dem Weisen wird dadurch das Leben zum vollkommenen Kunstwerk [3. 210 ff.]: Er macht alles besser aufgrund seiner inneren Haltung, weil er um den Nutzen, den rechten Augenblick und Ort seines Handelns weiß. Er besitzt Tugend, die als vollendete Lebens-K. (*ars vivendi*) gilt [8. 61 ff.].

Laut Seneca d. J. (epist. 88) ist allein die Philos. in stetigem Üben, Lernen und Arbeiten um die Tugend bemüht und daher die einzig wahre freie bzw. befreiende K. Die sog. → *artes liberales* erfüllen im Vgl. zur Philos. rein propädeutische Funktion, da sie den Geist zur Aufnahme der Tugend vorbereiten. Die durch Philos. erstrebte Weisheit ist dagegen nicht Buchwissen, sondern Charakterbildung. Eindringlich warnt Seneca daher vor der Vielwisserei, die in einem durch Maß- und Ziellosigkeit pervertierten, zum Selbstzweck erhobenen Erkenntnistrieb das Notwendige aufgrund der Belastung mit zu viel überflüssigem Faktenwissen nicht mehr erlernen läßt [1. 61 ff.]. Entgegen der → Kulturentstehungstheorie des Poseidonios, der die Erfindung der *artes* als eine Leistung der Philos. definiert, sind nach Seneca (epist. 90) die zivilisatorischen Errungenschaften bloßes Produkt der menschlichen Findigkeit. Die Betonung von Luxus und Habgier als negativen Folgeerscheinungen der *artes*, freilich auch als Voraussetzung für die Philos. [1. 95 f.], propagiert das Modell der Natur und die Autarkie des Weisen.

D. Rhetorik und Ästhetik

Ein hohes kunsttheoretisches Interesse zeigen die Verf. rhet. Schriften: Cicero ordnet in seinem Postulat des universal gebildeten Redners (Cic. de orat. 1,34,158 f.) die K. nach dem Rang, den sie in der Sorge um die Stadt als wichtigster Aufgabe einnehmen [5. 194 ff.]. Der Verfall der Beredsamkeit beginnt, sobald ihre Verbindung mit der Weisheit aufgelöst wurde (Cic. inv. 1,1–4). Petronius' Diskussion über die Gründe des Verfalls der Beredsamkeit (Petron. 1–5) korrespondiert mit dem theoretischen Diskurs (Petron. 88) über den Verfall der K., den er auf die um sich greifende Habgier des Menschen zurückführt. Quintilian (inst. 12,10) parallelisiert in der Behandlung der Stilgattungen die je nach Begabung in unterschiedlichen ästhetischen Qualitäten hervorragenden Künstler mit den stilistischen Eigenheiten der Redner. Die → Longinos zugeschriebene Schrift *Perí hýpsus* sucht das »Erhabene« als neue ästhetische Kategorie neben dem »Schönen« zu etablieren, während Seneca d. Ä. anhand des ›Prometheus‹ von Parrhasios (Sen. contr. 10) den Realitätsgehalt (→ Mimesis) und die (ethischen wie ästhetischen) Grenzen der K., aber auch die moralische Verantwortung des → Künstlers gegenüber dem Publikum diskutiert, das durch die Betrachtung an der Gewalt und Grausamkeit partizipiert und sie konsumiert [7].

E. ARS ALS LITERARISCHES PROGRAMM

In Anknüpfung an → Kallimachos [3] propagieren v. a. die → Neoteriker und die augusteischen Dichter das Ideal der ausgefeilten kleinen Form. Ein guter Dichter vereint Naturveranlagung und sorgfältige Arbeit (*limae labor, ars*: Hor. ars 291; 295; Kritik an Kallimachos als weniger begabt denn technisch gefeilt bei Ov. am. 1,15,14). Einen festen Platz haben *ars* und *ingenium* in der → *recusatio* anderer Gattungen, in Kombination oder bewußter Variation des Motivs der Dichterweihe [10. 202 ff.]: Im Unterschied zu Kallimachos (fr. 1,22) und Vergil (ecl. 6,3–9) bezeichnet Ovid (ars 1,29) statt Apollons Auftrag die eigene praktische Erfahrung (*usus*), Persius (Prolog 10 f.) Hunger und Geldnot als Triebfeder seines künstlerischen Schaffens.

→ Ästhetik; Artes liberales; Bild; Bildung; Erkenntnistheorie; Enzyklopädie; Fachliteratur; Kulturentstehungstheorien; Künstler; Kunstinteresse; Kunsttheorie

1 H. BÖRGER, Grundzüge der Bildungstheorie L. A. Senecas 1980 2 P. BOYANCÉ, Die stoischen Gottesbeweise nach Cicero, in: G. MAURACH (Hrsg.), Seneca als Philosoph 1961², 446–488 3 H. CANCIK, H. CANCIK-LINDEMAIER, Senecas Konstruktion des Sapiens, in: A. ASSMANN (Hrsg.), Weisheit, 1991, 205–222 4 M. FORSCHNER, Die stoische Ethik, 1981 5 E. GILSON, Beredsamkeit und Weisheit bei Cicero, in: K. BÜRCHNER (Hrsg.), Das neue Cicerobild, 1971, 179–207 6 E. LEFÈVRE, Röm. Baugesinnung und Landschaftsauffassung in den Villenbriefen, in: Gymnasium 84, 1977, 519–541 7 H. MORALES, The Torturer's Apprentice. Parrhasius and the Limits of Art, in: J. ELSNER (Hrsg.), Art and Text in Roman Culture, 1996, 182–209 8 K.-H. ROLKE, Die bildhaften Vergleiche in den Fragmenten der Stoiker von Zenon bis Panaitios, 1975 9 D. TESKE, Der Roman des Longos als Werk der Kunst, Diss. 1991 10 R. F. THOMAS, Callimachus Back in Rome, in: M. A. HARDER, R. F. REGTUIT, G. C. WAKKER (Hrsg.), Callimachus, 1993, 197–215. UL.EG.-G.

Kunsthandel s. Kunstinteresse

Kunstinteresse A. GRIECHENLAND B. ROM C. ANTIKE TEXTE ZUR KUNST

A. GRIECHENLAND

Von der Renaissance bis in die Gegenwart stand und steht die ant. griech. und röm. Kunst in unvermindert hoher Wertschätzung; die Einstellung der ant. Kulturen zu ihrer eigenen Kunst ist bis h. aber insgesamt eher unverständlich geblieben. Es gab in der Ant. z. B. keine Muse für die bildende Kunst [1. 288]; »Kunst« ist *per se* eine nachant., dem Alt. im Wesen unbekannte Kategorie dinglich-visueller Hervorbringung [2; 3]. Der allg.-gültig und zeitlos erscheinende Charakter mod. Referenz- und Begriffssysteme ist dabei in bes. Maße ungeeignet, die Position der bildenden Kunst in der Ant., die durch spezifische soziale und histor. Verhältnisse geprägt war, näher zu bestimmen.

Durch die Entzifferung der → Linear-B-Schrift wurde die myk. Kunst als die erste begründet, die als »griech.« bezeichnet werden kann. Die Kunst der Brz., wenn auch in bezug auf Herkunft und weitere Entwicklung hochproblematisch, war während ihrer Blüte eng mit dem Palastsystem des Festlands und der Inseln verbunden [4]. Traditionell wurde myk. Kunst auf der Grundlage der homer. Epen interpretiert, obschon die Beziehung der synkretistischen Homertexte zur Bronzezeit grundsätzlich eher retrospektiv denn dokumentarisch ist; Elemente zeitgenössischer und späterer Kulturen – von der Kleinkunst [5. 358–383] bis zur Architektur [6. 39–41] – suggerieren insgesamt ein Muster bewußter Ausnutzung alter Formen im Kontext neuer Sozialstrukturen. Charakteristisch griech. Erscheinungen wie Tempel, Grabdenkmäler oder Weihgeschenke waren ständig vorhanden und wurden in ihrer Ausformung jeweils an die veränderten sozialen und polit. Verhältnisse angepaßt. Hierbei stand immer die öffentliche Nutzung der Dinge im Mittelpunkt; sogar Gegenstände der »privaten« Sphäre wie etwa Symposiongeschirr dienten in diesem Sinne kollektiven Funktionen [7].

Die erste schriftliche Auseinandersetzung mit bildender Kunst ist in den Linear-B-Auflistungen von Luxusgegenständen zu konstatieren. Diese Texte zeigen einen den homer. Epen sehr ähnlichen syntaktischen Aufbau; es ist jedoch unklar, ob diese Strukturen bedeutungsvoll sind oder eher zufällig aus dem Prozeß des Katalogisierens resultieren [8. 99 f.]. Die Beschreibung des Schmiedens von Achills Rüstung im Homers ›Ilias‹ (Hom. Il. 18,368–617) – allg. als der früheste griech. Text angesehen, der sich mit Kunst im weiteren Sinne beschäftigt – konzentriert sich auf den Herstellungsprozeß und den Inhalt der dekorativen Elemente. Der lahme Hephaistos, der seine Beweglichkeit während der Arbeit zurückgewinnt, steht mit der durchgängig vorhandenen Trad. der »unheimlichen« Künstler und ihrer magischen Objekte [9. 69–92] in Beziehung. Die Szenen auf dem Schild Achills sind thematisch mit der sie umgebenden ep. Erzählung verbunden – das ist ein allg. Charakteristikum der lit. Beschreibung von Kunstwerken so wie der Trad. der → Ekphrasis, die bis ins 4. Jh. n. Chr. hinein nicht notwendigerweise mit einer Beschreibung von Kunstwerken verbunden war [10. 9–93]. In der griech. Lit. sind Objekte der Kunst und des Handwerks vollständig in den sozialen Prozeß der verbalen Kommunikation eingebunden: Der *andriantopoiós* (Bildhauer) und der Dichter sind etwa Rivalen in der kunstvollen Lobpreisung von Athletensiegen (Pind. N. 5,1) [11]; Beschreibungen von gegenwärtigen und erinnerten Objekten bewirken Anerkennung, Wiedererkennung und Gemeinsamkeit (Eur. Ion 1320–1442; Eur. Iph. T. 822–830); Bauskulptur veranlaßt öffentliche, gemeinschaftliche Diskussion und Interpretation (Eur. Ion 190–219). Das Vorhandensein von Aufschriften an Bildern und Skulpturen verbindet Sehen und Lesen [12], während der spezifische Kontext der Weih-

und Grabinschr. [13; 14] den Betrachter zur aktiven Teilnahme an bedeutsamen sozialen Kommunikationsprozessen zwingt [15. 8–63]. Der erzieherische Wert der künstlerischen Repräsentation wird nur selten ausdrücklich erwähnt (Strab. 1,2,8), wird aber mindestens von Platon (rep. 3,400) anerkannt. In archa. und klass. Zeit konnte Kunst ausdrücklich polit. Botschaften verbreiten [16; 17], unzweifelhaft und eindeutig propagandistischen Zwecken diente sie ab der Zeit Alexanders d.Gr.

B. ROM

Die Konfrontation der Römer mit der griech. Kultur war entscheidend für das K. und Kunstverständnis. Die mil. Expansion nach Süditalien und in den weiteren Mittelmeerraum brachte die räuberische Inbesitznahme von hauptsächlich griech. Kunstwerken in großem Umfang mit sich. Die Plünderung von Syrakus 211 v.Chr. und der danach einsetzende Zustrom griech. Luxusgüter wurde in der Folgezeit vielfach als Beginn des moralischen Niedergangs Roms empfunden (Liv. 25,40,1–3; 34,4,1–4) [20. 70–73]; die Zerstörung von Karthago und Korinth 146 v.Chr. markierte eine noch zweifelhaftere Position in der Historiographie röm. Siege [21]. Röm. Kunstraub und die daraus resultierende öffentliche wie private Slg. und Zurschaustellung der Werke scheint gleichermaßen mit dem monetären und symbolischen Wert der Gegenstände im Zusammenhang gestanden zu haben wie mit dem Kunstwert [22. 53–68; 23] und den spezifischen Zielen röm. Selbstdarstellung [20. 157–168].

Der begrenzte Vorrat an raubbaren Originalen bei fortgesetzt großer Nachfrage nach Kunstwerken erklärt vermutlich das Aufkommen eines ausgedehnten Kunsthandels und einer regelrechten Kunstindustrie in der späten Republik [20. 158]. Das umfassende Funktionieren dieser Industrie wird durch verschiedene Wrackfunde [24] wie auch durch → Ciceros Briefe belegt, in denen sein Erwerb von Kunstwerken, vielfach mit der Hilfe von Freunden und Agenten, beschrieben ist (Cic. Att. 1,8,2; 1,9,2; 1,10,3; fam. 7,23,1–3). Diese Briefe bezeugen ferner die dominante Rolle der Kunst bei der röm. Aneignung der griech. Kultur insgesamt [25] – ein Prozeß, in dem die offizielle Einstellung und die private Praxis häufig in starkem Widerspruch standen, wie Ciceros Reden gegen → Verres deutlich machen [26]. Die Negierung einer aktiven röm. Rolle in der Kunstproduktion durch Augustus (Verg. Aen. 6,847–853) verzögerte allerdings nicht Gebrauch und Ausbeutung der griech. Kunst durch die Römer, und während der gesamten röm. Kaiserzeit existierte neben der Entwicklung einer eigenständigen röm. Kunst ein offener Philhellenismus. Die offensichtliche Indienstnahme der bildenden Kunst zu polit.-propagandistischen Zwecken verstärkte sich z.Z. des Augustus [27; 28], wobei aber die Komplexität der sozialen und ideologischen Verknüpfungen der offiziellen Denkmäler weit über simple, schlagwortartige Propaganda hinausweist [29] (nicht minder komplex war die Entwicklung im privaten Um-

feld, ein Phänomen, das keine Par. in der griech. Kunst hat [30]).

C. ANTIKE TEXTE ZUR KUNST

Zwar verfaßten Künstler und Architekten seit dem 6. Jh. v.Chr. verschiedentlich Traktate, doch begann die intensive schriftliche Auseinandersetzung mit der bildenden Kunst erst sehr viel später, nämlich als der gesammelte Reichtum der hell. Gelehrsamkeit für den Versuch eingesetzt wurde, die gewaltigen Veränderungen der Welt aufzuzeigen und zu erklären. Fast keine dieser Schriften ist überl., jedoch hat das mod. Bedürfnis, ein Fundament zu gewinnen, auf dem die zerstreute dingliche Hinterlassenschaft der Ant. verständlich werden könnte, zu Versuchen geführt, diese verlorene Kunstlit. zu rekonstruieren. Dieser Versuch, ant. Einstellungen zur bildenden Kunst wiederzugewinnen, setzte notwendigerweise die Existenz einer kohärenten künstlerischen »Fachliteratur« in der Ant. voraus [31]. Während Erwähnungen von ›solchen, die sich eingehend mit den bildenden Künsten beschäftigt haben‹ (Paus. 5,20,2) auf eine entwickelte Kunstwiss. hinweisen, scheint indessen die Mehrzahl der existierenden Texte eher zu belegen, daß es eine konzeptionelle Lücke zw. der reinen Information (in der Regel Aufzählungen von Namen und Werken) und der kritisch-histor. Analyse gab; letztere formulierte umständlich organisierte, konventionelle und oft widersprüchliche Urteile über eine kleine Anzahl prominenter Künstler – Meinungen, die in der Art historiographischer Topoi [32] und nach dem Muster der ant. Lit.- und Rhet.-Gesch. sowie der → Literaturkritik gefügt waren [33]. Erst seit kurzem besteht Einigkeit in der Forsch., daß es nicht möglich ist, auf positivistischem Wege bedeutungsvolle Fakten aus textlichen Matrizen zu extrahieren; auch die ant. enzyklopädische Lit. (→ Enzyklopädie), die – oberflächlich betrachtet – dem empirischen Genre zuzuordnen ist, agiert letztlich nicht wertfrei, sondern ist gemäß einer bestimmten Weltsicht strukturiert [20; 34. 95–173]. Ant. Schriften zur Kunst sind mithin untrennbar in ihr histor., soziales und intellektuelles Umfeld eingebettet, sowohl hinsichtlich ihrer Struktur als auch in ihrem Inhalt; sie stellen deshalb in keinem Falle einen verläßlichen Indikator für Einstellungen, Einschätzungen und die Praxis außerhalb ihrer eigenen Sphäre dar.

→ KUNSTERWERB

1 B. SCHWEITZER, Mimesis und Phantasia, in: Philologus 89, 1934, 286–300 2 P. O. KRISTELLER, The Modern System of the Arts, in: Journal of the History of Ideas 12, 1951, 496–527; 13, 1952, 17–46 3 A. BECQ, Creation, Aesthetics, Market: Origins of the Modern Concept of Art, in: P. MATTICK, JR. (Hrsg.), Eighteenth-Century Aesthetics and the Reconstruction of Art, 1993, 240–254 4 R. HAMPE, E. SIMON, Tausend Jahre frühgriech. Kunst, 1980 5 E. J. W. BARBER, Prehistoric Textiles, 1991 6 J. J. COULTON, Ancient Greek Architects at Work, 1977 7 O. MURRAY, The Social Function of Art in Early Greece, in: D. BUITRON-OLIVER (Hrsg.), New Perspectives in Early Greek Art, 1991, 23–30 8 T. B. L. WEBSTER, From Mycenae to Homer, 1977 9 E. KRIS, O. KURZ, Die Legende vom Künstler, 1934

10 E. C. Harlan, The Description of Paintings as a Literary Device and Its Application in Achilles Tatius, 1965
11 L. Kurke, The Traffic in Praise. Pindar and the Poetics of Social Economy, 1991 **12** J. M. Hurwit, The Words in the Image: Orality, Literacy, and Early Greek Art, in: Word and Image 6.2, 1990, 180–197 **13** M. L. Lazzarini, Le formule delle dediche votive nella Grecia arcaica, 1976 **14** F. T. van Straten, Gifts for the Gods, in: H. S. Versnel (Hrsg.), Faith, Hope and Worship: Aspects of Religious Mentality in the Ancient World, 1981, 65–151 **15** J. Svenbro, Phrasikleia: An Anthropology of Reading in Ancient Greece, 1993 **16** J. Boardman, Image and Politics in Sixth Century Athens, in: H. A. G. Brijder (Hrsg.), Ancient Greek and Related Pottery, 1984, 239–247 **17** M. C. Root, The Parthenon Frieze and the Apadana Reliefs at Persepolis: Reassessing a Programmatic Relationship, in: AJA 89, 1985, 105–120 **18** J. J. Pollitt, Art in the Hellenistic Age, 1986 **19** E. Rice, The Glorious Dead, in: J. Rich, G. Shipley (Hrsg.), War and Society in the Greek World, 1993, 224–257 **20** J. Isager, Pliny on Art and Society, 1991 **21** N. Purcell, On the Sacking of Carthage and Corinth, in: D. Innes, H. Hine, C. Pelling (Hrsg.), Ethics and Rhetoric, 1995, 133–148 **22** M. Pape, Griech. Kunstwerke aus Kriegsbeute und ihre öffentliche Aufstellung in Rom, 1975 **23** H. Galsterer, Kunstraub und Kunsthandel im republikanischen Rom, in: [24], 857–866 **24** G. H. Salies u. a. (Hrsg.), Das Wrack, Der ant. Schiffsfund von Mahdia, 1994 **25** T. Hölscher, Hell. Kunst und röm. Aristokratie, in: [24], 875–888 **26** G. Zimmer, Republikanisches Kunstverständnis: Cicero gegen Verres, in: [24], 867–874 **27** J. DeRose Evans, The Art of Persuasion. Political Propaganda from Aeneas to Brutus, 1992 **28** P. Zanker, Augustus und die Macht der Bilder, 1987 **29** M. Torelli, Typology and Structure of Roman Historical Reliefs, 1982 **30** E. K. Gazda (Hrsg.), Roman Art in the Private Sphere, 1991 **31** J. J. Pollitt, The Ancient View of Greek Art: Criticism, History, and Terminology, 1974 **32** F. Preisshofen, Kunsttheorie und Kunstbetrachtung, in: Le classicisme à Rome aux I^{ers} siècles avant et après J.-C., 1978, 95–138 **33** A. A. Donohue, Winckelmann's History of Art and Polyclitus, in: W. G. Moon (Hrsg.), Polykleitos, the Doryphoros, and Tradition, 1995, 327–353 **34** G. B. Conte, Generi e lettori. Lucrezio, l'elegia d'amore, l'enciclopedia di Plinio, 1991.   A. A. D./Ü: R. S.-H.

Kunstkritik s. Kunsttheorie

Kunstprosa s. Prosarhythmus

Kunstraub, Kunstsammlungen, Kunstschriftstellerei s. Kunstinteresse

Kunsttheorie A. Mimesis B. Phantasia
C. Theorie und Praxis
D. Literaturkritik als Vorbild

A. Mimesis

Obwohl es in der Ant. kein Begriffskonzept gegeben hat, das der mod. Auffassung von »Kunst« gleichkommt, existierten dennoch Theorien zur Bildenden Kunst, in denen das Wesen des künstlerischen Schöpfungsaktes reflektiert wurde, etwa Vorschriften zur Herstellung von Kunstwerken, Stud. zu deren Wahrnehmung, Beschreibungen von und Reaktionen auf Kunstwerke, kritische Urteile über Künstler und ihr Œuvre sowie Anekdoten und Legenden über künstlerisches Schaffen.

Die explizite Analogisierung von bildnerisch-gestaltender und nicht-visueller, verbaler Kunst, in der Moderne in Lessings ›Laokoon‹ so wirkungsvoll und folgenreich vollzogen [1], ist in der Ant. bereits dem 5. Jh. v. Chr. zugeschrieben worden. Plutarch (mor. 346f–347a), der die Auffassung vertrat, Maler und Autoren würden die gleichen Themen in lediglich unterschiedlichen Medien darstellen (vgl. Aristot. poet. 1447a 17–21), zitierte Simonides [2. 240 ad loc.], wonach Malerei stumme Dichtung und Dichtung sprechende Malerei sei. Die gegensätzliche Ansicht von der Unvergleichbarkeit poetischer Beschreibung und visueller Darstellung macht Ion [2] von Chios in einem Sophokles-Zit. gemäß einer bei Athenaios überl. Passage in den *Epidēmíai* (Fr. 104 Leurini; Athen. 603e–604b) geradezu demonstrativ lächerlich.

Die Annahme, künstlerische Schöpfung sei ein nachahmend-mimetischer Prozeß, blieb während der gesamten Ant. dominant. Griech. *mimeísthai* und verwandte Termini hatten ihren Ursprung im tatsächlichen Bereich der imitativen Nachahmung und wurden im späten 5. Jh. v. Chr. auf die Bildende Kunst übertragen [3]. Visuelle → *mímēsis* (Imitation) wurde dabei als ein ideales Ziel bildnerischer Tätigkeit angesehen, sogar bis hin zu der Annahme, es seien auf diese Weise nichtdingliche Qualitäten wie etwa Geisteszustände vermittelbar (Xen. mem. 3,10,1–8).

Lob für bildnerisch erfolgreich umgesetzte *mímēsis* findet sich in der gesamten Ant. und koexistierte durchgehend mit der im wesentlichen moralisch begründeten Kritik Platons an Versuchen der Nachahmung (Plat. rep. 3,391c–403c; 10,595a–608b) [4. 41–49; 5. 106–132]. Während Platons eigentlicher Bezugspunkt die Dichtung war, sah er dennoch auch eine Möglichkeit der Beeinflussung der Jugend durch eine umfassend definierte *dēmiurgía*, weshalb er für eine strikte Kontrolle solcher handwerklich-künstlerischen Tätigkeiten einschließlich der Architektur und der Weberei eintrat. Seine Theorie der *eídē* (Formen, Urbilder, »Ideen«; → Ideenlehre) verschiebt die Grundlage seiner Kritik hin zum generellen Wesen der Nachahmung: Die gemalte Darstellung einer vom Tischler hergestellten Kline sei drei Stufen entfernt von der realen Kline (Plat. rep. 596e–598d). Die gesamte Welt der sinnlichen Wahrnehmung sei der »realen« Formenwelt untergeordnet; bes. die Bildenden Künste werden als irreführend und hoffnungslos weit von Realität und Wahrheit entfernt verurteilt (Plat. rep. 10,598b-d). Platons diesbezüglich äußerst negative Haltung ist insgesamt schwer erklärlich; bisher konnte keine überzeugende Verbindung zwischen seiner Meinung und der zeitgenössischen Kunst-Praxis hergestellt werden [5; 6].

B. Phantasia

Der platonische Idealismus legte allerdings den Grundstein für eine alternative Erklärung der künstlerischen Schöpfung: *phantasía*, ein Begriff, der von Platon in Verbindung mit sinnlicher Wahrnehmung und Beurteilung und von Aristoteles im Kontext geistiger Erkenntnis verwendet wurde. In der späthell. Philos. wurde die Bed. dieses Terminus im Sinne von »Vorstellungskraft« erweitert [7. 4766]. Im frühen 3. Jh. n. Chr. verschaffte Philostratos (Ap. 6,19) der *phantasía* im Bereich der Bildenden Kunst den heutigen locus classicus: Der weise Apollonius [14] von Tyana lehnt bei Philostratos im Kontext eines Vergleichs ägypt. und griech. Götterbilder ausdrücklich die *mímēsis* als Basis der griech. Skulptur ab und postuliert stattdessen *phantasía* [4. 52–55; 8. 383–385]. Im Zusammenhang von Philostratos' Überlegungen zur *mímēsis* tritt letztendlich *phantasía* als ein Element in einer umfassenden Debatte über die jeweiligen Eigenschaften von bildnerischer und verbaler Kunst in Erscheinung [7. 4766–4769, 4777–4780].

C. Theorie und Praxis

Das platonische Konzept der *téchnē* mit seiner zwischen »Handwerk« und »Kunst« interferierenden Bed. hat die Auseinandersetzung mit ant. Theorie und Praxis der Bildenden Kunst weiter verkompliziert [4. 32–37; 5. 36–57; 9]. Mod. Unt. befaßten sich hauptsächlich mit Fragen der Form, speziell der *symmetría*, wobei man lit. Hinweisen über Skulptur (Diod. 1,98,5–9; Plin. nat. 34,65) und Architektur (Vitr. passim) folgte [4. 14–22; 256–258]. Ab dem 6. Jh. v. Chr. schrieben Künstler und Architekten selbst über ihre Arbeiten (Plin. nat. 1,33–37; Vitr. 7 praef.), aber mit Ausnahme von Vitruvs 10 B. ›Zur Architektur‹ ist hiervon derart wenig erh., daß es kaum mehr möglich erscheint, den Stellenwert dieser Schriften innerhalb der ant. Fachlit. sowie ihre Beziehung zur damaligen künstlerisch-architektonischen Praxis einzuschätzen [10; 11]. Große Mühe wurde seitens der Forsch. darauf verwandt, den *kanṓn* des → Polykleitos zu rekonstruieren, der anscheinend sowohl als Text als auch in Form einer Statue existierte (d. h. auch in materieller Form verkörpert schien); sein »Doryphoros« (Plin. nat. 34,55), in einer Reihe von Statuenkopien aus röm. Zeit überl. (u. a. Marmorstatue aus Pompeii in Neapel, NM), wurde als exemplarische Visualisierung dieser Leitidee begriffen [12; 13]. Der *kanṓn* wurde dabei als umfassendes Paradigma verstanden (Plin. nat. 34,55; Quint. inst. 5,12,21), aber nur flüchtige Hinweise bei Philon von Byzanz (syntaxis 4,1, p. 49, 20 Schöne), Plutarch (mor. 86a; 636c) und Galen (de placitis Hippocratis et Platonis 5; de temperamentis 1,9) geben überhaupt Aufschlüsse über seine Natur. Es gibt bis h. keinen Konsens hinsichtlich des *kanṓn* jenseits des sicher bezeugten Umstands, daß er sich mit Proportionen befaßte, wobei auch Beziehungen zum Pythagoreismus und anderen zeitgenössischen sozialen und geistigen Strömungen vermutet wurden [11; 14].

Versuche, Prinzipien der Formgebung von bestehender Skulptur [15] und Werken anderer Medien [16] abzuleiten, können nicht überzeugen. Abweichungen zwischen ant. Bauplanung und Bauausführung etwa zeigen, daß die Erbauer anscheinend, ästhetisch begründete Planänderungen vorgenommen haben [17. 128B–129], und solch kreative Freizügigkeit mag auch in anderen Gattungen impulsgebend gewesen sein [11. 21 f.]. Eine bestimmende Autorität der verlorenen Schriften scheint heute weniger deutlich als ihre intentionale Verbindung mit einem spezifischen sozialen und intellektuellen Umfeld [18].

Optische Theorien scheinen die Bildende Kunst durchaus beeinflußt zu haben. Die → »Optical Refinements« an griech. Tempeln werden bei Vitruv (3,3,11–13) als notwendig für den Sehprozeß erklärt. Es gibt hingegen keinen Konsens über das grundsätzliche Wesen der zweidimensionalen Wiedergabe; die Forschungsdebatte konzentriert sich auf Texte zur *skēnographía* (→ Malerei) [4. 236–247; 8. 65–127], auf die Wiedergabe von Objekten im Raum [20] und speziell auf die Darstellung von Architektur und Landschaft in der röm. Wandmalerei [21]. Verbindungen zu → Eukleides' [3] ›Optik‹ sind mehrfach vorgeschlagen worden [22], während »schwebende«, in der Distanz befindliche Objekte, verunklärende Perspektiven und die häufigen Darstellungen konvergierend zusammenlaufender Linien (bei Abb. von Säulenhallen etc.) epikureische Theorien vom Sehen in Erinnerung bringen (Lucr. 4,353–363; 426–431) [8. 87–93].

D. Literaturkritik als Vorbild

Bildende Kunst findet erstmals im Kontext der homer. und ps.-hesiodischen Schildbeschreibungen Eingang in die ant. Lit. (Hom. Il. 18,368–617; [Hes.] scutum). Die überl. Zeugnisse von Reaktionen der Betrachter auf visuelle Kunst belegen eine durchaus schematische Fokussierung auf den dargestellten Inhalt und auf die Qualität nachahmender Ausführung [4. 63–66]. Der Begriff der → *ékphrasis* ist zwar wohl irrtümlich [23. 9–93], aber dennoch üblicherweise im Kontext der Beschreibung von Kunstwerken verwendet worden; die weit gefaßte, traditionelle Definition der *ékphrasis* bildet weiterhin ein zentrales Thema in der Interpretation von klass. Kunst und Lit. [14; 25; 26].

Lange ist angenommen worden, daß die in der schriftlichen Überl. übermittelten Informationen über Künstler und ihre Arbeiten Analysen und Beurteilungen spiegeln, die aus authentisch-empirischen Beobachtungen und einer spezifischen Kunstkritik [4; 8. 424–474] gewonnen sind. Diese Annahme, begründet durch intensive Quellenkritik und Unt. zu Terminologie und Begrifflichkeiten, muß indessen in Zweifel gezogen werden. Einzelne und vergleichende Bewertungen von Künstlern zeigen strukturelle Merkmale, Inhalte und auch Vokabular, die Standards in der Lit.- und Rhet.-Kritik sind, aber keinen Bezug zur Bildenden Kunst haben [27. 341–344]. Die Existenz eines einheitlichen und bestimmenden Kanons von Künstlern ist allein schon fraglich wegen des Fehlens verläßlicher Hinweise auf das vermutete Vorbild, einen Kanon von Rednern [28. 102–115]. Die Auseinandersetzung mit der Bildenden Kunst wurde geprägt durch die lit. und rhet. Trad. sowie histor. Umstände, insbes. die Aneignung griech. Kultur durch die Römer.

Die ant. Berichte zur Entwicklung der Bildenden Kunst spiegeln schließlich historiographische Strukturen wie etwa die konventionellen Begrifflichkeiten von Entstehung/Ursprung und Entwicklung, von Niedergang und Wiederaufleben [29], wie sie in Berichten über andere *téchnai* als Topoi geläufig sind. Diese Begrifflichkeiten werden mit spezifischen Personen, meist Herrschern, Mäzenen und Auftraggebern verbunden [27. 343 f.], woraus sich eine polit. strukturierte ant. Kunstgesch. ableiten läßt. Vitruv charakterisiert das ant. Verständnis ganz treffend, wenn er feststellt, daß gewisse Künstler Ruhm und Ehre erlangt haben, ›weil sie Kunstwerke für große Städte oder Könige oder vornehme Bürger geschaffen haben‹ (Vitr. B. 3 praef. 2). Die ant. Kunstgeschichtsschreibung unterscheidet sich mithin fundamental vom mod. Verständnis, das den Künsten eine weitaus größere Unabhängigkeit von gesellschaftlichen Determinanten gewährt hat.

→ Architekt; Architekturtheorie; Bauwesen; Bild, Bildbegriff; Ekphrasis; Künstler; Kunstinteresse; Literaturtheorie; Malerei; Mimesis; Optical Refinements; Phantasie; Proportionen; MIMESIS

1 G. E. Lessing, Laokoon: oder Über die Grenzen der Mahlerey und Poesie, 1766, in: K. Lachmann, F. Muncker (Hrsg.), Gotthold Ephraim Lessings Sämtliche Schriften 9, 1893, 1–177 2 F. Frazier, C. Froidefond (Hrsg.), Plutarque. Œuvres morales 5.1, 1990 3 G. F. Else, »Imitation« in the Fifth Century, in: CPh 53, 1958, 73–90 4 J. J. Pollitt, The Ancient View of Greek Art: Criticism, History, and Terminology, 1974 5 C. Janaway, Images of Excellence. Plato's Critique of the Arts, 1995 6 W. A. P. Childs, Platon, les images et l'art grec du IVe siècle avant J.-C., in: RA 1994, 33–56 7 G. Watson, The Concept of »Phantasia« from the Late Hellenistic Period to Early Neoplatonism, in: ANRW II 36.7, 4765–4810 8 A. Rouveret, Histoire et imaginaire de la peinture ancienne. Ve siècle av. J.-C. – Ier siècle ap. J.-C., 1989 9 D. Roochnik, Of Art and Wisdom. Plato's Understanding of Techne, 1996 10 M. Fuhrmann, Das systematische Lehrbuch, 1960 11 J. J. Pollitt, The *Canon* of Polykleitos and Other Canons, in: [12], 19–24 12 W. G. Moon (Hrsg.), Polykleitos, the Doryphoros, and Tradition, 1995 13 H. Beck u. a. (Hrsg.), Polyklet. Der Bildhauer der griech. Klassik, 1990 14 H. Philipp, Zu Polyklets Schrift »Kanon«, in: [13], 135–155 15 E. Berger u. a., Der Entwurf des Künstlers. Bildhauerkanon in der Ant. und Neuzeit, 1992 16 W. Schiering, Die griech. Tongefäße. Gestalt, Bestimmung und Formenwandel, 1983 17 L. Haselberger, The Construction Plans for the Temple of Apollo at Didyma, in: Scientific American 253, Dec. 1985, 126–132 18 F. Preisshofen, Zur Theoriebildung, in: Bauplanung und Bautheorie der Ant. (DiskAB 4), 1983, 26–30 19 L. Haselberger (Hrsg.), Appearance and Essence: Refinements of Classical Architecture – Curvature, 1998 20 W. Posch, Skenographie und Parthenon, in: AK 37.1, 1994, 21–30 21 W. Ehrhardt, Bild und Ausblick in Wandbemalungen Zweiten Stils in: AK 34.1, 1991, 28–65 22 R. Tobin, Ancient Perspective and Euclid's *Optics*, in: JWI 53, 1990, 14–41 23 E. C. Harlan, The Description of Paintings as a Literary Device and Its Application in Achilles Tatius, 1965 24 D. P. Fowler, Narrate and Describe: The Problem of Ekphrasis, in: JRS 81, 1991, 25–35 25 S. Goldhill, R. Osborne (Hrsg.), Art and Text in Ancient Greek Culture, 1994 26 J. Elsner (Hrsg.), Art and Text in Roman Culture, 1996 27 A. A. Donohue, Winckelmann's History of Art and Polyclitus, in: [12], 327–353 28 A. E. Douglas, The Intellectual Background of Cicero's Rhetorica: A Study in Method, in: ANRW I 3, 95–138 29 F. Preisshofen, Kunsttheorie und Kunstbetrachtung, in: Th. Gelzer (Hrsg.), Le classicisme à Rome aux Iers siècles avant et après J.-C., 1978, 263–277.   A. A. D./Ü: R. S.-H.

Kupfer   I. Definition und Materialeigenschaften   II. Vorderer Orient   III. Griechenland   IV. Rom   V. Mitteleuropa   VI. Kupfervorkommen und Verhüttungsverfahren

I. Definition und Materialeigenschaften

K. kommt in der Natur relativ selten in gediegener Form vor und wird auch rasch in sekundäre Oxidationsmineralien umgewandelt, so daß es in dieser Form den frühen Kulturen kaum als Werkstoff zur Verfügung stand; es wurde durch die Verhüttung von K.-Erzen gewonnen. In metallischer Form läßt sich K. vielfältig ver- und bearbeiten; ein großer Teil des erzeugten K. wurde schon früh zur Herstellung von Legierungen mit → Zinn, → Blei und Zink verwendet, die dem reinen K. aufgrund einer besseren technischen Verwendbarkeit überlegen sind. Das metallische K. weist als Werkstoff eine bes. gute Verformbarkeit auf. Allerdings konnten aus K. hergestellte Klingen von Werkzeugen nicht gehärtet werden, um sie zur Bearbeitung noch härterer Werkstoffe, etwa von Stein, verwenden zu können. Ebensogut eignete sich das K. zum Ausschmieden von Blechen und zum Treiben von Gefäßen und Reliefs. Schwierigkeiten bereitete der Metallguß, da das K. erst bei 1080° C schmilzt, was einen erheblichen technischen Aufwand erfordert. Plinius unterscheidet zwischen dem *aes caldarium*, das nicht gehämmert werden konnte, sondern geschmolzen wurde, und dem *aes regulare* (Stangen-K.), das mit dem Hammer bearbeitet wurde und auch als *aes ductile* bekannt war (Plin. nat. 34,94).   JO. R.

II. Vorderer Orient

Die Gesch. der Nutzung von K. geht bis in das 8./7. Jt. v. Chr. zurück. Neben geringen Funden von natürlichem/gediegenem K. sind seit vorgesch. Zeit zahlreiche Fundstätten von K.-Erzen bekannt, insbes. in Kleinasien (Ergani Maden), Kaukasus/Transkaukasien, im Gebiet des Pers. Golfs (v. a. Oman), Inner-Iran, Zypern, Palästina (Feinan) und Äg. (Sinai, Östl. Wüste). Verhandelt wurde K. in Form von Erz, Barren und

Fertigerzeugnissen. Frühester Import von K. aus Syrien, Vorderasien und Zypern nach Äg. fand in der Zeit der 18./19. Dyn. (ca. 1500–1200 v. Chr.) statt. Älteste datierbare, kalt geschmiedete Objekte aus gediegenem K. sind aus dem 7. Jt. aus Anatolien und Nordmesopot. bekannt (Çayönü, Tell Maghzaliya); kaum jünger oder gleichzeitig sind heiß geschmiedete K.-Artefakte; Verhüttung ist im genannten Gebiet für das 6. Jt. nachgewiesen.

Bis Anfang des 4. Jt. wurde K. nur für Kleinobjekte genutzt (Perlen, Nadeln, Anhänger). Vor der Einführung von → Bronze zu Beginn des 3. Jt. v. Chr. herrschte eine reine K.-Metallurgie vor, unlegiertes K. wurde noch Ende des 3. Jt. v. Chr. z. B. für Großplastik verarbeitet. Seit dem frühen 4. Jt. dagegen nimmt die Zahl der Objekte aus Arsen-K. zu (Hort von Naḥal Mišmār/Totes Meer), einer zunächst wohl zufällig über das verwendete Erz entstandenen Legierung, später aber als Ergebnis intentioneller Beimengung (arsenreicher Mineralien). Bis in das 2. Jt. v. Chr. lassen sich eine Arsen-K.- und eine Bronze-Trad. unterscheiden. Weitere Legierungen des 4. und 3. Jt. v. Chr. sind K.-Blei und (selten) K.-Silber sowie K.-Antimon. Bei aller Vielfalt der Typen von Artefakten aus K. und seinen Legierungen (z. B. Schmuck, Waffen, Geräte, Gefäße, Großplastiken) ist nicht immer ein eindeutiger Zusammenhang zwischen dem Legierungsmetall und dem Typ der hergestellten Objekte nachweisbar.
→ Metallverarbeitung

R. J. FORBES, Metallurgy in Antiquity, 1959, 290–377 ·
P. R. S. MOOREY, Ancient Mesopotamian Materials and Industries, 1994, 242–278.		R. W.

III. GRIECHENLAND

Von Osten her gelangte die K.-Technologie etwa im 4. Jt. nach Griechenland. Sie erreichte dort aber nicht dieselbe Bed. wie im Vorderen Orient, da sich die → Bronze rasch als Werkstoff durchgesetzt hatte. In Griechenland und seinen Randbereichen wurde das K. durch die Bronze, die vor allem durch die Möglichkeit des Metallgusses die einfache Herstellung von Waffen, Gerät, Gefäßen, Schmuckstücken und Statuetten zuließ, auch aus traditionellen Anwendungen wie der Herstellung von Blechen und Drähten weitgehend verdrängt.

IV. ROM

In röm. Zeit hat das K., das als metallischer Rohstoff in sehr großen Mengen produziert wurde, seine Bedeutung als Werkstoff völlig verloren, da es fast ausschließlich zur Herstellung von K.-Legierungen unterschiedlichster Art verwendet wurde. Selbst dünnwandige Gefäße wurden aus Zinnbronzen gefertigt, Gerät wurde kaum mehr aus K. geschmiedet, sondern aus Bronze und Messing gegossen. Lediglich die geringwertigen Mz. wurden aus K. geprägt. Diese Entwicklung zeichnete sich bereits in etr. Zeit ab, in der die Bronzetechnologie eine hohe Blüte erreichte und K.-Objekte Ausnahmen waren. Die große Bed., die K. in der frühen

röm. Ges. als Wertmesser und Zahlungsmittel besaß, geht – worauf Plinius hinweist – aus einer Vielzahl von Begriffen hervor: *tribuni aerarii*, → *aerarium*, *obaerati*, *aere diruti* (Plin. nat. 34,1).

V. MITTELEUROPA

Nördl. der Alpen begann die K.-Verarbeitung deutlich später als in Osteuropa, wo zahlreiche K.-Objekte aus der Mitte des 4. Jt. v. Chr. gefunden worden sind (Bulgarien, Rumänien). Etwas jünger sind die Funde aus Jugoslawien und der Ukraine (Ende 4. Jt. v. Chr.). Im 3. Jt. v. Chr. erstreckte sich die K.-Verarbeitung über den gesamten mittel- und westeurop. Raum, wo es vor allem zur Herstellung von Geräten und Waffen verwendet wurde. In der Mitte des 2. Jt. setzte auch hier die Verdrängung des K. durch die Bronze ein, wobei das K. allmählich jede Bed. als Rohstoff zur Herstellung von Gebrauchsgegenständen verlor.

VI. KUPFERVORKOMMEN UND VERHÜTTUNGSVERFAHREN

Die ersten K.-Rohstoffe, aus denen K. erschmolzen wurde, waren die Verwitterungsprodukte des K. oder seiner primären Erze wie Azurit, Malachit, Atacamit oder Chrysokoll, die durch ihre intensiven grünen und blauen Farben auffielen. Sehr früh ist auch ihre Verwendung als Schmuckstein zur Herstellung von Perlen und als Farbstoff belegt. Wohl im Zusammenhang mit dem Brennen von → Keramik entwickelten sich vom 8. Jt. v. Chr., in größerer Verbreitung erst seit dem 4. Jt. v. Chr., Techniken der Erzverhüttung, durch die es gelang, solche sekundären Verwitterungsprodukte, später auch die vielfältigen primären Erze, in metallisches K. umzuwandeln. K.-Erze kommen in allen Regionen in relativ weiter Verbreitung vor; seit dem 3. Jt. konzentrierte sich der Bergbau auf die großen K.-Vorkommen im Sinai und im Wādī l-ʿAraba, in Anatolien, auf Zypern und später auf die Lagerstätten in Rumänien, in Spanien und im alpinen Bereich. Schon für die europ. Brz. und vor allem die röm. Zeit läßt sich nachweisen, daß K. zur Versorgung großer Gebiete nur noch aus wenigen zentralen Lagerstätten bezogen wurde, dem Metallhandel also eine besondere wirtschaftliche Bedeutung zukam. In der ant. Lit. werden K.-Vorkommen wiederholt erwähnt, so für Spanien, dessen Vorkommen hinsichtlich Quantität und Qualität alle anderen bekannten Lagerstätten übertroffen haben sollen (Turdetania in der Provinz Baetica: Strab. 3,2,8; vgl. 3,2,3; 3,2,9; Plin. nat. 34,4), für Italien (Plin. nat. 34,2; Alpen: Plin. nat. 34,3; Temesa, Bruttium: Stat. silv. 1,1,42), für Macedonia (Vitr. 7,9,6), für Kleinasien (Strab. 13,1,51) und insbesondere für Zypern (Strab. 14,6,5; Plin. nat. 34,2; 34,94; Ios. ant. Iud. 16,128); in röm. Zeit waren die Vorkommen auf der Insel Euboia bereits erschöpft (Strab. 10,1,9; Plin. nat. 4,64).

Die Verhüttung der K.-Erze erfolgte durch einen Reduktionsprozeß, bei dem das zuerst geröstete, also oxidierte K.-Erz mit Hilfe von Holzkohle zu metallischem K. reduziert wurde. Auf diese Weise wurde ein K. erzeugt, das einige Prozent an verunreinigenden Beimengungen enthielt; in der Spätant. konnte die Reinheit des K. durch entwickelte Verhüttungsverfahren auf Werte über 99% ansteigen. Die große Zahl verschiedener K.-Erze, die als Verbindung mit Arsen und Antimon vorkommen, eröffnet den Archäologen die Möglichkeit, aus Verunreinigungen des verarbeiteten K. und seiner Legierungen Hinweise auf die Herkunft des K. aus bestimmten Lagerstätten zu erhalten. In manchen Regionen erreichten die Arsen-, Antimon- oder Nickelkonzentrationen Werte von über 10%, so daß eine bewußte Herstellung von Arsenbronzen in der Frühzeit der K.-Metallurgie angenommen wurde. Tatsächlich handelt es sich aber um ungewollte Beimengungen aus besonders arsen-, antimon- oder nickelhaltigen K.-Erzen.

→ Bergbau; Bronze; Metallurgie

1 P. T. CRADDOCK, Early Metal and Mining Production, 1995 2 CH. ÉLUÈRE (Hrsg.), Découverte du métal, 1991 3 J. F. HEALY, Mining and Metallurgy in the Greek and Roman World, 1978 4 S. JUNGHANS, E. SANGMEISTER, M. SCHRÖDER, Metallanalysen kupferzeitlicher und früh-brz. Bodenfunde aus Europa, 1960 5 R. MADDIN (Hrsg.), The Beginning of the Use of Metals and Alloys, 1986 6 J. D. MUHLY, Copper and Tin, 1973 7 J. RIEDERER, Bibliogr. zu Material und Technologie kulturgesch. Objekte aus Kupfer und Kupferlegierungen, in: Berliner Beitr. zur Archäometrie 7, 1982, 287–342 8 B. ROTHENBERG, The Ancient Metallurgy of Copper, 1990 9 R. F. TYLECOTE, The Early History of Metallurgy in Europe, 1987 10 R. F. TYLECOTE, A History of Metallurgy, 1976. JO. R.

Kuppel, Kuppelbau. »Unechte« K.-Bauten aus geschichteten Kragsteingewölben (→ Gewölbe- und Bogenbau) finden sich in den Mittelmeerkulturen seit dem 3. Jt. v. Chr. verschiedentlich; sie sind offenbar weitgehend unabhängig voneinander in den Architekturbestand des minoischen Kreta (Tholosgräber von Mesara und Knosos), des myk. Griechenland (»Schatzhaus« des Atreus in Mykene; »Kuppelgrab« bei Orchomenos), Sardiniens (»Nuraghen«), Thrakiens und Skythiens (sog. »Bienenkorb«-K. an Gräbern, s. → thrakische Archäologie; → skythische Archäologie) sowie Etruriens (Kuppelgrab von Populonia) eingegangen. Eine Verwendung der Bauform im Kontext von → Grabbauten dominiert (→ Tholos).

Erst mit der Entstehung der röm. Gußzementtechnik im 1. Jh. v. Chr. (→ Bautechnik; → *opus caementicium*) wird die »echte«, komplett radial aufgebaute, in sich zentrierte Halbrund-K. zu einem Architektur-Motiv, zunächst als »Halb-K.« im Zusammenhang mit der vom Gewölbebau her abgeleiteten → Überdachung einer → Apsis oder → Exedra (»Apsidensaal« in Praeneste; Mercati Traiani in Rom, später an Thermenbauten aller Art), seit spätrepublikanisch-augusteischer Zeit dann auch als »Komplett-K.« über rundem, vier- oder vieleckigem (meist oktogonalem, 12- oder 16eckigem) Grundriß. Als frühester in Gußtechnik gefertiger K.-Bau gilt der sog. »Mercurtempel« in → Baiae, vermutl.

ein Speisesaal im baulichen Kontext einer Thermenbzw. Kuranlage. Mit dem kuppelüberdeckten Oktogon der → Domus Aurea hält das Motiv in neronischer Zeit jenseits der Thermen-Architektur Einzug in den Architekturbestand des → Palastes und wird hier ebenso zum Topos wie später im Tempelbau (Rom, → Pantheon), im Kirchenbau (→ Hagia Sophia; → Zentralbau) und, in der Spätant., bei Mausoleen (Galerius-Rotunde in Thessaloniki; »Tempio della Tosse« in Tibur).

Ein Kernproblem des K.-Baus bildete von jeher die Verbindung eines Grundrißvierecks mit dem dreidimensionalen K.-Rund als dessen Überdachung. Bei der »Außenkreis-K.« wird das Viereck vom äußeren K.-Rund zur Gänze umgriffen, d. h. die K. schneidet sich im Querschnitt mit dem Auflager in der Form eines Bogens. Die »Innenkreis-K.« füllt demgegenüber allein das Innere des Vierecks aus, benötigt deshalb als »Ecklösung« vermittelnde Pendentifs (sphärisch geschnittene Dreiecke) oder Trompen (Nischen); als früheste aus formaler Sicht vollendet gestaltete Pendentif-K. gilt die erste, bald nach Einweihung des Baus 558 n. Chr. eingestürzte Kuppel der → Hagia Sophia (Vorläufer der Trompen finden sich verschiedentlich an sāsānid. Palästen im Iran). Technisch weniger anspruchsvoll waren K. über einem Oktogon bzw. Polygon, die meist in Form eines »Klostergewölbes« gestaltet waren, bei dem die Zahl der Grundriß-Ecken in der Regel präzise wieder aufgenommen wird. Das Kreisrund als Grundriß wird üblicherweise von einer »Schirm-K.« in der Art eines kurvierten Oktogons überspannt (sog. »Venustempel« in Baiae; Diokletiansthermen in Rom). Die Lösung am hadrian. Pantheon in Rom, wo sich die halbkugelförmige K. über dem zylindrischen Unterbau auf ein komplexes System aus Verstrebungen und Entlastungsbögen im Bereich der acht Nischen des Grundrisses stützt, bleibt aus statisch-technischer Sicht die Ausnahme.

Der K.-Bau blieb bis in die Neuzeit Gegenstand eines experimentellen »trial-and-error«-Verfahrens, bei dem – von den wenigen schriftlichen Nachrichten wie etwa der über den Einsturz der K. der Hagia Sophia in Konstantinopel (s. o.) abgesehen – nur die »positiven«, d. h. die dauerhaft existent gebliebenen Ergebnisse als Baudenkmäler überl. sind; Versuche, die Statik des K.-Baus zu errechnen bzw. konkret zu antizipieren, sind nicht bezeugt. Überkuppelt werden konnten Räume mit über 40 m Dm (wie beim Pantheon in Rom mit ca. 43 m.; ca. 37 m Dm am sog. »Apollotempel«, einem Thermensaal am Ufer des Lago Averno auf den *Campi Flegrei*); dennoch blieb der Raum-Dm meist deutlich unter 30 m. Über einem Lehrgerüst und einer Holzverschalung (→ *materiatio*) wurde die K. aus Gußzement in radialen Schichten errichtet, wobei nach oben hin zunehmend bes. leichtes Material wie Bimsstein oder Vulkansand als Beischlag Verwendung fand. Oft wurden, wie auch im Gewölbebau, beim K.-Bau Tonröhren, Ziegelrippen, sogar ausgediente Amphoren zur stabilen Strukturierung von Hohlräumen und damit zur Ge-

Kuppel über Kreis und Quadrat

Stutzkuppel

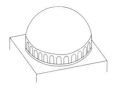

Kuppel mit Tambour

Kuppel über Pendentifs

Klostergewölbe auf Trompen

Römische Kreiskuppel (Pantheon-Typ)

wichtsersparnis in den Bauverbund eingefügt (»Helena-Mausoleum« an der Via Labicana in Rom). Die → Beleuchtung von K.-Bauten erfolgte durch ein → Opaion (Pantheon) oder von einem Fenstergaden (Baiae) aus.

Der überkuppelte Raum wurde in allen auf die röm.-pagane Spätant. folgenden kulturellen Subsystemen (westl.-lat. sowie östl.-byz. Christentum; Islam) als Metapher auf das allumspannende Himmelsgewölbe aufgefaßt und in diesem Sinne zum Topos des früh-ma. Kirchen- wie auch des frühen Moscheen-Baus.

J. FINK, Die K. über dem Viereck, 1958 · A. MÜFID-MANSEL, Trakya-Kirklareli Kibbeli Mezarlari ve Sahte Kubbe ve Kemer Problemi, 1943 · G. PELLICCIONI, Le cupole romane: La stabilità, 1986 · F. RAKOB, Röm. K.-Bauten in Baiae, in: MDAI(R) 95, 1988, 257–301 · J.J. RASCH, Die K. in der röm. Architektur: Entwicklung, Formgebung, Konstruktion, in: Architectura 15, 1985, 117–139 · Ders., Das Mausoleum der Kaiserin Helena an der Via Labicana in Rom, 1998 · L. SCHNEIDER, CH. HÖCKER, P. ZAZOFF, Zur thrak. Kunst im Frühhell., in: AA 1985, 593–643 · E. B. SMITH, The Dome, 1950 · D. THODE, Untersuchungen zur Lastabtragung in spätant. K.-Bauten, 1975.   C.HÖ.

Kuppelei s. Bordelle; Lenocinium

Kuppelgrab s. Grabbauten

Kureten (Κουρῆτες; lat. *Curetes*). Myth. Wesen, die das Kind → Zeus vor seinem Vater → Kronos schützen, indem sie ihre Speere gegen ihre Schilde schlagen, um die Schreie des Kindes zu übertönen (Kall. h. 1,51–53; Apollod. 1,1,6f.) oder den Vater abzuschrecken (Strab. 10,3,11). Die meisten Quellen geben die Höhle von → Dikte auf Kreta als Schauplatz an, andere auf → Ida [1] (z. B. Epimenides, FGrH 457 F 18, Aglaosthenes von Naxos, FGrH 499 F 1f., Apoll. Rhod. 1,1130, vgl. Kall. h. 1,6–9). In einer Variante der letztgenannten Version heißt es, daß die Nabelschnur abfiel, während die K. Zeus zu der Höhle trugen; der Omphalos-Felsen wurde als Beweis herangezogen (Kall. h. 1,43f., Diod. 5,70,4). Die myth. Höhle ist eine örtliche Repräsentation der »Zeit davor«: Die K. sollen aus der Erde geboren (Strab. 10,3,19), nach heftigem Regen emporgewachsen sein (Ov. met. 4,282), vgl. → Spartoi, und sollen dem Kronos Kinder geopfert haben (Istros, FGrH 334 F 48). In Übereinstimmung damit steht das Motiv von Milch und Honig, mit denen Zeus ernährt wurde: Sie sind die Nahrungsmittel der Zeit vor der Erfindung des Brotes; die Bienen der Dikte/Ida waren selig, unbeeindruckt auch von den ungünstigsten Wetterbedingungen (Diod. 5,70,5); die soziale Eintracht von Bienen steht in direkter Beziehung zu dieser myth. Zeit (Verg. georg. 4,149–155).

Die K. bewohnen Höhlen und Schluchten; sie erfinden die Schafhut und die Bienenhaltung, das Jagen, Bogenschießen und die Nachbarschaftshilfe (Diod. 5,65,1–3) – ein Zeitalter vor der Polis. Als göttliche Wesen, mit der Erde verbunden, galten sie auch als Wahrsager (Apollod. 3,3,1; Suda s. v. κουρήτων στόμα). → Epimenides von Kreta soll der neue Kures genannt worden sein (Plut. Solon 12,7, 165d). Die K. sind jugendlich (Lucr. 2,633–639); der auf Dikte verehrte Zeus wurde bartlos dargestellt (Etym. m. 276,19 s. v.) und im hell. Hymnos aus dem Tempel zu Palaikastro [1] als *mégistos kúros* angeredet [2]. Die Tympana und Bronzeschilde der orientalisierenden Periode, die in der Höhle auf dem Berg Ida gefunden wurden [3], deuten darauf hin, daß der Tanz bei der jährlichen Feier der Geburt des Zeus (Antoninus Liberalis 19) in der archa. Periode von bewaffneten Jünglingen, den *kúroi*, aufgeführt wurde, als Hinweis auf die offensichtliche Etym. der K. (Strab. 10,3,11; vgl. Hom. Il. 19,248); solche Aufführungen setzten sich offensichtlich bis weit in die hell. Zeit fort (Dion. Hal. ant. 2,70,3). Man hat vermutet, daß dieser Komplex auf eine kult. Gemeinschaft junger Krieger hindeutet, die ein Initiationsritual ausführt [4]. Doch diese These kann kaum eine Erklärung des Mythos der K. darstellen.

Der diktäische Hymnos, der um einen Altar herum gesungen wurde, läßt Zeus in Betten (?; bzw. Gefäße), Herden, die Ernte, Städte, Schiffe, die Jugend und die Themis »springen« (*thóre*); der Tanz wurde offensichtlich als eine Aufforderung an den Gott und als ein Hinweis auf seine Geburt verstanden [5]. In dem Hymnos wird Kuros als »Anführer der Daimones« adressiert (V.

4), d.h. der K., deren myth. Verbindung mit der »Zeit davor« durch eine direkte Beziehung zu häuslichem Wohlstand und bürgerlichem Gemeinwohl ersetzt worden ist. In dieser Form ist der Kult der K., bes. als Beschützer der Herden und Garanten der Eide, auf Kreta weit verbreitet. Es gibt auch keine deutlichen Hinweise auf eine Beziehung zu Initiationsriten in anderen Kontexten, in denen sich ein Kult der K. findet. In Messenien wurden ihnen Brandopfer dargeboten, die eine Verbindung mit der Fruchtbarkeit der Natur nahelegen (Paus. 4,31,9); auf Euboia wurden sie mit den → Kyklopen identifiziert und als die ersten Träger von *chalká hópla* (»ehernen Waffen«) gepriesen, die Chalkis ihren Namen gaben (Strab. 10,3,19; Epaphroditos bei Steph. Byz. s.v. Αἴδηψος, vgl. aber auch Archemachos, FGrH 424 F 9); ihr Kult in Olympia wurde mit einer dortigen idäischen Höhle assoziiert (Pind. O. 5,17f.; Paus. 5,7,6). Der Kult in Ephesos (vgl. Syll.³ 353,1; IEph 47,7, 1060,9 etc.) und anderen Städten in Ionien und Karien war, als der bemerkenswerteste außerhalb Kretas, mit einer alternativen Version verbunden, derzufolge die K. die Kinder der → Leto vor Hera beschützten (Strab. 14,1,20, auch Diod. 5,60,2f.; vgl. aber Apollod. 2,1,3). Ein früher Kult ist auch auf Thera bekannt (IG XII 3, 350).

Trotz dieser Nachweise weit verbreiteter kult. Aktivitäten (auch im frühen hell. Kyrene: SEG 9, 107f., 110) dienten die K. hauptsächlich als Platzhalter in dem endlosen Prozeß der Überarbeitung myth. Traditionen, um jeweils aktuelle Bedürfnisse zu befriedigen. Ihre Verbindung mit den → Nymphen, die Zeus nährten, führte früh zu einer Genealogie, die sie als spielerische Tänzer mit den Oreaden und den → Satyrn verbindet (Hes. fr. 123 M-W). Als Musiker wurden sie schon in der *Phoronis* (EpGF fr. 2a, p. 154) mit den Dienern der Großen Mutter, den phryg. Korybanten, in Verbindung gebracht. Euripides assoziiert sie, sowohl als Diener von Dionysos' Vater als auch als ekstatische Tänzer, mit den *bákchoi* (Eur. Bacch. 120-134; fr. 472,14). Es war diese Sicht der K. als (ekstatische) Musiker, ›gleichsam Satyrn des Zeus‹, die Strab. 10,3,9-18, wahrscheinlich beruhend auf Poseidonios (FGrH 468 F 2), angeregt hat. Eine andere häufige Gleichsetzung betonte ihre Rolle als göttliche Diener: Demetrios von Skepsis, wohl Quelle von Strab. 10,3,19-22 p. 471-473c, war einer von denen, die die K. für mit den Korybanten identisch hielten, die aus Phrygien nach Kreta gebracht worden waren – eine Sicht, die sicher die Kreter selbst beeinflußte (SGDI 5039,14); ihm waren aber auch Spekulationen bekannt, denen zufolge beide von den idäischen → Daktyloi abstammten und einige der → Telchinen auch K. waren. Die kontroverseste Debatte in der Ant. wurde jedoch wahrscheinlich über die damit völlig unverbundene Frage der Identität der aitolischen K., die von Hom. Il. 9,529f. erwähnt werden, geführt (vgl. Ephoros, FGrH 70 F 122, vgl. Strab. 10,3,1-8).

1 ABSA 15, 1908-09, 339 2 M. L. West, The Dictaean Hymn to the Kouros, in: JHS 85, 1965, 149-159

3 F. Canciani, Bronzi orientali e orientalizzanti a Creta nell' VIII e VII secolo a.C., 1970 4 Burkert, 168, 202, 392 5 Nilsson, GGR 1, 322f.

F. Schwenn, s.v. K., RE 11, 2202-2209.   R. Gor.

Kurion (Κούριον). Stadt an der Südküste von → Kypros, nach Hdt. 5,113 und Strab. 14,6,3 Gründung von → Argos [II]. Siedlungsreste seit der Brz. Ein König wird erstmals in der Zeit → Asarhaddons 673/2 v.Chr. gen. In der Schlacht von Salamis 480 v.Chr. ging der König Stasanor zu den Persern über. Der letzte König, Pasikrates, nahm auf Seiten Alexandros' [4] d.Gr. 312 v.Chr. an der Belagerung von Tyros teil. Spätant. Bistum.

Im Stadtgebiet sind Befestigungsmauern, Thermen, röm. Privathäuser mit Mosaiken, ein Theater und eine große Basilika des 5. Jh. n.Chr. ausgegraben [1]. Ausgedehnte Nekropolen im Osten und Süden. Im Westen liegt ein Stadion aus dem 2. Jh. n.Chr. am Weg zum 4 km entfernten, bed. Heiligtum des Apollon Hylates. Das archa. → Temenos mit großem Altar wurde in der Kaiserzeit mit einem steinernen Tempel, Bankettäumen, Thermen und einer Palaistra ausgestattet [2; 3; 4].

1 D. Soren, J. James, Kourion, 1988 2 D. Buitron-Oliver u.a., The Sanctuary of Apollo Hylates (Stud. in Mediterranean Archaeology 109), 1996 3 D. Soren, The Sanctuary of Apollo Hylates at Kourion, Cyprus, 1987 4 J. H. und S. H. Young, Terracotta Figurines from Kourion in Cyprus, 1955.

Masson, 189-201 Nr. 176-189 · T. B. Mitford, The Inscriptions of Kourion, 1970 · E. Oberhummer, s.v. K., RE 11, 2210-2214 · H. W. Swiny, An Archaeological Guide to the Ancient Kourion Area and the Akrotiri Peninsula, 1982.   R. Se.

Kuropalates (κουροπαλάτης; von lat. *cura palatii*). Zunächst Bezeichnung eines für Palastangelegenheiten zuständigen Beamten, von → Iustinianus [1] I. erstmals als hoher → Hoftitel für seinen Nachfolger → Iustinus [4] II. verwendet; in der Folgezeit meist Mitgliedern der Kaiserfamilie oder auswärtigen Fürsten vorbehalten.

ODB 2,1157 · R. Guilland, Titres et fonctions de l'Empire byzantin, 1976, III.   F. T.

Kuros, Kuroi s. Plastik; Statue

Kurotrophos (κουροτρόφος, »kindernährend«) ist als Funktionstitel Name oder Epiklese einer Reihe von griech. Göttinnen und Göttern, die mit dem Heranwachsen der neuen Generation und ihrer Einführung in die Erwachsenenwelt zu tun haben (Liste in [1. 189-195]). Verbreitet ist die Epiklese bei Artemis (Diod. 5,73,5), Demeter (Hesych. s.v. *k.*), Eileithyia, Ge (Hes. theog. 479f.) und den Nymphen, belegt außerdem für Hekate bei Hes. theog. 450-452; daneben stehen seit Hom. Il. 19,142 die lokalen Flußgötter. Eine inschr. genannte K. kann dabei eine lokal in dieser Funktion bekannte größere Gottheit sein oder aber eine spezifische

mit dieser Funktion befaßte Wesenheit, wie dies wohl
sicher für die im Plur. genannten *Kurotróphoi* in Eretria
gilt (IG XII 9, 269).

Die Zuständigkeit der K. umfaßt die gesamte Ju-
gendzeit, von der Geburt bis zum Erwachsenenalter,
wie dies insbes. im Falle der Artemis deutlich ist. Dabei
sind die → Flußgötter in den frühesten Texten mit dem
Übertritt der männl. Jugendlichen in das Erwachsenenalter verbunden (→ Initiation) und erhalten in dieser Funktion auch ihre Haaropfer (Hom. l.c.; Hes.
theog. 346ff., der auch Apollon und die Okeaniden damit verbindet). Nach dem Zeugnis späterer theophorer
Onomastik (vom Typus *Asopo-dotos*, »der, den Asopos
geschenkt hat«) werden aber die Flußgötter ebenfalls,
wie zahlreiche andere Gottheiten auch, als Geber von
Kindern angesehen [2]. Die Geburtsgöttin → Eileithyia
belegt die enge Bindung an die → Geburt (vgl. etwa
auch Leto K., Theokr. 18,50), die Verbindung von
→ Hestia K. mit dem Ritual der Amphidromia (Etym.
m. s.v. Hestia K.) diejenige an die Aufnahme des Neugeborenen in den Haushalt.

Spezifische Eigenheiten des Kultes sind nicht auszumachen; die Verehrung einer Gottheit in der Funktion der K. war in den übrigen Kult eingebunden. Eigene Feste existierten jedenfalls nicht; am nächsten
kommt der dritte Tag der athen. → Thesmophoria, der
den Namen Kalligeneia (»Schöne Geburt/Nachkom-
menschaft«) trägt. Ob schließlich jede Göttin mit einem
Kind im Arm als Darstellung einer kult. K. genannten
Gottheit zu verstehen ist, muß angesichts des weitge-
henden Fehlens von Beschriftungen offen bleiben.

1 Th. Hadzisteliou Price, Kourotrophos. Cults and
Representations of Greek Nursing Deities, 1978
2 E. Sittig, De Graecorum nominibus theophoris, 1911.
F.G.

Kursive s. Schriftstile

Kurupedion (Κούρου bzw. Κόρου πεδίον). Ebene in
Lydia nördl. von Magnesia am Sipylos, östl. der Mündung des Hyllos [4] in den Hermos [2] (Strab. 13,4,5;
13), wo Lysimachos 281 v.Chr. von Seleukos (Porphyrios FGrH 260 F 3,8), Antiochos [5] III. 190 v.Chr.
von den Römern geschlagen wurde (Liv. 37,37–39).

H. Bengtson, Griech. Gesch., ⁵1977, 389 mit Anm. 4, 481.
H. KA.

Kurvatur. Mod. t.t. der arch. Bauforsch.; bezeichnet
wird hiermit die bei einigen dor. Ringhallentempeln
seit der Mitte des 6. Jh. v. Chr. (z. B. Apollontempel von
→ Korinthos = frühester Beleg; Aphaiatempel von
→ Aigina; → Parthenon; großer Tempel von → Segesta), selten auch bei ion. Bauten (z. B. Apollontempel
von → Didyma) zu beobachtende Aufwölbung des Stufenbaus und – daraus resultierend – der weiteren aufgehenden Ordnung bis ins Gebälk. Das bei Vitruv (3,4,5)
erwähnte Phänomen gehört, wie auch die → Inklination, die → Entasis und die Verengung der Eckjoche

am dor. Tempel (→ dorischer Eckkonflikt) zu den
→ *optical refinements* des griech. Tempelbaus. Der unfertig gebliebene große Tempel von Segesta gibt Aufschlüsse über das Herstellungsverfahren. Vermutlich
mittels eines leicht durchhängenden Seils wurde, gemessen an einer zuvor durch Kreuze markierten Horizontalen auf der → Euthynterie, die Kurvierung über
der Horizontalmarke nach oben übertragen; die Eu-

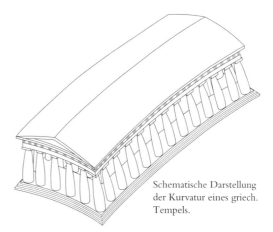

Schematische Darstellung
der Kurvatur eines griech.
Tempels.

thynterie als oberste Fundamentschicht wurde dann
durch Abmeißelung entsprechend dem Ausschnitt einer
großen Kugel zugerichtet und das Resultat auf alle dar-
überliegenden Bauebenen (→ Krepis; → Säule; Gebälk)
übertragen (was die Unregelmäßigkeiten in der tech-
nisch-handwerklichen Ausführung erklärt, die sich
nach oben hin z. T. beträchtlich summieren konnten.)

H. Bankel, Aegina, Aphaia-Tempel 3: Die K. des spätarcha.
Tempels, in: AA 1980, 171–179 · P. Grunauer, Der
Westgiebel des Zeustempels von Olympia, in: JDAI 81,
1974, 6–8 · D. Mertens, Die Herstellung der K. am
Tempel von Segesta, in: MDAI(R) 81, 1974, 107–114 ·
Ders., Der Tempel von Segesta und die dor.
Tempelbaukunst des griech. Westens in klass. Zeit, 1984,
34 f. · W. Müller-Wiener, Griech. Bauwesen in der Ant.,
1988, 217 s.v. K. · L. Schneider, Ch. Höcker, Die
Akropolis von Athen, 1990, 143–146.　　　　C. HÖ.

Kurzname s. Personennamen

Kusae, Qusae. Hauptort des 14. oberäg. Gaues, auf
dem westl. Nilufer 50 km unterhalb von Assiut. Im NR
im Hermopolites aufgegangen. Stadtreste haben sich
nicht erhalten. Eine in K. beheimatete Gottheit ist später
mit Hathor, die bereits im AR und MR mit → Isis verglichen wird, gleichgesetzt worden. Von den Griechen
wird sie → Aphrodite Urania genannt (Ail. nat. 10,27).

1 S. Allam, Beitr. zum Hathorkult, 1963, 23 ff.
2 H. Beinlich, s.v. Qusae, LÄ 5, 73 f. 3 M. Münzer, Unt.
zur Göttin Isis, 1966, 123, 159 f.　　　　R. GR.

Kuschan(a), Kuschanen. Ostiran. Dyn. (1.–4. Jh.
n. Chr) mit einem Großreich vom Ganges bis zum
Aralsee. Die Dyn. ging aus den Nomadenstämmen (Teil
der Yuezhi; → Indoskythen) hervor, die den Griechen
Baktrien (→ Baktria) nahmen. Als Ahnherr ist Heraos
belegt, als Reichsgründer Kudschula Kadphises; Nachfolger sind Vima Kadphises, → Kanischka, Vasischka,
Huvischka und Vāsudeva (eventuell mehrere Träger
dieser Namen.). Die Dat. der K. ist umstritten.

Die vorherrschende Rel. war ein synkretistischer
Mahāyāna-Buddhismus, die Kunst war stark vom grae-
co-baktrischen Erbe geprägt (nord-baktrischer Stil der
Gandhāra-Kunst; → Gandaritis); z. B. nahm der Buddha
Züge griech. Gottheiten an. Die irano-hell. Kunst wurde auch in Ost-Turkestan und Nord-China mit dem
Buddhismus verbreitet und trug abgewandelte Trad. bis
nach Japan. Staatsinschr. waren in einem erweiterten
griech. Alphabet abgefaßt. Die Kontrolle der → »Seidenstraße« und der Wege nach Indien sicherten hohe
Handelsgewinne. In kuschanenzeitl. Siedlungen wurden röm. Mz. und Importe aus dem Mittelmeerraum
gefunden, so in → Kapisa-Bagrām und H̬eirābād. In
griech. und lat. Quellen ist so gut wie nichts über K. zu
erfahren (man hat vermutet, daß die Asiani des Pomp.
Trog. 41 eine fehlerhafte Lesung für *Cusani* seien).

E. ERRINGTON (Hrsg.), The Crossroads of Asia, 1992 ·
R. GÖBL, System und Chronologie der Münzprägung des
Kušānreiches, 1984.   K. K.

Kuß   I. TYPOLOGIE   II. GRIECHENLAND UND ROM
III. ALTES TESTAMENT UND JUDENTUM
IV. CHRISTENTUM   V. BILDLICHE DARSTELLUNGEN

I. TYPOLOGIE

Eine Typologie des K. in der Ant. zu entwerfen, ist
bei den vielen Ausprägungen des K., von denen der
Liebes-K. nur eine Facette darstellt, schwierig. Bisherige Ansätze gehen diesbezüglich über Materialsammlun-
gen kaum hinaus [1; 2; 3]. Soweit die Überl. es zuläßt,
werden daher im folgenden zwei Haupttypen unterschieden: förmlicher K. (in Politik; Klientelverhältnis-
sen; Kult, Rel.) und privater K. (in Familie, Verwandtschaft; Freundschaft; Liebesbeziehungen). Innerhalb
dieser Haupttypen und ihrer Untergliederungen sind
K.-Partner, -Anlässe und -Formen benannt.

II. GRIECHENLAND UND ROM
A. TERMINOLOGIE   B. FÖRMLICHER KUSS
C. PRIVATER KUSS

A. TERMINOLOGIE

Ältestes griech. Vb. ist κυνέω (*kynéō*), sprachgesch.
verwandt mit dt. »Kuß«, »küssen« (s. [4]), bis in alexandrin. Zeit fast ausschließlich in der Dichtung (z. B.
Hom. Od. 17,35; 39; Theokr. 20,5), dazu προσκυνέω,
προσκύνησις/*proskýnēsis*. Üblich wurden φιλέω (*philéō*;
vielleicht schon Aischyl. Ag. 1559, sicher Hdt. 1,134)

und καταφιλέω (seit Xen. Kyr. 7,5,32) mit dem dazugehörigen Subst. φίλημα/*phílēma* (dieses seit Aischyl. fr.
135 TrGF), auch in LXX und NT. ἀσπάζομαι (*aspázo-
mai*), dazu ἀσπασμός, bezeichnet das (freundliche, lie-
bevolle) Begrüßen, Umarmen, das Liebhaben, den K.
gelegentlich mit verdeutlichendem Zusatz (Plut. Perikles 24 ἠσπάσατο … μετὰ τοῦ καταφιλεῖν, etwa »küßte
zärtlich«); in der christl. Lit. ohne und mit Zusatz häufig
[5]. Im Lat. [6] finden sich nebeneinander *osculo(r)* mit
Subst. *osculum* (in der Lit. seit Plautus); volkstümlicher
basio mit *basium* (seit Catull, Cicero), Deminutiv *basio-
lum*, sowie *savio(r)* (seit Catull, Cicero; wohl von *suavis*,
s. [7]) mit *savium* (seit Plautus, auch Kosename), Deminutiv *saviolum*.

B. FÖRMLICHER KUSS
1. IM POLITISCHEN RAHMEN

Hier tritt der K. als Geste der Hochachtung, der Verehrung und Unterwerfung eines Untergebenen gegenüber dem Herrscher oder anderen Würdenträgern seit
Alexander (→ Kaiserkult) auf, zweifellos unter dem
Einfluß oriental. Sitte (→ Proskynesis), auch als Geste
der Achtung und Gewogenheit des Höhergestellten gegenüber Untergebenen und Bediensteten. In Rom
wurde die → Adoratio erst seit Diocletian (E. 3./Anf.
4. Jh. n. Chr.) fester Bestandteil des Hofzeremoniells
(Amm. 15,5,18, dazu [8. 6–8 und 63], vgl. Cod. Theod.
6,24,4 = Iust. 12,17,1). Während im Orient und später
im christl. Zeremoniell der Fuß-K. üblich war (im
nicht-christl. Rom verpönt, von Caligula gefordert:
Cass. Dio 59,29,5; Sen. benef. 2,12,1 f.), dürfte in Griechenland und Rom (neben Wangen- und Hand-K.) die
K.-Hand (urspr. Gebetsgestus) bei gleichzeitiger Ver-
beugung oder Fußfall, später der K. des Gewandsaumes
oder -zipfels (daher *adorare purpuram*, z. B. Amm. 21,9,8)
[2. 518–519; 8. 40 f., 62–64] für Privilegierte üblich gewesen sein. Seit Augustus hat sich der regelmäßige Begrüßungs-K. (mit oder ohne Proskynese: → *salutatio*)
von Vertrauten und Freunden mehr und mehr eingebürgert, worauf ein kritisiertes Verbot des Tiberius
schließen läßt (Suet. Tib. 34,2; vgl. Val. Max. 2,6,17;
→ Gruß); als feste Sitte erscheint er bei Suet. Dom. 12,3;
Plin. paneg. 24,2 (Wangen-K.). Früh wurde offenbar
der Austausch von Begrüßungs-K. zw. Kaiser und Senatoren üblich (Suet. Nero 37,3; Cass. Dio 59,27,1: Caligulas Forderung des Hand- bzw. Fuß-K.; bei Abreise
und Rückkehr: Plin. paneg. 23,1, bei Amtsantritt: ebd.
71,1); Galba hatte die Gewohnheit, seine engsten
Freunde morgens mit einem K. zu begrüßen (Suet.
Otho 6,2) [10].

Im Hintergrund dieser förmlichen K.-Sitten steht
neben östl. Vorbildern die sich zunächst in der röm.
Oberschicht entwickelnde Gewohnheit des förmlichen
Begrüßungs-K. (schon in republikan. Zeit: vgl. Cic.
fam. 1,9,10; Cic. Sest. 111; seit dem 1. Jh. n. Chr. üblich,
vgl. Sen. de ira 2,24,1; Apul. apol. 7). Daß es sich bei
diesen K. wohl meist um Wangen-K. handelte, zeigen
etwa Epigramme Martials, die in satirischer Übertrei-
bung das K.-Unwesen anprangern (Mart. 7,95; 11,98;
12,59), oder Plin. nat. 26,2–3 (→ Gruß).

Der K. symbolisiert Gültigkeit, Treue, Verläßlichkeit zwischen Vertragsparteien (Cass. Dio 48,37,1 zum J. 39 v. Chr.; parodierend, mit Vertragstext: Petron. 109,1–4), bei Aussöhnung mit Feinden (Artem. 2,2), zur Besiegelung der Aufnahme eines Mitglieds in eine geschlossene Gemeinschaft (Räuberhauptmann: Apul. met. 7,9,1; s. auch II.B.3). Über die Form dieses Partnerschafts-K. fehlen Informationen (vermutlich handelte es sich um einen Wangen- oder Brust-K.).

2. In Klientelverhältnissen

Der förmliche K. war zumindest in der Kaiserzeit unverzichtbar bei der morgendlichen → *salutatio* und anderen Begegnungen der Klienten mit ihrem *patronus*: Während in republikan. Zeit der *patronus* den Morgengruß durch Handschlag (wie Cicero: Plut. Cicero 36), in der frühen Kaiserzeit auch durch K. erwidern konnte, wurde es seit dem 2. Jh. n. Chr. üblich, daß Klienten den *patronus* küßten; dafür sind Hand-, Brust-, Knie-K. überliefert (vgl. Lukian, der in Nigrinus 21 zunächst von Straßenbegegnungen, erst ebd. 22 von der *salutatio* spricht; vgl. Amm. 28,4,10; Epikt. 3,24,49). Zu den Morgenempfängen erschienen auch Freunde und Personen gleichen oder höheren Ranges (s.o. zum Begrüßungs-K.; [11; 9. 259f.])

3. Im religiösen Bereich

Während der ganzen Ant. findet sich das Küssen der → Kultbilder: Motiv ist die Verehrung der Gottheit, aber auch die Hoffnung auf Übertragung magischer bzw. heilender Kraft [12. 74–83]. Geküßt werden Mund, Kinn, Hände, Füße (vgl. z.B. Hipponax fr. 37 DIEHL³; Cic. Verr. 2,4,94; Apul. met. 11,17,5; Prud. Apotheosis 456; wohl auch Lucr. 1,316–318) [13. 180–182; 1. 121f.]. Als Verehrungsgestus war auch die K.-Hand weit verbreitet (Beispiele s. [2. 518f.; 13. 181f.], auch zu K.-Hand bei Proskynese). Die Nähe der Gottheit wird ferner gesucht durch den (Ersatz-)K. der Tempelschwelle (Tib. 1,2,83–88: Sühne; Ov. met. 1,375f.; Arnob. 1,49; vgl. Iuv. 6,47) [14. 157f.], des Altars (Plin. nat. 11,250: dort auch Kinn *adorare* in der Bed. *osculari*), anderer sakraler Plätze (z.B. Cass. Dio 41,9,2), Pflanzen (z.B. Ov. met. 7,631f.), Gegenstände (z.B. Amulette, Götterfigürchen: Mithrasliturgie 12,15; 14,23; Plut. Sulla 29,471b) [13. 182–184; 1. 121f.].

Die Aufnahme in eine rel. Gemeinschaft dürfte durch K. besiegelt worden sein (so deutet [16. 79f.] die satirische Erzählung Lukian. Alexandros 41; s. IV.B.1); der Myste küßt den Mystagogen (Apul. met. 11,25,7). In den rel. Bereich weist auch der bei Theokr. 12,27–37 beschriebene jährliche K.-Agon am Grab des Knabenliebhabers Diokles (vgl. [17]).

C. Privater Kuss

1. In Familie und Freundschaft

Häufigste Anlässe des K. im Familien- und Freundeskreis sind Begrüßung und Abschied, Begegnungen bei freudigen und traurigen Ereignissen (Willkommens-K.: vgl. z.B. Hom. Od. 16,15; 21; Hor. carm. 1,36,4–9; ähnlich Catull. 9,9; Abschieds-K. unter

Kriegskameraden: Tac. hist. 4,46,3; Begrüßung von Gastgebern: Apul. met. 4,1,1; Versöhnungs-K.: Petron. 91,9): Der K. enthält grundsätzlich eine emotionale Komponente, bringt über den formalen Akt hinaus Zugehörigkeit, Anerkennung, Zuneigung, Liebe, aber auch Schmerz usw. zum Ausdruck. Schon die homer. Epen kennen ihn als K. auf Stirn bzw. Wangen (»Kopf«: z.B. Hom. Od. 16,15), Augen (ebd., vgl. bes. Plin. nat. 11,146), Hände (ebd.), Schultern (Hom. Od. 17,35), nicht jedoch als K. auf den Mund, der urspr. als oriental. Brauch empfunden wurde (Hdt. 1,134,1; Xen. Kyr. 1,4,27); gelegentlich erwähnt ist der private K. auf Nakken und Brust (z.B. Q. Smyrn. 13,533f.; 14,183). Es küssen sich Ehegatten (Hom. Od. 23,208; Plaut. Amph. 716; dazu die restriktiven Maßnahmen Catos: Plut. Cato maior 17), Eltern und Kinder (Hom. Il. 6,474; Aristoph. Nub. 81), Großeltern und Enkel (Xen. Kyr. 1,3,9), Geschwister (Eur. Phoen. 1671: Mund-K.), Freunde (Plaut. Cas. 136; Cic. fam. 16,27,2), Gesinde und Hausherr (z.B. Hom. Od. 21,224 = 22,499). Über das Küssen von Unbelebtem (Heimatboden, Elternhaus, u.a.) bei Abschied und Ankunft s. [13. 42].

Eine Besonderheit stellt die Etikette röm. Kreise dar, der Frau ein »Recht« einzuräumen, männliche Verwandte der eigenen Familie und der Familie des Ehemannes zu küssen ›bis zu den Vettern, und das jeden Tag, wenn sie diese das erste Mal sieht‹ (Pol. 6,11ª,4; vgl. Fest. 216 L.; Plin. nat. 14,90; Suet. Claud. 26,3: Mißbrauch des *ius osculi* durch Agrippina; Prop. 2,6,7f.: Eifersucht des Liebhabers auf Cynthias »angebliche Verwandte« [*falsi propinqui*]).

Schwer einzuordnen ist die weit verbreitete Sitte, Sterbende oder Verstorbene zu küssen: Urspr. handelte es sich wohl um einen förmlichen, rituellen K. (s.o. II.B.3), seit der Zeit der uns verfügbaren lit. Quellen (spätes 5. Jh. v. Chr.; größere Quellensammlung [18. 185f.]) war zumindest eine große Spannweite zw. konventioneller Pflichtübung und einem von starken Emotionen begleiteten Abschieds- und Trauergestus gegeben, zu dem nur Angehörige und Freunde berechtigt waren [2. 517; 13. 72f.]. Beispiele: Eur. Med. 1207: Iason küßt seine ermordeten Kinder; Val. Max. 7,1,1: Metellus stirbt unter den K. seiner Angehörigen; vgl. auch 4,7,4; Suet. Aug. 99,1; Petron. 74,17 verfügt Trimalchio, seine Gemahlin möge ihn ›nach seinem Ableben nicht küssen‹. Zum letzten K. als *officium amoris* s. II.C.2.

Einige Texte spiegeln noch die ältere Vorstellung, daß man mit den *suprema oscula* (»letzten K.«) die vom Sterbenden entweichende Seele mit dem Mund aufzufangen meinte (z.B. Cic. Verr. 2,5,118; vielleicht Verg. Aen. 4,684f., Consolatio ad Liviam 95).

Der K. ist auch Thema der Traumlit.: Artem. 2,2 deutet das geträumte Küssen vertrauter Menschen als Zeichen von Glück, bisheriger Feinde als Zeichen der Versöhnung; das von einem Kranken geträumte Küssen eines Toten gilt als Vorzeichen des eigenen Todes, das von einem Gesunden geträumte als Hinderungsgrund für ernsthafte Verhandlungen (→ Traumdeutung).

2. In erotischen und sexuellen Beziehungen

Aus dem Umstand, daß der »Liebes-K.« im homer. Epos nicht erwähnt wird, schließt [1.118] zu Unrecht, der K. sei »als Ausdruck erotischer Zuneigung sekundär«; auch seine Nähe zu »massiveren Genüssen« [2.511] ist kaum für die relativ späte (2. H. des 5. Jh. v.Chr.) lit. Bezeugung verantwortlich. Von Anfang an ist der K. in hetero- und homosexuellen Beziehungen Thema und Motiv der Lit. (z.B. Aristoph. Lys. 923; Aristoph. Av. 671; vielleicht schon Thgn. 1,265f.; die Erzählung über Sophokles bei Athen. 13,603e–604d, vgl. Plat. rep. 468bc).

In einigen lit. Gattungen ist der erotische K. häufiges Motiv. Beispiele: Erotisches Epigramm (Anth. Pal. 5,4; 132; 12,95; päderastisch 12,183; 200; 203; Mart. 3,65; 6,34; 8,46). Hierin gehört das meist dem Philosophen Platon zugeschriebene homoerotische Epigramm mit dem Motiv der Seelenübertragung durch den K. (Plat. epigr. 1 Diehl; Wiederaufnahme des Motivs: Anth. Pal. 5,171; Petron. 79,8; Gell. 19,11,4). Komödie: Aristoph. Thesm. 915; Aristoph. Eccl. 647; Plaut. Pseud. 65; 67 (suavisaviatio, etwa »lustvolles Küssen«; personifiziert Plaut. Bacch. 116; 120); Ter. Haut. 900. Zum K. als Preis beim → Kottabos-Spiel s. Plato Comicus fr. 46 (= Athen. 15,666d) und Kall. Pannychis fr. 2,7 Pfeiffer. Liebeselegie: Tib. 1,4,53–56; 1,8,57f.; Prop. 2,15,50; Ov. ars 1,663–672; s. auch unten zum Küssen Verstorbener. Bukolik: Theokr. 2,126; 5,134f. (homoerotisch; ebd. 132f. der sog. Topf- oder Henkel-K., χύτρα [chýtra], bei dem der Küssende Partnerin oder Partner an den Ohren faßte; vgl. auch Plaut. Asin. 668; nichterotisch: Tib. 2,5,91f., s. [2.515f.]); Bion Adonis 45; Calp. ecl. 3,56–58. Lyrik: Catull. 9,8f.; 99,2; 16; das Motiv erweitert zum K.-Gedicht Catull. 7,9 und 48; Hor. carm. 1,13,14–16. Roman: Longos 1,17,1; Heliodoros 1,2,6; Petron. 74,8; 79,8 u.ö.; Apul. met. 2,10,1–5.

Die Lit. kennt auch leidenschaftlichere Formen des Liebes-K.: Den Zungen-K. erwähnt schon Aristoph. Nub. 51 (καταγλώττισμα, kataglṓttisma) oder Aristoph. Thesm. 130–132, in der röm. Lit. etwa Plaut. Pseud. 1259f., Ov. am. 2,5,23–28; 57f., Apul. met. 2,10,4. Der Beiß-K. findet sich Plaut. Pseud. 67 (molles morsiunculae), auf die Lippen z.B. bei Catull. 8,18 und Hor. carm. 1,13,11f., auf den Hals z.B. bei Tib. 1,8,37f., Prop. 4,3,25f., Ov. am. 1,7,41f.

Weniger lit.-fähig sind Formen des sexuellen K. wie Cunnilingus (im Lat. »der diesen K. Praktizierende«: Mart. 4,43,11; 12,59,10 cunnilingus neben fellator; Priap. 78,2) und Fellatio (das Subst. im Lat. nicht belegt: fellare Catull. 59,1; Mart. 9,4,4; fellator Mart. 11,95,1), mitunter in (witzigen) Umschreibungen (Catull. 79,3f. und 80,7f. [2.514]). Fast unerschöpflich sind hingegen die inschr. Zeugnisse (Graffiti, s. CIL IV mit Suppl. 2 und 3; handliche Auswahl [19.43–73]). Die Definitionen des cunnilingus als »type of sexual pervert« und von fellare als »sexual perversion« in OLD entsprechen nicht generell ant. Empfinden. Zur Bed. geträumter Fellatio äußert sich Artem. 1,79–80; 4,59.

Der K. für Verstorbene (s. II.C.1) ist als Motiv in die erotische Dichtung eingegangen: Theokr. 23,40f.; Tib. 1,1,61f.; Prop. 2,13,29. Schließlich ist der (Ersatz-)K. zu erwähnen, der einem Gegenstand – in der Liebesdichtung meist der Tür (→ Paraklausithyron) – anstelle des physisch nicht erreichbaren geliebten Menschen gilt: Lucr. 4,1177–1179; Prop. 1,16,42 (Tür); Kall. epigr. 42,5f., Theokr. 23,18 (Türpfosten); Plaut. Curc. 94 (Türangel); Nonn. Dion. 42,71f. (Fußspur); vom Hirten Dorkon geschenkte Tiere küßt Daphnis bei Longos 1,18,1.

III. Altes Testament und Judentum

Reiches Material, bes. auch zur nachbiblischen Überl. s. [20; 21].

A. Förmlicher Kuss

Samuel salbt Saul zum König und küßt ihn (1 Sam 10,1): Dieser K. wird unterschiedlich als »K. im Akt der Königsweihe« [1.124], als ritueller K. also, oder als im persönlichen Verhältnis begründeter, gleichwohl förmlicher K. gedeutet. Der letzteren Kategorie ist auch der K. bei Erteilung und Empfang des Segens zuzuordnen (Gn 27,26f.; 48,10, hier zugleich Bestätigung der Adoption), ferner Davids Versöhnungs-K. für den Sohn Absalom (2 Sam 14,33) und sein (anerkennender, ehrender) K. für den alten Barsillai (2 Sam 19,40). Der Ehrung und Verehrung ausdrückende K. auf Hände und Knie bleibt Sitte auch in nachbiblischer Zeit, als der erotische K. eher negativ beurteilt wurde; selbst der abgelehnte Fuß-K. (vgl. in prophetischer Rede Jes 49,22f.) verliert den demütigenden Aspekt: Nachweise bei [21.648–652; 1.124f.].

Der kult. K. erscheint im AT nur als Zeichen der Abwendung von Jahwe: Stierfiguren als Abbilder Jahwes werden geküßt (Hos 13,2), Baal (1 Kg 19,18); die dem Mond und der Sonne zugeworfene K.-Hand war urspr. zweifellos eine rituelle Geste (Hiob 31,26f.). Zum K. von Idolen und Tieren in späterer Überl. s. [21.646]. In jüd. Legenden findet sich öfters die Vorstellung vom offenbarenden und tötenden (erlösenden) K. Gottes [21.665–670].

B. Privater Kuss

Die K.-Gewohnheiten in Familie, Verwandtschaft und Freundeskreis gleichen weithin denen der griech.-röm. Ant. (s. II.C.1, Belege [21.645f.; 1.124f.]), doch zeigen viele Beispiele eine stärkere, theologisch begründete, symbolische Komponente (Bemerkungen hierzu bei [23.151–155]). Als eine (dem förmlichen K. nahestehende) Besonderheit ist überliefert, daß Männer sich beim K. (gegenseitig) am Bart fassen (2 Sam 20,9) statt sich zu umarmen. Der private K. zw. einander emotional nahestehenden Menschen erscheint öfters verbunden mit dem Motiv des Weinens: Gn 29,11; 1 Sam 20,41 (vgl. Lk 7,38 [s. IV.A] und Apg 20,37). Die Sitte, den Toten zu küssen, ist Gn 50,1 genannt (Jakobs Tod); hierhin zu stellen sind in späterer Zeit die Ersatz-K. von Sarg und Grab [21.656f.].

Der Liebes-K. ist im Judentum ebenso verbreitet wie in der ant. Welt, in der Regel als K. auf den Mund [21. 642 f., 645]. Für das AT dient HL 1,2 als Musterbeispiel (›Er soll mich mit den Küssen seines Mundes küssen‹), in rabbinischer Lit. und in christl. Exegese fast durchweg allegorisch gedeutet (Auslegungsgesch. s. [22], IV.B.2), daneben die metaphorische Rede Spr 24,26 (›Wie ein K. auf die Lippen ist eine aufrichtige Antwort‹). Der K. der Prostituierten Spr 7,13 könnte Ausgangspunkt für kritische Äußerungen über den erotischen K. in späterer Lit. geworden sein. Der homoerotische K. ist im AT nicht belegt.

Mehrfach finden sich im AT Hinweise auf den Mißbrauch des K., allg.: Spr 27,6 Küsse des Hassenden; in konkreten Situationen: 2 Sam 15,5 Absaloms Machtstreben; 20,9 f. Joabs heimtückischer Mord; Sir 29,5 falsche Devotheit [23. 153 f.]; zu unerlaubten (unzüchtigen) K. s. [21. 652, 657].

IV. CHRISTENTUM
A. NEUES TESTAMENT
B. ALTE KIRCHE   C. GNOSIS

A. NEUES TESTAMENT
Belege für den privaten K. (wie oben II.C.1–2; III.2) fehlen im NT mit Ausnahme von Lk 15,20 (Begrüßungs-K. des Vaters für den heimkehrenden »verlorenen« Sohn) und Lk 7,38; 45 (Fuß-K. der »Sünderin« mit unzweifelhaft erotischer Komponente, vgl. [24. 391 f.]), beide Formen des K. stehen jedoch – wie auch alle anderen Erwähnungen im NT – für einen theologischen Sachverhalt (Versöhnung bzw. Umkehr). Man wird freilich in der Vermutung nicht fehlgehen, daß sich das K.-Verhalten in Ehe, Familie und Freundeskreis im frühesten Christentum nicht von dem der nicht-christl. Umwelt unterschied. Bezeugt ist ferner der K. als Zeichen der Ehrung (dazu auch Lk 7,45: der nicht erfolgte K. des Gastgebers, Apg 10,25: Proskynese vor Petrus) und der Abschieds-K. [1. 137 f.] sowie die Aufforderung zum Gruß-K. (φίλημα ἅγιον, »heiliger K.«) am Ende paulinischer Briefe (z.B. Röm 16,16; 1 Thess 5,26) und 1 Petr 5,14 (φίλημα ἀγάπης, »K. der Liebe«); zur Problematik des Gruß-K. s. [25. 507–509].

In dem bei Mk 14,44 f. als Erkennungszeichen genannten Judas-K. (abweichend Mt 26,48 f. und Lk 22,47 f.) wird in der Regel kein Bruder-K. unter Jüngern, sondern ein K. der Begrüßung und vorgetäuschten Verehrung gesehen, letztlich eine Geste des Verrats ([1. 138–140]; s. oben III.2, unten IV.B.1).

B. ALTE KIRCHE
1. FÖRMLICHER KUSS
Die K.-Praxis, wie sie sich in der nicht-christl. Ant. für den öffentl. Bereich ausgeprägt hatte, wurde ausgeweitet (s. II.B.1): Es wurde seit dem 4. Jh. üblich, den Fuß des Bischofs zu küssen (frühe Zeugnisse für christl. Fuß-K. z.B. Tert. de pudicitia 13,7; Vita Basilii Magni PG 29. CCCIX D; [Ps.-]Athanasius, De virginitate 5,22 PG 28.278 C; später beschränkt *in reverentia Salvatoris* auf

den Bischof von Rom als Medium, nt. begründet durch Lk 7,38 und Apg 10,25; s. IV.A). Eine christl. Sonderentwicklung stellt der liturgische Friedens-K. dar (hierzu [25. 512–517], wo auch der Tauf-K. überzeugend vom Friedens-K. der Meßliturgie abgegrenzt wird [25. 518 f.]). Hierher gehört auch der K. für Märtyrer vor und nach der Hinrichtung sowie ihrer Gräber und Reliquien (Beispiele s. [1. 143; 13. 184]), ferner der K. für die ›Bekenner in der Verfolgung‹ (vgl. Cyprianus, De lapsis 2). Die oben (II.C.1) dem privaten Bereich zugeordnete Sitte, Verstorbene zu küssen (Abschieds-K.), gewinnt in der Alten Kirche offiziellen Charakter, da bei der Bestattung Bischof und Gemeinde den »Entschlafenen« küssen (vgl. Ps.-Dionysius Areopagita, De ecclesiastica hierarchia 7,3,8 PG 3.565A u.ö.: vgl. [26. 245 f., s. v. ἀσπάζομαι, ἀσπασμός]); Verbot in Kanon 12 der Synode von Auxerre, 6. Jh. [1. 143].

Weitere Gelegenheiten zum förmlichen K. sind Abschluß des Katechumenats in Gegenwart der Gemeinde, Taufe, Einsetzung eines Bischofs (vgl. z.B. Traditio Apostolica 4,18,21 Fontes Christiani 1 ed. GEERLINGS [1. 142; 25. 518 f.; 27]). Ferner sind die vielfältigen Ersatz-K. zu nennen, denen überwiegend die Intention der Kraftübertragung (s. II.B.3) anhaftet: Kirchentüren und -schwellen, Altäre, Bilder (Belege s. [26. 245 f., s. v. ἀσπάζομαι, 1477 s. v. φιλέω]; vgl. [14; 15; 1. 143; 13. 184]).

Durchweg allegorisch deuten die Kirchenvätertexte HL 1,2 (s. oben III.2; Beispiele s. [26. 1477] s. v. φίλημα), als K. des Verrats Mk 14,44 (und Parallelstellen; s.o. IV.A und [26. 1477]; Ambros. Hexaemeron 6,68 [1. 140 Anm. 247 f.]).

2. PRIVATER KUSS
Unter den Christen der ersten Jh. ist der private K. in Familie und Verwandtschaft, der erotische K. bei Liebes- und Ehepaaren ebenso verbreitet wie sonst in der ant. Welt des Mittelmeerraumes (Clem. Al. Paidagogos 3,12,1 empfiehlt freilich, die Frau nicht vor Sklaven zu küssen), vgl. etwa Ambros. Hexaemeron 6,68.

C. GNOSIS
In der Gnosis findet sich der K. häufig als Symbol für das Einswerden mit dem Erlöser und das Empfangen des ewigen Lebens (s. die Beispiele [1. 144; 28. 208]).

1 G. STÄHLIN, s. v. φιλέω, ThWB 9, 112–144 2 W. KROLL, s. v. K., RE Suppl. 5, 511–520 3 B. KARLE, s. v. K., HDA 5, 841–863 4 FRISK, Bd. 2, 49 f. 5 H. WINDISCH, s.v. ἀσπάζομαι, ThWB 1, 494–500 6 G. CIPRIANI, Il vocabulario latino dei baci, in: Aufidus 17, 1992, 69–102 7 WALDE/ HOFMANN 2,483 8 A. ALFÖLDI, Die monarchische Repräsentation im röm. Kaiserreiche, 1970 9 J. MARQUARDT, A. MAU, Das Privatleben der Römer, ²1886 (Ndr. 1964 u.ö.) 10 FRIEDLÄNDER, Bd. 1, 95–97 11 Ders., Bd. 1, 228–233, 240–242 12 K. M. HOFMANN, Philema Hagion, 1938 13 C. SITTL, Die Gebärden der Griechen und Römer, 1890 14 F. DÖLGER, Der K. der Kirchenschwelle, in: AntChr 2, 1930, 156–158 15 Ders., Der Altark., in: AntChr 2, 1930, 190–221 16 Ders., Der K. als Symbol einer rel. Bruderschaft, in: AntChr 3, 1932, 79 f. 17 NILSSON, Feste 459 18 F. BÖMER, P. Ovidius Naso. Die

Fasten, Bd. 2, 1958 **19** K.-W. WEEBER, Decius war hier ...,
1996 **20** A. WÜNSCHE, Der K. in Bibel, Talmud und
Midrasch, 1911 **21** I. LÖW, Der K., in: K. WILHELM (Hrsg.),
Wiss. des Judentums im dt. Sprachbereich Bd. 2, 1967,
641–675 **22** K. S. FRANK, s. v. Hoheslied, RAC 16, 1994,
58–87 **23** S. SCHROER, TH. STAUBLI, Die Körpersymbolik
der Bibel, 1998 **24** F. BOVON, Das Evangelium nach Lukas,
1989 **25** K. THRAEDE, s. v. Friedenskuß, RAC 8, 505–519
26 G. W. H. LAMPE, A Patristic Greek Lexicon, 1961
27 F. DÖLGER, Der K. im Tauf- und Firmungsritual, in:
AntChr 1, 1929, 186–196 **28** C. SCHNEIDER, Geistesgesch.
des ant. Christentums I, 1954. G. BI.

V. BILDLICHE DARSTELLUNGEN

In der Darstellung des K. wurden vorwiegend zwei
Motive angewandt: 1. Auf den Symposiondarstellungen
nach 550 v. Chr. werden gelagerte Paare abgebildet, die
sich einander zuwenden und umarmen. Dieses Schema
wird ebenso bei stehenden Paaren auf Szenen der Lie-
beswerbung und auch auf *erastés* (Liebhaber) und
erómenos (Geliebten), die einander umwerben (→ Homo-
mosexualität), angewandt: Die Vasenmaler beschränken sich auf das Andeuten einer Zärtlichkeitsbekundung;
Szenen dieser Art werden allg. als K.-Szenen verstanden, auch wenn die Berührung der Lippen von beiden
Partnern nur äußerst selten stattfindet. Erst im 4. Jh.
v. Chr. werden in dieser Form Liebespaare (Eros und
Aphrodite, in der etr. Vasenmalerei Aphrodite und
Adonis) und im Hell. Eros und Psyche küssend dargestellt. 2. Wichtiger ist das zweite Motiv, das seine Herkunft vom Relief des Zeusthrones von Olympia mit der
Tötung der Niobiden hat; dabei sinkt ein Knabe rückwärts in die Arme einer Frau, reckt seinen Kopf zu ihr
und legt seinen Arm auf ihren Kopf [1]. Bereits ab 420
v. Chr. werden Paare in Anlehnung an das Relief so
dargestellt, daß einer von ihnen den Kopf stark in den
Nacken biegt und von dem hinter ihm stehenden oder
liegenden Partner umfangen und geküßt wird. Insbes.
auf unterital. Symposienszenen wird diese Variante bei
Alltagsgelagen gerne dargestellt. Eine zweite Gruppe
zeigt Braut und Bräutigam in diesem Schema. Von den
mythischen Gestalten sind Leda und der Schwan oder
Dionysos und Ariadne zu nennen. In der röm. Kunst
wird der K. z. B. auf Wandfresken aus → Pompeii und
den Erzeugnissen der Kleinkunst dargestellt; hier sind
Tonlampen und -medaillons anzuführen.

1 W. GEOMINY, s. v. Niobidai, LIMC 6, 917 Nr. 15, 4–5.

R. HURSCHMANN, Symposienszenen auf unterital. Vasen,
1985 • H. CASSIMATIS, Amours légitimes? Rêves d'amour?
dans la céramique grecque, in: BABesch 62, 1987, 75–84 •
A. DIERICHS, Erotik in der Kunst Griechenlands, in: Ant.
Welt 24 (Sondernr.), ²1993, 70–71 • Dies., Erotik in der
röm. Kunst, 1997, 88–95. R. H.

KX-Maler s. Komasten-Gruppe

Kyane (Κυάνη). Sagenumwobener kleiner Bach, der
etwa 9 km südwestl. von Syrakusai (Luftlinie) aus der
gleichnamigen Quelle entspringt und sich nach etwa

20 km zusammen mit dem Anapos durch ein weites
Sumpfgebiet in den Großen Hafen von Syrakusai er-
gießt; h. Ciani. Nach Ovid (met. 5,413 ff.) versuchte die
Nymphe K., die Frau des Anapos, Hades (Pluto), als er
Kore raubte, aufzuhalten, und zerfloß an der Stelle, wo
er die Erde spaltete und in die Unterwelt hinabfuhr, in
Tränen. Ein von Herakles gestiftetes Jahresfest für De-
meter, Kore und K. bezeugt Diodor (4,23,4; 5,4,2).
GI. F. u. E. O.

Kyaneai (Κυανέαι).
[1] Zwei kleine Felsinseln direkt westl. der Mündung
des Bosporos in den → Pontos Euxeinos, 2,3 km nördl.
von Garipçe Burnu, 100 m vor dem Leuchtturm Ru-
melifeneri, h. İreke Taşı. In den griech. Mythen wurden
sie mit den gefährlichen → Symplegades bzw. → Plank-
tai (Hom. Od. 16,176; Apoll. Rhod. 2,317 ff.) identifiziert. Hier befand sich ein Heiligtum (Hdt. 4,85). Pompeius errichtete hier einen Altar zu Ehren Apollons
[1. 28 f., 35–39].

1 R. GÜNGERICH (ed.), Gryllius, De Bosporo Thracico,
1927. I. v. B.

[2] Stadt in Zentrallykia, lyk. vielleicht *Xbahñ* oder eher
turaxssi (TAM 1, 44a Z. 54 f.), was Paus. 7,21,13 im Hinweis auf ein Orakel des Apollon Thyrxeus bei K. bewahrt haben könnte. Trotz älterer Siedlungsspuren
(neolith. Beile, Keramik des 6. Jh. v. Chr.) hat K. erst im
5. Jh. v. Chr. die Burg eines Dynasten (mit Grabpfeiler).
Im 4. Jh. v. Chr. und nach Auflassung einer großen
Siedlung auf dem nahen Avşar Tepesi mit vermutlichem
Umzug der Bevölkerung wurde K. *pólis*, in die andere
Burgen (Korba, Trysa, Tüse, Hoyran, Büyük Avşar) und
der Hafen Teimiusa als *démoi* mit begrenzter Selbstverwaltung integriert wurden [1. 67–101]. Seit dem 2. Jh.
v. Chr. prägte K. als Mitglied des → Lykischen Bundes
Mz. Bis in die Kaiserzeit wurde das Zentrum mit Theater, Buleuterion, Bibliothek ausgebaut, bei deren Stiftung einzelne Personen, wie in antoninischer Zeit
(2. Jh. n. Chr.) Iason (Sohn des Neikostratos) (IGR 704–
706), hervortreten. Blüte auch in der Spätant. und Bischofssitz bis in das hohe MA.

Das gut erforschte Umland hat mit zahlreichen Dörfern, Gehöften, Zisternen, Ölpressen usw. eine hohe
Siedlungsdichte und bietet umfassenden Einblick in die
typische Siedlungsstruktur einer ant. *pólis* [2; 3]: Die
Mehrzahl der Bürger lebte auf dem Land; die Stadt war
vorrangig Dienstleistungszentrum.

1 M. ZIMMERMANN, Unt. zur histor. Landeskunde
Zentrallykiens, 1992 **2** F. KOLB, Stadt und Land im ant.
Kleinasien, in: J. H. M. STRUBBE (Hrsg.), Energeia. FS H. W.
Pleket, 1996, 97–112 **3** Ders., Lyk. Stud. 4. Feldforsch. auf
dem Gebiet von K. (Asia Minor Stud. 29), 1998. MA. ZI.

Kyanippos (Κυάνιππος, »Schwarzes Pferd«).
[1] König von Argos, Sohn des Aigialeus und der Komaitho, Nachkomme des Bias (Paus. 2,18,4; 30,10).
Nach Apollodor (1,103) ist K. Sohn des → Adrastos [1]
und Bruder des → Aigialeus [1]. Pausanias verwirrt sei-

nen Stammbaum: Er spricht von 4 Generationen und 5 Herrschern, wobei aber K. nicht dazugerechnet wird, da die Herrscher erst ab Talaos *Nēleídai* heißen können (dessen Mutter ist eine Tochter des Neleus). Diomedes als Vormund des K. zählt Pausanias dazu, da er für den minderjährigen K. die Herrschaft übernimmt [1].

[2] Sohn des Pharax aus Thessalien, Ehemann der Leukone. Aus Jagdleidenschaft vernachlässigt er seine Gattin. Diese folgt ihm aus Eifersucht, wird von K.' Hunden für ein Wild gehalten und zerrissen. Aus Trauer verbrennt K. seine Hunde auf einem Scheiterhaufen und richtet sich danach selbst (Parthenios 10 MythGr 2; vgl. auch Sostratos (FGrH 23 F 4); → Kephalos).

 1 K. Scherling, s. v. K. (1), RE 11, 2236f. AL. FR.

Kyanopsia s. Pyanopsia

Kyanos (κύανος) ist bei Hom. Il. 11,24 (auf dem Brustpanzer Agamemnons) und Hom. Od. 7,87 (auf einem Wandfries bei Alkinoos) sowie Hes. scut. 143 (auf dem Schild des Herakles) nicht der bläuliche Stahl, sondern der Lasurstein oder → Lapis lazuli (Theophr. de lapidibus 55), der bes. in Ägypten künstlich hergestellt wurde. Medizinisch wurde der nach Dioskurides 5,91 Wellmann = 5,106 Berendes auf Zypern gewonnene *k*. bei Geschwüren verordnet. Die blaue Farbe gab auch dem Männchen des von Aristot. hist. an. 8(9),21,617a 23–28 beschriebenen südeurop. Singvogels Blaumerle (Monticola solitarius) den Namen K.

 → Edelsteine C. HÜ.

Kyathos

[1] s. Gefäßformen/-typen

[2] (κύαθος, lat. *cyathus*; »Becher«); griech.-lat. Bezeichnung eines → Hohlmaßes für Flüssiges im Volumen von ⅙ → Kotyle [2] oder ½ → Chus [1] im Griech. [1. 104] bzw. von 1/12 → Sextarius oder 1/576 → Amphora [2] [1. 117] im Röm., entsprechend ca. 0,045 l. Im Röm. war der *cyathus* auch Maßeinheit für die Schöpfkelle, mit der der Wein aus dem Mischgefäß in die Becher gefüllt wurde [1. 118], wobei das Volumen der Becher nach der Anzahl der jeweiligen *cyathi* bemessen wurde [2]. Bei Columella erscheint der *cyathus* in verschiedensten Zusammenhängen (Aussaat: Colum. 2,10,27; Tiermedizin: Colum. 6,30,7; 6,31,1; 6,34,1; 7,10,3; Futterration für Geflügel: Colum. 8,4,5; 8,5,2; 8,11,6).

 1 F. Hultsch, Griech. und röm. Metrologie, ²1882 2 ThlL IV, 1581–1582. H.-J. S.

Kyaxares (Κυαξάρης, altpers. *Uvaxštra-*, Etym. unsicher).

[1] Medischer »König« des 7./6. Jh. v. Chr. Im sog. medischen *lógos* Herodots (Hdt. 1,73f.; 103–107) erscheint K. als τύραννος/*týrannos* bzw. βασιλεύς/*basileús* der Meder, als Sohn des → Phraortes, Enkel des → Deiokes und Vater des → Astyages. Während seiner 40jährigen Herrschaft soll er – nach einem skythischen Interregnum –

die Assyrer unterworfen haben und gegen Alyattes von Lydien (wohl um den Besitz von Kappadokien) zu Felde gezogen sein; dabei soll eine von Thales von Milet den Ioniern vorhergesagte Sonnenfinsternis (wohl am 28. Mai 585) Meder und Lyder zum Friedensschluß und zu einer Heiratsverbindung zwischen Astyages und Aryenis, der Tochter des Alyattes, bewogen haben.

In der babylon. Überlieferung [2. Nr. 3] wird K. (*Umakištar*) als »König (*šarru*) der Ummānmanda« bzw. »König von Medien« bezeichnet; unter seiner Führung sollen die Meder im Jahre 614 v. Chr. ohne Erfolg Ninive angegriffen, das nahegelegene Tarbisu und schließlich sogar Assur eingenommen haben. Mit dem inzwischen eingetroffenen babylon. König → Nabupolassar soll K. dann einen Bündnis- und Beistandspakt abgeschlossen haben. 612 trafen sich die babylon. und medischen Verbände erneut in Nordbabylonien, rückten vereint gegen Ninive vor und eroberten die Stadt nach dreimonatiger Belagerung. Auch an der späteren Einnahme von Harran sollen die Meder beteiligt gewesen sein.

Ist der »medische *lógos*« Herodots als griech. Schöpfung sicherlich richtig beschrieben, so spricht doch manches dafür, daß der griech. Historiker die Namen K. und Astyages (der im übrigen nur bei ihm als Sohn des K. erscheint) babylon. Trad. verdankte; den Namen von K.' Vater, Phraortes, mag Hdt. nach dem Prinzip der Papponymie aus dem des gleichnamigen Rebellen abgeleitet haben, der sich als Abkömmling des K. ausgab und gegen Dareios I. erhob [4. 121 DB II 15]. In bes. Weise ist in der Forschung der Charakter medischer Herrschaft und die polit. Organisation Mediens z.Z. des K. (Reich oder nur Stammeskonföderation) umstritten.

 1 I. M. Diakonoff, s. v. Cyaxares, EncIr 6, 1993, 478f. 2 A. K. Grayson, Assyrian-Babylonian Chronicles, 1975 3 P. R. Helm, Herodotus' *Medikos Logos* and Median History, in: Iran 19, 1981, 85–90 4 R. Kent, Old Persian, 1953 5 A. Kuhrt, The Ancient Near East, 2, 1995, Index s. v. K. 6 O. W. Muscarella, Miscellaneous Median Matters, in: AchHist 8, 1994, 57–64 7 H. Sancisi-Weerdenburg, The Orality of Herodotus' *Medikos Logos*, in: AchHist 8, 1994, 39–55.

[2] Unhistor. letzter König von Medien bei Xenophon.
            J. W.

Kybebe s. Kybele

Kybele (Κυβέλη, lat. Cybele, -a) ist Fruchtbarkeitsgöttin, Stadtbeschützerin (ausgedrückt in der Mauerkrone), Prophetin und Heilende.

 A. Kleinasien B. Griechenland C. Rom

A. Kleinasien
1. Bronzezeit 2. Das erste Jahrtausend

1. Bronzezeit
Die alternative Namensform Kybebe (Κυβήβη, lat. Cybebe) ermöglicht es, die kleinasiat. Göttin des 1. vorchristl. Jt. mit der in hethit., hurrit. und sumero-akkad.

Quellen bekannten Göttin Kubaba gleichzusetzen [1].
Eines der wichtigsten Zentren für den Kult dieser Göttin im 2. Jt. war das an der syr. Grenze am Euphrat gelegene hethit. → Karkemiš/Karkamis [2]. Noch vor 1200 v. Chr. soll K. nach Pessinus gekommen sein. Kubela bzw. Kubelon ist entweder ein phryg. Bergname oder Epiklese [3; 4]; ein hl. Stein verkörperte K. in → Pessinus, wo ihre Priesterschaft unabhängig bis 183 v. Chr. regierte (Strab. 12,5,3) [5]. An verschiedenen Orten Phrygiens ist die Göttin (inschr. einmal als *matar kubileija* bezeichnet [3]) in spätarcha. Zeit in aus dem Felsen gehauenen Tempelfassaden frontal stehend abgebildet.

2. DAS ERSTE JAHRTAUSEND

Die Phryger sollen dem pessinunt. Kult durch die Verbindung mit Thrakien und dem Dionysoskult einen ekstat.-orgiast. Charakter gegeben haben. Die Bezeichnung griech. *gállos*/lat. *gallus* für den Priester der K. soll auf die einwandernden Gallier zurückgehen, die ihren Namen auch dem durch Pessinus fließenden Fluß gaben [6]; das Symbol des Hahns (lat. *gallus*), welches auf Grabsteinen einiger Priester gefunden wurde, scheint ebenfalls auf diese Kelten zu verweisen. Die freiwillige Kastration der Diener der K. mag syro-semit. Ursprungs sein und könnte, wenn als solches akzeptiert, einer vorphryg. Phase angehören [7]. Nicht alle Priester, auch nicht alle Oberpriester, müssen zwangsläufig → Eunuchen gewesen sein. Die Priester der K., vor allem Eunuchen, fanden in → Attis (mit → Adonis vergleichbar) ihren mythischen Prototypen; diese pessinunt. Priester trugen den Titel *Áttis*. Diese *mētragýrtai* (»Bettelpriester der Großen Mutter«) sind in der klass. griech. Lit. und als Karikaturen in der Kleinkunst des 4. Jh. v. Chr. bekannt. Daneben ist durch ein Graffito in Sardis (um 570 v. Chr.) die lyd. Namensform *kuvav-* belegt [13]; diese ist mit der brz. Kubaba von Karkemiš zu verbinden. Hdt. 5,102 hält fest, daß die Perser das Heiligtum der epichorischen Göttin K. in Sardis zerstörten. Durch die Hellenisierung Lydiens paßte sich die Ikonographie dieser Göttin an die urspr. phryg. an.

B. GRIECHENLAND

Die phryg. Muttergottheit taucht im 6. Jh. v. Chr. vor allem an der Westküste Kleinasiens auf; sie wird gewöhnlich als *Métēr* (»Mutter«), seltener und fast nur in der Lit. und in späteren Inschr. als K. angesprochen. Die ältesten Zeugnisse kommen aus Südaiolien und Nordionien [8] und sind Votivgaben in Form eines → Naiskos [9], vor dem die thronende Göttin manchmal mit einem Löwen auf ihrem Schoß sitzt. Diese Art von Dedikation, deren Ikonographie ohne die phryg. Felsdarstellungen kaum vorstellbar ist, erreichte auch Samos und Milet, die Ägäis und die phokäischen Kolonien, bes. Massalia [8; 10]. Die Ikonographie auf Votivdarstellungen in Südionien ist eine im Relief stehende Göttin (ähnlich den Darstellungen von Gordion und Ankara). Weitere Beispiele kommen aus dem kret. Gortyn und Chania [8]. Der ikonographische Typus der sitzenden Göttin mit kleinem Löwen auf den Knien und mit Schleier entwickelte sich in den griech. Kolonien Kleinasiens vom 6. Jh. v. Chr. an [11]. Ebenso gelangte die Göttin an die West- und Nordküste des Schwarzen Meeres (bes. Kyzikos) [12] sowie über Thrakien [10] und die ägäischen Inseln nach Griechenland.

Man muß annehmen, daß die phryg. Göttin die ion. Küstenstädte wohl bereits im 7. Jh. v. Chr. erreichte: Eine in das früheste 6. Jh. v. Chr. datierte Inschr. aus dem südital. Lokroi setzt diese Expansion voraus; die Namensform (*Kubala*) belegt, daß die phryg. Namensform Eingang in die griech. Götterwelt fand. In Griechenland wurde K. bald mit → Rhea gleichgesetzt und auch der → Demeter angeglichen; mit Aspekten der K. vergleichbar wurden auch → Artemis und → Aphrodite. Nicht auszuschließen ist, daß K. bei ihrer Expansion nach Westen in den griech. Städten auch auf eine schon vorhandene Meter gestoßen ist; vielleicht verbirgt sich sowohl hinter Rhea wie hinter Demeter eine solche alte Muttergöttin, die dann mit K. gleichgesetzt wurde [14]. Die Übertragung fände sich somit nicht nur bei Göttinnen, die im bekannten, myth. und rituell belegbaren Pantheon beheimatet sind, sondern ginge noch eine Stufe tiefer auf eine vergessene, primäre Matrix, diejenige einer namenlosen, letztlich in die bekannten Göttinnen übergegangenen Allgöttin. Die ältesten griech. lit. Zeugnisse sind Hipponax, fr. 121 B (um 40 v. Chr.) und Pind. fr. 80; Euripides spricht (Bacch. 78 f.) von den ekstat. Riten der »Großen Mutter K.«. Die Verbindung des Namens der K. mit dem Begriff der Großen Mutter ist auch sonst geläufig [15], doch nicht jede »Göttermutter« (μήτηρ θεῶν) ist zwingend auch die pessinunt. K.; ausschlaggebend ist der lit. bzw. arch./topographische Kontext. Die Athener bauten der K. das Metroon. Die von Agorakritos von Paros geschaffene Statue der K. für diesen Tempel legte für die gesamte Folgezeit die Ikonographie fest: die thronende K. mit einem Tympanon (Handpauke) in einer Hand und an jeder Seite einen Löwen [7]. Jedoch fand K. keinen Eingang in die griech. Theogonie und Myth.: Nach [7. 266] kam sie zu spät, als daß ihr noch in der vorklass. Theogonie oder allg. in der frühgriech. Myth. eine selbständige Funktion hätte zugewiesen werden können. Nur in Verbindung mit → Attis existiert ein Mythos, freilich außerhalb der griech. Mythenzyklen.

C. ROM

1. EINFÜHRUNG IN ROM 2. DER KULT

1. EINFÜHRUNG IN ROM

Der Begründer der pergamenischen Dyn., Philetairos, baute für eine *Métēr Megálē* (»Große Mutter«) in Pergamon selbst ein Megalesion genanntes Heiligtum (Varro ling. 6,15). Die in der Wiss. am häufigsten vertretene Vorstellung ist, daß der hl. Stein von Pessinus mit einem Umweg über Pergamon im J. 205/4 v. Chr. nach Rom kam (Liv. 29,11 und 14; 36,36,3 f.). Folglich leitet man auch den Namen des röm. Festes Megalesia vom pergamenischen Megalesion ab. Das Kultbild (Meteorit: Arnob. 6,11; 7,49; Prud. Peristephanon 10,157) erreichte am 4. April Rom und wurde bis zur Fertigstellung des palatinischen Heiligtums im Tempel der Victoria aufgestellt (Liv. 29,37,2). Die kleinasiat. Göttin wurde von einem Mitglied einer der vornehmsten Familien, → Cornelius [I 81] Scipio Nasica, empfangen. Als das Schiff mit der göttl. Fracht im Tiber steckenblieb, war es eine weitere Vertreterin eines vornehmen Geschlechts, → Claudia [I 3] Quinta, die das Schiff aus dem Morast befreite und bis zu Roms Toren begleitete (Ov. fast. 291–338 [16]). In Aur. Vict. De viris illustribus 3,46,1–3 wurde Scipio Nasica weiter beauftragt, den göttl. Stein bis zur Fertigstellung des eigentlichen Heiligtums zu beschützen.

Die Übertragung in das palatinische Zuhause fand am 10. April 191 v. Chr. statt; der Dedikant des Tempels war M. Iunius Brutus (Liv. 36,36,4–5). Reste davon sind im westl. Teil des Palatins oberhalb der Scalae Caci gefunden worden [17]. Dieser Tempel brannte im J. 111 v. Chr. nieder und wurde höchstwahrscheinlich unter der Aufsicht des Metellus Numidicus (Consul 110 v. Chr.) wiederhergestellt (Ov. fast. 4,347–348; Val. Max. 1,8,11; Obseq. 39). Nach einem erneuten Brand ließ Augustus den Tempel wiederaufbauen (Val. Max. 1,8,11; Ov. fast. 4,348; R. Gest. div. Aug. 19). Elagabal äußerte den Wunsch, den göttl. Stein in sein Heiligtum überzuführen (SHA Heliog. 3).

Der Kult war überraschend isoliert. Röm. Bürgern war es verboten, dem Priester-Collegium der K. beizutreten (Dion. Hal. ant. 2,1,4) und sich zu entmannen (Val. Max. 7,6; Obseq. 44); die galli durften sich nur an bestimmten Tagen auf den Straßen Roms bewegen, das Gleiche galt für ihr Betteln (Dion. Hal. ant. 2,19,4; Diod. 36,13; Cic. leg. 2,22,40): damit war ihr Kultdienst praktisch auf den palatinischen Tempel beschränkt (Varro Men. 149f.). Dennoch war K. auf Geheiß der Sibyllinischen Bücher (→ Sibyllen) mit Zustimmung des Senats und mit Hilfe führender röm. Familien nach Rom gebracht worden [18; 19]. Zudem stand der Tempel mitten im Zentrum Roms innerhalb des → Pomeriums. In Anbetracht dessen sowie a) der Überwachungsfunktion der XVviri (→ Quindecimviri sacris faciundis), b) der Unabhängigkeit des Priesterstaates von Pessinus und dessen Kontinuität nach der Überführung der Göttin nach Rom (wie das ohne die Präsenz der Göttin möglich war, bleibt offen), c) der Entfernung Pessinus' vom pergamenischen Einflußbereich, wo die pessinuntische Göttin im pergamenischen Megalesion aufbewahrt sein sollte, d) der zwei Festzyklen (März und April, wobei die Einführung der Elemente des Märzritus in die Kaiserzeit fallen), e) des Namens der Göttin, Mater Deum Magna Idaea, scheint es überzeugender, daß die im Jahre 205/4 v. Chr. eingeführte Göttin die Große Mutter vom Berg Ida war, die mit Hilfe von Attalos I. von der Troas nach Rom kam, als den Römern Unkenntnis der neuen Göttin zuzuschreiben.

Mit der Expansion der Römer in Kleinasien kam dann Pessinus in deren Einfluß- und Kontrollbereich; damit wurde die ekstatische, phryg. K. greifbar. Das Wesen der beiden Göttinnen begann sich so zu überschneiden.

2. DER KULT

Die *ludi Megalenses* wurden alljährlich durchgeführt; seit 191 v. Chr. waren szenische Aufführungen dabei. Die Festlichkeiten der *ludi* begannen und endeten mit den urspr. Daten, 4. April (Ankunft) und 10. April (Tempeleinweihung). Der *praetor urbanus* brachte am 4. April ein Opfer im Heiligtum dar (Dion. Hal. ant. 2,19,4), ein → *lectisternium* und Festmahl unter den privaten *sodalitates* eröffnete den Festzyklus. Die *XVviri sacris faciundis* halfen beim Waschen des Kultbildes (Lucan. 1,599). Diese Waschung (*lavatio*) fand im Flüßchen → Almo statt und ist aus Ov. fast. 4,337ff. bekannt. Die Silberstatue mit dem Meteoriten wurde in einem Wagen oder einer Sänfte vom Heiligtum auf dem Palatin der Via Appia entlang zum Almo gebracht, wo – zwischen seiner Kreuzung mit der Via Appia und seiner Mündung in den Tiber – ein kleines Heiligtum gefunden wurde; als ein Wasserbecken vor dem palatinischen Tempel entdeckt wurde, nahm man an, daß die *lavatio* auch urspr. dort stattfand und erst zur Zeit des Augustus zum Almo verlegt wurde [20].

Von den *ludi* im April zu unterscheiden sind die ekstatischen Festlichkeiten der K. und des → Attis; sie fallen in den März. Der Kalender des → Filocalus (→ Chronograph von 354 n. Chr.) führt die folgenden Festtage für März auf: 15.: *canna intrat* (→ *cannophori*, eingeführt zur Zeit des Antoninus Pius oder später [21]), 22.: *arbor intrat* (→ *dendrophori*, eingeführt zur Zeit des Claudius), 24.: *sanguem* (*galli*, eingeführt zur Zeit des Claudius), 25.: *hilaria* (eingeführt nach Antoninus Pius), 26.: *requietio* (eingeführt nach Antoninus Pius), 27.: *lavatio* und *hastiferi* (eingeführt zur Zeit des Claudius), 28.: *initium caiani*. In der *lavatio* (»Waschung«) steht K. wieder im Zentrum (Ov. fast. 4,337–340; Lucan. 1,600; Stat. silv. 5,1,222–224; CIL VI 10098). Die *dendrophori* wurden von den *XVviri* beaufsichtigt (CIL X 3699); sie trugen am 22. März eine mit Blumen geschmückte und in Bandagen eingewickelte Kiefer, die den toten Attis symbolisierte, in der Prozession.

Das Wort *hastiferi* mag analog zu *dendrophori* geprägt worden sein [22]. Diese Speerträger, welche eine Rolle in der *lavatio*-Prozession spielen, gehören höchstwahrscheinlich dem → Ma/Bellona Kult an. → Bellona, die den Titel *dea pedisequa* trägt, ist seit der Reform der Attis-Prozession unter Kaiser Claudius Teil der *lavatio*. Die Collegiumsmitglieder waren wahrscheinlich im weiteren Sinne im öffentl. Leben *pedisequarii* (Kleinbeamte). *Decemviri* und später die *Quindecimviri sacris faciundis* überwachten den Kult. Ein *archigallus*, ein *summus sacerdos* oder eine *sacerdos maxima* (Oberpriester oder Oberpriesterin) konnte einer Kultgruppe vorstehen; diese letzteren wurden von Stadt- oder Munizipalräten oder den *XVviri* ausgewählt. Das → *Taurobolium* (Stieropfer) kann mit ihrer *consecratio* in Zusammenhang gebracht werden. *Curatores* überwachten die tägliche Kultroutine und waren auch administrativ tätig. Einige Heiligtümer hatten zudem einen speziellen Verwalter (*aedituus*). *Apparatores* kümmerten sich um die Kultobjekte. Sänger (*hymnologi*), Flötenspieler (*tibicines*), Tamburin- und Zimbelspielerinnen (*tympanistriae* und *cymbalistriae*) gehörten der Kultgemeinschaft an: einer Kultgemeinschaft anzugehören, heißt jedoch nicht unbedingt, eingeweiht zu sein.

Der Kult der K. hatte einen Initiationsritus, der dem Eingeweihten eine eschatologische Perspektive gegeben haben mag. Die Form der → Mysterien wird mit dem eleusinischen Ritus verglichen [23]. Das Frigianum (Phrygianum) im h. Vatican war der Ort, an dem → Tauro- und Criobolium (→ Kriobolion) stattfand (CIL VI 497–510 30779; ILS 4145, 4147–51, 4153). Ob Stier- und Ziegenopfer mit der phryg. Göttin oder durch eine Verbindung mit Ma/Bellona von Kleinasien in den Westen gelangte, bleibt ungewiß [22. 101–102]. Die früheste Inschr., die ein Taurobolium in It. bezeugt, kommt aus Puteoli und datiert von 134 n. Chr. (CIL X 1596). Das Opfer wurde aber auf Geheiß der Venus Caelestis, nicht der K. ausgeführt; möglicherweise sind die beiden Göttinnen hier identifiziert. Das erste inschr. Zeugnis eines Tauroboliums aus Rom stammt von 295 n. Chr., das letzte aus dem J. 390 n. Chr.; die detaillierte Beschreibung bei Prud. Peristephanon 10,1006–1050 gilt wohl nicht einem Taurobolium [23]. An Tauro- oder Criobolium erinnernde Votivaltäre stammen aus allen Provinzen, vor allem aber aus Spanien, Gallien und Afrika [24. 104–105].

→ Ekstase; Kleinasien, Religion; Magna Mater; Muttergottheiten; Mysterien

1 I. M. DIAKONOFF, On Cybele and Attis in Phrygia and Lydia, in: Acta Antiqua Academiae Scientiarum Hungaricae 25, 1977, 334–340 2 E. LAROCHE, Koubaba, déesse anatolienne, et le problème des origines de Cybèle, in: Eléments orientaux dans la rel. grecque ancienne, 1960, 113–128 3 C. BRIXHE, Le nom de Cybèle, in: Sprache 25, 1979, 40–45 4 L. ZGUSTA, Weiteres zum Namen der K., in: Sprache 28, 1982, 171–172 5 U. KRON, Heilige Steine, in: Kotinos, 1992, 56–70 6 E. LANE, The Name of Cybele's Priests, the Galloi, in: Ders. (Hrsg.), Cybele, Attis and Related Cults, 1996, 117–133 7 G. SANDERS, K. und Attis, in: Die oriental. Rel. im Römerreich, 1981, 264–297 8 F. GRAF, The Arrival of Cybele in the Greek East, in: Actes du VIIᵉ Congrès de la FIEC, 1983, 117–120 9 M. REIN, Phrygian Matar: Emergence of an Iconographical Type, in: E. LANE (Hrsg.), Cybele, Attis and Related Cults, 1996, 223–237 10 E. SIMON, s. v. K., LIMC Suppl., 745 11 E. WILL, Aspects du culte et de la légende de la Grande Mère dans le monde grec, in: Eléments orientaux dans la rel. grecque ancienne, 1960, 95–111 12 M. ALEXANDRESCU VIANU, Sur la diffusion du culte de Cybèle dans le bassin de la Mer Noire à l'époque archaïque, in: Dacia 24, 1980, 261–265 13 M. R. GUSMANI, Der lyd. Name der K., in: Kadmos 8, 1968, 158–161 14 N. ROBERTSON, The Ancient Mother of the Gods, in: E. LANE (Hrsg.), Cybele, Attis and Related Cults, 1996, 239–304 15 A. HENRICHS, Despoina

K.: Ein Beitr. zur rel. Namenkunde, in: HSPh 80, 1976, 253–286 16 T. KÖVES, Zum Empfang der Magna Mater, in: Historia 12, 1963, 321–347 17 LTUR I, s. v. Cybeles Tholus, 338 18 E. GRUEN, The Advent of Magna Mater, in: Ders., Stud. in Greek Culture and Roman Policy, 1990, 5–33 19 S. A. TAKÁCS, Magna Deum Mater Idaea, Cybele, and Catullus' Attis, in: E. LANE (Hrsg.), Cybele, Attis and Related Cults, 1996, 367–386 20 L. RICHARDSON, A New Topographical Dictionary of Ancient Rome, 1992, 5 21 D. FISHWICK, The Cannophori and the March Festival of Magna Mater, in: TAPhA 97, 1966, 193–202 22 Ders., Hastiferi, in: JRS 57, 1967, 142–160 23 G. SFAMENI GASPARRO, Soteriology and Mystic Aspects in the Cult of Cybele and Attis, 1985 24 PH. BORGEAUD, La mère des dieux, 1996 25 M. J. VERMASEREN, Cybele and Attis, 1977.

M. BEARD, The Roman and the Foreign. The Cult of the Great Mother, in: N. THOMAS, C. HUMPHREY (Hrsg.), Shamanism, History and the State, 1994, 164–190 · I. BECHER, Der Kult der Mater Magna in augusteischer Zeit, in: Klio 73, 1991, 157–170 · F. BÖHMER, K. in Rom, in: MDAI(R) 71, 1964, 130–151 · H. GRAILLOT, Le culte de Cybèle Mère des Dieux à Rome et dans l'empire, 1912 · P. LAMBRECHTS, Cybèle, divinité étrangère ou nationale, in: Bulletin de la Société Royale Belge 62, 1951, 44–60 · B. METZGER, A Classified Bibliography of the Graeco-Roman Mystery Religions, in: ANRW II 17.3, 1984, 1280–1294 · G. THOMAS, Magna Mater and Attis, in: ANRW II 17.3, 1984, 1500–1535. S. TA.

Kybisteter s. Unterhaltungskünstler

Kybistra (Κύβιστρα). Stadt in → Kataonia am Ausgang der Straße von den Kilikischen Toren aus dem Tauros, später auch Herakleia gen.; h. Tont Kalesı, 13 km südöstl. von Ereğli; gehörte später zu → Cappadocia II. Seit 325 n. Chr. als Bistum belegt, seit ca. 1060 Erzbistum.

W. RUGE, s. v. K., RE Suppl. 4, 1123 · HILD/RESTLE, 188–190. K. ST.

Kychreus (Κυχρεύς). Schutzheros der Insel Salamis. Sohn des → Poseidon und der Salamis, der Tochter des Asopos (Paus. 1,35,2). Er befreit die Insel → Salamis von einer verheerenden Schlange, macht sie dadurch bewohnbar und wird erster Einwohner und König der Insel. Da er ohne Söhne ist, überträgt er dem aus Aigina flüchtenden → Telamon die Herrschaft und gibt ihm seine Tochter Glauke zur Frau (Apollod. 3,161; Diod. 4,72,7). K. hatte auf der Insel ein Heiligtum (Plut. Solon 9) und wurde kult. als Schutzheros in Schlangengestalt verehrt (Paus. 1,36,1); in Athen erfuhr er gar göttl. Ehren (Plut. Theseus 10). Wie → Kekrops sah man K. als zweigestaltig (*diphyḗs*) – oben Mensch, unten Schlange – und als »erdgeboren« (*gēgenḗs*) an (schol. Lykophr. 110; 451). R. A. MI.

Kydantidai (Κυδαντίδαι). Att. Mesogeia(?)-Demos der Phyle Aigeis, ab 224/3 v. Chr. der Ptolemaïs; stellte einen (zwei) *buleutaí*. Lage ungewiß, vorgeschlagen wurden Vurva [1. 173; 4. 24 ff.], Kato Charvati [2], Mendeli [3].

1 P. Siewert, Die Trittyen Attikas und die Heeresreform des Kleisthenes, 1982 **2** Traill, Attica 15 f., 41, 62, 69, 111 Nr. 79, Tab. 2, 13 **3** J. S. Traill, Demos and Trittys, 1986, 128 mit Anm. 17 **4** E. Vanderpool, The Location of the Attic Deme Erchia, in: BCH 89, 1965, 21–26.   H. Lo.

Kydathenaion

Kydathenaion (Κυδαθήναιον, Κυδαθηναιεῖς). Großer und einziger Asty-Demos der Phyle Pandionis, von 307/6 bis 201 v. Chr. der Antigonis, stellte 11 (12) *buleutaí*; im Zentrum Athens nördl. der Akropolis bis zum Eridanos, westl. bis zur Agora. Für das 5. Jh. v. Chr. sind ein Heiligtum und Thiasoten des Herakles am Eridanos bezeugt. Die Gerbereien ebd. (IG II² 1556, 33 ff.; 1576, 5 ff.; SEG 18, 36 B9) hält Lind [1] für die Ursache der Feindschaft des → Aristophanes [3] gegen den Gerbereibesitzer Kleon; beide stammen aus K. (Aristoph. Vesp. 895 mit schol. 902; Aristoph. Equ. 1023). Zum *hierón* der Herakliden [2. 204]. Aischin. 1,114 f.; zwei Demendekrete: Agora 16 Nr. 54 [2. 383].

1 H. Lind, Neues aus Kydathen, in: MH 42, 1985, 249–261 **2** Whitehead, Index s. v. K.

W. Judeich, Die Top. von Athen, ²1931, 172 • Traill, Attica 8, 17, 42, 67, 111 Nr. 80, Tab. 3, 11 • J. S. Traill, Demos and Trittys, 1986, 31, 33, 38, 40 f., 45 f., 129.   H. Lo.

Kydias

Kydias (Κυδίας).
[1] Erotischer Dichter, zitiert von Plat. Charm. 155d, erwähnt von Plut. mor. 931e. Er war in Athen offensichtlich beliebt, da er als Komast auf einer rf. Schale (München 2614) sowie auf einem Psykter (London, BM E767) von ca. 500 v. Chr. [1. 12–13] abgebildet ist. Vielleicht ist er identisch mit Kydidas von Hermione, den schol. Aristoph. Nub. 967 [2. 215] nennt. Möglicherweise (eher unwahrscheinlich) handelt es sich um den Dithyrambendichter Kedeides/Kekeides, den Aristoph. Nub. 985 (mit schol.) erwähnt [3].

1 K. Friis Johansen, Eine Dithyrambos-Aufführung, in: Arkaeologisk Kunsthistoriske Meddelelser. Kongelige Danske Videnskabernes Selskab 4 Nr. 2, 1959 **2** K. J. Dover, Aristophanes Clouds, 1968 **3** Kroll, s. v. Kedeides, RE 11, 109 f.

PMG 714–715, 948 • Pickard-Cambridge/Webster 30.   E. R./Ü: L. S.

[2] Att. Redner des 4. Jh. v. Chr., nur bekannt durch eine Erwähnung bei Aristot. rhet. 1384b 32–44: Er sprach sich – wohl unter Berufung auf den föderativen Charakter des zweiten Attisch-Delischen Seebundes – gegen die Errichtung einer att. Kleruchie auf Samos und damit gegen eine Erneuerung des athenischen Imperialismus des 5. Jh. aus. Wahrscheinlich geschah dies im J. 365, als der att. Stratege Timotheos die Insel erobert hatte und zum erstenmal die Kleruchie-Frage in Athen debattiert wurde (vgl. Diod. 18,18,9).   M. W.

[3] Maler aus Kythnos, wirkte um die Mitte des 4. Jh. v. Chr., Zeitgenosse → Euphranors [1]. Einziges lit. bezeugtes Werk (Plin. nat. 35,130) ist ein vom Redner Q.

→ Hortensius [7] Hortalus für seine Villa in Tusculum teuer erstandenes Argonautenbild, das in einem bes. Raum angebracht wurde, Beweis für das Prestige griech. Kunst beim röm. Adel des 1. Jh. v. Chr. Der Forsch. gilt das Werk als Vorbild für den gravierten Argonautenfries auf der brn. »Cista Ficoronica«, einer bes. qualitätvollen → Praenestiner Ciste röm. Ursprungs. K. entwickelte außerdem einen Ersatzfarbstoff für Mennige aus gebranntem Ocker.

R. Blatter, s. v. Argonautai, LIMC 2, 591 ff., Nr. 10 • K. Schefold, F. Jung, Die Sage von den Argonauten, von Theben und Troja in der klass. und hell. Kunst, 1989, 29 f.   N. H.

[4] Herophileischer Arzt aus hell. Zeit, dessen in einem Komm. oder in einem speziellen lexikographischen Werk niedergelegte Ansichten über hippokratische Begrifflichkeit von Lysimachos von Kos in 3 B. kritisiert wurden (Erotianos, praef.; 5 Nachmanson). K.' Interesse an Hippokrates war charakteristisch für die Schule des → Herophilos.   V. N./Ü: L. v. R.-B.

Kydippe

Kydippe (Κυδίππη, lat. Cydippe).
[1] Nach Xenomedes (FGrH 442 T 2; F 1) erzählt Kallimachos (fr. 67–75), wie Akontios der K. durch eine Aufschrift auf einem Apfel (einer Quitte: Aristain. 1,10,26; zum Apfelwurfmotiv [1]) den Schwur entlockt, ihn zu heiraten. Fehlschlagende Versuche des Vaters Keyx, K. anderweitig zu verheiraten, führen zur Empfehlung des delph. Orakels, Akontios zum Schwiegersohn zu nehmen. Mit der Verbindung wird das Geschlecht der Akontiaden in Iulis begründet (genealogisches Aition). Eine Parallele der Gesch. findet sich bei Nikandros (→ Hermochares), Anspielungen insbes. bei augusteischen Dichtern (zu Vergil [2; 3], Properz [4]), Bearbeitungen durch Ov. epist. 20–21 und Aristain. 1,10.

[2] Nach Anth. Pal. 3,18,2 und Dion Chrys. 64,6 argiv. Priesterin der Hera (namenlos: Hdt. 1,31; Plut. mor. 108ef u. ö.), Mutter von → Kleobis und Biton. Zur Ikonographie s. [6].

[3] Tochter des Ochimos und der Hegetoria, Gattin des Kerkaphos (→ Heliadai), Mutter der Eponymoi von Lindos, Ialysos und Kameiros (Strab. 14,2,8), auch Kyrbía (Zenon FGrH 523 F 1) oder Lysíppe (Eust. 315,28) genannt. Zu einem Gemälde s. [7].

1 J. Trumpf, Kydonische Äpfel, in: Hermes 88, 1960, 14–22 **2** E. J. Kenney, Virgil and the Elegiac Sensibility, in: Illinois Classical Studies 8, 1983, 44–59 **3** G. Tissol, An Allusion to Callimachus' Aetia 3 in Vergil's Aeneid 11, in: HSPh 94, 1992, 263–68 **4** F. Cairns, Propertius 1,18 and Callimachus, Acontius and Cydippe, in: CR 19, 1969, 131–34 **5** H. Bopp, Inscia capta puella. Akontios und K. bei Kallimachos und Ovid, Diss. Münster 1966 **6** P. E. Arias, s. v. Biton et Kleobis, LIMC 3.1, 119–20; 2, 95–96, bes. Abb. 6 **7** A. Mantis, s. v. K. (1) I, LIMC 8.1, 766 **8** H. Meyer, s. v. Kyrbia, RE 12, 136–37 **9** G. Weicker, s. v. Ialysos (1), RE 9, 628–29.   T. H.

Kydnos (Κύδνος). Neben Pyramos und Saros der dritte große Fluß der Kilikia Pedias. Er bildete vor seiner Mündung die Ῥῆγμα (*Rhễgma*, »Kluft«) gen. Lagune, die als Hafen von → Tarsos diente, und floß urspr. durch Tarsos, bevor er nach einer Überschwemmung von Iustinianus I. östl. um die Stadt geleitet wurde (Prok. aed. 5,5,17). Nach einem Bad in seinem kalten Wasser (eindrucksvolle Wasserfälle nördl. von Tarsos) erkrankte Alexander d. Gr. schwer (Arr. an. 2,4,7). Im MA wurde der K. von den Arabern (wie der Fluß von Damaskos) Nahr al-Baradān gen; h. Tarsus Çayı (Irmağı).

HILD/HELLENKEMPER, 327 f., 391. F.H.

Kydonia (Κυδωνία). Stadt im NW von Kreta, h. Chania, nach Strab. 10,4,7 die drittgrößte Stadt der Insel (vgl. Flor. 1,42,4). Ihre Gründung wird legendär zurückgeführt auf → Minos und seinen Sohn Kydon (Diod. 5,78,2; Paus. 8,53,4). Die Stadt war schon in min. Zeit von Bed. (arch. Indikatoren für Handelsbeziehungen zu Thebai; Siedlungsfunde im h. Chania und Bergsiedlung auf dem Gipfel des Debla südwestl. davon). Von Polykrates vertriebene Samier ließen sich nach 524 v. Chr. in K. nieder und wurden ihrerseits von mil. Kontingenten aus Aigina vertrieben (Hdt. 3,44; 59; Strab. 8,6,16). Das seitdem dor. geprägte K. wurde 429 v. Chr. nach innerkret. Intrigen Objekt der Verwüstung durch eine athen. Flotte (Thuk. 2,85,5 f.). 342 v. Chr. Belagerung von K. durch den Kondottiere Phalaikos (Diod. 16,63,2 ff.; Paus. 10,2,7). Im frühen 3. Jh. v. Chr. ist ein Bündnis mit Aptara belegt [1. Nr. 2]. Um 220 v. Chr. fiel K. zusammen mit anderen kret. Städten von Knosos und Gortyn ab (Pol. 4,55,4). Um 180 v. Chr. schloß K. einen später verletzten Isopolitie-Vertrag mit Apollonia (Pol. 28,14; Diod. 30,13). Im Rahmen des 2. Mithradatischen Kriegs ließ M. Antonius [I 8] eine Strafaktion gegen K. und andere kret. Städte durchführen (App. Sic. 6). 69 v. Chr. Einnahme der Stadt durch Caecilius [I 23]. Wegen des Widerstands gegen Antonius [I 9] erhielt K. 30 v. Chr. von dessen Widersacher, dem nachmaligen Augustus, die Autonomie. Arch.: kaum Reste aus hell. und röm. Zeit; einige Wohnhäuser mit Mosaiken aus röm. Zeit deuten auf privaten Wohlstand hin.

1 A. CHANIOTIS, Die Verträge zw. kret. Poleis in der hell. Zeit, 1996. • H. VAN EFFENTERRE, La Crète et le monde grec de Platon à Polybe, 1948 • R. SCHEER, s. v. Chania, in: LAUFFER, Griechenland, 167 f. • I. F. SANDERS, Roman Crete, 1982, 169 f. H. SO.

Kykladen (Κυκλάδες νῆσοι, lat. *Cyclades*, »Ringinseln«). Nach h. Bezeichnung die gesamte mehr als 200 Inseln umfassende Gruppe der südl. Ägäis zw. dem griech. Festland und dem kret. Meer mit Ausnahme der Inseln vor der kleinasiat. Westküste, was im wesentlichen mit der urspr. ant. Vorstellung übereinstimmt (Hdt. 5,30). Thukydides (1,4; 2,9,4) rechnet Melos und Thera dazu, Skylax (48; 58) Thera, Anaphe und Astypalaia und nimmt nur Ios und Amorgos mit Ikaros aus.

Geologisch sind die K. die Fortsetzung der Gebirge von Euboia und Attika und bestehen aus den gleichen kristallinen Gesteinen, die auf einem großen unterseeischen Plateau aufsitzen. Nur die südöstl. Inseln gehören einem jüngeren Faltungssystem an und bestehen aus Schiefern und Kalk. Melos, Thera und ihre Nachbarinseln sind vulkanischen Ursprungs.

Die übliche ant. Charakterisierung der K. als der ›im Kreis (um Delos) liegenden‹ Inseln (Dion. Per. 525 f.) ist wohl erst spät entstanden und trifft auch nicht zu. Strabon (10,1,3) gibt die Begründung des Artemidoros wieder, der auf die ›zum delischen Fest beitragenden (ion.) Inseln‹ verweist; dazu stimmt die Inselliste des Artemidoros selbst nicht, wogegen Strabon mit Recht polemisiert. Diese Erklärung des Artemidoros hatte zur Folge, daß die hell. Geographen die mehr im Süden gelegenen Inseln unter dem den älteren Autoren unbekannten Namen *Sporádes*, »die Verstreuten«, zusammenfaßten; dabei war man sich nicht darüber einig, welche Inseln dazu gehörten. Hauptstellen: Strab. 2,5,21; 10,4,1; 10,5,1–12; Dionysios Kalliphontos 130 ff.; Ptol. 3,14,23 f.; Plin. nat. 4,22 f.; Eust. in Dion. Per. 525; 532.

Die K. besaßen als Brücke zw. dem griech. Festland und Kleinasien und nach Kreta für den ant. Schiffsverkehr große Bed. Die größeren Inseln waren seit der jüngeren Steinzeit besiedelt. Auch viele der kleineren weisen frühe Siedlungsspuren auf, wie die neolith. Siedlung auf der Insel Salagon bei Paros. In der Brz. bildeten die Inseln einen Kulturkreis (»Kykladenkultur«), der unter kleinasiat., kret. und myk. Einfluß stand [1. 13 ff., 80 ff.; 134 ff.; 2; 3]. Nach der → Dorischen Wanderung war der größere Teil der K. ion., der südl. dor., doch war nach Thukydides (1,8,1) und Isokrates (or. 12,43) die ältere vorgriech. Bevölkerung noch erkennbar. In der archa. Zeit war Naxos führend. Im 5. Jh. v. Chr. gehörten die Inselstaaten zum → Attisch-Delischen Seebund, im 4. Jh. standen sie zunächst unter spartanischer Herrschaft, dann waren sie Mitglied im 2. → Attischen Seebund bis zum Austritt der meisten Inseln während des Bundesgenossenkriegs (357–355). In hell. Zeit bildeten die K. den unter wechselndem ptolem. bzw. maked. Einfluß stehenden »Bund der *Nēsiótai*«. Inschr.: IG XII 5,1 f. Suppl. Nr. 167–329; p. 212–217.

→ Ägäische Koine; Minoische Archäologie; Minoische Religion

1 D. FIMMEN, Die kret.-myk. Kultur, 1924 2 F. SCHACHERMEYR, s. v. Prähist. Kulturen, RE 22, 1398 ff. 3 K. SCHOLES, The Cyclades in the Later Bronze Age, in: ABSA 51, 1956, 9–40.

O. MAULL, L. BÜRCHNER, s. v. K., RE 11, 2308 ff. • PHILIPPSON/KIRSTEN 4, 61 ff. • R. L. N. BARBER, The Cyclades in the Middle Bronze Age, in: CHR. DOUMAS, P. WARREN (Hrsg.), Thera and the Aegean World, 1978, 367–380 • CH. DOUMAS, Notes on Early Cycladic Architecture, in: AA 1972, 151–170 • F. J. FROST, Here and There in the Cyclades, in: The Ancient World 4, 3/4, 1986, 97–114 • W. KÖNIG, Der Bund der Nesioten, Diss. Halle

1910 · G. Reger, The Political History of the Kyklades. 260–200 B. C., in: Historia 43, 1994, 32–69.

E. Mey. u. H. Kal.

Kykliadas (Κυκλιάδας). Achaier, Bundesstratege 209 und 200 v. Chr., unterstützte als Exponent der makedonenfreundl. Richtung → Philippos V. im J. 209 gegen Elis (Liv. 27,31,10), wies aber dessen Hilfsangebot gegen → Nabis 200 geschickt zurück (Liv. 31,25,3; 9f.; [1. 165–168]). Nach der romfreundl. Wende verbannt (Liv. 32,19,2; [2. 40f.]), stand K. dem König zur Verfügung als Gesandter zu T. → Quinctius Flamininus in Nikaia (198) (Pol. 18,1,2; Liv. 32,32,10) und nach der Niederlage von Kynoskephalai (197) (Pol. 18,34,4).

1 H. Nottmeyer, Polybios und das Ende des Achaierbundes, 1995 2 J. Deininger, Der polit. Widerstand gegen Rom in Griechenland, 1971.　　　　L.-M. G.

Kykloi (κύκλοι, lat. *cycli*). Die elf Himmelskreise (vgl. Eudoxos fr. 62–69; Arat. 469–558; Geminus Astronomicus 5; Hyg. astr. 4,1–10; Manil. 1,561–804; Achilleus Astronomus, Isagoge 22–27), die nach verschiedenen Gesichtspunkten eingeteilt werden. Der einzig sichtbare »Kreis« ist die »schiefe« → Milchstraße, alle anderen sind unsichtbar und wohl mnemotechnischen Ursprungs. Parallel zum Himmelsäquator verlaufen jeweils der nördl. und südl. Wende- und Polarkreis. Diese fünf Par.-Kreise spiegeln sich auf der Erde wider und begrenzen ihre fünf → Zonen. Der »schiefe« Tierkreis (→ Ekliptik) schneidet den Äquator an den Äquinoktien und wird im Norden und Süden von den Wendekreisen begrenzt (→ Jahreszeiten). Senkrecht auf dem Tierkreis stehen die beiden Kolure(n) (»verstümmelte«, weil die südl. Himmelskalotte unsichtbar war), welche die vier Jahrpunkte mit den beiden Polen verbinden: der Äquinoktial- und der Solstitialkolur. Die bisher gen. neun Kreise sind auf der beweglich gedachten Himmelshohlkugel fest (*immoti*), während die beiden übrigen, Horizont und Meridian, »beweglich« sind (*volucres*). Umgekehrt sind vom Beobachter aus gesehen bzw. im Gestell des Globus die ersten neun beweglich (κινούμενοι), die letzten beiden unbeweglich (ἀκίνητοι). »Große« K. sind diejenigen, die den Mittelpunkt des Kosmos, die Erde, zum Zentrum haben und folglich den vollen Umfang der Himmelskugel ausfüllen: die sieben K. außer den Wende- und Polarkreisen.

A. Rehm, s. v. K., RE 11,2321–2328.　　　　W. H.

Kyklopen (griech. Κύκλωπες, Sg. Κύκλωψ, lat. Cyclopes, Sg. Cyclops; Etym. s. u.). Mit K. werden etwa 18 Gruppen oder Einzelfiguren des griech. Mythos bezeichnet, die nicht nur in Abstammung und Lokalisation, sondern auch in äußerer Gestalt und Eigenschaften differieren. Schon in der Ant., zuerst bei Hellanikos (FGrH 4 F 88), wurde eine Systematisierung unternommen und versucht, sie auf einen einzigen Vorfahren, Kyklops, Sohn des → Uranos und/oder des Königs von Thrakien (schol. Eur. Or. 965), zurückzuführen.

Man unterschied insbes.: 1. die K., die → Mykenai befestigten (Pind. fr. 169 A 7 S.-M.; Pherekydes FGrH 3 F 12; Paus. 2,16,5f.). Man griff zu dieser myth. Erklärung, als die Bautechnik derart großer Befestigungsanlagen verlorengegangen war. 2. die K., die in der Lit. v. a. als Kulisse für den individuellen K. → Polyphemos (→ Galateia [1]) auftreten (Hom. Od. 9,10ff.). 3. die drei Söhne des → Uranos und der → Gaia: Brontes, Steropes und Arges/Pyragmon (Apollod. 1,1ff; Hes. theog. 139ff; Verg. Aen. 8,416–453), die vom Vater (oder anderen) in den → Tartaros eingesperrt, von Zeus jedoch wieder befreit werden. Sie verleihen diesem Blitz und Donner, dem Pluto einen Helm, dem Poseidon einen Dreizack (Hes. theog. 501–506). Diese K. sind in späteren Versionen als Waffenschmiede und Gehilfen des → Hephaistos/Vulcanus (Orph. fr. 179) bekannt, die z. B. die Schilde des → Achilleus [1] und → Aineias [1] herstellen und ihren Wohnsitz unter dem Ätna (Verg. georg. 4,170ff) haben. Kallimachos ist der erste, der sie explizit in die Werkstatt des Hephaistos versetzt (Kall. h. 3,46–85). Die riesenhaften K. zeichnen sich entweder durch eine bestimmte runde Augenform (*kýklōps*, »rundäugig«) oder ein Einzelauge auf der Stirn aus (Hes. theog. 144–145).

→ Polyphemos

C. Calame, La légende du Cyclope dans le folklore européen et extra-européen. Un jeu de transformations narratives, in: Études de lettres 10, 1977, 45–79 · S. Eitrem, s. v. K., RE 11, 2328–2347 · H. Mondi, The Homeric Cyclopes, in: TAPhA 113, 1983, 17–38 · O. Touchefeu-Meynier, s. v. K., LIMC 6.1, 154–159.

C. W.

Kyknos (Κύκνος, lat. Cygnus; »Schwan«). Name mehrerer Heroen, deren Tertium Bezug zu Schwänen ist. Unter diesen sind die wichtigsten:
[1] Sohn des → Ares und der Pelopia (Apollod. 2,5,11: der Pyrene), König von Amphanai, Gatte der Themistonoe. K. raubt im Hain des Apollon im thessal. Pagasai nach Delphi reisende Pilger aus und fordert sie zum Wagenrennen auf, das er immer gewinnt (ausführliche Erzählung [Hes.] scut. 57ff.). Er tötet die Verlierer und schmückt mit ihren Schädeln den Tempel seines Vaters (Stesich. K., PMGF fr. 207 Davies). Apollon stiftet → Herakles an, mit K. zu kämpfen, damit die Pilger unbeschadet nach Delphi gelangen. Mit Hilfe seines Wagenlenkers Iolaos und der Athene siegt Herakles und verwundet sogar K.' Vater Ares, der mit ihm um den Leichnam kämpft, bis Zeus sie mit einem Blitz trennt (Hyg. fab. 31,3). K. wird von seinem Schwiegervater → Keyx bestattet, aber das Grab wird auf Befehl Apollons vom Fluß Anauros weggeschwemmt.
[2] Sohn des → Poseidon und der Nymphe → Kalyke. Fischer finden das ausgesetzte Kind am Strand von Schwänen umkreist. K. regiert in Kolonai auf Tenedos, er heiratet Prokleia, die ihm Tennes und Hemithea gebiert (Apollod. epit. 3,24ff.; Diod. 5,83). K. ist ein thrakischer, unverwundbarer Verbündeter des → Priamos,

der bei der Landung der Griechen → Achilleus angreift und von diesem erwürgt wird. Er schreit dabei auf, wie die Schwäne in ihrer Sterbestunde.

[3] Sohn des Sthenelos, König von Liguria. K. trauert so heftig um den Freund und Verwandten → Phaethon, daß er von Zeus in einen Schwan am Ufer des Eridanos verwandelt wird (Ov. met. 2,367ff.; Verg. Aen. 10,189ff.; Paus. 1,30,3: Musiker, der von Apollon in einen Schwan verwandelt wird; Hyg. fab. 154).   C.W.

[4] s. Sternbilder

Kylakes. Richtiger vielleicht Gylakes (armen. *Głak*), armen. Eunuch und »Oberkammerherr« (*Hajr mardpet*). Nachdem K. vorübergehend auf die pers. Seite gewechselt war, versuchte er seit 368 n.Chr. zusammen mit dem »Reichsverweser« (*hazarapet*) → Artabannes [1], die Interessen des jugendl. Königs → Pap zu schützen und die Macht von Hochadel und Kirche einzuschränken. Um 370 bewog Sapor II. Pap durch heimliche Botschaften, seine Minister ermorden und ihm ihre Köpfe übersenden zu lassen (Amm. 27,12; 30,1,3).

J. MARKWART, Südarmenien und die Tigrisquellen, 1930, 68*–70*; 154–157.   M.SCH.

Kylix (ἡ κύλιξ). Allg. ant. Bez. für Weinkelch; inschr. benannt sind sowohl Kelche und → Skyphoi wie flache Trinkschalen; t.t. ist K. h. nur für letztere. Die getöpferte Schale mit hohem Fuß und zwei Horizontalhenkeln entstand im 6. Jh. v.Chr., wohl nach lakon. Vorbildern. Sie ließ sich bes. gut im Liegen handhaben und folgt nicht zufällig der Verbreitung oriental. Gelagesitten. Vorformen des 8. und 7. Jh. mit niedrigem Fuß sind att. spätgeom. Tierfriesschalen sowie ostion. früharcha. Kelche und »Vogelschalen«. In Athen entstanden im früheren 6. Jh. → Komasten- und → Siana-Schalen, später, wie auch in Ionien, die → Kleinmeisterschalen, nach 550 v.Chr. die Typen A, B und C mit flacherem Becken (→ Gefäßformen Abb. D 1–4). Typus B entwickelte sich zu beträchtlicher Größe mit reichem Bilderschmuck, er repräsentiert die Blütezeit der att. rf. Töpferei (Kachrylion, → Euphronios [2], → Python, Hieron). Die Größe der im Symposion verwendeten K. überschritt selten einen Dm von 25 cm (Typus C; jüngere K. auf niedrigem Fuß). Im 4. Jh. v.Chr. exportierte Athen rf. Schalen nach Etrurien, ansonsten wurden sie allmählich durch kleinere Trinkgefäße abgelöst.

H. BLOESCH, Formen att. Schalen von Exekias bis zum Ende des strengen Stils, 1940 • F. BROMMER, K., in: AA 1967, 546 • B. A. SPARKES, L. TALCOTT, Black and Plain Pottery (Agora 12), 1970, 5–6, 88–105 • B. BORELL, Att. geometr. Schalen, 1978 • K. VIERNEISEL, B. KAESER (Hrsg.), Kunst der Schale – Kultur des Trinkens, 1990 • H. A. G. BRIJDER, Attic Black Figure Drinking Cups. CVA Amsterdam 2, 1996.   I.S.

Kyllene (Κυλλήνη).

[1] Das nördlichste Gebirge in Arkadia im Grenzbereich nach Achaia, das zweithöchste (Ziria, 2374 m) der Peloponnesos, ein nach allen Seiten von den umgebenden Gebirgszügen abgesetzter Kalksteinrücken. Den ant. Autoren galt die K. als das höchste Gebirge auf der Peloponnesos (Strab. 8,8,1; Paus. 8,17,1). Die K. war dem → Hermes Kyllenios heilig. Er soll hier in einer Höhle geboren worden sein und Taten wie die Erfindung des Saitenspiels vollbracht haben (Hom. h. 3; Pind. O. 6,77f.). Die Höhle mit Inschr. wurde unterhalb des westl. Hauptgipfels gefunden [1], einen Tempel auf dem Gipfel bezeugt Paus. a.O. Vgl. auch Hom. Il. 2,602.

1 E. PIESKE, s.v. K. (2), RE 11, 2454–2458.   E. MEY. u. E. O.

[2] Hafenstadt an der elischen Küste nordöstl. vom h. Kap Killini (ehedem Glarentza) mit vielen Funden vom MH bis zur röm. Zeit. Als Hafen der Stadt Elis schon bei Hom. Il. 15,518 gen., spielte K. u.a. im Peloponnesischen Krieg eine Rolle; im 3. Jh. v.Chr. war K. befestigt. Belege: Pol. 5,3,1; Strab. 8,3,4; 10; Paus. 6,26,4f.; 8,5,8; Plin. nat. 4,13; Ptol. 3,16,6; Tab. Peut. 7,4.

R. BALADIÉ, Le Péloponnèse de Strabon, 1980, 63 f. • F. CARINCI, s.v. Elide (1), EAA², 446 • J. SERVAIS, Recherches sur le port de Cyllène, in: BCH 85, 1961, 123–161.   Y.L.

Kyllenios (Κυλλήνιος). Verf. zweier epideiktischer Epigramme, die thematische und stilistische Affinität zum »Kranz« des Philippos aufweisen, sich jedoch nicht mit Gewißheit darauf zurückführen lassen. In Anth. Pal. 9,4 rühmt ein wilder Birnbaum in elaborierter Sprache mit entlegenen Wörtern denjenigen, der ihn durch einen Pfropfreis fruchtbar gemacht hat; bei Anth. Pal. 9,33 handelt es sich um ein glänzendes Distichon über ein Schiff, das Schiffbruch erlitt, noch bevor es fertiggestellt war (eine Variation ist 9,35, das von Planudes demselben K., von der Hs. P jedoch → Antiphilos [3] zugeschrieben wird).

FGE 34–36.   M. G. A./Ü: T. H.

Kylon (Κύλων).

[1] Athen. Adliger, Schwiegersohn des → Theagenes von Megara, siegte 640 v.Chr. in Olympia. K. und seine *hetaireía* (→ *hetairía* [2]) besetzten um 632 die Akropolis in Athen, um dort eine → Tyrannis zu errichten – möglicherweise mit Unterstützung aus Megara. K. gelang es nicht, die Bevölkerung für sich zu mobilisieren. Ein Aufgebot der Bürgerschaft belagerte zunächst die Putschisten und überließ es dann den Oberbeamten, gewaltsam gegen diese vorzugehen. K. konnte wohl fliehen. K.s Anhänger, die am Altar der Athena Polias Schutz gesucht hatten, wurden unter Mißachtung des Asylrechtes im Heiligtum getötet (Hdt. 5,70f.; Thuk. 1,126; Plut. Solon 12). Als verantwortlich für diesen Frevel galt später der Archon (→ *archóntes*) Megakles, dessen Familie, die → Alkmaionidai, dafür verflucht, mit der Verbannung bestraft und bis in die Zeit des → Perikles immer wieder polit. verfolgt wurde. Der Coup des K. und seine blutige Niederschlagung war möglicherweise einer der Anlässe für die Fixierung des Blutrechts durch → Drakon [2] wenige J. später.

A. Andrewes, in: CAH 3.1, 368–370 • Rhodes, 79 ff. •
Traill, PPA 588685 • K.-W. Welwei, Athen, 1992,
133 ff. E. S.-H.

[2] Reicher Aristokrat aus Kroton, der in den pythagoreischen Geheimbund aufgenommen werden wollte,
von → Pythagoras jedoch abgewiesen wurde (nach
Porph. Vita Pythagorica 54 aufgrund einer physiogno-
mischen Musterung); schwer gekränkt, soll K. ein
Komplott gegen Pythagoras angezettelt haben, was diesen zur Auswanderung nach Metapont veranlaßt habe
(Aristox. fr. 18 Wehrli = Iambl. v. P. 248 f.; vgl. Aristot.
Περὶ τῶν Πυθαγορείων fr. 1 Ross = 171 Gigon; Porph.
Vita Pythagorica 55 f.; Diod. 10,11,1). Das Komplott ist
wohl vom polit. motivierten antipythagoreischen Aufstand um 450 bzw. zw. 440 und 415 v. Chr. zu unterscheiden, den die verworrene Überlieferung ebenfalls
häufig mit Kylon in Zusammenhang bringt (→ Pythagoreische Schule). C. RI.

Kymation. Sammelbegriff für ein streifen- bzw. band-
förmiges → Ornament, das in allen ant. bildnerischen
Medien, v. a. in der Relief- bzw. → Bauplastik, der
→ Malerei/Vasenmalerei und der → Toreutik begegnet.
Die Forsch. unterscheidet das aus einem Doppelband

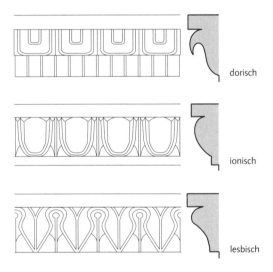

dorisch

ionisch

lesbisch

Kymation. Aufsicht mit Ornament und Profilansicht.

orthogonaler, dem → Mäander nicht unähnlicher Elemente bestehende dor. K., das ion. K. mit seiner Abfolge von Ei und Zwischenspitzen (→ Eierstab) sowie
das lesb. K. mit seinen herzförmigen, von lanzettenhaf-
ten Zwischenspitzen getrennten Blättern; bes. ion. und
lesb. K. erscheinen als Architekturornamente seit dem
späten 5. Jh. v. Chr. zunehmend häufig auch in überein-
andergeschichteter Kombination.

H. v. Hesberg, Bauornament als kulturelle Leitform, in:
W. Trillmich (Hrsg.), Stadtbild und Ideologie, 1990,
341–362 • W. Müller-Wiener, Griech. Bauwesen in der
Ant., 1988, 217 s. v. K. • S. Pütz, Unt. zur kaiserzeitl.

Bauornamentik von Didyma, 35. Beih. MDAI(Ist), 1989 •
F. Rumscheid, Unt. zur kleinasiatischen Bauornamentik
des Hell., 1994. C. Hö.

Kymbe s. Schiffahrt

Kyme (Κύμη).
[1] K. auf → Euboia. Die genaue Lage der ant. Ortschaft
ist nicht bekannt; sie ist in der Nähe des h. Ortes K.,
volkstümlich Kumi, an der Ostküste von Euboia zu suchen, evtl. etwa 5 km nördl. beim Kloster Sotiros
(17. Jh.), wo sich auch eine venezianische Festung befindet. Neuerdings wurden bei Murteri südl. von K. die
Reste einer FH Siedlung aufgefunden, deren Bewohner
schon über die Ägäis hinweg Handel betrieben. Umstritten ist, ob K. eine Tochterstadt von K. [3] in Kleinasien war, ebenso ob K. zusammen mit Chalkis die Mutterstadt von K. [2] war.

H. v. Geisau, s. v. K., RE 11, 2474 f. • F. Geyer, Top. und
Gesch. der Insel Euboia 1, 1903, 79 ff. • E. Freund, s. v. K.,
in: Lauffer, Griechenland, 359 f. • J. G. Milne, The Mint
of K. in the Third Century, in: NC 20, 1940, 129–137 •
G. Petzl, H. W. Pleket, Ein hell. Ehrendekret aus K., in:
Chiron 9, 1979, 73–81 • Philippson/Kirsten 1, 618 f. •
A. Salac u. a., The Results of the Czechoslovak
Expedition. K. 2, 1980 • A. Sampson, Εὐβοϊκὴ Κύμη 1,
1981. H. Kal.

[2] (lat. *Cumae*). Stadt in den → Campi Phlegraei, h. im
Norden vom Capo Miseno, voll myth. Bezüge, da die
Überl. den → Lacus Avernus und den Acheron [2] hier
ansiedelt; so seien hier die → Giganten nach ihrer Niederlage von den Göttern begraben worden (Timaios
FGrH 566 F 89; → Gigantomachie); Sitz der → Sibylle
von Cumae. Diese Kolonie wurde Mitte 8. Jh. v. Chr.
von Chalkis/Euboia und Kyme/Aitolia unter den *oiki-
staí* Megasthenes und Hippokles als griech. Vorposten
im Handelsverkehr mit Etruria gegr. K. beherrschte den
Golf von Neapel (von Misenum bis Capri). Im Konflikt
mit den Etrusci gewann K. 524 v. Chr. die Oberhand.
Zw. E. 6. und Anf. 5. Jh. stand K. unter dem Tyrannen
→ Aristodemos [5]. 474 v. Chr. fand bei K. die Seeschlacht zw. Griechen und Etrusci statt. Mit dem Aufstieg von Syrakusai verlor K. die angestammte Rolle der
griech. Interessenvertretung im Westen. 421 v. Chr.
wurde K. von den Samnites erobert. Während der
→ Samnitenkriege trat K. für Rom ein; 338 v. Chr. *civitas sine suffragio*. Ein intensiver Romanisierungsprozeß
begann, der im 1. Jh. v. Chr. im Bau des Hafens von
Misenum gipfelte. Seit dem 2. Jh. n. Chr. bahnte sich
der Niedergang an, durch stete Strandverschiebung
(Bradyseismos) verstärkt. In der Spätant. lebte K. als *castrum* fort.
Arch.: Ausgrabungen seit dem 18. Jh. bis 1910 aus-
schließlich in privater Initiative (bes. E. Stevens in den
Nekropolen); seither Forsch. auf der Akropolis, auf dem
Forum, in der Krypta des Berges Cuma (anfänglich als
Höhle der → Sibylle angesehen) und in der »Grotte der
Sibylle« (Gabrici und Maiuri). Ein ins 6. Jh. v. Chr.

datierbarer Mauerring, orthogonal angelegte Siedlungs-
bezirke in der unteren Stadt. Ein Tempel des Apollon
(Inschr. in osk. Sprache); Umgestaltung in augusteischer
Zeit und spätere Umwandlung in eine frühchristl. Basilika. Zwei dem Iuppiter geweihte Tempel: einer auf
der Akropolis (Mitte 5. Jh. v. Chr.), ein anderer (3. Jh.
v. Chr.) auf dem Forum, im 2. Jh. v. Chr. in ein Capitolium umgewandelt. Unsicher bleibt die Identifizierung eines Tempels mit Porticus im Süden des Forums
(frühe Kaiserzeit). Bedeutsam war das Apollon-Orakel
der Sibylle mit seinen Bindungen zur Unterwelt. Mit
diesem scheint sich ein durch eine Inschr. aus dem 7. Jh.
v. Chr. bezeugter Kult der Hera Regina zu verbinden
(Phlegon von Tralleis FGrH 257 F 36). Für das 5. Jh.
v. Chr. ist in K. eine orphische Schule (→ Orphik) bekannt. Enge Beziehungen zw. K. und dem archa. Rom
sind bezeugt durch die Einführung des Alphabets, die
Sibyllinischen Bücher und evtl. den Kult der Iuno Regina in Rom.

H. COMFORT, s. v. Cumae, PE, 250–252 · E. GABRICI,
Cuma, in: Monumenti antichi, pubblicati dall'Accademia
dei Lincei 22, 1913 · A. MAIURI, I Campi Flegrei, ³1958 ·
I Campi Flegrei nell'archeologia e nella storia, Atti del
Convegno dei Lincei, Roma 1976, 1977 · Il destino della
Sibilla (Atti del convegno 1985), 1986 · BTCGI 7, 7–42 ·
G. CAMASSA, I culti delle poleis italiote, in: Storia del
Mezzogiorno 1, 1991, 423–430.   A. MU./Ü: J. W. M.

[3] (lat. *Cyme*). Stadt der → Aiolis [2] an einer südl. Ne-
benbucht des Elaïtischen Golfs (dem h. Çandarlı körfezi) an der Stelle von Namurt limanı. Vorgriech. ON (?
Strab. 11,5,4; 12,13,21). Von Aioleis (Mela 1,90; Vell.
1,4,4) und Lokroi gegr. (Strab. 13,3,3). Von K. aus wurde Side besiedelt (Arr. an. 1,24,4). Mitglied des aiol.
Elfstädtebundes (Hdt. 1,149). Eine Königstochter aus K.
war Frau des Midas (Pol. 9,83). 546 v. Chr. in den lyd.
Aufstand unter Paktyes verwickelt (Hdt. 1,157–161),
499 am Ion. Aufstand (Hdt. 5,37 f.; 123), 480 v. Chr. am
Xerxeszug beteiligt (Hdt. 7,194), 480/479 Winterquar-
tier der Perserflotte (Hdt. 8,130). 477 im Att.-Delischen
Seebund, 412 auf spartanischer (Diod. 13,73,3–6; Nep.
Alcibiades 7) und ab 400 (mit Unterbrechungen) auf
pers. Seite (Diod. 14,35,7; 15,18,2 ff.; Xen. hell. 3,4,27).
218 mit anderen aiol. und ion. Städten Übergang von
Achaios zu Attalos I. (Pol. 5,77,4); 190 seleukidisch (Liv.
37,11,5). 188 Steuerfreiheit durch Rom bestimmt (Pol.
21,46,4; Liv. 38,79,8). 132 wurde vor K. Aristonikos
geschlagen (Strab. 14,1,38). 154 zahlte Prusias II. eine
Kriegsentschädigung für die im Gebiet von K. angerich-
teten Verwüstungen (Pol. 33,13,8). Ab 129 in der röm.
Prov. Asia. Im 1. Jh. v. Chr. vermutl. noch wohlhabend
(qualitätvolles späthell. Statuen-Frg.). In byz. Zeit Suffraganbistum von Ephesos.
Zw. den zwei Stadthügeln finden sich Reste einer
Stoa, ein Theater am Hang des Nordhügels; hier sind
Reste eines kleinen ion. Tempels für Aphrodite (4. Jh.
v. Chr.) bzw. Isis (2. Jh. n. Chr.) erhalten, auf dem Süd-
hügel eine Strecke der Stadtmauer mit Torbau, vor der
abgesunkenen Südmole die Ruine eines ma. Hafen-
baus.

Aus K. stammte Hesidios' Vater (Hes. erg. 635) und
der Historiker → Ephoros; K. galt auch als »homerische«
Stadt (Ps.-Hdt., vita Homeri 1 f.); ihre Bewohner, eher
Ackerbauern als Seefahrer, wurden als einfältig bewit-
zelt (Strab. 13,3,6).

H. ENGELMANN, Die Inschr. von K. (IK 5), 1976 ·
F. KIECHLE, Lit.-Überblicke der griech. Numismatik, in:
JNG 10, 1959/60, 148 f. · G. E. BEAN, Kleinasien 1, 1969,
103–105 · J. BOUZEK u. a. (Hrsg.), K., 2 Bde., 1974/1980 ·
V. İDIL, Neue Ausgrabungen im aiol. K. [türk.], in: Belleten
53, 1989, 505–543 · P. KNOBLAUCH, Eine neue top.
Aufnahme des Stadtgebiets von K., in: AA 1974, 285–291 ·
S. LAGONA, Il porto di K. eolica, in: 3ª Rassegna di
archeologia subaquea, Giardini/Naxos 1988, 1989, 17–23 ·
G. PETZL, H. W. PLEKET, Ein hell. Ehrendekret aus K., in:
Chiron 9, 1979, 73–81 · D. H. SAMUEL, K. and the Veracity
of Ephorus, in: TAPhA 99, 1968, 375–388 · J. SCHAEFER, H.
SCHLÄGER, Zur Seeseite von K. in der Aeolis, in: AA 1962,
40–57.   H. KA.

Kymodoke (Κυμοδόκη, Cymodoce, »die die Wogen
aufnimmt«). → Nereide, die Wind und Wellen besänf-
tigt, bei Hes. theog. 252 f., Hom. Il. 18,39, Verg. Aen.
5,826 (danach Verg. georg. 4,338) und 10,225 (*Cymodoce* a: in eine Nymphe verwandeltes Schiff des Aeneas),
Hyg. fab. praef. 8, Stat. silv. 2,2,20. Auch auf Vasen
belegt [1].

1 N. ICARD-GIANOLIO, s. v. K., LIMC 6.1, 163 f.   A. A.

Kynaigeiros (Κυναίγειρος) aus Athen, Sohn des Euphorion, Bruder des Aischylos [1], fiel bei → Marathon
(490 v. Chr.; → Perserkrieg). Herodot (6,114) berichtet,
daß ihm der Arm abgeschlagen wurde, als er ein feind-
liches Schiff am Heck festhalten wollte. Diese Heldentat
war im Marathongemälde der Stoa Poikile in Athen dargestellt (Ail. nat. 7,38) und galt späteren Rhetoren als
beliebtes Exemplum (Lukian. Iuppiter Tragoedus 32;
Lukian. Rhetorum praeceptor 18). TRAILL, PPA 588715.
E. S.-H.

Kynaitha (Κύναιθα). Stadt in Nord-Arkadia beim h.
Kalavryta, genaue Lage unbekannt. Das Hochtal von K.
(800 m) ist im Norden und Süden von niedrigen Hügeln, im Westen und SO von den Gebirgen Erymanthos
und Chelmos begrenzt. In hell. Zeit angeblich Schauplatz bes. brutaler Parteikämpfe. Belege: Pol. 4,16,11–
21,9; Strab. 8,8,2; Paus. 8,19,1–3; Athen. 14,626e;
Steph. Byz., s. v. K.

F. CARINCI, s. v. Arcadia, EAA², 330 · JOST, 51–53 ·
J. HOPP, Kalavryta, in: LAUFFER, Griechenland, 291–293 ·
E. MASTROKOSTAS, in: AD 17, 1961/2, Chronikon 132
(Grabungsber.) · E. MEYER, Peloponnesische
Wanderungen, 1939, 107–109 · Y. A. PIKOULAS, Το οχυρό
στην Κέρτεζη Καλαβρύτων, in: A. D. RIZAKIS (Hrsg.), Achaia
und Elis in der Ant. (Meletemata 13), 1991, 265–268 ·
A. SAMPSON, Προιστορικοί οικισμοί στην περιοχή
Καλαβρύτων, in: Peloponnesiaka, Suppl. 11, 1986, 33–39.
Y. L.

Kyndalismos s. Geschicklichkeitsspiele

Kynegios (Maternus Cynegius, ILS 1273). Wohl aus Spanien gebürtig, Christ. Unter → Theodosius I. 381 n. Chr. *vicarius* (?), 383 *comes sacrarum largitionum*, 383/384 *quaestor sacri palatii*. Als *praefectus praetorio Orientis* 384–388 sollte K. im Auftrag des Kaisers die Lage der städt. Kurien verbessern (Lib. or. 39,3). Auf zwei Reisen durch den Osten des Reiches (384 und 388) bekämpfte er (wohl ohne ausdrückliche kaiserl. Erlaubnis) pagane Religionsausübung scharf (Zos. 4,37; Chron. min. 1,244 f. MOMMSEN), wobei er auch Tempel, z. B. in Edessa, zerstören ließ (Lib. or. 30,46; Theod. hist. eccl. 5,21,7). K. starb 388 auf der Rückreise, im J. seines Konsulats.

1 P. PETIT, Sur la date du »Pro templis« de Libanius, in: Byzantion 21, 1951, 295–304 • PLRE 2, 235 f.   K.-L. E.

Kynische Briefe s. Kynismus

Kyniska (Κυνίσκα). Reiche Spartanerin, geb. um 442 v. Chr., Tochter des Archidamos [1] II., Schwester des Agesilaos [2] II. K. ließ als erste Frau Gespanne am Wagenrennen in Olympia teilnehmen, wo sie zweimal siegte (Xen. Ag. 9,6; Plut. Agesilaos 20; Paus. 3,8,1 f.; 6,1,6; SGDI 4418).   K.-W. WEL.

Kynismos (Κυνισμός).
A. EINLEITUNG   B. ANTISTHENES
C. GRUNDGEDANKEN DER ETHIK DES DIOGENES
D. DER »KURZE WEG«   E. ASKESE
F. OPPOSITION GEGEN DAS HERKOMMEN
G. KAISERZEITLICHER KYNISMOS

A. EINLEITUNG

Die philos. Protestbewegung des K. entstand in Griechenland im 4. Jh. v. Chr. um → Diogenes [14] von Sinope und seine Schüler; sie bestand bis zum 5. Jh. n. Chr. Da von der älteren kynischen Lit. fast nichts erhalten ist, stammt unsere Kenntnis v. a. aus Anekdoten und Aussprüchen, deren Authentizität schwer zu überprüfen ist, in denen sich aber eine kohärente und einheitliche Philos. widerspiegelt.

Bereits in der Ant. wurde die Bezeichnung »Kynismos« durch zwei verschiedene Etym. erklärt. Die erste bringt die Bewegung mit dem bekannten Athener Gymnasion → Kynosarges in Verbindung, wo ein Heraklestempel stand und wo → Antisthenes [1], ein Schüler des Sokrates, lehrte; den Anhängern dieser Erklärung gilt Antisthenes als Gründer der Bewegung (Diog. Laert. 6,13). Die zweite Etym. geht auf einen Spottnamen zurück, der die Kyniker wegen ihres freimütigen und einfachen, aber auch schamlosen und unverschämten Verhaltens mit Hunden (*kýnes*) verglich (Handlungen, die im allg. moralisch verurteilt wurden, wie Masturbation oder Geschlechtsverkehr in der Öffentlichkeit, Essen auf öffentlichen Plätzen, Schlafen in Tonkrügen oder an Straßenkreuzungen, betrachteten

sie als »indifferent«). Die Bezeichnung »Hund« soll von den Kynikern als passend empfunden und bereitwillig übernommen worden sein (Diog. Laert. 6,60).

Der K. hat sich nie zu einer »Schule« entwickelt. Er bewegte sich absichtlich stets außerhalb des traditionellen institutionellen Rahmens einer solchen: Er kannte keinen festen Unterrichtsort, keine Folge von Scholarchen, überhaupt keinen Unterricht, sondern manifestierte sich in unruhestiftendem »Gezeter« in den Straßen, an Kreuzungen, vor den Tempeln oder, wenn Spiele stattfanden, am Eingang des Stadions. Als Gründer der Bewegung wird neben Antisthenes [1] auch Diogenes [14] von Sinope, der Philosoph in der Tonne, genannt. Die ant. Trad. bevorzugt Antisthenes, doch die Quellen, die diese Auffassung stützen, stammen aus der Spätant. (Epiktetos, Dion Chrysostomos, Elianos, Diogenes Laertios, Stobaios und die Suda). Daher neigt man in neuerer Zeit zu der Auffassung, einige Stoiker, die ihre Strömung bis auf Sokrates zurückführen wollten, hätten die Filiation Sokrates > Antisthenes > Diogenes > Krates > Zenon geschaffen; diese sei von den Verfassern von Sukzessionen-Lit. bereitwillig aufgegriffen worden, da sie ihnen ihre Aufgabe erleichtert hätte. Da die chronologischen Angaben und numismatischen Anhaltspunkte nicht eindeutig sind, weiß man nicht, ob der im Exil lebende Diogenes aus Sinope in Athen mit Antisthenes verkehrt haben konnte.

Unabhängig von der Bed. des Antisthenes – daß er eine Rolle spielte, sei es auch nur aufgrund seiner Schriften, steht fest – besteht kein Zweifel daran, daß der K. als Bewegung von Diogenes gegründet und von ihm in seinen Grundzügen bestimmt wurde.

Die Gesch. der Bewegung gliedert sich in zwei große Abschnitte, den älteren K. (4. und 3. Jh. v. Chr., s. Abb.) und den kaiserzeitlichen K. (1.–5. Jh. n. Chr.), wobei die Bewegung in der Zeit zwischen diesen beiden Abschnitten weniger lebendig war. Der erste Abschnitt ist durch die beiden herausragenden Gestalten des Diogenes [14] und seines Schülers → Krates [4] von Theben geprägt. Die wichtigsten Schüler des Krates waren Metrokles von Maroneia (Hipparchias Bruder), Monimos von Syrakusai, der urspr. Sklave eines Geldwechslers war, und der bekannte → Menippos von Gadara, ebenfalls ein Sklave, der beträchtlichen Einfluß auf Schriftsteller wie Varro, Seneca, Petronius, Apuleius und Lukianos ausübte. Weitere Schüler des Krates waren → Zenon von Kition und Kleanthes von Assos, über den der K. starken Einfluß auf die stoische Philos. (→ Stoa) ausübte. Im folgenden Jh. lebten zwei für den K. untypische Persönlichkeiten, → Bion [1] von Borysthenes (ca. 335 v. Chr. – 245 v. Chr.), der während seiner eklektischen philos. Ausbildung nacheinander die Akademie (→ Akademeia), die Kyniker, die → Kyrenaiker und den Peripatos frequentierte, und Kerkidas von Megalopolis (ca. 290 – nach 217 v. Chr.). Neben diesen schillernden Persönlichkeiten ist der bei Stobaios bezeugte Philosophielehrer → Teles zu nennen, der in Athen und Megara lebte und sich an einen Kreis von

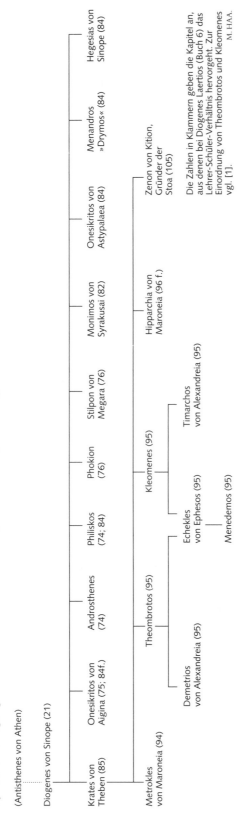

Kynische Bewegung: Die Vertreter der älteren Phase (4.–3. Jh. v. Chr.) nach Diogenes Laertios

(Antisthenes von Athen)

Diogenes von Sinope (21)

Krates von Theben (85)

Onesikritos von Aigina (75; 84 f.)

Androsthenes (74)

Philiskos (74; 84)

Phokion (76)

Stilpon von Megara (76)

Monimos von Syrakusai (82)

Onesikritos von Astypalaea (84)

Menandros »Drymos« (84)

Hegesias von Sinope (84)

Metrokles von Maroneia (94)

Theombrotos (95)

Demetrios von Alexandreia (95)

Echekles von Ephesos (95)

Menedemos (95)

Kleomenes (95)

Timarchos von Alexandreia (95)

Hipparchia von Maroneia (96 f.)

Zenon von Kition, Gründer der Stoa (105)

Die Zahlen in Klammern geben die Kapitel an, aus denen bei Diogenes Laertios (Buch 6) das Lehrer-Schüler-Verhältnis hervorgeht. Zur Einordnung von Theombrotos und Kleomenes vgl. [1].

M. HAA.

jungen Leuten wandte. Er überliefert in seinen *Diatribaí*, die das älteste Zeugnis der kynisch-stoischen → Diatribe darstellen, Aussprüche verschiedener kynischer Philosophen wie Diogenes, Krates, Metrokles und insbes. Bion, den er bevorzugte.

In den beiden folgenden Jh. scheint der K. weniger lebendig gewesen zu sein. Für Griechenland sind nur → Meleagros von Gadara (ca. 135–50 v. Chr.) und die »Pseudepigraphischen Briefe« der Kyniker, die teilweise aus dieser Zeit stammen, zu nennen; bei den Römern nur der Senator M. Favonius, ein Verwandter des M. Porcius Cato von Utica, der in Worten und Taten die Lebensweise der Kyniker nachahmte.

Ab dem 1. Jh. n. Chr erlebte der K. eine neue Blüte und entwickelte sich sogar zu *der* populären Philos. *par excellence*. Hervorzuheben sind → Demetrios [24] von Korinthos, ein Freund Senecas und des Thrasea Paetus, → Demonax [3] von Kypros, der einen gemäßigteren K. vertrat, und → Peregrinus Proteus, der sowohl dem K. als auch dem Christentum anhing und gegen den Lukianos seine Verleumdungen (die dem positiveren Zeugnis des Aulus Gellius widersprechen) richtete. Für das 2. Jh. n. Chr. ist → Oinomaos von Gadara zu nennen, dessen gewagte Auffassungen Kaiser → Iulianus [11] später scharf kritisieren sollte und dessen Werk ›Gegen die Orakel‹ (anderer Titel: ›Die Entlarvung der Scharlatane‹) Götter, Wahrsager und Orakel scharf angriff. Im 4. Jh. n. Chr. lebte → Maximus Heron von Alexandreia, der erst ein Freund, dann der erbittertste Feind des Gregorios [3] von Nazianzos war und sowohl dem K. als auch dem Christentum anhing. Im 5. Jh. n. Chr. lebte der letzte bekannte Kyniker, → Sallustius, der nach einem Studium der Jurisprudenz die Rhet.-Schulen Alexandreias besuchte, den K. in einer streng asketischen Form praktizierte und ein Mitglied des Kreises um → Proklos von der Philos. abbrachte.

Doch der kaiserzeitliche K. beschränkte sich nicht auf diese markanten Persönlichkeiten. Er war in erster Linie eine populäre Philos., deren Anhänger, Arme und Sklaven, aus den unterprivilegierten Schichten der großen Metropolen stammten; außerdem eine kollektiv (allerdings außerhalb jeglichen institutionellen Rahmens) praktizierte Philos. Gruppen von Kynikern gingen in den Straßen von Rom und Alexandreia umher, bettelten an den Straßenkreuzungen und machten der Menge, die sie sehen und hören wollte, ihre Vorhaltungen. Darunter waren auch Scharlatane, die glaubten, das Kleid mache den Philosophen. Gegen sie richtet sich die Kritik des Epiktetos, Lukianos oder Iulianus. Insgesamt aber blieb der kaiserzeitliche K. der von Diogenes praktizierten Askese und damit der älteren Praxis treu. Häufig wurden die Kyniker mit den strengsten christl. Sekten wie den Enkratiten oder den Apotaktiten verglichen. Dennoch war es ein Kyniker, Crescens [2], der 165 n. Chr. das Martyrium des Iustinus [6] initiierte, und Kirchenväter wie Augustinus und Sidonius Apollinaris machten aus ihrer Abneigung gegen die Schamlosigkeit der Kyniker und ihre Ablehnung der traditionellen moralischen Werte keinen Hehl. Hinsichtlich der Einheit des K. bzw. der Philos. der Kyniker durch die Jh. ist zu sagen, daß diese Strömung zwar weder über dogmatische Quellen noch über ein philos. System verfügte, aber auf einer einheitlichen ethischen Lehre beruhte, die in einer asketischen Lebensweise zum Ausdruck kam.

B. Antisthenes

Unabhängig vom persönlichen Einfluß des Antisthenes auf Diogenes sind die Wurzeln von dessen K. in der Ethik des Sokratikers zu suchen. Schon Antisthenes hatte die Auffassung vertreten, daß Tugend in den Handlungen der Menschen zum Ausdruck komme und daß man mit den ges. Konventionen radikal aufräumen müsse; als erster griff er den sokratischen Intellektualismus an und brachte mit dem Begriff der tugendhaften Handlung die Willenskraft (*ischýs*), die Herakles besessen hatte, die Sokrates verkörperte, in Verbindung. Antisthenes zufolge ist der Weise es sich schuldig, Ausdauer, Selbstbeherrschung und Leidenschaftslosigkeit zu erwerben – alles Eigenschaften, die bei den Kynikern eine wichtige Rolle spielen sollten, weil sie es ermöglichten, sich erfolgreich mit den Leiden des Alltags auseinanderzusetzen. Ebenso muß er »das Leiden verlernen«, d. h. seine Willenskraft von allen hinderlichen ges. Fesseln befreien. Diogenes nahm diese Handlungsethik auf und radikalisierte sie, indem er die Notwendigkeit der Übung (*áskēsis*) und der Umkehrung der allg. anerkannten Werte (*paracháraxis tu nomísmatos*, »Münzfälschung«) betonte. Vor allem aber gelang es ihm, seine ethischen Prinzipien durch seine Lebensweise lebendig zu illustrieren.

C. Grundgedanken der Ethik des Diogenes

Diogenes besaß ein klares Bewußtsein von der Schwäche des Menschen, das ihn veranlaßte, alle Abhängigkeiten anzuprangern, seien dies Leidenschaften, ges. Pflichten oder in einem weiteren Sinn alle falschen Werte des zivilisierten Lebens, die den Menschen unglücklich machen. Diese falschen Werte, die dem Menschen Ruhm oder Glück versprächen, machten ihn zum Sklaven. Als Gegenmaßnahme schlug Diogenes ein asketisches Leben vor. Aus seiner Sicht ist der Begriff der intellektuellen Elite sinnlos geworden: Jeder kann auf den öffentlichen Plätzen Philos. treiben. Diese Ausdehnung der Philos. auf die Menge geht mit einer Aufwertung des Körperlichen einher. Körper und Gesten erhalten den Status von Argumenten; indem Diogenes geht, gibt er demjenigen, der behauptet, Bewegung existiere nicht, die bestmögliche Antwort, und allein durch seine physische Anwesenheit und seine Handlungen vertritt er seine Philos., ohne sich in langen Diskussionen und Argumentationen zu verlieren. So erscheint der K. als Existentialismus. Schließlich wird in dieser Philos., die auf einem leidenschaftlich vertretenen Individualismus beruht, der Mensch zu einem Schöpfer von Werten. Diese gründen nicht mehr wie in der traditionellen Ethik auf von außen auferlegten Gesetzen oder wie im sokratischen Intellektualismus auf der Er-

kenntnis des Guten, sondern auf dem Willen des Einzelnen. Dennoch verfällt der K., da er an die Existenz einer universellen menschlichen Natur glaubt, nicht dem Relativismus.

D. Der »kurze Weg«

Um die Willenskraft von dem zu befreien, was sie behindert, schlägt Diogenes einen »kurzen Weg zur Tugend« vor (σύντομος ἐπ᾽ ἀρετὴν ὁδός). Diese Formel stammt von dem Stoiker → Apollodoros [12] von Seleukeia (2. Jh. v. Chr.), der im ethischen Teil seiner »Einführung in die Lehrsätze« (Diog. Laert. 7,121) damit die Ethik des K. charakterisiert; vielleicht existierte die Vorstellung bereits im älteren K. Dieser einfache, ökonomische Weg steht dem traditionellen langen Weg der philos. Schulen mit Studium, Erwerb von Kenntnissen und theoretischer Spekulation gegenüber. Logik, Musik, Geometrie, Physik oder Metaphysik werden als »nutzlos und unnötig« betrachtet, weil sie von dem ablenken, worum wir uns in erster Linie sorgen müßten, nämlich uns selbst, und uns nicht helfen, unser Leben zu lenken. Die Ethik umfaßt bei den Kynikern alle Bereiche der Philos.

Der »kurze Weg« steht auch dem langen Weg der Zivilisation gegenüber, der den Menschen dazu verleitet, unnötige Anstrengungen zu unternehmen, um manuelle, technische oder intellektuelle Fähigkeiten oder auch Reichtümer zu erlangen. Um dem kurzen Weg zu folgen, genügt es, arm zu sein, denn ›Armut ist eine instinktive Hilfe für die Philos.‹ (Stob. 4,2,32,11). Die Philos. verhilft zum wahren Reichtum, der nicht im Besitz, sondern in der → *autarkeía*, der Fähigkeit, mit dem, was man hat, zufrieden zu sein, liegt. Deshalb gelten Tiere, insbes. Hunde, als Vorbilder: Sie haben nur begrenzte Bedürfnisse, sind nicht von falschen Werten wie Scham oder Ansehen abhängig und verfügen über eine zutreffende Wahrnehmung ihrer Umwelt, so daß sie jeweils aus gutem Grund zubeißen oder mit dem Schwanz wedeln.

E. Askese

Tugend fällt für die Kyniker nicht in den Bereich der Wiss., sondern in den des Handelns. Daraus erklärt sich ihre Ablehnung von philos. Reden, Unterricht und Überredungstechniken. Das Gute verwirklicht sich in der konkreten, singulären, vom Einzelnen ausgeführten Handlung. Als Methode wird körperliche Askese mit ethischer Zielsetzung empfohlen. Der Begriff stammt aus dem Bereich der körperlichen Ertüchtigung, doch das Ziel ist ein völlig anderes: Man trainiert seinen Körper, um seinen Willen zu trainieren und letztlich auf die Gesundheit der Seele hinzuwirken.

Die Askese wird als vorbeugende Methode zur Überwindung zukünftiger Leiden und Auseinandersetzung mit gegenwärtigen Leiden verstanden. Äußeres Zeichen der Askese ist die Tracht der Kyniker: der Ranzen, der den gesamten Besitz des Philosophen enthält, der *tríbōn* (ein kleiner, gefalteter Mantel, der sowohl als Decke als auch als Kleidungsstück dient) und der Stab, der den ständig unterwegs befindlichen Wanderredner begleitet. Auf dem unbequemen Weg der Askese haben die Kyniker zwei Vorbilder: Herakles, dessen während der zwölf Arbeiten erlittene Leiden nach Ansicht der Kyniker die Prüfungen des Menschen auf dem Weg der Tugend symbolisieren, und Telephos, seinen Sohn, der in Lumpen gekleidet nach Aulis kam.

Die von dem leidenschaftlichen Wunsch nach Glück beseelten Kyniker strebten nach seelischer Ruhe und Heiterkeit (Diog. Laert. 6,38; vgl. Plut. De tranquillitate animi 4,466e). Indem er das, was allg. als unangenehm gilt, zu einer Quelle des Vergnügens macht, gelingt es Diogenes, den Begriff des Vergnügens zu verfälschen; daher ist es kein Paradoxon, wenn der K. sich als Hedonismus und Eudaimonismus begreift.

F. Opposition gegen das Herkommen

In den verschiedenen Bereichen menschlichen Handelns verfälscht der Kyniker die traditionellen Werte und ersetzt sie durch neue. Was den Bereich der Politik betrifft, so erklärte Diogenes, der zur Zeit Alexanders des Großen lebte, er sei *á-polis* (»ohne Heimatstadt«), *á-oikos*, ohne Haus, und *kosmopolítēs*, Weltbürger. Dieser → Kosmopolitismus ist *ex negativo* zu verstehen: Als Bürger der ganzen Welt ist der Philosoph faktisch nirgends Bürger. Diogenes plädiert für den Verzicht auf jedes polit. Engagement, da es die individuelle Freiheit behindere. Er lehnt das Gesetz, auf das sich die Stadt gründet, ab, und stellt ihm das Gesetz, das das ganze Universum beherrscht, mit anderen Worten: das Naturgesetz, gegenüber. Seine Schrift *Politeía* (›Republik‹) erregte Aufsehen, weil er darin dazu aufforderte, alle Tabus zu durchbrechen und gegebenenfalls auch Kannibalismus, Inzest, Frauen- und Kindergemeinschaft sowie völlige sexuelle Freiheit zu praktizieren. Die Rel. des Volkes beruhe auf Herkommen und Konvention, nicht auf Naturgesetzen, und stelle wegen der Ängste, die sie den Menschen einflöße, v. a. der Angst vor Tod und Höllenstrafen, auf dem Weg zur Leidenschaftslosigkeit ein Hindernis dar. Diogenes lehnt jeden Anthropomorphismus ab und kritisiert die rel. Institutionen, da das Glück des Menschen nicht von Praktiken, die mit seiner moralischen Disposition nichts zu tun haben, abhängen dürfe. Doch seine Opposition reicht noch weiter. Er hat kein rationales Weltbild und glaubt an keine Vorsehung; die Welt sei nicht für den Menschen geschaffen, und es gebe kein zu lüftendes Weltgeheimnis.

So bezieht der Kyniker seine Kraft aus seiner Leidenschaftslosigkeit angesichts des Schicksals, nicht weil er dessen höhere oder geheimnisvolle Rationalität anerkennt, sondern einfach aufgrund seines eigenen Willens zur Leidenschaftslosigkeit. Sein Realismus führt dazu, daß er sich den Gesetzen der Natur unterwirft und sich über weiterreichende Fragen nicht äußert. Er vertritt einen Agnostizismus, der es ihm erlaubt, sich seine Leidenschaftslosigkeit zu bewahren und Tag für Tag sein Glück allein mit Hilfe seiner Willenskraft zu verwirklichen.

Für den Bereich der Lit. gilt, daß die Kyniker trotz ihrer Ablehnung jeder Art von Wissen zahlreiche Schriften verfaßten. Sie pflegten die traditionellen Gattungen (Dialog, Brief, Tragödie, Lyrik), erfanden aber auch neue wie → Diatribe (Bion von Borysthenes), → Satire (Menippos von Gadara) und → Chrie (Metrokles, vielleicht auch bereits zuvor Diogenes); bei letzterer handelt es sich um einen im allg. recht kurzen Ausspruch eines Philosophen, häufig auch mit einer Pointe. Kennzeichen ihres neuen Stils, des *kynikós trópos* (Demetrios, De elocutione 259), war insbes. das *spudaiogéloion*, eine Mischung aus Scherz und Ernst, die sich in der leichteren Lyrik des Monimos von Syrakus und des Krates von Theben häufig findet. Obwohl sie lieber handelten als redeten, pflegten die Kyniker einen originellen Umgang mit Sprache, für den Humor, geistreiche, treffende Bemerkungen und Wortspiele charakteristisch sind.

Mit Hilfe seiner drei Waffen Freimut, Sarkasmus und Provokation bringt er den anderen dazu, sich Fragen zu stellen und seine Lethargie aufzugeben. Diogenes versteht sich zugleich als schlechtes Gewissen und Skandalon seiner Zeit. Sehr bald, vielleicht schon zur Zeit des älteren K., wurde die kynische Philos. angegriffen; mindestens aber seit dem 2. Jh. v. Chr., als → Hippobotos in seinem Werk ›Über die philos. Sekten‹ just die kynische Sekte nicht behandelte.

G. Kaiserzeitlicher Kynismos

Im röm. Reich erlebte der K. eine neue Blüte. Wenn die älteren Lehren in der Spätant. auch nicht weiterentwickelt wurden, so war die Strömung doch überaus wichtig, da es sich um *die* populäre Philos. schlechthin handelte. Neu war vor allem, daß nun viele Anhänger des K. Arme oder Sklaven waren. Wie beim älteren K. gab es keine Schule; wer den Kynikern an den Straßenkreuzungen oder am Eingang der Tempel zuhörte, tat dies, ohne formal einer Schule anzugehören. Man warf ihnen vor, ihre Mitmenschen zu beleidigen und das Leben von Schmarotzern zu führen, die sich ihre Nahrung zusammenbettelten oder vielmehr das fordern, wovon sie glaubten, es stehe ihnen zu; vor allem aber kritisierte man ihre Schamlosigkeit, die mit der röm. *gravitas* schlecht zu vereinbaren war. Einige der kaiserzeitlichen Kyniker waren Scharlatane, und die erh. Zeugnisse (bei Epiktetos, Iulianus und Lukianos, die gleichzeitig die Hauptquellen des K. sind) urteilen parteiisch; dennoch blieb die kynische Ethik der Askese des Diogenes treu. Liest man die ›Pseudepigraphischen Briefe‹ der Kyniker, die eine Art Handbuch des populären K. der Kaiserzeit darstellen, so wurden darin die alten Lehren der ersten Kyniker wiederholt. Wenn der kaiserzeitliche K. auch insofern an Spontaneität verlor, als die Tracht nun Zeichen einer gewissen Konformität war und die ethischen Lehren in gewissem Maß zu Slogans wurden, so handelte es sich doch beim K. der großen Moralphilosophen wie Demetrios, Agathobulos oder Demonax um eine lebendige Philos.

→ Kynismus

ED.: M. BILLERBECK (Ed., Übers.), Epiktet. Vom Kynismus (Philosophia Antiqua 34), 1978 · Dies., Der Kyniker Demetrius. Ein Beitrag zur Gesch. der frühkaiserzeitlichen Popularphilos. (Philosophia Antiqua 36), 1979 · T. DORANDI, Filodemo. Gli Stoici (PHerc 155 e 339), in: Cronache Ercolanesi 12, 1982, 91–133 (hier auch Testimonien Diogenes, ›Republik‹ aus Philod. De Stoicis) · SSR II, 135–589, Komm. IV, Anm. 21–55, p. 195–583 · J.F. KINDSTRAND, Bion of Borysthenes. A Coll. of the Fragments with Introduction and Commentary (Studia Graeca Upsaliensia 11), 1981 · E. MÜSELER, Die Kynikerbriefe, 1. Die Überlieferung, 2. Krit. Ausg. mit dt. Übers. (Stud. zur Gesch. und Kultur des Alt. 6–7), 1994. ÜBERS.: L. PAQUET, Les Cyniques grecs. Fragments et témoignages (Philosophica 4: Éditions de l'Université d'Ottawa), 1975 · Ders., (Philosophica 35), 1988 (neue erweiterte und korr. Ausg.) · Ders., Le Livre de poche. Classiques de la philosophie, 1992 (mit einem Vorwort von M.O. GOULET-CAZÉ). LIT.: M. BILLERBECK, Die Kyniker in der mod. Forsch. Aufsätze mit Einführung und Bibliogr. (Bochumer Studien zur Philos. 15), 1991 · R. BRACHT BRANHAM, M.-O. GOULET-CAZÉ (Hrsg.), The Cynics. The Cynic Movement in Antiquity and its Legacy, 1997 · A. BRANCACCI, Oikeios logos. La filosofia del linguaggio di Antistene (Elenchos 20), 1990 · G. DORIVAL, Cyniques et Chrétiens au temps des pères Grecs, in: Valeurs dans le stoicisme. Du portique à nos jours. Mél. M. Spanneut, 1993, 57–88 · D.R. DUDLEY, A History of Cynicism. From Diogenes to the 6th Century A.D., 1937 (Ndr. 1974) · M.-O. GOULET-CAZÉ, L'ascèse cynique. Un commentaire de Diogène Laërce VI 70–71 (Histoire des doctrines de l'Antiquité classique 10), 1986 · Dies., Le cynisme à l'époque impériale, in: ANRW II 36.4, 2720–2833 · Dies., Le livre VI de Diogène Laërce: analyse de sa structure et réflexions méthodologiques, in: ANRW II 36.6, 3880–4048 · Dies., Le cynisme est-il une philos.?, in: M. DIXSAUT (Hrsg.), Contre Platon, 1: Le platonisme dévoilé, 1993, 273–313 · Dies., R. GOULET (Hrsg.), Le cynisme ancien et ses prolongements: Actes du colloque international du C.N.R.S. (Paris, 22–25 juillet 1991), 1993. · H. NIEHUES-PRÖBSTING, Der Kynismus des Diogenes und der Begriff des Zynismus (Humanistische Bibliothek, Reihe I: Abh. 40) 1979 · P. SLOTERDIJK, Kritik der zynischen Vernunft, 1983 (frz. Übers.: Critique de la raison cynique, 1987). M.G.-C./Ü: S.P.

ABB.-LIT.: 1 M.O. GOULET-CAZÉ, in: Hermes 114, 1986, 247–252.

Kyn(n)ane (Κυν(ν)άνη). Tochter von → Philippos II. und einer Illyrerin, geb. um 357 v. Chr. Kriegerisch erzogen, soll sie an Philippos' Schlachten teilgenommen haben. 338/7 wurde K. mit Amyntas [4] vermählt und gebar Eurydike [3], mit der sie nach Amyntas' Tod in Makedonien lebte. 322 geleitete K. Eurydike mit einem Heer als Braut für Arridaios [5] nach Asien. K. wurde von Alketas [4] ermordet und von → Kassandros königlich bestattet.

BERVE, Nr. 456. E.B.

Kynokephaloi (Κυνοκέφαλοι, »Hundsköpfe«) ist die Bezeichnung für verschiedene phantastische Randvölker; sie werden in Libyen (Hdt. 4,191), in Aithiopien (Aischyl. fr. 603 ab METTE; Strab. 16,4,16) und in Indien angesiedelt (Ktesias, FGrH 688 F 45), gelten als bes. gerecht und langlebig. Die Verbindung von tierischen und idealen menschlichen Zügen ist bezeichnend für dieses utopische Denken. Daneben bezeichnet das Wort auch den in Äg. heiligen Hundskopfaffen.
→ Mischwesen F.G.

Kynopolis, Kynopolites.
[1] Der griech. κυνῶν πόλις (»Stadt der Hunde«; Strab. 17,812) genannte Ort war zeitweise Hauptstadt des 17. oberäg. Gaus (κυνοπολίτης) und lag nach Ptol. 4,5,29 auf einer Insel. K. (äg. Hr-dj) wird in Texten des NR oft erwähnt und war Kultort des hundeköpfigen Gottes → Anubis. Unter Ramses XI. wurde es in einem Bürgerkrieg zerstört. Seine genaue Lage ist unbekannt, vermutlich bei Scheich Fadl, wo auch ein Hundefriedhof gefunden wurde. Über einen rel. bedingten »Krieg« der Bewohner von K. mit denen des benachbarten → Oxyrhynchos berichtet Plut. Is. 72.

A.H. GARDINER, Ancient Egyptian Onomastica 2, 1947, 98–103 · F. GOMAÀ, s.v. Hardai, LÄ 2, 962.

[2] Κυνὸς πόλις (Strab. 17,802). Ort in Unteräg. auf dem Westufer des Nilarms von Damiette südl. von Abusir, das heutige Banā; in christl. Zeit Bischofssitz.

ST. TIMM, Das christl.-kopt. Äg. in arab. Zeit 1, 1984, 318–24. K.J.-W.

Kynortion (Κυνόρτιον). Der Berg über dem Theater des Asklepios-Heiligtums von Epidauros mit Heiligtum des Apollon Maleatas (Paus. 2,27,7).

V. LAMBRINUDAKIS, Excavation and Restoration of the Sanctuary of Apollo Maleatas and Asklepios at Epidauros, in: Peloponnesiaka Suppl. 13, 1987f., 298ff. Y.L.

Kynos (Κῦνος). Stadt der opuntischen → Lokris (Hom. Il. 2,531; Skyl. 60; Lykophr. Alexandra 1147; Ptol. 3,15,9; Plin. nat. 4,27; Hekat. bei Steph. Byz. s.v. K.; Mela 2,3,40) und Schiffsanlegestelle (ἐπίνειον, emporium) von → Opus (Paus. 10,1,2; Strab. 9,4,2; Steph. Byz. l.c.; Liv. 28,6,12). Die Siedlung nahm den Gipfel des Hügels ein, h. Palaiopyrgos oder Pyrgos gen. nach den Ruinen der ant. Rundmauer und nach einem ma. Turm, der die kleine Bucht an der Nordspitze der Ebene von Atalandi überragt, nahe dem h. Dorf Livanates. Auf dem Hügel und in der Umgebung kamen Überreste von Gräbern zutage, ferner von privaten Häusern, Magazinen mit Keramik (MH bis byz. Zeit).

PH. DAKORONIA, Lokrika 1, in: AD 34, 1979, 56–61 · Ders., MH Gräber in Ost-Lokris, in: MDAI(A) 102, 1987, 55–64 · J.M. FOSSEY, The Ancient Topography of Opuntian Lokris, 1990, 81–84 · PRITCHETT 4, 149–151 · TIB 1, 272. G.D.R./Ü: J.W.M.

Kynos Sema (Κυνὸς σῆμα, »Hundegrab«). Kap an der Thrak. Chersonesos südl. von Madytos beim h. Kilit Bahır, wo der Hellespontos sich am stärksten verengt, bekannt durch den Seesieg, den die att. Flotte 411 v. Chr. über die Peloponnesier erfocht (Thuk. 8,104–107; Diod. 13,40,6; vgl. außerdem zum Namen »Hundegrab« Eur. Hek. 1270ff.; Ov. met. 13,569). I.v.B.

Kynosarges (Κυνόσαργες). Erstmals zum Jahr 490 v. Chr. erwähntes Heiligtum des Herakles (Hdt. 6,116) mit Gymnasion im Demos Diomeia südl. des Ilissos vor den Mauern Athens (Plut. Themistokles 1; Diog. Laert. 6,13; Steph. Byz. s. v. K.). Durch den FO von IG II² 1665 vage bei Hagios Pantelemon lokalisiert. Fraglich ist die Verbindung eines Dromos nach Agrai (IG II² 2119 Z. 128) mit dem K. Das K.-Gymnasion war für die unehelichen Kinder (→ nóthoi) bestimmt (Demosth. or. 23,213; Athen. 6,234E; Plut. Themistokles 1,2). Anf. des 4. Jh. v. Chr. begründete → Antisthenes [1] im K. die Philosophenschule der Kyniker (Diog. Laert. 6,1,6; Suda s. v. Ἀντισθήνης. 200 v. Chr. durch Philippos V. zerstört (Liv. 31,24,17), danach Wiederaufbau. Im K. Altäre für Hebe, Alkmene und Iolaos (Paus. 1,19,3).
→ Akademeia; Kynismus

E. HONIGMANN, s. v. K., RE 12, 33 · W. JUDEICH, Die Top. von Athen, ²1931, 170, 422ff. · H. LIND, Neues aus Kydathen, in: MH 42, 1985, 257f. · TRAVLOS, Athen 340f., 579, Abb. 379, 441, 442 (mit Lit.) · R. E. WYCHERLEY, The Stones of Athens, 1978, 229ff. H.LO.

Kynoskephalai (Κυνὸς Κεφαλαί, »Hundsköpfe«). Teil des mittelthessal. Gebirges Chalkodonion (h. Mavrovuni, ehemals Karadağ) zw. Pherai und Skotussa mit vielen Kalkkuppen (daher der Name). Bei K. siegten 364 v. Chr. die Thebaner unter Pelopidas über Alexandros von Pherai (Plut. Pelopidas 32). 197 erlitt Philippos V. hier die entscheidende Niederlage gegen T. Quinctius Flamininus (Pol. 18,20ff.). Antiochos III. ließ 191 die Gebeine der gefallenen Makedonen bestatten (Liv. 36,8,3ff.). Die Lokalisierung des Schlachtfeldes zw. Skotussa und Thetideion scheint gesichert.

J. CL. DECOURT, La vallée de l'Enipeus en Thessalie, 1990, 92ff., 107ff. · F. STÄHLIN, s. v. K., RE 12, 34f. (Quellen). HE.KR.

Kynosura (Κυνόσουρα, »Hundeschwanz«). Name mehrerer Landzungen.
[1] Landspitze an der Ostküste der Insel Salamis, 4 km lang und schmal (Hdt. 8,76,1; 77,1).

PHILIPPSON/KIRSTEN 1, 870. H.KAL.

[2] Schmale Landzunge im NO der Bucht von Marathon, an der 490 v. Chr. die pers. Flotte landete (Paus. 1,32,3; 7), h. Kap Stomi. Auf der K. Mauerzüge unbekannter Zeitstellung und Funktion [1]. Belege: Ptol. 3,14,7; Hesych. s. v. K., Phot. s. v. K.; Herodian. 13,24.

1 J. R. MCCREDIE, Fortified Military Camps in Attica, Hesperia Suppl. 11, 1966, 41ff. Abb. 8.

A. MILCHHOEFER, Erläuternder Text, in: E. CURTIUS, J. A. KAUPERT, Karten von Attika 3/6, 1889, 50 · TRAVLOS, Attika, 223 Abb. 271. H.LO.

[3] Mit Limnai, Pitane und Mesoa südlichste der vier Ortschaften, aus denen sich die pólis → Sparta gründete (Paus. 3,16,9; IG V 1,480; 566: lakon. Κονοουρεῖς), auf dem südwärts abfallenden Hügel Psychiko im Mündungswinkel von Magula und → Eurotas gelegen. Die vier Ursprungsorte von Sparta werden lit. und inschr. abwechselnd als démoi (Hdt. 3,55 für Pitane), kômai (schol. Thuk. 1,20 für Pitane), Orte (chōría, Strab. 8,5,3 für Mesoa), phýlai (Hesych. s. v. K.), póleis (schol. Pind. O. 6,46a für Pitane), Stadtteile (mérē, Strab. 8,5,3 für Mesoa), Vorstädte (proásteia, Strab. 8,5,1 für Limnai) bezeichnet, ohne daß die Quellen eine gesicherte sachliche Spezifizierung erlaubten.

L. PARETI, Le tribu personali e tribu locali a Sparta, in: Rendiconti della Reale Accademia dei Lincei 19, 1910, 455. Y.L. u. E.O.

[4] Die Megaris (→ Megara) gliederte sich urspr. in fünf »Dörfer« (κῶμαι, Plut. mor. 295b), d. h. Verwaltungsbezirke, von denen K. einer war; die Bewohner von K. wurden Kynosureís (Κυνοσουρεῖς) gen. Man vermutet K. an der norwestl. Landspitze der Halbinsel Mitikas zw. Aigosthena und Pagai.

PHILIPPSON/KIRSTEN 1, 940ff. E.O.

[5] s. Sternbilder

Kynthos (Κύνθος, lat. Cynthus). Name eines 113 m hohen Berges auf → Delos mit einem Heiligtum des Zeus (Kynthios) und der Athene (Kynthia).

G. GRUBEN, Die Tempel der Griechen, ⁴1986, 146f. H.KAL.

Kynuria (Κυνουρία, Κυνοσουρία).
[1] Landschaft am Argolischen Golf an der NO-Küste des Parnon-Gebirges. Als Grenzgebiet zw. Lakonia und Argolis bot K. oft Anlaß zu Auseinandersetzungen zw. Sparta und Argos (vgl. Strab. 1,4,7). Der nördl. Teil, die Thyreatis, eine der fruchtbarsten Ebenen des Peloponnesos, bestand aus den Tälern von Tanos und Vrasiotis. Nach Herodot (8,73,1; 3) war K. urspr. ion. und ist durch Argos dorisiert worden. Durch den sagenhaften Kampf der 300 Argiver und Spartaner bei Parparos ([1; 2]; Hdt. 1,82 mit [3]; Strab. 8,6,17) kam K. in spartanischen Besitz, blieb aber immer umstritten. 424 v. Chr. wurde Thyrea, wo die Spartaner vertriebene Aigineten angesiedelt hatten, durch die Athener erobert und zerstört (Thuk. 4,56; Diod. 12,44,3; Plut. Nikias 6,6; Paus. 2,38,5). Wohl 370/369 v. Chr. erfolgte die Rückeroberung durch Argos (Diod. 15,64,2), bestätigt offenbar durch einen Schiedsspruch Philippos' II. Thuk. 5,41,2 nennt als Städte Thyrea und Anthene (vgl. Lys. fr. 15 Th.), Paus. 2,38,6 als Dörfer A<n>thene, Neris (Stat. Theb. 4,46; Steph. Byz. s. v. Ἀνθάνα) und Eua (Steph. Byz. s. v. Εὔα; h. Helleniko? [4]), deren sichere Lokalisierung umstritten bleibt [5; 6]. Die ant. Reste in der Nähe des h. Klosters Luku sind als Domäne des Herodes Atticus identifiziert worden. Inschr.: SEG 13, 261–267; 16,

274; 30, 372; 376–380; 35, 276–302; 39, 367–369; 40, 340; 41, 280; 295; 42, 287.

1 P. Phaklaris, Η μάχη της Θυρέας (546 π. Χ.), in: Horos 5, 1987, 101–120 2 L. Moretti, Sparta alla metà del VI secolo. II. La guerra contro Argo per la Tireatide, in: RFIC 26, 1948, 204–213 3 J. Dillery, Reconfiguring the Past: Thyrea, Thermopylae and Narrative Patterns in Herodotus, in: AJPh 117, 1996, 217–254 4 J. Christien, T. Spyropoulos, Eua et la Thyréatide, in: BCH 109, 1985, 455–466 5 J. Christien, Promenades en Laconie, in: DHA 15, 1989, 75–80 6 Pritchett 3, 1980, 116–127; 4, 1982, 75–79; 6, 1989, 84–90; 7, 1991, 169–177, 209–222.

Y. C. Goester, The Plain of Astros, in: Pharos 1, 1993, 39–112 · C. Kritzas, Remarques sur trois inscriptions de Cynourie, in: BCH 109, 1985, 709–716 · E. Meyer, s. v. K., RE Suppl. 12, 521 f. · P. Phaklaris, Αρχαία Κυνουρία, 1990 (= Diss. Thessalonike 1985) · K. A. Rhomaios, Ἐρευνητικὴ περιοδεία εἰς Κυνουρίαν, in: Praktika 106, 1950, 234–241 · I. Walker, Kynouria, Diss. Columbia, 1936.

[2] Landschaft in der westl. Arkadia nördl. des Lykaion-Gebirges beiderseits des → Alpheios mit den Orten Gortys, Thisoa, Lykaia (Lykoa), Alipheira [1], in den → Synoikismos von Megalopolis einbezogen [2. 311]. Belege: Paus. 8,27,4; Stat. Theb. 4,295; Cic. nat. deor. 3,22,57 (Cynosura); Syll.³ 183.

1 Jost, 201–210 2 M. Moggi, I sinecismi interstatali greci, 1976.   Y. L.

Kypaira (Κύπαιρα). Nachbarort von Xyniai in der südwestl. Achaia Phthiotis an der Grenze zur Dolopia, beim h. Palaia Giannitsu (nicht beim h. Makryrrachi, ehemals Kaitsa). Für 363 v. Chr. ist in Delphoi eine Tempelspende aus K. vermerkt (Syll.³ 239 B 12). Seit dem E. des 3. Jh. gehörte K. zum Bund der Aitoloi, die es 198 v. Chr. aus kurzfristigem maked. Besitz zurückeroberten (Liv. 32,13,14).

B. Helly, Incursions chez les Dolopes, in: I. Blum (Hrsg.), Topographie antique et géographie historique en pays grec, 1992, 49 ff. · F. Stählin, s. v. K., RE 12, 46 f.   HE. KR.

Kyparissia (Κυπαρισσία).
[1] Stadt an der messenischen Westküste, wo sich h. der gleichnamige Ort mit geringen Resten aus zumeist röm. Zeit befindet; Teile der Akropolismauer unter einem ma. Kastell. Neben Pylos und Methone galt der Hafen von K. mit guter Verbindung zum oberen Pamisos-Tal als einziger bed. messenischer Zugang zum Meer. K. ist schon in den Pylos-Täfelchen gen. und jedenfalls identisch mit Κυπαρισσήεις (Kyparissēeis) bei Hom. Il. 2,593. Die flache Bucht heißt nach der Stadt Cyparissius sinus (Plin. nat. 4,15; Mela 2,50 f.). Die Arkader haben K. 365/4 v. Chr. erobert (Diod. 15,77,4). Nach der Befreiung dürfte K. Messenia angehört haben. K. beteiligte sich 219/8 v. Chr. an der Abwehr des spartanischaitolischen Angriffs auf Messenia. In der Kaiserzeit eigene Mz. Belege: Strab. 8,3,16; 22; 25; 4,1 f.; 6; Paus.

4,36,7; Ptol. 3,16,7. Inschr.: IG V 1, 1421–1424; 1559 f.; V 2, 1421; SEG 11, 1025–1028a; 15, 225. Mz.: HN, 433.

E. Meyer, s. v. Messenien, RE Suppl. 15, 204 f.

[2] Spartan. Perioikengemeinde (→ períoikoi) am Lakon. Golf an der Westseite der Parnonhalbinsel (→ Parnon) auf dem Isthmos, der die Halbinsel Xyli mit der Peloponnesos verbindet. Lage unbestimmt, zumeist bei Boza angesetzt (wenn Asopos das h. Plitra ist). Zu Pausanias' Zeit lag K. in Ruinen. Belege: Strab. 8,5,2; Paus. 3,22,9 f.; Ptol. 3,16,7.

A. J. B. Wace, South-Eastern Laconia, in: ABSA 14, 1907/8, 163 f. · AD 28, 1973, 175 · Archaeological Reports 25, 1978/9, 20 (Grabungsber.).   Y. L.

Kyparissos (Κυπάρισσος, Cyparissos).
[1] aus Keos, von → Apollon geliebt. Aus Schmerz um seinen von ihm selbst getöteten Lieblingshirsch bittet K., ewig trauern zu dürfen, worauf er in eine Zypresse verwandelt wird (Ov. met. 10,106–142). Obwohl Ovid der früheste Beleg ist, dürfte die Erzählung älter sein [1. 52]. Bei Servius ist K. Sohn des → Telephos, stammt auch aus Kreta, wird auch von → Zephyros oder → Silvanus geliebt, der Hirsch auch von Silvanus getötet (Serv. Aen. 3,680). K. besaß ein Heiligtum auf Kos (ab 4. Jh. v. Chr. dem Asklepios geweiht) [1. 49]. Während K. in Griechenland mit den Göttern der Oberwelt verbunden wurde, war die → Zypresse in Rom der Baum der Toten. Verbindungsglied war vielleicht der orph. Jenseitsglaube in Unteritalien [1. 51].
→ Minyas

1 F. Bömer, P. Ovidius Naso, Metamorphosen. Komm. zu B. X–XI, 1980, z. St.   K. SCHL.

[2] Im Verzeichnis der phokaiischen póleis des homer. Schiffskatalogs (Il. 2,519; Strab. 9,3,13 [Hom.]; vgl. Paus. 10,36,5), Lage unsicher, nach Strabon (l. c.) unterhalb von Lykoreia und zu seiner Zeit »Dorf« (κώμη), nach Steph. Byz. auf den Hängen des Parnassos in der Nähe von Delphoi. Auch die Etym. ist unsicher, dendronym oder eponym (nach einem Bruder des Orchomenos: Strab. l. c.; schol. Codex Venetianus A zu Il. 2,519). Weiter bestehen alternative Versionen der Metonomasie: nach K. in Antikyra (Paus. l. c.), nach einem urspr. Namen Eranos in Kyparissos und darauffolgend in Apollonia (Steph. Byz. s. v. Κυπάρισσος καὶ Ἀπολλωνία; schol. Codex Ven. B zu Il. 2,519). Weitere Belege: Hom. Il. 2,519; Strab. 9,13,3; Paus. 10,36,5; Steph. Byz.: Κυπάρισσος; Eust. ad Hom. Il. 273,15; 274,1, Κυπαρισσοῦς; Stat. Theb. 7,344.

E. Pieske, s. v. Kyparissia (4), RE 12, 50 · F. Schober, Phokis, 1924, 34 f.   G. D. R./Ü: J. W. M.

Kyphanta (Κύφαντα oder Κύφας). Spartanische Perioikenstadt (→ períoikoi) an der Ostküste der Parnonhalbinsel (→ Parnon) mit Asklepios-Heiligtum, zu Pausanias' Zeit in Ruinen, an der h. Kyparissi gen. Bucht. Belege: Pol. 4,36,5; Paus. 3,24,2; Ptol. 3,16,10; 22; Plin. nat. 4,17.

PRITCHETT 7, 1991, 146–149 · A. J. B. WACE, F. W.
HASLUCK, East-Central Laconia, in: ABSA 15, 1908/9, 173.

Y. L.

Kypria (τὰ Κύπρια; auch τὰ Κύπρια ἔπη, τὰ Κυπριακά,
αἱ Κυπριακαί ἱστορίαι), im Dt. geläufiger ›Kyprien‹
(Titel von der Dominanz der Aphrodite = Kypris im
Kausalgefüge [3; vgl. 9. 287]). Teil-Epos des → Epischen Zyklus, das in 11 B. (so Proklos) die Troia-Gesch.
vor Beginn unserer Ilias (→ Homeros [1]) erzählte. Annähernd 50 Hexameter in 12 [1] bzw. 10 [2] Fr. sind erh.;
dazu kommen Kurz-Inhaltsangaben bei → Proklos und
→ Apollodoros sowie zahlreiche Testimonien und Erwähnungen, ferner eine reiche Bild-Überlieferung
(Katalog in [1. 213–215]).

Der Autor ist unbekannt; die frühe Zuschreibung an
Homer wurde schon von Hdt. 2,117 widerlegt; später
werden die K. entweder verfasserlos zitiert (Hdt., Plat.,
Aristot. u. a.) oder einem Stasinos (häufig), Hegesinos
(bzw. Hegesias) oder Kyprias zugeschrieben [6. 2394 f.],
zuweilen explizit für anon. erklärt [1. test. 10, fr. 17].
Die Abfassungszeit der uns vorliegenden Fassung aufgrund sprachl. Indizien wurde bereits von WILAMOWITZ
[4] und WACKERNAGEL ([5. 183]: ›nicht lange vor 500
v. Chr. in Attika entstanden‹) als spät erwiesen (mißver-
standen von RZACH [6. 2396]: ›7. Jh.‹ und BERNABÉ
[1. 43]: ›saec. VII‹; dazu [7. 90⁶]), durch DAVIES [7] auf
der Grundlage von JANKO [8] definitiv auf kurz vor 500
v. Chr. festgelegt – so im Prinzip schon die alexandrin.
Philol., z. B. Aristarchos in schol. A zu Hom. Il. 1,5: die
Deutung des »Zeus-Plans« als Menschheitsdezimierung
(Kypria fr. 1,7) gehöre zu den ›Phantastereien der
Neueren‹.

Der Stoff der K. ist weitestgehend vorhomerisch
(→ Epischer Zyklus). Inhalt (nur Auswahl; die enorme
Ereignisfülle wurde schon von Aristoteles als Kunstfeh-
ler gerügt [1. test. 5]: Beratung von Zeus und Themis
über den Troianischen Krieg; Hochzeit der Thetis mit
Peleus (Vorverweis auf Sohn Achilleus; Eingriff der
Eris); Paris-Urteil; Geburt der Helena; Raub der Helena; die zwei Flottensammlungen in Aulis (bei der ersten
die Telephos-Gesch., bei der zweiten die Opferung der
Iphigenie; kein Schiffskatalog [!]); Achilleus zeugt auf
Skyros mit Deïdameia den Neoptolemos; Aussetzung
des Philoktetes auf Lemnos; Landung in der Troas (Protesilaos, Kyknos); Ablehnung von Helenas Rückgabe;
erste Kämpfe; Achilleus tötet Troïlos; Zuteilung der
Briseïs an Achilleus, der Chryseïs an Agamemnon; Beschluß des Zeus (Διὸς βουλή), die Troer durch Kampf-
boykott des Achilleus zu dezimieren; Katalog der troischen Defensiv-Kontingente (wohl Ergänzung des
Troer-Katalogs der ›Ilias‹ aus besserer Kleinasien-Kennt-
nis [6. 2393]).

Die z. T. sehr frühen Bilddarstellungen zu einzelnen
dieser Themen gehen wohl auf die gleiche »alte Sagen-
tradition« [6. 2378; 7. 100⁶⁴] zurück, aus der sowohl
›Ilias‹ und ›Odyssee‹ als auch die K. schöpfen; die K.
ergänzen aus diesem Repertoire die Ilias »nach oben«.

ED.: **1** PEG I **2** EpGr.

LIT.: **3** IACOB PERIZONIUS, in: KUEHN (ed.), C. Aeliani
Varia Historia etc., 2, 1780, 26 **4** U. v. WILAMOWITZ-
MOELLENDORFF, Homer. Unt. (Der ep. Cyclus), 1884
5 J. WACKERNAGEL, Sprachl. Unt. zu Homer, 1916
6 A. RZACH, s. v. Kyklos, RE 11, 2347–2435 **7** M. DAVIES,
The Date of the Epic Cycle, in: Glotta 67, 1989, 89–100
8 R. JANKO, Homer, Hesiod and the Hymns, 1982
9 R. KANNICHT, Dichtung und Bildkunst. Die Rezeption
der Troja-Epik in den frühgriech. Sagenbildern (1979), in:
Ders., Paradeigmata, 1996, 45–67 (engl.: Poetry and Art, in:
Classical Antiquity 1, 1982, 70–86).

WEITERE LIT.: s. Epischer Zyklus.

J. L.

Kypris s. Aphrodite

Kyprisch I. ANTIKES KYPRISCH
II. NEUKYPRISCH

I. ANTIKES KYPRISCH

Quellen des K. sind Inschr. in → kyprischer Schrift
(wichtigste FO: Idalion, Golgoi, Paphos, Marion; ältester Text: o-pe-le-ta-u /opʰeltau/ 11./10. Jh. v. Chr.), die
→ Glossographie (bes. Hesych., schol. zu Ilias und
Odyssee, Fr. eines anon. Grammatikers: Anecd. Bekk.
3,1094) und Eigennamen von Kyprioten.

Das K. zeigt a) Übereinstimmungen bes. mit dem
→ Arkadischen und z. T. mit dem → Mykenischen und
b) spezifische Merkmale.

Zu a): Hebung von e, o vor Nasal (/in/ = ἐν, /on-
/un-/ = ἀνά) und von o (Gen. Sg. auf /-au/ < -āo, 3. Sg.
-tu < -to); *r̥ > or/ro (/kateworgon/); *kᵘ̯ï > t'i (/sis/ =
/sioi/ = τίοι); Nomina auf -ēs = -eus (/basilēs/ neben
/basileus/), Demonstrativpron. /honu, hone/; 3. Pl. -an
(/kat-ethiyan/ neben /kat-ethisan/); Verba vocalia auf
-āmi (3. Pl. /kumernahi/ < *kumernansi); /apu, ex/ mit
Dat. (= ἀπό, ἐξ mit Gen.), /en, in/ mit Akk., /pos/ (=
πρός), /kas/ (= καί), /ptolis, ptolemos/; Iterativkomposita
(/āmati-āmati/); patronyme Adj. (/Theodokidau/).

Zu b): *-li- > -il- (/ailōn/, Gen. Pl., att. ἄλλων), Gen.
Sg. o-Stämme auf -o-ne (/aneu misthōn/ »ohne Lohn«),
aber Gen. Sg. des Artikels immer /tō/; Akk. Sg. der
kons. Dekl. auf /-an/ (/ton īyatēran/); Flexion -ās -āwos,
-is -iwos. Das K. bewahrt bemerkenswerte Archaismen
in der Morphologie (z. B. Dat. Sg. auf /-ei/ in /Diwei-
philos/, /Diweithemis/; 3. Sg. Impft. /ēs/ »er war«; 3. Sg.
Med. /-toi/ : /keitoi/) und im Lexikon durch 1) Übereinstimmungen mit dem ep. (z. B. /aisa, aroura, autar, oiwos,
posis, thalamos/) bzw. poet. (/īnis/ = att. υἱός) Wortschatz und 2) seltene, teilweise nur im K. belegte Le-
xeme (z. B. /grasthi, ewexe/ = att. φάγε, ἤνεγκε).

Probe (Idalion, 478–470 v. Chr.): /hote tān ptolin Eda-
lion kateworgon Mādoi … basileus Stāsikupros kas hā ptolis
Edaliēwes anōgon Onāsilon … ton īyatēran kas to(n)s kasig-
nēto(n)s īyasthai to(n)s a(n)thrōpo(n)s to(n)s i(n) tāi makhāi
ikmameno(n)s aneu misthōn/.

Entsprechend Att.: ὅτε τὴν πόλιν Ἐδάλιον κατεῖργον
Μῆδοι … βασιλεὺς Στησίκυπρος καὶ ἡ πόλις Ἐδαλιεῖς
ἐκέλευον Ὀνήσιλον … τὸν ἰατρὸν καὶ τοὺς ἀδελφοὺς ἰᾶ-

σθαι τοὺς ἀνθρώπους τοὺς ἐν τῇ μάχῃ βαλλομένους ἄνευ μισθοῦ.

→ Eteokyprisch; Griechische Dialekte; Arkadisch; Kyprische Schrift

QUELLEN: MASSON • T.B. MITFORD, O. MASSON, The Syllabic Inscriptions of Rantidi-Paphos (Ausgrabungen in Alt-Paphos auf Cypern 2), 1983 • Dies., Les inscriptions syllabiques de Kouklia-Paphos (Ausgrabungen in Alt-Paphos auf Cypern 4), 1986 • T.B. MITFORD, The Inscriptions of Kourion, 1971 • Ders., The Nymphaeum of Kafizin. The Inscribed Pottery (Kadmos Suppl. 2), 1980 • C. TRAUNECKER, F. LE SAOUT, O. MASSON, La Chapelle d'Achôris à Karnak (Centre Franco-Egyptien d'étude des Temples de Karnak), 1981.
GLOSSEN: Anecd. Bekker 3, 1094–1096 (Γλῶσσαι κατὰ πόλεις) • K. HADJIOANNOU, Ἡ ἀρχαία Κύπρος εἰς τὰς Ἑλληνικὰς πηγάς. Γ' Β', 1977 • O. HOFFMANN, Die k. Glossen als Quellen des k. Dial., in: BB 15, 1890, 44–100 • Ders., Die griech. Dial. 1, 1891, 104–124.
LIT.: BECHTEL, DIAL.² 1 • M. EGETMEYER, WB zu den Inschr. im k. Syllabar, 1992 • Ders., Zur k. Bronze von Idalion, in: Glotta 71, 1993, 39–59 • Ders., in: Kadmos 35, 1996, 178 f.; 36, 1997, 178 f. (Forsch.-Ber.) • A. HINTZE, A Lexicon to the Cyprian Syllabic Inscriptions (LEXOR 2), 1994 • J. KARAGEORGHIS, O. MASSON (Hrsg.), The History of the Greek Language in Cyprus. Proc. of an International Symposion Sponsored by the Pierides Foundation. Larnaca, Cyprus, 8.–13.9.1986, 1988 • A. MORPURGO DAVIES, Mycenaean, Arcadian, Cyprian and some Questions of Method in Dialectology, in: J.-P. OLIVIER (Hrsg.), Mycenaïca. Actes du IXᵉ Colloque international sur les textes mycéniens et égéens, Athènes 2–6 oct. 1990 (BCH Suppl. 25), 1992, 415–432 • R. SCHMITT, Einführung in die griech. Dial., 1977, 14–16, 87–94 • THUMB/SCHERER, 141–174.   A. HI.

II. NEUKYPRISCH

Wie generell bei den → griechischen Dialekten stellt sich auch im Falle des h. neugriech. Dial. Zyperns die Frage nach seinem Verhältnis zum hochaltertümlichen (Anknüpfung an das Myk.!) und noch bis in die Zeit des Hell. hinein in einem Syllabar geschriebenen Alt-K. Anders jedoch als im Falle des → Tsakonischen und Pontischen kann das Neugriech. Zyperns nicht als Nachfahr des Alt-K. bezeichnet werden, wenn sich auch im Bereich der Phonologie Fortsetzungen und Weiterführungen ant. Tendenzen zeigen, nämlich die den »mainstream-Dial.« diametral entgegengesetzte Neigung, geschlossene Silben, Geminaten und auslautendes −/n/ zu erh. bzw. sogar neu zu schaffen (εγούνι für ἐγώ; vgl. ant. inschr. bezeugtes -μαν für -μα); Erhalt der Geminaten ist v. a. aus dem Griech. Unteritaliens bekannt, erweist sich also nach den Erkenntnissen der Dialektgeogr. als unabhängig erh. gemeinsamer Archaismus. So kann auch der (junge) Wandel /py/ > /pk/ als Entfaltung einer bereits ant. Tendenz verstanden werden.

Andere Charakteristika des h. Dial. Zyperns wie etwa der Wandel von /ç/ zu /š/ vor /e/ und /i/ etwa in š'er für χείρ lassen sich spätestens ins frühe MA datieren (Fehlschreibungen mit <σι> für <χι> in Mss.), waren aber viel weiter, etwa auch im Griech. des Nahen

Ostens, verbreitet, wie die Sekundärüberl. zeigt, und sind deshalb nicht als Eigentümlichkeit Zyperns zu klassifizieren; da aber die anderen Regionen, in denen dieses lautliche Merkmal beheimatet war, durch die arab. Expansion und das Ausgreifen des Islam dem griech. Sprachgebiet verlorengingen und Zypern dadurch in eine Randlage geriet (was auch die Bewahrung von Altem, insbes. im Wortschatz, und eigene Neuerungen späterer Zeit erklärt), konnte dieses Merkmal erh. bleiben. Ansonsten aber hat, da Zypern z.Z. der Koineisierungsprozesse (→ Koine), nämlich v. a. in Hell. und Kaiserzeit, eine zentrale geogr. Lage innehatte, eine gründliche Koineisierung stattgefunden; in Morphologie und Syntax zeigt der Dial. Zyperns weitgehend den gewöhnlichen neugriech. Habitus mit einigen Archaismen im Wortschatz.

J. NIEHOFF-PANAGIOTIS, Koiné und Diglossie, 1994 • J. KARAGEORGHIS, O. MASSON (Hrsg.), The History of the Greek Language in Cyprus, Proc. of an International Symposium Sponsored by the Pierides Foundation, Larnaca 8.–13.9.1986, 1988 • B. NEWTON, Cypriot Greek, 1972.   V. BI.

Kyprische Archäologie s. Zypern

Kyprische Schrift. Die k.S., vermutlich eine Weiterentwicklung der → kyprominoischen Schriften [1; 2], ist eine mit → Linear B verwandte syllabische Schrift mit Zeichen für Vok. und offene Silben. Der gemeinsame Ursprung wird deutlich aus Zeichen, die nicht nur in der Form, sondern auch im Lautwert übereinstimmen (lo/ro, na, pa, po, se, ta/da, to, ti). Im Unterschied zu Linear B ist die k.S. eine reine Silbenschrift (ohne Ideogramme). Auch bei den Schreibregeln gibt es geringfügige Unterschiede: t und d sind in der k.S. nicht unterschieden (i-ta-te = att. ἐνθάδε), wohl aber r und l (lu-sa-to-ro = att. Gen. Λυσάνδρου); bezeichnet werden i- und u-Diphthonge (a-ro-u-ra-i = att. ἀρούρᾳ), silbenschließende Kons., einschließlich Resonanten und s, außer n im Inlaut (a-to-ro-po-se = att. Akk. ἀνθρώπους) und anlautende Kons.-Gruppen einschließlich s (se-pe-re-ma-to-se = att. Gen. σπέρματος) [3. 51–57].

Ältestes Zeugnis der k.S. sind fünf Zeichen o-pe-le-ta-u auf einem 1979 in Kouklia-Skales (Alt-Paphos) gefundenen brn. Bratspieß aus der Zeit Kypro-Geometrisch I (= CM I, 1050–950) [4. 50f.]. Dieser Text ist das Verbindungsglied zw. den Schriften des 2. und 1. Jt. v. Chr. und beweist sowohl die Kontinuität der Schrift auf Zypern über die → Dunklen Jahrhunderte hinweg als auch das Vorhandensein des griech. kyprischen Dial. (→ Kyprisch) im 11./10. Jh. Ebenfalls aus dem Gebiet von Paphos stammen die spätesten Zeugnisse der k.S., Zeichen auf Siegeln aus dem 2./1. Jh. v. Chr. [5; 6. 64–67].

Die k.S. ist auf unterschiedlichen Schriftträgern (z.B. als Grab- und Weihinschr. auf Stein, auf Mz., Siegeln, Keramikgefäßen, Ostraka) und in mehreren lokalen Varianten bezeugt, die sich in zwei Gruppen einteilen lassen: Am weitesten verbreitet ist das auch in der großen Br.-Inschr. von Idalion, dem mit 31 Zeilen längsten Text in k.S., verwendete Syllabar (»syllabaire commun«, s. Abb.) mit 55 Zeichen und bis auf wenige Ausnahmen linksläufiger Schreibrichtung. Davon unterscheidet sich das Syllabar von Paphos, das durch einige bes. Zeichenformen und überwiegend rechtsläufige Schreibrichtung sich bes. eng an CM I anschließt [3. 57–67; 7. 71 f.; 8]. Die oben erwähnte älteste Inschr. in k.S. weist Merkmale des altpaphischen Syllabars auf [2. 376 f.]. In k.S. sind zwei verschiedene Sprachen geschrieben: a) der griech. kypr. Dialekt und b) das noch ungedeutete → Eteokyprische (im »syllabaire commun«). Alphabetische Texte finden sich sporadisch ab dem 6. Jh., zunächst in Digraphen neben demselben Text in k.S. [9], werden aber erst ab dem 4. Jh. häufiger und verdrängen zunehmend und schließlich endgültig kypr. Dialekt und Syllabar.

Nachdem Texte in k.S. um die Mitte des 19. Jh. bekannt geworden waren, gelang ihre Entzifferung zw. 1871 und 1876 mit Hilfe einer phöniz.-kypr. Bilingue durch das Zusammenwirken verschiedener Gelehrter [3. 48–51].

→ Griechenland, Schriftsysteme; ENTZIFFERUNG

1 J. CHADWICK, The Minoan Origin of the Classical Cypriote Script, in: Acts of the International Archaeological Symposium »The Relations between Cyprus and Crete, ca. 2000–500 B. C.«, 1979, 139–143 2 E. MASSON, La part du fond commun égéen dans les écritures chypro-minoennes et son apport possible pour leur déchiffrement, in: J. T. KILLEN et al. (Hrsg.), Studies in Mycenaean and Classical Greek. FS John Chadwick, 1987, 367–381 (= Minos 20–22) 3 MASSON 4 V. KARAGEORGHIS, La nécropole de Palaipaphos-Skalès, in: Dossiers d'Archéologie 205, 1995, 48–53 5 E. UND O. MASSON, Les objets inscrits de Palaepaphos-Skales, in: V. KARAGEORGHIS (Hrsg.), Palaepaphos-Skales. An Iron-Age Cemetry in Cyprus. 1983, Appendix IV, 411–415 6 O. MASSON, Les écritures antiques a Chypre, in: Dossiers d'Archéologie 205, 1995, 62–67 7 HEUBECK 8 E. MASSON, Le Chyprominoen 1: Comparaisons possibles avec les syllabaires du 1er millénaire et l'étéochypriote, in: E. RISCH, H. MÜHLESTEIN (Hrsg.), Colloquium Mycenaeum 1975, 1979, 397–409 9 C. CONSANI, Bilingualismo, diglossia e digrafia nella Grecia antica III: Le iscrizioni digrafe cipriote, in: Studi in memoria di Ernesto Giammarco, 1990, 63–79 (Orientamenti Linguistici 25).

O. MASSON, En marge du déchiffrement du syllabaire chypriote I et II, in: Centre d'études chypriotes, Cahier 15, 1991; 16, 1991 · Ders., T. B. MITFORD, The Cypriot Syllabary, in: CAH 3,3, ²1982, 72–82, 479 (Lit.).   A. HI.

Kyprominoische Schriften. Auf Arthur EVANS zurückgehende Bezeichnung der mit → Linear A verwandten spätbrz. Linearschriften Zyperns [1. 69 f.] (→ Kypros). Das Schriftsystem dürfte syllabisch sein, doch sind die Texte noch weitgehend unentziffert. Aufgrund von Schreibmodus, Zeichenform und -inventar unterscheidet man drei Varianten [2. 11–17]: (a) Kyprominoisch (= CM) 1, (b) CM 2, (c) CM 3.

Kyprische Schrift
(»Syllabaire commun«, normalisierte Form)

	a	e	i	o	u
y					
w					
r					
l					
m					
n					
p					
t					
k					
s					
z	za?				
x					

Zu (a): Texte in CM 1 sind vom späten 16.–11. Jh. v. Chr. über ganz Zypern verbreitet und auch im nordsyr. Ras Šamra (→ Ugarit) bezeugt. Die Zeichen sind auf unterschiedliche Schriftträger (z. B. Keramik, Metall, Gewichtsteine, Siegel, Tontafeln und -kugeln) aufgemalt bzw. eingeritzt, die Texte meist sehr kurz. Einer der ältesten (um 1500 v. Chr.) ist eine Tontafel aus → Engomi, deren Schriftzeichen wegen deutlicher Verwandtschaft mit Linear A als »archa.« bezeichnet werden [3]. Aus dem 13.–11. Jh. stammen die sog. »Tonballen« (clay balls, boules d'argile) und Tonzylinder mit entwickelterem Schriftduktus.

Zu (b): CM 2 bezeugen vier Tontafelfrg. aus Engomi (13./12. Jh.) mit längeren, zusammenhängenden Texten, die von berufsmäßigen Schreibern aufgezeichnet sein könnten. Auch das Schriftbild erinnert an vorderasiat. Keilschrifttexte [4. 59; 5] (→ Keilschrift).

Zu (c): Texte in CM 3 stammen aus Ugarit. Sie datieren aus dem 13. Jh. und zeigen ebenfalls Einfluß der Keilschrift.

Detaillierte Studien insbes. von E.MASSON führten zu der Vermutung, CM 2 und 3 seien Adaptionen von CM 1. Texte in CM 1 und 2 stellten nicht nur verschiedene Schrifttypen, sondern auch verschiedene Sprachen dar. Hinter CM 2 könne sich das → Hurritische verbergen [2. 47–53]. Entzifferungsversuche von CM 3 ermöglichte eine 1956 gefundene, vollständig erh. Tontafel aus Ugarit (RS 20.25). Diese enthält offenbar Listen dreigliedriger Namen (Typus ›X Sohn des Y‹), von denen sich einige als semit. deuten lassen [2. 29–46; 6]. CM 1 dagegen, das über die ganze Insel verbreitet und über einen langen Zeitraum bezeugt ist, könnte die unbekannte eteokyprische Sprache (→ Eteokyprisch) der einheimischen Bevölkerung des 2. Jt. kodieren [4. 60–64; 7. 79–93]. Aus CM 1 dürfte die → kyprische Schrift hervorgegangen sein [8].

→ Griechenland, Schriftsysteme

1 A.J. EVANS, Scripta Minoa. The Written Documents of Minoan Crete 1, 1909 2 E.MASSON, Cyprominoica. Répertoires, documents de Ras Shamra, éssais d'interprétation (Stud. in Mediterranean Archaeology 31, Stud. in the Cypro-Minoan Scripts 2), 1974 3 Dies., La plus ancienne tablette chypro-minoenne, in: Minos 10, 1969, 64–77 4 HEUBECK 5 E.MASSON, Les syllabaires chypro-minoens: mises au point, compléments et définitions à la lumière des documents nouveaux, in: RDAC 1985, 146–154 6 P.MERIGGI, La nuova iscrizione cipriminoica di Ugarite, in: Athenaeum 50, 1972, 152–157 7 ST. HILLER, Die kypromin. Schriftsysteme, in: AfO Beih. 20, 1985 8 E.MASSON, Le Chyprominoen 1: Comparaisons possibles avec les syllabaires du 1er millénaire et l'étéochypriote, in: E. RISCH, H.MÜHLESTEIN (Hrsg.), Colloquium Mycenaeum. Actes du sixième colloque international sur les textes mycéniens et égéens tenu à Chaumont sur Neuchâtel du 7 au 13 septembre 1975, 1979, 397–409.

QUELLEN: J.F. DANIEL, Prolegomena to the Cypro-Minoan Script, in: AJA 45, 1941, 249–283 (Funde bis 1940) · O. MASSON, Répertoire des inscriptions chypro-minoennes, in: Minos 5, 1957, 9–27 (alle Funde bis 1956) · ST. HILLER, Die kypromin. Schriftsysteme, in: AfO Beih. 20, 1985, 67–74, 87, 102 · A. SACCONI, A proposito di un corpus delle iscrizioni cipriminoiche, in: J.-P. OLIVIER (Hrsg.), Mycenaïca. Actes du IXᵉ Colloque international sur les textes mycéniens et égéens, Athènes 2–6 oct. 1990 (BCH Suppl. 25), 1992, 249f. (Ankündigung eines Corpus kypromin. Texte).

LIT.: E. GRUMACH, Die kypr. Schriftsysteme, in: HdArch 1, 267–288 · HEUBECK, 54–74, 194–196 (Lit.) · ST. HILLER, Altägäische Schriftsysteme (außer Linear B), in: AAHG 31, 1978, 53–60 (Forsch.-Ber.) · Ders., in: AfO Beih. 20, 1985, 61–102 (Forsch.-Ber.) · A. MORPURGO DAVIES, Forms of Writing in the Ancient Mediterranean World, in: G. BAUMANN (Hrsg.), The Written Word. Literacy in Transition. Wolfson College Lectures 1985, 1986, 51–77 · TH.G. PALAIMA, Cypro-Minoan Scripts: Problems of Historical Context, in: Y. DUHOUX, TH.G. PALAIMA, J. BENNET (Hrsg.), Problems in Decipherment, 1989, 121–187 · C. BAURAIN, L'écriture syllabique à Chypre, in: Ders., C. BONNET, V. KRINGS (Hrsg.), Phoinikeia Grammata, 1991, 389–424 · O. MASSON, Les écritures antiques a Chypre, in: Dossiers d'Archéologie 205, 1995, 62–67.   A. HI.

Kypros (Κύπρος, lat. *Cyprus*, Zypern).
I. GEOGRAPHISCHE LAGE
II. HISTORISCHER ÜBERBLICK
III. ERFORSCHUNG   IV. RELIGION

I. GEOGRAPHISCHE LAGE

Mit 9250 km² ist K. die drittgrößte Insel des Mittelmeers, 227 km lang und bis 95 km breit. K. ist vom nächsten Punkt Kleinasiens, Kap → Anemurion, ca. 65 km, die Ostspitze der langen, schmalen östl. Landzunge Karpass von der syr. Küste etwa 96 km entfernt. K. ist geologisch gesehen recht junger, tertiärer Entstehung. An der Nordküste erstreckt sich ein schmaler, steiler Kalkkamm, der im Westen mit 1019 m gipfelt. Der SW ist ausgefüllt von dem jungvulkanischen Massengebirge Troodos mit der höchsten Erhebung auf 1953 m. Im Süden und Osten sind dem Gebirge Kalktafeln angelagert. Die große Hauptebene dazwischen, h. Mesaria, besteht aus jungtertiären Mergeln mit aufgelagerten Sandsteinschichten und Konglomerat, z. T. in Form von durch Erosion entstandenen isolierten, steilen Tafelbergen. Der größte Fluß ist der → Pediaios, h. Pidias, der zusammen mit dem Yalias die Mesaria in östl. Richtung durchfließt, aber nicht dauernd Wasser führt. Für sein bes. heißes Klima war K. schon im Alt. berüchtigt (Mart. 9,90,9). Die Niederschläge – nur im Winter – liegen an der unteren Grenze des Durchschnitts im östl. Mittelmeer. Doch wird die Fruchtbarkeit von K. von den ant. Autoren gerühmt (Aischyl. Suppl. 555; Strab. 14,6,5; Ail. nat. 5,56; Amm. 14,8,14); → Aphrodite soll an der Südküste dem Meer entstiegen sein und besaß in → Paphos ihren in der Ant. berühmtesten Kultort. Die Insel war im Alt. sehr waldreich (Strab. l.c.; Amm. l.c.) und daher wichtiger Holzlieferant für den Schiffbau (→ Holz) und die Verhüttung von Erzen. Bes. das an den Abhängen des Troodos gewonnene → Kupfer, das nach der Insel benannt ist, war schon im 2. Jt. v. Chr. von großer Bed. Im Alt. wird auch etwas Gold und Silber erwähnt (Aristot. fr. 266 ROSE), außerdem lieferte K. → Asbest und → Salz. Die wichtigsten Städte sind an der Nordküste von Osten nach Westen Karpasia, Keryneia, Lapethos, Soloi, Marion, an der Südküste von Westen nach Osten Paphos, Kurion, Amathus, Kition, Salamis, im Inneren Tamassos, Idalion, Golgoi. Ant. Beschreibungen: Skyl. 103; Strab. 14,6,1f.; Ptol. 5,14; Stadiasmus maris magni 297–317; Plin. nat. 5,129–130.

II. HISTORISCHER ÜBERBLICK
A. GESCHICHTE BIS ZUM ENDE DES HELLENISMUS
B. RÖMISCHE ZEIT   C. SPÄTANTIKE UND
BYZANTINISCHE ZEIT

A. GESCHICHTE BIS ZUM ENDE DES HELLENISMUS
Die Herkunft der Urbevölkerung und der kypr. Sprache (→ Kyprisch) ist nicht gesichert. Die ältesten bekannten Siedlungen reichen bis in das vorkeramische Neolithikum (ca. 7000/6800–6000 v. Chr.; zur Chronologie → Zypern) zurück, auf das eine Kultur mit

hochentwickelter geritzter und bemalter Keramik folgt. Am E. des Chalkolithikums deuten bei manchen Artefakten Parallelen mit der südanatolischen Kultur und Fortschritte in der Metallurgie auf Einwanderer aus diesem Raum; auch ist bei den ON neben den überwiegenden griech. ein »kleinasiat.« Bestandteil vorhanden. Die bald einsetzende Kupfergewinnung verlieh der Insel große Bed. und war Grundlage einer eigenen Metallgeräteindustrie [1]. Bedingt durch seine geogr. Lage und seine Bodenschätze stand K. von frühester Zeit an mit den umliegenden großen Kulturkreisen in engem Kontakt, behielt kulturell jedoch trotz aller äußerer Einflüsse seinen eigenen Charakter bis in hell. Zeit.

Der Name der Insel in den oriental. Sprachen ist → Alaschia, ägypt. Alaša, hebr. nach den Einwohnern der phoinik. Stadt → Kition: Kittim. Die Beziehungen zur Ägäis und dem min. Kreta waren zunächst gering. Daher ist es nicht sicher, ob die seit etwa 1550 v. Chr. nachweisbare, der kret. Linearschrift A (→ Linear A) ähnliche Silbenschrift aus Kreta übernommen ist (→ Kyprominoische Schriften). Sie setzt sich fort in der »klass.« kypr. Silbenschrift [2], in der Inschr. in eteokyprischer Sprache (→ Eteokyprisch) in Amathus und an anderen Orten bis ins 4. Jh. v. Chr. vorliegen (→ Kyprische Schrift). Die Griechen übernahmen diese Schrift und benutzten sie neben der griech. bis E. des 3. Jh. v. Chr.

Eine Intensivierung der Beziehungen zu Griechenland zeigt der zunehmende Import spätmyk. Keramik seit ca. 1400 v. Chr.; die Einwanderung der Griechen begann aber erst um 1200 v. Chr. im Zusammenhang mit dem Zusammenbruch der → mykenischen Kultur und der → Dorischen Wanderung. Die sagenhafte Gründung kypr. Städte durch griech. Heroen nach dem Troianischen Krieg (→ Troianischer Sagenkreis) spiegelt diese Ereignisse wider (Strab. 14,6,3). Um und nach 1200 v. Chr. sind auch auf K. manche Orte zerstört worden. Die Einwanderer stammten aus der Peloponnes, wie einerseits der dem → Arkadischen verwandte Dial., andererseits ON wie Achaion Akte (Ἀχαιῶν ἀκτη) und Keryneia, Lakedaimon, Korone/Koroneia, Asine (Steph. Byz. s. v.) und Epidauros (Plin. nat. 5,130) zeigen. Zu der griech. Einwanderung trat die phoinik. etwa um 800 v. Chr., die sich auf das von Tyros aus gegr. Kition konzentrierte (Inschr.: CIS 1 Nr. 10–96). Aus Inschr. der Zeit Sargons II. [3] und Asarhaddons [3. Nr. 690, 709] (8. bzw. 7. Jh. v. Chr.) geht hervor, daß die assyr. Jadnana gen. Insel in kleine Fürstentümer aufgeteilt und damals den Assyrern tributpflichtig war. In den nächsten Jh. wechselte die Hegemonialmacht [4. 9–79], doch blieben bis zur Annexion von K. durch Ptolemaios I. die einzelnen Stadtkönigtümer bestehen und prägten seit E. 6. Jh. eigene Mz. [5]. Lediglich die große Inschr. von → Idalion belegt im 5. Jh. v. Chr. einmal auch demokratische Institutionen in einer Monarchie [2. 235–244]. Gegen E. des 7. Jh. v. Chr. nahm der Einfluß Ägyptens auf kulturellem und polit. Gebiet zu; unter den Pharaonen Apries und Amasis fanden Kriegs-

züge gegen K. statt, die zur Unterwerfung der Insel führten (Diod. 1,68,1; 6; Hdt. 2,182,2).

Die archa. Epoche war eine neue Blütezeit der Insel, deren Kultur von der Verschmelzung griech., vorderasiat. und ägypt. Elemente geprägt ist [6]. Davon zeugen nicht nur zahlreiche Importe, sondern v. a. die Erzeugnisse der einheimischen Kunst. Einen großen Aufschwung erlebten bes. die Architektur, die Plastik mit Werken aus Ton und Kalkstein und die Vasenmalerei in orientalisierendem Stil [7]. Seit dem letzten Viertel des 6. Jh. bis zu dessen E. befand sich K. unter der Herrschaft des pers. Großreiches [8]. K. stellte ein wichtiges Flottenkontingent; so nahmen kypr. Könige am Zug des → Xerxes gegen Griechenland mit 150 Schiffen teil. Vergeblich hatten sich zuvor die meisten Städte im → Ionischen Aufstand gegen die Perser erhoben. Erfolglos blieben die wiederholten Bemühungen Athens, die Insel dem → Attisch-Delischen Seebund anzuschließen, wie beim Zug Kimons 450 v. Chr. Auch der Versuch → Euagoras' [1] I. von Salamis, seine Herrschaft Anf. des 4. Jh. v. Chr über die ganze Insel auszudehnen und vom Perserreich unabhängig zu machen, mißlang [9]. Einen neuen Aufstand 350 v. Chr. schlug Artaxerxes III. 344 nieder. Während der Belagerung von Tyros schloß sich K. Alexander d. Gr. an. Schon 321 v. Chr. verbündeten sich vier Könige von K. mit Ptolemaios I., der die Insel erfolgreich gegen Antigonos [1] Monophthalmos verteidigen und nach vorübergehendem Verlust 306 v. Chr. an → Demetrios [2] Poliorketes 294 wiedererobern konnte.

Die kypr. Königshäuser gingen in diesen Kämpfen unter. Die Insel blieb bis zum E. des Ptolemaierreiches ununterbrochen unter dessen Herrschaft und bildete in den dynastischen Zwistigkeiten des 2. und 1. Jh. zeitweilig ein Nebenkönigtum für sich. Sie war durch Besatzungen in einzelnen Städten gesichert und wurde von einem in Salamis, seit dem 1. Jh. v. Chr. in Nea-Paphos residierenden Gouverneur regiert, der gleichzeitig Flottenkommandant und Oberpriester der Insel war [10]. In dieser Zeit verschwanden das Phoinik., das Eteokypr. und die Silbenschrift. Theater, Gymnasien und Tempel veränderten das Gesicht der Städte und Heiligtümer. Auf die fortschreitende → Hellenisierung suchten die Herrscher Einfluß zu nehmen; so wurden unter Ptolemaios II. (285–224) drei Städte mit dem Namen Arsinoe gegr. und Kulte für das Königshaus eingerichtet [11].

B. RÖMISCHE ZEIT
Im J. 58 v. Chr. wurde Kypros von Rom annektiert, 30 v. Chr. endgültig zur röm. Provinz; → Cyprus.

E. MEY. u. R. SE.

C. SPÄTANTIKE UND BYZANTINISCHE ZEIT
Nach einer Reihe von Erdbeben im 4. Jh. n. Chr. wurde die Provinzhauptstadt von → Paphos nach → Salamis verlegt und dieses nach Kaiser Constans II. zu Constantia umbenannt. Kirchlich unterstand K. anfangs dem Patriarchat von → Antiocheia [1] und wurde 488 für autokephal (bis h.) erklärt. Seit 649 wurde K. häufig von den Arabern angegriffen. Durch einen byz.-arab.

Vertrag wurde um 680 für die Insel ein neutraler Status festgelegt, demzufolge das Steueraufkommen geteilt wurde und die Häfen beiden Mächten zugänglich waren. Abgesehen von einer kurzen Zeit unter byz. Herrschaft 874–878 (?) hatte dieser Status trotz zahlreicher schwerer Verletzungen durch beide Seiten bis zur Rückeroberung durch Byzanz im J. 965 Bestand. Die Bevölkerung blieb überwiegend griech., doch gab es im SW der Insel auch arab. Ansiedlungen. K. machte sich 1184 unabhängig und fiel 1191 beim 3. Kreuzzug in die Hände der Kreuzfahrer.　　　　　　　　　AL.B.

III. ERFORSCHUNG

Nachdem im 19. Jh. viele FO auf K. durch Reisende und Amateurausgräber unsystematisch durchsucht und die Funde auf Museen der ganzen Welt verstreut worden waren, legte die Swedish Cyprus Expedition 1927–1931 die Grundlage für eine wiss. Erforsch. der ant. Kultur von K. Heute arbeiten neben dem einheimischen Antikendienst zahlreiche internationale Missionen auf der Insel. Zur Arch. s. → Zypern.

→ Cyprus; Phönizien; Zypern; ZYPERN

1 H. MATTHÄUS, Metallgefäße und Gefäßuntersätze der Brz., der geom. und archa. Periode auf Cypern (Prähistor. Br.-Funde, Abt. 2,8), 1985 2 MASSON 3 D. D. LUCKENBILL, Ancient Records of Assyria and Babylonia 2, 1968, Index s. v. Jadanana 4 CHR. TUPLIN, Achaemenid Studies (Historia Einzelschr. 99), 1996 5 BMC, Gr Cyprus, 1904 6 A. T. REYES, Archaic Cyprus, 1994 7 V. KARAGEORGHIS, J. DES GAGNIERS, La céramique chypriote de style figuré, 1974 8 H. J. WATKIN, The Cypriote Surrender to Persia, in: JHS 107, 1987, 154–163 9 H. SPYRIDAKIS, Euagoras I. von Salamis, 1935 10 T. B. MITFORD, Helenos, Governor of Cyprus, in: JHS 79, 1959, 94–131 11 H. VOLKMANN, Der Herrscherkult der Ptolemäer in phönikischen Inschr. und sein Beitrag zur Hellenisierung von K., in: Historia 5, 1956, 448–455.

P. BOCCI, s. v. Cipro, EAA², 628–643 · H. G. BUCHHOLZ, V. KARAGEORGHIS, Altägäis und Altkypros, 1971 · S. CASSON, Ancient Cyprus, Its Art and Archaeology, 1937 · A. CAUBET, La religion à Chypre dans l'antiquité, 1979 · Dies. u. a., Art antique de Chypre au Musée du Louvre, 1992 · L. PALMA DI CESNOLA, Cyprus, Its Ancient Cities, Tombs and Temples, 1877 · R. P. CHARLES, Le peuplement de Chypre dans l'antiquité, 1962 · R. GUNNIS, Historic Cyprus, ²1947 · A. HERMARY, Musée du Louvre. Département des antiquités orientales. Cat. des antiquités de Chypre. Sculptures, 1989 · G. HILL, A History of Cyprus 1, 1940 · D. G. HOGARTH, Devia Cypria, 1889 · V. KARAGEORGHIS, Cyprus, 1982 · Ders. (Hrsg.), Archaeology in Cyprus. 1960–1985, 1985 · Ders. (Hrsg.), Acts of the International Symposium: Cyprus between the Orient and Occident, Nicosia 1985, 1986 · F. G. MAIER, Cypern, ²1982 · MASSON · O. MASSON, M. SZNYCER, Récherches sur les Phéniciens à Chypre, 1971 · J. L. MYRES, The Metropolitan Museum of Art, Handbook of the Cesnola Collections of Antiquities from Cyprus, 1914 · E. OBERHUMMER, Die Insel Cypern, 1903 · Ders., s. v. K., RE 12, 59–117 · M. OHNEFALSCH-RICHTER, K., die Bibel und Homer, 1893 · M. H. OHNEFALSCH-RICHTER, Griech. Sitten und Gebräuche auf Cypern, 1913 · E. PELTENBURG

(Hrsg.), Early Society in Cyprus, 1989 · E. GJERSTADT u. a. (Hrsg.), The Swedish Cyprus Expedition, 1934 ff. · V. TATTON-BROWN (Hrsg.), Cyprus B. C., 7000 Years of History, 1979 · C. VERMEULE, Greek and Roman Cyprus, 1976 · C. WATZINGER, K., HdArch 1, 1939, 824–848.
　　　　　　　　　E. MEY. u. R. SE.

BYZ. ZEIT: R. J. H. Jenkins, Cyprus between Byzantium and Islam A. D. 688–965, in: G. E. MYLONAS (Hrsg.), Studies Presented to D. M. Robinson, 1953, 1006–1014 · E. MALAMUT, Les Îles de l'Empire byzantin VIIIᵉ–XIIᵉ siècles, 1988 · A. A. M. BRYER, G. S. GEORGHALLIDES (Hrsg.), The Sweet Land of Cyprus, Symposium Birmingham 1991, 1993.　　　　　　　　　AL.B.

IV. RELIGION

Die vorgesch. Rel. von K. ist bes. faßbar durch weibliche Figurinen, die in der Levante und in Anatolien Entsprechungen haben; erste Modelle von Kultschreinen aus dem 4. Jt. v. Chr. weisen auf differenzierte rel. Aktivität in den dörflichen Siedlungen [1. 108–124]. In der Brz. beginnt eine rel. Ikonographie, in der (wie im min. Kreta) Stiersymbolik wichtig ist, die ebenso nach Anatolien wie nach dem min. Kreta weist [2]. Sie lebt noch im 1. Jt. in den in zahlreichen Weihgaben, aber auch in Ovids Erzählung von den Cerastae in Amathus (Ov. met. 10,220–237) faßbaren Stiermaskenträgern weiter, welche auf hocharcha. Vorstellungen von Stierbünden zurückzugehen scheinen [3]. Auch hier geben zahlreiche Modelle von Heiligtümern aus dem 3. wie dem 2. Jt. Einblick in die kult. Aktivitäten der weiterhin dörflichen Besiedlung im Inselinnern. Im Lauf des 2. Jt. setzte an der Küste die Urbanisierung ein, die nach der Jahrtausendmitte zu eigentlichen Tempelkomplexen wie denjenigen von Enkomi oder → Kition (mit Kupferproduktion im Tempelbereich) führte. In der späten Brz. brachten ägäisch-myk. wie levantinische Siedler ihre jeweiligen Trad. in die trotz aller Umbrüche blühende Kultur ein; ihre Komplexität zeigt sich etwa an der Diskussion um den gehörnten »Gott auf dem Metallbarren« von Enkomi, der sowohl mit babylon.-assyr. wie mit myk.-griech. Trad. verbunden wird [1. 127–137].

Die brz. Trad. werden trotz des Bruchs um 1050 und der massiven Zuwanderung von äg.-griech. und, nach der Mitte des 9. Jh. v. Chr., von phöniz. Siedlern teilweise ungebrochen in das 1. Jt. v. Chr. geführt, wie die Architektur mancher lokaler Heiligtümer (insbes. der um etwa 1200 v. Chr. gebaute und bis in die Kaiserzeit benutzte Tempel der → Aphrodite von → Paphos) zeigt [4. 28–32; 5]. Doch sind levantinische Überlagerungen gerade bei der eng mit → Ištar und → Astarte verwandten → Aphrodite faßbar: im baityl-artigen Bild (→ Baitylia); in der von Hdt. 1,199 ausdrücklich mit den Assyrern verbundenen sakralen Prostitution (→ Hieroduloi); oder in einer aitiologischen Einzelheit der von Ov. met. 698–764 erzählten Gesch. von → Iphis und Anaxarete, die im kyprischen Salamis spielt und auf reichen Hintergrund im kypriotischen und oriental. Aphroditekult verweist [5]. In Kition entstand im alten Tempelareal nach 850 v. Chr. der größte phöniz. Tempel der Astarte. Doch standen neben diesen städt. Zentren insbes. im 7./6. Jh. v. Chr. zahlreiche ländliche Heiligtümer in Blüte. Eigenständige kypriotische Entwicklungen der archa. Zeit sind etwa die großformatigen Weihgaben aus Terrakotta und Kalkstein [4. 32–40].

In der spätarcha. Zeit begann die Hellenisierung auch der phöniz. Gottheiten Zyperns; Eigenheiten des Kultes lebten freilich weiter und wurden von Lokalhistorikern notiert. Im Verlauf der hell. Zeit stieg das Aphroditeheiligtum von Paphos zum überlokalen Zentrum auf, das v. a. wegen seiner Opferdivination berühmt war (Tac. hist. 2,3). Im Gefolge der jüd. Diaspora faßte das Christentum früh auf K. Fuß; → Paulus und Barnabas besuchten die Insel und predigten ›in den Synagogen der Juden‹ von Salamis (Apg 13,5). Zum Andenken an ein Wunder in Paphos entstand im frühen 4. Jh. die dortige Kathedrale, und im 4. Jh. n. Chr. breitete sich der asketische Monastizismus aus (Hier. Vita Hilarionis 30), gefördert von → Epiphanios [1], dem Bischof von Salamis.

1 E. PELTENBURG (Hrsg.), Early Society in Cyprus, 1989
2 M. LOULLOUPIS, The Position of the Bull in Prehistoric Religions in Crete and Cyprus, in: Acts of the International Archaeological Symposium »The Relations Between Cyprus and Crete, ca. 2000–500 BC«, 1979, 215–222
3 GRAF, 415–417 4 A. T. REYES, Archaic Cyprus, 1994
5 W. FAUTH, Aphrodite Parakyptusa, 1967. F. G.

[2] Kleinasiat., vornehmlich im Raum des Pontos gebräuchliches → Hohlmaß für Trockenes im Volumen von 10 Choinikes oder 2 Modii; der K. entspricht ca. 14,6 l [1. 572–575]. Ein in Flaviopolis (Phrygien) gefundener Maßtisch enthält in sieben Vertiefungen Normmaße, unter denen neben K. auch → Modius, → Choinix und → Xestes genannt sind.

1 F. HULTSCH, Griech. und röm. Metrologie, ²1882.
H.-J. S.

Kypsela (Κύψελα, *Cypsala*). Binnenländische thrak. Stadt am linken Unterlauf des → Hebros an der *via Egnatia* (Strab. 7,7,4) in stark versumpftem Gebiet (Strab. 7,7,4; 6; 7a,1,9f.; 48; 57), h. Ipsala. Im 4. Jh. v. Chr. war

K. Residenz und Mz.-Stätte der Odrysenkönige (→ Odrysai). Als ptolem. Besitz wurde K. 254 v. Chr. von → Antiochos [3] II. belagert (Polyain. 4,16); um 200 v. Chr. von Philippos V. eingenommen. 188 v. Chr. wurde Cn. Manlius Vulso hier von Thrakes angegriffen. K. war in byz. Zeit wichtiger Militärstützpunkt.

A. FOL, Trakija i Balkanite prez ranno-elinisticeskata epoha, 1975, 90f., 107. I. v. B.

Kypseliden (Κυψελίδαι). Geschlecht des korinth. Tyrannen → Kypselos [2], das die Herrschaft der → Bakchiadai um die Mitte des 7. Jh. v. Chr. ablöste. Die Regierung der K. (Kypselos, → Periandros, → Psammetichos) wurde vom delphischen Orakel (wohl im nachhinein) auf Kypselos und seine Söhne begrenzt; sie sollte in der Enkelgeneration enden (Hdt. 5,92e). Nach Aristoteles (pol. 1315b 11ff.) war die → Tyrannis der K. die zweitlängste in Griechenland (73 ½ J.). Er begründet diese Dauer mit der Volkstümlichkeit des Kypselos (vgl. auch Nikolaos von Damaskos FGrH 90 F 57–60) und der Kriegstüchtigkeit seines Sohnes Periandros, der sich jedoch wie ein typischer Tyrann verhalten haben soll. Die K. führten die Handelspolitik der Bakchiadai weiter und intensivierten Handel und Handwerk. Kolonien oder Handelsposten wurden eingerichtet, u. a. Leukas (Hdt. 8,45; Thuk. 1,30,2), Anaktorion (Strab. 10,452) und Ambrakia (Strab. 7,325; 10,452), vielleicht auch Poteidaia. Die Freundschaft des Periandros mit Thrasybulos von Milet und seine Verbindung zu Alyattes von Lydien lassen auf eine Ausdehnung des Handelsgebietes nach Milet und dem Orient schließen (Hdt. 1,20; 3,48). Das Interesse an Heiratsallianzen bezeugen die Heirat einer Tochter des Kypselos mit einem Angehörigen des att. Philaidenhauses (indirekt Hdt. 6,128) und die Ehe des Periandros mit Melissa, der Tochter des Prokles von Epidauros (Hdt. 3,50).

Auf die K. gehen Baumaßnahmen in → Korinthos und in → Delphoi zurück. Das Schatzhaus der Korinther in Delphi, in dem die Weihgeschenke des Midas, des Gyges und des Euelthon von Salamis aufgestellt waren (Hdt. 1,14; 4,162), wurde nach Herodot (1,14) von Kypselos erbaut und weist ebenso wie die äg. Herkunft des Namens Psammetichos, des letzten Tyrannen, auf

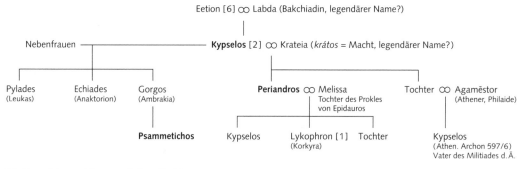

Die Kypseliden und ihre auswärtigen Beziehungen.

weitgespannte Beziehungen der K. Zahlreiche Weih-geschenke nennen die K. als Stifter, darunter die → Kypseloslade im Heratempel von Olympia (Dion Chrys. 11,45; Paus. 5,17,5–19,10), eine Goldschale, ebenfalls aus Olympia (Boston, MFA), und eine goldene Zeusstatue (Agaklytos FGrH 411 F 1; Strab. 8,3,30; 6,20; Plut. mor. 400E; Paus. 5,2,3; Apellas FGrH 266 F 5).

H. BERVE, Die Tyrannis bei den Griechen, 1967, 24, 32 f., 47 f., 69, 81 · L. DE LIBERO, Die archa. Tyrannis, 1996, 137 ff. · J. B. SALMON, Wealthy Corinth, 1984 · E. WILL, Korinthiaka, 1955, 441 ff.   B. P.

Kypselos (Κύψελος).

[1] Sohn des → Aipytos [2], der über Arkadien herrscht, als die Herakleiden wieder versuchen, in die Pelopon-nes einzudringen. Er gibt dem Herakleiden und Mes-senerkönig → Kresphontes seine Tochter Merope zur Frau und wird so vom Einfall verschont (Paus. 4,3,6; 8,5,6).   AL. FR.

[2] Tyrann von Korinth (wohl 657–627 v. Chr.), Sohn des Eëtion. Er löste die Herrschaft der → Bakchiadai, einer Gruppe herrschender Aristokraten, ab und eta-blierte die erste → Tyrannis in Griechenland. Seine Ge-nealogie und die Umstände seines Herrschaftsantritts sind durch Legendenbildungen verzerrt. Über seine Mutter Labda soll er mit den Bakchiadai verwandt sein. Ein positives Orakel aus Delphi kündigt seinen Herr-schaftsantritt als Befreiung von den herrschenden Bak-chiadai an. In einer aitiologischen Geburtslegende – nach dem Typus der im Alten Orient verbreiteten → Aussetzungs-Mythen – wird das wegen dieses Ora-kels bedrohte Kind von seiner Mutter in einem Bienen-korb (kypsélē) versteckt und gerettet. In einem weiteren Spruch wird K. in Delphi wie ein König empfangen und als Gründer des Tyrannenhauses der → Kypseliden gefeiert (Hdt. 5,92b-e). Die Legenden lassen auf eine nachträgliche Anerkennung der Usurpation und des Tyrannenhauses sowie die Unterstützung durch Delphi schließen. Die spätere Überl. (Nikolaos von Damaskos FGrH 90 F 57 nach Ephoros) gibt histor. Details, die jedoch von der polit. Begrifflichkeit des 4. Jh. v. Chr. geprägt sind.
→ Kypseloslade

H. BERVE, Die Tyrannis bei den Griechen, 1967, 15 ff., 522 ff. · L. DE LIBERO, Die archa. Tyrannis, 1996, 138 ff. · J. B. SALMON, Wealthy Corinth, 1984.   B. P.

Kypseloslade.

Behälter (kypsélē, kibōtós, lárnax) aus Zedernholz mit Elfenbein- und Goldappliken und Schnitzwerk, von Pausanias (5,17,5–19,10) als Votiv des → Kypselos [2] oder der → Kypseliden im Heratempel von Olympia beschrieben. Die K. wurde legendär als das Möbel erklärt, in dem Kypselos [2] als Kind vor den Bakchiaden gerettet worden sei, bzw. als dessen Nach-bildung. Eine Entstehung im mittleren 6. Jh. v. Chr. ist wahrscheinlich.

Wegen der Beschreibung durch Pausanias ist die K. eine wichtige Quelle für die Erforschung der archa.

Bilderwelt. Entgegen der verbreiteten Vorstellung von einer rechteckigen Truhe ist die Rekonstruktion als runder Behälter mit fünf umlaufenden Friesen plausi-bler. Im mittleren Streifen waren paradierende Krieger zu sehen. Darunter und darüber zeigte je ein Metopen-fries myth. Taten, Paare und Personifikationen. Im un-tersten und im obersten Streifen waren Heldentaten und Götterpaare wiedergegeben. Auswahl und Abfolge der Szenen folgten keinem Programm; vertreten sind der troianische und der thebanische Sagenkreis, The-seus, Herakles, Perseus, Peleus und Pelops. Beischriften und Epigramme erleichterten das Verständnis. Erh. Elfenbeinappliken (→ Elfenbeinschnitzerei) ähnlicher Geräte in Delphi geben eine Vorstellung vom Aussehen der K.

E. SIMON, in: EAA 4, 427–432 · E. BRÜMMER, Griech. Truhenbehälter, in: JDAI 100, 1985, 85–89 · L. LACROIX, Pausanias, le coffre de Kypsélos et le problème de l'exégèse mythologique, in: RA 1988, 243–261 · K. SCHEFOLD, Götter- und Heldensagen der Griechen in der früh- und hocharcha. Kunst, 1993, 187–192.   R. N.

Kyrbeis (κύρβεις).

Zur Bezeichnung der Schriftträger der Gesetze Drakons [2] und Solons war in Athen neben dem Begriff *áxōnes* auch das Wort k. üblich. Die Her-kunft des Wortes ist unbekannt. Entgegen der Meinung, die k. seien von den *áxōnes* zu unterscheiden, sind sie wahrscheinlicher nur eine andere Bezeichnung für die gleichen Gegenstände [1] (ML 86 = IG I³ 84; [Aristot.] Ath. pol. 7,1; Plut. Solon 25,1 f.). Nicht gut begründet ist die Annahme, eine *kýrbis* sei eine pyramidenförmige und/oder mit einer Abdeckung versehene → Stele und die angemessene Bezeichnung für eine Stele von Chios aus dem 6. Jh. v. Chr. (ML 8; vgl. [2]). Der Komö-diendichter Kratinos (fr. 274 KOCK = 300 KASSEL/AU-STIN) nimmt scherzhaft Bezug auf die k. Solons und Drakons. Bei der systematischen Aufzeichnung des Rechts am Ende des 5. Jh. v. Chr. wurden die k. als maßgebende Instanz für Opferhandlungen zitiert (Lys. 30,17; 18; 20; vgl. [3]).

1 A. ANDREWES, Φόρος: Tribute to B. D. Meritt, 1974, 21–28 2 LSAG 52–55, vgl. 336 3 W. S. FERGUSON, The Salaminioi of Heptaphylai and Sounion, in: Hesperia 7, 1938, 1–74, Nr. 1,87. 4 E. RUSCHENBUSCH, Solonos Nomoi, 1966 5 R. S. STROUD, The Axones and K. of Drakon and Solon, 1979.   P. J. R.

Kyrenaia (Κυρεναία, lat. Cyrenae).

Nordostafrikan. Küstengebiet der Kyrenaia (h. Cyrenaika), mit westl. Grenze bei → Arae [2] Philaenorum/Φιλαίνων Βωμοί (h. Ras el-Aáli) [1. 73 f., 469] und östl. Grenze bei → Katabathmos megas (h. Solum); vgl. Strab. 17,3,22 [2. 509 f.]. Das Gebiet war nach der theraiischen → *apoi-kía* Kyrene benannt. → Kyrene bildete zusammen mit Barke (h. Barka), das später von Ptolemaïs (h. Tolemai-de) überflügelt wurde, ferner mit Euhesperides, später Berenike (h. Benghazi), Taucheira, später Arsinoe (h. Tokra), und Apollonia, später Sozusa (h. Susa), die li-

bysche → Pentapolis (»Fünf-Städte-Bund«). Doch
taucht dieser Begriff erst bei Plin. nat. 5,31 auf [3. 17,
23[16], 481[30]]. Kein Wunder, zogen doch diese Städte
keineswegs immer an einem Strang! Im allg. jedoch bestimmte Kyrene die Geschicke der Region.

Im Gefolge der Intervention des spartanischen Frei-
beuters Thibron geriet die K. unter ptolem. Kontrolle
[4. 25–37]. Das Gebiet wurde als »Provinz« organisiert
(321 v. Chr.?) und dem *stratēgós* Ophellas unterstellt. Die
K. war in der Folgezeit zeitweise mit Äg. verbunden,
zeitweise wurde sie von unabhängigen Herrschern regiert. In einer polit. prekären Situation (156/5 v. Chr.)
griff Ptolemaios VII. Euergetes II. zu einem überraschenden und drastischen Mittel, um sich im Kampf
gegen seinen Bruder Ptolemaios VI. Philometor der
Hilfe des röm. Senats zu versichern: Er setzte das röm.
Volk – wenn auch unter bestimmten Bedingungen –
testamentarisch zum Erben seines »Königreichs« (βασι-
λεία) ein ([5. 204f.], SEG IX 7). Doch verhinderten neue
Ereignisse die Realisierung dieses Plans. Ein ähnliches
Testament des Ptolemaios Apion (96 v. Chr.) wurde jedoch in die Wirklichkeit umgesetzt: Die K. wurde röm.
Prov. *Cyrenaica provincia* (74 v. Chr.) und einem *quaestor
pro praetore* unterstellt (Sall. hist. fr. incerta 2,2; App. civ.
1,111,517). Während der Jahre 40–34 v. Chr. (?) wurden
die Prov. Creta und Cyrenae vereinigt (→ *Creta et Cyrenae*). Seit dem J. 27 v. Chr. bildete die Doppelprov.
eine praetorische Senatsprov. (Cass. Dio 53,12,4).

In diocletianischer Zeit (E. 3./Anf. 4. Jh. n. Chr.)
trug die bisherige Prov. (nunmehr ohne *Creta*) den Namen *Libya superior* – im Unterschied zur Prov. *Libya
inferior*, deren Gebiet sich östl. anschloß (Provinciarum
laterculus Veronensis 1,3 f.). Diese Regelung galt auch
noch im J. 430 (Not. dign. or. 2,25 f.). 448/9 nannte
Polemius Silvius die beiden Prov. *Libya pentapolis* und
Libya sicca (Pol. Silv. 1 p. 542,10). Auch in iustiniani-
scher Zeit (1. H. 6. Jh. n. Chr.) existierten die beiden
libyschen Prov. Libya superior bzw. inferior (Λιβύη ἡ
ἄνω und Λιβύη ἡ κάτω, Hierokles, Synekdemos 732,8;
733,4). Unter Diocletianus gehörten die beiden libyschen Prov. zur Diözese *Oriens*, in der Zeit um 430, im J.
448/9 und unter Iustinianus zur Diözese *Aegyptus*.
Inschr.: [6], dazu [7; 8; 9. 3–54; 10. 219–375]; AE 1969–
1970, 601; AE 1972, 575; 616; AE 1973, 560.
→ Libyes

1 HUSS 2 H. KEES, s. v. Pentapolis (3), RE 19, 509 f.
3 A. LARONDE, Cyrène et la Libye hellénistique, 1987
4 R. S. BAGNALL, The Administration of the Ptolemaic
Possessions outside Egypt, 1976 5 W. HUSS, Die
röm.-ptolem. Beziehungen in der Zeit von 180 bis 116
v. Chr., in: Roma e l'Egitto nell'antichità classica, 1992
6 G. OLIVERIO, Documenti antichi dell'Africa Italiana, 2
Bde., 1932–1936 7 J. M. REYNOLDS, Twenty Years of
Inscriptions, in: Society for Libyan Studies. Annual Reports
20, 1989, 117–121 8 S. M. MARENGO, Lessico delle iscrizioni
greche della Cirenaica, 1991 9 Quaderni di archeologia
della Libia 4, 1961 10 ASAA 39/40, 1961/2.

G. BARKER, J. LLOYD, J. REYNOLDS (Hrsg.), Cyrenaica in
Antiquity, 1985 • F. CHAMOUX, La Cyrénaïque, des
origines à 321 a.C., d'après les fouilles et les travaux récents,
in: Society for Libyan Studies. Annual Reports 20, 1989,
63–70 • A. LARONDE, Cyrène et la Libye hellénistique,
1987 • Ders., La Cyrénaïque romaine, des origines à la fin
des Sévères, in: ANRW II 10.1, 1006–1064 und Tafeln I–X •
P. ROMANELLI, La Cirenaica romana, 1943. W. HU.

Kyrenaïker (Κυρηναϊκοί).

A. GESCHICHTE B. LEHRE

A. GESCHICHTE

Als K. wurden nach der Heimatstadt des Sokrates-
schülers → Aristippos [3], Kyrene, diejenigen Philosophen bezeichnet, die man in die von diesem herkommende Trad. einordnete. Eine Liste der K. findet sich
bei Diog. Laert. 2,86. Wo in ant. Texten in pauschaler
Weise von Aristippos und den K. die Rede ist, geht es
fast immer darum, daß diese als höchstes Gut (*summum
bonum*) und als Ziel (*télos*) die → Lust (*hēdonḗ*) angesehen
hätten. Bezüglich der Entwicklung dieser Auffassung
(und der Philos. der K. insgesamt) lassen sich zwei Phasen unterscheiden: eine erste, in der sie konstituiert
wurde, und eine zweite, in der → Annikeris, → Hegesias [1] und → Theodoros Atheos sie gegen Ende des 4.
und zu Beginn des 3. Jh. in der Auseinandersetzung mit
Epikur zu verteidigen suchten, indem sie unterschiedliche Modifikationen an ihr vornahmen. Wegen dieser
Modifikationen trennten manche ant. Philos.-Histori-
ker die späteren K. von den früheren ab und bezeichneten sie als Annikereer, Hegesiaker und Theodoreer
(Diog. Laert. 1,19; 2,85; 93; 96; 97).

Die Konstituierung der Lustlehre der K. wird in den
erhaltenen Zeugnissen Aristippos [3] d. Ä. und seinem
Enkel Aristippos [4] d. J. zugeschrieben. Unsicher ist jedoch, welcher Anteil jedem der beiden zuzuweisen ist.
Eine Notiz bei Eusebios (Pr. Ev. 14,18,31–32) besagt,
Aristippos d. Ä. habe zwar durch seine Lebensweise und
das, was er gesagt habe, den Eindruck erweckt, er sei
davon überzeugt, daß das Glück des Menschen allein auf
der Lust basiere, eine explizite Lustlehre habe er jedoch
nicht vorgetragen; dies habe erst sein gleichnamiger Enkel getan. Wieweit diese Behauptung zutrifft und möglicherweise über die Lustlehre hinaus auszudehnen ist,
ist umstritten. Da die erh. Zeugnisse eine verläßliche
Klärung dieser Frage nicht zulassen, wird die Philos. der
frühen K. im folgenden als einheitliche Lehre dargestellt, zu der in nicht mehr genau erkennbarer Weise der
Sokratesschüler Aristippos [3] und sein gleichnamiger
Enkel Aristippos [4] beigetragen haben.

B. LEHRE

Die Basis, auf der die K. ihre Philos. aufbauten, referiert Sextus Empiricus (adv. math. 7,191): ›Die K. sagen, Kriterium der Wahrheit seien die Empfindungen
(πάθη) und sie allein würden erkannt und seien untrüglich; von den Dingen, die die Empfindungen bewirkt
hätten, sei dagegen keines erkennbar und untrüglich.

Denn daß wir die Empfindungen »weiß« und »süß« haben, das vermögen wir untrüglich und unwiderleglich zu sagen; daß aber das, was die betr. Empfindung bewirkt hat, weiß oder süß ist, läßt sich nicht beweisen‹. Daß dieser Sachverhalt gemeinhin verkannt wird, liegt – so argumentierten die K. weiter – vor allem daran, daß wir die Empfindungen, die die Dinge in uns bewirken, mit bestimmten, allen gemeinsamen Wörtern zu bezeichnen gelernt haben. Dies besagt indessen nicht, daß die mit den Wörtern bezeichneten Empfindungen gleich sind, kennt doch jeder nur seine je eigenen Empfindungen. Es muß vielmehr damit gerechnet werden, daß die Empfindungen der einzelnen Menschen infolge der je verschiedenen Konstitution ihrer Sinnesorgane (z. B. der Farbe ihrer Iris) durchaus unterschiedlich sind. Zuverlässige Aussagen können wir mithin allein über unsere Empfindungen, nicht aber über die Beschaffenheit der Dinge machen (S. Emp. adv. math. 7,192–198).

Das Zustandekommen von Empfindungen erklärten die K. in Übereinstimmung mit der üblichen zeitgenössischen Auffassung als einen leiblich-seelischen Vorgang, bei dem sich durch die Einwirkung äußerer Gegenstände im Körper des Betroffenen bestimmte Bewegungen bzw. Veränderungen (κινήσεις/*kinēseis*) vollziehen, die dann über die Sinnesorgane in die Seele transportiert und dort als diese oder jene Empfindung registriert werden.

Dies ist der Punkt, von dem her die → Ethik der K. ihre Erklärung findet: Wenn jeder immer nur seiner je eigenen Empfindungen gewiß sein kann, dann kann gut und schlecht für ihn letztlich nur in ebendiesem Bereich liegen. Da nun aber gut im Hinblick auf die Empfindungen gleichbedeutend mit angenehm bzw. lustvoll (ἡδύ/*hēdý*) und schlecht gleichbedeutend mit unangenehm bzw. schmerzlich (ἀηδές/*aēdés*; ἀλγεινόν/*algeinón*) ist, besagt dies, daß das Gute in den lustvollen und das Schlechte in den schmerzlichen Empfindungen besteht. Die → Lust (*hēdonḗ*) galt den K. demgemäß als das höchste Gut und damit als das Ziel allen menschlichen Tuns und der Schmerz als größtes Übel. Und da sie annahmen, daß sanfte Bewegungen als lustvoll und rauhe als schmerzhaft verspürt würden, bestimmten sie die Lust als »sanfte Bewegung« (λεία κίνησις) und den Schmerz als »rauhe Bewegung« (τραχεῖα κίνησις). Daneben erkannten sie einen dritten mittleren Zustand an, nämlich jenen, bei dem man keine der beiden Bewegungen, also weder Lust noch Schmerz verspürt (S. Emp. adv. math. 7,199; Diog. Laert. 2,85; 86; Eus. Pr. Ev. 14,18,32).

Da nun jede Bewegung früher oder später zum Stillstand kommen muß, können Lustempfindungen zwar unterschiedlich intensiv und ausgedehnt sein, sind jedoch mit Notwendigkeit immer zeitlich begrenzt. Worauf sich das Bestreben des K. richtet, ist daher die momentane durch den Körper vermittelte sinnliche Lust; sie ist das Ziel aller seiner Handlungen (Athen. 12,544ab; Diog. Laert. 2,87–88). Alles andere kann, wofern es überhaupt einen Wert hat, immer nur einen re-

lativen Wert haben, der sich dadurch bestimmt, wieviel es zur Erlangung von Lustempfindungen beiträgt. Dies von Fall zu Fall abzuschätzen und durch sorgfältiges Kalkulieren zu ermitteln, wie man in jedem Augenblick Lust gewinnt und Schmerz meidet, ist Aufgabe der Einsicht (φρόνησις/*phrónēsis*). Eine der wichtigsten Lektionen, die sie lehrt, ist die, daß man alle Affekte, die mit Schmerzempfindungen verbunden sind und der Erlangung von Lustempfindungen im Wege stehen, soweit wie möglich meiden muß. Bei einigen dieser Affekte, nämlich denen, die wie z. B. der Neid auf Einbildung (κενὴ δόξα) beruhen (im Falle des Neides auf der Einbildung, man müsse, um glücklich zu sein, etwas haben, was ein anderer besitzt, man selbst aber nicht), ist dies in vollem Umfang möglich, bei anderen, nämlich den naturgegebenen wie z. B. dem elementaren Erschrecken, dagegen nicht (Diog. Laert. 2,91). Gegen sie muß man sich durch mentales und körperliches Training wappnen (Cic. Tusc. 3,28–31; Diog. Laert. 2,91). Tut man dies, dann kann man hoffen, jene Kunst zu lernen, die Aristippos selbst so meisterlich beherrscht haben soll: die Kunst, nicht sich den Dingen, sondern die Dinge sich zu unterwerfen, wie es Aristippos' Verehrer Horaz formuliert hat (Hor. epist. 1,1,19).

Umstritten ist, ob schon die frühen K. neben der sinnlichen auch eine rein seelische Form der Lust anerkannten. Diogenes Laertios (2,89; 90) behauptet, daß sie dies getan hätten, und nennt als Beispiele derartiger Lust das ›Vergnügen am bloßen Wohlergehen des Vaterlandes‹ (»bloß« ist gesagt, um jeden Bezug auf das private physische Wohlergehen auszuschließen) und Kunstgenüsse (vgl. Plut. symp. 5,1,674ab). Manches spricht allerdings dafür, daß er dabei Ansichten, die erst → Annikeris vertrat, fälschlicherweise schon den früheren K. zuschreibt.

Den Modifikationen, die Annikeris, Hegesias und Theodoros Atheos an der kyrenaischen Lehre vornahmen, um sie in der Auseinandersetzung mit Epikur konkurrenzfähig zu machen, war kein Erfolg beschieden. Epikurs Lustlehre verdrängte die kyrenaische völlig.

ED.: G. GIANNANTONI, I Cirenaici, 1958 · E. MANNEBACH, Aristippi et Cyrenaicorum fragmenta, 1961 · SSR IV A-H.
LIT.: K. DÖRING, Der Sokratesschüler Aristipp und die K., 1988 · Ders., Aristipp aus Kyrene und die K., GGPh² 2,1, 1998, § 19 · G. GIANNANTONI, Il concetto di αἴσθησις nella filosofia cirenaica, in: Ders., M. NARCY (Hrsg.), Lezioni Socratiche, 1997, 179–203 · V. TSOUNA MCKIRAHAN, The Epistemology of the Cyrenaic School, 1998 · Dies., The Cyrenaic Theory of Knowledge, in: Oxford Studies in Ancient Philosophy 10, 1992, 161–192.   K.D.

Kyrene (Κυρήνη, lat. *Cyrene*).

I. GESCHICHTE II. ARCHÄOLOGIE

I. GESCHICHTE

Gründung der dor. Inselstadt Thera in der h. Cyrenaika, h. Schahhat. Belege: Hdt. 4,150–158; SEG IX 3 (mit echtem Kern); Strab. 17,3,21 [1. 9–67]. Übervölkerung und Hungersnot – nicht innenpolit. Kämpfe – zwangen die Einwohner von Thera zur Gründung dieser → *apoikía* (anders Menekles von Barke, FGrH 270 F 6). Die Auswanderer besetzten zunächst die Insel Platea (h. Bomba) vor der libyschen Küste, dann den Strand von Aziris und gründeten schließlich etwa 631 v. Chr. bei der dem Apollon geweihten Quelle Kyre die Stadt K. (Kall. h. 2,88f.; in hell. Zeit wurde die Nymphe K. als Gründerin der Stadt bezeichnet). Ihr Führer Aristoteles nahm den genuin griech. Beinamen Battos [2. 269–283] als Namen an (→ Battos [1]). In der Folgezeit wechselte dieser Name regelmäßig mit dem Namen Arkesilaos (→ Battiaden). → Battos [2] II., der mit einheimischen → Libyes im Streit lag, holte aus verschiedenen griech. Städten neue Siedler ins Land. Im J. 570 kämpfte er in der Landschaft Irasa gegen Pharao Apries, der von den Libyes zu Hilfe gerufen worden war, und siegte (Hdt. 4,159). Unter Battos [3] III. gliederte → Demonax [1] von Mantineia die Bürgerschaft in drei Phylen: die Theraioi samt den Perioikoi, die Peloponnesioi samt den Kretes und die Inselgriechen; außerdem beschränkte er die Macht des Königs (Hdt. 4,161f.; Diod. 8,30,2). 525 erkannte Arkesilaos III. – wie die Einwohner von Barke und die Libyes – die Oberhoheit des pers. Königs Kambyses, des Eroberers von Äg., an. Mit Arkesilaos IV., dessen delph. Wagensiege Pindaros (P. 4; 5) feierte, endete um 440 die Herrschaft der Könige.

In nachalexandrischer Zeit brachen in der Stadt heftige Unruhen aus. Einer der geflüchteten kyrenaiischen Oligarchen bat Ptolemaios, den neuen Satrapen von Äg., um Rückführung nach K. Ptolemaios sandte daraufhin starke Truppenverbände unter der Führung des Makedonen → Ophellas in die → Kyrenaia (322). Ophellas gelang es, Ruhe und Ordnung wiederherzustellen (Diod. 18,19–21; Arr. succ. fr. 1,16–19). Ptolemaios ordnete die Verhältnisse der Stadt in einem Diagramma (SEG IX 1; aus dem J. 321?). Ophellas blieb als Provinzstatthalter in der Kyrenaia zurück. Im J. 308 fand er vor den Mauern Karthagos den Tod [3. 193f.]. In der Folgezeit war die Kyrenaia teils Prov. des ptolem. Reichs, teils unabhängiges Königreich (Magas, Demetrios der Schöne, Ptolemaios VII. Euergetes II. und Ptolemaios Apion). 96 v. Chr. vermachte Ptolemaios Apion den Römern die *chṓra basilikḗ* (»königliches Land«), 74 v. Chr. gab Rom der Kyrenaia das Provinzstatut. M. Antonius setzte 34 v. Chr. seine Tochter → Kleopatra [II 13] Selene als Regentin der Kyrenaia ein. In Edikten der J. 7/6 v. Chr. und 4 v. Chr. ordnete Augustus das Gerichtswesen in K. (SEG IX 8). Im jüd. Aufstand 114 n. Chr. wurde K. stark in Mitleidenschaft gezogen. Traianus und Hadrianus setzten sich für den Wiederaufbau ein (SEG XVII 584).

Der Reichtum der Stadt bestand in Getreide und Öl, v. a. aber in → Silphion, das nur in der Kyrenaia wuchs. Hinzu kamen die Gewinne aus dem Handel mit Tieren (Schafe, Rinder und Pferde) und tierischen Produkten (Straußenfedern). Bedeutendstes Heiligtum der Stadt war der mit einer hl. Quelle verbundene Apollon-Tempel. Aus K. stammten bed. Persönlichkeiten: der Mathematiker → Theodoros, der Philosoph → Aristippos [3] (→ Kyrenaïker), der Philosoph → Theodoros »der Gottlose«, der Dichter → Kallimachos, der Universalgelehrte → Eratosthenes [2], der Akademiker → Karneades und der Bischof → Synesios.

Weitere Belege: Strab. 17,3,22. Inschr.: [4]; ASAA 39/40, 1961/2, 221 (Nr. 1)–268 (Nr. 94); 273 (Nr. 103)– 329 (Nr. 200bis); 340 (Nr. 212)–357 (Nr. 294); AE 1972, 616; 1973, 561; 1974, 671; 672; 1995, 1630–1632.

1 J. SEIBERT, Metropolis und Apoikie, 1963 2 O. MASSON, Le nom de Battos …, in: Ders., Onomastica Graeca selecta 1, 1990 3 HUSS 4 Quaderni di archeologia della Libia 4, 1961, 5–39.

H. CH. BROHOLM, s. v. K. (2), RE 12, 156–169 · F. CHAMOUX, Cyrène sous la monarchie des Battiades, 1953 · R. G. GOODCHILD, K. and Apollonia, 1971 · R. HORN, K., in: Antike 19, 1943, 163–213 · A. LARONDE, Cyrène et la Libye hellénistique, 1987 · S. STUCCHI, Architettura cirenaica, 1975 · A. A. I. WAISGLASS, An Historical Study of Cyrene from the Fall of the Battiad Monarchy to the Close of the Fourth Century B. C., 1954.   W. HU.

II. ARCHÄOLOGIE

Die schon früh im 19. Jh. begonnenen Ausgrabungen haben in K. eine der bedeutendsten Griechenstädte der Alten Welt aufgedeckt. Zentrale Bed. besaß das mit dem Gründungsmythos eng verbundene, reich ausgestattete Apollon-Heiligtum (Apollon-Tempel des 6. Jh. v. Chr., mehrfach und noch nach der jüd. Revolte im 2. Jh. n. Chr. erneuert), in dem mehrere Altäre, Nymphäen und Weihgeschenke standen sowie Tempel für Artemis, Hades, Hekate u. a.; Traian stiftete i. J. 98 eine von Hadrian erneuerte Thermenanlage. Westl. schloß sich ein Theater an, das in der Kaiserzeit zum Amphitheater umgebaut wurde. Der monumentale Zeustempel, unter Augustus und nochmals unter Marc Aurel in archa.-dor. Stil neu errichtet, enthielt als Kultbild eine Replik der von → Pheidias in Olympia geschaffenen Statue des Gottes. Ein bed. Heiligtum der Demeter und Persephone befand sich *extra muros* [1], wo sich auch bes. weitläufige Nekropolen erstrecken (u. a. Fassaden-Gräber).

1 D. WHITE, The Extramural Sanctuary of Demeter and Persephone at Cyrene, Libya. Final Reports, 5. The Site's Architecture, its First Six Hundred Years of Development, 1993.

G. BARKER (Hrsg.), Cyrenaika in Antiquity, 1985 · A. LARONDE, La Cyrénaïque romaine, des origines à la fin des Sévères, in: ANRW II 31.1, 1006–1064 · Scritti di antichità in memoria di S. Stucchi, 1996. · Regelmäßige Ber. in: Libyan Stud., Libya antiqua, Quaderni di archeologia della Libia.   H. G. N.

KARTEN-LIT.: EAA s. v. Cirene, 658 · A. LARONDE, La Cyrénaïque romaine, des origines à la fin des Sévères (96 av. J.-C. – 235 ap. J.-C.), in: ANRW II 10.1, 1006–1064, bes.

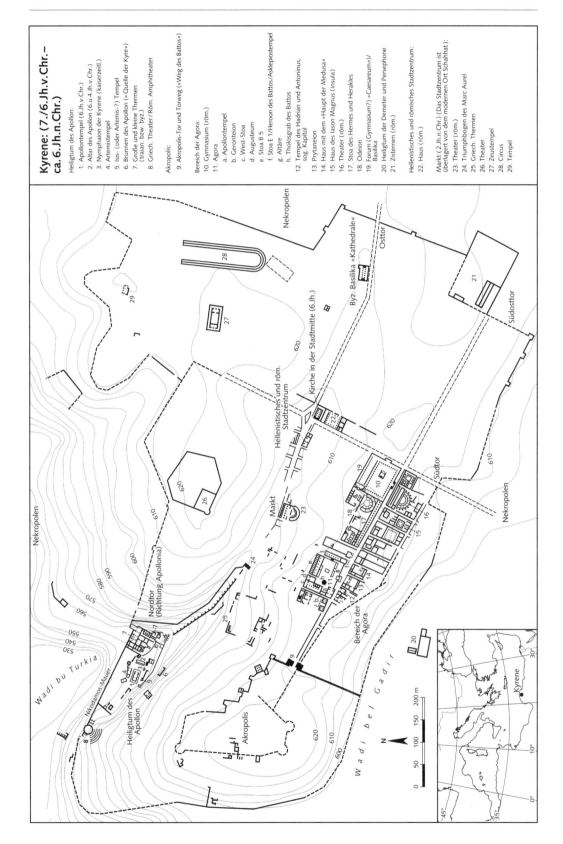

Kyrene: (7./6.Jh.v.Chr.– ca. 6.Jh.n.Chr.)

Heiligtum des Apollon:

1. Apollontempel (6.Jh.v.Chr.)
2. Altar des Apollon (6.u.4.Jh.v.Chr.)
3. Nymphaion der Kyrene (kaiserzeitl.)
4. Artemistempel
5. Isis- (oder Artemis-?) Tempel
6. Brunnen des Apollon (»Quelle der Kyre«)
7. Große und kleine Thermen
   (traian. bzw. byz.)
8. Griech. Theater / Röm. Amphitheater

Akropolis:

9. Akropolis-Tor und Torweg (»Weg des Battos«)

Bereich der Agora:

10. Gymnasium (röm.)
11. Agora
    a. Apollontempel
    b. Geronteion
    c. West-Stoa
    d. Augusteum
    e. Stoa B 5
    f. Stoa E 1/Heroon des Battos/Asklepiostempel
    g. Altäre
    h. Tholosgrab des Battos
12. Tempel des Hadrian und Antoninus,
    sog. Kapitol
13. Prytaneion
14. Haus mit dem »Haupt der Medusa«
15. Haus des Iason Magnus (insula)
16. Theater (röm.)
17. Stoa des Hermes und Herakles
18. Odeion
19. Forum (Gymnasium?) »Caesareum«/
    Basilika
20. Heiligtum der Demeter und Persephone
21. Zisternen (röm.)

Hellenistisches und römisches Stadtzentrum:

22. Haus (röm.)

Markt (2.Jh.n.Chr.) (Das Stadtzentrum ist
überlagert von dem modernen Ort Schahhat):

23. Theater (röm.)
24. Triumphbogen des Marc Aurel
25. Griech. Thermen
26. Theater
27. Zeustempel
28. Circus
29. Tempel

1039 · Ders., Cyrène et la Libye hellénistique, 1987, 73
(nach R. G. GOODCHILD, K.) · S. RAVEN, Rome in Africa,
³1993 · D. WHITE, The Extramural Sanctuary of Demeter
and Persephone at Cyrene, Libya. Final Reports 1, 1984 (mit
Plan gegenüber von S. 1).

Kyrieia (κυριεῖα) s. Kyrios II

Kyrillonas (Diminutivform zu *Kyrillos*). Name eines
ansonsten unbekannten Autors von sechs Gedichten in
syr. Sprache; eines davon handelt von einem Hunnen-
einfall in Nordmesopot. (also um 396 n. Chr.), die anderen fünf befassen sich mit nt. Themen.

D. CERBELAUD, Cyrillonas, l'agneau véritable, 1984 ·
S. LANDERSDORFER, Ausgewählte Schriften der syr. Dichter,
1913, 1–54 · I. VONA, I Carmi di Cirillona, 1963.
                                                                S. BR./Ü: A. SCH.

Kyrillos
[1] K. von Jerusalem. Um 313 n. Chr. geb., gehörte
zum Jerusalemer Klerus (Hier. chron. 2365 [GCS Eus.
7,236,7 f. HELM/TREU]) und amtierte von 348 bis 386 als
Bischof von Jerusalem; er kam eher als Parteigänger der
Homöer (so Hier. l.c., Sokr. 2,38,2 und Soz. 4,20,1)
denn als Nizäner (so Theod. hist. eccl. 2,26,6) in dieses
Amt. 358 wurde er von → Akakios [2] von Kaisareia des
Amtes enthoben und nach Tarsos verbannt, 359 reha-
bilitiert, im folgenden Jahr erneut verbannt. 362 kehrte
er kurzzeitig nach Jerusalem zurück und versuchte, den
Wiederaufbau des Tempels unter Kaiser → Iulianus [11]
zu verhindern (Sokr. 2,42,6; 45,17 und 3,20,7 f.). Unter
→ Valens nochmals verbannt, kehrte er spätestens unter
→ Gratianus [2] wieder in seine Bischofsstadt zurück
(Sokr. 5,3,1). Auf dem Reichskonzil von Konstantino-
pel 381 wurde seine antiarianische (= antihomöische;
→ Arianismus) Position hervorgehoben (Sokr. 5,8,3;
Soz. 7,7,3 und Theod. hist. eccl. 5,9,17).

Neben einem Brief an Kaiser → Constantius [2] über
eine Kreuzeserscheinung (Ed. s. [1]) sind Katechesen für
Taufbewerber erh., in denen u. a. das Jerusalemer Glaubensbekenntnis erklärt wird; sie sind eine wichtige
Quelle für die liturgischen Veränderungen, die den
Memorialcharakter der hl. Stätten des Lebens und Sterbens Jesu hervorheben. Die fünf mystagogischen Katechesen stammen dagegen wohl nicht von K., sondern
von seinem Nachfolger Iohannes von Jerusalem.

1 E. BIHAIN, in: Byzantion 43, 1973, 264–296.

ED.: CPG 2, 3585–3618 · E. BIHAIN, La tradition
manuscrite grèque des œuvres de saint Cyrille de Jérusalem
(diss. phil. Louvain), 1966 · E. J. YARNOLD, s. v. Cyrillus von
Jerusalem, TRE 8, 261–266.   C. M.

[2] K. von Alexandreia
A. LEBEN   B. WERK   C. THEOLOGIE

A. LEBEN
In Alexandreia [1] geb., erhielt K. durch seinen Onkel, den Bischof Theophilos, eine gediegene Aus-

bildung. Nachdem er mit ihm 403 an der sog. Ei-
chensynode teilgenommen hatte, wurde er 412 bis 444
n. Chr. sein Nachfolger als Bischof von Alexandreia.
Sogleich ging er hart gegen Novatianer (→ Novatianus)
und Juden vor und wandte sich gegen den *praefectus Au-
gustalis* → Orestes. In diesem Umfeld wurde 415 die
neuplaton. Philosophin → Hypatia durch Christen ermordet (Mitschuld K.' nach [10. 500]). Eine zentrale
Rolle spielte K. im Konflikt um den Bischof → Nestorios von Konstantinopel, dessen Reserve gegen die
Bezeichnung → Marias als *theotókos* (θεοτόκος, »Got-
tesgebärerin«) er als Leugnung der Einheit von Gott und
Mensch in Christus anprangerte (wichtige Schriften
übers. bei [8. 244–399]). Im rasch eskalierenden Konflikt stellte sich Papst Coelestin I. auf K.' Seite, dessen
Position 431 auf dem Konzil von Ephesos bestätigt wurde (Verurteilung des Nestorios). 433 einigte sich K. mit
den verbliebenen Anhängern des Nestorios.

B. WERK
Die Schriften des K. sind, unterteilt durch die nestorianische Kontroverse, drei Phasen zuzuordnen. Zunächst (412–428) entstanden exegetische Werke. K. beschäftigte sich mit dem AT (u. a. *Glaphyra in Pentateu-
chum*, CPG 5201), erarbeitete den wichtigen Jo-Komm.
(CPG 5208) sowie die Predigtsammlung des Lk-Komm.
[1]. Frühe Schriften richten sich auch gegen die Arianer
(→ Arianismus; u. a. *De sancta trinitate dialogi VII* [3]). In
die Zeit des Streits um Nestorios (428–433) fallen – neben Briefen [4; 7] und Verteidigungsschriften – fünf
Bde. *Contra Nestorium* (CPG 5217). Als Werk der dritten
Phase gilt der reife christologische Dialog *Quod unus sit
Christus* [2. 302–515]. Kaiser → Iulianus [11] wird in der
unvollständig erh. Schrift *Contra Iulianum imperatorem*
[5] bekämpft. K. schrieb alljährlich ›Osterfestbriefe‹ [6].

C. THEOLOGIE
An der Denktrad. Alexandreias (→ Athanasios) orientiert, steht für K. die Einheit des göttlichen Erlösers
Christus im Zentrum. Bei der primär als göttliche Ent-
äußerung begriffenen Inkarnation kommt es zu einer
seinshaften Einigung von Gottheit und Menschheit
(ἕνωσις φυσική/*hénōsis physikḗ* bzw. καθ' ὑπόστασιν/
kath' hypóstasin), wobei die Eigenarten beider Naturen
nicht aufgehoben werden. Maria ist daher Gottesgebä-
rerin. Schwächen seiner Begrifflichkeit werden offenbar, wenn K. von der ›einen fleischgewordenen Natur
des Logos‹ (μία φύσις τοῦ θεοῦ λόγου σεσαρκωμένη)
spricht und dabei unabsichtlich eine Formel des
→ Apollinarios [3] von Laodikeia verwendet. K. übte
maßgeblichen Einfluß auf die Entwicklung der altkirchlichen Christologie aus; gleichzeitig schieden sich
an ihm die Geister.

ED.: 1 CPG 5200–5438 2 CPG Suppl. 5201–5397 3 PG
68–77 (Gesamtausg.) 4 P. E. PUSEY (ed.), 7 Bde., 1868–1877
(Einzelschr.) 5 J.-B. CHABOT, R. M. TONNEAU (ed.), CSCO
70, 1912; 140, 1953 (neuere Ausg.) 6 G. M. DURAND u. a.
(ed.), SChr 97, 1964 7 Ders. (ed.), SChr 231, 237, 246,
1976–1978 8 L. R. WICKHAM (Hrsg.), Select Letters, 1983
9 P. BURGUIÈRE, P. EVIEUX (ed.), SChr 322, 1985

10 P. Évieux u.a. (ed.), SChr 372, 392, 434, 1991–1998
11 Acta Conciliorum Oecumenicorum IV 3/1, 1974, 161–199 (Reg.).
Lit.: **12** J. A. McGuckin, St. Cyril of Alexandria. The Christological Controversy, 1994 (Bibliogr. 403–415)
13 B. Meunier, Le Christ de Cyrille d'Alexandrie, 1997
14 J. Rougé, La politique de Cyrille d'Alexandrie et le meurtre d'Hypatie, in: Cristianesimo nella storia 11, 1990, 485–504 **15** Theologische Quartalschrift 178, 1998, 257–326 (Themenh. zu K.). J. Ri.

[3] K. von Skythopolis. Geb. um 524 n. Chr. als Sohn eines beim Metropoliten der Palaestina Secunda in Skythopolis (→ Beisan) beschäftigten Rechtsanwaltes. Er wurde 542 Mönch (→ Mönchtum) und lebte nach einigen Jahren als Anachoret in verschiedenen Klöstern in der judäischen Wüste, seit 556 in der großen → Laura, deren Gründer Sabas ihn in jungen Jahren sehr beeindruckt hatte (vita Sabae p. 180f. Schwartz). Seit 543 schrieb er Berichte seiner Mitbrüder über die Gründerväter des Wüstenmönchtums nieder, die in Sammlungen von Mönchsleben und Menologien überl. sind [1. 317–340]; erh. sind sieben Viten von Mönchen aus der judäischen Wüste: Euthymios († 473), Sabas († 532), Johannes Hesychastes († 557), Kyriakos († 556), Theodosios († 528), Theognios († 522) sowie Abraamios († 542/3). Diese Texte sind ungeachtet ihrer hagiographischen Stilisierungen eine der Hauptquellen für die Gesch. des Mönchtums in Palaestina, die Kontroversen um das Konzil von Chalkedon (451 n. Chr.) und die Lehre des → Origenes nach dem Konzil von Konstantinopel 553 n. Chr. in dieser Region.

E. Schwartz (ed.), K. von Skythopolis (Texte und Unt. 49/2), 1939 · R. M. Price, Lives of the Monks of Palestine by Cyril of Skythopolis, 1991 (Übers.) · CPG 3, 7535–7543 · J. Binns, Ascetics and Ambassadors of Christ. The Monasteries of Palestine 314–631 (Oxford Early Christian Stud.), 1994, 23–40 · B. Flusin, Miracle et histoire dans l'œuvre de Cyrille de Scythopolis (Ét. Augustiniennes), 1983. C. M.

[4] K. d. Ä. Rechtsprofessor in Berytos in der 1. H. des 5. Jh. n. Chr. [1]; ob er einen *Commentarius definitionum* schrieb [2], ist zweifelhaft [3].

1 PLRE II, 335 (Cyrillus 2) **2** Schulz, 388 f. **3** P. E. Pieler, in: Hunger, Literatur 2, 391.

[5] K. d. J. Jurist, verfaßte unter Iustinian I. eine griech. Paraphrase (Index) der → *Digesta*, die teilweise in die Basilikenscholien eingegangen ist.

PLRE III, 372 (Cyrillus 3) · ODB 1, 573. T. G.

[6] Unter dem Namen des K. ist ein Lex. überl., dessen erste Fassung wahrscheinlich aus dem 5. Jh. n. Chr. stammt. Es enthielt bibl. Glossen, solche aus den Kirchenvätern, attizistische und solche, die aus der Trad. der »Klassiker«-Exegese abgeleitet waren (insbes. aus den sog. Didymosscholien zu Homer und einer Euripides-Paraphrase). Es ist in zahlreichen Hss. erh., die sich zu drei oder vier Familien verschiedener Redaktio-

nen zusammenfassen lassen. Zeichen seiner außergewöhnlichen Nachwirkung in byz. Zeit sind auch die Interpolationen im Lex. des → Hesychios sowie die Tatsache, daß eine verwandte Slg., die Quelle einer der fruchtbarsten lexikograph. Trad., sich z. B. im Lexikon des Photios und in der Suda wiederfindet.

R. Reitzenstein, Die Überarbeitung des Lexicons des Hesychios, in: RhM 43, 1888, 443–60 · A. B. Drachmann, Die Überlieferung des Cyrillglossars (Danske Vidensk. Selskab. Hist.-filol. Meddedeler 21,5, 1936 · K. Latte (ed.), Hesychii Alexandrini Lexicon I, 1953, XLIV-LI · S. Luca, Il lessico dello Ps.-Cirillo (redazione VI): da Rossano a Messina, in: Rivista di Studi Byzantini Neoellenici 31, 1994, 45–80. R. T./Ü: T. H.

[7] Sonst unbekannter Verf. eines Distichons, das die Regel der Kürze nahelegt, indem es das Einzeldistichon als Maß für das vollkommene Epigramm vorschreibt; bei mehr als drei Zeilen handle es sich schon um ein Epos (Anth. Pal. 9,369). Dies ist eine Novität, da die »meleagrischen« Dichter einen Umfang von zwei, die Dichter des »Kranzes« des Philippos einen von drei Distichen bevorzugten. Belege für den Namen K. fehlen vor dem 2. Jh. n. Chr. fast völlig (FGE 115; das Epigramm ist dort jedoch nicht richtig verstanden, vgl. [1]).

1 M. Lausberg, Das Einzeldistichon. Studien zum ant. Epigramm, 1982, 43–44. M. G. A./Ü: T. H.

[8] Der »Slavenapostel«. Konstantinos, der kurz vor seinem Tod den Mönchsnamen Kyrillos annahm (Vita Constantini 18,5), unter dem er bei den Slaven seit dem 14. Jh. n. Chr. zusammen mit seinem Bruder Methodios als *Kiril i Metodij* am 14. Februar als Heiliger verehrt wird, stammte aus → Thessalonike, wo ›alle rein Slavisch sprechen‹ (Vita Methodii 5,4–8). Er studierte in → Konstantinopolis (843 n. Chr.) in der Magnaura-Schule (Vita Const. 4,1), als die Bilderverehrung schon ihren unumstrittenen Platz in der byzantinischen Orthodoxie eingenommen hatte. Als Diakon (Vita Const. 4,15) und später als Bibliothekar (eher ἄρχων τῶν κοντακίων als χαρτοφύλαξ) der → Hagia Sophia hatte er die Gelegenheit, das Kathedraloffizium näher kennenzulernen. Nach einer kurzen Beamtenkarriere wurde Methodios 840 n. Chr. studitischer Mönch im Kloster → Olympos von Bithynien. Wegen seiner Überzeugungskraft wurde er damit beauftragt, bei den andersgläubigen Sarazenen und → Chazaren zu wirken (Vita Const. 6,10).

Die beiden Slavenapostel erhielten den Auftrag, die gesamte liturgische Ordnung (τάξις/*táxis*) (*vьsь činъ*) durch die Übers. ins Slavische ihrem slav. Publikum zugänglich zu machen (2. slav. Vita Naumi). Diese slav. liturgische Ordnung (*činъ*) enthielt (Vita Methodii 15) Morgen- (*utrьnnici*) und Abendoffizium (*večerьni i pavečerьnici*), die Offizien der »Kleinen Stunden« (*časovomъ*) und das *officium sacramentorum* (*tajnaja služba*). Sie hatten schon vor ihrer Reise in Mähren einige Predigten zu den Evangelien (*besědu evangelьsku*) verfaßt, ferner den Psalter (*psaltyrь*) mit einem Aprakos-Evangelium und dem Praxapostolos (*evangelije sъ apostolomъ*) sowie ausgewählte Offizien des Monatszyklus (Teile des Euchologion, die Fastenoffizien des Triodion und der Oktoechos) übersetzt; außerdem stellten sie eine Kompilation, die später als *Zakonъ sudnyj ljudem* (*lex iudicialis de laicis*) bekannt wurde, zusammen; daneben sind die Bücher der Kirchenväter (*otьčьkъye knigy*) und Perikopen-Lesungen des Alten bzw. Neuen Testaments (*paremejnik*) erh.

→ Kirchenslavisch

M. ARRANZ, La tradition liturgique de Constantinople au IXe siècle et l'Euchologe Slave de Sinaï (Manuskript), 1985 · Ders., La liturgie de l'Euchologe Slave de Sinaï, in: Orientalia Christiana Analecta 231, 1988, 15–74 · M. EGGERS, Das Erzbistum von Method. Lage, Wirkung und Nachleben der kyrillomethodianischen Mission, 1996 · I. GOŠEV, Starobălgarskata liturgija, in: Godišnik na sofijskija universitet. Bogoslovski fak. 6, 1932, 1–80 · F. GRIVEC, F. TOMŠIČ, Radovi staroslavenskog instituta 4, 1960.   L. D.

Kyrios (Κύριος, »Herr«).
I. RELIGION   II. PRIVATRECHT

I. RELIGION
A. PAGAN
Die Anrede einer als machtvoll erfahrenen Gottheit mit »Herr« ist verbreitet in griech. rel. Sprache. Seit Homer können Götter (bes. Apollon und Zeus) mit dem myk. Königstitel Anax (Ἄναξ), »König, Herr«, angeredet werden [1]; eine Reihe mächtiger Göttinnen (Kybele, Aphrodite, Artemis, Demeter und Persephone, Hekate, Isis) wird seit archa. Zeit als Despoina (Δέσποινα), »Herrin«, angerufen, etwas seltener männliche Götter als Despotes (Δεσπότης) [2; 3]; während Anax als Archaismus der ep. und der Gebetssprache vorbehalten ist, sind Despotes und Despoina in der Alltagssprache Bezeichnungen für den Haushaltsvorstand, also bes. für Herrn und Herrin von Sklaven. Seit späthell. Zeit wird diese Wortgruppe in der rel. Sprache austauschbar mit K./Kyria (Κυρία); das setzt bes. bei oriental. Gottheiten wie → Isis in Ägypten ein, umfaßt aber bald eine Vielzahl von Gottheiten des Vorderen Orients und Anatoliens, einschließlich des thrakischen Reiterheros. Dabei können K. und Despotes im selben paganen Text austauschbar sein [4]; dies gilt auch für christl. Texte (vgl. etwa [5]). Beide Wortgruppen werden, wie das lat. *dominus*, auch in der Königstitulatur verwendet – nicht als Ausdruck des Herrscherkultes, sondern weil in beiden Fällen eine übermenschliche Gewalt das individuelle Leben machtvoll und oft unvorhersehbar direkt beeinflußte [6].

1 B. HEMBERG, Anax, Anassa und Anakes als Götternamen unter besonderer Berücksichtigung der att. Kulte (Acta Universitatis Uppsaliensis), 1955, 10 2 L. ROBERT, Trois oracles de la Théosophie, in: CRAI 1968, 583 3 A. HENRICHS, Despoina Kybele. Ein Beitr. zur rel. Namenskunde, in: HSPh 80, 1976, 253–286 4 L. ROBERT, BE 1940, 219 Nr. 101 5 SEG 42, 1992, 1168 6 E. WILLIGER, s. v. K., RE 12, 176–183.   F. G.

B. CHRISTLICH
Im NT ist K. sowohl Metonym für Gott (im Anschluß an die LXX, die mit K. das Tetragramm יהוה/JHWH wiedergibt [1]) als auch für Christus. Wenn K. bei Paulus wichtigster Christustitel neben »Sohn Gottes« ist und von keinem nt. Autor häufiger benutzt wird als gerade von Lukas, der für ein gebildetes griech.-sprachiges Publikum schrieb (Evangelium und Apg: 211 mal), dann hängt das mit der Faszination zusammen, die der Begriff K. im hell. Kulturkreis besaß. Dennoch ist der Titel nicht erst in griech.-sprachigen Gemeinden aufgekommen (so BOUSSET [2], nach dem er aus paganen syr. Kulten stammt mit der Folge einer nachträglichen Deifikation Christi), sondern hat seine Wurzeln in der aram.-sprachigen Urgemeinde. Das belegt der Gebetsruf *maranatha*, (= »Unser Herr, komm!«, 1 Kor 16,22; Didache 10,6; vgl. Apk 22,20), der an der Anrede Jesu mit profanem, Autoritätspersonen geltendem aram. *mr'* (= κύριε, *kýrie*, Mk 7,28; Mt 8,8.21 etc.) anknüpfen konnte, aber auch die christologische Deutung von Ps 110,1 (›Der Herr sprach zu »meinem Herrn«: Setze dich zu meiner Rechten...‹), deren hohes Alter die von der LXX abweichende Singularlesart ἐν δεξιᾷ (statt Plural ἐκ δεξιῶν = »zur Rechten«) in Röm 8,34; Apg 2,33; 5,31 verrät [3]. Die vorpaulinische Akklamation »Herr (ist) Jesus« (Röm 10,9; vgl. Apg 16,31 u.ö.), welche der österlichen Erhöhung Jesu in die Throngemeinschaft Gottes Ausdruck verleiht, wird in Phil 2,11 dahingehend vertieft, daß K. »der Name über alle Namen« ist, also für das Tetragramm steht [4]. Nach Ex 23,21b (»mein Name ist in ihm«, d. h. im Engel Gottes) ist dies ein jüdisch nachvollziehbarer Gedanke [5. 292–301], der eine Identifikation des K. Jesus mit Gott keinesfalls einschließt, wohl aber dessen eschatologische Repräsentanz durch jenen aussagt.

In hell. Gemeinden wird der K. Jesus verstärkt paganen *kýrioi* bzw. Göttern gegenübergestellt (vgl. 1 Kor 8,6). Die Apk konfrontiert das Bekenntnis zum Christus als dem »König der Könige und Herrn der Herren« (19,16; vgl. 1,5; 17,14) mit dem röm. → Kaiserkult, wie er in Kleinasien von der Klientel Kaiser Domitians (vgl. Suet. Dom. 13: *dominus et deus noster*, vgl. Apk 4,11) propagiert wurde. Zu Nero vgl. die Inschr. [6]: ὁ τοῦ παντὸς κόσμου κ. (»der Herr der ganzen Welt«).

1 A. PIETERSMA, K. or Tetragram: A Renewed Quest for the Original LXX, in: Ders., De Septuaginta, FS J. W. Wevers, 1984, 85–101 2 W. BOUSSET, K. Christos (FRLANT 21), ²1921 3 M. HENGEL, »Setze dich zu meiner Rechten!« Die Inthronisation Christi zur Rechten Gottes und Ps 110,1, in: M. PHILONENKO (Hrsg.), Le Trône de Dieu (WUNT 69), 1993, 108–194 4 O. HOFIUS, Der Christushymnus Phil 2,6–11 (WUNT 17), ²1991 5 J. E. FOSSUM, The Name of God and the Angel of the Lord (WUNT 36), 1985 6 Syll.³ Nr. 814 7 M. THEOBALD, s. v. K., LThK³ 6, 558–561 (mit Lit.).   M. TH.

II. PRIVATRECHT
Der *k.* übte im Hausverband rechtliche Gewalt (κυριεία, *kyrieía*) über Personen und Sachen aus. Der

Ehemann ist *k.* seiner Ehefrau, der nächste männliche Verwandte *k.* einer unverheirateten Frau. Doch wird die damit verbundene »Geschlechtsvormundschaft« im griech. Bereich nicht überall strikt beachtet. Als Sachherrschaft kann man die *kyrieía* am ehesten mit dem Eigentum vergleichen: Sie ist die Berechtigung zur tatsächlichen und rechtlichen Verfügung über eine Sache. Diese Position ist keineswegs als »absolutes« Recht durch eine der röm. *rei vindicatio* entsprechende Klage geschützt, sondern nur indirekt über das Deliktsrecht, vermutlich wegen Vorenthaltens fremden Gutes (→ *blábēs díkē*, → *klopḗ*). In röm. und byz. Zeit werden in Kaufurkunden und Gerichtsurteilen die Befugnisse des Eigentümers umfassend beschrieben: Neben *kyrieía* und → *despoteía* treten → *krátesis* und *nomḗ* (Elemente des Besitzes) auf.

A. KRÄNZLEIN, Eigentum und Besitz im griech. Recht, 1963 • A. R. W. HARRISON, The Law of Athens I, 1968, 30–32, 70–74, 200–205 • G. THÜR, Kannte das altgriech. Recht die Eigentumsdiadikasie? in: J. MODRZEJEWSKI (Hrsg.), Symposion 1977, 1982, 55–69 • H.-A. RUPPRECHT, Einführung in die Papyruskunde, 1944, 132 f.
                                     G. T.

Kyrnos
[1] s. Corsica
[2] s. Theognis, s. Sphragis

Kyros (Κῦρος, lat. Cyrus).
[1] K. I. (d.Ä.). Großvater → Kyros' [2] (d.Gr.), aus der Zylinder-Inschrift seines Enkels (TUAT I 409,21) bekannt. Dieser weist ihm dort den Titel »großer König, König von Anšān« (*šarru rabû šar Anšān*; → Anschan) zu und nennt ihn einen »Nachkommen« (*liblibbu*) des → Teispes. Die genealogische Verbindung K. (I.) – Kambyses (I.) – K. (II.) kennt auch Hdt. 1,111. K. d. Ä. dürfte demnach als Kleinkönig pers. Abstammung über (einen Teil (?) des ehemals elam.) Fārs im 7./6. Jh. v. Chr. zu interpretieren sein. Ob es sich bei dem in zwei Inschr.-Frg. → Assurbanipals genannten »Kuraš, König von Parsumaš«, der seinen ältesten Sohn Arukku ›mit seiner Abgabe, um mir (A.) zu huldigen‹ nach Ninive sandte [1. 191 f., ii' 7'–13'; 280 f., Z. 115–118], um K. I. handelt, bleibt wegen der Geläufigkeit des Namens K. und der keinesfalls gesicherten Zuweisung von Parsumaš nach Fārs umstritten; dagegen dürfte das auf fünf Tafeln der »Persepolis Fortification Tablets« ([3]; PFT 692–695,2033) gefundene Siegel (PFS 93) mit der elam. Legende »Kyros, der Anšānit, Sohn des Teispes« [2. fig. 2a/b] auf ihn verweisen.

1 R. BORGER, Beitr. zum Inschriftenwerk Assurbanipals, 1996 2 M. B. GARRISON, M. C. ROOT, Persepolis Seal Studies, 1998 3 R. T. HALLOCK, Persepolis Fortification Tablets, 1969 4 P. DE MIROSCHEDJI, La fin du royaume d'Anšan et de Suse, in: ZA 75, 1985, 265–306 5 R. ROLLINGER, Zur Lokalisation von Parsu(m)a(š) in der Fārs, in: ZA 89, 1999 (im Druck).   J. W.

[2] K. (II.?), Begründer des pers. Weltreiches (regierte 559?-Aug. 530 v. Chr.).
A. ABKUNFT UND GENEALOGIE
B. DIE MEDER UND DAS LYDISCHE REICH
C. KYROS UND DAS NEUBABYLONISCHE REICH
D. TOD UND NACHLEBEN

A. ABKUNFT UND GENEALOGIE
Seiner Zylinder-Inschr. (TUAT I 409,21) entnehmen wir, daß er aus dem Teispiden-Geschlecht stammte, seine Karriere als »König von Anšān« begann und »Sohn des Kambyses, des großen Königs, des Königs von Anšān, Enkel des Kyros, des großen Königs, des Königs von Anšān« war. Das Vater-Sohn-Verhältnis Kambyses (I.) – K. wird auch durch eine Inschr. aus Ur bestätigt (s.u.). Die Bezeichnung des K. als »Achaimenide« in den Inschr. aus Pasargadai (CMa-c [4. 116]) erfolgte nachträglich durch → Dareios [1] I. (vgl. DB I 27–29 [4. 117]); sie diente wohl dem Zweck, durch die konstruierte Verwandtschaft mit dem Reichsgründer die eigenen Ansprüche legitimatorisch zu untermauern. Bei Herodot (Hdt. 1,107 f.; vgl. Xen. Kyr. 1,2,1) erscheint K. als Sohn aus einer ehelichen Verbindung zwischen Kambyses und der medischen Königstochter → Mandane. Wie diese Trad. ideologischer Ausdruck pers. Ansprüche auf Medien (und über Mandanes Mutter Aryenis auf Lydien) ist (vgl. zu Ägypten Hdt. 3,2,1 f.), so ist die Legende von der wundersamen Rettung des Kindes K. (Hdt. 1,107–121; andere Versionen von Kindheit und Jugend bei Iust. 1,4,10; Nikolaos von Damaskos FGrH 90 F 66 und Ktesias FGrH 688 F 9; → Aussetzungsmythen) mit ihren mesopot. Parallelen (→ Sargon von Akkad) und ihrer iran. Prägung Zeichen der späteren Wertschätzung des charismatischen Reichsgründers. Nach Hdt. 1,214 soll K. 29 Jahre regiert haben. Als seine Söhne sind → Kambyses (II.) und → Bardiya [1] (Smerdis), als Töchter → Atossa und → Artystone (Hdt. 3, 88) namentlich bekannt.

B. DIE MEDER UND DAS LYDISCHE REICH
Nach seiner Thronbesteigung (559?) gelang es K. wohl zunächst, die Region um Susa, das alte Zentrum der Elamier, in die Hand zu bekommen und – so gestärkt – den Kampf mit dem angreifenden Astyages (akkad. Ištumegu) siegreich zu bestehen (550): Die medischen Verbände rebellierten gegen ihren Oberbefehlshaber und lieferten ihn an K. aus, der im Anschluß Ekbatana, die medische Residenzstadt, einnahm und reiche Beute nach Anšān schaffen ließ [3. Nr. 7, ii 1–4]. In grober Unterschätzung der pers. und in ebenso falscher Überschätzung der eigenen Machtmittel glaubte der Lyderkönig → Kroisos nach K.' Sieg, die polit. Landkarte Ostanatoliens neu zeichnen zu können (Hdt. 1,53–55; 73). Als sein Einmarsch in Kappadokien (in den 540er Jahren; Hdt. 1,71) und die anschließende, unentschieden endende Schlacht bei Pteria nicht den gewünschten Erfolg zeitigten (Hdt. 1,76), zog er sich in die Winterquartiere nach Lydien zurück, um sich mit Hilfe seiner Verbündeten in Babylonien, Ägypten und

Sparta auf einen neuen Waffengang vorzubereiten (Hdt. 1,77). K. bemühte sich, diese Pläne dadurch zu vereiteln, daß er sein Heer nicht entließ, sondern den Lydern nachsetzte (Hdt. 1,79) und zugleich die griech. Untertanen des Kroisos zum Abfall von ihrem Oberherrn aufforderte (Hdt. 1,76). Auch wenn sich die Griechen loyal gegenüber Kroisos verhielten, sah sich dieser nach einer weiteren Schlacht schon bald in seiner Hauptstadt Sardeis eingeschlossen (Hdt. 1,80f.). Nach zweiwöchiger Belagerung (Hdt. 1,84) – im Grabungsbefund nachzuweisen – fiel die Stadt in die Hände der Perser; Kroisos fand wohl in den Kämpfen den Tod ([3. Nr. 7 ii 15–17] – Lesung allerdings umstritten; Eusebios, Chronikoi kanones [armen.] p. 33,8f. KAERST); er überlebte allein in einem Teil der griech. Überl., die die Katastrophe myth. (Bakchyl. 3,23ff.) oder rationalisierend (Hdt. 1,86ff.) »schönfärbte« und zugleich die Trad. des »großzügigen Siegers« Kyros begründete (Hdt.).

Wie wenig dieses Bild mit der Wirklichkeit zu tun hat, beweist die Reaktion des Perserkönigs auf die Rebellion des von ihm als Schatzmeister eingesetzten Lyders Paktyes, der sich die meisten griech. Küstenstädte angeschlossen hatten. K.' Befehlshaber Mazares und → Harpagos [1] sorgten nicht nur für die rasche Bestrafung des Aufrührers, sondern rächten sich auch an dessen griech. Verbündeten: Mazares eroberte Priene, versklavte dessen polit. Elite und plünderte Stadt und Umland von Magnesia; Harpagos brachte anschließend Smyrna, Phokaia und andere Städte gewaltsam in seinen Besitz und sicherte den gesamten Küstenstreifen Westkleinasiens bis hin nach Lykien für K. (Hdt. 1,154–176). Allein Milet, das in lyd. Zeit unabhängig gewesen war, K. gegen Kroisos unterstützt und sich dem Aufstand nicht angeschlossen hatte, behielt seinen günstigeren polit. Status (Hdt. 1,169).

C. KYROS UND DAS NEUBABYLONISCHE REICH

Babylon unter König → Nabonid dürften die Niederlagen des Nachbarn Medien und des Verbündeten Lydien sowie die pers. Kontrolle Susas nicht unberührt gelassen haben. Welche Ereignisse allerdings der eigenen fatalen Konfrontation mit K. vorausgingen, läßt sich wegen Überl.-Ausfalls nicht ausmachen. Fest steht jedoch, daß die zunehmenden Spannungen von K. wohl dadurch geschürt wurden, daß er sich den mit Nabonid unzufriedenen Bevölkerungsgruppen Babyloniens (etwa der Marduk-Priesterschaft) als polit. Alternative andiente. Nach seinem Sieg bei Opis, dem anschließenden Massaker an den Soldaten und der Einnahme von Sippar konnte es sich K. erlauben, seinen Befehlshaber Ugbaru nach Babylon vorauszuschicken, die Stadt, die dem Beauftragten des Siegers ohne Widerstand ihre Tore öffnete, in Besitz und Nabonid gefangen zu nehmen ([3. Nr. 7, iii 12–18]; vgl. Hdt. 1,191). K.' eigener feierlicher Einzug in die Stadt Ende Oktober 539 v. Chr. ([3. Nr. 7, iii 18–20]; Berossos FGrH 680 F 9) wurde dabei ebenso nach babylon. Muster gestaltet wie seine ersten offiziellen Handlungen; unmittelbar nach dem Einzug starben allerdings Ugbaru

und K.' Gemahlin [3. Nr. 7, iii 22f.]. Die gleichfalls unter sachkundiger babylon. Anleitung konzipierte Bauinschrift, der »K.-Zylinder« (TUAT I 407–410), stellt den Perserkönig als von → Marduk geschätzten und geförderten legitimen König von Babylon vor, der den Verpflichtungen gegenüber Gott und Bevölkerung auf baulichem, kult. und bevölkerungspolit. Gebiet zum Wohle des Landes nachkommt, wodurch er sich von seinem Vorgänger abhebt (andere Eulogien: »Strophengedicht«: ANET 312–315; Inschr. aus Ur [2. Nr. 194, 307]). Mit seinem Verhalten schuf K. die Voraussetzungen dafür, daß sich die Elite des Landes zur Zusammenarbeit mit dem fremden Herrscher bereit finden konnte.

Mit der Niederlage Nabonids hatten auch die ehemals neubabylon. Territorien von Palästina im Südwesten bis zum Zagros im Osten den Besitzer gewechselt. Inwieweit sich K. bei ihrer polit. Anbindung an das Reich am babylon. Vorbild orientierte und inwieweit er in den neun Jahren seiner Herrschaft dort neue polit. Akzente setzen konnte, ist nicht auszumachen. Obgleich die ihm von der jüd. Überl. (K. im AT: 2 Chr 36,22f.; Esr 1,1–8; 3,7; 4,3–5; 5,13–17; 6,13f.; Jes 44,24–28; 45,1–9; Dan 1,21; 6,29; 10,1) zugeschriebene Rolle bei der Repatriierung von Nebukadnezar deportierten Judäern und der Wiederaufrichtung des Tempels in Jerusalem wohl als (theol.) Rückprojektion erst später genehmigter oder begonnener Maßnahmen auf den lange erwarteten Befreier zu verstehen ist, mag dem K. ein Interesse an syr.-paläst. Angelegenheiten eigen gewesen sein. Entscheidendes geschah in diesen Gebieten allerdings erst unter seinen Nachfolgern.

Als wie wichtig K. die polit.-administrative Einbindung des neubabylon. Reiches mit seinem riesigen Territorium und Bevölkerungszahlen, die ihresgleichen suchten, in das neue Imperium ansah, davon künden nicht nur seine bereits erwähnten ideologischen Bemühungen, sondern auch konkrete Maßnahmen: die Bestätigung hoher Funktionäre Nabonids in ihren Ämtern (z. B. des Statthalters (šakin māti) Nabû-aḫḫē-bulliṭ) oder die Einrichtung des Vizekönigtums des Kronprinzen Kambyses (538/7; vgl. z. B. [7. 108]), der als »König von Babylon« allerdings bereits nach einem Jahr aus uns unbekannten Gründen ausschied und Platz für den neuen Gouverneur (bēl pīḫāti) der Prov. »Babylon und Ebir nāri (Transeuphratene)« → Gobryas [2] (Belege in: [6. 56 Anm. 1]) machte. Der Umstand, daß unsere Zeugnisse – anders als für Lydien – nichts von Rebellionen in Babylonien wissen, spricht für den Erfolg der frühen pers. Politik in diesem Raum. Dies wird auch dadurch bestätigt, daß es K. in den 530er Jahren offensichtlich wagen konnte, große Teile Ostirans unter seine Kontrolle zu bringen (vgl. DB I 12–17 [4. 117] als Völkerliste des Jahres 522/1; von Kambyses II. sind keine Maßnahmen im Osten bekannt), wobei allerdings sowohl Strategie und Verlauf seiner Feldzüge als auch die Art seiner Grenzsicherungspolitik im NO und Osten aus Überlieferungsgründen unklar bleiben.

D. Tod und Nachleben

Die griech. Zeugnisse sprechen davon, daß K. im Kampf gegen die Steppenvölker gefallen (Hdt. 1,205–214; Ktesias FGrH 688 F 9), sein Leichnam in die Persis gebracht (Ktesias FGrH 688 F 13) und in seiner neu errichteten Residenz → Pasargadai beigesetzt worden sei (Aristob. FGrH 139 F 51b; vgl. Arr. an. 6,29,4–11). Die Reste dieser Anlage in einer künstlich bewässerten Gartenlandschaft künden noch heute von der Orientierung der königl. Bauherren an künstlerischen Vorbildern des gesamten Nahen Ostens und von der Schaffenskraft der eigens für den Bau verpflichteten Kunsthandwerker, etwa der ionischen Steinmetze.

Auch wenn das trad. K.-Bild, nicht zuletzt dank der Bemühungen des Königs selbst, bis heute zu positiv ausfällt und die dunklen Seiten seiner Person und Politik in den Hintergrund treten läßt, besteht doch kein Zweifel, daß wir in K. eine Persönlichkeit mit außergewöhnlichen Fähigkeiten fassen können: In weniger als 30 Jahren schufen seine mil.-strategischen Geniestreiche und seine Politik von Zuckerbrot und Peitsche ein Weltreich, das an Umfang und histor. Bedeutung seinesgleichen suchte. Es verwundert nicht, daß in Iran (vgl. Xen. Kyr. 1,2,1), aber nicht nur dort, schon bald unzählige Geschichten in Umlauf kamen, die, z. T. nach bekannten Mustern und Vorbildern gestaltet, das Lob dieses ungewöhnlichen Herrschers sangen.

1 Briant, passim 2 C. J. Gadd, Ur Excavation Texts 1, 1928 3 A. K. Grayson, Assyrian and Babylonian Chronicles, 1975 4 R. Kent, Old Persian, 1953 5 A. Kuhrt, Babylonia, in: CAH² 4, 1988, 112–138 6 M. San Nicolò, Beitr. zu einer Prosopographie der neubabylon. Beamten der Zivil- und Tempelverwaltung, 1941 7 A. Ungnad, Vorderasiatische Schriftdenkmäler 6, 1908 8 J. Wiesehöfer, Das ant. Persien, 1994, Index s. v.   J. W.

[3] K. d. J. (ca. 423–401 v. Chr.), Sohn Dareios' II. und der → Parysatis (Plut. Artaxerxes 1,2) sowie jüngerer Bruder → Artaxerxes' [2] II. Als in Purpur geborener Sohn von seiner Mutter bevorzugt (Plut. Artaxerxes, 2,4), wurde K. Satrap von Lydien, Großphrygien und Kappadokien (Xen. an. 1,9,7) sowie oberster Militärbefehlshaber (κάρανος: Xen. hell. 1,4,3; vgl. Xen. an. 1,1,2; 1,9,7) in Kleinasien (408 oder 407). Dort verfolgte er eine spartafreundliche Politik (vgl. Thuk. 2,65,12), in enger Abstimmung mit → Lysandros.

Nach (angeblichen [?], von seinem Gegenspieler → Tissaphernes gemeldeten) Attentatsplänen anläßlich der Krönung seines Bruders im Jahre 405/4 (Plut. Artaxerxes 3,3–5; vgl. Xen. an. 1,1; Ktesias FGrH 688 F 16) dank des Einsatzes der Parysatis amnestiert, kehrte K. in seinen Amtsbereich zurück und bereitete dort mit Hilfe Spartas, der ion. Griechen und angeworbener griech. Söldner (οἱ Κύρειοι, Xen. hell. 3,2,7) eine mil. Unternehmung gegen Artaxerxes vor (Xen. an. 1,4,2; Xen. hell. 3,1,1; Diod. 14,19,4). Die vom Feldzugsteilnehmer → Xenophon in der *Anábasis* ausführlich beschriebene Expedition scheiterte im Herbst 401 bei → Kunaxa,

weil K. in der entscheidenden Schlacht fiel (Xen. an. 1,8,26f.; Diod. 14,23,6f.; Deinon FGrH 690 F 17; Plut. Artaxerxes 11,1–5). Es verwundert nicht, daß Xenophon dem K. ein Enkomion widmete (Xen. an. 1,9; vgl. Xen. oik. 4,6–25), die achäm. Königsinschr. ihn dagegen nicht erwähnen.

R. Schmitt, s. v. Cyrus IV, EncIr 6, 1993, 524–526 ·
Briant, passim.   J. W.

[4] K. aus Panopolis (ὁ Πανοπολίτης). Dichter und Politiker, ca. 400–470 n. Chr. Er ließ als *praef. urbis* Konstantinopel nach dem Erdbeben von 437 wieder aufbauen. Er veröffentlichte als erster seine Dekrete nicht in lat., sondern in griech. Sprache; 439–441 gleichzeitig *praef. praetorio Orientis*. Als Anhänger des → Monophysitismus ließ er eine Kirche der Mutter Gottes errichten. Als er Ende 441 in Ungnade fiel (erst kurz zuvor war er Consul geworden), zog er sich nach Kotyaion (Phrygien) zurück und übernahm dort das Bischofsamt. Von seinen vielfältigen Werken sind nur eine kurze, aber eindrucksvolle in griech. Sprache verfaßte *Homilia in Nativitatem* (›Geburtshomilie‹; [1]) und drei Epigramme erhalten: Anth. Pal. 1,99 (eine Inschr. auf der Säule des Daniel Stylites in Anaplus); 9,136 (sechs Hexameter, die K. deklamierte, als er Konstantinopel verließ); und 15,9 (kurzes panegyrisches Gedicht auf Theodosius II. in homerisierenden Hexametern). Einem um etwa ein Jh. späteren K., der vielleicht mit dem Vater des → Paulos Silentiarios gleichzusetzen ist, gehören dagegen vermutlich die Gedichte 7,557 (Epitaphios auf eine tugendhafte Frau) und 9,623 (auf ein Bad) sowie 808f. (auf eine luxuriöse Villa bzw. eine Pindarstatue) und 813 (Lobpreis der Kaiserin Sophia, der Gattin Iustinus' II.), die aus dem »Kyklos« des Agathias stammen.

Ed.: 1 T. E. Gregory, The Remarkable Christmas Homily of K. Panopolites, in: GRBS 16, 1975, 317–24.
Lit.: 2 D. J. Constantelos, K. Panopolites, Rebuilder of Constantinople, in: GRBS 12, 1971, 451–64 3 A. Cameron, The Empress and the Poet: Paganism and Politics at the Court of Theodosius II, in: YClS 27, 1982, 217–89.
M. G. A./Ü: T. H.

[5] Κῦρος, Strab. 11,1,5; 2,17; 4,2; 7,3; 8,9; 14,4; Κύρος, Ptol. 5,11,1; 3; Κύρνος, Plut. Pompeius 34f.; Κύρτος, App. Mithr. 103; *Cyrus*, Plin. nat. 1,6; 10; 6,25f.; 29; 39; 45; 52; h. *Kura* (russisch, türkisch) bzw. *Mtkvari* (georg.). Größter Fluß Süd-Kaukasiens, im h. Hochland von Ardahan entspringend, im Bogen nö-sö fließend, Mündung ins Kaspische Meer. Im Alt. bildete er die Grenze zwischen Groß- → Armenia, → Iberia [1] und → Albania [1] (Strab. 11,3,2, Plin. nat. 6,39). Bei Strab. 11,2,17; 7,3 als Teil des Binnenschiffahrtsweges von Indien über das Kaspische Meer zum Pontos genannt, mit viertägigem Landtransport über den Ponia-Paß (h. Surami/Georgien) zum → Phasis.

F. Weissbach, s. v. K. (2), RE 12, 184ff.   A. P.-L.

[6] Fluß in der Persis, nach Strab. 15,3,6 in der Nähe von Pasargadai, h. Pulvār. Der h. Kur ist dagegen mit dem → Araxes [3] zu identifizieren.

> J. SEIBERT, Die Eroberung des Perserreiches durch Alexander d.Gr., 1985, bes. 105 f.   J. W.

Kyrrhestike (Κυρρηστική).

Südlich der → Kommagene gelegene nordsyr. Region zwischen Euphrat und → Amanos, nach ihrer Hauptstadt Kyrrhos [2] benannt. Der Name wird im Zusammenhang mit Ereignissen des J. 286 v. Chr. erstmals, doch vielleicht anachronist. verwendet (Plut. Demetrios 48,6). Zweifelsfrei belegt ist 221 ein Aufstand von 6000 Kyrrhesten gegen Antiochos [5] d.Gr. (Pol. 5,50; 57). Z. Z. der endenden seleukid. Herrschaft scheinen lokale Dynasten die Politik in der K. mitbestimmt zu haben. So wird im Zusammenhang der Schlacht bei Gindaros, in der 38 v. Chr. der parth. Kronprinz → Pakoros unterging, der Kyrrhest und (angeblich treulose) röm. *socius* Channaios/Pharnaeus erwähnt (Cass. Dio 49,19,2; Frontin. strat. 1,1,6). K. war in der röm. Kaiserzeit Teil der Provinz Syria, dann – nach Abtrennung der Phoenice – der Syria Coele. Als wohl unter Constantius [2] II. die Provinz Augusta Euphratensis gebildet wurde, kam ein Großteil der K. zu ihr. Die fruchtbaren Landstriche um und nördl. von Beroia blieben bei Syria Coele, später bei deren Teilprovinz Syria Prima.
→ Syrien

> E. FRÉZOULS, Cyrrhus et la Cyrrhestique jusqu'à la fin du Haut-Empire, in: ANRW II 8, 164–197 · E. HONIGMANN, s. v. K., RE 12, 191–198 · E. KETTENHOFEN, Östl. Mittelmeerraum und Mesopotamien (TAVO B V 12), 1983 · W. ORTH, Die Diadochenzeit im Spiegel der histor. Geographie, 1993, 89.   M.SCH.

Kyrrhos (Κύρρος).

[1] Maked. Stadt beim h. Aravissos zw. Pella und Edessa, existierte schon im 5. Jh. v. Chr. (Thuk. 2,100,1); sollte Bauplatz eines der von Alexander d.Gr. angeblich geplanten Riesentempel werden (Diod. 18,4,5); halbfertige Bauteile in einem ant. Steinbruch bei K. könnten mit diesem Bauvorhaben zusammenhängen [1]. Eine unveröffentlichte Inschr. (vgl. [2]) belegt eine polit. Gemeinde, die sich um Straßen- und sonstige Baumaßnahmen kümmerte. Unter den maked. Provinzstädten von Plin. nat. 4,34 erwähnt, wurde K. im 5. Jh. n. Chr. von Ostgoten eingenommen; Theodemir, Vater Theoderichs d.Gr., ist dort gestorben (Iord. Get. 287 f.). Iustinianus ließ den Ort befestigen (Prok. aed. 4,4).

> 1 G. BAKALAKIS, Archaia Makedonia 1, 1970, 172–183
> 2 A. K. VAVRITSAS, Archaia Makedonia 2, 1977, 7–9.
>
> F. PAPAZOGLOU, Les villes de Macédoine, 1988, 152–154.
>   MA.ER.

[2] Stadt in Nordsyrien, ca. 90 km nordöstl. von Antakya/Antiocheia. Aufgrund des Namens wohl eine maked. Ansiedlung bereits der Diadochenzeit (→ Diado-

chen und Epigonen). Unter den Seleukiden Hauptort der nach ihr benannten Landschaft → Kyrrhestike; einer der vier Verwaltungsbezirke der Satrapie Seleukis. Entsprechend der Lage an der Hauptroute von Antiocheia über Seleukeia/Zeugma nach Nordmesopot. war K. von strategischer Bed. Nach der schwierigen Zeit des 1. Jh. v. Chr. kam es zu einer Blüteperiode in der röm. Kaiserzeit, mit umfangreicher Münzprägung. Im frühen 1. Jh. n. Chr. war K. Garnisonsort der *legio X Fretensis*, in den Partherkriegen des 2. Jh. wichtiger Etappenort, ferner Heimatort des Feldherrn und späteren Thronprätendenten gegen Marcus Aurelius, Avidius [1] Cassius. 256 n. Chr. wurde K. von den Sāsāniden eingenommen. Danach verlor die Stadt an Bed., obwohl noch Iustinianus im 6. Jh. n. Chr. bauliche Maßnahmen zu ihrer Sicherung traf. In rel. Hinsicht spielte K. im 5. Jh. n. Chr. unter seinem Bischof → Theodoretos eine wichtige Rolle. Im J. 637 erfolgte die Einnahme durch die Araber, danach wurde K. durch die Grenzkämpfe mit Byzanz in Mitleidenschaft gezogen. K. wird bis ins 12. Jh. n. Chr. erwähnt. Arch.: ausgedehntes Ruinenfeld mit guterh. Mauerring, Theater und Säulenstraße. Systematische arch. Unt. seit 1952.

> E. FRÉZOULS, Recherches historiques et archéologiques sur la ville de Cyrrhus, in: Annales archéologiques arabes syriennes 4/5, 1954/5, 89–128 · Ders., L'exploration archéologique de Cyrrhus, in: J. BALTY (Hrsg.), Apamée de Syrie, 1969, 81–92 · Ders., Cyrrhus et la Cyrrhestique jusqu'à la fin du Haut-Empire, in: ANRW II 8, 164–197 · J. D. GRAINGER, The Cities of Seleukid Syria, 1990.   J. G.

Kyrtioi (Κύρτιοι, lat. *Cyrtii*).

Bei Strab. 11,523; 727 als Nomaden im nördl. Medien und Persien genannt. Pol. 5,52,5 erwähnt K. als Hilfstruppen des medischen Statthalters Molon im Kampf gegen Antiochos III. Liv. 37,40,9 nennt sie als Gegner der Römer in der Schlacht bei Magnesia (190 v. Chr.), bei Liv. 42,58,13 erscheinen sie als röm. Söldner bei Kallinikos (171 v. Chr.). Dem Namen nach werden sie als Vorfahren der Kurden angesehen.
                                                          B.B.

Kyrtones (Κύρτωνες).

Kleine boiot. Stadt (πόλισμα) an der Grenze zu Ostlokris, nordwestl. von Hyettos an einem nach Korseia führenden Übergang über das Chlomon-Gebirge; wohl bei den spärlichen ant. Überresten beim h. Kolaka zu lokalisieren. Der alte Name lautete Kyrtone (Κυρτώνη, Paus. 9,24,4). In K. befand sich in röm. Zeit ein Tempel und Hain des Apollon und der Artemis sowie ein Quellheiligtum der Nymphen. Belegstellen: Paus. 9,24,4; vgl. auch Herodian. de prosodia catholica 3,1,293; 337; Herodian. de paronymis 3,2,861; Steph. Byz. s. v. K.

> J. M. FOSSEY, The End of the Bronze Age in the South West Copaic, in: Ders., Papers in Boiotian Topography and History, 1990, 53–57 · W. A. OLDFATHER, Stud. in the History and Topography of Locris II, in: AJA 20, 1916, 157–168 · N. D. PAPACHATZIS, Παυσανίου Ελλάδος Περιήγησις 5, ²1981, 166.   P. F.

Kytaia (Κυταιίς, Apoll. Rhod. 2,1267; Κύταια, schol. ad Lykophr. Alexandra 1312; Κόταϊς (τὸ φρούριον), Prok. BG 4,14,49; 4,14,51 Agathias 2,19,1). Stadt in → Kolchis, a.O. des h. Kutaisi am mittleren Rioni (→ Phasis) in Georgien. Ausgrabungen belegen die Existenz einer Siedlung mit Akropolis seit dem 7. Jh. v. Chr.; Frg. griech. Keramik weisen auf Kontakte der inneren Kolchis zum mediterranen Bereich seit dem 7./6. Jh. v. Chr. Im 5./4.Jh.v.Chr. kam es zu einer starken Ausdehnung der Siedlung (Holz-Lehmbauten), seither stets besiedelt.

→ Aia

O. Lordkipanidze, Zur ersten Erwähnung Kutaisis in den schriftlichen Quellen, in: Ders., T. Mikeladze (Hrsg.), Local Ethno-Political Entities of the Black Sea Area 7th–5th Cent. BC, 1988, 150–174.   A.P.-L.

Kytattarinoi (Κυτατταρῖνοι). Gemeinde im Landesinneren von Sizilien, nicht lokalisiert. Das *koinón* der K. steuerte gemeinsam mit den Petrinoi und den Scherinoi dem *synoikismós* von → Entella Weizen und Gerste bei [1. 264f. Nr. 208: 5. Dekret, Z. 20]. Die K. schlossen sich im 1. Pun. Krieg 254 v. Chr. den Römern an (Ἡνατταρῖνοι, Diod. 23,18,5). Von Verres zugrunde gerichtet (*Cetarini*, Cic. Verr. 2,3,103). Vgl. [2].

1 L. Dubois, Inscriptions grecques dialectales de Sicile, 1989 2 G. Bejor, Città di Sicilia nei decreti di Entella, in: ASNP 12,3, 1982, 831–833.   GI.MA./Ü: H.D.

Kytenion (Κυτίνιον, Κύτινον, Κυτένιον). Neben Boion, Erineos und Akyphas/Pindos eine der angeblich von → Doros gegr. Städte der mittelgriech. Doris (Skyl. 62; Skymn. 592ff.; Diod. 4,67,1; Strab. 9,4,10; 10,4,6; Konon, FGrH 26 F 1,27; Plin. nat. 4,28; Ptol. 3,14,14; Aristeid. 12,40; Steph. Byz. s. v. Κύτινα; schol. Pind. P. 1,121; 126). Aischin. leg. 116 mit schol. hebt die bes. Stellung von K. unter den dor. Städten hervor; zu Hesych. s. v. Λιμοδωριεῖς (»Hungerdorier«) s. → Doris [II 1].

K. ist am Südhang des Kallidromon beim h. Paliochori (ant. Siedlungsspuren, Inschr.) am Kreuzungspunkt der wichtigsten ant. Wegeverbindungen Mittelgriechenlands zu lokalisieren. Aufgrund der strategisch günstigen Lage war K. immer wieder Angriffen ausgesetzt: 458/7 v. Chr. Überfall der Phokeis (Thuk. 1,107,2 mit Schol.; Diod. 11,79,4f.); 426 athen. Angriffsplan (Thuk. 1,95,1; 102,1); 338 Einmarsch Philippos' II. (Philochoros FGrH 328 F 56a; b); 228 zerstörte Antigonos Doson die durch Erdbeben geschwächte Stadt, für deren Wiederaufbau K. 206/5 Hilfe im lyk. Xanthos erbat (SEG 38, 1476).

E. W. Kase u.a. (Hrsg.), The Great Isthmus Corridor Route, 1991 • D. Rousset, Les Doriens de la Métropole, in: BCH 113, 1989, 199–239; 114, 1990, 445–472; 118, 1994, 361–374 • F. W. Walbank, Antigonus Doson's Attack on Cytinium, in: ZPE 76, 1989, 184–192.   P.F.

Kythera (Κύθηρα, lat. *Cythera*, h. Kithira).
A. Geographie der Insel B. Wirtschaft und Handel C. Lage der Stadt D. Geschichte

A. Geographie der Insel

Vor der SO-Spitze der Peloponnesos, 30 km lang und 18 km breit, nimmt K. eine Fläche von etwa 262 km² ein und ist von mehreren kleinen unbewohnten Inseln umgeben. Die zumeist steile Felsenküste ist durch kleine Buchten gegliedert, von denen enge und steile Täler ins Landesinnere führen. In der Ant. galt K. als günstig für die Seefahrt (εὐλίμενος, »mit guten Häfen«, vgl. Strab. 8,5,1). K. besteht aus Kalk und Schiefer und bildet im Inneren eine Hochfläche von 300 bis 380 m ü.M., die im Süden auf etwa 200 m absinkt und im SW mit dem Gipfel des Mirmingari bis auf 510 m ansteigt. Siedlungsreste stammen aus dem FH und bes. aus dem SH [1. 11; 2; 3. 148ff.].

B. Wirtschaft und Handel

Die bes. Bed. der Insel lag im Handel, der sich offensichtlich ins östl. Mittelmeer und den Vorderen Orient erstreckte (verschiedene Funde aus dem 3. bzw. 2. Jt. v. Chr.). In einem ägypt. Itinerar (z.Z. Amenophis' III., 1402–1363 v. Chr.) heißt die Insel *Kutira*. Die brz. Funde konzentrieren sich auf das Gebiet von Kastri im Süden an der Bucht von Avlemona. Als Produkte der Insel werden bes. gen.: Feigen, Käse, Wein und Honig (Herakleid. FHG 2 fr. 24). Wichtig war die Purpurfischerei (vgl. die Bezeichnung der Insel als πορφύρουσα, Dion. Per. 498; Steph. Byz. s.v. K.). Diese mag auch Phoiniker nach K. gezogen haben; für das Jahr 303 v. Chr. ist ein Hafenplatz *Phoinikús* bezeugt (Xen. hell. 4,8,7). Auch der Kult der Aphrodite Urania (→ Aphrodite B.2) kann auf phoinik. Urspr. zurückgehen (Hdt. 1,105; Paus. 1,14,7; 3,23,1; Aphrodite Kythereia, Hes. theog. 198).

C. Lage der Stadt

Phoinikus lag möglicherweise in der Bucht von h. Avlemona. Hier lag auch die ant. Stadt K. mit ihrem Hafen Skandeia (Hom. Il. 10,268; Paus. 1,27,5; Thuk. 4,53,1), die noch bis ins 6./7. Jh. n. Chr. besiedelt war. Oberhalb von Skandeia lag auf steilem Kreidefelsen die Akropolis, h. Paleokastro, mit einem Heiligtum der Aphrodite. Teile eines ehemaligen Tempels sind in den dortigen Kapellen verbaut. Das Nord-Kap trug die Bezeichnung Platanistos (Paus. 2,34,6).

D. Geschichte

Bei Homer mehrfach erwähnt (Il. 15,432; Od. 9,81), gehörte K. in gesch. Zeit wohl bis ins 6. Jh. v. Chr. zu Argos (Hdt. 1,82), dann zu Sparta (Thuk. 4,53,2). K. war Periökengebiet und wurde von einem *Kythērodíkēs* (Κυθηροδίκης, »Richter auf K.«, Thuk. 4,53,3) verwaltet. Den Wert von K. für Sparta betonen Hdt. 7,235 und Thuk. 4,53,3. Daher wurde K. mehrfach von Athen besetzt (456, 426–410 und 393–387/6 v.Chr.: Paus. 1,27,5; Thuk. 4,53,1ff.; 57,4; 5,14,3; 18,7; 7,26,2; 57,6; Xen. hell. 4,8,7; Isokr. or. 4,119), wo man die günstige Lage der Insel für den Handel mit Libyen und Äg. erkannt hatte. Nach 195 v.Chr. scheint K. von Sparta unabhängig geworden zu sein. Jedenfalls prägte K. zu dieser Zeit eigene Mz. In augusteischer Zeit gehörte K. wieder zu Sparta und war im Besitz des C. Iulius Eurykles aus Sparta, der als Teilnehmer an der Schlacht von → Aktion mit dem röm. Bürgerrecht geehrt worden war (Cass. Dio 54,7,2). Inschr.: IG V 1,935–947; SEG XI 895–897; Mz.: HN 436 (3./2. Jh. v. Chr.); JNG 8, 1957, 81 Nr. 100; 102 f.

Im 4. Jh. n. Chr. wurde das Christentum von der Peloponnesos her nach K. übertragen.

1 D. FIMMEN, Die kret.-myk. Kultur, 1924, 11 • 2 V.STAIS, Ἀνασκαφαὶ ἐν Κυθήροις, in: AD 1, 1915, 191 ff.
3 H. WATERHOUSE, R. HOPE SIMPSON, Prehistoric Laconia 3, in: ABSA 56, 1961, 114–175 • 4 G. DOUX, Chronique des fouilles 1964, s. v. Cythère, in: BCH 89, 1965, 879–881.

L. BÜRCHNER, O. MAULL, s. v. K., RE 12, 207–215 • W. HELCK, Die Beziehungen Ägyptens und Vorderasiens zur Ägäis bis ins 7. Jh. v. Chr., 1979, 15, 31, 130, 160, 162 • G. L. HUXLEY, J. N. COLDSTREAM, K., 1973 • G. E. INCE u.a., Paliochora, in: ABSA 82, 1987, 95–106 • G. E. INCE, TH. KUKULIS, Paliochora, in: ABSA 84, 1989, 407–416 • H. KALETSCH, S. GRUNAUER v. HOERSCHELMANN, K., in: LAUFFER, Griechenland, 362 f. • H. LEONHARD, Die Insel K., in: Petermanns Mitt., Ergh. 128, 1899 mit Karte • PHILIPPSON/KIRSTEN 3, 509 ff. • J. A. SAKELLARAKIS, Minoan Religious Influence in the Aegean, in: ABSA 91, 1996, 81–99 • R. WEIL, K., in: MDAI(A) 5, 1880, 224 ff., 293 f.   H. KAL. u. E. MEY.

Kythereia s. Aphrodite

Kytheris.
Sprechender Künstlername (»der Aphrodite gehörig«) einer röm. Mimus-Schauspielerin (mima) des 1. Jh. v. Chr.; von Volumnius Eutrapelus freigekauft, hieß sie offiziell Volumnia (Cic. Phil. 2,58). Über ihr Bühnenspiel ist nichts bekannt, umso mehr aber über ihre erotischen Qualitäten. Notorischen Ruhm erwarb sie sich als Mätresse des Antonius [I 9]: In offener Sänfte (Cic. Att. 10,10,5; Plut. Antonius 9,7) begleitete sie ihn bei seinen Auftritten, bevor er im J. 47 Fulvia heiratete. Cicero vermeidet es in seiner Skandalchronik des Antonius (Cic. Phil. 2), ihren Namen zu nennen. Auch der Dichter Cornelius [II 18] Gallus scheint ihren Reizen verfallen gewesen zu sein; seine an Lycoris gerichteten Liebeselegien galten nach Serv. ecl. 10,1 der K. [1].

1 R. D. ANDERSON, P. J. PARSONS, R. G. M. NISBET, Elegiacs by Gallus from Qaṣr Ibrîm, in: JRS 69, 1979, 148–155.

H. GUNDEL, s. v. Volumnius (17), RE 9, 883 • W. KROLL, s. v. K., RE 12, 218–219 • H. LEPPIN, Histrionen, 1992, 228 f.   H.-D. B.

Kytheros (Κύθηρος).
Att. Paralia(?)-Demos der Phyle Pandionis, von 307/6 bis 201 v. Chr. der Antigonis; stellte zwei buleutaí. Bei Strab. 9,1,20 Ort der att. Dodekapolis. Die Lokalisierung bei Pussi Kalojeru durch TRAILL [3] ist methodisch unhaltbar; aus Demosth. or. 42 ergibt sich eine stadtnahe Lage in waldreicher Gegend.

In IG II² 2496 verpachten anderweitig nicht bezeugte Meritai drei Häuser des Demos K. in Peiraieus [4. 383 Nr. 72]. Ein Kultverband von Trikomoi mit Erchia und K. ist aus IG II² 1213 kaum zu erschließen (anders [1; 4. 185⁴⁶]). Demosthenes verhandelt in or. 42 einen Antidosis-Prozeß um ein großes Landgut in K. [2].
→ Phainippos von Kytheros

1 P. J. BICKNELL, Clisthène et Kytherros, in: REG 89, 1976, 599–603 2 G. E. M. DE STE. CROIX, The Estate of Phainippos (Ps.-Dem., XLII), in: Ancient Society and Institutions. Studies Presented to V. Ehrenberg, 1966, 109–114 3 J. S. TRAILL, Demos and Trittys, 1986, 47 ff., 130 4 WHITEHEAD, Index s. v. K.

TRAILL, Attica, 8, 17, 43, 68, 111 Nr. 81, Tab. 3, 11.   H. LO.

Kythnos (Κύθνος, lat. Cythnus, h. Thermia).
Insel der westl. → Kykladen (86 km²), mit 21 km L, 11 km Br, eine einförmige wellige Hochfläche (200 bis 350 m H), vorwiegend Schiefer. Ihre stark zergliederte Küste bietet keinen guten Hafenplatz. Bei Lutra an der Nordküste entspringen zwei schon in röm. Zeit aktive heiße Quellen. K. ist wenig fruchtbar, nahezu baumlos und wasserarm. Im Alt. war K. für seinen guten Käse bekannt (Poll. 6,63; Eust. in Dion. Per. 525; Plin. nat. 13,134; Steph. Byz. s. v. K.).

Funde auf einem mesolithisch-neolithischen Gräberfeld lassen vermuten, daß K. als Zwischenstation im Obsidianhandel mit Melos eine Rolle gespielt hat. Aus dem 3. Jt. v. Chr. stammt ein Hortfund von Metallwerkzeugen. Der ant. Hauptort K. lag an der Westküste zw. zwei Buchten, h. Briokastro. Erh. sind Stadtmauerreste, Fundamente von Tempeln, Häusern und Wasserleitungen. Die Ausdehnung der ant. Stadt läßt nahezu 10 000 Einwohner vermuten.

K. war am Perserkrieg beteiligt, wird daher auf Weihgeschenken gen. (Hdt. 8,46,4; Paus. 5,23,2; Syll.³ 31,31). Ferner war K. Mitglied im → Attisch-Delischen Seebund [1]; sein relativ hoher Beitrag steht wohl mit dem Erzbergbau in Zusammenhang, der jedoch nur für eine kurze Zeit ertragreich gewesen zu sein scheint. Von Demosthenes (or. 13,34) wird K. als Beispiel einer armseligen Stadt gen. 199 v. Chr. Belagerung durch Attalos I. (Liv. 31,45,9); 69 n. Chr. Aufstand eines falschen Nero (Tac. hist. 2,8 f.; Skyl. 58; Strab. 10,5,3; Ptol. 3,14,24; Stadiasmus maris magni 273; 284; Ov. met. 7,464).

1 ATL 1, 322 f.; 3, 197 f..

K. BRANIGAN, Early Aegean Hoards of Metalwork, in: ABSA 64, 1969, 1–12 • L. BÜRCHNER, s. v. K. (1), RE 12, 219 ff. • N. H. GALE, Z. A. STOS-GALE, Cycladic Lead and Silver Metallurgy, in: ABSA 76, 1981, 169–224 • G. GEROLA, Fermenia (Kythnos-Thermja), in: ASAA 6/7, 1923/4, 43 ff. • A. GUNARIS, Ἡ Κύθνος, 1938 • H. KALETSCH, s. v. K., in: LAUFFER, Griechenland 363–365 • PHILIPPSON/KIRSTEN 4, 71 ff.   H. KAL.

Kytissoros (Κυτί(σ)σωρος). K.' Eltern sind → Phrixos und Chalkiope [2], eine Tochter des → Aietes; Enkel des Minyerkönigs → Athamas (Apoll. Rhod. 2,1148ff.; schol. Apoll. Rhod. 2,388; Apollod. 1,83), den er vor dem Opfertod rettet, als er von Aietes in seine Heimat, ins thessal. Achaia, zurückkehrt. Athamas hätte dem → Zeus Laphystios zur Sühne geopfert werden müssen. Indem K. seinen Großvater rettet, ruht der Fluch weiter auf seinen Nachkommen (Hdt. 7,197). Bei Sophokles (schol. Aristoph. Nub. 257) tritt Herakles als Retter des Athamas auf.   AL.FR.

Kytoros (Κύτωρος). Hafenplatz (*empórion*) an geschützter Bucht östl. von → Amastris [4] an der paphlagon. Schwarzmeerküste, h. Gideruz. Über der Bucht mit stark bewaldeter (Buchsbaum) Steilküste erhebt sich der gleichnamige Berg. Gegr. von → Sinope aus, wurde K. um 300 v.Chr. in den *synoikismós* von Amastris aufgenommen.

> CH. MAREK, Stadt, Ära und Territorium in Pontus-Bithynia und Nord-Galatia, 1993, 17f. · L. ROBERT, À travers l'Asie Mineure, 1980, 147–150.   C.MA.

Kyzikener (στατὴρ Κυζικηνός/*statḗr Kyzikēnós*). Von → Kyzikos seit ca. 600 bis ca. 330 v.Chr. geprägte → Statere aus → Elektron mit einem Goldgehalt von 32–52% und einem Gewicht von ca. 16 g. Auf dem Rv. haben die rund 220 bekannten Münztypen stets ein Quadratum Incusum, nach dessen Stil sie in vier Gruppen unterteilt werden können: 1. bis ca. 550, hier wird auf dem Av. das Stadtwappen, der Thunfisch, zum Nebentyp; 2. bis ca. 475, Av. Tierbilder/Mischwesen; 3. bis ca 400, Av. myth. Figuren; 4. bis ca. 330, Av. auch Portraits [2; 3].

Der K. war eine Haupthandelsmz. der griech. Welt und bes. im Schwarzmeergebiet und in Kleinasien verbreitet, weniger im Westen und in Griechenland selbst [4; 5].

In Athen war der K. von 452 bis 429/8 v.Chr. 27 → Drachmen, von 418/7 bis 409/8 etwa 25/26 Dr. und z.Z. Alexanders d.Gr. 21 Dr., 4 Oboloi wert [1]. In Olbia am Schwarzen Meer war im 4. Jh. v.Chr. der Kurs des K. verbindlich auf 11 heimische Halbstatere festgelegt [Syll.³ 218, 23–26]. Als Handelsmz. wurden die K. von den Goldmz. Alexanders abgelöst.

> 1 R. BOGAERT, Le cours du statère de Cyzique à Athènes aux Ve et IVe siècles avant J.-C.: État de la question, in: RBN 123, 1977, 17–39 2 H. CHANTRAINE s.v. K., KlP 3, 424 3 H. v. FRITZE, Die Elektronprägung von Kyzikos. Eine chronologische Studie, in: Nomisma 7, 1912, 1–38 4 M. LALOUX, La circulation des monnaies d'électrum de Cyzique, in: RBN 117, 1971, 31–69 5 M.R.-ALFÖLDI, Zur Gründung von Kyzikos, in: Asia Minor Stud. 3, 1991, 129–134 6 SCHRÖTTER, s.v. K., 339.   GE.S.

Kyzikos (Κύζικος, *Cyzicus*). Stadt in Mysia an der Südküste der → Propontis auf dem Isthmos der Halbinsel Arktonnesos (Kapıdağ), h. Balkız, im Osten von Erdek. K. verdankte seinen Wohlstand dem Doppelhafen und dem großen Territorium (vgl. die Beschreibung mit Lage der Stadt bei Strab. 12,8,11). Seit Aufkommen der Mz.-Prägung bis zu Philippos II. und Alexander d.Gr. spielten die Elektron-Mz. von K. im internationalen Handel eine wichtige Rolle (→ Kyzikener). Der eponyme Gründer K. wurde angeblich von den Argonautai getötet (Apoll. Rhod. 1,949ff.). Gegen Mitte 7. Jh. von Miletos gegr. (→ Kolonisation), besaß K. auch von Miletos entlehnte Institutionen (Kalender, Phylen); unter dem Einfluß von Athen hatte K. später einen *hípparchos* als eponymen Beamten. Regiert von Tyrannen unter pers. Herrschaft, wurde K. dann Mitglied im → Attisch-Delischen Seebund (Thuk. 8,107) und im 2. → Attischen Seebund. Wiederholt belagert und umkämpft, gelang es K. oft, seine Unabhängigkeit gegenüber dem Perserreich zu wahren. K. wurde dem Seleukidenreich einverleibt, war dann mit den Attaliden befreundet (Apollonis, die Frau Attalos' [4] I., stammte aus K., Pol. 22,20,1).

Von Manlius Vulso im Vertrag von Apameia 188 v.Chr. für frei erklärt, unterstützte K. 154 v.Chr. Attalos [5] II. im Krieg gegen Prusias II. zur See (Pol. 33,13,1) und widersetzte sich Aristonikos (IGR IV 134). Obwohl von Fimbria erpreßt (Diod. 38,8,3), blieb K. mit Lucullus verbündet und widerstand der großen Belagerung durch → Mithradates VI. 73 v.Chr. (Plut. Lucullus 9f.). Im J. 67 v.Chr. war der Ort mit Pompeius gegen Mithradates, dann mit Caesar (IGR IV 135) und schließlich mit Brutus (Plut. Brutus 28) gegen Sex. Pompeius verbündet (App. civ. 5,137). Nachdem K. unter Augustus die Freiheit vorübergehend verloren hatte (Cass. Dio 54,7; 23), gliederte Tiberius die Stadt endgültig der Prov. → Asia [2] ein (Tac. ann. 4,36; Cass. Dio 57,24,6). Nach einem Erdbeben half Kaiser Hadrianus K., den großen Zeustempel zu bauen (Aristeid. 27), der als eines der Sieben → Weltwunder galt (33 Säulen dieses Tempels konnte Cyriacus von Ancona 1433 noch zeichnen, doch diente der Tempel im 18. Jh. als Steinbruch für Bauten in Istanbul). Weitere Erdbeben ereigneten sich unter Antoninus Pius und Iustinianus. Unter Diocletianus war K. Hauptstadt der Prov. Hellespontos (Hierokles, Synekdemos 661,15; Not. episc. *passim*). K. war Sitz einer Münzstätte und einer Leinenfabrik (Soz. 5,15). Ausgrabungen stehen noch aus.

> F.W. HASLUCK, Cyzicus, 1910 · N. EHRHARDT, Milet und seine Kolonien, 1983 · E. AKURGAL, s.v. K., PE, 473f.
>   T.D.-B./Ü: V.S.

Kyzistra (Κύζιστρα). Ort und byz. Festung in der kappadokischen Strategie Kilikia (Ptol. 5,6,15), h. Zengibar Kalesı, 56 km südsüdwestl. von → Kaisareia.

> HILD/RESTLE, 219f.   K.ST.

L

L (sprachwissenschaftlich). Der Buchstabe bezeichnet im Griech. und Lat. einen stimmhaften dentalen oder alveolaren Lateral. Im Altlat. wies *l* zwei Allophone auf: velarisiertes »dunkles« [ɫ] vor *a o u*, vor Kons. außer *-l* sowie am Wortende, palatalisiertes »helles« [ʎ] in der Geminate und vor *e i*. Kurzer Binnensilbenvokal wurde vor [ɫ] als *u*, vor [ʎ] als *i* realisiert, vgl. *Siculus : Sicilia* < griech. Σικελός, Σικελία. Auf Erhalt dieser Allophone bis ins nachklass. Lat. deuten einerseits (unsichere) Hinweise bei ant. Grammatikern [1], andererseits Entwicklungen wie frz. *autre* < lat. *alter* [2].

In griech. und lat. Erbwörtern setzt *l* uridg. *l* fort, vgl. griech. κλυτός, lat. *inclutus* < *-k̑lutó-*. Im Anlaut vertritt griech. λ- auch *sl-* (λύζω »schluchze« < *slug-i̯e/o-*) und *u̯l-* (λῆνος »Wolle« zu lat. *lāna*) [3. 308–310], im Lat. *l-* auch *sl-* (*lūbricus* zu dt. »schlüpfrig«), *u̯l-* (*lāna* < *u̯lānā-* < *ₐu̯lₐnaₐ-*) und *tl-* (*lātus* < *tlāto-* < *tlₐto-* zu *tulī*) [4. 140–142]. Die Geminate *ll* ist in beiden Sprachen häufig; sie entsteht im Griech. aus *dl* (ἕλλα < *sedlaₐ-*), *li̯* (ἄλλος < *ₐali̯o-*) und z.T. *ln* (ὄλλυμι < *ol-nu-*) [3. 322f.], im Lat. aus *dl* (*sella* < *sedlaₐ-*), *ln* (*tollo* < *tolnō* < *tlₐ-n-ₐ-*), *nl* (*bellus* < *du̯enlo-*), *rl* (*agellus* < *agerlo-* zu *ager*), *ls* (*collum* < *kolso-* < *kʷolₐso-*), *tsl* (*pullus* < *put-slo-*) [4. 189–219]. Uridg. *l̥* erscheint im Griech. i.d.R. als *al/la* (πλατύς »breit« ~ altind. *pr̥thus* < *plₐ̥u-*) [3. 341], im Lat. als *ol* (> *ul*; *fulgō* < *bʰl̥g-e/o-*) [4. 58]. Die Folge *l* ... *l* ist im Lat. vielfach zu *l* ... *r* dissimiliert, vgl. *vulgāris : annālis* (Suffix *-ālis*). In einigen Wörtern tritt *l* (nicht lautgesetzlich) für *d* ein, vgl. *olēre* neben *odor*, *solium* zu *sedeo*. In lat. Lw. aus dem Griech. steht für λ stets *l* [5. 32f.].

1 ThlL VII,2, 761, 16–23 2 W. S. ALLEN, Vox Latina, 1965 3 SCHWYZER, Gramm. 4 LEUMANN 5 F. BIVILLE, Les emprunts du latin au grec ..., 1990. GE. ME.

L. Abkürzung des röm. Vornamens Lucius. Im röm. Zahlensystem bezeichnet L den Wert 50 und entwickelte sich wohl aus der Halbierung der griech. Aspirata Θ (über die Form Ϲ, die im frühlat. Alphabet keine Verwendung als Buchstabe fand.

→ Italien, Alphabetschriften; Zahlensysteme W. ED.

L'Atelier des Petites Estampilles
s. Stempelkeramik

La Graufesenque-Keramik s. Terra sigillata

Laarchos (Λάαρχος; Hdt.: Λέαρχος). Sohn des Battos [2] II. von Kyrene. L. kämpfte zusammen mit ungenannten Brüdern um dessen Nachfolge gegen den Bruder → Arkesilaos [2] II. von Kyrene. L. gründete das etwa 100 km westl. gelegene → Barke und stachelte gleichzeitig die libyschen Stämme zum Aufstand gegen Kyrene an. Er ermordete Arkesilaos um 560/550 v. Chr. nach dessen Niederlage bei Leukon in Libyen und wurde wahrscheinlich beim Versuch, dessen Nachfolge anzutreten, von dessen Gattin Eryxo ermordet (Hdt. 4,160).

H. BERVE, Die Tyrannis bei den Griechen, 1967, 124 · F. CHAMOUX, Cyrène sous les Battiades, 1953, 136 · A. J. GRAHAM, in: CAH 3,3, ²1982, 137f. B. P.

Labai (Λάβαι: Pol. 13,9.; Steph. Byz.). Stadt an der NO-Küste Arabiens in der den Gerrhäern gehörenden *Chatténía* (arab. al-Ḥaṭṭ), dem südl. von al-Qaṭīf gegenüber → Bahrein liegenden Küstengebiet. Das Ethnikon dazu ist *Labaíoi*, und hierzu sind wohl bei einer Konjektur von *g* zu *l* die *Gabaíoi* (Strab. 16,4,4) zu stellen, die als Händler von ihrer Hauptstadt → Gerrha in vierzig Tagen nach Hadramaut zogen. Arab. Geographen des MA erwähnen noch Laʿbā als Name von Salzpfannen an der Meeresküste jener Region.

H. V. WISSMANN, Zur Kenntnis von Ostarabien, bes. al-Qaṭīf im Altertum, in: Muséon 80, 1967, 489–512. W. W. M.

Labaka (Λάβακα). Nach Ptol. 7,1,46 Stadt in NW-Indien, im Land der Pandooi (wohl altindisch Pāṇḍava).

O. WECKER, s. v. L., RE 12, 239. J. RE. u. KL. FI.

Labarum. Vor der Schlacht an der Milvischen Brücke (→ *pons Milvius*) gegen Maxentius 312 n. Chr. erhielt Constantinus I. in einem als Vision bezeichneten Traum den Rat, die ersten beiden Buchstaben des Namens Christus, griech. *Chi* und *Rho* (Χ und Ρ), auf die Schilde seiner Soldaten schreiben zu lassen, wenn er siegen wolle: τούτῳ νίκα (»In diesem Zeichen siege«; vgl. Lact. mort. pers. 44; Eus. vita Const. 1,26–31). Dieses Christogramm wurde in der folgenden Zeit an der Spitze einer Standarte befestigt, die aus einer langen Lanze und einem an einer Querstange angebrachten Fahnentuch mit den Kaisermedaillons bestand. Dabei ist unklar, ob die Bezeichnung *l.* für diese Standarte einen lat., griech. oder kelt. Ursprung hat. Das *l.*, das später häufig auf Mz., bes. mit der → *Spes publica* (RIC 7, 1966, 572, 19), abgebildet wurde, besaß eher rel. als taktischen Wert. Es war einer Garde anvertraut, die von *praepositi* aus den Reihen der *domestici* (→ *domesticus*) geführt wurde (Cod. Theod. 6,25,1 von 416).

→ Feldzeichen

1 R. GROSSE, Röm. Militärgesch., 1920, 234 2 P. WEISS, Die Vision Constantins, in: J. BLEICKEN (Hrsg.), Colloquium aus Anlaß des 80. Geburtstages von Alfred Heuss, 1993, 143–169. Y. L. B./Ü: C. P.

Labda (Λάβδα). Tochter des Bakchiaden Amphion aus Korinth. Nach Herodot (5,92) war L. lahm und konnte deshalb in der strikt endogamen Adelsgruppe der → Bakchiadai keinen Ehemann finden. Sie soll deshalb den Eëtion aus dem Demos Petra geheiratet haben, der nicht zu dieser Gruppe gehörte. Weil ihrem gemeinsamen Sohn → Kypselos [2] schon vor seiner Geburt die Herrschaft über Korinth geweissagt worden war, sollen die Bakchiadai geplant haben, ihn zu töten. Der Herodot vorliegenden Tradition zufolge soll es L. gelungen sein, das Kind in einer *kypsélē* (»Lade«) zu verstecken und es so zu retten (vgl. Nikolaos von Damaskos FGrH 90 F 57); → Kypseloslade.

H. BERVE, Die Tyrannis bei den Griechen, 1967, 1, 15 f.; 2, 522 f.; J. B. SALMON, Wealthy Corinth, 1984, 186 ff.

                                 E. S.-H.

Labdakiden s. Labdakos

Labdakos (Λάβδακος). Sohn des theban. Königs Polydoros und der Nikteis. Er überbrückt die Stammfolge von Kadmos, Polydoros' Vater, zu → Laios, Oidipus' Vater. Mit → Pandion soll er einen Grenzkrieg geführt haben, er verachtet Dionysos, wofür er mit dem Tod bestraft wird (Hdt. 5,59; Eur. Phoen. 8; Apollod. 3,40; 193; Paus. 9,5,5). Er hatte weder einen Kult noch eine bekannte Beziehung zu einem Ort. Volksetym. wurde L. als »Hinkender« gedeutet (aufgrund der Form des Buchstabens Lambda mit seinem kürzeren Schenkel), was eine Projektion des Oidipus auf seinen Ahnherrn ist [1].

1 F. BECHTEL, Die Griech. Personennamen, ²1894, 403.

                                 RE. ZI.

Labdalon (Λάβδαλον). Ort am Nord-Rand des Epipolai-Plateaus von Syrakusai, wo die Athener 414 v. Chr. ein Fort anlegten, das ihnen → Gylippos kurz nach seiner Ankunft entriß (Thuk. 6,97,5; 98,2; 7,3,4). Lokalisierung seit FABRICIUS östl. von Scala Greca über dem Abstieg der ant. Straße Syrakusai – Megara vom Plateau; ältere Ansätze weiter westl.

K. FABRICIUS, Das ant. Syrakus (Klio-Beih. 28), 1932, 19 f. · H.-D. DRÖGEMÜLLER, Syrakus, 1968, 15 f., Abb. 5b.

                              Gl. F. u. E. O.

Labeates. Illyr. Volk (Liv. 43,19,3; 31,2; 44,31,10; 32,3; 45,26,15: *Labeatae*; die Landschaft bei Liv. 44,23,3: *Labeatis*; Pol. 29,3,5: Λαβεᾶτις) am *palus Labeatis/lacus Labeatum* (Liv. 44,31,3/10; h. albanisch Liqeni Shkodres, serbisch Skadarsko jezero); Hauptorte Scodra, Meteon. Ihr Gebiet war der Kern des Königreichs des → Genthios, des letzten unabhängigen illyr. Königs und Verbündeten des Perseus, der 168 v. Chr. von den Römern geschlagen wurde. Diese gaben den L. Autonomie und Prägerecht (Br.-Mz., Rv.: illyr. Galeere, Aufschrift ΛΑΒΙΑΤΑΝ). Nekropolen in Gostilje (Vele Ledine).

B. JUBANI, Monnaies illyriennes à l'ethnikon de ΛΑΒΙΑΤΑΝ découvertes à Kukës, in: Studia Albania 9, 1972, 69–75 · A. BENACE, O etničkim zajednicama starijeg željeznog doba u Jugoslaviji [Ethnic Communities of the Early Iron Age in Yugoslavia], in: Praistorija jugoslavenskih zemalja 5, 1987, 789 f.   M. Š. K./Ü: V. S.

Labeo. Röm. Cognomen, abgeleitet von *labea*, »Lippe«, urspr. »den mit einer dicken Lippe« bezeichend (Plin. nat. 11, 159); in republikan. Zeit Beiname in den Familien der Antistii ([I 13]: der in der Korrespondenz Ciceros häufiger genannte L.; [II 3]: der berühmte Jurist), Atinii ([I 6 – 7]), Fabii ([I 20]) und Segulii; in der Kaiserzeit weiter verbreitet, u. a. Beiname des Schriftstellers Cornelius [II 19] L.

KAJANTO, Cognomina, 118; 238 · J. REICHMUTH, Die lat. Gentilizia, 1956, 70 · WALDE/HOFMANN 1, 738.   K.-L. E.

Laberia. L. Marcia Hostilia Crispina Moecia Cornelia. Tochter von Laberius [II 3] Maximus, *cos. II* 103 n. Chr., und zweite Frau des C. Bruttius [II 4] Praesens, *cos. II* 139. L. begleitete ihren Mann während seines Prokonsulats nach Africa (CIL VIII 110); Grundbesitz hatte sie bei Amiternum und Trebula Mutuesca (RAEPSAET-CHARLIER, Nr. 478). PIR² L 15.   W. E.

Laberius. Plebejischer Gentilname etr. Ursprungs, erst gegen E. der Republik häufiger belegt.

SCHULZE 162; 315.

I. REPUBLIKANISCHE ZEIT

[I 1] L., im 1. Pun. Krieg Militärtribun, sicherte 258 v. Chr. bei Camarina den Rückzug des Consuls A. Atilius [I 14] Calatinus (Claudius Quadrigarius fr. 42 HRR). Alle 400 Legionäre des L. fielen, er selbst überlebte schwer verwundet, wurde aber gleichwohl als »Roms Leonidas« verherrlicht (Gell. 3,7,21). Als Kriegshelden werden auch Q. Caedicius [4] (Cato orig. 83 HRR) bzw. M. Calpurnius [I 6] Flamma (Liv. per. 17; 22,60,11) überliefert.

[I 2] L., M. In der Endphase der Republik umtriebiger Bodenspekulant, um 45 v. Chr. mit Caesar in geschäftlicher Verbindung (Cic. fam. 13,8,2).

[I 3] L. Durus, Q. Militärtribun 54 v. Chr.; bei Caesars zweiter Landung in Britannien einer der ersten Gefallenen (Caes. Gall. 5,15,5).   T. FR.

[I 4] L., D. Mimograph (→ Mimos, Mimus) der späten Republik, geb. 106 und gest. 43 v. Chr. (Hier. chron. p. 157 HELM). 46 nahm er, obwohl Ritter und mit dem Risiko des Standesverlustes, auf Bitten Caesars an einem improvisierten Schauspielerwettstreit mit seinem Konkurrenten → Publilius Syrus teil, wobei das Publikum – trotz Caesars Parteinahme – gegen L. und für den geübteren Schauspieler Publilius entschied (verzerrt Macr. Sat. 2,7,2–19, vgl. aber Cic. fam. 12,18,2). Caesar belohnte L. gleichwohl mit einem Honorar und der Wiederherstellung seines Ranges. Schon zu seiner Zeit berühmt (Cic. fam. 7,11,2, vgl. auch Macr. Sat. 2,6,6), galt L. der Nachwelt als der Vertreter des lit. Mimus schlechthin; etwa 100 Zit. aus mehr als 40 Stücken sind, zumal durch Gellius und Nonius, erh. Ihre Titel bezeugen, wie hier die Trad. der höheren (→ Palliata, Togata) wie niederen Komödientypen (→ Atellana) fortgesetzt wird. Die Archaisten heben seine sorgsame Wortwahl (Fronto 4,3,2), Neologismen (Gell. 16,7), aber auch

Vulgarismen (Gell. 19,13,3) hervor. Der scharfe Witz seiner hintersinnigen Pointen (Sen. contr. 7,3,9) sparte auch den polit. Bereich nicht aus.

FR.: CRF ²1873, 279–305; ³1898, 339–367 · M. BONARIA, Romani mimi, 1965, 5–9; 38–77; 103–130 (mit Komm.).
LIT.: D. ROMANO, Cicerone e Laberio, 1955 · F. GIANCOTTI, Mimo e gnome, 1967 · R. TILL, L. und Caesar, in: Historia 24, 1975, 260–286 · M. CARILLI, Artificiosità ed espressività negli 'Hapax' di Laberio, in: Studi e Ricerche dell'Istituto di Latino, Fac. Magistero Genua 3, 1980, 19–33 · Dies., Note ai frammenti di Laberio, in: Studi Noniani 7, 1982, 33–88.   P. L. S.

II. KAISERZEIT

[II 1] Q. L. Iustus Cocceius Lepidus. Senator, dessen Laufbahn bis zum Prokonsulat von → Cyprus, wohl im J. 100/101 n. Chr., bekannt ist.

PIR² L 7 · W. Eck, s. v. Laberius, RE Suppl. 14, 219.

[II 2] L. L. Maximus. Ritter; unsicher, ob er aus Lanuvium oder Trebula Mutuesca stammte (vgl. PIR² L 8 und AE 1964, 106; dort ist seine Enkelin → Laberia erwähnt). Finanzprocurator von Iudaea im J. 70 n. Chr.; als *praefectus annonae* im J. 80 am Ausbau des → Kolosseums beteiligt. *Praef. Aegypti* 82/3; nach Rom zurückgerufen, wurde er *praef. praet.* etwa im J. 84; die Länge der Amtszeit ist nicht bekannt. Vater von L. [II 3]. PIR² L 8.
[II 3] M.' L. Maximus. Sohn von L. [II 2]. Sein Name hatte noch mehrere, nicht mehr genau rekonstruierbare Elemente. Wohl als *homo novus* unter den Flaviern in den Senat aufgenommen, wahrscheinlich unter Vespasian, es sei denn, es erfolgte eine *adlectio* in eine der Rangstufen; diese könnte auch erst später erfolgt sein. 89 n. Chr. Suffektconsul. Unter Traian Legat von Moesia inferior, ca. 100–102 [1. 334 ff.]. Damals legte L. die Grenzen der Stadt Histria fest (Inscr. Scyth. Min. I 67; 68). Am 1. Dakerkrieg beteiligt; eroberte eine dak. Festung und nahm eine Schwester des → Decebalus gefangen; einer seiner Sklaven wurde von Decebalus gefangen und dem Partherkönig geschenkt (Plin. epist. 10,74,1). Für seine mil. Verdienste erhielt L. im J. 103 zusammen mit Traian erneut den Konsulat als *cos. ordinarius II*. Warum L. später mit Traian in Konflikt geriet, ist unbekannt; er wurde auf eine Insel verbannt. Bei seinem Regierungsbeginn ließ Hadrian ihn gegen den Vorschlag seines Praetorianerpraefekten nicht töten. L.' Tochter → Laberia war die zweite Frau von Hadrians engem Vertrauten Bruttius [II 4] Praesens. PIR² L 9.

1 W. ECK, in: Chiron 12, 1982.   W. E.

Labici. Stadt in Latium am NO-Hang der Albaner Berge, h. Monte Compatri. Mitglied des Latinischen Bundes (→ Latinischer Städtebund); in den Kriegen Roms gegen die → Aequi mit diesen verbündet und von Q. Servilius Priscus zerstört (Dion. Hal. ant. 5,61; 8,19), röm. Kolonie seit 418 v. Chr. (Liv. 4,47,49; [1. 394]). *Municipium* (Cic. Planc. 23). Caesar besaß im für seinen Wein berühmten *ager Labicanus* eine *villa* (Suet. Iul. 83).

1 A. ALFÖLDI, Early Rome and the Latins, 1963.

G. TOMASSETTI, La campagna romana 3, 1926, 377–459 · M. ANDREUSSI, s. v. L., EV 3, 82.   G. U./Ü: H. D.

Labienus. Gentilname etr. Herkunft; die Familie, Roms Ritterstand zugehörig, stammte aus dem nördlichen Picenum (Cic. Rab. perd. 22; Caes. civ. 1,15,2).

[1] L., Q. Onkel des L. [3], unterstützte 100 v. Chr. L. → Appuleius [I 11] Saturninus und wurde an dessen Seite in der Kurie auf dem Forum Romanum niedergemacht (Cic. Rab. perd. 14; 18; 20–22; Oros. 5,17,9).
[2] L. (Parthicus), Q. Sohn des L. [3]. E. 43 v. Chr. im Auftrag der Caesarmörder zu Bündnisunterhandlungen beim Partherkönig → Orodes, an dessen Hof L. auch nach dem Desaster von Philippi (42) blieb (Vell. 2,78,1). Gemeinsam mit dem parth. Prinzen Pakoros betrieb L. einen anfänglich äußerst erfolgreichen Feldzug gegen die Ostarmeen der Triumvirn. Er drang ab 41 über Syrien, Kilikien und Karien bis Phrygien vor, besiegte und tötete M. Antonius' [I 9] Statthalter L. Decidius [1] Saxa und ließ sich als *Parthicus imperator* huldigen (Strab. 14,660). Schon 39 zerbrach L.' Machtbasis in Kleinasien unter der Gegenoffensive von Antonius' Legaten P. Ventidius Bassus; L. wurde in Kilikien hingerichtet (Plut. Antonius 30,2; 33,6; App. civ. 5,276; Cass. Dio 48,24–40).

H. BUCHHEIM, Die Orientpolitik des Triumvirn M. Antonius, 1960, 74–76.   T. FR.

[3] L., T. Geb. nach 100 v. Chr. Als Volkstribun von 63 (MRR 2, 167f.) erhob L. gegen den Senator C. → Rabirius erfolglos Klage wegen der Ermordung des Appuleius [I 11] Saturninus. Das Motiv war (über 36 J. nach der Tat) wohl weniger persönlicher – Rache für den Oheim L. [1] – als politischer Natur, nämlich ein Versuch der popularen Opposition, die Frage zur Sprache zu bringen, ob das *senatus consultum ultimum* die Magistrate berechtigte, röm. Bürger ohne vorheriges Volksurteil töten zu lassen. Ein Gesetzesantrag des L. (Besetzung der Priesterstellen nach der *lex Domitia* durch Volkswahl) bereitete Caesars Wahl zum *pontifex maximus* vor (Cass. Dio 37,37,1), ein zweiter beinhaltete bes. Ehren für Pompeius (Vell. 2,40,4). L.' Praetur von 59 ist wahrscheinlich (vgl. MRR 3,116), aber nicht bezeugt. Von 58 bis 50 diente L. als *legatus pro praetore* unter Caesar in Gallien und erwies sich in den Kämpfen mit den Helvetii, Belgae, Nervii, Morini, Treveri und vor allem den Parisii (52) als dessen wichtigster und zuverlässigster Feldherr (Caes. Gall. passim). 50 übernahm er die Verwaltung der Gallia cisalpina (Hirtius bei Caes. Gall. 8,52,2).

Angeblich erstrebte Caesar das Konsulat für L. (Hirtius l.c.), doch wechselte dieser unmittelbar nach Ausbruch des Bürgerkriegs im Jan. 49 auf die Seite des Pompeius über. Cicero (Att. 7,13,1) feierte daraufhin L. als Helden (Cic. Att. 7,13,1: *L. ἥρωα iudico*). Der Schritt kam überraschend, über die Gründe muß man spekulieren. Vermutet wurde Gefolgschaftstreue (Pompeius stammt ebenfalls aus Picenum), wahrscheinlicher ist eine (trotz Hirtius bei Caes. 8,52,2) als Zurücksetzung empfundene Behandlung durch Caesar. Ruhm und neuer Reichtum (Cic. Att. 7,7,6) mögen L., wie Cassius Dio (41,4,4) behauptet, tatsächlich zu einem selbstbewußten Auftreten verleitet haben, das Caeser nicht dulden wollte. Der Haß, den L. seit 49 gegen seinen ehemaligen Förderer entwickelte (s. Caes. civ. 3,19,8), verrät jedenfalls das Gefühl tiefen Gekränktseins. Der Überläufer kämpfte 48 in der Schlacht von Pharsalos mit (vgl. Caes. civ. 3,87), befehligte 47 und 46 pompeianische Truppen in Africa und floh nach der Schlacht von Thapsos nach Spanien. L. fiel am 17. März 45 bei Munda, sein Kopf wurde zu Caesar gebracht (App. civ. 2,435).

W. W.

[4] T. L. Gerichtsredner (*Pro Figulo in Pollionem*, Quint. inst. 1,5,8; *Pro Urbiniae heredibus*, ebenfalls gegen Pollio, Quint. inst. 4,1,11), Declamator und Zeithistoriker der augusteischen Epoche, von dem Seneca (contr. 10, praef. 4–8) ein plastisches Bild gibt. Ebenso berühmt wie berüchtigt (*summa egestas erat, summa infamia, summum odium*, l.c. § 4), verweigerte L. sich in seiner privaten Deklamationspraxis, seinem Redestil und seiner polit. Einstellung (er war Anhänger des Pompeius: *Pompeiani spiritus*, § 5) dem Zeitgeist; seine *libertas* (Sen. contr. 10,3,5; 15; 4,17f.; vgl. 10,2,19 und 4,24f.), die ihm den Spitznamen *Rabienus* eintrug, und die haßerfüllte Anerkennung seiner Gegner (Maecenas, l.c. § 8; Asinius Pollio, vgl. Quint. inst. 9,3,13; Cassius Severus, Sen. contr. § 8) bezahlte er als erster mit einem Senatsbeschluß zum Verbot seiner (Geschichts-?)Bücher. Mit seinem Selbstmord durch Selbsteinschluß im Grab der Ahnen starb er einsam und abweisend, wie er gelebt hatte; doch bewahrheitete sich die Prophezeiung bei einer Lesung seiner *Historia* (*haec, quae transeo, post mortem meam legentur*, l.c. § 8) in ihrer Restitution durch Caligula (Suet. Cal. 16,1).

SCHANZ/HOSIUS 2, 344 f. · SYME, RP 1, 62 (1. Auflage 1938).

P. L. S.

Labiovelar (< lat. *labium* »Lippe« und *velum* »Segel«). Gleichzeitig mit Lippen und Gaumensegel artikulierter Verschlußlaut. Die L. $k^w g^w g^{wh}$ bilden mit den Velaren $k g$ g^h und den Palatalen $\acute{k} \acute{g} \acute{g}^h$ die Gruppe der → Gutturale und gehören zum uridg. Phonemsystem, das in allen → indogermanischen Sprachen fortgesetzt, doch in keiner unverändert bewahrt ist. Die L. waren in den → Kentumsprachen urspr. bewahrt. Im Griech. sind sie als solche erh. im → Mykenischen des 2. Jt. v. Chr. und, z. T. als bes. Phoneme, doch phonet. verändert, bis ins 5. Jh. v. Chr. im → Arkadischen und im → Kyprischen. Sonst sind sie im Griech. mit den entsprechenden Dentalen und Labialen (z. T. auch mit den Velaren) zusammengefallen. Im Lat. sind sie fortgeführt als *qu* < $^*k^w$ und *gu* nach Nasal < $^*g^w$ oder $^*g^{wh}$, im übrigen als *v* < $^*g^w$ oder $^*g^{wh}$ bzw. *f* < $^*g^{wh}$ (nur im Anlaut). Lat. *qu* bildet an der Silbengrenze keine Positionslänge, wurde also noch als eine Lauteinheit empfunden.

Beispiele:
1) Uridg. $^*k^w is$, $^*k^w id$ »wer, was?« > lat. *quis, quid*; myk. *-qi*, att. τίς, τί, ferner arkad. ᴎις, kypr. *sis*.
2) Uridg. $^*g^w erh_3$ »verschlingen« in βορᾱ, βιβρώσκω bzw. *vorāre*.
3) Uridg. $^*snig^{wh}$- »Schnee« > griech. νίφ-α (Akk. Sg.), lat. *nix* /*nik-s*/ (Verlust der Labialität vor *s*) *niv-is*, dazu Nasal-Präs. *ni-n-gu-it*.

→ Griechische Dialekte; Gutturale; Lautlehre; Q (sprachwissenschaftlich); Satemsprachen

M. MAYRHOFER, Idg. Gramm. I,2, 1986, 108 f. · LEUMANN, 146–153 · G. MEISER, Histor. Laut- und Formenlehre der lat. Sprache, 1998, 97–105 · SCHWYZER, Gramm., 293–297 · RIX, HGG 85–88.

R. P.

Labotas (Λαβώτας). Sagenhafter spartan. König aus dem Hause der → Agiadai. Unter seiner (fiktiven) Herrschaft (angeblich 1025/4–989/8 v. Chr.) soll Sparta erstmals gegen Argos gekämpft haben (Apollod. FgrH 244 F 62; Hdt. 1,65; 7,204; Plut. mor. 224C; Paus. 3,2,3 f.).

K.-W. WEL.

Labraunda, Labranda (Λαβράυνδα, Λάβρανδα). Ort und Heiligtum des karischen → Zeus Stratios (auch Labraundos) auf einem südl. Ausläufer des Latmos; über eine heilige Straße mit Mylasa verbunden, dem es mit der späteren Siedlung als *kṓmē* angehörte (Strab. 14,2,23). ON und Name des Gottes sind vorgriech. Die Doppelaxt (*lábrys*) von L. galt als von den Amazonen bzw. den lyd. Heraklidenkönigen übernommen (Plut. qu. Gr. 45). Die Kultstatue (→ *xóanon*) mit der geschulterten *lábrys* ist auf Mz. des 4. Jh. v. Chr. dargestellt. Das Heiligtum war zentraler Tagungsort des alten karischen Bundes (Hdt. 5,119,2) mit alljährlicher *panēgyrís*. Im 3. Jh. v. Chr. kam es zum Streit um das Besitzrecht an L., der von Ptolemaios II. zugunsten des Chrysaorischen Bundes (→ Stratonikeia), von Seleukos II. und Philippos V. zugunsten von Mylasa entschieden wurde (→ Karia).

Das Heiligtum (älteste Funde um 600 v. Chr.) kannte bis ins 5. Jh. wohl nur tempellosen Kult in einem Platanenhain; die architektonische Ausgestaltung erfolgte Mitte des 4. Jh. unter dem Mäzenatentum der Hekatomniden (Stifterinschr. von Maussollos und Idrieus). Unter den Bauten ragen die *andrṓnes* (»Männerhäuser«, kult. Speisehäuser) und der Zeustempel hervor. Fische mit Goldschmuck (Fischorakel?) befanden sich im Heiligtum (Plin. nat. 32,16; Ail. nat. 12,30). Zubauten und Restaurierung sind noch für die Kaiserzeit belegt.

K. JEPPESEN, A. WESTHOLM, P. HELLSTRÖM, T. THIEME u. a., Labraunda 1,1–3; 2,2–4; 3,1–2, 1955–1983 · T. THIEME, Metrology and Planning in Hekatomnid L., in: T. LINDERS (Hrsg.), Architecture and Society in Hekatomnid Caria (Kongreß Uppsala 1987), 1989, 77–90 · P. HELLSTRÖM, The Architectural Layout of Hekatomnid L., in: RA 1991, 297–308 · H. SCHWABL, s. v. Zeus, RE Suppl. 15, 1462 f.

H. KA.

Labraundos, Labrandeus s. Zeus

Labronios (λαβρώνιος, -ον). Pers. Luxusgefäß aus Edelmetall von unbekannter Form (groß, flach mit großen Henkeln, Athen. 11,484c-f, 784a, 500e). Da es bei Athenaios a.O. in Zusammenhang mit → Lakaina und Lepaste (beides Gefäßarten) gen. wird, handelt es sich beim L. vielleicht um eine Trinkschalenart.   R.H.

Labrum (aus *lavabrum*, Diminutiv *labellum*, griech. λουτήριον/*lutérion* und λεκάνη/*lekáne*). Das L., ein großes flaches Becken mit aufgewölbtem Rand und hohem Fuß, diente unterschiedlichen Zwecken. Als Material für das L. werden Marmor, Porphyr, Ton, Stein u.a. gen. Im griech. Bereich ist L. ein Waschbecken, an dem sich Männer und Frauen mit Wasser reinigten; auf unterital. Vasen findet dies häufig in Anwesenheit von Eros statt, mitunter tummeln sich Wasservögel (Schwan oder Gans) im Wasser des L. Oft erscheint es auch auf Liebes- oder Hochzeitsszenen, dazu in Darstellungen des Grabkultes, auf denen es – der att. → *lutrophóros* entsprechend – den Verstorbenen als unverheiratet bezeichnet. Die Trad. des Badens läßt sich insbes. in den röm. Thermen verfolgen, in denen es für Waschungen aufgestellt war. Zur Aufstellung des L. gibt Vitr. 5,10,4 genaue Vorschriften. Inschr. als L. gen. ist das Waschbecken im Laconicum (einem Teil des Warmbades, → Bäder, → Thermen) der Forumsthermen in → Pompeii. Eine entsprechende Funktion als Waschbecken nimmt das L. im röm. Haushalt ein (z.B. Petron. 73,4), wobei nach einer späten lit. Quelle die Wanne für das Bad des Kindes L. hieß (Isid. orig. 20,6.8). In der Landwirtschaft übernimmt das L. die Aufgabe eines Nutzbeckens; daneben war es ein Spülgefäß, diente der Wein- und Ölbereitung und als Gefäß für Hülsenfrüchte und Feigen (Colum. 12,15.3; Cato agr. 10,4; 11,3). Des weiteren kann das L. ein Zierbrunnen in Gärten, auf Straßen und Plätzen sein; in diesen Funktionen ist es in Rom seit Beginn des 2. Jh. v. Chr. bekannt. In der Spätant. wird dieser Terminus auch für einen Sarg in Wannenform verwandt (Ambr. epist. 34). Auf einer Miniatur des 6. Jh. n. Chr. mit der Darstellung des Tempels in Jerusalem wird ein amphorenähnliches Gefäß als L. bezeichnet [1].

→ Bäder; Körperpflege; Lekane

1 P.R. GARRUCCI, Storia della Arte Christiana III, 1876, Taf. 126,2.

R. GINOUVÈS, Balaneutiké, 1962 · H. LOHMANN, Grabmäler auf unterital. Vasen, 1979, 133–138 · W. HEINZ, Röm. Thermen. Badewesen und Badeluxus, 1983 · W. LETZNER, Röm. Brunnen und Nymphaea in der westl. Reichshälfte, 1990, 92–96 · J. STROSZECK, Wannen als Sarkophage, in: MDAI (R) 101, 1994, 218.   R.H.

Labrys (ἡ λάβρυς) bezeichnet die Doppelaxt (lat. *bipennis*), die zwei einander gegenüberliegende Klingen aufweist; sie ist sowohl Werkzeug wie Kultgerät und rel. Symbol. Der Ausdruck, im Griech. allein als lydisches Wort in einer Glosse bekannt (Plut. mor. 45,302a), wurde im späten 19. Jh. zur Bezeichnung des minoischen

Kultsymbols in die Wissenschaftssprache eingeführt, auch um seine anatolische Herkunft anzudeuten. Im minoischen, bes. aber im griech. Ritual ist die Doppelaxt als Tötungsgerät gut belegt [1; 2]; im Minoischen ist sie zudem Attribut weibl. Gottheiten [1. 226], und der Name des → Labyrinths wird mit ihr verbunden (»Haus der Doppelaxt«, seit [3]). Ebenso ist sie Kultsymbol und Attribut in zahlreichen anatolischen Kulten, nicht zuletzt mehrerer Zeus-Gestalten (etwa Iuppiter Dolichenus oder Zeus Labraundeus, dessen Namen Plut. l.c. mit L. verbindet [4]). Ob tatsächlich damit in jedem Fall eine Blitzwaffe gemeint ist [5] oder nicht auch, wie bei mesopot. Dämonen, eine Tötungs-, gar Kriegswaffe, muß offenbleiben.

→ Religion (minoisch); Minoische Kultur und Archäologie

1 NILSSON, MMR, 226–235 2 F. T. VAN STRATEN, Hiera Kala, 1995, 103–109 3 M. MAYER, Myk. Beitr. II, in: JDAI 7, 1892, 191 4 A. LAUMONIER, Les cultes indigènes en Carie, 1958, 85–95 5 A.B. COOK, Zeus 2, 1925, 585–602 6 R. GANSZYNIEC, s. v. L., RE 12, 286–307.   F.G.

Labynetos (Λαβύνητος; gräzisierte Form von akkad. *Nabû-na'id/Nabonid*). Die gräzisierte Namensform kommt nur bei → Herodotos vor. Mit L. meint dieser wohl allg. die Könige der neubabylon. Dynastie (625–539 v. Chr.). Eine Rolle in Herodots Werk spielen → Nebukadnezar II. (604–562), der ca. 585 v. Chr. zusammen mit einem kilik. Dynasten (→ Syennesis) den Waffenstillstand zwischen Lydern und Medern aushandelte (Hdt. 1,74), und → Nabonid (555–539), der ein Bundesgenosse des → Kroisos von Lydien war (Hdt. 1,77) und 539 v. Chr. von dem Perserkönig → Kyros [2] in Babylon belagert und besiegt wurde (Hdt. 1,188).

P.-A. Beaulieu, The Reign of Nabonidus King of Babylon, 1989.   PE.HÖ.

Labyrinth (λαβύρινθος, *labyrinthus*).
A. BEGRIFF   B. DAS LABYRINTH IM PRÄGNANTEN SINNE   C. DAS LABYRINTH IM ERWEITERTEN SINNE D. DAS LABYRINTH IM METAPHORISCHEN SINNE

A. BEGRIFF

Der Begriff L. bezeichnet im heutigen Sprachgebrauch entweder das L. im prägnanten Sinn oder im erweiterten Sinne jeden Irrgarten oder jedes unübersichtliche große Gebäude (insbes. seit dem Hell. als Motiv der Lit. oder der bildenden Kunst), oder aber in einer übertragenen Bed. als Metapher oder Allegorie Irrungen und Täuschungen des menschlichen Lebens. Letzteres läßt sich verstärkt ab dem 3. Jh. n. Chr. beobachten.

B. DAS LABYRINTH IM PRÄGNANTEN SINNE

Das L. im prägnanten Sinn ist eine architektonische Figur (das kretische L.), die nur aus der Vogelperspektive als L. wahrgenommen werden kann: Sie ist geometrisch, mit runder oder eckiger Außenfront, einer

Öffnung in der Außenmauer; Mauern definieren einen verschlungenen, im Unterschied zum Irrgarten kreuzungsfreien Weg, der zwangsläufig im Zentrum endet. Im Zentrum muß eine Umkehr der Laufrichtung erfolgen, wenn man den Ausgang wieder erreichen möchte. Neben der verwirrenden Linienführung stellt auch die Dunkelheit des L. dem Orientierungssinn Fallen. Zur Abgrenzung von Mäander, Spirale und Irrgarten vgl. [7. 13 f., Kap. 11].

Die Wortgesch. des Fremdwortes im Griech. ist ungeklärt: L. als Haus der Doppelaxt (→ Labrys) = Palast von → Knosos ist u. a. aus sprachwiss. Sicht unhaltbar. Das Suffix −inthos könnte die Angabe eines Orts sein. Der früheste Beleg für L. findet sich auf einem Linear B-Täfelchen (KN Gg 702; KN 10, 740), wo von einer Herrin des L., der ein Honigtöpfchen geopfert werden soll, die Rede ist. Mit ihr könnte → Ariadne gemeint sein [6]. Vielleicht bezeichnete L. urspr. auch einen Tanzplatz mit labyrinthischer Gangführung, auf dem die komplizierten Figuren des Tanzes vorgezeichnet waren. Homer berichtet von solch einem Tanzplatz, den Daidalos für Ariadne geschaffen haben soll (Hom. Il. 18,590). Der früheste visuelle Beleg für L.-Tanz in Verbindung mit dem Troia-Spiel [7. Abb. 110] findet sich auf einer Kanne aus Tragliatella (7. Jh. v. Chr.).

Im Mythos ist das L. unauflöslich mit dem Helden → Theseus und dem L. des Königs → Minos von Kreta verbunden (Plut. Theseus 15−21): Es ist der Ort der Schande des fleischgewordenen Ehebruchs, des Minotauros, der aus einer Verbindung von → Pasiphae und einem Stier hervorgegangen ist: → Daidalos [1], der geniale Architekt (Verg. Aen. 6,27 ff.), erbaut das L., in dem Minotauros jährlich ein Blutzoll athen. Jünglinge, unter denen sich im dritten Jahr Theseus befindet, geopfert wird. Mit Hilfe der schönen Königstochter Ariadne, die ihm den sprichwörtlichen Faden zur Orientierung mitgibt, schafft er es, zum Ausgang des L. zurückzufinden, nachdem er den Stiermenschen besiegt hat. Später auf Delos inauguriert Theseus den Geranos-Tanz, der die Linienführung des L. nachahmt (Plut. Theseus 21). Alle drei Formen des L. (lit.; visuell; tänzerisch) gehen wahrscheinlich auf eine bisher nicht erklärte Urform des L. zurück, die nach unterschiedlichen Deutungen den menschlichen Körper, insbes. den weiblichen Uterus, die Unterwelt (verbunden mit initiatorischen Riten) oder die stilisierte Form eines Stadtplans oder gar eine Nachbildung der Laufbahn von Himmelskörpern darstelle.

C. DAS LABYRINTH IM ERWEITERTEN SINNE

Mag es sich beim L. wohl urspr. um eine minoisch-mykenische Vorstellung handeln, so wird der Begriff in den frühesten lit. Zeugnissen schon in einem erweiterten Sinn, etwa als eine aus verschlungenen Linien bestehende geometrische Figur oder einen Irrgarten verwendet. Bei Kall. h. 4,311 steht L. als Synonym für einen Irrgang (vgl. Verg. Aen. 5,591 ff.; Mela 1,9,56); daneben bleibt das L. aber als eindeutige graphische Figur bestehen (der früheste Beleg für die tatsächliche Benennung der L.-Form als L. ist eine Wandkritzelei in Pompeii (CIL IV 2331): *Labyrinthus hic habitat Minotaurus*, ›L.: hier lebt der Minotauros‹, mit entsprechender Zeichnung). Verschiedene ant. Autoren berichten über real existierende L. oder L.-artige Bauten (wobei es wegen fehlender arch. Evidenz vielfach ungeklärt bleiben muß, ob es sich um den prägnanten oder erweiterten Gebrauch des Begriffs handelt). Unter diesen sind der Palast von → Knosos oder die Steinbrüche von Gortyn [1], die L. bei Nauplia (Strab. 8,369) oder auf Lemnos (Plin. nat. 36,86.90) sowie das Grab des Porsenna bei Clusium (Plin. nat. 36,91−93) die bekanntesten. Bes. Erwähnung verdient in diesem Kontext das von Herodot (2,148) beschriebene ägypt. L. am Moeris-See [8]. Ab dem 2. Jh. v. Chr. finden sich L.-Muster, oft verbunden mit der Darstellung der Minotaurus-Gesch., auf zahlreichen röm. Mosaiken [7. 112 ff.; 9]. Darunter hervorzuheben ist ein Mosaik aus Kato Paphos auf Zypern, auf dem ein lagernder alter Mann gemäß Aufschrift das L. personifiziert (vergleichbar der Ikonographie von Fluß- oder Quellgöttern) [4]. Dies könnte dafür sprechen, daß man als L. urspr. unergründliche Grotten oder Höhlen bezeichnete. Bis in die Neuzeit lassen sich immer wieder graphische Fixierungen des L. beobachten − sei es im Buchdruck, in der Architektur [3] oder der Gartenbaukunst des Barock (Überblick [7]).

D. DAS LABYRINTH IM METAPHORISCHEN SINNE

Überblick: [7. 24 f.]. Plat. Euthyd. 291b verwendet den Bezug zu einem echten L., um eine Aporie/Sackgasse des Denkens zu verdeutlichen [1]. Verstärkt ab dem 3. Jh. n. Chr. wird das L. als Bild für Verwicklungen des polit. und individuellen Lebens verwendet (vgl. die programmatische Schrift des Hippolytos ›Das L. der Häresien‹; Lact. ira 7,1; Aug. civ. 18,13 u. a.). Schließlich wird in der Folge dieser Trad. das L. zur Allegorie von Täuschung, Irrtum und Fehlleitung (etwa in der Liebe oder der sinnlichen Wahrnehmung) überhaupt [2], was zu einer wechselseitigen Befruchtung lit. und visueller Gestaltung führt. Aus dem L. herauszufinden, bezeichnet hierbei einen Reifungsprozeß des Menschen [5].

1 P. BORGEAUD, The Open Entrance to the Closed Palace of the King. The Greek L. in its Context, in: History of Religions 14, 1974, 1−27 2 H. D. BRUMBLE, s. v. L., in: Ders., Classical Myths and Legends in the Middle Ages and Renaissance, 1998 3 L. CENTI (Hrsg.), Labyrinthos. Materiali per una teoria della forma, 1994 4 W. A. DASZEWSKI, s. v. Labyrinthos, LIMC 6.1, 175 f. 5 W. FITZGERALD, Aeneas, Daedalus and the L., in: Arethusa 17, 1984, 51−65 6 K. KERÉNYI, Die Herrin des L., in: Ders., Auf den Spuren des Mythos, ²1978, 266−270 7 H. KERN, Labyrinthe, 1982 8 O. KIMBALL ARMAYOR, Herodotus' Autopsy of the Fayoum: Lake Moeris and the Egyptian L., 1985 9 J. KRAFT, The Cretan Wall and the Walls of Troy. An Analysis of Roman L. Designs, in: OpRom 15, 1985, 79−85 10 P. REED-DOOB, The Idea of the L. from Classical Antiquity through the Middle Ages, 1990 11 A. B. LLOYD, The Egyptian L., in: JEA 56, 1970, 81−100.
C. W.

Lacerna. Fransenbesetzter (schol. Pers. 1,54), offener Mantel, eine Sonderform des → *sagum*, wahrscheinlich im 1. Jh. v. Chr. eingeführt (erstmalige Erwähnung Cic. Phil. 2,30,76); diente zunächst als Soldatenmantel, den in der Dichtung auch mythische Könige und Heroen tragen konnten (z. B. Ov. fast. 2,743–747; Prop. 4,3,18). Die L. wurde schon bald zu einem Gewand des Alltags und war im 1. Jh. n. Chr. beliebt. Anfangs aus grober Wolle, verwandte man auch leichte Stoffe, die purpurn oder scharlach gefärbt waren (Mart. 2,29,3; 4,61,4; 4,8,10; Iuv. 1,27). Man trug die L. anstelle der → Toga über der → Tunica, bzw. als Schutz vor schlechter Witterung über der Toga (Iuv. 9, 28–29, vgl. Mart. 6,59,5 und Plin. nat. 18,225 mit der Verteuerung der L. durch die Kleiderhändler bei Anzeichen schlechten Wetters) v. a. beim Gang in die Theater oder Amphitheater (Mart. 14,135). Auf Denkmälern ist die L. bislang nicht sicher nachzuweisen.

F. KOLB, Röm. Mäntel, in: MDAI (R) 80, 1973, 116–135; 137–140. R. H.

Lacerta s. Eidechse; Krokodil

Lacetani. Iberischer Volksstamm (nicht zu verwechseln mit den Iaccetani; z. B. Ptol. 2,6,71; [1]), der am Südfuß der östl. Pyrenäen siedelte, westl. vom Llobregat, östl. vom Segre, südl. von Noya und Cervera (Liv. 21,61,8; 28,24,4; 34,20,1; Plin. nat. 3,21). Er wurde von den Römern früh unterworfen (Plut. Cato Maior 11,2; vgl. Cass. Dio 45,10; Sall. hist. 2,98,5; [2. 50f.]).

1 HOLDER, s. v. *iaccos* 2 A. SCHULTEN, Fontes Hispaniae Antiquae 3, 1935.

TOVAR 3, 35 ff. P. B.

Lachares (Λαχάρης).
[1] Athener, Demagoge und Vertrauensmann des → Kassandros. Mit einer Söldnertruppe konnte L. wohl von Frühj. 300 v. Chr. bis Frühj. 295 (Olympiaden-chronik FGrH 257a F 1–4; Plut. Demetrios 33; IG II² 646 deutet aber auf 294 v. Chr.) eine Herrschaft in Athen errichten, die in ant. Quellen als Tyrannis bezeichnet wird, obwohl fundamentale Organe der Demokratie weiter arbeiteten. Nach dem Tode des Kassandros (297) konnte L. sich zwar noch halten, mußte aber seinen demokrat. Gegnern schon 297/6 den Piräus überlassen (Polyain. 4,7,5). Ein erster Versuch, L. zu stürzen, schlug wohl 296 fehl (Paus. 1,29,10). Als Demetrios [2] 295 Athen belagerte, was zu einer schlimmen Hungersnot führte (Plut. Demetrios 33,1–34,7; Demetrios II F 1 PCG), verteidigte L. seine Stellung mit allen Mitteln, nutzte sogar das Goldgewand der Athene und andere Tempelschätze zur Finanzierung seiner Söldner (Paus. 1,25,7; 1,29,16; Plut. Is. 379C). Schließlich floh er nach Theben (Polyain. 3,7,1; Paus. 1,25,8), von dort 293 nach Delphi, danach zu Lysimachos, auf dessen Seite er bei Sestos kämpfte (Polyain. 3,7,2–3); 278 wurde L. aus Kassandreia ausgewiesen (Polyain. 6,7,2) und bald darauf erschlagen.

PA 9005 • HABICHT 90–95. J. E.

[2] Griech. Rhetor bzw. Sophist des 5. Jh. n. Chr., lehrte in Athen. Nach der Suda wirkte L. vornehmlich während der Regierungszeit der oström. Kaiser Marcianus (450–457) und Leo [4] I. (457–474); Marinos dagegen (vita Procli 11) läßt ihn mit den neuplatonischen Philosophen Proklos und Syrianos um das Jahr 430 debattieren. Die beiden Angaben sind vereinbar, wenn man als Geburtsjahr spätestens 410 und als Zeit seiner größten Wirksamkeit und Bekanntheit die letzte Lebensphase annimmt. Laut Suda verfaßte L. *dialéxeis* (sophistische Prunkreden oder philos. Abhandlungen), stilkritische Schriften und betrieb Stud. zur → Lexikographie. Fr. sind allein aus einem Lehrbuch zum Prosarhythmus und zur → Kolometrie erh. (*Perí kṓlu kaí kómmatos kaí periódu*); L. erweist sich hier als vornehmlich von → Dionysios [18] von Halikarnassos beeinflußt, doch ist auch die Benutzung von → Dionysios [17] Thrax, → Longinos, → Hermogenes [7] und → Cornutus [4] nachweisbar. L. hält zwar theoretisch an der althergebrachten quantitierenden Rhythmik fest, benutzt jedoch selbst vom Wortakzent bestimmte Klauseln, wie sie die isochrone und exspiratorisch akzentuierende Aussprache des spätant. Griech. erforderte. Lehrer des L. soll Herakleon gewesen sein, als Schüler werden Asterios, Eustephios, Nikolaos von Myra und Superianos genannt. Seine Grabinschr. ist frg. erh. (IG II/III² 11952).

FR.: W. STUDEMUND, Ps.-Castoris excerpta rhetorica, 1888 • H. GRAEVEN, Ein Fr. des L., in: Hermes 30, 1895, 289–313.
LIT.: G. A. KENNEDY, Greek Rhetoric under Christian Emperors, 1983, 167f. • PLRE 2, 652f. M. W.

Laches (Λάχης).
[1] Athenischer *stratēgós* aus reicher Familie, wurde 427 v. Chr. mit 20 Kriegsschiffen nach Sizilien gesandt, um die mit Leontinoi verbündeten Städte vor Syrakus zu schützen (Thuk. 3,86), und führte von Rhegion aus erfolgreich mehrere Unternehmungen gegen die aiolischen Inseln, gegen Mylai, Inessa und die Lokrer (Thuk. 3,88; 90; 99; 103; Diod. 12,54,4f.). Nach seiner Rückkehr im Winter 426/5 (Thuk. 3,115) wurde er von Kleon [1] erfolglos angeklagt (Aristoph. Vesp. 240–244 mit schol.; 836–838; 894–1008). Im Frühj. 423 wurde auf seinen Antrag ein einjähriger Waffenstillstand mit Sparta geschlossen (Thuk. 4,118,11–14). Zusammen mit → Nikias verhandelte L. in Sparta über einen Friedensvertrag und war im Frühj. 421 unter den Gesandten, die den Nikiasfrieden und die athen.-spartan. Symmachie beschworen (Thuk. 5,43,2; 19,2; 24,1). Als *stratēgoí* zogen L. und Nikostratos 418 mit einem Heer nach Argos und nahmen mit den Argeiern und ihren Verbündeten das arkad. Orchomenos ein (Thuk. 5,61); L. fiel im August 418 in der Schlacht bei Mantineia (Thuk. 5,74,3). L. muß als sehr tapfer gegolten haben,

da Platon seinen Dialog über diese Tugend nach ihm benannte.

→ Peloponnesischer Krieg

D. HAMEL, Athenian Generals, 1998, 143 · TRAILL, PAA 602280.   W. S.

[2] Athenischer *stratēgós*, wurde 364 v. Chr. bei dem Versuch, die Thebaner mit einer Flotte zu umgehen, von → Epameinondas südl. von Euboia zum Rückzug gezwungen (Diod. 15,79,1). TRAILL, PAA 602275.

Lachesis s. Moira

Lachmannsche Regel (Lachmannsches Gesetz). Von dem klass. Philologen und Germanisten Karl LACHMANN (1793–1851) 1850 entdeckte, im Verbalsystem des Lat. geltende »Lautregel«: Verben, deren Stamm mit den stimmhaften Okklusiven -*g* oder -*d* schließt, zeigen vor -*t*-Suffixen des Ptz. Perf. Pass. und verbaler Ableitungen – neben den entsprechenden Kons.-Assimilationen an der Morphemgrenze – im Stamm auffälligerweise Langvokal. Eine Reihe von Fällen entzieht sich jedoch dieser Regel. Erwiesen wird die Vokallänge v. a. durch inschriftliche Schreibungen mit dem Apex (→ Lesezeichen), durch vereinzelte Grammatikerangaben und die Kontinuanten in roman. Sprachen.

Dementsprechend finden sich z. B. *āctus* (ÁCTVS, CIL XI 3805), *āctitare* (Gell. 9,6) gegenüber *ăgo*; *cāsus* < *cāssus* gegenüber *cădo*; *lēctus* (LÉCTVS, CIL XI 1826), *lēctor* (LÉCTOR, CLE 1012) gegenüber *lĕgo*; *dirēctus* (-*um* > it. *diritto*, > frz. *droit*) gegenüber *dirĭgo* (mit Hebung -*ĕ*- > -*ĭ*-).

Wie die in die L. R. gefaßte Erscheinung zu erklären ist, bleibt kontrovers: Einer rein phonetischen Erklärung (»Lautregel«) steht die Auffassung gegenüber, die die L. R. im Rahmen von Umgliederungsvorgängen des lat. Verbalsystems verstanden wissen möchte (»grammatische Regel«).

→ Prosodie

K. STRUNK, Lachmanns Regel für das Lat., 1976 · LEUMANN, 114 · N. E. COLLINGE, The Laws of Indo-European, 1985, 105–114.   C. H.

Lachmiden (arab. *Banū Laḫm*). Könige des arab. Stammesverbandes der Tanūḫ (2. Viertel 3. Jh. – Anf. 7. Jh. n. Chr.). Sitz der L. war al-Ḥīra, ein Karawanenzentrum im sw Irak, südl. von → Kerbela. Als Vasallen der pers. → Sāsāniden überwachten die L. die Stämme der arab. Halbinsel und beteiligten sich am Kampf der Sāsāniden gegen Rom, später gegen Byzanz und ihre syr. Verbündeten (→ Palmyra, Ghassaniden). Einige L. waren nestorianische Christen (→ Nestorianismus); durch sie wurde Ḥīra ein Zentrum des Christentums in Süd-Mesopot.; die Stadt wurde reich mit Kirchen und Klöstern ausgestattet. An-Nuʿmān I. (Regierungszeit: 1. Viertel 5. Jh.) gilt als Erbauer des legendären Schlosses al-Ḫawarnaq; spätere L. waren Mäzene arab. Dichter. Die Eliminierung der L. durch die Sāsāniden Anf. des

7. Jh. schwächte die Südflanke des Sāsānidenreiches entscheidend.

I. SHAHID, s. v. Lakhmids, EI 5, 632–634 · G. ROTHSTEIN, Die Dynastie der L. in al-Hira, 1899.   T. L.

Lachs. Aus der Familie der Salmonidae kannte man in der Ant.: 1. den eigentlichen L., Salmo salar L., als ἴσοξ/ *ísox* (*isox* Isid. orig. 20,2,30), den Plin. nat. 9,44 für den Rhein und Sulp. Sev. dialogi 2,10,4 für den Liger (die Loire) erwähnen. Auson. Mos. 97–105 beschreibt ihn genau; 2. die Meer-Forelle, Salmo trutta trutta, (→ Forelle) als *fario* (Auson. Mos. 128–130 und Isid. orig. 12,6,6: *varii*) bzw. *salmo marinus* (Plin. nat. 9,68, nach [1. 119] aber Nr. 1); 3. die Bach-Forelle, Salmo trutta fario, ist vielleicht mit *salmo fluviatilis* (Plin. nat. 9,68) in Aquitanien gemeint. Auson. Mos. 88 kennzeichnet den *salar* durch die roten Rückenflecken. Nach Sidon. epist. 2,2,12 frißt sie sogar die eigenen Jungen; 4. Ob etwa die im Alter dunkel gefärbte See-Forelle Salmo trutta lacustris bei Isid. orig. 12,6,6 gemeint ist, bleibt unsicher.

1 LEITNER.

H. GOSSEN, s. v. L., RE 12, 343f. · KELLER, Bd. 2, 371f.
                                                                C. HÜ.

Laciburgium (Λακιβούργιον). Ort im Norden der *Germania magna*, westl. der Oder (Ptol. 2,11,12), bislang nicht lokalisiert. Evtl. liegt eine Verschreibung aus → Asciburgium (h. Moers-Asberg) vor.

A. FRANKE, s. v. L., RE 12, 344f. · G. CHR. HANSEN, in: J. HERRMANN (Hrsg.), Griech. und lat. Quellen zur Frühgesch. Mitteleuropas bis zur Mitte des 1. Jt. u. Z., Teil 3, 1991, 581.   R. A. WI.

Laco. Cognomen etr. Herkunft [1] in den Familien der Cornelii (Cornelius [II 20]) und Iulii und des P. → Graecinius L. Der von Cicero 44 v. Chr. (Cic. Phil. 2,106; Cic. Att. 16,11,3) erwähnte Anhänger des M. Antonius [I 9] L. gehörte wahrscheinlich zu einer Familie des Stadtadels von Anagnia, den Abbutii Lacones (ILS 6258).

1 SCHULZE, 81; 153; 316.   K.-L. E.

Lacobriga. Es gab drei Städte dieses kelt. [1] Namens. [1] Im Gebiet der Vaccaei nördl. von → Palantia in Nordspanien ([2]; Plin. nat. 3,26; Ptol. 2,6,49; Itin. Anton. 395,1; 449,3; 454,1).

[2] Lusitanische Stadt (Plut. Sertorius 13,7; Ptol. 2,5,5; Mela 3,7). Zahlreiche Reste auf dem Monte de Figuerola bei h. Lagos in der Algarve [3], evtl. mit dem öfters in den Konzilsakten gen. Bistum *Laniobrensis ecclesia* identisch [2. 134; 4; 5; 6].

[3] Lusitanische Stadt am Meer südl. von Porto (Itin. Anton. 421,7; Geogr. Rav. 4,45).

1 HOLDER, s. v. L. 2 R. GROSSE (Hrsg.), Fontes Hispaniae Antiquae 8, 1959, 134, 444f. 3 A. SCHULTEN, Forsch. in Spanien, in: AA 1933, 3/4, 530 4 R. GROSSE (Hrsg.), Fontes

Hispaniae Antiquae 9, 1947, 216, 354, 367 **5** A. SCHULTEN, Sertorius, 1926, 71 **6** Ders., Fontes Hispaniae Antiquae 4, 1937, 173; 1959.

TOVAR 2, 208. P.B.

Laconicum s. Bäder; Thermen

Lacringi. Eine lugische (vandalische) Völkerschaft (Λάκριγγοι, Cass. Dio 71,12,2; *Lacringes*, SHA Aur. 22,1), die in den Markomannenkriegen im J. 170 n. Chr. gegen Rom kämpfte. Als → *foederati* wurden die L. im Norden von Dacia angesiedelt, wo sie die Asdingi schlugen. Beide Stämme zählten nachher zu den röm. Verbündeten (vgl. Cass. Dio 71,11,6). In der Folge vermischten sich die L. mit anderen Angehörigen des vandalischen Stammverbands.

L. SCHMIDT, H. ZEISS, Die Westgermanen, 1940, 163, 165, 167, 169. J. BU.

Lactantius (Laktanz).
[1] A. LEBEN B. WERKE
C. LEHRE UND NACHWIRKUNG

A. LEBEN

L. *Caelius Firmianus qui et L.*, christl. lat. Schriftsteller, geb. um 250 in Africa, gest. wohl 325 in Gallien. Als Rhet.-Lehrer wurde er von Diocletianus nach Nikomedeia in Bithynien berufen, konvertierte dort und wurde nach Ausbruch der Christenverfolgung 303 Apologet (→ Apologien). Um 315 holte ihn Constantinus [1] I. als Lehrer für seinen Sohn Crispus nach Gallien, wohl nach Trier.

B. WERKE

De opificio dei (›Über das Schöpfungswerk Gottes‹; 303/4; als ›Ergänzung Ciceros‹ getarnt, 1,12–14; 20,1): Der Mensch ist vollkommenes Geschöpf Gottes und ihm zum Gehorsam verpflichtet (19,8–10). – *Divinae institutiones* (»Göttliche Unterweisungen«; Erstfassung 304/311; unvollendete Neufassung Constantin 324 gewidmet; Titel der 7 B. von L.): B. 1 *De falsa religione*: Beweis des Monotheismus, Kritik des Götterkults; B. 2 *De origine erroris*: Dämonologie im Rahmen der Schöpfungslehre; B. 3 *De falsa sapientia*: Kritik der griech.-röm. Philos., die das *summum bonum* (vgl. B. 7) verfehlt habe; B. 4 *De vera sapientia et religione*: beschreibt christl. Rel. als wahre Gotteserkenntnis und -verehrung sowie Sendung und Wirken Christi; B. 5 *De iustitia*: Die Gerechtigkeit – von Christus wiedergebracht, von den Verfolgern bekämpft – ist keine Torheit; Aufforderung der Christen zu Leidensbereitschaft und Gottvertrauen; B. 6 *De vero cultu*: Pflichten gegen Gott und Mitmenschen (die erste christl. lat. Offizienlehre); B. 7 *De vita beata*: Ziel menschlicher Existenz (7,5,27; 7,6,1) ist Unsterblichkeit und Gottesnähe; Endzeitschilderung. – Die Kurzfassung desselben Werkes als *Epitome divinarum institutionum* (um 320, vor Zweitfassung der inst.): Kürzung auf ⅓ mit neuen Akzenten und Ergänzungen (Platonica). – *De ira dei* (›Vom Zorne Gottes‹; spät, nach

315): Gottes Zorn ist Korrelat seiner Gnade, notwendiger Teil seiner *potestas*. – *De mortibus persecutorum* (›Über den Tod der Verfolger‹; nach 313, vor 316): Als »Zeitzeuge« (1,8; 52,1) schildert L. die Christenverfolger und Gottes Rache an ihnen. – Gedicht *De ave Phoenice* (›Der Vogel Phoenix‹; wohl kurz nach 303): kryptochristl. Sagenelegie; der Phoenix dient als Wiederauferstehungsallegorie (→ allegorische Dichtung).

C. LEHRE UND NACHWIRKUNG

L. ist Chiliast und kennt nur zwei göttliche Personen. Sein Welt- und Menschenbild ist dualistisch mit monistischer Überdachung: Gott duldet *malum*, Böses, als Gegensatz zum *bonum*, damit der Mensch *virtus* beweisen kann (in epit. und Neufassung der inst. verschärft: Gott schuf auch *malum*). L. verbindet röm. Rel.- und Gottesvorstellungen (Gott als *pater familias* und *imperator*) mit gnostisch-platonistischen Einflüssen (Hermetik) aus Africa. Er vertritt röm.-at. Lohn- und Vergeltungsdenken; seine Pflichtenlehre kombiniert Bibel und Ciceros *De officiis*. Als Apologet (inst. 5,1. 4; opif. 20) nimmt er Ansätze von → Minucius Felix auf, zitiert pagane Lit. ausgiebig; L. will die Gegner formal und inhaltlich auf ihrem Bildungsniveau erreichen. Die Rhet. sieht er im Dienst offenbarter Wahrheit (inst. 1,1,10; 5,1,14). L. zitiert sein lit. Vorbild → Cicero oft polemisch, aber auch aneignend (so inst. 6,8,6–9), ebenso Vergil (so inst. 1,5,11–12), Lucretius (er muß opif. 19,2 den Kreatianismus, inst. 7,27,6 Christi Sendung künden) und Seneca (inst. 5,22,11 zur Theodizee). *Oracula Sibyllina* u. ä. setzt er als Zeugen ein. Die Bibel zitiert er nur, wo nötig (inst. 1,5,1; 4,5,3; vgl. 5,4,6 gegen Cyprianus, dem er den Bibeltext z. T. verdankt; vieles, so Salomos Oden, ist östl. Herkunft). L. lehnt Dichtung nicht ab, sieht in der Allegorie eine Aufgabe des Dichters (inst. 1,11,24; danach wohl Constantins kryptochristl. Deutung von Verg. ecl. 4). Der *Phoenix* ist die erste christl. lat. Dichtung in klass. Formtrad.

Kirchlich als Häretiker verworfen, wirkt L. in der Renaissance als *Cicero Christianus*: Es gibt ca. 300 Hss., ab 1465 (erster Buchdruck in It.) bis um 1750 viele Ed. *De mortibus persecutorum* wird von katholischer Seite im 18. und 19. Jh. »fortgesetzt«, zuletzt 1873/4 bis Napoleon III.

ED.: S. BRANDT, CSEL 19; 27 • *Epitome*: E. HECK, A. WLOSOK, 1994 • *Ira*: C. INGREMEAU, SChr 289, 1982 • *Mort. pers.*: J. L. CREED, 1984

LIT.: E. HECK, Die dualist. Zusätze und die Kaiseranreden bei L., 1972 • Ders., L. und die Klassiker, in: Philologus 132, 1988, 160–179 • Ders., L. im Kulturkampf, in: FS L. Abramowski, 1993, 589–606 • V. LOI, L. nella storia del linguaggio e del pensiero teologico prenicено, 1970 • P. MONAT, L. et la Bible, 2 Bde., 1982 • M. PERRIN, L'homme antique et chrétien, 1981 • W. WINGER, Personalität durch Humanität. Das ethikgesch. Profil christl. Handlungslehre bei L., 2 Bde., 1999 • A. WLOSOK, L. und die philos. Gnosis, 1960 • Dies., Zur Bed. der nichtcyprianischen Bibelzit. bei L., in: Studia Patristica 4, 1961, 234–250 (= Res humanae, 1990 (s. u.), 201–216) • Dies., in: HLL, § 570 • Dies., Res humanae – res divinae, 1990, passim. E. HE.

[2] L. Placidus. Wohl in Rom aktiver Bearbeiter einer Erklärung zu → Statius' *Thebais*. Den Kern bildet eine – mehr als Sach- und Stil- (Geographie, Myth., Rhet.) denn als Worterklärung angelegte – Masse von → Scholia, die, wenn von Servius benutzt [5. 153 ff.], im späten 4. Jh. n. Chr. entstanden sein dürfte und ihren nächsten Verwandten im Vergilkomm. des Ti. Claudius → Donatus [4] hat. Quellen sind zumal die Vergilerklärung des Aelius → Donatus [3] und eine reinere Fassung des Fabelbuches des → Hyginus. Dieser Kern wurde – im 5. Jh.? – durch L. erweitert, der seinen Namen zu Theb. 6,364 nennt. Er war wohl Christ [4. 4 ff.], womit sich auch die neuplatonische Tendenz mancher Erklärungen verträgt. Der urspr. Lemmakomm. wurde später als Marginalkomm. überl. und – wohl in karolingischer Zeit – als selbständiges *commentum* redintegriert. Die geschlossene Überl. wird besser durch die Hs. München, Clm 19482 (E. 10. Jh.) als durch den ältesten Cod. Valenciennes 394 (2. H. 9. Jh.) repräsentiert (vgl. das Stemma in [1. XXII]). Außerdem wird der Komm. im MA zumal von den → Mythographi Vaticani benutzt. Seine Identifikation mit dem Kirchenvater L. [1] (nach der Interpolation zu 6,364, vgl. aber [7]) sowie die humanistische Zuschreibung der Placidus-Glossen und der *Narrationes fabularum Ovidianarum* kommen nicht in Betracht.

ED.: **1** R. D. SWEENEY, 1997 (Bibliogr. XXXVIII-LIII). LIT.: **2** A. KLOTZ, Die Statiusscholien, in: ALLG 15, 1908, 485–525 **3** P. WESSNER, s. v. L. (2), RE 12,1,356–360 **4** F. BRETZIGHEIMER, Stud. zu L. P., 1937 **5** P. V. D. WOESTIJNE, Les scolies à la 'Thébaide' de Stace, in: AC 19, 1950, 149–163 **6** R. D. SWEENEY, Prolegomena to an Ed. of the Scholia to Statius, 1969 **7** G. BRUGNOLI, Identikit di Lattanzio Placido, 1988 **8** R. JAKOBI, Versprengungen in den Statius-Schol., in: Hermes 120, 1992, 364–374.   P. L. S.

Lactodurum

Lactodurum (h. Towcester/Northamptonshire; Itin. Anton. 2; 6). Späteisenzeitliche Ansiedlung; seit Mitte 1. Jh. n. Chr. eine röm. Militärstation. Die Stadt war im 2. Jh. mit Wall und Graben, im 3. Jh. durch eine Steinbefestigung gesichert.

A. L. F. RIVET, C. SMITH, The Place-Names of Roman Britain, 1979, 382 f.   M. TO./Ü: I. S.

Lactora

Lactora. Vorort einer *civitas* in Aquitania, h. Lectoure (Département Gers), südl. von Aginnum (h. Agen). Weitere Namensbelege: *Lacuratis*, Notae Tironianae 87,77; *Lactura*, Itin. Anton. 462,5; *Lactora*, Tab. Peut. 2,2; *Lacura*, Geogr. Rav. 4,41; *in provincia Novempopulana ... civitas Lactoratium*, Notitia Galliarum 14; *ordo Lactor(atium)*, CIL XIII 511.

Ältestes histor. Zeugnis ist eine Ehreninschr. von 105 n. Chr., die einen *procurat(or) provinciarum Lugduniensis et Aquitanicae item Lactorae* nennt (CIL V 875 = ILS 1374). 22 Altäre belegen für das 2. und 3. Jh. n. Chr. ein → *taurobolium* (CIL XIII 504–525). Um 300 n. Chr. wurde die Oberstadt unter Verwendung älterer Steindenkmäler erneut befestigt. Seit spätestens 506 n. Chr. war L. Sitz eines Bischofs.

Arch.: Späteisenzeitliches *oppidum* über dem Tal des Gers, zahlreiche Opferschächte. In der Kaiserzeit Unterstadt in der Flußebene Pradoulin, zerstört im späten 3. Jh. n. Chr., neubesiedelt im 4. Jh. Orthogonales Straßennetz, Nachweis von Keramikproduktion und Beinverarbeitung.

J. LAPART, C. PETIT, Carte Archéologique de la Gaule, Bd. 32 Gers, 1993, 196–227.   MI. PO.

Lactuca

[1] Der Lattich (θρίδαξ/*thrídax*, auch θρύ-, θρόδαξ/*thrý-*, *thródax*, θριδακίνη/*thridakínē*, Lactuca sativa L.), die in mehreren Arten (Theophr. h. plant. 7,4,5 u. ö.) bekannte Salatpflanze, deren Anbau und Schutz gegen Schädlinge sowie kulinarische und medizinische Verwendung von Theophrast beschrieben wird. So soll der Saft nach Theophr. h. plant. 7,6,2 bei Wassersucht und Augengeschwüren helfen. L. wurde in Europa, Nordafrika und Asien seit langem kultiviert (Erstbeleg bei Alkm. 20) und bildete einen festen Bestandteil des griech. Speisezettels (vgl. Athen. 2,68f–70a; vgl. auch Hdt. 3,32). Seit Varro ling. 5,154 (=Plin. nat. 19,126; Pall. agric. 2,14,4; Isid. orig. 17,10,11) ist die Ableitung von *lac* (»Milch«) wegen des Milchsaftes verbreitet. Im MA kennt das *Circa instans* in einer Fassung des 13. Jh. [1. 68] den Salat als Erzeuger guten Blutes. Als Bestandteil von Rezepten soll sein Samen guten Schlaf hervorrufen und gegen ›warme Geschwüre‹ helfen. Plinius (nat. 19,125–128; 20,60–63), Columella (10,179–193; 11,3,25–27) und Palladius (agric. 2,14,1–4 u. ö.) bieten zahlreiche Informationen über die verschiedenen Arten, ihre Aussaat, ihre Verpflanzung und Düngung sowie ihre medizinische Wirkung wie z. B. Beruhigung des Magens und Appetitanregung sowie Stärkung der Milchbildung. Dioskurides (2,136 WELLMANN = 2,164 f. BERENDES) schreibt dem getrunkenen Samen des Garten- und des Gift-L. (Lactuca virosa L.) eine antiaphrodisische Wirkung auf Männer zu.

→ Gemüse

1 H. WÖLFEL (ed.), Das Arzneidrogenbuch Circa instans, Diss. rer. nat. 1939.

R. STADLER, s. v. L., RE 12, 367 ff.   C. HÜ.

[2] Röm. Cognomen (»Salat«), in frührepublikan. Zeit Beiname der Consuln 456 und 437 v. Chr. aus der Familie der Valerii; dort auch davon abgeleitet Lactucinus (Konsulatribun 398 v. Chr.).   K.-L. E.

Lacunar

Lacunar. Bei Vitruv [1. s. v. l.] überl., dortselbst mehrfach auch als *lacunaria* (Pl.) bezeichneter architektonischer t. t. für die vertieften Kassetten, die als Deckenverkleidung zwischen sich kreuzenden Holzbalken angebracht waren (→ Überdachung); die griech. Entsprechung lautet *phátnōma, gastér, kaláthōsis* [2. 45–52 mit weiterer Benennung von Details der L.]. L. waren in der Regel plastisch eingetieft und mit Malerei bzw. Relief (meist ornamental) verziert. Am Tempel bzw. dem Säulenbau, ihrem zunächst ausschließlichen Anbringungsort in der griech. Architektur, bestanden die Kassetten der Celladecke aus Holz, die über den äußeren Ptera (→ Tempel) seit dem 6. Jh. v. Chr. (marmorne Kykladentempel) zunehmend oft aus Stein. Die Größe der einzelnen Kassetten war von den statischen Rahmenbedingungen bestimmt; die Kassetten am → Parthenon etwa maßen 3,43 x 1,26 m und wiesen ein Gewicht von über 3,5 t auf. Die röm. Architektur übernahm die Kassettendecke in den → Gewölbe- und Bogenbau (u. a. im Bogendurchgang bei zahlreichen → Triumph- und Ehrenbögen sowie bei Thermensälen) sowie in den → Kuppelbau (hadrian. → Pantheon).

1 H. NOHL, Index Vitruvianus, 1876 2 EBERT.

W. HOEPFNER, Zum Problem griech. Holz- und Kassettendecken, in: A. HOFFMANN, Bautechnik der Ant. = DiskAB 5, 1991, 90–98 · W. MÜLLER-WIENER, Griech. Bauwesen in der Ant., 1988, 94f. · K. TANCKE, Deckenkassetten in der griech. Baukunst, in: Ant. Welt 20, 1989, 24–35 · Dies., Figuralkassetten griech. und röm. Steindecken, 1989 · W. F. WYATT JR., C. N. EDMONTON, The Ceiling of the Hephaisteion, in: AJA 88, 1984, 135–167.   C. HÖ.

Lacus s. Brunnen; Zisterne

Lacus Albanus. See im größten der vulkanischen Krater des → mons Albanus, an dem sich Alba Longa und verschiedene Villen befanden, u. a. diejenigen des Pompeius und Domitianus sowie die *castra Albana* des Septimius Severus. 398 v. Chr. wurde der Wasserstand durch einen Abflußkanal reguliert (Liv. 5,15; Cic. div. 1,100). Berühmte Weine wuchsen an den Hängen (Plin. nat. 14,64; 23,33).

P. CHIARUCCI, Albano Laziale, 1988.   G. U./Ü: J. W. M.

Lacus Alsietinus. See in Süd-Etruria in einem kleinen vulkanischen Krater, h. Lago di Martignano. Augustus ließ von hier aus einen Aquädukt, die *aqua Augusta Alsietina*, bauen, der in Rom die Naumachie und den *nemus Caesarum* (Frontin. aqu. 1,11; 2,71) in Trastevere versorgte. Dieser erreichte bei Careiae (h. Santa Maria di Galeria) den Aro, einen Abfluß des *lacus Sabatinus* (h. Lago Bracchiano), von dem er zusätzlich Wasser erhielt; ein Überlaufkanal war für die Bewässerung bestimmt. Der Aquädukt setzte sich gegen Süden am Fuße des → Ianiculum fort; das Wasser war nicht trinkbar.

G. U./Ü: J. W. M.

Lacus Avernus (griech. Ἄορνος, *Áornos*). Mit dem Meer verbundener vulkanischer See nahe Baiae (→ *Campi Phlegraei*), bes. tief (Lykophr. 704; Diod. 4,22; Aristot. mir. 102), schwefelhaltige Gase (Verg. Aen. 6,242; Lucr. 6,744; Plin. nat. 31,21; Serv. Aen. 3,442). Der l. A. verdankte seinen Ruf v. a. seiner Verbindung mit der → Unterwelt: Hier lebten angeblich die → Kimmerioi in tiefen Löchern (Strab. 5,4,5); hier traten Odysseus (Strab. 5,4,5 f.) und Aeneas (Verg. Aen. 3,442; 6,126; Ovid. met. 14,101 ff.) in die Totenwelt ein, weshalb der l. A. den Römern die *Ianua Ditis* (→ Dis

Pater) war. Süßwasserquelle und Orakel, zusätzlich zu dem Orakel in der Kultstätte des *deus Avernus* (CIL X 3792). 37 v. Chr. bezog → Agrippa [1] den *l. A.* in den Bau des *portus Iulius* mit ein, indem er ihn durch einen Kanal mit dem → *lacus Lucrinus* verband.

NISSEN 1, 268; 2, 735 · J. BELOCH, Campanien, ²1890, 168–172 · A. MAIURI, I Campi Flegrei dal sepolcro di Virgilio all'antro di Cuma, ⁵1963, 135 ff. · A. M. BISI INGRASSIA, Napoli e dintorni, 1981, 90–92 · S. DE CARO, A. GRECO, Campania, 1981, 74–77 · P. AMALFITANO, G. CAMODECA, M. MEDRI, I Campi Flegrei, 1990.   S. D. V./Ü: H. D.

Lacus Benacus, h. Gardasee. Auf dem Gebiet von → Verona gelegener (Plin. nat. 9,75), vom → Mincius durchflossener größter Alpensee mit 500 Stadien Länge (an der östl. Uferstraße; vgl. Strab. 4,6,12; Plin. nat. 2,224; 3,131); war trotz starker Stürme schiffbar (Verg. georg. 2,160). Am westl. Ufer lebten die Benacenses (TIR L 32,33).

TIR L 32,80 · A. MOSCA, Caratteri della navigazione nell'area benacense in età romana, in: Latomus 50, 1991, 269–284.   K. DI.

Lacus Brigantinus. Flußsee, gebildet vom Rhenus, am Alpennordfuß (538,5 km², größte Tiefe 252 m), ben. nach den anwohnenden Brigantii (→ Brigantium), h. Bodensee (nach der Kaiserpfalz Bodman). Von Strab. 4,3,3 ohne eigenen Namen erwähnt (vgl. auch Strab. 4,4,9; 7,1,5; 5,1; Mela 3,24; Cass. Dio 54,22,4; erstmals bei Plin. nat. 9,63: *lacus Raetiae Brigantinus*). Seine Umwohner waren Vindelici, Helvetii und Raeti. Mela 3,24 unterscheidet Obersee (*lacus Venetus*) und Untersee (*lacus Acronus*). Plin. nat. 9,63 erwähnt eine Fischart *mustela* im l. B.; Amm. 15,4,3 nimmt die L des l. B. mit 460 Stadien und fast gleiche Br an. Anläßlich der Unterwerfung des Alpenvorlandes durch Tiberius 15 v. Chr. wurde eine Bodenseeinsel (wohl die Mainau) als Stützpunkt für ein Seegefecht benützt (Strab. 7,1,5).

W. SCHEFFKNECHT, Der Beginn der röm. Herrschaft in Vorarlberg, in: E. ZACHERL (Hrsg.), Die Römer in den Alpen, 1989, 55–69.   H. GR.

Lacus Curtius. Monument auf dem → Forum Romanum in Rom, das bereits in der Ant. mit verschiedenen Mythen der Frühzeit Roms in Verbindung gebracht wurde (→ Curtius [1]). Wohl in augusteischer Zeit erbaut, gehört der L. C. zu denjenigen Denkmälern auf dem stadtröm. Forum, die der Materialisierung, der Vergegenwärtigung und der Vergewisserung röm. Frühzeit sowie der Einbindung der Myth. in eine chronistisch geprägte Tatsächlichkeitsschilderung dienten. Der L. C. besteht aus einem unregelmäßigen, gepflasterten Areal (10,15 x 8,95 m), auf dem sich ein Altar oder eine andersartig zu deutende, eingefriedete Anlage erhob; die verschiedenen Ausgrabungen, Ergänzungen bzw. Rekonstruktionen und die insgesamt befundvernichtenden Unt. seit der Mitte des 16. Jh. haben eine

Klärung der topographisch-chronologischen Situation des L. C. auch für die Zukunft weitgehend unmöglich gemacht.

RICHARDSON, s. v. L. C., 229 f. C.HÖ.

Lacus Fucinus. Häufig über die Ufer tretender, weil abflußloser See (155 km², 655 m ü.M.) im Gebiet der Marsi zw. Sulmona und dem Nationalpark der Abruzzen. Trockenlegung von Caesar erwogen (Suet. Iul. 44), von Augustus verhindert (Suet. Claud. 20), von Claudius durch einen 5,65 km langen Abzugsstollen zum Liris teilweise realisiert (Suet. Claud. 20f.), unter Nero eingestellt (Plin. nat. 36,124). Nach CIL IX 3915 machte eine erneute Überschwemmung 117 n.Chr. die Rückgewinnung angrenzenden Landes notwendig. Die Stollenarbeiten wurden unter Hadrianus wiederaufgenommen und schließlich eingestellt (SHA Hadr. 22,12). Erst 1852/1876 wurde der See auf Betreiben des Grafen Alessandro di Torlonia trockengelegt. Dabei kamen verschiedene Gebäudereste und auch Frg. eines Reliefs zum Vorschein, das wohl Trockenlegungsarbeiten vor dem Hintergrund einer Stadt, evtl. von Alba Fucens, darstellt.

C. LETTA, I Marsi e il Fucino nell' antichità, 1972 · S. D'AMATO, Il primo prosciugamento del Fucino, 1980, 164–171 · F. COARELLI, A. LAREGINA, Abruzzo e Molise, 1984, 52–59 · BTCGI 9, 272–285. A.BO. u.E.O./Ü: C.EI.

Lacus Larius. See, in ant. Zeit nordwärts länger (Cato fr. 38), wird von der aus seinem östl. Arm wieder entströmenden Addua gebildet (Plin. nat. 2,224; Strab. 4,6,12); durchschneidet die zentralen Voralpen; h. Lago Lario oder Lago di Como. Am Westufer verläuft die sog. Via Regina [1] von → Comum parallel bis zu den Alpenpässen (Splügen/Cuneus Aureus, Maloja, Julier) [2. 14]. In vorröm. Zeit (→ Golaseccakultur) [3. 159] wichtiger Verbindungsweg von der Poebene nach Mitteleuropa; in röm. Zeit Handels- und Militärstützpunkt für Zentraleuropa (vgl. Ennod. epist. 1,6; Comacenus lacus, Claud. bellum Geticum 319).

1 G. FRIGERIO et al., L'antica via Regina, 1995 2 R. CHEVALLIER, La romanisation de la Celtique du Pô, 1983 3 R. DE MARINIS, Liguri e Celto-Liguri, in: A. M. CHIECO BIANCHI (Hrsg.), Italia omnium terrarum alumna, 1988.

NISSEN 1, 180. A.SA./Ü: H.D.

Lacus Lemanus. Größter der Alpenseen (581 km²), h. Genfer See. Belegt bei Caes. Gall. 1,2,3; 8,1; 3,1,1; Strab. 4,1,11; 6,6; 11; Lucan. 1,396; Mela 2,74; 79; Plin. nat. 2,224; 3,33; Ptol. 2,10,2; Amm. 15,11,16. Itin. Anton. 348,2: *lacus Lausonius*; Tab. Peut. 3,2: *lacus Losanenses*. Er bildete die Grenze zw. *Gallia Belgica* bzw. *Germania Superior* und *Gallia Narbonensis* und schied so die → Helvetii im Norden von den → Allobroges im Süden. In → Genava sind für 121/120 v.Chr. Hafenanlagen dendrochronologisch nachgewiesen [1]. → Lousonna war nördlichster Punkt der Wasserstraße Rhône-

l. L. In beiden Orten gab es eine Schifferkorporation (*nautae*): [2. Nr. 92, 152, 154] = [3. Nr. 40, 52, 54].

1 CH. BONNET, Les premiers ports de Genève, in: Arch. der Schweiz 12, 1989, 2–24 2 E. HOWALD, E. MEYER, Die röm. Schweiz, 1940 3 G. WALSER, Röm. Inschr. in der Schweiz 1, 1979. F.SCH.

Lacus Lucrinus. Brackwasserlagune auf den → *Campi Phlegraei*, durch Sandnehrung vom Meer getrennt; darauf soll Hercules die *via Herculanea* erbaut haben (Strab. 5,4,5 f.). Der See war für seinen Fischreichtum bekannt. Der nachmalige Augustus und Agrippa ließen den l. L. – zusammen mit dem *lacus Avernus* – in den *portus Iulius* umwandeln (Plin. nat. 36,125; Serv. Aen. 2,161). Am l. L. lagen viele berühmte Villen (Cic. Att. 14,16), von denen aber wegen Eruptionen und Strandverschiebungen (Bradyseismos) keine Reste erh. sind; auch der See ist h. großenteils verschüttet.

A. MAIURI, I Campi Flegrei dal sepolcro di Virgilio all'antro di Cuma, ⁵1963, 57 ff. · A.M. BISI INGRASSIA, Napoli e dintorni, 1981, 92 f. · S. DE CARO, A. GRECO, Campania, 1981, 74–77 · P. AMALFITANO u. a., I Campi Flegrei, 1990. S.D.V./Ü: H.D.

Lacus Nemorensis. See in Latium bei → Aricia in einem erloschenen Vulkankrater der Albaner Berge (Plin. nat. 19,141), h. Lago di Nemi. Ein unterirdischer Abfluß (Strab. 5,3,13) wurde um das 4. Jh. v.Chr. gegraben [1]. Die bewaldeten Hänge bildeten das *nemus Dianae* (Hain der → Diana, mit Tempel und Oberpriester, *rex Nemorensis*, der – stets ein entlaufener Sklave – seinen Vorgänger im Zweikampf zu töten hatte [2; 3; 4]), nach dem der See *l.N.* (Prop. 3,22), aber auch *speculum Dianae* (»Spiegel der Diana«) hieß (Serv. Aen. 7,516). Am See, an dem auch Caesar eine Villa bauen ließ (Suet. Iul. 46), lag ein Villenort (Cic. Att. 6,1,45; 15,1,5); die Kaiser Caligula und Vitellius (Tac. hist. 3,36) verbrachten hier ihre Sommer.

Die zwei 1927/1932 gefundenen, im 2. Weltkrieg zerstörten [5; 6; 7] Schiffe des Caligula (71 × 20 m und 73 × 24 m) führten zur Gründung des Museo delle Navi, in dem h. zwei Schiffsmodelle ausgestellt werden [8; 9].

1 V. CALOI, V. CASTELLANI, Note on the Ancient Emissary of Lake N., 1990 2 F. POULSEN, Nemi Studies, in: AArch 12, 1941, 1–52 3 T. F. C. BLAGG, Mysteries of Diana, 1983 4 M. MOLTESEN, I Dianas heilige lund, 1997 5 G. UCELLI, Le navi di Nemi, ²1950 6 L. MARIANI, Le navi di Nemi nella bibliografia, 1942 7 G. CULTRERA, Ricordi dai lavori del recupero delle navi di Nemi, 1954 8 G. MORETTI, Il museo delle navi di Nemi, 1940 9 G. GHINI, Il museo delle navi romane a Nemi, 2 Bde., 1988; 1992.

L. MORPURGO, Nemus Aricinum, in: Memorie della classe di scienze morali e storiche dell'Accademia dei Lincei 13, 1903, 297–368 · L. MONTECCHI, Nemi, il suo lago, le sue navi, 1929 · G. GHINI, S. GIZZI, Il Lago di Nemi e il suo museo, 1996. G.U./Ü: H.D.

Lacus Prelius. Küstensee in Etruria (Cic. Mil. 74; *Prile*, Plin. nat. 3,51) zw. → Vetulonia und → Rusellae (h. noch ein Rest davon im Padule di Raspollino, mit Station *ad lacum Aprilem* der *via Aurelia* (Itin. Anton. 229; 500; Tab. Peut. 4,3). Er wurde gespeist von der Bruna, die bei Castiglione della Pescaia mündete (Prov. Grosseto).   G. U./Ü: J. W. M.

Lacus Regillus. Vulkansee *in agro Tusculano* (Liv. 2,19 ff.) nahe Frascati; h. (ausgetrocknet) Pantano Secco. Dort fand 499 oder 496 v. Chr. ein Gefecht zw. Römern und Latini statt (Liv. l.c.; Dion. Hal. ant. 6,3,3, mit dem Gerücht, die → Dioskuroi hätten den röm. Sieg verursacht). Das daraufhin abgeschlossene → *foedus Cassianum* regelte die Rückkehr Roms in den Latinischen Bund (→ Latinischer Städtebund).

> A. ALFÖLDI, Early Rome and the Latins, 1965, 111–116 ·
> M. PALLOTTINO, Origini e storia primitiva di Roma, 1993,
> 322–323.   S. B./Ü: J. W. M.

Lacus Trasumenus. See zw. → Cortona [1] und → Perusia, h. Lago Trasimeno. Hier siegte → Hannibal [4] im 2. Pun. Krieg 217 v. Chr. über die Römer unter C. → Flaminius [1] (Pol. 3,80–85; App. Hann. 38–41; Liv. 22,4,1). Unsicher ist der Ort des Gefechts: zw. Montigno und Montecolognola [1], zw. Borghetto und Montigeto [2. 105–115] oder zw. Borghetto und Tuoro [3. fig. 15].

> 1 J. KROMAYER, Die Schlacht am Trasimenischen See und
> die Methode der Schlachtfeldforsch., in: Neue Jbb. für das
> klass. Alt. 25, 1910, 185–200 **2** G. DE SANCTIS, Storia dei
> Romani, 3,2, ²1968 **3** G. SUSINI, Ricerche sulla battaglia di
> Trasimeno, in: Annuario dell'Accademia Etrusca di Cortona
> 11, 1959/1960, 1–31.
>
> T. SCHMITT, Hannibals Siegeszug, 1991, 115–126.
>   S. B./Ü: J. W. M.

Lacus Vadimonis. Vulkansee in Süd-Etruria zw. Orte und Bomarzo, h. Lago di Bassano (Plin. epist. 8,20; Plin. nat. 2,209; Sen. nat. 3,25,8). 283 v. Chr. besiegten hier die Römer unter P. Cornelius [I 27] Dolabella Etrusci und Galli (Pol. 2,19,7–20,6; 310 v. Chr. nach Liv. 9,39).

> A. N. SHERWIN-WHITE, The Letters of Pliny, 1966,
> 472–473 · M. TORELLI, Storia degli Etruschi, 1981, 255 ·
> C. SAYLOR, Overlooking Lake Vadimon: Pliny on Tourism
> (Epist. 8,20), in: CPh 77, 1982, 139–144.   S. B./Ü: J. W. M.

Lacus Velinus. Von den Flüssen Avens, Himella und Tolenus gebildeter See im Gebiet der Sabini in der Ebene unterhalb → Reate. Er wurde 272 v. Chr. mit Hilfe der Wasserableitung Cascata delle Marmore durch den Consul → Curius [4] teilweise trockengelegt, der dem Wasser des Avens eine künstliche Öffnung verschaffte. Der See ergoß sich in den Nar oberhalb von → Interamna [1]. Dort befanden sich Villen des Q. Axius (Varro rust. 2,1,8) und des Cicero (Att. 4,15) [1]. Die Trockenlegung des l. V. hatte Streitigkeiten zw. Reate und Interamna zur Folge (Varro rust. 3,2,3; Cic.

Att. 4,15,5; Cic. Scaur. 12,27; Tac. ann. 1,79; *palus Raetina*, Plin. nat. 2,106; 226). Einen Rest bilden h. der Lago di Piedilugo und flußaufwärts weitere kleine Seen (Lago di Ripa Sottile, Lago Lungo); daher gebrauchen möglicherweise schon Plin. nat. 3,108 und Tac. ann. 1,79 den Pl. *Velini lacus*. Die *tribus Velina* [2. 275 f.] und die Göttin Velinia (Varro ling. 5,71) [3] haben ihren Namen von dieser Gegend.

> 1 M. C. SPADONI CERRONI, La villa di Quinto Assio, in:
> Annali Perugia 16/7, 1978/9, 169–175 **2** L. ROSS TAYLOR,
> Voting Districts, 1960 **3** E. C. EVANS, Cults of the Sabine
> Territory, in: Memoirs of the American Academy in Rome
> 11, 1939.
>
> E. DUPRÉ THESEIDER, Il lago V., 1939 · N. HORSFALL, s. v.
> V., EV 5, 471 f. · A. M. REGGIANI, Rieti, 1990.
>   G. U./Ü: H. D.

Lacus Verban(n)us. Vom Ticinus gebildeter See im voralpinen Gebiet, h. Lago Verbano oder Lago Maggiore (Pol. 34,10,21 = Strab. 4,6,12; Plin. nat. 2,224; 3,131; 9,69); evtl. spielt Verg. georg. 2,159 auf den l. V. an. Am Ostufer liegt der *vicus Sebuinus*, nachmals Angleria (h. Angera).

> NISSEN, Bd. 1, 181.   A. SA./Ü: J. W. M.

Ladas s. Olympionikai

Lade (Λάδη). Urspr. vor Milet gelegene Insel, L 3 km, H bis zu 98 m, h. durch die Anschwemmungen des Maiandros nur noch ein Hügelzug, etwa 2 km von der Küste entfernt. L. wurde durch die Niederlage der Griechen im Ion. Aufstand 496 v. Chr. bekannt: Hdt. 6,7 ff.; Thuk. 8,17,3; Arr. an. 1,18,4 ff.; Strab. 14,1,7; Paus. 1,35,6.

> L. BÜRCHNER, s. v. L., RE 12, 381.   H. KAL. u. E. MEY.

Ladon (Λάδων).

[1] Bei Apoll. Rhod. 4,1396 der Name des sonst nur als »Schlange« (*óphis*, *drákōn*) bezeichneten Drachen, der die Äpfel der → Hesperiden bewacht (so auch Probus zu Verg. georg. 1,244); er ist hundertköpfig und besitzt viele Stimmen. Die Mythographen lassen ihn entweder (als chthonisches Tier) direkt von → Gaia abstammen (wie → Typhon) oder von verwandten Ungeheuern (Phorkys und Keto, die Eltern von → Echidna und Großeltern der lernäischen Schlange, bei Hes. theog. 333–335; Echidna und Typhon, Soph. Trach. 1100; Apollod. 2,113). Herakles gewinnt die Äpfel, indem er entweder Atlas vorschickt (schon auf der archa. → Kypseloslade, Paus. 5,18,4) oder den Drachen tötet (seit Panyassis, Herakleia EpGF F 10 = PEG I F 11; so auch Apoll. Rhod.) bzw. einschläfert (Verg. Aen. 4,484; er ist unsterblich, Apollod. 2,113); auch nach den Vasendarstellungen wendet Herakles keine Gewalt an. In hell. Sternsagen wird er durch Hera, die ihn zum Bewacher ihres hesperischen Gartens gemacht hat (Pherekydes FGrH 3 F 16), zum Sternbild des Drachen verwandelt; im benachbarten Engonasin wird Herakles gesehen (Eratosth. Katasterismoi 1,3 f.; Hyg. astr. 2,3).

→ Chthonische Götter

G. KOKKOROU-ALEWRAS, s. v. Herakles and the Hesperides, LIMC 5.1, 100–111.   F.G.

[2] Der ca. 70 km lange rechte Nebenfluß des → Alpheios, h. Ladonas oder Rufias, entspringt in einer starken, vom Pheneos-Becken gespeisten Karstquelle am Fuß einer Felswand südwestl. von Lykuria im Gebiet von → Kleitor (Paus. 8,20,1; 21,1; 25,2; [2. 61 f.]). Nach wenigen km nimmt er den von Norden aus dem Gebiet von Klitoria kommenden Aroanios, der auch als Quellfluß gilt, und den von Süden kommenden Tragos auf. Ant. Ortschaften am L. sind: Oryx, Halus, Thaliades (Paus. 8,25,2; Identifizierung [2. 60ff.]). Im untersten Abschnitt des Oberlaufs befindet sich h. der große Ladonas-Stausee mit Kraftwerk weiter unterhalb. In einer Schlucht nach Süden durchbrechend, mündet der L. bei Tripotamia in den Alpheios. Hauptnebenfluß von Osten ist die Tuthoa, h. Fluß von Langadia. Hauptort ist am mittleren L. Thelphusa (h. wieder, ehemals Vanaena) am Ost-Ufer, etwa 5 km südl. das Demeter- und Apollon-Heiligtum von Onkai, weiter südl. auf dem rechten Ufer ein Asklepios-Heiligtum (Paus. 8,25,1–13; [2. 84ff.; 3. 11ff.]. Zahlreiche Sagen knüpfen sich an den L., vgl. [1. 384].

1 E. PIESKE, s. v. L. (2), RE 12, 382–384   2 E. MEYER, Peloponnesische Wanderungen, 1939   3 Ders., Neue peloponnesische Wanderungen, 1957.

[3] Linker Nebenfluß des elischen → Peneios (Paus. 6,22,5), entspringt am Süd-Fuß des h. Lambia-Gebirges, einer Fortsetzung des Erymanthos. An der Einmündung in den Peneios (h. Peneios-Stausee) lag der elische Ort Pylos; durch das Tal ging der »Bergweg« nach Olympia [1. 312, 317; 2. 336].

1 A. PHILIPPSON, Der Peloponnes, 1892   2 PHILIPPSON/KIRSTEN 3.   E. MEY. u. C.L.

[4] In den Abant Dağları entspringender Nebenfluß des → Billaios in Bithynia (Gerede/Soğanlı/Yenice Çayı), h. türk. Büyüksu bzw. Bolu Çayı, dann Dirigene Deresi, dann Devrek Çayı.

K. BELKE, Paphlagonien und Honorias, 1996, 246 f.   K. ST.

Laeca. Röm. Cognomen vielleicht etr. Herkunft in der Familie der Porcii.

SCHULZE, 358.   K.-L.E.

Laecanius
[1] C. L. Bassus. Senator, der aus Pola in Istrien stammte. *Praetor urbanus* im J. 32 n. Chr.; 40 *consul suffectus*. Auf seinem Landbesitz auf der istr. Halbinsel betrieb L. eine umfangreiche Keramikproduktion, die sein Sohn fortführte [1. 230ff.]. PIR² L 30.
[2] C. L. Bassus. Sohn von L. [1]. *Consul ordinarius* 64 n. Chr. Er starb unter Vespasian [1. 230ff.]; sein Adoptivsohn ist L. [4] (vgl. [2. 115 f.]). PIR² L 31.

[3] C. L. Bassus Caecina Paetus s. Caecina [II 6].
[4] C. L. Bassus Paccius Paelignus. Proconsul von Creta-Cyrenae (SEG 32, 869). Wenn er wie L. [3] ein Adoptivsohn von L. [2] ist (vgl. [2. 116]), gehört der Prokonsulat wohl in die flav. Zeit. PIR² L 34; [1. 261].

1 F. TASSAUX, in: MEFRA 94, 1982, 227–269
2 O. SALOMIES, Adoptive and Polyonymous Nomenclature, 1992.   W.E.

Laeetani. Iberischer Volksstamm (*laiescon* [1. 19]) an der spanischen Ostküste zw. Barcelona und Blanes; zu den verschiedenen Schreibungen und Verschreibungen des Namens (*Laietani, Leetani, Lacetani, Laletani, Lasetani*) vgl. [2. Bd. 6, 235; 3; 4]; Plin. nat. 3,21; Strab. 3,4,8; Ptol. 2,6,18; 72; ILS 2714a; CIL II Suppl. 6171. Dort wuchs viel minderwertiger Wein (Plin. nat. 14,71; Mart. 1,26; [2. Bd. 1, 136, Bd. 3, 51, Bd. 6, 235 f.; 5. Bd. 8, 184, 195, 292]).

→ Wein, Weinbau

1 A. HÜBNER, Monumenta Linguae Ibericae, 1893
2 A. SCHULTEN (Hrsg.), Fontes Hispaniae Antiquae 1–8, 1922 ff.   3 Ders., s. v. L., RE 12, 399   4 A. BALIL, Barcino, 1964, 37 ff.   5 R. GROSSE (Hrsg.), Fontes Hispaniae Antiquae 8, 1959.

TOVAR 3, 37.   P.B.

Laelia
[1] Ältere Tochter des C. → Laelius [I 2], geb. 160 v. Chr., Ehefrau des Q. → Mucius Scaevola. Eine ihrer beiden Töchter heiratete den Redner L. Licinius [I 10] Crassus, den Lehrer Ciceros, der bemerkte, daß L. den Sprachstil ihres Vaters übernommen habe (Cic. Brut. 211). Im Haus der L. erhielt Cicero vielleicht Anstöße zur Schrift über ihren Vater (*Laelius sive de amicitia*).
[2] Jüngere Schwester von L. [1], geb. nach 160 v. Chr., Frau des Annalisten C. Fannius [I 1].   ME. STR.

Laelianus. Imperator Caesar Ulp(ius) Cor(nelius) Laelianus (RIC V 2, 373 Nr. 8; [1. 66 Nr. 6]). Wohl Kommandeur der *legio XXII Primigenia* in Mogontiacum (Mainz) oder Statthalter der Prov. Germania superior, rebellierte Anf. 269 n. Chr. gegen → Postumus und wurde zum Augustus erhoben. Postumus besiegte und tötete L. kurz darauf (Aur. Vict. Caes. 33,8; Eutr. 9,9; Iohannes Antiochenus fr. 152 FHG, hier fälschlich »Lollianus«); nach anderer Trad. (SHA trig. tyr. 4; 5; 6,3; 8,1) soll L. erst von Victorinus oder seinen eigenen Soldaten ermordet worden sein.

1 H. COHEN, Description historique des monnaies frappées sous l'empire romain, 4, ²1955.

PIR V 546 · PLRE 1, 492 · ECK, 98 f., Nr. 53 · W. ECK, s. v. Ulpius, RE Suppl. 14, 936–939 (Nr. 32) · KIENAST, 244 f.   T.F.

Laelius. Name einer vielleicht aus Campanien stammenden Familie. Die mil. Erfolge von L. [I 1] im 2. Pun. Krieg (218–201 v. Chr.) und die Verbindung zum Älteren Scipio verschafften ihr wohl das röm. Bürgerrecht und den Aufstieg in die Noblität. Eine jüngere Linie (Praenomen D.) gelangte erst unter Augustus zum Konsulat (L. [II 1–3].

I. REPUBLIKANISCHE ZEIT

[I 1] L., C. Geb um 235 v. Chr., gest. um 160; den polit. Aufstieg verdankte L. der engen (und sprichwörtlich gewordenen) Verbindung zu P. Cornelius [I 71] Scipio Africanus, dessen Altersgenosse er war (Vell. 2,127,1; Val. Max. 4,7,7). Vor seinem Tod teilte er noch dem Historiker → Polybios seine persönlichen Erinnerungen an den 183 gestorbenen Scipio Africanus mit, die die Charakteristik Scipios in dessen Werk stark beeinflußten (Pol. 10,9,2). L. kämpfte 209–206 unter Scipio in Spanien, zunächst als Flottenpraefekt, dann als Legat. 209 war er maßgeblich an der Eroberung von → Carthago Nova beteiligt und brachte die Siegesnachricht nach Rom (MRR 1, 288). 208 nahm L. an der Schlacht bei Baecula teil. 206 sondierte er in Africa ein Bündnis mit dem Numiderkönig → Syphax gegen die Karthager und begleitete dann Scipio zu dessen Abschluß. 205 führte L. wieder die Flotte und leitete 204 die Überfahrt des Heeres von Sizilien nach Africa. 203 gelang es ihm, mit → Massinissa den abtrünnigen Syphax gefangenzunehmen (Pol. 9, 14,4,2f.; 9,2; Liv. 30,9,1; 11–12,4) und nach Rom zu führen (Liv. 30,16,1). 202 zum Quaestor gewählt, führte L. in der Schlacht von Zama die Reiterei auf dem linken Flügel (Pol. 15,9 8; Liv. 30,32,2) und durfte erneut die Siegesnachricht nach Rom bringen.

197 war L. plebeischer Aedil, 196 verwaltete er als Praetor Sicilia. Nach einer Wahlniederlage 192 wurde er 190 Consul mit Scipios Bruder L. Cornelius [I 72] Scipio Asiagenes. Während dieser sich das Kommando im Krieg gegen Antiochos [5] III. sichern konnte (Cic. Phil. 11,47; Liv. 38,1,7–10), erhielt L. It. als Provinz und führte 190 und 189 als Proconsul Bürgeransiedlungen in Oberitalien durch (Liv. 37,46,10; 47,2; 50,13). Erst 174 erscheint L. wieder als Führer einer (erfolglosen) Gesandtschaft an König → Perseus von Makedonien (Liv. 41,22,3; 42,2,1). 170 war L. Gesandter zu den kelt. Stämmen in den Ostalpen (Liv. 43,5,10).

[I 2] L., C. Sohn von L. [I 1], geb. um 190 v. Chr., gest. nach 129, älterer Zeitgenosse des (jüngeren) P. Cornelius [I 70] Scipio Africanus. Beider Freundschaft wurde sprichwörtlich und durch Ciceros Dialog *Laelius de amicitia* lit. verewigt. Bekannt zunächst für seine philosophisch-lit. Interessen, gelangte L. erst spät – wohl mit Scipios Unterstützung – in die Politik. So soll er angeblich den Komödiendichter → Terentius Afer lit. unterstützt haben (Cic. Att. 7,3,10; Suet. Vita Terentii 2; [1. 198–200]) und lernte noch den Satiriker Lucilius kennen (schol. Hor. sat. 2,1,7). L. galt als Anhänger der Stoa: So schloß er Bekanntschaft mit dem Stoiker Diogenes [15], der 155 mit der athenischen Philosophengesandtschaft in Rom war (Cic. de orat. 2,154f.; fin. 2,24; Tusc. 4,5), später mit dem Haupt der Stoa, → Panaitios (Cic. rep. 1,34; fin. 2,24; 4,23; Brut. 101).

147 war L. Legat Scipios im 3. Pun. Krieg (MRR 1,147), 145 bekämpfte er als Praetor (und wohl bereits als Augur) den Antrag des Volkstribunen C. Licinius [I 9] Crassus, die Priesterkollegien nicht mehr durch Kooptation, sondern durch Volkswahl zu ergänzen (Cic. Lael. 96; Brut. 83; 295; nat. deor. 3,5), und verwaltete dann Hispania citerior. Nach einer Wahlniederlage wurde L. 140 Consul und blieb in It. (MRR 1,479). Nach Plutarch schlug L. ein Gesetz vor, das die wirtschaftliche Situation des italischen Bauerntums verbessern sollte, habe den Vorschlag aber nach Widerstand der »Reichen« zurückgezogen (Plut. Gracchus 8,4f.). Historizität, Datierung (in das Konsulat?, in die Praetur?, in ein – nicht bezeugtes – Volkstribunat?) und Deutung dieses Vorschlages sind umstritten [2. 307–310]. 139 gab L. die Verteidigung röm. Pachtgesellschaften, die in einen spektakulären Mordprozeß verwickelt waren, an Ser. → Sulpicius Galba ab (Cic. Brut. 85–87). 132 gehörte er dem Untersuchungsausschuß des Consuls gegen die Anhänger des ermordeten Ti. → Sempronius Gracchus an. 131 opponierte L. mit Scipio gegen den Antrag des Volkstribunen C. Papirius Carbo, das Iterations- und Kontinuationsverbot für das Volkstribunat aufzuheben (Cic. Lael. 96; Char., GL 1,196). L. überlebte noch seinen Freund Scipio, für dessen Enkel Q. Fabius [I 24] Maximus er 129 die Leichenrede auf den Onkel schrieb (schol. Bobiensia 118St.). L.' Redestil galt als gewählt (*elegans*) und zurückhaltend (Cic. Brut. 83; Redefragmente: ORF I[4], 115–122).

Wohl schon zu Lebzeiten erhielt L. den Spitznamen »der Weise« (*sapiens* bzw. griech. *sophós* bei Lucil. 1236M; Cic. fam 2,24; Plut. Gracchus; Quint. inst. 5,10,30), der wohl auf seine Lebensklugheit und maßvoll konservative Politik zielte. Erst Cicero bezog ihn auf seine lit.-philosophischen Interessen. Dieser prägte auch wesentlich das Bild der Persönlichkeit des L. und hätte sich selbst gern als »zweiten L.« gegenüber Pompeius gesehen (Cic. fam. 5,7,3): L. ist Dialogpartner in *De re publica*, *Cato Maior de senectute* und – mit seinen Schwiegersöhnen Q. Mucius Scaevola und C. Fannius [I 1] – im *Laelius*. Dahinter sind einzelne biograph. und persönl. Details nicht mehr sicher auszumachen.
→ Punische Kriege

1 E. S. GRUEN, Culture and National Identity in Republican Rome, 1992 2 A. E. ASTIN, Scipio Aemilianus, 1967.

K.-L. E.

[I 3] L., Dec. 77/76 v. Chr. als Legat des Pompeius in Spanien; nach unguten *omina* (Obseq. 58) bei Lauro im Kampf gegen Sertorius getötet (Sall. hist. 2,31M; Frontin. strat. 2,5,31). MRR 3,116f.

[I 4] L., Dec. Sohn von L. [I 3]. Unter Pompeius 62 v. Chr. im Mithradatischen Krieg in Asia (Cic. Flacc. 14). Gegen den Provinzstatthalter L. Valerius Flaccus strengte L. 59 einen Repetundenprozeß an, unterlag aber dem Verteidiger Cicero. Volkstribun 54 (Unterstützung von Pompeius' Anhänger A. Gabinius [I 2]); Quaestor in Sizilien (Quint. inst. 6,3,39). Im Bürgerkrieg von Pompeius mit Flottenkommandos in Ägäis und Adria betraut (Blockade von Orikos und Brundisium; Caes. civ. 3,7,1; 40,4; 100,1 ff.). Nach der Niederlage von Pharsalos (48) Wechsel zu Caesar (Cic. Att. 11,7,2; 14,1). Fraglich bleibt, ob *dieser* Dec. L. – eine erneute Umorientierung vorausgesetzt – 42 als *quaestor pro praetore* mit Q. Cornificius [3] in *Africa vetus* gegen die Caesarianer kämpfend umgekommen ist (ILS 9367; App. civ. 4,229; 236ff.).   T.FR.

II. KAISERZEIT

[II 1] D. L. Balbus. Senatorensohn. *Consul ordinarius* 6 v. Chr., auch Mitglied im Collegium der *XVviri sacris faciundis*; L. [II 2] war vermutlich sein Enkel. PIR² L 47.

[II 2] D. L. Balbus. Wohl Enkel von L. [II 1]. Senator, der wegen seiner rhetor. Agressivität in Prozessen bekannt war. Er klagte im J. 37 n. Chr. eine Acutia wegen *maiestas* an, wurde aber selbst bald aus dem Senat gestoßen und auf eine Insel verbannt. Wenn der gleichnamige *cos. suff.* des J. 46 mit ihm identisch ist, müßte L. durch Claudius aus der Verbannung zurückgerufen und wieder in den Senat aufgenommen worden sein. PIR² L 48; 49.

[II 3] M. L. Maximus Aemilianus. *Consul ordinarius* im J. 227 n. Chr. Er gehört zu der aus Nordit. stammenden Familie der Laelii [1]. PIR² L 56.

1 G. ALFÖLDY, in: EOS 2, 363.   W.E.

[II 4] L. Felix. Jurist aus der Zeit Hadrians (Dig. 5,4,3), schrieb *Ad Q. Mucium* (mindestens 2 B.), einen antiquarisch-anekdotischen [2] oder fachjuristischen [3] Komm. zum *Ius civile* des Q. → Mucius Scaevola Pontifex (Fr. [1]).

1 O. LENEL, Palingenesia iuris civilis 1, 1889, 557f.
2 D. NÖRR, Pomponius, in: ANRW II 15, 1976, 547
3 D. LIEBS, in: HLL IV, 140f.   T.G.

Laena. Mantelähnlicher Umhang aus dicker Wolle (griech.: *(ch)laína*). In Rom als Bekleidungsstück der → *augures* und → *flamines* beim Opfer sowie der mythischen Könige gen. und auf den Denkmälern zu finden; in der Kaiserzeit Bestandteil der Männer- und Frauentracht. Die L. war eine Sonderform der → Toga und entstand durch Verdoppelung des halbkreisförmigen Schnittes der *toga praetexta* zu einem nahezu runden Stoff. Das Zusammenlegen der beiden Kreissegmente bildete ein togaähnliches Gewand, das um die Schultern gelegt wurde und beide Arme verhüllte. Die L. wurde wärmend über den anderen Kleidern getragen (Mart. 14,136) und konnte bunt gefärbt sein (Mart. 8,59,10; Iuv. 3,283). Abb. → Kleidung.

TH. SCHÄFER, in: JDAI 95, 1980, 351, Anm. 36 · H.R. GÖTTE, Stud. zu röm. Togadarstellungen, 1990.   R.H.

Laenas. Röm. Cognomen, von Cicero (Brut. 56) von *laena*, dem Mantel der → *flamines* hergeleitet, tatsächlich aber etr. Herkunft und wohl Ethnikon (vgl. Asprenas, Maenas usw.). In republikan. Zeit erblicher Beiname in

der Familie der Popillii (seit dem cos. 359 v. Chr.), in der Kaiserzeit auch bei den Octavii und Vipsanii.

KAJANTO, Cognomina, 210 · SCHULZE, 83; 186; 530.
                                                K.-L.E.

Längenmaße s. Maße

Lärche. Dieser im Herbst seine Nadeln verlierende Nadelbaum, Larix europaea oder Larix decidua Mill., kommt in Griechenland nicht vor, ist aber von den Römern aus den Alpen und den Karpaten als *larix* importiert und in Oberitalien angpflanzt worden. Erst im 18. Jh. kam die L. ins westl. Mitteleuropa. Vitr. 2,9,14 erwähnt ihr gegen Fäulnis und Feuer (vgl. Pall. agric. 12,15,1) resistentes Holz zuerst, danach Plin. nat. 16,43 und 45. Ihr festes, harzreiches, rötliches Holz wurde zum Haus- und Schiffsbau verwendet.

R. STADLER, s. v. L., RE 12, 422f.   C.HÜ.

Laerkes (Λαέρκης, »wo Schutz für das Kriegsvolk ist«).
[1] Ein → Myrmidone, Sohn des Haimon, Vater des → Alkimedon [2] (Hom. Il. 16,197; 17,467).
[2] Goldschmied aus Pylos; er muß die Hörner eines Rindes, das für ein Atheneopfer bestimmt ist, vergolden (Hom. Od. 3,425).   RA.MI.

Lärm (θόρυβος/*thórybos*, ψόφος/*psóphos*, ὄχλος/*óchlos*; lat. *strepitus, clamor*). Während Mensch und Tier in der Gegenwart an allen Orten der Belästigung durch L. ausgesetzt sind, beschränkte sich dies in der Ant. auf Ballungszentren wie Alexandreia (Kall. Hekale fr. 260,63–69) oder Rom (Stat. silv. 4,4,18: *clamosa urbs*, »die lärmende Hauptstadt«). Informationen hierzu finden sich fast ausschließlich in den röm. Quellen der Kaiserzeit.

Bes. im Rom des 1. Jh. v. und n. Chr., also in Zeiten des relativen Wohlstands, führten verschiedenste Alltagtätigkeiten zu einem facettenreichen ›L.-Pegel, der Tag und Nacht zu hören war‹ (*inter strepitus nocturnos atque diurnos*, Hor. epist. 2,2,79; da die Quellen überwiegend fiktionaler Lit. entstammen, sind (auch im folgenden) Überzeichnungen nicht auszuschließen): Die Überbevölkerung der Metropole wurde unablässig bezeugt durch Stimmengewirr auf stets übervollen Straßen (Iuv. 3,243–245; Quint. inst. 10,3,30), durch zufallende Türen, bellende Hunde, Schreie ausgepeitschter Sklaven (Sen., De ira 3,35,3), durch Tumulte, zufällige Menschenaufläufe oder polit. Versammlungen, Krämer und Handwerker, die ihre Waren bzw. Dienstleistungen anpriesen (Mart. 1,41,6–13), oder lamentierende Bettler. Schon früh morgens störten Bäcker (Mart. 14,223), wenn sie ihre frischen Waren feilboten, und Lehrer (Mart. 12,57), die im Freien laut ihre Schüler unterrichteten, die Ruhe. Lärmende Prozessionen wurden durch die Stadt veranstaltet (Stat. silv. 1,2,233–235); Familien feierten mit ihren Freunden Hochzeiten (eindrucksvoll Stat. silv. 1,2,233) oder Bestattungen (Petron. 78; Sen.

apocol. 12,1; vgl. 12,3, V. 2 *resonet tristi clamore forum*, ›vom Trauergeschrei erschalle das Forum‹) oder es klatschten und riefen Zuschauer Beifall für Gaukler und Schausteller (Mart. 1,41,7). Die stark frequentierte → Subura, aber auch der → Circus (Mart. 10,53,1 *clamosi gloria Circi*; Iuv. 9,144; Stat. silv. 3,5,14–16 *clamosi turba theatri*; Auson. Mos. p. 92 V. 10f. *iurgia furiosi circi*, etwa: »die fanatischen Auseinandersetzungen auf den Rängen«) waren berüchtigt für ihren dauerhaft hohen Geräuschpegel. Seneca (epist. 56) weiß anschaulich von einem Kurzaufenthalt im Badeort Baiae zu berichten, bei dem er ein Hotelzimmer direkt über einer für ihn wenig erholsamen Badeanstalt bewohnte. Nicht nur die Menschen, sondern auch ihre Werkzeuge (wie Schmiedehämmer) und Maschinen erzeugten z. T. ohrenbetäubenden L.; die Werkstätten lagen meist mitten in Wohngebieten. Viele Baustellen sorgten für Wagenknattern, lautes Be- und Entladen sowie charakteristische Werkzeuggeräusche (Stat. silv. 1,1,63).

Auch nachts kam der L. der Großstadt (*strepitus urbis*: Hor. carm. 3,29,12) nicht zum Erliegen: Aufgrund des von Caesar in der *lex Iulia Municipalis* von 45 v. Chr. (CIL I 206) erlassenen Tagesfahrverbots rumpelten alle Reisewagen (Iuv. 3,10) und Fuhrwerke ab der zehnten Stunde (d. h. ca. 16.00 Uhr) an bis zum Sonnenaufgang durch die Straßen (Hor. epist. 1,17,6–8: *strepitus rotarum*, »Klappern der Räder«); tagsüber durften in Rom nur Fahrzeuge der Straßenreinigung, Transportwagen für Baumaterial oder eigens für Priesterinnen und Priester bestimmte Wagen fahren. Das nächtliche Verkehrsaufkommen war begleitet vom Lärmen der Besucher von Gelagen (Hor. carm. 1,27,7: *impius clamor*, »lästerliches Geschrei«; Hor. carm. 3,19,22: *demens strepitus*, »ausgelassener L.«; Plin. epist. 3,12,2 über Cato Uticensis) oder von zahlreichen Ruhestörern, die nach Alkoholgenuß grölend umherliefen (Prop. 4,8,59–62).

Der L. in Rom war zunehmend auch sozialer Zündstoff: Nur wohlhabende Bürger, die ein Haus außerhalb der Innenstadt oder ein Gut auf dem Land besaßen, fanden zwischendurch eine Stätte der Ruhe. Ärmere Leute waren der Großstadt schutzlos ausgesetzt, litten unter Schlaflosigkeit und daher unter gesundheitlichen Problemen (Iuv. 3,232–248; Mart. 12,57).

Den Gegensatz zw. der lärmenden Stadt und dem ruhigen Land thematisiert Horaz an vielen Stellen seines Werkes (z. B. Hor. carm. 3,29,912; epist. 2,1,200–204; sat. 2,6,59). Für ihn erhält der äußere L. und sein rein physisches Erleben tiefere Bed.: Er setzt die ländliche Stille einem inneren Frieden und den städtischen L. einem leidigen Seelenaufruhr (*miseri tumultus mentis*, Hor. carm. 2,16,10) gleich. Abwesenheit und Vermeidung von L. darf demnach als Element eines philos. geprägten röm. Lebensideals gelten. Äußere Güter wie Reichtum oder Ämter vermögen vor dem L. im Innern der Seele nicht zu schützen. Das soziale Problem wird zum philos., wenn der wahre Ort, an den sich der Mensch zu Ruhe und Sorglosigkeit zurückziehen muß, die eigene Seele ist (vgl. Sen. epist. 56: Mannigfacher

äußerer L. steht für die vielen Quellen des *tumultus mentis*). Auch der Rhetoriklehrer Quintilian gibt die innere Ruhe als einzigen Garanten für produktives Nachdenken an, da die äußere nie lange bestehen kann (Quint. inst. 10,3,22–30).

H. DAHLMANN, Über den L., in: Gymnasium 85, 1978, 206–227 · U. E. PAOLI, Das Leben im alten Rom, ²1961, 65–72 · K.-W. WEEBER, s. v. L., in: Ders., Alltag im Alten Rom, 1995, 227 f. · Ders., Smog über Attika, 1990, 96–101.
M. SAI.

Laërtes (Λαέρτης). Sohn des → Arkeisios und der Chalkomedusa, Ehemann der → Antikleia, Vater des → Odysseus (vgl. dessen Patronymikon *Laertiádēs*, »L.-Sohn«); in den verschiedenen Darstellungen ist letzteres die wichtigste Funktion des L., der wenig eigenständige Bed. hat. Maßgeblich und für die Folgezeit prägend ist das Bild der ›Odyssee‹: Noch vor Beginn des troianischen Krieges überträgt L. Odysseus aus Altersgründen die Macht und lebt – auch als Odysseus nicht auf den Thron zurückkehrt – abseits vom öffentlichen Leben der Stadt auf seinem Landgut. Dort unterzieht er sich freiwillig einem Leben in ärmlichen Verhältnissen und härmt sich wegen des Ausbleibens seines Sohnes ab (später sprichwörtlich ›das Leben eines L. leben‹: Plut. Cicero 40). Gegner des Odysseus behaupten verschiedentlich in verunglimpfender Absicht, er stamme vom »Urlügner« → Sisyphos ab und nicht von L. (z. B. Aischyl. TrGF III fr. 175; Soph. Phil. 1311; Eur. Iph. A. 524). Spätere Quellen werten L.' Bed. auf, indem sie ihn an der Kalydonischen Jagd (→ Meleagros; Hyg. fab. 173) und am Zug der → Argonautai (Apollod. 1,9,16) teilnehmen lassen. Welchen Stoff → Ion [2] von Chios in seiner Tragödie ›L.‹ (TrGF I 19 fr. 14) behandelte, ist unklar.

H. LAMER, s. v. L., RE 12, 424 ff. · W. BECK, s. v. L., LFE · O. TOUCHEFEU, s. v. L., LIMC 6.1, 181. RE.N.

Laestrygoni campi s. Laistrygonen; Leontinoi

Laeta

[1] Zweite Frau des Kaisers → Gratianus [2] seit 383 n. Chr. Nach dessen kurz darauf erfolgten Tod lebte L. als Witwe in Rom, wo sie während der Belagerung durch → Alaricus [2] 409 mit eigenen Mitteln half, die Hungersnot zu lindern (Zos. 5,39,4). PLRE 1,492 (L. 1).
K. G.-A.

[2] *Clarissima femina*, Tochter eines Albinus, Frau des Toxotius, Schwiegertochter der älteren Paula, Schwägerin der Eustochium, verwandt mit Gracchus, dem *praef. urbis Romae* von 376/377 n. Chr. L. starb vor 419. Sie ist bekannt als Adressatin von epist. 107 des → Hieronymus (*Ad Laetam de institutione filiae*, »An Laeta über die Unterweisung der Tochter«). Bei dieser Tochter handelt es sich um die jüngere Paula. Christin. PLRE 1, 492 (L. 2).
K. G.-A.

Laeti. Etymologisch (etr., kelt., german., lat.?) strittiger t.t. für Nachkommen von in Gallien unter staatl. Aufsicht auf verödeten, grenzfernen Ländereien (*terrae laeticae*: Cod. Theod. 13,11,10) angesiedelten Gefangenen bzw. → *dediticii* vorwiegend german. Herkunft (Amm. 20,8,13). *L.* hatten beschränkte Rechte, waren an die Scholle gebunden, kriegsdienstpflichtig, aber keine »Wehrbauern« [2]. Die *Notitia dignitatum* verzeichnet unter dem *magister peditum* in Gallien zwölf *praefecti laetorum* (Not. dign. occ. 42,33–44) mit Angaben zu Nationalität und Standorten der regulären Formationen. Die Institution, die Wirtschaft und Wehrkraft im NW des spätröm. Reiches wieder stärkte, ist von 297 n. Chr. (Paneg. 4,21,1; vgl. 4,9,3) bis E. 7. Jh. belegt [3. 247]; ihre postulierte Übernahme aus Germanien bleibt ebenso unbewiesen wie die Zuordnung der sog. Reihengräber in frz. und belg. FO [1. 44–51; 4. 1–40].

1 E. JAMES, The Franks, 1994 2 C. SIMPSON, L. in the Notitia dignitatum, in: RBPh 66, 1988, 80–85 3 G. DE STE. CROIX, The Class Struggle in the Ancient Greek World, ²1989 (Ndr. 1998), 243–249, 513–518 4 C. WHITTAKER, Frontiers of the Roman Empire, 1994.   P. KE.

Laetorius. Röm. Familienname etr. Herkunft [1. 187; 200; 205]. Die *gens* ist seit dem E. des 4. Jh. v. Chr. sicher bezeugt, die für das 5. Jh. überl. Namensträger sind annalist. Erfindung (der Volkstribun 471 v. Chr: Liv. 2,56, 6–15; Dion. Hal. ant. 9,46,1–48,5). Die Familie war urspr. plebeisch, seit Caesar oder Augustus patrizisch (Suet. Aug. 5,1; [2. 89 f.]).

1 SCHULZE 2 MÜNZER.

[1] L., C. 216 v. Chr. curul. Aedil, 209 Propraetor in Gallia, 205 Legat in Griechenland (?), 200 in Oberitalien, 194 Triumvir zur Koloniegründung in → Kroton (Liv. 34,45,4).

[2] L., P. Treuer Gefolgsmann des C. → Sempronius Gracchus. Als dieser sich 121 v. Chr. auf der Flucht im Minervatempel umbringen wollte, hinderten ihn L. und M. Pomponius daran. Beide deckten dann die Flucht des Gracchus über den Pons Sublicius auf die linke Tiberseite; L. fiel – ähnlich der Sagengestalt → Horatius [I 4] Cocles – im Kampf an der Brücke (Plut. Gracchus 37,6; 38,1: dort fälschlich Licinius genannt; Val. Max. 4,7,2; Vir. ill. 65,6; Vell. 2,6,6; Oros. 5,12,7).

[3] L. Mergus, C. oder M. Kriegstribun im 2. oder 3. → Samnitenkrieg (E. 4. /Anf. 3. Jh. v. Chr.); L. wurde vom Volkstribunen Cominius wegen Unzucht angeklagt und verübte – verurteilt – Selbstmord (Dion. Hal. ant. 16,4; Val. Max. 6,1,11).

[4] L. Plancianus, M. 257 v. Chr. Reiteroberst des Dictators Q. Ogulnius Gallus, der für die Feier des Latinerfestes eingesetzt war (InscrIt 13,1,43).   K.-L. E.

Laetus. Erfolgreicher Feldherr des → Septimius Severus während des Partherkrieges im J. 195 und nochmals im J. 198 n. Chr. Weil L. beim Heer zu beliebt war, wurde er ermordet; Severus bestritt, daß dies auf seinen Befehl geschehen war; vermutlich fiel L. dem Machtwillen des Praetorianerpraefekten Fulvius [II 10] Plautianus zum Opfer. PIR² L 69. – Die Identifizierung ist umstritten; nach [1. 116 f.] war L. mit Iulius Laetus identisch, der 193 die Vorhut der Armee des Severus auf dem Zug nach Rom geführt und 197, angeblich nach längerem Zögern, bei Lugdunum für Severus den Sieg gegen Albinus erkämpft hatte (vgl. PIR² I 373).

1 A. R. BIRLEY, Septimius Severus, ²1988.   W. E.

Laevi. Ligurischer (Liv. 5,25,2; Plin. nat. 3,124) oder kelt. (Cato bei Plin. l.c.; Λάοι, Pol. 2,17,4) Volksstamm, der zusammen mit den Matrici die Stadt → Ticinum (h. Pavia) gründete; Ticinum geriet nachmals unter die Herrschaft der Insubres (Ptol. 3,1,33).

NISSEN 2, 179.   E. O.

Laevinus. Röm. Cognomen, in republikan. Zeit bei den Valerii, in der Kaiserzeit nicht mehr bezeugt.

KAJANTO, Cognomina, 243.   K.-L. E.

Laevius

[1] Auf L. (Baebius oder Manius) Egerius [2] geht die Einweihung des Heiligtums der → Diana Nemorensis (Cato fr. 58 PETER) zurück, die er in seinem Amt als *dictator Latinus* vollzog.

C. AMPOLO, Ricerche sulla lega latina, II. La dedica di Egerius Baebius, in: PdP 212, 1983, 321–326.   FR. P.

[2] Wohl der erste lyrische Liebesdichter Roms aus dem 2. (vgl. [8]) oder frühen 1. Jh. v. Chr. (so etwa [2. 118]), im letzteren Falle wohl identisch mit dem Grammatiker L. Melissus bei Suet. gramm. 3,5. Seinem Hauptwerk *Erotopaegnia* (wohl = *Polymetra*, fr. 30) in mindestens 6 B. (fr. 5) sind eine Reihe von myth. Einzeltiteln (*Adonis, Alcestis* [7], *Centauri, Helena, Ino, Protesilaodamia* [6], *Sirenocirca*) zuzuordnen; aber auch Zeitgenössisches und Persönliches kam zur Sprache (fr. 23; 28). Das → Figurengedicht über den *Phoenix* (fr. 22), metrische Variation und ein pretiöser Stil zeigen L. in der hell. wie schon auf der Wende zur neoterischen Trad. (→ Neoteriker). Während seine Wirkung auf die folgende Generation (Varros Menippeen, vgl. fr. 3; Catull?) schwer abzuschätzen ist, wird er von den Archaisten des 2. Jh. n. Chr. wegen seiner pretentiösen *elegantia* wiederentdeckt (vgl. Gell. 19,7).

FR.: 1 A. TRAGLIA, Poetae novi, ²1974, 49–61 2 COURTNEY, 118–143 (beide mit Komm.) 3 FPL³, 126–142 (Bibl. 126–128).
LIT.: 4 F. LEO, Die röm. Poesie in der sullanischen Zeit, in: Hermes 49, 1914, 161–195, hier 180–188 5 A. TRAGLIA, Polimetria e verba Laeviana, in: Studi classici e orientali 6, 1957, 82–108 6 P. FRASSINETTI, La Protesilaudamia di Levio, in: Poesia latina in frammenti, 1974, 315–326 7 G. PASTORE POLZONETTI, L'Alcesti di Levio, in: M. G. BIANCO (Hrsg.), Disiecti membra poetae 2, 1985, 59–78 8 A. M. TEMPESTI, Un commensale a sorpresa e due date in Levio, in: Civiltà classica e cristiana 9, 1988, 7–25 9 A. PERUTELLI, Spunti dalla lirica di Levio, in: AION, Sezione filologico-letteraria 12,

1990, 257–268 **10** V. Tandoi, Scritti di filologia e di storia della cultura classica, Bd. 1, 1992, 112–127. P.L.S.

Lafrenius, T. Einer der zwölf Praetoren der aufständischen Italiker im → Bundesgenossenkrieg [3]. L. fiel 90 v.Chr. gegen Ser. Sulpicius Galba (App. civ. 1,181; 204–206; ILLRP 1089). K.-L.E.

Laganum s. Gebäck

Lagaš. Stadt und Territorialstaat (Hauptstadt Girsu) im südl. Mesopot. mit bedeutenden inschr., architektonischen und bildnerischen Funden aus dem 25.–21. Jh. v. Chr., die für die Rekonstruktion der frühen mesopot. Gesch. und Kultur sowie für die Erarbeitung einer sumer. Gramm. eine wichtige Rolle gespielt haben (→ Altorientalistik).

J. Bauer, D. P. Hanson, s. v. L., RLA 6, 419–431 · A. Falkenstein, Die Inschr. Gudeas von L. Einleitung, 1966. J.RE.

Lagbe (Λάγβη). Stadt in NO-Lykia nahe h. Alifahrettin, die die kleine Hochebene nördl. des Sees Cabalitis dominierte (den früheren Söğüt Gölü, h. ausgetrocknet) und zum Territorium von → Kibyra gehörte. Teil der röm. Prov. Asia (seit Diocletianus in der Prov. Caria), durch Manlius Vulso während seines Feldzuges 189 v.Chr. geplündert (Liv. 38,15,2). Inschr. belegen den Kult der Artemis Lagbene und die Existenz eines privaten Anwesens.

Chr. Naour, Tyriaion en Cabalide (Studia Amstelodamensia ad epigraphicam, ius antiquum et papyrologicam pertinentia 20), 1980, 5–13. T.D.-B./Ü: I.S.

Lagiden s. Lagos

Lagina (τὰ Λάγινα). Ort nördl. von → Stratonikeia mit Heiligtum der karischen → Hekate (h. Leyna bei Turgut); jährl. Panegyris (Strab. 14,2,25; 29), Prozession mit dem heiligen Schlüssel, Mysterienspiele, penteterische Agone. 81 v.Chr. eingerichtet als *Hekatesia Rhomaia* mit Verleihung des Asylrechts durch den Senat, von Caesar, Augustus, 22 n.Chr. von Tiberius bestätigt (Tac. ann. 3,62,2).

Arch. Befund: Von dor. Stoai gesäumtes Geviert um Pseudodipteros-Tempel mit 8 × 11 korinth. Säulen (2. H. 2. Jh. v. Chr.); Fries mit Hekate-Szenen; an der Südseite des Temenos Sitzstufen für Zuschauer, vom Propylon ist ein Portal aus drei Monolithblöcken erh.

G. E. Bean, Kleinasien 3, 1974, 97–102 · U. Junghölter, Zur Komposition der L.-Friese und zur Deutung des Nordfrieses, 1989 · A. Laumonier, Les cultes indigènes en Carie, 1958, 344–425 · Nilsson, Feste, 500f. · M.Ç. Şahin, Die Inschr. von Stratonikeia 2,1: L., Stratonikeia und Umgebung (IK 22,1), 1982 · A. Schober, Hekatetempel von L. (IstForsch) , 1933 · E. Simon, Der L.-Fries und der Hekatemythos in Hesiods Theogonie, in: AA 1993, 277–284. H.KA.

Lagni. Keltiber. Stadt in der Nähe von → Numantia; Name evtl. iberisch [1]. Zu Mz.-Belegen vgl. [2; 3]. Mit Numantia verbündet, wurde L. 141 v.Chr. vom Consul Q. Pompeius erobert und zerstört (Diod. 33,17). L. ist evtl. identisch mit Malia (App. Ib. 329); über die Widersprüche der Berichte in den Quellen vgl. [4].

1 Holder, s. v. L. 2 A. Vives, La moneda hispanica 2, 1924, 64 3 A. Hübner, Monumenta linguae Ibericae, s. v. lagne, 1893, 38 4 H. Simon, Roms Kriege in Spanien, 1962, 110.

Tovar 3, 461. P.B.

Lagodius. Spanischer Verwandter, wohl Vetter, des Kaisers → Honorius [3], floh nach dem Zusammenbruch des Widerstandes seiner Brüder Didymus und Verenianus gegen den Usurpator Constantinus [3] III. in Spanien 408/9 n.Chr. in den Osten des Reiches (Zos. 6,4,4; Soz. 9,12,1; vgl. Oros. 7,40,5–8). PLRE 2,654; vgl. 358, 1099, 1155. K.P.J.

Lagona s. La(u)gona

Lago(o)s s. Sternbilder

Lagopus (λαγώπους, »Hasenfuß«) hieß das Alpenschneehuhn, Lagopus mutus (Montin), wegen seiner befiederten Läufe. Sein Wildbret wurde sehr geschätzt (Hor. sat. 2,2,22: *lagois*; Plin. nat. 10,133). Im brauneren Sommerkleid (Plin. nat. 10,134) galt es als andere Art. Die gleichnamige Pflanze (Plin. nat. 26,53 = Ps.-Apul. de herbis 61,6: *herba leporis pes*) sollte, als Trank in Wein oder (bei Fieber) in Wasser eingenommen, Durchfall beseitigen.

H. Steier, s. v. L., RE 12,461. C.HÜ.

Lagoras (Λαγόρας). L. aus Kreta versuchte als Offizier → Ptolemaios' IV. 219 v. Chr. vergeblich, den Engpaß von Berytos vor Antiochos [5] III. zu besetzen. Später trat er zu Antiochos über. In dessen Krieg gegen → Achaios [5] drang L. an einer unbewachten Stelle der Stadtmauer in das belagerte Sardeis ein und öffnete den Belagerern ein Tor (Pol. 5,61,9; 7,15–18).

M. Launey, Recherches sur les armées hellénistiques, ²1987, 1163 · H. H. Schmitt, Unt. zur Gesch. Antiochos' d.Gr., 1964. A.ME.

Lagos (Λάγος, Λαγός; PN nicht von *lagós*, »Hase«, sondern wohl von *laoí*, »Leute«).

[1] Makedone aus der → Eordaia oder Orestis. Sein Status ist unbekannt; aus der Heirat mit Arsinoe [II 1] ist kein sicheres Argument für hohen Adel zu gewinnen. Vater des → Ptolemaios I. und des Menelaos. Ptolemaios pflegte die Erinnerung an L.: Ein Hippodrom in Alexandreia und ein Ort in Arsinoe hießen *Lágeion*. Die Legende von der Zeugung Ptolemaios' I. durch Philippos II. ist also wohl später. Nach Lagos nannten sich die Ptolemaier »Lagiden«.

Beloch, GG IV 2, 176f.

[2] Sohn Ptolemaios I. und der Thais, Bruder der Eirene [2] und des Leontiskos, geb. nach 323 v. Chr. Sein Gespann siegte bei den Lykaia in Arkadien (308/7?, mit dem Vater auf der Peloponnes?), Syll.³ 314 B 8 f.

H. HAUBEN, Het Vlootbevelhebberschap in de vroege Diadochentijd, 1975, 31 A. 2–4. W. A.

Lagynos (ὁ/ἡ λάγυνος). Weinflasche mit Henkel, breitem, flachem Körper, hohem, engem Hals und verschließbarer Mündung (→ Gefäßformen Abb. B 10). Bis in die Kaiserzeit reichender hell. Gefäßtypus. An den *lagynophória* (λαγυνοφόρια), einem dionysischen Straßenfest in Alexandreia, brachte jeder Festteilnehmer eine L. für seinen Weinanteil mit (Athen. 7,276a-c).

G. LEROUX, L., 1913 · F. V. LORENTZ, s. v. L., RE Suppl. 6, 216 f. · R. PIEROBON, L. Funzione e forma, in: Riv. Studi Liguri 45, 1979, 27–50 · S. I. ROTROFF, Hellenistic Pottery (Agora 29), 1997, 225–229. I. S.

Laias (Λαίας, Λαῖας).
[1] Sohn des Aigeiden Hyraios. Zusammen mit seinen Brüdern stellte L. in Sparta u. a. dem Kadmos und dem Aigeus Heroenheiligtümer auf, weil sich die Aigeiden auf das thebanische Herrschergeschlecht zurückführen (Paus. 3,15,8; Hdt. 4,147).
[2] Sohn des Oxylos, des Königs von Elis und der Pieria. Nach dem Tod seines älteren Bruders→ Aitolos übernimmt L. die Königsherrschaft von seinem Vater; L.' Kinder aber erhalten die Königswürde nicht (Paus. 5,4,4 f.). Nach Ephoros (FHG fr. 29) starb Aitolos nicht in Elis, sondern besiedelte Aitolien. AL. FR.

Laikenoi (Λαικηνοί, Λαιηνοί, Λεηνοί, Ptol. 6,7,22). Östl. des zentralarab. Gebirgszuges *Zámēs* siedelnder Volksstamm, dessen Name in keiner anderen ant. Quelle genannt und bisher auch noch nicht befriedigend gedeutet wurde. Vielleicht sind die L. mit den im Koran (15,78 u.ö.) erwähnten *aṣḥāb al-Aika*, den »Leuten des Dickichts« oder besser den »Leuten von al-Aika«, zu identifizieren, einem Volk der Vorzeit, das angeblich durch ein Strafgericht Gottes vernichtet wurde. W. W. M.

Lailaps (Λαῖλαψ, »Sturmwind«).
[1] der auf Grund seiner Schnelligkeit unentrinnbare Hund des → Kephalos. Während der Jagd wird L. versteinert (Ov. met. 7,771 ff.; Hyg. fab. 189; Serv. Aen. 6,445).
[2] Hund des Aktaion, der seinen von Artemis in einen Hirsch verwandelten Herrn mit der restlichen Hundemeute anfällt und tötet (Ov. met. 3,211; Hyg. fab. 181). AL. FR.

Laines (Λαίνης). Nur inschr. bezeugter Komödiendichter des 2. Jh. v. Chr.; er errang drei Siege an den Dionysien (1. test. 2), von denen einer in das Jahr 185 v. Chr. datiert ist (1. test. 1).

1 PCG V, 1986, 609. B. BÄ.

Laios (Λάιος).
[1] Mythischer thebanischer König, Sohn des → Labdakos, Enkel des → Polydoros und Urenkel des → Kadmos (Hdt. 5,59); der Name seiner Mutter wird nicht genannt. Er lebt vier Generationen vor dem Troianischen Krieg (sein Ururenkel Tisamenos bei Ausbruch des Krieges minderjährig: Paus. 9,5,13). Im Alter von einem Jahr verliert er den Vater (Apollod. 3,40), die Vormundschaft übernimmt Lykos, der Bruder von L.' Urgroßvater mütterlicherseits, Nykteus (Paus. 9,5,5). Die Zwillinge → Amphion und Zethos töten Lykos und dessen Frau Dirke wegen der an → Antiope, ihrer Mutter, begangenen Greuel (Apollod. 3,41–44) und vertreiben L. aus Theben (Apollod. 3,44; Hyg. fab. 9). L. hält sich am Hof des → Pelops auf, entbrennt in Liebe zu dessen Sohn Chrysippos und entführt ihn (Apollod. 3,44; hypothesis Aischyl. Sept. 7,24–27; hypothesis Eur. Phoen. 393,25–32). Pelops verflucht L. mit Kinderlosigkeit oder dem Tod durch seinen Sohn (hypothesis Aischyl. Sept. 7,1–2; hypothesis Eur. Phoen. 394,1–2).

Nach dem Tod des Amphion (Apollod. 3,48) und des Zethos (Paus. 9,5,9) wird L. König von Theben und heiratet → Iokaste oder Epikaste (Hom. Od. 11,271; Nikolaos von Damaskos, FGrH 90 F 8), die Tochter des Menoikeus (Eur. Phoen. 10). Die Ehe bleibt lange kinderlos (Eur. Phoen. 12–14; Diod. 4,64,1); ein Orakel Apollons macht L. klar, daß ein von ihm gezeugter Sohn ihn töten würde (Apollod. 3,48; Soph. Oid. T. 711–714; Eur. Phoen. 18–19). Vom Wein berauscht (Eur. Phoen. 21–22; Apollod. 3,48) zeugt L. dennoch einen Sohn mit Iokaste; dem Säugling durchbohrt er die Knöchel und läßt ihn im Kithairon-Gebirge aussetzen, wo ihn korinthische Hirten finden (Soph. Oid. T. 1026–1035 und 1133–1145; Eur. Phoen. 24–31 und 1600–1607). Der → Oidipus genannte Knabe wächst als Kind des korinthischen Königs Polybos und seiner Gattin Merope auf. Nach einigen Jahren begibt sich L. nach Delphi, um nach dem ausgesetzten Kind zu forschen (Soph. Oid. T. 114; Eur. Phoen. 35–37). Oidipus war nach Delphi aufgebrochen, um nach seinen wahren Eltern zu fragen (Soph. Oid. T. 787–793; Eur. Phoen. 33–35). Die beiden treffen an einem Dreiweg zusammen; es kommt zum Streit, in dessen Verlauf Oidipus L. und dessen Begleiter bis auf einen (Soph. Oid. T. 756) tötet. Die Mordstelle wird verschieden lokalisiert, für die Vulgata ist allerdings ein phokischer Dreiweg der Ort der Begegnung (Soph. Oid. T. 733–734; Eur. Phoen. 38; Paus. 10,5,3), vielleicht der Stavrodromi genannte Ort in der großen Talsenke östlich des Parnassos, wo sich die Wege nach Delphi, Daulis und Ambrysos (h. Distomo) treffen [1. 84]. L. wird von Damasistratos, dem König von Plataiai, bestattet (Apollod. 3,52; Paus. 10,5,4), sein Grab lag an eben diesem (phokischen) Dreiweg (Paus. 10,5,4).

Von den zahlreichen griech. Bearbeitungen des Stoffes sind die ›Phoinikierinnen‹ des Euripides, der ›König Oidipus‹ des Sophokles und die ›Sieben gegen Theben‹ des Aischylos erh.; verloren sind die anderen Stücke der aischyl. Oidipodie (›Laios‹ fr. 121–122a RADT, ›Oidipus‹ fr. 173 N² (= schol. Soph. Oid. T. 733), ›Sphinx‹ fr. 235–237 RADT) sowie der ›Chrysippos‹ (fr. 839–844 N²) und der ›Oidipus‹ (fr. 540–557 N², fr. 83–101 AUSTIN) des Euripides neben den sonstigen zahlreichen Darstellungen der att. Tragödie und Komödie. Ferner liegen uns im röm. Bereich die *Phoenissae* und der *Oedipus* des Seneca noch vor, nicht mehr dagegen der *Chrysippus* und die *Phoenissae* des Accius (V. 262–268 und 581–601 RIBBECK = 23–28 und 555–575 DANGEL).

1 C. ROBERT, Oidipus, 1915 2 H. LAMER, RE 12, 474–512 3 A. BERNABÉ, Poetae Epici Graeci, Pars 1, 1987, 17–19 4 D. J. MASTRONARDE, Euripides: Phoenissae, 1994.

O. LANGWITZ-SMITH, Scholia Graeca in Aeschylem quae extant II.2, 1982 · E. SCHWARTZ, Scholia in Euripidem 1, 1887 · A. NAUCK (Ed.), Euripidis Tragoediae, Bd. 2³, 1876 u. ö.

[2] Bei Antoninus Liberalis 19 ein Kreter, der als Strafe für den zusammen mit Aigolios, → Keleos und → Kerberos begangenen Honigdiebstahl in der Geburtshöhle des Zeus in eine Drossel (λαιός) verwandelt wurde.

[3] Boxer, gegen den und einen anderen Kämpfer Herakles zugleich antrat und deshalb verlor; daher das Sprichwort οὐδὲ Ἡρακλῆς πρὸς δύο (Zenob. 5,49 LEUTSCH, Paroemiographi Graeci I 140).   JO. S.

Lairbenos (Λαιρβηνός) ist die in zahlreichen Inschriften belegte Epiklese → Apollons in Phrygien; die griech. fehlende Etym. ebenso wie die Varianten weisen darauf, daß es sich um die → Interpretatio Graeca eines indigenen Namens handelt. Aus seinem Heiligtum in der Gegend des h. Ortaköy stammen zahlreiche Beicht-Inschr.

K. M. MILLER, Apollo L., in: Numen 32, 1985, 46–70 · G. PETZL, Die Beichtinschr. Westkleinasiens, 1994, 122–143.
          F. G.

Lais (Λαίς). Die »gemeinhin Bekannte« von λαός (»Volk«) [1] oder aus dem Semit., »Löwin«. Beliebter Hetärenname, was die Identifizierung erschwert.

1 PAPE/BENSELER, 762.

[1] Hetäre (→ Hetairai) aus Korinth. L. wird als schön (Athen. 13,587d), schlagfertig (im Gespräch mit Euripides bei Athen. 13,582cd, der sie Eur. Med. 1346 zitiert), wählerisch und teuer beschrieben; L. sei im Alter zur mittellosen Trinkerin geworden (Athen. 13,570cd). L. starb 392 v. Chr. (schol. Aristoph. Plut. 179, [1. Bd. 1, 491]), auch durch ihren Lebenswandel (so Athen. 13, 587e; Philetairos, *Kynagída*, [1. Bd. 2, 23]). Vgl. gegen ihren Lebensstil die *Antilaís* des Epikrates (Athen. 13,570b, [1. Bd.2, 349f.]) und eine weitere *Antilaís*, dem Lysias zugeordnet (Athen. 13,586d, [1. Bd. 1, 911]). L. wird auch bei den Komödiendichtern Anaxandrides (Athen. 13,570d, [1. Bd. 2, 49]), Theophilos (Athen. 13,587f, [1. Bd. 2, 575]) und Eriphos [1. Bd. 2,

591 ff.] genannt. L.' Ruhm war sprichwörtlich: *u Kórinthos ute Laís* (Athen. 4,137). L.' Grabmal zeigt eine Löwin, die einen Widder zerreißt (Paus. 2,2,4).

1 J. M. EDMONDS (Ed.), The Fragments of the Attic Comedy, Bd. 1, 1957, Bd. 2, 1959.

[2] Hetäre, 422 v. Chr. in Hykkara auf Sizilien geb. (Steph. Byz. s. v. Κραστός; Athen. 13,589a, [1. 182]), Tochter der Timandra, der »Gefährtin« des Alkibiades [3]. L. kam 415 als Kriegsgefangene nach der Plünderung Hykkaras nach Korinth (Plut. Alkibiades 39; Athen. 13,588c); sie wird als schön beschrieben (Athen. 13,588c), hatte Umgang mit → Aristippos [3] (von diesem die Schrift *Pros Laída*, ›An Lais‹, aber auch der Ausspruch *écho, uk échomai*, Diog. Laert. 2,75; Athen. 13,588e), der sie reich beschenkte, und mit → Diogenes [14] von Sinope, von dem sie kein Geld genommen haben soll (Athen. 13,588e). Von Demosthenes [2] soll L. vergeblich 10000 Drachmen erbeten haben, was chronolog. fraglich ist (Gell. 1,8,6). L. folgte einem Thessaler in seine Heimat und soll dort von neidischen Frauen in einem Aphroditetempel erschlagen worden sein (Plut. mor. 767F; Athen. 13,589ab). Ihr Grabmal war am Peneios (Paus. 2,2,5).

1 J. M. EDMONDS (Ed.), The Fragments of the Attic Comedy, Bd. 1, 1957.

W. M. ELLIS, Alcibiades, 1987, 97.   ME. STR.

Laistrygonen (Λαιστρυγόνες). Myth.-märchenhaftes Volk von menschenfressenden Riesen, das nur Viehzucht, aber keinen Ackerbau betreibt (vgl. → Kyklopes). In dieses Land, in dem die Sonne nie untergeht, verschlägt es → Odysseus auf seinen Irrfahrten. Nach anfänglich freundlicher Begrüßung der Kundschafter durch die Königstochter schlägt die Stimmung beim Anblick der riesenhaften Königin um. Der herbeigerufene König verspeist einen der Griechen, die übrigen L. machen sich über die gesamte Flotte her; der so günstig angelegte Hafen erweist sich als tödliche Falle. Nur das außen an der Hafenmole vertäute Schiff des Odysseus entkommt (Hom. Od. 10,81–132; Ov. met. 14,233–243). Die Episode enthält mehrere typ. Märchenmotive (menschenfressende, Steine schleudernde Riesen; ein Mädchen, das den Ankömmlingen den Weg weist; momentane Abwesenheit des Königs; Flucht bei seiner Rückkehr [1]) und ist daher strukturell vor-homerisch. In der ›Odyssee‹ manifestiert sich die Bed. des L.-Abenteuers auf dem Hintergrund der gesamten ersten Eposhälfte (»äußere Heimkehr«): Odysseus verliert mit einem Schlag fast alle Gefährten. Versuche, die L. zu lokalisieren, sind alt (spätestens seit Hes. cat. 150,25–27), zahlreich und verfehlt. Sie verkennen den myth.-märchenhaften Charakter des Schauplatzes, an dem das L.-Abenteuer und allg. Odysseus' Irrfahrten angesiedelt sind.

1 D. L. PAGE, Folktales in Homer's Odyssey, 1972, 25–31.

A. HEUBECK, A Commentary on Homer's Odyssey, Bd. 2, 1989, 47–48 · B. MADER, s. v. L., LFE · G. DANEK, Epos und Zitat, 1998, 197–200.   RE. N.

Lakaina (λάκαινα). Ein bei Athen. 11,484f. als Schale aufgeführtes Trinkgefäß, in der arch. Forsch. als t.t. für einen Becher mit kelchartigem Gefäßkörper und bauchigem Unterteil mit zwei Horizontalhenkeln verwendet. Die L., vornehmlich in Sparta seit dem 8. Jh. v. Chr. hergestellt, wurde eine Leitform der lakon. Vasen (→ lakonische Vasenmalerei) des 7. Jh. v. Chr. und lief als Gefäßtyp nach der Mitte des 6. Jh. v. Chr. aus. Das Dekor der L. war überwiegend ornamental gestaltet, auch sind schwarz-gefirnißte Exemplare bekannt.

C. M. STIBBE, Lakon. Vasenmaler des sechsten Jh. v. Chr., 1972 · I. MARGREITHER, Frühe lakon. Keramik der geom. bis archa. Zeit (10. bis 6. Jh. v. Chr.), 1988, 95–98.   R. H.

Lakapenoi (Λακαπηνοί). Byz. Kaiserfamilie armen. Herkunft. Romanos I. Lakapenos übernahm 919 n. Chr. die Regentschaft für den minderjährigen → Constantinus [9] VII. Porphyrogennetos, verheiratete ihn mit seiner Tochter, ließ sich 920 nacheinander zum Mit- und Hauptkaiser krönen und drängte ihn durch die Mitkaiserkrönung seiner Söhne Christophoros (†931), Stephanos und Konstantinos in den Hintergrund. 944 wurde Romanos I. von seinen noch lebenden Söhnen gestürzt, diese aber 945 ihrerseits von Konstantinos VII.

Theophylaktos, ein jüngerer Sohn des Romanos, war 933–956 Patriarch von Konstantinopel; der Eunuch Basileios Lakapenos, ein außerehelicher Sohn, spielte als hoher Hofbeamter noch bis nach 976 eine führende Rolle im byz. Reich.

S. RUNCIMAN, The Emperor Romanus Lecapenus and His Reign, 1929.   AL. B.

Lakedaimon (Λακεδαίμων).
[1] Sohn des Zeus und der Taygete (Apollod. 3,116), der Eponymin des → Taygetos-Gebirges; L. erbt die Herrschaft vom kinderlosen Eurotas (Paus. 3,1,1f.), gibt der Landschaft seinen Namen und gründet die Stadt → Sparta, die er nach seiner Gattin Sparte benennt. Einer der Söhne, Amyklas, gründet die Stadt → Amyklai [1] (Eust. ad Hom. Il. 295,14f.); eine der Töchter, Eurydike, heiratet Akrisios, den König von Argos, und wird die Mutter der → Danae (Pherekydes FHG 1, fr. 26; Paus. 3,13,8). L. genießt kult. Ehren in einem Heiligtum am Taygetos-Gebirge (Paus. 3,20,2) und im offiziellen Staatskult des Zeus L., dessen Priestertum den spartanischen Königen vorbehalten war.   AL. FR.
[2] s. Sparta

Lakedaimonios (Λακεδαιμόνιος). Athener, Sohn des Kimon [2] und der Isodike (Plut. Kimon 16). Er diente um 445 v. Chr. als hípparchos (IG I³ 511; [1. 45–49]). Im Sommer 433 wurde L. als stratēgós mit zehn Schiffen nach Korkyra entsandt, um der verbündeten Insel im

Konflikt mit Korinth Hilfe zu leisten (Thuk. 1,45,2f.; Plut. Perikles 29; ML 61).

1 G. R. BUGH, The Horsemen of Athens, 1988.

DAVIES 8429, XIII · G. E. M. DE STE. CROIX, The Origins of the Peloponnesian War, ³1989, 76f · TRAILL, PAA 600810.   HA. BE.

Lakedas (Λακήδας; Hdt. 6,127,3: Λεωκήδης). Legendärer König von Argos, angeblich Sohn des gesch. umstrittenen → Pheidon. L. galt als Vater des Meltas, des letzten Argiverkönigs (Paus. 2,19,2) [1. 385; 2. 107ff.].

1 P. CARLIER, La royauté en Grèce avant Alexandre, 1984
2 TH. KELLY, A History of Argos to 500 B. C., 1976.   K.-W. WEL.

Lakereia (Λακέρεια). Nur für archa. Zeit bezeugter (Pind. P. 3,58f.) Ort am Nordufer des Boibesees in Magnesia, bisher – wie auch der benachbarte Ort Amyros – nicht lokalisiert. K. galt als Heimat von Koronis, der Mutter des Asklepios.

B. HELLY, Le »Dotion Pedion«, Lakereia et les origines de Larisa, in: Journal des Savants 1987, 127ff. · F. STÄHLIN, Das hellenische Thessalien, 1924, 58f.   HE. KR.

Lakiadai (Λακιάδαι). Att. Demos, namengebend für die Asty-Trittys der Phyle Oineis (IG I³ 1120), mit zwei (drei) buleutaí; urspr. Name eines att. Geschlechts. Steph. Byz. s. v. Λ. überliefert als ON Λακιά, mit dem Demotikon Λακιεύς. Seine Lage an der Hl. Straße östl. des → Kephisos [2] durch Paus. 1,37,2 gesichert, der ebd. ein Temenos des eponymen Heros Lakios, das Grab des Kitharoden Nikokles aus Tarentum, einen Altar des Zephyros sowie ein Heiligtum für Demeter, Kore, Athena und Poseidon bezeugt. Hier stand der hl. Feigenbaum der Demeter. Miltiades und Kimon aus der Familie der Philaidai waren Demoten von L. (IG II² 1034, 1629, 2452, 6618; Plut. Alkibiades 22,3, Plut. Kimon 4,1; 10,2; Cic. off. 2,64). Nach Suda s. v. ὦ Λ. und Hesych. s. v. Λ. war L. sprichwörtlich für die bei der raphanídosis (→ Ehebruch; Aristoph. Nub. 1083) verwendeten Rettiche.

W. JUDEICH, Die Top. von Athen, ²1931, 177, 411 · TRAILL, Attica 49, 59, 68, 111 Nr. 82, Tab. 6 · J. S. TRAILL, Demos and Trittys, 1986, 93, 96, 98, 110, 133 · WHITEHEAD, Index s. v. L.   H. LO.

Lakinios (Λακίνιος, Λακῖνος). Iapygischer König, der über das Land der Bruttier herrscht; Eponym des Lakinion-Gebirges bei → Kroton. L. nimmt den aus Korkyra verbannten Kroton auf und gibt ihm seine Tochter Laure (oder Laurete) zur Frau (schol. Lykophr. 1007; schol. Theokr. 4,33b). Als → Herakles [1] aus dem Geryon-Abenteuer zurückkehrt, gerät er mit L. in Streit. Über die Ursache gibt es zwei Varianten: Entweder hat L. dem Herakles das Gastrecht verweigert, ihn weggejagt und der → Hera Lakinia einen Tempel geweiht, da sie die Feindin des Herakles ist (Serv. Aen. 3,552); oder L. hat dem Herakles einige Rinder gestohlen, wird von diesem, zusammen mit seinem Schwiegersohn, erschlagen, und Herakles baut den Tempel selbst (Serv. l.c.; Diod. 4,24,7). AL.FR.

Lakios (Λάκιος, »der Zerlumpte«).
[1] Att. Heros, nach dem der Demos → Lakiadai benannt war; sein Heroon befand sich auf der hl. Straße nach Eleusis (Paus. 1,37,2).
[2] Rhodier aus Lindos, mythischer Gründer der lyk. Stadt → Phaselis nahe der Grenze zu Pamphylien. Als L. mit seinem Bruder → Antiphemos nach Delphi geht, um das Orakel zu befragen, wird er nach Osten geschickt, sein Bruder nach Westen; so gründet er Phaselis, sein Bruder → Gela auf Sizilien (Aristainetos FGrH 771 F 1). Das Gebiet für die Stadt bezahlt er dem Hirten Kylabras mit geräuchertem Fisch (Aition für das jährliche Fischopfer an den Hirten: Heropythos FGrH 448 F 1). Nach einer anderen Version wird L., ein Argiver, von → Mopsos nach einer Weisung seiner Mutter → Manto nach Phaselis gesandt (Athen. 7,297f). R.A.MI.

Lakon (Λάκων). Sonst unbekannter Epigrammdichter (man hat an sizil. Herkunft gedacht, vgl. Theokr. Eidyllion 5), dem alternativ zu → Philippos von Thessalonike, dem Verf. des »Kranzes«, ein einzelnes Weihgedicht (Anth. Pal. 6,203) zugewiesen wird: elf iambische Trimeter, welche die auf wunderbare Weise durch die heiße Quelle des Flusses Symaithos am Ätna bewirkte Heilung einer hinkenden Alten beschreiben, die ihren Stab den Nymphen weiht.

GA II 2, 369. M.G.A./Ü: T.H.

Lakonikai (λακωνικαί). Männerschuhe bzw. -stiefel, dem Embas (→ Schuhe) vergleichbar. Urspr. ein lakedaimonisches (spartanisches) Fabrikat (Aristoph. Vesp. 1158–1165), dann aber auch anderswo gerne getragen (Aristoph. Eccl. 74; 269; 345; 507, Aristoph. Thesm. 142); die eleganten L. waren weiß (Athen 215c) und rot (Poll. 7,88).

O.LAU, Schuster und Schusterhandwerk in der griech.-röm. Lit. und Kunst, 1967, 126f. R.H.

Lakonike (Λακωνικὴ γῆ).
A. NAME B. LANDSCHAFT UND TOPOGRAPHIE
C. GESCHICHTE

A. NAME
Als Lakōnikḗ gḗ (Λακωνικὴ γῆ) oder L. chóra (Λ. χώρα) in der Prosalit. die gewöhnliche Bezeichnung für das Staatsgebiet von → Sparta, so bes. bei Thukydides, stets bei Polybios, ferner bei Herodot (1,69; 6,58,1), Xenophon (hell. 4,7,6; 4,8,8; 6,2,31; 6,5,21), Aristophanes (Vesp. 1162; Pax 245), Strabon (8,2,2; 4,9; 5,4ff.), Pausanias (3,1,1; 21,6; 4,1,1; 16,8; 17,1) und Ptolemaios (3,16,9), im Lat. Laconica (Plin. nat. 2,243; 4,1; 5,32; 6,214; 25,94). Inschr. erscheint diese Bezeichnung nur in einer Proxenienliste aus Keos im 4. Jh. v. Chr. (IG XII

5,542,22, z. T. ergänzt) und in einer lat.-griech. Ehreninschr. der Römer in L. für C. Iulius → Eurykles (SEG 11, 924). Der amtliche Name des Staatsgebiets hingegen ist ausschließlich Lakedaímōn, daher auch oft lit. bezeugt; lat. Laconia findet sich nur ganz vereinzelt und wohl nur als hsl. Variante zu Laconica. Die erst in der Neuzeit gebräuchliche Namensform »Lakonien« bezeichnet die südl. Peloponnesos, d.h. die Eurotasfurche mit den Randgebieten nebst der Parnonkette und -halbinsel und der Taygetos-Halbinsel.

B. LANDSCHAFT UND TOPOGRAPHIE
L. im h. Sinne zerfällt in die Eurotasfurche, die durch Querriegel in mehrere Stufen geteilt ist, und die beiderseitigen Gebirgsumrandungen. Die Täler von → Eurotas und Kelephina (ant. → Oinus) waren bed. Verkehrsachsen. Von den Stufen der Eurotasfurche ist die wichtigste das Becken von Sparta, ein Gebiet von etwa 10 × 30 km, wovon 5–6 × 18 km auf die Ebene entfallen; das 18 km breite Hügelland der Vardunia trennt von der 4–6 km breiten Küstenebene. In archa. und klass. Zeit gliederte sich L. in das Gebiet der Perioikenstädte (→ períoikoi) und das Land der spartiatischen Bürger. Perioikisch waren die nördl. Randlandschaften Aigytis, Belminatis und Skiritis, ferner die Hänge des Parnon und Taygetos. Das spartiatische Bürgerland umfaßt das eigentliche Becken von Sparta mit einem Streifen zur Küste hin, der diese im Nordteil des Lakonischen Golfs erreichte (bei Helos). Gytheion und die nächsten Orte der Vardunia, Aigiai und Krokeai, waren bereits perioikisch. Die wichtigsten Perioikenorte waren im oberen Eurotastal Pellana, im NW-Parnon Karyai und Sellasia, auf der Ostseite des Parnon und der Parnonhalbinsel Prasiai, Kyphanta, Zarax, Epidauros Limera, Glympeis, Marios, Geronthrai, Akreai, Kyparissia, Asopos, Kotyrta, Boiai, Etis [1; 2; 3], auf der Taygetoshalbinsel Gytheion, Las, Asine, Pyrrhichos, Teuthrone, Psammathus, Oitylos, Thalamai, Pephnos, Leuktron, Kardamyle und Gerenia [4; 5]. 195 v.Chr. wurden die Perioikenstädte von Sparta getrennt; sie bildeten dann in der Kaiserzeit den Bund der → Eleutherolakones. Im spartiatischen Bürgerland gab es an größeren Siedlungen außer Sparta nur Amyklai, ansonsten die Gutshöfe der Spartiaten und Heiligtümer wie – in histor. Zeit – Therapne, östl. gegenüber Sparta, mit dem Heiligtum der Helena (später das sog. Menelaion) und dem der Dioskuren, am Taygetoshang südwestl. von Sparta Bryseai mit Dionysos-Heiligtum (Paus. 3,20,3) und südl. davon bei den Kalyvia Sochas ein Eleusinion ([6]; Paus. 3,20,5), ferner Pharis und an der Küste Helos (weitere Heiligtümer bei Paus.). Zu den Grenzsteinen gegen Messenia s. IG V 1,1371f.; 1431.

Die Fläche der Landschaft Lakonien (Nomos Lakonia mit Prov. Kynuria) beträgt etwa 5000 km², von denen aber nur etwa 500 km² auf anbaufähiges Spartiatenland entfallen. Doch gehört das Becken von Sparta zu den üppigsten Landschaften Griechenlands (Niederschläge und Bewässerung). Die unmittelbare Nähe des Gebirges und die Binnenlage bedingen aber auch schroffe Witterungswechsel und relativ kalte Winter.

C. GESCHICHTE

Dicht war die Besiedlung schon in prähistor. Zeit [7], vgl. aus myk. Zeit die zu Pharis gehörenden Kuppelgräber von Vaphio, Amyklai und Therapne, die Kammergräber von Vaphio, Analepse, Kambos, Palaiochori, Pellana. In SH I–II sind ein polit.-mil. Gleichgewichtszustand und intensive Handelsbeziehungen mit Messenia, Argolis, den Kyklades, Kreta und Boiotia feststellbar [8]. Um 1200 v.Chr. kam es zur Krise in Verbindung mit der Ankunft oder Herrschaft einer neuen Gesellschaftsgruppe, der Dorer, die sich zw. dem 11. und 9. Jh. v.Chr. erheblich verstärkte. Die offene Dorfsiedlung Sparta selbst auf dem rechten Eurotasufer ist erst Gründung dieser einwandernden Dorer. Vordor. Spuren haben sich im lakon. Dial. erh. Der Schiffskatalog (Hom. Il. 2,581–587) nennt Pharis, Sparta, Messe, Bryseiai, Augeiai, Amyklai, Helos, Las und Oitylos. Im übrigen ist die Gesch. von L. die Gesch. → Spartas, dessen polit. und soziale Strukturen ab dem 8./7. Jh. v.Chr. die ganze Region in den Bereichen Politik und Kultur beeinflussen. Ca. E. des 5./ Anf. des 4. Jh. v.Chr. Bau eines bed. Verteidigungssystems an den nördl. und östl. Gebietsgrenzen. Für die röm. Zeit → Achaia.

1 A.J.B. WACE, F. W. HASLUCK, South-Eastern Laconia, in: ABSA 14, 1907/8, 161–182 2 Dies., East-Central Laconia, in: ABSA 15, 1908/9, 158–176 3 L. MOSCHOU, Τοπογραφικὰ Μάνης, in: AAA 8, 1975, 160–177 4 E.S. FORSTER, South-Western Laconia, in: ABSA 10, 1903/4, 158–189 5 Ders., A.M. WOODWARD, Gythium and the N. W. Coast of the Laconian Gulf, in: ABSA 13, 1906/7 6 C.M. STIBBE, Das Eleusinion am Fuße des Taygetos in Lakonien, in: BABesch 68, 1993, 71–105 7 H. WATERHOUSE, R. HOPE-SIMPSON, Prehistoric Laconia, in: ABSA 55, 1960, 67–107; 56, 1961, 114–175 8 W. CAVANAGH, Development of the Mycenaean State in Laconia, in: Aegaeum 12, 1995, 81–87.

P. ARMSTRONG u.a., Crossing the River: Observations on Routes and Bridges in Laconia from the Archaic to Byzantine Periods, in: ABSA 87, 1992, 293–310 · P. CARTLEDGE, Sparta and Laconia. A Regional History 1300–362 B.C., 1979 · W. CAVANAGH u.a., Continuity and Change in a Greek Rural Landscape, ABSA Suppl. 27, 1996 · J. CHRISTIEN, Promenades en Laconie, in: DHA 15, 1989, 75–105 · F. SIRANO, s. v. Laconia, EAA² 3, 235–249.   Y.L.

Lakonisch s. Dorisch-Nordwestgriechisch; Tsakonisch

Lakonische Vasenmalerei. In → Sparta wurde seit dem 7. Jh. v.Chr. bemalte Keramik auch für den Export hergestellt. Zunächst mit → Kyrene, einem der ersten Fundorte der L. V., verbunden, wurde die Herkunft der L. V. durch die Ausgrabung des Artemis Orthia-Heiligtums in Sparta gesichert. Die Datier. der L. V., deren Blütezeit von etwa 575 bis 525 v.Chr. anzusetzen ist, wird v.a. von Fundgruppen in → Tarentum und Tokra abgeleitet [3. 8–9]; einen chronolog. Hinweis bietet zudem die Darstellung Arkesilaos' [2] II., die wahrscheinlich in dessen Regierungszeit entstanden ist [3. 195; 198]. Bedeutende FO der L. V. sind außer Sparta → Rhodos, → Samos, Kyrene, Tarentum sowie etr. Nekropolen [2. 149–172].

Der Ton der bemalten → Tongefäße ist feingeschlämmt und wird in der Regel mit einem cremefarbenen Überzug versehen. Die häufigste Vasenform ist die Schale auf hohem Fuß, die ein tiefes Becken aufweist; typisch für ihre Bemalung sind die ornamentale Verzierung der Außenseite – v. a. mit Granatapfelketten – und ein großes figürlich bemaltes Innenbild, bei dem immer wieder ein Segment abgeteilt und mit Tieren oder Ornamenten verziert ist [2. 11–18]. Weitere wichtige Vasenformen sind die → Lakaina (hohes zweihenkliges Trinkgefäß), der Kolonnettenkrater, der in der Ant. *kratḗr lakonikós* gen. Volutenkrater (→ Krater), die → Hydria, der → Lebes sowie der → Aryballos lakon. Form. Diese Gefäße werden auch völlig mit Glanzton überzogen oder nur mit wenigen Ornamenten bemalt [4. 199–203]. An Inschr. sind nur einige Namensbeischriften bekannt.

Gefäßformen der lakonischen Keramik

Amphora   Hydria   Volutenkrater   Krater des »chalkidischen Typus«   Lebes

Lakaina   Schale mit hohem Fuß   Schale mit niedrigem Fuß   Aryballos   Spitzaryballos

Relativer Maßstab der Aryballoi : 2:1   M. HAA.

LANE erkannte als erster drei Hauptmeister der L.V. des 6. Jh. v. Chr. (→ Arkesilas-Maler, → Jagd-Maler, Naukratis-Maler), eine differenzierte Unterteilung erfolgte dann durch STIBBE [3. 1–7], der fünf wichtigere und mehrere weniger bedeutende Maler schied. Als Bemalung werden Tierfriese, Alltagsszenen – v. a. Symposien – und zahlreiche Mythenbilder gestaltet: Von den Göttern erscheinen Poseidon und Zeus häufig, im Schaleninnenbild ein → Gorgoneion [1. 14–18]. Aus dem Mythos sind weiter die Taten des Herakles [1. 1–13] und die Sagen von Theben (→ Thebanischer Sagenkreis) und Troia (→ Troianischer Sagenkreis) beliebt [1. 25–34]. Lakon. Besonderheiten bilden ein Reiter, dem eine Volutenranke aus dem Kopf wächst [1. 76], oder die Darstellung der Nymphe Kyrene [1. 36–37]. Zusatzfarben (Rot, Weiß) werden reich eingesetzt und steigern die dekorative Wirkung der meist sehr sorgfältigen und qualitätvollen L.V., die zu den bedeutendsten griech. Vasengattungen gehört.

→ Gefäße, Gefäßformen (mit Abb.); Korinthische Vasenmalerei (mit Abb.)

1 M. PIPILI, Laconian Iconography of the Sixth Century B.C., 1987 2 F. POMPILI (Hrsg.), Studi sulla ceramica Laconica, 1981 3 C. M. STIBBE, Lakon. Vasenmaler des 6. Jh. v. Chr., 1972 4 Ders., Das andere Sparta, 1996 5 J. BOARDMAN, Early Greek Vase Painting, 1998, 108; 185–188.   M. ST.

Lakrates Spartan. Olympionike; fiel 403 v. Chr. im Peiraieus im Gefecht gegen Widerstandskämpfer, die Athen von der Herrschaft der »Dreißig« (→ Triakonta) befreiten (Xen. hell. 2,4,33).   K.-W. WEL.

Lakydes (Λακύδης) aus Kyrene. Akad. Philosoph des 3. Jh. v. Chr. Übernahm das Scholarchat der → Akademeia von → Arkesilaos [5], das er nach Diog. Laert. 4,60/61 26 Jahre lang innehatte und zu Lebzeiten an Euandros und Telekles übergab. Wie damit die Angaben bei Philod. Academicorum index 27,1–7 in Einklang zu bringen sind, ist umstritten (im einzelnen dazu [1. 831]). L. starb wohl im Jahr 207 v. Chr. ([1. 830], anders [2. 50]). Das Lakydeion, in dem er lehrte, hatte Attalos I. Soter von Pergamon gestiftet. Von den Schriften, die L. nach dem Zeugnis der Suda (Λ 72 = T 1b METTE) verfaßt haben soll (u. a. 1 B. ›Über die Natur‹/Περὶ φύσεως, zusammengestellt bei [2]), ist nichts erh. In der skeptischen Grundhaltung geht er sogar noch über Arkesilaos hinaus, da er auch die Erinnerung als unzuverlässig einstuft. In der bekannten Anekdote von den Sklaven, die die Speisekammer ihres Herrn plündern, wird die philos. Überzeugung des L. spielerisch mit der alltäglichen Erfahrung konfrontiert (Eus. Pr. Ev. 14,7,1–13). Warum gerade L. später als Begründer einer Neuen Akademie gilt (Philod. ebd. 21,37–42; Diog. Laert. 4,59,1, 14 und 19), ist letztlich nicht mehr zu klären.

1 W. GÖRLER, L., GGPh² 4.2, 830–34 2 H. J. METTE, Weitere Akademiker heute: Von L. bis zu Kleitomachos, in: Lustrum 27, 1985, 39–51.   K.-H. S.

Lamache (Λαμάχη). Lemnierin, die mit dem Argonauten → Euphemos den Leukophanes zeugt. Von diesem stammt → Battos [1] ab, der die Stadt Kyrene gründet (schol. Pind. P. 455b; [1]).

1 L. MALTEN, Kyrene, 1911, 192.   AL. FR.

Lamachos (Λάμαχος). Athener, führte ca. 436/5 v. Chr. erfolgreich ein Kommando gegen den Tyrannen von Sinope durch (Plut. Perikles 20,1). L. verlor als *stratēgós* 424 bei Herakleia in einem Unwetter zehn Kriegsschiffe (Thuk. 4,75,1 f.; Diod. 12,72,4). L. war Anf. 421 einer der athen. Gesandten, die den → Nikias-Frieden und die athen.-spartanische Symmachie beschworen (Thuk. 5,19,2; 24,1). 416/5 wählte man Alkibiades [3], Nikias und L. zu *stratēgoí autokrátores* (»bevollmächtigten Heerführern«) der sizil. Expedition (Thuk. 6,8,2; And. 1,11; Lys. 13,67). In Sizilien sprach sich L. für einen Überraschungsangriff auf Syrakus aus. Er kam 414 beim Angriff auf die Verteidigungslinien von Syrakus ums Leben (Thuk. 6,49 f.; 101,6; 103,1; Diod. 13,7 f.; Plut. Nikias 18,1–3). In den Quellen wird K. als arm und bescheiden, als tapferer Haudegen, leidenschaftlicher Militär, als waghalsig und kriegslüstern dargestellt (bes. Aristoph. Ach. 566–625; 1071–1226).

→ Peloponnesischer Krieg

TRAILL, PAA 601230 · D. HAMEL, Athenian Generals, 1998.   W. S.

Lamasba. Nicht unbedeutender numidischer Straßenknotenpunkt, etwa 50 km nordwestl. von → Lambaesis gelegen, h. Henchir Merouana (*Lamasba*, Itin. Anton. 35,2; 5; 6; *Lamasbua*, Tab. Peut. 2,5; *Lamasba oppidum*, Iulius Honorius, Cosmographia A 48). L. war wohl seit Caracalla (211–217) *municipium* (CIL VIII Suppl. 3, 22511; vgl. 22467). Bereits 256 war L. Bischofssitz (Cypr. sententiae episcoporum 75). Inschr.: CIL VIII Suppl. 3, 22427–22466. Der Text einer Inschr. aus der Zeit Elagabals (218–222 n. Chr.) regelt die Wasserverteilung der *aqua Claudiana* nach Tagen und Stunden [1. 181–186; 2]. CIL VIII Suppl. 2, 18587 = ILS II 5793; vgl. ILS III 2, p. 185.

1 H. PAVIS D'ESCURAC, Irrigation et vie paysanne dans l'Afrique du Nord antique, in: Ktema 5, 1980, 177–191 2 B. D. SHAW, L. An Ancient Irrigation Community, in: AntAfr 18, 1982, 61–103.

AAAlg, Bl. 27, Nr. 86.   W. HU.

Lambaesis. Lager und Stadt in Numidia am Nordhang des Mons Aurasius (h. Aurès), h. Tazoult-Lambèse (zu *Lam*-Orten der näheren und weiteren Umgebung vgl. [1. 539]). Belege: Ptol. 4,3,29 (Λάμβαισα); Itin. Anton. 32,4; 33,2 f.; 34,2; 40,6 (*Lambese*); Tab. Peut. 3,2 (*Lambese*); inschr. eher *Lambaesis* als *Lambaese*. L. lag in der Nähe des Ausgangspunkts des Wegs, der durch die Schlucht von → Calceus Herculis (h. wahrscheinlich El-Kantara) in die Wüstenregion führte. Nachdem seit flavischer Zeit zwei kleinere Vorgängerbauten errichtet

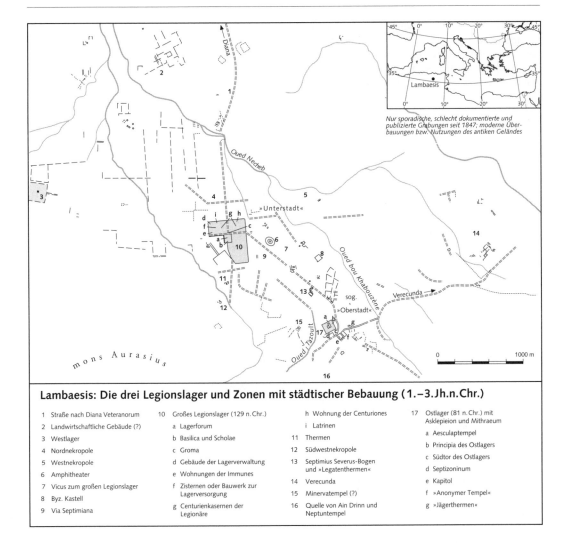

Lambaesis: Die drei Legionslager und Zonen mit städtischer Bebauung (1.–3.Jh.n.Chr.)

Nur sporadische, schlecht dokumentierte und publizierte Grabungen seit 1847; moderne Überbauungen bzw. Nutzungen des antiken Geländes

1 Straße nach Diana Veteranorum	10 Großes Legionslager (129 n.Chr.)	h Wohnung der Centuriones
2 Landwirtschaftliche Gebäude (?)	a Lagerforum	i Latrinen
3 Westlager	b Basilica und Scholae	11 Thermen
4 Nordnekropole	c Groma	12 Südwestnekropole
5 Westnekropole	d Gebäude der Lagerverwaltung	13 Septimius Severus-Bogen und »Legatenthermen«
6 Amphitheater	e Wohnungen der Immunes	14 Verecunda
7 Vicus zum großen Legionslager	f Zisternen oder Bauwerk zur Lagerversorgung	15 Minervatempel (?)
8 Byz. Kastell	g Centurienkasernen der Legionäre	16 Quelle von Ain Drinn und Neptuntempel
9 Via Septimiana		17 Ostlager (81 n.Chr.) mit Asklepieion und Mithraeum
		a Aesculaptempel
		b Principia des Ostlagers
		c Südtor des Ostlagers
		d Septizoninum
		e Kapitol
		f »Anonymer Tempel«
		g »Jägerthermen«

worden waren, wurde hier – wahrscheinlich im J. 129 n.Chr. – das große Lager der *legio III Augusta* fertiggestellt. Am 1. Juli des vorhergehenden J. hatte Q. Fabius Catullinus, der *legatus legionis*, seine Legion vor Hadrianus paradieren lassen (CIL VIII Suppl. 2, 18042). Seither war L. der mil. Mittelpunkt der Prov. Africa (→ Afrika [3]). Unter Septimius Severus (203?) wurde das *municipium L.* Hauptstadt der Prov. Numidia. Philippus Arabs erhob das *municipium* zur *colonia*. Die Namen der zehn *curiae* der Bürgerschaft sind bekannt. Es gab zahlreiche Kulte [2. 80f.[3]]. Doch auch das Christentum gewann im 3. Jh. beträchtliche Bed. Für 256 ist ein Bischof belegt (Cypr. sententiae episcoporum 6). In byz. Zeit wurde L. zu einer Festung ausgebaut. Viele Ruinen bezeugen das mil. und zivile Leben des Lagers und der Stadt. Inschr.: CIL VIII 1, 2527–4185; 2, 10763; Suppl. 2, 18039–18488; [1. 541]; AE 1981, 903; 904; 909; AE 1987, 1067; AE 1989, 822; 883; AE 1991, 1688–1691; AE 1992, 1860–1876; AE 1993, 1767–1769.

1 H.DESSAU, s.v. L., RE 12, 539–541 2 M.LEGLAY, Saturne Africain 2, 1966.

AAAlg, Bl. 27, Nr. 222–224 · M.JANON, Recherches à Lambèse, in: AntAfr 7, 1973, 193–254 · Ders., Lambèse et l'occupation militaire de la Numidie méridionale, in: Stud. zu den Militärgrenzen Roms 2 (BJ Beih. 38), 1977, 473–485 · Ders., L., in: Antike Welt 8,2, 1977, 2–20 · M. LE GLAY, La vie religieuse à Lambèse, in: AntAfr 5, 1971, 125–153 · C.LEPELLEY, Les cités de l'Afrique romaine ... 2, 1981, 416–425 · J.MARCILLET-JAUBERT, s.v. L., PE, 478f.

W.HU.

KARTEN-LIT.: M.JANON, L., in: Antike Welt 8,2, 1977, 2–20 · S.RAVEN, Rome in Africa, [3]1993.

Lambafundi. Ortschaft in → Numidia zw. → Lambaesis und → Thamugadi, h. Henchir Touchine (CIL VIII 1, 2438 = Suppl. 2, 17941 [*saltus? La*]m[b]*afundensium*; Tab. Peut. 3,3: *Lambafudi*; Geogr. Rav. 39,40: *Lambafudin*). Folgende Herkunftsbezeichnungen mögen auf den Bischofssitz L. zurückzuführen sein: *Lampuensis* (*plebs*) (Concilium Carthaginiense anno 411, 1,133,292), *Iam-*

fuensis (Not. episcoporum Numidiae 87ᵃ), *Lamfuensis* (Concilium Carthaginiense anno 525; [2. 647]). Eine von Iustinianus neu befestigte Stadt in Numidia trägt in Prok. aed. 6,7,10 den Namen Λαμφουαομβά. In der Nähe von L. lagen große Domänen. Der bedeutendste Gott des Ortes war Saturnus [1. 114–124].

1 M. LEGLAY, Saturne africain 2, 1966 2 J. D. MANSI, Sacrorum Conciliorum nova et amplissima collectio VIII, Florenz 1762 (Ndr. Paris 1903), 647.

AAAlg, Bl. 27, Nr. 247.   W. HU.

Lambagai. Nach Ptol. 7,1,42 Volk nw von Indien im h. Ostafghanistan; altindisch *Lampāka.* Ihr Name ist im mod. Lamghan erhalten; dort fanden sich mehrere Fragmente aram. Inschr. des Königs → Aśoka.   K. K.

Lambdia. Stadt in der → Mauretania Caesariensis, etwa 100 km südsüdwestl. von → Icosium, h. Médéa. Belege: Ptol. 4,2,27 (Λαβδία); CIL VIII Suppl. 3, 22567 (*Lambdienses*); Concilia Carthaginiensia anno 411, 1,201,8 (*Lambiensis*); Notitia episcoporum Mauretaniae Caesariensis 46ᵃ (*Ambiensis*). Inschr.: CIL VIII 2, 9239–9246; 10443. Spärliche Ruinen sind erh.

AAAlg, Bl. 14, Nr. 48 • H. DESSAU, s. v. L., RE 12, 542.
                                                          W. HU.

Lambiridi. Ortschaft in → Numidia zw. → Lambaesis und → Lamasba, h. Kherbet Ouled Arif. Belege: Tab. Peut. 3,1 (*Lambiridi*); Iulius Honorius, Cosmographia A 44 (*Lamuiridi oppidum*); Concilia Carthaginiensia anno 411, 1,206,32 (*episcopus Lambiriditanus*); Not. episcoporum Numidiae 19ᵃ (*Iamuiritanus*). Im 3. Jh. n. Chr. war L. *municipium.* Einige Ruinen − unter ihnen ein Grab mit einem verschieden gedeuteten Mosaik [1. 464] − sind erh. Inschr.: CIL VIII 1, 4413–4435; Suppl. 2, 18564–18584.

1 M. LEGLAY, s. v. L., KlP 3.

AAAlg, Bl. 27, Nr. 120.   W. HU.

Lambrus (h. Lambro). Linker Nebenfluß des → Padus (Po), entspringt in den Bergen beim *lacus Larius,* bildet den *lacus Eupilis* (Plin. nat. 3,131; h. Lago di Pusiano), fließt durch die Brianza und mündet östl. von Mediolanum in den Padus. Name vorröm., evtl. mediterran (**Lambrusca,* »wilde Weinrebe«) oder kelt. (**Ambrones*). Quellen: Plin. nat. 16,20; Sidon. epist. 1; 5; Tab. Peut. 4,2 (Fluß und Station).

NISSEN, Bd. 2, 180.   A. SA./Ü: J. W. M.

Lamia

[1] (Λάμια). Ein weiblicher Geist, der auf den Angriff auf Kinder spezialisiert ist (Duris, FGrH 76 F 17; Diod. 20,41,3–5; Strab. 1,2,8; [1. Kap. 5]). In dieser Funktion ist L. oft mit → Gello, → Mormo und der Strix verwechselt worden. In späteren Quellen verführt und vernichtet L. auch attraktive Männer (Philostr. Ap. 4,25;

vgl. Apul. met. 1,17). Ihr Name ist etym. verwandt mit *laimós* (»Schlund«), was ihren alles verschlingenden Hunger zum Ausdruck bringt (vgl. Hor. ars 340; Hom. Od. 10,81–117 zu Lamos, dem König der kannibalischen → Laistrygonen; *l.* ist auch eine der Bezeichnungen für »Hai«: Aristot. hist. an. 540b 18; Plin. nat. 9,78).

Im allg. konnte L. als Name für jede häßliche und monströse Frau verwendet werden; in Testimonien aus der Komödie wird sie als unanständige Hermaphroditin dargestellt (Aristoph. Vesp. 1035; 1177; vgl. [1. Kap. 5], [4]). Sie stand im Mittelpunkt wenigstens eines Satyrspiels und war auch Prologsprecherin von Euripides' *Busiris* (Krates fr. 20 PCG; Eur. fr. 922 TGF). Möglicherweise kann das Untier auf drei Vasen aus klass. Zeit als L. identifiziert werden [3. 189; 4]. Im Mythos ist L. die Tochter der Libya und von Poseidon oder Belos, des Königs von Libyen. Als Geliebte des Zeus ist sie Mutter von verschiedenen Kindern, die Hera aus Eifersucht tötet (Diod. l.c.) oder L. dazu treibt, sie zu töten (Duris l.c.). In einer Quelle wird L. Mutter der → Skylla genannt, in einer anderen Mutter der libyschen → Sibylle (Stesich. fr. 43 PMG; Paus. 10,12,1).

L. spielt auch in byz. und ma. Quellen eine Rolle (Michael Ephesius in Aristot. eth. Nic. 124v, 3–9; 169r, 6 ff.; Albertus Magnus, De animalibus 5,15; 22,112) und ist auch der Name einer sterblichen Hexe [5]. Auch im mod. griech. Volksglauben lebt sie fort [3. 180–183]. L. ist Thema des gleichnamigen Gedichts von John KEATS (1820).

→ Ahoros; Dämonen

1 S. I. JOHNSTON, Restless Dead, 1999 2 C. STEWART, Demons and the Devil, 1991 3 J. BOARDMAN, s. v. L., LIMC 6.1 4 M. HALM-TISSERANT, Folklore et superstition en Grèce classique: L. torturée, in: Kernos 2, 1989, 67–82 5 ULRICH MOLITORIS, Von den Unholden oder Hexen. De Lamis, 1489 (lat. und dt.).

F. SCHWENN, s. v. L., RE 12, 544 ff.   S. I. J.

[2] (Λαμία, thessalische Stadt).
I. ENTWICKLUNG BIS ZUR RÖMISCHEN KAISERZEIT   II. BYZANTINISCHE ZEIT

I. ENTWICKLUNG BIS ZUR RÖMISCHEN KAISERZEIT

Stadt am Südhang der Othrys, über die alle wichtigen Verbindungen von Thessalia nach Mittelgriechenland liefen. Von Trachis übernahm L. im 5. Jh. v. Chr. die Rolle des Hauptorts der → Malieis (Befestigung mit polygonalem Mauerwerk). Anläßlich eines Erdbebens 426 v. Chr. wird L. erstmals erwähnt (Strab. 1,3,20). Für 359/8 ist L. mit einer Spende für den Tempel in Delphoi bezeugt (Syll.³ 240), einer der malischen Kultgesandten dort stammte aus L. (Syll.³ 314/5; 444/5). Im → Lamischen Krieg mußten die aufständischen Griechen 323 schließlich die Belagerung der von den Makedonen unter → Antipatros [1] gehaltenen Festung L. aufgeben (Diod. 18,12,4 ff.). L. gehörte wie ganz Malis vom 3. bis Anf. 2. Jh. zum Aitol. Bund (→ Aitoloi, mit Karte) und erlebte eine Blütezeit. 208 wurde L. von Philippos V. vergeblich belagert (Liv. 27,30,3). Im Krieg des mit den Aitoloi gegen Rom verbündeten → Antiochos [5] III. diente L. dem König als Hauptquartier und wurde 190 erst von Philippos V. belagert, dann vom röm. Heer unter M. Acilius Glabrio erobert und geplündert (Liv. 36,25; 37,4,8 f.). Im Frieden von 188 mußten die Aitoloi Malis und L. freigeben (Pol. 21,29; 21,32; Liv. 38,9,10; 38,11,9). Inschr. und Funde der folgenden Jh. zeigen den Niedergang von L., vom südl. Nachbarn → Hypata überflügelt. Unter Hadrianus (117–138 n. Chr.) legte der *proconsul* von Macedonia die Grenze zw. beiden Städten fest (ILS 5947a).

Y. Béquignon, La vallée du Spercheios, 1937, 263 ff. · A. Joannidou-Karetsou, in: AD 27 (chron.), 1972, 326 ff.; 28 (chron.), 1973, 280 ff. (Fundberichte) · Philippson/ Kirsten 1, 245 ff. · F. Stählin, Das hellenische Thessalien, 1924, 213 ff. · Ders., s. v. L., RE 12, 547 ff.   HE. KR.

II. Byzantinische Zeit

In byz. Zeit wird L. bei Hierokles, 642,6 und Konstantinos Porphyrogennetos, De thematibus 88 Pertusi, jedoch nicht in der Tab. Peut. erwähnt. Bistum und Suffragan von → Larisa [3]; Bischöfe sind nachweisbar bei Konzilien der J. 431 und 531 [1. passim]. Der seit 869/870 nachweisbare neue Name der Siedlung, Zetunion (Ζητούνιον), deutet auf slav. Neubesiedlung [2. 105]. Ein Ausbau der bereits in der Spätant. reparierten Festung erfolgte zunächst durch die Templer nach 1204 sowie im folgenden unter wechselnden griech., fränkischen und katalanischen Herren, bis spätestens 1426 die Türken den Ort in Besitz nahmen (bis 1832).

1 C. Silva-Tarouca (ed.), Coll. Thessalonicensis (Cod. Vat. Lat. 5751), 1937 2 M. Vasmer, Die Slaven in Griechenland, 1941 (Abh. der Preuss. Akad. der Wiss. 1941, 12).

A. Kazhdan, s. v. L., ODB 2, 1171 · J. Koder, s. v. Zetunion, TIB 1, 283 f. · K. Braun, s. v. L., in: Lauffer, Griechenland, 365 f.   E. W.

Lamiggiga. Stadt in → Numidia zw. → Lambaesis und → Diana Veteranorum, h. Sériana. L. lag wahrscheinlich im Territorium von Diana Veteranorum, hatte aber um 200 n. Chr. eigene *magistri* und erhielt einen *ordo decurionum*. In der Stadt wohnten Legionäre und Veteranen der *legio III Augusta*. 411 war L. überwiegend donatistisch (→ Donatus [1]; Concilia Carthaginiensia anno 411, 1,133,1–13; 187,98–100; 198,55 f.). Einige Ruinen – Kirchen, Thermen und Keltern – sind erh. In byz. Zeit wurde L. zur Festung ausgebaut. Inschr.: CIL VIII 1,4372–4412; Suppl. 2, 18553–18563.

AAAlg, Bl. 27, Nr. 73 · H. Dessau, s. v. Lamiggig, RE 12, 560 f.   W. HU.

Lamis (Λάμις). Aus Megara, Anführer einer megarischen Kolonistenschar, die – wohl gemeinsam mit Siedlern aus Chalkis [1] – um 730 v. Chr. nach Sizilien zog. Dort trennten sich die Megarer von den Chalkidiern

und gründeten, da diese bereits die günstigsten Plätze besetzt hatten (Naxos, Katane, Leontinoi, → Trotilon. Sie folgten einer Einladung aus Leontinoi, die dortigen Sikeler (→ Siculi) zu vertreiben und in der Polis zu leben, wurden aber bald wieder verjagt und gründeten Thapsos (h. Magnisi), wo L. starb (sein Grab ist vielleicht arch. nachgewiesen, vgl. [2. 76]). Die Megarer gründeten mit Hilfe des Sikelerfürsten Hyblon später → Megara Hyblaia (Thuk. 6,4; Polyain. 5,5,1).

1 J. Bérard, La colonisation grecque, ²1957, 109 ff. 2 R. P. Legon, Megara, 1981, 71–77.   M. MEI.

Lamischer Krieg. Der Lamische (oder »Hellenische«) Krieg, benannt nach der Polis → Lamia, wurde von den Athenern, Aitolern und ihren Verbündeten gegen Antipatros [1] geführt. Ursachen waren insbesondere das Verbanntendekret → Alexandros' [4] d. Gr. sowie die Hoffnung, nach dessen Tod (323 v. Chr.) die maked. Hegemonie über Hellas rückgängig machen zu können. Nach anfänglichen Erfolgen unter → Leosthenes' [2] Führung lief sich der Landkrieg bei Lamia, wo Antipatros im Winter 323/2 belagert wurde, fest. Entscheidend wurde, daß die athen. Flotte Verstärkungen für Antipatros aus Asien nicht verhindern konnte. Die Niederlage zur See bei Amorgos entschied daher den Krieg strategisch schon vor der Landschlacht bei Krannon in Thessalien 322.

N. G. Ashton, Aspects of the Lamian War, Diss. 1980 · J. Engels, Studien zur polit. Biographie des Hypereides, ²1993, 327–400 · O. Schmitt, Der Lamische Krieg, 1992.   J. E.

Lamiskos (Λαμίσκος). Tarentiner aus dem Umkreis des → Archytas [1]; leitete die Gesandtschaft, welche die Tarentiner Freunde → Platons im J. 360 v. Chr. nach dessen Bruch mit → Dionysios [2] II. nach Syrakus entsandten; L. erreichte, daß Dionysios Platon aus Syrakus abreisen ließ (Plat. epist. 7, 350a 7–b 4; daraus abgeleitet die Erwähnungen des L. in den beiden gefälschten Archytasbriefen bei Diog. Laert. 3,22 und 8,80).
→ Pythagoreische Schule   C. RI.

Lamm s. Schaf

Lamos (Λάμος, lat. *Lamus*).
[1] Sohn Poseidons, alter König der → Laistrygonen und Erbauer ihrer Feste Telepylos (Hom. Od. 10,81 ff.; Ov. met. 14,233). Hor. carm. 3,17 läßt wegen der Identität von Telepylos und Formiae seinen Freund Aelius Lamia aus Formiae von L. abstammen.
[2] (auch Lamios). Sohn des Herakles und der Omphale, Eponym der thessal. Stadt Lamia (Diod. 4,31). Er verfolgt seinen Halbbruder Bargasos (Apollonios von Aphrodisias, Karika FGrH 740 F 2).
[3] Rutuler (Verg. Aen. 9,334).   C. W.

[4] Grenzfluß zw. Kilikia Pedias und Kilikia Tracheia (Strab. 14,5,6), h. Limonlu Çayı (ehemals Lamas). Im MA Grenze zw. der arab. besetzten Kilikia und dem Byz. Reich.

HILD/HELLENKEMPER, 330.

[5] Dorf (κώμη, Strab. 14,5,6) an der Mündung des Lamos [4] mit ma. Burg; h. Limonlu (ehemals Lamas).

HILD/HELLENKEMPER, 330f.   F.H.

[6] Stadt in Kilikia Tracheia (Hierokles 709,2), h. Adanda Kalesi, 16 km ostsüdöstl. von Selinus. Kaiserzeitliche *pólis*, unter Gallienus (260–268 n. Chr.) mit Stadtmauern befestigt; Bistum.

HILD/HELLENKEMPER, 331 f., s. v. L. (3), s. v. Lamotis.
K.T.

Lampadarii (von griech. *lampás* = Fackel, Leuchter; griech. *lychnophóroi*). Im allg. Vorleuchter (Suet. Aug. 29,3); in der Spätant. sind *l.* im Kaiserpalast oder in hohen Dienststellen in *scholae* (»Einheiten«) zusammengefaßt und wohl v. a. für »Beleuchtungs«-Fragen (Fackeln, Kerzen, Leuchter usw.) zuständig. Der *Codex Iustinianus* (12,59,10) nennt *l.* zusammen mit *invitatores, admissionales, memoriales* u. a. Hilfspersonal, in dem sich unnötig viel Personal sammelte (vgl. auch Not. Dign. or. 11,12–17).

R. J. FORBES, Studies in Ancient Technology, 4, 1966, 122–196, bes. 151 ff. · JONES, LRE, 582 f. · A. NEUBURGER, Technik des Altertums, 1925, 238–252.   C.G.

Lampadedromia (λαμπαδηδρομία, schol. Aristoph. Ran. 131; ion. λαμπαδηφορίη, Hdt. 8,98; geläufiger λαμπάς seit Hdt. 6,105; Plat. rep. 328a und Inschr.) ist der kult. Agon des Fackellaufs, der meist als Stafettenlauf ausgeführt wurde. Daneben gibt es den Einzellauf und, im Kult der → Bendis in Athen, das spektakuläre Pferderennen.

Rituelles Ziel der L. ist letztlich die Erneuerung des Feuers; sie geht deswegen immer von wichtigen Altären aus. Die ant. Deutung versteht diese Erneuerung als kathartisch, indem durch Gebrauch oder Anwesenheit von Feinden verunreinigtes Feuer ersetzt werden muß (Plut. Aristeides 20,4,331b). Doch gehört das Einbringen des neuen Feuers zur Symbolik jedes rituellen Neuanfangs. Mit der L. ist dies mehrfach ausdrücklich verbunden: Die L. der att. Prometheia erinnert an die Erfindung des Feuers überhaupt, diejenige der argivischen Lyrkeia an Lynkeus und Hypermestra, die Begründer der Königsdynastie (Paus. 2,25,4). An die Erneuerung der staatlichen Freiheit nach kriegerischer Bedrohung erinnert die L. beim Schlachtfest für Marathon (Hdt. 6,135,3); sämtliche Feuer Böotiens wurden nach dem Sieg von Plataiai dadurch erneuert, daß ein Fackelläufer Feuer vom Hauptaltar in Delphi brachte (Plut. l.c.).

Am besten bekannt sind die L. in Athen; hier sind sie nicht nur für die Panathenaia, Hephaisteia und Prometheia (Harpokr. s. v. λαμπάς), sondern auch für die Aianteia, Anthesteria, Epitaphia und Theseia belegt. Ausgang war bei den Panathenaia, Prometheia und wohl den Hephaisteia der Altar des Prometheus vor der Stadt bei der Akademie (Paus. 1,30,2), Ziel ein Altar in der Stadt, etwa der des Hephaistostempels an der Agora oder der der Athena auf der Burg, deren Opferfeuer der Sieger entzündete; es liefen nach Alter (Knaben, Jünglinge, Männer) getrennte Mannschaften der einzelnen Phylen. Ähnlich waren überall die Hauptaltäre der jeweiligen Gottheiten (Zeus in Olympia, Apollon in Delphi) Ziel des Laufes. Damit blieb allg., trotz der Ausweitung der L. aus Repräsentationsgründen, die kult. Bindung fest erhalten.

N. WECKLEIN, Der Fackelwettlauf, in: Hermes 7, 1873, 437–452 · A. BRELICH, Un mito prometeico, in: SMSR 29, 1958, 30–35 · GRAF, 234f.   F.G.

Lampadius

[1] Anf. 398 n. Chr. für etwa zwei Monate *praef. urbis Romae*, sollte die Gestellung von Sklaven als Rekruten für den Kampf gegen → Gildo forcieren (Symm. epist. 6,64; 8,63; 65); nach der Vertreibung des Symmachus stellte L. die Ordnung in Rom wieder her. Vielleicht identisch mit L. [2]. PLRE 2, 654f. (L. 1).

[2] Senator, protestierte 408 n. Chr. gegen den von → Stilicho mit → Alaricus [2] geschlossenen Vertrag, wonach dieser 4000 Pfund Gold für seine Hilfe in Illyricum erhalten sollte (Zos. 5,29); L. floh danach ins Kirchenasyl. Wohl kaum identisch mit dem L., der E. 409 von Alaricus zum *praef. praet.* ernannt wurde (Zos. 6,7), vielleicht aber mit L. [1]. PLRE 2, 655 (L. 2).   K.G.-A.

Lampas (Λα[μ]πάς, »Fackel«) ist belegt als Name einer Mänade in einer Vaseninschr., als Name einer Hetäre (Athen. 13,583e), sowie als Name eines der fünf Hunde des Daphnis, die über dessen Grab verenden (Ail. nat. 11,13; vgl. schol. Theokr. 1,65); L. kann auch ein Menschenname sein [1].

1 BECHTEL, HPN, 604 f.   R.E. ZI.

Lampe. L. als Behälter für das brennbare Öl und Halter des Dochtes sind, ihrer Verwendung entsprechend, allgegenwärtige Funde aus der Ant., sofern sie aus Ton sind; weniger zahlreich sind L. aus Br., Marmor und Gips. Als Grundform der L. diente die Steinschale, die bereits in der Altsteinzeit als L. genutzt wurde. Frühe L. aus Ton folgen dieser Grundform; sie sind auf der Töpferscheibe gedreht, besitzen einen zur Mitte hin umgeknickten Rand und sind ein- oder mehrfach eingeknickt, um den Docht in der so entstandenen Schnauze aufzunehmen. Diese phönizischen L. (auch »punische« L. gen.) hatten eine Laufzeit vom 9. bis ins 4. Jh. v. Chr. Im archa. Griechenland des 7. Jh. v. Chr. übernahm man zwar diese Grundform, aber veränderte sie dahingehend, daß man die Schnauze überbrückte und somit ein Loch für die Aufnahme des Dochtes schuf. Andere L. dieser Zeit haben in der Mitte der Schale eine Öffnung, durch welche man einen Stock zum besseren Transport stecken konnte, und bisweilen wurde ihnen ein kleiner Haltegriff hinzugefügt. In der klass. Zeit veränderte sich die Form der L. weiter, indem die Einfüllöffnung immer mehr geschlossen wurde, so daß aus einem ehemals offenen Schälchen ein geschlossenes Gerät mit einem kleinen Einfülloch für das Öl wurde. Das Schließen des L.-Körpers hatte zumindest den Vorteil, daß beim Tragen in der Dunkelheit nicht zuviel Öl verschüttet wurde. Im 4. Jh. v. Chr. fügte man eine Öse an der Schulter hinzu, durch die ein Faden gezogen war, an dem eine Dochtzange und der Stöpsel für das Einfülloch hingen.

Mit dem frühen 3. Jh. v. Chr. begann man in kleinasiatischen und alexandrinischen Werkstätten, L. aus Matrizen herzustellen. Hierbei wurden Ober- und Unterteil einzeln geformt, beide Hälften im nassen Zustand zusammengefügt und gebrannt. In dieser Form ähneln sie einer Linse und besitzen eine weit vorragende Schnauze. Diese L. weisen eine reiche Verzierung des Oberteils in Relief mit pflanzlichen und geom. Ornamenten oder mit Buckel-, Warzen- oder Schuppendekor auf; relativ spät treten auch figürliche Motive hinzu. Um die Zeitenwende wird diese L.-Form durch die ital. Diskus-L. ersetzt. Bei diesem L.-Typ nimmt die ganze Rundung der Oberseite ein großer, eingetiefter und reliefverzierter Spiegel ein, den ein oder zwei Rillen bzw. ein Wulst rahmen. Das Fülloch ist so angelegt, daß es das Bildmotiv nicht stört; die Schnauze ist meist seitlich leicht geschweift. Aus diesem Typ entwickelt sich die kaiserzeitliche Voluten-L. mit eckiger Schnauze und Volutenverzierung. Der Motivreichtum dieses letzten Typs ist ungewöhnlich groß: Er umfaßt alle Bereiche des menschlichen Alltags und Lebens, myth. und rel. Themen, Tier- und Pflanzendarstellungen. Demgegenüber recht einfach sind die sog. Firma-L., deren Produktion von der Mitte des 1. Jh. bis ins 3. Jh. n. Chr. anhielt. Sie sind benannt nach dem eingestempelten Namen des Herstellers auf der Unterseite des Bodens; zumeist sind diese L. unverziert, von kreisrunder Form und besitzen eine weit nach vorn ragende Schnauze.

Seit dem 5. Jh. v. Chr. diente auch die Laterne zur → Beleuchtung. Sie bestand aus einem runden oder viereckigen Rahmen aus Holz, Metall oder Ton, wobei geschabtes Horn, Tierblasen oder dünne Tierhaut, geölte Leinwand als lichtdurchlässige Laternenwände dienten (Glas wurde erst in der Spätant. verwendet). Der Deckel konnte abgenommen werden, um eine Kerze oder Lampe aufzunehmen. Zu den Laternen zählen auch zylindrische oder prismenförmige Windhäuschen.

→ Beleuchtung

D. BAILY, The Roman Terracotta Lamp Industry. Another View about Exports, in: T. OZIOL, R. REBUFFAT (Hrsg.), Les lampes de terre cuite en Méditerranée des origines à Justinien, Table Ronde di C. N. R. S., Lyon, 7.–11.12. 1981, 1987, 59–63 · M. BARBERA, Un gruppo di lucerne plastiche del Museo Nazionale Romano: Ipotesi sulle fabbriche e sulle »influenze« alessandrini, in: ArchCl 45, 1993, 185–231 · W. V. HARRIS, Roman Terracotta Lamps. The Organization of an Industry, in: JRS 70, 1980, 126–145 · A. KARIVIERI, The Athenian Lamp Industry in Late Antiquity, Papers and Monographs of the Finnish Institute at Athens 5, 1996 · A. MLASOWSKY, Die ant. Ton-L. im Kestner-Mus. Hannover, 1993 · W. RADT, L. und Beleuchtung in der Ant., in: Antike Welt 17, 1986, H. 1, 40–58.   R.H.

Lampeia (Λάμπεια). Bis 1793 m hohes Gebirge südl. der Erymanthos-Gebirgsplatte im NO des Nomos Elis [1], h. Lambia (Apoll. Rhod. 1,127; Diod. 4,112,1; Strab. 8,3,10; Paus. 8,24,4; Plin. nat. 4,20; Stat. Theb. 4,290).   E. MEY. u. C. L.

Lampetia (Pol. 13 bei Steph. Byz. s. v. Λαμπέτεια; Λαμπέτης, Lykophr. Alexandra 1068 [Vorgebirge, h. Capo Súvero]; Liv. 29,30,1; 30,19,10; Plin. nat. 3,72; *Clampetia*, Mela 2,69; Geogr. Rav. 4,32; 5,2; *Clampeia*, Tab. Peut. 7,1). Hafenstadt in Bruttium (→ Bruttii) beim h. Amantea. 204 v. Chr. von den Römern erobert, wohl seither verödet.

NISSEN 2, 928.   E. O.

Lampetie (Λαμπετίη). Tochter des Helios und der Nymphe Neaira. Noch als Mädchen wird sie zusammen mit ihrer Schwester Phaëthusa auf die Insel → Thrinakie gebracht, um dort die Herden ihres Vaters zu hüten (Hom. Od. 12,132f.). Sie berichtet dem Helios, daß Odysseus' Gefährten die Rinder des Gottes geschlachtet hätten (Hom. Od. 12,374f.; Apoll. Rhod. 4,973f.; Prop. 3,12,29). Bei Ov. met. 2,349 und schol. Hom. Od. 17,208 ist L. eine Schwester des → Phaëthon. Zusammen mit den anderen Heliaden weint sie bei dessen Tod Tränen, die zu Bernstein gerinnen (vgl. auch Hes. cat. fr. 311).

R. GANSCHINIETZ, s. v. Lampetia, RE 12, 579 · H. W. STOLL, s. v. Lampetia, ROSCHER 2, 1890–1897.   K. WA.

Lampetos (Λάμπετος). Heros von Lesbos. Im fr. überl. Epos *Lésbu ktísis* (›Gründung von Lesbos‹) verheert → Achilleus die Insel, wobei er bei der Belagerung von Methymna nebst anderen Helden L. erschlägt (Anonymus FGrH 479 F 1; Parthenios 21). L. wird in späterer Zeit ein Grabmal zugeschrieben (Steph. Byz. s. v. Λαμπέτειον).   RA. MI.

Lampito (Λαμπιτώ).
[1] Tochter des spartan. Königs Leotychidas II., Gattin des Königs Archidamos [1] II., Mutter des späteren Königs Agis [2] II. (Hdt. 6,71; Plut. Agesilaos 1; Plat. Alk. 1,123c); Aristophanes (Lys.) verwendet den Namen für eine typische Repräsentantin Spartas.
[2] Samierin, Geliebte des Demetrios [4] (Athen. 13,593e-f; Diog. Laert. 5,76).   K.-W. WEL.

Lampon (Λάμπων).

[1] Sohn des Pytheas aus Aigina, schlug nach dem Sieg bei Plataiai (479 v.Chr.) dem → Pausanias vor, den Leichnam des → Mardonios so zu schänden, wie dieser bei den Thermopylen den toten → Leonidas [1] entehrt hatte (Hdt. 9,78f.). E.S.-H.

[2] L. der Seher. An der Gründung von Thurioi beteiligt (Diod. 12,10,3; schol. Aristoph. Nub. 332; Phot. s.v. Θουριομάντις; Plut. mor. 812d). Durch Deutung eines Vorzeichens (sēmeíon: einhörniger Widder) 444/43 v.Chr. als Sieg des → Perikles über → Thukydides (Sohn des Melesias) gewann L. Einfluß (wiss. durch Anaxagoras widerlegt; Plut. Perikles 6,2 = 59 A16 DK). Betraut mit einem Gesetzesentwurf (423/22 v.Chr.) der aparché (»Erstlingsopfer«) der Olivenernte (IG I² 76 = LSCG 5, 47ff. = LGPN 2, 279 s.v. Λάμπων). L. trat beim »Nikiasfrieden« (421 v.Chr.; → Peloponnesischer Krieg) auf (Thuk. 5,19,2 und 24,1) und galt als Autorität in rel. Fragen: so für nicht weiter faßbare »Mysterien der → Soteira« (Aristot. rhet. 3,18,1419a 2). L. wurde zwar mit Speisung im Prytaneion geehrt (schol. Aristoph. Pax 1084), doch trotzdem oft in der Komödie verspottet (Aristoph. Av. 521, 988; Nub. 332; Kratinos fr. 62 p. 152–153 PCG IV; Athen. 344e).

F. GRAF, Eleusis und die orph. Dichtung Athens in vorhell. Zeit, 1974, 180–181 · S. HORNBLOWER, A Commentary on Thucydides 2, 1996, 487 · H.-G. NESSELRATH, Die att. Mittlere Komödie, 1990, 387. W.-A.M.

[3] Gesandter der Alexandriner, der mit → Kallimandros einem seleukid. Prinzen im J. 56 v.Chr. das ägypt. Königtum antragen sollte. W.A.

[4] Alexandrin. Grieche, über den wir vornehmlich durch Philons Schrift In Flaccum informiert sind. L. war ein heftiger Gegner des jüd. Bevölkerungsteils in Alexandreia; die Informationen bei Philon können deshalb parteiisch sein. L. stammte aus einer führenden Familie der Stadt. Unter Tiberius wurde er wegen maiestas angeklagt, aber nach zwei J. freigesprochen. In Alexandreia amtierte L. als Gymnasiarch. L. mißbrauchte seine richterliche Gewalt: Zusammen mit → Isidoros [3] hetzte er den praef. Aegypti Avillius Flaccus gegen die Juden Alexandreias auf. Später klagte er aber Flaccus selbst bei Caligula an. Nach den Acta martyrum Alexandrinorum wurde L. unter Claudius hingerichtet [1]. PIR² L 78.

1 H. MUSURILLO (Ed.), Acta Alexandrinorum, 1961, 13; 55. W.E.

Lamponius, M. Führer der Lucaner im → Bundesgenossenkrieg [3] 90 v.Chr. und einer der zwölf Praetoren des Bundes (App. civ. 1,181). Unter dem Kommando von → Pontius Telesinus kämpfte L. erfolgreich gegen P. Licinius [I 15] Crassus (App. civ. 1,184; vgl. Frontin. strat. 2,4,16). L. setzte den Kampf noch bis 87 in Bruttium fort und schloß sich dann den Marianern an. 82 versuchte er mit anderen vergeblich, den von L. Cornelius [I 90] Sulla in Praeneste eingeschlossenen C.

Marius (cos. 82) zu befreien (App. civ. 1,416), wurde dann beim Angriff auf Rom von Sulla am 1. Nov. 82 an der Porta Collina geschlagen und starb wohl auf der Flucht (Plut. Sulla 29,2; App. civ. 1,431). K.-L.E.

Lampos (Λάμπος, auch Λάμπων).

[1] Sohn → Laomedons, Bruder des → Priamos; Angehöriger des troianischen Ältestenrates; Vater des von Menelaos getöteten Dolops (Hom. Il. 3,146; 15,526; 20,238; Apollod. 3,146). Christodoros (Anth. Pal. 2,251ff.) beschreibt eine L.-Statue in den Zeuxippos-Thermen in Konstantinopel.

[2] Pferdename (u.a. Hom. Il. 8,185: Pferd Hektors; Hom. Od. 23,246: Pferd der Eos).

P. MÜLLER, s.v. L., LIMC 6.1, 191 · P. WATHELET, Dictionnaire des Troyens de l'Iliade, 1988, Nr. 198. MA.ST.

Lampridius

[1] s. Historia Augusta

[2] Dichter und Lehrer der Rhet. in Burdigala (Bordeaux), mit → Sidonius Apollinaris befreundet, von dem allein die Nachrichten über ihn stammen: Sidon. epist. 8,9 ist an L. gerichtet. Von Kaiser → Maiorianus wurde er um 460 n.Chr. nach Arles eingeladen (ebd. 9,13,4), bald nach 475 ermordet (8,11,3).

Lit.: O. SEECK, s.v. L. (2), RE 12, 586 · C.E. STEVENS, Sidonius Apollinaris and his Age, 1933, 58ff. · PLRE 2,656f. J.GR.

Lamprokles (Λαμπροκλῆς). Musiker und Dichter aus Athen, frühes 5. Jh. v.Chr. Unter seinen Schülern waren Damon, der Lehrer des Perikles (DIELS/KRANZ 1, 382), und evtl. Sophokles (Athen. 1,20e berichtet, dessen Lehrer sei Lampros gewesen; möglicherweise eine Verwechslung mit L. [1. 315]). Athen. 11,491c zitiert ein Dithyrambenfragment. Das einzige weitere erh. Fr. stammt aus einem Hymnos an Athena (schol. Aristoph. Nub. 967). L. wird die Feststellung zugeschrieben, daß die mixolydische Tonart nicht mit den anderen Tonarten in der bis dahin vermuteten Weise in Beziehung steht [2. 223–224].

1 D.A. CAMPBELL, Greek Lyric 3, 1991 2 M.L. WEST, Ancient Greek Music, 1992.

PMG 735–736. E.R./Ü: L.S.

Lampros (Λάμπρος). Musiker, von Aristoxenos [1] als Meister neben Pindar, Dionysios [39] von Theben und Pratinas gerühmt (Aristox. fr. 76 WEHRLI). Auch als Musiklehrer angesehen, ähnlich wie Antiphon als Rhetoriklehrer (Plat. Mx. 236a). Daß er Lehrer des Sophokles in Tanz und Musik gewesen sein soll (Athen. 1,20e), ist mit dem Zeugnis des Komikers Phrynichos (Athen. 2,44d) zeitlich schwerlich zu vereinbaren. F.Z.

Lampsakener. Ant. Bezeichnung der → Statere von → Lampsakos in Mysien. 1. χρυσοῦ στατῆρες Λαμψακηνοί/*chrysú statéres Lampsakénoí* auf Stele mit Parthenon-Bauinschriften, Athen, 447/6–434 v.Chr. (IG I² 339–353 = IG I³ 436–451). Die Statere sind aus → Elektron, Av. Pegasosprotome nach links, Rv. → Quadratum incusum aus vier Vierteln. Es lassen sich drei Gruppen (525–500; 500–494; um 450 v.Chr.) unterscheiden. 2. στατῆρα Λαμψακηνὸν χρυσοῦν/*statéra Lampsakénón chrysún*; χρυσίω Λαμψακανῶ στ[ατεῖρας]/*chrysíō Lampsakānô st[ateíras]* o.ä. auf Inschr. aus Theben in Böotien (IG VII 2418 Z.9, 21 f.; 2425) als Subsidien von Theben an Byzantion im 3. Heiligen Krieg (355–346 v.Chr.). Diese Statere sind aus Gold und entsprechen mit 8,4 g den → Dareiken; sie gehören in die Zeit von 390–330 v.Chr. Das Bild des Av. variiert stark: 41 Typen sind bekannt, zunächst figürlich, dann Köpfe, darunter Kopien nach Kunstwerken und anderen Mz. Bild des Rv. ist die Pegasos-Protome.

1 A. BALDWIN, The Electrum Coinage of Lampsakos, 1914 (Ndr. 1979) 2 Dies., Lampsakos, The Gold Staters of Lampsakos, in: AJN 53/3, 1924, 1–76.

SCHRÖTTER, 341.   DI.K.

Lampsakos (Λάμψακος). Stadt in der Troas (Strab. 13,1,18 f.; Ptol. 5,2,2), benannt nach Lampsake, der Tochter des Bebrykerkönigs Mandron; h. Lâpseki, modern vollständig überbaut, so daß ant. Reste kaum noch vorhanden sind. Gegr. wurde L. (Eus. chronikoi kanones 95d) 654/3 v.Chr. von Phokaiern [2. 107 f.], nicht von Milesiern (Strab. 13,1,19). 560 v.Chr. kam es zu Auseinandersetzungen mit dem älteren Miltiades (Hdt. 6,37). Es folgte die Tyrannenherrschaft des Hippoklos und des Aiantides (Hdt. 4,138; Thuk. 6,59); im → Ionischen Aufstand erhob sich die Stadt gegen die Perser, wurde aber durch Daurises wieder eingenommen (Hdt. 5,117); 464 v.Chr. erhielt Themistokles L. als Lehen von Artaxerxes I. Im → Attisch-Delischen Seebund zahlte die Stadt (Hdt. 2,1,19) 12 Talente, fiel 411 v.Chr. von Athen ab, wurde aber zurückerobert (Thuk. 8,62). Nach der Einnahme durch Lysandros 405 v.Chr. blieb L. bis zum → Königsfrieden 386 v.Chr. unter spartanischer Herrschaft. 399 v.Chr. erreichte Xenophon nach dem Zug der Zehntausend L. (Xen. an. 7,8,1). L. stand seit 386 v.Chr. wohl unter pers. Oberhoheit, bis der athen. Feldherr Chares die Stadt 356 v.Chr. zurückeroberte. Von 342 v.Chr. bis zur Eroberung durch Alexander d.Gr. 334 v.Chr. war L. wohl wieder unter pers. Herrschaft. Nach 310 v.Chr. gehörte L. zum Koinon der Athena Ilias und schloß mit Ilion einen Sympolitievertrag (→ *sympoliteía*) [2. 129 f.].

In den → Diadochenkriegen wechselte L. von Antigonos [1] (Diod. 20,107,2; Polyain. 4,12) 302 v.Chr. zu Lysimachos, dann zu Demetrios [2] (Diod. 20,113,3; Plut. Demetrios 35; vgl. [3. 50 f.]) und 295/4 v.Chr. erneut zu Lysimachos. Nach dessen Tod gehörte L. lange zum Seleukidenreich, bis Attalos [4] I. 227/6 v.Chr.

die Herrschaft über Westkleinasien gewann, einschließlich Ilion, Alexandreia Troas und L., die auf seiner Seite gegen Achaios gekämpft hatten. Im Kampf gegen Antiochos [5] III. schickte L. als erste kleinasiat. Griechenstadt 196 v.Chr. Gesandte an die Römer (App. Syr. 5). Nach langen Auseinandersetzungen verzichtete Antiochos III. 190 v.Chr. auf L. (Diod. 29,7; Pol. 21,13,3; App. Syr. 29; 143). Im Frieden von Apameia 188 v.Chr. wurde L. als autonome Stadt im Attalidenreich bestätigt, was L. – evtl. mit kurzer Unterbrechung durch die Eroberung des Perseus im J. 170 (Liv. 43,6) – bis zur Einrichtung der Prov. → Asia [2] 129 v.Chr. blieb.

80/79 v.Chr. wütete Verres in der Stadt (Cic. Verr. 2,1,63 ff.). Im 3. Mithradatischen Krieg wurde L. wohl 73 v.Chr. von König Mithradates VI. Eupator erobert. Möglicherweise hat Caesar eine röm. Kolonie nach L. gelegt (zu dieser Problematik vgl. [2. 139]). Agrippa soll 16 v.Chr. eine Statue des Lysippos aus L. nach Rom gebracht haben (Strab. 13,1,19). L. war weiterhin eine blühende Stadt und prägte bis Gallienus auch Mz. Unter Decius fanden in L. Christenverfolgungen statt [1. 140]. In den byz. Konzils- und Synodalakten werden verschiedene Würdenträger aus L. gen. [1. 140 f.]. Die Numismatik kennt Elektron-Statere aus L. (→ »Lampsakener«), außerdem Goldmünzen, insges. eine reiche Münzprägung bis Gallienus.

Grundlagen des Wohlstands der Stadt waren Goldbergwerke und Seehandel [2. 142 ff.]. Kultisch verehrt wurden bes. Priapos, Aphrodite und Poseidon, die sogar als Eponyme der Stadt gen. werden [2. 149 ff.].

1 W. LEAF, Strabo on the Troad, 1923, 92–97 2 P. FRISCH, Inschr. aus L. (IK 6), 1979 3 W. ORTH, Die Diadochenzeit im Spiegel der histor. Geogr., 1993.

L. BÜRCHNER, s.v. L., RE 12, 590–592.   E.SCH.

Lamptrai (Λαμπτραί). Att. Demos der Phyle Erechtheis, 307/6–201/0 v.Chr. der Antigonis, der aus dem kleineren Mesogeia-Demos »Ober-L.« (Λ. καθύπερθεν) mit fünf *buleutaí* und dem größeren Küsten-Demos »Unter-L.« (Λ. ὑπένερθεν oder παράλοι, »an der Küste«), mit neun *buleutaí* bestand (Harpokr. s.v. Λαμπτρεῖς; Hesych. s.v. Λαμπτρά). Ober-L. umfaßte Lambrika, das den Namen bewahrt, mit Demenzentrum bei Kitsi, dort bed. frühmyk. Akropole von Kiapha Thiti und myk. Nekropole [1. 54; 4; 6; 8. 118 ff.; 9]. Unter-L. lag im Tal von Porto Lombardo (anders [1. 59 ff.; 10. 38; 11]). Das Grab des Kranaos in L. bezeugt Paus. 1,31,1. Demendekrete: [12. 383 Nr. 73–75]. Felsinschr.: [1. 63 f.; 2; 3; 8. 58 f.; 12. 29], zahlreiche unpublizierte archa. Felsinschr. und prähistor. Wehranlage auf dem Keramoti. Zu Siedlungsresten aus klass. Zeit vgl. [1; 2; 5].

1 C.W.J. ELIOT, The Coastal Demes of Attica, 1962, 47–64 2 H.R. GOETTE, Der Hügel der Panagia Thiti bei Vari und seine Inschr., in: MDAI(A) 110, 1995, 235–246 3 H. LAUTER, Zwei Horos-Inschr. bei Vari, in: AA 1982, 299–315 4 Ders., Kiapha Thiti III 2, in: MarbWPr 1989, 5–15 5 Ders., Att. Landgemeinden in klass. Zeit, in:

MarbWPr 1991, 87–107 **6** Ders., Kiapha Thiti II 1, in:
MarbWPr 1995 (1996) **7** M. K. LANGDON, The Topography
of Coastal Erechtheis, in: Chiron 18, 1988, 43–51
8 H. LOHMANN, Atene, 1993 **9** J. MARAN, Kiapha Thiti II 2,
in: MarbWPr 1990 (1992) **10** TRAILL, Attica 6, 15, 38, 59, 63,
67, 86, 111 Nr. 83, 84, 125 f., Tab. 1, 11 **11** J. S. TRAILL,
Demos and Trittys, 1986, 126 **12** WHITEHEAD, Index s. v. L.
H. LO.

Lampytos (Λάμπυτος). Nur inschr. bekannter Dichter
der Neuen Komödie; er wurde 167 v. Chr. an den Dionysien Vierter (1. test.).

1 PCG V, 1986, 609. B. BÄ.

Lamynthios (Λαμύνθιος). Lyrischer Dichter aus Milet,
Datier. unsicher. Phot. s. v. nennt ihn einen ›Dichter
von erotischen Gedichten‹ (ποιητὴς ἐρωτικῶν μελῶν);
Athen. 13,596f–597a erwähnt zwei Dichter, die über
Hetären namens Lyde schrieben: Antimachos [3] aus
Kolophon, der seine *Lýdē* im elegischen Versmaß, und
L., der laut Klearchos in seinen *Erōtiká* lyrische Verse
über ein ausländisches (βαρβάρου) Mädchen des glei-
chen Namens verfaßte. Er wird von Epikrates [4] in der
Antilaḯs (PCG V 4) als Verf. von Liebesliedern genannt.
Fr. sind nicht erhalten. E. R./Ü: L. S.

Lanassa (Λάνασσα).
[1] Tochter des Kleodaios, Enkelin des Hyllos, Uren-
kelin des → Herakles [1], Ahnfrau des molossischen Königshauses von Epeiros (Plut. Pyrrhos 1,2; Lysimachos,
FGrH 382 F 10). → Neoptolemos raubt sie aus dem
Zeustempel von Dodona, nimmt sie zur Frau und hat
mit ihr acht Kinder, darunter → Pyrrhos (Iust. 17,3,4).

P. LEVÊQUE, Pyrrhos, 1957, 643 · M. SCHMIDT, s. v. L., RE
12, 617. R. HA.

[2] Tochter des Agathokles [2], der sie 295 v. Chr. mit
→ Pyrrhos verheiratete und ihr Korkyra als Mitgift gab
(Diod. 21,4; Plut. Pyrrhos 9). 291 trennte sie sich von
Pyrrhos, heiratete Demetrios [2] Poliorketes und übergab ihm Korkyra (Plut. Pyrrhos 10). Im J. 279 bat Syrakus Pyrrhos wegen seiner Erbansprüche aus der Heirat
mit L. um Hilfe gegen die Karthager (Diod. 22,8,2).

P. LÉVÊQUE, Pyrrhos, 1957, 139ff. · K. MEISTER, CAH 7.1,
²1984, 406ff. K. MEI.

Lancearii, mit der *lancea* ausgerüstete Soldaten, dienten
im röm. Heer als Elitetruppe (Ios. bell. Iud. 3,120; 5,47),
als *speculatores* (Späher) und in der kaiserlichen Leibgarde
(Suet. Claud. 35,1; Suet. Galba 18,1). Die *lancea*, auch
→ *hasta [1] am(m)entata* genannt, war ein langer Wurf-
speer mit einer Wurfschlinge (*ammentum*) in der Mitte
(Isid. orig. 18,7,5); diese verstärkte die Hebelwirkung
des Armes und verlieh der *lancea* zusätzlich Drall, so daß
sie sehr weit flog. Von geringerer Durchschlagskraft als
das → *pilum*, war die *lancea*, über deren Herkunft verschiedene Auffassungen existierten (Plin. nat. 7,201;
Gell. 15,30,7; Diod. 5,30,4; Festus 118,8), gegen Reiter,
Elefanten oder schlecht gepanzerte Gegner jedoch sehr
wirksam (Liv. 30,33,15; Tac. hist. 3,27,3).

Nach Vegetius waren *l.* bisweilen beritten (Veg. mil.
3,24; ILS 2791 = CIL VI 32965), in den Fußtruppen
nahm ihre Zahl immer mehr zu. Nach Arr. expeditio
contra Alanos 16–18 trug unter Hadrianus bereits die
Hälfte der Legionäre die *lancea*, nur die ersten Reihen
waren noch mit dem *pilum* ausgerüstet. Vielleicht unter
Diocletianus wurde eine *legio comitatensis* von *l.* aufgestellt, die dann von Constantinus I. in die → *palatini* ein-
gereiht wurde (ILS 2782 = CIL VI 32943; vgl. ILS 2781 =
CIL III 6194); sie war in *iuniores* und *seniores* (ILS 2788 =
CIL XII 673) gegliedert.

1 W. BOPPERT, Mil. Grabdenkmäler aus Mainz und
Umgebung (CSIR Deutschland, 2,5), 1992, 92
2 HOFFMANN, 218 ff., 328 ff. S. L.

Lancia
[1] Stadt der Astures bei h. Mansilla de las Mulas/Nord-
spanien, etwa 20 km von León entfernt (zum kelt. ON
[1; 2], außerdem [3; 4]). 25 v. Chr. von P. Carisius erobert, aber verschont (Cass. Dio 53,25,8; Flor. epit.
2,33,37 f.; Oros. 6,21,10; vgl. auch Plin. nat. 3,28; Ptol.
2,6,28; Itin. Anton. 395,3; [5]). Bedeutende, fast nur
röm. Reste; röm. Mz.

1 HOLDER, s. v. L. 2 A. SCHULTEN, Los Cántabros y Astures
..., 1943, 107, 151 3 F. ABBAD RIOS, F. JORDÁ CERDÁ,
Informe sobre las excavaciones ... en la antigua ciudad de L.
(León), in: Boletín del Instituto de estudios Asturianos 12,
1958, 35–49 4 F. JORDÁ CERDÁ, L. Servicio nacional de
excavaciones arqueologicas (Excavaciones arqueologicas en
España 1), 1962 5 A. SCHULTEN, Fontes Hispaniae Antiquae
5, 1940, 186, 196.

TOVAR 3, 335 f. P. B.

[2] L. Oppidana. Die Stadt ist bekannt durch den
Grenzstein CIL II 460. Ihr Gebiet grenzte an das der
Igaeditani (*Egitan[i]a* = h. Idanha a velha, nördl. vom
Mittellauf des Tagus [1. 1203]). In der Inschr. ILS 287a
(105 n. Chr.) an der Tagusbrücke bei Alcántara finden
sich unter den am Bau beteiligten Gemeinden der nördl.
Lusitania *Lancienses Oppidani.*
[3] L. Transcudana. Die Stadt lag am Südufer der Cu-
da, h. Coa, einem linken Nebenfluß des → Durius, in
Zentralspanien. In der Inschr. ILS 287a (105 n. Chr.) an
der Tagusbrücke bei Alcántara finden sich unter den am
Bau beteiligten Gemeinden der nördl. Lusitania *Lancienses Transcudani* (vgl. auch die Inschr. von Emerita CIL
II Suppl. 5262).

1 J. B. KEUNE, s. v. Igaeditani, RE Suppl. 3, 1202–1205.

TOVAR 2, 253. P. B.

Landflucht A. ALLGEMEIN B. GRIECHISCHE WELT
C. RÖMISCHE REPUBLIK
D. PRINZIPAT UND SPÄTANTIKE

A. ALLGEMEIN
L. bezeichnet die Abwanderung großen Ausmaßes
aus dem ländlichen Raum in Städte, wobei mit dem

Orts- oft auch ein Berufswechsel verbunden ist. Da die ant. Ges. stets Agrar-Ges. blieben und viele Städte als »Ackerbürgerstädte« anzusehen sind, erlangte die L. in der Ant. insgesamt keinen so überragenden Stellenwert für den ges. Wandel wie in der Neuzeit; allerdings war L. für die Entwicklung von städtischen polit. Zentren wie Athen, Rom und Alexandreia von erheblicher Bedeutung.

B. Griechische Welt

In Athen soll Solon das Handwerk gefördert haben, da es für die in der Stadt zusammengeströmten Menschen nicht genügend Arbeit gegeben habe (Plut. Solon 22). Peisistratos unterstützte die Kleinbauern, um zu verhindern, daß sie in die Stadt kamen und sich in die Regierungsgeschäfte einmischten (Aristot. Ath. Pol. 16,2 f.). Der Aufstieg Athens zur Hegemonialmacht im Ägäisraum führte zu einem hohen Bedarf an Arbeitskräften vor allem für öffentl. Bauvorhaben und die Flotte; so wurde die Landbevölkerung Attikas im frühen 5. Jh. v. Chr. dazu ermutigt, in die Stadt überzusiedeln. Das beträchtliche Bevölkerungswachstum von Athen beruhte nicht zuletzt auf Zuwanderung aus ländlichen Regionen (Aristot. Ath. Pol. 24,1; vgl. dagegen Thuk. 2,14–16).

Im 4. Jh. v. Chr. besaßen vermutlich zahlreiche Griechen aus polit. wie wirtschaftlichen Gründen keine sichere Existenzgrundlage mehr und zogen heimatlos umher (Isokr. or. 4,166–168; 8,24); in den Städten verschärften sich unter diesen Bedingungen die sozialen Gegensätze. Für das spätptolem. Äg. sind konkrete Einzelfälle von L. bekannt (PLond. I 43, BGU 1848; vgl. auch Pol. 34,14), die als typisch gelten können, da allg. eine Verarmung und ein Bevölkerungsrückgang in äg. Dörfern zu verzeichnen ist.

C. Römische Republik

In einigen Regionen Italiens führten die Auswirkungen des 2. Pun. Krieges (218–201 v. Chr.) und die Expansion des Großgrundbesitzes zu einem Niedergang des Bauerntums, so daß viele Menschen in die Stadt Rom abwanderten. Noch während des Krieges hatte der Senat 206 v. Chr. ausdrücklich verlangt, die Feldarbeit wieder aufzunehmen (Liv. 28,11,8–11). 187 v. Chr. wurde eine große Zahl von Latinern aus Rom ausgewiesen, nachdem Vertreter der Bundesgenossen sich beim Senat über die Massenabwanderung aus ihren Gebieten beklagt hatten (Liv. 39,3,4 ff.). Dennoch ließ sich der Zustrom der Einwanderer nicht stoppen, da die Möglichkeit, in Rom das röm. Bürgerrecht zu erwerben (Liv. 41,8,8 ff.), noch 177 v. Chr. eine große Anziehungskraft auf die Italiker ausübte. Auch nach dem Bundesgenossenkrieg [3] (91–87 v. Chr.) blieb die Stadt durch Getreidespenden, Circus- und Theaterspiele für Zuwanderer attraktiv (Varro rust. 2, praef. 3; Sall. Catil. 37,7; Suet. Aug. 42,3). Die wirtschaftliche Prosperität Roms machte es den Zuwanderern vergleichsweise leicht, als Tagelöhner etwa auf Baustellen oder als Handwerker Arbeit zu finden. Folge dieser L. war ein spürbarer Rückgang der freien Bevölkerung im ländlichen

Italien (Strab. 6,3,11; 5,3,2; Liv. 6,12,6); im 1. Jh. v. Chr. spricht Cicero gar von der *solitudo Italiae* (»Einöde Italiens«; Cic. Att. 1,19,4).

D. Prinzipat und Spätantike

Im Prinzipat verlor Rom nichts von seiner Attraktivität (Sen. Ad Helviam 6). In Äg. entzogen sich unter Claudius und Nero sowie im 2./3. Jh. n. Chr. zahlreiche Dorfbewohner den Steuerverpflichtungen und → Liturgien durch Flucht (ἀναχώρησις, *anachórēsis*) in die Wüste, in Sümpfe und Tempel, aber auch zu Bekannten und in Städte (PRylands 595; [6. 281, 289]; PSI 1043); wiederholt versuchten die Behörden, die nach Alexandreia entflohenen Ägypter in ihre Heimatorte zurückzuschicken (PLond. III 904; PGiss. 40 III). Im späten 2. und im 3. Jh. litt die Landbevölkerung in den meisten Prov. unter hoher Steuerbelastung, der Willkür von Amtsträgern, Barbareneinfällen und marodierenden Soldaten, so daß die Flucht für viele Landbewohner ein letzter Ausweg war (ILS 6870; IGR I 674; IGR IV 598; Lact. mort. pers. 7,3; Paneg. 8 (4),8 f.; 8,21). Inwieweit die Flüchtigen in die Städte abwanderten, bleibt allerdings unklar.

In der Spätant. war die Landbevölkerung in der Regel an die Scholle gebunden, doch führten wiederum wirtschaftliche Not und unsichere polit. Verhältnisse häufig zur Flucht von Bauern und vor allem von Kolonen (→ Colonatus; vgl. PSakaon 35; PCair Isid 128; Theod. epist. Sirmond. 42; Lib. or. 2,32; 47,17; Cod. Theod. 11,1,7; 13,10,7). Viele Flüchtige gingen in sichere Regionen oder arbeiteten zu günstigeren Bedingungen auf dem → Großgrundbesitz (Cod. Theod. 11,24,1; 5,17,1; Salv. gub. 5,43 f.; PCair Isid 126; PSakaon 44); einige erhoben später sogar wieder Anspruch auf ihre verlassenen Felder (Cod. Theod. 5,11,12; POxy. 2479). Die → *deserti agri* sind nach Ansicht der neueren Forsch. nicht unbedingt Folge einer L., sondern vornehmlich wenig ertragreiche Flächen, deren ständige Bebauung sich nicht rentierte. Es sind in der Spätant. auch Wanderungsbewegungen in die entgegengesetzte Richtung belegt; Mitglieder eines → *collegium* [1] verließen die Städte und gingen auf das Land (Cod. Theod. 12,19,1; 12,19,3; 14,7,2).

Auf Hungersnöte (→ Mangelernährung) reagierte die Landbevölkerung häufig, indem sie zeitweise in die Städte abwanderte, weil sich dort die Getreidespeicher befanden und Lebensmittel an die Bevölkerung verteilt wurden (Lib. or. 27,6; Iul. mis. 369d; Pall. Laus. 40; Ambr. off. 3,45–51).

→ Landwirtschaft

1 R. S. Bagnall, B. W. Frier, The Demography of Roman Egypt, 1994 2 H. Braunert, Die Binnenwanderung, 1964 3 Brunt, 345–375 4 A. Fuks, Social Conflict in Ancient Greece, 1984 5 P. Herrmann, Hilferufe aus röm. Provinzen, 1990 6 A. S. Hunt, C. C. Edgar (Hrsg.), Selected Papyri, 1932–1934 7 Jones, LRE 8 J.-U. Krause, Spätant. Patronatsformen im Westen des röm. Reiches, 1987 9 S. Link, Anachoresis. Steuerflucht im Äg. der frühen Kaiserzeit, in: Klio 75, 1993, 306–321 10 M. Mirkovic,

Flucht der Bauern, Fiskal- und Privatschulden, in: E. EVANGELOS (Hrsg.), Stud. zur Gesch. der röm. Spätantike. FS J. Straub, 1989, 147–155　**11** N. MORLEY, Metropolis and Hinterland, 1996　**12** E. SCHÖNBAUER, Ein früher Fall der L., in: ZRG 59, 1939, 554–560.　　BJ. O.

Landschaftsmalerei　A. GRIECHENLAND　B. ETRURIEN UND ROM

A. GRIECHENLAND

Die schlechte materielle Überlieferungslage für die ant. griech. Malerei erschwert eine eindeutige Definition und Beurteilung auch dieser Gattung. Doch läßt sich nach heutiger Denkmälerkenntnis eine Gleichsetzung mit der eigenständigen L. beispielsweise der Niederländer oder der Romantik, auf der die neuzeitliche Vorstellung beruht, mit ziemlicher Sicherheit ausschließen [4. 176]. Die Ant. kannte keinen eigenen L.-Begriff in unserem Sinn [1. 190; 5. 80], und die Dichtung veranschaulichte Natur in der Summe landschaftlicher Phänomene [2. 1]. Die Forsch. beschäftigt sich daher v. a. mit der Frage, wie weit und in welchem Ausmaß ant. Maler Natur ästhetisch wahrnahmen und in autonomen landschaftlichen Sujets künstlerisch umsetzten. Man ist h. darüber einig, daß L. zumindest bis in hell. Zeit eher nur beschreibende Bed. für eine wie auch immer geartete Bilderzählung hatte, in der die Figuren stets dominierten. Ant. Landschaftsdarstellung verdankt ihre Entstehung und Daseinsform letztlich der Präsenz des Menschen [7. 36]. Naturdetails bildeten verbindende Elemente, sie wirkten als Folie für das eigentliche Thema, erhielten aber keine Eigenwertigkeit als Bildmotiv [3. 4 passim].

Seit archa. Zeit sind solche landschaftlichen Versatzstücke wie Bäume, Pflanzen, Felsen oder Wasserläufe auf Vasenbildern zu beobachten, als einfache Ortsangabe für eine Szene in der freien Natur, der Handlung untergeordnet. Ihre im Vergleich zur zeichnerischen Anlage der figürlichen Motive bes. malerische Behandlung (Schraffuren, verdickter Pinselstrich, differenzierte Stofflichkeit) legt nahe, daß es sich um Übernahmen künstlerischer Errungenschaften aus der zeitgenössischen großen Wand- und Tafelmalerei (→ Malerei, → Wandmalerei) handelt. Dies setzt sich, in zunehmender Tendenz, in der Vasenmalerei der Klassik und Nachklassik, und dort v. a. in der Produktion der unterital. Gebiete, fort. Die wenigen erh. Zeugnisse der Monumentalmalerei bestätigen die untergeordnete Rolle der Landschaft im Bild. So entwickelt sich der Jagdfries der Fassade des »Philippsgrabes« in Vergina (um 335 v. Chr) zwar vor Bäumen in felsigem Bergland in einer gewissen Räumlichkeit, doch bleiben die Angaben relativ vage und formelhaft. Auch der verdorrte Baum im Hintergrund der nur wenig später entstandenen »Alexanderschlacht« (→ Alexandermosaik) wirkt eher wie ein Zeichen für einen bestimmten Ort, evoziert keinen wirklichen Landschaftsraum.

In der neuesten Unt. zu den »Odysseefresken« (Rom, VM), bislang das Paradebeispiel ant. L., konnte ein stereotyp-schematischer, zu flachen Kulissen zusammengesetzter Bildaufbau aus wenigen, extremen Felsformationen, Büschen und Bäumen, nachgewiesen werden [1 passim]. Es ist keine reale Landschaft angestrebt, auch keine Ortsangabe; die großformatigen Elemente dienen als Klammer für die Figurenszenen und unterstreichen in ihrer Zeichenhaftigkeit deren Glaubwürdigkeit. Die bisher als Kopie des mittleren 1. Jh. v. Chr. nach einem Original des Hell. bewerteten Bilder waren eine recht eigenständige Erfindung zweier röm. Maler aus dem späten 1. Jh. [1. 190]. Doch dürften erste Ansätze und Vorläufer solcher vereinzelter Landschaftsformationen im Hell. zu suchen sein.

B. ETRURIEN UND ROM

In der etr. → Grabmalerei finden sich Szenen mit Naturangaben relativ häufig. Beispielhaft ist die Tomba della Caccia e Pesca, in der belebte Meeres-Landschaften und Festlanddarstellungen miteinander verbunden sind [6. 301]. Auch Pflanzenfriese, die sog. Haine [6 passim] und andere Phänomene aus Flora und Fauna spiegeln diesen »Naturwillen« [7. 35]. Er wird von der Forsch. neuerdings eschatologisch interpretiert [7. 42 und passim]. Man kann jedoch nur in Ausnahmen von realer L. sprechen. Derartige Grabgemälde [7. 40, 349] und verlorene Vorbilder des Hell. werden von Teilen der Forsch. mit der zunehmenden Ausbildung landschaftlicher Kompositionen in der röm.-campan. Wandmalerei verbunden [4. 177]. Andere neigen dazu, die in vielfältiger Ausprägung vorliegende Gattung als genuin röm. Erfindung zu betrachten, die im Zusammenhang mit der spezifisch röm. Villenkultur (→ Villa) und den → Gartenanlagen steht [5. 81ff. und passim]. Der bei Plin. nat. 35,116 gen. röm. Maler Studius, z. Z. des Augustus tätig, dem Text nach als Landschaftsmaler in unserem Sinn zu verstehen, belegt diese Annahme. Auch die überl. Denkmäler sprechen dafür, daß L. nun einen neuartigen Eigenwert gewinnt.

Bes. zahlreich sind die seit der Mitte des 1. Jh. v. Chr. einsetzenden »sakral-idyllischen« L. Beliebt in diesen genreartigen, untereinander sehr ähnlichen Bildern sind bukolische Weide- und Hirtenszenen, Wasser- und Flußläufe mit Brücken sowie diverse Tempel und ländliche Heiligtümer in bepflanzten Hainen. Die mit schnellem Pinsel skizzierten Figuren bleiben Staffage, doch macht auch die L., noch gefördert durch die impressionistisch wirkende Technik v. a. im Vierten Stil, einen unwirklichen Eindruck; auch hier ist keine realistisch-lokalisierbare Umgebungswiedergabe angestrebt. Beliebt waren auch Gartenmalereien, die vor dunklem Hintergrund Blumen, Obstbäume oder andere Pflanzen zeigten und den Ausblick in einen wirklichen Ziergarten evozieren sollten. Seltener sind Tierdarstellungen in unwegsamem Gelände oder Bilder ganz bestimmter Topographien wie Nillandschaften, die mit den dafür typischen Tieren und Pflanzen belebt wurden.

1 R. BIERING, Die Odysseefresken vom Esquilin, 1995
2 W. ELLIGER, Die Darstellung der Landschaft in der griech.
Dichtung, 1975 3 A. ROUVERET, Profilo della pittura
parietale greca, in: G. PUGLIESE CARATELLI (Hrsg.), I Greci
in Occidente, 1996, 99–108 4 I. SCHEIBLER, Griech. Malerei
der Ant., 1994 5 K. SCHNEIDER, Villa und Natur, 1995
6 S. STEINGRÄBER, Etr. Wandmalerei, 1985 7 I. ZANONI,
Natur und Landschaftsdarstellungen in der etr. und
unterital. Wandmalerei, 1998.

W. BUSCH, L., 1997 · M. CONAN, The *imagines* of
Philostratus, in: Word&Image 3, 1987, 162–171 · R. LING,
Roman Painting, 1991, bes. 142–149 · A. ROUVERET,
Histoire et imaginaire de la peinture ancienne, 1989 ·
E. STEINGRÄBER, 2000 Jahre europ. L., 1985.   N. H.

Landtransport A. EINFÜHRUNG B. DIE TECHNIK
DES LANDTRANSPORTS C. WAGEN UND
WAGENBAU. DAS RAD D. WIRTSCHAFTLICHE
BEDEUTUNG DES GÜTERTRANSPORTS E. DAS
ÖFFENTLICHE TRANSPORTWESEN F. REISEVERKEHR
G. INFRASTRUKTUR UND TRANSPORTKOSTEN

A. EINFÜHRUNG

Die Unt. des L. in der Ant. ist h. deswegen so schwierig, weil der Gegenstand von der Forsch. oft kontrovers
und polemisch diskutiert wurde. Die etwa bis 1960
herrschende Auffassung hat aufgrund von wirtschafts-
oder technikhistor. Überlegungen die Bed. des L. gering eingeschätzt. Die dichotomische Sicht der Gesch.
bei LEFÈBVRE DES NOËTTES [8] – der die These aufstellte,
die Ant. sei wegen einer unzureichenden Anschirrung
der Zugtiere wirtschaftl. nicht entwicklungsfähig gewesen, während das MA mit der Erfindung des Kum-
mets den wirtschaftl. Aufstieg Europas einleitete – hat
zunächst die primitivistische Konzeption marxistisch
beeinflußter Historiker des 19. Jh. bestärkt und später
auf die Auffassungen FINLEYS und seiner Schule einge-
wirkt. Die geringe Relevanz des Transportwesens war
demnach durch das weitgehende Fehlen eines Fernhandels (→ Handel), das Vorherrschen der → Subsistenzproduktion und die Konsumorientierung der Städte
bedingt. Die primitive Wirtschaftsstruktur der Ant. reduzierte dieser Ansicht nach den L. weitgehend auf den
Austausch zwischen den urbanen Zentren und ihrem
nahen Umland. Ein weiteres Problem stellt die extrem
schwierige Quellenlage dar; lit. Zeugnisse fehlen fast
vollständig, die arch. Überreste sind selten, weit verstreut und lassen oft nur indirekte Aussagen zu. Die bildlichen Darstellungen (Vasenbilder, Grabreliefs etc.) sind
aufschlußreich, bedürfen aber einer sorgfältigen Interpretation; die Quellen wurden in der älteren Lit. oft nur
sehr oberflächlich ausgewertet, was gerade auf die Ausführungen von [8] zutrifft.

Zum gegenwärtigen Kenntnisstand haben vor allem
arch. Funde (Teile von Wagen oder vom Geschirr) sowie die Kartographie von Handelsgütern mit bekannter
Herkunft (Keramikgeschirr, Amphoren mit *tituli picti*,
Marmorstücke etc.) beigetragen; aufgrund dieses Materials können die Handelsrouten rekonstruiert werden.

Allerdings ist wegen der Zufälligkeit der Funde Vorsicht
bei einer quantifizierenden Analyse geboten. Die
Transporttechnik ist jedenfalls – ebenso wie der Entwicklungsstand der landwirtschaftl. und gewerblichen
Produktion – in größere histor. Zusammenhänge einzuordnen und in den Kontext der vorindustriellen Ges.
zu stellen.

B. DIE TECHNIK DES LANDTRANSPORTS

Im Gegensatz zur Auffassung von [8] kann die Transporttechnik der griech.-röm. Welt nicht als spezifisch
ant. bezeichnet werden; es handelt sich vielmehr um
Techniken, die in Europa teilweise bis zum 19. Jh. Bestand hatten und sogar noch h. in einigen Gebieten der
Erde Verwendung finden. Die zur Fortbewegung von
Lasten genutzten Energiequellen haben sich vom Neolithikum bis zur Erfindung der Dampfmaschine nur
wenig verändert. Dies verhinderte aber weder die Entwicklung verschiedener Typen von Wagen und Ge-
schirren noch sonstige Innovationen, durch die das
Transportsystem den jeweiligen Bedürfnissen der verschiedenen Ges. angepaßt wurde. Unter universalhistor.
Aspekt müssen Tragtiere mit Packsattel oder Menschen
als Träger ebenso wie die mit einem Joch an einen Wagen angeschirrten Zugtiere – meist Rinder oder Esel –
als die für vorindustrielle Ges. charakteristischen Transportmittel zu Lande angesehen werden.

In armen Gebirgsregionen ist das Tragen von Lasten
durch einen Träger noch h. von Bed. Auf gewundenen
und abschüssigen Wegen ist die Beförderung von Lasten
nur mit Hilfe von Trägern möglich. Auch in der Landwirtschaft, in Häfen oder auf Baustellen wurden Träger
eingesetzt, deren Leistungsfähigkeit in der ethnologischen Lit. gut belegt ist: In Afrika befördert ein Träger
auf seinem Kopf an einem Tag 25 kg über 25 km. Er
kann dabei einen langen Stab oder ein Tragjoch zur
Hilfe nehmen. Mit Hilfe einer langen Stange oder einer
Trage kann die Last, etwa eine Jagdbeute, auch von zwei
Menschen getragen werden. In der Ant. kannte man
den Beruf des Lastträgers (φορτηγός/*phortēgós*; in Häfen
den *saccarius*) und verschiedene Formen des Sacks
(πήρα/*pḗra*; lat. *pera, mantica*) oder für die Personenbeförderung die → Sänfte (*lectica*).

Der Einsatz von Tragtieren und Packsattel war für
den Transport von Ladungen, die aufgeteilt werden
konnten, grundlegend. Im ländlichen Raum transportierten der → Esel (Demosth. or. 42,7; Varro rust.
2,6,5; Verg. georg. 1,273 ff.; Colum. 7,1,3), das Maultier
(*ditellis aptior mulus*: Colum. 6,37,11; → Maulesel) und
seltener das → Pferd je nach den Bedingungen des Geländes und des Klimas 100 bis 200 kg Waren, wie es h.
noch in den Bergen Arkadiens der Fall ist. Es gab verschiedene Arten des Packsattels, etwa den weichen doppelten Sack (*mantica*), der an Schulter oder Rücken befestigt wurde, oder aufwendige Holzgestelle, die mit
Stoffen verkleidet waren.

Das Gespann aus zwei Pferden oder Maultieren
(→ *bigae*) wird allgemein als das normale Gespann der
griech.-röm. Welt betrachtet. Der kleine Wagen mit

Anspannung in römischer Zeit

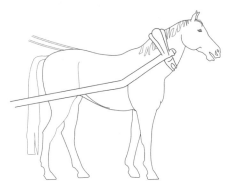

1. Einspänner

2. Zweispänner. Arlon, Musée Luxembourgeois
(Espérandieu, Rec. 4034)

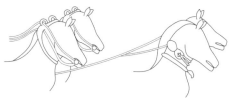

3. Vierspänner. Langres Musée (Espérandieu, Rec. 3245)

Umzeichnungen nach Reliefs.

zwei Rädern (ἅρμα ὄχημα/*hárma óchēma*; lat. *biga*), mit
niedrigem Wagenkasten, Deichsel (ῥυμός/*rhymós*; lat.
temo) und doppeltem Joch (ζυγόν/*zygón*; lat. *iugum*) ist
durch lit. Zeugnisse und Abb. gut belegt; er spielte aber
für den Gütertransport nur eine geringe Rolle und wurde eher zu mil. Zwecken oder bei Wettkämpfen eingesetzt. Deichsel und Joch waren fest miteinander verbunden; das Joch wurde vor dem Widerrist auf den Hals des
Tieres gelegt und mit Gurten befestigt (Hom. Il.
24,265–280). Die negative Beurteilung der ant. Anspannung bei [8] beruht auf einer fehlerhaften Interpretation

der ant. Abb. und der Annahme, daß der Halsgurt das
Pferd an der Atmung gehindert und das Joch den Widerrist verletzt habe, wodurch die Zugkraft der Pferde
stark eingeschränkt worden sei.

Die erneute Unt. der ant. Zeugnisse sowie die von
J. SPRUYTTE [19] im J. 1977 durchgeführten Experimen-
te haben jedoch die bereits von P. VIGNERON [21] modifizierten Thesen von [8] widerlegt. Die Zugkraft des
Tieres wirkte nicht am Hals, sondern an den Schultern
auf das Geschirr ein; auf diese Weise war beim Ziehen
schwerer Lasten ein effizienter Einsatz der Zugkraft gegeben. Zwei Pferde konnten einen kleinen, vierrädrigen Wagen mit einer Ladung von mehr als 1 t Gewicht
ohne Schwierigkeiten ziehen. An den Seiten der beiden
Deichselpferde konnten noch zusätzlich Außenpferde
(παρήορος σειραφόρος/*paréoros seiraphóros*; lat. *funalis*)
angespannt werden; Gespanne mit mehr als zwei Pferden waren aber – von Ausnahmen abgesehen – für das
Transportwesen von nur geringer Bed. Für den Gütertransport spielten nur die von zwei Ochsen, Mauleseln
oder Eseln gezogenen Wagen eine Rolle (Varro rust.
1,20,4: *alii asellis, alii vaccis ac mulis utuntur*; Varro rust.
2,8,5: *hisce (= mulis) enim binis coniunctis omnia vehicula in
viis ducuntur*; vgl. zum Esel Colum. 7,2,1: *non minima
pondere vehicula trahat*). Der tief angesetzte Hals des Esels
erleichterte die Anschirrung mit dem Joch, das vor oder
hinter dem Widerrist befestigt wurde; der Schultergurt
diente eher der Beibehaltung der Position des Jochs als
dem Ziehen; der Ochse zog den Pflug mit den Hörnern
oder dem Nacken. Die Vorteile der jeweiligen Anschirrung wurden von den röm. Agronomen genauso diskutiert wie von denen des 19. Jh. (vgl. Colum. 2,2,22:
*iugumque melius aptum cervicibus incidat. Hoc enim genus
iuncturae maxime probatum est. Nam illud, quod in quibus-
dam provinciis usurpatur, ut cornibus illigetur iugum fere re-
pudiatum est ab omnibus* sowie Pall. agric. 2,3,1: *boves melius collo quam capite iunguntur*). Je schwerer die Lasten
waren, umso eher griff man auf Ochsen als Zugtiere
zurück. Hintereinander und nebeneinander fächerför-
mig angeschirrt zogen sie die Karren mit den großen
Steinblöcken, die für die öffentl. Bauten bestimmt waren. Dies gilt für den Transport von Marmor vom
Pentelikon nach Athen im 5. Jh. v. Chr. ebenso wie für
die Marmorbrüche von Carrara im frühen 20. Jh.
n. Chr. Bei einem Gewicht dieser Blöcke von 8–10 t
war die Festigkeit der Wagen ein größeres Problem als
der Einsatz von Zugtieren.

Die ant. Transporttechnik entsprach in der Nutzung
menschlicher und tierischer → Energie und in der Verwendung des Jochs als Geschirr durchaus dem in vorindustriellen Ges. üblichen Standard. Durch die *pax Romana* und die Erschließung großer Binnenräume in der
Prinzipatszeit begünstigt, kam es in den Bereichen der
Anschirrung und des Wagenbaus zu erheblichen Ver-
besserungen in Einzelheiten, ohne daß wirklich ein
qualitativer Fortschritt erzielt wurde, der erst mit der
Nutzung neuer Energiequellen (Dampfkraft, Elektri-
zität und Verbrennungsmotor) im 19. Jh. n. Chr. möglich wurde.

Verschiedene Typen des Wagenrades

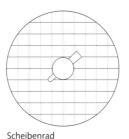

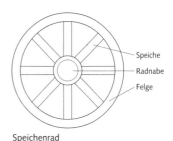

Scheibenrad   Strebenrad   Speichenrad

Speiche

Radnabe

Felge

Wagentypen aus römischer Zeit (1.–2. Jh. n. Chr.)

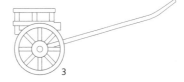

1–3 Zweirädrige Wagen mit
Deichselgabel

1 Trier, Rhein. Landesmuseum
2 Arlon, Musée de Luxembourgois
(Espérandieu, Rec. 4030)
3 Buzenol, Musée de Montauban
4 Vierrädriger Wagen für den Weintransport (Espérandieu, Rec. 3232)
5 Vierrädriger Wagen für den
Warentransport. Relief vom
Sockel der Igeler Säule

Umzeichnungen nach Reliefs.

C. Wagen und Wagenbau. Das Rad

Die Vielzahl von Wagentypen spiegelt die unterschiedlichen sozialen, wirtschaftl. und geogr. Kontexte des ant. Transportwesens wider. In Griechenland wie Rom waren → Streitwagen, Rennwagen bei den Spielen oder aber für den täglichen Transport verwendete Wagen relativ einfach konstruiert. Es gab keine kontinuierlichen Fortschritte im Wagenbau, aber seit dem frühen Prinzipat wurden insbesondere die Reisewagen deutlich verbessert. Dabei profitierte das röm. Reich von der kelt. Technik, wie das umfangreiche lateinische Vokabular für → Wagen zeigt (*benna; carpentum; carruca; carrus; cisium; covinus; currus; petoritum; pilentum; plaustrum; sarracum; triga* etc.).

Es ist zu konstatieren, daß verschiedene Typen von Wagen gleichzeitig verwendet wurden; so stammt der schöne, im Haus des Menandros gefundene Wagen, der große Räder mit zwölf Speichen besaß, aus derselben Zeit wie der rustikale Wagen der Villa Regina in Boscoreale mit Scheibenrädern, die fest mit der Achse verbunden waren. Der Wagen, der Wagenkasten und die Deichsel wurden von Zimmerleuten gefertigt, während die Herstellung des Rades im allgemeinen eine spezialisierte Aufgabe und von den jeweiligen lokalen Trad. abhängig war.

In der griech.-röm. Welt existierten vom primitiven Scheibenrad bis zum Rad mit zwölf Speichen und einem Radreifen aus Metall verschiedenste Radtypen. Das für das archa. Griechenland durch Vasenbilder gut bezeugte Rad bestand aus vier oder sechs Felgenabschnitten und einer den Radmittelpunkt schneidenden Strebe, die durch zwei Querstreben verstärkt wurde (Strebenrad). Im Alten Orient und in Äg. war das Speichenrad bereits im 2. Jt. v. Chr. bekannt; später wurde es von den Römern übernommen. Ein wichtiges Merkmal ant. Räder ist die Größe der Radnabe, die weit hervorstand. Die Frage, ob bei vierrädrigen Wagen die Vorderachse beweglich war, scheint nun endgültig gelöst zu sein: Das vordere Fahrgestell konnte unter dem Fahrgestell um einen Zapfen gedreht werden. Die feste und die sich mit den Rädern drehende Achse existierten nebeneinander, ohne daß ein System sich im Verlauf der Entwicklung durchsetzte.

Welcher Wagentyp benutzt wurde, hing von verschiedenen Umständen ab. Wie Texte und bildliche Darstellungen zeigen, wurden in den engen Straßen Athens und in den Weinbergen von Korinth Wagen mit zwei Rädern (ἅμαξα/ hámaxa) verwendet, während die Fuhrwerke für den Transport von Quadersteinen nach Epidauros oder Eleusis als vierrädrig (τετράκυκλος/ tetrákyklos) bezeichnet wurden. In Rom stellten sich dieselben Probleme: Auf einem Fresko aus Boscoreale erkennt man zweirädrige Wagen auf einer Baustelle, während in Gallien schwere vierrädrige Wagen zum Gütertransport eingesetzt wurden; dies gilt auch für den Weintransport, wie das Relief von Langres zeigt. Die Reisenden verfügten bes. in der Prinzipatszeit über zwei- bis vierrädrige Wagen von verschiedener Größe und Ausstattung.

Die Verwendung der Gabeldeichsel, die in Nordit. und Nordgallien seit dem 1. Jh. n. Chr. auftauchte, veränderte das Transportwesen tiefgreifend. Es war nun möglich, einen Wagen von einem einzigen Tier ziehen zu lassen, wobei das Joch noch direkt mit den Stangen verbunden und das Kummet mit Zugseilen noch unbekannt war. Solche Einspänner, die durch bildliche Darstellungen, vor allem Reliefs, gut dokumentiert sind, scheinen vor allem in gallischen und german. Prov. verbreitet gewesen zu sein. Neuere Unt. haben gezeigt, daß diese Form der Anspannung durchaus als effizient zu gelten hat.

D. WIRTSCHAFTLICHE BEDEUTUNG DES GÜTERTRANSPORTS

In der Landwirtschaft, auf Baustellen, in den Häfen und im Handel war der L. unabdingbar und trat in den verschiedensten Formen auf. Die Technik des L. entwickelte sich gleichzeitig mit der privaten und öffentl. Wirtschaft, paßte sich deren Anforderungen an und vermochte so, die → Schiffahrt zu ergänzen. Der zweirädrige, von Tieren gezogene Wagen gehörte zum bäuerlichen Inventar (Hes. erg. 455 ff.). Seit der archa. Zeit wurden mehrere Tonnen schwerer Steinblöcke zu vielen Baustellen befördert; der Transport war in diesen Fällen eher eine organisatorische als eine technische Leistung. Die kleinen Wagen in Athen transportierten alles: Gemüse, mit Wein oder Öl gefüllte Amphoren, drei oder vier Personen, einen Hochzeits- oder Bestattungszug. In Apulien brachten große Eselskarawanen die Agrarerzeugnisse an die Küste (Varro rust. 2,6,5: *e Brundisio aut Apulia asellis dossuariis conportant ad mare oleum aut vinum itemque frumentum aut quid aliud*). Wie die röm. Agronomen zeigen, war die marktorientierte → Landwirtschaft auf gute Transportmöglichkeiten angewiesen; die Wahl eines Gutes war einerseits abhängig von der Notwendigkeit, die Erzeugnisse auf den Markt zu bringen (Varro rust. 1,16,1: *fructus nostros exportare*) und damit von guten Verkehrswegen (vgl. Cato agr. 1,3; Varro rust. 1,16,6: *viae … aut flumina*; Colum. 1,2,3;

1,3,3; Plin. nat. 18,28), andererseits mußten aber auch schwere Geräte wie Ölmühlen auf den Landwegen zu den Gütern gebracht werden (Cato agr. 22,3).

Für den privaten Transport war der Verleih von Wagen – mit oder ohne Fuhrleute und Zugtiere – an den Stadttoren, in den Häfen oder an den *stationes* (→ *statio*) der Fernstraßen von erheblicher Bed. Ähnlich wie die *nautae* (Seeleute) bildeten auch die Fuhrleute *collegia* (→ *collegium*; ILS 7293–7296; vgl. 5382; 5384). Im innerstädtischen Verkehr gab es Probleme, die zum Teil gesetzlich geregelt wurden; der nächtliche Verkehr von schweren Wagen und der Transport von Baumaterial wurden als lästig oder gefährlich empfunden (Iuv. 3,236ff.; 3,254ff.).

E. DAS ÖFFENTLICHE TRANSPORTWESEN

Ein wichtiger Nutzer der Transportmittel waren die ant. Heere; es geht dabei nicht um den Streitwagen der homerischen Zeit, sondern um die Logistik und die → Heeresversorgung. Auch bei Stationierung und Truppenbewegungen in Friedenszeiten sowie insbesondere bei Kriegshandlungen war man auf ein effizientes Transportwesen angewiesen. Die Traianssäule und die aurelische Säule (→ Säulenmonumente) bieten eine umfassende und anschauliche Typologie der Transportmittel des röm. Heeres, wobei auch der Transport von Katapulten und Belagerungstürmen berücksichtigt wird.

Soweit das Transportwesen öffentl. Zwecken diente, wurde es im Rahmen des → *cursus publicus* organisiert. Von Augustus gegründet, wurde dieser schnelle Kurierdienst zunächst zu einem umfassenden Wagendienst mit einer Infrastruktur von Stationen für den Pferdewechsel ausgebaut (→ Post). Gleichzeitig entsprach der *cursus publicus* auch den Anforderungen des Heeres. In der Spätant. wurde durch kaiserliche Erlasse das Gewicht der Ladung für einzelne im *cursus publicus* verwendete Wagentypen begrenzt; das zulässige Höchstgewicht betrug für die *raeda* 1000 Pfund (330 kg), für die zweirädrige *birota* 200 Pfund (66 kg) und die *angaria* 1500 Pfund (492 kg; vgl. Cod. Theod. 8,5,8; 8,5,17; 8,5,30).

F. REISEVERKEHR

Für den Reiseverkehr wurden in Rom während der Prinzipatszeit den Umständen, Bedürfnissen und dem jeweiligen Geschmack angepaßte Reisewagen entwickelt – neben der recht rustikalen *raeda* ist die komfortable und kostspielige *carruca dormitoria* belegt; unter zweirädrigen Wagen sind das leichte *cisium* und das mit einer Plane bedeckte *carpentum* zu nennen. Innerhalb der Städte dienten häufig Sänften zur Fortbewegung (vgl. etwa Iuv. 3,239–243). Die *lex Oppia*, ein Gesetz, das die Ausgaben von Frauen beschränken sollte, untersagte ihnen, sich in Rom oder einer anderen Stadt in einem von Tieren gezogenen Wagen fortzubewegen (Liv. 34,1,3); ein Gesetz des Claudius verbot Reisenden, Städte in Italien anders als zu Fuß oder in einer Sänfte zu durchqueren (Suet. Claud. 25,2).

G. Infrastruktur und Transportkosten

Voraussetzung für den L. und insbesondere für den Einsatz von vierrädrigen Wagen war ein gutes Wegenetz; obgleich das röm. Straßennetz auch mil. Zwecken diente, hat es dennoch den Güteraustausch in den Binnenregionen erheblich begünstigt. Die arch. Funde, insbesondere von → *terra sigillata*, haben deutlich gezeigt, daß neben den großen Fernstraßen auch lokale Straßen für den Transport von Handelsgütern benutzt wurden; es gibt kaum Unterschiede in den durch das Fundmaterial nachweisbaren Handelskontakten zwischen Orten, die an schiffbaren Flüssen lagen, und solchen mit einer Straßenverbindung.

Für die traditionelle Theorie der geringen ökonomischen Bed. des L. in der Ant. sprechen die verhältnismäßig hohen Transportkosten. Die Zahlen des Preisediktes von Diocletianus (→ Edictum [3] Diocletiani) zeigen in der Tat, daß der L. im Imperium Romanum auf allen Strecken erheblich teurer war als die Binnen- oder Seeschiffahrt. Dies gilt allerdings für vorindustrielle Ges. allg.: In England lag das Verhältnis der Kosten Schiffahrt – Binnenschiffahrt – L. im Durchschnitt bei 1:4,7:22,6 und damit nah an dem der Ant. Angesichts dieser Fakten ist es kaum noch möglich, das ant. Transportwesen als ein Hindernis für die wirtschaftl. Entwicklung zu bezeichnen.

→ Binnenschiffahrt; Infrastruktur; Reisen; Rind; Verkehrswesen; Wagen

1 A. Burford, Heavy Transport in Ancient Greece, in: Economic History Review 13, 1960, 1–18 2 J. H. Crouwel, Chariots and other Means of Land Transport in Bronze Age Greece, 1981 3 A. Fenton (Hrsg.), Land Transport in Europe, 1973 4 K. Greene, The Archaeology of the Roman Economy, 1986 5 H. Jankuhn (Hrsg.), Unt. zu Handel und Verkehr der vor- und frühgesch. Zeit in Mittel- und Nordeuropa, 5. Der Verkehr (AAWG 180), 1989 6 H. Kloft, Die Wirtschaft der griech.-röm. Welt, 1992 7 J. G. Landels, Engineering in the Ancient World, 1978, 170–185 8 R. Lefèbvre des Noëttes, L'attelage, le cheval de selle à travers les âges, 1931 9 H. Lorimer, The Country Cart of Ancient Greece, in: JHS 23, 1903, 132–151 10 M. Molin, La faiblesse de l'attelage antique, in: Bulletin archéologique du Comité des travaux historiques et scientifiques 23/24, 1987/88, 38–84 11 S. Pigott, The Earliest Wheeled Transport, 1983 12 M. Polfer, Der Transport über den Landweg – ein Hemmschuh für die Wirtschaft der röm. Kaiserzeit?, in: Helinium 31,2, 1991, 273–295 13 G. Raepsaet, Archéologie et iconographie des attelages dans le monde gréco-romain, in: T. Hackens, P. Marchetti (Hrsg.), Histoire économique de l'Antiquité, 1987, 29–48 14 Ders., Attelages antiques dans le Nord de la Gaule, in: TZ 45, 1982, 215–273 15 Ders., Le diolkos de l'Isthme à Corinthe: son tracé, son fonctionnement, in: BCH 117, 1993, 234–261 16 Ders., Transport de tambours de colonnes du Pentélique à Eleusis, in: AC 53, 1984, 101–136 17 G. Raepsaet, C. Rommelaere (Hrsg.), Brancards et transport attelé entre Seine et Rhin de l'Antiquité au Moyen Age, 1995 18 H. Schneider, Einführung in die ant. Technikgesch., 1992 19 J. Spruytte, Études expérimentales sur l'attelage, 1977 20 D. Timpe, Das kelt. Handwerk im Lichte der ant. Lit., in: H. Jankuhn (Hrsg.), Das Handwerk in vor- und frühgesch. Zeit (AAWG 122), 1981, 36–62, bes. 51 ff. 21 P. Vigneron, Le cheval dans l'Antiquité gréco-romaine, 1968 22 White, Technology, 127–140.

G. R./Ü: C. P.

Landwirtschaft I. Vorderasien und Ägypten
II. Keltisch-germanischer Bereich
III. Geographische und klimatische Voraussetzungen antiker Landwirtschaft
IV. Griechenland V. Rom VI. Byzanz
VII. Frühes Mittelalter

I. Vorderasien und Ägypten
A. Einleitung
B. Pflanzen und Anbautechniken
C. Das landwirtschaftliche Jahr
D. Rezeption in der Literatur

A. Einleitung

Im Vorderen Orient (bes. südl. Levante und Syrien) und Äg. ereignete sich vor etwa 12 000 Jahren eine tiefgreifende Wende in der Gesch. der Menschheit: der Übergang vom Jäger- und Sammlertum des Paläolithikum zur Ackerbaugesellschaft des Neolithikum. Ackerbau wurde im sog. »Fruchtbaren Halbmond« und in Äg. fast immer mit Viehhaltung verbunden. Die L. umfaßte auch Anpflanzung von Fruchtbäumen, Weinbau und Gartenkultur.

Die Methoden der Nahrungserzeugung führten zu steigender Unabhängigkeit gegenüber den Zufälligkeiten der Umwelt, und durch die Anlage von Vorräten war die Möglichkeit ganzjähriger Ansiedlung gegeben. Der Vorgang wurde dadurch begünstigt und beschleunigt, daß die gebirgigen Teile des Vorderen Orients natürliche Heimat zahlreicher Pflanzen- und Tierarten waren (Getreide, Hülsenfrüchte; Schaf, Ziege, Rind und Schwein), die sich nicht nur zur → Domestikation eigneten, sondern auch bald gesteigerte Erträge boten. Zugleich erhielten diese Gebiete für den Pflanzenwuchs ausreichende Niederschläge (mindestens 200 mm/ Jahr). Durch Einführung von → Bewässerungs-Techniken wurde das Siedlungsgebiet von den regenreichen Berglandschaften zunehmend in die regenarmen Flußebenen ausgeweitet; vom 4. Jt. an wurden auch die großen Schwemmebenen genutzt. Allerdings lagen zu allen Zeiten zwischen den fruchtbaren Ackerebenen und Flußtälern ausgedehnte Landstriche, die als saisonbedingtes Weideland von Gruppen überwiegend nomadischer Lebensweise genutzt wurden. Gewässer, Böden und Pflanzenwelt zeigen vielseitige Übergangsformen zwischen mediterranem und Wüsten-Klima. Das klimatische Jahr bestand aus nur zwei Jahreszeiten: »Hitze« (Mai-Oktober) und »Kälte« (November-April).

Vom Ende des 4. Jt. v. Chr. an informieren Schriftzeugnisse über die Entwicklung landwirtschaftl. Arbeitsprozesse (Fruchtbarmachung, Bodenanbau) und über die technologische Entwicklung der Arbeitsmittel (Geräte, Tierkraft, Transportwesen). Von Krisenzeiten

(z. B. Hungersnot) abgesehen, war der vorderasiat.-äg. Raum stets in der Lage, die eigene Bevölkerung zu ernähren. Mesopotamien und Äg. konnten bestimmte landwirtschaftl. Produkte (z. B. Öl, Wein) sogar exportieren.

B. Pflanzen und Anbautechniken

Der Übergang vom älteren Hack- zum Pflugbau war in Äg. und Mesopot. bereits um 3100 v. Chr. beendet. Die Grundlage der Ernährung bildete stets das → Getreide (Gerste, Emmer, Spelt, Weizen). An pflanzlichen Nahrungsmitteln waren darüber hinaus Hülsenfrüchte (Bohnen, Linsen), → Gemüse (Lattich, Lauch, Knoblauch, Zwiebeln), Gewürze und Ölpflanzen (Rizinus, Sesam, Saflor) von Bedeutung. Für Bekleidungszwecke war in Äg. der Flachs- (→ Lein) und später der → Baumwoll-Anbau wichtig.

Die natürliche Bewässerung in Äg. ermöglichte im Schwemmland den Getreideanbau (Emmer, Gerste, seltener auch Weizen) ohne Düngung und Brache mit gewöhnlichem Ertrag von 1:10. Während der etwa 1–1,5 m hohen Überflutung floß das Wasser in die Nil-Niederungen in die natürlichen Bassins und künstlichen Kanäle (Westkanal entlang des Nils). Die Möglichkeiten der Zurückhaltung des Wassers erweiterte nach 1800 v. Chr. der Einsatz von Hebegeräten (Šādūf, Sāqiya; Bewässerungen im »Hochland«). Nach der Bodenvorbereitung mit leichten Umbruchpflügen und Aussaat mit der Hand war in der Wachstumsperiode (Winter-Frühling) keine zusätzliche Bewässerung nötig. Die mit dem Pflanzenwechsel verbundene »Zweierntenwirtschaft« wurde seit dem 3. Jt. v. Chr. auf nicht ausreichend überschwemmten Geländestücken (»Insel-Felder«, Fajum-Ebene) eingeführt. Auf solchen Flächen mußte man Bewässerungseinrichtungen ganzjährig betreiben.

Im extensiven Regenfeldbau lebten die Bauern in Syrien, Palästina, Nordmesopot. und Kleinasien in engen Kontakt mit den Hirten. Da in manchen Jahren zu wenig Regen fiel, mußte gelegentlich auch hier künstlich bewässert werden (lokale Bewässerungssysteme). In einigen Gebieten (SW-Syrien, Jordanien) reichten schon 180 mm Jahresniederschlag für den – allerdings mit Risiko behafteten – Getreideanbau. Die durchschnittlichen Erträge betrugen bei Gerste, Emmer und Weizen 1:5. In Westsyrien und Palästina wurden auf terrassenförmigen Flächen Oliven- und Feigenhaine sowie Weinberge angelegt.

In Mesopot. hatten Euphrat und Tigris während der Wachstumsperiode des Getreides von November bis März den niedrigsten Wasserstand des Jahres. Der intensive Anbau von Gerste, Emmer und Weizen verlangte von Januar bis März mindestens drei direkte künstliche Furchenbewässerungen; der Ertrag lag (durch Verwaltungstexte belegt) zwischen 1:12 und 1:15, gegen Ende des 3. Jt. v. Chr (vor der Versalzung) bei 1:20; in bes. fruchtbaren Regionen sogar bei 1:30. Trotz Ausschwemmung und Drainage fielen wegen der Verdunstung und Versalzung große Flächen für die landwirtschaftl. Nutzung aus (Jahres- und Langzeitbrache).

Um der Erschöpfung der Böden zu begegnen, war man zudem gezwungen, die Felder jedes zweite Jahr brachliegen zu lassen. Gezieltes Düngen war zwar unbekannt, doch brachte das geregelte Überhüten junger Getreidebestände durch Kleinviehherden einen gewissen Düngungseffekt. Der Fruchtwechsel (Leguminosen – Getreide) erhöhte zudem den erwünschten Natriumgehalt der Böden (zu den unterschiedlichen Bedingungen im Gartenbau s. → Hortikultur).

C. Das landwirtschaftliche Jahr

Das landwirtschaftl. Jahr begann in Äg. etwa zwei Monate nach der Überschwemmung des Nils (ab Mitte Oktober bis Anfang November; → Jahreszeiten) mit Tiertriften, Hacken, Pflügen und Herbstsaat auf schlammbedeckten Flächen. Im Frühling wurden die grünen Getreidefelder von den Vorstehern der Äcker »vermessen«, um den künftigen Ertrag zu berechnen. Die Ernte erfolgte je nach Lage und Fruchtart von April bis Mai. Das Getreide wurde dann zur Tenne geschafft und gedroschen. Vor dem Einlagern in die Zentralscheunen hatten die »Kornschreiber« den Ertrag registriert. Der sog. »Gezer-Kalender« bietet für Palästina folgende Reihenfolge der Arbeiten: Weinlese und Olivenernte, Aussaat, Frühlingsweide, Ernte der Hülsenfrüchte, Flachsernte, Gerstenernte, Weizenernte und Ertragsvermessung, Obsternte.

Im Gebiet des Regenfeldbaus bestimmten die herbstlichen Niederschläge die Termine der Aussaat und entschieden über den Ertrag des Wintergetreides. Ungenügende Niederschläge konnten die Saatperiode bis Mitte Dezember verschieben. Dabei entstanden oft Engpässe, die Bauern hatten wenig Korn und waren oft gezwungen, wertvolles Saatgut als Nahrungsmittel und Futter zu verwenden. Die großen institutionellen Produzenten – Tempel und Palast – sorgten für die nötigen Reserven von Saatgut.

In Mesopot. wurden im Frühling die brachliegenden Flächen überflutet. Die Texte bezeugen zwei Pflugphasen, im Spätfrühling (nach der Brache) und Frühherbst. Die Gleichstandsaat mit umgebauten Umbruchpflügen (angebundene Saattrichter) dauerte von Ende Oktober bis Anfang Dezember. Der von Tieren gezogene Saatpflug – wohl seit Anf. 3. Jt. in Gebrauch – war eine wichtige technologische Neuerung (→ Pflug). Er ermöglichte eine Verminderung der Saatmenge und die gleichmäßige Tiefenablage der Saat. Für die direkte Bewässerung wurden nach der Aussaat mit einem Furchenzieher breite Furchen gezogen (Abstand 40–60 cm).

D. Rezeption in der Literatur

Die L. war häufiges Thema in der Lit. So haben nach dem sumer. Streitgespräch ›Mutterschaf und Getreide‹ die Götter den Menschen Babyloniens die wichtigen Pflanzen und Tiere der östl. Berge gebracht, damit sie die Götter im Überfluß sättigen konnten. Die sumer. ›Farmer's Instructions‹ beschreiben in poetischer Überhöhung (ähnlich den *Georgica* Vergils; → Geoponika) und mit vielen Fachausdrücken getrennt den Getreideanbau nach der Brache und den »normalen« Ablauf der Feldarbeiten, und geben zugleich auch Anweisungen für die L.-Verwaltung.

→ Ernährung

O. Borowski, Agriculture in Iron Age Israel, 1987 · Bulletin of Sumerian Agriculture 1, 1984–8, 1995 · W. Butzer, Early Hydraulic Civilization in Egypt, 1976 · M. Civil, The Farmer's Instructions, 1994 · G. Dalman, Arbeit und Sitte in Palästina, 7. Bd., 1928–1942 · Ch. J. Eyre, The Agriculture Cycle, Farming, and Water Management in the Ancient Near East, in: J. M. Sasson (Hrsg.), Civilizations of the Ancient Near East, Bd. 1, 1995, 175–190 · D. C. Hopkins, The Highlands of Canaan: Agricultural Life in the Early Iron Age, 1985 · B. Hruška, Sumerian Agriculture: New Findings, 1995 · J. M. Renfrew, Palaeoethnobotany: The Prehistoric Food Plants of the Near East and Europe, 1973 · A. Schafik, Grund und Boden in Altägypten, 1996 · H. Weiss, The Origins of Cities in Dry Farming Syria and Mesopotamia, 1986.   BL. HR.

II. Keltisch-germanischer Bereich

Seit dem Beginn der Jungsteinzeit (Mitte 6. Jt. v. Chr.) wurde in Mitteleuropa L. mit Ackerbau und Viehzucht betrieben. Der archäolog. Nachweis beruht auf verschiedenen Quellengruppen: a) Ackergeräten (→ Hacke, → Pflug, → Sichel usw.); b) Spuren der Feldbestellung (Pflugspuren meist unter Grabhügeln o. ä., Ackeranlagen oder -systeme); c) Darstellungen auf Felsbildern der Brz., Metallgefäßen (→ Situlen der älteren Eisenzeit) von Viehzucht- oder Ackerbauszenen; d) Speicher- oder Stallgebäuden; e) Produkten (→ Getreide usw.) aus Vorratsgruben; f) Auswirkungen der L. auf die Vegetation (Rodungen) durch die Methode der Pollenanalyse; g) Knochenresten von Haustieren mit Hinweisen auf Zusammensetzung, Schlachtverfahren usw. sowie Überresten der Haustierprodukte (→ Leder, Knochenschnitzereien, → Wolle usw.).

In der Bronze- und Eisenzeit (2.–1. Jt. v. Chr.) war die L. die wichtigste und häufig einzige Ernährungsgrundlage. Sie war relativ weit entwickelt, mit einer Vielfalt an gezüchteten Anbaupflanzen (verschiedene Getreidesorten, Hülsenfrüchte, Leinsamen usw.) und auch an domestizierten Haustieren: → Rind, → Schaf, → Ziege, → Schwein, ab der Brz. Geflügel (→ Huhn) usw. sowie → Hund und → Pferd. Eine bes. Form kelt. oder german. L. ist (bisher) nicht nachweisbar, obwohl die kelt. L. von den Römern sehr gerühmt wurde. Die röm. L. hatte auf die allgemeine Entwicklung der L. nur wenig Einfluß, so daß sich ihr Bild in der Frühgesch. bis zum MA nur wenig ändert.

→ Ernährung; Germanische Archäologie; Keltische Archäologie; Viehwirtschaft; Weide

J. C. Fries, Vor- und frühgesch. Agrartechnik auf den Britischen Inseln und dem Kontinent, 1995 · G. Jacobi, Werkzeuge und Geräte aus dem Oppidum von Manching, 1974 · J. Lüning u. a., Dt. Agrargesch., Vor- und Frühgesch. (hrsg. von F. W. Henning), 1997.   V. P.

III. Geographische und klimatische Voraussetzungen antiker Landwirtschaft

Die ant. L. war in starkem Maß von den naturräumlichen Gegebenheiten des mediterranen Raumes geprägt; in vieler Hinsicht muß die griech. und röm. Agrartechnik als Versuch begriffen werden, die spezifischen Herausforderungen dieses Raumes zu bewältigen.

Wesentliche Charakteristika des Mittelmeerraumes sind die Existenz großer Halbinseln, die sich über Hunderte von Kilometern erstrecken (Italien; Balkan), lange Küstenlinien aufweisen und das Meer untergliedern (Adria; Ägäis), ferner das Vorhandensein größerer Inseln (Korsika, Sardinien, Sizilien, Kreta, Zypern) sowie die hohen, sich meist in Nord-Südrichtung erstreckenden Gebirgsketten (in It. und Griechenland), die oft bis an die Küsten reichen. Die europ. Regionen des mediterranen Raumes besitzen daher relativ wenig größere fruchtbare Ebenen.

Bereits Platon unterschied in seiner Theorie der Zivilisationsentwicklung die beiden grundlegend verschiedenen Landschaftsräume des Mittelmeerraumes, Ebene und Gebirge (Plat. leg. 677a–682e). Im Gebirge war wegen der steilen Hänge, kargen Böden und niedrigen Temperaturen → Getreide- und → Weinbau nicht möglich; ab bestimmten Höhenlagen ließ der Winterfrost eine Anpflanzung von → Ölbäumen nicht zu; da Agrarüberschüsse fehlten, konnten in den Gebirgsregionen keine größeren Städte als Zivilisationszentren entstehen (Strab. 2,5,26). Dagegen gehörten Ebene, Getreideanbau, Weingärten sowie Olivenbaumkulturen und Städte in der ant. Vorstellung zusammen. Aber auch das flache Land stand dem Anbau keineswegs uneingeschränkt zur Verfügung; die Küstenebenen waren oft sumpfig, die Ebenen im Binnenland nach der Schneeschmelze überschwemmt. Die Böden hatten unterschiedliche Qualität: Als fruchtbar gelten alluviale Böden oder Böden der Vulkangebiete in Latium, Campania und Ostsizilien; in vielen Landschaften ist die für den Mittelmeerraum typische *terra rossa* hingegen nährstoff- und humusarm.

Die Tatsache, daß einerseits einige Ebenen – gerade Flußtäler – sehr gute Alluvialböden aufweisen und andererseits der Boden, der landwirtschaftl. genutzt werden konnte, nur einen kleinen Teil der Gesamtfläche ausmachte, hatte die intensive Bewirtschaftung der fruchtbaren Landschaften und die extensive Nutzung selbst abgelegener Gebirgsgegenden etwa als Sommerweide für Vieh zur Folge (→ Viehwirtschaft). Unter diesen Bedingungen bestand die Tendenz, Hänge durch Terrassierung für die L. zu erschließen, Sümpfe und Feuchtgebiete trockenzulegen und selbst extrem niederschlagsarme Gebiete durch Anpflanzung von Ölbäumen zu nutzen. Die Methoden der Düngung (→ Düngemittel) wurden ständig verbessert, und in der → Hortikultur spielte auch die Bewässerung eine wichtige Rolle.

Die Niederschläge sind im Mittelmeerraum jahreszeitlich ungleich verteilt; auch zwischen den Jahren gibt es erhebliche Schwankungen in den Niederschlagsmengen. Der Winter (Oktober-März) ist die eigentliche Regenzeit, auf die der trockene Sommer folgt. Da im Winter Westwinde vorherrschen, kommt es im Westen der Gebirgsketten Italiens und Griechenlands zu deutlich höheren Niederschlägen als im Osten. Der Anbau mußte auf diese naturräumlichen und klimatischen Verhältnisse Rücksicht nehmen; so wurde im Ägäisraum bevorzugt Gerste angebaut, weil die Niederschläge für Weizen nicht ausreichten. Der Rhythmus der landwirtschaftl. Arbeit mußte sich den Jahreszeiten anpassen; die Aussaat erfolgte im Herbst vor dem Beginn des Winterregens, die Ernte im Frühjahr (Mai/Juni). Der Erfolg landwirtschaftl. Tätigkeit beruhte wesentlich darauf, daß die einzelnen Arbeiten zum richtigen Zeitpunkt durchgeführt wurden. Aus diesem Grund bestand von Hesiods *Érga* bis zu Palladius ein starkes Interesse daran, einen präzisen Kalender landwirtschaftl. Arbeiten aufzustellen. Die Erträge waren wesentlich von den Niederschlägen abhängig, wie schon Theophrast feststellt (Theophr. h. plant. 8,7,6); man nimmt an, daß es aufgrund ungünstiger Witterungsverhältnisse zu ca. zwei Mißernten in sieben Jahren kam. Die Vorratswirtschaft war deswegen eine notwendige Vorkehrung gegen den Hunger.

1 M. CARY, The Geographic Background of Greek and Roman History, 1949 2 C. LIENAU, Griechenland, 1989 3 OSBORNE, 27–52 4 R. SALLARES, The Ecology of the Ancient Greek World, 1991 5 F. TICHY, Italien, 1985.

H. SCHN.

IV. GRIECHENLAND

A. MYKENE UND DARK AGE   B. PRODUKTIVITÄT DER LANDWIRTSCHAFT   C. VIEHWIRTSCHAFT UND ANBAUMETHODEN   D. ANDERE AGRARERZEUGNISSE   E. SUBSISTENZPRODUKTION UND MARKT   F. LANDWIRTSCHAFT, MORAL UND POLITIK

A. MYKENE UND DARK AGE

Wie die Linear B-Tafeln zeigen, basierte die Wirtschaft der myk. Paläste auf der Agrarproduktion, wobei Schafe, die ihrer Wolle wegen gehalten wurden und die bis zu einer Anzahl von 100 000 Stück registriert waren, eine wichtige Rolle spielten. Die Tafeln von → Pylos verzeichnen neben Schafen auch 90 Ochsenherden; Pylos verlangte jährlich 234 Ochsenhäute als Abgabe. Weizen und Gerste sind – mit annähernd gleichen Mengenangaben – ebenso dokumentiert wie verschiedene Baumfrüchte, so etwa zwei Sorten Oliven sowie große Mengen von Feigen. Gleichfalls verzeichnet ist unterschiedliches Saatgut, darunter Sellerie, Koriander, Kreuzkümmel, Fenchel und Sesam, während Hülsenfrüchte nicht erwähnt werden, obwohl ihr Anbau durch arch. Funde nachgewiesen werden konnte. Die → Linear B-Tafeln lassen eine große Vielfalt an Grundstücksgrößen von Gärten bis zum → Großgrundbesitz

erkennen; sie bieten jedoch keine Informationen über die in der L. angewandten Methoden – etwa über Fruchtwechsel oder Brache – oder über das Ausmaß, in dem unterschiedliche geogr. Bedingungen eine verschiedenartige Nutzung des Landes bedingten.

Ohne Zweifel ist die myk. L. nicht als → Subsistenzproduktion zu bezeichnen. Obgleich oft angenommen wurde, daß nach dem Zusammenbruch des Palastsystems mit seiner zentralisierten Nachfrage nach landwirtschaftl. Gütern die Viehwirtschaft dominierte, war im Dark Age wie in jeder Subsistenzwirtschaft eher der Ackerbau als die Viehzucht vorherrschend. Für die Agrargesellschaft, die bei Hesiod (Hes. erg. 286–617) sowie bei Homer in der Schildbeschreibung (Hom. Il. 18,478–608) dargestellt wird, waren Getreideanbau und Pflügen charakteristisch. Die *Érga* Hesiods waren kein Lehrbuch zur L., sondern ein Epos, das vorrangig moralische Fragen behandelte und das Agrarsystem selbst als bekannt voraussetzte; der überregionale Austausch von Agrarerzeugnissen wird als normal angesehen (Hes. erg. 618–694). Die Ländereien der Männer, für die und über die Hesiod schrieb, waren groß genug, um Sklaven (darunter Frauen und Jungen) sowie Ochsen zu halten.

B. PRODUKTIVITÄT DER LANDWIRTSCHAFT

Die Beschreibung der Arbeit in Hesiods *Érga* und der einzelnen Aufgaben, die in den verschiedenen Jahreszeiten durchgeführt werden sollten, läßt den Schluß zu, daß das Land bereits intensiv bewirtschaftet wurde. Damit stellt sich die Frage, wie ertragreich die griech. L. tatsächlich war. Während Vergleiche mit der vormod. L. des neuzeitl. Griechenland zur Annahme einer geringen Produktivität der ant. L. führten, ist in ethnologischen Arbeiten betont worden, daß die Produktivität in der vorindustriellen L. durch einen erhöhten Arbeitseinsatz gesteigert werden kann. Gegenwärtig wird daher eine relativ hohe Produktivität der griech. L. für möglich gehalten; es sollte jedoch nicht übersehen werden, daß die Ernteerträge ant. Nutzpflanzen nur begrenzt waren. Die traditionalen Methoden der Getreideernte erfordern einen extrem hohen Arbeitsaufwand, so daß in neueren Diskussionen die möglichen Konsequenzen eines solchen »time stress« betont worden sind.

Um die Produktivität der ant. L. bestimmen zu können, müssen der Arbeitsaufwand, die Größe der Anbauflächen, die Anbaumethoden einschließlich der Verbreitung der Brache und des Fruchtwechsels sowie die Verwendung von tierischem und grünem Dünger analysiert werden. Hesiod und Homer kennen die Brache, und nach Xenophon und Theophrast war die zweijährige Brache ein allg. übliches Verfahren. Eine in der Suda überlieferte Bemerkung des Lysias (s. v. ἐπὶ καλάμῃ ἀροῦν) zeigt, daß »habgierige Bauern« einen Acker nicht jedes zweite Jahr brachlegten. Einige Pachtverträge schreiben den Pächtern eine Brache nicht ausdrücklich vor. Xenophon erwähnt sowohl die saubere Brache, bei der ein Pflanzenwuchs durch Pflügen unterbunden wurde, als auch die grüne Brache, bei der man das Gras zunächst wachsen ließ, aber es einpflügte, bevor neuer Grassamen entstand (Xen. oik. 16,12; 17,11). Theophrast wie auch die Pachtverträge (IG II² 1241,33) deuten an, daß in Jahren der Brache Hülsenfrüchte angebaut werden konnten, um dem Boden Nährstoffe zuzufügen. Hierfür eigneten sich nach Theophrast vor allem Bohnen, während Kichererbsen nutzlos waren (Theophr. h. plant. 8,7,2). Schon Homer (Hom. Il. 13,588–590) beschreibt in einem Gleichnis, wie Bohnen und Kichererbsen auf dem Dreschboden geworfelt wurden, was impliziert, daß sie als Feldfrüchte galten; Theophrast behandelt die Hülsenfrüchte in demselben Buch wie das Getreide (Theophr. h. plant. 8), wobei jedoch unklar bleibt, welchen Umfang die Nutzung von Hülsenfrüchten beim Fruchtwechsel hatte.

C. Viehwirtschaft und Anbaumethoden

Ebenso schwierig ist festzustellen, ob Viehwirtschaft und Ackerbau normalerweise kombiniert oder eher getrennt betrieben wurden. Die Zeugnisse zur → Transhumanz deuten darauf hin, daß die Herden sich nur innerhalb relativ kurzer Distanzen zwischen Sommer- und Winterweide bewegten. Es gibt Hinweise darauf, daß Vieh auf den Höfen oder in ihrer Nähe gehalten wurde und auf grünem Brachland weidete (Theophr. h. plant. 8,11,9; Theophr. c. plant. 4,6,1). Der Anbau von Futterpflanzen war ebenfalls bekannt (vgl. Aristot. hist. an. 522b). Nach Xenophon verwendeten nur einige Bauern tierischen Dünger, was nicht auf das Fehlen von Dünger, sondern auf Nachlässigkeit zurückgeführt wird (Xen. oik. 20,10). Theophrasts Ausführungen über die für verschiedene Pflanzen jeweils geeignete Düngung (Theophr. h. plant. 2,7,4; c. plant. 3,9,5) zeigen, daß zumindest auf einigen Höfen die Methoden der Düngung hoch entwickelt waren. Epigraphische Zeugnisse aus Delos belegen auch die Verwendung von Vogelmist (z. B. IG XI 287A 20; 24). Außerdem wurden Mineralien (Kalk und Soda) als Düngemittel genutzt (Theophr. c. plant. 3,17,8; Theophr. h. plant. 8,11,7). Theophrast nennt Methoden der Bodenbearbeitung, die den Wasserverlust einschränken und den Pflanzen ermöglichen sollten, auch eine Dürreperiode zu überstehen (Theophr. c. plant. 5,9,8); allerdings war die Bewässerung für die Hortikultur und nicht für den Feldbau charakteristisch und nicht weitverbreitet.

Sowohl Xenophon als auch Theophrast (Theophr. h. plant. 2,6,5; 8,6,2) betonen, daß unterschiedliche Böden unterschiedliche Eigenschaften besitzen und so auch verschiedene Anbaumethoden oder Mengen an Saatgut etc. erfordern. Theophrast bezeichnet aber ausdrücklich die Witterung, nicht den Boden als den wichtigsten Faktor für die Ernteerträge (Theophr. h. plant. 8,7,6) und für Pflanzenkrankheiten (Theophr. c. plant. 3,22,2). Xenophons Bemerkungen über die Bodenqualität und zur Frage, welche Pflanzen für den Anbau jeweils geeignet sind (Xen. oik. 16,2÷7), setzen erhebliche regionale Unterschiede in der Bodenqualität und damit im Anbau voraus. Zumindest der Besitz reicherer Bauern war fragmentiert; wahrscheinlich galt eine solche Besitzstruktur als vorteilhaft, da die Ländereien auf diese Weise unterschiedlichen Risiken ausgesetzt waren.

Auch der Einsatz von Sklaven mag die Diversifizierung in der L. gefördert haben. Der Umfang, in dem Sklaven in der L. des klass. Griechenland als Arbeitskräfte eingesetzt wurden, ist viel diskutiert worden, aber sicherlich hat eine über den zeitlich begrenzten Einsatz von Hausklaven hinausgehende Sklavenarbeit in der L. den Anbau verschiedener Feldfrüchte notwendig gemacht, da nur so die Arbeitsbelastung gleichmäßig über das ganze Jahr verteilt werden konnte.

D. Andere Agrarerzeugnisse

Ertragsschwache Böden konnten auch der Bienenhaltung und der Gewinnung von Honig dienen: Bienenstöcke aus Ton sind bei den meisten neueren Surveys in Griechenland gefunden worden. Nicht alle landwirtschaftl. Erzeugnisse waren Nahrungsmittel. Die Bed. von Pflanzen, die zum Binden von Kränzen gebraucht wurden, geht aus entsprechenden Bemerkungen bei Theophrast hervor (Theophr. h. plant. 6,6–8). Hausbau, Schiffbau, Metallverarbeitung, Nahrungsmittelzubereitung (Kochen) und Heizen hatten eine große Nachfrage nach → Holz zur Folge; Landbesitzer konnten daher solche Flächen, die sich zum Anbau eigneten, für Gehölze nutzen und Holz verkaufen (Demosth. or. 42,7). Die Wollproduktion behielt ihre herausragende wirtschaftl. Bed.: Selbst als sie nicht mehr ein gesamtes polit. System stützte wie in der späten Brz., waren einige Städte an einer Regulierung des Wollverkaufs interessiert (SGDI 4,52). Theophrast ist mit dem Anbau von Flachs (→ Lein, Flachs) vertraut (Theophr. c. plant. 4,5,4; vgl. Theophr. h. plant. 8,7,1) und geht davon aus, daß Leinsamen seinen Lesern bekannt ist (Theophr. h. plant. 3,18,3); es liegt allerdings kein Zeugnis für ausgedehnten Flachsanbau in Griechenland selbst vor.

E. Subsistenzproduktion und Markt

Die Entscheidung, verschiedene Feldfrüchte anzubauen, ist nicht identisch mit der Entscheidung für eine Subsistenzproduktion. Tatsächlich schlossen die von Jahr zu Jahr beträchtlichen klimatischen Schwankungen eine reine Subsistenzproduktion aus; auch die öffentl. Nachfrage nach bestimmten landwirtschaftl. Erzeugnissen (etwa Tieren für die Opfer) und die steigenden Belastungen durch Geldsteuern und → Liturgien hatten zur Folge, daß die L. zunehmend von einem entstehenden Markt beeinflußt wurde. Außerdem wurden oft aus anderen Regionen Griechenlands eingeführte Agrarerzeugnisse den einheimischen Produkten vorgezogen. So gab es in Gegenden, in denen vor allem Gerste angebaut wurde, eine Vorliebe für Weizen, mit dessen Verzehr auch die Vorstellung sozialer Distinktion verbunden war. Das → Ernährungs-Verhalten war zudem von Modetrends geprägt; importierte Weine wurden wohl gerade deswegen geschätzt, weil sie importiert waren, und Olivenöl aus Athen besaß schon früh einen bes. Ruf. Auf diese Weise bewirkten Geschmack und

Mode, daß große Mengen von Agrarerzeugnissen in der griech. Welt über weite Distanzen transportiert wurden, bedingt durch eine Nachfrage, die nicht allein auf Hunger und Not zurückgeführt werden kann. Da der Getreidemarkt sich vor allem aufgrund der stark schwankenden Ernteerträge als bes. unbeständig erwies, mußte die für die Städte so wichtige Getreideversorgung durch Gesetze geregelt werden. Obgleich die Getreideversorgung in den ant. Texten unter diesen Voraussetzungen bes. oft erwähnt wird, sollte der Umfang des Handels mit anderen Nahrungsmitteln sowohl über kurze als auch über weite Distanzen nicht unterschätzt werden (vgl. Demosth. or. 35,10).

Die wechselnden Siedlungsstrukturen, die arch. belegt sind, korrelieren wahrscheinlich mit Wandlungen im Agrarbereich, wobei diese Beziehungen nicht einfach zu klären sind. In einigen Gebieten Griechenlands, vor allem in Attika, kann die Ausdehnung des Terrassenfeldbaus arch. nachgewiesen werden; es ist wahrscheinlich, daß in vielen Teilen der griech. Welt die Bewirtschaftung des Landes in der klass. Zeit intensiver war als in der archa. Epoche.

F. Landwirtschaft, Moral und Politik

In den meisten griech. Städten war die L. die Tätigkeit, die aufgrund polit. und moralischer Überzeugungen bes. empfohlen wurde. So lobt Xenophon die L., weil sie Wohlstand und Gesundheit fördere und überdies auch gute Soldaten hervorbringe: Sie sei die beste Tätigkeit für einen freien Mann (Xen. oik. 5,1–17). Die Autarkie sowohl des Individuums als auch der Stadt blieb – obwohl sie kaum noch zu verwirklichen war – ein vielgerühmtes Ideal; die polit. Struktur der Städte war weiterhin im wesentlichen auf die L. ausgerichtet. → Bienenzucht; Düngemittel; Garten; Getreide; Hortikultur; Öl; Pachtverträge; Pylos; Sklaverei; Viehwirtschaft; Wein; Wolle

1 A. BURFORD, Land and Labor in the Greek World, 1993 2 J. CHADWICK, The Mycenaean World, 1976 3 GARNSEY 4 P. HALSTEAD, Traditional and Ancient Rural Economy in Mediterranean Europe: plus ça change?, in: JHS 107, 1987, 77–87 5 P. HALSTEAD, G. JONES, Agrarian Ecology in the Greek Islands: Time Stress, Scale and Risk, in: JHS 109, 1989, 41–55 6 S. HODKINSON, Animal Husbandry in the Greek Polis, in: WHITTAKER, 35–74 7 ISAGER/SKYDSGAARD 8 M. JAMESON, Agriculture and Slavery in Classical Athens, in: CJ 73, 1977/78, 122–125 9 A. JARDÉ, Les céréales dans l'antiquité grecque, 1925 10 E. MEIKSINS WOOD, Peasant-Citizen and Slave, 1988 11 P. MILLETT, Hesiod and His World, in: PCPhS n. s. 30, 1984, 84–115 12 OSBORNE 13 R. OSBORNE, The Economics and Politics of Slavery at Athens, in: A. POWELL (Hrsg.), The Greek World, 1995, 27–43 14 S. POMEROY, Xenophon, Oeconomicus: a Social and Historical Commentary, 1994 15 R. SALLARES, The Ecology of the Ancient Greek World, 1991 16 B. WELLS (Hrsg.), Agriculture in Ancient Greece, 1992. R. O./Ü: A. H.

V. Rom

A. Allgemeines B. Die bäuerliche Subsistenzwirtschaft C. Grossgrundbesitz und Gutswirtschaft D. Arbeitsteilung und -organisation. Die Sklaverei E. Die Produktivität der Landwirtschaft

A. Allgemeines

In der Zeit der frühen Republik (5./4. Jh. v. Chr.) waren Getreide- und Weinanbau sowie Olivenbaumkulturen in Mittelitalien ebenso verbreitet wie die Haltung und Zucht der wichtigsten Nutztiere (Schafe, Ziegen, Rinder, Schweine). Das Zwölftafelrecht (→ Tabulae duodecim) weist eine Vielzahl von Regelungen auf, die mit Landbesitz, Anbau und Viehhaltung in engem Zusammenhang stehen. Von der Frühzeit bis zur Spätant. bestanden im Agrarbereich zwei verschiedene Wirtschaftsformen nebeneinander, die von den ökonomischen, sozialen und polit. Entwicklungen – auch in ihrem Verhältnis zueinander – nachhaltig beeinflußt wurden: die kleinbäuerliche Wirtschaft, die primär auf Selbstversorgung der Familie ausgerichtet war, und die Gutswirtschaft, die eine große Zahl von Arbeitskräften benötigte und dem Besitzer ein hohes Einkommen sicherte.

B. Die bäuerliche Subsistenzwirtschaft

Das Kleinbauerntum war in der Zeit der Republik strukturell geschützt, weil die Bauern die Soldaten des Heeresaufgebotes stellten, auf das Rom angewiesen war; gleichzeitig war es dem zunehmenden Druck des Großgrundbesitzes ausgesetzt. Bes. in den Landschaften, in deren Nähe größere Städte und damit Absatzmärkte oder aber gute Verkehrswege lagen, wurde der Kleinbesitz zunehmend verdrängt. Teilweise waren die Bauern gezwungen, ihr Land nach Mißernten wegen Überschuldung aufzugeben, teilweise kauften Großgrundbesitzer die kleinen Höfe auf oder verdrängten die bäuerlichen Familien gewaltsam von ihrem Besitz. Solche Prozesse konnten rasch voranschreiten, wie das Beispiel des *ager Praenestinus* für die nachsullanische Zeit verdeutlicht (Cic. leg. agr. 2,78). Es spricht aber viel dafür, daß sich die kleinbäuerliche Subsistenzwirtschaft in vielen Regionen Italiens behaupten konnte. Gerade auch polit. Maßnahmen trugen erheblich zur Stabilisierung des Bauerntums bei: Bis etwa zur Mitte des 2. Jh. v. Chr. wurde Land an röm. Bürger in neugegründeten Städten (→ *coloniae*) verteilt, im 1. Jh. v. Chr. erhielten zahlreiche Veteranen der Heere Sullas, des Pompeius, Caesars und des jungen Caesar (C. Octavius) landwirtschaftl. Besitzungen.

Als Großgrundbesitzer im 1. Jh. n. Chr. dazu übergingen, Ländereien zu verpachten, anstatt sie selbst zu bewirtschaften, erhielt die besitzlose Landbevölkerung neue Möglichkeiten, im Agrarbereich ihr Auskommen zu finden. Die kleinbäuerlichen Familien hatten in vielen Fällen kein eigenes Land mehr, überlebten aber als Pächterfamilien (→ *colonatus*). Dies trifft auch für die Prov. zu, in denen *coloni* die riesigen Besitzungen des

Princeps bewirtschafteten (CIL VIII 25902). Da die Geldpacht sich als problematisch erwies, setzte sich die Teilpacht relativ schnell durch (Plin. epist. 9,37). Auf den Ländereien in Africa mußten die *coloni* einen festgesetzten Teil der Ernten abliefern; diese Ablieferungspflicht integrierte sie in das überregionale Wirtschaftsgeschehen, die bäuerliche Familie konnte sich nicht mehr auf die Selbstversorgung (und allenfalls Steuerzahlung) beschränken. Mit der Durchsetzung der Teilpacht hatte der *colonus* die Verfügung über seine Erzeugnisse verloren, er konnte nicht mehr unabhängig auf dem Markt als Verkäufer auftreten. Die Funktion der *coloni* bestand nunmehr wesentlich darin, das Land zu bearbeiten. Es darf allerdings nicht übersehen werden, daß sich die Agrarstruktur in den verschiedenen Teilen des Imperium Romanum unterschiedlich entwickelte und bis zur Spätant. in vielen Prov. mit einem freien Bauerntum zu rechnen ist (Lib. or. 50).

C. Grossgrundbesitz und Gutswirtschaft

Der → Großgrundbesitz bestand, soweit er seit der späten Republik faßbar ist, jeweils aus mehreren Gütern (*villae*), die meist in verschiedenen Landschaften Italiens, in der Prinzipatszeit auch in verschiedenen Prov. lagen und damit nicht denselben Risiken der Witterung, aber auch der polit. Verhältnisse ausgesetzt waren (Cic. S. Rosc. 20; Plin. epist. 3,19). Unter bes. Bedingungen entstanden auch zusammenhängende Gutskomplexe (*latifundia*), die ganze Landschaften umfaßten und meist extensiv bewirtschaftet wurden. Solche Besitzungen scheint es zunächst in Süditalien gegeben zu haben, wo nach dem 2. Pun. Krieg viele Gebiete durch Rom annektiert worden waren und die Viehzucht dominierte; während der sullanischen Proskriptionen (82 v. Chr.) eigneten sich einige Senatoren geradezu unermeßliche Ländereien an (Cic. leg. agr. 3,13 f.; Plut. Crassus 2), und im frühen Prinzipat soll sechs Senatoren die Hälfte der Prov. Africa gehört haben. Diese Entwicklung wurde keineswegs unkritisch gesehen, wie die Ansicht des Plinius zeigt, die Latifundien hätten Italien ruiniert (*latifundia perdidere Italiam*; Plin. nat. 18,35). Durch Erbschaften und Konfiskationen erwarb der Princeps in allen Prov. Ländereien, so daß er bereits im 1. Jh. n. Chr. als Eigentümer des größten Grundbesitzes im Imperium zu gelten hat. Charakteristisch für die röm. Agrarstruktur blieben allerdings die mittelgroßen Güter, deren Existenz durch die Bronzeinschr. von Veleia und Ligures Baebiani (CIL XI 1147; CIL IX 1445) gut belegt ist. Für die Spätant. besitzen wir ein poetisches Zeugnis solcher Besitzverhältnisse (Auson. De herediolo).

Viele Angehörige der röm. Oberschicht – Senatoren, Equites und Ratsherren der Municipien – bezogen ihr ständiges Einkommen zum weitaus größten Teil aus ihren ländlichen Besitzungen; dementsprechend war die Gutswirtschaft wesentlich ertragsorientiert. Dies schließt eine Subsistenzproduktion keineswegs aus; die Besitzer bezogen besonders hochwertige Lebensmittel für ihren eigenen Haushalt von ihren Gütern, und auch die Nahrungsmittel für die Arbeitskräfte wurden auf den Gütern produziert. Wichtigstes Ziel war aber, gute Ernten zu erzielen, die Erzeugnisse möglichst teuer zu verkaufen, die Kosten niedrig zu halten und sich auf diese Weise selbst ein hohes Einkommen zu sichern; die ökonomische Rationalität dieses Denkens wird in der Forderung Catos umrissen, ein Gutsbesitzer solle ein Verkäufer, nicht ein Käufer sein (*patrem familias vendacem, non emacem esse oportet*, Cato agr. 2).

Die Produktion auf den von Cato beschriebenen Gütern war, soweit sie für den Markt bestimmt war, stark spezialisiert, etwa auf die Erzeugung von Wein oder Olivenöl. Die Agrarüberschüsse dienten zunächst der Versorgung der Städte Italiens und der stadtröm. Bevölkerung; bereits in der späten Republik wurden Agrarerzeugnisse, etwa Wein, aus Italien exportiert, das wiederum aus den Prov. (Sizilien, Africa und seit Augustus zudem Ägypten) Getreide erhielt. Diese Getreidelieferungen waren notwendig, weil die L. Mittelitaliens ohne Zweifel nicht in der Lage war, ein Bevölkerungszentrum wie Rom mit über 800000 Einwohnern angemessen zu versorgen (→ Getreidehandel; → *cura annonae*). In der Prinzipatszeit war die Entwicklung der L. im Imperium Romanum durch eine hochgradige Arbeitsteilung zwischen den Regionen gekennzeichnet; einzelne Prov. exportierten bestimmte Produkte in weit entfernte Verbraucherzentren. Die in den nw Prov. stationierten → Legionen mußten ebenfalls mit Agrarerzeugnissen aus dem mediterranen Raum versorgt werden. Neben den Grundnahrungsmitteln Getreide, Wein und Olivenöl lieferten die stadtnahen Güter auch schnellverderbliche Lebensmittel wie → Gemüse und → Obst. Mit *villatica pastio* entstand in der späten Republik ein neuer, sehr gewinnbringender Zweig der landwirtschaftl. Produktion – die Haltung und Mast von Kleintieren wie Hasen und von Geflügel; gerade seltene Vögel wie Pfauen waren eine exklusive und teure Speise für die Gastmähler der reichen Oberschicht (→ Kleintierzucht).

Anbau und Viehzucht waren in der röm. L. getrennte Aktivitäten; auf den Gütern wurden normalerweise nur wenige Arbeitstiere gehalten. Da Futterpflanzen in relativ geringem Umfang produziert wurden, existierte keine Stallviehhaltung. Große Viehherden wurden im Sommer in den Gebirgsregionen, im Winter in den Küstenebenen geweidet. Durch diese Arbeitsteilung verloren die Güter den für die Anbauflächen so wichtigen tierischen Dung; die Düngung des Bodens war eines der größten, von den Agrarschriftstellern immer wieder diskutierten Probleme der röm. L. (→ Düngemittel).

Die L. hatte keineswegs nur die Funktion, Nahrungsmittel zu produzieren. Die Viehzucht versorgte das Heer und die Oberschichten mit Reit- und Wagenpferden; Ochsen waren als Zugtiere für den Transport schwerer Lasten unentbehrlich, Esel und Maultiere dienten als Tragtiere ebenfalls dem Gütertransport. Mit → Wolle lieferte die L. den wichtigsten Rohstoff für die Textilherstellung.

D. Arbeitsteilung und -organisation.
Die Sklaverei

Im Gegensatz zur bäuerlichen Familie, in der eine geschlechts- und altersspezifische Arbeitsteilung vorherrschte, existierte auf den Gütern eine komplexe Arbeitsorganisation mit einer klaren Hierarchie. Seit dem 3. Jh. v. Chr. arbeiteten auf vielen Gütern Sklaven, die beaufsichtigt und versorgt werden mußten. Dabei wurde angestrebt, die Arbeitszeit der Sklaven möglichst auszudehnen und sie auch im Winter bei schlechtem Wetter oder an Feiertagen arbeiten zu lassen. Selbst die Arbeitsgeschwindigkeit unterlag ökonomischen Überlegungen; für einzelne Arbeiten war der notwendige Zeitaufwand genau festgesetzt. Die Kosten sollten dadurch gesenkt werden, daß den Sklaven knappe, aber für die Reproduktion der Arbeitskraft ausreichende Rationen an Nahrungsmitteln zugeteilt wurden. Da Sklaven nur unter dem Aspekt der Arbeitskraft gesehen wurden, hat man fast ausschließlich Männer auf den Gütern eingesetzt (vgl. Cato agr. 10,1; 11,1); nur in Ausnahmefällen gab es Sklavenfamilien. Die Überschüsse großer Güter müssen demnach auch darauf zurückgeführt werden, daß auf diesen Besitzungen nicht intakte, bäuerliche Familien mit Kindern, Frauen und alten Menschen, sondern nur die tatsächlich zur Arbeit eingesetzten Sklaven ernährt werden mußten. Allerdings bestand bereits die Einsicht, daß Zwang und Repression nicht ausreichten, um angemessene Arbeitsleistung zu erhalten, und so empfahlen Autoren wie Varro oder Columella, die Sklaven durch Belohnungen, persönliche Ansprache und gerechte Behandlung für ihre Arbeit zu motivieren (Varro rust. 1,17; Colum. 1,8,15ff.). Gutsaufseher (*vilici*) versuchte man an das Gut zu binden, indem ihnen erlaubt wurde, mit einer Sklavin zusammenzuleben, die als *vilica* wichtige Organisationsaufgaben im Haushalt der *villa* übernahm.

Mit der Verpachtung an *coloni* wurde die → Sklaverei keinesfalls zwingend beseitigt, denn viele Pächter arbeiteten mit Sklaven. Immerhin ist aber zu konstatieren, daß im Imperium Romanum neben der Sklaverei auch andere Formen abhängiger Arbeit bestanden, die oft – etwa in Gallien, Kleinasien oder Ägypten – auf vorröm., lokale Traditionen zurückgingen.

E. Die Produktivität der Landwirtschaft

Die steigende Produktivität der röm. L. beruhte zumindest teilweise auf Fortschritten in den Anbaumethoden, der Düngung und den Verfahren der Tier- und Pflanzenzucht. Außerdem wurden viele in der L. verwendete Geräte entscheidend verbessert; dies trifft etwa auf die Wein- und Ölpressen oder die Getreidemühlen zu. Dennoch hielten die Erträge sich insgesamt in den engen Grenzen der vorindustriellen Agrarwirtschaft: Columella rechnet für Getreide mit einem vierfachen Ertrag, für Weinpflanzungen mit Ernten von 500–1500 l pro Morgen (Colum. 3,3,4; 3,3,10f.).

→ Agrarschriftsteller; Agrarstruktur; Bauern; Subsistenzproduktion; Transhumanz; LANDWIRTSCHAFT

1 J. M. FRAYN, Subsistence Farming in Roman Italy, 1979 2 JONES, LRE, 767–823 3 R. MARTIN, Recherches sur les agronomes latins et leurs conceptions économiques et sociales, 1971 4 J. PERCIVAL, The Roman Villa, 1976 5 M. S. SPURR, Arable Cultivation in Roman Italy c. 200 B. C. – c. A. D. 100, 1986 6 K. D. WHITE, Agricultural Implements in the Roman World, 1967 7 WHITE, Farming 8 WHITTAKER. H. SCHN.

VI. Byzanz
A. Allgemeines, Quellen, Literatur
B. Bedeutung der Landwirtschaft; Technik, Bodenbehandlung
C. Landwirtschaftszonen D. Produkte

A. Allgemeines, Quellen, Literatur

Das Jahr 800 n. Chr., Endpunkt dieser Darstellung, bildet keinen Einschnitt in der Entwicklung der byz. L.; vielmehr liegt ein solcher eher in der Mitte des 7. Jh., als Äg. verloren gegangen war und die europ. Prov. weitgehend an Slaven und Avaren gefallen waren. Nach diesen Ereignissen (um 700) entstand das sog. Ackerbaugesetz (*Nómos Georgikós*), das sich aus regional nicht genau festzulegenden Einzelverordnungen zusammensetzt, die als charakteristisch für eine neue Epoche gelten können. Im Hinblick auf eine »wissenschaftliche« Beschäftigung mit der L. ist auf die Sammlung der → *Geoponika* zu verweisen, die im 6. Jh. ihre wesentliche Gestalt erhielten, ehe sie im 10. Jh. nochmals redaktionell überarbeitet wurden. Es existiert noch keine Darstellung der Gesch. der byz. L., verschiedene regional und zeitlich begrenzte Arbeiten ermöglichen aber einen Gesamtüberblick.

B. Bedeutung der Landwirtschaft; Technik, Bodenbehandlung

Trotz Handel und Handwerk und dem (erst am Ende des Zeitraums weitgehend erloschenen) Städtewesen war Byzanz ein Agrarstaat, und mehr als 90% der Staatseinnahmen rekrutierten sich in den verschiedensten Formen aus dem Land. Dabei waren nach dem Verlust Ägyptens nur etwa 20% des Landes wegen top. und/oder klimatischer Gegebenheiten für den Ackerbau geeignet. Feindeseinfälle und Bevölkerungsrückgang (durch Seuchen) führten auch zur Vernachlässigung der → Bewässerungs-Systeme. Die Bodenbearbeitungsgeräte der Ant. wurden beibehalten und auch in späteren Jh. nicht mehr wesentlich weiterentwickelt. Auch tiefe Pflugscharen wurden nicht entwickelt, um den Boden nicht zu starker Sonneneinstrahlung auszusetzen und die Erosion zu fördern. Das Rotationsprinzip Ackerland/Brachland ist wenig durchschaubar und wurde regional unterschiedlich gehandhabt.

C. Landwirtschaftszonen

Die aus der Ant. bekannten Landwirtschaftszonen des Oström. Reiches erfuhren z. T. erhebliche Veränderungen durch Klimaverschlechterung oder Zuwanderung von Bevölkerung, die mit den Gegebenheiten nicht vertraut war. So kam es in weiten Teilen des Nahen Ostens zur Versteppung oder Wüstenbildung, in tiefgelegenen Regionen des Balkanraumes zur Versumpfung. Für den Ackerbau blieben die ägäischen Küstengebiete Kleinasiens, das thrakische Hinterland Konstantinopels und der nördl. Schwarzmeerraum. Einen wichtigen Bereich, dessen Bed. erst in jüngster Zeit voll erkannt wurde, stellt die Gartenwirtschaft (→ Hortikultur) dar, die auch erheblich zur Versorgung städtischer Zentren (sogar Konstantinopels) beitragen konnte.

Die an Fläche erheblichen gebirgigen Regionen Kleinasiens dienten einer umfangreichen Viehhaltung (bes. Ziegen, Schafe, auch Pferde; → Viehwirtschaft). Sie kam dem Woll- und Fellhandel zugute. Angesichts der in diesen Jh. noch großen Waldbestände (Schwarzmeer, Balkanraum, Südkleinasien, Kreta, Zypern) ist auch die Nutzung von → Holz ausdrücklich zu erwähnen, sowohl zur Verwendung im Hausbau als auch bei der Schiffskonstruktion.

D. PRODUKTE

Wie in der Ant. spielte auch im byz. Reich der → Getreide-Anbau (bes. Weizen) die entscheidende Rolle, v. a. bei der Versorgung der Großstadt Konstantinopel. In höher gelegenen Regionen gab es auch Anbau von Gerste und (seltener) Roggen, letzterer eher im Balkanraum. Bei der (aus Kostengründen) überwiegend fleischarmen Ernährung der Mittel- und Unterschichten nehmen → Gemüse, Hülsenfrüchte und auch Trockenfrüchte (Mandeln, Walnüsse, Kastanien – letztere auch für Brei verwendbar) einen wichtigen Platz ein. Fleisch gab es (ausgenommen für die Oberschicht, die Wild zur Verfügung hatte) hauptsächlich in getrockneter und gepökelter Form (→ Fleischkonsum). Weitverbreitet war angesichts der vielen Weidemöglichkeiten die Produktion von → Käse. Die durch die christl. Abstinenzgebote (bes. in Klöstern und während der Fastenzeiten) veränderten Eß- und Lebensgewohnheiten förderten den Anbau von Hülsenfrüchten und die Herstellung von Milchprodukten.

Unter den Fruchtbäumen waren die Agrumen (abgesehen von einigen Wildsorten) noch unbekannt, und es herrschten Apfel und Birne vor. Der Anbau des Ölbaums ist ganz vom Klima abhängig. Die Oliven wurden ausschließlich zur Ölgewinnung verwendet (→ Öl, Ölbaum). Obwohl es auch andere Pflanzenöle (z. B. aus → Lein) gab, stand Olivenöl wegen seines Nährwertes immer an erster Stelle und war ein unverzichtbares Produkt des täglichen Lebens. Ganz in ant. Trad. war der Anbau von → Wein dem von Getreide gleichwertig; man verzichtete auch dort nicht auf seine Kultivierung, wo die Anbaufläche gering war. Die Rebe war klimatisch weit weniger empfindlich als der Ölbaum, und ein Weingarten war Bestandteil jedes Grundbesitzes.

Nicht unerwähnt soll die weitverbreitete → Bienenzucht sein, die auch der Besteuerung unterlag. Ihr kam wegen der Wachsgewinnung, bes. auch für liturgische Zwecke, eine allgemeinere Bed. zu als in der Antike.

1 H. BECKH (Hrsg.), Geoponika, 1895 2 M. F. HENDY, Stud. in the Byzantine Monetary Economy c. 300–1450, 1985, 35–68 3 J. HENNING, Südosteuropa zw. Ant. und MA. Arch. Beiträge zur L. des 1. Jt. u. Z., 1987 4 M. KAPLAN, Les hommes et la terre à Byzance du VIᵉ au XIᵉ siècle, 1992, bes. 25–87 5 A. KAZHDAN, Il contadino, in: G. CAVALLO (Hrsg.), L'uomo bizantino, 1992, 45–93 6 J. KODER, Der Lebensraum der Byzantiner, 1984 7 Ders., Gemüse in Byzanz, 1993 8 Ders., Historical Aspects of a Recession of Cultivated Land at the End of the Late Antiquity in the East Mediterranean, in: Paläoklimaforschung 10, 1994, 157–166 9 I. P. MEDVEV (Hrsg.), Nomos Georgikos, 1984 (russisch) 10 J. W. NESBITT, A. KAZHDAN, s. v. Agriculture, ODB I, 39–40 11 J. L. TEALL, The Byzantine Agricultural Tradition, in: Dumbarton Oaks Papers 25, 1971, 33–59 12 Ders., The Grain Supply of the Byzantine Empire, 330–1025, in: Dumbarton Oaks Papers 13, 1959, 87–139. P. S.

VII. FRÜHES MITTELALTER

Auch in den Jh. zw. der Teilung des Imperium Romanum und der Wiedererrichtung des westl. Kaisertums durch die Karolinger blieb die L. Basis der Subsistenz, der Austausch- und Herrschaftsverhältnisse. Insgesamt fanden jedoch vielfältige Wandlungen statt, die das agrarische Gesicht des westl. Europa gründlich änderten. Das Bild dieser Wandlungen war lange von der Hypothese einer allg. agrartechnischen Stagnation der Spätant. und eines primitiven Agrarniveaus der Grenzvölker bestimmt. Bes. der hochspezialisierten Arch. der letzten Jahrzehnte (Grabbeigaben, Gerätefunde, Brunnen-, Hofareal-, Siedlungs-, Flurgrabungen), der Paläobotanik (Pflanzen- und Gewebereste), der Osteologie (Knochen, Horn) und Metallurgie mit ihren neuen Analyse- und Datierungsmethoden (C14, Dendrochronologie, chemische Analysen, Gentechnik u. a.) ist es zu verdanken, daß diese Auffassung grundlegend modifiziert wurde.

An erster Stelle stehen hier frühe Belege für den Gebrauch des schweren Wendepfluges (mit verstellbarem Sech und Streichbrett; → Pflug) in den röm. Prov. von der unteren Donau bis zur Atlantikküste; dasselbe gilt für eine bessere Anspannung der Zugtiere (Joch, Siel, Kummet; → Landtransporte), für die Pflügetechnik in Langstreifen, für den Anbau von Nacktgetreidearten (Saatweizen, bes. aber genügsamer Roggen) in Kombination mit Sommergetreiden (Hirse, Hafer, Gerste; → Getreide), für den Einsatz der Egge (Breitsaat), für die auf winterlicher Stallfütterung basierende Steigerung der Mistdüngung, für den Dreschflegel und die Langsense für die Wiesenmahd, für die Zunahme der Schweine- und Geflügelhaltung, schließlich auch für die von Wasserkraft betriebene Getreidemühle.

Wie die Schriftquellen zeigen, nahm die Integration all dieser Veränderungen zu anpassungsfähigen Ensembles seit dem 7. Jh. in kleinem Maßstab in der Hufe (mansus, engl. hide, span. mas usw.) konkrete Gestalt an. Diese betriebliche Integration hat drei Folgen: die Herausbildung von flexiblen Haushalten mit einem Paar im Zentrum; die kontinuierliche Verteilung aller Arbeiten in Feld und Flur, Wald und Weide, Garten und Hof auf alle Jahreszeiten (mehrere Pflugtermine in Herbst, Frühjahr und Frühsommer; Brache; Ausfüllung der Winterzeit mit Drusch, Spinn-, Webarbeit und Instandsetzung) sowie die partielle Verflechtung der Einzelbetriebe in die lokale Siedlungsgemeinschaft (Bodennutzungen, Ressourcenverteilung, Kooperation). Was also – mit Recht – als allmähliche »Reagrarisierung« in der Zeitspanne vom 4. zum 9. Jh. gilt, bedeutete zugleich eine enorme innovative Mobilisierung der ruralen Gegebenheiten und Möglichkeiten.

Es bleibt allerdings die Frage, zu welchem Anteil diese Veränderungen auf die Initiative der selbständig wirtschaftenden Landleute – frei oder unfrei – oder aber auf die Einkommens- und Kontrollinteressen der alten und neuen grundbesitzenden Stände (provinzialer Senatorenstand, gentiler Adel, Bischöfe, Klöster) zurückgingen. Auf jeden Fall aber stellte die Formierung neuartiger agrikoler Strukturen die Voraussetzungen für eine Entfaltung der ländlichen Verhältnisse bereit, die nach dem Abklingen der Seuchen und anderer Gefährdungen in ein neuartiges Wachstum mündeten. Seit dem 7. Jh. kam es allerorten zu Rodungen, zur Anlagerung von Gewerben (in *villa*, *castrum* u.a. Zentren), zur Belebung des (markt- und münzgeldvermittelten) Tausches, zur Aufhäufung adligen und kirchlichen Reichtums. Trotz aller regionalen Unterschiede ist festzustellen, daß ein variables agrikoles »Muster« entstand, das dann über die Säume der bestehenden Siedlungs- und Herrschaftsstrukturen hinausgetragen wurde.

1 W. ABEL, Gesch. der dt. L., ³1978 2 G. COMET, Le paysan et son outil, 1992 3 P. CONTAMINE u.a. (Hrsg.), L'économie médiévale, ²1997 4 R. DOEHAERD, Le haut moyen âge occidental, 1971 5 J. HENNING, L. der Franken, in: Die Franken. Wegbereiter Europas, 1996, 774–785 6 W. JANSSEN, D. LOHRMANN, Villa – Curtis – Grangia. L. zw. Loire und Rhein von der Römerzeit zum Hochmittelalter, 1983 7 R. LATOUCHE, The Birth of Western Economy, 1961 8 H.W. PLEKET, Die L. in der röm. Kaiserzeit, in: VITTINGHOFF, 70–118 9 D. SWEENY (Hrsg.), Agriculture in the Middle Ages. Technology, Practice, and Representation, 1995 10 A. VERHULST (Hrsg.), Die Grundherrschaft im frühen Mittelalter, 1985 11 C. WICKHAM, The Other Transition: From the Ancient World to Feudalism, in: Past & Present 103, 1984, 3–36.

LU. KU.

Langaros (Λάγγαρος). König der → Agrianes, Freund von → Alexandros [4] schon zu Lebzeiten Philippos' II. 335 v. Chr. griff L. als Philipps Verbündeter die → Autariatae an, um ihr Land zu plündern und Alexandros beim Feldzug gegen Kleitos [8] und Glaukias [2] den Rücken zu decken. Alexandros belohnte ihn großzügig und bot ihm seine Halbschwester → Kynnane als Braut an, doch starb L. vor der Hochzeit (Arr. an. 1,5,1–5).

E. B.

Lange Mauern
s. Befestigungswesen I.; Athenai [1] II. 7

Langobardi (etym. *Lang(a/o)-bardoz*, »die Langbärte« [9]). German. Stamm, den Tacitus (Germ. 40,1) und Ptolemaios (2,11,9) zu den Suebi zählen; der Stammessage nach [1] gegen 100 v. Chr. als Winniler aus Südschweden in Gebiete südl. des Baltischen Meeres gewandert und mit anderen Völkerteilen verschmolzen. Seit dem 1. Jh. v. Chr. sind die L. am Unterlauf der Elbe (im Bardengau) arch. gesichert. 5 n. Chr. von Tiberius kurz auf das Ostufer zurückgedrängt (Strab. 7,1,290; Vell. 2,106,2; [2]), waren die L. einige Zeit von Maroboduus abhängig, fielen aber 17 n. Chr. zu den Cherusci ab (Tac. ann. 2,45f.; 11,17; [3]). Gemeinsam mit den Obii brach ca. 166/7 eine 6000 Mann zählende Schar in → Pannonia Superior ein (Cass. Dio 71,3,1a; [4]). Ein größerer Teil der L. trat frühestens E. 3./Anf. 4. Jh., vermutlich sogar erst nach 400 die Wanderung in den Donauraum an (Origo gentis Langobardum 2; Paulus Diaconus, Historia Langobardorum 1,13). Unter König Tato (wahrscheinlich einem der ersten Könige der L. [5]) besetzten die L. bald nach 488 Gebiete nördl. von Noricum (Rugiland) und gerieten in Abhängigkeit von den → Heruli, die sie aber um 508/9 besiegten.

Die um 500 wohl von ostgerman. Missionaren christianisierten (arianisierten; → Arianismus) L. dehnten ihren Bereich 526/7 nach Pannonia Superior aus (Paulus Diaconus, ebd. 2,7). Den zeitweise mit den Franci verbündeten L. schenkte Iustinianus 546/7 Teile von Pannonia Inferior [6]. Nach dem gemeinsam mit den Avares 567 errungenen Sieg über die → Gepidae faßte König Alboin den Entschluß, nach It. zu ziehen [7]. Den L. schlossen sich starke Gruppen fremder Stämme, aber auch pannonisch-norische Provinzialen an. Pavia (das ant. Ticinum) wurde der Mittelpunkt des Reiches der L. in Ober- und Mittelit. Daneben entstanden die langobardischen Herzogtümer Spoleto und Benevento. Die arianisch-antiröm. Einstellung der L. führte zu starken Konflikten. Seit Mitte des 7. Jh. erfolgte eine Katholisierung der L. (kirchlicher Mittelpunkt: Mediolanum/Mailand). Im 8. Jh. kam es zu Auseinandersetzungen mit Konstantinopel [8]. Das E. der Herrschaft der L. in It. im J. 774 wurde durch ein Bündnis des Papsttums mit den Franci herbeigeführt.

1 H. ROGAN, Paulus Diaconus – laudator temporis, 1992 2 H. KEILING, Zur Frage der Besiedlung Westmecklenburgs durch Langobarden nach dem Kriegszug des Tiberius im Jahre 5 u.Z. in den unteren Elberaum, in: H. SCHEEL (Hrsg.), SB der Akad. der Wiss. der DDR. Geisteswiss. 1982, H. 15, 1983, 45–51 3 J. JARNUT, Die Frühgesch. der Langobarden, in: Studi medievali 24, 1983, 1–16 4 J. FITZ, Der Einbruch der Langobarden und Obier in 166/167 u.Z., in: Folia Archaeologica 11, 1959, 61–73 5 H. FRÖHLICH, Stud. zur langobardischen Thronfolge, Diss. Tübingen 1980 6 W. POHL, The Empire and the Lombards, in: Ders. (Hrsg.), Kingdoms of the Empire, 1997, 75–134 7 N. CHRISTIE, Invasion or Invitation? The Langobard Occupation of Northern Italy A.D. 568–569, in: Romanobarbarica 11, 1991, 79–108 8 K. P. CHRISTOU, Byzanz und die Langobarden, 1991 9 R. NEDOMER, Der Name der Langobarden, in: Die Sprache 37, 1995, 99–104.

TIR M 33,50 · V. BIERBRAUER, G. TABACCO, F. ALBANO LEONI, G. VISMARA, s. v. Langobarden, -reich, Langobardisch, Langobardische Kunst, Langobardisches Recht, LMA 5, 1688–1701 · J. JARNUT, Gesch. der Langobarden, 1982 · W. MENGHIN, Die Langobarden, 1985 · V. BIERBRAUER, Langobarden, Bajuwaren und Romanen im mittleren Alpengebiet, 1994 · N. CHRISTIE, The Lombards, 1995.   K. DI.

Laniarium s. Fleischkonsum

Lanike (Λανίκη; wohl Kurzform von Ἑλλανίκη, *Hellaníkē*, Curt. 8,1,21). Schwester des → Kleitos [6], Amme → Alexandros' [4], der sie nach Kleitos' Tod angeblich klagend apostrophierte (Arr. an. 4,9,3 f.; Curt. 8,2,8 f.). L.s Ehemann ist unbekannt. Zwei ihrer Söhne fielen bei → Miletos, einer – Proteas – wurde als Trinkkumpan Alexandros' berühmt (Athen. 4,129a; Ail. var. 12,26).

BERVE, Nr. 462, vgl. Nr. 664.   E. B.

Lanista. Der *l.* bildete → Gladiatoren aus (Suet. Iul. 26,3; Sen. benef. 6,12,2). Vielfach waren *lanistae* selbst Besitzer von Kämpfern, die sie an Spielgeber vermieteten oder verkauften; gerade für die Abhaltung von Spielen in den kleineren Landstädten hatten sie daher eine wichtige Funktion (ILS 5163 Z. 9 f.; 35; 37; 41; 57; 59). Erfolgreiche *lanistae* konnten so beträchtliche Einnahmen erzielen, ihr ges. Ansehen war jedoch gering (Mart. 11,66); in den Municipien durften sie keine Ämter übernehmen (ILS 6085 Z. 123).
→ Munera

1 T. WIEDEMANN, Emperors and Gladiators, 1992.   BJ. O.

Lanuvium. Stadt in Latium in den südl. Ausläufern der Albaner Berge, 18 Meilen von Rom entfernt an der *via Appia*, h. Lanuvio. Am *foedus Cassianum* von 493 v. Chr. beteiligt. Im Latinerkrieg 340 (→ Latinischer Städtebund) romtreu, erhielt L. die *civitas Romana*; *municipium* (338 v. Chr.; Liv. 8,14,2), evtl. *tribus Maecia*. Geburtsort der Kaiser Antoninus Pius und Commodus.
Die h. Siedlung befindet sich über der ant. Stadt; nur die von einer Tuffsteinmauer umgebene *arx* (»Burg«) im Norden auf dem Hügel von San Lorenzo ist nicht überbaut; im Innern Reste eines Heiligtums mit Antentempel, evtl. der Iuno Sospita (Cic. fin. 2,63) [1; 2]; Theater. Im Süden liegt der republikanische Herculestempel.

1 E. D. VAN BUREN, Iuno Sospita of L., 1913
2 G. KASCHNITZ-WEINBERG, Das Kultbild der Iuno Sospita, in: G. BRUNS (Hrsg.), FS C. Weickert, 1955.

G. B. COLBURN, Civita Lavinia, 1914 · E. REIN, Die Schlangenhöhle von L., 1919 · G. BENDINELLI, Monumenta Lanuvina, in: Memorie della classe di scienze morali e storiche dell'Accademia dei Lincei 27, 1921, 294–370 · A. E. GORDON, The Cults of L., 1938 · P. CHIARUCCI, L., 1983.   G. U./Ü: H. D.

Lanx. Platte oder flache röm. Schüssel von unterschiedlicher Größe, Form (oval, vier- oder vieleckig) und Funktion; sie diente für Küchenarbeiten (z. B. Petron. 28,8), mehr aber noch zum Auftragen von Speisen wie Fisch, Fleisch und Geflügel (Mart. 7,48,3; 11,31,19); auf einer L. wurden die Trinkbecher gereicht. Auch im röm. Rechtsverkehr fand sie Verwendung. Außerdem wird sie als Folterinstrument erwähnt, und das Haupt Johannes des Täufers wurde auf einer L. präsentiert. Im Kult bezeichnet die L. allg. die Opferschüssel (z. B. Verg. georg. 2,194; Verg. Aen. 213–214). Die Materialien für die L. waren Edelmetalle, wie die erh. Exemplare aus röm. Hortfunden zeigen, zudem Ton und Eisen; bei ärmeren Leuten war sie aus Weidengeflecht (Petron. 135,8 V. 7).

H. F. HITZIG, s. v. Furtum, RE 7, 392 f. · J. G. WOLF, L. und Licium. Das Ritual der Haussuchung im altröm. Recht, in: D. LIEBS (Hrsg.), Sympotica Franz Wieacker, 1970, 59–79 · H. A. CAHN, A. KAUFMANN-HEINIMANN, Der spätröm. Silberschatz von Kaiseraugst, 1984 · L. PIRZIO STEFANELLI, L'argento dei Romani, 1991 · F. FLESS, Opferdiener und Kultmusiker auf stadtröm. histor. Reliefs, 1995, 19 f.   R. H.

Laodamas (Λαοδάμας, »völkerbezwingend«).
[1] Sohn des → Eteokles [1]. In seiner Jugend ist Kreon [1] sein Vormund; als L. volljährig ist, tritt er die Nachfolge seines Vaters an (Paus. 1,39,2). In der Schlacht bei Glisas tötet er die Epigonen → Aigialeus [1], den Sohn des Adrastos, kommt aber selbst durch → Alkmaion um (Apollod. 3,83). Nach einer anderen Version zieht er sich nach einer Niederlage mit einigen Getreuen zu den Encheleern in Illyrien zurück, wo sein Vorfahre → Kadmos einst regierte (Hdt. 5,61; Paus. 9,5,13), ein anderer Teil erobert → Homole in Thessalien (Paus. 9,8,6).
[2] Troer, Sohn des → Antenor [1], wird von Aias [1] getötet.
[3] Lieblingssohn des Phaiakenkönigs → Alkinoos [1]. Er räumt dem im Palast angekommenen Odysseus den Platz neben seinem Vater und versucht, ihn mit der Aufforderung, sich mit einem der Phaiaken im Wettkampf zu messen, aufzuheitern, was Odysseus jedoch mit dem Hinweis auf die Gastfreundschaft ablehnt (Hom. Od. 7,170; 8,117–158).   R. A. MI.

Laodameia (Λαοδάμεια). Ep. Frauenname (»Herrscherin über die Völker«) verschiedener myth. Figuren.
[1] Tochter des → Bellerophontes und einer Tochter des lyk. Königs Iobates, von Zeus Mutter des → Sarpedon (Hom. Il. 5,196–199; Apollod. 3,1,1; Serv. Aen. 1,100). Nach Hom. Il. 5,205 wird sie von der erzürnten → Artemis getötet.
[2] Tochter des Königs Akastos von Iolkos, Frau des → Protesilaos, der unmittelbar nach der Hochzeit in den Troian. Krieg zieht, wo er von Hektor getötet wird. Hades erlaubt Protesilaos, für kurze Zeit zu L. zurückzukehren (Hyg. fab. 103; Ov. epist. 13,150–154; in den Kypria EpGF fr. 18 heißt seine Gattin Polydora). Bei der erneuten Trennung folgt L. dem Protesilaos in den Tod (Hyg. fab. 243; eventuell Eur. Protesilaos TGF fr. 656).

[3] Tochter des Königs Amyklas von Sparta und der Diomede, Frau des → Arkas, Mutter des Triphylos (Paus. 10,9,5). Bei Apollod. 3,9,1 heißt sie Leaneira und ist Mutter von Elatos und Apheidas.

[4] Amme des → Orestes (Stesich. PMG fr. 218; Pherekydes FGrH 3 F 134), für die auch andere Namen überl. sind (Kilissa: Aischyl. Choeph. 732; Arsinoë: Pind. P. 11,17–18).

[5] Tochter des Ikarios und der Asterodeia, Schwester der → Penelope (schol. Hom. Od. 4,797; an der Stelle selbst heißt sie Iphthime).

A. KOSSATZ-DEISSMANN, s. v. L. (2), LIMC 6.1, 191–192 · M. HAUSMANN, Protesilaos und L., in: A&A 1, 1945, 182–184 · M. SCHMIDT, s. v. L., RE 12, 698 · H. W. STOLL, s. v. L., ROSCHER 2, 1826–1829.   K. WA.

Laodike (Λαοδίκη).

I. MYTHOLOGIE

[I 1] Tochter des → Priamos und der → Hekabe; als ihre Gatten werden Helikaon (Hom. Il. 3,122–124; 6,252), durch den ihr eine Versklavung nach der Eroberung Troias erspart bleibt (Paus. 10,26,3), oder → Akamas (Parthenios 16 MythGr), → Demophon [2] (Plut. Theseus 34,2), → Telephos (Hyg. fab. 101) angegeben. Nach Apollodor (epit. 5,25) wird sie nach der Eroberung Troias von einer Erdspalte verschluckt (vgl. auch Lykophr. 316f.; Tryphiodoros 660f.).

[I 2] Tochter von → Agamemnon und → Klytaimestra, die in den frühen Quellen (Hom. Il. 9,145) neben → Chrysothemis [2] und → Iphianassa [2] genannt wird.

[I 3] Tochter des → Agapenor, die in Tegea einen Tempel der paphischen Aphrodite gründete (Paus. 8,5,2f.; 8,53,7).

N. ICARD-GIANOLO, s. v. L. (2), LIMC 6.1, 192 · W. KROLL, s. v. L. (1)–(3), RE 12, 699f. · W. KULLMANN, Die Töchter Agamemnons in der Ilias, in: Gymnasium 72, 1965, 200–203 · J. ROY, Paus. 8.5.2–3 and 8.53.7. L., Descendant of Agapenor, Tegea and Cyprus, in: AC 56, 1987, 192–200.
R. HA.

II. HISTORISCHE PERSÖNLICHKEITEN

Name hell. Königinnen, bes. aus der Seleukidenfamilie; s. → Seleukiden mit Stemma.

[II 1] Gattin des Antiochos, eines Offiziers Philippos' II. von Makedonien, Mutter des → Seleukos I. Nikator. Die Herrschaftslegitimation der Seleukiden über die Abkunft von einem Gott, Apollon, fand Ausdruck in der Erzählung von Seleukos' Zeugung durch L. und Apollon unter mirakulösen Begleit- und Folgeumständen [1. 3ff., 96ff., 304f.]. Nach seiner Mutter L. benannte Seleukos mehrere von ihm gegründete Städte [2. 165ff.] (IEry 205,74f.; Diod. 19,90; Strab. 16,2,4; Iust. 15,4,1–6; App. Syr. 56,283–57,296; Steph. Byz. s. v. Λαοδίκεια).

1 A. MEHL, Seleukos Nikator I., 1986 2 V. TSCHERIKOWER, Die hell. Städtegründungen, 1927.

[II 2] L. soll Tochter des Seleukos I. und Schwester Antiochos' [2] I. gewesen sein (Steph. Byz. s. v. Ἀντιόχεια = Eust. 918 GGM 2,379).

[II 3] Tochter des Antiochos [2] I. oder eher des Achaios [4], war verheiratet mit Antiochos [3] II. Beider Kinder waren Seleukos II., Antiochos Hierax, Stratonike III. (die Gattin des Ariarathes III. von Kappadokien) sowie L. [II 4] (die Gattin des Mithradates II. von Pontos) und möglicherweise eine weitere Tochter (vgl. Pol. 5,79,12; Polyain. 8,50; Porph. FGrH 260 F 32,6) [1. 195ff.]. Antiochos schenkte L. und den Söhnen Land in Babylonien [2. 62]. Nach dem 2. → Syrischen Krieg 253 v. Chr. trennte er sich von L. und heiratete Ptolemaios' II. Tochter Berenike [2], die ihm einen Sohn gebar. L. wurde nicht mehr als Königin bezeichnet, erhielt immerhin Grundbesitz an der Propontis westl. von Kyzikos (WELLES, 18–20). Später setzte Antiochos seinen älteren Sohn von L., Seleukos, zum Thronfolger ein und enterbte Berenike und seinen Sohn von ihr. Nach dem Tod ihres erst ca. 40jährigen Gatten 246 galt L. als hinterlistige Mörderin und Testamentfälscherin (Phylarchos FGrH 81 F 24; Val. Max. 9,14 ext. 1; Plin. nat. 7,53; App. Syr. 65,345; Polyain. 8,50; Porph. FGrH 260 F 43).

Gegen Berenike und deren Bruder Ptolemaios III., der seiner Schwester und seinem Neffen mit Flotte und Heer zu Hilfe kam, führte L. Krieg (daher »Laodikekrieg«: IPriene 37,134). Anhänger L.s ermordeten Berenike und ihren kleinen Sohn noch vor Ptolemaios' Ankunft; doch konnte L. den Abfall des Sophron in Ephesos und den Marsch Ptolemaios' III. nach Babylonien und evtl. weiter in den Osten nicht verhindern. Allerdings führten Ptolemaios' Aktivitäten nicht zur Annexion des Seleukidenreiches oder größerer Teile desselben an das Ptolemaierreich (OGIS 54; SEG 42,994; MITTEIS/WILCKEN I 2 Nr. 1 = FGrH 160; Phylarchos l.c.; Iust. 27,1; Porph. l.c.). L.s Ermordung durch Ptolemaios III. im Laodikekrieg, gar an dessen Anf. (App. Syr. 65,346), ist nicht histor. Nach ihrem Erfolg in der Sicherung der Herrschaft für Seleukos II. wiegelte L. ihren jüngeren Sohn Antiochos Hierax gegen ersteren auf (Plut. mor. 184a; 489a; Eus. Chronikoí Kanónes 1,251 SCHOENE). Bei der Schenkung von Ländereien (s.o.) an babylon. Städte durch Seleukos und Antiochos 236 v. Chr. wird L. nicht (mehr) genannt [2. 62].

1 M. HOLLEAUX, Études d'épigraphie et d'histoire grecques 3, 1942 2 R. VAN DER SPEEK, The Babylonian City, in: A. KUHRT, S. SHERWIN-WHITE (Hrsg.), Hellenism in the East, 1987, 57–74.

[II 4] L. (Name aus dem der Mutter und dem der Töchter erschlossen) war Tochter des Antiochos [3] II. und der L. [II 3]. Ihrem Gatten Mithradates II. von Pontos brachte sie 245 v. Chr. Phrygien in die Ehe mit. Sie hatte zwei Töchter: L. [II 6] und [II 7] (Iust. 38,5,3; Eus. Chronikoí Kanónes 1,251 SCHOENE).

[II 5] Tochter des Andromachos und Schwester des Achaios [5], hatte als Gattin Seleukos' II. (seit 246 v. Chr.) zwei Söhne, Seleukos III. und Antiochos [5] III., sowie zwei Töchter, deren eine Antiochis hieß (Pol. 4,51,4; 8,22,11).

[II 6] Tochter des Mithradates II. von Pontos und der L. [II 4]. L. wurde 222 v. Chr. mit ihrem Vetter Antiochos [5] III. verheiratet und in Antiocheia [1] zur Königin ausgerufen (Pol. 5,43). Aus der Ehe gingen drei Söhne (der 193 als Kronprinz gestorbene Antiochos, Seleukos IV. und Antiochos [6] IV.), sowie vier oder fünf Töchter hervor. Ihr Gatte ließ L. als seine »Schwesterkönigin« in den (wohl von ihm geschaffenen) reichsweiten Herrscherkult aufnehmen; in jeder Satrapie erhielt L. eine *archiereía* (»Erzpriesterin«; WELLES, 36 f.: 205/4; [1]). Über L.s bereits 193 kurzzeitig erschütterte Stellung ist nach Antiochos' zweiter Eheschließung (191) nichts bekannt. In Seleukeia am Eulaios (Susa) war 177/6 eine »Erzpriesterin« für den Kult L.s und zugleich den ihrer Tochter L. [II 8] zuständig (WELLES 36, S. 159 f.; dazu SEG VII 2; [2. 26 ff.]).

    1 P. HERRMANN, Antiochos d. Gr. und Teos, in: Anadolu 9, 1965, 29–160   2 L. ROBERT, Inscriptions séleucides de Phrygie et d'Iran, in: Hellenica 7, 1949.

[II 7] Tochter des Mithradates II. von Pontos und der L. [II 4], Schwester von L. [II 6], wurde nach ihrer Erziehung in der Stadt Selge um 220 v. Chr. mit Achaios [5] verheiratet. Nach dessen Gefangennahme und Tod übergab L. sich und die Burg von Sardeis dem Sieger Antiochos [5] III. (Pol. 5,74,5; 8,21,7; 22,11; 23,4 und 9).

[II 8] Tochter des Antiochos [5] III. und der L. [II 6], 196 v. Chr. vermählt mit ihrem Bruder Antiochos, 193 *archiereía* (»Erzpriesterin«) des reichsweiten Herrscherkults für ihre Mutter. Beider Tochter Nysa wurde 172/1 mit Pharnakes von Pontos vermählt (IG XI 4, 1056 b 18; OGIS 771; App. Syr. 4,17). Dieselbe (?) L. war nach dem Tod ihres Bruders Antiochos (193) Gattin Seleukos' IV. und von diesem Mutter des kurzzeitigen Königs Antiochos (175 unmittelbar nach der Ermordung Seleukos' IV.), der sodann bis zu seiner Ermordung 170 durch seinen Onkel Antiochos [6] IV. dessen Mitregent war (vgl. [1]). Antiochos IV. heiratete dieselbe (?) L. und hatte mit ihr den Sohn Antiochos [7] V. (OGIS 252; SEG VII 15). L. ist für uns die erste Seleukidin, deren Bild auf Mz. erscheint (175 zusammen mit dem Seleukos-Sohn Antiochos) [1]. Zum Herrscherkult für L. vgl. L. [II 6].

    1 G. LE RIDER, L'enfant roi Antiochus et la reine Laodice, in: BCH 110, 1986, 409–417.

[II 9] Tochter des Seleukos IV. und der L. [II 8], 178 v. Chr. von den Rhodiern über See nach Makedonien zur Hochzeit mit dem König → Perseus geleitet. Beides, Eheschließung und Geleit, denunzierte Eumenes [3] II. von Pergamon den Römern als romfeindlich (Syll.³ 639; Pol. 25,4,7–10; Liv. 42,12; App. Mac. 11,2). Nach Perseus' Tod versuchte ihr Bruder Demetrios [7] I., L. mit Ariarathes V. von Kappadokien zu verheiraten, der aber ablehnte (Diod. 31,28; Iust. 35,1,1 f.). L.s Abbild erschien nun zusammen mit dem ihres Bruders, der sie

wohl geheiratet hatte, auf Mz. und auf einem Tonsiegel (BMC, Gr Syria, 50,1–2 und Taf. XV 1–2; [1. Taf. LIX 1]). Im Zusammenhang mit Demetrios' Ende wurde L. vom Reichsverweser Ammonios um 150 v. Chr. umgebracht (Liv. per. 50).

    1 ROSTOVTZEFF, Hellenistic World.

[II 10] L. Philadelphos, Tochter des Mithradates III. von Pontos, Schwester des Pharnakes und Schwestergemahlin des Mithradates IV. (169–150 v. Chr.).

    F. DURRBACH, Choix d'inscriptions de Délos, 1921–22, 74 (Ndr. 1976) · HN, 501.

[II 11] L., Tochter Antiochos' [6] IV., und ihr angeblicher Bruder Alexandros [13] Balas wurden 153 v. Chr. von Herakleides dem röm. Senat mit Erfolg als Thronprätendenten gegen Demetrios [7] I. vorgestellt (Pol. 33,15,1; 18,6–13). Möglicherweise war L. später mit Mithradates V. von Pontos verheiratet; sie wäre dann Mutter des Mithradates VI. Eupator und der L. [II 16].

[II 12] L. (Name nur vermutet), Tochter des Demetrios [8] II., fiel 129 v. Chr. im Partherfeldzug ihres Onkels Antiochos [9] VII. in die Hände der Parther und wurde vom Partherkönig Phraates II. geheiratet (Iust. 38,10,10). Die Identität mit einer der beiden L. [II 13] ist nur möglich, wenn man mit [1. 599 f.] eine Verwechslung bei Iustinus annimmt.

    1 A. BOUCHÉ-LECLERCQ, Histoire des Séleucides, 1913 f.

[II 13] Nach Porph. FGrH 260 F 32,20 soll Antiochos [9] VII. zwei Töchter namens L. gehabt haben (vgl. L. [II 12]).

[II 14] L. Thea Philadelphos, geb. ca. 122–115 v. Chr. Tochter des Antiochos [10] VIII. und der Kleopatra [II 15] Tryphaina. L. war verheiratet mit Mithradates I. von Kommagene und über den gemeinsamen Sohn → Antiochos [16] I. Stammutter der weiteren Dyn. von → Kommagene (vgl. den Stammbaum am Grabmal des Antiochos [16] auf dem Nemrud Dagh, OGIS 383–404).

[II 15] L. (?), nach OGIS 352,69 f. und HN Nysa, 751 Gemahlin des kappadok. Königs Ariarathes V. Nach dessen Tod 130 v. Chr. soll sie fünf Söhne vergiftet haben – der sechste sei von Verwandten gerettet worden – und dann selbst regiert haben. In einem Aufruhr wurde sie erschlagen (Iust. 37,1,3–5).

[II 16] Geb. um 140 v. Chr.; älteste Tochter des pont. Königs Mithradates V. L. regierte, nachdem ihr Gatte Ariarathes VI. mit Wissen oder Willen ihres Bruders Mithradates VI. von Pontos um 111 ermordet worden war, für den Sohn Ariarathes VII. Im Streit des Mithradates mit Nikomedes III. von Bithynien um Kappadokien ehelichte L. letzteren. Nachdem auch ihr Sohn durch Mithradates ermordet worden war, wurde L. von Nikomedes mit einem Knaben nach Rom gesandt, den sie als einen weiteren Sohn ihres früheren Gatten Ariarathes VI. und damit als rechtmäßigen Thronerben ausgab (OGIS 345,6–8; Iust. 38,1–2; 3,2,4).

[II 17] Schwester von L. [II 16], versuchte um 105 v. Chr., ihren Brudergatten Mithradates VI. zu vergiften und wurde hingerichtet (Sall. hist. 2 F 76 M; Iust. 37,3,6–8). Eine Tochter der L. hieß Drypetine (Val. Max. 1,8 ext. 13).

[II 18] Fürstin der arab. Samener (auch andere Namen überl.), für die der Seleukide → Antiochos [12] X. 92 v. Chr. gegen die Parther kämpfte und möglicherweise fiel (Ios. ant. Iud. 13,371).

[II 19] Nach der nicht datierten Grabinschr. ihres Sohnes Avidios Antiochos bei Arsameia Gattin eines Hieronymos (OGIS 766). Evtl. Nachfahrin der L. [II 14] und des Mithradates I. von Kommagene.

→ Antiochos; Seleukiden

E. BEVAN, The House of Seleucus, 1902 ·
A. BOUCHÉ-LECLERCQ, Histoire des Séleucides, 1913–14 ·
G. H. MACURDY, Hellenistic Queens, 1932 · MAGIE ·
H. H. SCHMITT, Unt. zur Gesch. Antiochos' d.Gr., 1964.
                                                    A.ME.

[II 20] Im 1. Jh. v. Chr. Gemahlin eines Heliokles und Mutter des indogriech. Königs → Eukratides, nur durch eine Erinnerungs-Mz. ihres Sohnes bekannt. Man hat oft vermutet, daß sie urspr. eine Seleukiden-Prinzessin war.

A. K. NARAIN, The Indo-Greeks, 1957, 55ff.   K.K.

Laodikeia (Λαοδίκεια).

[1] (Λ. ἐπὶ τῇ θαλάσσῃ). Hafenstadt im nordwestl. Syrien (jetzt Latakia bzw. al-Lāḏiqīya), Lage unweit des brz. → Ugarit (Ra's Šamra). Um 300 v. Chr. zusammen mit den Schwesterstädten Antiocheia, Apameia und Seleukeia von Seleukos I. gegründet (sog. nordsyr. »Tetrapolis«) und mit einem Kunsthafen ausgestattet. Die Verfassung der Polis besaß im Hell. maked. Züge (Rat der »Peliganes«). Dank der Rolle als Seehafen und wohl auch Flottenstützpunkt gewann L. rasch an Bed. und besaß ein großes und fruchtbares Territorium am Westhang des syr. Küstengebirges. Prominente Rolle des Weinbaus mit Export u. a. nach Ägypten und Indien. Die Stadt wurde in die spätseleukidischen Thronkämpfe und die röm. Bürgerkriege verwickelt (43 v. Chr. Belagerung des P. Cornelius [I 29] Dolabella durch C. Cassius [I 10] in L.). Durch M. Antonius [I 9] zur *civitas libera* gemacht; im späten Hell. und in der Kaiserzeit bedeutende Münzprägung. L. ergriff 194 n. Chr. gegen den von Antiocheia unterstützten Prätendenten Pescennius Niger Partei, zur Belohnung machte es der siegreiche Septimius Severus zur *colonia* mit ital. Recht und gewährte der Stadt umfangreiche finanzielle Unterstützung. L. behielt seine Bed. bis zur arab. Eroberung im 7. Jh., die gegen den bewaffneten Widerstand der Einwohner erfolgte. Danach wurde L. zu einer von der byz. Flotte bedrohten Küstenfestung; 970 Rückeroberung durch Nikephoros Phokas. Unter den Kreuzfahrern wieder bedeutenderer Hafenort. In der mod. Stadt nur wenige ant. Reste, das orthogonale Planschema der Gründungszeit ist dagegen noch im Straßennetz erkennbar.

→ Ugarit

J. D. GRAINGER, The Cities of Seleukid Syria, 1990 ·
A. H. M. JONES, The Cities of the Eastern Roman Provinces, ²1971 · P. ROUSSEL, Décret des Péliganes de Laodicée-sur-Mer, in: Syria 23–24, 1942–1943, 21–32 ·
J. SAUVAGET, Le plan de Laodicée-sur-Mer, in: Bulletin des études orientales 4, 1934, 81–114 · H. SEYRIG, Séleucus I et la fondation de la monarchie syrienne, in: Syria 47, 1970, 290–311 · R. ZIEGLER, Antiochia, Laodicea und Sidon in der Politik der Severer, in: Chiron 8, 1978, 493–514.   J.G.

[2] Stadt am oberen Orontes (Syrien). In ant. Quellen als Λ. πρὸς Λιβάνῳ/ *L. pros Libánōi* (Strab. 16,755) bzw. als phöniz. Stadt (App. Syr. 57) bezeichnet. Wie bei den anderen Städten gleichen Namens handelt es sich wahrscheinlich um eine Neugründung → Seleukos I. L. wird erstmals von Pol. 5,45,7 erwähnt, wie auch Λαοδικηνή/ *Laodikēnḗ* auf die Landschaft rund um L. (Ptol. 5,14,16) zu beziehen ist und ihre Einwohner *Laodiceni* (Plin. nat. 5,82) genannt werden. Als seleukidische Neugründung wurde L. auf den Ruinen des seit 1200 v. Chr. zerstörten → Qadeš (Tell Nebī Mend) errichtet.

J. D. GRAINGER, The Cities of Seleukid Syria, 1990.
                                                    TH.PO.

[3] L. Katakekaumene. Stadt nordnordwestl. von → Ikonion, h. Lâdik. Hell. Gründung [1. 45]; eigentlich zu Lykaonia gerechnet (Strab. 14,2,29), gehörte L. der Großprov. Galatia an (Ptol. 5,4,8) und wurde im 4. Jh. n. Chr. der Prov. Pisidia zugeschlagen. Die Stadt lag an wichtigen Straßen von → Dorylaion nach Osten und SO; ihr Beiname Κατακεκαυμένη (»die Verbrannte«) geht vielleicht auf den Bergbau (Zinnober, Kupfer) in der Umgebung zurück. L. war im 4. Jh. Zentrum verschiedener christl. Sekten (Novatianer, Enkratiten u. a.); seit Anf. 4. Jh. Bistum (Suffragan von Antiocheia [5]) [2. 78f., 128f., 144f., 327f.]. Zahlreiche Inschr. [3. passim].

1 H. V. AULOCK, Mz. und Städte Lykaoniens, 1976
2 BELKE/MERSICH 3 MAMA 1, 7.   K.BE.

[4] Stadt in Süd-Phrygia (Strab. 12,8,13; 16; Tab. Peut. 10,1), erdbebengefährdet (60 n. Chr.: Tac. ann. 14,27,1; 494 n. Chr.: Marcellinus Comes, Chronica 94; or. Sib. 4,106), 11 km südl. von → Hierapolis [1] zw. Asopos (Gümüş Çayı) und Kapros, wo diese nordwärts in den Lykos, den linken Nebenfluß des Maiandros, münden (›L. am Lykos‹, Ptol. 5,2,18).

Anstelle einer älteren Siedlung (Diospolis/Rhoas, Plin. nat. 5,105) von → Antiochos [3] II. zw. 261 und 253 v. Chr. gegr., nach dessen Schwestergemahlin benannt. Nach Zugehörigkeit zum Attalidenreich unter röm. Herrschaft, Zentrum des *conventus Cibyra* der Prov. → Asia [2] (Cic. fam. 15,4,2; Cic. Att. 5,21,9; Tac. ann. 14,27). Anf. 4. Jh. war L. Metropolis der Phrygia Pakatiane, in mittelbyz. Zeit gehörte die Stadt zum Thema Thrakesion. Paulus bezeugt eine christl. Gemeinde in L. (Kol 2,1; 4,15f.).

Auf einem Hügel zw. Eskihisar und Gonçalı, 6 km nördl. von Denizli, befinden sich arch. Reste: zwei

Theater, Odeion (?), Stadion, Gymnasion (?), Nymphaion (3. Jh. n. Chr.; Isis-Statue), Ringmauer, Sarkophage an den Ausfallstraßen, zwei Aquädukte, Klärbekken, ein 5 m hoch anstehender Wasserturm.

G. E. BEAN, Turkey beyond the Maeander, 1971, 247–257 · Ders., s. v. L. ad Lycum, PE, 481 f. · BELKE/MERSICH, 323–326 · J. DES GAGNIERS, Laodicée du Lycos, 1969.

[5] Nur durch ps.-autonome Mz.-Prägung unter Mithradates VI. bezeugter Ort in Pontos, doch wohl beim h. Lâdik zu vermuten und also unterhalb der Burganlage Ikizari (Ἰκίζαρι) am See Stiphane (Στιφάνη λίμνη), dem h. Lâdik Gölu, an dessen Ufer Strab. 12,3,38 auch einen Palast notiert (evtl. im Bereich des h. Lâdik; dort sind zahlreiche ant. Spolien verbaut).

OLSHAUSEN/BILLER/WAGNER, 2121–2127 · W. H. WADDINGTON, E. BABELON, TH. REINACH, Recueil général des monnaies grecques d'Asie Mineure 1,1, ²1925, 114 f.
E. O.

Laodikenerbrief s. NeutestamentlicheApokryphen

Laodokos (Λαόδοκος, Λαοδόκος, Λεώδοκος, »der Volk aufnehmende«).
[1] Sohn des Apollon und der Phthia, nimmt den zu ihnen ins Land der Kureten geflohenen → Aitolos auf; dieser erschlägt L. zusammen mit seinen Brüdern Doros und Polypoites und benennt das Land in »Aitolien« um (Apollod. 1,57).
[2] Sohn des → Bias [1] und der Pero, stammt aus Argos; nimmt mit seinen Brüdern Talaos und Areios am Argonautenzug teil (Apoll. Rhod. 1,119; Val. Fl. 1,358; Orph. Arg. 148 f.).
[3] Einer der → Sieben gegen Theben; Sieger im Speerwerfen bei den Leichenspielen für Archemoros in Nemea (Apollod. 3,66). L. wird von einigen mit L. [2] gleichgesetzt, da nach der myth. Chronologie der Argonautenzug mit dem Zug der Sieben gegen Theben zusammenpaßt; bei Apollodor (l.c.) steht aber nichts darüber.
[4] Grieche vor Troia; Freund und Wagenlenker des → Antilochos, des Sohns des → Nestor (Hom. Il. 17,694 ff.).
[5] Troer, Sohn des → Antenor [1], der Odysseus und Menelaos beherbergt hat. In seiner Gestalt verleitet Athene den → Pandaros zu dem verhängnisvollen Bogenschuß, der den Waffenstillstand zwischen Troianern und Griechen beendet (Hom. Il. 4,73 ff.; Eust. Hom. Il. 447,23 ff.).
[6] Sohn des Priamos (Apollod. 3,152 f.), wird von Agamemnon getötet (Diktys 3,7).
[7] Hyperboreier, der zusammen mit Hyperochos und Pyrrhos, dem Sohn des Achilles, 279 das Orakel von Delphi vor den Kelten verteidigt (Paus. 1,4,4; 10,23,2). Eine Parallele zum J. 480, als zwei einheimische Heroen, Phylakos und Autonoos, das Heiligtum vor den Persern schützten (Hdt. 8,39). Pausanias nennt L. auch Amadokos (1,4,4), da dieser Name eher hyperboreisch klingt als L.
AL. FR.

Laogonos (Λαόγονος, »der aus dem Volksheer erwachsen ist«). Sprechender Name zweier troianischer Krieger in der *Ilias* (Hom. Il. 16,303 und 20,460).
F. G.

Laogoras (Λαογόρας). Dryoperfürst, der sich nach Art seines Volkes durch seine Gelage im Hain des Apollon gegen den Gott vergeht. L. unterstützt den Lapithenfürsten → Koronos, als dieser den Dorierkönig → Aigimios [1] angreift. Dieser ruft Herakles zu Hilfe, der L. und Koronos tötet (Apollod. 2,154 f.; Diod. 4,37,3).
AL. FR.

Laographia, Laographos (λαογραφία, λαογράφος). Seit der ptolem. Zeit wurden in Ägypten Volkszählungen veranstaltet (*laographíai*: das Volk wurde »aufgeschrieben«), die ab Augustus im Turnus von 7, ab Tiberius von 14 Jahren stattfanden. In röm. Zeit bedeutete *laographía* auch die dabei erstellte Liste der Kopfsteuerpflichtigen und die Kopfsteuer selbst (→ Steuern). Unterworfen waren im Männer zw. dem 14. und 60. Lebensjahr, sofern sie nicht röm. Bürger oder Bürger der privilegierten griech. Poleis waren; für die übrigen Griechen galten gegenüber den Ägyptern ermäßigte Steuersätze.
laográphos war seit Augustus der Beamte, der in den Gemeinden für die *laographía* verantwortlich war. Das Amt war kollegial besetzt.

S. L. WALLACE, Taxation in Egypt, 1938 · H.-A. RUPPRECHT, Einführung in die Papyruskunde, 1994, 75 · B. PALME, Neues zum ägypt. Provinzialzensus, in: Protokolle zur Bibel 3, 1994, 1–7.
G. T.

Laokoon (Λαοκόων, lat. Laocoon).
[1] Troianer, Sohn des → Kapys/Antenor, Bruder des → Anchises, Priester des Apollon Thymbraios (Euphorion, CollAlex 43 fr. 70 = Serv. Aen. 2,201) oder Poseidons (schol. Lykophr. 347; Tzetz. posth. 713–714). Vater des Ethron und Melanthus (Serv. Aen. 2,211) oder Antiphas und Thymbraeus (Hyg. fab. 135) und Mann der Antiope (Serv. Aen. 2,201). Die früheste Erwähnung des L. findet sich bei → Arktinos von Milet (EpGF 62,11). Die Troer beraten nach dem Scheinabzug der Griechen, was mit dem zurückgelassenen hölzernen Pferd zu tun sei (Hom. Od. 8,506–510), es herabzustürzen, zu verbrennen (Q. Smyrn. 12,390 ff.) oder den Göttern zu weihen (Apollod. 5,17); sie entscheiden sich für letzteres und feiern ein Siegesfest (EpGF 62,1–9). Kurz darauf töten von Apollon gesandte Schlangen L. und einen oder beide Söhne (Apollod. 5,18; Arktinos, EpGF 62,10–11; Q. Smyrn. 12,454 ff.) vor den Augen des Vaters (Soph. TrGF 4, fr. 370–377), oder alle drei. Dieses → Prodigium kündigt den Untergang der Stadt an und führt zur Flucht des Anchises und → Aineias [1]. Als Gründe für die Tötung wurden genannt: 1. L. hatte dem Holzpferd eine Lanze in die Seite gestoßen (Hom. Od. 8,507; Verg. Aen. 2,50–55 und 229–231). 2. L. hatte im Tempel des Apollon mit seiner Frau geschlafen (Euphorion ebd.).

Die griech. Version des L.-Mythos ist von der lat. Fassung der *Aeneis* zu trennen, da Apollon als Vernichter L.s und Troias nicht seiner augusteischen Definition entsprach. Griech. Vorbild für Vergil war → Euphorion [3]: bereits bei ihm opfert der durch das Los dazu bestimmte L. für → Poseidon/Neptunus – die Troianer haben den Poseidonpriester gesteinigt, weil er nicht durch Opfer an seinen Gott die Landung der Griechen verhindert hat. Die Schlangen verbergen sich nach der Tat unter dem Schild des Kultbildes der Athena auf der Burg von Troia (Verg. Aen. 2,227). Der Ausspruch des L., *timeo Danaos et dona ferentes*, »Ich fürchte die Danaer, selbst wenn sie Geschenke bringen« (Verg. Aen. 2,49), bleibt wirkungslos und Apollo aller Grausamkeit entlastet. Das Schicksal des L. ist für Aeneas nicht das Zeichen zum Aufbruch, sondern er stürzt sich in den Kampf mit den Achäern. Neptunus, Iuno, Minerva, Iuppiter bewirken Troias Untergang (Verg. Aen. 3,610–618), Apollo bleibt im Hintergrund; ein thymbräisches Heiligtum existiert für Vergil nicht. Thymbraeus hieß bei Vergil der Apollo von Delos, der den flüchtenden Aeneas empfängt und das Stieropfer für Neptunus und sich selbst entgegennahm (Verg. Aen. 3,85 und 119).

Die bildliche Darstellung des L.-Opfers ist selten: 1. Auf unterital. Vasen des 5. [1. 197 Nr. 1] und 4. Jh. v. Chr. [1. 198 Nr. 2]: L. und Antiope versuchen, einen Sohn im Heiligtum des Apollon vor der Schlange zu retten. 2. Auf pompeijanischen Wandbildern in der *casa del Menandro* (I 10,4,15; 4. Stil) [1. 198 Nr. 4; 2. Abb. 2; 3]: Tod des L. und seiner Söhne im Tempel als »Opfer« wie bei Vergil und aus der *casa di Laocoonte* (VI 14, 28–31; Neapel, NM 111210; 3. Stil) [1. 198 Nr. 5; 4] mit frg. erh. ähnlicher Szene. 3. Textillustration zur *Aeneis* (Vat. lat. 3225, f.18ᵛ; 5. Jh.) [1. 198–199 Nr. 6] in kontinuierlicher Erzählweise: L. beim Opfer und Ankunft der Schlangen, L. und seine Söhne von Schlangen am Altar getötet [1. 198, 200]. 4. Marmorgruppe im Vatikan s. → Laokoongruppe.

1 E. SIMON, s. v. L., LIMC 6.1, 196–201 2 B. ANDREAE, L. und die Gründung Roms, ³1994, Abb. 1, 13, 38–44, 55–57, 64 3 F. P. BADONI, R. J. LING, in: Pompei. Pitture e mosaici, 2.1, 1990, 284–285 Nr. 68, Plan S. 240; 241 Lit. 4 I. BRAGANTINI, in: Pompei. Pitture e mosaici, 5.2, 1994, 352–355 Nr. 15–17, Plan S. 341; 342 Lit.

W. BURKERT, Homo necans, RGVV 32, 1972, 72, 178 · R. ENGELMANN, s. v. L., ROSCHER 2.2, 1833 Nr. 1; 1833–1843 Nr. 2 · B. MADER, s. v. L., LFE 2, 1632.

[2] Sohn des Parthaon/Partheus, Bruder des → Oineus aus Kalydon (Hyg. fab. 14, schol. Apoll. Rhod. 1,191). L. wird von Oineus als Beschützer des → Meleagros zur Argonautenfahrt mitgesandt (Apoll. Rhod. 1,191–196).
W.-A. M.

Laokoongruppe. 1506 im Bereich der Traiansthermen in Rom gefundene und seitdem hochgeschätzte, vielseitig rezipierte und wissenschaftlich umstrittene Statuengruppe aus Marmor (Rom, VM). Sie zeigt Laokoon und seine beiden Söhne, von Meeresschlangen umwunden und dem Tod nahe. Die Identität mit einer von Plinius (nat. 36,37: *omnibus et picturae et statuariae artis praeferendum*) gepriesenen Marmorgruppe der Künstler → Agesandros, Athanodoros und Polydoros aus Rhodos im Haus des Titus wurde sogleich erkannt. Die erste Rezeptionsphase ist von Vergils Schilderung des Mythos und von Plinius' Lob geprägt; inmitten einer lit. Diskussion galt die L. als sensationelle Entdeckung. Sie wurde als ein Originalwerk des späten 1. Jh. v. Chr. und als bestes Vorbild expressiver Körperdarstellung durch Künstler von MICHELANGELO bis RUBENS nachgeahmt. Die Kunstkritik deutete die bildhauerische Wiedergabe psychologischer Momente. Mit WINCKELMANN setzte 1754 eine neue Phase vorwiegend kunsthistor.-lit. Rezeption ein. WINCKELMANN sah in der L. die Vollendung griech. Plastik im Hell., während LESSING (›Laokoon‹, 1766) an der L. eine ästhetische Theorie über das Verhältnis von *pictura et poesis* exemplifizierte. Als dritte Phase der Rezeption ist die wissenschaftliche Beschäftigung zu nennen, die mit BRUNN 1853 und KEKULE 1883 erstmals Kritik an der Hochschätzung der L. vorbrachte.

Als erstes Problem galt in der Forsch. bis h. die zeitliche Einordnung, die mit der Entscheidung zwischen Kopie und Original verbunden ist. Eine chronologische Übereinstimmung zw. der Dichtung Vergils (Aen. 2,201–233) und den Künstlernamen sollte die L. als Original erweisen. Dazu lieferte BLINKENBERG 1905 eine epigraphische Rekonstruktion der Genealogie der rhodischen Künstlerfamilie. 1957 wurde jedoch die Forsch. um die L. auf neue Fundamente gestellt: MAGI ließ bei einer Restaurierung den bereits 1904 aufgefundenen rechten Arm des Laokoon ansetzen und korrigierte damit dessen bislang falsche Ausrichtung und die kunstkritische Beurteilung; in Sperlonga wurden stilistisch vergleichbare Marmorgruppen gefunden, die nach einer Signatur von denselben Künstlern gearbeitet waren. Aufgrund des dort angegebenen Patronymikons wurde BLINCKENBERGS Genealogie und Datier. unbrauchbar und die Frage nach dem Original neu gestellt. Seitdem erbrachten die Forsch. v. a. ANDREAES eine Fülle von neuen Argumenten, deren Folgerungen aber nicht allg. und vollständig akzeptiert werden; zur kunsthistor. Einordnung werden die unterschiedlichsten Standpunkte vertreten. Aufgrund übereinstimmender Bildhauerarbeit sind L. und Sperlonga-Gruppen gemeinsam als Werke der gen. Bildhauer zu beurteilen. Die Art der Anbringung von Stützen, das Formular der Signatur an der Skylla-Gruppe und die Verwendung von lunensischem Marmor an einem Teil der L. weisen laut ANDREAE auf Kopien nach Bronzeoriginalen; die Notiz des Plinius lasse sich als Lob der Marmorkopie gegenüber anderen Darstellungen erklären.

Die Datier. der Arbeit ist durch Plinius zunächst vor 70–79 n. Chr. festgelegt; durch die postulierte Verbindung des Tiberius mit Sperlonga kann sie genauer eingegrenzt werden. Ein zugrunde liegendes Original ist aus stilistischen Gründen in das mittlere 2. Jh. v. Chr. und den Bereich der pergamenischen Kunst einzuordnen. Genauere Datierungen von Original wie Kopie werden von ANDREAE aufgrund histor. Bezüge des dargestellten Inhalts vorgeschlagen. C. KUNZE versuchte dagegen aufgrund des Befundes in Sperlonga, ein Datum in frühaugusteischer Zeit zu erweisen. HIMMELMANN erkennt im Widerspruch zu ANDREAE in der L. und den Gruppen von Sperlonga Neuschöpfungen nach älteren Motiven der hell. Kleinkunst.

Der Mythos um Laokoon ist in unterschiedlichen Versionen lit. überl. und blieb in der ant. Kunst selten dargestellt. Die L. greift auf eine erstmals bei Arktinos (6. Jh. v. Chr.) berichtete Version zurück, nach der Laokoon mit einem der Söhne wegen des Frevels seiner Vermählung im Tempel des Apollon bestraft wurde. Vergils Version mit dem ominösen Tod aller drei Beteiligten innerhalb des Troia-Mythos ist hingegen in der röm. Wandmalerei übernommen. Die aktuelle Diskussion um die L. kreist um die Möglichkeiten, an Kunstwerken der Ant. inhaltlich und formal ablesbare Bezüge auf das histor. Umfeld ihrer Entstehung festzustellen, die Umsetzung polit. Ideen in myth. Gleichnissen und die Bed. der Körpersprache für eine psychologische Bewertung zu untersuchen.

→ LAOKOON

F. C. ALBERTSON, Pliny and the Vatican Laocoon, in: MDAI(R) 100, 1993, 133–140 · B. ANDREAE, Laokoon und die Gründung Roms, 1988 · Ders., Laokoon und die Kunst von Pergamon, 1991 · B. FEHR, The Laocoon Group or the Political Exploitation of a Sacrilege, in: Religion and Power in the Ancient Greek World, 1996, 189–204 · G. HAFNER, Die Laokoon-Gruppen, 1992 · N. HIMMELMANN, Sperlonga, die homer. Gruppen und ihre Bildquellen, 1996 · S. KOSTER, Streit um Laokoon, in: Gymnasium 101, 1994, 43–57 · C. KUNZE, Zur Datier. des Laokoon und der Skyllagruppe aus Sperlonga, in: JDAI 111, 1996, 139–223 · F. MAGI, C. BERTELLI, in: EAA 4, 467–472 · P. MORENO, Scultura ellenistica, 1994, 624–640 · E. SIMON, s. v. Laokoon, LIMC 6.1, 196–201 · R. R. R. SMITH, Hellenistic Sculpture, 1991, 108–110. R. N.

Laokoosa (Λαοκόωσα). Tochter des → Oibalos und Gattin ihres Halbbruders → Aphareus [1]; Mutter von → Idas, → Lynkeus (Theokr. 22,206) und Peisos (Apollod. 3,117). Nach Apollodor und Pherekydes (FGrH 3 F 127) heißt sie Arene (Eponymin für die gleichnamige messenische Stadt: Paus. 2,4,2), nach Peisandros (FGrH 16 F 2) Polydora. R. A. MI.

Laokritai (λαοκρίται). Im ptolem. Ägypten vom König autorisierte Kollegien von je drei der Priesterschaft entnommenen Richtern ägypt. Volkszugehörigkeit, vor denen die Ägypter (λαός/laós, das Volk) ihre privatrechtlichen Streitigkeiten nach ihrem angestammten Recht und in demot. Sprache austragen konnten. Ein für die l. bestimmtes Gebäude (laokrísion) ist aus dem Fayûm bezogen (PTebtunis 795,9; 2. Jh. v. Chr.). Ein von der Zentralverwaltung ernannter Beamter griech.

Nationalität (→ eisagogeús) fungierte wie bei den griech. Tribunalen (→ dikastérion D, → chrēmatistaí) als Geschäftsführer. 118 v. Chr. grenzte Ptolemaios VII. Euergetes II. die Kompetenzen der l. und der chrēmatistaí nach der Sprache der dem Prozeß zugrundeliegenden Urkunden ab und verbot den letzteren, Prozesse zw. Ägyptern an sich zu ziehen (PTebtunis 5,207–20).

E. BERNEKER, Zur Gesch. der Prozeßeinleitung im ptolem. Recht, 1930 · H. J. WOLFF, Das Justizwesen der Ptolemäer, ²1970 · J. MODRZEJEWSKI, Nochmals zum Justizwesen der Ptolemäer, in: ZRG 105, 1988, 165–179 · H.-A. RUPPRECHT, Einführung in die Papyruskunde, 1994, 143. G. T.

Laomedon (Λαομέδων, »Herrscher des Volks«).
[1] Myth. König von Troia, Sohn des → Ilos [1]. Söhne: → Priamos, Hiketaon, → Klytios [?], → Lampos, → Tithonos (Hom. Il. 20,236ff.), der uneheliche Bukolion (ebd. 6,23), nach Ilias parva 29,4 PEG I auch → Ganymedes [1]. Töchter: → Antigone [4], → Astyoche [2], → Hesione [4] u. a. Die (in Einzelheiten divergierenden) Hauptquellen für seine Gesch. sind Homer (Il. 5,640ff.; 7,452f.; 20,145ff.; 21,441ff.), Apollodor (2,103f.; 134f.) und Diodor (4,32; 42; 49), Kurzfassungen bieten Ovid (met. 11,199ff.) und Hyginus (fab. 89): Apollon und Poseidon treten für ein Jahr in den Dienst des L., entweder auf Befehl des Zeus zur Strafe für eine versuchte Revolte (Hom. Il. 21,444 mit schol. T z.St.) oder freiwillig, um L. auf die Probe zu stellen (Apollod. 2,103). Nach Hom. Il. 21,441 ff. baut Poseidon Troias Stadtmauer, während Apollon L.s Rinder hütet; die Mehrzahl der Quellen (auch Hom. Il. 7,452 f.) berichtet nur vom Mauerbau, an dem sich nach Pindar (Pind. O. 8,31 ff.) außerdem der sterbliche Held → Aiakos beteiligt (die göttl. Mauer kann nicht fallen; nur das von Aiakos errichtete Stück ist erstürmbar).

L. verweigert den Göttern den vereinbarten Lohn und jagt sie mit Schimpf und Schande davon. Daraufhin sendet Poseidon ein menschenfressendes Meerungeheuer, dem L. nach einem Orakelspruch seine Tochter → Hesione preisgeben muß. Herakles, der gerade in Troia vorbeikommt, erklärt sich zu ihrer Rettung bereit; als Lohn verspricht ihm L. die unsterblichen Pferde, die Zeus seinem Großvater Tros als Entschädigung für den entführten → Ganymedes gegeben hat. Herakles besiegt das Ungeheuer (nach Hellanikos [FGrH 4 F 2; vgl. Lykophr. 34ff. mit Tzetzes z.St.], indem er sich von ihm verschlingen läßt und ihm in dreitägiger Schwerarbeit von innen den Bauch aufschlitzt). L. prellt nun auch Herakles um seinen Lohn, worauf dieser mit nur 6 (Hom. Il. 5,640ff.) bzw. 18 (Apollod. 2,134) Kriegsschiffen gegen Troia zieht (eine Generation später benötigt Agamemnon über 1000: Hom. Il. 2,484ff.). Herakles tötet L. und erobert die Stadt (dargestellt auf dem Ostgiebel des Aphaiatempels von Aigina). L.s Herrschaft geht an Priamos über.

J. BOARDMAN, s. v. L., LIMC 6.1, 201–203 · P. WATHELET, Dictionnaire des Troyens de l'Iliade, 1988, Nr. 206 · M. J. ANDERSON, The Fall of Troy in Early Greek Poetry and Art, 1997, 92–97.   MA. ST.

[2] Sohn des Larichos aus Mytilene, mit dem Bruder → Erigyios (vielleicht schon mit dem Vater) nach Amphipolis übergesiedelt. Mit Erigyios und anderen Freunden → Alexandros' [4] 337 v. Chr. nach der → Pixodaros-Affäre verbannt (Arr. an. 3,6,5; bei Plut. Alexandros 10,5 fehlt L.), wurde L. nach Alexanders Thronbesteigung unter die → Hetairoi aufgenommen und 334, da er »zweisprachig« (d. h. des Aramäischen mächtig) war, zur Aufsicht über die nichtgriech. Kriegsgefangenen ernannt (Arr. an. 3,6,6), was sicher Nachrichtendienste beinhaltete. 326 war L. ein Trierarch der Hydaspesflotte. L.s Teilnahme an Schlachten ist nicht bezeugt. Nach Alexanders Tod (323) Satrap von Syria und dort von Antipatros [1] bestätigt, wurde L. beim Einmarsch der Truppen → Ptolemaios' I. gefangengenommen (Diod. 18,43,2), entkam und floh zu Alketas [4] (App. Syr. 52,264; falsch App. Mithr. 9,27); von da an gibt es keine weiteren Zeugnisse über ihn. Der in → Priene geehrte frühseleukid. Offizier Larichos (OGIS 215) muß L.s Sohn sein.

BERVE 2, Nr. 464.   E. B.

Laon (Λάων). Dichter der Neuen Komödie. Er gehört, da ihn Herakleides [18] zitiert, ins 3. Jh. v. Chr. Zwei Fr. sind erh., davon fr. 1 aus einem Stück Διαθῆκαι (›Die Testamente‹); in fr. 2 (ohne Stücktitel) spricht ein Ehebrecher.

1 PCG V 610.   B. BÄ.

Laonome (Λαονόμη).
[1] Tochter des Guneus, Gattin des → Alkaios [1] (neben ihr werden auch andere Namen genannt), Mutter des → Amphitryon (Paus. 8,14,2; Apollod. 2,50).
[2] Tochter des → Amphitryon und der → Alkmene, Schwester des → Herakles [1], Gattin des Poseidonsohnes → Euphemos (schol. Pind. P. 4,79). Bei Hellanikos (FGrH 4 F 13) ist sie mit dem Unterweltsgott Hodoidokos verbunden.

K. MEULI, s. v. L. (1)-(2), RE 12, 758.   R. HA.

Laothoe (Λαοθόη).
[1] Tochter des → Thespios, von → Herakles [1] Mutter des Antiphos (Apollod. 2,163).
[2] Geliebte des → Apollon, dem sie Thestor gebiert, Großmutter des → Kalchas (Pherekydes FGrH 3 F 108).
[3] Nebenfrau des → Priamos, dem sie → Lykaon und → Polydoros gebiert (Hom. Il. 21,34 f., 85–96; 22,46–48).

O. SCHERLING, s. v. L. (1)–(3), RE 12, 761.   R. HA.

Lapathus (Λαπαθοῦς). Kleine Festung im südl. → Olympos oberhalb des Tempetals bei Kondylon, bei h. Hagios Elias, auch Charax gen. L. wird aus Anlaß der röm. Truppenbewegungen 169 v. Chr. erwähnt (Liv. 44,2,11).

F. STÄHLIN, Das hellenische Thessalien, 1924, 10 f.   HE. KR.

Lapethos (Λάπηθος). Hafenstadt an der Nordküste von → Kypros. Nach Strab. 14,6,3 von Lakones unter Praxandros gegr. (Λάπαθος, Strab. l. c.; Λάπηθις Φοινίκων, Skyl. 103). Phoiniker sind inschr. und durch Mz. des Königs Sidqimelek (ca. 440–420 v. Chr.) nachzuweisen [1]. Der letzte König Praxippos stand auf seiten des → Antigonos [1] und wurde von Ptolemaios I. 312 v. Chr. abgesetzt (Diod. 19,59,1; 62,6; 79,4). In hell. Zeit ist eine lokale Ära überl. In L. nahm Ptolemaios VI. seinen Bruder Ptolemaios Euergetes Physkon ca. 158 v. Chr. gefangen (Pol. 39,7,6). Der Ort war seit der späten Brz. besiedelt. Reste von Hafenanlagen, Befestigungen und Nekropolen beim h. Lambusa. Weitere öffentliche Bauten sind nur inschr. bezeugt. Als Bischofssitz erscheint L. auf dem Konzil von Chalkedon (451 n. Chr.).

1 BMC, Gr, Cyprus LII-LIV, 29–31.

A. CAUBET, M. YON, Un culte populaire de la Grande Déesse à Lapithos, Report of the Department of Antiquities, Cyprus 1988, 1–16 · E. HERRSCHER, New Light from Lapithos, in: N. ROBERTSON (Hrsg.), The Archaeology of Cyprus, Recent Developments, 1975, 39–60 · E. GJERSTAD, Lapithos, The Swedish Cyprus Expedition 1, 1934, 13–276; 4,2, 1948, 534 · MASSON, 267–268 · E. OBERHUMMER, s. v. L., RE 12, 763–766.   R. SE.

Laphria s. Artemis

Laphyron s. Kriegsbeute

Laphystios s. Zeus

Lapis (»Stein«) bezeichnet verschiedene rituell verwendete Steine im Kult der Römer.
[1] Insbes. spielt ein silex, der im Heiligtum des Iuppiter → Feretrius auf dem Capitol aufbewahrt wurde (Fest. 81,18 L.), eine Rolle in einigen altertümlichen Eidzeremonien, die nach dem in Eiden häufigen Prinzip der Handlungsanalogie ablaufen [1]: a) Staatsverträge schließen die → fetiales dadurch, daß sie ein Schwein mit dem silex aus dem Heiligtum des Iuppiter Feretrius erschlagen und dabei denselben Tod beim Eidbruch auf sich und den Staat herabrufen (Liv. 1,24,7–9). Dieses hochaltertümliche Tötungsinstrument soll die Eindrücklichkeit des Schwurs vergrößern. b) Ebenso können feierliche Eide mit dem silex geschworen werden, indem der Schwörende diesen mit der Formel zu Boden wirft, bei Eidbruch würde Iuppiter oder Diespiter ihn ebenso aus der Stadt vertreiben (Pol. 3,25,6 anläßlich des 3. Vertrags mit Karthago im J. 278 v. Chr.; Plut. Sulla

10,7 beim Eid von Sulla und Cinna im J. 88 v. Chr.; allg. Fest. 102,11 L.). c) Danach kann man auch einfach bei Iuppiter L. schwören, ›was der heiligste Eid ist‹ (Gell. 1,21,4, vgl. Cic. fam. 7,12,2).

[2] Der *L. manalis* (»Fließ-stein«) war ein (vielleicht walzenförmiger: Fulg., Sermones antiquarii p. 112,14 HELM) Stein, der außerhalb der Porta Capena in Rom aufbewahrt und bei Trockenheit in einem Regenritual durch die Stadt geschleppt wurde (Fest. 115,8 L., vgl. [2]).

[3] Der *L. scriptus* (»beschriebener Stein«) wurde in einem nicht mehr genau faßbaren ital. (divinatorischen?) Ritual verwendet (Antistius Labeo bei Fest. 474,19 L.).

1 C. FARAONE, Molten Wax, Spilt Wine and Mutilated Animals. Sympathetic Magic in Near Eastern and Early Greek Oath Ceremonies, in: JHS 113, 1993, 60–80
2 G. WISSOWA, Rel. und Kultus der Römer, ²1912, 121.

F. G.

Lapis lazuli (Sumer. *iagin* > akkad. *uqnû* > griech. κύανος > lat. *cyanus*; äg. *ḫsbḏ*). Der Lasurstein ist ein kompliziertes Silikat, das mit dem künstlichen Ultramarin verwandt ist. Er zeichnet sich durch mehr oder weniger tiefblaue Farbe, oft mit goldgelben Einsprengseln von Eisenpyrit, aus. L. wurde im heutigen Afghanistan/Prov. Badaḫšān bzw. im afghanisch-pakistanischen Grenzgebiet (Quetta) gewonnen und gelangte von dort nach Vorderasien sowie über den Sinai nach Äg. Verhandelt wurde L. unbearbeitet, getrennt von der ihn umschließenden Calcit-Matrix. Die Wertschätzung, die der häufig intensiv blaue L. bereits roh genoß, stand nur derjenigen von Gold und Silber nach. L. hatte Bed. in Kult und Magie, spielte eine Rolle im internationalen diplomatischen Geschenkeaustausch und war begehrt als Beute und Tribut. Wegen des hohen Wertes wurden L.-Objekte thesauriert (Hortfunde) und bei Bedarf umgearbeitet.

Objekte aus L. sind in Äg. und Vorderasien vereinzelt bereits aus vorgesch. Zeit bekannt. Seit dem 3. Jt. v. Chr. diente L. dort vor allem zur Fertigung von → Schmuck, Siegeln, Amuletten, Inkrustationsteilen (→ Intarsien) für Statuen, Statuetten und Möbel; seltener sind größerformatige Gegenstände (Gefäße, Votivgegenstände). Seit der 2. Hälfte des 2. Jt. v. Chr. wurde L. imitiert, in Keilschriftquellen wird »L. aus dem Ofen«, d. h. → »Glas«, gegenüber dem (echten) »L. aus dem Gebirge« unterschieden.

Von Äg. gelangte der L. ins min. Kreta und myk. Griechenland. Aus Theophrast (De lapidibus 8; 23; 37) und Plinius (nat. 33,68; 33,161; 37,119 f.) wurde ermittelt [1], daß der gefleckte oder »weibliche« L. σάπφειρος/*sáppheiros* bzw. lat. *sapp(h)irus* gen. wurde, der seltenere blaue oder »männliche« κύανος (→ *kýanos*) bzw. lat. *cyanos*. Der ebenfalls blaue, h. als → Saphir bezeichnete Halbedelstein ist damit sicherlich nicht identisch. Pulverisiert diente das »skythische« *caeruleum* in Rom als blaues Pigment (Plin. nat. 33,161). Der L. war in der klass. Ant. meist Schmuck- oder Amulettstein, selten Fingerring.

→ Edelsteine

1 E. R. CALEY, J. F. C. RICHARDS, Theophrastus on Stones, 1956.

A. LUCAS, Ancient Egyptian Materials and Industries, ⁴1962 · G. HERRMANN, L.: The Early Phases of its Trade, in: Iraq 30, 1968, 21–57 · M. TOSI, M. PIPERNO, Lithic Technology Behind the Ancient L. Trade, in: Expedition 16,1, 1973, 15–23 · P. R. S. MOOREY, Ancient Mesopotamian Materials and Industries. The Archaeological Evidence, 1994, 85–92.   R. W. u. C. HÜ.

Lapis niger. 1899 in Rom bei den Grabungen auf dem *forum Romanum* vor der *curia Iulia* gefundener Block aus schwarzem Marmor, der wohl mit dem *niger lapis in comitio* bei Fest. 184 L. identisch ist. Der oben abgeschlagene Stein trägt auf den fünf Seiten eine frg. und schwer zu lesende Inschr. vom (Anf.?) des 6. Jh. v. Chr. (wohl die *lex sacra* des Volcanals, des umgebenden heiligen Bezirkes), in der von einem »König« (*recei*), seinem »Herold« (*calator*) und von *iouxmenta* (Zugtieren? Wagen?) die Rede ist. Möglicherweise ist es die Inschr., von der Dionysios von Halikarnassos (ant. 2,45,2) meinte, sie beinhalte den Tatenbericht des Romulus. Entgegen früheren Meinungen, wonach mit *rex* hier der republikan. *rex sacrorum* gemeint sei [1; 2], sieht man heute darin meist einen der etr. Könige [3]. Ed.: CIL I² 1 = ILLRP 3.

1 E. MEYER, Einführung in die lat. Epigraphik, ³1991, 47
2 R. E. A. PALMER, The King and the Comitium, 1969, 51
3 F. COARELLI, Il Foro Romano I, 1983, 178–188
4 WACHTER, 66–69.   H. GA.

Lapis Satricanus. Leicht beschädigte Steininschr. aus der 2. H. des 6. Jh. v. Chr., die 1977 in Satricum (Latium) unter dem um 500 v. Chr. errichteten Mater Matuta-Tempel entdeckt wurde. Die Inschr., eine der frühesten in lat. Sprache, ist gut lesbar: — — *-iei steterai Popliosio Valesiosio / suodales Mamartei* (»es haben aufgestellt des Publius Valerius Genossen dem Mars«). Am verstümmelten Anfang ist wohl *[med h]ei* (»mich hier«) zu lesen, womit das Objekt den Betrachter anspricht (so [1]; weniger wahrscheinlich *Sal]iei*, so [2], oder *Iun]ei*, so [3]). Vermutlich stammt die Inschr. von einem Weihgeschenk, vielleicht aus Kriegsbeute.

Umstritten sind auch die mit der Inschr. verbundenen histor. Fragen: Ist P. Valerius mit dem ersten Consul der Republik oder seinem gleichnamigen Sohn identisch oder handelt es sich um gleichnamige Bürger von Satricum? Welche soziale Realität verbirgt sich hinter den *suodales*? Eine Art Gefolgschaft? Was ist der histor. Kontext der Weihung? Vgl. aber [5]. Ed.: CIL I² 4, 2832a.

1 A. PROSDOCIMI, Sull' iscrizione di Satricum, in: Gionale Italiano di Filologia 15, 1984, 183–230 2 J. DE WAELE, Salii, Satricum en de chronologie van de tempels van Mater Matuta, in: Lampas 29, 1996, 10–26 3 H. S. VERSNEL, IUN]iei. A New Conjecture in the Satricum Inscription, in: MededRom 56, 1997, 179–200 4 C. M. STIBBE, L. S. Archaeological, Epigraphical, Linguistic and Historical Aspects of the New Inscription from Satricum, 1980 5 D. J. WAARSENBURG, Satricum, de tempels en de Lapis, in: [4], 27–45.   H. GA.

Lapithai (Λαπίθαι, lat. *Lapithae*). Mythischer thessal. Stamm (Hom. Il. 2,738ff.; Strab. 9,439ff.), der insbes. durch seinen Kampf mit den → Kentauren bekannt ist. Nach einer späten Version sind sie Nachkommen eines namengebenden Urvaters Lapithes oder Lapithas, der entweder von Apollon und einer Tochter des Flußgotts Peneios (Stilbe) oder aber von Ixion und der Sklavin Dia abstammt (Diod. 4,63,2; 5,58,5; Paus. 5,10,8; schol. Apoll. Rhod. 1,40). Die Abstammung von → Ixion aber macht die L. zu rein menschengestaltigen, eher gutartigen und ritterlichen Halbbrüdern der Kentauren, so daß sich ihr Streit als Bruderzwist darstellt.

Die L. treten sowohl als Gruppe als auch als markante Einzelpersönlichkeiten auf. Neben Elatos [2], Ixion, Phlegyas, Phorbas, Triopas, dem riesenhaften → Kaineus und → Mopsos ist vor allen Dingen der L.-König und Freund des Theseus → Peirithoos zu nennen, auf dessen Hochzeit mit Hippodameia der Kampf mit den Kentauren entbrennt.

Herakles führt im Namen des Aigimios [1] Krieg gegen sie. Diverse L. nehmen an der Kalydonischen Jagd, der Argonautenfahrt und dem Troianischen Krieg teil.

A. KOSSATZ-DEISSMANN, s. v. Lapithas, LIMC 6.1, 204.

C. W.

Lapithes. Myth. Urvater der → Lapithai

Lappa (Λάππα). Stadt in Westkreta (Strab. 10,4,3) beim h. Dorf Argyropolis. 220 v. Chr. in die innerkret. Auseinandersetzungen des Lyttischen Krieges involviert (Pol. 4,53–55). Um 200 v. Chr. schloß L. ein Bündnis mit → Gortyn, das die Vormachtstellung des östl. Nachbarn dokumentiert [1. Nr. 31, p. 265–267]. 183 v. Chr. gehörte L. zu den 30 kret. Städten, die sich mit Eumenes II. zu einer Koalition vereinigten [2. 179]. 67 v. Chr. wurde L. von den Römern zerstört. Unter Augustus erhielt L. den privilegierten Status einer *civitas libera*. Später war der Ort Bischofssitz. Wegen kontinuierlicher Besiedlung gibt es nur wenige Überreste aus ant. Zeit.

1 A. CHANIOTIS, Die Verträge zw. kret. Poleis in der hell. Zeit, 1996 2 M. GUARDUCCI (Hrsg.), Inscriptiones Creticae IV, 1950.

R. SCHEER, s. v. L., in: LAUFFER, Griechenland, 367 · I. F. SANDERS, Roman Crete, 1982, 163. H. SO.

Lappius. A. Bucius L. Maximus. Senator. Legat der *legio VIII Augusta* in Argentorate um 77/78 n. Chr.; Proconsul von Pontus-Bithynia unter Domitianus [1]. Suffektconsul im J. 86, anschließend consularer Legat in Germania inferior. Als E. 88/Anf. 89 Antonius Saturninus in Mainz gegen Domitian revoltierte, warf L. mit den Truppen seiner Prov. den Aufstand nieder; in der Grabinschr. seiner Frau (CIL VI 1347 = 37049 = ILS 1006) wird L. *confector belli Germanici* genannt, womit er die offizielle Propaganda übernahm, der Aufstand sei in Wirklichkeit ein Krieg der Chatten gewesen. Vermut-

lich erhielt L. von Domitian *dona militaria*. Die Korrespondenz des Saturninus hat er nach Cassius Dio (67,11,1) verbrannt; vielleicht waren darin auch ihn kompromittierende Schreiben enthalten. Als consularer Legat von Syria ist er im Mai 91 bezeugt (RMD I 4; 5). Im J. 95 wurde L. *consul suffectus iterum*, das einzige Beispiel für einen iterierten Konsulat unter Domitian nach dem J. 90, was wiederum sein hohes Ansehen beweist. PIR² L 84; ECK, 149ff. W. E.

Lapsi. Der lat. Terminus L., »Abgefallene«, bezeichnet Christen, die im Unterschied zu den »Standhaften« (*stantes*) und den Blutzeugen (*martyres*) in den Verfolgungen vor allem des 3. Jh. ihren Glauben verleugnet hatten. Von den *sacrificati*, die (den Göttern) »geopfert«, und den *turificati*, die Weihrauch (*tus*) in die Flamme gestreut hatten, unterschied man die *libellatici*: Sie ließen sich eine Bescheinigung (*libellus*) über ein angeblich dargebrachtes Opfer ausfertigen. Wenn ein Protokoll aufgenommen wurde, hießen sie *acta facientes* (*acta facere* = »eine Urkunde ausstellen lassen«); wenn sie »mit der Hand unterschrieben«, in griech. Texten auch *cheirographesantes*. Eine eigene Gruppe bildeten die *traditores*, die wirklich oder zum Schein heilige Bücher oder Geräte »ausgeliefert« hatten.

Neben den inneren Gefährdungen der → Kirche – der im 2. Jh. aufgebrochenen → Gnosis und den im 3. Jh. grassierenden Schismen – war die große Zahl der aus Angst oder Opportunismus Opferwilligen eine dritte, von außen verursachte Bedrohung. Denn wer den Glauben verleugnete, war exkommuniziert. Die zwischen Rom und Karthago klug ausgehandelte Milderung der Bußpraxis bot den einstmals Abtrünnigen die Möglichkeit, sich in neuer Verfolgung als Christen zu bewähren.

QUELLEN: Cyprianus, De Lapsis, CSEL III 1,235ff. · Cyprianus, epist. 55, CCL IIIB, 256ff.
LIT.: A. ALFÖLDI, Studien zur Gesch. der Weltkrise des 3. Jh. n. Chr., 1967, 285ff. · A. HARNACK, s. v. L., Realencyklopädie für protestantische Theologie und Kirche 11, 283–287 · J. KNIPFING, The Libelli of the Decian Persecution, in: Harvard Theological Review 16, 1923, 345–390 · J. MOLTHAGEN, Der röm. Staat und die Christen im 2. und 3. Jh. (Hypomnemata 28), 1970. U. WI.

Laquearius s. Munera

Laqueus. »Seil«, röm. Strafe des Erhängens, in republikanischer Zeit für öffentliche Hinrichtung jedoch nicht angewandt; das *suspensum Cereri necari* der Zwölftafelgesetze gegen den Erntefrevler (Plin. nat. 18,3,12) bedeutet nicht Erhängen, sondern Aufbinden zur Auspeitschung. Hingegen ist Erdrosselung im Kerker unter Aufsicht der → *tresviri capitales* z. B. für die Catilinarier überliefert (Sall. Catil. 55). Diese Art der Exekution (nach Tac. ann. 14,48 unter den ersten Kaisern verschwunden) betraf Fälle, in denen eine öffentliche Hinrichtung inopportun war; Frauen wurden regelmäßig

(Liv. 39,16,8) nach der Verurteilung ihren Angehörigen zur privaten Vollstreckung übergeben. Freitod mittels *l.* galt nicht als unehrenhaft (Tac. ann. 15,57: Epicharis; SHA Max. Balb. 1, SHA Gord. 16: Gordian)

E. CANTARELLA, I supplizi capitali in Grecia e a Roma, 1991, 140ff., 213ff. • MOMMSEN, Strafrecht, 930. E.A.K.

Laran. Meist jugendlicher, namentlich gekennzeichneter etr. Kriegsgott, seit dem 5. Jh. v. Chr. auf etr. Spiegeln dargestellt, häufig im Kontext mit anderen Gottheiten, bes. mit → Turan/Aphrodite; weitgehend dem griech. Ares und röm. Mars entsprechend, nicht identisch mit dem etr. → Maris. L. ist auch auf Gefäßen und als Freiplastik vertreten (monumental: »Mars von Todi«), nicht aber auf der Bronzeleber von Piacenza (→ Divination VII).

I. KRAUSKOPF, s. v. L., Dizionario della civiltà etrusca, 1985, 147f. • E. SIMON, s. v. L., LIMC 2.1, 498–505. F. PR.

Laranda (Λάρανδα). Hell. Stadt in der südl. Lykaonia, h. Karaman, kam 25 v. Chr. zu Galatia und gehörte unter Antoninus Pius zu den *Treîs eparchíai*. Mitglied des *Koinón Lykaonías* mit dem Ehrentitel (*Sebastḗ*) *Mētrópolis* (Mz.) [1. 25–32, 43 f.]. Unter Diocletianus der Prov. Isauria, um 370 Lykaonia angegliedert. Bischöfe seit dem 3. Jh. bekannt, seit etwa 370 Suffragan von → Ikonion [2. 197f.].

1 H. V. AULOCK, Mz. und Städte Lykaoniens, 1976 2 BELKE. K. BE.

Lararium. Meist im → Atrium, bisweilen auch in der Küche, dem Peristyl oder dem Garten des röm. Hauses gelegenes, privat-familiäres Heiligtum bzw. Kultmal für die *lares familiares* (→ Laren; → Personifikation), entweder in Form einer Nische, eines Tempelchens (→ Aedicula) oder aber in Gestalt einer illusionistisch-architektonischen Wandmalerei. *Lararia* waren urspr. mit Statuetten und weiteren Weihegaben je nach Vermögen ausgeschmückt und im gesellschaftlichen Umgang wichtige Orte der familiären Repräsentation. Zahlreiche L. haben sich in den Vesuvstädten erh. (→ Herculaneum; → Pompeii). Das L. war im röm. Haus zugleich oft der Platz für die Verwahrung der Ahnenbildnisse (→ *imagines maiorum*) und die Verehrung weiterer häuslicher Schutzgeister (→ Penates).

Nicht als L. werden von der arch. Forsch. hingegen die eigentlich ebenfalls zum Larenkult gehörigen öffentlichen Schreine an Wegkreuzungen etc. verstanden, die von den *collegia compitalia* (→ collegium [1]) gepflegt wurden.

TH. FRÖHLICH, Lararien- und Fassadenbilder in den Vesuvstädten, MDAI(R) 32. Ergh., 1991 • D.G. ORR, Learning from lararia. Notes on the Household Shrines of Pompei, in: R.I. CURTIS (Hrsg.), Studia pompeiana et classica in honor of W.F. Jashemski I, 1988, 293–299 • E.B. THOMAS, Laren und Lararien in Pannonien, in: Antike Welt 6/IV, 1975, 29–40. C.HÖ.

Larcius. Name einer patrizischen *gens* etr. Ursprungs, die in der Frühzeit der Republik zwei bedeutende Vertreter hervorbrachte. Weitere Träger des Namens sind erst wieder ab dem 1. Jh. v. Chr. belegt.

I. REPUBLIKANISCHE ZEIT

[I 1] L. (Flavus oder Rufus ?), T. Consul 501 und 498 v. Chr. (InscrIt 13,1,88; 350–53). Bis auf Festus (216 L.) nennt die Überl. L. als ersten → Dictator Roms (MRR I 9f.; 11f.), ist aber uneins, ob L. das Amt in seinem 1. (Liv. 2,18,4–7 mit Verweis auf die unsichere Überl.) oder seinem 2. Konsulat (Dion. Hal. ant. 5,61–77,6; bes. 72) bekleidete. Nach Macrobius (Sat. 1,8,1) weihte L. als Dictator den Saturntempel. Diese Nachricht ist aber ebenso zweifelhaft wie das von Dionysios von Halikarnassos berichtete Auftreten bei weiteren Gelegenheiten, u. a. als einer der Gesandten zur *plebs* bei der 1. Sezession 494 (Dion. Hal. ant. 6,81,2; → *secessio*).

[I 2] L. (Flavus ?), Sp. Consul 506 und 490 v. Chr. L.' Identität, geschlossen aus Chron. min. 1, p. 50 und Dion. Hal. ant. 7,68,1, ist nicht völlig gesichert. 498 soll L. Helfer des → Horatius [I 4] Cocles (Liv. 2,10,6f.; Dion. Hal. ant. 5,23,2–24,1; Plut. Poblicola 16,6), Anführer in einem Kampf gegen die Etrusker (Liv. 2,11,7–10) und Gesandter nach Campania zur Getreidebeschaffung (Dion. Hal. ant. 5,26,3) gewesen sein, 488 einer der fünf zu → Coriolanus gesandten Consulare (Dion. Hal. ant. 8,22,4). 482 → Interrex (Dion. Hal. ant. 8,90,5). C.MÜ.

II. KAISERZEIT

[II 1] A. L. Crispinus. Sein *nomen gentile* ist in IEph. 2, 517 wohl als Λ[άρ]κιος zu rekonstruieren. Vielleicht Ritter. Promagister für den ½%-igen Zoll und die 5%-ige Freilassungssteuer in Asia (vgl. IEph. 7, 3045). L. dürfte Sohn von L. [II 3] und Bruder von L. [II 4] sein [1].

1 W. ECK, in: L'ordre équestre, 1999 (im Druck).

[II 2] A. L. Lepidus Sulpicianus. L. kam wohl als erster seiner Familie in den Senat. Seine Laufbahn ist in CIL X 6659 = ILS 987 erh. Quaestor der Prov. Creta-Cyrenae, von wo seine Mutter stammen dürfte. Als Quaestorier kommandierte L. 69/70 n.Chr. während der Belagerung von Jerusalem die *legio X Fretensis* im Kampf gegen die aufständischen Juden, wofür er von Vespasian mit *dona militaria* ausgezeichnet wurde. Nach dem Volkstribunat wurde L. Legat des Proconsuls von Pontus-Bithynia. Noch vor der Praetur verstarb L. PIR² L 94.

[II 3] A. L. Lydus. Ehemaliger Sklave, vielleicht von L. [II 2]. Als Freigelassener bot L. Nero nach dessen Rückkehr aus Griechenland eine Million Sesterzen an, wenn er dafür auch in Rom als Sänger aufträte (Cass. Dio 62,21,2). Vater von L. [II 4] und wohl von L. [II 1] [1. 245ff.]. PIR² L 96.

1 W. ECK, in: ZPE 42, 1981.

[II 4] A. L. Macedo. Sohn von L. [II 3], Vater von L. [II 5]. L. gehört zu den ganz wenigen bekannten Fällen, bei denen ein Sohn eines Freigelassenen Senator wurde. Er kam, vielleicht unter Domitian, in den Senat und brachte es bis zu praetorischem Rang. Von einigen seiner Sklaven wurde er wegen seiner Grausamkeit ermordet. Bei Plinius (epist. 3,14) ist die Aversion zu spüren, die in manchen senator. Kreisen gegen ihn bestand. PIR² L 97.

[II 5] A. L. Macedo. Senator, Sohn von L. [II 4]. Praetorischer Statthalter von Galatien 120–122 n. Chr.; *cos. suff.* im J. 122 mit P. Ducen[ius] Verus (CIL VI 2081 und unpubl. Militärdiplom). L. oder sein Vater scheint einer der ersten Senatoren gewesen zu sein, der auf dem Aventin ein Haus besaß [1]. PIR² L 98.

1 W. ECK, in: Scripta Classica Israelica 16, 1997, 182.

[II 6] M. L. Magnus Pompeius Silo. *Cos. suff.* im Sept./Okt. 82 n. Chr. [1. 54]. PIR² L 100.

1 W. ECK, in: ZPE 37, 1980.

[II 7] L. Memor. Ritter; *praefectus Aegypti* im J. 191 und 192 n. Chr. [1. 303; 2. 84]; POxy. 3339.

1 G. BASTIANINI, in: ZPE 17, 1975 2 Ders., in: ZPE 38, 1980.

[II 8] A. L. Priscus. Wohl Nachkomme von L. [II 2]. Senator, dessen Laufbahn noch unter Domitian begann. 97 n. Chr. war L. in Syrien als außerordentlicher Legionslegat an der Unterdrückung des Aufstandsversuchs des Cornelius [II 36] Nigrinus beteiligt. Nach längerer praetorischer Laufbahn wurde er Legat der *legio III Augusta* in Africa und Proconsul der Narbonensis; die Abfolge der beiden Ämter ist unsicher. Im J. 110 *cos. suff.* THOMASSON, Fasti Africani, 141 f.; BIRLEY, 235 ff.; PIR² L 103.   W. E.

Laren (Lar, Lares).

A. WESEN DER LAREN B. MYTHEN C. KULT DER LARES PUBLICI D. KULT DER LARES PRIVATI

A. WESEN DER LAREN

Die L. (altlat. *Lases* [1]; vgl. etr. *Lasa* = *Nympha*) sind röm. Geister, die in Häusern, an Straßen und Kreuzwegen verehrt wurden (= *Manes*: Arnob. 3,41; Serv. Aen. 3,302; = *daímones*: Cic. Tim. 38; CGL 2,121,17; 265,62; = *héröes*: Dion. Hal. ant. 4,2; Plut. mor. 316f; CGL 2,121,14; 3,290,56); sie wurden mit den vergöttlichten Seelen der Verstorbenen gleichgesetzt (z. B. Paul. Fest. 273). Servius (Aen. 6,152) läßt die Verehrung der L. aus den urzeitlichen Hausbestattungen herstammen. Die L. sind männlich und zeugungskräftig; ihre weiblichen Genossinnen sind die *Virae* (*Virae Querquetulanae*: Fest. 314; vgl. die *Lares Querquetulani*: Varro ling. 5,49), oder, in der Cisalpina, die → *Matronae* (CIL V 2, 7228; AE 1964, 211).

B. MYTHEN

Nach der Überl. wurde der König Servius Tullius von dem Lar des Herdes in der → Regia der Tarquinii

gezeugt (Dion. Hal. l.c.; Plin. nat. 36,204; Plut. l.c.) und war Stifter des L.-Kultes (Dion. Hal. ant. 4,14; Plin. l.c.). Bei Ovid (fast. 2,583–616; vgl. Lact. inst. 1,20,35) waren die zwei *Lares praestites* Söhne der Nymphe Lara (→ Larunda) und des Mercurius.

C. KULT DER LARES PUBLICI

In den Städten Mittelitaliens waren die → Compitalia das Fest der *Lares publici*; in den Dörfern hieß das Fest Paganalia. Beide Feste wurden von Servius Tullius begründet und vom ersten Consul Brutus erneuert (Macr. Sat. 1,7,34 f.; vgl. Dion. Hal. ant. 5,2,2). Die Compitalia waren ein bewegliches Fest, das vom Praetor angekündigt wurde (Gell. 10,24,3). Sie dauerten drei Tage (Paul. Fest. 304) und fanden Anfang Januar an den Straßenkreuzungen bei den L.-Kapellen statt. Jede Familie hängte an den *compita*, »Straßenkreuzungen« (nach Macr. Sat. 1,7,34 f. auch an den Haustüren) so viele wollene Puppen und Bälle auf, wie Freie bzw. Sklaven im Haus wohnten (Paul. Fest. 273). Den L. opferte man Kuchen (Dion. Hal. ant. 4,14,3), Knoblauch und Mohnköpfe (Macr. Sat. 1,7,34). Vier *magistri vici* leiteten das Fest (Ascon. in Cic. Pis. 7 CL.). Jedes Stadtviertel organisierte die *ludi compitalicii*, bei denen Boxkämpfe (Suet. Aug. 45; Hor. epist. 1,1,49) und einfache dramat. Aufführungen (Varro bei Non. 288; Suet. Aug. 43; GL 1, 488; vgl. Tib. 2,1,51–58) stattfanden. Wein wurde reichlich allen Freien und Sklaven ausgeschenkt (Cato agr. 57; Pers. 4,25 ff. mit schol.). Dieser Brauch kann die Ikonographie der L., die als Tänzer mit Trinkhorn und Schale dargestellt sind, erklären. Seit 7 v. Chr. wurde der *Genius Augusti* neben und zusammen mit den *Lares compitales* verehrt (Hor. carm. 4,5,34 f.; Ov. fast. 5,145 f.). Die öffentl. Feste der L. waren wichtig für die soziale Organisation der ant. Städte und ihres Gebietes. Sie fanden am Ende des Landwirtschaftsjahres statt (schol. Pers. 4,28): An diesen Tagen wurde die Arbeit verboten und die Sklaven von ihrem Dienst befreit.

Wie in den Demeter-Heiligtümern wurden die alten und unbenutzbaren Joche an den *compita* geweiht (schol. Pers. 4,28); den L. wurden die Waffen der ausgedienten Soldaten geschenkt (Ov. trist. 4,8,21 f.).

Die L. waren Beschützer von Häusern (Plaut. Aul. 3–9; Ov. fast. 1,139; Iuv. 13,233; Tib. 1,10,15 ff.), Stadtvierteln, Dörfern (Dion. Hal. ant. 4,15,3; Tib. 1,1,19 f.; CIL VI 1, 455), Straßen (*Lares viales* und *semitales*; Plaut. Merc. 865; CIL VIII 2, 9755; XII 4320 usw.), mil. Unternehmungen zur See (*Lares permarini*, die mit der Aeneas-Sage verbunden waren, und deren Tempel im J. 179 v. Chr. geweiht wurde: Liv. 40,52,4; Macr. Sat. 1,10,10) und auch zu Land (*Lares militares*: CIL III 1, 3460; 3463; vgl. Paul. Fest. 90). Als Beschützer der Stadt wurden in Rom zwei *Lares praestites* am 1. Mai in der Nähe des Vesta-Tempels verehrt (Ov. fast. 5,129–146; Plut. qu. R. 51). Sie wurden mit einem Hund und dem Hundefell auf dem Kopf dargestellt (Plut. mor. 316 f).

In Lavinium und Rom wurden die *Lares grundiles* verehrt, die mit den 30 Ferkeln identifiziert wurden, die Aeneas oder Romulus sahen (Non. 164). Aeneas selbst wurde bei → Lavinium als Lar verehrt [2], wie auch → Hercules, weil beide Heroen mit einem Kult waren.

D. KULT DER LARES PRIVATI

Wir kennen L. *Volusiani* (CIL VI 2, 10266f.) und vielleicht L. *Hostilii* (vgl. Paul. Fest. 90), aber in der Regel hatten die L. keine bestimmte Persönlichkeit, und deswegen waren sie keine Götter des Adels (vgl. Acro zu Hor. sat. 1,5,65), der bestimmte Ahnen in seinen Häusern verehrte.

Im *atrium* oder *tablinum* der röm. Häuser gab es einen L.-Altar, mit Statuetten und Malerei, die die L. und oft einen schlangenförmigen → Genius darstellten. Die L. waren auch Beschützer der Tür, aber ihr urspr. Sitz war auf dem Herd, an dem die Familie beim Mahl saß (z.B. Ov. fast. 6,305f.; Plin. nat. 28,267; Colum. 11,1,19; Petron. 60), und in dem die zu Boden gefallenen Brokken als *piatio* verbrannt wurden. Bes. die Sklaven waren mit dem Kultus der L. befaßt (z.B. Cato agr. 5,3; Dion. Hal. ant. 4,2,1; 4,14,3; Colum. l.c.). Auf dem Herd oder in den Lararien, in denen auch der Kaiser verehrt wurde, wurden Kuchen (Dion. Hal. ant. 4,2,1; Tib. 1,10,22f.), Kränze (Plaut. Aul. 25; 385; Cato agr. 143,2; Tib. 2,1,59f.; Plin. nat. 21,11), Weihrauch (Plaut. Aul. 24; Hor. carm. 3,23,3f.; Tib. 1,3,34; Iuv. 9,137; 12,89f.), Dinkel (Iuv. 9,138), Honigwaben (Tib. 1,10,24), Weintrauben (Tib. 1,10,21), Wein (Plaut. Aul. 24; Ov. fast. 2,636–638; Petron. 60,8), Früchte (Hor. carm. 3,23,4) geopfert. Manchmal wurden den L. auch Tiere geopfert: Ferkel oder Lämmer (Plaut. Rud. 1207f.; Tib. 1,10,26; Hor. carm. 3,23,4).

Der Lar oder die L. wurden in den wichtigsten Momenten des Lebens verehrt: nach jeder Geburt wurden den L. ein Lamm oder ein Schwein geopfert (Plaut. l.c.); die freigelassenen Sklaven weihten den L. ihre Kette (Ps.-Acro zu Hor. sat. 1,5,65), und nach einem Todesfall wurde ein Hammel-Opfer dargebracht (Cic. leg. 2,55). Um die Kranken gegen tödliche Gefahren zu schützen, wurden den L. Opfer geweiht (Iuv. 13,229ff.). Auch in den Initiationsriten spielten die L. eine bedeutende Rolle: Während der Liberalia weihten die Jungen ihnen ihre *bullae*; dann legten sie die *toga pura* an (Acro und Ps.-Acro zu Hor. sat. 1,5,65; Pers. 5,31; vgl. Petron. 60: *Lares bullati*). Als Zeichen des Endes ihrer *pueritia* (»Kindheit«) weihten die Bräute ihnen die Puppe (schol. Pers. 2,70; Ps.-Acro l.c.), die Bälle, das Haarnetz und die Binde der Brust (Varro bei Non. 863), und wenn sie zum Haus des Gatten kamen, opferten sie eine Münze: *assis . . . in foco Larium familiarium*, und eine weitere beim *compitum vicinale* (Varro bei Non. 852).

1 ILLRP 4: Lied der Arvalbrüder 2 M. GUARDUCCI, Cippo latino arcaico con dedica ad Enea, in: BCAR 58, 1956–58, Anhang 3ff.

A. DE MARCHI, Il culto privato di Roma antica, 1–2, 1896–1903 · E. SAMTER, Familienfeste der Griechen und Römer, 1901 · M. BULARD, La rel. domestique dans la colonie italienne de Délos d'après les peintures murales et les autels historiés, 1926 · U. BEZERRA DE MENESES, H. SARIAN, Etudes déliennes, in: Bulletin de correspondance hellénique

1973, 77ff. · J.-M. FLAMBARD, in: MEFRA 89, 1977, 115–153 · A. MASTROCINQUE, Lucio Giunio Bruto, 1988 · M. HANO, A l'origine du culte impérial..., in: ANRW II 16.3, 2333–2381 · T. FRÖHLICH, Lararien- und Fassadenbilder in den Vesuvstädten, in: MDAI(R) Ergh. 32, 1991, 21–37; 111–129; 249–306.   A. MAS./Ü: F.P.

Larentia, Larentalia s. Acca Larentia

Lares. Stadt der Prov. Africa Proconsularis zw. Karthago und Theveste, h. Lorbeus. Belege: Ptol. 4,3,28 (Λάρης); Itin. Anton. 26,3 (*Laribus colonia*); Tab. Peut. 5,1 (*Larabus*); Prok. BV 2,22,14 (Λάρβος), 2,28,48 (Λάρβοι). L. spielte im Iugurthinischen Krieg (→ Iugurtha) eine Rolle (*oppidum Laris*, Sall. Iug. 90,2). Im 2. Jh. n. Chr. wurde L. *colonia* (CIL VIII 1,1779). Während der Regierungszeit des Iustinianus (527–565 n. Chr.) wurde L. befestigt (Corippus, Iohannis 7,143; Prok. BV 2,22,14; 18). Inschr.: CIL VIII 1,1776–1792; Suppl. 1,16318–16329. L. ist h. eine ausgedehnte Ruinenstätte.

AATun 100, Bl. 29, Nr. 70 · H. DESSAU, s.v. L. (2), RE 12, 833.   W. HU.

Larginus Proculus (Πρόκλος) soll nach Cass. Dio 67,16,2 in Germanien den Tod Domitians vorausgesagt haben; er wurde in Rom verurteilt, aber gerettet, nachdem Domitian tatsächlich am vorausgesagten Tage ermordet worden war, und von Nerva reich belohnt.

W. und H. G. GUNDEL, Astrologumena, 1966, 177 · A. STEIN, s.v. L., RE 12, 834f.   W. H.

Largitio s. Liberalitas

Largius Designatianus. Medizinschriftsteller, 4. Jh. n. Chr., Verf. einer lat. Paraphrase eines griech. Briefes an einen (nicht näher bestimmten) König Antigonos, der unter dem Namen des → Hippokrates [6] überl. ist und einen Diätplan sowie Therapieempfehlungen für Kopf-, Brust-, Bauch- und Nierenkrankheiten enthält. Diese Paraphrase hat sich in der Einleitung zu einer medizinischen Abh. von → Marcellus Empiricus erh., wo ihr ein Brief des L. an seine Söhne vorangestellt ist. Es ist wahrscheinlich, daß beide Texte zu den Einl.-Texten eines h. verlorenen medizinischen Werkes des L. gehörten.   V. N./Ü: L. v. R.-B.

Largus. Epiker der augusteischen Epoche, von Ov. Pont. 4,16,17f. rühmend erwähnt: Sein Epos behandelte – als Gegenstück zur *Aeneis* – die Ansiedlung des Troianers → Antenor [1] in Nordit. Unbeweisbar ist die Identifikation mit Valerius Largus, dem Ankläger des Elegikers Gallus.

BARDON, 2,66f.   P.L.S.

Larike. Indische Region in Gujarāt, im Westen an Indoskythien angrenzend, mit Hauptstadt → Ozene (Ptol. 7,1,62f., s. auch Peripl. m. r. 41 (Ariake) und Ptol.

7,1,4f.). Der Name ist offensichtlich verwandt mit dem altindischen Lāṭa, Süd-Gujarāt. In diesem Land lag die berühmte Hafenstadt → Barygaza.

O. WECKER, s.v. L., RE 12, 837 f.   K. K.

Larinum (Λάρινα). Stadt der Dauni (Steph. Byz. s.v. Λ.), nachmals der Frentani (Ptol. 3,1,65) in Samnium auf dem Monte Arone (475 m) rechts des Tifernus (h. Biferno), südl. vom Cigno, einem Zufluß des Tifernus, umflossen; 1 km östl. vom h. Larino. *Municipium, tribus Clustumina, regio II* (Plin. nat. 3,105; Mela 2,66). Seit Mitte des 3. Jh. v. Chr. griech. (campanische) und lat. (apulische) Br.-Mz. (HN 28 f.). Beachtliche Überreste: Stadtmauer, Bäder, Amphitheater, Mosaiken. Aus L. stammte → Cluentius [2], den Cicero 66 v. Chr. verteidigt hat (Cic. Cluent.).

NISSEN 2, 783 f. · G. COLONNA, s.v. L., PE, 484.   E.O.

Larisa (Λάρισα; Λάρισσα). Name zahlreicher Orte Griechenlands und Kleinasiens, vgl. Steph. Byz. s.v. Λ.
[1] Der 289 m hohe Burgberg von Argos mit myk. Resten (nicht genau identifiziert) [1]. Der Tempel des Zeus Larisaios und der Athena Polias unter der großen venezianischen Burg ist ausgegraben. Belege: Strab. 8,6,7; Paus. 2,24,1; 3 f.; Steph. Byz. s.v. Λάρισαι πόλεις.

1 N. VASSILATOS, Larissa. The Acropolis of Argos, 1994.
                                                   Y.L.

[2] Bed. Stadt der Achaia Phthiotis am Südhang der Othrys auf einem steilen Berg ca. 3,5 km von der Küste entfernt, auch *L. Kremastē* (κρεμαστή, »über dem Meer schwebend«) gen.; lit. erst seit dem 5. Jh. v. Chr. erwähnt: 426 schädigte ein Erdbeben die Stadt (Strab. 1,3,20). Im 4. Jh. kam einer der beiden Kultgesandten der phthiotischen Achaioi in Delphoi aus L. (Syll.³ 444/5; 636,9). Seit hell. Zeit war die Festung L. oft umkämpft: 302 von → Demetrios [2] Poliorketes eingenommen (Diod. 20,110,2), danach mehrfach aitolisch (Syll.³ 492,36; 498), nach 217 von Philippos V. erobert (Liv. 31,31,4), wogegen die Aitoloi oft angingen (Pol. 19,3; 19,8; 19,38; Liv. 32,33 ff.). Die Eroberung durch die Römer 200 v. Chr. blieb ohne Folgen (Liv. 31,46,12). Ab 185 bildete L. zusammen mit Alope, Pteleon, Antron eine maked. Exklave, von Perseus im J. 174 besucht (Liv. 42,42,1). 171 wurde L. erneut von den Römern eingenommen (Liv. 42,56,7; 67,10 f.). Inschr. und Funde belegen das Fortleben bis in die Kaiserzeit. Der röm. Senat hatte einen Streit mit dem Nachbarn Pteleon zu entscheiden (IG IX 2,520). Im Zuge der slav. Einwanderung ging L. unter, lebte aber als byz. Bischofssitz Gardikion wieder auf. Arch.: Gut erh. Mauerzüge nördl. des h. Pelasgia (nach Strab. 9,5,13 bzw. 19 ein Beiname von L.), früher Gardiki.

F. STÄHLIN, Das hellenische Thessalien, 1924, 182 ff. ·
Ders., s.v. L. Kremaste, RE 12, 840 ff. ·
PHILIPPSON/KIRSTEN 1, 208 f. · TIB 1, 1976, 161.   HE.KR.

[3] (Λάρισα, Λ. Πελασγίς). Hauptort der thessal. Tetras Pelasgiotis am Südufer des → Peneios an einem wichtigen Flußübergang.

I. ENTWICKLUNG BIS ZUR RÖMISCHEN KAISERZEIT
II. BYZANTINISCHE ZEIT
III. ARCHÄOLOGISCHER BEFUND

I. ENTWICKLUNG BIS ZUR RÖMISCHEN KAISERZEIT

Der die fruchtbare Ebene überragende Hügel (26 m über dem Fluß) mit der Akropolis war schon seit Anf. des Neolithikums (ca. 6000 v. Chr.) besiedelt. Trotz hohen Alters im Schiffskatalog der *Ilias* nicht gen., gilt L. erst als Gründung der ab dem 8. Jh. eingewanderten → Thessaloi. L. wurde sekundär in ältere Sagenkreise einbezogen (z.B. von → Iolkos, von der Rückführung der Aleuadai, von den → Lapithai). Thessalisch i.e.S. sind die Sagen von der Nymphe L. (Tochter des Pelasgos) oder von → Akrisios, dessen Grab unter dem Haupttempel von L. lag.

Ab dem 6. Jh. v. Chr. ist das Schicksal von L. bestimmt durch die → Aleuadai. Sie stellten meist den gesamtthessal. → Tagos, nahmen am 1. Hl. Krieg (→ Heilige Kriege) teil, galten als Spender des ältesten Weihgeschenks in Delphoi (Paus. 10,16,8). Im 5. Jh. verfolgten sie eine propers. Politik, prägten Mz. nach pers. Mz.-Fuß (HN 297 ff.) und standen in den → Perserkriegen auf seiten der Perser (Hdt. 7,6). Der spartan. Strafexpedition nach 479 entledigte man sich durch Bestechung (Hdt. 6,72; Paus. 3,79). Im → Peloponnesischen Krieg stellte L. im J. 431 den Athenern eine Reiterabteilung (Thuk. 2,22,3; Aristot. pol. 1275b 26 ff.). In den Kämpfen um die thessal. Vorherrschaft ab E. 5. Jh. konnten sich L. und die Aleuadai nur mit auswärtiger Hilfe halten, so 404 mit Hilfe der Söldner des Kyros gegen Pherai (Xen. hell. 2,3,4; Xen. an. 1,1,10; um 400 des Archelaos [1] (Thrasymachos, 85,2 DK), 395 der Boiotoi gegen Pharsalos (Diod. 14,82,5). Nach 378 unterwarf → Iason [2] ganz Thessalia, so auch L. (Xen. hell. 6,1,15; 4,28). 369 besetzte der zu Hilfe gerufene → Alexandros [3] L., gegen den Pelopidas mit dem boiot. Heer intervenierte (Diod. 15,61,3 ff.; 67,4; 80,4; Plut. Pelopidas 26). Wenig später rief L. Philippos II. gegen Pherai zu Hilfe, der sich ab 352 zum Herrn von ganz Thessalia machte (Diod. 16,14,2; 37,3). Während der folgenden ca. 150 J. maked. Herrschaft über Thessalia und L. begegnen zahlreiche Bürger der Stadt am maked. Hof und in der Reichspolitik. Philippos V. ordnete 217 und 215 die Einbürgerung von mindestens 200 in L. lebenden Fremden an (IG IX 2, 517). In den Kriegen ab 200 diente ihm L. häufig als Etappenort (Pol. 18,2,3; Liv. 28,5,3; 36,6,3).

Ab 196 v. Chr. war L. die Hauptstadt des neu gegr. Bundes der Thessaloi und Sitz der Bundesinstitutionen. Die Mehrzahl der bis ins 3. Jh. n. Chr. jährlich gewählten Oberbeamten stammte aus L. Zahlreiche Inschr., darunter als thessal. Besonderheit bis ins 2. Jh. n. Chr.

unzählige Freilassungsurkunden, zeugen von der Blüte der Stadt. Im röm. Bürgerkrieg war L. 48 v. Chr. Etappe des Pompeius und nach der Niederlage bei Pharsalos sein erstes Fluchtziel (Caes. civ. 3,81,2; 96,3). Auch in der Kaiserzeit blieb L. die Hauptstadt des seit Augustus erweiterten Thessalischen Bundes. Das Gebiet der *civitas* L. dehnte sich auf den thessal. Norden aus.   HE.KR.

II. BYZANTINISCHE ZEIT

Unter Diocletianus wurde L. Metropolis der neugeschaffenen Prov. Thessalia und ist in dieser Position auch bei Hierokles (642,2) und Konstantinos Porphyrogennetos (De thematibus 88 PERTUSI) nachzuweisen. Dementsprechend nahm auch der Bischof Metropolitanrechte für die thessal. Bistümer wahr (vgl. bes. [1; 2]). Bischöfe von L. sind in der Spätant. belegt bei den Konzilien der J. 325 (Klaudianos), 431 (Basilios), 449 und 451 (Vigilantios), 531 (Stephanos; erwähnt wird auch der verstorbene Vorgänger Proklos) [1. passim], 536 (Stephanos), ferner im *Constitutum de tribus capitulis* 553 (Meletios) [3. 300, 11] und in den Briefen des Gregorios (Greg. epist. 3,6,4 f.; 3,7,1; 5,62,63 f.; 8,10,5; 9,157,3 f. NORBERG: Iohannes, erwähnt in den J. 593–599). Nach Prok. aed. 4,3,9 f. ließ Iustinianus die von den Goten zerstörten Mauern wiedererrichten. Im 9. und 10. Jh. litt L. unter Bulgarenüberfällen, wobei 986 auch die Reliquien des Hl. Achilleios nach Prespa weggebracht wurden. Auch im 11. Jh. war L. mehrfach Ort mil. Auseinandersetzungen (s. u.a. Anna Komnene 5,5–7 REINSCH). Nach 1204 fiel L. zunächst an lombardische Herrschaft und war in den folgenden Jahrzehnten zw. den griech. Despotien umstritten. 1393 eroberten die Türken L.   E.W.

III. ARCHÄOLOGISCHER BEFUND

Infolge der ununterbrochenen Bebauung gibt es im h. L. fast keine aufgehenden ant. Reste. 1940 haben Luftangriffe und ein Erdbeben das alte Stadtbild zerstört. Notgrabungen in der Folge mod. Bautätigkeit erwiesen neuerdings zahlreiche ant. Bauwerke zumindest in ihrer Lage (Agora, zwei Theater, Hippodrom, den Tempel der Athena Polias auf der Akropolis). Andere Tempel werden unter Kirchen bzw. ehemaligen Moscheen vermutet (u. a. für Apollon Kerdoios mit dem Archiv der Stadt, für Zeus Eleutherios mit dem Archiv des Thessal. Bundes).   HE.KR.

1 C. SILVA-TAROUCA (ed.), Coll. Thessalonicensis (Cod. Vat. Lat. 5751), 1937 2 E. CASPAR, Gesch. des Papsttums 2, 1933, 207 f. 3 O. GÜNTHER (ed.), CSEL 35.

Acts of the 1st Historical and Archaeological Symposium »L., Past and Future«, 1985 • T. AXENIDIS, Η Πελασγίς Λάρισα, 1949 • K. GALLIS, in: AD 38 (chron.), 1983, 199 f. (Fundbericht) • Ders., L., in: Das Altertum 40, 1994, 47 ff. • C. HABICHT, Epigraphische Zeugnisse zur Gesch. Thessaliens unter der maked. Herrschaft, in: Ancient Macedonia 1, 1970, 273 ff. • F. HILD, s. v. L., TIB 1, 1976, 198 f. • Ders., s. v. L., in: LAUFFER, Griechenland, 369 • A. KAZHDAN, s. v. L., ODB 1180 • J. KODER, s. v. L., LMA 5, 1718 (Lit. bis 1991) • H. KRAMOLISCH, Die Strategen des Thessal. Bundes, 1978 • K. RAKATSANIS, A. TZIAPHALIAS,

Λάτριες και ιερά στης Αρχαία Θεσσαλία 1, 1997, 13 ff. • F. STÄHLIN, s. v. L., RE 12, 845 ff. (Quellen) • D. THEOCHARIS, in: AD 20 (chron.), 1965, 316 f.; 21 (chron.), 1966, 254 (Fundberichte).   HE.KR.u.E.W.

[4] Stadt im südöstl. Kreta, durch *synoikismós* mit → Hierapytna verbunden (Strab. 9,5,19) [1. 437].

1 A. CHANIOTIS, Die Verträge zw. kret. Poleis in der hell. Zeit, 1996.

K. RIGSBY, Notes sur la Crète hellénistique, in: REG 99, 1966, 357–359.   H.SO.

[5] Stadt der südwestl. Troas (Hom. Il. 2,841; 17,301; Strab. 9,5,19; 13,3,2) wohl am oder auf dem Limantepe [3. 65]. Nach Ausweis von Keramikfunden [1. 219; 2. 67]) bestand hier im 8./7. Jh. eine aiol. Kolonie [2. 219], die evtl. zur Peraia von Tenedos gehörte. 425/4 v. Chr. im Att.-Delischen Seebund. Um 400 v. Chr. von der Satrapin → Mania erobert (Xen. hell. 3,1,10). Ergab sich nach deren Tod dem Spartaner Derkylidas (Xen. hell. 3,1,16). Nach 310 v. Chr. im *synoikismós* mit Alexandreia Troas aufgegangen (Strab. 13,1,47). Da L. 200 v. Chr. in den Theadorokoi-Listen von Delphoi gen. ist und dort eine entsprechende Mz. gefunden wurde, glaubt [4. 34 f.] an eine Neugründung im 3. Jh. v. Chr. unter dem Namen Ptolemais.

1 L. BÜRCHNER, s. v. L. (7), RE 12, 871 2 J. M. COOK, The Troad, 1973, 216–221 3 A. G. AKALIN, Asia Minor Studien 3, 1991, 63–68 4 L. ROBERT, Ét. numismatiques grecques, 1951.

W. LEAF, Strabo on the Troad, 1923, 225 f.   E.SCH.

[6] Pelasgische Stadt (Hom. Il. 2,841; 17,301) der südl. Aiolis nördl. des unteren Hermos, von → Aioleis [1] erobert (Strab. 13,3,2–4), *Phrikonís* zubenannt (Strab. 9,5,15). In archa. Zeit im aiol. Elfstädtebund (Hdt. 1,149), im 5. Jh. im Att.-Delischen Seebund (oder im Ion. Steuerbezirk L. [7]?); 399 von Thibron als »ägypt.« L. vergeblich belagert (Xen. hell. 3,1,7; Xen. Kyr. 7,1,45), 398 von Derkylidas übernommen (Xen. hell. 3,1,16).

Die Identifikation von L. mit der ant. Stadt bei Buruncuk (Palast, Megaronkomplex aus dem 6. Jh. auf Akropolis, Tempel, Wehrmauer, ein Palast mit vier Megara von ca. 330 v. Chr.) ist umstritten, aber möglich (oder bei Yanıkköy? Dort wird auch Neonteichos vermutet). Wie die Stadt bei Buruncuk war auch L. nach lit. Zeugnissen schon in hell. Zeit nur mehr ein Dorf (vgl. Aristeid. 51,4).

G. E. BEAN, Kleinasien 1, 1969, 96–102 • J. BOEHLAU, K. SCHEFOLD u. a. (Hrsg.), L. am Hermos, 1–3, 1940–42 • W. M. CALDER, G. E. BEAN, A Classical Map of Asia Minor, 1958 • J. COOK, in: ABSA 53/54, 1958/59, 20; 63, 1968, 33 f. • W. KOENIGS, Westtürkei, 1991, 89 ff. • H. LAUTER, Die beiden älteren Tyrannenpaläste in L. am Hermos, in: Bonner Jbb. 175, 1975, 33–57.

[7] Ort am linken Kaystros-Ufer an der Straße Ephesos – Sardeis, ca. 5 km nordwestl. von h. Teire (Marmorblöcke, Inschr. am Nordfuß eines Hügels mit Mauerring). Gründung der altion. Binnenkolonisation (Tempel des Apollon Larisenos auf Mz., 3./2. Jh.); evtl. im Att.-Delischen Seebund. Seit hell. Zeit *kōmē* von Ephesos (*Ephesia L.*: Strab. 9,5,19; 13,3,2).

W. M. CALDER, G. E. BEAN, A Classical Map of Asia Minor, 1958 · K. BURESCH, Aus Lydien, 1898, 188, 213 f. mit Karte.
H. KA.

[8] Allein von Xen. an. 3,4,7 anläßlich des Rückzuges der griech. Söldner Kyros' d. J. erwähnter und als ἐρήμη (*erēmē*, »Wüste«) bezeichneter Platz in der Nordtigrisregion. Die auffällige Namengebung und die ausführliche Schilderung Xenophons sollten nicht zu der Annahme verleiten, mit dem Untergang des assyr. Reiches sei auch das Wissen um die alten Bezeichnungen verschwunden; kennt doch noch Strab. 16,1,1 sowohl Aturia (→ Assyria) als auch die → Kalachene, d. h. den Distrikt von → Kalḫu.

S. DALLEY, Nineveh after 612 BC, in: Altorient. Forsch. 20, 1993, 134–147, bes. 144 · A. KUHRT, The Assyrian Heartland in the Achaemenid Period, in: P. BRIANT (Hrsg.), Dans les pas des Dix-Mille, 1995, 239–254, bes. 243. J. W.

Larisos (Λάρισος). Grenzfluß zw. → Elis [1] und Achaia (→ Achaioi), h. Mana (auch Riolitiko), der an den nordwestl. Ausläufern der Skollis entspringt (Strab. 8,7,5; Paus. 6,26,10; 7,17,5; 9,5,19; Liv. 27,31,11).
E. MEY. u. C. L.

Laronia. Kritikerin von sexualmoralischer Scheinheiligkeit in Iuv. 2,36–65; wenn es sich um eine histor. Person handeln sollte (so [2]), könnte sie mit der Mart. 2,32,5 f. als reiche Witwe charakterisierten L. (ebenfalls nicht sicher histor.) identisch sein.

1 PIR² L 113 2 S. BRAUND, Juvenal. Satires Book 1, 1996, 129. J. R.

Laronius, Q. Aus Bruttium; 36 v. Chr. von M. Vipsanius Agrippa [1] während der Kämpfe gegen Sex. Pompeius mit drei Legionen zu Octavians Unterstützung nach Sizilien entsandt und danach als Imperator akklamiert (CIL X 8041,18). 33 Suffektkonsul mit L. Vicinius (CIL I² p. 66 = Fasti Venusini). T. FR.

Lars. Lat. Form des weitverbreiteten etr. Praenomens *lar* und seiner Varianten (Belege: [4. 205–208]; die lat. Form *Lar* ist nur unsicher bezeugt, Liber de praenominibus 4; [2]). Bekannte Träger: L. → Porsenna, König von → Clusium 508 v. Chr.; L. → Herminius Coritinesanus (?), *cos.* 448 v. Chr., und L. → Tolumnius, König von → Veii (2. H. 5. Jh. v. Chr.).

1 H. RIX, Das etr. Cognomen, 1963, 273, 348
2 O. SALOMIES, Die röm. Vornamen, 1986, 31 f. 3 SCHULZE, 84 4 Thesaurus linguae Etruscae 1, 1978. K.-L. E.

Larunda, Mater Larum. Die Identität der röm. Göttin L. ist nicht leicht bestimmbar. L., auch Lara genannt, wurde als Mutter der → Laren verstanden (Lact. inst. 1,20,35) und mit → Mania gleichgesetzt (Varro ling. 11,61). Ein aitiologischer Mythos erzählt, daß sie auch mit → Tacita Muta (»Stumme«) gleichgesetzt wurde (Ov. fast. 2,583–616). Umstritten ist, ob L./M. L. dieselbe Göttin ist wie → Acca Larentia.

Nach Varro (ling. 5,74) kommt L. aus dem Sabinerland; Titus Tatius weiht ihr einen Altar. Nach einer unsicheren Rekonstruktion einer Stelle bei Tacitus (ann. 12,24) könnte sich auf dem Forum ein Sacellum der L. befunden haben [1. 261 ff.].

Die M. L. erhält ein Opfer während des Ritus, den die → Arvales fratres für Dea Dia vollziehen [2. 594]: Sie werfen für sie eine Opfergabe auf den Boden. Diese spezielle Form des Opfers – Opfergaben für die Unterweltsgötter werden zu Boden geworfen (→ Lemures) – hat dazu beigetragen, die M. L. als unterirdische Göttin zu deuten. Auch daß ihre Söhne, die Laren, von einigen ant. Autoren als Dämonen interpretiert wurden, hat die Vorstellung der L. als Unterweltsgöttin stark beeinflußt. Neue Ansichten des kult. Kontexts der Arvalbrüder führen aber zu der Annahme, daß die M. L. als Göttin des Erdbodens verehrt wurde [2]. Eine Inschr., in der L. neben Mars genannt wird, scheint ihre Funktion als Beschützerin des Landes weiter zu bestätigen [3]. Einen weiteren Beweis dafür könnte schließlich der Brauch der → Compitalia darstellen, nach dem Mania durch Figuren verehrt wurde, die man an den Kreuzwegen aufhängte [2].

1 F. COARELLI, Il foro Romano, 1, 1992 2 J. SCHEID, Romulus et ses frères, 1990, 578–598 3 H. LAVAGNE, Une inscription métrique de Castra Regina (Ratisbonne) à la déesse L., in: CRAI 1996, 1252–1268.

E. TABELLING, M. L., 1932. FR. P.

Larvae sind Geister im röm. Bereich, die Wahnsinn verursachen (Plaut. Capt. 598; Plaut. Aul. 642): Wer den Verstand verloren hat, heißt *larvatus* (Plaut. Men. 890; Paul. Fest. 106 L.). Die *l.* werden als Gespenster aufgefaßt, die den → *lemures* (Gloss. 5,656,14) gleichzusetzen sind und damit als Adressaten der Lemuria gelten können (Paul. Fest. 77, 25 L.). In den Interpretationen der röm. Autoren werden die *l.* sowohl den *maniae* (→ Mania) als auch den *dii* → *manes* gleichgesetzt, wenn diese von der Unterwelt auf die Erde zurückkommen (Paul. Fest. 114 L.). Weiter werden sie auch mit den *lares* (→ Laren) identifiziert (Varro bei Arnob. 3,41), wobei nach Apuleius (De deo Socratis 152–153) *l.* die gefährlichen, *lares* aber die friedlichen Geister darstellen. Man stellte sich vor, daß die Macht der *l.* sowohl den Lebenden (Amm. 14,11,17) als auch den Verstorbenen (Sen. apocol. 9,3; Plin. nat. praef. 31) schaden konnte. Das Wort *l.* bezeichnet auch eine Maske, die die Züge eines Gespensts hat (Hor. sat. 1,5,64), und wird darüber hinaus als Schimpfwort verwendet (Plaut. Cas. 592; Plaut. Merc. 983).

G. THANIEL, Lemures und l., in: AJPh 94, 1973, 182–187 ·
J. M. C. TOYNBEE, Death and Burial in the Roman World,
1996, 33–39 · G. WISSOWA, Rel. und Kultus der Römer,
²1912, 235–236. FR. P.

Larymna (Λάρυμνα). Hafenstadt in Ostlokris am Golf
von → Euboia [1]. Reste von Wehranlagen aus myk.,
archa., klass. Zeit und der röm. Kaiserzeit beim h. L.
bezeugen Siedlungskontinuität und Wiederaufbau nach
der Zerstörung unter Sulla (86 v. Chr.: Plut. Sulla 26,4).
An der ant. Straßentrasse zw. L. und Bazaraki nahe der
Kirche Hagios Nikolaos liegen Ruinen einer frühchristl. Basilika. Die ant. Siedlung befand sich auf dem
Hügel von Bazaraki ca. 2,5 km im Hinterland (Λ. τῆς
Λοκρίδος ἡ ἄνω oder ὁ τόπος Ἀγχόη, Strab. 9,2,18;
[1. 27–32; 2. 158]). Der Hafen von L. wurde 229/227
v. Chr. von einem Tsunami heimgesucht (Pol. 20,5,2).
Inschr.: IG IX 1, 234–255.

1 J. M. FOSSEY, The Ancient Topography of Opuntian
Lokris, 1990, 22–32 2 N. D. PAPACHATZIS, Παυσανίου
Ἑλλάδος Περιήγησις 5, 1981.

S. V. MAMALOUKOS, Ὁ ναὸς τοῦ Ἁγ. Νικολάου τοῦ νέου
κοντὰ στὸ Παρόπι τῆς Βοιωτίας, in: EEBM 1a, 1988,
491–542 · PRITCHETT 6, 1989, 114f. · KODER/HILD, 109.
G. D. R./Ü: H. D.

Laryngal. Moderner sprachwiss. t. t. (hybride lat. Ableitung von griech. *lárynx* »Kehlkopf«) für eine Klasse
von Kons. In der h. Indogermanistik bezeichnet man
damit (drei) bei der Rekonstruktion der Grundsprache
postulierte Phoneme. Trotz Zweifel an ihrer Natur als
Kehlkopflaute hält sich der Begriff, weil die phoneti-
sche Bestimmung besagter Laute in der wiss. Diskussion
strittig bleibt. Sie werden behelfsmäßig durch Indizes
notiert: h_{1-3} ($ə_{1-3}$). Diese drei Kons., L., vervollständigen
das junggrammatische Phonemsystem, welches dafür
nur ein »Schwa (indogermanicum)« (= /ə/ (uridg. *$d ə t ó s$
»gegeben«) kannte. Nach dieser Lehre war Schwa in-
doiran. als *i*, sonst als *a*, griech. jedoch gegebenenfalls
durch /a, e, o/ vertreten. In der h. Indogermanistik wird
es in $ə_{1-3}$ (altind. *ditá-*, lat. *datus*, griech. δοτός < *$d ə_3 t ó s$,
zur uridg. Wz. *$d o h_3$- »geben«) aufgespalten, wobei $ə_{1-3}$
allophone son. Realisationen von h_{1-3} ($ə_{1-3}$) repräsentieren, die z. B. innerhalb eines Paradigmas wechselten
(uridg. *$d^h u g h_2 t \bar{e}(r)$ > *$d^h u k t \bar{e} r$ > gall. *duxtir* »Tochter«,
Dat. *$d^h u g ə_2 t r$-éí > θυγατρ-ί, danach Nom. θυγάτηρ).

Definiert und unterschieden werden die L. durch
Wirkungen auf benachbarte Laute. Bereits im Uridg.
haben zwei L. unmittelbar vor oder hinter *e* dieses »um-
gefärbt« (d. h. die Qualität wurde verändert: $h_2 e$ > $h_2 a$,
$h_3 e$ > $h_3 o$ usw.); alle drei sind vor Kons. und hinter Vok.
nachgrundsprachlich meist unter Längung des letzteren
geschwunden (d. h. die Quantität wurde verändert,
$a h_2 K$ > $\bar{a} K$ usw.). Die L. bewirkten Störungen in den
voruridg. regelhaften Alternanten des → Ablauts. Als
Kons. sind L. in der vorhistor. Entwicklung der meisten
idg. Sprachen geschwunden. Nur → anatolische Spra-
chen bewahrten h_2 (hethit. *ḫaster-za* < *$h_2 s t \bar{e} r$ »Stern«) als

tektalen (→ Gutturale) Reibelaut (hethit. *ḫ* = /x/).
Konstituierend für das Gräkoarmenische ist u. a. der
Wandel der L. zu Son. im Wortanlaut vor Kons. Dabei
gilt als Merkmal des Griech., daß h_1, h_2, h_3 als ε, α, ο
(früher »prothetische Vok.«) differenziert erscheinen:
ἀστήρ »Stern« (armen. *astł* : lat. *stēlla*). Das Griech.
spielt deswegen eine zentrale Rolle in der L.-Theorie.
Sie gestattet die Absicherung von Etym. (griech. ἄπιον,
lat. *pirum* »Birne« < uridg. *$h_2 p i s o m$) und erklärt ohne
Umwege Erscheinungen wie die »att. Reduplikation«
(in ἐγρήγορα »bin wach« < *$ə_1 g(r) \bar{e} g o r a$ < *$h_1 g e - h_1 g o r -$
$h_2 a$, Perf. zur Wz. *$h_1 g e r$-).
→ Indogermanische Sprachen; Lautlehre

RIX, HGG, 36–39, passim · R. S. P. BEEKES, The
Development of the Proto-Indo-European Laryngeals in
Greek, 1969 · W. COWGILL, M. MAYRHOFER, Idg. Gramm.
I 1/2, 1986, 121–150 · A. BAMMESBERGER (Hrsg.), Die
L.-Theorie und die Rekonstruktion des idg. Laut- und
Formensystems, 1988 · P. SCHRIJVER, The Reflexes of the
Proto-Indo-European Laryngeals in Latin, 1991 · F. O.
LINDEMAN, Introduction to the »Laryngeal Theory«, 1997.
D. ST.

Las (ἡ Λᾶς). Spartanische Perioikenstadt (→ *períoikoi*) an
der Westküste des lakon. Meerbusens. Reste der ant.
Stadt (archa. und klass. Akropolis?) beim h. Passava,
darüber die hell. und röm. Stadt. Der Hafen von L.
(Thuk. 8,91; Strab. 8,5,4) lag ca. 3 km entfernt (h. Bucht
von Vathy). Unbestimmte myk. Reste. Belege: Hom. Il.
2,585 (Λάας); Skyl. 46; Paus. 3,21,7; 24,6f.; Strab. 8,5,3;
Steph. Byz. s. v. Λᾶ. Inschr.: IG V 1,1214–1217. Mz.:
HN, 436.

E. S. FORSTER, Gythium and the North-West Coast of the
Laconian Gulf, in: ABSA 13, 1906/7, 232–234 · C. LE ROY,
s. v. L., PE, 485f. · H. WATERHOUSE, R. HOPE SIMPSON,
Prehistoric Laconia, in: ABSA 56, 1961, 118. Y. L.

Lasa. Jugendliche, meist geflügelt dargestellte etr. Göttin oder Dämonin; auf hell. Spiegeln zusammen auftretend mit Gottheiten, Heroen oder Nymphen. Ihr
Name erscheint häufig mit Epitheta, die auf unterschiedliche, im einzelnen noch ungeklärte Funktionen
hinweisen. Auch die Abgrenzung zur etr. → Vanth ist
nicht eindeutig.

I. KRAUSKOPF, s. v. L., Dizionario della civiltà etrusca, 1985,
148 · R. LAMBRECHTS, s. v. L., LIMC 6, 217–225. F. PR.

Lasanum s. Nachttopf

Lasimos-Krater. Ein vom späten 18. bis zum frühen
20. Jh. aufgrund seiner Inschr., die einen weiteren unterital. Vasenmaler nennt, vielzitierter Volutenkrater
(Paris, LV, Inv. K 66 [N 3147], [1]). Man diskutierte in
der damaligen Forsch. die Schriftform der Buchstaben
und die künstlerische Einordnung des angeblichen Va-
senmalers Lasimos. Erst die neuere Forschung erwies die
Inschr. als rezente Beifügung.

1 TRENDALL/CAMBITOGLOU, 914, Nr. 36.

S. REINACH, Peintures de vases antiques recueillés par Millin (1813) et Millingen (1813), 1891, 64–67 · S. FAVIER, A propos de deux vases italiotes au Musée du Louvre, in: Revue du Louvre 22, 1972, 4–6.   R. H.

Lasion (Λασιών).
Stadt am Rand der Pholoë-Hochfläche im elischen Bergland, im oberen Tal des Ladon [3], Reste beim h. Kumani. L. war zw. Elis und Arkadia umstritten. Belege: Xen. hell. 3,2,30; 4,2,16; 7,4,12f.; Diod. 14,17,8; 15,77,1–4; Strab. 8,3,5; 7,5. Inschr.: SEG 11, 1172f.

PRITCHETT 6, 1989.   Y. L.

Lasos (Λάσος).
[1] L. von Hermione in der Argolis (Suda fälschlich: Achaia). Die Suda setzt sein Geburtsdatum in die 58. Ol. (548–544 v.Chr.). Wie → Anakreon und → Simonides stand dieser griech. Dichter in Athen unter dem Patronat des → Hipparchos. Laut Hdt. 7,6 wurde → Onomakritos von Hipparchos vertrieben, als L. ihn bei der Fälschung von Orakeln des Musaios erwischte. Schol. Aristoph. Av. 1403 zitiert Autoritäten, die eher L. als → Arion für den ersten Organisator von kreisförmig aufgestellten dithyrambischen Chören halten; laut Suda dagegen hat er dithyrambische Wettkämpfe eingeführt. Der Zuschlag wird jedenfalls üblicherweise Arion gegeben (vgl. schol. Pind. O. 13,26b, DRACHMANN 1,361f.). Das Marmor Parium nennt als erstes Aufführungsdatum von Dithyramben 509–508 v.Chr.; L. hat also vermutlich unter den Tyrannen dithyrambische Wettkämpfe in Athen eingeführt, und das Marmor Parium gibt das Datum des ersten Sieges in der Demokratie an. Aristoph. Vesp. 1411 erwähnt, daß L. gegen Simonides in einem Chorwettkampf (vermutlich in Dithyramben) antrat. Von seiner Dichtung ist uns nur das Fr. eines Hymnos an Demeter von Hermione erh. (702 PMG); dieses Werk kommt ohne den Buchstaben σ aus und wurde später für diesen Asigmatismus berühmt (Athen. 10,455c). Die Suda nennt außerdem ein Werk über Musik, und sicherlich wurden L.' Ansichten von späteren Autoren zitiert und kritisiert. Wie Simonides hatte er wegen seiner Vorliebe für Wortspiele und seiner herausragenden Fähigkeit zu Streitgesprächen einen Ruf als Protosophist, und einige führten ihn unter den Sieben Weisen auf. → Chamaileon schrieb über ihn, aber sein Werk scheint von den Alexandrinern nicht herausgegeben worden zu sein.

PMG 702–706 · PICKARD-CAMBRIDGE/WEBSTER, 13–15 · G. A. PRIVITERA, Laso di Ermione, 1965 · M. L. WEST, Ancient Greek Music, 1992.   E. R./Ü: L. S.

[2] L. von Magnesia, frühalexandrinischer Astronom, Verf. von Φαινόμενα/Phainómena (Achilleus Astronomus 79,3; [1]), in denen er auch die Distanzen zwischen den Sternbildern maß: schol. zu Basileios, homiliae in hexaëmeron p. 196, 26f. PASQUALI (wohl ebenfalls nach Achilleus).
→ Aratos

1 E. MAASS, Commentariorum in Aratum reliquiae, 1898.

G. PASQUALI, Doxographica aus Basiliusscholien, Nachr. von der Ges. der Wiss. in Göttingen, philol.-histor. Klasse, 1910, 194–228 · A. REHM, s. v. L., RE 12, 888.   W. H.

Lasthenes (Λασθένης).
[1] L. aus Olynth, hipparchos (»Reiteroberst«) der Chalkidier; 348 v. Chr. verriet L. mit → Euthykrates [1] seine Heimatstadt an Philippos II. (Demosth. or. 8,40; 9,66; 19,265; Diod. 16,53,2).
[2] Kretischer Söldnerführer, seit 147 v. Chr. am Hof → Demetrios' [8] II. einflußreicher Berater (syngenḗs, patḗr; → Hoftitel B.3.); evtl. stratēgós von → Koile Syria (Ios. ant. Iud. 13,86; 126f.; 1 Makk 11,31f.; vgl. Diod. 33,4,1).
[3] L. aus Knossos (?), Sohn des Sosamenos (?) (vgl. SEG 1983, 724), romfeindl. Kreterführer und Seeräuber; 72 v. Chr. von M. → Antonius [I 8] erfolglos, 69 von Q. → Caecilius [I 23] Metellus erfolgreich bekämpft; L. ergab sich nach Verfolgung und Flucht 67 (Diod. 40,1,3; Vell. 2,34,1; Flor. 1,42,6; App. Sic. 6,4–7; Cass. Dio 36,19,3).   L.-M. G.

Latage.
Nach Ail. nat. 16,10 indische Stadt im Land der → Prasioi, bei deren König der Grieche Megasthenes Gesandter war.

O. WECKER, s. v. L. (2), RE 12, 892.   J. RE.

Latein   A. GESCHICHTE   B. SPRACHKONTAKTE   C. STRUKTURZÜGE

A. GESCHICHTE
L. ist eine → indogermanische Sprache, d. h. es ist wie Griech. oder die german. Sprachen durch spezifische Veränderungen aus dem durch Rekonstruktion zugänglichen Uridg. (4./3. Jt. v. Chr.) hervorgegangen. Im 3. Jt. v. Chr. hat sich aus einem westuridg. Dialektkontinuum (im Donauraum?) das weitgehend rekonstruierbare Urital. ausgegliedert. An spezifischen Zügen des L. entstanden damals etwa der → Synkretismus von Abl. und Instr., die Stammklassen und Kategorien des Präs.-Stamms oder die Bed. »machen« aus »stellen« (so uridg., vgl. griech. τίθημι) bei facere. Bei der sukzessiven Einwanderung nach It. (2. Jt. v. Chr.?) hat sich das Urital. in die Vorstufen von → Venetisch, Sabellisch (→ Oskisch-Umbrisch) und L. aufgegliedert. Ins vorhistor. L. gehören etwa der Synkretismus von Aor. und Perf., die Ausbildung der Perf.-Flexion und der Infinitive sowie das System der Demonstrativpronomina.
Zu Beginn der Gesch. (8. Jh. v. Chr.) wurde L. in Latium (→ Latini) gesprochen (daher lingua Latina), also vom unteren Tiber bis zum → Liris [1. 9–23]. Bevor die Etrusker Ende des 2. Jt. von der Küste her das spätere → Faliskisch abtrennten, reichte das lat. Sprachgebiet über den Tiber nach Norden. Um 500 v. Chr. besetzten die sabell. → Volsci große Teile Latiums. So war L. als Staatssprache auf Rom beschränkt. Im Früh-L. (7.–4.

Jh.) und noch im Alt-L. (3./2. Jh.) veränderte sich die lat. Lautstruktur stark: Als Folge des Anfangsakzents schwanden viele Kurzvokale in Binnensilben (Synkope; → Lautlehre), die verbleibenden wurden verändert, viele Diphthonge monophthongiert, Kons.-Gruppen vereinfacht (*akso-lā > *akslā > āla). In den ältesten Inschr. (7./6. Jh.) klingt L. noch sehr fremd (Satricum, vor 500 [2]): *Iuiei steterai popliosio ualesiosio suodales mamartei*, d. h. »in ? steterunt Publi Ualeri sodales Marti«.

Mit der polit. Expansion Roms seit ca. 350 v.Chr. expandierte auch das L., zuerst durch die Gründung von → *coloniae*, dann durch freiwilligen Sprachwechsel der abhängigen Gemeinden (*Cumanis eo anno* [180 v.Chr.] *petentibus* [»auf Antrag«] *permissum, ut publice Latine loquerentur*, Liv. 40,42,13), dann auch der → *socii*, die 90 v.Chr. röm. Bürger wurden; 70 n.Chr. waren in It. alle vorröm. Sprachen außer dem Griech. verschwunden. Mit der Einrichtung der ersten Prov. um 250 v.Chr. faßte das L. auch außerhalb It. Fuß, wieder durch Zuwanderung (Beamte, Soldaten, Händler) und Sprachwechsel. Durchgesetzt hat sich das L. in der Westhälfte des Imperiums und auf dem Balkan; im griech. Osten blieb es Militär- und Verwaltungssprache. Die im MA aus dem L. hervorgegangenen Sprachen werden h. im SW Europas und in Rumänien, weiter etwa in Quebec, in Mittel- und Südamerika, auf den Philippinen sowie als *lingue franche* in vielen Teilen der übrigen Welt gesprochen.

Seit dem 3. Jh. v.Chr. hat die stadtröm. Oberschicht ihr L. bewußt gestaltet: lexikalische und morphologische Dubletten wurden ausgeschieden (*grandis, faxit*; dafür *magnus, fēcerit*), Lauttendenzen abgebrochen (Monophthongierung, s.u. C.), die Syntax regularisiert (z.B. Gebrauch des Konj.). So entstand das dialekt- und soziolektfreie klass. L. (*sermo urbanus*), das in der Schule gepflegt wurde und in den Prov. an Rom orientiert war. In der Umgangssprache und in der Dichtung konnten sich seine Sprecher gewisse Freiheiten erlauben, etwa in Aussprache und Wortwahl. Fehlende Verfügung über Regeln des klass. L. (*nubs* statt *nūbēs*) definiert das → Vulgärlatein (*sermo vulgaris, rusticus*), die Quelle der roman. Sprachen. Die Abweichungen folgen oft gewissen Tendenzen (Zurückdrängung des Ntr. und der Kasusformen), die dann in den roman. Sprachen regulär geworden sind.

B. Sprachkontakte

Vorgesch. standen Urital. und Urkelt. in Kontakt (gemeinsames Superlativsuffix -*isṃmo*- > lat. -*issimus* usw.). Frühgesch. Berührungen des L. mit Sabell. und Etr. führten zum Aufbau des gemeinsamen Namensystems (→ Gentile) und zu einem begrenzten Lw.-Austausch (lat. *bōs* < sabell. *bōs**; lat. *satelles* < etr. *zatlaθ*; lat. *magister* > etr. *macstre*). Noch älter, aber unkontrollierbar ist die Entlehnung von Natur- und Zivilisationswörtern aus dem mediterranen Substrat (→ Mediterrane Sprachen; *buxus* ~ griech. πύξος, *gubernāre* ~ griech. κυβερνᾶν). Die große Zahl von Lw. aus Technik (*māchina* < griech. dor. μᾱχανᾱ́), Kultur (*philosophia*) und Rel.

(Lehnübers. *cōnscientia* < συνείδησις) bezeugt den starken Einfluß des Griech. auf das L. von der Frühzeit bis in die Spätant. Andererseits hat der Kontakt mit dem L. auch dem Kelt., dem German. und etwa dem Alban. eine große Menge von Lw. geliefert (altir. *oróit* < *ōrātiō*, ahd. *ziagala* »Ziegel« < lat. *tēgula*).

C. Strukturzüge

1. **Lautstand:** Der Unterschied zwischen Kürze und Länge ist bei Vok. und Kons. distinktiv; er kann allein Wort- und Formenunterschiede tragen, vgl. *malum* »Übel« : *mālum* »Apfel«, *anus* »Greisin« : *annus* »Jahr«, *terra* (Nom.) : *terrā* (Abl.). Das klass. L. kennt nur wenige Diphthonge (*caedere, aurum, coepī*; Plaut. *coēpī*), das Vulgär-L. nicht einmal diese (*cēd(e)re, ōrum, cēpī*). Kurzvok. in offenen Binnensilben sind, wo nicht restituiert (*advocō* nach *vocō*), in der Qualität durch den Kontext bestimmt, vgl. *e* vor *r* in *peperī cineris* : *pariō cinis*; *u* vor *v* und *l* (Ausnahme *li*), vgl. *dēnuō* [°*nuvō*] *Siculus* : *novos* griech. Σικελός (doch *Sicilia*); *u/i*, [ü] vor *m, b, f*: *optumus* (archa.)/*optimus*, sonst *i*, vgl. *Iuppiter contineō īlicō* : *pater teneō locus*. Für *s* erscheint zw. Vok. *r* (*gerō* : *gestum*); *h* ist prosodisch irrelevant und im Vulgär-L. nicht artikuliert; *f* ist im Inlaut entlehnt (*rūfus* < umbr. *rofu*) oder analogisch (*īn-ferō* »trage [*ferō*] hinein« → *īn-ferī* < uridg. *ṇdʰero- »Untere«).

2. **Morphologie:** L. ist in Vorgesch. und Gesch. eine flektierende Sprache. Synt. Relationen (Kasus, Kongruenz) und »pragmatische« Referenzen auf die Situation (Person, Numerus, Diathese) werden durch Endungen bezeichnet. Jede Endung drückt gleichzeitig je eine Kategorie aus mehreren Dimensionen aus: (*hosti*)-*um* den Kasus Gen. und den Numerus Pl., (*agerē*)-*tur* die 3. Person, den Numerus Sing. und die Diathese Pass. Die Endungen treten nicht an eine Grundform an wie im Dt., sondern wie in allen altidg. Sprachen an den Stamm, der die Wortbed. trägt (*hosti*- »Feind«; *ag*- »führen«) und beim Verbum zusätzlich ein Suffix für den → Aspekt und ein weiteres für Tempus und Modus enthält (-*e*- für Infectum, -*rē*- für Konj. Impft.). Die fünf Dekl. des lat. Nomens sind erst im Urital. entstanden; im Uridg. hatten nur die -*o*-Stämme (> 2. Dekl. im L.) einige Sonderendungen (Instr. Pl. -*ōis* > lat. -*īs* statt -*bʰi* [vgl. lat. -*bus*]). Die vier Konjugationen betreffen nur die im Urital. neu organisierten Präs.-Stämme (s.o. A.). Das Perf. setzt teils Aor.-, teils Perf.-Stämme fort (*dīxī* ~ griech. ἔδειξα : *stetī* ~ griech. ἔστη-κα); das -*v/u*-Perfekt ist lat. Neuerung.

3. **Syntax:** Die Wortstellung ist im L. innerhalb des Syntagmas frei (bei Dichtern gelegentlich auch darüber hinaus). Die normale Folge ist Subjekt – Objekt – Prädikat. Kommunikativ bedeutsame und bes. lange Syntagmen stehen gerne an Extrempositionen (Satzanfang oder -ende). Durch reichliche Verwendung von Nebensätzen und Nominalkonstruktionen (AcI, Abl. absolutus, Supinum, Gerundivum) hat das klass. L. die Fähigkeit erworben, vielfältige sachliche Beziehungen zw. Sachverhalten sprachlich auszudrücken (»Ciceronianische Perioden«). Einzigartig ist die allen roman. und

german. Sprachen vermittelte Möglichkeit, das zeitliche Verhältnis zweier Sachverhalte nicht nur zum Sprecher (etwa: Vergangenheit), sondern auch zueinander (etwa: Gleichzeitigkeit) zu bezeichnen. Offenbar wurden dazu Konstellationen ausgenutzt, die sich beim Synkretismus von Aor. und Perf. (s.o. A.) ergaben. Die Möglichkeit wurde dann v. a. im Konj. ausgenutzt, dem neuen Modus der synt. Abhängigkeit (*consecutio temporum*).

→ Aussprache; Vulgärlatein; KÜCHENLATEIN; MITTELLATEIN; NEULATEIN; ROMANISCHE SPRACHEN

1 M. CRISTOFANI, Due testi dell'Italia preromana, 1996, 9–23
2 C. M. STIBBE et al., Lapis Satricanus, 1980.

INSCHR.: CIL · ILLRP · WACHTER.
LIT.: G. DEVOTO, Storia della lingua di Roma, ²1983 (dt.: Ders. (übers. von I. OPELT), Gesch. der Sprache Roms, 1968) · ERNOUT/MEILLET · HOFMANN/SZANTYR · LEUMANN · G. MEISER, Histor. Laut- und Formenlehre der lat. Sprache, 1998 · L. PALMER, The Latin language, 1954 (dt.: 1990) · O. PANAGL, TH. KRISCH (Hrsg.), L. und Idg., 1992 · A. L. SIHLER, New Comparative Grammar of Greek and L., 1995 · SOMMER · SOMMER/PFISTER · K. STRUNK (Hrsg.), Probleme der lat. Grammatik, 1973 · V. VÄÄNÄNEN, Introduction au latin vulgaire, ³1981 · E. VINEIS, Latino, in: A. GIACOLONE RAMAT, P. RAMAT (Hrsg.), Le lingue indoeuropee, 1993, 289–348 · WALDE/HOFMANN.   H. R.

Latène-Kultur. Benannt nach dem FO La Tène (Flurbezeichnung) bei Thielle am Neuenburger See, Kanton Neuchâtel, Schweiz. Schon bald nach der Entdeckung Mitte des 19. Jh. wurde die L.-K./Latène-Zeit als charakteristisch für die jüngere Eisenzeit in weiten Teilen Mitteleuropas und angrenzenden Gebieten erkannt. Die Fundstelle selbst ist aber keineswegs besonders typisch für die L.-K., da sie zum einen nur einen zeitlich begrenzten Fundquerschnitt (vor allem Waffen und Gerät aus Eisen, Holzteile usw.) für die mittlere Latènezeit bietet und zum anderen als Seerandstation (Brücke, Opferplatz o.ä.) eher einen Sonderfall in der L.-K. darstellt. Schon im 19. Jh. wurde die L.-K. mit der Kultur der von ant. Autoren überlieferten → Kelten gleichgesetzt. Die L.-K. (oder auch die »Latènezeit« im allgemeineren Sinn) wird von der Keltischen Archäologie im linksrheinischen Mitteleuropa dreigeteilt (Früh-, Mittel-, Spät-L.-K.); im rechtsrheinischen Raum hingegen werden meist vier Stufen (A–D), jeweils mit weiteren schematischen Unterstufen, unterschieden. Die L.-K. wird durch mediterrane Importe und durch naturwiss. Daten von der Mitte des 5. Jh. v. Chr. an datiert; sie dauert je nach Region bis zur → Romanisierung (z.B. in Gallien um die Mitte des 1. Jh. v. Chr.) oder – wie im rechtsrheinischen nichtröm. Gebiet – bis maximal um Christi Geburt.

Im Vergleich mit der vorangehenden → Hallstatt-Kultur sind es die Flachgräberfelder, bestimmte Einzelformen wie z.B. die Fibeln (→ Nadel) – die auch als Leitform für die einzelnen Stufen der L.-K. dienen –, die Bewaffnung mit → Schwert, Schild und Lanze, auf

der → Drehscheibe gefertigte → Tongefäße, die typische Latènestil-Ornamentik (bes. pflanzliche Muster nach mediterranen Vorbildern) u. a., die als weit und einheitlich verbreitete Charakteristika der L.-K. gelten. Je nach Bestattungsweisen, Grabbeigaben und deren Zusammensetzung, Keramikformen usw. lassen sich besonders für die ältere L.-K. regionale Gruppen bilden, wie z. B. die → Hunsrück-Eifel-Kultur, die → Marne-Kultur oder der Rhein-Donau-Kreis. Im Anschluß an die späte Hallstatt-Kultur wird mit Beginn der L.-K. meist an neuen Plätzen und mit Verbreitungsschwerpunkten an der nördl. Peripherie des kelt. Kerngebiets von der Champagne bis nach Böhmen zunächst die Trad. der → Fürstengräber und Fürstensitze mit monumentalen Hügeln, prunkvollen Bestattungen mit → Gold und Südimporten (v. a. Ton- und Bronzegefäße) sowie Prunkgegenständen (z. B. zweirädrige → Streitwagen) und Befestigungen (→ Befestigungswesen) aufgenommen, wie z. B. am → Glauberg oder am → Dürrnberg. Ab dem 4. Jh. v. Chr. verschwinden solche Gräber; eine größere Gleichförmigkeit bestimmt die Grabausstattung bis zu den spätlatènezeitl. Brandgräberfeldern, wie z. B. in → Bad Nauheim.

Die Verbreitung, die Fundgruppen, Gräber, Siedlungen und deren Entwicklung innerhalb der L.-K. werden von der Keltischen Archäologie ausgewertet und bilden einen gewichtigen Faktor zur Gesamtbeurteilung der Kelten.

→ Bestattung; Grabbauten; Keltische Archäologie (mit Karte)

J. FILIP, Die kelt. Zivilisation und ihr Erbe, 1961 · O.-H. FREY, s. v. Chronologie – Vorröm. Eisenzeit, RGA 4, 648–653 · H. LORENZ, Totenbrauchtum und Tracht. Unt. zur regionalen Gliederung der frühen Latènezeit, in: BRGK 59, 1978, 1–380 · S. MOSCATI (Hrsg.), I Celti, 1991, bes. 366–371 · P. REINECKE, Mainzer Aufsätze zur Chronologie der Bronze- und Eisenzeit, 1965, 60–144 · H. SCHWAB, Neue Ergebnisse zur Topographie von La Tène, in: Germania 52, 1974, 348–367 · P. VOUGA, La Tène, 1923.   V. P.

Later s. Ziegel

Lateranus. Röm. Cognomen (urspr. »der <vom Wohnsitz> auf dem Hügel«); in republikan. Zeit bei L. Sextius L. (*cos.* 366 v. Chr.), in der Kaiserzeit auch in den Familien der Claudii, Magii, Plautii und Sextii vorkommend.

KAJANTO, Cognomina, 309.   K.-L. E.

Laterculum. Im allg. Sinne als »Verzeichnis« seit → Tertullianus (nat. 1,13) nachweisbar, als t.t. für das Verzeichnis aller zivilen und mil. Amtsträger seit dem 4. Jh. n. Chr. gebräuchlich. In der → *Notitia dignitatum* findet sich unter den Insignien des *primicerius notariorum* ein codexartiges Gebilde (wohl ein Behältnis für lose Blätter) mit der Beischrift *laterculum maius* (Not. dign. or. 18,2; Not. dign. occ. 16,3). Es war das vom obersten Notar vermutlich seit Constantinus [1] I. geführte Verzeichnis der hohen Reichsämter, wie es in einer Fassung aus dem späten 4. und frühen 5. Jh. in der *Notitia dignitatum* vorliegt. Neben dem *l. maius*, nach dem die Ernennungen der höheren Beamten erfolgten, gab es, wohl seit → Theodosius I., im Osten noch das *l. minus*, aus dem Offiziere (wie z. B. Kohortenpraefekten) ihre Anstellungsdekrete erhielten (vgl. Not. dign. or. 28,23; 31,42; 38,20; 40,44). Dieses *l. minus* unterstand dem *quaestor sacri palatii*, der sich dazu des *scrinium memoriae* (→ *scrinium*) bediente (Cod. Theod. 1,8,1 f.; Cod. Iust. 1,30,1 f.). Zeitweilig versuchten die *magistri militum*, die Verleihung der Offizierspatente an sich zu ziehen (Cod. Theod. 1,8,1–3). Im 6. Jh. gab es zur Führung der beiden *latercula* noch das Amt der *laterculenses* (Cod. Iust. 12,33,5,4; 12,19,13; leg. nov. 35,1).

Ed.: O. Seeck, 1876.
Lit.: G. Clemente, La »Notitia Dignitatum«, 1968 · Jones, LRE, 574–78.   K.P.J.

Laterculus Veronensis. Nach einer stark verderbten Veroneser Hs. des 7. Jh. n. Chr. benanntes Verzeichnis der nach Diözesen gegliederten röm. Provinzen unmittelbar nach der Neuordnung durch → Diocletianus (mit Karte; ca. 313 n. Chr.) sowie (§ 13) der »barbarischen« Völker an der Nordgrenze des röm. Reiches.

T. D. Barnes, The New Empire of Diocletian and Constantine, 1982, 202f. (Ed.).   B.BL.

Laterensis. Cognomen in der Familie der Iuventii, → Iuventius [I 3 und I 4].

Kajanto, Cognomina, 309.   K.-L. E.

Laterium. *Villa* im Gebiet von → Arpinum westl. des Liris bei Cereatae (Cic. Att. 4,7,3; 10,1,1; Cic. ad Q. fr. 2,5,4; 3,1,4; 3,1).

Nissen 2, 674.   G. U./Ü: J. W. M.

Laterne s. Beleuchtung; Lampen

Latifundia s. Großgrundbesitz

Latini, Latium A. Definition   B. Etymologie und Geographie   C. Kulturelle Entwicklung   D. Politische Entwicklung

A. Definition
Die Bewohner des Gebiets zw. Tiberis im Norden, den *montes Corniculani, Praenestini, Lepini* im Osten, Garigliano und dem südl. Abschnitt des Sacco- und Liris-Tals im Süden und dem Tyrrhenischen Meer im Westen (Plin. nat. 3,56 ff.), Latium die Landschaft.

B. Etymologie und Geographie
Wenn der Name *Latium* (Enn. ann. 466), von dem *Latini* herrührt, von *latus*, »breit«, abzuleiten ist, könnte er auf die Ausdehnung der Ebene zu Füßen der Albaner Berge, dem Zentrum der Region mit → Alba Longa deuten, wo die Überl. nach dem anachronistischen Schema der Kolonisation den Ursprung aller Völker von Latium sieht (Dion. Hal. ant. 5,12,3).

In der Ant. unterschied man das Gebiet zw. Tiberis und dem Vorgebirge Circaeum (*Latium vetus*, bewohnt von latin. Stämmen im eigentlichen Sinne, deren Kern möglicherweise die *Prisci Latini* darstellen) [6. 118], von dem sich südl. anschließenden *Latium novum* oder *adiectum*, das in histor. Zeit nach dem Sieg der Römer über die Volsci, Hernici und Aurunci zu Latium hinzukam. Es handelt sich um eine wasserreiche Region mit Entwässerungsproblemen in der Ebene; von ihrem Waldreichtum zeugen der Mythos (die ant. *silva Laurentina* – h. Castel Porziano – als Sitz der ersten Könige der → Aborigines: Picus, Faunus und Latinus) und die Toponomastik (*mons Querquetulanus; Fagutal*). Die zum Meer hin offene Landschaft besaß für Landwirtschaft, Viehzucht und Weidewirtschaft günstigen Boden. In prähistor. Zeit gab es hier nur Getreide (Emmer, Gerste), Hülsenfrüchte und Gemüse (Ackerbohnen, Erbsen, Rüben). Im 7. Jh. v. Chr. begann mit Hilfe der Düngung und der Fruchtwechselwirtschaft eine Intensivierung des Anbaus. In der Folge wurden Weizen, Weintrauben, Oliven-, Birn- und Apfelbäume eingeführt. Eine wichtige natürliche Ressource war das Salz, das vom Delta des Tiberis über die *via Salaria* zu den Sabini befördert wurde.

C. Kulturelle Entwicklung
Nach der Überl. sind die L. auf die Vereinigung der Aborigines, die sich lange zuvor hier unter → Latinus, dem Eponym des Volkes (Hes. theog. 1011–1016), niedergelassen hatten, mit den Troianern des Aeneas zurückzuführen (→ Aineias [1]), denen andere griech. Einwanderer vorangegangen waren – die Arkades unter → Euandros [1], Herakles und die Eleioi [7. 53]. Der arch. Befund zeigt, daß die Bildung des Volks der L. Ergebnis eines langen Prozesses war, der sich ausschließlich in Latium abgespielt hat; tatsächlich zeigt die Frühgesch. von Latium kulturelle Kontinuität und Siedlungskontinuität zw. den Phasen der Brz. und der Eisenzeit, die sich auch in benachbarten Regionen (Appennin, Subappennin und Protovillanova; → Villanova-Kultur) nachweisen lassen [2. 426]. Um das 10. Jh. v. Chr. blühte in Latium eine durch ihre Bestattungsriten charakterisierte Kultur mit eigenen Wesenszügen (*cultura laziale*), die sich in vier Phasen vom 10. bis Anf. 6. Jh. v. Chr. herausbildete. Das Territorium wurde seit der Brz. von den großen Routen der → Transhumanz zw. dem Appennin und dem Tyrrhenischen Meer sowie durch die Straßen zw. dem Tal des Tiber bzw. zw. Etruria und Campania durchzogen; dieses an den morphologischen und hydrologischen Bedingungen der Region orientierte Transitsystem bestimmte die Verhältnisse der ersten Ansiedlungen [7. 106].

Plin. nat. 3,69 überliefert uns eine Liste von 30 Völkern der *Albenses*, die an der rituellen Opferfleisch-Verteilung bei der Jahresfeier der → *feriae Latinae* auf dem *mons Albanus* teilgenommen haben sollen. Die Liste, die weder Rom noch andere in histor. Zeit wichtige Städte umfaßt, spiegelt einen präurbanen Zustand der Besiedlung von Latium wider mit einer Vielzahl auto-

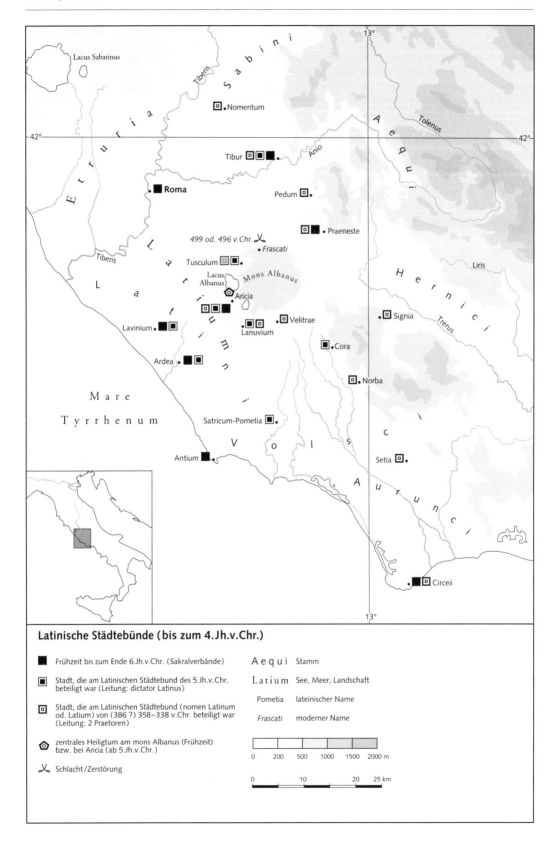

Latinische Städtebünde (bis zum 4. Jh.v.Chr.)

■ Frühzeit bis zum Ende 6.Jh.v.Chr. (Sakralverbände)

◻ Stadt, die am Latinischen Städtebund des 5.Jh.v.Chr. beteiligt war (Leitung: dictator Latinus)

◻ Stadt, die am Latinischen Städtebund (nomen Latinum od. Latium) von (386 ?) 358–338 v.Chr. beteiligt war (Leitung: 2 Praetoren)

⬠ zentrales Heiligtum am mons Albanus (Frühzeit) bzw. bei Aricia (ab 5.Jh.v.Chr.)

⚔ Schlacht/Zerstörung

Aequi Stamm

Latium See, Meer, Landschaft

Pometia lateinischer Name

Frascati moderner Name

0   200   500   1000   1500   2000 m

0   10   20   25 km

nomer Gemeinden bzw. einem System unabhängiger Siedlungen; sie waren über das Albaner-Massiv und die Ebene am Tiber mit Alba Longa als Mittelpunkt verteilt. Im letzten Viertel des 8. Jh. v. Chr. veränderte sich das kulturelle Erscheinungsbild von Latium tiefgreifend; es folgte die Bestattung in Fossa-Gräbern; der zunehmende Reichtum an Grabbeigaben (Waffen, Wagen, Schmuckstücke und Importware aus Griechenland) zeugt von einer verstärkten landwirtschaftlichen und kunsthandwerklichen Produktion und beweist den Aufstieg herrschender Schichten. Die Bed. der albanischen Zentren nahm ab, dagegen erlebten die latin. Gemeinden in der Ebene und an der Küste eine Blüte (Tibur, Praeneste, Ardea, Lanuvium, Pometia, Satricum, Antium). Zw. der Mitte des 7. und den ersten Jahrzehnten des 6. Jh. v. Chr. vollzog sich der endgültige Übergang zu einer urbanen Gesellschaft. Hier ist auch die Entstehung Roms einzuordnen. Die Sprache der *gentes* in Latium, das → Latein, bildete eine fest umrissene Größe im Rahmen der indeur. Sprachen in It., dessen Entstehung auf eine erste Ausbreitung indeur. sprechender *gentes* in It. in der Zeit vor dem zweiten Jt. v. Chr. zurückgeht [4. 48].

D. POLITISCHE ENTWICKLUNG

Seit frühester Zeit waren die L. in rel. (evtl. auch polit.) Bünden um zentrale Heiligtümer organisiert. Der bekannteste und einer der ältesten hatte sich um den Tempel des → Iuppiter Latiaris auf dem *mons Albanus* (Monte Cavo) gebildet. Ein anderes Zentrum waren die Quellen der Göttin Ferentina, zu deren Kult die Abgesandten der Völker in Waffen erschienen. Die Rolle der Diana als Gottheit scheint in diesem Zusammenhang wichtig gewesen zu sein (in Corne bei Tusculum, in Nemi: Cato fr. 58; auf dem Aventin: Liv. 1,45,2ff.). Vor dem Hintergrund der polit. Beziehungen zw. Rom und Latium zu Ende der Königsherrschaft (→ rex) wird diskutiert, ob die Heiligtümer in Nemi oder in Rom zuerst gegr. wurden [1. 47].

Bereits in der Königszeit dehnte Rom seinen Herrschaftsbereich aus, indem es sich viele latin. Völker anschloß; die Quellen schreiben Tullus → Hostilius [4] die Zerstörung von → Alba Longa zu; damit ging die bisher von Alba ausgeübte Hegemonie über Latium auf → Rom über; weitere Städte (Politorium, Medullia und Ficana) sollten das gleiche Schicksal erleiden, gepaart mit Massendeportationen und Integration in die röm. Bürgerschaft. Die Überl. berichtet von der Einrichtung eines bündischen Dianakults auf dem *mons Aventinus* durch Servius → Tullius, der Kontrolle über den Ferentinischen Bund durch → Tarquinius Superbus (Liv. 1,52,3–5) und dem mit den → Gabii geschlossenen Vertrag über die → isopoliteía (Dion. Hal. ant. 4,58,3 f.). Die Herrschaft Roms in Latium unter den letzten Königen wurde durch den ersten Vertrag mit Karthago von 509 v. Chr. bestätigt [3. 210–214].

Nach der Vertreibung der Tarquinii führten Gegensätze zw. Rom und den latin. Völkern zur Schlacht am *lacus Regillus* 496 v. Chr.; die Römer errangen keinen durchschlagenden Sieg, und 493 v. Chr. wurde das → *foedus Cassianum* (→ Latinischer Städtebund), dessen Historizität h. als gesichert gilt, geschlossen, das die Rechte und Pflichten von Römern und Latinern (Dion. Hal. ant. 6,95,1) sowie die Verpflichtung zu einer gemeinsamen Verteidigungspolitik angesichts der ständigen Bedrohung durch die Veientes (→ Veii), → Volsci, → Aequi und → Sabini festlegte; im Laufe des 5. und 4. Jh. v. Chr. wurden latin. → *coloniae* deduziert [3. 301–304]. Die Allianz zerbrach schließlich 341 v. Chr., als sich L. und Campani gegen Rom und die Samnites wandten.

Nach dem Sieg der Römer wurde der latin. Bund aufgelöst und der röm. Senat entschied über das Schicksal der einzelnen latin. Städte; einige (Lanuvium, Aricia, Nomentum, Pedum) bekamen das röm. Bürgerrecht (→ *ius* D.), wie zuvor schon Tusculum 381 v. Chr. (*municipium optimo iure*); Lavinium unterhielt enge, vertraglich geregelte (Liv. 8,11,15) rel. Beziehungen zu Rom, wobei es unsicher ist, ob Lavinium damals oder erst später *municipium* wurde [5. 180–182]. Andere mußten Gebietsabtretungen hinnehmen, in Antium wurde eine röm. Bürgerkolonie angelegt; Tibur, Praeneste und Cora blieben verbündet, während alle anderen latin. Völker isoliert wurden, indem Rom ihnen das Recht auf wechselseitigen Handelsaustausch, Heiraten und Bündnisse absprach (Liv. 8,14,10) und sich selbst als einzigen Partner einsetzte. Nach 338 v. Chr. umfaßte das *nomen Latinum* wenige autonome Städte und zahlreiche Kolonien → latinischen Rechtes, die Rom Truppen stellen mußten; mit Ausnahme der Rebellion von zwölf durch die Militärkontributionen erschöpften latin. Kolonien 209 v. Chr. blieben die *socii nominis latini*, die das *ius Latii* besaßen, während des Hannibalkrieges (→ Punische Kriege) im wesentlichen Rom treu und nahmen auch nicht am → Bundesgenossenkrieg [3] teil (90 v. Chr.); dabei erhielten sie mit der *lex Iulia* das röm. Bürgerrecht.

1 A. ALFÖLDY, Early Rome and the Latins, 1965
2 G. COLONNA, I Latini e gli altri popoli del Lazio, in: A.M. CHIECO BIANCHI (Hrsg.), Italia omnium terrarum alumna, 1988, 409–528 3 T.J. CORNELL, The Beginnings of Rome, 1995 4 G. DEVOTO, Gli antichi Italici, 1951 5 M. HUMBERT, Municipium et civitas sine suffragio, 1978
6 M. PALLOTTINO, Origini e storia primitiva di Roma, 1993
7 L. QUILICI, Roma primitiva e le origini della civiltà laziale, 1979.

A. BERNARDI, Nomen Latinum, 1973 · G. COLONNA (Hrsg.), Civiltà del Lazio Primitivo, Ausstellungskat., 1976 · P. CATALANO, Linee del sistema sovrannazionale romano 1, 1965 · R. ROSS HOLLOWAY, The Archeology of Early Rome and Latium, 1994.   GA.P./Ü: H.D.

Latini Iuniani. Röm. → Freigelassene, deren → Freilassung (→ *manumissio*) aber Mängel aufwies, deretwegen der Freigelassene nicht das Bürgerrecht erhielt und auch sonst eine im Vergleich zu anderen Freigelassenen mindere Rechtsstellung erhielt. Die Bez. *L. I.*

geht auf eine *lex Iunia* (*Norbana*?), wahrscheinlich aus dem J. 19 n.Chr., zurück. Darin wurden bestimmte Gruppen von Freigelassenen rechtlich den *Latini coloniarii* (Inhabern des Bürgerrechts in einer latin. Kolonie) gleichgestellt. Sie hatten daher wie diese keine polit. Rechte (insbes. kein Wahlrecht), konnten aber am Rechtsverkehr mit röm. Bürgern teilnehmen, weil sie kraft ihres Status das → *commercium* hatten.

Die *lex Iunia* dürfte drei Gruppen Freigelassener betroffen haben: Die wichtigste Gruppe waren wohl diejenigen ehemaligen Sklaven, deren Herren sie zwar freigelassen, dabei aber nicht die Formen des röm. *ius civile* (→ Freilassung C) eingehalten hatten. Diesen Freigelassenen hatte der Praetor wohl schon vor der *lex Iunia* Schutz gegenüber Versuchen des früheren Herrn gewährt, sie durch → *vindicatio* in die Sklaverei zurückzuholen. Dasselbe galt für die zweite Gruppe: die Freigelassenen von Herren, die selbst nicht Eigentümer nach *ius civile* waren. Nach der *lex Aelia Sentia* (→ Freigelassene II B) vom J. 4 n.Chr. schließlich war auch die Freilassung von unter 30jährigen regelmäßig unwirksam, führte dann aber nach der *lex Iunia* zum Status der *L. I.*

L. I. konnten den Status der nach *ius civile* Freigelassenen einschließlich des röm. Bürgerrechts erlangen, wenn der Herr die Freilassung – diesmal förmlich – wiederholte (*iteratio*). Ferner erwarben *L. I.* diese Stellung, wenn sie eine Latinerin oder Römerin heirateten und mit ihr einen Sohn hatten, der das erste Lebensjahr überlebte.

Schlechter gestellt als andere Freigelassene waren die *L. I.* vor allem vermögensrechtlich: Für den Fall ihres Todes konnten sie nicht testamentarisch über ihr Vermögen verfügen, und es fiel auch nicht Verwandten zu, sondern dem Freilasser. Die *lex Iunia* enthielt die Fiktion, daß der *L. I.* bei seinem Tode so anzusehen war, als wäre er nie freigelassen worden. Das Vermögen des *L.I.* wurde dadurch zu einem Sondervermögen (→ *peculium*) des Freilassers.

→ Latinisches Recht; Praetor

1 C. MASI DORIA, Bona libertorum, 1996 2 A.J.B. SIRKS, Informal Manumission and the Lex Iunia, in: RIDA 28, 1981, 247–276 3 Ders., The Lex Iunia and the Effects of Informal Manumission and Iteration, in: RIDA 30, 1983, 211–292 4 A. STEINWENTER, s.v. L. I., RE 12, 910–924.

G.S.

Latinianus s. Cornelius [II 21–22]

Latinischer Städtebund. Bund der Städte (*populi*) in *Latium Vetus*, organisiert um das Heiligtum des Iuppiter Latiaris am → *mons Albanus*, teilweise auch um das der Diana von → Aricia. Die Rechte der Mitglieder waren geregelt im → *foedus Cassianum*. Zuerst in der Zeit der tarquin. Könige, dann im 4. Jh. v.Chr. kam der Bund mehr und mehr unter röm. Herrschaft. 338 wurde die Mehrzahl der Mitglieder annektiert; die übrigen waren nun die *prisci Latini*.

→ Latini, Latium (mit Karte)

T.J. CORNELL, The Beginnings of Rome, 1995, 293 ff. · H. GALSTERER, Herrschaft und Verwaltung im röm. It., 1976, 84–100 · A.N. SHERWIN-WHITE, The Roman Citizenship, ²1973, 3–37. H.GA.

KARTEN-LIT.: A. ALFÖLDI, Das frühe Rom und die Latiner, 1977 · T.J. CORNELL, The Beginnings of Rome, 1995 · R.R. HOLLOWAY, The Archaeology of Early Rome and Latium, 1994 · F. KOLB, Rom. Die Gesch. der Stadt in der Ant., 1995.

Latinisches Recht (*ius Latii*).
I. VOR DER AUFLÖSUNG DES LATINISCHEN STÄDTEBUNDS II. ALS RECHTSSTATUS IM IMPERIUM ROMANUM A. BIS ZUM BUNDESGENOSSENKRIEG B. 1. JH. V. CHR. C. SPÄTE REPUBLIK UND KAISERZEIT

I. VOR DER AUFLÖSUNG DES LATINISCHEN STÄDTEBUNDS

Aufgrund gemeinsamer Sprache und Kultur besaßen Römer und Latiner ein weitgehend identisches Recht, das im → *foedus Cassianum* präzisiert wurde. Es umfaßte → *commercium* und → *conubium*, das Anrecht auf Beute in gemeinsamen Kriegen und das Recht, in andere Staaten des Latinerbundes überzusiedeln und dort Bürger zu werden (Grundlage des → *exilium*). Diesen Rechtsstatus erhielten auch die gemeinsam neu gegründeten latin. → *coloniae*.

II. ALS RECHTSSTATUS IM IMPERIUM ROMANUM A. BIS ZUM BUNDESGENOSSENKRIEG

Nach der Auflösung des → Latinischen Städtebundes 338 v.Chr. bestanden einige latin. und Hernikergemeinden weiter, die *prisci Latini*. Träger des L. R. waren jetzt aber in erster Linie die nunmehr von Rom allein gegründeten latin. Kolonien. Die zivilen Rechte der *Latini coloniarii* beruhten weiterhin auf dem *foedus Cassianum*, außerdem den Gründungsgesetzen der einzelnen Kolonien, die möglicherweise sehr unterschiedlich waren. Cicero erwähnt (Caecin. 102) ein *ius Ariminensium*, das sich anscheinend im Erbrecht von dem anderer latin. Kolonien unterschied. Das Übersiedlungsrecht wurde im 2. Jh. v. Chr. von der Erlaubnis der Heimatgemeinde (*fundus fieri*) abhängig gemacht. Ab wann die Latiner das seit 212 v.Chr. belegte beschränkte Wahlrecht besaßen (App. civ. 1,99, vgl. Liv. 25,3,16), ist unbekannt.

Seit dem E. des 3. Jh. v. Chr. wurden latin. Kolonien auch außerhalb des eigentlichen It. gegründet, zuerst 218 Cremona und Placentia in → Gallia Cisalpina, und ab 171 → Carteia in Spanien. Für deren Oberschicht wurde, jedenfalls vor 89 v.Chr., das *ius civitatem per honores adipiscendi* eingeführt, aufgrund dessen die Magistrate dieser Kolonien und ihre Familien das röm. Bürgerrecht (→ *civitas*) erhielten. Die Magistrate der latin. Kolonien und der übrigen *socii* in It. besaßen spätestens seit 122 v.Chr. die Auswahl zw. dem Bürgerrecht und einem Bündel von Privilegien in ihrer Heimat (*provocatio*; Wahl des Gerichtsstandes Rom; *immunitas omnium rerum*; Lex Acilia repetundarum, in: [12. Nr. 1, Z. 76 ff.] und [1. 93 ff.]; anders in [12. Nr. 1, S. 111]).

B. 1. Jh. v. Chr.

Im → Bundesgenossenkrieg [3] (91–87 v. Chr.) erh. die Latiner in It. bis zum Po das röm. Bürgerrecht. Die Gemeinden in der Gallia Transpadana bekamen von Pompeius Strabo 89 das latin. Kolonialrecht; es war dies das erste Mal, daß das *ius Latii* flächendeckend und ohne Deduktion (Ansiedelung) neuer Kolonisten vergeben wurde (Ascon. In Pisonem 3 C). Bis heute ist nicht klar, warum nicht auch sie das volle Bürgerrecht erhielten. Vielleicht fürchtete man allzu plötzliche Veränderungen der Wählerschaft in den Comitien. Wenn dies zutrifft, wurde das L. R. damals zum ersten Mal als röm. Bürgerrecht ohne Wahlrecht interpretiert.

C. Späte Republik und Kaiserzeit

Unter Caesar und Augustus folgten weitere Einzel- und Kollektivverleihungen in der Gallia Narbonensis, in Sizilien, Africa und Spanien und unter Claudius in Noricum. → Vespasianus schließlich »verlieh ganz Spanien das L. R.« (*universae Hispaniae... Latium tribuit*; Plin. nat. 3,30; vgl. [2. 37 ff.]). Umstritten ist, ob im 1. Jh. n. Chr. auch die *civitates* der *Tres Galliae* das L. R. erhielten (vgl. [3]; abzulehnen ist die These von [4], wonach es in Spanien überhaupt erst ab Vespasianus *Municipia latin.* Rechts gegeben habe). Das L. R. war nur in der Westhälfte des Imperium verbreitet; im griech. Osten gab es keine Gemeinden dieses Rechts.

Unter Caesar führten die neuen latin. Gemeinden noch den Titel *colonia*; ab Augustus wurden sie fast immer *municipium* genannt – zu Recht, denn bei keiner von ihnen gab es mehr eine Deduktion. Sie glichen in ihrer Organisationsform, ihrem Beinamen und bei den Personennamen ihrer Bürger völlig den Städten röm. Bürger (mit Ausnahme derjenigen in Gallien, vgl. dazu [5]). Auch ihr Privatrecht war weitestgehend dem röm. angeglichen: Nach der neuen → *lex Irnitana* sollte – wenn dieses Gesetz nichts anderes bestimmte – so verfahren werden wie nach dem in Rom geltenden Recht (§ 93: *quo cives Romani inter se iure civili agunt agent*).

Unter Hadrianus wurde neben dem alten, nunmehr *minus* genannten, ein *Latium maius* eingeführt, durch das auch die Decurionen (→ *decurio, decuriones* [1]) das Bürgerrecht erhielten (Gai. inst. 1,96; ILS 6781). Mit der → *constitutio Antoniniana*, die 212 n. Chr. allen freien Reichsbewohnern das Bürgerrecht verlieh, kam auch das Ende des Rechts der *Latini coloniarii*.

→ Constitutio Antoniana; Ius D.; Latini Iuniani; Lex Irnitana

1 H. Galsterer, Herrschaft und Verwaltung im röm. It., 1976 2 Ders., Unt. zum röm. Städtewesen auf der iber. Halbinsel, 1971 3 A. Chastagnol, La Gaule romaine et le droit latin, 1995 4 P. Le Roux, Municipe et droit latin en Hispania, in: Revue Historique de droit Français et Étranger 64, 1986, 325–350 5 E. Ortiz de Urbina, Die röm. municipale Ordnung, in: BJ 195, 1995, 39–66 6 A. Steinwenter, s. v. Latini Iuniani, RE 12, 910–924

7 P. R. C. Weaver, Where Have All the Iunian Latins Gone?, in: Chiron 20, 1990, 275–305 8 A. N. Sherwin-White, The Roman Citizenship, ²1973 9 H. Galsterer, Bemerkungen zu röm. Namensrecht und röm. Namenspraxis, in: F. Heidermanns (Hrsg.), Sprachen und Schriften des ant. Mittelmeerraumes (FS J. Untermann), 1993, 87–96 10 E. Ortiz de Urbina, J. Santos (Hrsg.), Teoría y práctica del ordenamiento municipal en Hispania, 1996 11 F. Vittinghoff, Röm. Kolonisation und Bürgerrechtspolitik unter Caesar und Augustus, 1950 12 M. H. Crawford (Hrsg.), Roman Statutes, 1996.   H. GA.

Latinisierung. Als L. versteht man die Beeinflussung anderer Sprachen durch das Lateinische (→ Latein) als Konsequenz von Sprachkontaktphänomenen; da die histor. Umstände des jeweiligen → Sprachkontakts unterschiedlich waren, kann auch die L. auf unterschiedliche Arten vor sich gehen. Die drastischste Folge des Sprachkontakts ist das Aussterben von Sprachen und Dial.; so verdrängte das Lat. schon früh verwandte ital. Dial. und Sprachen (→ Italien, Sprachen); prominentestes Opfer war das Etr. Eine restriktive Sprachpolitik haben die Römer allerdings nicht betrieben; das Aussterben besagter Sprachen war kein geplanter Prozeß. Geringe Reste dem Lat. verwandter Dial. sind in Gestalt von sog. Substratwörtern ins Lat. übergegangen (wie etwa *bos* oder *rufus*). Als nicht originär lat. kenntlich sind sie durch die für das Lat. nicht lautgesetzliche Vertretung des idg. stimmhaften → Labiovelars bzw. der idg. Media Aspirata.

Ebenso starben im Verlauf der röm. Expansion das Keltische (→ Keltische Sprachen) in Gallien und auf der iberischen Halbinsel (wo sich allerdings der Vorfahr des → Baskischen in Rückzugsgebieten halten konnte), das → Punische in Nordafrika, das Dakische, Thrakische und Illyrische auf der Balkanhalbinsel aus (→ Balkanhalbinsel, Sprachen; ob das → Albanische als »Neuthrakisch«, »Neuillyrisch« oder keines von beidem zu verstehen sei, ist strittig). Grundsätzlich ist der Zeitpunkt des Verschwindens epichorischer Sprachen nicht zwangsläufig identisch mit dem Versiegen inschr. Belege; gelegentlich erfahren wir aus der Lit. noch vom Weiterleben z. B. des Pun. (bei Aug.) oder Kelt. in Kleinasien (Hier.). Ob Eigentümlichkeiten der h. roman. Sprachen der entsprechenden Gegenden auf Substratwirkung zurückgehen, ist umstritten, wird aber h. für die meisten in Frage kommenden Lautentwicklungen eher verneint.

German. Völkerschaften wurden nicht dauerhaft latinisiert; allerdings weist z. B. das Dt. eine ganze Reihe von lat. → Lehnwörtern auf (v. a. im Wortschatz der Kirche, des Wein- und Gartenbaus, des Handels sowie der Architektur und des Städtebaus), die sich dadurch, daß sie vor der zweiten Lautverschiebung übernommen worden sein müssen, als alt erweisen (z. B. *Pfund* < lat. *pondus*). Anders sieht es im griechischsprachigen Osten aus; hier konnte sich das Lat. nicht dauerhaft durchsetzen, und die Verdrängung autochthoner Sprachen wie

etwa des → Lykischen und → Phrygischen ist eher dem Griech. zuzuschreiben. Immerhin hat das Griech. selbst lat. Einflüsse aufgenommen (Wortschatz) und in andere Sprachen wie z. B. das Kopt., Syr., Arab. weitervermittelt: naturgemäß in großer Zahl Rechts-, Verwaltungs- und Militärwörter wie κῆνσος/*census*, κεντυρίων/*centurio* (auch κεντουρίων), λεγιών/*legio* (alle drei im NT), aber auch Wortschatz der materiellen Kultur, wo sie, da in der griech. Hochsprache verpönt, nur in sprachlich weniger anspruchsvollen Texten erscheinen. Ansonsten ist im Falle des Lat. im Kontakt mit dem Griech. die wechselseitige Beeinflussung und parallele Sprachentwicklung so manifest, daß man hier am besten von einem Sprachbund spricht.
→ ROMANISCHE SPRACHEN

E. BANFI, Linguistica balcanica, 1985 · R. J. BONNER, Conflict of Languages in the Ancient World, in: CJ 25, 1929/39, 579–592 · A. BUDINSZKY, Die Ausbreitung der lat. Sprache über It. und die Prov. des röm. Reiches, 1881 (Ndr. 1973) · M. DUBUISSON, Y a-t-il une politique linguistique romaine?, in: Ktema 7, 1982, 187–210 · G. NEUMANN, J. UNTERMANN (ed.), Die Sprachen im röm. Reich der Kaiserzeit (Kolloquium vom 8.–10. April 1974, Köln-Bonn), 1981 · K. HOLL, Das Fortleben der Volkssprachen in Kleinasien in nachchristl. Zeit, in: Hermes 43, 1908, 240–254 · J. KAIMIO, The Romans and the Greek Language, 1978 · R. KATIČIĆ, Ancient Languages of the Balkans, 1976 · J. KRAMER, Der kaiserzeitliche griech.-lat. Sprachbund, in: N. REITER (ed.), Ziele und Wege der Balkanlinguistik. Beitr. zur Tagung vom 2.–6. März 1981 in Berlin, 1983, 115–131 · G. NARR (ed.), Griechisch und Romanisch, 1971 · E. POLOMÉ, The Linguistic Situation in the Western Provinces, in: ANRW II 29.1, 509–553 · C. TAGLIAVINI, Einführung in die roman. Philologie, 1973.
V. BI.

Latinitas s. Virtutes dicendi

Latinius. Römischer Gentilname (etr. *latini*), entstanden aus dem Ethnikon *Latinus*.

SCHULZE, 522 f.

I. REPUBLIKANISCHE ZEIT

[I 1] L., T. Nach Livius (2,36,2–8), der die urspr. wohl zeitlose Legende ins J. 491 v. Chr. setzt, gab Iuppiter L. im Traum die Weisung, den Consuln während des Latinerkrieges eine Wiederholung der *ludi Romani* (→ *ludi*) aufzutragen, der er nach zweimaliger Mißachtung und folgender Strafen schließlich nachkam (vgl. Val. Max. 1,7,4; Aug. civ. 4,26; ohne Nennung eines Namens u. a. Cic. div. 1,55; andere Namen u. a. bei Lact. inst. 2,7,20; Macr. Sat. 1,11,3, wo der Fall zudem ins J. 279 datiert wird). C. MÜ.

II. KAISERZEIT

[II 1] L. L. Latiaris s. Lucanius.
[II 2] L. Martinianus. Ritter. Militärtribun unter Probus im J. 282 n. Chr.; *procurator* der Alpes Graiae unter Carus zwischen Herbst 282 und Dez. 283 [1. Nr. 15–18]. PIR² L 124.

[II 3] L. Pandusa. *Legatus pro praetore* in Moesia unter dem Oberbefehl des Poppaeus Sabinus; kurz vor dem J. 19 n. Chr. gestorben; verwandt mit L. [II 4]. PIR² L 125.
[II 4] Ti. L. Pandusa. Junges Mitglied des Senatorenstandes, vielleicht aus Aricia stammend, verwandt mit L. [II 3], aber nicht mit ihm identisch. CIL XIV 2166 gehört zu seinem Grabmal. L. war nach dem Amt eines *quattuorvir viarum curandarum* gestorben. PIR² L 126.

1 B. RÉMY, Inscriptions Latines des Alpes I, 1998. W. E.

Latinus

[1] (griech. Λατῖνος). Mythischer, namengebender Ahnherr der → Latini. Nach der griech. Version sind L. und sein Bruder Agrios Söhne des → Odysseus und der → Kirke und Könige der → Tyrrhenoi auf der Insel der Seligen (Hes. theog. 1011 ff.). Servius (Aen. 12,164), der sich auf einen nicht mehr identifizierbaren griech. Autor bezieht, nimmt diese Herkunft des L. wieder auf, kennzeichnet ihn aber als Gründer der Stadt Rom, die ihren Namen nach Rhome, der Schwester des L., erhalten habe. Nach einer zweiten Version ist L. Sohn des → Hercules und einer von ihm nach Latium als Frau heimgeführten Hyperboreerin, die nach seiner Abfahrt Faunus heiratet (Dion. Hal. ant. 1,43,1). Nach Pompeius Trogus (bei Iust. 43,1) ist die Mutter des L. die Tochter des Faunus.

Die dritte Version, die vorvergilische röm. Quellen reflektiert [1] und durch Vergil ausführlich bekannt ist, setzt L. in einen röm. Kontext: Er wird als Sohn des → Faunus und der → Marica bezeichnet (Verg. Aen. 7,47). In der *Aeneis* erscheint L. als der alte König eines friedlichen Landes. Als Aeneas und die Troianer in Latium ankommen, empfängt L. sie im Palast seines Großvaters → Picus (Verg. Aen. 7,191 ff.). Während dieses freundlichen Treffens begreift L., daß Aeneas der zukünftige Schwiegersohn aus dem Ausland ist, den ihm die Prodigien und das Orakel des Faunus prophezeit haben. Er entscheidet also, diesem seine Tochter → Lavinia zur Frau zu geben. → Turnus, der Herrscher der Rutuli, dem Lavinia vorher als Gattin versprochen war, führt die ital. Völker in einen Krieg gegen die Troianer. In der vergil. Fassung widersetzt sich L. dem Kampf und zieht sich in seinen Palast zurück, während er nach einer älteren Variante am Kampf teilnimmt und auf dem Schlachtfeld stirbt (Cato orig. 9 bei Serv. Aen. 1,267 CHASSIGNET). Vergil hebt hervor, wie sich L. bis ans Ende erfolglos bemüht, den Frieden wiederherzustellen und den Zweikampf von Turnus und Aeneas um Lavinia zu vermeiden. L. muß auch den Selbstmord seiner auf der Seite des Turnus stehenden Frau → Amata erleben (Verg. Aen. 12,595 ff.). Als Aeneas den Kampf für sich entschieden hat, werden die beiden Völker vereint und nach dem Willen der Iuno *Latini* genannt (ebd. 12,821 ff.).

1 V. J. ROSIVACH, s. v. L., EV 3, 131–134.

CH. BALK, Die Gestalt des L. in Vergils Aeneis, Diss. Heidelberg, 1968.

[2] L. Silvius. Sohn des Aeneas Silvius, Vater des Alba Silvius und vierter König der Stadt Alba (Liv. 1,3,7; Diod. 7,5,9). Nach Ovid (met. 14,610; fast. 4,43) ist er aber Sohn des → Postumius Silvius und somit der dritte röm. König. Ihm wird die Gründung mehrerer Städte zugeschrieben.

> G. BRUGNOLI, s. v. Albani, re, EV 1 · F. CASSOLA, Le origini di Roma e l'età regia in Diodoro, in : E. GALVAGNO, C. MOLÉ VENTURA, Mito Storia Tradizione. Diodoro Siculo e la storiografia classica, 1991, 273–324.   FR. P.

[3] → *Archimimus* des ausgehenden 1. Jh. n. Chr., Mitglied der Gilde der *parasiti Apollinis* (Mart. 9,28,9) [1]. Er war Publikumsliebling und brachte die ernstesten Leute zum Lachen; mit seiner Rolle des Liebhabers, der sich vor dem gehörnten Ehemann in einer Kiste versteckt [2] (den geohrfeigten Dummkopf, *stupidus*, spielte neben ihm der *mimus* Panniculus: Mart. 2,72,3 f.), wurde er geradezu identifiziert (Iuv. 6,44). Unmoralisch waren die Inhalte seines Bühnenspiels, nicht aber seine Lebensführung (Mart. 3,86 und 9,28,5–10). Als Günstling des Kaisers Domitian (Suet. Dom. 15,3) war er als Denunziant gefürchtet (Iuv. 1,35 f. und schol. zu 4,53).
→ Mimos

> 1 H. LEPPIN, Histrionen, 1992, 93–95 2 M. BONARIA (Hrsg.), Romani Mimi, 1965, App. II: Fasti Mimici, Nr. 258.

> E. DIEHL, E. LIEBEN, s. v. L. (3), RE 12, 937–938 · H. LEPPIN, Histrionen, 1992, 253 f.   H.-D. B.

[4] Latinos (Λατῖνος). Griech. Grammatiker, wahrscheinlich vom Beginn der Kaiserzeit, jedoch vor Porphyrios (3. Jh. n. Chr.). Der Name selbst ist in griech. Inschr. gut belegt und legt diese Datier. nahe. L. beschäftigte sich mit dem lit. Plagiat in der Ant. [2; 4]: Porphyrios (*Philólogos akróasis* B. 1, bei Eus. Pr. Ev. 10,3,12) erwähnt ein Werk ›Über Unechtes von Menander‹ (Περὶ τῶν οὐκ ἰδίων Μενάνδρου (Men. T 81 K.-A.) gleich nach einem Zitat aus dem Werk des Aristophanes [4] von Byzanz über die Plagiate des Menander (fr. 376 SLATER = Men. T 76 K.-A.).

> 1 A. GUDEMAN, s. v. L. (4), RE 12, 938 2 E. STEMPLINGER, Das Plagiat in der griech. Lit., 1912, 35–36, 51–52 3 F. SUSEMIHL, Geschichte der griech. Litt. in der Alexandrinerzeit, 1891–1892, Bd. 1, 253 4 K. ZIEGLER, s. v. Plagiat, RE 20, 1920.   F. M./Ü: T. H.

Latium s. Latini

Latmos (Λάτμος).

[1] Ein Gneis- und Granitgebirge in Karia am Nord- und Ostufer des ehemaligen Latmikos Kolpos (h. Bafa Gölü), h. Beşparmak Dağları. Erstmals von Hekat. FGrH 1 F 239 erwähnt. Arch. reichen die frühesten Spuren menschlicher Besiedlung in die Vorgesch. zurück. Der L. war einer der hl. Berge Kleinasiens. Auf dem Tekerlekdağ (1375 m H) wurde in vorgriech. Zeit der kar.-anatol. Wetter- und Regengott verehrt, an dessen Stelle Zeus Akraios bzw. Zeus Labrandeus trat (→ Labraunda).

Der westl. Teil des L. mit seinen höchsten Erhebungen bildete in der Ant. das Territorium der hell. Stadt → Herakleia [5] bzw. der Vorgängersiedlung L. [2], nach dem Gebirge auch Latmia gen. (Diod. 5,51,3). Lokalheros des L. war → Endymion, hinter dem sich wohl ein vorgriech. Berggott verbirgt. Ort seiner Liebesbegegnung mit → Selene (früheste Erwähnung: Sappho fr. 134) war eine Höhle des Gebirges, in dem man auch sein Adyton (Paus. 5,1,4; → Abaton) und sein Grab (Strab. 14,1,8) zeigte.

> TH. WIEGAND, Der L. Milet 3.1, 1913 · L. BÜRCHNER, s. v. L. (1), RE 12, 964–966 · U. PESCHLOW, s. v. L., RBK 5, 651–716 · A. PESCHLOW-BINDOKAT, Der Latmos. Eine unbekannte Gebirgslandschaft an der türk. Westküste (Antike Welt Sonderheft), 1996.

[2] Kar. Stadt, Vorgängersiedlung der hell. Stadt → Herakleia [5]. Vermutlich z. Z. der ion. → Kolonisation von → Kares gegr. (Strab. 14,1,8); lit. und inschr. seit archa. Zeit (Hekat. FGrH 1 F 239; IDidyma 12), im 5. Jh. v. Chr. Mitglied des → Attisch-Delischen Seebundes (ATL 1,128 ff.), im 4. Jh. v. Chr. Teil der Satrapie Karien; Konflikte mit den Hekatomniden (Polyain. 7,23,3; 53,4; → Hekatomnos). L. wurde E. 4. Jh. v. Chr. auf Veranlassung des Pleistarchos verlassen und in geringer Entfernung westl. neugegr. Sein Gebiet wurde Teil der Nekropole von Herakleia [5] und blieb mit Ausnahme des Zentrums von späterer Überbauung verschont. Von der alten Stadt, die bei ihrer Aufgabe weitgehend niedergelegt und abgetragen wurde, haben sich Reste der Befestigung und der Innenbebauung erh. (Agora, Palast, mehrere Kultbezirke, v. a. zahlreiche Häuser).

> K. LYNCKER, in: F. KRISCHEN, Die Befestigungen von Herakleia am Latmos. Milet 3.2, 1922 (Stadtplan) · L. BÜRCHNER, s. v. L. (2), RE 12, 966 · A. PESCHLOW-BINDOKAT, Der Latmos. Eine unbekannte Gebirgslandschaft an der türk. Westküste (Antike Welt Sonderheft), 1996, 23 ff. (mit weiteren Lit.-Angaben).   A. PE.

Lato (Λατώ). Stadt im Osten von Kreta, in ca. 400 m hoher Berglage, abgeschieden, mit gutem Blick auf die Küste, 15 km entfernt vom h. Agios Nikolaos. Bereits in min. Zeit besiedelt, dann aber von den Bewohnern verlassen. Im 8. Jh. v. Chr. dor. Neugründung und danach in archa. und klass. Zeit eine der prominentesten Städte der Insel. Zahlreiche Inschr. dokumentieren das Engagement von L. in der zwischenstaatlichen Politik der hell. Zeit, wobei der außenpolit. Aktionsradius jedoch auf Kreta beschränkt bleibt. Im späten 3. Jh. v. Chr. ist Sympolitie mit dem Hafenort → Kamara [1] belegt [1. Nr. 72]. Zu E. des 2. Jh. v. Chr. kam es zu inschr. reich bezeugten, von Knosos geschlichteten und im Ergebnis von Rom bestätigten Grenzkonflikten mit → Olus [1. Nr. 54–56]. Etwa aus der gleichen Zeit stammen Bündnisverträge mit Lyttos [1. Nr. 58] und → Hierapytna [1. Nr. 59]. Danach verlagerte sich der Siedlungsschwerpunkt auf Kamara, in L. dürften nur noch wenige Menschen gelebt haben.

Die von frz. Archäologen (mit Unterbrechungen) seit 1901 erforschte, terrassenförmig angelegte Stätte bietet eindrucksvolle und z. T. für das dor. Kreta singuläre ant. Überreste von der archa. bis zur hell. Epoche: Stoa, Exedra, Prytaneion, eine evtl. auf min. Vorbilder rekurrierende Schautreppe, ein Tempel für die Hauptgöttin → Eileithyia, Läden (eines Müllers mit einer steinernen Handmühle; Bäckerei) sowie private Wohnhäuser.

1 A. CHANIOTIS, Die Verträge zw. kret. Poleis in der hell. Zeit, 1996.

P. FAURE, Aux frontières de l'état de L.: 50 toponymes, in: W. C. BRICE (Hrsg.), Europa. FS E. Grumach, 1967, 94–112 · F. GSCHNITZER, Abhängige Orte im griech. Alt., 1958, 49–51 · H. BUHMANN, s. v. L., in: LAUFFER, Griechenland, 371 f. · I. F. SANDERS, Roman Crete, 1982, 142 · H. VAN EFFENTERRE, M. BOUGRAT, Les frontières de L., in: Kretika Chronika 21, 1969, 9–53 · P. DUCRAY, O. PICARD, s. v. L., PE, 487.   H. SO.

Latobici (Λατόβικοι, Ptol. 2,14,2; *Latovici*, Plin. nat. 3,148; *Latobici*, inschr.). Ein wohl kelt. Stamm in → Pannonia Superior nahe Noricum. In augusteischer Zeit entstand als Zentrum des Stammesgebiets eine stadtartige Siedlung (*municipium Latobicorum, tribus Quirina*, CIL III, 3925), die das *ius Latii* (→ Latinisches Recht) erhielt und sich seit Vespanianus (69–79 n. Chr.) Neviodunum nannte. Bezeugt ist ein *duovir iure dicundo*, ein *patronus municipii* und ein *praeceptor Graecus* (CIL III, 3925; 10804; 10805). Es gibt Weihinschr. an Iuppiter Optimus Maximus, Silvanus Augustus, Luna Augusta und Hercules Augustus (CIL III, 78786; 10788; 10798 f.; 3920; 3923).

M. FLUSS, s. v. L., RE 12, 966 f. · A. MÓCSY, Die Bevölkerung von Pannonien bis zu den Markomannenkriegen, 1959, 21 ff.   J. BU.

Latobrigi. 58 v. Chr. bewogen die → Helvetii drei kleinere kelt. Nachbarstämme zur Teilnahme an ihrem Volksauszug: Rauraci, Tulingi und L. (Caes. Gall. 1,5,4); nur vom ersten kennen wir (vgl. die nachmalige Colonia Augusta [4] Raurica) den urspr. Wohnsitz östl. des Rheinknies von Basel. Wie die anderen wurden die L. von Caesar nach der Schlacht bei Bibracte in ihre alte, nicht näher bezeichnete Heimat zurückgeschickt. [1] betrachtet den Helvetierzug als ein kelt. Söldnerunternehmen gegen → Ariovistus; bei solchen Reisläufer-Zügen war die Beteiligung von Söldnern verschiedener Stämme üblich.

1 G. WALSER, Bellum Helveticum (Historia Einzelschriften 118), 1998.   G. W.

Latomiai (Λατομίαι, Λιθοτομίαι, lat. *Lautumiae*). Die offenbar schon seit der Frühzeit von Syrakusai betriebenen, später als Gefängnis genutzten Steinbrüche am Südhang der Kalkterrasse Epipolai nördl. von Syrakusai. Xenophanes (123 A 33 DK) erwähnt die darin gefundenen Fischfossilien. Die drei größten L. (aus denen insges. 2,4 Mio m³ Steine gebrochen wurden), mit Wän-

den von 25–35 m H, einer L von bis zu 250 m und einer Br von 40–170 m (bei Ail. var. 12,44: 1 Stadion L, 2 Plethra Br), sind von Westen nach Osten: die Latomia del Paradiso mit den Seitenhöhlungen des sog. Orecchio di Dionisio und der Grotta di Cordari, nahe dabei Latomia di Santa Venera, in deren Wände Kultnischen eingearbeitet sind, und nahe der Küste die Latomia dei Capuccini.

In den L. verschloß Syrakusai im Herbst 413 v. Chr. über 7000 zu Staatsgefangenen erklärte Athener samt Verbündeten (Thuk. 7,86,2; 87; Plut. Nikias 28,2; 29,1; Diod. 13,19,4; 33,1; → Peloponnesischer Krieg). Unter Dionysios I. (um 430–367 v. Chr.) wurde Philoxenos von Kythera hier gefangengehalten (Diod. 15,6,3; Lukian. adversus indoctum 15; Ail. l.c.; Suda s. v. Ἄπαγέ με und s. v. Εἰς λατομίας; vgl. Athen. 1,6 f.); die L. werden als Gefängnis auch unter Dionysios II. erwähnt (Plat. epist. 2,314e). Zu Ciceros Zeit galten die L. einerseits als Sehenswürdigkeit, andererseits als sicherstes, von den anderen sizilischen Städten mitbenutztes Staatsgefängnis (Cic. Verr. 5,68; 143; 148).

Auf der höherliegenden Terrasse Reste einer brz. Siedlung und Nekropolen aus spätarcha. und klass. Zeit.

B. LUPUS, Die Stadt Syrakus im Alt., 1887, 32 ff., 95 f., 297 ff. · K. FIEHN, s. v. L., RE 3 A, 2252 f. · G. VOZA, Attività archeologica della Soprintendenza di Siracusa e Ragusa, in: Kokalos 39/40, II.2, 1993/4, 1288 f. · H.-P. DRÖGEMÜLLER, Syrakus: zur Top. und griech. Stadt. Mit einem Anhang zu Thuk. 6,96 ff und Liv. 24,25, 1969 · B. CARNABUCI, CH. HÖCKER, H. LEHMKUHL, Sizilien: Insel zw. Orient und Okzident, ³1996.
                                          H.-P. DRÖ. u. GI. F.

Latona (oder Lato; »Frau (?)«). Lat. Wiedergabe der dor. Namensform der → Leto (etr. *letun*, lyk. *lada*), mit unsicherer Etym., kleinasiat. Göttin der Nacht (?). Tochter von → Koios und → Phoibe, Mutter von Apollo (→ Apollon) und → Diana (Varro ling. 7,16). L. wurde mit ihren Kindern 433 v. Chr. ein Tempel in Rom gelobt und 431 v. Chr. erbaut (CIL I² p. 252), die Trias selbst ist griech. Ein → *lectisternium* (»Göttermahlzeit«), 399 v. Chr. von den Sibyllinischen Büchern vorgeschrieben (Liv. 5,13,6), wurde für L. und Apollo gemeinsam veranstaltet (zuletzt 326 v. Chr., Liv. 8,25,1). L. und Apollo wurden 212 v. Chr. nach griech. Ritus verehrt (Liv. 25,12,13). Eine Statue der L. stand auch im Apollo-Tempel auf dem Marsfeld (Plin. nat. 36,5,34). L. wurde 217 v. Chr. von Diana ersetzt (Liv. 22,10,9). Unsicher ist die Darstellung L.s im Kampf mit → Tityos.

W. BECK, s. v. Λητώ, LFE 2, 1688 · G. BERGER-DOER, T. GANSCHOW, s. v. L., LIMC 6.1, 267–272 · R. MUTH, Einführung in die griech. und röm. Rel., 1988, 265–266, 267 mit Anm. 679 · J. B. KEUNE, s. v. L. (2), RE 12, 970–971 (Ort).   W.-A. M.

Latopolis s. Esna

Latrinen. Mit einer → Kanalisation verbundene Abortanlagen finden sich im griech.-röm. Kulturraum erstmals im minoischen Kreta (Sitz-L. im Palast von → Knosos), danach erst wieder im Hell.; im archa. und klass. Griechenland dominierten L., die aus einem Sitz über einem transportablen Gefäß bestanden. Dieses vergleichsweise primitive Prinzip begegnet auch in der röm. Kultur weiterhin (etwa in den mehrstöckigen Mietshäusern der Großstädte), während seit spätrepublikanischer Zeit reich mit Marmor und Dekor (Rundplastik, Relief, Malerei, Inkrustationen) ausgestattete, ans Abwassernetz angeschlossene öffentliche L.-Anlagen eine erhebliche Bed. als Orte städtischer Repräsentation wie auch sozialer Kommunikation erhielten. Öffentliche L. fanden sich u. a. in der Nähe des Forums, in Thermen, im Gymnasion und in weiteren öffentlich zugänglichen Gebäuden und Bereichen. L. bestanden aus ungetrennt nebeneinander plazierten Sitzen mit Durchlässen für die Exkremente; gut erh. Beispiele (Ostia, Sabratha) weisen mehr als 20 über Eck oder in apsidialem Halbrund angeordnete Sitze auf.

R. NEUDECKER, Die Pracht der L., 1994.   C. HÖ.

Latrocinium. Im röm. Recht die bewaffnete Straßenräuberei, häufig auf einer Stufe mit *bellum* (»Krieg«, Pomp. Dig. 50,16,118). Die juristischen Quellen setzen *incursus latronum* und *hostium* (»Räuber- und Feindeinfall«) als Fälle von *vis maior* (»höherer Gewalt«) gleich (Dig. 17,1,26,6; 17,2,52,3; Cod. Iust. 4,65,12; 6,46,6). Für die private Verfolgung vor dem 1. Jh. v. Chr. ist in der mod. Lit. die Anwendung der Klagen aus → *furtum* und/oder → *iniuria* kontrovers. Das Edikt des Lucullus (76 v. Chr.) enthielt für Raub und Bandendelikt eine bes. Klage (→ *rapina*). Die *lex Cornelia de sicariis et veneficis* (81 v. Chr.) erfaßt auch das *l.* als öffentliche Straftat und bestimmt die Kapitalstrafe (Paul. sent. 5,23; Coll. 1,2,3, vgl. auch Dig. 48,19,28,15). Die spätant. Gesetzgebung zeugt vom nie beendeten Kampf gegen *l.*: Verbot, Pferde zu haben (Cod. Theod. 9,30,2), Zulässigkeit sogar von Selbstjustiz (Cod. Theod. 9,14,2 = Cod. Iust. 3,27,1,1 und 2), Verfahrensbeschleunigung (Cod. Theod. 2,8,21 = Cod. Iust. 3,2,8), scharfe Ahndung jeglicher Begünstigung (Cod. Iust. 9,39,1; schon Dig. 47,16), unbedingte Auslieferungspflicht von gefaßten Räubern für Grundeigentümer und Verwalter, notfalls Zuhilfenahme des Militärs (Cod. Iust. 9,39,2).
→ Räuberbanden

G. HUMBERT, CH. LECRIVAIN, s. v. L., DS 3.2, 991 f. ·
MOMMSEN, Strafrecht, 629 f.   E. A. K.

Latrunculorum ludus. Das Spiel, bei dem es darauf ankam, dem Gegner alle Steine durch geschicktes Setzen der eigenen zu schlagen, hat seinen Namen von lat. *latro* (»Söldner«, später auch »Bandit«); der Sieger erhielt den Titel *Imperator* (vgl. dazu SHA Proculus 13,2). Der Spielverlauf ist nicht völlig geklärt, doch aus den lit. Quellen (Varro ling. 10,22; Ov. ars 3,357f., vgl. 2,207; Sen. de tranquillitate animi 14,7; Laus Pisonis 190–208) ergibt sich ein ungefähres Bild: *L. l.* wurde von zwei Partnern an einem schachbrettähnlichem Spielbrett ge-

spielt, das normalerweise 8 × 8, aber auch 9 × 9 oder 11 × 14 Spielfelder aufwies. Auf den Linien des Feldes setzten die Spieler ihre (wohl) 20 Steine (*latrones*: Mart. 7,72,8; *latrunculi* oder *milites*: Mart. 14,18; Laus Pisonis 193; Ov. trist. 2,477), und zwar versuchte man, einen gegnerischen Stein zwischen zwei eigenen einzuschließen, der dann als geschlagen galt; dabei konnte man sowohl vor- wie rückwärts, aber auch seitlich, jedoch nicht diagonal setzen. Hierbei sind verschiedene Spielvarianten möglich.
→ Brettspiele; Duodecim scripta; Spiel; Tabula

R. MERKELBACH, Ephesische Parerga 12. Eine tabula lusoria für den »ludus latrunculorum«, in: ZPE 28, 1978, 48–50 · J. RICHMOND, The ludus latrunculorum and Laus Pisonis 190–208, in: MH 51, 1994, 164–179 · J. VÄTERLEIN, Roma ludens. Kinder und Erwachsene beim Spiel im ant. Rom, 1976, 57–59, 67–68.   R. H.

Lattabos (Λάτταβος). Aitoler, der gemeinsam mit Nikostratos (und → Dorimachos) im J. 220 v. Chr. die Boioter beim Bundesfest überfiel (Pol. 9,34,11; vgl. 4,3,5), wohl ident. mit dem inschr. bezeugten Naupaktier (?) L., Sohn des Strombichos und Bruder eines Nikostratos; nicht ident. mit dem *stratēgós* Lattamos, Sohn des Bukatieus (s. Syll.³ 539,1).   L.-M. G.

Lattich s. Lactuca

Lauch I. MESOPOTAMIEN, ÄGYPTEN, KLEINASIEN
II. GRIECHENLAND UND ROM

I. MESOPOTAMIEN, ÄGYPTEN, KLEINASIEN
Die zahlreichen, botan. nicht in jedem Fall eindeutig identifizierbaren sumer. und akkad. Ausdrücke für Alliaceae beziehen sich z. T. lediglich auf Subspecies von L., Schalotte, Zwiebel (Z.) oder Knoblauch (K.) [1. 301]. L. ist in seinen versch. Formen – sumer. **karaš*, akkad. *kar(a)šu*, hebr. *kārēš*, aram. *karrāttā*, arab. *kurrātu* – ein oriental. Kulturwort. K. heißt sumer. SUM, akkad. *šūmū*, sonst in semit. Sprachen *ṭūm*, die Zwiebel akkad. *šamaškillū*, aram. *šmšgl* (so auch als Logogramm in Pahlevi); die äg. Bezeichnungen *ḥḏw* (Z.) und *tʾn ḥḏw* (K.), kopt. *šegen* haben andere semantische Ursprünge.

Alliaceae waren wichtige → Gewürz- und → Gemüse-Pflanzen im gesamten Vorderen Orient, die (in Mesopot.) sowohl in Gärten (→ Hortikultur) als auch auf Feldern in großen Mengen ([5. 74¹¹¹]: mehrere 100000 Bündel als Ernteziffern genannt) angebaut und roh oder gegart verzehrt wurden. Z.-Gewächse sind für die königliche Tafel belegt (Mesopot. im 9. Jh. v. Chr.; Kyros I. [5. 62]). Anderseits nennen sowohl mesopot. [5. 68] als auch äg. Texte [3. 661 f.] Z. und K. im Zusammenhang mit Speise-Tabus. In Mesopot. sind Schalotten und K. Teil von Totenopfern [1. 300]; in den Bandagen äg. Mumien, in ihren Achsel- und Augenhöhlen fanden sich Z., hölzerne Z.-Modelle in Gräbern. Medizinischen Zwecken dienten L., Z. und K. in Mesopot. (u. a. gegen Augen- und Ohrenleiden) und Ägypten.

1 Chicago Assyrian Dictionary Š/1, 1989, s. v. *šamaškillu*, 298–301 **2** Chicago Assyrian Dictionary Š/3, 1992, s. v. *šūmū*, 298–300 **3** W. J. DARBY u. a. (Hrsg.), Food: The Gift of Osiris, 1977, 656–663 **4** H. A. HOFFNER, Alimenta Hethaeorum, 1974, 108–110 **5** M. STOL, Garlic, Onion, Leek, in: Bull. of Sumerian Agriculture 3, 1987, 57–80 (mit Lit.).   J. RE.

II. GRIECHENLAND UND ROM

In der klass. Ant. wurden die drei aus Zentralasien stammenden Arten Knoblauch (σκόροδον/*skórodon*, lat. *al(l)ium*, Allium sativum L.), Porree (πράσον/*práson*, lat. *porrum*, A. porrum L.) und Zwiebel (κρόμμυον/*krómmyon*, lat. *cepa, cepulla*, A. cepa L.) der Gattung L. aus der Familie der Liliaceen unterschieden. Die Zwiebeln waren den Griechen mindestens seit Homer (Il. 11,630 und Od. 19,233) als beliebte, nur vegetativ durch Brutzwiebeln vermehrte Küchenkräuter bekannt. Zwiebeln aus Megara (*bulbi Megarici*) galten als gutes Aphrodisiakum (Plin. nat. 20,105; Ov. ars 2,422 u. ö.). Über ihre antibakteriellen Eigenschaften [1. 85f.], die Sorten und ihren Anbau erfährt man viel aus der botanischen (Theophr. h. plant.7,1 ff.) und landwirtschaftlichen Lit. (*alium*: Cato agr. 48,3 und 70,1; Pall. agric. 2,14,5 u. ö.; *porrum*: Colum. 11,3,17f.; alle Arten: Plin. nat. 19,100–116). Zusätzlich begegnet der Schnittlauch (A. schoenoprasum L.) bei Cato (agr. 70,1; 71), Columella (6,4,2; 11,3,15f.; 11,3,20–23), Palladius (agric. 2,14,5) u. ö. als *ulpicum* oder *alium Punicum* (ἀφροσκόρδον/*aphroskórdon*).

Im Gegensatz zu der Hochschätzung des Knoblauch in Ägypten (bes. in der Pyramidenzeit, vgl. Hdt. 2,125) wurde er im Hell. wegen seines intensiven Geruchs zu einer von der Oberschicht abgelehnten Nahrung für die unteren Volksschichten [1. 54], v. a. seit Varro (vgl. Men. fr. 69) in It. (Hor. epod. 3,3: *edit cicutis alium nocentius*). Dioskurides empfiehlt alle Arten (2,149–153 WELLMANN = 2,178–182 BERENDES), v. a. zur Reinigung von Leib und Wunden. Bei Columella (6,4,2 und 6,6,5) dienen z. B. Beimengungen von L. zum Futter der Gesunderhaltung der Rinder. Offene Wunden, z. B. auf deren Zunge (Colum. 6,8,1), werden mit aufgestrichener Lösung aus Salz und Knoblauch desinfiziert. → Gewürze

1 G. E. THÜRY, J. WALTHER, Condimenta, 1997.

R. STADLER, s. v. L., RE 12,986–991.   C. HÜ.

Laudatio

[1] Die in der lat. rhetorischen Systematik der → Epideixis zugewiesene Lobrede; → Panegyrik; → Laudatio funebris.

[2] Rechtsgeschichtlich: 1. Im Strafprozeß die mündliche oder schriftliche Aussage zu Charakter und Verdiensten des Angeklagten, ebenso in polit. Prozessen (Cic. Cael. 2,5; Cic. Balb. 18). Gegen die mißbräuchliche Praxis, sich *laudationes* »vorbeugend« zu beschaffen, schritt schon Augustus ein (Cass. Dio 56,25). Ein SC von 62 n. Chr. (Tac. ann. 15,20.21) verschärfte dieses Verbot.

2. Im Privatrecht ist *l. auctoris* die Benennung des Veräußerers als Gewährsmann zum Beistand im Eigentumstreit, wozu der *auctor* etwa bei einer → *mancipatio* verpflichtet war.

MOMMSEN, Strafrecht, 411, 441 f.   E. A. K.

Laudatio funebris
A. ALLGEMEINES B. ENTWICKLUNG C. FUNKTION

A. ALLGEMEINES

L. f. heißt nach röm. Sprachgebrauch die Lobrede auf Verstorbene, die im Zusammenhang der → Bestattung (*funus*) gehalten wurde (Quint. inst. 3,7,2; Gell. 13,20,17; meist nur *laudatio*: Cic. Mil. 33; Liv. 27,27,13; Tac. ann. 13,3,1; verdeutlichend *laudatio pro rostris*: Tac. ann. 3,76,2 u. ö.). Bei Begräbnissen der Oberschicht machte (vermutlich seit dem E. des 4. Jh. v. Chr.) der Leichenzug auf dem Forum halt, wo ein Sohn oder anderer naher Verwandter auf der → Rednerbühne (*pro rostris*: Sen. dial. 6,15,3; Tac. ann. 3,5,1 u. ö.) die Rede hielt, die neben dem Verstorbenen auch dessen → Vorfahren lobte (grundlegend Pol. 6,53,1–3; 54,1–2). Unerfahrene Redner sprachen nach fremdem Manuskript (z. B. Cic. de orat. 2,341; Cic. ad Q. fr. 3,6,5 WATT). Seit ca. 100 v. Chr. wurde diese feierliche Form der *l. f.* auf Frauen der Senatsaristokratie ausgedehnt (zuerst von Q. → Lutatius Catulus für seine Mutter Popilia: Cic. de orat. 2,44).

Bei Staatsbegräbnissen (→ *funus publicum*) für *privati* wurden die Redner vom Senat bestellt; die *l. f.* für Angehörige des Kaiserhauses hielten stets Mitglieder der kaiserlichen Familie, oft der Kaiser selbst, manchmal wurden sogar zwei Reden vorgetragen [1. 460f.]. Nach verbreiteter Auffassung [2. p. LXXIX; 3. 131] gab es neben der *laudatio pro rostris* eine schlichtere Form der *l. f.*, die am Scheiterhaufen oder am Grab gehalten wurde; wahrscheinlichstes Beispiel ist die *Laudatio Murdiae* (ILS 8394: frühe Kaiserzeit). Die privaten Reden wurden von den Familien aufbewahrt (Cic. Brut. 62); einige waren anscheinend publiziert (z. B. Laelius' Rede für P. → Cornelius [I 70] Scipio Aemilianus) oder standen Interessierten zur Verfügung (Rede für M. → Claudius [I 11] Marcellus: Liv. 27,27,13; Rede des Q. → Fabius [I 30] Maximus: Cic. Cato 12). Manchmal wurden die Reden von Historikern als Quelle benutzt (Liv. 27,27,13). Inschr. Aufzeichnung (→ *Laudatio Turiae*; ILS 8394; CIL 14,3579) war wohl die Ausnahme.

B. ENTWICKLUNG

Im Lauf der Zeit hat sich die *l. f.* stark verändert (anders [2. p. XXXV-XLIII]); drei Phasen der Entwicklung lassen sich unterscheiden. 1. In der ersten Phase (bis etwa zur Mitte des 2. Jh. v. Chr.) waren die Redner von der rhet. Theorie noch ganz unbeeinflußt, wie sich in Komposition und Sprache der *l. f.* zeigt. Die Komposition ist »additiv«, vor allem wird das Lob der Vorfahren einfach an das aktuelle Totenlob angehängt (Pol. 6,54,1). Die Sprache bedient sich noch nicht des normierten rhet.

Schmucks (→ *ornatus*), sondern der (in Gebeten und Zauberformeln) erprobten Mittel ital. gebundener Rede (Assonanzen; Wortwiederholung; Rhythmus). Konsolatorische Partien fehlen [4. 83–85], da sie der Absicht des Redners, den Zuhörern die Größe des Verlustes deutlich zu machen, widersprechen würden. 2. In der zweiten Phase (von der 2. H. des 2. Jh. v. Chr. bis zum 3. Jh. n. Chr.) ist die *l.f.* weiter von der Verbindung von Lob und Klage (ohne konsolatorische Elemente) bestimmt, gerät aber zunehmend unter den Einfluß rhet. Gestaltung. Neben der stilistischen »Modernisierung« (zuerst in der Rede des C. → Laelius von 129 v. Chr. erkennbar) bedeutet das bes. die Anpassung an die rhet. Regeln für die Komposition der Lobrede: durch Aufnahme neuer Gesichtspunkte (wie »Bildung«, »Lebensweise«: Cass. Dio 44,36,1), vor allem aber durch Integration der Lobtopoi in das quasi-biographische Schema des Enkomion. Die Vorfahren rücken an den Anfang der Rede (Tac. ann. 13,3,1), die Taten werden mit den Ämtern verbunden oder unter Leitbegriffe (*per species*; *per virtutes*) subsumiert. 3. Die *l.f.* der christl. Spätant., für uns durch zwei Reden des → Ambrosius (exc. Sat. 1; obit. Valent.: dazu bes. [5]) repräsentiert, hat anscheinend die Vorschriften der kaiserzeitlichen Hdb. für die griech. Leichenrede (→ *epitáphios* [2] *lógos*; *paramythētikós lógos*) rezipiert und – aus der christl. Glaubensgewißheit eines Fortlebens im Jenseits – dem Trost breiten Raum gegeben. Dabei werden Motive der ant. → Konsolationsliteratur mit biblisch-christl. Gedankengut verschmolzen. Traditionelle Lobthemen (Herkunft; Bildung; Ämter) werden aus weltanschaulichen Gründen (vgl. Hier. epist. 60,8; 108,3) vernachlässigt, die *virtutes* inhaltlich umgedeutet.

C. FUNKTION

Fundamentale Absicht der paganen *l.f.* ist es, durch das Lob des Toten und seiner Familie die Zuhörer in den Prozeß von Erinnerung und Klage einzubeziehen (Pol. 6,53,3; zur Reaktion der Zuhörer vgl. bes. Cass. Dio 75,5,1; Hier. epist. 60,1). Bei den Senatsfamilien verbindet sich damit das Bestreben, die polit. Bed. und den Führungsanspruch der *gens* zu betonen oder sogar durch Übertreibungen zu steigern (Cic. Brut. 62; Liv. 8,40,4–5). In Sonderfällen ist die *l.f.* apologetisch (Rede für Marcellus, 208 v. Chr.: [4. 108]) oder dient als Waffe im polit. Tageskampf (Rede für Caesar, 44 v. Chr.: [4. 151–153]). Der persönlichere Ton der → *Laudatio Turiae* hängt vielleicht damit zusammen, daß sie nicht *pro rostris* gehalten wurde. Die veränderten Machtverhältnisse der Kaiserzeit dürften das gentilizische Konkurrenzdenken zurückgedrängt haben; in der *l.f.* bei Staatsbegräbnissen für *privati*, die nicht von Verwandten gehalten wurde, spielte es sicher keine Rolle. Dagegen dienten die Reden auf verstorbene Kaiser der dynastischen Legitimation des Nachfolgers. Völlig verändert sind die Reden des Ambrosius, der (u. a. in pastoraler Absicht) zu zeigen sucht, daß der Verstorbene einen hohen Grad seelischer Vollkommenheit erreicht hat, und die Klage in Trost und Heilsgewißheit aufhebt.

Liste der bezeugten Leichenreden: [4. 137–149]; die aus Gell. 13,20 zusätzlich erschlossene *l.f.* des M. Cato Nepos auf seinen Vater bleibt hypothetisch.

1 F. VOLLMER, Laudationum funebrium Romanorum historia et reliquiarum editio, in: Jbb. für class. Philol. Suppl. 18, 1892, 445–528 2 M. DURRY, Éloge funèbre d'une matrone Romaine, 1950 3 H. I. FLOWER, Ancestral Masks and Aristocratic Power in Roman Culture, 1996, 128–158 4 W. KIERDORF, L.f., 1980 5 M. BIERMANN, Die Leichenreden des Ambrosius von Mailand, 1995. W. K.

Laudatio Murdiae s. Laudatio funebris

Laudatio Turiae nennt man (seit [1]) die umfangreichen Reste (CIL VI 1527; VI 37053; AE 1951, 2) einer stadtröm. Grabinschr. augusteischer Zeit (spätestens 9 v. Chr.: [2. 42]); sie gibt den Text der Grabrede für eine Frau der röm. Oberschicht wieder, die – wegen Ähnlichkeiten mit Val. Max. 6,7,2 – hypothetisch mit Turia, der Frau des Q. → Lucretius Vespillo (cos. 19 v. Chr.) identifiziert wurde. Der Lobredner, der mindestens die Grundlagen der Rhet. beherrscht [2. 124; 3], preist (konsequent in der Du-Anrede) die Vorzüge und Leistungen seiner Gattin: zunächst vor der Eheschließung, dann (ab I 27) während der Zeit der Ehe, letztere nach inhaltlichen Gesichtspunkten geordnet, bes. ausführlich die Wohltaten (*beneficia*) für den Ehemann (u. a. die Rettung vor der Proskription des J. 43 v. Chr., den Einsatz für seine Rückkehr und das Angebot einer Scheidung wegen Kinderlosigkeit). Am Schluß (ab II 51) stehen Klagen und das Versprechen, den letzten Willen der Toten zu achten. Der Text hat große Bed. für die Form der → *Laudatio funebris*, für Fragen des röm. Familien- und → Erbrechts und für die Lebensverhältnisse und Verhaltensnormen (vgl. [4]) der Übergangszeit zw. Republik und Kaiserzeit.

ED.: M. DURRY, Éloge funèbre d'une matrone Romaine, 1950 · E. WISTRAND, The so-called L. T., 1976 · D. FLACH, Die sog. L. T., 1991 (mit wichtiger Einl.). LIT.: 1 MOMMSEN, Schriften Bd. I, 1905, 393–428 2 W. KIERDORF, Laudatio Funebris, 1980, bes. 33–48 3 P. CUTOLO, Sugli aspetti letterari, poetici e culturali della cosiddetta L. T., in: Annali della Facultà di Lettere e Filosofia dell' Università di Napoli 26, 1983/4, 33–65 4 B. v. HESBERG-TONN, Coniunx carissima, 1983, 218–237. W. K.

Lauf- und Fangspiele. Für L.- und F. boten sich Plätze und Straßen an (z. B. Kall. epigr. 1,9; Verg. Aen. 7,379), auf denen Kinder das Nachlaufen (Hor. ars 455f.; vgl. Hor. ars 412–415 evtl. Wettlaufen) oder das überaus beliebte Reifenschlagen spielen konnten (τροχός, *trochus*), das vor allem auf griech. Vasenbildern (auch bei Ganymedes [1]) abgebildet ist (Poll. 10,64). Nach Ausweis der röm. Quellen gehörte es geradezu zum Straßenbild (Mart. 14,168; 14,169; vgl. ebd. 12,168; 14,157); auch auf zugefrorenen Flüssen (Mart. 7,80,8) spielte man es. Bei einer röm. Version benutzten die Kinder anstelle des Reifens ein scheibenförmiges

Rad, in dessen Mitte beidseitig eine Nabe vorstand; mittels eines Stabes, den sie an dieser Nabe ansetzten, brachten sie das Rad in Schwung. Dieses Spiel wurde dann als Wettrennen auf eine Zielmarke (*meta*) betrieben [1]. Zu den L. mag auch das »Steckenpferdreiten« (Hor. sat. 2,3,248) gehören, das die Kinder bei Griechen wie Römern, aber auch Erwachsene mit großer Freude spielten (Val. Max. 8,8 ext. 1 zu Sokrates, dazu Plut. Agesilaos 610; Suet. Aug. 83).

Zu den F. zählte das χυτρίνδα/*chytrínda* (oder χύτρα/*chýtra*, »Topf«) genannte Spiel: ein Spieler sitzt in der Mitte, während die anderen ihn umkreisen und necken, bis er einen von ihnen greifen kann, der dann an seine Stelle tritt, oder – als Variante – ein Spieler läuft im Kreise, wobei seine Hand auf dem Rand eines Topfes entlanggleitet, die anderen stehen um ihn herum, und er versucht, im Laufen einen zu greifen (Poll. 9,110; 113; 129). Das entsprechende Spiel bei den Mädchen hieß χελιχελώνη/*chelichelṓnē*, wobei das sich in der Mitte befindende Mädchen χελώνη/*chelṓnē*, »Schildkröte« hieß (Poll. 9,125). Beliebt war auch das »Blindekuhspiel« (*chalkḗ myía*), bei dem ein Spieler mit verbundenen Augen einen der Mitspieler, die ihn necken, zu fangen versucht, und von diesem dann ersetzt wird (Poll. 9,123). Bekannt sind auch die dem Plumpsack ähnlichen σχοινοψηλίδα/*schoinopsēlída* (Poll. 9,115), bei denen der Spieler versucht, unbemerkt eine Schnur bei einem Mitspieler fallen zu lassen, und das Lauf-Versteckspiel ἀποδιδρασκίνδα/*apodidraskínda* (Poll. 9,117), das wohl auf einem Wandgemälde aus Herculaneum dargestellt ist (Neapel, NM Inv. 9178, [2]).

→ Kinderspiele; Kreisel; Ostrakinda

1 R. AMEDICK, Die Sarkophage mit Darstellungen aus dem Menschenleben 4. Vita Privata, 1991, 101–102 2 V. TRAN TAM TINH, La casa dei Cervi à Herculanum, 1988, Abb. 112.

L. DEUBNER, Die Ant. 6, 1930, 162–177 • S. LAMER, Sport und Spiel, ArchHom T, 1987, 109–111 • E. SCHMID, Spielzeug und Spiele der Kinder im klass. Alt. Mit Beispielen aus den Beständen des Deutschen Spielzeugmuseums Sonneberg (Südthüring. Forsch. 7) 1971 • J. VÄTERLEIN, Roma ludens. Kinder und Erwachsene beim Spiel im ant. Rom, 1976.   R. H.

Laufender Hund s. Ornament

Laufwettbewerbe (Dromos). Das Laufen erscheint in Sumer als Königsattribut [1]. Der ägypt. Pharao beweist seine läuferischen Fähigkeiten im Ritual des Jubiläumsfestes (äg. ḥb-sd) [2]. Als Wettbewerb ist es erstmals bei den Hethitern belegt, bei denen das Amt des königlichen Zaumhalters in einem Wettlauf vergeben wird [3]. Ein L. über eine Distanz von ca. 100 km nach längerem täglichen Training wird von Soldaten des ägypt. Königs Taharka 686/685 v. Chr. ausgetragen [4]. L. ist Bestandteil des Leichenagons für Patroklos (Hom. Il. 23,740–797), den der »schnellfüßige« (πόδας ὠκύς, *pódas ōkýs*) Achilleus ausrichtet.

Bei den panhellenischen Agonen waren die L. differenziert [5]; in Olympia in Stadionlauf (seit 1. Ol. = 776 v. Chr.), Doppel(stadion)lauf (→ *díaulos*, seit 14. Ol. = 724 v. Chr.), Langlauf (→ *dólichos*, wohl 20 Stadien, seit 15. Ol. = 720 v. Chr.). Der im Programm zuletzt durchgeführte Waffenlauf (*hoplítēs*, seit 65. Ol. = 520 v. Chr.; vgl. auch Pind. 1,1,23 ὁπλίταις δρόμοις) über zwei Stadien deutet das herannahende Ende des Festfriedens an. In Nemea gab es noch den *híppios* über vier Stadien (Paus. 6,16,4). Fackelläufe [6; 7] wurden in Form von Staffeln beispielsweise zw. den Phylen Athens ausgetragen. Klass. Austragungsort der L. war das → Stadion mit Startrillen [8] (Balbides, z. B. in Olympia, komplizierter in Delphi) oder Startanlage [9] (Hysplex; Isthmos, Korinth, Nemea, Priene). Gewendet wurde beim Diaulos um einzelne Wendepfosten [10], im Langlauf um zwei zentrale Wendesäulen (*kamptḗres*). Erfolgreichster Läufer der Ant. war Leonidas von Rhodos mit je drei Siegen im Stadion, Diaulos und Dolichos bei vier aufeinander folgenden Olympien [11. Nr. 618–620, 622–624, 626, 628, 633–635]. Ein vorzüglicher Läufer war auch Ladas von Argos, dessen Statue, ein Werk des → Myron, im Alt. hohes Ansehen genoß [11. Nr. 260; 12].

Am Fest der → Hera wurden in Olympia L. der Mädchen durchgeführt, deren Siegerinnen ihr Portrait am Heratempel ausstellen durften (Paus. 5,16,2–8). Die Heraien werden von einigen als älter als die Olympien angesehen [13]. – Der Marathonlauf ist keine ant. Disziplin.

1 R. ROLLINGER, Aspekte des Sports im Alten Sumer, in: Nikephoros 7, 1994, 7–64, bes. 46–53 2 W. DECKER, M. HERB, Bildatlas zum Sport im Alten Äg., 1994, I A 1–314, 1008 (Nachträge); II Taf. I-LIII 3 J. PUHVEL, Hittite Athletics as Prefigurations of Ancient Greek Games, in: W. RASCHKE (Hrsg.), The Archaeology of the Olympics, 1988, 26–31, bes. 27 4 W. DECKER, Die Lauf-Stele des Königs Taharka, in: Kölner Beitr. zur Sportwiss. 13, 1984, 7–37 5 Ders., Sport in der griech. Ant., 1995, 66–74 6 J. EBERT, Zu Fackelläufen und anderen Problemen in einer griech. agonistischen Inschr. aus Äg., in: Stadion 5, 1979, 1–19 7 PH. GAUTHIER, Du nouveau sur les courses aux flambeaux d'après deux inscriptions de Kos, in: REG 108, 1995, 576–585 8 A. MALLWITZ, Olympia, 1972, 180–186, bes. 184f. 9 D. G. ROMANO, Athletics and Mathematics in Archaic Corinth: The Origin of the Greek Stadion, 1993, bes. 81–92 10 R. PATRUCCO, Lo sport nella Grecia antica, 1972, 107 Abb. 25 11 L. MORETTI, Olympionikai, 1957 12 H.-V. HERRMANN, Die Siegerstatuen von Olympia, in: Nikephoros 1, 1988, 138f. Nr. 2 13 G. ARRIGONI, Donne e sport nel mondo greco, in: Dies. (Hrsg.), Le donne in Grecia, 1985, 55–201, bes. 95–100.

J. JÜTHNER, F. BREIN, Die athletischen Leibesübungen der Griechen II,1, 1968, 12–126 • R. PATRUCCO, Lo sport nella Grecia antica, 1972, 93–131.   W. D.

La(u)gona. Name der Lahn, erst im 6. Jh. n. Chr. bei Venantius Fortunatus c. 7,7,58 (hsl. auch *Logona*) bezeugt.

J. B. Keune, s. v. L., RE 12, 999 · L. Weisgerber, Erläuterung zur Karte der römerzeitlich bezeugten rheinischen Namen, in: Rheinische Vierteljahresblätter 23, 1958, 15.   R.A. WI.

Laura (λαύρα, »Gasse«). Urspr. christl. Mönchssiedlung von Eremiten unter Leitung eines gemeinsamen Oberen. Chariton (Χαρίτων) gründete um 330 n. Chr. bei Pharan, Douka und Souka in Palaestina die ersten *laúrai* mit Zellen (κελλία, *kellía*) und Höhlen, die durch eine Gasse miteinander verbunden waren. Im Zentrum der Anlage befanden sich Kirche, Bäckerei, Lagerräume sowie die Wohnung des Oberen. Die Eremiten kamen nur zum Gottesdienst mit Eucharistiefeier zusammen. Dieser Klostertyp wurde maßgeblich für das byz. Christentum, später Ehrentitel für wichtige Klöster.

→ Athos; Euthymios

Y. Hirschfeld, The Judean Desert Monasteries in the Byzantine Period, 1992.   K. SA.

Laureas (Λαυρέας). Epigrammdichter, wahrscheinlich mit Ciceros Freigelassenem M. Tullius L. gleichzusetzen, Verf. von fünf eleganten Distichen in lat. Sprache über eine kymäische Heilquelle (FPL 80). Die *Anthologia Palatina* schreibt ihm drei Gedichte zu: die Grabepigramme 7,17 (fiktiv auf Sappho) und 7,294 (auf einen Fischer, im Stil des → Leonidas), denen das Gentilnomen *Týllios* vorangestellt ist, und das päderastische Epigramm 12,24, dessen Echtheit jedoch zweifelhaft ist (vgl. Anth. Pal. 12,25–27 des Statilius → Flaccus [1], dessen Gentilnomen *Statýllios* Zuweisungsirrtümer verursacht haben kann). L. scheint nicht in alphabetischen Folgen (vgl. → Anthologie D.) vertreten zu sein, und bei dem Tullius des »Kranzes« des Philippos (Anth. Pal. 4,2,9) wird es sich wahrscheinlicher um → Geminos [2] handeln.

GA II 1, 434–437; 2, 461–463.   M. G. A./Ü: T. H.

Laureion, Laurion (Λαύρειον, Λαύριον).
A. Allgemeines B. Lage, Geologie, Historische Topographie C. Geschichte
D. Technik, Organisation, Infrastruktur

A. Allgemeines

L. bezeichnet ebenso das att. Bergbaurevier in SO-Attika insgesamt wie einen dortigen Grubendistrikt. Da L. etym. mit λαύρα/*laúra* (Hom. Od. 22,128; 22,137) von myk. *ra-u-ra-ta* zu verbinden ist, verdankt das Gebiet offenbar schon früh dem Stollen seinen Namen.

Das L. bildet als bedeutendstes Bergbaurevier der griech. Ant. mit seinen Gruben, Erzwäschen, Hüttenplätzen, Siedlungen, Gräbern und Heiligtümern ein Kulturdenkmal von Weltrang. Nach schweren Verwüstungen durch die erneute Wiederaufwältigung der ant.

Das antike Erzbergbaugebiet Laureion, bes. 5./4. Jh. v. Chr.
(Besiedlung des Reviers seit dem Neolithikum; Abbau nachweislich seit dem 3. Jt. v. Chr.).

○ ⊙ ■ Siedlung (befestigt)/Festung THRASYMOS Distrikt (Ergasterion/Bergwerk)
Besa Demos
- - - Demengrenze (soweit gesichert) Legrena antiker Name
⌂ bedeutendes Heiligtum (intra muros) *Lavrion* moderner Name
              Höhenangaben: (in Metern)
⚓ Hafen
⚒ Hüttenplatz (Kaminos)   0 100 200 300 400 500

Schlacken ab 1864 und die Wiederaufnahme des Bergbaus zw. 1874 und 1970 wird das L. bes. seit 1980 durch Aufforstung, Sommerhausbau und industrielle Großprojekte zerstört. Mangels montanarch. und archäometallurgischer Unters. ist der Kenntnisstand zum L. trotz umfangreicher Lit. gering [1; 8; 12].

B. Lage, Geologie, Historische Topographie

Das L. erstreckt sich zwischen Sunion im Süden, dem Plakaberg bei Keratea im Norden, der Legrenafalte im Westen und Thorikos im Osten über rund 80 km². Die höchsten Erhebungen des stark gegliederten L. sind der Berg von Plaka (359 m) und der Megalo Rimbari (373 m) [17. 822ff.]. Die Lagerstättengenese (hydrothermal-metasomatisch oder vulkano-sedimentär?) ist umstritten. Die Vererzung, die in Marmoren vorwiegend im Kontakt zu Glimmerschiefer ausgebildet ist, besteht vornehmlich aus Zinkblende, Pyrit, Bleiglanz und – untergeordnet – Kupferkies [16. 657]. Der ant. Bergbau im L. ging auf Bleisilbererz. Vom Bergbau im L. waren sechs Demen (Amphitrope, Anaphlystos, Besa, Phrearrhioi, Sunion und Thorikos; → *dẽmos* [2]) betroffen. Ihre Grenzen sind streckenweise durch *hóros*-Felsinschr. (→ *hóroi*) gesichert [11. 54ff., 109 Abb. 12]. Die Befestigung von Thorikos und Sunion 413/2 bzw. 409/8 diente nicht primär dem Schutz des Reviers.

C. GESCHICHTE

Der Bergbau im L. reicht nach vereinzelten Befunden bis ins Endneolithikum oder die Frühe Brz. zurück [19]. Die Bed. der Lagerstätte für die frühe ägäische Metallurgie ist umstritten [12. 524; 16. 680ff., 689f.], für die myk. Zeit ungewiß [14]. Die Gewinnung von → Silber aus → Blei durch Kupellation ist in Thorikos für die Mittlere Brz. belegt [15. 23]. Man vermutet, daß der Bergbau unter Peisistratos intensiviert wurde [8. 99ff.]. Da arch. Befunde des 7./6. Jh. fehlen, ist allein die zeitlich umstrittene Emission der att. Wappen- und Eulenmünzen (→ Eulenprägung) Zeugnis für die Bed. des archa. Silberbergbaus. Die Erschließung des Grubenfeldes von Maroneia im Jahre 483, vielleicht durch Erreichen des sog. 3. Kontaktes (durch Neueinführung des Schachtabbaus), ermöglichte das Schiffsbauprogramm des → Themistokles (Hdt. 7,144; Aristot. Ath. pol. 22,7; Plut. Themistokles 4) und damit den Seesieg von Salamis 480 v. Chr. (→ Perserkrieg). Die Flucht von 20000 Sklaven 413 v. Chr. (Thuk. 7,27,5) sowie die Heranziehung aller Sklaven zum Flottendienst 406 v. Chr. (Xen. hell. 1,6,24) markierten eine tiefe Zäsur in der Geschichte des L. Doch stellte das oft als Phase des Niedergangs beschriebene 4. Jh. v. Chr. nach den arch. Befunden den Höhepunkt des att. Silberbergbaus dar; erst Ende des 4. Jh. v. Chr. trat eine Erschöpfung der abbauwürdigen Erze ein (Strab. 9,1,23; [12. 525f.]). Die Emission der Tetradrachmen des Neuen Stils in der 1. H. des 2. Jh. v. Chr. beruhte auf der von Strabon bezeugten Wiederaufwältigung älterer Schlacken, nicht auf einer Wiederaufnahme des Bergbaus [11. 244ff.; 12. 525], zu der es in geringem Umfang erst in frühbyz. Zeit kam [11. 260 mit Anm. 1810].

D. TECHNIK, ORGANISATION, INFRASTRUKTUR

Wie die gesetzlichen Regelungen war auch die Bergbautechnik in klass. Zeit hoch entwickelt. Rechteckige Fahr-/Förderschächte (entgegen gängigen Angaben unter 1000) bis zu 150 m Teufe erschlossen die flözartigen Kontaktzonen von → Marmor und Gneis. Die Bewetterung der Gruben durch Ventilationsschächte war vorzüglich, das Deckgebirge machte Grubenzimmerung überflüssig. Eine Besonderheit des L. ist die Naßaufbereitung des Erzes, deren Herkunft unbekannt ist. Sie erfolgte in großen, mit Sklaven betriebenen Baukomplexen (ergastéria, → ergastérion). Weitaus seltener sind Hüttenplätze (Bertseko, Puntazeza, Megala Pevka), in denen man das Silber mittels Kupellation extrahierte.

In klass. Zeit besaß die Polis Athenai das Bergregal für das L. und verpachtete durch die Behörde der → pōlētaí Grubenkonzessionen an Bürger, die den Bergbau mit insgesamt Tausenden von (Leih-)Sklaven betrieben (Xen. Poroi 14f.). Der von Xenophon zu diesem Zweck empfohlene Kauf von Sklaven wurde offenbar nie realisiert (Xen. Poroi 4,13ff.). Die auf der Athener Agora aufgestellten Pachturkunden bilden die wichtigste Quelle zur Organisation und Prosopographie des Bergbaus sowie zur histor. Topographie des L. Ein dichtes, gut ausgebautes Netz von Haupt- und Nebenstraßen [11. 235f.; 12. 528], ein Nebeneinander von Bergbau und Landwirtschaft sowie eine Siedlungsweise in (Turm-)Gehöften (z. T. mit Dreschplätzen und Gräbern) kennzeichnen das L. Doch prägten bes. Abraum- und Schlackenhalden sowie die zahlreichen Ergasterien mit ihren großen Zisternen die entwaldete Landschaft.
→ Bergbau

1 K. CONOPHAGOS, Le Laurium antique, 1980 2 M. CROSBY, Greek Inscriptions, in: Hesperia 10, 1941, 15–27 3 Dies., More Fragments of Mining Leases from the Athenian Agora, in: Hesperia 26, 1957, 1–23 4 Dies., The Leases of the Laurion Mines, in: Hesperia 19, 1950, 189–292 5 P. N. DOUKELLIS, L. G. MENDONI (Hrsg.), Structures Rurales et Sociétés Antiques, 1994 6 R. J. HOPPER, The Laurion Mines: A Reconsideration, in: ABSA 63, 1968, 293–326 7 Ders., Trade and Industry in Classical Greece, 1979, 164–189 8 H. KALCYK, Unters. zum att. Silberbergbau, 1982 9 M. LANGDON, Poletai Records, in: Agora 19, 1991 10 LAUFFER, BL 11 H. LOHMANN, Atene, 1993 12 Ders., Die Chora Athens im 4. Jh. v. Chr., in: EDER, Demokratie, 515–548 13 H. F. MUSSCHE, Holzwege im Laurion, in: Ders. (Hrsg.), Studies in South Attica 2, 1994, 76–96 14 Ders., J. BINGEN, J. DE GEYTER, Thorikos 1964. Rapport préliminaire sur la deuxième campagne de fouilles, 1967 15 H. F. MUSSCHE, J. BINGEN, J. SERVAIS, Thorikos 1965. Rapport préliminaire sur la troisième campagne de fouilles, 1967 16 E. PERNICKA, Erzlagerstätten in der Ägäis und ihre Ausbeutung im Altertum, in: JRGZ 34, 1987, 607–714 17 PHILIPPSON/KIRSTEN, Bd. 1 18 E. PHOTOS-JONES, J. E. JONES, The Building and Industrial Remains at Agrileza, Laurion (Fourth Century B. C.) and Their Contribution to the Workings at the Site, in: ABSA 89, 1994, 307–358 19 P. SPITAELS, The Early Helladic Period in Mine No. 3, in: Thorikos 8, 1984, 151–174 20 J. YOUNG, Studies in South Attica, Country Estates at Sounion, in: Hesperia 25, 1956, 122–146.   H. LO.

KARTEN-LIT.: R. J. FORBES, Bergbau, Steinbruchtätigkeit und Hüttenwesen, in: ArchHom II, Kap. K, 1967, mit Abb. 6 · J. F. HEALY, Mining and Metallurgy in the Greek and Roman World, 1978 · R. J. HOPPER, Handel und Industrie im klass. Griechenland, 1982, bes. 194–223 und Anm. 259–263 · H. KALCYK, Der Silberbergbau von L. in Attika, Antike Welt 1983, 12–29 · K. E. KONOPHAGOS, Le Laurium antique et la technique grecque de la production de l'argent, 1980 · S. LAUFFER, Der ant. Bergbau von Laureion in Attika, in: Journ. für Gesch. 2, 1980 · H. LOHMANN, Atene, 1993 · TRAVLOS, Attika, 203–209, bes. 206.

Lauriacum. Siedlung und Legionslager in Noricum, h. Enns-Lorch/Oberösterreich. Das Mündungsgebiet der Enns in die Donau war von allen wichtigen norischen Verkehrslinien berührt. Über die Ennslinie wurde norisches Eisen, entlang der Traun Salz verhandelt, das Aist-Tal führte ins böhmische Moldaugebiet. Ein aus dem angeblich kelt. Namen (kaum zu Recht) postuliertes *oppidum* ist nicht nachgewiesen. Die Annahme eines Auxiliarlagers seit Mitte 1. Jh. n. Chr. ist weitgehend aufgegeben. Im Zuge der Markomannenkriege wurde die um 165 n. Chr. aufgestellte *legio II Italica* zunächst in Albing östl. der Enns stationiert, aber schon bald unter

Commodus oder Septimius verm. wegen Hochwassergefahr auf die dem Ennser Stadtberg im Norden vorgelagerte Terrasse verlegt. Das rhombische Lager von ca. 20,8 ha ist weitgehend ergraben. Die sich nach Westen anschließende, florierende Zivilsiedlung (*forum venale*, Versammlungshaus, Bad, *horrea*, Handwerksbetriebe, Tempel, u. a. Dolichenum) mit bed. Gräberfeldern (Flur Steinpaß, Espelmayr- und Ziegelfeld [1]) ist teilweise erforscht. Von → Caracalla wurde sie wohl mit dem Stadtrecht beschenkt [2]. Vom 3. Jh. bis zu den Hunnenstürmen des 5. Jh. wurden L. und sein Lager aufgrund der exponierten Lage mehrfach zerstört, aber stets wieder aufgebaut; auch Kaiser kamen zu Besuch (so Constantius II. am 24.6.341: Cod. Theod. 8,2,1; vgl. 12,1,31; Gratian: Amm. 31,10,20).

In der Spätant. lagen hier außer einer Legionspräfektur (Not. dign. occ. 34,39) noch *Lauriacensis scutaria* (ebd. 9,21) und eine Flottenpräfektur (ebd. 34,43; die *lanciarii Lauriacenses* befanden sich im Feldheer: ebd. 5,259 = 5,109; 7,58). *Milites auxiliares Lauriacenses* (›Auxiliarsoldaten aus L.‹) errichteten im J. 370 im Zuge der Reorganisationen des Valentinianus I. einen Wachtturm in Ad Iuvense (CIL III 5670a). Das Christentum verzeichnete für 304 in L. das Martyrium des hl. Florian (Passio S. Floriani 2f.; 11) [3]. Nachgewiesen sind frühchristl. Basiliken im *valetudinarium* (»Lazarett«) des Legionslagers und an der Stelle der Laurentiuskirche mit nie erloschener Kultkontinuität. Im 5. Jh. war das verm. verkleinerte Lager auch Wohnort der Zivilbevölkerung. L. wurde Bischofssitz und nach der Räumung des oberen Donaugebietes Zufluchtsort der Flüchtlinge, doch mußte Severinus mit den Romani nach Favianae zurückweichen (Eugippius, Vita Severini 18; 27f.; 30f.). Die Besiedlung der Lokalität brach freilich auch mit der teilweisen Räumung von Noricum Ripense 488 nicht ab [4. 78f.].

1 G. WLACH, Die Gräberfelder von L., in: Mitt. des Mus.-Vereins L. 28, 1990, 7–20 **2** H. VETTERS, Das Stadtrecht von L., in: Jb. des oberösterreichischen Musealvereines 136, 1991, 53–57 **3** E. BOSHOF, H. WOLFF (Hrsg.), Das Christentum im bairischen Raum, 1994, 14f., 133–136, 171–191 **4** H. UBL, Die arch. Erforschung der Severinsorte, in: Land Oberösterreich (Hrsg.), Severin. Zw. Römerzeit und Völkerwanderung, 1982, 71–97.

TIR M 33, 50f. · H. VETTERS, L., in: ANRW II 6.1, 1977, 355–379 · G. WINKLER, Lorch zur Römerzeit, in: Land Oberösterreich (Hrsg.), Severin. Zw. Römerzeit und Völkerwanderung, 1982, 135–146 · K. GENSER, Der österreichische Donaulimes in der Römerzeit, 1986, 126–179.   K. DI.

Laur(i)um. Station im Batavergebiet (Tab. Peut. 2,3) an einer von zwei Straßen zw. Ulpia Noviomagus und Lugdunum Batavorum (h. Katwijk), h. Woerden. Röm. Funde von etwa 50 bis ins 3. Jh. n. Chr., ein Kastell erst ab flavischer Zeit (69–96 n. Chr.). Besatzung zunächst die *cohors XV voluntariorum*, nach Mitte 2. Jh. n. Chr. die *cohors III Breucorum*.

H. SCHÖNBERGER, Die röm. Truppenlager der frühen und mittleren Kaiserzeit zw. Nordsee und Inn, in: BRGK 66, 1985, 439 B 6 · J. K. HAALEBOS, Ausgrabungen in Woerden (1975–1982), in: Stud. zu den Militärgrenzen Roms 3. 13. Limeskongreß Aalen 1983, 1986, 169–174 · J. E. BOGAERS, Sol Elagabalus und die Cohors III Breucorum in Woerden, in: Oudheidkundige Mededelingen 74, 1994, 153–161.   R. A. WI.

Lauro

[1] Iberische [1] Stadt zw. Saguntum und Valentia auf dem Hügel La Pedrera [2; 3]; die römerzeitliche Siedlung liegt etwas westl. davon an der Stelle des h. Puig. L. wurde in den Kämpfen zw. Pompeius und Sertorius zerstört (Plut. Sertorius 18, Plut. Pompeius 18; App. civ. 1,109; Frontin. strat. 2,5,31; Oros. 5,23,6f.). Von Plin. nat. 14,71 wegen ihres trefflichen Weins erwähnt. Mz. [4], Inschr. CIL II 3875, XV 4577f.
→ Wein, Weinbau

1 HOLDER 2, 163 **2** C. KONRAD, Plutarch's Sertorius. A historical Commentary, 1994, 156ff. **3** A. SCHULTEN, Sertorius, 1926, 92f., 101ff. **4** A. HÜBNER, Monumenta linguae Ibericae, 1893, 42.

A. SCHULTEN (Hrsg.), Fontes Hispaniae Antiquae, Bd. 4, 1937, 193ff., 197 · H. GROSSE (Hrsg.), Fontes Hispaniae Antiquae, Bd. 8, 1959, 184, 244, 292, 300 · TOVAR 2, 132f.; 3, 462.   P.B.

[2] Iber. Stadt unbekannter Lage. Hier fand Cn. Pompeius 45 v. Chr. den Tod (Flor. epit. 2,10; 13). Wohl nicht identisch mit *Olaura* (h. Lora de Estepa, Prov. Sevilla: CIL II 1446–1448) [1; 2].

1 A. SCHULTEN, Fontes Hispaniae Antiquae 5, 1940, 151 **2** Ders., s. v. L. (3), RE 12, 1028.

TOVAR 2, 126, 132.   P.B.

Laurus s. Lorbeer

Laus

[1] Insekt; φθείρ/*phtheír*, lat. *pediculus*, spätlat. auch *tinea* (Isid. orig. 12, 5,11: *vestimentorum vermis*). Von den angeblich 53 Arten [1] sind nur drei Parasiten des Menschen von Bed. 1. Die Filz-L., Phirus pubis (L.), (φθείρ ἄγριος/*phtheir ágrios*: Aristot. hist. an. 5,31,557a 4–10; vgl. Hdt. 2,37 über die Rasur der Körperhaare bei den ägypt. Priestern), welche für die φθειρίασις βλεφάρων/ *phtheiríasis blephárōn* (den Läusebefall der Augenlider) verantwortlich sein soll (Cels. 6,6,15). 2. Die gerne auf Schafswolle (Aristot. hist. an. 7(8),10,596b 8f., vgl. Plin. nat. 11,115) sitzende Kleider-L., Pediculus humanus L., ist mit dem Homer gestellten Rätsel der läuseknackenden Jungen (Herakl. B 56 DK) gemeint. 3. Die Kopf-L., P. capitis De Geer, welche offenbar bei den Römern so verbreitet war, daß Plin. nat. 20,53 und 239; 23,18 und 94 sowie 154; 24,18 und 72 sowie 79 verschiedene Mittel gegen sie und ihre Eier empfiehlt. Zahlreiche Personen wie etwa Alkman und Sulla sollen an den von der Kleider- und Kopf-L. übertragenen Krankheiten gestorben sein [1. 1032f.].

1 H. GOSSEN, s. v. L., RE 12, 1030ff.   C. HÜ.

[2] (Λᾶος). die Kolonie, lokalisiert auf dem Hügel von S. Bartolo di Marcellina, längs des Flusses Lao in der Bucht von Scalea, wurde von Überlebenden aus → Sybaris nach der Zerstörung der Stadt 510 v.Chr. gegr. In der Nähe befand sich das Heroon des Drakon, eines Gefährten des Odysseus (Strab. 6,1,1). E. 5. Jh.v.Chr. wurde L. von den → Lucani erobert. Hier fand die blutige Schlacht zw. dem Italiotenbund und den Lucani im J. 389 v.Chr. statt. Eine von einer Mauer umschlossene Stadtanlage mit Überresten von Gebäuden und Gräbern stammt aus dem 4.Jh.v.Chr. Keine Spuren der archa. Periode.

P.G. GUZZO, E. GRECO, Santa Maria del Cedro . . ., in: NSA ser. VIII,32, 1978, 429–459 · E.GRECO u.a., Laos 1. Scavi a Marcellina 1973–1985, 1989 · E.GRECO, P.G. GUZZO, Laos 2. La tomba a camera di Marcellina, 1992 · E.GRECO, Archeologia della Magna Grecia, 1992, 91–93, 249, 257–258.   A.MU./Ü: J.W.M.

[3] s. Ilipula [1] Magna

Laus Pisonis. Panegyricus (→ Panegyrik) eines unbekannten Verf. wohl um 39/40 n.Chr. [3] auf C. → Calpurnius [II 13] Piso (Caesoninus), der dann im J. 65 Gallionsfigur der Verschwörung gegen Kaiser → Nero wurde. Eine Zuschreibung an → Calpurnius [III 3] Siculus (zuletzt [2. 71–76]) oder Lucanus (zuletzt [1. 139ff.]) käme demnach nicht in Betracht. Der Verf. bringt in 261 sorgfältig gebauten Hexametern ansprechend seine Absicht zum Ausdruck, in den Kreis des Adressaten aufgenommen zu werden. Wie die Parallelen mit späterer Dichtung zeigen, war das Gedicht zumal in der Neronischen Zeit noch zitierfähig. Die Überl. beruht auf einer der Editio princeps (1527) bekannten vollständigen Hs. und Zit. in ma. → Florilegien.

ED.: **1** A.SEEL, 1969 (Text, Übers., Komm.) **2** J.AMAT (ed.), Calpurnius Siculus, 1991, 69–97, 123–130.
LIT.: **3** E.CHAMPLIN, The Life and Times of Calpurnius Piso, in: MH 46, 1989, 101–124 **4** H.LEPPIN, Die L.P. als Zeugnis senatorischer Mentalität, in: Klio 74, 1992, 221–236.   P.L.S.

Laus Pompeia. Transpadanische Stadt südöstl. von Mediolanum (Mailand) zw. den Flüssen Lambrus und Addua, h. Lodi Vecchio [1]. Wohl gall. Ursprungs (*Boii*, Plin. nat. 3,124), ben. nach Cn. Pompeius Strabo (*cos.* 89 v.Chr.). *Municipium, tribus Pupinia* (Ascon. in Cic. Pis. 1). Wenige arch. Reste; Luftbildaufnahmen verdeutlichen die ant. urbane Struktur und Lage als wichtiger Straßenknotenpunkt. In der Nähe wohl Hercules-Kultstätte. Ambrosius setzte in L.P. Bassianus als ersten Bischof ein.

1 M.HARARI, P.TOZZI, s.v. Lodi Vecchio, EAA, 2. Suppl., 411f.

A.BASSI et al., Lodi 1, 1990.   A.SA./Ü: H.D.

Lausus. Sohn des Etruskerkönigs → Mezentius, an dessen Seite er in den Kampf gegen die Troianer zieht (Verg. Aen. 7,649–654); er wird – als Gegenbild zu seinem Vater – sehr positiv dargestellt. Er ist ein wunderschöner, starker Jüngling, der sein Leben aufs Spiel setzt, um seinen Vater im Kampf gegen Aeneas (→ Aineias [1]) zu retten, und es dabei verliert. Sein frühzeitiger Tod ruft bei den Angehörigen wie bei Aeneas große Trauer hervor (Verg. Aen. 10,789–856). In der Trad. der Annalen starb L. im Kampf gegen die Troianer und Latiner (Dion. Hal. ant. 1,65,3–5).

A.LA PENNA, s.v. L., EV 3, 147.   HE.KA.

Lautgesetz s. Lautlehre

Lautlehre A. PHONETIK UND PHONOLOGIE B. LAUT- BZW. PHONEMWANDEL

A. PHONETIK UND PHONOLOGIE

Unter L. werden hier Phonetik (L. im herkömmlichen S.) und Phonologie (Phonemik, Phonematik) zusammengefaßt. Gegenstand der Phonetik sind v.a. die von den Sprechorganen erzeugten Schälle (akustische Ph.) und ihre Erzeugung selbst (artikulatorische Ph.), somit bes. die Laute (Notation [ ]) als kleinste akustisch-artikulatorische Elemente des Sprechakts (*parole*), aber auch die prosodischen Elemente. Dagegen ist Gegenstand der Phonologie die Funktion der Laute und prosodischen Elemente im sprachlichen System (*langue*). Das Phonem (Notation / /), der zentrale Begriff der Phonologie, kann als kleinste bedeutungsdifferenzierende Einheit des sprachlichen Systems, die durch distinktive Oppositionen ermittelbar ist, definiert werden. Es kann Varianten (Allophone) aufweisen, sei es stellungsbedingte, d.h. an eine bestimmte lautliche Umgebung gebundene, sei es freie. Buchstaben (→ Alphabet) sind graphische Zeichen zur Wiedergabe von Lauten oder Lautgruppen. Zur Wiedergabe von Phonemen oder Phonemgruppen fungieren sie als Grapheme (Notation < >), die ihrerseits Varianten (Allographe) haben können. Zur Zuordnung von Lauten bzw. Phonemen zu Buchstaben bzw. Graphemen → Aussprache.

Die Laute unterscheiden sich voneinander durch ihre Klangfarbe (Qualität). Herkömmlicherweise werden sie in Vok. und Kons. eingeteilt. Bei der Bildung der Vok. schwingen die Stimmlippen, und die Atemluft strömt ungehindert durch den Mund oder durch Mund und Nase aus, bei der Bildung der Kons. wird die ausströmende Atemluft für eine bestimmte Zeit im Ansatzrohr gehemmt oder eingeengt. In der Regel sind Vok. Silbenträger oder Träger prosodischer Elemente, Kons. aber nicht. Vok. werden nach der Horizontal- und Vertikallage der Zunge sowie nach der Lippenstellung klassifiziert, Kons. nach der Artikulationsart (Verschluß-, Engenbildung usw.), der Artikulationsstelle (Lippen, Zähne usw.) sowie nach der Beteiligung bzw. Nichtbeteiligung der Stimmlippen. Auch sekundäre Artikulationen (Aspiration, Labialisierung u. ä.) können hinzutreten; → Gutturale, → Labiovelar, → Laryngal.

Die Silbe kann, so kontrovers ihre Definition ist, als kleinste den Sprechakt rhythmisch gestaltende Laut- bzw. Phonemgruppe aufgefaßt werden. Der Grad der Schallfülle spielt hierbei eine wichtige Rolle. Der am meisten hervortretende Teil der Silbe heißt Silbengipfel. Silbengipfel sind im allg. die Vok. Ist dies nicht der Fall (etwa in Diphthongen), heißen sie unsilbische Vokale oder Halbvokale. Treten Kons. als Silbengipfel auf, nennt man sie silbisch oder sonantisch. Meist bezeichnet man eine auf einen Vok. endende Silbe als offen, eine auf einen (unsilbischen) Kons. endende Silbe als geschlossen.

Eine der gleichen Silbe angehörige Folge von zwei Vok. heißt Diphthong. Er wird als *ein* Phonem gewertet. Nach dem gegenseitigen Stärkeverhältnis der Vok. unterscheidet man fallende und steigende Diphthonge.

Außer den – durch ihre Klangfarbe bestimmten – Lauten gehören zu den Elementen des Sprechakts die die Artikulation der Laute überlagernden prosodischen Elemente: Dauer (Quantität), Druck- oder Intensitäts-Akz. (Akz. i.e.S.) und Tonhöhen-Akz. (Tonhöhe oder Intonation), wobei letztere beiden oft als → Akzent (i.w.S.) zusammengefaßt werden. Für die Quantität, bei der weniger die absolute als vielmehr die relative Dauer ausschlaggebend ist, genügt im allg. die Unterscheidung von Kürze und Länge. Häufig ist sie, zumal bei den Vok., phonologisch relevant.

B. LAUT- BZW. PHONEMWANDEL

Die Erfahrung lehrt, daß der Bereich der lautlichen und prosodischen Elemente – wie alle Bereiche der → Sprache – im Laufe der Zeit Veränderungen erleidet (→ Sprachwandel). Sie sind Gegenstand der diachronischen (histor.) Phonetik bzw. Phonologie. Ein Laut- bzw. Phonemwandel geht vom Sprechakt aus: Verändert sich im Laufe der Zeit die vom Sprecher oder von einem Teil der Sprechergemeinschaft angestrebte Realisierungsnorm eines Phonems in der Weise, daß die Toleranzgrenze überschritten wird, so wird die Realisierung als ein anderes Phonem empfunden. Strenggenommen handelt es sich dabei nicht um einen Wandel des betreffenden Lautes bzw. Phonems, sondern um einen Ersatz desselben. Ein solcher von der Sprechergemeinschaft einmal akzeptierter Phonemwandel erfaßt in der Regel alle Realisierungen eines Phonems und seiner Varianten: ein Phonem verändert sich unter den gleichen Bedingungen in allen Wörtern und Morphemen einer Sprache in gleicher Weise. Diese empirisch gewonnene Einsicht beinhaltet die durch die junggrammatische Schule eingebürgerte Bezeichnung »Lautgesetz«. Lautwandel bzw. Phonemwandel, der durch benachbarte Laute bzw. Phoneme oder prosodische Elemente bedingt ist, heißt bedingter oder kombinatorischer Lautwandel, im Gegensatz zum spontanen Lautwandel, bei dem ein solcher Einfluß fehlt.

Aus der Vielzahl von Laut- bzw. Phonemveränderungen seien hier exemplarisch einige derjenigen, für

die bes. Bezeichnungen üblich sind, kurz erläutert. Ebenso häufig wie verschiedenartig sind die Erscheinungen, die man als »Assimilation« bezeichnet: die Angleichung benachbarter Laute im Hinblick auf Artikulationsart, Artikulationsstelle oder Sonorität. Unterschieden werden a) nach der Wirkungsrichtung progressive (progr.) und regressive (regr.) Assimilation, je nachdem, ob der vorangehende auf den folgenden oder der folgende auf den vorangehenden Laut einwirkt, und b) nach dem Grade totale (tot.) und partielle (part.) Assimilation, d.h. völlige Gleichheit beider Laute oder Angleichung des einen an den anderen hinsichtlich nur *eines* Artikulationsmerkmals (progr./tot. griech. ἄρσην > att. ἄρρην, lat. *velse > velle; regr./tot. griech. *ποδσί > homer. ποσσί, lat. *adtuli > attuli; regr./part. griech. *λεγτός > λεκτός, lat. *regs > rex). Erfolgt die Assimilation zw. nicht unmittelbar benachbarten Lauten, nennt man sie »Distanzassimilation« (griech. altatt. ὀβελός > att. ὀβολός, δύναται > kret. νύναται; lat. vorklass. *memordi > klass. momordi, idg. *penkᵘe > vorlat. *quenque > lat. quinque) im Gegensatz zu der weit häufigeren zw. unmittelbar benachbarten Lauten sich einstellenden »Kontaktassimilation«.

Ein Gegenstück zur Distanzassimilation ist die nur sporadisch begegnende »Dissimilation«: einer von zwei völlig oder nur in bestimmten Artikulationsmerkmalen gleichen (nicht unmittelbar) benachbarten Lauten wird durch einen anderen dem unveränderten Laut weniger ähnlichen entweder ersetzt, oder er schwindet vollständig (dissimilatorischer Verlust): griech. *ἀλγαλέος > homer. ἀργαλέος, *ἔϝευπον > ἔϝειπον > homer. ἔειπον, *ϝρήτρα > kypr. ϝρέτα; lat. *agrestris > agrestis, Typus *consulalis > consularis). Zur Hauchdissimilation vgl. → Graßmannsches Gesetz. Eine Dissimilation zweier aufeinanderfolgender gleicher oder ähnlicher Lautfolgen oder Silben heißt »Haplologie« oder »Silbenschichtung« (griech. *ἀντίτιτος > homer. ἄντιτος, homer. ἀμφιφορεύς > att. ἀμφορεύς; lat. *portitorium > portorium, *latronicinium > latrocinium).

Nur vereinzelt, etwas häufiger bei Lw., findet sich »Metathese«: »Versetzung« eines Lautes oder »Vertauschung« zweier Laute innerhalb eines Wortes (griech. τεκ-: *τίτκω > τίκτω, hell. φαινόλης > φαιλόνης; lat. trapezita > tarpezita, lat. paludem > vlat. padulem > it. toskan. padule, rumän. pădure »Wald«, lat. scintilla > vlat. *stincilla > frz. étincelle). Regelhafter, durch die Silbenstruktur bedingter Lautwandel ist die quantitative Metathese (metathesis quantitatum), die »Vertauschung« der Quantitäten unmittelbar benachbarter Vok. (griech. homer. βασιλῆα, ion. att. βασιλέᾱ; homer. ἀόλ. λᾱός, ion. ληός, ion. att. > λεώς).

Als »Epenthese« oder »Lauteinschaltung« wird die – etym. nicht motivierte – Zufügung eines kons. »Gleitlautes« im Wortinneren bezeichnet (griech. *ἀνρός > ἀνδρός, lat. *emtus > emptus), während die Einschaltung eines kurzen »Sproßvokals« in eine Kons.-Gruppe »Anaptyxe« oder »Vokalentfaltung« gen. wird (griech. *ἔβδμος > ἔβδομος; lat. piaclum > piaculum). Speziell im

Griech. aber wird unter Epenthese die – aus synchronischer Sicht schlicht als Einschub aufgefaßte – zu den Diphthongen /aǐ/ und /oǐ/ führende Antizipation des in den Phonemgruppen /anǐ/, /arǐ/, /awǐ/ und /onǐ/, /orǐ/, /owǐ/ auftretenden /*ǐ/ verstanden (φαν-: *φάνǐω > φαίνω, *κόρǐανος > κοίρανος).

Unter den nur die Vok. betreffenden Lautwandeln seien hier noch erwähnt a) Kontraktion: »Verschmelzung« zweier unmittelbar benachbarter Vok. zu einem langen Vok. oder einem fallenden Diphthong, vielfach durch Ausfall eines intervok. Kons. bedingt (griech.*κρέασα > *κρέαα > κρέᾱ, ὁράω > ὁρῶ; lat. *māvolo > *māolo > mālo, *praihibeo > *praiibeo > praebeo); b) Ersatzdehnung: Längung eines Vok. nach Ausfall eines unmittelbar folgenden Kons., möglicherweise durch Streben nach Erhaltung der Silbenquantität motiviert (griech. kret. τόνς, > lakon. τώς, > ion. att. τούς; lat. *ovins > ovīs); c) Synkope oder Vok.-Ausstoßung: Verlust eines kurzen Vok. im Wortinneren, oft durch schnelleres Sprechtempo (»Allegro-Form«) bedingt (griech. τί ποτε > homer. τίπτε; lat. viridis, -e > vlat. virdis, -e > frz. verde); d) Jambenkürzung (nur im Lat.): Kürzung eines Vok. in auslautender offener Silbe derart, daß zweisilbige Wörter einer iambischen Silbenfolge ◡ – die Silbenfolge ◡ ◡ zeigen (z.B. mĭhī > mĭhĭ neben erh. mĭhī).

→ Ablaut; Itazismus; Prosodie; Psilose; Rhotazismus; Sandhi

ALLG.: D. ABERCROMBIE, Elements of General Phonetics, 1966 · R.-M.S. HEFFNER, General Phonetics, 1950 · A. MARTINET, Economie des changements phonétiques, Traité de phonologie diachronique, 1955 · M. SCHUBIGER, Einführung in die Phonetik, ²1977 · E. TERNES, Einführung in die Phonologie, 1987.
GRIECH.: M. LEJEUNE, Phonétique historique du mycénien et du grec ancien, 1972 · RIX, HGG · SCHWYZER, Gramm.
LAT.: M. BASSOLS DE CLIMENT, Fonetica latina, con un apendice sobre fonematica latina por S. Mariner Bigorra, 1962 · LEUMANN · SOMMER/PFISTER.   C.H.

Lautulae. Strategisch bed. Engpaß (saltus) oberhalb von Tarracina (in Latium) zw. dem Gebirge und einem steilen Kap über dem Meer (Liv. 7,39,7; 22,15,11). Die Römer wurden dort 315 v.Chr. von den → Samnites geschlagen (Liv. 9,23,4; Diod. 19,72). Seit 312 führte die steile via Appia darüber. Traianus ließ vom Grund der Felsen 128 Fuß der Höhe abschlagen und führte die Straße in der Ebene dem Meer entlang; h. Piscomontano.

NISSEN 2, 642.   G.U./Ü: J.W.M.

Laverna. Röm. Göttin. Eine Inschr. (CIL XI 6708,7) auf einer Tonschale des 3. Jh. v. Chr. stellt den ersten h. bekannten Beleg ihres Namens dar. L. gilt in der Lit. zum einen als Beschützerin der Diebe, der laverniones (Plaut. Aul. 445; Hor. epist. 1,16,60), die in ihrem Hain ein Versteck fanden (Paul. Fest. 104 L.), zum anderen als Göttin der Unterwelt (Septimius Serenus fr. 6 BLÄNS-

DORF). Ihr war ein Altar auf dem Aventin nahe der nach ihr benannten Porta Lavernalis geweiht (Varro ling. 5,163f.). Nach einer späteren Information (Ps.-Acro ad Hor. epist. 1,16,60) befand sich ihr Hain weit entfernt von ihrem Altar, nämlich bei der Via Salaria [1].

1 F. COARELLI, s.v. Mura Repubblicane: Porta Lavernalis, LTUR 3, 329.

LATTE, 139 · G. WISSOWA, s.v. L., Roscher 2, 1917f.
FR. P.

Lavinia (griech. Λαῦνα). Name zweier Frauengestalten, die mit der Aeneas-Sage (→ Aineias) verknüpft sind.

[1] Tochter des Anios, des Priesterkönigs von Delos zur Zeit des → Troianischen Krieges (Dion. Hal. ant. 1,59,3), die Aeneas heiratet (Ps.-Orig. 9,2,5) und ihn später als Seherin auf seine Irrfahrten begleitet. L. stirbt an der Stelle, an der Lavinium erbaut wird (Isid. orig. 15,1,52).

[2] Tochter des → Latinus und der Amata, die nach dem Tode des Bruders einzige Thronerbin ist (Verg. Aen. 7,50ff.). Im Kampf um sie und die Herrschaft siegt Aeneas über → Turnus, dem L. urspr. versprochen worden war (Liv. 1,1f.). Aeneas nennt die neu gegründete Stadt → Lavinium (Verg. Aen. 12,194). Bei Ovid (fast. 3,633–648) wird die sonst eher vorbildlich-farblose L. zur eifersüchtigen Ehefrau, die Didos Schwester Anna unerbittlich verfolgt. Nach annalistischer Trad. ist L. von Aeneas Mutter des (Postumus) Silvius (vgl. Verg. Aen. 6,763), den sie nach dem Tode Aeneas' auf der Flucht vor dessen Sohn Ascanius/→ Iulus in den Wäldern gebiert (Cato, fr. 5 P. = Serv. Aen. 1,6; fr. 9–10; Dion. Hal. ant. 1,70,1–3). Später versöhnt L. sich mit Ascanius, der ihr Laurolavinium überläßt und selbst Alba Longa gründet (andere Versionen: Liv. 1,3,2; Fest. 329,15–20 L.). Nach Plut. Romulus 2 ist L. Mutter der Aemilia, der Mutter von Romulus und Remus.

A. BORGHINI, Elementi di denominazione matrilaterale alle origine di Roma. Logica di una tradizione, in: Studi Urbinati 57, 1984, 43–61 · R. O. A. M. LYNE, L.'s Blush, in: Greece & Rome 30, 1983, 55–63 · D. C. WOODWORTH, L.: An Interpretation, in: TAPhA 61, 1930, 175–194.   C.W.

Lavinium. Stadt in Latium (→ Latini) am Numicus, 4 km von der Küste entfernt, h. Pratica di Mare. Um den Penates aus Troia [1] eine neue Heimat zu schaffen, wurde L. nach augusteischer Ausformung des Mythos von Aeneas (→ Aineias [1]) gegr. und nach seiner Ehefrau → Lavinia, der Tochter des Latinus, benannt. L. ist im ersten Vertrag zw. Rom und Karthago erwähnt (Pol. 3,22), war Verbannungsort des Tarquinius Collatinus [2] und Sitz des Heiligtums des → Latinischen Städtebundes, in dem L. Mitglied war. L. war municipium und hatte stets eine wichtige rel. Funktion für den Kult der Penates (Varro ling. 5,144). Andere Kulte: Vesta, Ceres [3], Iuppiter Indiges [4], Liber, Anna Perenna, Iuturna, Dioscuri [5], Lares Grundiles, Iuno Kalendaris (Macr. Sat. 1,15,18), Minerva [6; 7; 8] und Venus (Strab. 5,3,5; [9]).

Eisenzeitliche Siedlung, umgeben von Gräbern, Burg; Stadtvergrößerung im 6. Jh. v. Chr. (Kulte und Weihinschr.). Bis ins 4. Jh. n. Chr. war L. besiedelt. Ein Forum mit Tempel befand sich an der West-, ein Augusteum an der Südseite. Hauptheiligtum außerhalb von L. im Süden bei der frühchristl. Kirche Santa Maria delle Vigne mit 13 (ins 6. bis 2. Jh. v. Chr. datierten) Altären und griech. Funden; ein *tumulus* (7. Jh. v. Chr.) weiter im Osten, im 4. Jh. in ein *heroon* umgewandelt, wurde wohl für das Grab des Aeneas gehalten (Dion. Hal. ant. 1,64,5). Im Osten außerhalb von L. lag ein Minerva-Heiligtum mit zahlreichen Terrakottastatuen, darunter eine 2 m hohe Minerva-Statue (6.–3. Jh.).

1 G. MOYAERS, Enée et Lavinium, in: RBPh 55, 1977, 21–50 2 A. DUBOURDIER, L'exil de Tarquin, in: Latomus 43, 1984, 733–750 3 M. GUARDUCCI, Nuove osservazione sulla lamina bronzea, in: Mél. J. Heurgon 1976, 411–425 4 R. SCHILLING, Le culte d'Indiges à L., in: REL 57, 1979, 49–68 5 F. CASTAGNOLI, L'introduzione del culto dei Dioscuri, in: Studi Romani 31, 1983, 1–12 6 Ders., Il culto di Minerva, 1979 7 Ders., Ancora sul culto di Minerva a L., in: BCAR 90, 1985, 7–12 8 M. FENELLI, Culti a L., in: Scienze dell'Antichità 3/4, 1989/1990, 487–505 9 A. DUBOURDIER, Le sanctuaire de Vénus à L., in: REL 59, 1981, 83–101.

F. CASTAGNOLI, L. 1–2, 1972–1975 · P. SOMMELLA, Heroon di Enea a L., in: RPAA 44, 1971/1972, 47–74 · F. CASTAGNOLI u. a., L., in: PdP 32, 1977, 340–372 · M. TORELLI, L. e Roma, 1984 · F. CASTAGNOLI, s. v. L., EV 3 · BTCGI 8, 461–518 · M. FENELLI, L., EAA, 2. suppl., 3, 1995, 310–314.　　　　　　G. U./Ü: H. D.

Lavinius. Röm. Grammatiker wohl des 2. Jh. n. Chr., dessen *De verbis sordidis* (›Über vulgäre Ausdrücke‹) Gell. 20,11 anerkennend zit.　　　　　　P. L. S.

Lawagetas. In den → Linear B-Texten zweithöchster Würdenträger nach dem König im myk. Palaststaat. Er hatte Anteil am Königsland (*témenos*), war an Staatsaktionen beteiligt, besaß eigenes Personal (*ra-wa-ke-si-jo*) und befehligte eine eigene Mannschaft (*ra-wa-ke-ja*). Die Interpretation von Linear B *ra-wa-ke-ta* als Zusammensetzung aus *laós* (»Volk«) und *ágein* (»führen«) oder *laós* und *hēgeísthai* (»führen«) wird gestützt durch dor. *lagétas* (Pind. O. 1,89; Pind. P. 4,107) und dem altphryg. Dativ *lavagtaei*, so daß die Funktion des *l.* meist als die eines Heerführers bzw. Oberkommandierenden gedeutet wird.

F. AURA-JORRO, Diccionario micénico, Bd. 2, 1993, 229–231 · J. CHADWICK, Die myk. Welt, 1979 · ST. HILLER, O. PANAGL, Die frühgriech. Texte aus myk. Zeit, ²1987 · M. VENTRIS, J. CHADWICK, Documents in Mycenaean Greek, ²1973.　　　　　　S. D.-J.

Lazai (Λᾶζαι, Λάζοι; die Lazen). Kaukasischer Volksstamm, der gegen 100–75 v. Chr. in → Kolchis einwanderte, sich zunächst am → Phasis (h. Rioni) ansiedelte (Plin. nat. 6,12; Ptol. 5,10,5) und sich später stark ausbreitete. Um 300 n. Chr. gründeten sie in der Überzeu-

gung, die wahren Nachkommen der Kolchoi zu sein, den lazischen Staat; seitdem trug die Kolchis den Namen Lazike (Λαζική) – in den altgeorg. Quellen *Egrisi* gen. In byz. Zeit gaben die L. wegen der wichtigen Handelsstraße über den Kaukasos oft Anlaß zu Kämpfen zw. kaiserlichen und pers. Truppen.

H. BRAKMANN, O. LORDKIPANIDSE, s. v. Iberia II (Georgien), RAC 17, 70 ff. · A. HERRMANN, s. v. L., RE 12, 1042 f.
I. v. B. u. K. SA.

Lazika, Lazike (Prok. BP 1,1,28 u. a., Agathias 2,18,4 u. a.: Λαζική). Bezeichnung für → Kolchis in den frühbyz. Quellen, nach dem kartvelischen Stamm der *Lazai*, die im 1. Jh. n. Chr. im Binnenland südl. des → Phasis ansässig waren und im 4. Jh. die Hegemonie über Kolchis und die Stämme der Abasken, Apsilen, Misimianen, Skymner u. Svanen errungen hatten. Hauptstadt war Archaiopolis (Prok. BP 2,29,18), identifiziert mit der Ruinenstadt beim h. Nokalakevi am Techuri (Glaukos?) in Westgeorgien. L. selbst war byz. Vasall. Im späten 5./frühen 6. Jh. lavierte L. zw. Byzanz und Persien, 522 kam es zur Wiederherstellung der byz. Oberhoheit. 541–557 wurde L. zum Schauplatz der byz.-pers. Kriege um die Vorherrschaft in der strateg. wichtigen Region; über das spätere 6. Jh. ist wenig bekannt. 626/27 überwinterte das Heer des Herakleios während des Perserfeldzugs in L. Im frühen 8. Jh. verstärkte sich der arab. Druck, doch konnten die Araber in dem schwer zugänglichen Gebiet nie recht Fuß fassen; seit dem 8. Jh. kam es zum Aufstieg des Reiches Abchasien.

N. LOMOURI, History of the Kingdom of Egrissi (L.), in: BediKartlisa 26, 1969, 211–216 · O. LORDKIPANIDZE, Das alte Georgien, 1996, 107–109 · B. MARTIN-HISARD, Continuité et changement dans le bassin oriental du Pont euxin, in: V. VAVRINEK (Hrsg.), From Late Antiquity to Early Byzantium, 1985, 143–147 · P. ZAKARAIA (Hrsg.), Nokalakevi-Archaeopolis. Arch. Excavations I, Tbilisi 1981; II, 1987 · B. RUBIN, Das Zeitalter Justinians, 1960, 245–374 · W. SEIBT, Westgeorgien (Egrisi, L.) in frühchristl. Zeit, in: R. PILLINGER u. a. (Hrsg.), Die Schwarzmeerküste in der Ant. und im frühen MA, 1992, 137–144 · D. BRAUND, Georgia in Antiquity, 1996, 238–314.　　　　　　A. P.-L.

Leagros (Λέαγρος).

[1] Zusammen mit Ergiaios, einem Nachkommen des Diomedes, der mit Odysseus das troische → Palladion raubte, stiehlt L. das argiv. Palladion (Paus. 2,23,5). Mit diesem zieht er später nach Lakedaimon (Sparta), wo er es unter dem Schutz des Odysseus beim Leukippidenheiligtum aufstellen und ein Heroon errichten läßt (Plut. qu. Gr. 48). Nach Kallimachos bringt Eumedes, ein Nachkomme von Diomedes, das argiv. Palladion ins Gebirge in Sicherheit (Kall. h. 5,37 ff.).　　RE. ZI.

[2] Geb. um 525 v. Chr., Sohn des Glaukon aus Athen. Im Heiligtum der Zwölf Götter in Athen (→ Athenai, Plan der Agora) wurde eine Statuenbasis aus der Zeit vor 480 gefunden, die seinen Namen trägt. L. widmete das Monument möglicherweise anläßlich eines Sieges in

Olympia (SEG 10,319). 465/4 führte L. als *stratēgós* einen → Kleruchen-Zug nach Enneahodoi. L. fiel, als dieser Zug von den Thrakern bei Drabeskos vernichtend geschlagen wurde (Hdt. 9,75; Paus. 1,29,4f.).

A. E. RAUBITSCHEK, Leagros, in: Hesperia 8, 1939, 155–164 • DAVIES, 3027.

[3] Aus Athen, Sohn des Glaukon, Enkel von L. [2]. L. wurde vom Komiker → Platon um 390 v. Chr. in seinem »Laios« als dumm und unnütz verspottet (F 64, I 618 KOCK). Andokides (1,117–121) berichtet, daß L. mit seiner Unterstützung um 400 mit Kallias um die Hand einer → *epíklēros*, der Tochter des Epilykos, stritt.

DAVIES, 3027. E.S.-H.

Leagros-Gruppe. Letzte bedeutende Gruppe att. sf. Vasen, um 520–500 v. Chr., benannt nach dem Lieblingsnamen (→ Lieblingsinschriften) auf fünf Hydrien (→ Hydria). Die Maler der L. bevorzugten große Gefäße, auf deren Bildflächen ihre spannungsreichen Kompositionen gut zu überblicken sind. Von den über 400 zugewiesenen Vasen sind etwa die Hälfte Hydrien oder Halsamphoren, daneben gibt es v. a. Bauchamphoren, Kratere und Lekythen (→ Gefäßformen). Die Gruppe ist in enger Werkstattverbindung mit den rf. Pionieren (→ Euphronios [2], → Phintias, → Euthymides u. a.) entstanden, bei denen auch derselbe Lieblingsname vorkommt. Die künstlerische Bewegung dieser Zeit erfaßte auch die L., deren Figuren sich in raumgreifenden Bewegungen, Körperdrehungen und in ausdrucksvollen Gesten von den sf. Konventionen weitgehend befreiten. Die Zusatzfarben und geritzten Ornamente sind reduziert, aber durch die klare und großzügige Ritzung bleiben auch die dichte Kompositionen mit vielen Überschneidungen übersichtlich. Der figürliche Fries unter den Hydrienbildern wird durch ein Band von umschriebenen Palmetten ersetzt, wie sie im Rf. üblich sind. Die bevorzugten Themen sind Heraklesabenteuer und Szenen aus dem troianischen Krieg; daneben behauptet sich ein Interesse an alltäglichen Szenen. Charakteristisch sind die Gespanne, die teilweise hinter der Bildbegrenzung verschwinden. Trotz der leidenschaftlichen Bewegtheit der großen Figuren sind die Darstellungen äußerst sorgfältig inszeniert. Unter den Malern, die BEAZLEY innerhalb der L. isoliert hat, fällt der Acheloos-Maler durch den humoristischen Ton auf, den er seinen Bildern verleiht.

BEAZLEY, ABV, 354–391, 695f., 715 • BEAZLEY, Paralipomena, 160–172 • BEAZLEY, Addenda², 95–103 • J. D. BEAZLEY, The Development of Attic Black-figure, ²1986, 74–80 • E. T. VERMEULE, The Vengeance of Achilles, in: Bull. of the Boston MFA, 63, 1965, 34–52. H.M.

Leaina (Λέαινα).
[1] Legendäre Hetäre des → Aristogeiton [1]. Nach der Ermordung des → Hipparchos [1] soll → Hippias [1] sie vergewaltigt und getötet haben (Paus. 1,23,1f.; Plut. mor. 505E; Athen. 596f; Cic. fr. 8,12 MERGUET). Nach

anderer Version biß sie sich bei der Folterung durch Hippias die Zunge ab, um nichts über den Geliebten auszusagen (Polyain. 8,45). Zu ihrem Andenken soll eine bronzene Löwin aufgestellt worden sein. Der Name der Heldin (»Löwin«) und die moralisierende Tyrannentopik lassen auf eine mit dem Denkmal verbundene aitiolog. Legendenbildung aus späterer Zeit schließen. B.P.

[2] Hetäre aus Korinth und Geliebte des Demetrios [2] Poliorketes (Suda s. v. ἑταῖραι Κορίνθιαι). Ihr weihten die Athener als Verkörperung der Aphrodite wie der → Lamia einen Tempel, um Demetrios zu schmeicheln (zw. 307 und 301 v. Chr., Demochares FGrH 75 F 1; vgl. Athen. 13,577D).

HABICHT, 86f. BO.D.

Leandr(i)os (Λεάνδρ(ι)ος). L. von Milet, Verf. von *Milesiaká* in mind. 2 B., die mehrfach von → Kallimachos [3] benutzt wurden. Häufig wird der Name Leandr(i)os als Korruptel betrachtet und der Autor mit dem (auch inschr. bezeugten: Syll.³ 599 bzw. IPriene 37ff.) → Maiandrios von Milet, Autor von *Historíai*, gleichgesetzt.

ED.: FGrH 491 bzw. 492 mit Komm. K.MEI.

Leanitai (Λεανῖται, Ptol. 6,7,18). Völkerschaft an der NO-Küste Arabiens zwischen Gerrha und dem Šaṭṭ al-ʿArab, nach welcher auch die L.ische Bucht (Λεανίτης κόλπος) benannt ist. Zum Gebiet der L. gehörten die Stadt Malláda (Variante *Mallába*; vielleicht Rās at-Tanāqīb oder Rās Munīfa), das Chersónēsos-Vorgebirge (wohl Rās al-Arḍ), der Hafen Itamós (wohl die h. Stadt Kuwait) und die Adáru pólis (wahrscheinlich gegenüber der Insel Qurain gelegen). Mit den Leanitae (Plin. nat. 6,156) am Leanitischen bzw. Aelanitischen Meerbusen sind dagegen die Liḥyān in NW-Arabien am Golf von Elat gemeint.

H. v. WISSMANN, Zur Kenntnis von Ostarabien, bes. al-Qaṭīf, im Altertum, in: Muséon 80, 1967, 489–512. W.W.M.

Learchos (Λέαρχος). Sohn des Kallimachos, Athener. L. befand sich im J. 430 v. Chr. am Hof des → Sitalkes, als peloponnes. Gesandte eintrafen, die den Thrakerkönig zum Abfall von Athen überreden sollten. Durch den Prinzen Sadokos, dem kurz zuvor das att. Bürgerrecht verliehen worden war, erreichte L. ihre Festnahme, sie wurden nach Athen deportiert und hingerichtet (Thuk. 2,67).

DEVELIN, 1778 • TRAILL, PAA, 602725 • S. HORNBLOWER, A Commentary on Thucydides, I, 1991, 350f. HA.BE.

Lebadeia (Λεβάδεια, Λεπάδεια). Boiot. Stadt am SW-Ende einer in die Nordseite des → Helikon [1] eingreifenden und sich nach NO zum Westufer des ehem. → Kopais-Sees hin verbreiterenden Ebenenbucht. L. lag unmittelbar am Ausgang einer engen Felsschlucht, aus welcher der bei L. aus weiteren starken, z. T. warmen

Quellen gespeiste Fluß Herkyna hervortritt. Im SO
bildete der h. Granitsa (ant. Laphystion) gen. Ausläufer
des Helikon die Grenze zu → Koroneia (SEG 23, 297);
im NO grenzte L. an → Orchomenos (Aristot. hist. an.
606a 1; Paus. 9,39,1) und im Norden an → Chaironeia.

Die Lage der ant. Stadt ist nicht mehr genau zu lokalisieren; sie befand sich am Ostufer der Herkyna und
ist weitgehend von der h. Stadt Livadhia überdeckt, wo
einige später z. T. röm. überbaute Gebäudereste aus
dem 4./3. Jh. v. Chr. ausgegraben wurden (ein
Metroon, Teile einer Stoa); die ant. Funde auf dem ca.
2 km nördl. der h. Stadt gelegenen Hügel Tripeolithari
entstammen wohl einer Nekropole. Am Ausgang der
Herkyna-Schlucht befanden sich auf der Westseite des
Flusses L. unmittelbar gegenüber in einer Quellhöhle
und am Ufer einige Kultstätten (u. a. für Herkyna, Demeter, Zeus Hyetios) sowie Hain und Tempel des
→ Trophonios, zu dem die noch h. erh., am Fuß des steil
aufragenden, von einer ma. Burg bekrönten Felsens
eingehauenen Nischen und Kammern zu gehören
scheinen (Paus. 9,39,2–4). Die in der ganzen ant. Welt
berühmte Orakelstätte des Trophonios befand sich
oberhalb dieses Platzes nahe dem Tempel des Zeus Basileus, dessen Überreste auf dem westl. an den Burg-
felsen anschließenden Hügel Prophitis Ilias ausgegraben
wurden; der mit Geldern Antiochos' IV. zw. 175 und
172 begonnene Tempelbau (Syll.³ 972 mit SEG 22, 440;
SEG 44,413) blieb unvollendet.

Fraglich bleibt die Identifizierung der westl. dieses
Tempels entdeckten unterirdischen Kammer mit dem
Eingang des Orakels (Lagebeschreibung und eine ausführliche Darstellung des Ritus der Orakelbefragung
bei Paus. 9,39,5–14; Philostr. Ap. 8,19; vgl. Strab.
9,2,38; Dionysios Kalliphon 97f.; Plut. mor. 411F). Das
schon vom Lyderkönig → Kroisos befragte Orakel
(Hdt. 1,46,2) hatte auch noch im 3. Jh. n. Chr. Bestand
(Tert. de anima 46,11; Max. Tyr. dialexeis 8,2).

Die Behauptung, der urspr. Name von L. sei Mideia
gewesen (Paus. 9,39,1), ist auf das Bemühen zurückzuführen, L. mit homer. Trad. (Hom. Il. 2,507) zu verbinden; nennenswerte arch. Funde aus vorarcha. Zeit fehlen. Ab ca. 446 v. Chr. bildete L. gemeinsam mit den
beiden Nachbarstädten Koroneia und → Haliartos einen
der 11 Bezirke des neukonstituierten boiot. Bundesstaates (→ Boiotia) und stellte im Wechsel mit ihnen einen
→ Boiotarchen (Hell. Oxyrh. 19,3,392–394); 395 zu
Beginn des → Korinthischen Krieges von Lysandros
verwüstet (Plut. Lysandros 28,449b). Nach der Auflösung des Bundes 386 zunächst wieder eigenständig,
stand L. dann (möglicherweise in Form des wiederhergestellten Bundesbezirkes) von ca. 374 bis 335 unter thebanischer Kontrolle; nach dem Sieg bei Leuktra 371
Einrichtung des panboiot. Festes der Basileia (Diod.
15,53,4); eigenständige Mz.-Prägung ca. 386–374 und
ca. 335–315 (HN 346). Danach Mitglied des erneuerten
Boiot. Bundes bis zu dessen Auflösung 146; von ca. 217–
206 Mitglied im Aitol. Bund ([1. 317–321]; → Aitoloi,
mit Karte). Im 3. Maked. Krieg 172–168 auf röm. Seite

(Pol. 27,1,4; Liv. 45,27,8); 86 von den Truppen Mithradates' VI. geplündert (Plut. Sulla 16,462b). In der röm.
Kaiserzeit gehörte L. zu den reichsten griech. Städten
(Paus. 9,39,2); die wichtigsten Inschr. sind zusammengestellt bei [2. 346f.]; SEG 44, 414.　　　　　　　P. F.

Obgleich noch bei Hierokles 644,5 erwähnt, muß die in
Hosios Lukas gefundene Statuenbasis der *hierá Lebadéōn
pólis* (ἱερὰ Λεβαδέων πόλις) für → Constantius [1] I.
Chlorus [3. 246f.] als letztes sicheres Zeugnis der ant.
Stadt betrachtet werden, zumal L. nicht als Bistum
nachgewiesen ist. Dennoch bleibt der Name am Ort
haften (Siedlungskontinuität?): L. hieß sowohl die im
frühen 13. Jh. errichtete Festung ([4. 191–206] mit Plan)
sowie die im 14. Jh. bed. Siedlung, in der Franken und
Katalanen mit Griechen und Albanern zusammen-
wohnten.　　　　　　　　　　　　　　　　　E. W.

1 R. FLACELIÈRE, Les Aitoliens à Delphes, 1937　2 FOSSEY,
343–349　3 C. VATIN, in: BCH 90, 1966, 240–247　4 A. BON,
in: BCH 61, 1937, 136–208.

J. M. FOSSEY, The Cities of the Kopaïs in the Roman Period,
in: ANRW II 7.1, 1979, 571–575 ‧ P. W. HAIDER, s. v. L., in:
LAUFFER, Griechenland, 373–376 ‧ M. H. HANSEN, An
Inventory of Boiotian Poleis in the Archaic and Classical
Periods, in: Ders., Introduction to an Inventory of Poleis,
1996, 91f. ‧ J. KODER, s. v. L., TIB 1, 200f. ‧ H. G. LOLLING,
Reisenotizen über Griechenland (1876 und 1877), 1989,
609–614 ‧ MÜLLER, 520–523 (mit Lageplan) ‧ N. D.
PAPACHATZIS, Παυσανίου Ελλάδος Περιήγησις 5, ²1981,
244–260 ‧ P. ROESCH, s. v. L., PE, 492 ‧ E. VALLAS,
N. PHARAKLAS, Περί του μαντείου του Τροφωνίου εν
Λεβαιδεία, in: AAA 2, 1969, 228–232 ‧ PHILIPPSON/KIRSTEN
1,2, 445–449 ‧ SCHACHTER 3, 66–89, 109–119 ‧ P. W.
WALLACE, Strabo's Description of Boiotia, 1979, 149–152.
　　　　　　　　　　　　　　　　　　　　　P. F. u. E. W.

Lebedos (Λέβεδος). Von Ionern in kar. besiedeltem
Gebiet (Paus. 7,3,2; vormals Ἄρτις, Strab. 14,1,3) gegr.
Hafenstadt (Hekat. FGrH 1 F 219; Hdt. 1,142), Mitglied
des → Attisch-Delischen Seebundes, von Lysimachos
zugunsten von Ephesos aufgegeben (Paus. 1,9,7), 266
v. Chr. von Ptolemaios II. als Ptolemaïs neu gegr.; doch
lebte der Name L. bald wieder auf. Im 2. Jh. v. Chr. Sitz
der urspr. in Teos ansässigen Dionysos-Künstler (→ *technítai*). Wenn Hor. epist. 1,11,6 die Verödung des Ortes
vermuten läßt, beruht das offensichtlich auf einem Irrtum, vgl. z. B. die Mz.-Prägung (bis in die Mitte 2. Jh.
n. Chr.). Beachtl. Überreste auf der gesamten Halbinsel
Kısık (ehemals Xingi), 36 km nordwestl. von Ephesos:
Stadtmauer mit Toren und Türmen, Gebäudegrund-
mauern, Badeanlagen (bei Karakoç).

G. E. BEAN, s. v. L., PE, 492f. ‧ Ders., Aegean Turkey, 1966,
149–153.　　　　　　　　　　　　　　　　　　E. O.

Lebena (Λεβήνα). Stadt an der Südküste von Kreta
(Strab. 10,4,12; Plin. nat. 4,59) beim h. Dorf Lendas.
Ältere Namensform: Λεβήν. Eine Besiedlung ist bereits
für min. Zeit nachgewiesen. Zunächst von Bed. als Hafen von → Gortyn, wurde L. seit dem 4. Jh. v. Chr.
durch sein bei einer Heilquelle begründetes Asklepios-

Heiligtum zu einem rel. Zentrum und bis in röm. Zeit (die sichtbaren Reste des Tempels wie Stoa und Nymphaion stammen aus dem 2. Jh. n. Chr.) ein vielbesuchter Kurort (als Ableger des Asklepieions von Balagrai/Kyrenaia, Paus. 2,26,9). Im Lyttischen Krieg (219 v. Chr.) wurde der Hafen von L. durch eine aus Gortyn vertriebene Bürgerkriegspartei besetzt (Pol. 4,55,6). Nachant. Siedlungskontinuität dokumentieren eine bed. frühchristl. Basilika (9. Jh.) und byz. Kapellen.

S. ALEXIOU, Ein frühmin. Grab bei Lebene auf Kreta, in: AA 1958, 2–10 • R. SCHEER, s. v. L., in: LAUFFER, Griechenland, 376 • J. W. MYERS, E. E. MYERS, G. CADOGAN, Aerial Atlas of Ancient Greece, 1992, 160–163 • L. PERNIER, L. BANTI, Guida degli scavi italiani in Creta, 1947, 67 ff. • I. F. SANDERS, Roman Crete, 1982, 80–83, 159 • K. BRANIGAN, s. v. L., PE, 493.   H. SO.

Lebensalter   A. ALLGEMEINES   B. GRIECHENLAND   C. THEORIEN ZUR STUFUNG DER LEBENSALTER   D. ROM UND ITALIEN

A. ALLGEMEINES

Stärker als in modernem Denken und Empfinden wurde die Lebenszeit des Menschen (d. h. in aller Regel des Mannes) in ant. Kulturen in Abschnitte zu gliedern versucht; die Zahl solcher Stufen und ihre Benennung sowie die Abgrenzung gegeneinander variiert in den Quellen erheblich. Entsprechend unscharf und somit manchmal kaum voneinander abzusetzen sind die Bezeichnungen der einer Altersstufe zugerechneten Menschen. Grundsätzlich lassen sich zwei Formen der Einteilung unterscheiden: die staatlich festgelegte und die populäre bzw. theoretisch-spekulative. Die erste unterteilt eine Gemeinde nach dem Alter ihrer Mitglieder zur gleichmäßigen Verteilung von Rechten und Pflichten; dabei ist der Übergang von einem Abschnitt zum anderen fest an ein bestimmtes Alter gebunden. Ein deutlich markierter Übergang findet sich zw. Kindheit und Jugend- bzw. Erwachsenenalter, geprägt durch Bräuche initiatorischen Charakters (→ Initiation) mit Auswirkungen auf den rechtlichen Status der Heranwachsenden. Die zweite Einteilung beruht auf der gesellschaftlichen Realität, ist daher zwar ungenauer, berücksichtigt aber die Tatsache, daß die Übergänge zw. den L. fließend sind. Die ant. Theoretiker versuchen, sowohl die physiologischen Eigenarten einer bestimmten Altersgruppe als auch die kognitiven und psychologischen Entwicklungsstufen einzubeziehen. Letztlich stimmen Theorie und Wirklichkeit bes. in fiktionalen Texten (dazu Serv. Aen. 5,553: *aut poetica licentia confundit aetates, ut modo pueros, modo iuvenes dicat*) selten überein. Weiterführende Lit. s. unter den Verweisart.; zur Terminologie bes. [1].

B. GRIECHENLAND

Übliche Bezeichnung für das Kind ist παῖς (*pais*), daneben stehen Verkleinerungsformen für das Kleinkind wie παιδίον, παιδάριον (*paidíon, paidárion*); das Kindesalter reicht etwa bis zum 15. Lebensj. (→ Kind, Kindheit). Allerdings werden auch jugendliche Teilnehmer an den Olympien (wohl bis 18 J.) noch παῖδες/ *paídes* genannt (→ Altersklassen), ebenso gelegentlich junge Männer und Frauen im heiratsfähigen Alter (Strab. 10,4,20; → Heiratsalter); auch ältere Jugendliche, Epheben, junge Männer können zu den *paídes* gerechnet werden. In einer Übergangsstufe zw. Kindes- und Mannesalter, mit der Phase der *pubertas* gleichzusetzen, hat man in Athen nach Jahrgängen differenziert (Cens. 14,8): μελλέφηβος (*melléphēbos*: ein »in die Pubertät kommender Junge«, 15jähriger), ἔφηβος (*éphēbos*, 16jähriger), ἐξέφηβος (*exéphēbos*: ein »der Pubertät Entwachsener«, 17jähriger); diese »natürlichen« Bezeichnungen für Jahrgänge sind nicht mit denen der Mitglieder der athen. Ephebeninstitution und deren Gruppierung zu verwechseln (→ Ephebeia; → Gymnasion II.; [2. 34–42]). Einer weiteren, auf Kindheit und Pubertät folgenden Phase des Jugendalters gehören die νέοι (*néoi*, »junge Leute«) an (ab 18 J.), die ebenfalls noch zur *ephebeia* zählen (für die Ephebeninstitution ergibt sich somit eine dreigliedrige Stufung: *paídes, épheboi, néoi*; [2. 37]). Die Grenze zw. den *néoi* und den erwachsenen Männern, ἄνδρες (*ándres*), ist undefiniert; beide Begriffe können Angehörige derselben Gruppe bezeichnen (über Organisation der *néoi* und eine mögliche Unterscheidung von νεανίσκοι, *neanískoi*, s. → *néoi*).

Innerhalb der sich über etwa vier Jahrzehnte erstreckenden Altersstufe des Mannes, die beträchtliche, mitunter ein Jahrzehnt umfassende Toleranzen kennt (etwa Jugend bis 30, [Greisen-]Alter ab 50), wird um das 40. Lebensj. eine kürzere Phase der höchsten Leistungskraft markiert, die *akmé* (ἀκμή, »Spitze«, »Hochblüte«). Pythagoras und seine Anhänger legten die *akmé* auf das 40. Lebensj. fest. In Platons ›Staat‹ darf nur regieren, wer nach Erziehung und Alter vollendet ist: Der Mann erreicht diese Vollendung mit 50 J.; der Ideenschau teilhaftig, kann er nunmehr auch Regierungsaufgaben übernehmen (Plat. rep. 7,539a–540b in Verbindung mit 6,487a). Aristoteles unterscheidet eine körperliche *akmé* im 35., eine geistige im 49. Lebensj. (s. unten). Die *akmé* eines Mannes ist, da unterschiedlich angesetzt und nicht punktuell zu verstehen, für die Ermittlung von präzisen Lebensdaten nur bedingt verwertbar.

Das → Alter läßt man etwa mit 60 J. beginnen; auch dieser Übergang ist fließend. Die geläufigen Bezeichnungen sind γέρων (*gérōn*, »Greis«) für den älteren und alten Mann, γραῦς (*graus*, »Greisin«) für die ältere und alte Frau, daneben πρεσβύτης bzw. πρεσβῦτις (*presbýtēs, –tis*) allg. der bzw. die »Alte« ([3. 1000 f.]; zum ant. Streit um eine Differenzierung [3. 997 f.] mit Belegen). Der alte Mensch ist in zahlreichen Gattungen der griech. Lit. sowie in Spezialschriften, von denen einzig Plutarchs Abhandlung ›Ob ein Greis Politik treiben soll‹ vollständig erh. ist, thematisiert ([4]; umfassend einschließlich der christl. Überl. unterrichtet [3]; zur Altersversorgung → *Trophima*).

C. Theorien zur Stufung der Lebensalter

1. Griechenland: Die sich deutlich abzeichnenden »natürlichen« Altersstufen – Kindes- und Jugendalter, Erwachsenenalter, Greisenalter – weisen unscharfe Übergänge und interne Differenzierungen auf, die nicht nur, aber bes. in philos. und medizinischer Lit. zahlreiche Versuche der Systematisierung hervorbrachten. So unterteilte angeblich Pythagoras das Leben, den → Jahreszeiten entsprechend [5. 172], in vier Abschnitte zu je 20 J. (Diog. Laert. 8,10: Knabe/Frühling, Jugendlicher/Sommer, junger = gereifter Mann/Herbst, alter Mann/Winter). Auch der Vergleich mit den vier Elementen in der Medizin führte zu einer Aufspaltung des mittleren Lebensabschnitts (z.B. Gal. 16 p. 102; 19 p. 373f. KÜHN). Solons Elegie vom menschlichen Leben (fr. 19 DIEHL = 27 WEST) teilt nach dem in vielen Kulturen, bes. auch bei den Griechen beliebten Siebenerschema das Leben in 10mal sieben J. ein [5. 183–190]: Entwicklung bis zum 42. Lebensj. (Phase 1–6), Blüte bis zum 56. (7–8), Abstieg bis zum 70. (9–10). Danach kehren ähnliche von der Zahl Sieben geprägte Einteilungen mehrfach wieder: z.B. in der hippokratischen Schrift ›Über die Siebenzahl‹ (De hebdomadibus; vgl. Cens. 14,3) und – nach den sieben Planeten – bei Ptolemaios (Tetrabiblos 4,206f.) [5. 191–197]. Der Peripatetiker Staseas (1. Jh. v.Chr.) hat nach Cens. 14,5 den 10 Hebdomaden Solons zwei hinzugefügt und die Zeit eines »vollen Lebens« auf 84 J. angesetzt. Bei Aristoteles findet sich eine Dreiteilung des Lebens mit der o. gen. Differenzierung der akmḗ (Aristot. rhet. 2,12,3–14,4, 1389a 3–1390b 13), in der offenbar Solons Elegie nachwirkt (vgl. auch Phil. de opificio mundi 104; Clem. Al. strom. 6,144,4–6) [3. 1013–1015].

Das Siebenerschema impliziert schließlich auch die Lehre vom jeweils gefährlichen siebten J. (Cens. 14,9: annum climactericum). Ein verfeinertes Schema bezeichnet jedes 14. J. als bes. gefährlich (mit dem Lebensende – nach Staseas – im 84. J.: Cens. 14,10). Im volkstümlichen Glauben hat sich die – zweifellos auf Erfahrungswerten beruhende – Theorie durchgesetzt, daß im Menschenleben das 49. und das 63. J. (7×7 und 7×9 [7×3×3]) extreme Krisenj. sind (Cens. 14,11–15; vgl. den Brief des 63jährigen Augustus bei Gell. 15,7,3).

2. Rom: Aus dem Vergleich mit den drei Hauptphasen des Tages entstand die Auffassung von drei Stu-

fen des menschlichen Lebens (Tubero bei Gell. 10,28,1f.; Mart. Cap. 1,76; Isid. orig. 11,2,32). Unter Servius Tullius, dessen angebliche Reformen der Altersklasseneinteilung der Bürger bei Gellius überl. sind, erstreckte sich das L. des puer bis zum 17., des iunior (bzw. iuvenis) bis zum 46. und des senior vom 46. Lebensj. an. Das Viererschema des Pythagoras faßt Ovid in Verse (met. 15,199–213; vgl. Ambr. de Abraham 2,9,65 = PL 14,342; Aug. epist. 138,2 = PL 33,526). Während bes. bei den Griechen die Zahl Sieben eine – aus der Astronomie entlehnte – große Rolle spielte (s.o.), hält sich Varro mehr an die magische Bed. der Fünf (5 Sinne, 5 Finger, der Fünfjahreszeitraum [lustrum] als röm. Altersangabe): Er unterteilte das menschliche Leben in ebenso viele Abschnitte von jeweils 15 J. Dauer (Varro bei Serv. Aen. 5,295; vgl. auch Sen. epist. 49,3). Vorwiegend christl. Autoren gehen von der Einteilung des Lebens in sechs Abschnitte aus (Aug. de vera religione 26,48 = PL 34 p. 143; Isid. de differentiis rerum 2,19,74ff. = PL 83 p. 81), analog zu den sechs Tagen der göttl. Schöpfung oder den Zeitaltern der Weltgeschichte.

Zu den einzelnen Modellen der L.-Einteilung im röm. Bereich s. das Schaubild; [6].

D. Rom und Italien

In der Regel wird als Grenze des Knabenalters das Ablegen der mit einem Purpurstreifen versehenen toga praetexta (meistens zw. dem 14.–17. Lebensj.) gesetzt. Der erste Lebensabschnitt endete mit einem rel. Akt bei den Liberalia am 17. März [7. 124]. Der puer legte vor den Laren des Hauses die insignia pueritiae (»Zeichen der Kindheit«) ab, also die toga praetexta (die Tracht der freigeb. Kinder; praetextam togam ponere: Cic. Lael. 33) und die bulla, ein hohles, an einer Halskette hängendes Schmuckstück (aus Gold für Kinder der Senatoren und Ritter, aus minderwertigerem Metall oder aus Leder für Kinder aus weniger wohlhabenden Familien) mit eingeschlossenen Amuletten. Zum Zeichen der Volljährigkeit abgelegt (vgl. daher Iuv. 13,33: senior bulla dignissimus), wurde die bulla dem Hauslaren geweiht und im Lararium aufgehängt (Pers. 5,31; schol. Hor. sat. 1,5,65f.), in Anlehnung an die alte etr. Königstracht aber noch im Mannesalter vom Triumphator getragen (Macr. Sat. 1,6,9).

An die Stelle der toga praetexta trat die schlichte toga virilis (Suet. Claud. 2) des Erwachsenen, auch toga pura

3	infans/puer		adulescens/iuvenis/iunior			senex/senior	
	↓		↙ ↘			↓	
4	infans/puer		adulescens	iuvenis		senex	
	↙ ↘		↓	↓		↓	
5	infans	puer	adulescens	iuvenis		senex	
	↓	↓	↓	↓		↙ ↘	
6	infans	puer	adulescens	iuvenis		senior	senex
	↓	↓	↓	↙ ↘		↓	↓
7	infans	puer	adulescens	iuvenis	vir	senior	senex

Fünf mögliche röm. Einteilungen der Lebensalter (drei- bis siebenteilig).

(Phaedr. 3,10,10) oder *toga libera* (Prop. 4,1,131 f.) genannt, die aus ungefärbter Wolle bestand. In diesem zeremoniellen Akt manifestierte sich gleichzeitig das Erreichen der *pubertas* und der Geschäftsfähigkeit (→ Heiratsalter); daher legte auch die Frau vor ihrer Hochzeit die Insignien ihrer Kindheit (Spielzeug und eventuell auch die *bulla*) ab [8. 1451; 9. 1048].

Mit dem Anlegen der *toga virilis* begann für den jungen Mann zugleich der als → *tirocinium fori* bezeichnete praxisorientierte Abschnitt seiner Ausbildung (→ Erziehung); daher kann *tirocinium* auch für den festlich begangenen Tag stehen, an dem die → *toga virilis* angelegt und der junge Mann auf das Forum geleitet wurde (*in forum deducere*).

Ab dem 17. bis zum 46. Lebensj. befand sich ein Mann im wehrfähigen, kriegsdiensttauglichen Alter und gehörte damit zur Gruppe der → *iuniores*, die auf den sog. *tabulae iuniorum* verzeichnet waren (Liv. 24,18,7; Pol. 6,19,2; 6,19,5). Im röm. Wahl- und Stimmrecht nahmen die *iuniores* eine eigene Position ein, da sie als Pendant zu den Bürgern über 46 J., den *seniores*, die Hälfte der insgesamt 170 *centuriae* (Sammelstimmen) besaßen. Diese gleichmäßige Machtverteilung ist gegenläufig zur tatsächlichen Verteilung der Bürger: Es gab weit weniger *seniores* als *iuniores* in Rom, so daß man hinsichtlich des Stimmrechts von einer Alterspluralität sprechen kann. Tacitus (ann. 2,83,4) erwähnt einen *cuneus iuniorum* unter den für die Ritter reservierten Theaterplätzen [10. 960]. Im spätant. Rom wurde die Bezeichnung *iuniores* nur noch im mil. Zusammenhang gebraucht (Cod. Theod. 7,13,1; Not. dign. occ. 42,6).

Als *senex* (»Greis«) galt der Römer ab dem 60. Lebensj., das die obere Grenze seiner obligatorischen persönlichen Leistungen für den Staat bildete (Sen. de brevitate vitae 20,4; außerhalb Roms das 70. Lebensj.). Neben dieser Form von Immunität war die Altersversorgung ab dem 2. Jh. n. Chr. vom Staat nur indirekt (s. aber die staatl. Versorgung der → Veteranen [11. 275 f.]) durch gesetzliche Festlegung der Alimentationspflicht der Kinder gegenüber ihren Eltern (Cod. Iust. 5,25,1) geregelt [11. 271, 274]. Nach idealtypischer Vorstellung bestand diese Verpflichtung schon allein aufgrund des Pietätsgefühls der Kinder für ihre Eltern. Als episches Vorbild hierfür kann das von Vergil dargestellte Verhältnis des Aeneas zu seinem Vater Anchises gelten, das sich durch ehrfurchtsvollen Gehorsam (*obsequium*) und fromme Zuneigung (*pietas*) auszeichnet. In diesem Sinne ist die Hochschätzung des Greisenalters in Rom zu verstehen (→ Alter; vgl. Val. Max. 2,1,9; bezeichnend daher auch der Begriff *senatus*, vgl. Cic. Cato 19; 56; zu Beispielen für Ehrfurchtsbekundungen s. auch [3. 1035–1038]). Altersversorgung war zudem – aus der sozialen Bindung heraus – vom *dominus* für seine Sklaven zu leisten (oft Beweggrund für die Aussetzung kranker und schwacher Sklaven, vgl. Suet. Claud. 25) sowie vom *libertus* (→ Freigelassene) für seinen Patron (Dig. 25,3,5,18–26). Die im Grunde aber private Altersvorsorge war daher – wenn nicht schon durch großen Reichtum oder die soziale Stellung gesichert – ein wichtiges Ziel der Erwerbstätigkeit (Hor. sat. 1,1,30–32) und häufig Motiv für eine sparsame Lebensweise (Dig. 32,79,1), um der weitverbreiteten Armut im Greisenalter zu entgehen (vgl. Phaedr. 1,21).

In Ciceros Schrift *Cato maior de senectute* sucht der alte Cato vier Vorurteile gegen das Greisenalter zu widerlegen, indem er feststellt: 1. Polit. Tätigkeit sei auch für *senes* noch angemessen (Cic. Cato 15–20). 2. Körperliche Gebrechlichkeit könne durch geistige Fähigkeiten ausgeglichen werden (ebd. 35–38). 3. Bedeutungsverlust jeglicher Affekte begünstige die Beschäftigung mit der eigenen Person und ihren geistigen Interessen (ebd. 49 f.). 4. Furcht vor dem Tod sei für rechtschaffene Männer unbegründet, da sie danach entweder gar kein Weiterleben oder aber die Glückseligkeit erwarte (ebd. 84 f.).

→ Alter; Heiratsalter; Jugend

1 G. WATTENDORF, Die Bezeichnungen der Altersstufen bei den Griechen, Diss. 1919 2 M. P. NILSSON, Die hell. Schule, 1955 3 CHR. GNILKA, s. v. Greisenalter, RAC 12, 995–1094 4 TH. M. FALKNER, J. DE LUCE (Hrsg.), Old Age in Greek and Latin Literature, 1989 5 F. BOLL, Die L., in: Ders., KS zur Sternkunde des Alt., 1950, 156–224 6 E. EYBEN, Die Einteilung des menschlichen Lebens im röm. Alt., in: RhM 116, 1973, 150–190 7 A. MAU, J. MARQUARDT, Das Privatleben der Römer, ²1886, Ndr. 1964 8 J. REGNER, s. v. Tirocinium fori, RE 6 A, 1450–1453 9 A. MAU, s. v. Bulla, RE 3, 1047–1051 10 A. ROSENBERG, s. v. Iuniores, RE 10, 959 f. 11 CHR. GNILKA, s. v. Altersversorgung, RAC Suppl. 1/2, 266–278. G. BI. u. M. SAI.

Lebensbaum. Darstellungen des phöniz. L. (auch »Heiliger Baum«), dessen Bed. und ikonographischer Ursprung in der assyr. Rel. (magische Reliefs, Nimrud) verborgen liegen, sind ein wichtiges Symbol, ein Bild der schutzbedürftigen Fruchtbarkeit und deshalb ein nahezu allgegenwärtiges Element der rel. und profanen Bildwelt der Phönizier. Unterschiedlich stark stilisiert wird in unablässig neuen Kombinationen, Serien oder Verkürzungen bestimmter Elemente zumeist eine Palme dargestellt. Sie besteht aus einem konischen Stamm mit seitlichen Voluten und Volutenkapitell, das von einer Palmette oder einer phöniz. Schalenpalmette gekrönt wird. Aus dieser und aus der Kapitellbasis sprießen Lotusblüten; mitunter wachsen an ihm auch Trauben (Nimrud). Könige, die große phöniz. Göttin Astarte und Sphingen wachen zu seinem Schutz. Weiteste Verbreitung erfuhr die Darstellung des phöniz. L. verm. als Bild- oder Versatzmotiv in Elfenbein- (Arslantaş, Nimrūd) und Bronzereliefs (Nimrūd), die zur Verschalung prunkvoller Möbel oder etwa in Salomos Tempel verwendet wurden (1 Kg 6,29; Hom. Od. 19,55 ff.), aber auch auf Elfenbeinpyxiden und -kämmen, auf phöniz. Metallschalen (Nimrud, Zypern), als Henkelpalmette (»paradise-flower«) auf Silber- (Pontecagnano) und Bronzekannen (Huelva), als Schmuckmotiv (Schatzfund, Aliseda; Golddiadem, Tharros) oder auf einem

Alabasterrelief (Arwad), wo die Schalenpalmetten des L. durch endlose Reihung als Flächenraster dienen. Die Rezeption dieses Motives in kypr. (br. Opferständer, Episkopi), griech. (rhodische, korinth. Vasenmalerei, lakon. Elfenbeintafel, Sparta) und etr. (Goldbleche, Bucchero-Keramik, -Figuren) Werken orientalisierenden Stils ist beträchtlich.

R.D. BARNETT, Ancient Ivories in the Middle East and Adjacent Countries, 1982 · S.PARPOLA, The Assyrian Tree of Life: Tracing the Origins of Jewish Monotheism and Greek Philosophy, in: JNES 52, 1993, 161–208 · R.A. STUCKY, Anlehnung – Imitation – Kopie. Zur Aneignung oriental. Bildmotive auf Zypern, in Griechenland und Etrurien, in: Archéologie au Levant. Recueil Roger Saidah, 1982, 108–121.   CH.B.

Lebenserwartung. Der Begriff L. wird in der histor. Demographie und der Bevölkerungssoziologie gebraucht, um anzugeben, wie viele Jahre ein Mensch in bestimmtem Alter unter den Bedingungen der in einer bestimmten Ges. gegebenen Mortalität noch zu leben hat. Es ist dabei zu beachten, daß mit diesem Begriff keineswegs das durchschnittliche Sterbealter erfaßt wird und daß die L. eines Menschen im Verlauf seines Lebens deutlichen Veränderungen unterliegt. Sie ist in Ges. vor der demographischen Transition (Übergang zu einer niedrigen Natalität und Mortalität) – bedingt durch hohe Sterblichkeit, insbesondere Säuglingssterblichkeit – für Neugeborene relativ niedrig, steigt bis zum 5. Lebensjahr an, um dann wiederum langsam abzunehmen. Vorindustrielle Ges. weisen allg. hohe Natalität sowie Mortalität und damit verbunden eine niedrige L. für Neugeborene auf; dies ist auch für die ant. Bevölkerung anzunehmen.

Mod. demographischen Unt. zur Ant. stehen verschiedene Quellen zur Verfügung. Für das archa. und klass. Griechenland ist die Quellenlage allerdings deutlich schlechter als für das Imperium Romanum. Unt. nehmen hier vor allem Bezug auf paläodemographisches Material; die Auswertung von Skelettbefunden (aus den Jahren 650–350 v.Chr.) ergab für Männer bei der Geburt eine L. von 24,4 J., doch wurde zugleich auf die statistischen und methodologischen Unzulänglichkeiten der Sterbetafel verwiesen.

Zahlreiche röm. Grabinschr. aus verschiedenen Jh. und Regionen nennen das Alter von Verstorbenen, und so konnte mit Hilfe von Inschriftenauswertungen der Versuch unternommen werden, Aussagen über die L. in der Ant. zu formulieren. Bei der Interpretation des epigraph. Materials bediente sich die Forsch. zunehmend modellhafter Sterbetafeln und computergestützter Modellrechnungen; auf diese Weise sollte der Aussagewert des ant. Materials bestimmt werden; außerdem versuchte man, die mit Hilfe der Sterbetafeln postulierten Schätzungen (durchschnittliche L. der Bevölkerung im Imperium Romanum bei der Geburt: 20–30 Jahre) zu verfeinern und regional, zeitlich und nach Geschlechtern zu differenzieren.

Neben den Inschr. spielten in der Forsch. die Angaben des → Ulpianus (praef. praet. 222) zur L. eine wichtige Rolle; wahrscheinlich um den Wert von jährlichen Zuwendungen, die als Legat ausgesetzt wurden, berechnen zu können, nennt Ulpianus die L. für verschiedene Altersgruppen, beginnend mit einem Alter von 20 J. (Ulp. ap. Aemilius Macer, Dig. 35,2,68). Dabei ergibt sich folgendes Bild:

Alter (x)	L. in J. im Alter x
20–24	28
25–29	25
30–34	22
35–39	20
40–49	Differenz zwischen x und 60 −1
50–54	9
55–59	7
60 oder älter	5

Die Haushaltsdeklarationen aus der röm. Prov. Ägypten bieten ebenfalls zahlreiche Altersangaben der erfaßten Personen einschließlich Frauen und Kindern; die Auswertung dieser Papyri ergab eine L. von 22,5 (von Frauen bei der Geburt) bzw. 22,5–25 J. (von Männern bei der Geburt). Auch das Verzeichnis der Ratsherren von Canusium (CIL IX 338 = ILS 6121) wurde zu der Bestimmung der L. einer munizipalen Oberschicht herangezogen.

Die demographische Auswertung dieser Quellen wirft zahlreiche komplexe Probleme auf, die in der Forsch. ausführlich diskutiert werden. Mit den Inschr. ist kein Zahlenmaterial gegeben, das etwa mit den Kirchenbüchern der Frühen Neuzeit vergleichbar wäre: Kulturell bestimmte Verhaltensmuster beim Totengedenken, die mangelnde Kenntnis des Lebensalters, die Tatsache, daß sehr viele Menschen materiell kaum in der Lage waren, einem Verstorbenen einen Grabstein errichten zu lassen, und die Zufälligkeiten der Überlieferung machen es unmöglich, die Altersangaben auf Inschr. als repräsentatives, für eine statistische Auswertung geeignetes Zahlenmaterial anzusehen. Die Sterbetafel bei Ulpianus beruht kaum auf einer statistischen Auswertung von Sterbefällen durch die röm. Verwaltung und gibt so allenfalls einen Anhaltspunkt für die ant. Einschätzung der L. bestimmter Altersgruppen. Für Ägypten wiederum ist bekannt, daß die Kenntnis des Lebensalters nur rudimentär war; bei den Haushaltsdeklarationen muß zudem immer auch mit Abwesenheit aufgrund regionaler Mobilität gerechnet werden. Aus diesen Gründen ist es kaum möglich, generelle Aussagen hinreichend zu präzisieren. Daher wenden neueste Unt. sich speziellen Fragen zu, so der L. von röm. Soldaten und der Bestimmung der Ursachen saisonal unterschiedlicher Mortalitätsraten.

→ Lebensalter

1 R.S. BAGNALL, B.W. FRIER, The Demography of Roman Egypt, 1994 2 A.J. COALE, P.G. DEMENY, Regional Model Life Tables and Stable Populations, ²1983

3 R. DUNCAN-JONES, Structure and Scale in the Roman Economy, 1990, 79–104 4 B. W. FRIER, Roman Life Expectancy: Ulpian's Evidence, in: HSPh 86, 1982, 213–251 5 F. HINARD (Hrsg.), La mort, les morts, et l'au-delà dans le monde romain, 1987 6 K. HOPKINS, On the Probable Age Structure of the Roman Population, in: Population Stud. 20, 1966, 245–264 7 C. NEWELL, Methods and Models in Demography, 1988 8 T. G. PARKIN, Demography and Roman Society, 1992 9 R. SALLARES, The Ecology of the Ancient Greek World, 1991 10 R. P. SALLER, Patriarchy, Property and Death in the Roman Family, 1994 11 W. SCHEIDEL, Libitina's Bitter Gains. Seasonal Mortality and Endemic Disease in the Ancient City of Rome, in: Ancient Society 25, 1994, 151–175 12 Ders., Measuring Sex, Age and Death in the Empire, 1996 13 B. D. SHAW, Seasons of Death. Aspects of Mortality in Imperial Rome, in: JRS 86, 1996, 100–138. J. W.

Leberschau s. Divination; Haruspices

Lebes (ὁ λέβης).

[1] Großer Kessel, seit myk. Zeit zum Erhitzen von Wasser und Kochen von Speisen bezeugtes Br.-Gefäß, bei Homer neben Phiale und Dreifuß ein beliebter, auch in Edelmetall gefertigter → Kampfpreis (Hom. Il. 9,122; 23,267; 613; 762). Der Zusatz *ápyros* (ἄπυρος) bezeichnet entweder neuwertige oder als → Kratere dienende *lébētes*. Mit Protomen verzierte, vom Ständer abnehmbare Br.-Kessel des 7.–6. Jh. v. Chr. gehen auf oriental. Vorbilder zurück (Greifenkessel). Neben diesen Prunkkesseln entsteht eine kleinere, glatte Form, auch »Dinos« gen. (→ Gefäßformen Abb. C 9), vielfach in Darstellungen als Krater ausgewiesen, sekundär auch als Kampfpreis und Aschenurne bezeugt.

F. v. LORENTZ, s. v. L., RE Suppl. 6, 218–221 • N. VALENZA MELE, Da Micene ad Omero: dalla phiale al lebete, in: AION 4, 1982, 97–133 • A. BLAIR BROWNLEE, Antimenean Dinoi, in: J. H. OAKLEY u. a. (Hrsg.), Athenian Potters and Painters, 1997, 509–522.

[2] Lebes Gamikos. Kessel mit abgesetztem Hals, senkrechten Schulterhenkeln und Deckel, meist auf hohem Fuß (→ Gefäßformen Abb. C 7). Seine Rolle im Hochzeitsritus (→ Hochzeitsbräuche, Übersicht) illustrieren Vasenbilder des 6.–4. Jh. v. Chr., sein Inhalt ist unbekannt. Morphologische, vielleicht auch funktionale Vorläufer sind in frühgriech. großen Deckelgefäßen erhalten.

N. F. HARL-SCHALLER, Zur Entstehung und Bed. des att. L. G., in: JÖAI 50, 1972–1975, Beiblatt 151–170 • M. SGOUROU, Lebetes gamikoi, in: J. H. OAKLEY u. a. (Hrsg.), Athenian Potters and Painters, 1997, 71–83. I. S.

Lebinthos (Λέβινθος). Sporadeninsel östl. von Amorgos, h. Lévitha, L 7 km, 15 km² groß, mehrere Buchten, von einer Reihe kleinerer Inseln umgeben, h. unbewohnt. Belegstellen: Strab. 10,5,12; Plin. nat. 4,70; Mela 2,111; Stadiasmus maris magni 282; Geogr. Rav. 5,21; Ov. met. 8,222, ars 2,81.

PHILIPPSON/KIRSTEN 4, 155 f. H. KAL.

Lechaion (Λέχαιον). Hafen von → Korinthos [1] am Korinth. Golf, 3 km nördl. der Stadt, mit dieser in klass. Zeit (ca. 450 v. Chr.) durch eine doppelte Mauer verbunden [1]. Das h. großenteils versandete innere Hafenbecken ist noch erkennbar, dazu ein äußerer Hafen, sonstige Reste sind gering, z. B. eine große frühchristl. Basilika [2]. Schiffshäuser erwähnt Xen. hell. 4,4,12, Heiligtümer des Poseidon (Paus. 2,2,3; Kall. h. 4,271) und der Aphrodite (Plut. mor. 146d; SEG 23, 170) [3. 94–97] sind bezeugt. Belege: Strab. 8,6,22; Ptol. 3,15,3.

1 A. W. PARSONS, The Long Walls to the Gulf, in: R. CARPENTER, A. BON (Hrsg.), Corinth 3,2, 1936, 84–125 2 D. PALLAS, Ἀνασκαφὴ τῆς παλαιοχριστιανικῆς βασιλικῆς τοῦ Λεχαίου, in: Praktika 1958, 119–134 3 V. PIRENNE-DELFORGE, L'Aphrodite grecque, 1994.

R. ROTHAUS, L., Western Port of Corinth, in: Oxford Journ. of Archaeology 14, 1995, 293–306 • R. STROUD, s. v. L., PE, 493. Y. L.

Lectica s. Kline

Lectio senatus (»Auswahl für den Senat«). Die Aufnahme in den röm. Senat setzt seit alters voraus, daß der Anwärter sich in einem hohen Staatsamt polit. verdient gemacht hat (Cic. Verr. 2,49; Sall. Iug. 4,4; Liv. 23,23), keine straf- oder standesrechtl. Einwände vorliegen und − später − er über ein Mindestvermögen verfügt (unter Augustus ungefähr eine Mill. Sesterzen: Suet. Aug. 41). Fällt eine der Voraussetzungen fort, so kann ein Senator aus dem Amt entfernt werden (*senatu movere, eicere*: Cic. Cluent. 42; Sall. Catil. 23.; Liv. 39,42; 40, 51; 42,10; 43,15). Für die Königszeit sind die Wahl durch die Curien (Dion. Hal. ant. 2,12; 47) und die Ernennung durch den König überl. (Liv. 1,8; 49; Dion. Hal. ant. 4,42). In der Republik erfolgt Überprüfung und Aufnahme urspr. durch einen Consul (Cic. dom. 31,82; Liv. 23,23; 43,15), nach der *lex Ovinia* des J. 312 v. Chr. auch durch einen Censor (Fest. 290,12 L), nur ausnahmsweise auch durch einen Dictator oder einen Träger außerordentlicher konstitutiver Amtsgewalt wie etwa Cornelius [I 90] Sulla. In der Kaiserzeit wird der Kaiser zunehmend für die Zusammensetzung des Senats verantwortlich. Schon Augustus nimmt dreimal eine *l. s.* vor. Seit Tiberius wird es üblich, mit der Wahl der Magistrate durch den Senat (Tac. ann. 1,15) auch die Aufnahme neuer Mitglieder durch Kooptation (→ *cooptatio*) dem Senat zu übertragen. Die → *commendatio* und außerordentl. Censurmaßnahmen sichern dem Kaiser jedoch den Einfluß auf die Zusammensetzung (Suet. Dom. 8; Cass. Dio 67,13). In der späteren röm. Kaiserzeit wird die kaiserl. Kompetenz zur Regelung der Mitgliedschaft und der Zugehörigkeit zum senator. Stande (über Gesetzgebung oder im Einzelfall) Verfassungsgewohnheit, auch wenn die Eigenentscheidung des Senats im allg. respektiert wird (Cod. Iust. 12,1).

→ Senatus

Jones, LRE, 530–532 · E. Meyer, Röm. Staat und Staatsgedanke, ²1948, 203 f. · Mommsen, Staatsrecht 2, 418–424; 3, 854–866.   C.G.

Lectisternium (Etym.: lat. *lectum sternere*, »ein Bett ausbreiten«). Götterbewirtung, Göttermahl: sehr alte Form des Opfers, bei dem in einem Tempel der auf einem Speisesofa liegenden Gottheit auf einem Tisch eine Mahlzeit dargebracht wurde (vgl. → *Iovis epulum*). Dahinter steht die Vorstellung, daß bei jeder Mahlzeit die Götter ihren Anteil erhielten, d. h. direkt anwesend waren. Der Begriff *l.* wird nur in sakralem Zusammenhang verwendet. In erster Linie ist das *l.* Bestandteil des *Graecus ritus*, daher eine im griech. Gottesdienst weit verbreitete Form des Opfers; in Rom hingegen ist es erst seit dem frühen 4. Jh. v. Chr. bekannt.

Die Liegesofas wurden zusammen mit dem Tempel (z. B. Cic. dom. 136) und mit einem *l.* (ein-)geweiht, was ihre enge Zusammengehörigkeit dokumentiert. Vor der Weihung wurden die Plätze der Betten in einem bes. Akt ausgewählt (*fanum sistere*, Fest. 476 L.; → *fanum*). Auf der Liege wurde bei der Begründung des Heiligtums und jeweils am wiederkehrenden Stiftungstag das Bild der Gottheit niedergelegt und davor das Opfermahl dargebracht. Andererseits wurde ein *l.* auch nach meist unheilverkündenden Vorzeichen angeordnet. Laut einer Weisung der Sibyllinischen Bücher (→ Sibyllen) aus dem J. 399 v. Chr., dem Jahr der Einführung von *lectisternia* anläßlich einer Seuche auf röm. Gebiet (in Etrurien bereits im 5. Jh. v. Chr. bezeugt), sollten über sieben (Dion. Hal. ant. 12,9) oder acht Tage hinweg die Bildnisse von Götterpaaren auf Betten vor Tischen aufgestellt werden; Teilnehmer waren Apollo und Latona, Hercules und Diana sowie Mercur und Neptun (Liv. 5,13,8). Scheinbar wurde das *l.* in Zeiten bes. Krisen durchgeführt: nach der Niederlage am Trasumenischen See 217 v. Chr. (letztes bezeugtes *l.*; Liv. 22,10,9) oder während des 2. Punischen Krieges, als man versuchte, den Zorn der Götter durch diverse Sühneakte zu mäßigen. In dieser Zeit führte man zahlreiche *l.* auf dem Capitol (Macr. Sat. 1,6,13), am Tempel der Iuno Regina (Liv. 22,1,18) und des Saturnus (Liv. 22,1,19) und außerhalb Roms durch (Caere: Liv. 21,62,8).

Neben offiziellen, öffentlichen *l.* fanden auch solche im privaten Bereich statt, z. B. bei Begräbnisfeierlichkeiten (CIL V² 5272,14).

In den ant. Quellen werden zwar für *l.* häufig andere Begriffe verwendet, doch ist bei allen Formen immer die Götterbewirtung im Sinne des *l.* gemeint: statt *lectisternium habere* die Wendungen *pulvinar suscipere* (Liv. 5,52,6) bzw. *cenae ad pulvinaria* (Plin. nat. 32,20); im Griech. findet sich als Äquivalent *klínēn strōnnýnai* oder *strōmnē*.   A.v.S.

Lector (»Vorleser«). Vor allem die Briefe des jüngeren Plinius vermitteln ein Bild von der Sitte, die Mahlzeit – neben *comoedi* und *lyristae* (Plin. epist. 1,15,2; 9,17,3;

36,4) – durch *lectores* kulturell zu bereichern (Nep. Att. 14,1; Gell. 3,19,1: *servus assistens mensae eius* – sc. *Favorini* – *legere inceptabat* »ein Sklave, der an seinem – des Favorinus – Tisch stand, begann vorzulesen«), ausnahmsweise auch zur Vorbereitung des Exzerpierens auszunutzen, wie im Falle des älteren Plinius bei Plin. epist. 3,5,11 f. (*super hanc* – sc. *cenam* – *liber legebatur, adnotabatur* »bei Tisch wurde aus einem Buch vorgelesen, dazu machte sich Plinius Notizen«); ferner (l.c. 3,5,14) bei der Vorbereitung des Bades oder zur Überbrückung von Schlaflosigkeit (Suet. Aug. 78,2: *lectoribus aut fabulatoribus arcessitis* »man ließ Vorleser oder Erzähler kommen«). Analog zum griech. *anagnṓstēs* (Nep. l.c.) nimmt der *l.* als Sklave die Rolle wahr, die der Autor selbst als *recitator* (→ Rezitationen) der eigenen Werke beanspruchen oder auch (bei Mißtrauen gegenüber der eigenen Vortragskunst) delegieren mag (Plin. epist. 9,34; Suet. Claud. 41,2: *recitavit per lectorem*). Inschr. sind auch *lectrices* (*anagnostrices*), »Vorleserinnen«, bezeugt. → Buch   P.L.S.

Lectus s. Kline

Leda (Λήδα). Tochter des aitol. Königs → Thestios und der Eurythemis (Apollod. 1,7,10), Schwester von → Althaia [1] und → Hypermestra [1] (Hes. cat. fr. 23a, 3–5; Apollod. ebd.), Frau des lakedaimon. Königs → Tyndareos. Ihr werden verschiedene Kinder zugeschrieben: Timandra, → Klytaimestra, Phylonoe (Hes. cat. fr. 23a, 7–10; Apollod. 3,10,6), Phoibe (Eur. Iph. A. 49–51), insbes. → Helene [1] und die → Dioskuroi Kastor und Polydeukes. Nach Homer sind diese Söhne des Tyndareos (Hom. Od. 11,298–304), Helene ist eine Tochter des Zeus (Hom. Il. 3,426, Od. 4,84); in den Homerischen Hymnen 17 und 33 sind jedoch auch die Dioskuren Söhne des Zeus. Nach Apollod. 3,10,6 sind Polydeukes und Helene Kinder von Zeus, Kastor und Klytaimestra von Tyndareos (vgl. Pind. N. 10,79–82). In den *Kypria* (EpGF fr. 7) wird erzählt, daß Helene Tochter der → Nemesis ist. Auf der Flucht vor Zeus verwandelt sich Nemesis in verschiedene Tiere, zuletzt in eine Gans, die von Zeus in Gestalt eines Schwans befruchtet wird. L. findet das von Nemesis geborene Ei und zieht Helene, die aus dem Ei schlüpft, als ihr Kind auf (Apollod. 10,6–7; Sappho fr. 166 Voigt). Nach Apollod. 3,10,7 wird ihr das Ei von einem Hirten, nach Hyg. astr. 2,8 von Hermes überbracht (vgl. auch Herodoros, FGrH 31 F 21, Plut. symp. 2,3,637a).

Die Version, nach der L. selbst von Zeus in Gestalt eines Schwans begattet wird, ist erst bei Eur. Hel. 16–22 und Iph. A. 794–800 bezeugt (vgl. Eur. Or. 1385–1387). Die Begegnung von Zeus und L. findet nach Anth. Pal. 5,307 am Ufer des Eurotas statt. Später wird erzählt, daß auch die Dioskuren (Serv. Aen. 3,328; Hor. ars 147), oder nur Pollux und Helene (Hyg. fab. 77), aus einem Ei geboren werden oder daß L. zwei Eier hervorbringt (Mythographus primus Vaticanus 3,64 Zorzetti). Das Ei der L. wurde im Heiligtum der → Leukippides in

Sparta gezeigt (Paus. 3,16,1). Die Gestalt der Nemesis blieb nur im att. Rhamnus wichtig, wo ihr ein Tempel allein, ein anderer zusammen mit Themis, geweiht war (Paus. 1,33,7; Plin. nat. 36,17). In der att. Vasenmalerei wurde seit dem 5. Jh. die Auffindung des Eies durch Nemesis dargestellt. In der Plastik erfreute sich das Motiv der erotischen Begegnung des schwangestalteten Zeus mit L. großer Beliebtheit. In der Kaiserzeit erscheint es auch auf zahlreichen Gemmen, Lampen, Sarkophagen und Wandgemälden.

S. EITREM, s. v. L., RE 12, 1116–1125 · O. HÖFER, L. BLOCH, s. v. L., Roscher 2, 1922–1932 · L. KAHIL, N. ICARD-GIANOLIO, s. v. L., LIMC 6.1, 231–246 (mit Bibliogr.). K. WA.

Leder (βύρσα, δέρμα; lat. *corium, pellis*).
A. ALLGEMEINES B. VORAUSSETZUNGEN UND ANLÄSSE DER LEDERVERARBEITUNG
C. GERBUNG UND FÄRBUNG
D. VERWENDUNGSMÖGLICHKEITEN
E. LEDERVERARBEITENDE BERUFE
F. OBRIGKEITLICHE RECHTE
G. LEDER IM SPIRITUELLEN

A. ALLGEMEINES

Die abgezogene tierische Rohhaut stellt seit den frühesten Zeiten einen der vielseitigsten Werkstoffe dar. Vom eigentlichen L. ist die Rohhaut, die trotz ihrer Unbeständigkeit bei andauernder Feuchtigkeitseinwirkung in der Ant. in bestimmten Bereichen wegen bes. Eigenschaften verwendet wurde, wie auch das dickenbearbeitete, unter Spannung getrocknete Pergament zu unterscheiden, da beide ungegerbt bleiben. Inhaltlich (Bewahrung des Haarkleides), nicht aber strikt terminolog. vom L. zu trennen sind auch die Pelzfelle.

B. VORAUSSETZUNGEN UND ANLÄSSE DER LEDERVERARBEITUNG

Zur Verarbeitung gelangten je nach Verfügbarkeit und (späterem) Zweck Häute und Felle aus Haustierhaltung (bes. von Rindern, Kälbern, Schafen und Ziegen) und Jagd (Edictum Diocletiani 8; CIL VIII 4508). Eine Rindshaut hat bei einer Dicke von 4–4,5 mm eine Fläche von ca. 4 m², ein Ziegenfell bei max. 1 mm Dicke 1 m² Fläche. Das Rohmaterial fiel natürlicherweise in bäuerl. Betrieben an (Cato agr. 2,7 empfiehlt seinen Verkauf), im Zusammenhang mit dem Viehhandel bei der Fleischversorgung Roms (CIL VI 1770), aber auch bei den zahlreichen privaten (P Fay. 121) und öffentl. Opfern ([16. 41], vgl. [15. 66, 69ff.]) sowie den *venationes* im Amphitheater (→ *munera*).

C. GERBUNG UND FÄRBUNG

Nach Separierung der Epidermis (durch Urinweiche, Maulbeerbaumblätter, rotfrüchtige Zaunrübe) und des subkutanen Bindegewebes (mit mechanischen Hilfsmitteln) von der Rohhaut erfolgte die Umformung des *corium* zum temperaturbeständigen, wasserresistenten und geschmeidigen L. chemisch durch den Gerbprozeß. Abhängig vom Vorkommen der Substan-

zen eigneten sich als Verfahren (aufsteigend nach Wirksamkeit): Räucherung, Fettgerbung mit Tranen/Ölen, Mineralgerbung mit → Alaun, bes. Vegetabilgerbung mit tanninreichen Baumrinden (Fichte), Pflanzenblättern (Sumach), Früchten (→ Akazie), Schalen (→ Granatapfel), Auswüchsen (Gallen) sowie Kombinationen der genannten Methoden. Abgesehen davon, daß einige Gerbstoffe bereits färbende Eigenschaften besitzen, ist als ergänzende Zurichtungsmethode die L.-Färbung mit pflanzlichen, tierischen oder anderen Substanzen zu nennen, die die in den Quellen dokumentierte große Lederfarbenpalette hervorbrachte: → Lotosbaum-Rinde, Krapp, *murex* (→ Schnecken), *atramentum sutorium* (Kupfervitriol) u. a. Die Bestimmung der verwendeten Gerb- oder Farbstoffe bei L.-Funden ist wegen der während der Lagerung im Boden eingedrungenen Fremdstoffe schwierig, und auch der arch. Nachweis von vorzugsweise an (fließenden) Gewässern und wegen der Geruchsbelästigung am Rande der Wohngebiete angesiedelten Gerbereien bleibt ohne flankierende Hinweise (Inschriften, Werkzeuge [5. 63ff.,120ff.; 6]) unsicher, da sie z.B. mit anderen gewerblichen Einrichtungen zu verwechseln sind. Zu Gerbung und Färbung allg. siehe [1; 11].

D. VERWENDUNGSMÖGLICHKEITEN

Die Bed. des L. ergibt sich aus seinen zahlreichen Verwendungsmöglichkeiten. Im zivilen Sektor ist bei der Kleidung bes. auf das breite Angebot an Schuhwerk zu verweisen [12. 109ff.], aber auch auf Hosen, Schürzen, Kappen, Gürtel, Bänder und dergleichen. Technisch eingesetzt wurde L. beim Zaum- und Sattelzeug, als Bedeckungsmaterial, für Riemen/Gurte in unterschiedlichster Weise, Behälter zur Aufbewahrung von Flüssigkeiten, für Schlauchboote, Beutel, Ventilklappen usw. Im mil. Kontext steht der Gebrauch von Schildbezügen, Zelten, Panzern, Schleudern usw. Der Verschleiß bzw. Bedarf war beträchtlich, z.B. benötigte man einer kürzlich vorgenommenen Berechnung zufolge für die Zeltausstattung einer Legion L. von etwa 28800 Kälbern bzw. 70080 Ziegen [10. 67; vgl. 4]; vgl. Tabulae Vindolanenses 2,343.

E. LEDERVERARBEITENDE BERUFE

Bei den verarbeitenden, oft in *collegia* (→ *collegium* [1]) zusammengeschlossenen Handwerkern sind allg. Berufsbezeichnungen wie Lederarbeiter-Gerber (βυρσεύς/*byrseús*, βυρσοδέψης/*byrsodépsēs*, lat. *coriarius*) oder Lederarbeiter-Schuster (σκυτεύς/*skyteús*, σκυτοτόμος/*skytotómos*, lat. *sutor*) neben Bezeichnungen für Spezialschuster, Sattler, Riemer u.a. bezeugt [13. 124; 14. 132f.], wobei Vielfältigkeit in den Bezeichnungen allein nicht schon eine Berufsspezialisierung bedeuten muß (evtl. jedoch einen Schwerpunkt), wie auch die bei Xen. Kyr. 8,2,5 beschriebene Arbeitsteilung im Schustergewerbe gelehrtes Konstrukt ist. Inschr. auf L. mit Herstellungsvermerken nennen u. a. die bearbeitenden Handwerker [3].

F. Obrigkeitliche Rechte

Als obrigkeitliche Rechte an Häuten/L. sind belegt: Verkauf von Opfertierhäuten (*dermatikón*; IG II² 1496 [15. 48 ff.]), Vergabe von Steuer- oder Monopolpachtkonzessionen (*dermatērá*; vgl. [17. § 149] und POxy. 47,3363), Tribute/Requirierungen (Tac. ann. 4,72; PGrenf. 2,51; BGU 2,655; PSI 5,465; [8. 97 Nr. 42 ff.]), Tarifierungen (CIL VIII 4508; Edict. Diocl. 8; vgl. POxy. 60,4081). Nachfrage einerseits wie Tierreichtum einzelner Regionen andererseits begünstigten einen überregionalen Handel mit Häuten/L. aus dem Schwarzmeergebiet (Demosth. 34,10; 35,34; [8. 96 Nr. 33, 34]), Sizilien [7. 101–103] u. a. Sogar einige mit dem Epitheton einer Region gekennzeichnete L.-Sorten, die hauptsächlich, jedoch nicht ausschließlich aufgrund äußerer Besonderheiten zu ihrem Namen gelangten, sind als Handelsware überliefert [9]. Zoll/Importbestimmung: Dig. 39,4,16,7; für Palmyra: OGIS 2,629, 52 f.; Thessaloniki: Feissel, BCH Suppl. 8, Nr. 85.

G. Leder im Spirituellen

Die Bed. von L. in Aberglauben (Plin. nat. 28,222 f.; Marcellus Empiricus, De medicamentis 25,8) und Magie (Plin. nat. 28,93; 29,68; PGM 2, p. 9, 174) ebenso wie seine religiöse Tabuisierung (LSCG 65,23; 124,17; Varro ling. 7,84) sei nur angedeutet.

Eine mod. Zusammenfassung des Gesamtthemas fehlt.

→ Handwerk

1 Blümner, Techn., 260–292 2 G. A. Bravo, J. Trupke, 100 000 Jahre Leder, 1970 3 C. van Driel-Murray, Stamped Leatherwork from Zammerdam, in: B. L. van Beek (Hrsg.), Ex Horreo (Cingula 4), 1977, 151–164 4 Dies., The Production and Supply of Military Leatherwork in the First and Second Centuries A. D.: A Review of the Archaeological Evidence, in: M. C. Bishop (Hrsg.), The Production and Distribution of Roman Military Equipment, 1985, 43–81 5 W. Gaitzsch, Eiserne röm. Werkzeuge, 1980 6 Ders., Gerbereisen aus Pompei, in: Pompei, Herculaneum, Stabiae. Boll. dell' Associazione internazionale Amici di Pompei 1, 1983, 119–126 7 W. Habermann, IG I³ 386/387, sizilische Häute und die athenisch-sizilischen Handelsbeziehungen im 5. Jh. v. Chr., in: MBAH 6.1, 1987, 89–113 8 Ders., Lexikalische und semantische Unters. am griech. Begriff βύρσα, in: Glotta 66, 1988, 93–99 9 Ders., Äg. und karthagisches Leder als ant. Sortenbezeichnungen, in: RhM 133, 1990, 138–143 10 P. Herz, Der Aufstand des Iulius Sacrovir, in: Laverna 3, 1992, 42–93 11 Th. Körner, Gesch. der Gerberei, in: W. Grassmann (Hrsg.), Hdb. der Gerbereichemie und Lederfabrikation I.1, 1944, 1–89 12 O. Lau, Schuster und Schusterhandwerk in der griech.-röm. Lit. und Kunst, Diss. Bonn 1967 13 H. von Petrikovits, Die Spezialisierung des röm. Handwerks, in: H. Jankuhn et al. (Hrsg.), Das Handwerk in vor- und frühgesch. Zeit I (AAWG 122), 1981, 63–132 14 Th. Reil, Beiträge zur Kenntnis des Gewerbes im hell. Äg., Leipzig 1913 15 V. J. Rosivach, The System of Public Sacrifice in Fourth-Century Athens, 1994 16 P. Stengel, Die griech. Kultusaltertümer (Hdb. der klass. Alt.-Wiss. V 3), ³1920 17 U. Wilcken, Griech. Ostraka aus Aegypten und Nubien, 1899 (Ndr. 1970) 18 Zimmer, Kat. Nr. 47–55.   WO. HA.

Leere s. Raum

Corrigenda zu Band 3 bis 5

DNP-Spalten haben – je nach Seitenlayout – etwa 55–59 Zeilen. Die Zeilenzählung in der folgenden Liste geht jeweils vom Beginn der Spalte aus; Leerzeilen werden nicht mitgezählt. Die korrigierten Wörter sind durch *Kursivierung* hervorgehoben.

Stichwort   Spalte, Zeile   *neu* (im Kontext)

BERICHTIGTE KÜRZEL FÜR AUTORENNAMEN
Cossutia   213, 27   *ME. STR. (Meret Strothmann)*
Damasichthon [12] + [2]   291, 13   *R. B. (René Bloch)*
Glykon [1]   1104, 48   *E. R./Ü: L. S. (Emmet Robbins)*
Gotische Schrift [2]   1166, 22   *S. Z. (Stefano Zamponi)*
Hesiodos   510, 56   *GR. A./Ü: M. A. S. (Graziano Arrighetti)*
Indiges   975, 47   *FR. P. (Francesca Prescendi)*
Indigitamenta   976, 38   *FR. P. (Francesca Prescendi)*
Inferi   993, 26   *FR. P. (Francesca Prescendi)*

BAND 3
Autoren   XLIX, nach 14   füge ein: *Anna* **Lambropoulou** *Athen*   *A. LAM.*
Übersetzer   LI, nach 15   füge ein: *I. Sauer*   *I. S.*
Concilium   114, 38   des J. *287* v. Chr.
Constantinus [9]   143, 26   Byz. Kaiser, * *905*, † *959*
Constantinus [10]   144, 2   und Theodora bis *1056* fortbestand
Cornelius [I 90]   187, 9   Scaurus, *seine Tochter den Sohn* des Mitconsuls
    190, 28   *11* R. SEAGER
Cornelius [II 26]   194, 27   Seine Söhne C. [II *27*]
Cossutius   213, 36   seit dem *2.* Jh. v. Chr.
Dachinabades   257, 7   (altind. *dakṣiṇāpatha*)
Dämonen   259, 31   (KTU *1.82, 1.169* [1])
Dämonologie   268, 45f.   zu → Hekates Gefolge gehörten [*5.* Kap. 9].
    268, 50   ergänze: *5* S. I. JOHNSTON, *Hekate Soteira, 1990*
Daktyloi Idaioi   280, 41f.   In der Phoronis (PEG *1* fr. 2;...) drei als *góēs*
    280, 46   dasselbe Hes. *cat.* 282
    281, 20   vita *Pythagorae* 17
Damostratos   304, 33   d. h. *nach* der 1. H.
Daras [1]   317, 16   und dem *Ξιῶν*
Dardanos [3]   321, 15   in den 90er Jahren *v.* Chr.
Deliciae   389, 34   Stat. *silv.* 2,1,73
Demetrios [10]   433, 27f.   W. W. TARN, The Greeks in Bactria and India, *²1951*
Demetrios [21]   435, 40   ERLER, *in:* GGPh *4.1, 1994, § 18,* 256–265
Demetrios [32]   437, 46   (*epigr.* 30 PEIPER)
Deukalion   489, 1f.   für Hes. *cat.* 234 M-W und für Deinolochos (*AUSTIN* 78 fr. 1)
    489, 14f.   seit Epicharmos (*AUSTIN* 85 fr. 1)
    489, 46   vgl. Hes. *cat.* 9
Diagoras [2]   510, 6   Verse (*PMG* 738)
Diognetos [4]   607, 21   ED.: H.-I. MARROU, *²1965*
Diotimos [4]   678, 35   Aratos, *Anth. Pal.* 11,437
Dodekaschoinos   723, 35   (Ptol. *4,5,74* und
Domitius [I 10]   754, 20   Vertrag zwischen Rom und *Knidos*
Domitius [II 10]   756, 41   auf den Sohn D. [II *11*] bezogen
Dona militaria   768, 34   (CIL *XIV* 3472
Duris   847, 46   später von *Lysimachos*
Eirenaios [1]   918, 43   (*Εἰρηναῖος*). Grammatiker

Ekkyklema   937, 25   N. C. *HOURMOUZIADES*, Production
   937, 28   *WJA* 16, 1990, 33–42
Elagabal   955, 33   *ʾlhʾgbl* zurückzuführen (*Herodian*. 5,3,4: Elaiagabalos)
Elaiussa   958, 20f.   Stadt in der Kilikia *Tracheia*
   958, 28   zur Prov. *Kilikia I* gehörig
Elamisch   959, 51   Dareios' *[1]* I.
Elymais   1002, 32   *Masǧed*-e Soleimān
Emporos   1021, 25   bezeichnet mit ἐμπορίη (*emporíē*; Hes.
Enkomion   1036, 20   (→ *kômos*) war die Feier
   1036, 27   Bakchyl. Epinikia *11,12*;
   1036, 35 f.   Hinweise auf *kômoi hinsichtlich des Anlasses* ihrer Darbietung
Enkyklios Paideia   1037, 52f.   (*Porphyrios* bei Tzetz. Chiliades 11,377)
   1038, 14   lassen wollte [5. 260f.; 7. 335–338].
   1038, 26   zu sprechen [2. 18–42; 7. 337]:
   1039, 19   der *Dichter*, wobei
Epeiros   1068, 51   Nach dem Tod *Alexandros' [6]* schlossen sich
Epigramm   1108, 41f.   der Kypseliden im *Heratempel* zu Olympia
   1109, 44   Theokritos Chios, *epigr.* 1 FGE
   1110, 24   (etwa *Timon, die betrunkene Alte*)

BAND 4

Autoren   IX, 52   Heinrich **Chantraine** Mannheim (Das Kreuz ist zu entfernen; der Verlag bittet, diesen Fehler zu entschuldigen)

XII, nach 8   füge ein: *Stefano* **Zamponi** *Pistoia   S. Z.*

Epos   14, 55   *anɡʷʰóntāi* bzw. *anr̥tắtʔ*; da silb. /r̥/

14, 58   Enūwalíōi *anɡʷʰóntāi* bzw.

19, 2   pótmon *gowáonsa,*) *likʷóns anr̥tắtʔ* ide

19, 15   werden zu *gʷíā*

Erbrecht   49, 4f.   ihr Patron erbte ähnlich wie ein *agnatus proximus.*

49, 50f.   In klass. Zeit waren *Agnatinnen mit Ausnahme von Schwestern*

50, 34f.   Die Regelung des → *caducum* verdrängte Akkreszenz,

51, 24f.   Diritto ereditario romano Bd. 1, ²1967; Bd. 2, ²*1963*

Erziehung   112, 45   (Aristot. pol. *1338a* 15–17, 36–40)

116, 26f.   und Üben *(Plut. mor. 4)*; sie erteilt »brutaler Pädagogik« eine Absage *(Plut. mor. 12; 16; 18)*

116, 29   eigene Jugend an *(Plut. mor. 12; 18).*

Eumenes [2]   251, 50   Er starb *241*

Eunuchen   256, 49   dann in *der Septuaginta.*

Euripides [1]   282, 48f.   vertreten durch *seinen* »demokratischen« *König* Theseus

Eusebios [8]   311,6   (Belege [*2. 27*]).

Feldzeichen   461, 5   Leg. I *Minervia*

Fideicommissum   504, 17   (wörtl.: »das *der* Treue Anvertraute«)

504, 24f.   → Erbrecht *III. D.*; Unverheiratete

504, 34f.   mußte er den Bedachten zum Erben *einsetzen oder ihm ein Legat aussetzen*

505, 29f.   (Übergang der *Erbenhaftung* auf den Fideikommissar;

505, 36   → Erbrecht *III. G.*

Fides   508, 58   § 242 *Bürgerliches Gesetzbuch*

Gabriel [2]   729, 34   *Leontios* Scholastikos rühmt

Galatia, Galatien   742, 49   unteren *Tembris*, um Ova

Geldentwertung   890, 38   Roman Empire, *1994*

Gellius [2]   895, 30   (fr. 28 Peter [= HRR *1²*, 156])

895, 32   [= HRR *1²*, 155]

895, 33   [= HRR *1²*, 156]

895, 38f.   [= HRR *1²*, 151, 153]

Gellius [4]   896, 10f.   Erst *72* wurde er

Geminos [2]   902, 4   Autor könnte der Τύλλιος aus

Gens Bacchuiana   921, 20f.   Zeit des Antoninus Pius (*138*–161 n. Chr.)

Geschichtsschreibung   1000, 54   Form [*4.* 755]

Gewalt   1049, 26   (idealisierend Aristeides *26,100*–104)

Gorgias [2]   1152, 21   Diels/Kranz Bd. *2*, Nr. 82

Gotarzes II.   1163, 44   in: *AMI* 24, 1991, 61–134

Griechische Literatursprachen   1239, 49   *a) Erzählendes* Epos (Homer usw.)

BAND 5

Autoren   VIII, 6   Graziano **Arrighetti** Pisa   *GR. A.*

 VIII, nach 44   füge ein: *Lucia* **Galli** *Florenz*   *L. G.*

 X, 5   Ekkehard W. **Stegemann** *Basel*

Hadrumetum   64, 48   C. G. PICARD, Catalogue

Hebryzelmis [1]   220, 49   Die Münzen der thrak. Dynasten, *1997*

Herakleia [7]   366, 10   **[7] H. Pontike** (Heraclea Pontica)

Hermeneutik   425, 10   der ant. Gramm. *vorbehalten*

Herodotos   475, 3 f.   The Historical Method of Herodotus, *1989*

 475, 34   KOMM.: D. ASHERI u. a.

 475, 50   J. GOULD, Herodotus

 475, 52   *D. BOEDEKER (Hrsg.),* Herodotus and

Hormisdas [3]   728, 30   älterer Bruder *Adarnarses*

Hydra [2]   774, 41   *Antoninus* Liberalis 12

Hypatia   799, 41   (gest. 415 *n. Chr.*)

Hypatios [4]   801, 15   Konstantinopel am *18.1.* gegen

Hypatos [1]   802, 2   byzantines des *IX^c* et Xe siècles

Ignatios [2] Magister   925, 58   Graeca I, *1829*, 436–444

Imagines maiorum   946, 28 f.   (so zuletzt [*5. 2, 38*])

Intestatus   1048, 45   Recht (bis *1899*) galt

Iohannes [4] Chrysostomos   1059, 34 ff.   Seit 372 *ein asketisches Leben führend, kehrte I. 378 – gesundheitlich angeschlagen – nach Antiocheia zurück,* wurde

Iohannes [22]   1065, 18   **[22] I. Diaconus.** Verf. einer

Iohannes [23]   1065, 21   **[23] I. Diaconus.** Verf eines

Ionisch   1081, 21 f.   κούρη Δεινοδίκεω τοῦ

Iran   1101, 49   Meder (→ *Medoi*; Anfang 7. bis

Ischys   1119, 24   (Ἴσχυς)

Italien, Alphabetschriften   1164, 38   → *Iguvium*; Tabulae Iguvinae